Jan'06

A a

B β vita.

Γ γ

Λ δ

E ε

Z ζ

H η

Θ θ 9

I I

K κ

Λ ι

M μ (mi) (miu)

N v

Ξ ξ

O o

Π π

P ρ

Σ σς sigma

T τ (Tau) Taf.

Y u upsilon

Φ φ fi (phi)

X x hi (chi)

Ψ ψ psi

Ω w

Collins

Greek-English
Dictionary
Ελληνοαγγλικό
Λεξικό

Greek-English
Dictionary

Ελληνοαγγλικό
Λεξικό

Collins

An Imprint of HarperCollins*Publishers*

first edition 2003

© HarperCollins Publishers 2003

latest reprint 2003

HarperCollins Publishers
Westerhill Road, Bishopbriggs, Glasgow G64 2QT
Great Britain

www.collinsdictionaries.com

Collins® and Bank of English® are registered trademarks of
HarperCollins Publishers Limited

ISBN 0-00-470761-3

Express Publishing S.A.
9 MacMillan Street, Athens 111 44

Andrew Betsis ELT
31 Pyrgou, 18542 Pireas
Greece

ISBN 0-00-768798-2

Acknowledgements
We would like to acknowledge the assistance of the many
hundreds of individuals and companies who have kindly given
permission for copyright material to be used in the Bank of
English. The written sources include many national and regional
newspapers in Britain and overseas; magazine and periodical
publishers; and book publishers in Britain, the United States, and
Australia. Extensive spoken data has been provided by radio
and television broadcasting companies; research workers at
many universities and other institutions; and numerous
individual contributors. We are grateful to them all.

Note
Entered words that we have reason to believe constitute
trademarks have been designated as such. However, neither the
presence nor absence of such designation should be regarded
as affecting the legal status of any trademark.

A catalogue record for this book is available from the British Library

Typeset by Thomas Widmann
Supplement typeset by Wordcraft, Glasgow

Printed in Italy by Legoprint S.P.A.

Διεύθυνση Σύνταξης/Editorial Management
Jeremy Butterfield   Horst Kopleck   Maree Airlie

Υπεύθυνοι Συντάκτες/Senior Editors
Sotirios Tsioris   Frances Illingworth

Συνεργάτες/Contributors
Paraskevi Brunson   Mary Coulton   Susan Forbes
Konstantinos Karanikas   Tony Lyne   Juliet Ann Quincey
Aphrodite Sorotou   Constantina Yiokari
and
Daphne Day   Susie Beattie   Maggie Seaton   Alison Macaulay

Επιμελήτρια Σειράς/Series Editor
Lorna Sinclair Knight

Το παρόν είναι βασισμένο σε ελληνικό γλωσσικό υλικό από το Πανεπιστήμιο
Πατρών στην Ελλάδα, και συγκεκριμένα από τη Μονάδα Επεξεργασίας Λόγου
και Γλώσσας του Εργαστηρίου Ενσυρμάτου Τηλεπικοινωνίας, Τμήμα
Ηλεκτρολόγων Μηχανικών και Τεχνολογίας Υπολογιστών

Based on source material provided by the University of Patras, Greece,
Speech and Language Processing Unit of
the Wire Communications Laboratory (WCL),
Department of Electrical and Computer Engineering

ΠΕΡΙΕΧΟΜΕΝΑ   CONTENTS

ΕΙΣΑΓΩΓΗ

Είναι χαρά μας που αποφασίσατε να χρησιμοποιήσετε το **Ελληνοαγγλικό Λεξικό Collins**. Ελπίζουμε να το απολαύσετε και να ωφεληθείτε από τη χρήση του στο σπίτι, στη δουλειά ή στη μελέτη.

Αυτή η εισαγωγή σάς προσφέρει μερικές συμβουλές για το πώς να χρησιμοποιήσετε το λεξικό με τον καλύτερο δυνατό τρόπο, κάνοντας χρήση όχι μόνο του εκτεταμένου λημματολογίου του αλλά και των πληροφοριών που παρατίθενται σε κάθε λήμμα ξεχωριστά. Αυτό θα σας βοηθήσει να διαβάζετε και να καταλαβαίνετε Αγγλικά, καθώς και να επικοινωνείτε στη γλώσσα αυτή.

ΧΡΗΣΗ ΤΟΥ ΛΕΞΙΚΟΥ

Λήμματα

Το λήμμα είναι η λέξη που ψάχνετε στο λεξικό. Τα λήμματα δίδονται με αλφαβητική σειρά και είναι τυπωμένα με έντονους χαρακτήρες μπλε χρώματος για να ξεχωρίζουν. Κάθε λήμμα μπορεί να περιέχει και άλλες αναφορές (*εσωτερικά λήμματα*) όπως **φράσεις**, **(περι)φραστικές λέξεις** (π.χ. *φακοί επαφής*), **λεξιλογικές συνάψεις** (π.χ. *δευτεροβάθμια εκπαίδευση*), **ουσιαστικοποιημένους τύπους επιθέτων** (π.χ. *ιπτάμενος*), **τύπους ουσιαστικών στον πληθυντικό** (π.χ. *υπηρεσίες*) και **μεσοπαθητικούς τύπους** ρημάτων (π.χ. *χτενίζομαι*). Οι φράσεις, που δίνουν απαραίτητες πληροφορίες για τη χρήση των λέξεων, βρίσκονται κάθε μία σε ξεχωριστή γραμμή, είναι τυπωμένες με μικρότερους έντονους χαρακτήρες και έχουν ως ενδεικτικό ένα λευκό τρίγωνο (▷). Οι περιφραστικές λέξεις και οι λεξιλογικές συνάψεις είναι τυπωμένες με τους ίδιους έντονους χαρακτήρες όπως οι φράσεις και έχουν ως ενδεικτικό ένα μαύρο τρίγωνο (▶). Τα υπόλοιπα εσωτερικά λήμματα δίδονται με μπλε έντονους χαρακτήρες και έχουν ως ενδεικτικό ένα μπλε τρίγωνο (▶). Τα δύο λήμματα στο επάνω μέρος κάθε σελίδας δηλώνουν το πρώτο και το τελευταίο λήμμα της σελίδας αυτής.

Μεταφράσεις

Οι μεταφράσεις των λημμάτων είναι τυπωμένες με κανονικούς χαρακτήρες. Κατά κανόνα, μεταφράσεις που χωρίζονται με κόμμα μπορούν να θεωρηθούν ισοδύναμες για τη σημασία που δηλώνεται. Οι διαφορετικές σημασίες γενικά δηλώνονται με *δείκτη* (βλ. παρακάτω).

Δεν είναι πάντοτε δυνατό να δοθεί μια ακριβής μετάφραση, για παράδειγμα όταν η ελληνική λέξη δηλώνει ένα αντικείμενο ή έναν θεσμό που δεν υπάρχει στις αγγλόφωνες χώρες ή που υπάρχει με διαφορετική μορφή. Αν υπάρχει πολιτισμικά αντίστοιχη έννοια, τότε αυτή δίδεται με το σύμβολο (≈) πριν από τη μετάφραση. Αν δεν υπάρχει τέτοια αντίστοιχη έννοια, τότε δίδεται μια ερμηνεία για τη λέξη αυτή. Η ερμηνεία είναι τυπωμένη με πλάγιους χαρακτήρες.

Δείκτες

Ένας *δείκτης* αποτελεί μια πληροφορία για την ελληνική γλώσσα σχετικά με τη χρήση ενός λήμματος και βοηθά τον χρήστη στην επιλογή της πιο κατάλληλης μετάφρασης στα Αγγλικά.

Οι δείκτες δίνουν μια ιδέα για το γλωσσικό ή εξωγλωσσικό περιβάλλον ενός λήμματος ή δίνουν συνώνυμα, τα οποία εμφανίζονται μετά το σύμβολο (=). Τα συνώνυμα είναι τυπωμένα με πλάγιους χαρακτήρες και δίδονται εντός παρενθέσεως. Χαρακτηρισμοί λέξεων της καθομιλουμένης εμφανίζονται στην αρχή της σημασίας του λήμματος ή και μέσα στο λήμμα. Οι μεταφράσεις κανονικά αντιστοιχούν στο ύφος (π.χ. *οικείος*), στο είδος (π.χ. *αργκό*) και στον σχολιασμό (π.χ. *ειρωνικά*) της αγγλικής γλώσσας.

Λέξεις-κλειδιά

Κάποιες πολύ εύχρηστες λειτουργικές λέξεις, όπως "με" και "σε", καθώς επίσης και βασικά ρήματα, όπως "γίνομαι" και "κάνω", έχουν πολλές διαφορετικές χρήσεις και σημασίες και χρειάζονται ιδιαίτερη μεταχείριση. Τέτοιες λέξεις δίδονται μέσα σε πλαίσιο για να ξεχωρίζουν από το υπόλοιπο κείμενο. Οι λέξεις-κλειδιά εκτός από σημασίες και εσωτερικά λήμματα περιλαμβάνουν και **παραδείγματα**, τα οποία δείχνουν τη χρήση της μετάφρασης του λήμματος μες στον λόγο. Τα παραδείγματα είναι τυπωμένα με έντονους πλάγιους χαρακτήρες και έχουν ως ενδεικτικό έναν κύβο ( ).

Χρήση του "ή", της καθέτου και της παρένθεσης

Το διαζευκτικό "ή" χρησιμοποιείται στα εναλλακτικά μέρη μιας φράσης και της μετάφρασης ενός λήμματος ή φράσης. Η κάθετος χρησιμοποιείται στα μη εναλλακτικά μέρη μιας φράσης και στις μη εναλλακτικές επιλογές της μετάφρασης ενός λήμματος ή φράσης. Η παρένθεση χρησιμοποιείται για να δηλώσει προαιρετικά μέρη της φράσης και της μετάφρασης ενός λήμματος ή φράσης.

Αμερικανικές παραλλαγές

Αμερικανικές παραλλαγές στην ορθογραφία καθώς και αμερικανικοί τύποι γενικά δηλώνονται στη μετάφραση, π.χ. **colour/color, pavement/sidewalk**.

Σχόλια

Στο λεξικό επίσης περιλαμβάνονται σχόλια εντός πλαισίων σκιασμένων με μπλε χρώμα. Η χρήση τους είναι να ενημερώσουν τον χρήστη για τον σχηματισμό ανώμαλων τύπων πληθυντικού συγκεκριμένων ουσιαστικών, π.χ. **child/children**, καθώς και για τις περιπτώσεις εκείνες όπου η μετάφραση ενός ουσιαστικού λήγει σε -s αλλά συντάσσεται με ρήμα στον ενικό και όχι στον πληθυντικό, π.χ. **physics**. Επίσης, τα σχόλια ενημερώνουν τον χρήστη για την ορθογραφία των εθνικών επιθέτων με κεφαλαίο το αρχικό γράμμα στα Αγγλικά.

INTRODUCTION

We are delighted that you have decided to buy the **Collins Greek-English Dictionary** and hope that you will enjoy it and benefit from using it at home, at work or at your place of study.

This introduction gives you a few tips on how to get the most out of your dictionary – not simply from its comprehensive wordlist, but also from the information provided in each entry. This will help you to read and understand modern Greek, as well as to communicate and express yourself in the language.

USING THE DICTIONARY

Headwords

The headword is the word that you look up in a dictionary. Headwords are listed in alphabetical order, and printed in blue and in bold type so that they stand out on the page. Each headword may contain other material, such as phrases. Phrases, which show essential constructions and usage, are each given on a new line and are in smaller bold type and preceded by a white triangle (▷). Compounds are printed in black and are indicated by a black triangle (▶). Blue triangles (▶) in the text precede the middle passive form of the verb, lexicalized plurals and derivative nouns. The two headwords appearing at the top of each page indicate the first and last word dealt with on that page.

Translations

The translations of the headword are printed in ordinary roman type. As a rule, translations separated by a comma can be regarded as interchangeable for the meaning indicated. Different meaning splits are generally marked by an *indicator* (see below).

It is not always possible to give an exact translation equivalent, as for instance when the Greek word denotes an object or institution which does not exist, or exists in a different form in English-speaking countries. If an approximate equivalent exists, it is given preceded by ≈. If there is no cultural equivalent, a *gloss* is given to explain the source item. These glosses are given in italics.

Indicators

An *indicator* is a piece of information in Greek about the usage of the headword to guide you to the most appropriate translation in English.

Indicators give some idea of the contexts in which the headword might appear, or provide synonyms (preceded by the equals sign =) for the headword. They are printed in italic type and shown in brackets.

Colloquial and informal language in the dictionary is marked at the headword, or at the appropriate meaning. You should assume that the translations will match the source language in register.

Keywords

A number of very frequent function words, such as "με" and "σε", as well as basic verbs like "γίνομαι " and "κάνω", have so many meanings and uses that they require more detailed treatment. Examples show you how to use the translation in context and are in bold italic and preceded by a box (❏). These words are boxed off from the rest of the text.

Use of "ή", oblique and brackets

The word "ή" is used between interchangeable parts of a translation or Greek phrases; the oblique (/) is used between non-interchangeable alternatives in the translation or Greek phrase. Round brackets are used to show optional parts of the translation or Greek phrase.

American variants

American spelling variants and variant forms are generally shown at the translation where appropriate, e.g. **colour/color, pavement/sidewalk.**

Boxes

Shaded blue boxes have been give throughout the text to give users information about certain aspects of English usage. Boxes have been given to warn of irregular plurals in English translations, e.g. **child/children**, to point out translations which end in **-s** but are singular nouns and take a singular verb, e.g. **economics**, and to show where capital letters are used in English for the translation of Greek nationality adjectives.

αεροπορία	*ΑΕΡΟΠ*	aviation
αθλητισμός	*ΑΘΛ*	sports
αιτιατική	*αιτ.*	accusative
άκλιτος	*ΑΚΛ*	invariable
αμερικανική παραλλαγή	*Αμερ.*	American
ανατομία	*ΑΝΑΤ*	anatomy
ανεπίσημος	*ανεπ.*	informal
αντιθετικός	*ΑΝΤΙΘ*	adversative
αντωνυμία	*ΑΝΤΩΝ*	pronoun
αόριστος	*αόρ.*	past tense
αόριστος	*ΑΟΡΙΣΤ*	indefinite
αποθετικό	*ΑΠΟΘ*	deponent
απόλυτος	*ΑΠΟΛ*	cardinal
απρόσωπο	*ΑΠΡΟΣ*	impersonal
αργκό	*αργκ.*	slang
άρθρο	*ΑΡΘΡ*	article
αριθμητικό	*ΑΡΙΘ*	numeral
αρνητικός	*αρνητ.*	disapproving
αρσενικό	*ΑΡΣ*	masculine
αρχαιολογία	*ΑΡΧΑΙΟΛ*	archaeology
αρχαία ιστορία	*ΑΡΧ ΙΣΤ*	ancient history
αρχιτεκτονική	*ΑΡΧΙΤ*	architecture
αστρολογία	*ΑΣΤΡΟΛ*	astrology
αστρονομία	*ΑΣΤΡΟΝ*	astronomy
αυτοκίνητο	*ΑΥΤΟΚΙΝ*	automobile
βιολογία	*ΒΙΟΛ*	biology
βιομηχανία	*ΒΙΟΜΗΧ*	industry
βιοχημεία	*ΒΙΟΧΗΜ*	biochemistry
βοηθητικό	*ΒΟΗΘ*	auxiliary
βοτανική	*ΒΟΤ*	botany
βρετανικός τύπος	*Βρετ.*	British
γενική	*γεν.*	genitive
γενικότερα	*γενικότ.*	generally
γεωγραφία	*ΓΕΩΓΡ*	geography
γεωλογία	*ΓΕΩΛ*	geology
γεωμετρία	*ΓΕΩΜ*	geometry
γεωργία	*ΓΕΩΡΓ*	agriculture
γλωσσολογία	*ΓΛΩΣΣ*	linguistics
γυμναστική	*ΓΥΜΝΑΣΤ*	gymnastics
δεικτικός	*ΔΕΙΚΤ*	demonstrative
διοίκηση	*ΔΙΟΙΚ*	administration
ειρωνικά	*ειρων.*	ironical
ελλειπτικός	*ΕΛΛΕΙΠΤ*	defective
εμπόριο	*ΕΜΠΟΡ*	commerce
ενικός	*ΕΝ, εν.*	singular
ενεστώτας	*ενεστ.*	present tense
επίθετο	*ΕΠΙΘ*	adjective
επίρρημα	*ΕΠΙΡΡ*	adverb
επίσημος	*επίσ.*	formal
επιστημονικός	*επιστ.*	specialist term
επιφώνημα	*ΕΠΙΦΩΝ*	exclamation

ερωτηματικός	*ΕΡΩΤ*	interrogative
ευφημισμός	*ευφημ.*	euphemism
ζωολογία	*ΖΩΟΛ*	zoology
ηλεκτρολογία	*ΗΛΕΚΤΡ*	electricity
θέατρο	*ΘΕΑΤΡ*	theatre
θηλυκό	*ΘΗΛ*	feminine
θρησκεία	*ΘΡΗΣΚ*	religion
ιατρική	*ΙΑΤΡ*	medicine
ιστορία	*ΙΣΤ*	history
καταχρηστικά	*καταχρ.*	misused
κατηγορηματικός	*κατηγορημ.*	predicative
κατηγορούμενο	*κατηγορ.*	predicate
κινηματογράφος	*ΚΙΝΗΜ*	cinema
κλητική	*κλητ.*	vocative
κοινωνιολογία	*ΚΟΙΝΩΝ*	sociology
κοροϊδευτικά	*κοροϊδ.*	derisive
κάποιον	*κπν*	somebody
κάποιου	*κποιου*	somebody's
κάποιος	*κπς*	somebody
κάτι	*κτ*	something
κτητικός	*ΚΤΗΤ*	possessive
κυρίως	*κυρ.*	mainly
κυριολεκτικά	*κυριολ.*	literal
λαογραφία	*ΛΑΟΓΡ*	folklore
λογοτεχνία	*ΛΟΓ*	literature
λογοτεχνικός	*λογοτ.*	literary
μαγειρική	*ΜΑΓΕΙΡ*	culinary
μέλλοντας	*μέλλ.*	future tense
μεσοπαθητικός	*ΜΕΣΟΠΑΘ*	middle-passive
μετεωρολογία	*ΜΕΤΕΩΡ*	meteorology
μετωνυμία	*μετωνυμ.*	metonymy
μειωτικός	*μειωτ.*	derogatory
μηχανολογία	*ΜΗΧΑΝ*	engineering
μεταφορικά	*μτφ.*	figurative
μετοχή	*ΜΤΧ, μτχ.*	participle
μόριο	*ΜΟΡ*	particle
μουσική	*ΜΟΥΣ*	music
μυθολογία	*ΜΥΘΟΛ*	mythology
ναυτικός	*ΝΑΥΤ*	nautical
νομική	*ΝΟΜ*	law
οικείος	*οικ.*	familiar
οικονομία	*ΟΙΚΟΝ*	economics
ονομαστική	*ον.*	nominative
οριστικός	*ΟΡΙΣΤ*	definite
ουδέτερο	*ΟΥΔ, ουδ.*	neuter
ουσιαστικό	*ΟΥΣ*	noun
παθητικός	*παθ.*	passive
παλαιότερα	*παλαιότ.*	formerly
πανεπιστήμιο	*ΠΑΝΕΠ*	university
παρακείμενος	*παρακ.*	present perfect
παρατατικός	*παρατ.*	imperfect tense

παροιμία	*παροιμ.*	proverbial
πληθυντικός	*ΠΛΗΘ, πληθ.*	plural
πληροφορική	*ΠΛΗΡΟΦ*	computers/information technology
ποίηση	*ΠΟΙΗΣ*	poetry
πολιτική	*ΠΟΛΙΤ*	politics
πρόθεση	*ΠΡΟΘ*	preposition
πρόθημα	*ΠΡΟΘΗΜ*	prefix
προσωπικός	*ΠΡΟΣ*	personal
προστακτική	*ΠΡΟΣΤ*	imperative
προφορικός	*προφορ.*	spoken
ρήμα	*Ρ*	verb
ραδιόφωνο	*ΡΑΔΙΟΦ*	radio
ρήμα αμετάβατο	*Ρ ΑΜ*	intransitive verb
ρήμα μεταβατικό	*Ρ Μ*	transitive verb
σπάνιος	*σπάν.*	rare
στατιστική	*ΣΤΑΤ*	statistics
στρατιωτικός	*ΣΤΡΑΤ*	military
σύνδεσμος	*ΣΥΝΔ*	conjunction
συνδετικό ρήμα	*ΣΥΝΔΕΤ*	link verb
συνήθως	*συνήθ.*	usually
συντομογραφία	*ΣΥΝΤΟΜ*	abbreviation
σχολείο	*ΣΧΟΛ*	school
τακτικό αριθ	*ΤΑΚΤ*	ordinal
τέχνη	*ΤΕΧΝ*	art
τεχνολογία	*ΤΕΧΝΟΛ*	technology
τηλεόραση	*ΤΗΛΕΟΡ*	TV
τριτοπρόσωπο	*ΤΡΙΤΟΠΡΟΣ*	3rd person
τυπογραφία	*ΤΥΠΟΓΡ*	typography
υβριστικός,-ά	*υβρ.*	abusive
υποκοριστικός	*υποκορ.*	diminutive
φαρμακευτική	*ΦΑΡΜ*	pharmaceutics
φιλολογία	*ΦΙΛΟΛ*	philology
φιλοσοφία	*ΦΙΛΟΣ*	philosophy
φυσική	*ΦΥΣ*	physics
φυσιολογία	*ΦΥΣΙΟΛ*	physiology
φωτογραφία	*ΦΩΤΟΓΡ*	photography
χαϊδευτικά	*χαϊδευτ.*	affectionately
χημεία	*ΧΗΜ*	chemistry
χιουμοριστικός,-ά	*χιουμορ.*	humorous
χρονικός	*ΧΡΟΝ*	temporal
χυδαίος	*χυδ.*	vulgar
ψυχολογία	*ΨΥΧΟΛ*	psychology

somebody	sb	κάποιος
something	sth	κάτι

A α

A, α alpha, *first letter of the Greek alphabet*
▷ **α΄** 1
▷ **,α** 1,000

Α. ΣΥΝΤΟΜ Ε

αβαθής, -ής, -ές ΕΠΙΘ (α) (= ρηχός: νερά) shallow (β) (μτφ.: ιδέα, σκέψη) superficial

αβάντα ΟΥΣ ΘΗΛ (α) (προφορ.: = υποστήριξη) backing (β) (= όφελος) advantage

αβανταδόρος ΟΥΣ ΑΡΣ (α) (= ριψοκίνδυνος) adventurer (β) (για χαρτοπαίγνιο) accomplice

αβάπτιστος, -η, -ο ΕΠΙΘ (= που δεν βαπτίστηκε) unbaptized

αβαρία ΟΥΣ ΘΗΛ (α) (για πλοίο: = απόρριψη μέρους του φορτίου) jettisoning (β) (= ζημία) damage χωρίς πληθ. (γ) (= συμβιβασμός, παραχώρηση) concession, compromise

αβασάνιστα ΕΠΙΡΡ (= απερίσκεπτα) unthinkingly

αβασάνιστος, -η, -ο ΕΠΙΘ (= απερίσκεπτος, ανεξέλεγκτος: λόγος, απόφαση, ενέργεια) rash

αβασίλευτος, -η, -ο ΕΠΙΘ (α) (δημοκρατία) not governed by a monarch (β) (ήλιος, φεγγάρι) not set (γ) (μτφ.: δόξα, χαρά) boundless

αβάσιμος, -η, -ο ΕΠΙΘ (επιχείρημα, άποψη, λόγος, κατηγορία) groundless

αβασκαίνω Ρ Μ (= ματιάζω) to give the evil eye
▷ **να μην αβασκαθείς!** look after yourself!

αβάσταχτος, -η, -ο ΕΠΙΘ (= ανυπόφορος: πόνος, στενοχώρια) unbearable · (επιθυμία) irresistible

άβατος, -η, -ο ΕΠΙΘ (α) (= αδιάβατος: μονοπάτι) impassable (β) (= απροσπέλαστος: μοναστήρι) inaccessible

άβαφος, -η, -ο ΕΠΙΘ (α) (πόρτα, τοίχος) unpainted, not painted (β) (για γυναίκα) not wearing make-up, not made-up

αβάφτιστος, -η, -ο ΕΠΙΘ = **αβάπτιστος**

αββαείο ΟΥΣ ΟΥΔ abbey

άβγαλτος, -η, -ο ΕΠΙΘ (= αθώος) innocent

αβγατίζω, αβγαταίνω (ανεπ.) Ρ Μ/ΑΜ (= αυξάνω) to increase

αβγό ΟΥΣ ΟΥΔ egg
▷ **μελάτο αυγό** soft–boiled egg

αβγοθήκη ΟΥΣ ΘΗΛ eggcup

αβγοκόβω Ρ Μ (σούπα) to add egg and lemon sauce to

αβγολέμονο ΟΥΣ ΟΥΔ egg and lemon sauce

αβγοτάραχο ΟΥΣ ΟΥΔ fish roe

αβδέλλα ΟΥΣ ΘΗΛ = **βδέλλα**

αβέβαιος, -η, -ο ΕΠΙΘ (μέλλον, επιτυχία) uncertain · (κατάσταση) unclear

αβεβαιότητα ΟΥΣ ΘΗΛ (= αμφιβολία) uncertainty

αβέρτα ΕΠΙΡΡ (= απεριόριστα) liberally

αβίαστα ΕΠΙΡΡ (= φυσικά) effortlessly

αβίαστος, -η, -ο ΕΠΙΘ (α) (γέλιο) unconstrained · (συνειρμός, συμπέρασμα) natural (β) (ενέργεια) effortless

αβιταμίνωση ΟΥΣ ΘΗΛ (= έλλειψη βιταμινών) vitamin deficiency, avitaminosis (επιστ.)

αβίωτος, -η, -ο ΕΠΙΘ: **βίος αβίωτος** unbearable life

αβλαβής, -ής, -ές ΕΠΙΘ (α) (= που δεν έπαθε κακό) unharmed (β) (= που δεν προξενεί κακό/βλάβη) harmless
▷ **σώος και αβλαβής** safe and sound

αβλεψία ΟΥΣ ΘΗΛ (= απροσεξία, αμέλεια) oversight

αβοήθητος, -η, -ο ΕΠΙΘ helpless

αβοκάντο ΟΥΣ ΟΥΔ ΑΚΛ (φρούτο) avocado

Προσοχή!: Ο πληθυντικός του **avocado** *είναι* **avocados.**

άβολος, -η, -ο ΕΠΙΘ (α) (= δύστροπος, απροσάρμοστος) awkward (β) (έπιπλο, ρούχο) uncomfortable (γ) (ώρες) inconvenient (δ) (κατάσταση) awkward

αβοτάνιστος, -η, -ο ΕΠΙΘ (κήπος) not weeded

αβουλία ΟΥΣ ΘΗΛ (= έλλειψη βούλησης) indecision

άβουλος, -η, -ο ΕΠΙΘ (= χωρίς πρωτοβουλία) irresolute, indecisive

αβούρτσιστος, -η, -ο ΕΠΙΘ not brushed

άβραστος, -η, -ο ΕΠΙΘ (α) (= ωμός: για φαγητό) uncooked (β) (= μισοβρασμένος) undercooked

άβρεχτος, -η, -ο ΕΠΙΘ not wet

αβρός, -ή, -ό ΕΠΙΘ (= τρυφερός) tender, affectionate · (= ευγενικός) polite · (= εκλεπτυσμένος) refined, polished

αβρότητα ΟΥΣ ΘΗΛ (= ευγένεια, λεπτότητα) politeness, courtesy

A

αβροφροσύνη ΟΥΣ ΘΗΛ *βλ.* **αβρότητα**

αβυσσαλέος, -α, -ο ΕΠΙΘ (α) (= *χαώδης*) bottomless (β) (*μτφ.*: = *καταχθόνιος*) deep

άβυσσος ΟΥΣ ΘΗΛ abyss

αγαθιάρης, -α, -ικο ΕΠΙΘ (= *αφελής*) gullible, naive

αγαθό ΟΥΣ ΟΥΔ (α) (= *καλό*) good (β) (= *καθετί που δίνει ευχαρίστηση*) commodity
► αγαθά ΠΛΗΘ (= *περιουσία*) fortune *εν.*
▷ **δημόσια αγαθά** public property
▷ **καταναλωτικά αγαθά** consumer goods
▷ **καταναλωτικά αγαθά** consumer goods
▷ **υλικά αγαθά** material possessions

αγαθοεργία ΟΥΣ ΘΗΛ (= *φιλανθρωπία*) charity

αγαθοεργός, -ός, -ό ΕΠΙΘ (= *φιλάνθρωπος*) charitable

αγαθός, -ή, -ό ΕΠΙΘ (α) (= *ενάρετος*) decent, good (β) (= *αφελής, απλοϊκός*) gullible, naive (γ) (*πρόθεση, διάθεση*) simple

αγαθότητα ΟΥΣ ΘΗΛ (= *καλοσύνη*) goodness

αγαθοφέρνω Ρ ΑΜ (= *φαίνομαι αφελής*) to appear gullible

αγαλβάνιστος, -η, -ο ΕΠΙΘ (*αλυσίδα, σκεύος*) ungalvanized

αγάλι(α) ΕΠΙΡΡ (*λογοτ.*: = *σιγά-σιγά*) slowly

αγαλλιάζω ① Ρ Μ (= *ευφραίνω*) to fill with joy, to delight
② Ρ ΑΜ to rejoice

αγαλλίαση ΟΥΣ ΘΗΛ (= *ευφροσύνη*) joy, delight

αγάλλομαι (*λογοτ.*) Ρ ΑΜ ΑΠΟΘ (= *ευχαριστιέμαι*) to be delighted

άγαλμα ΟΥΣ ΟΥΔ statue

αγαλματένιος, -ια, -ιο ΕΠΙΘ (*κορμί, σώμα*) statuesque

αγαλματίδιο ΟΥΣ ΟΥΔ (= *μικρό άγαλμα*) statuette

αγαμία ΟΥΣ ΘΗΛ celibacy

άγαμος, -η, -ο ΕΠΙΘ unmarried

αγανάκτηση ΟΥΣ ΘΗΛ (= *οργή, θυμός*) anger, outrage
▷ **λαϊκή αγανάκτηση** public anger *ή* outrage

αγανακτώ Ρ ΑΜ (α) (= *οργίζομαι*) to be angry (β) (= *κουράζομαι υπερβολικά*) to be worn out, to be exhausted

αγάπη ΟΥΣ ΘΗΛ love
▷ **αδελφική αγάπη** brotherly love
▷ **μητρική αγάπη** maternal love
▷ **είμαστε στις αγάπες μας** (*για περίοδο καλών σχέσεων*) to be going through the honeymoon period
▷ **τρελή αγάπη** mad love
▷ **όλο αγάπες και λουλούδια** all hearts and flowers
▷ **η Αγάπη** (ΘΡΗΣΚ) Agape (*επιστ.*), Christian love

αγαπημένη ΟΥΣ ΘΗΛ *βλ.* **αγαπημένος**

αγαπημένος, -η, -ο ① ΕΠΙΘ (α) (*μητέρα, κόρη*) dear (β) (*τραγούδι, φαγητό*) favourite (*Βρετ.*), favorite (*Αμερ.*)
② ΟΥΣ (= *εραστής*) boyfriend · (= *ερωμένη*) girlfriend

▷ **αγαπημένε/αγαπημένη μου!** my darling!

αγαπησιάρης, -α, -ικο ΕΠΙΘ (= *επιρρεπής στον έρωτα*) amorous

αγαπητικιά ΟΥΣ ΘΗΛ *βλ.* **αγαπητικός**

αγαπητικός ΟΥΣ ΑΡΣ (*προφορ.*: = *εραστής*) lover

αγαπητός, -ή, -ό ΕΠΙΘ (*για πρόσ.*: = *συμπαθής*) dear
▷ **αγαπητέ μου!** my dear!

αγαπώ Ρ Μ to love

άγαρμπος, -η, -ο ΕΠΙΘ (α) (= *αδέξιος: κίνηση*) awkward · (*άνθρωπος*) awkward, ungainly (β) (*αστείο*) nasty

αγάς ΟΥΣ ΑΡΣ (α) (= *Τούρκος αξιωματούχος*) aga, agha (β) (*μτφ.*: = *δεσποτικός, αυταρχικός*) tyrant, despot

αγγαρεία ΟΥΣ ΘΗΛ (α) (= *δυσάρεστη υποχρέωση*) chore (β) (= *καταναγκαστική εργασία*) forced labour (*Βρετ.*) *ή* labor (*Αμερ.*) (γ) (= *στρατιωτική (άοπλη) υπηρεσία*) fatigue duty
▷ **στολή αγγαρείας** fatigues *πληθ.*

αγγαρεύω Ρ Μ (= *φορτώνω*) to make do

αγγειακός, -ή, -ό ΕΠΙΘ (*νόσημα, πάθηση, βλάβη*) vascular
▷ **αγγειακό σύστημα** vascular system

αγγείο ΟΥΣ ΟΥΔ (α) (= *σκεύος από πηλό*) pot, jar (β) (ΑΝΑΤ) vessel
▷ **αιμοφόρα αγγεία** blood vessel

αγγειογραφία ΟΥΣ ΘΗΛ (ΤΕΧΝ) decorating pot

αγγειοπλάστης ΟΥΣ ΑΡΣ potter

αγγειοπλαστική ΟΥΣ ΘΗΛ (= *κεραμική*) pottery

αγγειοχειρουργός ΟΥΣ ΑΡΣΘΗΛ vascular surgeon

αγγελία ΟΥΣ ΘΗΛ (α) (*επίσ.*: = *αναγγελία*) announcement (β) (*κηδείας, διαγωνισμού*) notification
▷ **μικρές αγγελίες** classified advertisements *ή* ads (*ανεπ.*), small ads (*Βρετ.*) (*ανεπ.*)
▷ **δημοσιεύω ή βάζω αγγελία (σε εφημερίδα)** to put an advertisement *ή* ad (*ανεπ.*) in the paper

αγγελιαφόρος ΟΥΣ ΑΡΣΘΗΛ courier, dispatch rider

αγγελικός, -ή, -ό ΕΠΙΘ angelic

αγγελιοφόρος ΟΥΣ ΑΡΣΘΗΛ = **αγγελιαφόρος**

αγγέλλω Ρ Μ = **αναγγέλλω**

άγγελμα ΟΥΣ ΟΥΔ (α) (*επίσ.*: = *ανακοίνωση είδησης*) news *εν.*

Προσοχή!: Αν και το **news** φαίνεται ως τύπος πληθυντικού, είναι ουσιαστικό μόνο στον ενικό και συντάσσεται με ρήμα στον ενικό.

(β) (= *προμήνυμα: ευτυχίας, συμφοράς*) sign

αγγελόμορφος, -η, -ο ΕΠΙΘ angelic

άγγελος ΟΥΣ ΑΡΣ (α) (ΘΡΗΣΚ) angel (β) (= *καλός: για πρόσ.*) angel (γ) (= *αγγελιοφόρος αρχαίου δράματος*) messenger

▷**φύλακας άγγελος** (= *προστάτης*) guardian angel
▷**ο καλός μου άγγελος** my guardian angel
▷**άγγελέ μου!** (*προσφώνηση*) sweetheart!
αγγελούδι ΟΥΣ ΟΥΔ cherub

> *Προσοχή!: Ο πληθυντικός του* **cherub** *είναι* **cherubs** *ή* **cherubim**.

▷**κοιμάται σαν αγγελούδι** (*για παιδί ή μωρό*: = *κοιμάται ήσυχα*) he's sleeping like a little angel
αγγελτήριο ΟΥΣ ΟΥΔ (*γάμου, κηδείας, μνημόσυνου*) notice
άγγιγμα ΟΥΣ ΟΥΔ touch
▷**με το πρώτο/παραμικρό άγγιγμα** at the first/slightest touch
αγγίζω Ρ Μ (α) (*επίσης* **εγγίζω**: = *ακουμπώ: χείλη, δέρμα, μηχάνημα*) to touch ·
(= *ψηλαφώ*) to feel (β) (*επίσης* **εγγίζω**: = *πλησιάζω: όρια, υπερβολή, τρέλα*) to border on (γ) (*μτφ.*: = *επηρεάζω*) to affect
(δ) (= *δοκιμάζω: ποτό, φαγητό*) to touch
(ε) (= *θίγω: θέμα, πρόβλημα*) to touch on
(στ) (= *συγκινώ: λόγια, πράξεις, ταινία*) to touch (ζ) (= *κάνω κακό*) to touch
Αγγλία ΟΥΣ ΘΗΛ England
Αγγλίδα ΟΥΣ ΘΗΛ Englishwoman

> *Προσοχή!: Ο πληθυντικός του* **Englishwoman** *είναι* **Englishwomen**.

αγγλικανή ΟΥΣ ΘΗΛ *βλ.* **αγγλικανός**
αγγλικανικός, -ή, -ό ΕΠΙΘ (*εκκλησία*) Anglican
αγγλικανός ΟΥΣ ΑΡΣ Anglican
αγγλικός, -ή, -ό ΕΠΙΘ English

> *Προσοχή!: Τα εθνικά επίθετα, όπως* **English**, *γράφονται με κεφαλαίο το αρχικό γράμμα στα Αγγλικά.*

▸ **Αγγλικά** ΟΥΣ ΟΥΔ ΠΛΗΘ, **Αγγλική** ΟΥΣ ΘΗΛ English
αγγλισμός ΟΥΣ ΑΡΣ anglicism
αγγλομαθής, -ής, -ές ΕΠΙΘ English–speaking
Άγγλος ΟΥΣ ΑΡΣ Englishman

> *Προσοχή!: Ο πληθυντικός του* **Englishman** *είναι* **Englishmen**.

▷**οι Άγγλοι** the English
Αγγλοσάξονας ΟΥΣ ΑΡΣ⊕ΘΗΛ Anglo–Saxon
αγγλοσαξονικός, -ή, -ό ΕΠΙΘ Anglo–Saxon

> *Προσοχή!: Τα εθνικά επίθετα, όπως* **Anglo–Saxon**, *γράφονται με κεφαλαίο το αρχικό γράμμα στα Αγγλικά.*

αγγλόφιλος, -η, -ο ΕΠΙΘ (*κυβέρνηση, κόμμα*) Anglophile · (*πολιτική*) pro–English
αγγλόφωνος, -η, -ο ΕΠΙΘ (α) (*χώρα, πληθυσμός*) English–speaking
(β) (*λογοτεχνία*) English–language

αγγούρι ΟΥΣ ΟΥΔ (α) cucumber (β) (*αργκ.*: = *κάτι δύσκολο*) stinker (*ανεπ.*)
αγελάδα ΟΥΣ ΘΗΛ cow
▷**(περίοδος/ημέρες) ισχνών αγελάδων** lean times/days
αγελαδινός, -ή, -ό ΕΠΙΘ (*γάλα*) cow's
▷**αγελαδινό κρέας** beef
▷**αγελαδινό γιαούρτι** cow's–milk yoghurt
αγελαδοτρόφος ΟΥΣ ΑΡΣ (*επάγγελμα*) cattle farmer
αγελαίος, -α, -ο ΕΠΙΘ (α) (*ζώο*) gregarious (β) (*μτφ.*: = *χυδαίος: σκέψη, άνθρωπος*) vulgar
αγέλαστος, -η, -ο ΕΠΙΘ (= *σκυθρωπός: άνθρωπος*) glum · (*πρόσωπο*) unsmiling, glum
αγέλη ΟΥΣ ΘΗΛ herd
αγέμιστος, -η, -ο ΕΠΙΘ (α) (= *άδειος: όπλο*) unloaded (β) (= *χωρίς γέμιση: στρώμα, μαξιλάρι, ντομάτα*) not stuffed
αγένεια ΟΥΣ ΘΗΛ rudeness
αγενής, -ής, -ές ΕΠΙΘ (*άνθρωπος, συμπεριφορά*) rude, impolite · (*μέταλλο*) base
αγέννητος, -η, -ο ΕΠΙΘ unborn
αγέρας (*λογοτ.*) ΟΥΣ ΑΡΣ (= *ατμόσφαιρα*) air · (= *άνεμος*) wind
αγέραστος, -η, -ο ΕΠΙΘ ageless
αγέρι ΟΥΣ ΟΥΔ (*λογοτ.*) breeze
αγέρωχος, -η, -ο ΕΠΙΘ (= *υπερήφανος: ύφος, χαρακτήρας*) haughty, arrogant
άγευστος, -η, -ο ΕΠΙΘ (= *άνοστος: φαγητό*) tasteless
αγεφύρωτος, -η, -ο ΕΠΙΘ (*χάσμα*) unbridgable
αγεωγράφητος, -η, -ο ΕΠΙΘ useless at geography
άγημα ΟΥΣ ΟΥΔ (ΣΤΡΑΤ) landing party
αγιάζι ΟΥΣ ΟΥΔ ΑΚΛ (*προφορ.*: = *διαπεραστική υγρασία*) bitter cold
αγιάζω ⓵ Ρ Μ (= *ραντίζω με αγιασμό: ιερέας, πιστός*) to bless
⓶ Ρ ΑΜ (= *γίνομαι άγιος: μάρτυρας*) to be made a saint
▷**να αγιάσουν τα πεθαμένα σου** (*προφορ.*: = *να συγχωρεθούν οι αμαρτίες σου*) may your sins be forgiven
αγίασμα ΟΥΣ ΟΥΔ (= *αγιασμός, αγιασμένο ύδωρ*) holy water
αγιασμός ΟΥΣ ΑΡΣ (α) (= *αγιασμένο ύδωρ*) holy water (β) (= *καθαγιασμός: νερών, σπιτιού*) blessing (γ) (= *αγιοποίηση: ψυχής, σώματος, ανθρώπου*) sanctification
αγιαστούρα ΟΥΣ ΘΗΛ (*προφ/ανεπ.*: = *δέσμη βασιλικού με την οποία ο ιερέας ραντίζει με αγιασμό*) sprinkler (*used by priest when sprinkling holy water*)
αγιάτρευτος, -η, -ο ΕΠΙΘ (α) (*ασθένεια*) incurable (β) (*μτφ.: καημός, πόνος*) hopeless
αγίνωτος, -η, -ο ΕΠΙΘ (α) (= *άγουρος: φρούτο, καρπός*) unripe (β) (= *άψητος: πίτα,*

φαγητό) not ready, uncooked

Αγιοβασίλης ΟΥΣ ΑΡΣ (προφορ.) = **Άγιος Βασίλειος**

αγιοβασιλιάτικος, -η, -ο ΕΠΙΘ (α) (δώρα, πίτα, γλυκό) New Year's (β) (μτφ.: = ευτελής: κασετόφωνο, ρολόι) trashy (ανεπ.)

αγιογδύτης ΟΥΣ ΑΡΣ (υβρ.: = απατεώνας) crook, swindler

αγιογραφία ΟΥΣ ΘΗΛ (α) (ΤΕΧΝ) religious painting (β) (= εικόνα αγίου) icon

αγιογράφος ΟΥΣ ΑΡΣ/ΘΗΛ painter of religious icons

αγιοκέρι ΟΥΣ ΟΥΔ (= κερί εκκλησίας) church candle

αγιόκλημα ΟΥΣ ΟΥΔ honeysuckle

άγιος¹, -ία ή -α, -ο ΕΠΙΘ holy
▷ **άγιος άνθρωπος** saintly man
► **το άγιο βήμα** the sanctuary
► **η Αγία Γραφή** the Holy Scriptures
► **το Άγιο Πνεύμα** the Holy Ghost, the Holy Spirit
► **ο Άγιος Τάφος** the Holy Sepulchre
► **η αγία τράπεζα** the altar

άγιος² ΟΥΣ ΑΡΣ saint
▷ **ακόμα και άγιο κολάζει** (για γυναίκα) even a saint would be tempted
▷ **κάνω τον άγιο** to come the innocent
▷ **μα τον άγιο!** (προφορ.) come what may!
▷ **έχω άγιο** (προφορ.) he must have a guardian angel

Άγιος Βασίλειος ΟΥΣ ΑΡΣ Saint Basil

αγιοσύνη ΟΥΣ ΘΗΛ (α) (= αγιότητα) holiness, saintliness (β) (= προσηγορία επισκόπου) Father

αγιότητα ΟΥΣ ΘΗΛ (α) (= η ιδιότητα του αγίου) holiness, saintliness (β) (= προσηγορία επισκόπου) Father

αγκαζάρω Ρ Μ (α) (αυτοκίνητο) to hire · (εισιτήρια) to book, to reserve (β) (καλλιτέχνη, καλεσμένο) to book

αγκαζέ ΕΠΙΡΡ (πιάνω) arm in arm
▷ **το τραπέζι είναι αγκαζέ** (σε εστιατόρια) the table is reserved

αγκαθερός, -ή, -ό ΕΠΙΘ = **αγκαθωτός**

αγκάθι ΟΥΣ ΟΥΔ (α) (φυτού) thorn, prickle (β) (σκαντζόχοιρου) spine, prickle (γ) (ψαριού) bone (δ) (μτφ.: = δυσκολία) thorn in the side
▷ **από ρόδο βγαίνει αγκάθι κι απ' αγκάθι βγαίνει ρόδο** (παροιμ.) there's no rose without thorns
▷ **ξυπόλητος στα αγκάθια** completely unprepared

αγκαθωτός, -ή, -ό ΕΠΙΘ (α) (θάμνος, κλαδί) thorny, prickly (β) (= αιχμηρός) prickly
► **αγκαθωτό σύρμα** barbed wire

αγκάλη ΟΥΣ ΘΗΛ (λογοτ.) embrace
▷ **περιμένω κπν με ανοιχτές αγκάλες** to be looking forward to seeing sb · βλ. κ. **αγκαλιά**

αγκαλιά¹ ΟΥΣ ΘΗΛ (α) (ανθρώπου) arms πληθ. (β) (μτφ.: θάλασσας, γης) embrace

(γ) (= αγκάλιασμα) hug, cuddle
(δ) (= ποσότητα που χωράει σε μια αγκαλιά: λουλούδια) armful
▷ **έχω ή κρατάω κπν στην αγκαλιά μου** to hold sb in one's arms
▷ **σφίγγω κπν στην αγκαλιά μου** to hold sb tightly, to clasp sb
▷ **πέφτω στην αγκαλιά κποιου** to fall into sb's arms
▷ **ανοίγω την αγκαλιά σε κπν** to open one's arms to sb
▷ **θέλει αγκαλιά** (για βρέφος, νήπιο) he needs a cuddle

αγκαλιά² ΕΠΙΡΡ (α) (= στην αγκαλιά: κρατάω, έχω) in one's arms (β) (= αγκαλιαστά: κοιμάμαι) in each other's arms · (περπατάω) arm in arm
▷ **αγκαλιά με κπν** in sb's arms

αγκαλιάζω Ρ Μ (α) (= σφίγγω στο στήθος μου) to hug (β) (μτφ.: = περιβάλλω με στοργή) to embrace

αγκάλιασμα ΟΥΣ ΟΥΔ embrace
▷ **ερωτικό αγκάλιασμα** a lover's embrace

αγκίδα ΟΥΣ ΘΗΛ, **αγκίθα** (= μικρή, μυτερή σχίζα από ξύλο) splinter

αγκινάρα ΟΥΣ ΘΗΛ artichoke

αγκίστρι ΟΥΣ ΟΥΔ (fish) hook · (μτφ.) bait
▷ **πιάνω κν στο αγκίστρι μου** (= παγιδεύω) to get one's hooks into sb

άγκιστρο ΟΥΣ ΟΥΔ (= γάντζος) hook

αγκιστρώνω Ρ Μ (= πιάνω με το αγκίστρι: δόλωμα, ψάρι) to hook

αγκλέουρας (οικ.) ΟΥΣ ΑΡΣ = **αγλέουρας**

Αγκόλα ΟΥΣ ΘΗΛ Angola

αγκομαχητό ΟΥΣ ΟΥΔ (= βαριανάσασμα, βογκητό) heavy breathing

αγκομαχώ Ρ ΑΜ (α) (= βαριανασαίνω: άνθρωπος) to puff and pant, to struggle for breath (β) (= βογκάω) to sigh (γ) (αυτοκίνητο, μηχανή, κινητήρας) to splutter

αγκράφα ΟΥΣ ΘΗΛ (ζώνης) buckle

αγκύλη ΟΥΣ ΘΗΛ (= κλείδωση) joint
► **τετράγωνες αγκύλες** square brackets

αγκυλωμένος, -η, -ο ΕΠΙΘ (α) (= που έχει πάθει αγκύλωση) stiff (β) (μτφ.) sclerotic, ossified

αγκυλώνω Ρ Μ (α) (αγκάθι, βελόνα) to prick · (γένια) to prickle (β) (μτφ.: = πειράζω, πληγώνω) to hurt

αγκύλωση ΟΥΣ ΘΗΛ ankylosis, stiffness

αγκυλωτός, -ή, -ό ΕΠΙΘ (= που αγκυλώνει) prickly
► **αγκυλωτός σταυρός** swastika

Άγκυρα ΟΥΣ ΘΗΛ Ankara

άγκυρα ΟΥΣ ΘΗΛ anchor
▷ **ρίχνω/σηκώνω άγκυρα** to drop/to weigh anchor
▷ **ρίχνω άγκυρα** (μτφ.) to put down roots
▷ **σηκώνω άγκυρα** (μτφ.) to up sticks

αγκυροβόλημα ΟΥΣ ΟΥΔ (α) (= άραγμα:

πλοίου) anchoring, mooring (β) (μτφ.) settling down

αγκυροβόλιο ΟΥΣ ΟΥΔ, **αγκυροβόλι** (= όρμος) anchorage, port

αγκυροβολώ Ρ ΑΜ (= ρίχνω άγκυρα: πλοίο, ναυτικός) to anchor, to moor

αγκωνάρι ΟΥΣ ΟΥΔ (= γωνιόλιθος) cornerstone

αγκώνας ΟΥΣ ΑΡΣ elbow

αγλέουρας (οικ.) ΟΥΣ ΑΡΣ: **τρώω τον αγλέουρα** to make a pig of oneself, to stuff oneself
▷**κατεβάζω τον αγλέουρα** to drink like a fish

αγναντεύω Ρ Μ (= κοιτάζω από μακριά: θάλασσα, ουρανό) to scan, to survey

αγνεία ΟΥΣ ΘΗΛ (επία.: = αγνότητα) purity, chastity · (= παρθενία) virginity

άγνοια ΟΥΣ ΘΗΛ ignorance
▷**δηλώνω άγνοια** to claim ignorance
▷**έχω/βρίσκομαι σε πλήρη άγνοια** to be completely ignorant, to know aboslutely nothing about
▷**εν αγνοία κποιου** (επία.) without sb's knowing, without sb's knowledge
▷**εν αγνοία** (= χωρίς πρόθεση) without intent

αγνοούμενος ΟΥΣ ΑΡΣ person missing in action

αγνός, -ή, -ό ΕΠΙΘ (α) (ψυχή, άνθρωπος) pure, innocent · (φιλία) chaste
(β) (= ανόθευτος: λάδι, κερί, μέλι) pure
(γ) (= παρθένος) virgin
▷**αγνό παρθένο μαλλί** pure new wool

αγνότητα ΟΥΣ ΘΗΛ (α) (= αθωότητα: ζωής, σκέψης) purity, innocence (β) (= παρθενία) virginity
▷**ζώνη αγνότητος** chastity belt

αγνοώ Ρ Μ (α) not to know (β) (= αδιαφορώ) to ignore
▷**αγνοείται η τύχη κποιου** not to know one's luck

αγνώμονας ΟΥΣ ΑΡΣ∅ΘΗΛ = **αγνώμων**

αγνωμοσύνη ΟΥΣ ΘΗΛ (= αχαριστία) ingratitude

αγνώμων, -ων, -ον ΕΠΙΘ (= αχάριστος) ungrateful

αγνώριστος, -η, -ο ΕΠΙΘ unrecognizable

αγνωστικισμός ΟΥΣ ΑΡΣ agnosticism

αγνωστικιστής ΟΥΣ ΑΡΣ (= οπαδός του αγνωστικισμού) agnostic

άγνωστο ΟΥΣ ΟΥΔ the unknown · (= άδηλο): **που είναι; - άγνωστο!** where is he? – who knows?

άγνωστος, -η, -ο ΕΠΙΘ (α) (= μη γνωστός) unknown (β) (λέξη, στοιχεία) unknown (γ) (για κακοποιούς, ληστές) unidentified
▷**άγνωστος μεταξύ αγνώστων** a stranger in a strange land
▷**ο άγνωστος Χ** (ΜΑΘ) an unknown quantity
▷**μνημείο του Άγνωστου Στρατιώτη** the tomb of the Unknown Warrior
▷**άγνωστο κείμενο** (ΣΧΟΛ) unseen translation
▷**είναι άγνωστο** nobody knows

▸**άγνωστος** ΟΥΣ ΑΡΣ, **άγνωστη** ΟΥΣ ΘΗΛ stranger

▷**το άγνωστο** the unknown

αγόγγυστα ΕΠΙΡΡ (= καρτερικά: υπομένω, δέχομαι) patiently, without complaining · (υποφέρω) in silence

άγονος, -η, -ο ΕΠΙΘ (α) (= άκαρπος: χωράφι, τόπος) barren, infertile (β) (= στείρος: για πρόσ.) infertile, sterile (γ) (μτφ.: = άκαρπος, ανεπιτυχής: προσπάθειες, ενέργειες) fruitless · (συζήτηση) sterile

αγορά ΟΥΣ ΘΗΛ (α) (= η πράξη του αγοράζω: προϊόντων, αγαθών) buying, purchase (β) (= το αγοραστικό κοινό) consumers πληθ. (γ) (= η προσφορά και η ζήτηση) market (δ) (= τόπος που γίνονται οι αγοραπωλησίες) market
▷**κάνω αγορά/αγορές** (= ψωνίζω) to go shopping
▷**αγορά εργασίας** labour (Βρετ.) ή labor (Αμερ.) market, job market
▷**η Κοινή Αγορά** the Common Market
▷**λαϊκή αγορά** street market
▷**μαύρη αγορά** (= πώληση εμπορευμάτων σε υπερβολικές τιμές) black market

αγοράζω Ρ Μ to buy
▷**πουλάω και αγοράζω κπν** (για πρόσ. έξυπνο, καπάτσο) to outsmart sb
▷**αγρόν αγοράζω** (= αδιαφορώ) not to care less

αγοραίο ΟΥΣ ΟΥΔ (όχημα: = ταξί) taxi

αγοραίος, -α, -ο ΕΠΙΘ (α) (τιμή, αξία) market (β) (αρνητ.) vulgar

αγοράκι ΟΥΣ ΟΥΔ (α) (= μικρό αγόρι) little boy (β) (χαϊδευτ.) sweetheart

αγορανομία ΟΥΣ ΘΗΛ ≈ environmental health service

αγορανομικός, -ή, -ό ΕΠΙΘ (έλεγχος, διάταξη) market–price

αγορανόμος ΟΥΣ ΑΡΣ (επάγγελμα) market regulator

αγοραπωλησία ΟΥΣ ΘΗΛ (τίτλων, μετοχών, ακινήτων) buying and selling

αγοραστής ΟΥΣ ΑΡΣ buyer, purchaser

αγοραστικός, -ή, -ό ΕΠΙΘ (κοινό) buying · (δύναμη) buying, purchasing
▷**αγοραστική αξία** (ΟΙΚΟΝ: για νόμισμα) face value

αγοραστός, -ή, -ό ΕΠΙΘ (γλυκό) bought · (φόρεμα) off-the-peg (Βρετ.), off-the-rack (Αμερ.)

αγοραφοβία ΟΥΣ ΘΗΛ agoraphobia

αγόρευση ΟΥΣ ΘΗΛ (= δημόσια ομιλία) speech

αγορεύω Ρ ΑΜ (α) (= βγάζω λόγο, μιλώ σαν ρήτορας μπροστά σε κοινό) to make ή give a speech (β) (μτφ.: υποτιμ.: = μιλάω πολύ για κάποιο συγκεκριμένο θέμα) to hold forth, to pontificate

αγορητής ΟΥΣ ΑΡΣ (= που αγορεύει) orator

αγορήτρια ΟΥΣ ΘΗΛ βλ. **αγορητής**

αγόρι ΟΥΣ ΟΥΔ (α) (= αρσενικό παιδί) boy (β) (= αυτός με τον οποίο έχω ερωτική σχέση) boyfriend (γ) (χαϊδ.) sweetheart

A

αγορίστικος, -η, -ο ΕΠΙΘ boyish

αγοροκόριτσο ΟΥΣ ΟΥΔ (α) (προφορ.: = κορίτσι που έχει τρόπους αγοριών) tomboy (β) (= που κάνει παρέα συνήθως με αγόρια) hussy (ανεπ.)

αγοροφέρνω Ρ ΑΜ to look like a boy

αγουρίδα ΟΥΣ ΘΗΛ (= σταφύλι άγουρο) sour grapes
▷ **αγάλι(α), αγάλι(α) γίνεται η αγουρίδα μέλι** (παροιμ.) everything comes to he who waits

αγουροξυπνημένος, -η, -ο ΕΠΙΘ half awake, still half asleep

άγουρος, -η, -ο ΕΠΙΘ (α) (φρούτο, καρπός) unripe, green (β) (μτφ.: = που δεν έχει αναπτυχθεί εντελώς: για πρόα.) immature

αγουρωπός, -ή, -ό ΕΠΙΘ (σταφύλια, μήλο) not quite ripe

άγρα ΟΥΣ ΘΗΛ (α) (επίσ.: = κυνήγι) hunting (β) (μτφ.: επίσ.: = επίμονη αναζήτηση) canvassing

αγράμματος, -η, -ο ΕΠΙΘ (α) (= αναλφάβητος) illiterate (β) (= απαίδευτος, αμόρφωτος) ignorant, uneducated

αγραμματοσύνη ΟΥΣ ΘΗΛ (α) (= αναλφαβητισμός) illiteracy (β) (= αμάθεια) ignorance

αγρανάπαυση ΟΥΣ ΘΗΛ letting land lie fallow

άγραφος, άγραφτος, -η, -ο ΕΠΙΘ (α) (κόλλα, χαρτί) blank (β) (κανόνας, κώδικας, δίκαιο) unwritten
▷ **είναι από τα άγραφα** (= είναι ανήκουστο) to be unheard of

αγριάδα ΟΥΣ ΘΗΛ (α) (προσώπου, έκφρασης, βλέμματος) ferocity (β) (τοπίου, θάλασσας) wildness (γ) (= φοβέρα) threat

αγριάνθρωπος ΟΥΣ ΑΡΣ (α) (= πρωτόγονος άνθρωπος) savage (β) (μτφ.: = άνθρωπος αγροίκος) lout · (= ακοινώνητος) man of few words

αγριελιά ΟΥΣ ΘΗΛ wild olive tree

αγρίεμα ΟΥΣ ΟΥΔ (α) (= φοβέρισμα, αγριάδα) bullying (β) (θάλασσας, ανέμου) wildness · (ανέμου) ferocity (γ) (όψης, ματιάς) ferocity

αγριεύω ① Ρ Μ (= εξαγριώνω) to infuriate · (= φοβίζω, φοβερίζω) to bully
② Ρ ΑΜ (α) (= γίνομαι άγριος, απειλητικός: άνθρωπος) to turn nasty (β) (καιρός, άνεμος) to become wild · (θάλασσα) to become rough (γ) (πρόσωπο, φωνή, έκφραση, βλέμμα) to become angry (δ) (= σκληραίνω: χέρια, επιδερμίδα) to become rough · (μαλλιά) to become coarse
▷ **τα πράγματα αγριεύουν** things are getting nasty
▸ **αγριεύομαι** ΜΕΣΟΠΑΘ (= φοβάμαι) to be scared, to be frightened

αγρίμι ΟΥΣ ΟΥΔ (α) (= άγριο ζώο) wild animal (β) (μτφ.: = άνθρωπος ακοινώνητος) unsociable person · (= άνθρωπος ατίθασος) wild animal

αγριόγατος ΟΥΣ ΑΡΣ wild cat

αγριογούρουνο ΟΥΣ ΟΥΔ wild boar

αγριοκάτσικο ΟΥΣ ΟΥΔ (α) wild goat (β) (μτφ.) human dynamo

αγριοκοιτάζω Ρ Μ to glower at, to look daggers at

αγριολούλουδο ΟΥΣ ΟΥΔ wild flower

άγριος, -α, -ο ① ΕΠΙΘ (α) (ζώο, φυτό) wild (β) (ματιά, φωνή) furious, fierce · (όψη) wild (γ) (= σκληρός: χέρια, επιδερμίδα, πετσέτα) rough · (τρίχωμα) coarse (δ) (ξυλοδαρμός, δολοφονία, διαθέσεις) savage, vicious (ε) (= δυνατός, έντονος) intense (στ) (= πρωτόγονος, απολίτιστος: φυλή) wild ② ΟΥΣ ΑΡΣ ΠΛΗΘ (= πρωτόγονοι άνθρωποι) savages
▷ **η άγρια Δύση** the Wild West

αγριοσυκιά ΟΥΣ ΘΗΛ wild fig tree

αγριότητα ΟΥΣ ΘΗΛ (α) (= η ιδιότητα του άγριου) savagery (β) (= απάνθρωπη πράξη) atrocity

αγριοτριανταφυλλιά ΟΥΣ ΘΗΛ wild rose, briar

αγριοφωνάρα ΟΥΣ ΘΗΛ (πρφ/ανεπ) angry shout

αγριόχοιρος ΟΥΣ ΑΡΣ wild boar

αγριόχορτα ΟΥΣ ΟΥΔ ΠΛΗΘ weeds

αγριωπός, -ή, -ό ΕΠΙΘ (ύφος, πρόσωπο) scowling, glowering

αγροικία ΟΥΣ ΘΗΛ (= σπίτι στους αγρούς) farmhouse, cottage

αγροίκος ΟΥΣ ΑΡΣ lout

αγρόκτημα ΟΥΣ ΟΥΔ farm

αγρονομικός, -ή, -ό ΕΠΙΘ (αρχές) agronomical

αγρονόμος ΟΥΣ ΑΡΣ (= επόπτης αγροτικών κτημάτων) farm manager

αγρός ΟΥΣ ΑΡΣ (= χωράφι) field
▷ **αγρόν ηγόραζε** (= αδιαφορούσε) he couldn't care less
▸ **αγροί** ΠΛΗΘ (= καλλιεργήσιμες εκτάσεις) fields, countryside εν.

αγροτεμάχιο ΟΥΣ ΟΥΔ (= τμήμα αγρού) plot, plot of land

αγρότης ΟΥΣ ΑΡΣ farmer

αγροτιά ΟΥΣ ΘΗΛ (= το σύνολο των αγροτών) farmers πληθ.

αγροτικός, -ή, -ό ΕΠΙΘ (εισόδημα, σύνταξη) farmer's · (μηχανήματα, προϊόντα) agricultural, farm · (πληθυσμοί, κοινωνία) rural · (νόμος, μεταρρύθμιση) agricultural · (ζωή) rural, country · (εργασίες) farm
▸ **αγροτικές φυλακές** prisons where the inmates do farm labour
▸ **αγροτικός γιατρός** country doctor
▸ **αγροτικός συνεταιρισμός** farmers' cooperative
▸ **αγροτικό** ΟΥΣ ΟΥΔ (α) (για γιατρό) stint as a country doctor (β) (αυτοκίνητο) pick–up (truck)

αγροτοβιομηχανικός, -ή, -ό ΕΠΙΘ (προϊόντα, επιχείρηση) farm

αγροφύλακας ΟΥΣ ΑΡΣ (*επάγγελμα*) rural policeman

> *Προσοχή!: Ο πληθυντικός του* **policeman** *είναι* **policemen**.

αγροφυλακή ΟΥΣ ΘΗΛ rural policing

αγρυπνία ΟΥΣ ΘΗΛ (= *ολονύκτια εκκλησιαστική ακολουθία*) vigil

αγρύπνια ΟΥΣ ΘΗΛ (= *ακούσια ή εκούσια στέρηση ύπνου*) lack of sleep

άγρυπνος, -η, -ο ΕΠΙΘ (α) (= *άυπνος*) awake (β) (*μτφ.*: *νύχτα*) sleepless · (*φρουρός*) watchful · (*ματιά, βλέμμα*) close

αγρυπνώ Ρ ΑΜ, **ξαγρυπνώ** (α) (= *μένω άυπνος*) to stay awake, to stay up (β) (= *επαγρυπνώ*) to be vigilant, to be watchful

αγυάλιστος, -η, -ο ΕΠΙΘ (*ασημικά, παπούτσια*) not polished, unpolished

αγύμναστος, -η, -ο ΕΠΙΘ (α) (= *που δεν έχει γυμναστεί*) who hasn't taken any exercise (β) (*μτφ.*: = *που δεν έχει ασκηθεί*) untrained, unpractised (*Βρετ.*), unpracticed (*Αμερ.*)

αγύριστος, -η, -ο ΕΠΙΘ: **είναι αγύριστο κεφάλι** (= *πεισματάρης*) he's as stubborn as a mule

▷ **στέλνω κπν στον αγύριστο** (*πρφ/υβρ*) to tell sb to go to hell (*ανεπ.*)

αγυρτεία ΟΥΣ ΘΗΛ (= *απάτη*) quackery, charlatanism

αγύρτης ΟΥΣ ΑΡΣ (= *απατεώνας*) quack, charlatan

αγύρτισσα ΟΥΣ ΘΗΛ *βλ.* **αγύρτης**

αγχιστεία ΟΥΣ ΘΗΛ (*επίσ.*): **εξ αγχιστείας** (= *συγγένεια που δημιουργείται με το γάμο*) by marriage

αγχολυτικός, -ή, -ό ΕΠΙΘ (*φάρμακα, χάπια*) anti–anxiety, anxiolytic

▸ **αγχολυτικά** ΟΥΣ ΟΥΔ ΠΛΗΘ anti–anxiety medication *εν.*

άγχομαι Ρ ΑΜ ΑΠΟΘ to be anxious

αγχόνη ΟΥΣ ΘΗΛ (α) (= *θηλιά για απαγχονισμό*) noose (β) (= *όργανο για απαγχονισμό*) gallows

> *Προσοχή!: Ο πληθυντικός του* **gallows** *είναι* **gallows**.

άγχος ΟΥΣ ΑΡΣ anxiety · (*καθημερινότητας, εξετάσεων*) pressure, stress

αγχώδης, -ης, -ες ΕΠΙΘ (α) (*κατάσταση*) anxious · (*νεύρωση, κατάθλιψη*) anxiety · (*αϋπνία*) caused by anxiety · (*συμπεριφορά*) nervous (β) (*για πρόσ.*) anxious, neurotic

αγχώνω Ρ Μ to put under stress

▸ **αγχώνομαι** ΜΕΣΟΠΑΘ to be under stress

άγω Ρ ΑΜ (*επίσ.*: = *οδηγώ*) to lead

▷ **άγομαι και φέρομαι** to be led by the nose

αγωγή ΟΥΣ ΘΗΛ (α) (= *ανατροφή*) education, upbringing (β) (ΝΟΜ) lawsuit (γ) (ΙΑΤΡ) treatment

▷ **θεραπευτική/φαρμακευτική αγωγή** (ΙΑΤΡ) (course of) treatment

▷ **φυσική αγωγή** (ΣΧΟΛ) physical education

▷ **σεξουαλική αγωγή** sex education

αγώγιμος, -η, -ο ΕΠΙΘ (ΦΥΣ: *σώμα, μέταλλο, στοιχείο*) conductive

αγωγιμότητα ΟΥΣ ΘΗΛ (ΦΥΣ) conductivity

αγωγός ΟΥΣ ΑΡΣ (α) (= *σωλήνας: εξαερισμού, αποχέτευσης*) pipe · (*φυσικού αερίου*) pipeline (β) (*ηλεκτρισμού*) wire

▷ **καλός/κακός αγωγός (του ηλεκτρισμού)** good/poor conductor (of electricity)

αγώνας ΟΥΣ ΑΡΣ (α) (= *βίαιη αντίθεση, σύγκρουση*) struggle, fight (β) (= *κοπιαστική προσπάθεια*) struggle (γ) (= *εντατική προσπάθεια*) efforts *πληθ.* (δ) (ΑΘΛ: = *αθλητική αναμέτρηση: δρόμου, αυτοκινήτων*) race · (= *ποδοσφαιρικός αγώνας*) game, match

▷ **ο Αγώνας (του 1821)** the Greek War of Independence

▷ **δικαστικός αγώνας** legal battle

▷ **προεκλογικός αγώνας** pre–election scramble

▷ **αγώνας δρόμου** (*μτφ.*: = *υπεράνθρωπη προσπάθεια*) uphill struggle

▷ **οι ολυμπιακοί αγώνες** the Olympic Games

αγωνία ΟΥΣ ΘΗΛ (α) (= *ανυπομονησία*) impatience (β) (= *έντονη ανησυχία*) anguish, anxiety

▷ **κρατώ κπν σε αγωνία** to keep sb on tenterhooks

αγωνίζομαι Ρ ΑΜ (α) (= *μάχομαι για την επίτευξη στόχου*) to fight, to struggle (β) (= *καταβάλλω έντονη προσπάθεια για κτ*) to strive (γ) (= *συμμετέχω σε αθλητικό αγώνα: ομάδα, παίκτης*) to play

αγώνισμα ΟΥΣ ΟΥΔ (ΑΘΛ) event

αγωνιστής ΟΥΣ ΑΡΣ (α) (= *που αγωνίζεται ή αγωνίστηκε για κάτι: της ελευθερίας, της δημοκρατίας*) fighter · (*της δημοκρατίας*) campaigner (β) (= *πολεμιστής*) fighter (γ) (= *βιοπαλαιστής*) breadwinner

αγωνιστικός, -ή, -ό ΕΠΙΘ (α) (= *δυναμικός, μαχητικός: πνεύμα, διάθεση*) fighting (β) (*χώρος*) playing (γ) (*αυτοκίνητο*) racing

▸ **αγωνιστική** ΟΥΣ ΘΗΛ (ΑΘΛ) round

αγωνιστικότητα ΟΥΣ ΘΗΛ (= *μαχητικότητα*) aggression, fighting spirit

αγωνίστρια ΟΥΣ ΘΗΛ *βλ.* **αγωνιστής**

αγωνιώ ⓵ Ρ ΑΜ (= *αισθάνομαι αγωνία*) to be impatient

⓶ Ρ Μ (= *φοβάμαι*) to be anxious about

αγωνιώδης, -ης, -ες ΕΠΙΘ (*ερώτημα, βλέμμα, έκκληση*) anguished · (*προσπάθεια*) desperate

αδαημοσύνη ΟΥΣ ΘΗΛ (*επίσ.*: = *άγνοια*) ignorance

αδαής, -ής, -ές ΕΠΙΘ (*επίσ.*: = *που αγνοεί κάτι*) ignorant

αδάκρυτος, -η, -ο ΕΠΙΘ (α) (= *που δεν χύνει δάκρυα*) dry–eyed (β) (*μτφ.*: = *χωρίς λύπες: ζωή*) without regrets

A

αδαμαντίνη ΟΥΣ ΘΗΛ (= ουσία που περιβάλλει τα δόντια) enamel

αδαμάντινος, -η, -ο ΕΠΙΘ (α) (επίσ.: = διαμαντένιος: βραχιόλι, περιδέραιο) diamond (β) (= ακέραιος: χαρακτήρας) sterling ▷**αδαμάντινοι γάμοι** (= εξηκοστή επέτειος γάμου) diamond wedding

αδάμας ΟΥΣ ΑΡΣ βλ. **διαμάντι**

αδάμαστος, -η, -ο ΕΠΙΘ (α) (= που δεν έχει δαμαστεί: άλογο) not broken in (β) (μτφ.: έρημος) untamed (γ) (μτφ.: = ακατανίκητος, ακαταπόνητος: πνεύμα, θέληση) indomitable · (φρόνημα) steadfast · (θάρρος) invincible

αδαμιαίος, -α, -ο ΕΠΙΘ: **με αδαμιαία περιβολή** stark naked

αδαπάνητος, -η, -ο ΕΠΙΘ (ποσό, κονδύλι) unspent, not spent

αδάπανος, -η, -ο ΕΠΙΘ free of charge

αδασκάλευτος, -η, -ο ΕΠΙΘ (ανεπ.) untutored

αδασμολόγητος, -η, -ο ΕΠΙΘ (είδη, αυτοκίνητα) duty–free

άδεια ΟΥΣ ΘΗΛ (α) (= συγκατάθεση) permission · (= συναίνεση) consent (β) (εργαζόμενου) time off (γ) (ΣΤΡΑΤ) leave ▷**(ενεργώ) με την άδεια κποιου** (to act) with sb's permission ▷**ποιητική αδεία** poetic licence (Βρετ.) ή license (Αμερ.) ▷**άδεια ασκήσεως επαγγέλματος** licence to practice a profession ▷**άδεια γάμου** marriage licence (Βρετ.) ή license (Αμερ.) ▷**άδεια εισόδου/εξόδου** pass, permit ▷**άδεια εγκυμοσύνης** maternity leave

αδειάζω ① Ρ Μ (α) (αίθουσα, χώρο) to clear (β) (δοχείο) to empty · (κρασί, νερό) to pour out, to empty out · (όπλο: = βγάζω τις σφαίρες) to unload · (= πυροβολώ) to open fire on (γ) (αργκ.: = εκθέτω) to expose ② Ρ ΑΜ (α) (αίθουσα, δρόμο, δοχείο, πορτοφόλι) to empty · (μπαταρία) to go flat (β) (μτφ.: μυαλό) to go blank (γ) (= ευκαιρώ) to have time ▷**αδειάζω τη γωνιά σε κπν** (ανεπ.) to get out of sb's sight ▷**αδειάζει το σπίτι** (= ερημώνεται) the house feels empty

αδειανός, -ή, -ό ΕΠΙΘ = **άδειος**

άδειασμα ΟΥΣ ΟΥΔ (= ενέργεια του αδειάζω) emptying

άδειος, -α, -ο ΕΠΙΘ (α) (πιάτο, μπουκάλι, πορτοφόλι, καρδιά, βλέμμα) empty · (όπλο) unloaded (β) (διαμέρισμα) vacant, empty · (δωμάτιο) empty (γ) (ταξί, θέση, τραπέζι) free ▷**με άδεια χέρια** empty–handed

αδειούχος ① ΟΥΣ ΑΡΣ/ΘΗΛ (για εργαζόμενο) off (work) · (για στρατιώτη) on leave ② ΕΠΙΘ licensed

αδεκαρία ΟΥΣ ΘΗΛ (ανεπ.) pennilessness

▷**έχω αδεκαρίες** to be penniless, to be broke

αδέκαρος, -η, -ο ΕΠΙΘ penniless

αδέκαστος, -η, -ο ΕΠΙΘ (α) (= αδιάφθορος: δικαστής, πολιτικός) incorruptible (β) (= αμερόληπτος: κρίση, δικαιοσύνη) impartial, unbiased

αδελφάκι ΟΥΣ ΟΥΔ (= μικρός αδελφός) little brother · (= μικρή αδελφή) little sister ▷**αδερφάκι (μου)** (ανεπ.) my friend

αδελφή ΟΥΣ ΘΗΛ (α) (βαθμός συγγένειας) sister (β) (= καλόγρια) Sister (γ) (= νοσοκόμα) sister (δ) (μειωτ.: = ομοφυλόφιλος) sissy ▷**αδελφές ψυχές** soul mates ▷**αδελφές πόλεις** twin towns ▷**αδελφή του ελέους** sister of mercy

αδελφικός, -ή, -ό ΕΠΙΘ (α) (= σχετικός με αδελφούς) fraternal (β) (αγάπη, στοργή) brotherly, fraternal ▶**αδελφικός φίλος** very close friend

αδελφοκτονία ΟΥΣ ΘΗΛ fratricide

αδελφοκτόνος, -α ή **-ος** ΕΠΙΘ (πόλεμος, σύρραξη) fratricidal ▶ **αδελφοκτόνος** ΟΥΣ ΑΡΣ/ΘΗΛ fratricide

αδελφοποίηση ΟΥΣ ΘΗΛ (για πόλεις ή χώρες) twinning

αδελφός ΟΥΣ ΑΡΣ brother ▷**αδελφέ (μου)** my friend ▶**μεγάλος αδελφός** big brother

αδελφοσύνη ΟΥΣ ΘΗΛ brotherhood, fraternity

αδελφότητα ΟΥΣ ΘΗΛ (α) (= σωματείο) fraternity, brotherhood (β) (ΘΡΗΣΚ) brotherhood

αδελφούλα, αδερφούλα ΟΥΣ ΘΗΛ little sister

αδένας ΟΥΣ ΑΡΣ gland ▶ **ενδοκρινείς/εξωκρινείς αδένες** endocrine/ exocrine glands

άδενδρος, -η, -ο ΕΠΙΘ treeless

αδενικός, -ή, -ό ΕΠΙΘ glandular

αδενοπάθεια ΟΥΣ ΘΗΛ adenopathy

άδεντρος, -η, -ο ΕΠΙΘ = **άδενδρος**

αδένωμα ΟΥΣ ΟΥΔ adenoma

> Προσοχή!: Ο πληθυντικός του **adenoma** είναι **adenomas** ή **adenomata**.

αδέξιος, -α, -ο ΕΠΙΘ (α) (οδηγός, τεχνίτης) inept · (χειρισμό) awkward (β) (βήματα, κίνηση, χορευτής) clumsy, ungainly (γ) (προσπάθεια) clumsy · (συμπεριφορά) gauche (δ) (γραμμή, σχέδιο) clumsy

αδεξιότητα ΟΥΣ ΘΗΛ (α) (οδηγού, τεχνίτη) ineptitude · (χειρισμού) awkwardness, clumsiness (β) (= ενέργεια του αδέξιου) bungle, blunder

αδερφάκι ΟΥΣ ΟΥΔ = **αδελφάκι**

αδερφή ΟΥΣ ΘΗΛ = **αδελφή**

αδερφικός, -ή, -ό ΕΠΙΘ = **αδελφικός**

αδερφοποιτός ΟΥΣ ΑΡΣ blood brother

αδερφός ΟΥΣ ΑΡΣ = **αδελφός**

αδερφοσύνη ΟΥΣ ΘΗΛ = **αδελφοσύνη**

αδέσμευτος, -η, -ο ΕΠΙΘ (α) *(πολιτική, κυβέρνηση, στάση)* neutral · *(χώρα)* non–aligned · *(εφημερίδα, επιτροπή)* independent · *(ελευθερία)* unrestricted (β) (= *ανύπαντρος ή χωρίς δεσμό)* unattached

αδέσποτη ΟΥΣ ΘΗΛ *(για χτύπημα)* stray punch · *(για σφαίρα)* stray bullet

αδέσποτο ΟΥΣ ΟΥΔ stray

αδέσποτος, -η, -ο ΕΠΙΘ (α) *(ζώο)* stray (β) *(σφαίρες)* stray

άδετος, -η, -ο ΕΠΙΘ (α) *(κορδόνια)* untied · *(για ζώο)* loose (β) *(για βιβλίο:* = *χαρτόδετος)* paperback

άδηλος, -η, -ο ΕΠΙΘ *(προοπτική, σκοπό)* uncertain
▸**άδηλοι πόροι** invisible earnings

αδήλωτος, -η, -ο ΕΠΙΘ *(εισόδημα, εμπόρευμα)* undeclared

αδημιούργητος, -η, -ο ΕΠΙΘ *(ανεπ.)*:
αδημιούργητος νέος young man at the start of his career

αδημονία ΟΥΣ ΘΗΛ (= *ανυπομονησία)* impatience · (= *ανήσυχη προσμονή)* anxiety
▸**περιμένω κπν με αδημονία** to wait anxiously for sb
▸**περιμένω κτ με αδημονία** to be looking forward to sth

αδημονώ Ρ Μ (= *ανυπομονώ)* to be impatient *(να κάνω* to do) · (= *ανησυχώ)* to be anxious *(να κάνω* to do)

αδημοσίευτος, -η, -ο ΕΠΙΘ *(στοιχεία, μελέτη, έργο)* unpublished

αδήριτος, -η, -ο ΕΠΙΘ: **αδήριτος ή αδήριτη ανάγκη** *(επίσ.)* necessity, dire need

Άδης ΟΥΣ ΑΡΣ (ΜΥΘ) (α) (= *ο κάτω κόσμος)* Hades (β) *(θεός)* Pluto, Hades

αδηφαγία ΟΥΣ ΘΗΛ (α) *(επίσ.:* = *λαιμαργία, βουλιμία)* greed, gluttony (β) (= *πλεονεξία, απληστία)* greed

αδηφάγος, -ος ή -α, -ο ΕΠΙΘ
(α) (= *λαίμαργος)* greedy (β) *(όρεξη)* voracious · *(πείνα, κοινό)* insatiable (γ) *(μτφ.: πυρ, φλόγες)* all–consuming (δ) (= *άπληστος: εποχή, σύστημα)* voracious

αδιάβαστος, -η, -ο ΕΠΙΘ (α) *(για μαθητή)* who hasn't done his/her homework (β) *(για χειρόγραφο)* illegible (γ) *(για συγγραφέα, κείμενο)* unread
▸**πηγαίνω αδιάβαστος** to be buried without funeral rites
▸**πιάνω ή συλλαμβάνω κπν αδιάβαστο** to catch sb unprepared

αδιάβατος, -η, -ο ΕΠΙΘ *(δρόμος, πέρασμα, ποτάμι)* impassable

αδιάβλητος, -η, -ο ΕΠΙΘ (= *ανεπίληπτος: σύστημα, επιλογή, διαδικασία)* impeccable
▸ **αδιάβλητο** ΟΥΣ ΟΥΔ impartiality

αδιάβροχο ΟΥΣ ΟΥΔ raincoat

αδιάβροχος, -η, -ο ΕΠΙΘ *(κάλυμμα, συσκευασία, ουσία, φακός)* waterproof

αδιαθεσία ΟΥΣ ΘΗΛ (= *ελαφρά ασθένεια)* indisposition
▸**αισθάνομαι αδιαθεσία** to feel unwell, to feel off–colour *(Βρετ.)*

αδιάθετος, -η, -ο ΕΠΙΘ (α) (= *ελαφρά άρρωστος)* unwell, off–colour *(Βρετ.)* (β) *(εμπόρευμα)* unsold · *(κεφάλαιο)* unused (γ) *(ανεπ.: για γυναίκες)* menstruating

αδιαθετώ Ρ ΑΜ (α) (= *δεν αισθάνομαι καλά)* to feel unwell, to come over faint (β) *(ανεπ.: για γυναίκα)* to have a period

αδιαίρετος, -η, -ο ΕΠΙΘ (α) *(περιοχή)* undivided (β) *(σύνολο)* indivisible

αδιάκοπος, -η, -ο ΕΠΙΘ *(κουβέντες)* endless · *(πόλεμος)* constant · (= *αγώνας, χειροκρότημα, βροχή)* continuous · *(προσπάθεια)* unceasing, persistent · *(μεταβολή)* continual, perpetual

αδιακόσμητος, -η, -ο ΕΠΙΘ undecorated

αδιακρισία ΟΥΣ ΘΗΛ indiscretion
▸**είναι αδιακρισία εκ μέρους σου να ρωτήσεις** it is indiscreet of you to ask

αδιάκριτα ΕΠΙΡΡ (= *με αδιακρισία)* indiscreetly

αδιάκριτος, -η, -ο ΕΠΙΘ *(ερώτηση, βλέμμα)* indiscreet · *(συμπεριφορά)* tactless

αδιακρίτως ΕΠΙΡΡ *(πυροβολώ)* indiscriminately
▸**αδιακρίτως φύλου και ηλικίας** irrespective of age or sex

αδιάλειπτος, -η, -ο ΕΠΙΘ *(προσευχή)* unbroken · *(παρακολούθηση)* constant

αδιάλλακτος, -η, -ο ΕΠΙΘ intransigent, uncompromising

αδιαλλαξία ΟΥΣ ΘΗΛ intransigence

αδιάλυτος, -η, -ο ΕΠΙΘ *(ουσία)* insoluble

αδιαμαρτύρητα ΕΠΙΡΡ without complaint
▸**δέχομαι αδιαμαρτύρητα μια προσβολή** to take an insult without flinching

αδιαμόρφωτος, -η, -ο ΕΠΙΘ *(κήπος, πλατεία)* unfinished · *(χαρακτήρας)* unformed · *(σχέδια)* vague

αδιαμφισβήτητα ΕΠΙΡΡ beyond doubt

αδιαμφισβήτητος, -η, -ο ΕΠΙΘ *(ικανότητα, γεγονός)* indisputable · *(στοιχεία)* irrefutable, incontrovertible
▸**είναι αδιαμφισβήτητο ότι** it is indisputable that

αδιανέμητος, -η, -ο ΕΠΙΘ (α) *(περιουσία, ακίνητο)* undivided (β) *(κέρδη)* undeclared

αδιανόητος, -η, -ο ΕΠΙΘ inconceivable, unthinkable
▸**μου είναι αδιανόητο να κάνω κτ** it is inconceivable ή unthinkable for me to do sth

αδιαντροπιά ΟΥΣ ΘΗΛ shamelessness

αδιάντροπος, -η, -ο ΕΠΙΘ *(για πρόσ., συμπεριφορά)* shameless · *(ψέμα)* barefaced

αδιαπέραστος, -η, -ο ΕΠΙΘ impenetrable

αδιαπραγμάτευτος, -η, -ο ΕΠΙΘ non–negotiable

αδιάπτωτος, -η, -ο ΕΠΙΘ *(ενδιαφέρον,*

προσπάθεια, ευγένεια) unflagging, unfailing

αδιάρρηκτος, -η, -ο ΕΠΙΘ unbreakable

αδιασάλευτος, -η, -ο ΕΠΙΘ (ειρήνη, τάξη, ισορροπία) undisturbed

αδιάσειστος, -η, -ο ΕΠΙΘ (επιχειρήματα, στοιχεία) irrefutable

αδιάσπαστος, -η, -ο ΕΠΙΘ (ενότητα, συνοχή) unbreakable · (σχέση, φιλία) solid · (μέτωπο) united

αδιατάρακτος, -η, -ο ΕΠΙΘ (ηρεμία, γαλήνη, ύπνος) undisturbed

αδιαφάνεια ΟΥΣ ΘΗΛ opacity

αδιαφανής, -ής, -ές ΕΠΙΘ (κυριολ.) opaque · (μτφ.) underhand

αδιάφθορος, -η, -ο ΕΠΙΘ incorruptible

αδιαφιλονίκητος, -η, -ο ΕΠΙΘ (α) (αρχηγός) undisputed (β) (επιχείρημα) irrefutable · (απόδειξη) incontrovertible

αδιαφορία ΟΥΣ ΘΗΛ (= έλλειψη ενδιαφέροντος: = απάθεια) indifference
▷ **δείχνω αδιαφορία** to feign indifference, to pretend not to care
▷ **υποκριτική αδιαφορία** a show of indifference
▸ **εγκληματική αδιαφορία** criminal negligence

αδιαφοροποίητος, -η, -ο ΕΠΙΘ undifferentiated

αδιάφορος, -η, -ο ΕΠΙΘ indifferent
▷ **είναι αδιάφορο αν** it's immaterial if
▷ **αφήνω κπν αδιάφορο** to be of no concern to sb
▷ **μου είναι αδιάφορο** it's all the same to me, it makes no difference to me
▷ **είμαι αδιάφορος για κπν** to be indifferent to sb
▷ **είμαι αδιάφορος για κτ** to be indifferent to sth, to take no interest in sth
▷ **στέκω αδιάφορος απέναντι σε κπν** to remain indifferent to sb

αδιαφορώ Ρ ΑΜ to be indifferent, not to care
▷ **αδιαφορώ για κπν** to be indifferent to sb
▷ **αδιαφορώ για κτ** to be indifferent to sth, to take no interest in sth

αδιαχώρητο ΟΥΣ ΟΥΔ: **γίνεται το αδιαχώρητο** to be packed

αδιαχώριστος, -η, -ο ΕΠΙΘ inseparable

αδιάψευστος, -η, -ο ΕΠΙΘ (στοιχείο, μαρτυρία) irrefutable

αδίδακτος

αδίδακτος, -η, -ο ΕΠΙΘ (ύλη, βιβλίο) not taught · (κείμενο) unseen

αδιεκπεραίωτος, -η, -ο ΕΠΙΘ (επίσ.: υπόθεση) pending

αδιέξοδο ΟΥΣ ΟΥΔ (α) (για διαπραγματεύσεις) deadlock, dead end (β) (για δρόμο) dead end, cul-de-sac (Βρετ.)

αδιέξοδος, -η, -ο ΕΠΙΘ (κυριολ., μτφ.) dead–end

αδιερεύνητος, -η, -ο ΕΠΙΘ (πρόβλημα, ζήτημα, υπόθεση) unexplored, uninvestigated

αδιευκρίνιστος, -η, -ο ΕΠΙΘ (αιτίες) obscure
▷ **παραμένει αδιευκρίνιστο** it is still unknown

άδικα ΕΠΙΡΡ (α) (= με άδικο τρόπο) unfairly (β) (= χωρίς λόγο) unjustly (γ) (= μάταια) in vain

αδικαιολόγητος, -η, -ο ΕΠΙΘ (α) (για πρόσ.) inexcusable · (συμπεριφορά, στάση) indefensible · (αυστηρότητα) unjustifiable · (λάθος, καθυστέρηση) inexcusable (β) (απουσίες) unexplained (γ) (αίτημα, φόβος) unreasonable · (υποψία) unfounded, groundless

αδίκημα ΟΥΣ ΟΥΔ offence (Βρετ.), offense (Αμερ.)
▷ **διαπράττω αδίκημα** to commit an offence (Βρετ.) ή offense (Αμερ.)

αδικημένος, -η, -ο ΜΤΧ (= αυτός που έχει αδικηθεί) wronged
▷ **είμαι αδικημένος από τη φύση** nature hasn't been kind to me

αδικία ΟΥΣ ΘΗΛ (α) (= άδικη πράξη) wrong (β) (= έλλειψης δικαιοσύνης) injustice

άδικος ΟΥΣ ΟΥΔ wrong
▷ **έχω άδικο** to be wrong, to be in the wrong
▷ **είναι άδικο να κάνω κτ** it is wrong to do sth
▷ **έχω άδικο που κάνω κτ** to be wrong to do sth
▷ **δίνω σε κπν άδικο** to put the blame on sb

άδικος, -η, -ο ΕΠΙΘ (άνθρωπος) unfair · (υποψία) unfounded · (νόμος, κανόνας, επικρίσεις) unjust · (πράξη) wrongful
▷ **άδικος κόπος** wasted effort
▷ **είμαι άδικος με κπν** to be unfair to sb

αδικοχαμένος, -η, -ο ΕΠΙΘ (άνθρωπος, παιδί) meeting with an untimely death

αδικώ Ρ Μ to wrong
▸ **αδικούμαι** ΜΕΣΟΠΑΘ to be wronged
▷ **αδικούμαι από κτ** (μτφ.) not to be flattered by sth

αδιόρατος, -η, -ο ΕΠΙΘ imperceptible

αδιόρθωτος, -η, -ο ΕΠΙΘ (α) (= που δεν έχει διορθωθεί: έργο, γραπτό) uncorrected (β) (ζημιά) irreparable · (κατάσταση) irredeemable (γ) (για πρόσωπα) incorrigible · (σοσιαλιστής) die–hard (δ) (= ανεπανόρθωτος: κακό) irreparable

αδιόριστος, -η, -ο ΕΠΙΘ not appointed

αδίστακτος, -η, -ο ΕΠΙΘ unscrupulous, ruthless · (δολοφόνος) cold–blooded

αδογμάτιστος, -η, -ο ΕΠΙΘ open–minded

αδοκίμαστος, -η, -ο ΕΠΙΘ untried

αδόκιμος, -η, -ο ΕΠΙΘ (έκφραση, όρος) unidiomatic

άδολος, -η, -ο ΕΠΙΘ (α) (= απονήρευτος) guileless (β) (προσφορά, αγάπη) sincere

αδόξαστος, -η, -ο ΕΠΙΘ: **άλλαζω τον αδόξαστο κπιοιου** to give sb a hard time · (= χτυπώ ανελέητα) to beat sb black and blue

άδοξος, -η, -ο ΕΠΙΘ (τέλος, σταδιοδρομία) inglorious

αδούλευτος, -η, -ο ΕΠΙΘ (α) (έργο) rough

A

(β) (= *ακαλλιέργητος: γη*) uncultivated
(γ) (= *ακατέργαστος: υλικό*) raw

αδούλωτος, -η, -ο ΕΠΙΘ **(α)** (= *που δεν υποδουλώθηκε: για τόπο*) unconquered **(β)** (= *που δεν ανέχεται τη δουλεία: ψυχή, λαός, φρόνημα*) indomitable

αδράνεια ΟΥΣ ΘΗΛ **(α)** (= *απραξία*) inactivity **(β)** (ΦΥΣ) inertia
▷**βρίσκομαι/πέφτω σε αδράνεια** to be/ become inactive

αδρανής, -ής, -ές ΕΠΙΘ **(α)** (= *άπρακτος: άνθρωπος*) inactive **(β)** (*ύλη, μάζα*) inert **(γ)** (ΦΥΣ: *σώμα*) inert

αδρανοποίηση ΟΥΣ ΘΗΛ (*μυών*) lack of movement · (*φοιτητών*) inaction

αδρανοποιούμαι Ρ ΑΜ (*μυς, μυώνες*) to stop moving · (*φοιτητικοί σύλλογοι*) to be inactive

αδρανώ Ρ ΑΜ to be inactive *ή* idle

αδράχνω Ρ Μ **(α)** (*λογοτ.: = αρπάζω*) to grasp **(β)** (= *αρπάζω με τη βία: εξουσία*) to seize

αδράχτι ΟΥΣ ΟΥΔ spindle

αδρεναλίνη ΟΥΣ ΘΗΛ adrenaline

Αδριανούπολη ΟΥΣ ΘΗΛ Andrianople, Edirne

Αδριατική ΟΥΣ ΘΗΛ Adriatic

αδρός, -ή *ή* -ά, -ό ΕΠΙΘ **(α)** (*χαρακτηριστικά*) rugged **(β)** (*πινελιές*) broad · (*γραμμές*) rough **(γ)** (*αμοιβή*) handsome

αδυναμία ΟΥΣ ΘΗΛ **(α)** (= *έλλειψη ικανότητας για κτ*) inability **(β)** (= *σωματική εξάντληση*) weakness **(γ)** (= *ανεπάρκεια*) inadequacy **(δ)** (*μτφ.: = υπερβολική αγάπη*) soft spot (*σε* for) **(ε)** (= *ελάττωμα*) weakness, shortcoming **(στ)** (= *έλλειψη δυνατότητας*) weakness
▷**αισθάνομαι *ή* νιώθω μεγάλη αδυναμία** to feel very weak
▷**βρίσκομαι σε αδυναμία να κάνω κτ** to be incapable of doing sth
▷**έχω αδυναμία σε κπν** to have a soft spot for sb
▷**έχω αδυναμία σε κτ** to be weak at sth, to have a weakness for sth

αδύναμος, -η, -ο ΕΠΙΘ **(α)** (*σωματικά, ψυχικά, οικονομικά, πολιτικά*) weak **(β)** (*φωνή, χαμόγελο, φως*) weak, feeble · (*χρώμα*) pale

αδυνατίζω ① Ρ ΑΜ **(α)** (*για πρόσ.*) to lose weight **(β)** (*καρδιά, μάτια*) to become weaker ② Ρ Μ: **αδυνατίζω κπν** (= *λεπταίνω*) to make sb lose weight · (*καθρέφτης, ρούχο*) to make sb look slimmer
▷**δίαιτες/χάπια που αδυνατίζουν** slimming diets/pills

αδυνάτισμα ΟΥΣ ΟΥΔ weight loss
▸**κέντρο αδυνατίσματος** ≈ slimming centre (*Βρετ.*) *ή* center (*Αμερ.*)

αδύνατος, -η, -ο ΕΠΙΘ **(α)** (= *λεπτός: άνθρωπος, πρόσωπο, χέρι*) thin **(β)** (*μαθητής, παίκτης*) weak, poor **(γ)** (= *οικονομικά ασθενής*) weak **(δ)** (= *ανέφικτος*) impossible **(ε)** (*όραση, ακοή*) weak, poor · (*καρδιά*) weak **(στ)** (= *ανίσχυρος*) weak
▷**κάνω τα αδύνατα δυνατά** to do one's

utmost
▷**είναι αδύνατο να κάνω κτ** it is impossible to do sth
▷**μου στάθηκε αδύνατο** it was impossible
▷**είναι των αδυνάτων αδύνατο** it's absolutely impossible
▸**αδύνατο σημείο** weak point
▸**αδύνατο(ν)** ΟΥΣ ΟΥΔ: **το αδύνατο(ν)** the impossible

αδυνατώ Ρ Μ (*επίσ.*) to be incapable
▷**αδυνατώ να κάνω κτ** to be unable to do sth

αδυσώπητος, -η, -ο ΕΠΙΘ (*άνθρωπος, ανάγκη*) harsh · (*εχθρός, μοίρα*) implacable · (*κριτική, αγώνας, πόλεμος*) fierce · (*ερωτήματα*) relentless

άδυτο ΟΥΣ ΟΥΔ (*ναού*) sanctuary
▸**άδυτα** ΠΛΗΘ (*ψυχής*) innermost depths
▷**άδυτο αδύτων** inner sanctum

άδωρος, -η, -ο ΕΠΙΘ: **δώρον άδωρον** a white elephant

αεί ΕΠΙΡΡ: **ες αεί** forever

αεί- ΠΡΘΜ ever–

αειθαλής, -ής, -ές ΕΠΙΘ (*φυτό, δέντρο*) evergreen

αεικίνητος, -η, -ο ΕΠΙΘ **(α)** (= *ο κινούμενος συνεχώς*) restless **(β)** (*μτφ.: = δραστήριος*) energetic · (*πνεύμα*) indefatigable

αείμνηστος, -η, -ο ΕΠΙΘ late lamented

αέναος, -η, -ο ΕΠΙΘ (*μεταβολή, κίνηση, πάλη*) perpetual

αενάως ΕΠΙΡΡ perpetually

αεράγημα ΟΥΣ ΟΥΔ airborne troop

αεραγωγός ΟΥΣ ΑΡΣ **(α)** (= *άνοιγμα*) air intake **(β)** air duct · (*ορυχείων, κτισμάτων*) ventilation shaft

αεράκι ΟΥΣ ΟΥΔ breeze

αεράμυνα ΟΥΣ ΘΗΛ air defence (*Βρετ.*), air defense (*Αμερ.*)

αέρας ΟΥΣ ΑΡΣ **(α)** air **(β)** (= *άνεμος*) wind **(γ)** (*μαγαζιού*) goodwill **(δ)** (= *άνεση*) assurance **(ε)** = *στυλ*) air **(στ)** (*για τα αυτοκίνητα*) choke
▷**με άλλο(ν) αέρα** with a different approach
▷**έναν αέρα** a little bit
▷**παίρνω τον αέρα σε κτ** to get the hang of sth
▷**παίρνω τον αέρα κποιου** to get one's own way with sb
▷**παίρνουν τα μυαλά μου αέρα** to get above oneself
▷**παίρνω αέρα** to be cocky
▷**κόβω τον αέρα σε κπν** to take somebody down a peg (or two)
▷**αέρας κοπανιστός** (= *λόγια ανόητα*) nonsense · (= *τίποτε*) nothing at all
▷**λόγια του αέρα** hot air
▷**υποσχέσεις του αέρα** empty promises
▷**τινάζω τα μυαλά μου στον αέρα** to blow one's brains out
▷**τινάζω κτ στον αέρα** to blow sth sky high
▷**τινάζομαι στον αέρα** (= *καταστρέφομαι*) to be destroyed · (= *χρεωκοπώ*) to go bankrupt

▷**τινάζω** κπν **στον αέρα** (*σε συζήτηση*) to shoot sb down
▷**πιάνω πουλιά στον αέρα** to be quick–witted, to be quick on the uptake
▷**δίνω αέρα σε** κτ to add a touch of class to sth
▷**σηκώνεται** ή **πέφτει αέρας** the wind is picking up, it's getting windy
▷**τα τινάζω όλα στον αέρα** to ruin everything
▷**βγαίνω στον αέρα** to go on the air
▷**δίνω αέρα σε** κπν to be lenient with sb
▷**βγάζω αέρα (από το στομάχι)** to break wind
▷**κάνω αέρα σε** κπν to fan sb
▷**έχω αέρα** to be self–assured
▸**κενό αέρος** air pocket
▸**ρεύμα αέρος** airstream

αεράτος, -η, -ο ΕΠΙΘ (α) (= *αυτός που έχει χάρη, άνεση, ευλυγισία*) easygoing (β) (= *αυτός που έχει θάρρος*) cocky

άεργος, -η, -ο ΕΠΙΘ (*αρνητ.*) idle

αερίζω Ρ Μ (*χώρο, ρούχα, σεντόνια*) to air

αερικό ΟΥΣ ΟΥΔ spirit

αέρινος, -η, -ο ΕΠΙΘ (*σύσταση, υφή, μορφή, ύπαρξη, φιγούρα*) ethereal · (*κινήσεις, τρόποι*) graceful · (*ύφασμα, φόρεμα*) diaphanous

αέριο ΟΥΣ ΟΥΔ gas
▸**αδρανές/ευγενές αέριο** inert/noble gas

αέριος, -α, -ο ΕΠΙΘ (*μάζα, ρεύμα*) air

αεριούχος, -ος, -ο ΕΠΙΘ: **αεριούχο ποτό** fizzy drink

αερισμός ΟΥΣ ΑΡΣ (*χώρου*) airing, ventilation
▸**τεχνητός αερισμός** air conditioning

αεριτζής ΟΥΣ ΑΡΣ (*προφορ.*: = *κερδοσκόπος*) spiv (*Βρετ.*) (*ανεπ.*), black marketeer

αεριωθούμενο ΟΥΣ ΟΥΔ jet

αεροβατώ Ρ ΑΜ to have one's head in the clouds

αεροβικός, -ή, -ό ΕΠΙΘ (*άσκηση, γυμναστική*) aerobic

αερόβιος, -α, -ο ΕΠΙΘ (*οργανισμός, ικανότητα*) aerobic

αεροβόλο ΟΥΣ ΟΥΔ air gun

αερογέφυρα ΟΥΣ ΘΗΛ (α) (*τροφίμων, προσώπων, φορτίων*) airlift (β) (= *γέφυρα*) viaduct

αερογραμμές ΟΥΣ ΘΗΛ ΠΛΗΘ airways
▸**διεθνείς αερογραμμές** international airline

αεροδιάδρομος ΟΥΣ ΑΡΣ air corridor

αεροδρόμιο ΟΥΣ ΟΥΔ airport · (*στρατιωτικό*) air base

αεροδυναμική ΟΥΣ ΘΗΛ aerodynamics ΕΝ.

Προσοχή!: Αν και το **aerodynamics** *φαίνεται ως τύπος πληθυντικού, είναι ουσιαστικό μόνο στον ενικό και συντάσσεται με ρήμα στον ενικό.*

αεροδυναμικός, -ή, -ό ΕΠΙΘ (α) (ΦΥΣ) aerodynamic (β) (*αυτοκίνητο, σκάφος*) streamlined, aerodynamic

αεροθάλαμος ΟΥΣ ΑΡΣ air chamber ·

(= *σαμπρέλα*) inner tube

αεροθεραπεία ΟΥΣ ΘΗΛ open–air treatment

αερόθερμο ΟΥΣ ΟΥΔ fan heater

αερολιμένας ΟΥΣ ΑΡΣ (*επίσ.*) airport

αερολογίες (*ανεπ/πρφ*) ΟΥΣ ΘΗΛ ΠΛΗΘ (α) (= *κενολογία*) hot air ΕΝ. (*ανεπ.*) (β) (= *ανοησίες*) piffle ΕΝ. (*ανεπ.*), drivel ΕΝ.

αερομαχία ΟΥΣ ΘΗΛ aerial combat

αερόμπικ ΟΥΣ ΟΥΔ ΑΚΛ aerobics ΕΝ.

Προσοχή!: Αν και το **aerobics** *φαίνεται ως τύπος πληθυντικού, είναι ουσιαστικό μόνο στον ενικό και συντάσσεται με ρήμα στον ενικό.*

αεροναυπηγική ΟΥΣ ΘΗΛ aeronautical engineering

αεροναυπηγός ΟΥΣ ΑΡΣ aeronautical engineer, aircraft engineer

αεροπειρατεία ΟΥΣ ΘΗΛ hijacking

αεροπειρατής ΟΥΣ ΑΡΣ hijacker

αεροπλάνο ΟΥΣ ΟΥΔ plane, aeroplane (*Βρετ.*), airplane (*Αμερ.*), aircraft

Προσοχή!: Ο πληθυντικός του **aircraft** *είναι* **aircraft.**

αεροπλανοφόρο ΟΥΣ ΟΥΔ aircraft carrier

αερόπλοιο ΟΥΣ ΟΥΔ airship

αεροπορία ΟΥΣ ΘΗΛ (α) (= *σύνολο αεροσκαφών και όλων των σχετικών*) aviation (β) (= *σώμα στρατού*) air force (γ) (= *μελέτη και κατασκευή αεροπλάνων*) aviation
▸**πολιτική αεροπορία** civil aviation
▸**στρατιωτική** ή **πολεμική αεροπορία** air force

αεροπορικός, -ή, -ό ΕΠΙΘ (*άμυνα*) air · (*επίδειξη*) aerial · (*όργανα, στολή*) flying · (*εταιρεία*) airline · (*βιομηχανία*) aviation · (*επιστολή*) airmail
▸**αεροπορικό εισιτήριο/ταξίδι** plane ticket/journey
▸**αεροπορική επιδρομή** air raid
▸**αεροπορική συγκοινωνία** air traffic

αεροπορικώς ΕΠΙΡΡ (*ταξιδεύω, φτάνω*) by air

αεροπόρος ΟΥΣ ΑΡΣ airman, aviator

Προσοχή!: Ο πληθυντικός του **airman** *είναι* **airmen.**

αεροσκάφος ΟΥΣ ΟΥΔ aircraft ΕΝ.

αερόστατο ΟΥΣ ΟΥΔ (hot–air) balloon

αεροστεγής, -ής, -ές ΕΠΙΘ (*δοχείο*) airtight
▸**αεροστεγής συσκευασία** vacuum packaging

αεροσυνοδός ① ΟΥΣ ΑΡΣ flight attendant, steward
② ΟΥΣ ΘΗΛ flight attendant, air hostess

αεροφωτογραφία ΟΥΣ ΘΗΛ aerial photograph

αετίσιος, -ια, -ιο ΕΠΙΘ (*ματιά*) eagle · (*μύτη*) aquiline

αετονύχης ΟΥΣ ΑΡΣ (*αρνητ.*) shrewd operator

αετός ΟΥΣ ΑΡΣ (α) (ΖΩΟΛ) eagle

(β) (= χαρταετός) kite (γ) (μτφ.: για πρόσ.) quick–witted person

αέτωμα ΟΥΣ ΟΥΔ (ναού) pediment · (σπιτιού, κτιρίου) gable

αζαλέα ΟΥΣ ΘΗΛ azalea

αζημίωτο ΟΥΣ ΟΥΔ: **με το αζημίωτο** (= με το ανάλογο αντάλλαγμα) for a fee ή consideration

αζήτητος, -η, -ο ΕΠΙΘ (εμπόρευμα) not in demand · (βαλίτσα) unclaimed
▸ **αζήτητα** ΟΥΣ ΟΥΔ ΠΛΗΘ (αεροδρομίου) unclaimed luggage χωρίς πληθ. · (υπηρεσίας) unclaimed items
▷ **μένω στα αζήτητα** (για πράγματα) to be unclaimed · (μτφ.: για πρόσ.) to be unwanted · (= μένω ανύπαντρος) to be left on the shelf

Αζόρες ΟΥΣ ΘΗΛ ΠΛΗΘ: **οι Αζόρες** the Azores

άζυμος, -η, -ο ΕΠΙΘ (άρτος, ψωμί) unleavened

άζωτο ΟΥΣ ΟΥΔ nitrogen

αζωτούχος, -ος, -ο ΕΠΙΘ nitrogenous

αηδία ΟΥΣ ΘΗΛ (= δυσάρεστη αίσθηση, αποστροφή) disgust, revulsion
▷ **είναι (μια) αηδία** to be disgusting ή revolting
▷ **φέρνω αηδία σε κπν** to turn sb's stomach
▸ **αηδίες** ΠΛΗΘ (α) (= ανοησίες) nonsense εν. (β) (για φαγητό) junk food εν.
▷ **λέω αηδίες** (προφορ.) to talk nonsense

αηδιάζω ① Ρ ΑΜ (= σιχαίνομαι) to be disgusted
② Ρ Μ (α) (για φαγητό, θέαμα) to disgust (β) : **αηδιάζω κπν** (= προξενώ αηδία: τσιγάρο, μυρωδιά) to turn sb's stomach · (άνθρωπος) to disgust sb · (μτφ.) to make sb sick, to sicken sb

αηδιασμένος, -η, -ο ΕΠΙΘ (άνθρωπος, ύφος, βλέμμα) disgusted
▷ **είμαι αηδιασμένος από κτ** to be disgusted by sth
▷ **φεύγω αηδιασμένος** to leave in disgust

αηδιαστικός, -ή, -ό ΕΠΙΘ (φαγητό, αστεία, θέαμα) disgusting, revolting · (άνθρωπος, εμφάνιση) repulsive · (οσμή) foul

αηδόνι ΟΥΣ ΟΥΔ nightingale

αήττητος, -η, -ο ΕΠΙΘ (άνθρωπος, ομάδα) unbeaten, undefeated

άηχος, -η, -ο ΕΠΙΘ silent
▸ **άηχο σύμφωνο** voiceless ή unvoiced consonant

αθανασία ΟΥΣ ΘΗΛ immortality

αθάνατος, -η, -ο ΕΠΙΘ (α) (ψυχή, Θεός) immortal (β) (αγάπη) undying (γ) (ποιητής, έργο, όνομα, φήμη) immortal (δ) (ρούχο, υλικό) hard–wearing (Βρετ.), long–wearing (Αμερ.) · (αυτοκίνητο) solid
▷ **αθάνατο νερό** water of life

άθαφτος, -η, -ο ΕΠΙΘ (νεκρός) unburied

αθέατος, -η, -ο ΕΠΙΘ (α) (= αόρατος) unseen, invisible (β) (= κρυμμένος: ηχείο, σελήνη, μονοπάτι) hidden (γ) (= απόκρυφος:

μυστήριο, δύναμη, πλευρά) unseen

αθεΐα ΟΥΣ ΘΗΛ atheism

αθεϊσμός ΟΥΣ ΑΡΣ atheist

αθεϊστής ΟΥΣ ΑΡΣ atheist

άθελα ΕΠΙΡΡ unintentionally
▷ **άθελά μου** unintentionally, without meaning to

αθέλητος, -η, -ο ΕΠΙΘ (σφάλμα, πράξη) unintentional · (κίνηση) involuntary

αθεμελίωτος, -η, -ο ΕΠΙΘ (θεωρία, άποψη) unfounded

αθέμιτος, -η, -ο ΕΠΙΘ (μέσα, κέρδος, ενέργεια) illegal, unlawful
▸ **αθέμιτος ανταγωνισμός** unfair competition

άθεος, -η, -ο ΕΠΙΘ godless
▸ **άθεος** ΟΥΣ ΑΡΣ, **άθεη** ΟΥΣ ΘΗΛ atheist

αθεόφοβος, -η, -ο ΕΠΙΘ ungodly

αθεράπευτα ΕΠΙΡΡ incurably

αθεράπευτος, -η, -ο ΕΠΙΘ (α) (αρρώστια) incurable (β) (απελπισία) hopeless · (πεσιμιστής) incurable · (περιέργεια) insatiable

αθερίνα ΟΥΣ ΘΗΛ (= ψάρι) smelt

> *Προσοχή!: Ο πληθυντικός του* **smelt** *είναι* **smelt** *ή* **smelts**.

αθέριστος, -η, -ο ΕΠΙΘ (χωράφι, κάμπος) unmowed · (σπαρτά) unreaped

αθέτηση ΟΥΣ ΘΗΛ (ελ/ό.. όρου, συμφωνίας, λόγου) breach

αθετώ Ρ Μ (όρκο) to break, to violate · (υπόσχεση, συμφωνία, λόγο) to break, to go back on

αθεώρητος, -η, -ο ΕΠΙΘ (διαβατήριο) without a visa · (βιβλιάριο, απόδειξη) not stamped

Αθήνα ΟΥΣ ΘΗΛ Athens

Αθηναία ΟΥΣ ΘΗΛ ΒΛ. **Αθηναίος**

αθηναϊκός, -ή, -ό ΕΠΙΘ Athenian

> *Προσοχή!: Τα εθνικά επίθετα, όπως* **Athenian**, *γράφονται με κεφαλαίο το αρχικό γράμμα στα Αγγλικά.*

Αθηναίος ΟΥΣ ΑΡΣ Athenian

αθησαύριστος, -η, -ο ΕΠΙΘ (λέξη) unrecorded · (δημοτικά τραγούδια) unknown

αθίγγανος ΟΥΣ ΑΡΣ (επίσ.) gypsy

άθικτος, -η, -ο ΕΠΙΘ (α) (φαγητό) untouched (β) (= άφθαρτος) undamaged

άθλημα ΟΥΣ ΟΥΔ sport
▸ **ατομικό άθλημα** individual sport
▸ **ομαδικό άθλημα** team sport

άθληση ΟΥΣ ΘΗΛ sports πληθ.
▷ **μορφή ή είδος άθλησης** form of exercise

αθλητής ΟΥΣ ΑΡΣ athlete
▸ **διεθνής αθλητής** international athlete

αθλητικά ΟΥΣ ΟΥΔ ΠΛΗΘ (α) sports (β) (σε εφημερίδα) sports section εν. (γ) (επίσης **αθλητικά παπούτσια**) trainers (Βρετ.), sneakers (Αμερ.)

αθλητικογράφος ΟΥΣ ΑΡΣ&ΘΗΛ sportswriter

αθλητικός, -ή, -ό ΕΠΙΘ (α) (*πρόγραμμα, εγκαταστάσεις, κέντρο*) sports · (*σωματείο, ήθος*) sporting · (*είδη*) sports (β) (*σώμα, διάπλαση, παράστημα*) athletic
▸ **αθλητικό πνεύμα** sportsmanship
▸ **αθλητική φόρμα** tracksuit (*Βρετ.*), sweat suit (*Αμερ.*)

αθλητισμός ΟΥΣ ΑΡΣ sports *πληθ.*
▸ **Γενική Γραμματεία Αθλητισμού** General Secretariat of Sports
▸ **κλασικός αθλητισμός** (= *τα αγωνίσματα του στίβου*) athletics (*Βρετ.*), track and field (*Αμερ.*)

αθλήτρια ΟΥΣ ΘΗΛ sportswoman · *βλ.* **αθλητής**

> *Προσοχή!: Ο πληθυντικός του* **sportswoman** *είναι* **sportswomen**.

άθλιος, -α, -ο ΕΠΙΘ (α) (= *αξιολύπητος: άνθρωπος, κατάσταση*) wretched · (*ζωή*) miserable, wretched · (*συνθήκες*) squalid (β) (= *κακοήθης: άνθρωπος, συμπεριφορά*) despicable

αθλιότητα ΟΥΣ ΘΗΛ (= *δυστυχία: ανθρώπου, ζωής, πολέμου*) misery
▸ **αθλιότητες** ΠΛΗΘ (= *ελεεινές πράξεις*) sleaze *εν.*

αθλοπαιδιά ΟΥΣ ΘΗΛ (*επίσ.*) sports *πληθ.*

άθλος ΟΥΣ ΑΡΣ feat
▷ **οι άθλοι του Ηρακλή** the labours (*Βρετ.*) *ή* labors (*Αμερ.*) of Hercules

αθλούμαι Ρ ΑΜ ΑΠΟΘ to exercise

αθόρυβος, -η, -ο ΕΠΙΘ (α) (*βήματα, γέλιο, δρόμος, μηχανή*) silent (β) (*μτφ.: για πρόσ.*: = *που αποφεύγει τη διαφήμιση, το θόρυβο*) unobtrusive, quiet · (*μτφ.*: = *που δε γίνεται αντιληπτός: αρρώστια, χτύπημα*) insidious · (*νίκη*) quiet

άθραυστος, -η, -ο ΕΠΙΘ (*τζάμι*) shatterproof · (*υλικό*) unbreakable

αθρήνητος, -η, -ο ΕΠΙΘ unmourned

άθρησκος, -η, -ο ΕΠΙΘ irreligious

αθροίζω Ρ Μ (α) (= *συγκεντρώνω όμοια πράγματα: αποτέλεσμα, δυσκολίες, εμπόδια*) to add (β) (ΜΑΘ: *εισπράξεις, χρήματα, λογαριασμούς*) to add (up)

άθροισμα ΟΥΣ ΟΥΔ (*επίσης:* ΜΑΘ) sum
▷ **δίνω άθροισμα** to add up to

αθροιστικός, -ή, -ό ΕΠΙΘ (*επίπεδο, αποτέλεσμα*) cumulative · (*λάθη, μηχανή*) adding
▸ **αθροιστικό ποσό** sum total

αθρόος, -α, -ο ΕΠΙΘ mass

αθρυμμάτιστος, -η, -ο ΕΠΙΘ not smashed

αθυμία ΟΥΣ ΘΗΛ despondency

άθυρμα ΟΥΣ ΟΥΔ (α) (= *παιχνίδι*) toy (β) (*μτφ.*) plaything

αθυροστομία ΟΥΣ ΘΗΛ (*ανθρώπου, κειμένου*) bad language

αθυρόστομος, -η, -ο ΕΠΙΘ foul-mouthed

αθώος, -α, -ο ΕΠΙΘ (α) (= *απαλλαγμένος από κατηγορία*) innocent · (ΝΟΜ) innocent, not guilty (β) (= *απονήρευτος, αγνός: πρόσωπο, αγάπη, παρατήρηση*) innocent (γ) (*φάρμακο, κρασί, τρέλα*) harmless

αθωότητα ΟΥΣ ΘΗΛ (α) (*ανθρώπου*) innocence (β) (= *αγνότητα: νεότητας, αγάπης, έκφρασης*) innocence (γ) (*φαρμάκου, κρασιού*) harmlessness

αθώρητος, -η, -ο ΕΠΙΘ (*λογοτ.*) invisible, unseen

Άθως ΟΥΣ ΑΡΣ Mount Athos

αθωώνω Ρ Μ (*κατηγορούμενο*) to acquit

αθώωση ΟΥΣ ΘΗΛ acquittal

αθωωτικός, -ή, -ό ΕΠΙΘ (*ψήφος, απόφαση, βούλευμα*) not guilty

άι² (*οικ.*) ΜΟΡ (= *άντε*) go
▷ **άι στον διάβολο!** (*υβρ.*) go to hell!
▷ **άι χάσου!** (*υβρ.*) get lost!

Αϊ-¹, Άι- ΠΡΟΘΗΜ St

αίγα ΟΥΣ ΘΗΛ (*επίσ.*) goat

αίγαγρος ΟΥΣ ΑΡΣ (*επίσ.*) chamois, wild goat

> *Προσοχή!: Ο πληθυντικός του* **chamois** *είναι* **chamois**.

Αιγαίο ΟΥΣ ΟΥΔ: **το Αιγαίο (Πέλαγος)** the Aegean (Sea)

αιγαιοπελαγίτικος, -η, -ο ΕΠΙΘ (*νησί, αρχιτεκτονική*) Aegean

> *Προσοχή!: Τα εθνικά επίθετα, όπως* **Aegean**, *γράφονται με κεφαλαίο το αρχικό γράμμα στα Αγγλικά.*

αιγιαλίτιδα, αιγιαλίτις ΟΥΣ ΘΗΛ: **αιγειαλίτιδα** *ή* **αιγιαλίτις ζώνη** territorial waters

αιγιαλός ΟΥΣ ΑΡΣ (*επίσ.*) = **γιαλός**

αιγίδα ΟΥΣ ΘΗΛ: **υπό την αιγίδα** >+*γεν.* under the aegis *ή* auspices of

αιγινίτικος, -η, -ο ΕΠΙΘ (*προϊόντα*) from Aegina · (*έθιμα*) of Aegina
▸ **αιγινίτικα φυστίκια** pistachios, pistachio nuts

αίγλη ΟΥΣ ΘΗΛ (α) (= *μεγαλοπρέπεια*) glamour (*Βρετ.*), glamor (*Αμερ.*) (β) (= *γόητρο*) prestige

αιγοπρόβατα ΟΥΣ ΟΥΔ ΠΛΗΘ sheep and goats *πληθ.*

αιγυπτιακός, -ή, -ό ΕΠΙΘ Egyptian

> *Προσοχή!: Τα εθνικά επίθετα, όπως* **Egyptian**, *γράφονται με κεφαλαίο το αρχικό γράμμα στα Αγγλικά.*

αιγυπτιολόγος ΟΥΣ ΑΡΣ&ΘΗΛ Egyptologist

Αίγυπτος ΟΥΣ ΘΗΛ Egypt

αιδεσιμότατος ΟΥΣ ΑΡΣ Reverend

αιδημοσύνη ΟΥΣ ΘΗΛ diffidence

αιδοίο ΟΥΣ ΟΥΔ pudenda *πληθ.*, vulva

αιδώς ΟΥΣ ΘΗΛ decency, modesty
▷ **δημόσια αιδώς** public decency

αιθάλη ΟΥΣ ΘΗΛ (*επίσ.*) soot

αιθέρας ΟΥΣ ΑΡΣ **(α)** (= *ουρανός*) sky **(β)** (ΧΗΜ) ether

αιθέριος, -α, -ο ΕΠΙΘ **(α)** (*ύψη*) airy **(β)** (*μτφ.*: *πλάσμα, ομορφιά*) ethereal · (*πέπλα*) gossamer · (*κίνηση*) dainty
▸ **αιθέρια έλαια** essential oils

αιθεροβάμων, -ων, -ον ΕΠΙΘ living in cloud–cuckoo–land

Αιθίοπας ΟΥΣ ΑΡΣ Ethiopian

Αιθιοπία ΟΥΣ ΘΗΛ Ethiopia

αίθουσα ΟΥΣ ΘΗΛ **(α)** (*γενικότ.*) room · (*μεγάλη*) hall **(β)** (*σε σχολείο*) classroom
▸ **αίθουσα αναμονής** waiting room
▸ **αίθουσα διαλέξεων** lecture hall, auditorium
▸ **αίθουσα προβολής** projection room
▸ **αίθουσα του θρόνου** throne room
▸ **αίθουσα χορού** ballroom, dance hall
▸ **κινηματογραφική αίθουσα** cinema (*Βρετ.*), movie theater (*Αμερ.*)

Προσοχή!: Ο πληθυντικός του **auditorium** *είναι* **auditoriums** *ή* **auditoria.**

αιθουσάρχης ΟΥΣ ΑΡΣ **(= ***ιδιοκτήτης κινηματογραφικής αίθουσας*) cinema owner (*Βρετ.*), movie theater owner (*Αμερ.*) · (= *ιδιοκτήτης θεατρικής αίθουσας*) theatre (*Βρετ.*) *ή* theater (*Αμερ.*) owner

αιθρία ΟΥΣ ΘΗΛ: **κεραυνός εν αιθρία** a bolt from the blue

αίθριο ΟΥΣ ΟΥΔ atrium

αίθριος, -α, -ο ΕΠΙΘ (*καιρός*) fair

αιλουροειδή ΟΥΣ ΟΥΔ ΠΛΗΘ felines

αίλουρος ΟΥΣ ΑΡΣ cat

αίμα ΟΥΣ ΟΥΔ blood
▷ **συγγενείς εξ αίματος** blood relation
▷ **δίνω αίμα** to give blood
▷ **παίρνω αίμα** to take a blood sample
▷ **παίρνω το αίμα μου πίσω** to get one's revenge
▷ **γαλάζιο αίμα** blue blood
▷ **το αίμα νερό δε γίνεται** blood is thicker than water
▷ **μου ανέβηκε το αίμα στο κεφάλι** my temper was rising, my blood was up (*Βρετ.*)
▷ **βράζει το αίμα μου** to be bursting with life
▷ **ανάβουν τα αίματα** tempers fray
▷ **λουτρό αίματος** blood bath
▷ **φόρος αίματος** toll
▷ **πνίγομαι στο αίμα** to be a bloodbath
▷ **χάνω αίμα** to lose blood
▷ **τρέχει αίμα** (*πληγή*) to bleed
▷ **κόβω το αίμα κποιου** to make sb's blood run cold
▷ **βάφω τα χέρια μου με αίμα** to have blood on one's hands
▷ **πάγωσε το αίμα μου** my blood ran cold
▷ **το έχω στο αίμα μου** it's in my blood
▷ **πίνω το αίμα κποιου** to bleed sb dry
▷ **θα σου πιω το αίμα** (= *σε απειλή*) I'll have your guts for garters (*Βρετ.*) (*ανεπ.*)
▷ **φτύνω αίμα** to spit blood · (*μτφ.*) to sweat blood

▷ **νέο** *ή* **καινούριο αίμα** new blood
▷ **είμαστε το ίδιο αίμα** we are blood relations
▷ **το ίδιο μου το αίμα** my own flesh and blood
▷ **το αίμα του Χριστού** the blood of Christ
▸ **εξέταση** *ή* **ανάλυση αίματος** blood test
▸ **ομάδα αίματος** blood group
▸ **τράπεζα αίματος** blood bank

αιματηρός, -ή, -ό ΕΠΙΘ **(α)** (*επεισόδιο, συμπλοκή*) bloody **(β)** (*μτφ.*: *προσπάθειες*) strenuous · (*οικονομίες*) stringent

αιματίτης ΟΥΣ ΑΡΣ haematite (*Βρετ.*), hematite (*Αμερ.*)

αιματοβαμμένος ΜΤΧ bloodstained

αιματοκρίτης ΟΥΣ ΑΡΣ haematocrit (*Βρετ.*), hematocrit (*Αμερ.*)

αιματοκυλίζω Ρ Μ to slaughter

αιματοκύλισμα ΟΥΣ ΟΥΔ bloodbath

αιματολογία ΟΥΣ ΘΗΛ haematology (*Βρετ.*), hematology (*Αμερ.*)

αιματολογικός, -ή, -ό ΕΠΙΘ (*έλεγχος, εξέταση*) blood

αιματολόγος ΟΥΣ ΑΡΣ/ΘΗΛ haematologist (*Βρετ.*), hematologist (*Αμερ.*)

αιματουρία ΟΥΣ ΘΗΛ presence of blood in the urine, haematuria (*Βρετ.*), hematuria (*Αμερ.*)

αιματοχυσία ΟΥΣ ΘΗΛ bloodshed

αιματώδης, -ης, -ες ΕΠΙΘ **(α)** (= *γεμάτος αίμα: αγγείο, ιστός*) rich in blood **(β)** (= *κοκκινόχρωμος*) blood–red · (*ιρόωπιλο*) ruddy

αιμάτωμα ΟΥΣ ΟΥΔ haematoma (*Βρετ.*), hematoma (*Αμερ.*)

αιματώνω Ρ Μ/ΑΜ = **ματώνω**

αιμοβόρος, -α, -ο ΕΠΙΘ **(α)** (*θηρία*) carnivorous **(β)** (*μτφ.*) bloodthirsty

αιμοδιψής, -ής, -ές ΕΠΙΘ (*τύραννος, δολοφόνος*) bloodthirsty

αιμοδοσία ΟΥΣ ΘΗΛ (= *προσφορά αίματος*) blood donation
▸ **συνεργείο** *ή* **κέντρο αιμοδοσίας** blood donation centre (*Βρετ.*) *ή* center (*Αμερ.*)

αιμοδότης ΟΥΣ ΑΡΣ blood donor

αιμοδότρια ΟΥΣ ΘΗΛ *βλ.* **αιμοδότης**

αιμοκάθαρση ΟΥΣ ΘΗΛ dialysis, haemodialysis (*Βρετ.*) (*επιστ.*), hemodialysis (*Αμερ.*) (*επιστ.*)

αιμομίκτης ΟΥΣ ΑΡΣ incestuous person

αιμομικτικός, -ή, -ό ΕΠΙΘ (*σχέσεις*) incestuous

αιμομίκτρια ΟΥΣ ΘΗΛ *βλ.* **αιμομίκτης**

αιμομιξία ΟΥΣ ΘΗΛ incest

αιμοπετάλιο ΟΥΣ ΟΥΔ platelet

αιμόπτυση ΟΥΣ ΘΗΛ spitting blood, haemoptysis (*Βρετ.*) (*επιστ.*), hemoptysis (*Αμερ.*) (*επιστ.*)

αιμορραγία ΟΥΣ ΘΗΛ haemorrhage (*Βρετ.*), hemorrhage (*Αμερ.*), bleeding
▷ **εσωτερική αιμορραγία** internal bleeding

αιμορραγώ Ρ ΑΜ (*άνθρωπος, πληγή, μύτη*) to bleed

αιμορροΐδες ΟΥΣ ΘΗΛ ΠΛΗΘ haemorrhoids (*Βρετ.*), hemorrhoids (*Αμερ.*), piles
αιμορροφιλία ΟΥΣ ΘΗΛ haemophilia (*Βρετ.*), hemophilia (*Αμερ.*)
αιμοσταγής, -ής, -ές ΕΠΙΘ (*δολοφόνος*) bloodthirsty
αιμοσφαιρίνη ΟΥΣ ΘΗΛ haemoglobin (*Βρετ.*), hemoglobin (*Αμερ.*)
αιμοσφαίριο ΟΥΣ ΟΥΔ blood cell
▸**ερυθρά αιμοσφαίρια** red blood cells
▸**λευκά αιμοσφαίρια** white blood cells, leukocytes (*επιστ.*)
αιμοφιλία ΟΥΣ ΘΗΛ haemophilia (*Βρετ.*), hemophilia (*Αμερ.*)
αιμοφιλική ΟΥΣ ΘΗΛ *βλ.* **αιμοφιλικός**
αιμοφιλικός ΟΥΣ ΑΡΣ haemophiliac (*Βρετ.*), hemophiliac (*Αμερ.*)
αιμοφόρος, -ος, -ο ΕΠΙΘ: **αιμοφόρα αγγεία** blood vessels
αιμόφυρτος, -η, -ο ΕΠΙΘ covered in blood
αιμοχαρής, -ής, -ές ΕΠΙΘ (*δολοφόνος, τύραννος*) bloodthirsty
αίνιγμα ΟΥΣ ΟΥΔ (α) (*κυριολ.*) riddle (β) (*μτφ.*) mystery
αινιγματικός, -ή, -ό ΕΠΙΘ (*άνθρωπος, προσωπικότητα, χαμόγελο, ύφος*) enigmatic · (*σιωπή*) cryptic · (*υπόθεση, συμπεριφορά*) puzzling
αινιγματικότητα ΟΥΣ ΘΗΛ (*λόγων*) obscurity · (*συμπεριφοράς*) puzzling nature
ΆΙΝΤΕ ΕΠΙΦΩΝ = **άντε**
αιολικός, -ή, -ό ΕΠΙΘ (*διάλεκτος*) Aeolian

Προσοχή!: Τα εθνικά επίθετα, όπως **Aeolian**, *γράφονται με κεφαλαίο το αρχικό γράμμα στα Αγγλικά.*

▸**αιολική ενέργεια** wind power
αίρεση ΟΥΣ ΘΗΛ (α) (*επίσ.: = προϋπόθεση, όρος*) condition (β) (ΘΡΗΣΚ) heresy
▹**υπό αίρεση** conditionally
▹**υπό την αίρεση ότι** on condition that
αιρετικός, -ή, -ό ΕΠΙΘ heretical
▸**αιρετικός** ΟΥΣ ΑΡΣ, **αιρετική** ΟΥΣ ΘΗΛ heretic
αιρετός, -ή, -ό ΕΠΙΘ (*συμβούλιο, νομάρχης, αντιπρόσωπος*) elected
αίρω (*επίσ.*) Ρ Μ (α) (*εμπόδια*) to remove · (*βέτο, εμπάργκο, περιορισμούς*) to lift · (*πολιορκία*) to lift, to raise · (*σύγκρουση, αδιέξοδο*) to end (β) (= *ανακαλώ: αντιρρήσεις*) to withdraw · (*απόφαση*) to reverse, to overturn
αισθάνομαι ① Ρ Μ ΑΠΟΘ (α) (*πόνο, χάδι*) to feel (β) (*σοβαρότητα της κατάστασης, συνέπειες*) to be aware of · (*κίνδυνο*) to sense · (*υποχρέωση, ευθύνη*) to feel (γ) (*αγάπη, ικανοποίηση, επιθυμία*) to feel
② Ρ ΑΜ to feel
▹**αισθάνομαι κρύο/ζέστη** to feel cold/hot
▹**αισθάνομαι ζαλάδα/κούραση/ευτυχία** to feel dizzy/tired/happy
▹**πώς αισθάνεσαι;** how do you feel?

αισθαντικός, -ή, -ό ΕΠΙΘ sensitive
αισθαντικότητα ΟΥΣ ΘΗΛ sensitivity
αίσθημα ΟΥΣ ΟΥΔ (α) (*πόνου, δυσφορίας, θλίψης*) feeling (β) (= *συναίσθημα: φιλίας*) feeling · (*ικανοποίησης*) feeling, sense (γ) (= *τρόπος αντίληψης, προσέγγισης των πραγμάτων*) feeling (δ) (= *έρωτας*) love (ε) (*προφορ.: = άτομο με το οποίο κπς έχει δεσμό*) lover
▹**το κοινό περί δικαίου αίσθημα** the popular sense of justice
αισθηματίας ΟΥΣ ΑΡΣ sentimentalist
αισθηματικός, -ή, -ό ΕΠΙΘ (α) (*δεσμός, σχέση*) romantic (β) (*ταινία, τραγούδι*) sentimental
αίσθηση ΟΥΣ ΘΗΛ (α) (= *αίσθημα: ασφαλείας, ελευθερίας, απουσίας*) sense (γ) (= *ζωηρή εντύπωση*) sensation
▹**προκαλώ ή κάνω αίσθηση** to cause ή create a sensation
▹**έχω την αίσθηση ότι** to have the feeling that
▹**χάνω τις αισθήσεις μου** to pass out
▹**βρίσκω τις αισθήσεις μου** to come around ή to
▹**οι πέντε αισθήσεις** the five senses
▸**αίσθηση του χιούμουρ** sense of humour (*Βρετ.*) ή humor (*Αμερ.*)
▸**αίσθηση του χώρου** sense of direction
▸**έκτη αίσθηση** sixth sense
αισθησιακός, -ή, -ό ΕΠΙΘ (*γυναίκα, χορός, κινήσεις, φωνή*) sensual · (*χείλη*) sensuous, luscious
αισθησιασμός ΟΥΣ ΑΡΣ sensuality
αισθητήριο ΟΥΣ ΟΥΔ intuition, sense organ
αισθητήριος, -α, -ο ΕΠΙΘ (α) (*όργανο*) sense · (*νεύρα*) sensory (β) (*διέγερση, ερεθίσματα*) sensory
αισθητική ΟΥΣ ΘΗΛ aesthetic (*Βρετ.*), esthetic (*Αμερ.*)
▹**για λόγους αισθητικής** for aesthetic (*Βρετ.*) ή esthetic (*Αμερ.*) reasons
▸**ινστιτούτο αισθητικής** beauty salon, beauty parlour (*Βρετ.*) ή parlor (*Αμερ.*)
αισθητικός, -ή, -ό ΕΠΙΘ aesthetic (*Βρετ.*), esthetic (*Αμερ.*)
▹**από αισθητική άποψη ή αισθητικής απόψεως** aesthetically (*Βρετ.*), esthetically (*Αμερ.*)
▸**αισθητικός** ΟΥΣ ΑΡΣΘΗΛ beautician
αισθητός, -ή, -ό ΕΠΙΘ (α) (*διαφορά, μείωση, άνοδος*) marked · (*απουσία*) noticeable (β) (= *που γίνεται αντιληπτός με τις αισθήσεις*) perceptible
▹**αισθητός κόσμος** physical world
▸**γίνομαι αισθητός** to be felt · (*θόρυβος*) to be heard
▹**κάνω κτ αισθητό** to make sth felt
αισιοδοξία ΟΥΣ ΘΗΛ optimism
αισιόδοξος, -η, -ο ΕΠΙΘ optimistic
αισιοδοξώ Ρ ΑΜ to be optimistic
▹**αισιοδοξώ να κάνω κτ** to hope to do sth

▷**αισιοδοξώ ότι** *ή* **πως θα κάνω κτ** to hope to do sth

αίσιος, -α, -ο ΕΠΙΘ (*έκβαση*) favourable (*Βρετ.*), favorable (*Αμερ.*)· (*οιωνός*) good
▷**αίσιο τέλος** happy ending
▷**αίσιο και ευτυχές το Νέο(ν) Έτος** Happy New Year

αίσχος ① ΟΥΣ ΟΥΔ shame
② ΕΠΙΦ outrageous!, shame!
► αίσχη ΟΥΣ ΠΛΗΘ sleaze *εν.*

αισχρό ΟΥΣ ΟΥΔ obscene

αισχροκέρδεια ΟΥΣ ΘΗΛ profiteering
▷**αυτό είναι σκέτη αισχροκέρδεια!** that's daylight robbery! (*ανεπ.*)

αισχροκερδής, -ής, -ές ΕΠΙΘ (*έμπορος*) mercenary

αισχροκερδώ Ρ ΑΜ to overcharge

αισχρολογία ΟΥΣ ΘΗΛ obscenity

αισχρόλογο ΟΥΣ ΟΥΔ obscenity

αισχρολογώ Ρ ΑΜ to use obscenities, to be foul-mouthed

αισχρός, -ή, -ό ΕΠΙΘ (α) (= *πρόστυχος: λέξεις*) rude, dirty· (*αστεία*) dirty (β) (= *αχρείος*) despicable (γ) (= *ευτελής: ξενοδοχείο*) seedy

αισχρότητα ΟΥΣ ΘΗΛ obscenity

αισχύνη ΟΥΣ ΘΗΛ (*επίσ.*) shame

αισώπειος, -α, -ο ΕΠΙΘ (*μύθος*) Aesop's

Αϊτή ΟΥΣ ΘΗΛ Haiti

αίτημα ΟΥΣ ΟΥΔ demand, request

αίτηση ΟΥΣ ΘΗΛ (α) (*αδείας, υποψηφιότητας, αναθεώρησης*) application (β) (= *έντυπο*) application form (γ) (= *αίτημα*) request
▷**αίτηση χάριτος** petition for mercy

αιτία ΟΥΣ ΘΗΛ (α) cause, reason (β) (*διαζυγίου, απολύσεως, πολέμου*) cause, reason (γ) (ΦΙΛΟΣ) cause
▷**αιτία πολέμου** casus belli
▷**άνευ λόγου και αιτίας** for no reason at all, without rhyme or reason
▷**γίνομαι η αιτία** +γεν. to be the cause of, to cause
▷**εξ αιτίας** +γεν. because of
▷**χωρίς αιτία** for no reason
► **γενική της αιτίας** (ΓΛΩΣΣ) genitive of cause

αιτίαση ΟΥΣ ΘΗΛ (α) (*επίσ.*: = *κατηγορία*) accusation (β) (= *απαίτηση*) demand

αιτιατική ΟΥΣ ΘΗΛ accusative

αίτιο ΟΥΣ ΟΥΔ **αίτιο και αιτιατό** cause and effect

αίτιο ΟΥΣ ΟΥΔ cause, reason
▷**ποιητικό αίτιο** agent

αιτιοκρατία ΟΥΣ ΘΗΛ determinism

αιτιολόγηση ΟΥΣ ΘΗΛ (*πράξης, συμπεριφοράς*) justification, rationale (*επίσ.*)

αιτιολογία ΟΥΣ ΘΗΛ (= *αιτιολόγηση, δικαιολογία*) explanation
▷**με την αιτιολογία ότι** on the grounds that

▷**αιτιολογικό** ΟΥΣ ΟΥΔ (α) (= *έκθεση αιτιών*) grounds *πληθ.* (β) (= *δικαιολογία*) reason
▷**με το αιτιολογικό ότι** on the grounds that

αιτιολογικός, -ή, -ό ΕΠΙΘ (*έκθεση*) explanatory· (*αλληλουχία, παράγοντας*) causal
▷**αιτιολογικός παράγοντας** cause
▷**αιτιολογικός σύνδεσμος/αιτιολογικές προτάσεις** causative conjunction/sentences

αιτιολογώ Ρ Μ to justify

αίτιος, -α, -ο ΕΠΙΘ responsible

αιτιώμαι Ρ Μ ΑΠΟΘ (*επία.*) to blame

αϊτός ΟΥΣ ΑΡΣ = **αετός**

αιτούσα ΟΥΣ ΘΗΛ (*επία.*) *βλ.* **αιτών**

αιτώ Ρ Μ (*επία.*) to demand
► **αιτούμαι** ΜΕΣΟΠΑΘ to request, to call for, to demand· (*χάρη*) to request· (*έλεος*) to beg for· (*χρήματα*) to claim
▷**αιτώ** *ή* **αιτούμαι να** to request that

αιτών ΟΥΣ ΑΡΣ (*επία.*) applicant

αίφνης ΕΠΙΡΡ (*επία.*) suddenly

αιφνίδια ΕΠΙΡΡ = **αιφνιδίως**

αιφνιδιάζω Ρ Μ to surprise· (*εχθρό, ληστές*) to take by surprise· (*αντίπαλο*) to catch off guard
► **αιφνιδιάζομαι** ΜΕΣΟΠΑΘ to be taken by surprise, to be caught off guard

αιφνιδιασμός ΟΥΣ ΑΡΣ (α) surprise (β) (ΣΤΡΑΤ) surprise attack
▷**συλλαμβάνω κπν με αιφνιδιασμό** to take sb by surprise

αιφνιδιαστικά ΕΠΙΡΡ by surprise

αιφνιδιαστικός, -ή, -ό ΕΠΙΘ (*συνάντηση, επίθεση*) surprise
▷**αιφνιδιαστικός έλεγχος** spot check

αιφνίδιος, -α, -ο ΕΠΙΘ (*ασθένεια, ανατροπή, αλλαγή*) sudden
▷**αιφνίδιος θάνατος** sudden death

αιφνιδίως ΕΠΙΡΡ suddenly

αιχμαλωσία ΟΥΣ ΘΗΛ (α) (= *κατάσταση τού αιχμαλώτου*) captivity (β) (= *σύλληψη*) capture
▷**στην αιχμαλωσία** in captivity
▷**σε αιχμαλωσία** in captivity

αιχμαλωτίζω Ρ Μ (α) (*όμηρο*) to take captive· (*στρατιώτη*) to capture, to take prisoner (β) (*μτφ.: βλέμμα, προσοχή, αισθήσεις, ακροατής*) to captivate

αιχμαλωτισμός ΟΥΣ ΑΡΣ (α) (*ομήρου, στρατιωτικού*) capture (β) (*μτφ.*) captivation

αιχμάλωτος, -η, -ο ΕΠΙΘ (α) (*στρατεύματα, δυνάμεις*) captured (β) (*μτφ.: ποτού, πάθους, ομορφιάς*) slave
▷**κρατώ κπν αιχμάλωτο** to hold sb prisoner
▷**πιάνω κπν αιχμάλωτο** to take sb prisoner
▷**πιάνομαι αιχμάλωτος** to be taken prisoner
► **αιχμάλωτος πολέμου** prisoner of war
► **αιχμάλωτος** ΟΥΣ ΑΡΣ, **αιχμάλωτη** ΟΥΣ ΘΗΛ prisoner

αιχμή ΟΥΣ ΘΗΛ (α) (*ξίφους, μαχαιριού, βελόνας*) point (β) (*μτφ.*) jibe
▷**αιχμή του δόρατος** spearhead
► **τεχνολογία αιχμής** leading-edge technology
► **ώρες αιχμής** rush hour *εν.*

αιχμηρός, -ή, -ό ΕΠΙΘ (α) (ξύλο, εργαλείο) sharp · (βράχος) jagged (β) (μτφ.: σχόλια) cutting · (καβγάς) blazing

αιώνας ΟΥΣ ΑΡΣ (α) (= εκατό ετών) century (β) (μτφ.: = πολύ μεγάλο χρονικό διάστημα) eternity χωρίς πληθ., ages πληθ. (γ) (= εποχή) age (δ) (ΓΕΩΛ) era
▷ **στον αιώνα τον άπαντα** for ever more
▷ **στον αιώνα του αιώνος, στους αιώνες των αιώνων** for ever and ever
▷ **μου φαίνεται αιώνας** it seems like an eternity
▷ **στους αιώνες** forever
▷ **χρυσός αιώνας** golden age

αιώνια, αιωνίως ΕΠΙΡΡ forever, eternally

αιώνιος, -α ή -ία, -ο ΕΠΙΘ (α) eternal (β) (μτφ.) eternal (γ) (= διαρκής) perpetual (δ) (ύφασμα, έπιπλα) hard–wearing (ε) (μτφ.: = αυτός που έχει διαχρονική αξία, που έρχεται μέσα από το χρόνο) eternal
▷ **αιώνιο πρόβλημα** perennial problem
▷ **αιώνιο ταξίδι, αιώνια ζωή** eternal life
▷ **αιώνιος ύπνος** eternal sleep
▷ **αιωνία του η μνήμη** in everlasting memory

αιωνιότητα ΟΥΣ ΘΗΛ eternity

αιωνόβιος, -α, -ο ΕΠΙΘ (α) (δάσος, κορμός, δέντρα) age–old (β) (γέροντας) as old as the hills

αιώρα ΟΥΣ ΘΗΛ hammock

αιώρημα ΟΥΣ ΟΥΔ (ΧΗΜ) suspension

αιωρούμαι Ρ ΑΜ ΑΠΟΘ to be suspended · (ελικόπτερο) to hover · (μτφ.) to hover
▷ **αφήνω να αιωρείται μια απειλή** to leave a threat hanging in the air

ακαδημαϊκά ΕΠΙΡΡ academically

ακαδημαϊκός¹, -ή, -ό ΕΠΙΘ (κυριολ., μτφ.) academic
▶ **ακαδημαϊκός δάσκαλος** university professor
▶ **ακαδημαϊκός έτος** academic year
▶ **ακαδημαϊκός πολίτης** university student

ακαδημαϊκός² ΟΥΣ ΑΡΣ academic

Ακαδημία ΟΥΣ ΘΗΛ (α) (ανώτατο πνευματικό ίδρυμα) academy (β) (ΑΡΧ ΙΣΤ) the Academy
▶ **Ακαδημία Αθηνών** Academy of Athens

ακαθάριστος, -η, -ο ΕΠΙΘ (α) (έσοδα, έξοδα, αποδοχές, εισόδημα) gross (β) (σπίτι, δωμάτιο) not cleaned · (ρούχα) unwashed · (κήπος) unweeded (γ) (φρούτο, καρπός, ντομάτα) not peeled (δ) (φακές, ρύζι) not cleaned
▶ **ακαθάριστο εθνικό προϊόν** gross national product

ακαθαρσία ΟΥΣ ΘΗΛ (α) (ζώων, ανθρώπων) excrement (επίσ.) (β) (= βρομιά) filth, dirt

ακάθαρτος, -η, -ο ΕΠΙΘ (α) (χέρια, φλιτζάνι, εργαλείο) dirty (β) (θάλασσα, περιβάλλον, δάσος, αέρας) polluted (γ) (πετρέλαιο) crude, unrefined (δ) (μτφ.) impure, unclean

ακάθεκτος, -η, -ο ΕΠΙΘ headlong

ακαθόριστος, -η, -ο ΕΠΙΘ (α) (σχέδιο, λόγια) vague · (ηλικία) indeterminate, uncertain · (σύνορο) blurred (β) (αίσθηση, συναίσθημα,

ελπίδα) vague (γ) (σχήμα, χαρακτήρας) ill–defined, indeterminate

άκαιρος, -η, -ο ΕΠΙΘ (α) (ενέργεια, παρέμβαση) ill–timed, untimely (β) (για κάρπους) unripe

ακακία ΟΥΣ ΘΗΛ acacia

> *Προσοχή!: Ο πληθυντικός του* **acacia** *είναι* **acacia** *ή* **acacias**.

άκακος, -η, -ο ΕΠΙΘ (λόγος, συμβουλή, άνθρωπος) harmless

ακαλαισθησία ΟΥΣ ΘΗΛ lack of taste

ακαλαίσθητος, -η, -ο ΕΠΙΘ (α) (άνθρωπος) who has no taste (β) (επίπλωση) tasteless

ακάλεστος, -η, -ο ΕΠΙΘ uninvited

ακαλλιέργητος, -η, -ο ΕΠΙΘ (α) (κυριολ.) uncultivated (β) (μτφ.) uncultured

ακάλυπτος, -η, -ο ΕΠΙΘ (α) (άνοιγμα, τρύπα) uncovered · (υπόνομος) open (β) (κεφάλι, πόδια, στήθος) bare (γ) (= ασυμπλήρωτος, κενός: ώρες) unfilled (δ) (μτφ.) uncovered (ε) (μτφ.) exposed
▷ **αφήνω κπν ακάλυπτο** to leave sb out on a limb
▷ **μένω ακάλυπτος** to be out on a limb
▶ **ακάλυπτη επιταγή** bad cheque (Βρετ.), bad check (Αμερ.)
▶ **ακάλυπτος χώρος** inner courtyard

ακαμάτης ΟΥΣ ΑΡΣ good–for–nothing, lazybones (ανεπ.)

> *Προσοχή!: Ο πληθυντικός του* **good–for–nothing** *είναι* **good–for–nothings**.

ακάματος, -η, -ο ΕΠΙΘ (άνθρωπος, προσπάθειες) tireless

άκαμπτος, -η, -ο ΕΠΙΘ (α) (ράβδος) rigid (β) (μτφ.: υποχρεώσεις) rigid · (αποφασιστικότητα) ruthless (γ) (μτφ.: χαρακτήρας) inflexible

ακαμψία ΟΥΣ ΘΗΛ (α) (σιδήρου) rigidity (β) (μτφ.: κανόνων, συστήματος) rigidity · (ιδεών, χαρακτήρα) inflexibility (γ) (ΙΑΤΡ) stiffness
▶ **νεκρική ακαμψία** rigor mortis

ακάνθινος, -η, -ο ΕΠΙΘ: **ακάνθινος στέφανος** crown of thorns

ακανθώδης, -ης, -ες ΕΠΙΘ (α) (φυτό, τριαντάφυλλο) thorny, prickly (β) (μτφ.: θέμα) thorny · (δρόμος) hazardous

ακανόνιστος, -η, -ο ΕΠΙΘ (α) (διαστήματα, χτύποι) irregular (β) (σχέδιο) erratic (γ) (= αρύθμιστος) unsettled

άκαπνος, -η, -ο ΕΠΙΘ (α) (μπαρούτι, πυρίτιδα) smokeless (β) (μτφ.: = απόλεμος) peaceful

άκαρδος, -η, -ο ΕΠΙΘ heartless

ακαριαίος, -α, -ο ΕΠΙΘ (α) (αποτέλεσμα, θάνατος) instantaneous · (επέμβαση) instant

ακαρπία ΟΥΣ ΘΗΛ (α) (= έλλειψη καρπών) crop failure (β) (= στειρότητα) sterility

άκαρπος, -η, -ο ΕΠΙΘ (α) *(για φυτά)* fruitless · *(γη)* barren, sterile (β) (= *στείρος: για πρόσ.*) sterile (γ) *(μτφ.: διαπραγματεύσεις, έρευνες, προσπάθεια)* fruitless · *(συζήτηση)* pointless
▷**αποβαίνω άκαρπος** to be fruitless

ακατάβλητος, -η, -ο ΕΠΙΘ (α) (= *ακμαίος*) sprightly (β) *(μτφ.: = πνεύμα)* indomitable (γ) *(εισφορά, λογαριασμός)* unpaid

ακατάδεκτος, -η, -ο ΕΠΙΘ *(άνθρωπος)* snobbish, snooty · *(ύφος, συμπεριφορά)* haughty

ακαταδεξία, ακαταδεξιά ΟΥΣ ΘΗΛ *(προφορ.)* snobbery

ακατάδεχτος, -η, -ο ΕΠΙΘ = **ακατάδεκτος**

ακαταλαβίστικος, -η, -ο ΕΠΙΘ incomprehensible

ακαταλάγιαστος, -η, -ο *(λογοτ.)* ΕΠΙΘ *(θλίψη, πόνος)* unabated

ακατάληπτος, -η, -ο ΕΠΙΘ *(λόγια, στίχος)* incomprehensible
▷**μου είναι ακατάληπτο** I don't understand it, it's beyond me

ακατάλληλος, -η, -ο ΕΠΙΘ *(άνθρωπος)* unfit · *(περιοδικά, ταινία, περιβάλλον)* unsuitable · *(ώρα, στιγμή)* inconvenient, awkward
▷**η στιγμή είναι ακατάλληλη να κάνω κτ** it's not the right moment to do sth
▷**ακατάλληλο προς κατανάλωση** not fit for consumption
▷**ακατάλληλο για παιδιά** unsuitable for children

ακαταλληλότητα ΟΥΣ ΘΗΛ *(ατόμου, κυβέρνησης)* unfitness · *(κλίματος, ταινίας, βιβλίου)* unsuitability · *(στιγμής, ώρας)* awkwardness

ακαταλόγιστο ΟΥΣ ΟΥΔ irresponsibility
▷**έχω το ακαταλόγιστο** to be irresponsible
▷**έχω το ακαταλόγιστο των πράξεών μου** not to be responsible for one's actions

ακαταλόγιστος, -η, -ο ΕΠΙΘ not responsible

ακατάλυτος, -η, -ο ΕΠΙΘ (α) *(για πρόσ.)* unshakeable (β) *(δεσμός)* indissoluble · *(αρχές)* unshakeable · *(ομορφιά)* enduring

ακαταμάχητος, -η, -ο ΕΠΙΘ *(έλξη, γοητεία)* irresistible · *(επιχείρημα)* compelling, irrefutable

ακαταμέτρητος, -η, -ο ΕΠΙΘ *(ψήφος, ψηφοδέλτια)* uncounted

ακατανίκητος, -η, -ο ΕΠΙΘ (α) *(κατακτητής)* indomitable (β) *(έλξη, γοητεία, επιθυμία)* irresistible

ακατανόητος, -η, -ο ΕΠΙΘ (α) (= *ακατάληπτος: λόγια)* unintelligible, incomprehensible (β) (= *ανεξήγητος)* inexplicable

ακατάπαυστος, -η, -ο ΕΠΙΘ *(φλυαρία, αιμορραγία)* nonstop · *(πόνοι)* constant

ακαταπόνητος, -η, -ο ΕΠΙΘ indefatigable, tireless

ακατάρτιστος, -η, -ο ΕΠΙΘ (α) *(αρχείο, πίνακας)* unprepared (β) *(προσωπικό,*

εργαζόμενος, επιστήμονας) inept

ακατάσβεστος, -η, -ο ΕΠΙΘ (α) *(φωτιά)* still burning, not extinguished (β) *(μτφ.: πόθος, πάθος)* unquenchable · *(μίσος)* implacable

ακαταστάλακτος, ακαταστάλαχτος, -η, -ο ΕΠΙΘ (α) (= *υγρό, καφές)* not settled (β) (= *αναποφάσιστος)* undecided

ακαταστασία ΟΥΣ ΘΗΛ (α) (= *αταξία)* mess (β) *(μτφ.)* confusion

ακατάστατος, -η, -ο ΕΠΙΘ (α) *(άνθρωπος, δωμάτιο)* untidy, messy (β) *(μαλλιά)* messy, in a mess (γ) *(συνήθειες)* irregular · *(ζωή)* unusual (δ) *(καιρός)* unsettled

ακατάσχετος[1], -η, -ο ΕΠΙΘ (α) *(αιμορραγία)* profuse · *(διάρροια)* persistent (β) *(φλυαρία, λογοδιάρροια)* incessant, nonstop

ακατάσχετος[2], -η, -ο ΕΠΙΘ (= *που δεν κατασχέθηκε: ακίνητο, κινητό)* not seized · (= *που δεν μπορεί να κατασχεθεί)* that cannot be seized

ακατατόπιστος, -η, -ο ΕΠΙΘ uninformed

ακαταχώρητος, -η, -ο ΕΠΙΘ = **ακαταχώριστος**

ακαταχώριστος, -η, -ο ΕΠΙΘ (α) *(στοιχεία, έγγραφα)* not recorded (β) *(αγγελία)* unpublished, not run

ακατέβατος, -η, -ο ΕΠΙΘ *(τιμή)* fixed, non-negotiable

ακατέργαστος, -η, -ο ΕΠΙΘ (α) *(χάλυβας, λάδια, ύφασμα)* unprocessed · *(δέρματα)* untreated, raw · *(διαμάντι)* uncut (β) *(πληροφορίες, δεδομένα)* raw (γ) *(μτφ.: τρόποι, άνθρωπος, χαρακτήρας)* unrefined, crude

ακατοίκητος, -η, -ο ΕΠΙΘ (α) (= *αυτός που δεν κατοικείται)* uninhabited (β) (= *αυτός που δεν μπορεί να κατοικηθεί)* uninhabitable

ακατονόμαστος, -η, -ο ΕΠΙΘ (α) *(όργια)* sordid · *(συμπεριφορά)* disgraceful · *(έγκλημα)* heinous · *(ύβρεις)* unrepeatable · *(πράξεις)* unspeakable

ακατόρθωτος, -η, -ο ΕΠΙΘ *(τόλμημα, όνειρο)* impossible
▸**ακατόρθωτο** ΟΥΣ ΟΥΔ: **το ακατόρθωτο** the impossible

άκατος ΟΥΣ ΘΗΛ launch

ακατοχύρωτος, -η, -ο ΕΠΙΘ *(δουλειά)* insecure · *(δικαίωμα)* not protected

άκαυστος, -η, -ο ΕΠΙΘ *(πόρτα, στολή)* fireproof · *(υλικό)* non-flammable

ακέραιος, -η, -ο ΕΠΙΘ (α) (= *ολόκληρος)* whole (β) *(επίσης ακέριος: = ανέπαφος)* intact (γ) *(χαρακτήρας, δικαστής)* honest, upright
▷**ακέραιη μονάδα** unit
▷**στο ακέραιο** in full
▷**φέρνω ακέραιη την ευθύνη για κτ** to take full responsibility for sth
▸**ακέραιοι αριθμοί** whole numbers

ακεραιότητα ΟΥΣ ΘΗΛ integrity
▸**εδαφική ακεραιότητα** territorial integrity
▸**σωματική ακεραιότητα** physical well–being

A

ακέριος, -ια, -ιο ΕΠΙΘ *βλ.* **ακέραιος**

ακετόνη ΟΥΣ ΘΗΛ acetone

ακέφαλος, -η, -ο ΕΠΙΘ (α) (*άγαλμα, σώμα*) headless · (*μτφ.: κράτος, κόμμα*) leaderless · (*εταιρεία*) rudderless

ακεφιά ΟΥΣ ΘΗΛ low spirits *πληθ.*
▷**έχω ακεφιές** to be in low spirits, to feel down

άκεφος, -η, -ο ΕΠΙΘ in low spirits, gloomy

ακηδεμόνευτος, -η, -ο ΕΠΙΘ (= ανεξάρτητος: *κίνημα*) independent

ακηλίδωτος, -η, -ο ΕΠΙΘ (*υπόληψη, όνομα*) spotless

ακήρυκτος, -η, -ο ΕΠΙΘ (*πόλεμος*) undeclared

ακίδα ΟΥΣ ΘΗΛ (α) (*βελόνας, βέλους*) point (β) (*ξύλου*) splinter

ακίνδυνος, -η, -ο ΕΠΙΘ (α) (*ουσία*) harmless · (*ταξίδι*) safe (β) (*άνθρωπος, ζώο*) harmless

ακινησία ΟΥΣ ΘΗΛ (α) (= η κατάσταση του *ακίνητου*) immobility (β) (*μτφ.: εμπορίου, αγοράς*) stagnation

ακίνητο ΟΥΣ ΟΥΔ property, real estate (*κυρ. Αμερ.*)

ακινητοποίηση ΟΥΣ ΘΗΛ immobilization

ακινητοποιώ Ρ Μ (α) (*άνθρωπο*) to overpower (β) (*αυτοκίνητο, πλοίο, τραίνο*) to immobilize (γ) (*μτφ.*) to bring to a standstill (δ) (*κεφάλαιο*) to immobilize

ακίνητος, -η, -ο ΕΠΙΘ (α) (*για πρόσ.*) still, immobile (β) (*περιουσία, ιδιοκτησία*) immovable
▷**ακίνητος!** don't move!
▷**μένω/στέκομαι/κάθομαι ακίνητος** to stay/ stand/sit still
▸**ακίνητη εορτή** immovable feast

ακινητώ ① Ρ ΑΜ to be still
② Ρ Μ to immobilize

ακκισμός ΟΥΣ ΑΡΣ (*επίσ.*) affectation

άκλαυτος, -η, -ο ΕΠΙΘ (*νεκρός*) unmourned

ακληρονόμητος, -η, -ο ΕΠΙΘ heirless

άκληρος, -η, -ο ΕΠΙΘ (α) (= χωρίς παιδιά) childless (β) (= χωρίς κτηματική περιουσία) landless

ακλήρωτος, -η, -ο ΕΠΙΘ (*λαχνός, λαχείο*) not drawn

ακλήτευτος, -η, -ο ΕΠΙΘ (*μάρτυρας*) not called

άκλιτος, -η, -ο ΕΠΙΘ (ΓΛΩΣΣ) indeclinable

ακλόνητος, -η, -ο ΕΠΙΘ (α) (*θεμέλιο*) solid, firm (β) (*για πρόσ.*) steadfast, unshakeable · (*θάρρος*) unflinching · (*πίστη*) unshakeable · (*πεποίθηση, φιλία, απόφαση*) firm (γ) (*για επαγγελματία:* = αμετακίνητος) immoveable (δ) (*άλλοθι, αποδείξεις*) cast-iron · (*στοιχείο, επιχείρημα*) irrefutable

ακμάζω Ρ ΑΜ (α) (*για πρόσ.*) to be at one's peak, to be at the peak of one's powers (β) (*εμπόριο, τέχνη, πολιτισμός*) to flourish, to prosper

ακμαίος, -α, -ο ΕΠΙΘ (α) (*για πρόσ.*) vigorous,

hale and hearty (β) (*οικονομία, πολιτισμός, επιχείρηση*) thriving, flourishing (γ) (*ηθικό, φρόνημα*) high
▷**νιώθω ακμαίες τις δυνάμεις μου** to feel at the peak of one's powers

ακμαιότητα ΟΥΣ ΘΗΛ vigour (*Βρετ.*), vigor (*Αμερ.*)

ακμή ΟΥΣ ΘΗΛ (α) (= μεγάλη ανάπτυξη: *τέχνης, εμπορίου, πολιτισμού*) prosperity (β) (= το ανώτατο σημείο έντασης) acme (*επίσ.*), peak · (*νόσου*) crisis

> *Προσοχή!: Ο πληθυντικός του* **crisis** *είναι* **crises**.

(γ) (ΓΕΩΜ: = *κύβου, πυραμίδας*) axis

> *Προσοχή!: Ο πληθυντικός του* **axis** *είναι* **axes**.

(δ) (ΙΑΤΡ) acne (ε) (= *κόψη: μαχαιριού*) edge
▷**βρίσκομαι/φτάνω σε ακμή** to be at/reach a peak
▷**γνωρίζω ακμή** to flourish, to thrive
▷**επί ξυρού ακμής** (*επίσ.*) on a knife–edge
▷**στην ακμή της ηλικίας του** in his prime

άκμων ΟΥΣ ΑΡΣ (*όπλου*) anvil
▷**μεταξύ σφύρας και άκμονος** between the devil and the deep blue sea, between a rock and a hard place

ακοή ΟΥΣ ΘΗΛ hearing
▷**γνωρίζω κπν εξ ακοής** to have heard of sb

ακοίμητος, -η, -ο ΕΠΙΘ (α) (*φρουρός*) vigilant (β) (*πάθος, πόθος*) unwavering (γ) (*φάρος*) permanent

ακοινώνητος, -η, -ο ΕΠΙΘ (α) (= *μη κοινωνικός*) unsociable (β) (= *που δεν μετάλαβε*) who hasn't received Holy Communion

ακολασία ΟΥΣ ΘΗΛ (= *κατάχρηση σωματικών απολαύσεων*) debauchery

ακόλαστος, -η, -ο ΕΠΙΘ (= *ήθη*) loose · (= *επιθυμία*) lecherous · (*ζωή*) dissolute, debauched

ακολλάριστος, -η, -ο ΕΠΙΘ (*ρούχο*) unstarched

ακολουθία ΟΥΣ ΘΗΛ (α) (= *συνοδεία*) retinue, entourage (β) (= *συνέπεια*) coherence (γ) (ΜΑΘ) sequence (δ) (ΘΡΗΣΚ) service
▷**επιχείρημα χωρίς ακολουθία** incoherent argument
▷**κατ' ακολουθίαν** consequently
▸**λογική ακολουθία** logical sequence
▸**νεκρώσιμή ακολουθία** burial rites *πληθ.*

ακόλουθος¹ ΟΥΣ ΑΡΣ&ΘΗΛ (α) (= *συνοδός*) attendant (β) (*σε διπλωματική υπηρεσία*) attaché
▸**διπλωματικός/στρατιωτικός ακόλουθος** diplomatic/military attaché

ακόλουθος², -η, -ο ΕΠΙΘ following

ακολουθώ ① Ρ ΑΜ to follow
② Ρ Μ (α) (= *παρακολουθώ*) to follow (β) (= *διαδέχομαι*) to come after, to follow

A

(γ) (= συνοδεύω) to go with · (τιμητικό άγημα) to escort (δ) (= εμφανίζομαι ως συνέπεια) to follow (ε) (δρόμο, πορεία) to follow (στ) (μέθοδο, μόδα, διδασκαλία, οδηγίες) to follow · (πολιτική) to pursue · (λογική) to listen to · (αρχές) to adhere to · (τακτική) to use · (νόμο, έθιμο, παράδοση) to observe (ζ) (συμβουλή) to follow, to take
▷**ακολουθώ κπν κατά πόδας** to follow sb closely, to be hot on sb's heels
▷**ακολουθώ κπν με το βλέμμα** ή **τα μάτια** to follow sb with one's eyes
▷**ακολουθώ τα ίχνη κποιου** to track sb, to follow sb's trail
▷**ακολουθώ την τύχη** ή **τη μοίρα κποιου** to share sb's fate
▷**ενεργώ ακολουθώντας το νόμο** to act in keeping with the law, to act within the law
▷**η ατυχία μ' ακολουθεί** to be plagued by bad luck

ακολούθως ΕΠΙΡΡ (επα) afterwards
▷**ως ακολούθως** as follows

ακόμα, ακόμη ΕΠΙΡΡ (α) (χρονικό) still · (σε αρνητικές προτάσεις) yet (β) (ποσοτικό: = επιπλέον) more (γ) (επιτατικό: = περισσότερο) even
▷**για μια ακόμα φορά** once again
▷**δεν έχω τελειώσει ακόμη** I haven't finished yet
▷**ακόμα εξυπνότερος** even cleverer, more clever
▷**ακόμα και** even
▷**ακόμη και αν** ή **κι αν** even if
▷**και αν** ή **κι αν ακόμη** even if
▷**και που 'σαι ακόμα!** you've seen nothing yet!
▷**ακόμα καλύτερα** even better
▷**ποιος άλλος ακόμη** who else
▷**είναι νωρίς ακόμη** it's still early
▷**τι άλλο ακόμη** what else
▷**τι άλλο θα δούμε ακόμη;** what else will we see?, what will we see next?

ακομμάτιστος, -η, -ο ΕΠΙΘ impartial
ακομπανιάρω Ρ Μ (ΜΟΥΣ) to accompany
άκομψος, -η, -ο ΕΠΙΘ (α) (φόρεμα, σακάκι, εμφάνιση) dowdy, inelegant · (έκφραση) clumsy, inelegant (β) (= αγενής: τρόπος) tactless
ακόνι ΟΥΣ ΟΥΔ grindstone
ακονίζω Ρ Μ (α) (μαχαίρι) to sharpen, to hone (β) (μτφ.: μυαλό) to sharpen, to stimulate
ακόνισμα ΟΥΣ ΟΥΔ (μαχαιριού, λίμας) sharpening
ακονιστήρι ΟΥΣ ΟΥΔ sharpener
ακόντιο ΟΥΣ ΟΥΔ (α) (= αρχαίο όπλο) spear (β) (ΑΘΛ) javelin
ακοντιστής ΟΥΣ ΑΡΣ javelin thrower
ακοντίστρια ΟΥΣ ΘΗΛ βλ. **ακοντιστής**
ακόπιαστα ΕΠΙΡΡ effortlessly
ακόπιαστος
ακόπιαστος, -η, -ο ΕΠΙΘ (δουλειά) easy

άκοπος[1], **-η, -ο** ΕΠΙΘ (δέντρο, νύχια, σελίδες) uncut
άκοπος[2], **-η, -ο** ΕΠΙΘ (δουλειά, λεφτά, κέρδος) easy
ακόρεστος, -η, -ο ΕΠΙΘ (α) (όρεξη, επιθυμία, περιέργεια) insatiable · (δίψα) raging, unquenchable (β) (ΧΗΜ: ένωση, διάλυμα) unsaturated
ακορντεόν ΟΥΣ ΟΥΔ ΑΚΛ accordion
ακοσμία ΟΥΣ ΘΗΛ (επίσ.) impropriety (επίσ.), bad manners πληθ.
άκοσμος, -η, -ο ΕΠΙΘ (συμπεριφορά) unseemly
ακοστολόγητος, -η, -ο ΕΠΙΘ (εμπόρευμα) unpriced
ακουαρέλα ΟΥΣ ΘΗΛ watercolour (Βρετ.), watercolor (Αμερ.)
ακουαφόρτε ΟΥΣ ΟΥΔ ΑΚΛ (προφορ.) nitric acid
ακουμπιστήρι ΟΥΣ ΟΥΔ (προφορ.: = αυτό όπου ακουμπά κανείς) support
ακουμπώ [1] Ρ Μ (α) (= αγγίζω) to touch (β) (= τοποθετώ) to put (γ) (= στηρίζω: σκάλα) to lean · (κεφάλι) to rest, to lay (δ) (προφορ.: = δίνω χρήματα, καταθέτω) to pay
[2] Ρ ΑΜ to lean (σε on ή against)
ακούμπωτος, -η, -ο ΕΠΙΘ unbuttoned, undone
ακούνητος, -η, -ο ΕΠΙΘ (προφορ.) still
ακούραστος, -η, -ο ΕΠΙΘ tireless, indefatigable
ακούρδιστος, -η, -ο ΕΠΙΘ (πιάνο) not tuned · (ρολόι) not wound up
ακούρευτος, -η, -ο ΕΠΙΘ (α) (μαλλιά) uncut (β) (πρόβατο) unshorn
ακούσιος, -α, -ο ΕΠΙΘ (α) (χτύπημα, πράξη) unintentional (β) (θέατος, μάρτυρας, συνένοχος, υποστηρικτής) unwitting
άκουσμα ΟΥΣ ΟΥΔ (α) (= αυτό που ακούει κπς) sound (β) (= το να ακούει κπς) hearing (γ) (= μουσικό κομμάτι) song
▷**στο άκουσμα μιας ερώτησης/μιας λέξης** on hearing a question/a word
άκουσον ΕΠΙΦΩΝ: **άκουσον-άκουσον** listen to this · βλ. κ. **ακούω**
ακουστά ΕΠΙΡΡ: **έχω ακουστά για κτ/πως** to have heard about sth/that
▷**έχω κπν/κτ ακουστά** to have heard of sb/sth
ακουστική ΟΥΣ ΘΗΛ (α) (ΦΥΣ) acoustics εν.

*Προσοχή!: Αν και το **acoustics** φαίνεται ως τύπος πληθυντικού, είναι ουσιαστικό μόνο στον ενικό και συντάσσεται με ρήμα στον ενικό.*

(β) (χώρου) acoustics πληθ.
ακουστικό ΟΥΣ ΟΥΔ (τηλεφώνου) receiver
▷**κατεβάζω το ακουστικό** to hang up, to put the receiver down
▷**περιμένετε στο ακουστικό σας!** hold the

line please!

▷**σηκώνω το ακουστικό** to pick up the receiver

▸**ακουστικό βαρηκοΐας** hearing aid

▸**ακουστικά** ΠΛΗΘ (α) (*στερεοφωνικού*) headphones· (*γονόκμαν*) earphones (β) (ΙΑΤΡ) stethoscope *εν*.

ακουστικός, -ή, -ό ΕΠΙΘ (α) (*όργανα, νεύρα*) auditory· (*ικανότητα*) hearing (β) (*σήμα*) audio, acoustic· (*σήμα, συχνότητα*) audio

▸**ακουστική κιθάρα** acoustic guitar

ακουστικότητα ΟΥΣ ΘΗΛ acoustics *πληθ*.

ακουστός, -ή, -ό ΕΠΙΘ (α) (*ήχος*) audible (β) (= *ξακουστός*) well–known, famous

▷**μη ακουστός** inaudible

ακούω ① Ρ Μ (α) (= *αντιλαμβάνομαι με την ακοή*: = *ήχο, θόρυβο*) to hear (β) (= *παρακολουθώ με την ακοή*: *τραγούδι, μουσική, ομιλία, ομιλητή, ράδιο*) to listen to (γ) (= *πληροφορούμαι, μαθαίνω*) to hear (δ) (= *υπακούω*: *γονείς, συμβουλή, φώνη της λογικής*) to listen to (ε) (= *πιστεύω*) to listen to

② Ρ ΑΜ (= *έχω την αίσθηση της ακοής*) to hear· (= *αφουγκράζομαι*) to listen

▷**άκου να δεις!** just listen to this!

▷**άκου να σου πω!** (*ως απειλή*) now you listen to me!

▷**τι ακούει κανείς!, τι ακούνε τ' αυτιά μας!** (*για απορία*) the things you hear!

▷**ακούω στο όνομα** to go by the name of

▸**ακούγομαι, ακούομαι** ΜΕΣΟΠΑΘ (α) (= *δίνω την εντύπωση*) to sound· (β) = *είμαι ξακουστός*) to be talked about (γ) (= *γίνομαι αντιληπτός δια ακοής*) to be heard

ακράδαντα ΕΠΙΡΡ firmly

ακράδαντος, -η, -ο ΕΠΙΘ (*πίστη, πεποίθηση*) unshakeable· (*απόδειξη*) cast–iron· (*βεβαιότητα*) absolute

ακραίος, -α, -ο ΕΠΙΘ (α) (*σημείο*) end· (*περιοχή*) outlying (β) (*άποψη, περίπτωση, λύσεις*) extreme

ακραιφνής, -ής, -ές ΕΠΙΘ (α) (*δημοτική*) pure (β) (*υποστηρικτής, δεξιός, αριστερός*) die–hard

ακράτεια ΟΥΣ ΘΗΛ: **ακράτεια ούρων** incontinence

ακράτητος, -η, -ο ΕΠΙΘ (*οργή, γέλιο*) uncontrollable· (*ενθουσιασμός*) unbridled· (*πόθος*) overwhelming

άκρατος[1]**, -η, -ο** ΕΠΙΘ (*ενθουσιασμός*) boundless

άκρατος[2]**, -η, -ο** ΕΠΙΘ (*ιδεαλισμός*) pure

άκρη ΟΥΣ ΘΗΛ (α) (*σχοινιού, δρόμου*) end· (*πόλης, δάσους*) edge (β) (*μολυβιού, δακτύλου*) tip (γ) (= *απόμερος τόπος*) corner

▷**άκρη άκρη** on the edge

▷**άκρες μέσες** roughly

▷**απ' άκρη σ' άκρη** completely

▷**απ' τη μια άκρη στην άλλη** from top to bottom

▷**η άκρη του νήματος** (= *λύση*) the solution

▷**στην (άλλη) άκρη του κόσμου** to the ends of the earth

▷**βάζω κτ στην άκρη** (*έπιπλα*) to move sth to one side, to move sth out of the way· (*χρήματα*) to put sth aside *ή* by

▷**δεν μπορώ να βγάλω άκρη** I can't make head or tail of it

▷**βρίσκω άκρη** to get to the bottom of it

▷**κάνω (στην) άκρη** to get out of the way

▷**κάνω κπν στην άκρη** to push sb aside

ακριανός, -ή, -ό ΕΠΙΘ = **ακρινός**

ακριβαίνω ① Ρ ΑΜ (α) (*εισιτήρια, τρόφιμα*) to go up in price· (*λογαριασμοί*) to go up, to be more expensive (β) (*ζωή*) to get more expensive

② Ρ Μ (*τιμή*) to put up

ακρίβεια ΟΥΣ ΘΗΛ (α) (*διατύπωσης*) precision· (*μετάφρασης*) accuracy (β) (*για ρολόι*) accuracy (γ) (= *υψηλό κόστος*) high prices *πληθ*.

▷**για την ακρίβεια** to be precise

▷**με μαθηματική ακρίβεια** (= *οπωσδήποτε, σίγουρα*) most definitely

▷**μέτρηση ακρίβειας** precise measurement

▸**όργανο ακρίβειας** precision instrument *ή* tool

ακριβής, -ής, -ές ΕΠΙΘ (α) (= *σύμφωνος με την πραγματικότητα*: *πληροφορία, πρόγνωση, στοιχεία*) accurate (β) (= *σωστός*: *τιμή, αντίτιμο, ώρα, ποσό*) exact· (*αριθμός, θέση*) precise· (*έννοια*) precise, exact· (*ημερομηνία*) correct (γ) (= *πιστός*: *διάγνωση, αντίγραφο, γνώση, περιγραφή*) accurate· (*οδηγίες, ορισμός*) precise· (*εικόνα*) true· (*προφορά, απάντηση*) correct (δ) (= *συνεπής*) consistent, punctual

▷**είμαι ακριβής στο ραντεβού μου** to be punctual

ακριβοδίκαιος, -η, -ο ΕΠΙΘ (*δικαστής*) scrupulously fair

ακριβοθώρητη ΟΥΣ ΘΗΛ *βλ*. **ακριβοθώρητος**

ακριβοθώρητος ΟΥΣ ΑΡΣ: **μας έγινες ακριβοθώρητος** (*ειρων.*) we never see you any more

ακριβολογία ΟΥΣ ΘΗΛ precision (*in one's choice of words*)

ακριβολόγος, -ος, -ο ΕΠΙΘ precise

ακριβολογώ Ρ ΑΜ to be precise

ακριβοπληρώνω Ρ Μ (α) to pay too much for (β) (*μτφ.*) to pay dearly for

ακριβοπουλώ Ρ Μ to sell for a lot of money

ακριβός, -ή, -ό ΕΠΙΘ (α) (*ρούχα, κοσμήματα, έμπορος, μαγαζί*) expensive (β) (= *αγαπημένος*) dear

ακριβώς ΕΠΙΡΡ exactly

▷**ακριβώς!** exactly!, precisely!

▷**εκείνη ακριβώς τη στιγμή** just at that moment, at precisely that moment

▷**η ώρα είναι δέκα ακριβώς** it's exactly ten o'clock

▷**στις δέκα η ώρα ακριβώς** at ten o'clock sharp, on the dot of ten

ακρίδα ΟΥΣ ΘΗΛ locust, grasshopper
▷**έπεσε ακρίδα** there was a plague of locusts
ακριλικός, -ή, -ό ΕΠΙΘ acrylic
ακρινός, -ή, -ό ΕΠΙΘ (δωμάτιο) far· (τραπέζι) at the far end
ακρισία ΟΥΣ ΘΗΛ lack of judgement
άκριτα ΕΠΙΡΡ uncritically
ακρίτας ΟΥΣ ΑΡΣ person living in the borders
ακριτικός, -ή, -ό ΕΠΙΘ (περιοχή) outlying, border· (φυλάκιο) frontier
ακριτομυθία ΟΥΣ ΘΗΛ (επίσ.) indiscretion
άκριτος, -η, -ο ΕΠΙΘ (για πρόσ.) witless· (λόγια, πράξεις) thoughtless· (κατηγορίες) unfounded
άκρο ΟΥΣ ΟΥΔ (σκοινιού, καλωδίου, γηπέδου) end
▷**απ' άκρου εις άκρον** from one end to the other
▷**απ' άκρου εις άκρον στη χώρα** throughout the country
▷**στο άλλο άκρο** to the opposite extreme
▸**άκρα** ΠΛΗΘ (ΑΝΑΤ) limbs
▷**άνω/κάτω άκρα** upper/lower limbs
▷**φτάνω στα άκρα** to go to extremes
▷**σπρώχνω ή εξωθώ κτ στα άκρα** to take sth to extremes
▷**άνθρωπος των άκρων** a man of extremes
ακροάζομαι Ρ Μ ΑΠΟΘ (ασθενή) to auscultate (επιστ.)
ακροαματικός, -ή, -ό ΕΠΙΘ: **ακροαματική διαδικασία** (ΝΟΜ) hearing
ακροαματικότητα ΟΥΣ ΘΗΛ ratings πληθ.
ακρόαση ΟΥΣ ΘΗΛ (α) (για καλλιτέχνη) audition (β) (= παρουσίαση αιτημάτων ή παραπόνων) audience· (ΝΟΜ) hearing (γ) (ΙΑΤΡ) auscultation (επιστ.) (δ) (μουσικής, δίσκου) listening
▷**ούτε φωνή ούτε ακρόαση** I/we haven't seen hide nor hair of him
▷**κάνω ακρόαση** to listen
ακροατήριο ΟΥΣ ΟΥΔ audience
ακροατής ΟΥΣ ΑΡΣ listener
ακροάτρια ΟΥΣ ΘΗΛ βλ. **ακροατής**
ακροβασία ΟΥΣ ΘΗΛ acrobatics πληθ.
ακροβάτης ΟΥΣ ΑΡΣ acrobat
ακροβατικός, -ή, -ό ΕΠΙΘ (= θέαμα, νούμερο) acrobatic
▸**ακροβατικό** ΟΥΣ ΟΥΔ acrobatics
▷**κάνω ακροβατικά** to do ή perform acrobatics
ακροβατώ Ρ ΑΜ (α) (κυριολ.) to do a handstand (β) (= κάνω ακροβασίες) to do acrobatics (γ) (μτφ.) to walk a tightrope
ακροβολίζομαι Ρ ΑΜ ΑΠΟΘ to spread out
ακροβολιστής ΟΥΣ ΑΡΣ skirmisher
ακροβυστία ΟΥΣ ΘΗΛ foreskin, prepuce (επιστ.)
ακρογιάλι (λογοτ.) ΟΥΣ ΟΥΔ = **ακρογιαλιά**
ακρογιαλιά ΟΥΣ ΘΗΛ beach, (sea)shore
ακρογωνιαίος, -α, -ο ΕΠΙΘ: **ακρογωνιαίος**

λίθος cornerstone
ακροθαλασσιά ΟΥΣ ΘΗΛ seashore
ακροθιγώς ΕΠΙΡΡ (επίσ.) superficially
ακροκέραμο ΟΥΣ ΟΥΔ antefix (επιστ.), ornamental edge tile
ακρομεγαλία ΟΥΣ ΘΗΛ acromegaly (επιστ.)
ακροποδητί ΕΠΙΡΡ on tiptoe
ακρόπολη ΟΥΣ ΘΗΛ citadel
▷**η Ακρόπολη** the Acropolis
ακροποταμιά ΟΥΣ ΘΗΛ riverbank, riverside
ακρόπρωρο ΟΥΣ ΟΥΔ figurehead
ακροπύργιο ΟΥΣ ΟΥΔ keep
άκρος, -α, -ο ΕΠΙΘ (α) (φιλοδοξία) excessive (β) (ευχαρίστηση) perfect· (σιγή) absolute
▷**άκρον άωτον** +γεν. the height of
▷**το άκρο αντίθετο** the complete opposite
▷**χαίρω άκρας υγείας** to be in the best of health
▸**άκρα αριστερά/δεξιά** far left/right
ακροστιχίδα ΟΥΣ ΘΗΛ acrostic
ακρότατος, -η, -ο ΕΠΙΘ (σημείο) furthermost
ακρότητα ΟΥΣ ΘΗΛ extreme
▷**φτάνω σε ακρότητες** to go to extremes
ακρούλα ΟΥΣ ΘΗΛ (α) (= ελάχιστη ποσότητα) little bit (β) (= απόμερο μέρος) corner
ακρυλικός, -ή, -ό ΕΠΙΘ = **ακριλικός**
άκρως ΕΠΙΡΡ (επίσ.) extremely
ακρωτήρι (προφορ.) = **ακρωτήριο**
ακρωτηριάζω Ρ Μ (α) to amputate (β) (μτφ.: ανθρωπισμό) to break· (πίστη) to undermine (αίσθημα) to deaden
ακρωτηρίαση ΟΥΣ ΘΗΛ βλ. **ακρωτηριασμός**
ακρωτηριασμός ΟΥΣ ΑΡΣ amputation
ακρωτήριο ΟΥΣ ΟΥΔ, **ακρωτήρι** headland, cape
ακταιωρός ΟΥΣ ΑΡΣ&ΘΗΛ patrol boat, coastguard boat
ακτή ΟΥΣ ΘΗΛ coast χωρίς πληθ., shore
▸**ακτές** ΠΛΗΘ coastline
Ακτή Ελεφαντοστού ΟΥΣ ΘΗΛ: **η Ακτή Ελεφαντοστού** the Ivory Coast
ακτήμονας ΟΥΣ ΑΡΣ&ΘΗΛ = **ακτήμων**
ακτημοσύνη ΟΥΣ ΘΗΛ lack of property
ακτήμων, -ων, -ον ΕΠΙΘ (χωρικοί) landless
▸**ακτήμων καλλιεργητής** tenant farmer, sharecropper (κυρ. Αμερ.)
ακτίνα ΟΥΣ ΘΗΛ (α) (ήλιου) ray (β) (κύκλου) radius

> ˙ Προσοχή!: Ο πληθυντικός του **radius** είναι **radii**.

(γ) (ποδηλάτου) spoke
▷**σε ακτίνα 200 χιλιομέτρων** within a radius of 200 kilometres (Βρετ.) ή kilometers (Αμερ.)
▸**ακτίνα δράσης** (ΣΤΡΑΤ) field of action· (αεροσκάφους) flying range· (έρευνας) scope
▸**ακτίνα βολής** (ΣΤΡΑΤ) range
▸**ακτίνες γάμμα** gamma rays

A

▸**ακτίνες λέηζερ** laser beams
▸**ακτίνες Χ** X–rays
▸**υπεριώδεις/υπέρυθρες ακτίνες** ultraviolet/ infrared rays
ακτινίδιο ΟΥΣ ΟΥΔ kiwi
ακτινοβολία ΟΥΣ ΘΗΛ (α) (ΦΥΣ) radiation (β) (μτφ.) glamour (Βρετ.), glamor (Αμερ.)
▷**κοσμική ακτινοβολία** cosmic radiation
▸**ηλιακή ακτινοβολία** solar radiation
▸**πυρηνική ακτινοβολία** nuclear radiation
ακτινοβόλος, -ος ή -α, -ο ΕΠΙΘ (α) (ήλιος) radiant (β) (μτφ.: χαμόγελο, πρόσωπο) radiant · (βλέμμα) sparkling
ακτινοβολώ ① Ρ ΑΜ (α) (= εκπέμπω ακτινοβολία) to emit rays (β) (μτφ.: πρόσωπο, ομορφιά) to shine, to be radiant ② Ρ Μ (α) (ΦΥΣ) to irradiate (β) (μτφ.: καλοσύνη, χαρά) to radiate
ακτινογραφία ΟΥΣ ΘΗΛ X–ray
▷**βγάζω ακτινογραφία** to have an X–ray
ακτινογραφικός, -ή, -ό ΕΠΙΘ (εξέταση, ένδειξη) X–ray
ακτινοδιαγνωστική ΟΥΣ ΘΗΛ X–ray diagnosis

> *Προσοχή!: Ο πληθυντικός του* **diagnosis** *είναι* **diagnoses**.

ακτινοειδής, -ής, -ές ΕΠΙΘ radial
ακτινοθεραπεία ΟΥΣ ΘΗΛ radiotherapy
ακτινολογία ΟΥΣ ΘΗΛ radiology
ακτινολογικός, -ή, -ό ΕΠΙΘ (εξέταση, εύρημα) X–ray
ακτινολόγος ΟΥΣ ΑΡΣ/ΘΗΛ radiologist
ακτινοσκόπηση ΟΥΣ ΘΗΛ X–ray examination
ακτινοσκοπώ Ρ Μ (ασθενή) to X–ray
ακτινωτός, -ή, -ό ΕΠΙΘ radial
άκτιστος, -η, -ο ΕΠΙΘ (σπίτι) unbuilt · (περιοχή) not built up
ακτοπλοΐα ΟΥΣ ΘΗΛ coastal shipping
ακτοπλοϊκός, -ή, -ό ΕΠΙΘ (γραμμή) coastal
ακτοφύλακας ΟΥΣ ΑΡΣ coastguard
ακτοφυλακή ΟΥΣ ΘΗΛ coastguard
ακτύπητος = **αχτύπητος**
ακυβερνησία ΟΥΣ ΘΗΛ anarchy
ακυβέρνητος, -η, -ο ΕΠΙΘ (α) (πολιτεία, λαός) without a government · (μτφ.) ungovernable (β) (πλοίο) adrift · (αυτοκίνητο) runaway
ακύμαντος, -η, -ο ΕΠΙΘ (θάλασσα) calm, smooth
ακυρίευτος, -η, -ο ΕΠΙΘ (πόλη) unconquered · (κάστρο) impregnable
άκυρος, -η, -ο ΕΠΙΘ (ψηφοδέλτιο, διαθήκη, γάμος) invalid, null and void
ακυρότητα ΟΥΣ ΘΗΛ invalidity
▷**κηρύσσω ακυρότητα** to declare null and void
ακυρώνω Ρ Μ (α) (διαγωνισμό, εκλογές) to render null and void · (διάταγμα) to revoke · (κατηγορίες) to quash (β) (μτφ.: αξία) to

undermine (γ) (ραντεβού) to cancel (δ) (εισιτήριο) to punch
ακύρωση ΟΥΣ ΘΗΛ (α) (συμφωνίας, απόφασης) annulment (β) (εισιτηρίου) punching
ακυρώσιμος, -η, -ο ΕΠΙΘ (απόφαση) reversible
ακυρωτικός, -ή, -ό ΕΠΙΘ (απόφαση) invalidating
▸**ακυρωτικό δικαστήριο** court of appeal
ακωδικοποίητος, -η, -ο ΕΠΙΘ (τηλεοπτικό σήμα) unscrambled · (κείμενο) uncoded
ακώλυτος, -η, -ο ΕΠΙΘ unhindered, unobstructed
άκων, -ουσα, -ον ΕΠΙΘ: **εκών άκων** willy–nilly
αλαβάστρινος, -η, -ο ΕΠΙΘ (κυριολ., μτφ.) alabaster
αλάβαστρο ΟΥΣ ΟΥΔ alabaster
αλάβωτος, -η, -ο ΕΠΙΘ unwounded
αλάδωτος, -η, -ο ΕΠΙΘ (προφορ.) (α) (μηχανή) unlubricated, unoiled (β) (= που δεν δωροδοκήθηκε) who hasn't been bribed
αλαζόνας ΟΥΣ ΑΡΣ/ΘΗΛ arrogant person
αλαζονεία ΟΥΣ ΘΗΛ arrogance
αλαζονικός, -ή, -ό ΕΠΙΘ arrogant
αλάθευτος, -η, -ο ΕΠΙΘ βλ. **αλάθητος**
αλάθητος, -η, -ο ΕΠΙΘ infallible · (ένστικτο) unerring
▸**αλάθητο(ν)** ΟΥΣ ΟΥΔ infallibility
▷**το αλάθητο του Πάπα** papal infallibility
αλαλαγμός ΟΥΣ ΑΡΣ (α) (πολέμου) cry (β) (= βοή) roar
αλαλάζω Ρ ΑΜ to cry out · (με ενθουσιασμό) to cheer
αλαλία ΟΥΣ ΘΗΛ mutism, alalia (επιστ.)
αλαλιάζω ① Ρ Μ (ανεπ.): **αλαλιάζω κπν** to make sb's head spin, to leave sb dazed ② Ρ ΑΜ: **αλάλιασα** my head is spinning
άλαλος, -η, -ο ΕΠΙΘ mute, dumb
▷**μένω άλαλος (μπροστά σε κτ)** to be dumbstruck (at sth)
αλαμπουρνέζικος, -η, -ο (χοροϊδ.) ΕΠΙΘ (γλώσσα) garbled · (κείμενο) rambling
▸**αλαμπουρνέζικα** ΟΥΣ ΟΥΔ ΠΛΗΘ gibberish εν., gobbledygook εν.
αλάνα ΟΥΣ ΘΗΛ empty plot, sandlot (Αμερ.)
αλάνθαστος ΕΠΙΘ (α) (κείμενο) free of mistakes · (υπλογισμός, γραπτό) correct (β) (για πρόσ.) infallible, unerring · (μέθοδος, κριτήριο) foolproof, infallible
αλάνι ΟΥΣ ΟΥΔ (ανεπ.) urchin
αλανιάρα ΟΥΣ ΘΗΛ (μειωτ.) βλ. **αλανιάρης**
αλανιάρης ΟΥΣ ΑΡΣ (μειωτ.) yobbo (Βρετ.) (ανεπ.), punk (Αμερ.) (ανεπ.)
αλανιάρικος ΕΠΙΘ loutish, yobbish (Βρετ.) (ανεπ.)
αλάξευτος ΕΠΙΘ (πέτρα) unhewn, not sculptured
αλάργα ΕΠΙΡΡ (προφορ.) far away

A

▷**στέκομαι αλάργα** to stand at a distance

αλαργινός ΕΠΙΘ (*λογοτ.*: *κόσμοι, καράβι, αστέρι*) distant

άλας ΟΥΣ ΟΥΔ (= *αλάτι*) salt
▷**μένω στήλη άλατος** to be rooted to the spot
▷**αττικόν άλας** Attic salt *ή* wit
▸ **άλατα** ΠΛΗΘ (ΙΑΤΡ) back trouble *εν.*

αλάτι ΟΥΣ ΟΥΔ (α) (*κυριολ.*) salt (β) (*μτφ.*) spice
▷**έχουμε φάει μαζί ψωμί και αλάτι** we've been through a lot together
▷**κάνω κπν του αλατιού** to beat sb black and blue
▸ **μαγειρικό αλάτι** cooking salt
▸ **χοντρό αλάτι** coarse salt
▸ **ψιλό αλάτι** table salt

αλατιέρα ΟΥΣ ΘΗΛ salt cellar (*Βρετ.*), salt shaker (*Αμερ.*)

αλατίζω Ρ Μ to salt, to add salt to

αλατισμένος ΕΠΙΘ salted

αλατόνερο ΟΥΣ ΟΥΔ salt water, brine

αλατοπίπερο ΟΥΣ ΟΥΔ (α) (*κυριολ.*) salt and pepper (β) (*μτφ.*) spice

αλατούχος ΕΠΙΘ (*νερό*) salt · (*διάλυμα*) saline

αλατωρυχείο ΟΥΣ ΟΥΔ salt mine

αλαφιάζω ☐1 Ρ Μ to scare
☐2 Ρ ΑΜ to panic
▸ **αλαφιάζομαι** ΜΕΣΟΠΑΘ to panic

αλαφιασμένος ΕΠΙΘ panic–stricken

αλαφραίνω Ρ Μ/ΑΜ (*λογοτ.*) = **ελαφρώνω**

αλαφροΐσκιωτος ΕΠΙΘ (*λογοτ.*) with supernatural powers

αλαφρόμυαλος ΕΠΙΘ = **ελαφρόμυαλος**

αλαφρός, -ή, -ό ΕΠΙΘ = **ελαφρός**

αλάφρωμα ΟΥΣ ΟΥΔ (α) (*ανεπ.*: = *ανακούφιση*) relief (β) (*μτφ.*: *πορτοφολιού*) stealing · (*τσέπης*) emptying

αλαφρώνω Ρ Μ/ΑΜ (*λογοτ.*) = **ελαφρώνω**

Αλβανή ΟΥΣ ΘΗΛ *βλ.* **Αλβανός**

Αλβανία ΟΥΣ ΘΗΛ Albania

Αλβανίδα ΟΥΣ ΘΗΛ *βλ.* **Αλβανός**

αλβανικός, -ή, -ό ΕΠΙΘ Albanian

Προσοχή!: Τα εθνικά επίθετα, όπως **Albanian**, *γράφονται με κεφαλαίο το αρχικό γράμμα στα Αγγλικά.*

▸ **Αλβανικά** ΟΥΣ ΟΥΔ ΠΛΗΘ Albanian

Αλβανός ΟΥΣ ΑΡΣ Albanian

άλγεβρα ΟΥΣ ΘΗΛ (ΜΑΘ) algebra

αλγεβρικός ΕΠΙΘ algebraic

αλγεινός ΕΠΙΘ (α) (ΙΑΤΡ: *σύνδρομο*) painful (β) (*μτφ.*: *εμπειρία*) painful · (*θέαμα*) distressing · (*εντύπωση*) bad

Αλγέρι ΟΥΣ ΟΥΔ (α) (= *πρωτεύουσα της Αλγερίας*) Algiers (β) (= *Αλγερία*) Algeria

Αλγερία ΟΥΣ ΘΗΛ Algeria

αλγόριθμος ΟΥΣ ΑΡΣ (ΜΑΘ, ΠΛΗΡΟΦ) algorithm

άλγος ΟΥΣ ΟΥΔ pain
▷**ψυχικό άλγος** grief

αλέα ΟΥΣ ΘΗΛ row of trees

αλέθω Ρ Μ (*σιτάρι, καφέ, πιπέρι*) to grind
▷**μπάτε σκύλοι αλέστε** (κι αλεστικά μη δώσετε) (*παροιμ.*) it's like Piccadilly Circus (*Βρετ.*) *ή* like central station (*Αμερ.*)
▷**ο καλός ο μύλος όλα τα αλέθει** (*παροιμ.*: = *έχω γερό στομάχι*) to have a strong stomach

αλείβω Ρ Μ = **αλείφω**

άλειμμα ΟΥΣ ΟΥΔ (α) (= *το να αλείφω κάτι*) smearing (β) (= *λίπος*) grease · (*μαγειρικό*) fat
▷**άλειμμα με γράσο/λάδι/βούτυρο/κερί** greasing/oiling/buttering/waxing

αλειτούργητος ΕΠΙΘ (α) (*εκκλησία*) disused · (*πρόσφορο, εικόνα*) not blessed by a priest (β) (*άνθρωπος*) who hasn't attended mass

αλείφω Ρ Μ to spread, to smear
▷**αλείφω κτ με λάδι/βούτυρο/γράσο** to oil/butter/grease sth
▷**αλείφω μια φέτα ψωμί με μαρμελάδα** to spread marmalade on a piece of bread
▷**αλείφω την πλάτη/το πρόσωπό μου με αντηλιακό** to put *ή* rub sunscreen onto one's back/face

άλειωτος ΕΠΙΘ (α) (*χιόνι, βούτυρο, κερί*) unmelted · (*ζάχαρη*) undissolved (β) (*μτφ.*: *για νεκρό*) not fully decomposed

Αλεξάνδρεια ΟΥΣ ΘΗΛ Alexandria

αλεξανδρινός ΕΠΙΘ Alexandrian

Προσοχή!: Τα εθνικά επίθετα, όπως **Alexandrian**, *γράφονται με κεφαλαίο το αρχικό γράμμα στα Αγγλικά.*

Αλεξανδρούπολη ΟΥΣ ΘΗΛ Alexandroupolis

αλεξία ΟΥΣ ΘΗΛ word blindness, alexia (*επιστ.*)

αλεξικέραυνο ΟΥΣ ΟΥΔ lightning conductor *ή* rod

αλεξιπτωτιστής ΟΥΣ ΑΡΣ (*γενικότ.*) parachutist · (ΣΤΡΑΤ) paratrooper
▸ **μοίρα/σώμα αλεξιπτωτιστών** paratroop division/corps

αλεξιπτωτίστρια ΟΥΣ ΘΗΛ *βλ.* **αλεξιπτωτιστής**

αλεξίπτωτο ΟΥΣ ΟΥΔ parachute
▷**πηδάω** *ή* **πέφτω με αλεξίπτωτο** to do a parachute jump

αλεξίπυρος ΕΠΙΘ fireproof
▸ **αλεξίπυρη ενδυμασία** fireproof clothing

αλεξίσφαιρος, -η, -ο ΕΠΙΘ (*γιλέκο, τζάμια*) bullet–proof

αλεπότρυπα ΟΥΣ ΘΗΛ den

αλεπού ΟΥΣ ΘΗΛ fox
▷**πονηρή αλεπού** sly fox
▷**γριά αλεπού** old fox
▷**τι θέλει η αλεπού στο παζάρι;** why doesn't he mind his own business?
▷**η αλεπού εκατό χρονών, το αλεπουδάκι εκατόν ένα** (*παροιμ.*) ≈don't teach your grandmother to suck eggs (*παροιμ.*)

αλεπωφωλιά ΟΥΣ ΘΗΛ = **αλεπότρυπα**

άλεση ΟΥΣ ΘΗΛ grinding
▷**ολικής αλέσεως** whole wheat

άλεσμα ΟΥΣ ΟΥΔ (α) (= *άλεση*) grinding

(β) (= *ποσότητα σιτηρών που αλέστηκε ή είναι προς άλεση*) grist

αλεσμένος ΕΠΙΘ ground

αλεστικά ΟΥΣ ΟΥΔ ΠΛΗΘ miller's fee *εν.*

αλέτρι ΟΥΣ ΟΥΔ plough (*Βρετ.*), plow (*Αμερ.*)

αλεύρι ΟΥΣ ΟΥΔ flour
- **αλεύρι βρόμης** oatmeal
- **κριθαρένιο αλεύρι** barley flour
- **σ(ι)ταρένιο αλεύρι** wheat flour

άλευρο ΟΥΣ ΟΥΔ = **αλεύρι**

αλευροβιομηχανία ΟΥΣ ΘΗΛ flour industry

αλευροβιομήχανος ΟΥΣ ΑΡΣ/ΘΗΛ flour manufacturer

αλευρόκολλα ΟΥΣ ΘΗΛ (flour and water) paste

αλευρόμυλος ΟΥΣ ΑΡΣ flour mill

αλευροποιία ΟΥΣ ΘΗΛ flour industry

αλευροποιώ Ρ Μ (*σιτάρι, κριθάρι*) to grind, to mill

αλευρωμένος ΕΠΙΘ (*χέρια, φόρμα*) floury· (*ταψί*) floured

αλευρώνω Ρ Μ (*κεφτέδες, ψάρια*) to flour

αλήθεια ΟΥΣ ΘΗΛ truth
- ▷**από μικρό και από τρελό μαθαίνεις την αλήθεια** (*παροιμ.*) out of the mouths of babes (*παροιμ.*)
- ▷**για να πω ή πούμε την αλήθεια** to tell you the truth, to be honest
- ▷**είναι αλήθεια ότι** it's true that
- ▷**ή καθαρή ή ωμή/γυμνή αλήθεια** the plain/ naked truth
- ▷**η αλήθεια να λέγεται** if the truth be known
- ▷**η ώρα της αλήθειας** the moment of truth
- ▷**λέω την αλήθεια** to tell the truth
- ▷**μα την αλήθεια!** honestly!
- ▷**μια δόση αλήθειας** an element of truth
- ▷**ο δρόμος της αλήθειας** the true path
- ▷**πες μου την αλήθεια** tell me the truth
- ▷**στ' αλήθεια** really, truly
- ▸**αλήθεια** ΕΠΙΡΡ really
- ▸**αλήθειες** ΠΛΗΘ truths

αληθεύω Ρ ΑΜ (*πληροφορίες, φήμες*) to be true· (*υποψίες*) to be well-founded
- ▷**αυτό αληθεύει** that's true
- ▸**αληθεύει** ΑΠΡΟΣ it's true

αληθής ΕΠΙΘ true

αληθινός ΕΠΙΘ (α) (*γεγονότα, ιστορία*) true (β) (*φίλος, ήρωας, πατριώτης, αγάπη*) true, real (γ) (*πατέρας, αδερφός, γονείς*) real

αληθοφάνεια ΟΥΣ ΘΗΛ plausibility

αληθοφανής ΕΠΙΘ (*εξήγηση, δικαιολογία*) plausible

αλησμόνητος ΕΠΙΘ (*βραδιά, εμπειρία*) unforgettable, memorable· (*εντύπωση*) lasting
- ▷**μου μένει αλησμόνητο** I shall never forget it

αλητάμπουρας ΟΥΣ ΑΡΣ (*ανεπ.*) yobbo (*Βρετ.*) (*ανεπ.*), punk (*Αμερ.*) (*ανεπ.*)

αληταράς ΟΥΣ ΑΡΣ (*υβρ.*) yobbo (*Βρετ.*) (*ανεπ.*), punk (*Αμερ.*) (*ανεπ.*)

αλητάρια ΟΥΣ ΘΗΛ (= *παρέα αλητών*) riffraff

αλητεία ΟΥΣ ΘΗΛ (= *περιπλάνηση*) vagrancy
- ▷**το ρίχνω στην αλητεία** to live on the streets, to be a bum (*Αμερ.*)

αλητεύω Ρ ΑΜ to bum around

αλήτης ΟΥΣ ΑΡΣ (α) (= *περιπλανώμενος*) vagrant, tramp (*Βρετ.*), down–and–out (*Βρετ.*), hobo (*Αμερ.*) (β) (= *χούγκαν*) hooligan, thug

αλήτικος ΕΠΙΘ (α) (*ζωή*) vagrant (β) (*συμπεριφορά*) thuggish

αλήτισσα ΟΥΣ ΘΗΛ *βλ.* **αλήτης**

αλητόπαιδο ΟΥΣ ΟΥΔ urchin

αλιάνιστος ΕΠΙΘ (*κρέας*) not cut up

αλιγάτορας ΟΥΣ ΑΡΣ alligator

αλιεία ΟΥΣ ΘΗΛ fishing
- ▸**δίχτυο αλιείας** fishing net

αλίευμα ΟΥΣ ΟΥΔ catch

αλιεύς ΟΥΣ ΑΡΣ (*επίσ.*) fisherman

> *Προσοχή!: Ο πληθυντικός του* **fisherman** *είναι* **fishermen**.

αλιευτικό ΟΥΣ ΟΥΔ fishing boat

αλιευτικός ΕΠΙΘ (*σκάφος*) fishing· (*προϊόντα, παραγωγή*) fish

αλιεύω Ρ Μ (α) (= *ψαρεύω*) to fish (β) (*μτφ.*) to hunt for

άλικος, -η, -ο (*λογοτ.*) ΕΠΙΘ (*χείλια, λουλούδια*) crimson

αλίπαντος ΕΠΙΘ (α) (*μηχανή*) not oiled (β) (*χωράφι*) not fertilized

αλίπαστα ΟΥΣ ΟΥΔ ΠΛΗΘ salted foods

αλισβερίσι ΟΥΣ ΟΥΔ (*ανεπ.*) dealings *πληθ.*, business

αλισίβα ΟΥΣ ΘΗΛ lye

αλιτήριος ΟΥΣ ΑΡΣ (α) (*υβρ.*) crook (β) (*μτφ.: = κατεργάρης*) scamp, rascal

αλίχνιστος ΕΠΙΘ (*σιτάρι*) not winnowed

άλιωτος, -η, -ο ΕΠΙΘ = **άλειωτος**

αλκαλικός ΕΠΙΘ (ΧΗΜ) alkaline

αλκαλοειδές ΟΥΣ ΟΥΔ alkaloid

άλκιμος ΕΠΙΘ (*επίσ.*) robust

αλκοόλ ΟΥΣ ΟΥΔ ΑΚΛ, **αλκοόλη** ΟΥΣ ΘΗΛ alcohol

αλκοολικός ΕΠΙΘ alcoholic
- ▸**αλκοολικός** ΟΥΣ ΑΡΣ, **αλκοολική** ΟΥΣ ΘΗΛ alcoholic

αλκοολισμός ΟΥΣ ΑΡΣ alcoholism

αλκοολούχος ΕΠΙΘ alcoholic

αλκυόνα, αλκυόνη ΟΥΣ ΘΗΛ kingfisher

αλκυονίδες ημέρες ΟΥΣ ΘΗΛ ΠΛΗΘ halcyon days

αλλαγή ΟΥΣ ΘΗΛ (α) (*κατάστασης, δουλειάς, κατοικίας, θερμοκρασίας, γνώμης, συμπεριφοράς*) change (β) (= *αντικατάσταση: τροχού, εσώρουχων, σακακιού*) change· (*λάμπας, νερού*) changing (γ) (= *τροποποίηση: συμβολαίου, σχεδίου*) alteration, modification (δ) (*σε τραύμα*) change of dressing (ε) (ΑΘΛ) substitution (στ) (*εμπορεύματος*) exchange

▷**αλλαγή τού καιρού** change in the weather
▷**αλλαγή προς το καλύτερο/το χειρότερο** a change for the better/worse
▷**για αλλαγή** for a change
▷**πολιτική/κοινωνική αλλαγή** political/social change
▸**αλλαγή βάρδιας** change of shift, changeover
▸**αλλαγή περιβάλλοντος** change of environment *ή* scene
▸**αλλαγή πλεύσεως** change of course
▸**αλλαγή ταχυτήτων** gear change (*Βρετ.*), gearshift (*Αμερ.*)
▸**αλλαγή φρουράς** change of guard
▸**αλλαγή φύλου** sex change

άλλαγμα ΟΥΣ ΟΥΔ (*μηχανής, ρούχων, νομίσματων*) changing
▷**θέλω άλλαγμα** to need changing

αλλάζω ① Ρ Μ (α) (*δουλειά, συμπεριφορά, εμφάνιση, ρούχα, λάστιχο*) to change (β) (*ταχύτητα*) to change (*Βρετ.*), to shift (*Αμερ.*) (γ) (*σελίδα*) to turn (δ) (*για φίδια: δέρμα*) to slough (off) (ε) (*το μωρό*) to change (στ) (= *τροποποιώ: σχέδιο*) to change · (*πρόταση*) to modify · (*λόγια*) to twist (ζ) (= *ανταλλάσσω: γραμματόσημα*) to exchange, to swap
② Ρ ΑΜ to change
▷**αλλάζω βέρες** to get engaged
▷**αλλάζω βιολί** *ή* **τροπάριο** to change one's tune
▷**αλλάζω γνώμη** *ή* **ιδέα** to change one's mind
▷**αλλάζω δόντια** (*για παιδιά*) to be teething, to cut new teeth
▷**αλλάζω δρόμο** to go in the other direction
▷**αλλάζω κουβέντα** to change the subject
▷**αλλάζω κτ με κτ άλλο** to exchange sth for sth else
▷**αλλάζω παράγραφο** to start a new paragraph
▷**αλλάζω πλευρό** to turn over
▷**αλλάζω σπίτι** *ή* **κατοικία** to move (house)
▷**αλλάζω στρατόπεδο** to change sides, to go over to the other side
▷**αλλάζω την πίστη** *ή* **τα φώτα σε κπν** (= *ταλαιπωρώ*) to give sb a hard time · (= *χτυπώ ανελέητα*) to beat sb black and blue
▷**αλλάζω φύλο** to have a sex change
▷**αλλάζω χέρια** to change hands
▷**αλλάζω χρώμα** to change colour (*Βρετ.*) *ή* color (*Αμερ.*)
▷**αλλάζω χτένισμα** to change one's hairstyle
▷**αλλάζει το πράγμα** that changes everything
▷**το πράγμα αλλάζει!** that changes things!
▷**άλλαξε ο Μανολιός και έβαλε τα ρούχα του αλλιώς** (*παροιμ.*) you can't put new wine in old bottles (*παροιμ.*)

αλλαντικά ΟΥΣ ΟΥΔ ΠΛΗΘ cooked meats

αλλαντοποιείο ΟΥΣ ΟΥΔ sausage factory

αλλαντοποιία ΟΥΣ ΘΗΛ cooked meat industry

αλλαντοπωλείο ΟΥΣ ΟΥΔ ≈ delicatessen, shop selling cooked meats

αλλαξιά ΟΥΣ ΘΗΛ change of clothes
▷**κάνω αλλαξιά** to swap, to swop

▸**αλλαξιά ρούχα/εσώρουχα** change of clothes/underwear

αλλαξοπιστώ Ρ ΑΜ (α) (= *αλλάζω θρησκεία*) to change one's faith (β) (*μτφ.*) to recant

αλλεπάλληλος ΕΠΙΘ (*αποτυχίες, επιθέσεις, χτυπήματα*) successive, repeated
▷**αλλεπάλληλες δονήσεις/εκρήξεις** a series of tremors/explosions

αλλεργία ΟΥΣ ΘΗΛ (α) (ΙΑΤΡ) allergy (β) (*μτφ.*: = *απέχθεια*) repulsion
▷**παθαίνω αλλεργία από κτ** to be allergic to sth
▷**φέρνω αλλεργία σε κπν** to bring sb out in a rash

αλλεργικός ΕΠΙΘ (*άσθμα, δερματίτιδα*) allergic
▸**αλλεργικός** ΟΥΣ ΑΡΣ, **αλλεργική** ΟΥΣ ΘΗΛ: **είμαι αλλεργικός σε κτ** to be allergic to sth

αλληγορία ΟΥΣ ΘΗΛ allegory

αλληγορικός ΕΠΙΘ allegorical

αλληθωρίζω Ρ ΑΜ (α) (*μάτι*) to squint, to be cross-eyed (β) (= *κοιτάζω με μεγάλο θαυμασμό*) to stare in wonder

αλληθώρισμα ΟΥΣ ΟΥΔ squint

αλλήθωρος ΕΠΙΘ cross-eyed

αλληλεγγύη ΟΥΣ ΘΗΛ solidarity
▷**σε ένδειξη αλληλεγγύης** in solidarity, as a gesture of solidarity

αλληλέγγυος ΕΠΙΘ (α) (ΝΟΜ: *χρέος, ευθύνη*) joint (β) (= *συμπαραστάτης*) cooperating

αλληλένδετος ΕΠΙΘ interrelated, interlinked

αλληλεξάρτηση ΟΥΣ ΘΗΛ interdependence
▷**βρίσκομαι σε αλληλεξάρτηση** to be interdependent

αλληλεπίδραση ΟΥΣ ΘΗΛ interaction

αλληλεπιδρώ Ρ ΑΜ to interact

αλληλοβοήθεια ΟΥΣ ΘΗΛ mutual assistance, mutual help
▸**ταμείο αλληλοβοήθειας** mutual aid fund

αλληλοβοηθούμαι Ρ ΑΜ to help each other

αλληλοβρίζομαι Ρ ΑΜ to swear at each other

αλληλογραφία ΟΥΣ ΘΗΛ (α) (= *ανταλλαγή επιστολών*) correspondence (β) (= *σύνολο των επιστολών*) mail, post (*Βρετ.*)
▷**δεν είμαι καλός στην αλληλογραφία** I'm not very good at writing letters
▷**έχω** *ή* **διατηρώ αλληλογραφία με κπν** to correspond with sb
▸**μπλοκ αλληλογραφίας** note pad
▸**χαρτί αλληλογραφίας** notepaper
▸**σπουδές με αλληλογραφία** distance learning, correspondence course

αλληλογραφώ Ρ ΑΜ to correspond, to exchange letters

αλληλοδιδακτικός ΕΠΙΘ: **αλληλοδιδακτική μέθοδος** *teaching method whereby the brighter students in a class help the weaker ones*

αλληλοκατηγορία ΟΥΣ ΘΗΛ recrimination

αλληλοκατηγορούμαι Ρ ΑΜ to accuse each other

αλληλοκοιτάζομαι Ρ ΑΜ to look at each

other, to exchange looks

αλληλοπαθής ΕΠΙΘ reciprocal

▸**αλληλοπαθής αντωνυμία** reciprocal pronoun

▸**αλληλοπαθές ρήμα** reciprocal verb

αλληλοσκοτωμός ΟΥΣ ΑΡΣ mutual slaughter

αλληλοσκοτώνομαι Ρ ΑΜ to kill each other

αλληλοσπαραγμός ΟΥΣ ΑΡΣ
(α) (= *αλληλοσκοτωμός*) mutual slaughter
(β) (*σε κόμμα*) infighting

αλληλοσυγκρούομαι Ρ ΑΜ to be in conflict

αλληλοσυγκρουόμενος ΕΠΙΘ (*συμφέροντα, καθήκοντα*) conflicting

αλληλοσυμπληρώνομαι Ρ ΑΜ to complement each other

αλληλοτρώγομαι Ρ ΑΜ (*μτφ.*) to squabble

αλληλούια ΕΠΙΦ hallelujah
▷**κοντός ψαλμός αλληλούια** we'll soon see

αλληλοϋποστηρίζομαι Ρ ΑΜ to support each other

αλληλοϋποστήριξη ΟΥΣ ΘΗΛ mutual support

αλλήλους ΑΝΤΩΝ ΠΛΗΘ each other, one another
▷**αγαπάτε αλλήλους** love one another

αλληλουχία ΟΥΣ ΘΗΛ (α) (*γεγονότων*)
sequence · (*σκέψεων*) train (β) (= *λογικός ειρμός*) coherence

αλληλοφάγωμα ΟΥΣ ΟΥΔ mutual slaughter

αλληλόχρεος ΕΠΙΘ: **αλληλόχρεος λογαριασμός** (*επία.*) debit and credit account

αλλιώτικος ΕΠΙΘ, **αλλοιώτικος**
(α) (= *διαφορετικός: σκέψη, νόημα*) different
(β) (= *ιδιόρρυθμος*) offbeat

αλλοδαπή (*επία.*) ΟΥΣ ΘΗΛ: **στην αλλοδαπή** abroad

αλλοδαπός, -ή, -ό ΕΠΙΘ (*προϊόντα, δικαστήριο, εργάτες*) foreign
▸**αλλοδαπός** ΟΥΣ ΑΡΣ, **αλλοδαπή** ΟΥΣ ΘΗΛ foreigner, alien (*επία.*)
▸**Τμήμα Αλλοδαπών** Immigration Department

αλλοεθνής ΕΠΙΘ foreign, alien (*επία.*)

άλλοθι ΟΥΣ ΟΥΔ ΑΚΛ (α) (*κατηγορουμένου*) alibi
(β) (*μτφ.*) excuse
▷**έχω ή παρουσιάζω άλλοθι** to have an alibi

αλλόθρησκος ΕΠΙΘ (α) (= *που ανήκει σε άλλη θρησκεία*) of another faith (β) (= *που έχει διαφορετικά πιστεύω*) with different beliefs

αλλοιώνω Ρ Μ (α) (*τοπίο, εμφάνιση*) to spoil · (*μορφή, έννοια*) to distort, to twist
(β) (*στοιχεία, αποτελέσματα*) to falsify, to rig
(γ) (*τρόφιμα, φάρμακα*) to spoil

αλλοίωση ΟΥΣ ΘΗΛ (α) (*εγγράφου*)
falsification · (*νομίσματων*) forging · (*αποτελεσμάτων*) rigging (β) (*αλήθειας, γεγονότων*) twisting (γ) (= *μεταβολή προς το χειρότερο*) deterioration (δ) (*τροφής*) spoiling

αλλόκοτος ΕΠΙΘ weird

αλλοπαρμένος ΕΠΙΘ unhinged

αλλόπιστος ΕΠΙΘ of another faith

αλλοπρόσαλλος ΕΠΙΘ (*άνθρωπος*)

capricious · (*ιδέες, ύφος*) whimsical · (*συμπεριφορά, πολιτική*) erratic

─────────────────
│ **ΛΕΞΗ-ΚΛΕΙΔΙ** │
─────────────────

άλλος, -η, -ο ΑΝΤΩΝ (α) (*για διαχωρισμό*)
other ◻**όχι αυτός, ο άλλος** not him, the other one · **το άλλο βιβλίο** the other book · **θέλω άλλο βιβλίο** I want another book
(β) : **οι άλλοι** the rest ◻**οι άλλοι της συντροφιάς** the rest of the group
(γ) (= *διαφορετικός*) different ◻**αυτό το τυρί έχει άλλη γεύση** this cheese tastes different
(δ) (*για χρόνο*) another, different
◻**τραγούδια από μιαν άλλη εποχή** songs from a different *ή* another age
(ε) (= *επόμενος*) next ◻**την άλλη Τρίτη** next Tuesday · **την άλλη ημέρα το πρωί...** the following day...
▷**άλλη μια φορά** one more time
▷**άλλο να το λες κι άλλο να το κάνεις** it's one thing to say it and quite another to do it
▷**άλλο τίποτα** nothing but... ◻**από ψέματα άλλο τίποτα** nothing but lies
▷**ανάμεσα στα άλλα** on top of everything else
▷**από την άλλη (πλευρά)** on the other hand
▷**δεν είναι άλλος από** to be none other than
▷**εκτός των άλλων** apart from anything else
▷**ένας άλλος** another one
▷**κάθε άλλο (παρά)** anything but
▷**και ή κι άλλοι δύο** two more
▷**και ή κι άλλος ένας** another one, one more
▷**κατά τα άλλα** otherwise
▷**ο άλλος κόσμος** the next world
▷**όσο ... άλλο τόσο** as much as ◻**όσο την αγαπώ εγώ άλλο τόσο μ' αγαπά κι αυτή** she loves me as much as I love her
▷**τη μια ... την άλλη** on the one hand ... on the other (hand)
▷**τίποτ' άλλο;** (*ειρων.*) anything else?
▷**το κάτι άλλο!** the tops! (*ανεπ.*)

αλλοτινός ΕΠΙΘ bygone, past

αλλότριος ΕΠΙΘ (*επία.: έδαφος, περιουσία*)
foreign
▷**κρίνω εξ ιδίων τα αλλότρια** to judge others as one judges oneself

αλλοτριώνω Ρ Μ to alienate

αλλοτρίωση ΟΥΣ ΘΗΛ alienation

αλλοφροσύνη ΟΥΣ ΘΗΛ derangement
▷**σε κατάσταση αλλοφροσύνης** out of one's mind

αλλόφρων ΕΠΙΘ out of one's mind

αλλόφυλος ΕΠΙΘ foreign

άλλως ΕΠΙΡΡ otherwise
▷**ούτως ή άλλως** in any case, either way

άλλωστε ΕΠΙΡΡ besides

άλμα ΟΥΣ ΟΥΔ (*επία.*) (α) (= *πήδημα*) jump, leap (β) (*μτφ.*: = *πρόοδος*) progress, leap (forward) · (= *άνοδος*) leap, increase
(γ) (*αρνητ.*: *σε διήγηση, έκθεση, σκέψη*) leap in logic

A

▷**ένα άλμα προς τα εμπρός** a lot of progress, great leap forward

▷**προχωρώ με άλματα** to improve in leaps and bounds

►**άλμα εις μήκος** long jump

►**άλμα εις ύψος** high jump

►**άλμα επί κοντώ** pole vault

►**άλμα τριπλούν** triple jump

αλματώδης, -ης, -ες ΕΠΙΘ (επίσ.: *πρόοδος, ανάπτυξη, εξέλιξη*) rapid, swift

αλματωδώς ΕΠΙΡΡ (επίσ.) rapidly, swiftly

άλμη, άρμη ΟΥΣ ΘΗΛ (α) (= *αλμύρα της θάλασσας*) salt water (β) (*για συντήρηση τροφίμων*) brine

αλμπάνης ΟΥΣ ΑΡΣ quack (ανεπ.), cowboy (ανεπ.)

αλμπάνισσα ΟΥΣ ΘΗΛ βλ. **αλμπάνης**

άλμπατρος, αλμπατρός ΟΥΣ ΟΥΔ ΑΚΛ albatross

άλμπουμ ΟΥΣ ΟΥΔ ΑΚΛ (α) album (β) (*έργων τέχνης*) coffee–table book

άλμπουρο, άρμπουρο ΟΥΣ ΟΥΔ mast

αλμύρα, αρμύρα ΟΥΣ ΘΗΛ (α) (= *άλμη*) salt water (β) (= *αλμυρότητα*) salinity, saltiness

αλμυρός, αρμυρός, -ή, -ό ΕΠΙΘ (α) (*φαγητό, γεύση*) salty (β) (*μτφ.: τιμή*) high, exorbitant

►**αλμυρά** ΟΥΣ ΟΥΔ ΠΛΗΘ (= *παστά*) salty foods · (*για μπισκότα, ξηρούς καρπούς*) savoury (Βρετ.) ή savory (Αμερ.) snacks

αλμυρούτσικος, αρμυρούτσικος, -η, -ο ΕΠΙΘ (υποκορ.) a bit salty

αλόγα ΟΥΣ ΘΗΛ (α) (= *φοράδα*) mare (β) (μειωτ.) big woman

αλογάκι ΟΥΣ ΟΥΔ (α) (= *πουλάρι*) foal (β) (= *βραχύσωμο άλογο*) pony

▷**ξύλινο κουνιστό αλογάκι** rocking horse

►**αλογάκι της θάλασσας** (ΖΩΟΛ) seahorse

►**αλογάκια** ΠΛΗΘ merry–go–round, carousel (κυρ. Αμερ.)

αλογίσιος, -α, -ο ΕΠΙΘ (*κρέας*) horse · (*μυρωδιά*) hors(e)y

αλόγιστος, -η, -ο ΕΠΙΘ (*ενέργεια, φόβος*) irrational · (*καταστροφή*) mindless, wanton · (*χρήση*) rash, excessive · (*κατανάλωση*) excessive · (*έξοδα, δαπάνες*) unreasonable

άλογο ΟΥΣ ΟΥΔ (α) (*γενικότ.*) horse (β) (= *αρσενικό ζώο*) stallion (γ) (*στο σκάκι*) knight (δ) (ανεπ.: = *ίππος*) horsepower

▷**κάνω κπν άλογο** to put sb's back up, to make sb see red

αλογόμυγα ΟΥΣ ΘΗΛ horsefly

αλογοουρά ΟΥΣ ΘΗΛ (α) (= *ουρά αλόγου*) horse's tail (β) (= *γυναικείο χτένισμα*) ponytail

άλογος, -η, -ο ΕΠΙΘ (*λογική, επιχειρήματα*) irrational · (*ιδέες*) illogical

►**το άλογο(ν)** ΟΥΣ ΟΥΔ (ΦΙΛΟΣ) the irrational

αλόη ΟΥΣ ΘΗΛ (*φυτό*) aloe

αλοιφή ΟΥΣ ΘΗΛ (α) (ΦΑΡΜ) ointment (β) (*για γυάλισμα*) polish (γ) (μτφ.: *για φαγητό*) purée

▷**είμαι ή γίνομαι αλοιφή** (αργκ.) to be well–oiled (χυδ.), to be as drunk as a skunk (ανεπ.)

▷**κάνω κπν αλοιφή** to make mincemeat of sb, to wipe the floor with sb (ανεπ.)

αλουμίνα ΟΥΣ ΘΗΛ (α) (ΧΗΜ) aluminium (Βρετ.) ή aluminum (Αμερ.) oxide (β) (= *εργοστάσιο αλουμινίου*) aluminium (Βρετ.) ή aluminum (Αμερ.) factory

αλουμίνιο ΟΥΣ ΟΥΔ (α) (ΧΗΜ) aluminium (Βρετ.), aluminum (Αμερ.) (β) (= *επεξεργασμένο μέταλλο*) aluminium (Βρετ.), aluminum (Αμερ.)

άλουστος, -η, -ο ΕΠΙΘ (*σώμα, μαλλιά*) unwashed, dirty

αλουστράριστος, -η, -ο ΕΠΙΘ (= *αβερνίκωτος*) unvarnished · (= *αγυάλιστος: παπούτσια, παράθυρο*) unpolished

αλπακάς ΟΥΣ ΑΡΣ alpaca

Άλπεις ΟΥΣ ΘΗΛ ΠΛΗΘ: **οι Άλπεις** the Alps

αλπινισμός ΟΥΣ ΑΡΣ mountaineering, mountain climbing

αλπινιστής ΟΥΣ ΑΡΣ mountaineer

αλπινίστρια ΟΥΣ ΘΗΛ βλ. **αλπινιστής**

άλσος ΟΥΣ ΑΡΣ grove

αλτήρας ΟΥΣ ΑΡΣ dumbbell

άλτης ΟΥΣ ΑΡΣ (ΑΘΛ) jumper

►**άλτης εις ύψος ή του ύψους** high jumper

►**άλτης επί κοντώ** pole vaulter

►**άλτης εις μήκος ή του μήκους** long jumper

►**άλτης τριπλούν** triple jumper

άλτρια ΟΥΣ ΘΗΛ βλ. **άλτης**

αλτρουισμός ΟΥΣ ΑΡΣ altruism

αλτρουιστής ΟΥΣ ΑΡΣ altruist

αλτρουίστρια ΟΥΣ ΘΗΛ βλ. **αλτρουιστής**

αλύγιστος, -η, -ο ΕΠΙΘ (α) (= *άκαμπτος: φυτό, κλωνάρι, κορμός*) rigid, unbending · (*σώμα*) unbending, stiff · (*σωματική στάση*) stiff (β) (μτφ.: = *ακλόνητος: άνθρωπος*) undaunted, resolute · (: = *αδιάλλακτος: άνθρωπος*) inflexible, unbending

αλυκή ΟΥΣ ΘΗΛ saltpan, salt marsh

αλύπητα ΕΠΙΡΡ (α) (*δέρνω, χτυπώ*) mercilessly (β) (*ξοδεύω*) lavishly · (*σπαταλώ*) prodigiously

αλύπητος, -η, -ο merciless, cruel

αλυσίδα ΟΥΣ ΘΗΛ (α) (*γενικότ.*) chain (β) (μτφ.: *εκρήξεων, επεισοδίων, σκέψεων*) series · (*γεγονότων*) chain, series · (*λαθών, καταγγελιών*) string · (*βουνών*) chain

> *Προσοχή!: Ο πληθυντικός του* **series** *είναι* **series.**

(γ) (= *καταστημάτων, γενοδοχείων, εστιατορίων*) chain

▷**ανθρώπινη αλυσίδα** human chain

►**αντιολισθητικές αλυσίδες** snow chains

►**τροφική αλυσίδα** food chain

►**αλυσίδες** ΠΛΗΘ chains · (= *δεσμά*)

αλυσιδωτός, -ή, -ό ΕΠΙΘ (*εκρήξεις*) successive

αλυσιδωτή αντίδραση (κυριολ., μτφ.) chain reaction

αλυσιδωτός θώρακας chain mail

αλυσιτελής, -ής, -ές ΕΠΙΘ (επίσ.: για ωφέλεια) useless · (για κέρδος) unprofitable

αλυσοδεμένος, -η, -ο ΕΠΙΘ (άνθρωπος) in chains · (χέρια) chained (together)

αλυσοδένω Ρ Μ (= δένω με αλυσίδες) to put in chains

αλυσόδετος, -η, -ο ΕΠΙΘ = **αλυσοδεμένος**

άλυτος, -η, -ο ΕΠΙΘ (α) (= δεμένος) in chains, chained (β) (μτφ.: πρόβλημα) insoluble, unsolved · (: δεσμός) unbreakable

αλύτρωτος, -η, -ο ΕΠΙΘ enslaved

αλύχτημα, αλύχτισμα ΟΥΣ ΟΥΔ howling

αλυχτώ Ρ ΑΜ to howl

άλφα ΟΥΣ ΟΥΔ ΑΚΛ (α) (γράμμα) alpha (β) (= αρχή) beginning (γ) (ΑΣΤΡΟΝ) alpha (δ) (με αόριστο άρθρο: = κάποιος) certain (ε) (ποιότητα) top, premium
▷**άλφα-άλφα** top quality
▷**από το άλφα έως το ωμέγα** from start to finish, from the beginning to the end
▷**για τον άλφα ή βήτα λόγο** for some reason or other, for one reason or another
▷**δεν ξέρω ούτε το άλφα** to be unable to read or write
▷**ξαναρχίζω από το άλφα** to start from scratch, to start all over again
▷**το άλφα και το ωμέγα** the alpha and omega

αλφαβήτα ΟΥΣ ΘΗΛ (α) alphabet (β) (= στοιχειώδης μόρφωση) basics πληθ., ABC (γ) (= βασικές έννοιες) foundation

αλφαβητάριο, αλφαβητάρι ΟΥΣ ΟΥΔ (α) (βιβλίο) reader (β) (= εγχειρίδιο βασικών γνώσεων) ABC

αλφαβητικός, -ή, -ό ΕΠΙΘ (πίνακας, ευρετήριο) alphabetical
▷**με ή κατ' αλφαβητική σειρά** in alphabetical order

αλφάβητο ΟΥΣ ΟΥΔ, **αλφάβητος** ΟΥΣ ΘΗΛ (επίσ.) (α) (= αλφαβήτα) alphabet (β) (= αλφαβητάριο) ABC

αλφάδι ΟΥΣ ΟΥΔ (= γνώμονας) (spirit) level · (= στάθμη) plumb line

αλφαδιάζω Ρ Μ to level

αλφαμίτης ΟΥΣ ΑΡΣ military policeman

Προσοχή!: Ο πληθυντικός του **policeman** *είναι* **policemen***.*

Αλφειός ΟΥΣ ΑΡΣ Alpheus (River)

αλχημεία ΟΥΣ ΘΗΛ alchemy
▷**αλχημείες** ΠΛΗΘ (μτφ.: = τεχνάσματα) ruses, stratagems

αλχημιστής ΟΥΣ ΑΡΣ alchemist

αλχημίστρια ΟΥΣ ΘΗΛ βλ. **αλχημιστής**

αλώβητος, -η, -ο ΕΠΙΘ (επίσ.) (α) (= αβλαβής) unscathed, unharmed (β) (μτφ.: = άθικτος: κύρος) intact · (άνθρωπος) with one's reputation intact

Αλωνάρης ΟΥΣ ΑΡΣ July

αλώνι ΟΥΣ ΟΥΔ (α) (= χώρος αλωνίσματος) threshing floor (β) (= εποχή αλωνίσματος) threshing season · (= αλώνισμα) threshing (γ) (= χώρος όπου απλώνονται οι καρποί) drying floor ή yard

αλωνίζω 1 Ρ Μ (α) (σιτάρι) to thresh (β) (μτφ.: = περιπλανώμαι: πόλη, χώρα) to roam · (δρόμους) to roam (γ) (= κάνω άνω κάτω, αναστατώνω: σπίτι) to turn upside down
2 Ρ ΑΜ (μτφ.) to do just as one likes

αλώνισμα ΟΥΣ ΟΥΔ threshing

αλωνιστικός, -ή, -ό ΕΠΙΘ threshing
▷**αλωνιστική μηχανή** threshing machine
▷**αλωνιστικά** ΟΥΣ ΟΥΔ ΠΛΗΘ *wages for threshing*

αλωπεκία, αλωπεκίαση ΟΥΣ ΘΗΛ alopecia

άλωση ΟΥΣ ΘΗΛ (κάστρου, πόλης, χώρας) conquest, capture
▷**η Άλωση** (ΙΣΤ) the fall of Constantinople

άμα ΣΥΝΔ (α) (= όταν) when (β) (= εάν) if
▷**κι άμα** when
▷**αμ τι** so

αμαγείρευτος, -η, -ο ΕΠΙΘ (φαγητό) uncooked · (κρέας) raw

αμάδα ΟΥΣ ΘΗΛ (= πέτρα) small, flat, round stone
▷**αμάδες** ΠΛΗΘ *children's game in which a small flat stone is thrown at a target*

αμάδητος, -η, -ο ΕΠΙΘ unplucked

αμάζευτος, -η, -ο ΕΠΙΘ (α) (σπίτι) untidy (β) (σοδειά) unharvested · (φρούτα, ελιές) unpicked

αμαζόνα ΟΥΣ ΘΗΛ (α) (ΜΥΘΟΛ) Amazon (β) (= ιππεύτρια) horsewoman, rider

Προσοχή!: Ο πληθυντικός του **horsewoman** *είναι* **horsewomen***.*

(γ) (= θαρραλέα γυναίκα) amazon

Αμαζόνιος ΟΥΣ ΑΡΣ: **ο Αμαζόνιος** the Amazon

αμάθεια ΟΥΣ ΘΗΛ (α) (= αγραμματοσύνη) illiteracy (β) (= άγνοια) ignorance

αμαθής, -ής, -ές ΕΠΙΘ (α) (= αγράμματος) illiterate, uneducated (β) (= ανίδεος) ignorant

αμάθητος, άμαθος, -η, -ο ΕΠΙΘ (α) (= άπειρος) inexperienced (β) (= ασυνήθιστος) unaccustomed (σε κτ, να κάνω κτ to sth, to doing sth) (γ) (= αθώος) innocent, unspoiled

αμακιγιάριστος, -η, -ο ΕΠΙΘ (πρόσωπο) not made–up · (γυναίκα) not wearing ή without make–up

αμάλαχτος, αμάλακτος, -η, -ο ΕΠΙΘ (α) (ζύμη) unkneaded (β) (μτφ.) unyielding, heartless

αμάλγαμα ΟΥΣ ΟΥΔ (α) (= κράμα υδραργύρου με άλλο μέταλλο) amalgam (β) (μτφ.) medley, amalgam

Αμάλθεια ΟΥΣ ΘΗΛ (ΜΥΘΟΛ) Amalthe(i)a
▷**κέρας (της) Αμαλθείας** horn of plenty,

cornucopia

αμάν ΕΠΙΦΩΝ (α) (= έλεος) for God's sake!
(β) (για φόβο) oh no! (γ) (για θαυμασμό)
wow! (ανεπ.), (oh) boy! (κυρ. Αμερ.) (ανεπ.)·
(για έκπληξη) my God! (δ) (για αγανάκτηση)
for God's sake! (ε) (για στενοχώρια) oh no!
▷**κάνω αμάν για κπν/κτ** to be crying out ή to
be desperate for sb/sth

αμανάτι ΟΥΣ ΟΥΔ ΑΚΛ pledge
▷**κρατάω κτ αμανάτι** to hold sth in pledge·
(μτφ.) to bear sth as a grudge

αμανές ΟΥΣ ΑΡΣ (α) (= τραγούδι) slow
plaintive ballad, lament (β) (μειωτ.) droning
▷**παίρνω ή σηκώνω ή τραβάω ψηλά τον
αμανέ** (μτφ.) to blow one's own trumpet
(Βρετ.) ή horn (Αμερ.)

αμάνικος, -η, -ο ΕΠΙΘ sleeveless

άμαξα ΟΥΣ ΘΗΛ carriage
▷**ο τελευταίος τροχός της αμάξης** ή **άμαξας**
a cog in the machine ή wheel
▷**τα εξ αμάξης** violent abuse

αμαξάδα ΟΥΣ ΘΗΛ (α) (= βόλτα με άμαξα)
drive(in a carriage ή trap) (β) (ως επίρρημα)
in a carriage ή trap

αμαξάκι ΟΥΣ ΟΥΔ (α) (= μικρή άμαξα) cart
(β) (= μικρό αυτοκίνητο) small car, runabout
(Βρετ.) (ανεπ.)

αμαξάς, αμαξηλάτης (επίσ.) ΟΥΣ ΑΡΣ
coachman, driver

Προσοχή!: Ο πληθυντικός του **coachman**
είναι **coachmen**.

αμάξι ΟΥΣ ΟΥΔ (α) (= αυτοκίνητο) car
(β) (= άμαξα) carriage

αμαξιτός, -ή, -ό ΕΠΙΘ (επίσ.) suitable for
vehicles

αμαξοστάσιο ΟΥΣ ΟΥΔ depot

αμαξοστοιχία ΟΥΣ ΘΗΛ (επίσ.) train

αμάξωμα ΟΥΣ ΟΥΔ bodywork, coachwork

αμάραντος, -η, -ο ΕΠΙΘ (α) (= αειθαλής:
στεφάνι) evergreen· (λουλούδι) everlasting
(β) (δόξα) eternal
▸**αμάραντος** ΟΥΣ ΑΡΣ everlasting (flower)

αμαρκάριστος, -η, -ο ΕΠΙΘ (α) (γενικότ.)
unmarked· (για ζώα) unbranded (β) (ΑΘΛ:
για παίκτη) unmarked

αμαρτάνω Ρ ΑΜ to sin

αμάρτημα ΟΥΣ ΟΥΔ (α) (ΘΡΗΣΚ) sin
(β) (= σφάλμα) mistake, error
▷**τα επτά θανάσιμα αμαρτήματα** the seven
deadly sins

αμαρτία ΟΥΣ ΘΗΛ (α) (ΘΡΗΣΚ) sin
(β) (= ακολασία) sin, debauchery
(γ) (= παράνομη ερωτική δραστηριότητα)
(love) affair (δ) (= σφάλμα) mistake
▷**αμαρτίαι** ή **αμαρτίες γονέων παιδεύουσι
τέκνα** the sins of the fathers are visited upon
the children
▷**(για) να πω την αμαρτία μου** to tell the
truth
▷**(είναι) αμαρτία (από τον Θεό)** it's a sin ή

crime
▷**είναι αμαρτία να κάνω** it's a sin ή crime to
do
▷**παίρνω/δίνω άφεση αμαρτιών** (ΘΡΗΣΚ) to
receive/grant absolution for one's sins
▷**παίρνω πάνω μου την αμαρτία** to take the
blame
▷**μια παλιά αμαρτία** an old flame (ανεπ.)
▷**πληρώνω αμαρτίες** to pay for one's sins
▷**σπίτι της αμαρτίας** love nest
▷**σιχαίνομαι κπν/κτ σαν τις αμαρτίες μου** to
absolutely loathe sb/sth
▷**αμαρτία εξομολογημένη, αμαρτία
συχωρεμένη** ή **ουκ έστιν αμαρτία** (παροιμ.) a
sin confessed is half redressed (παροιμ.)

αμαρτωλός, -ή, -ό ΕΠΙΘ (α) (ΘΡΗΣΚ: ψυχή,
πράξη) sinful (β) (= ανήθικος) sinful
(γ) (παρελθόν, πλευρά) debauched,
promiscuous
▸**αμαρτωλός** ΟΥΣ ΑΡΣ, **αμαρτωλή** ΟΥΣ ΘΗΛ sinner

αμάσητος, -η, -ο ΕΠΙΘ unchewed

αμαυρώνω Ρ Μ (υπόληψη, φήμη, εικόνα) to
tarnish· (όνομα) to blacken· (μνήμη,
οράματα) to spoil

αμαύρωση ΟΥΣ ΘΗΛ (υπόληψης, φήμης,
εικόνας) tarnishing· (ονόματος) blackening·
(μνήμης, οράματος) spoiling

αμάχη ΟΥΣ ΘΗΛ (λογοτ.) strife
▷**η πολλή αγάπη φέρνει και πολλή αμάχη**
(παροιμ.) familiarity breeds contempt

αμαχητί ΕΠΙΡΡ (επίσ.) without a fight

άμαχος, -η, -ο ΕΠΙΘ non–combatant
▸**άμαχοι** ΟΥΣ ΑΡΣ ΠΛΗΘ civilians
▸**άμαχος πληθυσμός** civilian population

αμβλυγώνιος, -α, -ο ΕΠΙΘ (ΓΕΩΜ)
obtuse(–angled)

αμβλύνω Ρ Μ (α) (όργανο, αντικείμενο) to
(make) blunt (β) (μτφ.: πόνο, όραση) to dull,
to deaden· (όραση) to dull· (μίσος) to blunt·
(αντιθέσεις, διαφορές) to smooth out

αμβλύς, -εία, -ύ ΕΠΙΘ (α) (μαχαίρι, όργανο,
αντικείμενο) blunt· (δόντια) not sharp
(β) (μτφ.: ακοή) poor· (πόνος) dull
▸**αμβλεία γωνία** obtuse angle

άμβλωση ΟΥΣ ΘΗΛ (ΙΑΤΡ) abortion
▷**κάνω άμβλωση** to have an abortion

Αμβούργο ΟΥΣ ΟΥΔ Hamburg

αμβροσία ΟΥΣ ΘΗΛ (ΜΥΘΟΛ: μτφ.) ambrosia

άμβωνας ΟΥΣ ΑΡΣ pulpit

αμεθόδευτος, -η, -ο ΕΠΙΘ unmethodical,
disorganized

αμέθυστος[1]**, -η, -ο** ΕΠΙΘ sober, not drunk

αμέθυστος[2] ΟΥΣ ΑΡΣ amethyst

αμείβω Ρ Μ (α) (= πληρώνω) to pay (β) (μτφ.:
= ανταμείβω) to reward

αμείλικτος, αμείλιχτος, -η, -ο ΕΠΙΘ
(α) ruthless, merciless (β) (στάση) inflexible,
intransigent· (νόμος) harsh
▸**αμείλικτο ερώτημα** crucial question

αμείωτος, -η, -ο ΕΠΙΘ (περιουσία) intact·
(ποσό) undiminished· (ρυθμός) constant·

(ενδιαφέρον, ένταση) unflagging·
(ενθουσιασμός) unfailing, unflagging·
(ένταση) sustained· (θυμός) unabated
αμέλεια ΟΥΣ ΘΗΛ (α) (= έλλειψη προσοχής)
negligence· (= έλλειψη ενδιαφέροντος)
indifference· (= έλλειψη φροντίδας)
carelessness (β) (= λάθος από ολιγωρία)
oversight
▷**φόνος εξ αμελείας** manslaughter
αμελέτητος, -η, -ο ΕΠΙΘ (α) (μαθητής,
σπουδαστής) unprepared (β) (σχέδια)
undrafted
▸αμελέτητα ΟΥΣ ΟΥΔ ΠΛΗΘ (ευφημ.: = όρχεις
ζώων) testicles· (φαγητό) sweetbreads
αμελής, -ής, -ές ΕΠΙΘ (α) (= αδιάφορος) lax,
remiss (επίσ.) (β) (υπάλληλος, εργαζόμενος)
negligent, lax (γ) (μαθητής, σπουδαστής)
inattentive
αμελητέος, -α, -ο ΕΠΙΘ negligible
▷**αμελητέα ποσότητα** negligible amount·
(μτφ.: για ανθρώπους) nonentity
αμελώ Ρ Μ (α) (= παραμελώ) to neglect
(β) (= ξεχνώ) to forget (να κάνω to do)
άμεμπτος, -η ή -ος, -ο ΕΠΙΘ (επίσ.: ήθος)
impeccable, scrupulous· (διαγωγή)
irreproachable, blameless· (υπάλληλος,
δημόσιος λειτουργός) beyond reproach
▷**(είμαι) αμέμπτου ηθικής** (to be)
highly-principled
Αμερικάνα ΟΥΣ ΘΗΛ βλ. **Αμερικάνος**
Αμερικανίδα ΟΥΣ ΘΗΛ βλ. **Αμερικανός**
αμερικανικός, -ή, -ό ΕΠΙΘ American

> *Προσοχή!: Τα εθνικά επίθετα, όπως*
> **American**, *γράφονται με κεφαλαίο το*
> *αρχικό γράμμα στα Αγγλικά.*

▸**το αμερικανικό όνειρο** the American dream
αμερικάνικος, -η, -ο ΕΠΙΘ
(α) (= αμερικανικός) American (β) (= των
Ελληνοαμερικανών) Greek American
Αμερικανός ΟΥΣ ΑΡΣ American
Αμερικάνος ΟΥΣ ΑΡΣ (α) (= Αμερικανός)
American (β) (= Ελληνοαμερικανός) Greek
American
Αμερική ΟΥΣ ΘΗΛ America
αμεριμνησία ΟΥΣ ΘΗΛ carefreeness
αμέριμνος, -η, -ο ΕΠΙΘ carefree
αμέριστος, -η, -ο ΕΠΙΘ (κληρονομιά,
περιουσία) undivided, entire· (ενδιαφέρον)
keen· (προσοχή) undivided, whole·
(συμπαράσταση, υποστήριξη) full,
unreserved· (εμπιστοσύνη) complete
αμερόληπτα ΕΠΙΡΡ (κρίνω, διαιτητεύω)
impartially
αμερόληπτος, -η, -ο ΕΠΙΘ (γενικότ.: για
πρόσ.) fair-minded· (δικαστής) impartial,
unbiased· (παρατηρητής) impartial,
disinterested· (απόφαση) impartial· (κρίση,
αναφορά) balanced, impartial· (γνώμη)
unbiased
αμεροληπτώ Ρ ΑΜ to be impartial ή unbiased

αμεροληψία ΟΥΣ ΘΗΛ impartiality
άμεσα ΕΠΙΡΡ directly
άμεσος, -η, -ο ΕΠΙΘ (α) (= αμεσολάβητος:
επικοινωνία, διάλογος, εκλογή, συμμετοχή)
direct (β) (απόγονος) direct· (κληρονόμος)
immediate (γ) (= γρήγορος: συνέπεια,
απάντηση) direct, immediate· (λύση,
επέμβαση) immediate, prompt· (αποτέλεσμα,
κίνδυνος) immediate, swift· (κίνδυνος)
immediate, imminent (δ) (= επείγων:
χειρουργική επέμβαση) urgent
(ε) (= προσεχής: μέλλον, σχέδια, στόχος)
immediate
▸**άμεσο αντικείμενο** (ΓΛΩΣΣ) direct object
▸**Άμεση ή Άμεσος Δράση** ≈ the Flying Squad
▸**άμεσοι φόροι** (ΟΙΚΟΝ) direct taxes ή taxation
αμεσότητα ΟΥΣ ΘΗΛ (α) (ενεργειών,
αντίδρασης) immediacy· (χαρακτήρα)
directness (β) (ύφους, λόγου, πωλητή)
directness
αμέσως ΕΠΙΡΡ (= ευθύς) immediately, straight
away
▷**αμέσως!** right away!
▷**τώρα, αμέσως!** right now!, right this
minute!
αμετάβατος, -η, -ο ΕΠΙΘ intransitive
▸**αμετάβατο ρήμα** intransitive verb
αμετάβλητος, -η, -ο ΕΠΙΘ (διάσταση, ποσό)
fixed, invariable· (ιδιότητα) unchanging·
(πολιτική, θέση, απόφαση) unchanged·
(καιρός, κατάσταση, τιμή) stable·
(θερμοκρασία, κατάσταση) stable, constant
αμετάθετος, -η, -ο ΕΠΙΘ (α) (απόφαση)
irrevocable· (ημερομηνία) fixed (β) (δημοσίος
υπαλλήλος) who cannot be transferred
▸**αμετάθετο** ΟΥΣ ΟΥΔ (δημοσίων υπαλλήλων)
obligatory period of time spent in a post
αμετακίνητος, -η, -ο ΕΠΙΘ (άνθρωπος,
αντικείμενο) immovable (β) (μτφ.: θέση,
απόφαση) firm· (πίστη) unshakeable
αμετάκλητος, -η, -ο ΕΠΙΘ (απόφαση, κρίση)
irrevocable, irreversible· (δέσμευση)
unbreakable
▷**οριστικός και αμετάκλητος** absolutely final
αμέταλλος, -η, -ο ΕΠΙΘ (ΧΗΜ) non-metallic
▸**αμέταλλα** ΟΥΣ ΟΥΔ ΠΛΗΘ non-metals
αμεταμέλητος, -η, -ο ΕΠΙΘ unrepentant
αμετανόητος, -η, -ο ΕΠΙΘ unrepentant
αμετάπειστος, -η, -ο ΕΠΙΘ adamant
αμετάφραστος, -η, -ο ΕΠΙΘ (α) (= που δεν
έχει μεταφραστεί) untranslated (β) (= που
δεν μπορεί να μεταφραστεί) untranslatable
αμεταχείριστος, -η, -ο ΕΠΙΘ (πετσέτα,
πηρούνι) unused· (αυτοκίνητο) (brand-)new
αμέτοχος, -η, -ο ΕΠΙΘ not involved
αμέτρητος, -η, -ο ΕΠΙΘ (α) (αστέρια,
γαλαξίες) countless (β) (αυτοκίνητα, ζωές,
δουλειές, δέντρα, βιβλία) countless,
innumerable
αμετροέπεια ΟΥΣ ΘΗΛ (επίσ.) (α) (= φλυαρία)
loquacity (επίσ.), talkativeness

(β) (= μεγαλοστομία) bombast· (= προσβολή) abuse

αμετροεπής, -ής, -ές ΕΠΙΘ (επίσ.)
(α) (= φλύαρος) loquacious (επίσ.), talkative
(β) (= μεγαλόστομος) bombastic·
(= προσβλητικός) abusive

άμετρος, -η, -ο ΕΠΙΘ (α) (= αμέτρητος) countless (β) (μτφ.: = υπερβολικός: χρήση, εκτίμηση, αισιοδοξία) excessive· (φιλοδοξία) boundless

αμήν ΕΠΙΦΩΝ (ΘΡΗΣΚ) amen
▷**αμήν (και πότε)!** amen to that!
▷**φτάνω ή με φέρνουν στο αμήν** to be at ή come to the end of one's tether
▷**ώσπου να πεις αμήν** in next to no time

αμηνόρροια ΟΥΣ ΘΗΛ (ΙΑΤΡ) amenorrhoea (Βρετ.), amenorrhea (Αμερ.)

αμηχανία ΟΥΣ ΘΗΛ awkwardness, embarrassment
▷**αισθάνομαι αμηχανία** to feel awkward ή embarrassed
▷**βρίσκομαι σε αμηχανία** to be in ή to find oneself in an awkward ή embarrassing position

αμήχανος, -η, -ο ΕΠΙΘ awkward, embarrassed

αμίαντο ΟΥΣ ΟΥΔ (= πλέγμα τεχνητού αμιάντου) wick

αμίαντος[1]**, η, -ο** (επίσ.) ΕΠΙΘ (παρθένα, άνθρωπος) pure, chaste· (χαρακτήρας) unspoiled

αμίαντος[2] ΟΥΣ ΑΡΣ asbestos

αμιγής, ής, -ές ΕΠΙΘ (ουσία, σύνθεση) unadulterated, pure· (πληθυσμός) not racially mixed· (πεποίθηση) absolute, complete· (γλώσσα) pure· (κυβέρνηση) one–party
▷**ουδέν κακόν αμιγές καλού** every cloud has a silver lining

αμίλητος, -η, -ο ΕΠΙΘ (α) (= σιωπηλός) silent (β) (= απλησίαστος, δύστροπος) standoffish, aloof
▷**πίνω το αμίλητο νερό** to keep one's mouth shut

άμιλλα ΟΥΣ ΘΗΛ (friendly) rivalry, competition

αμίμητος, -η, -ο ΕΠΙΘ (= ανεπανάληπτος) inimitable, unique
▷**είμαι αμίμητος σε κτ** to be second to none at sth

αμινοξέα ΟΥΣ ΟΥΔ ΠΛΗΘ (ΧΗΜ) amino acids

αμισθί ΕΠΙΡΡ (επίσ.) unpaid, gratis

άμισθος, -η, -ο (εργασία, υπηρεσία) unpaid, free· (υπάλληλος, εργαζόμενος) unpaid, unsalaried

αμίσθωτος, -η, -ο ΕΠΙΘ unrented

αμμοθύελλα ΟΥΣ ΘΗΛ sandstorm

αμμοκονία ΟΥΣ ΘΗΛ, **αμμοκονίαμα** ΟΥΣ ΟΥΔ (επίσ.) mortar, plaster

αμμόλιθος ΟΥΣ ΑΡΣ sandstone

αμμόλουτρο ΟΥΣ ΟΥΔ sandbath

αμμόλοφος ΟΥΣ ΑΡΣ (sand) dune

αμμόπετρα ΟΥΣ ΘΗΛ sandstone

άμμος ΟΥΣ ΘΗΛ sand
▷**σαν την άμμο της θάλασσας ή θαλάσσης** as numerous as the stars in the sky
▷**χτίζω κτ στην άμμο** (μτφ.) to build sth on sand

αμμουδερός, -ή, -ό ΕΠΙΘ sandy

αμμουδιά ΟΥΣ ΘΗΛ sandy beach, sands πληθ.

αμμοχάλικο ΟΥΣ ΟΥΔ grit

αμμώδης, -ης, -ες ΕΠΙΘ sandy

αμμωνία ΟΥΣ ΘΗΛ (α) (αέριο) ammonia (β) (για έντομα) antihistamine

αμμώνιο ΟΥΣ ΟΥΔ (ΧΗΜ) ammonium

αμνημόνευτος, -η, -ο ΕΠΙΘ (= ξεχασμένος) not mentioned
▷**προ αμνημονεύτων ετών ή χρόνων** from time immemorial

αμνησία ΟΥΣ ΘΗΛ amnesia, memory loss

αμνήστευση ΟΥΣ ΘΗΛ granting of amnesty

αμνηστεύω Ρ Μ to grant ή give amnesty to

αμνηστία ΟΥΣ ΘΗΛ amnesty
▸**Διεθνής Αμνηστία** Amnesty International

αμνός ΟΥΣ ΑΡΣ (επίσ.) lamb
▷**ο αμνός του Θεού** the Lamb of God

αμοιβάδα ΟΥΣ ΘΗΛ amoeba (Βρετ.), ameba (Αμερ.)
▸**αμοιβάδες** ΠΛΗΘ amoebic (Βρετ.) ή amebic (Αμερ.) dysentery

αμοιβαίος, -α, -ο ΕΠΙΘ (γενικότ.) mutual· (υπόσχεση, συμφωνία) reciprocal
▸**αμοιβαίο κεφάλαιο** (ΟΙΚΟΝ) unit trust (Βρετ.), mutual fund (Αμερ.)

αμοιβαιότητα ΟΥΣ ΘΗΛ (συναισθημάτων) mutuality, reciprocity (β) (ΝΟΜ) reciprocity

αμοιβή ΟΥΣ ΘΗΛ (α) (= πληρωμή) pay, remuneration (επίσ.)· (εργάτη) wages πληθ.· (μισθωτού) salary· (γιατρού, δικηγόρου) fee· (για εύρεση αντικειμένου, ζώου: για παροχή πληροφοριών) reward· (για σύλληψη δράστη) bounty (β) (= ηθική επιβράβευση) reward

αμοίραστος, -η, -ο ΕΠΙΘ (κληρονομιά, περιουσία, κέρδη) undivided

αμοιρολόγητος, -η, -ο ΕΠΙΘ unlamented

άμοιρος, -η, -ο ΕΠΙΘ (α) (= κακόμοιρος) poor, unfortunate (β) (επίσ.: = στερημένος από κτ: +γεν: παιδείας) deprived of· (ενθυνών) exempt from
▸**άμοιρος** ΟΥΣ ΑΡΣ poor ή unfortunate man
▸**άμοιρη** ΟΥΣ ΘΗΛ poor ή unfortunate woman

αμολάω Ρ Μ (ανεπ.) (α) (χαρταετό) to fly· (σκοινί, βάρκα) to pay out, to slacken (β) (σκύλο) to let loose, to unleash· (πουλί, κρατούμενο) to set free, to release (γ) (μτφ.: δάκρυα) to turn on· (πορδή) to let rip (ανεπ.)· (κοτσάνες, βλακείες) to come out with
▸**αμολιέμαι** ΜΕΣΟΠΑΘ to run, to rush

αμόλυντος, -η, -ο ΕΠΙΘ (α) (πληγή, τραύμα) clean, not infected· (περιβάλλον) unpolluted (β) (μτφ.: = αγνός) pure

αμόνι ΟΥΣ ΟΥΔ anvil

αμοραλισμός ΟΥΣ ΑΡΣ (α) (ΦΙΛΟΣ) amoralism

(β) (= ανηθικότητα) amorality

αμοραλιστής ΟΥΣ ΑΡΣ (α) (ΦΙΛΟΣ) amoralist
(β) (= ανήθικος) amoral person

αμοραλίστρια ΟΥΣ ΘΗΛ βλ. **αμοραλιστής**

άμορφος, -η, -ο ΕΠΙΘ (α) (μάζα, ύλη)
shapeless, amorphous (επία.) (β) (έργο,
γλυπτό) unformed, unworked

αμόρφωτος, -η, -ο ΕΠΙΘ (= ακαλλιέργητος)
uncultured · (= απαίδευτος) uneducated

άμουσος, -η, -ο ΕΠΙΘ (για μουσική)
unmusical · (για καλές τέχνες) uncultured,
uncultivated

αμούστακος, -η, -ο ΕΠΙΘ (α) (= που δεν έχει
μουστάκι) without a moustache (Βρετ.) ή
mustache (Αμερ.) (β) (= μικρός σε ηλικία)
young, immature

αμπαζούρ ΟΥΣ ΟΥΔ ΑΚΛ (α) (= κάλυμμα) lamp
shade (β) (= φωτιστικό) lamp

άμπακος, άμπακας ΟΥΣ ΑΡΣ (παλαιότ.: =
άβακας) abacus

> *Προσοχή!: Ο πληθυντικός του* **abacus**
> *είναι* **abaci**.

▷ **τρώω τον άμπακο** ή **άμπακα** to gorge ή stuff
(ανεπ.) oneself

αμπάρα ΟΥΣ ΘΗΛ bolt

αμπάρι ΟΥΣ ΟΥΔ (α) (= κύτος) hold (β) (σπάν.:
= αποθήκη) basement storeroom

αμπάριζα ΟΥΣ ΘΗΛ (παιχνίδι) catch, children's
game in which two teams try and capture
members of the opposing team · (= πέτρα
παιχνιδιού) home base (where a player can't
be caught)

αμπαρώνω Ρ Μ (πόρτα) to bolt
▸ **αμπαρώνομαι** ΜΕΣΟΠΑΘ to lock oneself in ή
away · (μτφ.) to close in on oneself

αμπέλι ΟΥΣ ΟΥΔ (α) (= αμπελώνας) vineyard
(β) (φυτό) grapevine
▷ **ξέφραγο αμπέλι** (μτφ.) open house
▷ **παλιό τ' αμπέλι, λίγο το κρασί** (παροιμ.) you
can't teach an old dog new tricks (παροιμ.)

αμπελόβεργα ΟΥΣ ΘΗΛ stem of a grapevine

αμπελοκαλλιέργεια ΟΥΣ ΘΗΛ wine-growing,
viticulture

αμπελουργία ΟΥΣ ΘΗΛ (= αμπελοκαλλιέργεια)
wine-growing, viticulture · (επιστήμη)
viticulture

αμπελουργικός, -ή, -ό ΕΠΙΘ (περιοχή)
wine-growing · (προϊόν) viticultural ·
(τρακτέρ) used in a vineyard

αμπελουργός ΟΥΣ ΑΡΣ wine-grower

αμπελόφυλλο ΟΥΣ ΟΥΔ vine leaf

αμπελοχώραφα ΟΥΣ ΟΥΔ ΠΛΗΘ (α) (= αμπέλια
και χωράφια) vineyards and wheat fields
(β) (= κτηματική περιουσία) land εν.
▷ **έλα παππού μου, να σου δείξω τ'
αμπελοχώραφά σου** to teach one's
grandmother to suck eggs (παροιμ.)

αμπελώνας ΟΥΣ ΑΡΣ vineyard

αμπέρ ΟΥΣ ΟΥΔ ΑΚΛ (ΦΥΣ) ampere

αμπερόμετρο ΟΥΣ ΟΥΔ (ΦΥΣ) ammeter

αμπέχονο ΟΥΣ ΟΥΔ tunic

αμπόλιαστος, -η, -ο ΕΠΙΘ (α) (για φυτό)
ungrafted (β) (για πρόσ.) uninoculated,
unvaccinated

αμπούλα ΟΥΣ ΘΗΛ (α) (= γυάλινο φιαλίδιο με
υγρό φάρμακο για ενέσεις) ampoule (Βρετ.),
ampule (Αμερ.) (β) (γενικότ.: = κάθε φιαλίδιο
με υγρό φάρμακο) phial
▸ **αμπούλα βρόμας** stink bomb

άμπωτη ΟΥΣ ΘΗΛ low ή ebb tide

αμυαλιά ΟΥΣ ΘΗΛ foolishness, stupidity

άμυαλος, -η, -ο ΕΠΙΘ foolish

αμυγδαλεκτομή ΟΥΣ ΘΗΛ tonsillectomy

αμυγδαλέλαιο ΟΥΣ ΟΥΔ almond oil

αμυγδαλή ΟΥΣ ΘΗΛ (α) (ΑΝΑΤ) tonsil
(β) (= αμυγδαλίτιδα) tonsillitis
▷ **βγάζω τις αμυγδαλές μου** to have one's
tonsils out

αμυγδαλιά ΟΥΣ ΘΗΛ almond tree

αμυγδαλίτιδα ΟΥΣ ΘΗΛ tonsillitis

αμύγδαλο ΟΥΣ ΟΥΔ almond

αμυγδαλόψιχα ΟΥΣ ΟΥΔ almond kernel

αμυγδαλωτός, -ή, -ό ΕΠΙΘ (α) (μάτια)
almond(-shaped) (β) (γλυκά) almond
▸ **αμυγδαλωτό** ΟΥΣ ΟΥΔ almond cake

αμυδρός, -ή, -ό ΕΠΙΘ (α) (περίγραμμα)
vague, faint (β) (ανάμνηση) vague, dim ·
(ιδέα, εντύπωση) vague · (γνώση) superficial
(γ) (φως) dim · (λάμψη) faint · (χαμόγελο)
feeble, vague (δ) (ελπίδες) slim

αμύητος, -η, -ο ΕΠΙΘ (α) (σε θρησκεία,
οργάνωση) uninitiated (β) (= αδαής)
ignorant (σε about)

αμύθητος, -η, -ο ΕΠΙΘ (αξία) untold ·
(θησαυροί, πλούτη) fabulous, untold

άμυλο ΟΥΣ ΟΥΔ starch

αμυλούχος, -α ή **-ος, -ο** ΕΠΙΘ starchy

άμυνα ΟΥΣ ΘΗΛ (α) (ΣΤΡΑΤ) defence (Βρετ.),
defense (Αμερ.) (β) (= ικανότητα αντίστασης:
οργανισμού) resistance (γ) (= αμυντική
γραμμή στρατεύματος) line of defence
(Βρετ.) ή defense (Αμερ.), defensive line
(δ) (ΑΘΛ) defence (Βρετ.), defense (Αμερ.)
▷ **η καλύτερη άμυνα είναι η επίθεση** attack is
the best form of defence (Βρετ.) ή defense
(Αμερ.)
▷ **κρατώ (γερή) άμυνα** to hold out
▸ **Εθνική Άμυνα** national defence (Βρετ.) ή
defense (Αμερ.)
▸ **ενεργός άμυνα** active resistance
▸ **κατάσταση άμυνας, νόμιμη άμυνα** (ΝΟΜ)
self-defence (Βρετ.), self-defense (Αμερ.)
▸ **Υπουργείο Εθνικής Άμυνης** Ministry of
Defence (Βρετ.), Department of Defense
(Αμερ.)

αμύνομαι Ρ ΑΜ ΑΠΟΘ (= υπερασπίζομαι: για
στράτευμα) to put up a defence (Βρετ.) ή
defense (Αμερ.) · (για άτομο) to defend
oneself · (για παίκτη, ομάδα) to be on the
defensive, to play defensively

αμυντικά ΕΠΙΡΡ (*παρατάσσω, τοποθετώ, παίζω*) defensively

αμυντικός, -ή, -ό ΕΠΙΘ (α) (*όπλο, γραμμή*) defensive · (*πολιτική, δαπάνες, σχέδια, ικανότητα*) defence (*Βρετ.*), defense (*Αμερ.*) (β) (ΑΘΛ: *παίκτης, ομάδα, τακτική, διάταξη, ζώνη*) defence (*Βρετ.*), defense (*Αμερ.*) · (*λάθος*) in defence (*Βρετ.*) ή defense (*Αμερ.*)
▸**αμυντικός μηχανισμός** defence (*Βρετ.*) ή defense (*Αμερ.*) mechanism
▸**αμυντικός** ΟΥΣ ΑΡΣ (ΑΘΛ) defender

αμυχή ΟΥΣ ΘΗΛ graze, scratch

αμφεταμίνη ΟΥΣ ΘΗΛ amphetamine

άμφια ΟΥΣ ΟΥΔ ΠΛΗΘ (ΘΡΗΣΚ) vestments
▸**ιερατικά άμφια** holy ή sacred vestments
▸**λειτουργικά άμφια** liturgical colours (*Βρετ.*) ή colors (*Αμερ.*)

αμφιβάλλω Ρ ΑΜ (α) (= *αμφιταλαντεύομαι*) to have doubts (*για* about) (β) (= *αισθάνομαι ή εκδηλώνω δυσπιστία*) to doubt (*αν/ότι* whether/that)

αμφίβιος, -α, -ο ΕΠΙΘ (ΖΩΟΛ) amphibian
▸**αμφίβιο αεροπλάνο** amphibian aircraft

Προσοχή!: Ο πληθυντικός του **aircraft** *είναι* **aircraft**.

▸**αμφίβιες επιχειρήσεις** amphibious operations
▸**αμφίβιο όχημα** amphibian vehicle

αμφιβληστροειδής, -ής, -ές ΕΠΙΘ (ΑΝΑΤ): **αμφιβληστροειδής χιτώνας** retina
▸**αμφιβληστροειδής** ΟΥΣ ΑΡΣ retina

Προσοχή!: Ο πληθυντικός του **retina** *είναι* **retinae** *ή* **retinas**.

αμφιβολία ΟΥΣ ΘΗΛ (= *αβεβαιότητα*) doubt
▸**δεν υπάρχει αμφιβολία** there's no doubt about it
▸**δεν υπάρχει αμφιβολία ότι** there is no doubt that
▸**δεν χωρεί αμφιβολία** there is no doubt
▸**διατηρώ τις αμφιβολίες μου** to still be doubtful, to still have doubts
▸**έχω τις αμφιβολίες μου (για κπν/κτ), έχω αμφιβολίες (για κπν/κτ)** to have (one's) doubts (about sb/sth), to have misgivings (about sb/sth)
▸**πέρα από κάθε αμφιβολία, πέραν πάσης αμφιβολίας** (*επίσ.*) beyond any ή all doubt
▸**χωρίς ή δίχως αμφιβολία** without (a) doubt, no doubt

αμφίβολος, -η, -ο ΕΠΙΘ (*αποτέλεσμα*) dubious, uncertain · (*αξία, ποιότητα*) doubtful, dubious · (*προοπτική*) uncertain
▸**είναι αμφίβολο αν/ότι** it is doubtful whether/that

αμφίδρομος, -η, -ο ΕΠΙΘ (*επίσ.: κίνηση, επίδραση, σχέση*) two–way
▸**αμφίδρομη λειτουργία** (ΤΕΧΝΟΛ) duplex operation ▪

αμφίεση ΟΥΣ ΘΗΛ (*επίσ.*) dress, attire (*επίσ.*)

αμφιθαλής, -ής, -ές ΕΠΙΘ (*επίσ.: αδελφός, αδελφή*) with the same mother and father

αμφιθεατρικός, -ή, -ό ΕΠΙΘ (*σχήμα*) of an amphitheater (*Βρετ.*) ή amphitheater (*Αμερ.*) · (*διάταξη*) in the shape of an amphitheatre (*Βρετ.*) ή amphitheater (*Αμερ.*)

αμφιθέατρο ΟΥΣ ΟΥΔ (*θεάτρου*) amphitheatre (*Βρετ.*), amphitheater (*Αμερ.*) · (*σχολής*) lecture theatre (*Βρετ.*) ή theater (*Αμερ.*) · (= *ακροατήριο*) audience

αμφικλινής, -ής, -ές ΕΠΙΘ (α) (*έδαφος*) not level (β) (*μτφ.: για πρόσ.*) vacillating

αμφίκοιλος, -η, -ο ΕΠΙΘ (*φακός*) biconcave

αμφικτιονία ΟΥΣ ΘΗΛ (ΑΡΧ ΙΣΤ) amphictyony, *religious association of neighbouring states formed around a temple, later to become a political federation of city states*

αμφίκυρτος, -η, -ο ΕΠΙΘ (*φακός*) biconvex

αμφιλεγόμενος, -η, -ο ΕΠΙΘ (*ερμηνεία, θεωρία, ζήτημα, πρόσωπο*) controversial
▷**είναι αμφιλεγόμενο αν** it is debatable whether

αμφίπλευρος, -η, -ο ΕΠΙΘ (*επίσ.*) (α) (= *που έχει δύο πλευρές ή όψεις*) two–sided · (*σχέση*) two–way (β) (*μτφ.: ερμηνεία, θεώρηση*) multi–faceted

αμφίρροπος, -η, -ο ΕΠΙΘ (α) (*μάχη, εκλογή, αγώνας*) close (β) (*στάση*) ambivalent · (*συναισθήματα*) mixed, ambivalent

αμφισβήτηση ΟΥΣ ΘΗΛ (α) (*ισχυρισμού*) disputing, contesting · (*ενέργειας, επιλογής*) disapproval (β) (*εγγράφου, απόφασης*) contesting · (*αρχηγού, ηγέτη, προέδρου*) challenging (γ) (*παραδοσιακών αξιών, κοινωνικών θεσμών*) rejection
▷**θέτω κτ υπό αμφισβήτηση** to cast doubt on sth, to call sth into question

αμφισβητήσιμος, -η, -ο ΕΠΙΘ (*πόρισμα, πρόθεση, μέθοδος*) questionable · (*ποιότητα*) doubtful, dubious · (*απόφαση*) contentious, controversial

αμφισβητίας ΟΥΣ ΑΡΣ&ΘΗΛ dissenter

αμφισβητώ Ρ Μ (α) (*γεγονός, λόγια, θεωρία*) to dispute · (*εγκυρότητα*) to dispute, to question · (*αξία, πολιτική κυβέρνησης, συνθήκη, γνώσεις*) to question · (*απόψεις, δόγμα*) to reject (β) (*αρχηγό κόμματος, πρόεδρο*) to question the authority of

αμφισεξουαλικός, -ή, -ό ΕΠΙΘ *βλ.* **αμφιφυλόφιλος**

αμφιταλαντεύομαι Ρ ΑΜ ΑΠΟΘ (α) (= *γέρνω και προς τις δύο πλευρές*) to teeter (β) (*μτφ.: = διχογνωμώ*) to hesitate, to dither

αμφιταλάντευση ΟΥΣ ΘΗΛ hesitation

αμφιφυλόφιλος, -η, -ο ⬚ ΕΠΙΘ bisexual, bi (*ανεπ.*) ⬚ ΟΥΣ bisexual

αμφορέας ΟΥΣ ΑΡΣ (α) (ΑΡΧΑΙΟΛ) amphora

Προσοχή!: Ο πληθυντικός του **amphora** *είναι* **amphoras** *ή* **amphorae**.

(β) (= *κάθε τέτοιο δοχείο*) urn

αμφότεροι ΑΝΤΩΝ (*επίσ.*) both

άμωμος, -η, -ο ΕΠΙΘ (*επίσ.*) immaculate
  ▷**η Άμωμος Σύλληψις** the Immaculate Conception

αν ΣΥΝΔ if
  ▷**ό, τι και άν** whatever, no matter what
  ▷**όπως και αν** however, no matter how
  ▷**όσο και αν** however much, no matter how much
  ▷**όπου και αν** wherever, no matter where
  ▷**κι αν ακόμα** even if
  ▷**αν όχι** if not
  ▷**αν ναι** if so

ανά ΠΡΟΘ (*για επιμερισμό*) per, in
  ▷**...ανά λεπτό** ...per minute
  ▷**ανά δύο** in twos

αναβαθμίζω Ρ Μ (α) (*περιοχή, πόλη, ποιότητα ζωής*) to improve (β) (*ρόλο*) to widen · (*θέση*) to improve, to better (γ) (*υπολογιστή*) to upgrade

αναβάθμιση ΟΥΣ ΘΗΛ (α) (*υπαίθρου, περιβάλλοντος, παιδείας*) improvement (β) (*θέσης*) improvement · (*χώρας*) advancement · (*ρόλου*) widening (γ) (*υπολογιστή, προγράμματος*) upgrade

αναβαθμολόγηση ΟΥΣ ΘΗΛ (*γραπτών*) regrading, re–marking (*Βρετ.*)

αναβαθμολογώ Ρ Μ (*γραπτά*) to grade ή mark (*Βρετ.*) again, to re–mark (*Βρετ.*)

αναβαλλόμενος, -η, -ο ΕΠΙΘ: **ψέλνω** ή **ψάλλω σε κπν τον αναβαλλόμενο** to read sb the riot act, to haul sb over the coals

αναβάλλω Ρ Μ (*συναυλία, διαγωνισμό, συνεδρίαση, συνάντηση, μάθημα*) to postpone · (*ταξίδι*) to postpone, to put off · (*δίκη*) to adjourn
  ▷**μην αναβάλλεις για αύριο ό, τι μπορείς να κάνεις σήμερα** (*παροιμ.*) never put off till tomorrow what you can do today (*παροιμ.*)

αναβαπτίζω Ρ Μ to baptize again
  ▸ **αναβαπτίζομαι** ΜΕΣΟΠΑΘ (*μτφ.*)
    (α) (= *ανακαινίζομαι*) to be reborn
    (β) (= *μετανοώ*) to repent

ανάβαση ΟΥΣ ΘΗΛ (α) (= *ανέβασμα*) climb, ascent (*επίσ.*) (β) (*αγώνας ταχύτητας*) hill climb

αναβάτης ΟΥΣ ΘΗΛ (*γένικοτ.*) rider · (= *επαγγελματίας ιππέας*) jockey

αναβάτρια ΟΥΣ ΘΗΛ rider

αναβιώνω ① Ρ ΑΜ to live again · (*έθιμο*) to be revived · (*φρίκη*) to be relived ② Ρ Μ (*έθιμο*) to revive

αναβίωση ΟΥΣ ΘΗΛ revival

αναβλητικός, -ή, -ό ΕΠΙΘ (α) (*άνθρωπος*) procrastinating (β) (ΝΟΜ: *αίρεση, απόφαση*) dilatory

αναβλητικότητα ΟΥΣ ΘΗΛ procrastination

αναβλύζω Ρ ΑΜ (α) (*νερό*) to gush, to spurt (β) (*μτφ.: αίμα*) to gush, to spurt · (*δάκρυα*) to well up

αναβολέας ΟΥΣ ΑΡΣ (*σέλας*) stirrup

αναβολή ΟΥΣ ΘΗΛ (α) (= *μετάθεση στο μέλλον: έργου*) postponement · (*δίκης*) adjournment (β) (= *καθυστέρηση: έργου, υπόθεσης*) delay (γ) (ΣΤΡΑΤ) deferment
  ▷**αναβολή επ' αόριστον** (ΝΟΜ) adjournment sine die
  ▷**παίρνω αναβολή (από)** to get a deferment (from)

αναβολικός, -ή, -ό ΕΠΙΘ (*φάρμακο, ένεση, διαδικασίες*) anabolic
  ▸ **αναβολικά** ΟΥΣ ΟΥΔ ΠΛΗΘ anabolic steroids

αναβοσβήνω ① Ρ ΑΜ (*φως, λάμπα*) to flicker ② Ρ Μ (*φώτα*) to turn on and off · (*προβολέας*) to flash

αναβράζω Ρ ΑΜ (α) (*νερό*) to boil (β) (*μούστος*) to ferment (γ) (*μτφ.: = αναστατώνομαι*) to be in turmoil
  ▸ **αναβράζον δισκίο** (ΦΑΡΜ) soluble tablet

αναβρασμός ΟΥΣ ΑΡΣ turmoil, ferment (*επίσ.*)

αναβροχιά ΟΥΣ ΘΗΛ drought
  ▷**στην αναβροχιά καλό και το χαλάζι** (*παροιμ.*) half a loaf is better than no bread (*παροιμ.*)

ανάβω ① Ρ Μ (α) (*τσιγάρο, φωτιά, κερί*) to light · (*σπίρτο*) to strike · (*χόρτα, ξύλα*) to light, to set fire to (β) (*φως*) to turn on, to switch on, to put on · (*φούρνο, κουζίνα, καλοριφέρ, θέρμανση, ηλεκτρική θερμάστρα*) to put on, to turn on · (*μηχανή αυτοκινήτου*) to switch on · (*θερμάστρα υγραερίου*) (γ) (*μτφ.: = εξοργίζω*) to infuriate, to enrage · (*περιέργεια*) to arouse · (*άνδρα, γυναίκα*) to arouse, to turn on (*ανεπ.*) ② Ρ ΑΜ (α) (*φωτιά, ξύλα, χόρτα*) to light, to catch fire (β) (*φως, λάμπα, φάρος*) to come on · (*κερί*) to burn · (*καλοριφέρ, θέρμανση*) to come on (γ) (*σίδερο, μάτι κουζίνας*) to be on · (*μάτι κουζίνας*) to be lit (δ) (*μτφ.: = φουντώνω*) to flare up, to explode (ε) (= *ερεθίζομαι*) to be aroused, to be turned on (*ανεπ.*) (στ) (= *ζεσταίνομαι*) to be too hot · (*από πυρετό*) to be burning up (ζ) (*τρόφιμα, καρποί*) to go stale
  ▷**ανάβει η μηχανή** the engine's overheating
  ▷**ανάβει η συζήτηση** the discussion is becoming heated
  ▷**ανάβω και κορώνω** to hit the roof (*ανεπ.*), to explode
  ▷**άναψαν οι γραμμές** ή **τα τηλέφωνα** ή **τα σύρματα** the phone lines were red–hot
  ▷**ανάβω φωτιά** ή **φωτιές σε κπν** (*μτφ.: = δημιουργώ προβλήματα*) to get sb into deep water (*ανεπ.*) ή into trouble · (= *διεγείρω ερωτικά*) to set sb on fire
  ▷**ανάβει το κέφι/γλέντι** to liven up
  ▷**μου ανάβουν τα λαμπάκια** ή **γλομπάκια** (*αργκ.*) to blow one's top (*ανεπ.*), to flip one's lid (*χυδ.*)
  ▷**την ανάβω σε κπν** (*ανεπ.: = πυροβολώ*) to let sb have it (*ανεπ.*) · (= *χαστουκίζω*) to belt sb (*ανεπ.*)

αναγαλλιάζω Ρ ΑΜ (*άνθρωπος*) to be thrilled ·

A

(ψυχή) to thrill

αναγγελία ΟΥΣ ΘΗΛ (α) (= γνωστοποίηση: *θανάτου*) announcement (β) (= *ανακοίνωση: πρόσληψης*) notification · (*γάμου*) notice · (*για καιρό*) warning

αναγγέλω Ρ Μ (α) (*είδηση, μέτρα, άφιξη πτήσης*) to announce · (*αναχώρηση πτήσης*) to call, to announce (β) (= *επισημοποιώ*) to announce formally

αναγέννηση ΟΥΣ ΘΗΛ (α) (*φύσης*) rebirth (β) (ΒΙΟΛ: *κεράτων, τριχώματος*) regeneration (γ) (*μτφ.: έθνους, πόλης*) rebirth, revival · (*παιδείας, γραμμάτων*) revival
▸ Αναγέννηση ΟΥΣ ΘΗΛ (ΙΣΤ) Renaissance

αναγεννώ Ρ Μ (= *αναζωογονώ*) to rejuvenate, to refresh
▸ αναγεννώμαι, αναγεννιέμαι ΜΕΣΟΠΑΘ to be reborn, to rise again

αναγκάζω Ρ Μ (α) (= *ασκώ πίεση*) to force (*κπν να κάνει κτ* sb to do sth) (β) (= *εξωθώ*) to make (*κπν να κάνει κτ* sb do sth)

αναγκαίος, -α, -ο ΕΠΙΘ (α) (= *υποχρεωτικός: αναδιάρθρωση, εκσυγχρονισμός, μέτρα, επιβολή φόρων*) necessary (β) (= *απαραίτητος*) necessary (γ) (= *βασικός*) essential
▷ **αναγκαίο κακό** a necessary evil
▸ αναγκαία ΟΥΣ ΟΥΔ ΠΛΗΘ (= *τα απαραίτητα*) basic necessities, essentials · (= *απαραίτητες ενέργειες*) whatever is necessary

αναγκαιότητα ΟΥΣ ΘΗΛ (= *ιδιότητα του αναγκαίου*) necessity

αναγκαστικός, -ή, -ό ΕΠΙΘ (α) (*αλλαγή παίκτη, στάση*) compulsory (β) (*μέτρα, σύμβαση, απαλλοτρίωση*) compulsory · (*εισφορά*) obligatory
▸ **αναγκαστικός νόμος** emergency law
▸ **αναγκαστική προσγείωση** forced landing

ανάγκη ΟΥΣ ΘΗΛ (α) (= *υποχρέωση*) need, necessity (β) (*επικοινωνίας, συντροφικότητας, ειδίκευσης, εξέλιξης, αλλαγής*) need (γ) (= *δυσκολία*) need (δ) (= *επικίνδυνη και κρίσιμη κατάσταση*) emergency (ε) (= *έντονη επιθυμία: διακοπών, διασκέδασης*) need (στ) (ΦΙΛΟΣ) need
▷ **ανάγκα και θεοί πείθονται** needs must when the devil drives (*παροιμ.*)
▷ **δεν ήταν ανάγκη!** you shouldn't have!
▷ **δημόσια ανάγκη** public interest
▷ **δημόσιες ανάγκες** public spending
▷ **εν ανάγκη, στην ανάγκη, σε περίπτωση ανάγκης** if necessary, if need be
▷ **αν είναι απόλυτη ανάγκη** if absolutely necessary
▷ **εξ ανάγκης, κατ' ανάγκη(ν)** by necessity
▷ **είδη πρώτης ανάγκης** basic commodities
▷ **έχω ανάγκη από κπν/κτ** to need sb/sth
▷ **έχω ανάγκη κπν ή την ανάγκη κποιου** to need sb
▷ **ήταν ανάγκη;** was that absolutely necessary?
▷ **κάνω την ανάγκη μου, έχω σωματική ανάγκη** (*ευφημ.*) to spend a penny (*ανεπ.*)

▷ **κάνω την ανάγκη φιλοτιμία ή φιλότιμο** to make a virtue of necessity
▷ **κατάσταση έκτακτης ή εκτάκτου ανάγκης** state of emergency
▷ **κτ μου γίνεται ανάγκη** to become addicted to sth
▷ **ο φίλος στην ανάγκη φαίνεται** (*παροιμ.*) a friend in need is a friend indeed (*παροιμ.*)

ανάγλυφο ΟΥΣ ΟΥΔ (ΑΡΧΑΙΟΛ, ΤΕΧΝ) relief

ανάγλυφος, -η, -ο ΕΠΙΘ (α) (*διάκοσμος*) carved in relief (β) (*μτφ.: εικόνα*) vivid
▸ **ανάγλυφη γραφή** Braille
▸ **ανάγλυφος χάρτης** relief map

αναγνωρίζω Ρ Μ (α) (*φωνή, άνθρωπο*) to recognize · (*πτώμα*) to identify (β) (*λάθος, ήττα*) to admit · (*υπογραφή*) to acknowledge · (*αξία*) to recognize, to acknowledge · (*ποιότητα*) to recognize (γ) (*κράτος, καθεστώς, πολίτευμα*) to recognize (δ) (ΝΟΜ: *διαδικαστική πράξη, παιδί*) to recognize (ε) (*υπηρεσίες, ήθος, βοήθεια*) to recognize, to acknowledge · (*συμπεριφορά*) to reward (στ) (ΣΤΡΑΤ: *έδαφος, περιοχή*) to reconnoitre (*Βρετ.*), to reconnoiter (*Αμερ.*)
▸ αναγνωρίζομαι ΜΕΣΟΠΑΘ to be recognized

αναγνώριση ΟΥΣ ΘΗΛ (α) (*μορφής, ήχου, ανθρώπου*) recognition · (*πτώματος, δράστη*) identification (β) (*λάθους, ήττας*) admission · (*προβλημάτων, δυσκολιών, υπογραφής*) acknowledgement · (*αξίας, ποιότητας*) recognition (γ) (*ηθοποιού, τραγουδιστή, καλλιτέχνη, επιστήμονα*) recognition (δ) (*υπηρεσιών, ήθους, ευεργεσιών*) recognition · (*συμπεριφοράς*) rewarding (ε) (ΝΟΜ: *δικαστικής πράξης*) recognizance (στ) (ΣΤΡΑΤ: *εδάφους, περιοχής*) reconnaissance
▷ **κάνω αναγνώριση του εδάφους** (*μτφ.*) to check out the lie (*Βρετ.*) ή lay (*Αμερ.*) of the land
▸ **αναγνώριση κράτους** recognition (*of a state*)
▸ **αναγνώριση ομιλίας** (ΠΛΗΡΟΦ) speech recognition
▸ **αναγνώριση τέκνου** (ΝΟΜ) recognition
▸ **αεροπορική αναγνώριση** (ΣΤΡΑΤ) aircraft recognition

αναγνωρίσιμος, -η, -ο ΕΠΙΘ recognizable

αναγνωρισμένος, -η, -ο ΕΠΙΘ (*ηθοποιός, τραγουδιστής, καλλιτέχνης, επιστήμονας*) recognized

αναγνωριστικός, -ή, -ό ΕΠΙΘ (ΣΤΡΑΤ) reconnaissance

ανάγνωση ΟΥΣ ΘΗΛ (α) (*βιβλίου, κειμένου, απόφασης*) reading (β) (*μάθημα*) reading lesson (γ) (= *κείμενο για διάβασμα*) text (*for pupils learning to read*) (δ) (*γραφής*) deciphering (ε) (*ρόλων*) reading

ανάγνωσμα ΟΥΣ ΟΥΔ (= *γραπτό κείμενο για ανάγνωση*) reading matter
▸ **σχολικό ανάγνωσμα** school reading text

αναγνωστήριο ΟΥΣ ΟΥΔ reading room

αναγνώστης ΟΥΣ ΑΡΣ (α) (*συγγραφέα, εφημερίδας, βιβλίου*) reader (β) (ΘΡΗΣΚ)

lector
▸ **αναγνώστες** πληθ readers, reading public *εν.*
αναγνωστικό ουσ ουδ *(ΣΧΟΛ: επίσης*
αναγνωστικό βιβλίο) reader
αναγνωστικός, -ή, -ό επιθ *(ικανότητα,*
δυσκολία) reading
▸ **αναγνωστικό κοινό, αναγνωστική δύναμη**
reading public, readers *πληθ.* *(εφημερίδας,*
περιοδικού) readership
αναγνώστρια ουσ θηλ *βλ.* **αναγνώστης**
αναγόρευση ουσ θηλ *(α)* (= *επίσημη*
ανακήρυξη σε αξίωμα) nomination
(β) (= *απονομή πανεπιστημιακού τίτλου)*
conferment
αναγορεύω ρ μ *(α)* (= *απονέμω αξίωμα σε*
τελετή) to nominate *(β)* (= *απονέμω*
πανεπιστημιακό τίτλο) to award · (= *κάνω κπν*
επίτιμο διδάκτορα ή καθηγητή) to award
(γ) (*καταχρ.:* = *ανακηρύσσω)* to announce,
to declare
αναγούλα ουσ θηλ nausea
αναγουλιάζω [1] ρ αμ *(α)* *(άνθρωπος)* to
retch, to heave · *(στομάχι)* to turn, to heave
(β) *(μτφ.:* = *αηδιάζω: άνθρωπος)* to feel
disgusted *ή* sick
[2] ρ μ *(μτφ.)* to disgust, to make sick *(ανεπ.)*
αναγουλιαστικός, -ή, -ό επιθ *(μυρωδιά)*
sickening, foul · *(όψη, ιστορία)* sickening,
disgusting
αναγραμματισμός ουσ αρσ anagram
αναγραφή ουσ θηλ *(α)* (= *καταγραφή: νόμων,*
ψηφισμάτων) registration · *(εξόδων)*
recording *(β)* (= *δημοσιοποίηση: ειδήσεων,*
εισαγομένων, στοιχείων, γεγονότων)
publication *(γ)* (= *τιμητική καταχώρηση σε*
βιβλίο, στήλη, πλακέτα) inscription
(δ) (= *τύπωση σε αντικείμενο: τιμής)* marking
αναγράφω ρ μ *(α)* *(σε προϊόν: τιμή)* to mark ·
(ημερομηνία λήξης) to put on ·
(= *καταγράφω: όρο)* to specify *(β)* (= *γράφω*
σε πλακέτα, στήλη, βιβλίο: όνομα) to inscribe
(γ) *(επίσ.:* = *δημοσιοποιώ: είδηση)* to report,
to publish · *(όνομα)* to publish *(in the*
newspapers)
ανάγω ρ μ (= *αποδίδω σε χρονικό σημείο ή*
αιτία: αιτία, πρόβλημα, φαντασίωση) to trace ·
(σε αιτία) to attribute
▸ **ανάγομαι** μεσοπαθ *(α)* (= *χρονολογούμαι:*
γεγονός, συνθήκες, πρότυπο) to go back to,
to be traced back to *(β)* (= *μετατρέπω)* to
turn into *(γ)* (= *μετασχηματίζω: κλάσμα)* to
reduce
αναγωγή ουσ θηλ *(α)* (= *αναφορά: στο*
παρελθόν) tracing *(β)* *(ΦΙΛΟΣ)* reduction
(γ) *(ΧΗΜ)* reduction *(δ)* *(ΜΑΘ: ομοίων όρων*
πολυωνύμου, κλάσματος) reduction
(ε) *(τροφής)* regurgitation
αναγωγικός, -ή, -ό επιθ *(αντίδραση,*
μέθοδος, εξήγηση, ερμηνεία: χαρακτήρας)
regressive
▸ **αναγωγικό μέσο** *(ΧΗΜ)* reducing agent
ανάγωγος επιθ *(α)* *(άνθρωπος)* uncouth,

ill-mannered · *(ανάκριση)* brusque *(β)* *(ΜΑΘ:*
κλάσμα) irreducible
αναδασμός ουσ αρσ redistribution
αναδασώνω ρ μ to reforest, to reafforest
(Βρετ.)
αναδάσωση ουσ θηλ reforestation,
reafforestation *(Βρετ.)*
αναδασωτέος επιθ reforested
αναδεικνύω ρ μ *(α)* (= *αποκαλύπτω)* to
reveal *(β)* (= *δείχνω όμορφο: γραμμές, σώμα,*
άνθρωπο) to show off to advantage ·
(χαρακτηριστικά) to set off *(γ)* (= *εκλέγω:*
άνθρωπο, κόμμα) to elect
▸ **αναδεικνύομαι** μεσοπαθ (= *προοδεύω)* to rise
through the ranks · (= *διακρίνομαι)* to
distinguish oneself, to make a name for
oneself
ανάδειξη ουσ θηλ *(α)* (= *εκλογή)* election
(β) (= *άνοδος)* advancement
αναδείχνω ρ μ = **αναδεικνύω**
αναδεύω [1] ρ μ *(φαγητό)* to stir · *(σχέδιο,*
σκέψη, πρόβλημα) to mull over
[2] ρ αμ *(άνθρωπος)* to fidget · *(σκέψεις)* to go
around in one's head
▸ **αναδεύομαι** μεσοπαθ to stir
αναδημιουργία ουσ θηλ overhaul
αναδημιουργώ ρ μ *(α)* *(νωπογραφία, κτήριο)*
to restore *(β)* *(ζωή, συναίσθημα)* to improve ·
(πολίτευμα) to overhaul
αναδημοσίευση ουσ θηλ reproduction
αναδημοσιεύω ρ μ to reissue
αναδιανέμω ρ μ to redistribute
αναδιανομή ουσ θηλ redistribution
αναδιαρθρώνω ρ μ to reorganize, to
restructure
αναδιάρθρωση ουσ θηλ reorganization,
restructuring
αναδίδω ρ μ *(μυρωδιά, βρόμα)* to give
off · *(γοητεία)* to ooze *(β)* *(ατμό, καπνό)* to
give off, to emit *(επίσ.)* · *(ήχο)* to make
αναδίνω ρ μ = **αναδίδω**
αναδιοργανώνω ρ μ to reorganize
αναδιοργάνωση ουσ θηλ *(υπηρεσίας,*
βιομηχανίας) reorganization · *(πολιτικής)*
modification
αναδιπλασιάζω ρ μ *(συλλαβή, σύμφωνο)* to
redouble
αναδιπλασιασμός ουσ αρσ *(συλλαβής,*
συμφώνου) redoubling
αναδιπλώνομαι ρ αμ αποθ *(α)* *(στρατός)* to
withdraw, to fall back · *(ποτάμι)* to double
back on itself *(β)* *(πολιτικός, συνομιλητής)* to
give way
αναδίπλωση ουσ θηλ *(στρατευμάτων)*
withdrawal
αναδόμηση ουσ θηλ *(α)* *(κυβέρνησης)*
reshuffle *(Βρετ.),* shake-up *(β)* *(παιδείας,*
οικονομίας) restructuring, reform ·
(πολιτισμού) rebuilding
αναδομώ ρ μ *(κυβέρνηση)* to reshuffle

(Βρετ.), to shake up

αναδουλειά *(ανεπ.)* ΟΥΣ ΘΗΛ (= *ανεργία*) unemployment
▸ **αναδουλειές** ΠΛΗΘ: **έχω αναδουλειές** to have a slack period

ανάδοχος ΟΥΣ ΑΡΣ&ΘΗΛ **(α)** (= *εργολάβος*) contractor **(β)** (= *νονός*) godfather · (= *νονά*) godmother
▸ **ανάδοχοι γονείς** foster parents

ανάδραση ΟΥΣ ΘΗΛ feedback

αναδρομή ΟΥΣ ΘΗΛ *(ιστορίας)* flashback · *(βιβλιογραφίας)* survey

αναδρομικά ΕΠΙΡΡ *(ισχύω, γίνομαι, πληρώνω)* retrospectively

αναδρομικός, -ή, -ό ΕΠΙΘ *(αύξηση, φόρος, χρέος)* backdated · *(ισχύς)* retroactive
▷ **αναδρομική έκθεση** retrospective (exhibition)
▸ **αναδρομικά** ΟΥΣ ΟΥΔ ΠΛΗΘ instalments *(Βρετ.)*, installments *(Αμερ.)*

αναδρομικότητα ΟΥΣ ΘΗΛ *(ρύθμισης, νόμου, απόφασης)* retroactive effect

ανάδρομος, -η, -ο ΕΠΙΘ **(α)** *(φορά)* anticlockwise *(Βρετ.)*, counterclockwise *(Αμερ.)* **(β)** *(κίνηση, πορεία)* backward

αναδύομαι Ρ ΑΜ ΑΠΟΘ **(α)** *(υποβρύχιο, δύτης)* to surface **(β)** *(τάση, πρόβλημα, φαινόμενο)* to emerge

ανάδυση ΟΥΣ ΘΗΛ **(α)** *(υποβρυχίου, δύτη)* surfacing **(β)** *(τάσης, μόδας, τέχνης)* emergence

αναζήτηση ΟΥΣ ΘΗΛ *(ανθρώπου, χρημάτων, αιτίας, απόδειξης, λύσης)* search · *(αλήθειας)* investigation, search
▷ **αναζήτηση στέγης** house–hunting

αναζητώ Ρ Μ **(α)** *(τρόπο, στοιχεία, αποδείξεις, αλήθεια, ένοχο)* to look for, to seek *(επίσ.)* **(β)** *(αγάπη, ηρεμία, ευτυχία)* to long for

αναζωογόνηση ΟΥΣ ΘΗΛ **(α)** *(οργανισμού, ανθρώπου)* revitalization **(β)** *(γης, οικονομίας, αγοράς)* revival

αναζωογονητικός, -ή, -ό ΕΠΙΘ *(ύπνος, δροσιά)* refreshing · *(επίδραση)* invigorating

αναζωογονώ Ρ Μ **(α)** *(άνθρωπο)* to revive, to invigorate · *(δέρμα, πρόσωπο)* to refresh, to revitalize **(β)** *(εταιρεία, οικονομία, σχέση)* to revitalize

αναζωπυρώνω Ρ Μ **(α)** *(φωτιά)* to rekindle **(β)** *(αγάπη, ελπίδα, ενδιαφέρον, καβγά)* to rekindle · *(κίνημα, επανάσταση, πόλεμο)* to spark off again · *(ένταση)* to reignite

αναζωπύρωση ΟΥΣ ΘΗΛ **(α)** *(φωτιάς)* rekindling **(β)** *(κινήματος, έντασης, κρίσης, καβγά)* resurgence · *(ελπίδων)* rekindling

αναθαρρεύω Ρ ΑΜ to feel encouraged

αναθαρρώ Ρ ΑΜ = **αναθαρρεύω**

ανάθεμα ΟΥΣ ΟΥΔ (= *κατάρα*) anathema
▷ **ανάθεμα!** *(προφορ.)* damn!
▷ **(π')ανάθεμά σε/τον/την!** *(προφορ.)* damn you/him/her!
▷ **ανάθεμα την ώρα και τη στιγμή που**

(προφορ.) I rue that day that

αναθεματίζω Ρ Μ **(α)** (= *καταριέμαι*) to curse **(β)** (= *αφορίζω*) to excommunicate
▷ **αναθεματίζω την ώρα και τη στιγμή που** to rue the day that

αναθεματισμένος, -η, -ο *(ανεπ.)* ΕΠΙΘ *(άνθρωπος)* damn, damned

αναθερμαίνω Ρ Μ *(σχέσεις)* to rekindle · *(οικονομία)* to revitalize

αναθέρμανση ΟΥΣ ΘΗΛ *(σχέσεων)* revitalization · *(αγοράς, εμπορίου)* upturn

ανάθεση ΟΥΣ ΘΗΛ allocation

αναθέτω Ρ Μ *(δουλειά, έργο, εκτέλεση)* to allocate
▷ **αναθέτω σε κπν να κτ** to put sb in charge of sth

αναθεώρηση ΟΥΣ ΘΗΛ **(α)** *(δίκης, υπόθεσης, άδειας, τιμών)* review · *(γραπτού, βαθμολογίας)* reassessment **(β)** *(συντάγματος, νόμου, απόφασης)* review **(γ)** *(άποψης, θεωρίας)* revision

αναθεωρητικός, -ή, -ό ΕΠΙΘ: **αναθεωρητικό δικαστήριο** court of appeal

αναθεωρώ Ρ Μ **(α)** *(δίκη, απόφαση, οργανισμό, διοίκηση, τιμή)* to review **(β)** *(αξία, άποψη, θεωρία)* to revise · *(Σύνταγμα, νόμο, αρθρογραφία, έργο, στάση)* to review

ανάθημα ΟΥΣ ΟΥΔ offering

αναθηματικός, -ή, -ό ΕΠΙΘ *(ανάγλυφα)* dedicatory · *(στήλη)* votive

αναθρέφω *(λογοτ.)* Ρ Μ = **ανατρέφω**

αναθυμάμαι Ρ Μ ΑΠΟΘ *βλ.* **αναθυμούμαι**

αναθυμιάσεις ΟΥΣ ΘΗΛ ΠΛΗΘ *(βενζίνης, βαφής)* fumes

αναθυμούμαι Ρ Μ to recollect

αναίδεια ΟΥΣ ΘΗΛ impudence

αναιδής, -ής, -ές ΕΠΙΘ *(άνθρωπος, λόγια, συμπεριφορά)* impudent

αναίμακτος, -η, -ο ΕΠΙΘ **(α)** *(θυσία)* bloodless · *(εγχείρηση)* non–surgical **(β)** *(εξέγερση, επανάσταση)* bloodless

αναιμία ΟΥΣ ΘΗΛ anaemia *(Βρετ.)*, anemia *(Αμερ.)*
▸ **μεσογειακή αναιμία** Mediterranean anaemia *(Βρετ.)* ή anemia *(Αμερ.)*, thalassaemia *(Βρετ.)*, thalassemia *(Αμερ.)*

αναιμικός, -ή, -ό ΕΠΙΘ **(α)** (= *σχετικός με αναιμία*) anaemic *(Βρετ.)*, anemic *(Αμερ.)* **(β)** (= *ωχρός*) anaemic–looking *(Βρετ.)*, anemic–looking *(Αμερ.)* **(γ)** (= *υποτονικός*) feeble
▸ **αναιμικός** ΟΥΣ ΑΡΣ, **αναιμική** ΟΥΣ ΘΗΛ anaemia *(Βρετ.)* ή anemia *(Αμερ.)* sufferer

αναίρεση ΟΥΣ ΘΗΛ **(α)** *(επιχειρημάτων, ισχυρισμού, θεωρίας)* refutation **(β)** *(επίσ.: απόφασης)* reversal

αναιρώ Ρ Μ **(α)** *(κατηγορίες, θεωρία, επιχειρήματα)* to refute **(β)** *(υπόσχεση, λόγο)* to go back on · *(συμφωνία, όρο)* to renege on **(γ)** (= *αντιφάσκω*) to contradict

A

(δ) (= ακυρώνω) to invalidate

αναισθησία ΟΥΣ ΘΗΛ (α) (= απώλεια αισθήσεως) unconsciousness (β) (ΙΑΤΡ) anaesthetic (Βρετ.), anesthetic (Αμερ.) (γ) (= αναλγησία) heartlessness · (= αδιαφορία) callousness ▷**τοπική/ολική αναισθησία** local/general anaesthetic (Βρετ.) ή anesthetic (Αμερ.)

αναισθησιολόγος ΟΥΣ ΑΡΣ＆ΘΗΛ anaesthetist (Βρετ.), anesthesiologist (Αμερ.)

αναισθητικό ΟΥΣ ΟΥΔ anaesthetic (Βρετ.), anesthetic (Αμερ.)

αναισθητοποίηση ΟΥΣ ΘΗΛ (α) (= νάρκωση) anaesthetization (Βρετ.), anesthetization (Αμερ.) (β) (μτφ.) numbing

αναισθητοποιώ Ρ Μ (α) (= ναρκώνω) to anaesthetize (Βρετ.), to anesthetize (Αμερ.) (β) (μτφ.: κοινή γνώμη) to make indifferent · (ενδιαφέρον) to suppress

αναίσθητος, -η, -ο ΕΠΙΘ (α) (= λιπόθυμος) unconscious (β) (μτφ.: = απαθής) insensitive · (= αδιάφορος) callous

αναισχυντία (επίσ.) ΟΥΣ ΘΗΛ impudence

αναίσχυντος, -η, -ο (επίσ.) ΕΠΙΘ (ψεύτης, πράξεις) shameless

αναιτιολόγητος, -η, -ο ΕΠΙΘ (συναίσθημα, απόφαση, αλλαγή, ενέργεια, απουσία) inexplicable

αναίτιος, -ια, -ιο ΕΠΙΘ (καταστροφή) wanton · (επίθεση) unprovoked · (σφαγή) senseless

ανακαθίζω 1 Ρ ΑΜ (= ανακάθομαι) to sit up 2 Ρ Μ (ασθενή, παιδί) to sit up

ανακάθομαι Ρ ΑΜ ΑΠΟΘ to sit up

ανακαινίζω Ρ Μ (α) (κτήριο) to renovate, to refurbish · (δωμάτιο) to redecorate, to do up (β) (παιδεία, οικονομία) to reform, to modernize

ανακαίνιση ΟΥΣ ΘΗΛ (α) (κτηρίου, οικοδομήματος) renovation, refurbishment (β) (εταιρείας, βιομηχανίας) modernization

ανακαλύπτω Ρ Μ (α) (βιβλίο, πτώμα, ήπειρο) to discover · (ένοχο) to discover (β) (ενδιαφέρον, αρχή) to discover, to find out (γ) (= συνειδητοποιώ) to realize (δ) (ηθοποιό, τραγουδιστή) to discover (ε) (= εφευρίσκω: φάρμακο) to discover

ανακάλυψη ΟΥΣ ΘΗΛ discovery

ανακαλώ Ρ Μ (α) (επίσ.: πρέσβη, πρόξενο) to recall (β) (πρόταση, προσφορά) to withdraw · (απόφαση) to go back on (γ) (δηλώσεις, λόγια) to retract, to take back (δ) (ΠΛΗΡΟΦ) to recall ▷**ανακαλώ στη μνήμη μου** (ανάμνηση, γεγονότα) to call to mind ▷**ανακαλώ κπν στην τάξη** (επίσ.) to bring sb back under control

ανακάμπτω Ρ ΑΜ (οικονομία, χρηματιστήριο, ασθενής) to recover

ανάκαμψη ΟΥΣ ΘΗΛ (οικονομίας, χρηματιστηρίου) recovery · (θεάτρου) revival

ανάκατα ΕΠΙΡΡ any old how (ανεπ.)

ανακαταλαμβάνω Ρ Μ (περιοχή, πλοίο) to recapture

ανακατάληψη ΟΥΣ ΘΗΛ (οχυρού, θέσης) recapture

ανακατανέμω Ρ Μ (εισόδημα, ποσοστό, μερίδιο) to redistribute · (αρμοδιότητες, ρόλους, εργασίες) to reallocate, to reassign

ανακατανομή ΟΥΣ ΘΗΛ (εισοδήματος, γης) redistribution · (θέσεων, εδρών, αρμοδιοτήτων) reallocation, reassignment

ανακατασκευάζω Ρ Μ (κτήριο, στάδιο, σκηνή) to rebuild, to reconstruct · (εικόνα, γνώση, επιστήμη) to recreate

ανακατασκευή ΟΥΣ ΘΗΛ (τοίχου, κτηρίου, γηπέδου) rebuilding, reconstruction

ανακατάταξη ΟΥΣ ΘΗΛ (α) (φακέλων, αρχείων, δεδομένων) reclassification, redistribution (β) (αλλαγή κατάστασης) change

ανακατατάσσω Ρ Μ (υπάλληλο, αρχεία, φακέλους, δεδομένα) to reclassify · (ιδέες, απόψεις, θεωρία) to reconsider

ανακάτεμα ΟΥΣ ΟΥΔ (α) (λέξεων, χρωμάτων) mixture · (υλικών) mixing (β) (βιβλίων, ρούχων, δωματίου) mess (γ) (φαγητού) stirring (δ) (ανεπ.: = αναστάτωση) to–do (ανεπ.) (ε) (σε σκάνδαλα) involvement (στ) (τράπουλας) shuffling (ζ) (= ναυτία) nausea

ανακατεύω Ρ Μ (α) (= αναμειγνύω) to mix (β) (= συνδέω άσχετα πράγματα) to mix up (γ) (καφέ, φαγητό) to stir (δ) (βιβλία, ρούχα, δωμάτιο) to mess up (ε) (μαλλιά) to ruffle (στ) (= αναστατώνω: άνθρωπο, οικογένεια) to upset (ζωή) to disrupt (ζ) (σε υποθέσεις, διαμάχες) to involve (σε in) (η) (= αναγουλιάζω) to make feel sick · (στομάχι) to turn (θ) (χαρτιά) to shuffle ▸**ανακατεύομαι, ανακατώνομαι** ΜΕΣΟΠΑΘ (α) (= επεμβαίνω) to get involved (β) (= ασχολούμαι) to get involved (γ) (= αναμειγνύομαι) to mingle

ανάκατος, -η, -ο (ανεπ.) ΕΠΙΘ (μαλλιά) tangled · (σπίτι) untidy · (ιδέες, σκέψεις, θεωρίες) confused, jumbled ▷**ανάκατος με** along with, together with

ανακάτωμα ΟΥΣ ΟΥΔ = **ανακάτεμα**

ανακατώνω Ρ Μ = **ανακατεύω**

ανακατωσούρα ΟΥΣ ΟΥΔ (α) (= σύγχυση) confusion · (= ακαταστασία) commotion (β) (= αναγούλα) nausea

ανακατωτά ΕΠΙΡΡ: **απέξω κι ανακατωτά** (μαθαίνω, ξέρω) inside out

ανακεφαλαιώνω Ρ Μ (= συνοψίζω) to sum up, to summarize

ανακεφαλαίωση ΟΥΣ ΘΗΛ (= συνόψιση) summing–up · (κεφαλαίον) summary · (βιβλίον) summary, précis

ανακήρυξη ΟΥΣ ΘΗΛ (α) (ανεξαρτησίας, ουδετερότητας) declaration (β) (νικητή) nomination · (προέδρου) election

ανακηρύσσω Ρ Μ (α) (ανεξαρτησία, ειρήνη)

to declare · (διάσπαση) to announce (β) (νικητή, πρωταθλητή) to proclaim · (επίτιμο καθηγητή) to proclaim

ανακίνηση ΟΥΣ ΘΗΛ (α) (μπουκαλιού) shaking (β) (προβλήματος, θέματος) bringing up

ανακινώ Ρ Μ (α) (χυμό, περιεχόμενο) to shake (β) (θέμα, πρόβλημα) to bring up, to raise

ανάκλαση ΟΥΣ ΘΗΛ (ΦΥΣ) reflection

ανακλαστικός, -ή, -ό ΕΠΙΘ (α) (επιφάνεια) reflective (β) (αντίδραση) reflex
▸ **ανακλαστικά** ΟΥΣ ΟΥΔ ΠΛΗΘ reflexes

ανάκληση (επίσ.) ΟΥΣ ΘΗΛ (α) (πρέσβη, πρόξενου) recall (β) (μνήμης, πληροφορίας, παραστάσεων) recall (γ) (διατάγματος) annulment · (δωρεάς) cancellation · (διαθήκης) invalidation (δ) (δηλώσεων, λόγων) retraction (ε) (παραστάσεων, αναμνήσεων) recollection (στ) (ΠΛΗΡΟΦ) recall

ανακλητός, -ή, -ό ΕΠΙΘ (άδεια, απόφαση) revocable

ανάκλιντρο ΟΥΣ ΟΥΔ couch

ανακλώ (επίσ.) Ρ Μ (φως) to reflect

ανακοινωθέν (επίσ.) ΟΥΣ ΟΥΔ (πολιτικό, στρατιωτικό, ιατρικό) bulletin
▸ **επίσημο ανακοινωθέν** official bulletin
▸ **ιατρικό ανακοινωθέν** medical bulletin

ανακοινώνω Ρ Μ (είδηση, μέτρα, αποτελέσματα, αρραβώνα) to announce

ανακοίνωση ΟΥΣ ΘΗΛ (α) (παραίτησης, μέτρων, αρραβώνα) announcement · (διαγωνισμού) announcement, notification (β) (εκλογικών αποτελεσμάτων) notification (γ) (σε επιστημονικό συνέδριο) announcement
▸ **βγάζω ανακοίνωση** to make an announcement
▸ **επίσημη ανακοίνωση** official announcement
▸ **πίνακας ανακοινώσεων** notice board (Βρετ.), bulletin board (Αμερ.)

ανακολουθία ΟΥΣ ΘΗΛ (= ασυνέπεια) inconsistency

ανακόλουθος, -η, -ο ΕΠΙΘ: **ανακόλουθος προς ή με** inconsistent with

ανακομιδή (επίσ.) ΟΥΣ ΘΗΛ (λειψάνων) removal of relics

ανακοπή ΟΥΣ ΘΗΛ (ΙΑΤΡ) failure

ανακόπτω Ρ Μ (εξέλιξη) to check · (ορμή) to suppress

ανακουφίζω Ρ Μ (α) (πόνο) to relieve · (άρρωστο) to bring relief to · (μτφ.) to comfort (β) (= βελτιώνω) to alleviate
▸ **πήρε τις τσάντες με τα ψώνια και με ανακούφισε** he helped me with my shopping bags
▸ **ανακουφίζομαι** ΜΕΣΟΠΑΘ (α) (= ηρεμώ) to feel relieved (β) (ευφημ.: = αφοδεύω) to relieve oneself

ανακούφιση ΟΥΣ ΘΗΛ (α) (από βάρος, από σωματικό πόνο, από οδύνη) relief · (από

σωματικό πόνο, από οδύνη) relief, respite (β) (για λόγια, χρήματα) relief

ανακουφιστικός, -ή, -ό ΕΠΙΘ (φάρμακο, απάντηση, λόγια, μασάζ) soothing

ανακρίβεια ΟΥΣ ΘΗΛ (α) (= έλλειψη ακρίβειας) inaccuracy (β) (= αναληθής πληροφορία) falseness

ανακριβής, -ής, -ές ΕΠΙΘ (πληροφορία, είδηση, δήλωση) incorrect, inaccurate

ανακρίνω Ρ Μ (γενικότ.) to question · (πράκτορα) to interrogate, to question

ανάκριση ΟΥΣ ΘΗΛ (α) questioning (β) (κατασκόπου) interrogation
▸ **κάνω ανάκριση σε κπν** (προφορ.) to interrogate sb

ανακριτής ΟΥΣ ΑΡΣ interrogator

ανακριτικός, -ή, -ό ΕΠΙΘ: **ανακριτικό γραφείο** interview room

ανακρίτρια ΟΥΣ ΘΗΛ βλ. **ανακριτής**

ανάκτηση ΟΥΣ ΘΗΛ (εδαφών, ανεξαρτησίας) regaining · (δυνάμεων, θάρρους) regaining, recovery

ανάκτορο ΟΥΣ ΟΥΔ (κυριολ., μτφ.) palace
▸ **ανάκτορα** ΠΛΗΘ palace εν.

ανακτώ Ρ Μ (ελευθερία, έδαφος) to regain, to recover · (εξουσία, δυνάμεις) to recover · (θάρρος) to regain

ανακυκλώνω Ρ Μ (αέρα, νερό, χαρτί, πλαστικό) to recycle

ανακύκλωση ΟΥΣ ΘΗΛ (αέρα, νερού, χαρτιού, πλαστικού) recycling

ανακύπτω (επίσ.) Ρ ΑΜ (α) (προβλήματα) to arise · (εμπόδια) to present itself (β) (ΓΥΜΝΑΣΤ) to stretch

ανάκυψη ΟΥΣ ΘΗΛ (α) (προβλημάτων, διαφωνιών) emergence (β) (ΓΥΜΝΑΣΤ) stretching

ανακωχή ΟΥΣ ΘΗΛ ceasefire
▸ **κάνω ανακωχή** (κυριολ., μτφ.) to call a truce

αναλαμβάνω ① Ρ Μ (ευθύνη, καθήκοντα, υπόθεση) to take on · (πρωτοβουλία) to take ② Ρ ΑΜ (= αναρρώνω) to recover

αναλαμπή ΟΥΣ ΘΗΛ (α) (άστρων) gleam (β) (μνήμης) flash

ανάλατος, -η, -ο ΕΠΙΘ (α) (φαγητό) unsalted (β) (αστείο) feeble · (έργο) uninspiring

ανάλαφρος, -η, -ο ΕΠΙΘ (α) (ντύσιμο) light, lightweight (β) (αεράκι, βήμα, κινήσεις) light (γ) (κωμωδία, ταινία) light

αναλγησία ΟΥΣ ΘΗΛ (α) (= αναισθησία στον πόνο) analgesia (β) (= απονιά) heartlessness

αναλγητικός, -ή, -ό ΕΠΙΘ (ένεση) pain–killing, analgesic (επίσ.)
▸ **αναλγητικό** ΟΥΣ ΟΥΔ painkiller, analgesic (επίσ.)

αναλήθεια ΟΥΣ ΘΗΛ untruth

αναληθής, -ής, -ές ΕΠΙΘ (ισχυρισμός, πληροφορία) false

ανάληψη ΟΥΣ ΘΗΛ (α) (χρημάτων) withdrawal (β) (υπόθεσης) acceptance · (έργου) award

A

(γ) (καθηκόντων, ευθυνών, πρωτοβουλιών) taking
▷**κάνω ανάληψη** to make a withdrawal

αναλίσκω Ρ Μ = **αναλώνω**

αναλλοίωτος, -η, -ο ΕΠΙΘ (αξίες, τρόφιμα) unchanging

ανάλογα ΕΠΙΡΡ, **αναλόγως** ΕΠΙΡΡ accordingly

αναλογία ΟΥΣ ΘΗΛ (α) (= αντιστοιχία) ratio (β) (= μερίδιο) share (γ) (ΜΑΘ) ratio
▷**κατ' αναλογία(ν) προς** ή **με** according to, in accordance with
▷**σε αναλογία με** compared to, in relation to
▷**τηρουμένων των αναλογιών** relatively speaking
▸αναλογίες ΠΛΗΘ (α) (μορφών, χώρου, αγάλματος) proportions · (σώματος) vital statistics (β) (= ομοιότητες) similarities

αναλογίζομαι Ρ Μ ΑΠΟΘ (α) (= αναπολώ) to reflect on (β) (= σκέπτομαι) to think about, to consider

αναλόγιο ΟΥΣ ΟΥΔ (α) (ψάλτη) lectern · (ομιλητή) lectern, stand · (αναγνώστη) bookstand, lectern (β) (για παρτιτούρες) music stand

ανάλογος, -η, -ο ΕΠΙΘ (προσόντα, ενδιαφέρον) proportionate to · (περίπτωση) similar · (σεβασμός) proper
▸**αντιστρόφως ανάλογα ποσά** ή **μεγέθη** inversely proportional amounts
▸**ανάλογα ποσά** ή **μεγέθη** proportional amounts

αναλογώ Ρ ΑΜ (α) (= αντιστοιχώ) to correspond (β) (= ανήκω) to belong

αναλόγως ΕΠΙΡΡ = **ανάλογα**

ανάλυση ΟΥΣ ΘΗΛ (α) (ύδατος, δείγματος) analysis (β) (θέματος, θεωρίας) analysis · (ποιήματος) analysis, interpretation · (συγγραφέα) analysis (γ) (= βοηθητικό βιβλίο) commentary (δ) (αίματος, ούρων) analysis (ε) (ΜΑΘ) analysis (στ) (εικόνας) analysis

> *Προσοχή!: Ο πληθυντικός του* **analysis** *είναι* **analyses**.

▷**σε τελική ανάλυση** in the final ή last analysis

αναλυτής ΟΥΣ ΑΡΣ (α) (στην πολιτική) analyst (β) (ΠΛΗΡΟΦ) (computer) analyst

αναλυτικός, -ή, -ό ΕΠΙΘ (α) (σκέψη, προσέγγιση) analytical (β) (έκθεση, περιγραφή, λογαριασμός, παρουσίαση) detailed
▸**αναλυτική μέθοδος** analytical method

αναλύτρια ΟΥΣ ΘΗΛ βλ. **αναλυτής**

αναλύω ① Ρ Μ (α) (πρόταση, σώμα) to break down (β) (αίτια, λογαριασμό, αίμα) to analyze · (λόγους) to explain · (όνειρο) to interpret · (κείμενο, ποίημα, θεωρία) to examine
② Ρ ΑΜ (= λιώνω) to melt
▸αναλύομαι ΜΕΣΟΠΑΘ: **αναλύομαι σε δάκρυα** ή **λυγμούς** to burst into tears

αναλφαβητισμός ΟΥΣ ΑΡΣ illiteracy

αναλφάβητος, -η, -ο ΕΠΙΘ (χωρικός, λαός) illiterate
▸**αναλφάβητος** ΟΥΣ ΑΡΣ, **αναλφάβητη** ΟΥΣ ΘΗΛ illiterate person

αναλώνω Ρ Μ (χρήματα, χρόνο) to spend · (δυνάμεις) to devote · (τρόφιμα, υλικά) to use, to get through
▸**αναλώνομαι** ΜΕΣΟΠΑΘ: **αναλώνομαι σε** to devote oneself to

ανάλωση ΟΥΣ ΘΗΛ (τροφίμων, κεφαλαίων, χρημάτων, χρόνου, δυνάμεων) consumption
▷**ανάλωση κατά προτίμηση πριν από** best–before date, sell–by date (Βρετ.)

αναλώσιμος, -η, -ο ΕΠΙΘ (υλικά, πηγές ενέργειας) non–renewable
▸**αναλώσιμα** ΟΥΣ ΟΥΔ ΠΛΗΘ (γραφείου) stationery and writing materials

αναμαλλιάζω ① Ρ Μ (= ανακατεύω τα μαλλιά) to ruffle
② Ρ ΑΜ (πουλόβερ, κουβέρτα, κουβάρι) to get messed up

αναμαλλιασμένος, -η, -ο ΕΠΙΘ dishevelled (Βρετ.), disheveled (Αμερ.)

αναμάρτητος, -η, -ο ΕΠΙΘ (α) (= χωρίς αμαρτίες) pure (β) (= αλάνθαστος) infallible
▷**ουδείς αναμάρτητος** no one is infallible

αναμασήματα ΟΥΣ ΟΥΔ ΠΛΗΘ (= επανάληψη απόψεων) rehash εν.

αναμασώ Ρ Μ (α) (= μηρυκάζω) to chew over (β) (= λέω τα ίδια πάλι) to regurgitate, to come out with

αναμειγνύω Ρ Μ (α) (χρώματα, ουσίες) to mix together (β) (= εμπλέκω) to involve
▸**αναμειγνύομαι** ΜΕΣΟΠΑΘ (α) (= εμπλέκομαι) to get involved (β) (= παρεμβαίνω) to interfere (γ) (= συμμετέχω) to be involved

ανάμεικτος, -η, -ο ΕΠΙΘ (παγωτό, πληθυσμός) mixed

ανάμειξη ΟΥΣ ΘΗΛ, **ανάμιξη** (α) (χρωμάτων, υλικών) mixture (β) (= μπλέξιμο) participation, involvement

αναμένω (επίσ.) Ρ Μ (α) (= περιμένω) to await (επίσ.), to wait for (β) (= περιμένω με ενδιαφέρον) to anticipate (γ) (= προβλέπω) to expect, to anticipate
▷**είναι αναμενόμενο να** it is to be expected that
▷**παρακαλώ, αναμείνατε στο ακουστικό σας** please hold the line
▷**αναμένεται να** it is anticipated that

ανάμεσα ΕΠΙΡΡ (α) (για διαφορετικές καταστάσεις ή έννοιες) compared to (β) (για επιλογή μεταξύ ανόμοιων πραγμάτων ή προσώπων) between, out of (γ) (= στο μεταξύ) between (δ) (αλληλοπάθεια) between
▷**ανάμεσα από** among
▷**ανάμεσά μας/σας/τους** among, out of
▷**ανάμεσα σε** between

αναμεταδίδω Ρ Μ (= μεταδίδω ξανά: εκπομπή) to broadcast again · (σήμα) to

transmit again
αναμετάδοση ΟΥΣ ΘΗΛ *(εκπομπής)* broadcast · *(σήματος)* transmission
αναμεταδότης ΟΥΣ ΑΡΣ transmitter
▸**δορυφορικός αναμεταδότης** satellite transmitter
αναμεταξύ ΕΠΙΡΡ = **μεταξύ**
αναμέτρηση ΟΥΣ ΘΗΛ *(= αγώνας)* showdown
▸**εκλογική αναμέτρηση** electoral re–count
▸**πολεμική αναμέτρηση** confrontation
αναμετρώ Ρ Μ *(= λογαριάζω)* to weigh up
▸**αναμετριέμαι** ΜΕΣΟΠΑΘ *(= συναγωνίζομαι)* to compete
αναμιγνύω Ρ Μ = **αναμειγνύω**
ανάμικτος, -η, -ο ΕΠΙΘ = **ανάμεικτος**
ανάμιξη ΟΥΣ ΘΗΛ = **ανάμειξη**
άναμμα ΟΥΣ ΟΥΛ *(α)* *(τσιγάρου, φούρνου)* lighting *(β)* *(σόμπας, καλοριφέρ)* turning on *(γ)* *(μηχανής)* heating up *(δ)* *(από ταραχή)* blushing · *(από έξαψη)* excitement
αναμμένος, -η, -ο ΕΠΙΘ *(κερί, φωτιά)* burning· *(φως, φούρνος)* on
▸**κάθομαι σε αναμμένα κάρβουνα** to be on tenterhooks
ανάμνηση ΟΥΣ ΘΗΛ *(α)* *(= αναπόληση)* recollection *(β)* *(= θύμηση)* memory *(γ)* *(= αναμνηστικό)* souvenir
▸**κρατώ κτ για ανάμνηση** to keep sth as a memento
αναμνηστικός, -ή, -ό ΕΠΙΘ *(φωτογραφία, πλακέτα)* commemorative
▸**αναμνηστικό** ΟΥΣ ΟΥΛ souvenir
αναμονή ΟΥΣ ΘΗΛ *(α)* *(αποτελεσμάτων)* wait *(β)* *(άφιξης αεροπλάνου, πλοίου)* expectation
▸**εν ή σε αναμονή** +γεν. pending
▸**αίθουσα αναμονής** waiting room
▸**λίστα αναμονής** waiting list
αναμορφώνω Ρ Μ *(παιδεία, κράτος, κοινωνία)* to reform, to make reforms to
αναμόρφωση ΟΥΣ ΘΗΛ *(παιδείας, κράτους, κοινωνίας)* reform
▸**ριζική αναμόρφωση** radical reform
αναμορφωτήριο ΟΥΣ ΟΥΛ reformatory, community home *(Βρετ.)*
αναμορφωτής ΟΥΣ ΑΡΣ reformer
αναμορφωτικός, -ή, -ό ΕΠΙΘ *(έργο, προσπάθεια, σύστημα)* reformatory
αναμορφώτρια ΟΥΣ ΘΗΛ = **αναμορφωτής**
αναμόχλευση ΟΥΣ ΘΗΛ raking up
αναμοχλεύω Ρ Μ to rake up, to dredge up
αναμπουμπούλα *(ανεπ.)* ΟΥΣ ΘΗΛ turmoil
αναμφίβολα ΕΠΙΡΡ undoubtedly
αναμφίβολος, -η, -ο ΕΠΙΘ unquestionable
▸**είναι αναμφίβολο ότι** there is no doubt that
αναμφιβόλως ΕΠΙΡΡ = **αναμφίβολα**
αναμφισβήτητα ΕΠΙΡΡ unquestionably, undeniably
αναμφισβήτητος, -η, -ο ΕΠΙΘ undeniable
ανανάς ΟΥΣ ΑΡΣ *(α)* *(φρούτο)* pineapple *(β)* *(φυτό)* pineapple tree

ανανδρία ΟΥΣ ΘΗΛ *(α)* *(= δειλία)* cowardice *(β)* *(= μικρότητα)* meanness
άνανδρος, -η, -ο ΕΠΙΘ *(πράξη, συμπεριφορά)* cowardly
ανανεωμένος, -η, -ο ΕΠΙΘ *(εμφάνιση, συμβόλαιο, σύμβαση, ενδιαφέρον, αυτοπεποίθηση, ελπίδα)* renewed · *(έκδοση, επίπλωση)* new
ανανεώνω Ρ Μ *(α)* *(= ανακαινίζω)* to renew, to replace *(β)* *(= εκσυγχρονίζω)* to replace, to change· *(= αναμορφώνω)* to reform *(γ)* *(συμβόλαιο, συνδρομή)* to renew *(δ)* *(= αναζωογονώ)* to revitalize
ανανέωση ΟΥΣ ΘΗΛ *(α)* *(επίπλωσης, γκαρνταρόμπας)* renewal *(β)* *(κοινωνίας, θεσμού)* revival *(γ)* *(συμβολαίου, συνδρομής, σύμβασης, άδειας οδήγησης, διαβατηρίου)* renewal
ανανεωτικός, -ή, -ό ΕΠΙΘ *(προσπάθεια)* renewed
αναντικατάστατος, -η, -ο ΕΠΙΘ indispensable
▸**ουδείς αναντικατάστατος** no one is indispensable
αναντίρρητα ΕΠΙΡΡ undeniably, unquestionably
αναντίρρητος, -η, -ο ΕΠΙΘ *(= αναμφισβήτητος)* undeniable
αναντιστοιχία ΟΥΣ ΘΗΛ disparity
αναξιοκρατία ΟΥΣ ΘΗΛ cronyism, nepotism
αναξιοκρατικός, -ή, -ό ΕΠΙΘ *(επιλογή, σύστημα)* nepotistic
αναξιοπαθής, -ής, -ές ΕΠΙΘ *(= που υποφέρει άδικα)* wretched, unfortunate
αναξιοπιστία ΟΥΣ ΘΗΛ unreliability
αναξιόπιστος, -η, -ο ΕΠΙΘ unreliable
αναξιοποίητος, -η, -ο ΕΠΙΘ *(ταλέντο, πόροι, κονδύλια, δυνατότητες,)* undeveloped · *(ευκαιρία)* unexploited
αναξιοπρεπής, -ής, -ές ΕΠΙΘ *(α)* *(άνθρωπος)* disreputable *(β)* *(συμπεριφορά)* undignified
ανάξιος, -ια, -ιο ΕΠΙΘ *(α)* *(υπάλληλος, επιστήμονας)* incompetent· *(γονείς)* unfit *(β)* *(= ανίκανος)* worthless
▸**είμαι ανάξιος κποιου** to be unworthy of sb, not to deserve sb
▸**είμαι ανάξιος λόγου** not to be worth talking about
αναξιότητα ΟΥΣ ΘΗΛ *(α)* *(ζητήματος, συμπεριφοράς)* inappropriateness *(β)* *(υπαλλήλου)* incompetence
αναξιόχρεος, -η, -ο ΕΠΙΘ not creditworthy, slow–paying
αναπαλαιώνω Ρ Μ to restore
αναπαλαίωση ΟΥΣ ΘΗΛ restoration
αναπαμός ΟΥΣ ΑΡΣ rest
αναπάντεχος, -η, -ο ΕΠΙΘ unexpected
αναπάντητος, -η, -ο ΕΠΙΘ unanswered
αναπαράγω Ρ Μ *(α)* *(σελίδα, κείμενο)* to copy, to reproduce *(β)* *(εικόνα, ήχο)* to reproduce

αναπαραγωγή (γ) *(στερεότυπα, ανισότητες)* to perpetuate ▸ **αναπαράγομαι** ΜΕΣΟΠΑΘ *(άνθρωποι)* to have a child · *(ζώα, οργανισμοί)* to reproduce

αναπαραγωγή ΟΥΣ ΘΗΛ **(α)** *(= παραγωγή όμοιων πραγμάτων)* copying · *(πνευματικής ιδιοκτησίας)* reproduction **(β)** *(εικόνας, ήχου)* reproduction **(γ)** *(στερεοτύπων)* perpetuation **(δ)** *(είδους, ανθρώπινου γένους)* reproduction
▸ **όργανα αναπαραγωγής** reproductive organs

αναπαραγωγικός, -ή, -ό ΕΠΙΘ *(σύστημα, όργανο, ικανότητα, λειτουργία)* reproductive · *(μτφ.: μηχανισμός)* self–perpetuating

αναπαραδιά ΟΥΣ ΘΗΛ lack of money

αναπαράσταση ΟΥΣ ΘΗΛ **(α)** *(αρχαίων αγώνων, μάχης)* re–enactment **(β)** *(παλαιού καλλιτεχνικού έργου)* representation
▸ **αναπαράσταση εγκλήματος** reconstruction of a crime

αναπαριστάνω Ρ Μ **(α)** *(= αποδίδω πιστά)* to portray **(β)** *(= μιμούμαι)* to re–enact

αναπαριστώ Ρ Μ = **αναπαριστάνω**

ανάπαυλα ΟΥΣ ΘΗΛ break

ανάπαυση ΟΥΣ ΘΗΛ **(α)** *(= ξεκούραση)* break, rest **(β)** *(= μεσημεριανός ύπνος)* siesta **(γ)** *(= ψυχική γαλήνη)* peace
▷ **(αιωνία) ανάπαυση** *(= θάνατος)* (eternal) rest
▷ **τόπος αναπαύσεως** place of rest

αναπαυτήριο ΟΥΣ ΟΥΔ *(= χώρος ανάπαυσης)* resting place

αναπαυτικός, -ή, -ό ΕΠΙΘ comfortable

αναπαύω Ρ Μ *(= ξεκουράζω: μυαλό)* to give a rest
▸ **αναπαύομαι** ΜΕΣΟΠΑΘ **(α)** *(= ξεκουράζομαι)* to have a rest **(β)** *(= είμαι ξαπλωμένος)* to be having a siesta **(γ)** *(= πεθαίνω)* to pass away, to pass on · *(= είμαι θαμμένος)* to lie at rest
▷ **ο Θεός ας** ή **να αναπαύσει την ψυχή του/ της** God rest his/her soul

αναπαψη ΟΥΣ ΘΗΛ = **ανάπαυση**

αναπήδηση ΟΥΣ ΘΗΛ *(μπάλας)* bounce · *(νερού, αίματος)* spurt

αναπηδώ Ρ ΑΜ **(α)** *(= πηδώ προς τα πάνω)* to jump up **(β)** *(μπάλα)* to bounce **(γ)** *(νερό, αίμα)* to spurt

αναπηρία ΟΥΣ ΘΗΛ *(σωματική)* disability · *(πνευματική* ή *ψυχική)* invalidity
▸ **σύνταξη/επίδομα αναπηρίας** disability allowance, invalidity benefit *(Βρετ.)*

αναπηρικός, -ή, -ό ΕΠΙΘ invalid's
▸ **αναπηρική καρέκλα, αναπηρικό καροτσάκι** wheelchair
▸ **αναπηρική σύνταξη** disability ή invalidity pension

ανάπηρος, -η, -ο ΕΠΙΘ disabled
▸ **ανάπηρος πολέμου** disabled ex–serviceman

> *Προσοχή!: Ο πληθυντικός του* **ex–serviceman** *είναι* **ex–servicemen.**

▸ **ανάπηρος** ΟΥΣ ΑΡΣ, **ανάπηρη** ΟΥΣ ΘΗΛ disabled person

αναπλάθω Ρ Μ = **αναπλάσσω**

ανάπλαση ΟΥΣ ΘΗΛ **(α)** *(= αναδημιουργία)* recreation **(β)** *(= αναμόρφωση)* renovation **(γ)** *(= ανάκληση)* recollection

αναπλάσσω Ρ Μ **(α)** *(= αναμορφώνω)* to regenerate · *(= αναδημιουργώ)* to recreate **(β)** *(= ανακαλώ)* to recall

αναπληρωματικός, -ή, -ό ΕΠΙΘ *(μέλος, παίκτης)* reserve · (ΣΧΟΛ: *καθηγητής)* supply *(Βρετ.)*, substitute *(Αμερ.)*

αναπληρώνω Ρ Μ **(α)** *(πρωθυπουργό, αρχηγό)* to take the place of **(β)** *(έλλειψη, χρόνο)* to make up for, to compensate for · *(κενό)* to fill

αναπλήρωση ΟΥΣ ΘΗΛ *(υπαλλήλου, μέλους)* replacement
▷ **μια προσπάθεια αναπλήρωσης** +γεν. an attempt to make up for

αναπληρωτής ΟΥΣ ΑΡΣ **(α)** *(συνεργάτη)* replacement **(β)** *(δάσκαλος)* supply teacher *(Βρετ.)*, substitute teacher *(Αμερ.)* · *(δικαστής)* surrogate judge
▸ **αναπληρωτής καθηγητής** (ΣΧΟΛ) supply *(Βρετ.)* ή substitute *(Αμερ.)* teacher
▸ **αναπληρωτής υπουργός** deputy

αναπληρώτρια ΟΥΣ ΘΗΛ *βλ.* **αναπληρωτής**

αναπνευστήρας ΟΥΣ ΑΡΣ **(α)** *(για μωρό, άρρωστο)* respirator **(β)** *(για καταδύσεις)* snorkel

αναπνευστικός, -ή, -ό ΕΠΙΘ *(λειτουργία)* respiratory · *(προβλήματα)* breathing, respiratory *(επίθ.)*
▸ **αναπνευστική οδός** respiratory tract
▸ **αναπνευστικό σύστημα** respiratory system

αναπνέω ① Ρ Μ **(α)** *(= ανασαίνω)* to breathe **(β)** *(= ζω)* to live **(γ)** *(= ξαλαφρώνω)* to relax ② Ρ Μ *(αέρα, νέφος)* to breathe in
▷ **αναπνέω ακόμα** to be still breathing

αναπνοή ΟΥΣ ΘΗΛ *(= ανάσα)* breath
▷ **κρατώ** ή **βαστώ την αναπνοή μου** to hold one's breath
▷ **με κομμένη αναπνοή** with bated breath
▷ **μου κόβεται** ή **πιάνεται η αναπνοή** to be out of breath
▷ **παίρνω αναπνοή** *(= αναπνέω)* to take a breath · *(= ξεκουράζομαι)* to take a breather
▷ **σε απόσταση αναπνοής** within spitting distance
▸ **κανονική αναπνοή** normal breathing
▸ **τεχνητή αναπνοή** artificial respiration

ανάποδα ΕΠΙΡΡ **(α)** *(περπατώ, πηγαίνω, κάθομαι)* backwards · *(οδηγώ)* the wrong way **(β)** *(κρέμομαι)* upside down **(γ)** *(φορώ, βάζω)* inside out
▷ **μου έρχονται (όλα) ανάποδα** everything is going wrong ή belly–up *(ανεπ.)* for me
▷ **παίρνω κτ ανάποδα** to take sth amiss ή the wrong way

αναπόδεικτος, -η, -ο ΕΠΙΘ *(ισχυρισμός, κατηγορία)* unsubstantiated

ανάποδη ΟΥΣ ΘΗΛ **(α)** *(υφάσματος, ρούχου)* wrong side **(β)** *(= χαστούκι)* whack, wallop

▷**ξέρω** ή **γνωρίζω** ή **μαθαίνω κπν από την καλή** και **την ανάποδη** to know sb inside out
▷**παίρνω κτ από την ανάποδη** to take sth amiss ή the wrong way
▷**ρίχνω σε κπν μια ανάποδη** to land sb one (ανεπ.)

αναποδιά ΟΥΣ ΘΗΛ (α) (= κακοτυχία) setback, reversal (β) (= παραξενιά) quirk

αναποδογυρίζω ① Ρ Μ (τραπέζι, καρέκλα) to knock over · (βάρκα) to capsize
② Ρ ΑΜ (= γυρίζω ανάποδα) to turn over

αναποδογύρισμα ΟΥΣ ΟΥΔ (καρέκλας) overturning · (βάρκας) capsizing

ανάποδος, -η, -ο ΕΠΙΘ (α) (στροφές, κίνηση) backward (β) (= γυρισμένος) reversed (γ) (για πρόσ.) bad–tempered (δ) (τύχη, καιρός) bad
▷**παίρνω ανάποδες** (αργκ.) to get annoyed

αναπόληση ΟΥΣ ΘΗΛ recollection

αναπολώ Ρ Μ to reminisce about

αναπόσπαστος, -η, -ο ΕΠΙΘ (τμήμα, μέρος) integral

αναποτελεσματικός, -ή, -ό ΕΠΙΘ ineffective

αναποτελεσματικότητα ΟΥΣ ΘΗΛ ineffectiveness

αναπότρεπτος, -η, -ο ΕΠΙΘ (= αναπόφευκτος) unavoidable

αναποφασιστικότητα ΟΥΣ ΘΗΛ indecisiveness

αναποφάσιστος, -η, -ο ΕΠΙΘ (= διστακτικός) indecisive
▸**αναποφάσιστοι** ΟΥΣ ΑΡΣ ΠΛΗΘ floating voters

αναπόφευκτος, -η, -ο ΕΠΙΘ (γεγονός, κακό) unavoidable
▷**είναι αναπόφευκτο να** to be inevitable that
▸**αναπόφευκτο** ΟΥΣ ΟΥΔ (θανάτου, πολέμου) inevitability

αναπροσανατολισμός ΟΥΣ ΑΡΣ reorientation, change of direction

αναπροσαρμογή ΟΥΣ ΘΗΛ adjustment
▸**Αυτόματη Τιμαριθμική Αναπροσαρμογή** automatic cost–of–living adjustment

αναπροσαρμόζω Ρ Μ (τιμές, αξία, μισθούς) to readjust · (πολιτική, μεθόδο) to adjust

αναπτερώνω Ρ Μ (ηθικό, φρόνημα) to boost · (ελπίδες) to raise

αναπτέρωση ΟΥΣ ΘΗΛ (ηθικού, φρονήματος) boost

αναπτήρας ΟΥΣ ΑΡΣ lighter

αναπτυγμένος, -η, -ο ΕΠΙΘ (α) (σώμα, πνεύμα, παιδί) developed (β) (ταλέντο, ικανότητες) developed (γ) (εμπόριο, εκπαίδευση, τεχνική, μέθοδος) developed · (θέμα) fully developed
▸**αναπτυγμένες χώρες** developed countries

ανάπτυξη ΟΥΣ ΘΗΛ (α) (οικισμού, πόλης) development (β) (τερηδόνας, δεξιότητας, ικανότητας) development · (παιδιού, οστών, φυτών) growth, development (γ) (= περίοδος ανάπτυξης) growth, development (δ) (θεωρίας, θέματος) exposition · (παραγράφου, έκθεσης) development

(ε) (τεχνολογίας, θεάτρου, τέχνης) development · (φιλίας) growth, development (στ) (χώρας, επιχείρησης, συστήματος, εμπορίου, οικονομίας) development
▷**χώρες υπό ανάπτυξη** developing countries
▸**πρόωρη ανάπτυξη** precociousness

αναπτυξιακός, -ή, -ό ΕΠΙΘ (πρόγραμμα) development · (νόμος, πρόταση) developmental

αναπτύσσω Ρ Μ (α) (σώμα, πνεύμα, δυνάμεις) to develop (β) (κρίση, ταλέντο, ικανότητα) to develop (γ) (κοινωνική δράση, οικονομική πολιτική, τεχνική, μέθοδο) to develop, to elaborate (δ) (= πραγματεύομαι: θεωρία, θέμα, σχέδιο, άποψη) to expand on (ε) (φιλία, σχέσεις, αρρώστια) to develop
▷**αναπτύσσω ταχύτητα** to gather speed
▸**αναπτύσσομαι** ΜΕΣΟΠΑΘ to develop
▸**αναπτυσσόμενες χώρες** developing countries

άναρθρος, -η, -ο ΕΠΙΘ (α) (φωνή, κραυγές) inarticulate (β) (ΓΛΩΣΣ) without an article

αναρίθμητος, -η, -ο ΕΠΙΘ innumerable

αναρμόδιος, -ια, -ιο ΕΠΙΘ (επιτροπή, υπηρεσία) not authorized, not competent

αναρμοδιότητα ΟΥΣ ΘΗΛ (ΝΟΜ: = έλλειψη αρμοδιότητας) lack of jurisdiction

ανάρμοστος, -η, -ο ΕΠΙΘ inappropriate

ανάρπαστος, -η, -ο ΕΠΙΘ: **γίνομαι ανάρπαστος** to be snapped up

αναρριγώ Ρ ΑΜ (= ανατριχιάζω) to shiver

αναρρίχηση ΟΥΣ ΘΗΛ (α) (= σκαρφάλωμα) climb (β) (σε αξίωμα) climb, ascent

αναρριχητικός, -ή, -ό ΕΠΙΘ (ικανότητα, εξοπλισμός) climbing
▸**αναρριχητικό φυτό** climber, climbing plant

ανάρριχτος, -η, -ο ΕΠΙΘ: **με το σακάκι ανάρριχτο** wearing ή with his jacket over his shoulders

αναρριχώμαι Ρ ΑΜ ΑΠΟΘ (α) (= σκαρφαλώνω) to climb up (β) (= ανέρχομαι σε ιεραρχία) to work one's way up (γ) (για ομάδα) to work one's way up
▸**αναρριχώμενο φυτό** climber, climbing plant

αναρρόφηση ΟΥΣ ΘΗΛ (= ρούφηγμα) suction

αναρροφητήρας ΟΥΣ ΑΡΣ (οδοντιάτρου) aspirator

αναρροφητικός, -ή, -ό ΕΠΙΘ (αντλία) suction

αναρροφώ Ρ Μ (= προκαλώ ροή υγρού) to suck up

αναρρυθμίζω Ρ Μ (νομοσχέδιο) to amend · (χρέη) to adjust

αναρρύθμιση ΟΥΣ ΘΗΛ (νομοσχεδίου) amendment · (χρεών) adjustment

αναρρώνω Ρ ΑΜ to recover

ανάρρωση ΟΥΣ ΘΗΛ recovery

αναρρωτήριο ΟΥΣ ΟΥΔ (ίδρυμα) hospital · (τμήμα νοσοκομείου) ward

αναρρωτικός, -ή, -ό ΕΠΙΘ (δίαιτα) convalescent
▸**αναρρωτική άδεια** sick leave

ανάρτηση ΟΥΣ ΘΗΛ (α) *(πανό)* suspending · *(πίνακα)* hanging · *(χάρτη)* hanging up (β) *(αποτελεσμάτων)* posting
▸**αναρτήσεις** ΠΛΗΘ *(αυτοκινήτου, μηχανής)* suspension *εν.*

αναρτώ Ρ Μ *(πανό)* to suspend · *(πίνακα)* to hang · *(χάρτη)* to hang up

αναρχία ΟΥΣ ΘΗΛ anarchy

αναρχικός, -ή, -ό ΕΠΙΘ *(ιδέα, κίνημα)* anarchist
▸**αναρχικός** ΟΥΣ ΑΡΣ, **αναρχική** ΟΥΣ ΘΗΛ anarchist

αναρχισμός ΟΥΣ ΑΡΣ anarchism

άναρχος, -η, -ο ΕΠΙΘ *(δόμηση)* anarchic, chaotic

αναρωτιέμαι Ρ ΑΜ ΑΠΟΘ to wonder

ανάσα ΟΥΣ ΘΗΛ breath
▸**κρατάω την ανάσα μου** to hold one's breath
▸**με κομμένη την ανάσα** with bated breath
▸**με μια ανάσα** without pausing for breath
▸**παίρνω ανάσα** to take a breath · (= *ξεκουράζομαι*) to have a rest, to have a breather

ανασαίνω Ρ ΑΜ (α) (= *αναπνέω*) to breathe (β) (= *ξεκουράζομαι*) to have a rest (γ) (= *ανακουφίζομαι*) to find relief

ανασαλεύω Ρ ΑΜ to stir

ανασήκωμα ΟΥΣ ΟΥΔ (α) *(φούστας, φρυδιών)* raising (β) *(μανικιών)* rolling up

ανασηκωμένος, -η, -ο ΕΠΙΘ (α) *(φρύδια, φόρεμα)* raised (β) *(μανίκια)* rolled up · *(γιακάς)* turned up, raised

ανασηκώνω Ρ Μ (α) *(φούστα, πέπλο, φρύδια, κεφάλι)* to raise · *(καπάκι)* to lift (β) *(μανίκια)* to roll up
▸**ανασηκώνομαι** ΜΕΣΟΠΑΘ to sit up

ανασκαλεύω Ρ Μ (α) *(έδαφος)* to rake (β) *(φωτιά)* to poke (γ) *(συρτάρια, ντουλάπες)* to rummage about for (δ) *(παρελθόν, υπόθεση)* to rake up

ανασκαφή ΟΥΣ ΘΗΛ (= *σκάψιμο σε βάθος*) digging
▸**ανασκαφές** ΠΛΗΘ (ΑΡΧΑΙΟΛ) excavations

ανάσκελα ΕΠΙΡΡ *(πέφτω, κάθομαι, κοιμάμαι, ξαπλώνω)* flat on one's back

ανασκευάζω Ρ Μ to refute

ανασκευή ΟΥΣ ΘΗΛ refutation

ανασκίρτημα ΟΥΣ ΟΥΔ *(από χαρά, φόβο)* jump · *(από έκπληξη, λύπη)* start

ανασκιρτώ Ρ ΑΜ *(από έκπληξη)* to start · *(από φόβο)* to jump, to start
▸**ανασκιρτώ από χαρά** to jump for joy

ανασκόπηση ΟΥΣ ΘΗΛ (α) *(γεγονότων, έτους)* review (β) *(μαθήματος, διδακτέας ύλης)* summary

ανασκουμπώνομαι Ρ ΑΜ ΑΠΟΘ (α) (= *ανασηκώνω τα μανίκια*) to roll up one's sleeves (β) (= *ετοιμάζομαι για δράση*) to get ready

ανασταίνω Ρ Μ (α) (= *επαναφέρω στη ζωή*) to bring back to life (β) (= *αναζωογονώ*) to

revitalize (γ) (= *ανατρέφω*) to bring up (δ) *(παράδοση, έθιμο)* to revive
▸**και νεκρούς ανασταίνει!** this will put hairs on your chest!
▸**ανασταίνομαι** ΜΕΣΟΠΑΘ (α) (= *ξαναζωντανεύω*) to come back to life (β) *(αγάπη)* to revive (γ) (= *αναζωογονούμαι*) to be refreshed, to be revived
▸**Χριστός ανέστη!** Christ has risen!

ανασταλτικός, -ή, -ό ΕΠΙΘ *(μέτρα, παρέμβαση, δράση, παράγοντας)* inhibitive

ανάσταση ΟΥΣ ΘΗΛ (α) *(Χριστού, νεκρών)* resurrection (β) *(φύσης, έθνους, ιδέας)* revival
▸**η Ανάσταση** the Resurrection
▸**κάνω Ανάσταση** to celebrate Easter · *(μτφ.)* to live it up

αναστάσιμος, -η, -ο ΕΠΙΘ *(μήνυμα, λαμπάδα, ακολουθία)* Easter

ανάστατος, -η, -ο ΕΠΙΘ (α) (= *ακατάστατος*) untidy (β) (= *αναστατωμένος*) agitated

αναστατώνω Ρ Μ (α) *(κοινωνία, σύστημα, οργανισμό)* to disrupt · *(σπίτι, δωμάτιο)* to mess up (β) (= *συγχίζω*) to disturb, to upset (γ) (= *διεγείρω ερωτικά*) to turn on *(ανεπ.)*

αναστάτωση ΟΥΣ ΘΗΛ (α) (= *αναταραχή*) confusion · (= *ανακάτεμα*) disorder (β) (= *ψυχική αναταραχή*) disturbance
▸**γενική αναστάτωση** general confusion
▸**μέσα στην αναστάτωση** amid the confusion ή chaos
▸**προκαλώ αναστάτωση** to cause a stir
▸**προκαλώ αναστάτωση σε κπν** *(άνδρας, γυναίκα)* to turn sb on *(ανεπ.)*
▸**φέρνω αναστάτωση** to bring trouble

αναστέλλω *(επίσ.)* Ρ Μ (α) (= *διακόπτω προσωρινά*) to suspend (β) (= *διακόπτω*) to stop

αναστεναγμός ΟΥΣ ΑΡΣ *(θλίψης, ανακούφισης)* sigh
▸**βγάζω** ή **αφήνω αναστεναγμό** to give a sigh

αναστενάζω Ρ ΑΜ to groan

αναστηλώνω Ρ Μ *(κτήριο, μνημείο)* to restore

αναστήλωση ΟΥΣ ΘΗΛ *(οικοδομήματος)* restoration

ανάστημα ΟΥΣ ΟΥΔ (α) (= *ύψος*) height (β) (= *παράστημα*) bearing
▸**ορθώνω** ή **υψώνω το ανάστημά μου απέναντι σε κπν/κτ** to stand up for oneself against sb/sth
▸**ηθικό ανάστημα** moral stature

αναστολή ΟΥΣ ΘΗΛ (α) *(προσωρινή)* postponement · *(επ' αόριστον)* suspension (β) (ΝΟΜ) suspended sentence
▸**αναστολές** ΠΛΗΘ (ΨΥΧΟΛ) inhibitions

αναστρέφω *(επίσ.)* Ρ Μ *(κατάσταση, πορεία, κλίμα)* to alter

αναστροφή *(επίσ.)* ΟΥΣ ΘΗΛ *(κατάστασης)* U–turn · *(θερμοκρασίας, ροής)* change

ανάστροφος, -η, -ο ΕΠΙΘ *(φορά, πλευρά, πορεία)* opposite, reverse

A

▷**δίνω μια ανάστροφη σε κπν** to hit sb with the back of one's hand

ανασυγκρότηση ΟΥΣ ΘΗΛ (*κράτους, χώρας, τομέα*) reorganization

ανασυγκροτώ Ρ Μ (*κόμμα, συμβούλιο, οργάνωση*) to reorganize, to restructure

ανασύνδεση ΟΥΣ ΘΗΛ = **επανασύνδεση**

ανασυνδέω Ρ Μ = **επανασυνδέω**

ανασυνθέτω Ρ Μ (*σκέψη, θεωρία, έργο*) to reshape

ανασύνταξη ΟΥΣ ΘΗΛ (α) (*κόμματος*) restructuring · (*στρατεύματος, δυνάμεων*) regrouping (β) (*κειμένου*) redrafting

ανασυντάσσω Ρ Μ (α) (*κόμμα*) to restructure · (*στράτευμα*) to regroup (β) (*δήλωση, καταστατικό*) to redraft

ανασύρω Ρ Μ (α) (= *τραβώ προς τα πάνω*) to pull up · (= *τραβώ προς τα έξω*) to pull out (β) (*ξίφος*) to draw (γ) (*μυστικά, παρασκήνιο, ανάμνηση*) to prize out (*Βρετ.*), to pry out (*Αμερ.*)

ανασύσταση ΟΥΣ ΘΗΛ (*υπηρεσίας, επιτροπής*) re–establishment

ανασφάλεια ΟΥΣ ΘΗΛ insecurity
▷**έχω ανασφάλειες** to suffer from insecurity, to feel insecure

ανασφαλής, -ής, -ές ΕΠΙΘ (*άνθρωπος*) insecure

ανασφάλιστος, -η, -ο ΕΠΙΘ (*εργαζόμενος, αυτοκίνητο*) uninsured

ανάσχεση (*επίσ.*) ΟΥΣ ΘΗΛ (*αιμορραγίας*) stopping · (*επίθεσης, εχθρού*) halting

ανασχετικός, -ή, -ό ΕΠΙΘ (*παράγοντας, δράση*) inhibitory

ανασχηματίζω Ρ Μ (= *ανασυγκροτώ*) to reorganize · (*κυβέρνηση*) to reshuffle (*Βρετ.*), to shake up

ανασχηματισμός ΟΥΣ ΑΡΣ (*κυβέρνησης*) reorganization
▸**κυβερνητικός ανασχηματισμός** government ή cabinet reshuffle (*Βρετ.*)

αναταράζω Ρ Μ (*γάλα, φάρμακο, νερό*) to stir

αναταράσσω Ρ Μ = **αναταράζω**

αναταραχή ΟΥΣ ΘΗΛ (= *αναστάτωση*) disturbance · (= *σύγχυση*) confusion

ανάταση ΟΥΣ ΘΗΛ boost, lift

ανατέλλω Ρ ΑΜ (α) (*ήλιος, αστέρι*) to rise (β) (*για νεαρό καλλιτέχνη*) to appear (γ) (*περίοδος, εποχή*) to dawn

ανατέμνω Ρ Μ (α) (*πτώμα*) to dissect (β) (= *εξετάζω προσεκτικά*) to dissect, to analyze thoroughly

ανατίμηση ΟΥΣ ΘΗΛ (*καυσίμων, ακινήτων*) price rise · (*νομίσματος*) revaluation

ανατιμητικός, -ή, -ό ΕΠΙΘ (*τάση*) upward

ανατιμώ Ρ Μ (*αγαθό, εμπόρευμα*) to put up the price of · (*νόμισμα*) to revalue

ανατινάζω Ρ Μ (*κτήριο, γέφυρα*) to blow up
▸**ανατινάζομαι** ΜΕΣΟΠΑΘ to explode, to blow up

ανατίναξη ΟΥΣ ΘΗΛ (*κτηρίου, αυτοκινήτου*) blowing up

ανατινάσσω (*επίσ.*) Ρ Μ = **ανατινάζω**

ανατολή ΟΥΣ ΘΗΛ (α) (*ηλίου*) sunrise (β) (= *ξημέρωμα*) dawn (γ) (*σημείο του ορίζοντα*) east
▸**Ανατολή** ΟΥΣ ΘΗΛ East

ανατολικά ΕΠΙΡΡ (*κοιτάζω, πηγαίνω, φυσώ*) east · (*βρίσκομαι*) in the east

ανατολικός, -ή, -ό ΕΠΙΘ (α) (*ακτή*) eastern · (*παράθυρο*) east–facing, east (β) (*άνεμος*) north (γ) (*ιδιοσυγκρασία, χαρακτηριστικά, γλώσσες*) eastern

ανατολίτικος, -η, -ο ΕΠΙΘ (*χορός, χαλί*) Oriental

> *Προσοχή!: Τα εθνικά επίθετα, όπως* **Oriental**, *γράφονται με κεφαλαίο το αρχικό γράμμα στα Αγγλικά.*

ανατομείο ΟΥΣ ΟΥΔ anatomy laboratory

ανατομία ΟΥΣ ΘΗΛ (α) (ΙΑΤΡ, ΒΙΟΛ) anatomy (β) (*εγκλήματος, κατάστασης, προσωπικότητας*) analysis

> *Προσοχή!: Ο πληθυντικός του* **analysis** *είναι* **analyses**.

ανατομικός, -ή, -ό ΕΠΙΘ (α) (*στοιχείο, πίνακας, νυστέρι*) anatomical (β) (*παπούτσια, στρώμα*) surgical

ανάτομος ΟΥΣ ΑΡΣΘΗΛ (α) (= *ειδικευμένος στην ανατομία*) anatomist (β) (*ψυχής, κοινωνίας*) analyst

ανατρεπόμενο ΟΥΣ ΟΥΔ (*επίσης* **ανατρεπόμενο φορτηγό**) dump truck

ανατρεπτικός, -ή, -ό ΕΠΙΘ (*κίνημα, ιδέες, ενέργειες, ταινία*) subversive

ανατρέπω Ρ Μ (α) (*όχημα*) to overturn · (*βάρκα*) to capsize · (*παλιστή*) to bring down (β) (*πολίτευμα, κυβέρνηση*) to overthrow (γ) (*κατηγορία, θεωρία*) to refute (δ) (*σχέδια, επιχείρημα*) to thwart

ανατρέφω Ρ Μ (*παιδιά*) to bring up

ανατρέχω Ρ ΑΜ (= *επανέρχομαι*) to go back
▷**ανατρέχω σε κείμενα/πηγές** to refer to texts/sources
▷**ανατρέχω τον ποταμό** to swim upstream

ανατριχιάζω Ρ ΑΜ (α) (= *σηκώνεται η τρίχα μου*) to shiver (β) (= *αισθάνομαι φρίκη*) to shudder (γ) (= *αισθάνομαι συγκίνηση*) to tremble
▷**με ανατριχιάζει** (*ήχος, αγωνία*) to make one shudder · (*ψύχρα*) to make one shiver
▷**κάνω κπν να ανατριχιάσει** ή **να ανατριχιάζει** to make sb's flesh creep

ανατριχιαστικός, -ή, -ό ΕΠΙΘ (*θέαμα, λεπτομέρειες*) gruesome · (*ατμόσφαιρα*) creepy · (*έγκλημα*) ghastly

ανατριχίλα ΟΥΣ ΘΗΛ (α) (*από κρύο*) shiver · (*από τρόμο*) shudder (β) (*από χαρά, ερωτικό πόθο*) quivering
▷**φέρνω ανατριχίλα** ή **ανατριχίλες σε κπν** to make sb's flesh crawl · (= *συνταράσσω*) to

disturb sb · (= συγκλονίζω) to shock sb

ανατροπέας ΟΥΣ ΑΡΣ ΘΗΛ (πολιτεύματος, δικτατορίας) subversive element

ανατροπή ΟΥΣ ΘΗΛ (α) (αυτοκινήτου) overturning · (ποδοσφαιριστή) knocking over (β) (κυβέρνησης, εξουσίας, κατεστημένου) overthrow (γ) (επιχειρήματος, άποψης) refutation (δ) (σχεδίων) thwarting

ανατροφή ΟΥΣ ΘΗΛ (α) (= μεγάλωμα) raising (β) (= διαπαιδαγώγηση) upbringing, education
▷**καλή/κακή ανατροφή** good/poor upbringing
▷**μία κοπέλα με ανατροφή** a well–brought–up girl

ανατροφοδότηση ΟΥΣ ΘΗΛ (α) (τάσεων, διαθέσεων) increase (β) (ΠΛΗΡΟΦ) feedback
►**κύκλωμα ανατροφοδότησης** feedback network
►**συνάρτηση ανατροφοδότησης** feedback connection

ανατυπώνω Ρ Μ to reprint

ανατύπωση ΟΥΣ ΘΗΛ (α) (δραστηριότητα) reprinting (β) (προϊόν) reprint

άναυδος, -η, -ο ΕΠΙΘ speechless
▷**αφήνω κπν άναυδο** to stun sb
▷**μένω άναυδος** to be speechless, to be flabbergasted

αναύλωτος, -η, -ο ΕΠΙΘ (πλοίο) not freighted

αναφαίνομαι Ρ ΑΜ ΑΠΟΘ (α) (κατάρτια, κίνδυνος, προοπτική, τάση) to appear (β) (= αναδεικνύομαι: κόμμα, οργάνωση, επαγγελματίας) to emerge

αναφαίρετος, -η, -ο ΕΠΙΘ (περιουσία, προνόμιο) inalienable
►**αναφαίρετο δικαίωμα** inalienable right

αναφανδόν (επίσ.) ΕΠΙΡΡ openly

αναφέρω Ρ Μ (α) (περιστατικό, συμβάν, συγγραφέα) to mention · (παραδείγματα, χωρία, αποσπάσματα) to cite (β) (θέμα) to present · (απόψεις) to put forward, to present · (θεωρία) to expound (γ) (σεισμό, ατύχημα, στρατιώτη) to report
▷**αναφέρω κπν σε κπν** to report sb to sb
▷**αναφέρω ότι** to mention that
▷**λαμβάνω την τιμή να αναφέρω ότι** permission to report, sir!
►**αναφέρομαι** ΜΕΣΟΠΑΘ: **αναφέρομαι σε** (= αφορώ) to relate to

αναφιλητά ΟΥΣ ΟΥΔ ΠΛΗΘ sobs

αναφιλυτά ΟΥΣ ΟΥΔ ΠΛΗΘ = **αναφιλητά**

αναφλέγω Ρ Μ (= μεταδίδω φλόγα ή φωτιά) to ignite
►**αναφλέγομαι** ΜΕΣΟΠΑΘ to catch fire

αναφλεκτήρας ΟΥΣ ΑΡΣ spark plug

ανάφλεξη ΟΥΣ ΘΗΛ (= άναμμα) ignition
►**ηλεκτρονική ανάφλεξη** electronic ignition
►**σημείο ανάφλεξης** point of ignition, ignition point

αναφομοίωτος, -η, -ο ΕΠΙΘ (α) (κυριολ.) undigested (β) (γνώση, στοιχείο, εμπειρία) unassimilated

αναφορά ΟΥΣ ΘΗΛ (α) (= μνεία) reference · (= νύξη) allusion (β) (= επίσημη έκθεση) report
▷**βγάζω κπν στην αναφορά** to discipline sb
▷**δίνω σε κπν αναφορά για κτ** (= αναφέρω επίσημα σε ανώτερο) to give sb an account of sth · (προφορ.: = διηγούμαι με λεπτομέρειες) to give sb a blow by blow account of sth
▷**σημείο αναφοράς** point of reference

αναφορικά ΕΠΙΡΡ: **αναφορικά με** with regard to

αναφορικός, -ή, -ό ΕΠΙΘ (αντωνυμία, επιρρήματα) relative

αναφροδισία ΟΥΣ ΘΗΛ frigidity

αναφροδισιακός, -ή, -ό ΕΠΙΘ (φάρμακα) anaphrodisiac

αναφυλαξία ΟΥΣ ΘΗΛ allergy

αναφύομαι (επίσ.) Ρ ΑΜ ΑΠΟΘ (προβλήματα, διαφωνία, ζήτημα) to arise

αναφώνηση (επίσ.) ΟΥΣ ΘΗΛ cry

αναφωνητό (επίσ.) ΟΥΣ ΟΥΔ cry

αναφωνώ (επίσ.) Ρ ΑΜ to exclaim, to cry out

αναχαιτίζω Ρ Μ (α) (αντίδραση) to prevent · (πληθωρισμό) to curb (β) (εχθρό) to hold back · (επίθεση) to check · (αεροπλάνο) to intercept

αναχαίτιση ΟΥΣ ΘΗΛ (α) (= συγκράτηση) restraint · (= σταμάτημα) checking (β) (προέλασης εχθρού) checking · (αεροπλάνων) interception

αναχαράζω Ρ ΑΜ to ruminate

αναχρονισμός ΟΥΣ ΑΡΣ anachronism

αναχρονιστικός, -ή, -ό ΕΠΙΘ (αντίληψη, νομοθεσία) obsolete, out–of–date

ανάχωμα ΟΥΣ ΟΥΔ (α) (για ράγες τρένου) embankment (β) (= φράγμα) dyke (Βρετ.), dike (Αμερ.)

αναχώρηση ΟΥΣ ΘΗΛ (αεροπλάνου, τρένου) departure

αναχωρώ Ρ ΑΜ to leave
▷**αναχωρώ για κπν προορισμό** to set out, to set off

αναψηλάφηση ΟΥΣ ΘΗΛ (στοιχείων, υπόθεσης) reappraisal

αναψηλαφώ Ρ Μ (υπόθεση, στοιχεία) to reappraise

αναψοκοκκινίζω Ρ ΑΜ to blush

αναψυκτήριο ΟΥΣ ΟΥΔ (θεάτρου, σινεμά) bar

αναψυκτικό ΟΥΣ ΟΥΔ soft drink

αναψυχή ΟΥΣ ΘΗΛ recreation

Άνδεις ΟΥΣ ΘΗΛ ΠΛΗΘ: **οι Άνδεις** the Andes

ανδραγάθημα ΟΥΣ ΟΥΔ heroic deed

ανδραγαθία ΟΥΣ ΘΗΛ (α) (= γενναιότητα) bravery (β) (= ανδραγάθημα) heroic deed
▷**επ' ανδραγαθία** for bravery

ανδράποδο ΟΥΣ ΟΥΔ slave

άνδρας ΟΥΣ ΑΡΣ (α) (= ανήρ) man (β) (= σύζυγος) husband (γ) (= ενήλικος) (grown) man (δ) (= ανδρείος) (true ή real) man

> *Προσοχή!: Ο πληθυντικός του* **man** *είναι* **men**.

▸ **άνδρες** ΠΛΗΘ (= *πολεμιστές*) men

ανδρεία ΟΥΣ ΘΗΛ bravery

ανδρείκελο ΟΥΣ ΟΥΔ (α) (= *ομοίωμα ανθρώπου*) model (β) (= *μαριονέτα*) puppet (γ) (*μτφ.*) puppet

ανδρείος, -α, -ο ΕΠΙΘ brave

ανδρειοσύνη ΟΥΣ ΘΗΛ bravery

ανδρειωμένος, -η, -ο ΕΠΙΘ brave

ανδριάντας ΟΥΣ ΑΡΣ statue

ανδρικός, -ή, -ό ΕΠΙΘ (*ρούχα, τουαλέτες, μόδα, ομάδα*) men's · (*φωνή, χαρακτηριστικά*) male · (*χορωδία*) men's, male · (*ομορφιά*) masculine

ανδρισμός ΟΥΣ ΑΡΣ (α) (= *ανδροπρέπεια*) masculinity (β) (= *ανδρεία*) manliness

ανδρόγυνο ΟΥΣ ΟΥΔ couple

ανδροκρατία ΟΥΣ ΘΗΛ (α) (*σε συγκεκριμένο χώρο*) male domination (β) (*στην κοινωνία*) patriarchy

ανδροκρατούμαι Ρ ΑΜ ΑΠΟΘ (*πολιτική*) to be male–dominated · (*κοινωνία*) to be patriarchal

ανδροκρατούμενος, -η, -ο ΕΠΙΘ male–dominated

ανδροπρέπεια ΟΥΣ ΘΗΛ masculinity

ανδροπρεπής, -ής, -ές ΕΠΙΘ masculine

ανδρώνομαι Ρ ΑΜ ΜΕΣΟΠΑΘ (α) (= *μεγαλώνω*) to reach manhood, to grow up (β) (*κίνημα*) to reach its peak

ανεβάζω Ρ Μ (α) (*ρούχα, ψώνια*) to take up, to bring up · (*φερμουάρ*) to do up (β) (*τιμές, κόστος, μισθούς, θερμοκρασία*) to put up, to raise · (*ρυθμούς*) to increase · (*ενδιαφέρον*) to rouse · (*επίπεδο*) to raise · (*ηθικό*) to boost, to raise (γ) (*τόνο φωνής*) to raise · (*ένταση*) to turn up (δ) (= *εξυμνώ*) to build up (ε) (*θεατρικό έργο*) to put on, to stage
▸ **ανεβάζω κπν** to raise sb's spirits, to cheer sb up
▸ *χαζό ή* **βλάκα/άχρηστο με ανεβάζει** *χαζό ή* **βλάκα/άχρηστο με κατεβάζει** he's always saying I'm stupid/useless

ανεβαίνω ① Ρ ΑΜ (α) (= *ανέρχομαι*) to climb (β) (= *επιβιβάζομαι*) to get on · (*σε αυτοκίνητο*) to get in (γ) (*πυρετός, τιμές, μισθοί, θερμοκρασία, νόμισμα, στάθμη*) to rise, to go up · (*πίεση*) to go up · (*αγωνία*) to mount, to increase (δ) (*κοινωνικά ή επαγγελματικά*) to move up (ε) (= *καλυτερεύει η διάθεσή μου*) to feel better · (*ηθικό*) to rise, to improve (στ) (*θεατρικό έργο, παράσταση*) to be on ② Ρ Μ (*βουνό*) to climb · (*ανηφόρα, σκάλες*) to go up, to climb
▸ **ανεβαίνω σε** (*βουνό, δέντρο*) to climb · (*αυτοκίνητο*) to get in · (*τρένο, λεωφορείο, αεροπλάνο, πλοίο*) to get on, to board ·

(*μηχανή*) to get on
▸ **ανεβαίνω στον ουρανό** (*ήλιος*) to climb in the sky
▸ **ανεβαίνω σε αξίωμα** to rise in rank
▸ **ανεβαίνω στα μάτια κποιου** to go up in sb's esteem
▸ **ανεβαίνω στην εκτίμηση κποιου** to go up in sb's esteem
▸ **ανεβαίνω στον θρόνο** to come to ή ascend the throne
▸ **μου ανέβηκε το αίμα στο κεφάλι** I saw red

ανέβασμα ΟΥΣ ΟΥΔ (α) (= *ανάβαση*) climb (β) (*τιμών, μισθών, θερμοκρασίας, επιπέδου*) rise, increase · (*ρυθμού*) increase · (*ψυχολογίας, ηθικού*) boost (γ) (*παράστασης, έργου*) production
▸ **το ανέβασμα της φωνής του πρόδιδε τον θυμό του** he raised his voice, showing his anger

ανεβοκατεβάζω Ρ Μ (α) (*χέρι, κεφάλι, στυλό*) to move up and down (β) (*τιμές*) to put up and down

ανεβοκατεβαίνω Ρ ΑΜ (α) (*ασανσέρ, γερανός*) to go up and down (β) (*τιμές, μετοχές*) to go up and down, to fluctuate

ανεβοκατέβασμα ΟΥΣ ΟΥΔ (α) (*ασανσέρ, γερανού*) going up and down (β) (*τιμών, μετοχών*) fluctuation

ανέγγιχτος, -η, -ο ΕΠΙΘ (α) (= *άθικτος*) untouched (β) (= *αγνός*) pure

ανέγερση ΟΥΣ ΘΗΛ (*οικοδομής, θεάτρου*) construction

ανεγκέφαλος, -η, -ο ΕΠΙΘ silly

ανεδαφικός, -ή, -ό ΕΠΙΘ (*πρόταση, σχέδιο*) unrealistic

ανειδίκευτος, -η, -ο ΕΠΙΘ (*εργάτης*) unskilled

ανειλημμένος, -η, -ο (*επία.*) ΕΠΙΘ: **ανειλημμένες υποχρεώσεις** other commitments

ανειλικρίνεια ΟΥΣ ΘΗΛ (α) (*ατόμου, προθέσεων*) insincerity (β) (*φορολογικής δήλωσης*) fraud

ανειλικρινής, -ής, -ές ΕΠΙΘ (α) (*άνθρωπος, προθέσεις*) insincere (β) (*φορολογική δήλωση*) fraudulent

ανείπωτος, -η, -ο ΕΠΙΘ (*χαρά, θλίψη*) inexpressible

ανέκαθεν ΕΠΙΡΡ always, all along

ανεκδήλωτος, -η, -ο ΕΠΙΘ (α) (*για πρόσ.*) close–lipped (β) (*συναίσθημα, επιθυμία*) secret, unspoken

ανεκδιήγητος, -η, -ο ΕΠΙΘ (α) (*αρνητ.: κατάσταση, εμπειρία*) indescribable · (*ιστορία*) incredible · (*κακουχίες*) untold (β) (*τύπος*) ridiculous

ανέκδοτο ΟΥΣ ΟΥΔ (α) (= *αστείο*) joke (β) (= *σύντομη ιστορική αφήγηση*) anecdote

ανέκδοτος, -η, -ο ΕΠΙΘ unpublished

ανεκμετάλλευτος, -η, -ο ΕΠΙΘ (*κοίτασμα*) unexploited · (*κεφάλαιο*) unused · (*ευκαιρία*) missed

ανεκπαίδευτος, -η, -ο ΕΠΙΘ (α) (= *που δεν εκπαιδεύτηκε*) untrained (β) (= *αμόρφωτος*) uneducated

ανεκπλήρωτος, -η, -ο ΕΠΙΘ (*επιθυμία, πόθος, φιλοδοξία*) unfulfilled · (*όνειρο*) unrealized · (*ελπίδα*) dashed

ανεκτέλεστος, -η, -ο ΕΠΙΘ (*σχέδιο, εντολή*) not carried out · (*διαθήκη*) unexecuted · (*έργο*) unrealized

ανεκτικός, -ή, -ό ΕΠΙΘ tolerant

ανεκτικότητα ΟΥΣ ΘΗΛ tolerance

ανεκτίμητος, -η, -ο ΕΠΙΘ (α) (*κόσμημα, ευρήματα*) priceless (β) (*συνεργάτης, πληροφορία*) invaluable

ανεκτός, -ή, -ό ΕΠΙΘ (*κρύο, κατάσταση*) bearable · (*επίπεδα*) acceptable

ανέκφραστος, -η, -ο ΕΠΙΘ (*πρόσωπο, μάτια*) expressionless

ανελέητος, -η, -ο ΕΠΙΘ (*κακοποιοί*) ruthless · (*σφαγή*) merciless · (*βομβαρδισμοί, κυνήγι*) relentless

ανελευθερία ΟΥΣ ΘΗΛ (α) (= *δουλεία*) lack of freedom (β) (= *τυραννία*) oppression

ανελεύθερος, -η, -ο ΕΠΙΘ (α) (*μέτρα, θεσμός, καθεστώς*) oppressive · (*ιδεολογία, στάση*) undemocratic (β) (*άνθρωπος*) not free, enslaved

ανέλιξη (*επίσ.*) ΟΥΣ ΘΗΛ (α) (= *ελικοειδής κίνηση*) spiralling (Βρετ.), spiraling (Αμερ.) (β) (= *εξέλιξη*) advancement
▷**κοινωνική/πνευματική ανέλιξη** social/intellectual development

ανέλκυση ΟΥΣ ΘΗΛ (*πλοίου*) refloating

ανελκυστήρας (*επίσ.*) ΟΥΣ ΑΡΣ lift (Βρετ.), elevator (Αμερ.)

ανελλιπής, -ής, -ές ΕΠΙΘ (α) (*εργασία, έκθεση*) complete (β) (*φοίτηση, συμμετοχή*) regular

ανέλπιστος, -η, -ο ΕΠΙΘ unexpected, unhoped-for

ανέμελος, -η, -ο ΕΠΙΘ (*ζωή*) carefree · (*χαρακτήρας*) happy-go-lucky, carefree

ανέμη ΟΥΣ ΘΗΛ spinning wheel

ανεμίζω 1 Ρ Μ (*σημαία, κουρτίνα*) to flap, to flutter · (*μαλλιά*) to be ruffled 2 Ρ Μ (*μαντίλι*) to wave

ανεμιστήρας ΟΥΣ ΑΡΣ fan

ανεμοβλογιά ΟΥΣ ΘΗΛ chickenpox

ανεμοβρόχι ΟΥΣ ΟΥΔ = **ανεμόβροχο**

ανεμόβροχο ΟΥΣ ΟΥΔ storm

ανεμογκάστρι ΟΥΣ ΟΥΔ phantom pregnancy

ανεμοδαρμένος, -η, -ο ΕΠΙΘ windswept
▷ "**Ανεμοδαρμένα Ύψη**" "Wuthering Heights"

ανεμοδείκτης, ανεμοδείχτης ΟΥΣ ΑΡΣ weather vane

ανεμοδέρνω Ρ ΑΜ (*πλοίο*) to be tossed around

ανεμοδούρα ΟΥΣ ΘΗΛ (α) (= *ανεμοδείκτης*) weather vane (β) (= *ανεμοστρόβιλος*)

whirlwind, tornado

> *Προσοχή!: Ο πληθυντικός του* **tornado** *είναι* **tornadoes**.

(γ) (*για πρόσ.*) fickle person
▷**είναι ανεμοδούρα** he's always chopping and changing

ανεμοζάλη ΟΥΣ ΘΗΛ (α) (= *ανεμοστρόβιλος*) storm (β) (= *σάλος*) uproar

ανεμοθύελλα ΟΥΣ ΘΗΛ storm

ανεμομαζώματα ΟΥΣ ΟΥΔ ΠΛΗΘ:
ανεμομαζώματα διαβολοσκορπίσματα easy come, easy go

ανεμόμυλος ΟΥΣ ΑΡΣ windmill

ανεμόπτερο ΟΥΣ ΟΥΔ glider

άνεμος ΟΥΣ ΑΡΣ (= *ρεύμα αέρα*) wind
▷**άι στον άνεμο!** (*υβρ.*) go to hell! (*χυδ.*)
▷**ο άνεμος τής αλλαγής** the wind of change

ανεμόσκαλα ΟΥΣ ΘΗΛ rope ladder

ανεμοστρόβιλος ΟΥΣ ΑΡΣ whirlwind, tornado

ανεμότρατα ΟΥΣ ΘΗΛ drifter, *fishing boat using drift nets*

ανεμπόδιστα ΕΠΙΡΡ (*κινούμαι, λειτουργώ, σκέπτομαι*) freely · (*ενεργώ*) without restraint · (*καταστρέφω*) completely

ανεμπόδιστος, -η, -ο ΕΠΙΘ (*λειτουργία, ανάπτυξη*) unrestricted · (*για πρόσ.*) unimpeded, unhindered

ανεμώνα ΟΥΣ ΘΗΛ *βλ.* **ανεμώνη**

ανεμώνη ΟΥΣ ΘΗΛ anemone

ανενδοίαστος, -η, -ο (*επίσ.*) ΕΠΙΘ unscrupulous

ανένδοτος, -η, -ο ΕΠΙΘ inflexible, unyielding

ανενόχλητος, -η, -ο ΕΠΙΘ (*δουλεύω*) undisturbed · (*επιτίθεμαι, προελαύνω*) unimpeded
▷**δρω ανενόχλητος** to have freedom of action

ανέντιμος, -η, -ο ΕΠΙΘ (*μέσα, πράξη, συμπεριφορά, πολιτικός*) dishonest

ανεξαιρέτως ΕΠΙΡΡ without exception

ανεξακρίβωτος, -η, -ο ΕΠΙΘ (*είδηση, αίτια, πόρισμα*) unconfirmed

ανεξάντλητος, -η, -ο ΕΠΙΘ (α) (*πηγή, αποθέματα*) inexhaustible · (*φαντασία*) boundless (β) (*θέμα*) inexhaustible
▷**έχω ανεξάντλητη αισιοδοξία** to be unfailingly optimistic
▷**έχω ανεξάντλητο χιούμορ** to have a great sense of humour (Βρετ.) *ή* humor (Αμερ.)

ανεξαρτησία ΟΥΣ ΘΗΛ independence
▷**εθνική ανεξαρτησία** national independence
▷**οικονομική ανεξαρτησία** financial independence

ανεξάρτητα ΕΠΙΡΡ (*ενεργώ, δρω, ζω*) independently · (*εργάζομαι*) freelance
▷**ανεξάρτητα από** irrespective of, regardless of

ανεξαρτητοποιούμαι Ρ ΜΕΣΟΠΑΘ to become independent

ανεξάρτητος, -η, -ο ΕΠΙΘ (α) *(εφημερίδα, υποψήφιος)* independent (β) *(κράτος)* independent · *(δημοσιογράφος, φωτογράφος)* freelance (γ) *(διαμερίσματα)* self–contained

ανεξαρτήτως ΕΠΙΡΡ irrespective of

ανεξέλεγκτος, -η, -ο ΕΠΙΘ (α) *(πληροφορία, είδηση, κατηγορία)* unverified (β) *(αντίδραση, εξουσία, ζωή)* uncontrolled

ανεξερεύνητος, -η, -ο ΕΠΙΘ *(τόπος)* unexplored · *(βυθός)* uncharted

ανεξεταστέος, -α, -ο ΕΠΙΘ *(μαθητής)* obliged to resit *(Βρετ.)* ή retake *(Αμερ.)* an exam

ανεξήγητος, -η, -ο ΕΠΙΘ inexplicable

ανεξιθρησκία ΟΥΣ ΘΗΛ (ΝΟΜ) religious tolerance

ανεξίθρησκος, -η, -ο ΕΠΙΘ tolerant *(of different religions)*

ανεξικακία ΟΥΣ ΘΗΛ forgiveness

ανεξίκακος, -η, -ο ΕΠΙΘ forgiving

ανεξίτηλος, -η, -ο ΕΠΙΘ (α) *(χρώματα)* fast · *(μελάνι)* indelible (β) *(ανάμνηση, σημάδι, ίχνος)* indelible

ανεξιχνίαστος, -η, -ο ΕΠΙΘ *(έγκλημα, μυστήριο)* insoluble

ανέξοδος, -η, -ο ΕΠΙΘ *(ταξίδι, διαδικασία)* inexpensive

ανεξόφλητος, -η, -ο ΕΠΙΘ *(γραμμάτιο, λογαριασμός)* unpaid · *(χρέος)* outstanding, unpaid · *(επιταγή)* not cleared

ανεπάγγελτος, -η, -ο ΕΠΙΘ without a trade ή profession

ανεπαίσθητος, -η, -ο ΕΠΙΘ *(θόρυβος)* faint · *(κίνηση, αλλαγή)* imperceptible

ανεπανάληπτος, -η, -ο ΕΠΙΘ *(εμπειρία)* unique · *(κατόρθωμα, νίκη)* unprecedented
▷**μοναδικός κι ανεπανάληπτος** one and only

ανεπανόρθωτος, -η, -ο ΕΠΙΘ *(λάθος, κακό)* irredeemable · *(ζημιά)* irreparable

ανεπάρκεια ΟΥΣ ΘΗΛ (α) *(τροφίμων, στελέχη)* scarcity, shortage · *(δυνάμεων, προσόντων)* lack (β) *(προσώπων)* inadequacy

ανεπαρκής, -ής, -ές ΕΠΙΘ (α) *(μέσα, εφόδια, χώρος, ποσοστό, αποθέματα, χρόνος)* insufficient · *(εκπαίδευση, μόρφωση, γνώσεις)* inadequate · *(αιτιολογία)* lame (β) *(γονείς, δάσκαλοι)* inadequate (γ) *(μέτρα)* ineffective · *(μέθοδος)* inefficient

ανέπαφος, -η, -ο ΕΠΙΘ *(κτήριο, περιουσία)* intact

ανεπεξέργαστος, -η, -ο ΕΠΙΘ *(κείμενο, σχέδιο, ιδέα)* rough

ανεπηρέαστος, -η, -ο ΕΠΙΘ (α) *(για πρόσ.)* uninfluenced (β) *(κρίση, άποψη)* unbiased

ανεπιβεβαίωτος, -η, -ο ΕΠΙΘ unconfirmed

ανεπίδεκτος, -η, -ο ΕΠΙΘ *(επισκευής, αμφισβήτησης)* beyond
▷**ανεπίδεκτος μαθήσεως** *(ειρων.)* incapable of learning

ανεπιθύμητος, -η, -ο ΕΠΙΘ *(άνθρωπος)* undesirable · *(αλλαγή, επίσκεψη, συνέπεια)*

unwanted, unwelcome

ανεπίκαιρος, -η, -ο ΕΠΙΘ *(σχόλιο)* inopportune · *(ενέργεια)* untimely · *(θέμα)* not topical

ανεπικύρωτος, -η, -ο ΕΠΙΘ *(απόφαση, σύμβαση)* unratified · *(πρακτικό, διορισμός)* unconfirmed

ανεπίληπτος, -η, -ο ΕΠΙΘ *(διαγωγή, πράξη)* irreproachable · *(ήθος)* impeccable

ανεπίλυτος, -η, -ο ΕΠΙΘ *(πρόβλημα)* unsolved, unresolved · *(θέμα, διαφορά)* unresolved

ανεπίσημος, -η, -ο ΕΠΙΘ (α) *(γεύμα, ρούχο, γλώσσα)* informal (β) *(λόγος, διάβημα, ανακοίνωση, πληροφορίες)* unofficial

ανεπιστρεπτί *(επίσ.)* ΕΠΙΡΡ irrevocably

ανεπίτευκτος *(επίσ.)* ΕΠΙΘ *(στόχος)* unattainable, unachievable · *(έργο, επιθυμία)* impossible

ανεπιτήδευτος, -η, -ο ΕΠΙΘ *(ύφος, απλότητα)* unaffected · *(κομψότητα)* unstudied

ανεπίτρεπτος, -η, -ο ΕΠΙΘ *(συμπεριφορά, λόγος)* unacceptable, inadmissible
▷**είναι ανεπίτρεπτο να κάνω κτ** it is unacceptable to do sth

ανεπιτυχής, -ής, -ές ΕΠΙΘ unsuccessful

ανεπιφύλακτος, -η, -ο ΕΠΙΘ *(υποστήριξη, συμπαράσταση)* wholehearted · *(υποστηρικτής)* staunch · *(αποδοχή)* unconditional · *(θαυμασμός)* frank

ανεπούλωτος, -η, -ο ΕΠΙΘ *(πληγή, τραύματα)* unhealed, open
▷**ανεπούλωτο τραύμα** *(μτφ.)* open wound

ανεπρόκοπος, -η, -ο ① ΕΠΙΘ worthless ② ΟΥΣ good-for-nothing

> *Προσοχή!: Ο πληθυντικός του* **good-for-nothing** *είναι* **good-for-nothings.**

ανεπτυγμένος, -η, -ο *(επίσ.)* ΕΠΙΘ = **αναπτυγμένος**

ανέραστος, -η, -ο *(αρνητ.)* ΕΠΙΘ loveless, unloved

ανεργία ΟΥΣ ΘΗΛ *(= έλλειψη απασχόλησης)* unemployment
▷**βγαίνω στην ανεργία** *(ανεπ.)* to go on the dole *(Βρετ.)* ή on welfare *(Αμερ.)*
▸**επίδομα ανεργίας** unemployment benefit *(Βρετ.)* ή compensation *(Αμερ.)*, dole *(Βρετ.)*
▸**ταμείο ανεργίας** unemployment fund

άνεργος, -η, -ο ΕΠΙΘ unemployed
▸**άνεργοι** ΟΥΣ ΑΡΣ ΠΛΗΘ: **οι άνεργοι** the unemployed, the jobless

ανέρχομαι *(επίσ.)* Ρ ΑΜ ΑΠΟΘ (α) *(= ανεβαίνω: στάθμη)* to rise (β) *(= προάγομαι)* to move up
▷**ανέρχομαι σε** *(για ποσό)* to amount to · *(για αριθμό)* to total

ανερχόμενος, -η, -ο ΕΠΙΘ up–and–coming

ανέρωτος, -η, -ο ΕΠΙΘ *(κρασί)* undiluted · *(ούζο)* neat *(Βρετ.)*, straight *(Αμερ.)*

άνεση ΟΥΣ ΘΗΛ (α) *(για παπούτσια, ρούχα)* comfort· *(για παίξιμο, χειρισμό αντικειμένου)* ease· *(για χειρισμό γλώσσας)* fluency· *(για χώρο)* room to move, space (β) *(για τρόπο ζωής)* comfort (γ) (= *οικειότητα*) familiarity· (= *φυσικότητα*) naturalness
▷**έχω άνεση χρόνου** to have plenty of time
▷**έχω/δεν έχω άνεση με κπν** to be at ease/ ill-at-ease with sb
▷**έχω οικονομική άνεση** to be comfortably off
▷**ζω με άνεση** to live comfortably *ή* in comfort
▷**με την άνεσή μου** at one's leisure, in one's own time
▷**υπάρχει άνεση χώρου** there's plenty of room, it's very spacious
▸**ανέσεις** ΠΛΗΘ modern conveniences, mod cons *(Βρετ.) (ανεπ.)*

άνετα ΕΠΙΡΡ (α) *(κάθομαι)* comfortably· *(χειρίζομαι, δουλεύω)* with ease (β) *(ζω)* comfortably (γ) *(νικώ, κερδίζω)* easily (δ) *(συμπεριφέρομαι)* naturally· *(κινούμαι)* easily
▷**νιώθω άνετα** to feel at ease *ή* comfortable

ανέτοιμος, -η, -ο ΕΠΙΘ unprepared
▷**είμαι ανέτοιμος** not to be ready

άνετος, -η, -ο ΕΠΙΘ (α) *(ρούχο, καναπές, αυτοκίνητο)* comfortable· *(μεταφορά)* convenient· *(χρήση γλώσσας)* fluent· *(χειρισμός εργαλείου)* confident (β) *(ζωή, επικοινωνία)* easy (γ) *(νίκη)* easy· *(πλειοψηφία)* comfortable (δ) *(κινήσεις)* relaxed· *(συμπεριφορά, ύφος)* relaxed, easy-going
▷**το παίζω άνετος** *(αργκ.:* = *φαίνομαι ψύχραιμος)* to play it cool *(ανεπ.)·* (= *προσποιούμαι τον ανεύθυνο)* to act the innocent

ανεύθυνος, -η, -ο ΕΠΙΘ *(συμπεριφορά, πράξη)* irresponsible

ανευθυνότητα ΟΥΣ ΘΗΛ irresponsibility

ανεύρεση ΟΥΣ ΘΗΛ discovery

ανευρίσκω *(επίσ.)* Ρ Μ to discover, to find

άνευρος, -η, -ο ΕΠΙΘ lifeless

ανεφάρμοστος, -η, -ο ΕΠΙΘ (α) *(νόμος)* not in force· *(σχέδια)* not carried out (β) *(προτάσεις, μέθοδος, θεωρία)* unworkable

ανέφελος, -η, -ο ΕΠΙΘ (α) *(ουρανός)* cloudless (β) *(μτφ.: ευτυχία)* perfect· *(ζωή)* carefree, untroubled

ανέφικτος, -η, -ο ΕΠΙΘ *(πρόταση, σχέδιο)* unfeasible· *(προοπτική, στρατηγική)* impossible

ανεφοδιάζω Ρ Μ *(στρατό)* to supply
▷**ανεφοδιάζω αεροσκάφος με καύσιμα** to refuel a plane
▷**ανεφοδιάζω αεροσκάφος με πυρομαχικά** to rearm a plane

ανεφοδιασμός ΟΥΣ ΑΡΣ *(στρατεύματος)* supplying
▷**ανεφοδιασμός με καύσιμα/πυρομαχικά** *(αεροσκάφους)* refuelling *(Βρετ.) ή* refueling *(Αμερ.)*/rearming

ανέχεια ΟΥΣ ΘΗΛ poverty

ανέχομαι Ρ Μ (α) (= *δέχομαι αδιαμαρτύρητα: θόρυβο, συμπεριφορά, περιορισμό)* to put up with, to tolerate· *(ψέμα)* to tolerate (β) (= *δείχνω ανοχή: ιδέες, απόψεις, πεποιθήσεις)* to tolerate, to suffer
▷**δεν ανέχομαι κτ/να κάνω κτ** I can't stand *ή* bear sth/to do sth

ανεψιός ΟΥΣ ΑΡΣ = **ανιψιός**

ανήθικος, -ή, -ό ΕΠΙΘ (α) *(άνθρωπος, κέρδος)* immoral· *(κίνητρα)* base (β) *(πρόταση, πράξη, χειρονομία)* obscene

ανηθικότητα ΟΥΣ ΘΗΛ (α) *(ανθρώπου)* immorality· *(κινήτρων)* baseness (β) *(χειρονομίας, προτάσεων)* obscenity

άνηθος ΟΥΣ ΑΡΣ dill

ανήκουστος, -η, -ο *(αρνητ.)* ΕΠΙΘ incredible

ανήκω Ρ ΑΜ to belong
▷**ανήκει πια στο παρελθόν** it's a thing of the past

ανηλεής, -ής, -ές *(επίσ.)* ΕΠΙΘ (α) (= *άσπλαχνος)* merciless (β) *(στάση)* ruthless· *(συμπεριφορά)* callous

ανήλεος, -η, -ο ΕΠΙΘ = **ανηλεής**

ανήλιαγος, -η, -ο ΕΠΙΘ *(σπίτι, πλαγιά, κελί, δωμάτιο)* sunless

ανήλικος, -η, -ο 1 ΕΠΙΘ *(παιδιά, κληρονόμος)* underage 2 ΟΥΣ minor

ανήλιος, -α, -ο ΕΠΙΘ *(αποθήκη, κελάρι)* sunless

ανήμερα ΕΠΙΡΡ on the day
▷**ανήμερα το Πάσχα** on Easter day

ανήμερος, -η, -ο ΕΠΙΘ *(άλογο)* wild

ανήμπορος, -η, -ο ΕΠΙΘ feeble, weak· *(γέρος)* frail
▷**είμαι ανήμπορος να περπατήσω** to be too weak to walk

ανήξερος, -η, -ο ΕΠΙΘ: **κάνω τον ανήξερο** to pretend to know nothing

ανήρ *(επίσ.)* ΟΥΣ ΑΡΣ man· *βλ. κ.* **άνδρας**

> *Προσοχή!: Ο πληθυντικός του* **man** *είναι* **men**.

ανησυχητικός, -ή, -ό ΕΠΙΘ *(κατάσταση, εξέλιξη, τροπή, σύμπτωμα, σημάδι)* alarming, disturbing

ανησυχία ΟΥΣ ΘΗΛ (α) (= *αναταραχή)* unease, disquiet (β) (= *αναστάτωση)* concern
▷**βάζω κπν σε ανησυχία** to cause sb concern
▸**ανησυχίες** ΠΛΗΘ (= *ενδιαφέροντα)* leanings

ανήσυχος, -η, -ο ΕΠΙΘ (α) *(γονείς, άνθρωπος)* worried, concerned· *(βλέμμα)* anxious, worried· *(ύπνος)* fitful (β) *(παιδί, μαθητής)* rowdy
▷**ανήσυχο πνεύμα** restless spirit

ανησυχώ 1 Ρ ΑΜ to worry, to be worried· *(κυβέρνηση)* to be concerned

2 Ρ Μ (*γονείς, γείτονες*) to worry
▷**ανησυχώ για κπν/κτ** to be worried about sb/sth
▷**μην ανησυχείς** don't worry
ανηφόρα ΟΥΣ ΘΗΛ hill, rise
ανηφοριά ΟΥΣ ΘΗΛ = **ανηφόρα**
ανηφορίζω **1** Ρ ΑΜ (*άνθρωπος*) to go uphill
2 Ρ Μ (*δρόμο, μονοπάτι*) to go up
ανηφορικός, -ή, -ό ΕΠΙΘ (*δρόμος, πλαγιά*) steep
ανήφορος ΟΥΣ ΑΡΣ hill, rise
▷**παίρνω τον ανήφορο** to go up the hill· (*τιμές*) to rise, to go up
ανθεκτικός, -ή, -ό ΕΠΙΘ (α) (*υλικό*) durable, hard–wearing· (*έπιπλα*) solid· (*παπούτσια*) hard–wearing, sturdy (β) (*για πρόσ.*) tough, resilient
▷**ανθεκτικός στη φθορά** hard–wearing
▷**ανθεκτικός στις υψηλές θερμοκρασίες** resistant to high temperatures
ανθεκτικότητα ΟΥΣ ΘΗΛ (α) (*υλικών*) durability (β) (*για πρόσ.*) toughness, resilience
ανθελληνικός, -ή, -ό ΕΠΙΘ anti–Greek
ανθηρός, -ή, -ό (*επίσ.*) ΕΠΙΘ (α) (*κήπος*) full of flowers· (*λιβάδι*) covered in flowers (β) (*οικονομία, εμπόριο*) thriving, flourishing
άνθηση, άνθιση ΟΥΣ ΘΗΛ (α) (*φυτών*) flowering· (*λουλουδιών*) blooming (β) (*οικονομίας*) flourishing· (*εμπορίου*) prosperity· (*τεχνών, επιστημών*) flowering, blossoming
ανθίζω Ρ ΑΜ (*λουλούδια*) to bloom· (*δέντρα*) to flower
άνθινος, -η, -ο (*επίσ.*) ΕΠΙΘ (*στεφάνι*) floral
άνθισμα ΟΥΣ ΟΥΔ (*λουλουδιών*) blossoming· (*δέντρων, φυτών*) flowering
ανθίσταμαι (*επίσ.*) Ρ ΑΜ ΑΠΟΘ to resist
ανθοβολώ (*λογοτ.*) Ρ ΑΜ (*δέντρα*) to blossom
ανθοδέσμη ΟΥΣ ΘΗΛ bouquet
ανθοδοχείο ΟΥΣ ΟΥΔ vase
ανθόκηπος ΟΥΣ ΑΡΣ flower garden
ανθοκομία ΟΥΣ ΘΗΛ floriculture
ανθοκόμος ΟΥΣ ΑΡΣΘΗΛ (α) (*επάγγελμα*) florist (β) (*επιστήμονας*) floriculturist
ανθολογία ΟΥΣ ΘΗΛ anthology
ανθολόγιο ΟΥΣ ΟΥΔ anthology of selected texts for study at school
ανθόνερο ΟΥΣ ΟΥΔ rosewater
ανθοπωλείο ΟΥΣ ΟΥΔ flower shop, florist's
ανθοπώλης ΟΥΣ ΑΡΣ florist
ανθοπώλισσα ΟΥΣ ΘΗΛ *βλ.* **ανθοπώλης**
άνθος ΟΥΣ ΟΥΔ (α) (= *λουλούδι*) flower· (*δέντρου*) blossom (β) (= *αφρόκρεμα*) cream
ανθόσπαρτος, -η, -ο ΕΠΙΘ strewn with flowers
▷**βίον ανθόσπαρτον** (*ευχή*) *wishes for a happy married life*
ανθοστολίζω Ρ Μ to decorate with flowers
ανθοστόλιστος, -η, -ο ΕΠΙΘ decorated with flowers

ανθότυρο, ανθοτύρι ΟΥΣ ΟΥΔ cream cheese
ανθοφορία ΟΥΣ ΘΗΛ (α) (= *εποχή άνθησης*) flowering time (β) (= *άνθηση: φυτών*) flowering· (*λουλουδιών*) blooming
ανθοφόρος, -α ή -ος, -ο ΕΠΙΘ (*φυτά*) flowering
άνθρακας ΟΥΣ ΑΡΣ (α) (ΧΗΜ) carbon (β) (*επίσ.*: = *κάρβουνο*) coal
ανθρακικός, -ή, -ό ΕΠΙΘ (*ορυκτά*) carbon
▷**με ανθρακικό** fizzy, carbonated
▷**χωρίς ανθρακικό** still
▶**ανθρακικό οξύ** carbonic acid
ανθρακίτης ΟΥΣ ΑΡΣ anthracite
ανθρακωρυχείο ΟΥΣ ΟΥΔ coal mine
ανθρακωρύχος ΟΥΣ ΑΡΣ coal miner
ανθρωπάκι ΟΥΣ ΟΥΔ (α) (= *μικρόσωμος άνθρωπος*) little man (β) (*μειωτ.*) wimp (γ) (= *μικρό ομοίωμα ανθρώπου*) model
ανθρωπάριο (*αρνητ.*) ΟΥΣ ΟΥΔ worthless individual
ανθρωπιά ΟΥΣ ΘΗΛ humanity
▷**δείχνω ανθρωπιά** to show compassion
ανθρωπινά ΕΠΙΡΡ (*μιλώ, φέρομαι*) considerately· (*ντύνομαι*) decently
ανθρώπινα ΕΠΙΡΡ (*ντύνομαι, συμπεριφέρομαι*) decently
ανθρωπινός, -ή, -ό ΕΠΙΘ (*ρούχα, φαγητό*) decent· (*λόγια*) considerate
ανθρώπινος, -η, -ο ΕΠΙΘ (α) (*φωνή, ανάγκες, δραστηριότητα, ζωή, φύση*) human (β) (*καταστάσεις, αδυναμίες*) human· (*στιγμές*) tender· (*συνθήκες*) decent (γ) (*συμπεριφορά, αντιμετώπιση*) humane· (*βοήθεια*) humanitarian
▷**τα λάθη είναι ανθρώπινα** we all make mistakes, to err is human (*παροιμ.*)
▶**ανθρώπινα δικαιώματα** human rights
▶**ανθρώπινο λάθος** human error
ανθρωπίνως ΕΠΙΡΡ = **ανθρώπινα**
ανθρωπισμός ΟΥΣ ΑΡΣ (α) (ΦΙΛΟΣ) humanism (β) (= *φιλανθρωπία*) humanitarianism
ανθρωπιστής ΟΥΣ ΑΡΣ (α) (= *οπαδός ανθρωπισμού*) humanist (β) (= *φιλάνθρωπος*) humanitarian
ανθρωπιστικός, -ή, -ό ΕΠΙΘ (α) (*μελέτες, σπουδές*) humanist(ic) (β) (*βοήθεια*) humanitarian· (*διάθεση, αισθήματα*) compassionate
▶**ανθρωπιστικές επιστήμες** humanities
ανθρωποειδή ΟΥΣ ΟΥΔ ΠΛΗΘ (ΖΩΟΛ) anthropoids
ανθρωποθυσία ΟΥΣ ΘΗΛ human sacrifice
ανθρωποκεντρικός, -ή, -ό ΕΠΙΘ (*θεωρία, αντίληψη*) anthropocentric
ανθρωποκεντρισμός ΟΥΣ ΑΡΣ (ΦΙΛΟΣ) anthropocentrism
ανθρωποκτονία ΟΥΣ ΘΗΛ murder, homicide
ανθρωπολογία ΟΥΣ ΘΗΛ (*επιστήμη*) anthropology

A

ανθρωπολογικός, -ή, -ό ΕΠΙΘ (έρευνα, μελέτη) anthropological

ανθρωπολόγος ΟΥΣ ΑΡΣΘΗΛ anthropologist

ανθρωπομορφικός, -ή, -ό ΕΠΙΘ (θεωρία, αντίληψη) anthropomorphic

ανθρωπομορφισμός ΟΥΣ ΑΡΣ (ΘΡΗΣΚ, ΦΙΛΟΣ) anthropomorphism

ανθρωπόμορφος, -η, -ο ΕΠΙΘ (θεότητα, αγγείο) in human form, anthropomorphic
▷**ανθρωπόμορφο τέρας** (για έμφαση) human monster

άνθρωπος ΟΥΣ ΑΡΣ (α) (= έμβιο λογικό ον) man

> Προσοχή!: Ο πληθυντικός του **man** είναι **men**.

(β) (= κάθε άτομο) person

> Προσοχή!: Ο πληθυντικός του **person** είναι **people**.

(γ) (= ενάρετο άτομο) decent human being (δ) (= έμπιστο και οικείο άτομο) man (ε) (= σωματοφύλακας) bodyguard (στ) (= πράκτορας) agent
▷**άνθρωπος είμαι (κι εγώ)!** I'm only human!
▷**άνθρωπος των γραμμάτων/των τεχνών** man of letters/the arts
▷**άνθρωπος του θεάτρου** person involved in the theatre (Βρετ.), theater man (Αμερ.)· (= ενδιαφερόμενος) theatre–lover (Βρετ.), theater–lover (Αμερ.)
▷**άνθρωπος των σπηλαίων** caveman

> Προσοχή!: Ο πληθυντικός του **caveman** είναι **cavemen**.

▷**δεν θέλω να δω άνθρωπο!** I don't want to see anybody!
▷**ντύσου σαν άνθρωπος!** put something decent on!
▷**μίλα/φάε σαν άνθρωπος!** speak/eat properly!
▷**οικογενειάρχης άνθρωπος** family man
▷**πνευματικός άνθρωπος** man of learning
▶ άνθρωποι ΠΛΗΘ people

ανθρωπότητα ΟΥΣ ΘΗΛ mankind

ανθρωποφάγος, -ος, -ο ΕΠΙΘ (ιθαγενείς) cannibalistic
▶ ανθρωποφάγος ΟΥΣ ΑΡΣΘΗΛ cannibal

ανθρωποφοβία ΟΥΣ ΘΗΛ anthropophobia, fear of human beings

ανθυγιεινός, -ή, -ό ΕΠΙΘ (συνθήκες) insanitary, unsanitary (Αμερ.)· (συνήθεια) unhealthy· (χώρος) unhealthy, unwholesome

ανθυπασπιστής ΟΥΣ ΑΡΣΘΗΛ warrant officer

ανθυπίλαρχος ΟΥΣ ΑΡΣ second lieutenant (in tank regiment)

ανθυπολοχαγός ΟΥΣ ΑΡΣΘΗΛ second lieutenant

ανθυποπλοίαρχος ΟΥΣ ΑΡΣ sublieutenant (Βρετ.), lieutenant (junior grade) (Αμερ.)

ανθυποσμηναγός ΟΥΣ ΑΡΣΘΗΛ pilot officer (Βρετ.), second lieutenant (Αμερ.)

ανθώ (επίσ.) Ρ ΑΜ (α) (φυτό) to flower, to bloom (β) (τέχνες, εμπόριο) to flourish

ανία ΟΥΣ ΘΗΛ (α) (= πλήξη) boredom (β) (= μονοτονία) tedium
▷**πεθαίνω από ανία** to be bored to death, to die of boredom

ανιαρός, -ή, -ό ΕΠΙΘ boring, dull

ανίατος, -η, -ο ΕΠΙΘ (= αθεράπευτος) incurable
▶ **άσυλο ανιάτων** hospice

ανίδεος, -η, -ο ΕΠΙΘ ignorant

ανιδιοτέλεια ΟΥΣ ΘΗΛ selflessness

ανιδιοτελής, -ής, -ές ΕΠΙΘ (άνθρωπος) selfless· (σκοπός, αγάπη) unselfish· (προσφορά, βοήθεια) disinterested

ανίερος, -η, -ο ΕΠΙΘ (πράξη, σκοπός) sacrilegious

ανικανοποίητος, -η, -ο ΕΠΙΘ (α) (άνθρωπος, ύπαρξη) unfulfilled (β) (επιθυμία) unsatisfied· (πόθος) unrequited· (ζωή, όνειρο) unfulfilled
▷**μένω ανικανοποίητος** (υλικά) not to get satisfaction· (ηθικά) to be unfulfilled

ανίκανος, -η, -ο ΕΠΙΘ (α) (υπάλληλος, γονέας, κυβέρνηση) incompetent (β) (ΣΤΡΑΤ) unfit (γ) (για άνδρα) impotent
▷**είμαι ανίκανος για κτ** to be incapable of sth, to be unable to do sth
▷**είμαι ανίκανος να κάνω κτ** to be incapable of doing sth, to be unable to do sth

ανικανότητα ΟΥΣ ΘΗΛ (α) (υπαλλήλων, γονέων, χειρισμού υποθέσεων) incompetence (β) (ΣΤΡΑΤ) unfitness (γ) (άνδρα) impotence
▷**μόνιμη/πρόσκαιρη ανικανότητα (εργασίας)** permanent/temporary incapacity (to work)

ανίκητος, -η, -ο ΕΠΙΘ (= που δεν νικήθηκε) unbeaten· (= που δεν μπορεί να νικηθεί: στρατός) invincible· (ομάδα, αντίπαλος, αθλητής) unbeatable· (πάθος) unconquerable

ανιόν ΟΥΣ ΟΥΔ anion

ανιούσα ΟΥΣ ΘΗΛ (επίσ.: πορεία, γραμμή) rising
▷**παίρνω την ανιούσα** (επίσ.: = προοδεύω) to shape up
▶ **ανιούσα κλίμακα** (ΜΟΥΣ) rising ή ascending scale

ανισομερής, -ής, -ές ΕΠΙΘ (εξέλιξη, μέγεθος, κατανομή) unequal

ανισόπεδος, -η, -ο ΕΠΙΘ: **ανισόπεδη διάβαση** flyover (Βρετ.), overpass (Αμερ.)
▶ **ανισόπεδος κόμβος** spaghetti junction

ανισόπλευρος, -η, -ο ΕΠΙΘ (τρίγωνο) scalene· (σχήμα, δωμάτιο) with unequal sides

ανισόρροπος, -η, -ο ΕΠΙΘ (μειωτ.) unbalanced

άνισος, -η, -ο ΕΠΙΘ (α) (πλευρές, γωνίες) unequal· (τρίγωνα) not congruent (β) (αγώνας, αντίπαλος) unequal·

A

(μεταχείριση, όροι) unfair

ανισότητα ΟΥΣ ΘΗΛ (επίσης: ΜΑΘ) inequality
▸ **κοινωνική ανισότητα** social inequality

ανιστόρητος, -η, -ο ΕΠΙΘ (α) (= που δεν ξέρει ιστορία) ignorant of history (β) (= που δεν στέκει ιστορικά) ahistoric(al)

ανιστορώ Ρ Μ to recount, to relate

ανίσχυρος, -η, -ο ΕΠΙΘ powerless, impotent

άνιφτος, -η, -ο ΕΠΙΘ unwashed

ανίχνευση ΟΥΣ ΘΗΛ (α) (ανωμαλιών, στοιχείων) detection · (ταλέντων) scouting (β) (ΣΤΡΑΤ) scouting, reconnaissance

ανιχνευτής ΟΥΣ ΘΗΛ (α) (μηχάνημα) detector (β) (ΣΤΡΑΤ) scout
▸ **ανιχνευτής ψεύδους** lie detector

ανιχνευτικός, -ή, -ό ΕΠΙΘ (α) (μηχάνημα) detecting (β) (αεροπλάνο, ομάδα) reconnaissance

ανιχνεύω Ρ Μ (α) (ουσία, δυσλειτουργίες) to detect (β) (εχθρική περιοχή, έδαφος) to scout

ανίψι (υποκορ.) ΟΥΣ ΟΥΔ (αγόρι) nephew · (κορίτσι) niece

ανιψιά ΟΥΣ ΘΗΛ niece

ανιψιός ΟΥΣ ΑΡΣ nephew

αν και ΣΥΝΔ though, although

ανοδικός, -ή, -ό ΕΠΙΘ (α) (δρόμος) uphill (β) (πορεία, τάση, τροχιά, εξέλιξη) upward

άνοδος ΟΥΣ ΘΗΛ (α) (= ανάβαση) climb, ascent (β) (= ανήφορος) hill, rise (γ) (τιμών, θερμοκρασίας) rise, increase · (εισοδήματος) increase · (μισθών) rise (Βρετ.), raise (Αμερ.) · (επιπέδου) rise (δ) (στην εξουσία, ιεραρχία) rise, ascent · (στον θρόνο) accession

ανοησία ΟΥΣ ΘΗΛ (α) (ανθρώπου) stupidity (β) (για λόγο) nonsense χωρίς πληθ. · (για πράξη) stupid thing
▸ **ανοησίες!** nonsense!, rubbish! (Βρετ.)
▸ **δεν την προειδοποίησα από ανοησία μου!** how stupid of me, I forgot to tell her!
▸ **είναι ανοησία** it's stupid
▸ **κάνω ανοησία** to do something stupid, to be stupid
▸ **λέω ανοησίες** to talk nonsense

ανόητος, -η, -ο ΕΠΙΘ (άνθρωπος, πράξη, σκέψη) stupid, foolish · (λόγια) inane · (δήλωση) fatuous · (έγγραφα) meaningless
▸ **ανόητε!, ανόητη!** you idiot!
▸ **είναι ανόητο να κάνω κτ** it's stupid to do sth
▸ **μην είσαι ανόητος!** don't be stupid!

ανόθευτος, -η, -ο ΕΠΙΘ (α) (ποτά, βενζίνη, γάλα) pure, unadulterated (β) (διαδικασία, εκλογές) honest, above board · (παραδόσεις) unchanged, intact

άνοια ΟΥΣ ΘΗΛ senility
▸ **γεροντική άνοια** senile dementia
▸ **προγεροντική άνοια** Alzheimer's (disease)

άνοιγμα ΟΥΣ ΟΥΔ (α) (πόρτας, παραθύρου, μπουκαλιού, ματιών, γράμματος) opening (β) (συνόρων) opening (up) (γ) (σπηλιάς) entrance, mouth · (σε τοίχο, σε παράθυρο)

gap · (ανάμεσα σε δέντρα) clearing (δ) (θεμελίων, χαντακιού) digging (ε) (μπλούζας, φορέματος) neckline (στ) (= πλάτος) width · (γέφυρας) span (ζ) (δρόμου, ψαλίδας) widening (η) (καταστήματος, εκδήλωσης, συνεδρίου, λογαριασμού) opening · (αγοράς) opening (up) · (οικονομίας) opening up (θ) (σε νέες τάσεις, ρεύμα) opening up (ι) opening up (ια) (λουλουδιών) blooming (ιβ) (κεφαλιού) gash (ιγ) (προϋπολογισμού) deficit (ιδ) (στο σκάκι) opening (ιε) (φακού) aperture
▸ **άνοιγμα της μύτης** nosebleed

ανοιγοκλείνω ① Ρ Μ (πόρτα, παράθυρο, κουτί) to open and close
② Ρ ΑΜ (μάτια) to blink · (βλέφαρα) to flutter · (χείλη) to open and close

ανοίγω ① Ρ Μ (α) (πόρτα, παράθυρο, μπουκάλι, βλέφαρα) to open (β) (= μεγαλώνω τις διαστάσεις: παντελόνι, φούστα) to let out (γ) (= ξεκουμπώνω: πουκάμισο, παντελόνι) to undo · (= κατεβάζω το φερμουάρ) to unzip · (φερμουάρ) to open, to undo (δ) (ανεπ.: ασθενή) to cut open (ε) (τρύπα) to make, to dig · (αυλάκι, τάφρο, όρυγμα) to dig · (πηγάδι) to sink, to dig (στ) (κατάστημα, γραφείο, ίδρυμα, χορό, εκδήλωση, έκθεση) to open · (συζήτηση) to start (ζ) (φως) to turn on, to switch on · (τηλεόραση, ραδιόφωνο, βρύση) to turn on (η) (οδό) to widen · (χώρο) to open up, to enlarge (θ) (περιοδικό, εφημερίδα) to open · (χάρτη) to spread open (ι) (διαθήκη, γράμμα) to open (ια) (= παραβιάζω, κάνω διάρρηξη: μαγαζί, σπίτι, χρηματοκιβώτιο) to break into (ιβ) (χρώμα) to lighten (ιγ) (κεφάλι) to cut open (ιδ) (παπούτσια) to stretch
② Ρ ΑΜ (α) (πόρτα, παράθυρο) to open (β) (= ανθίζω: λουλούδια) to bloom · (πέταλα: στο φως) to open (γ) (σχολεία, έκθεση) to open (δ) (τοίχος, έδαφος) to be cracked · (πουκάμισο) to tear (ε) (καιρός) to clear up (στ) (παπούτσια) to stretch
▸ **ανοίγω βιβλίο** (= μελετώ) to study
▸ **ανοίγω δρόμο** (= φτιάχνω δρόμο) to make a road · (= δημιουργώ χώρο) to make way
▸ **άνοιξε η γη και τον/την κατάπιε** he/she disappeared off the face of the earth
▸ **άνοιξε η μύτη μου** my nose is bleeding
▸ **ανοίγει η τύχη μου** my luck has changed
▸ **ανοίγω λογαριασμό** to open an account
▸ **ανοίγω λογαριασμούς με κπν** to have dealings with sb
▸ **ανοίγω (παλιές) πληγές** to open up old wounds
▸ **ανοίγω πανιά** (= αποπλέω) to set sail
▸ **ανοίγω πανιά για** (μτφ.) to embark upon
▸ **ανοίγω παρένθεση** to digress
▸ **ανοίγω πυρ** to open fire
▸ **ανοίγω δουλειές σε κπν** to get sb into trouble, to cause trouble for sb
▸ **ανοίγω σπίτι** to set up home
▸ **ανοίγω τ' αφτιά μου** to listen
▸ **ανοίγω τα μάτια (μου)** (= ξυπνώ) to wake

up · (= βλέπω την πραγματικότητα) to open one's eyes, to wake up
▷**ανοίγω τα μάτια κποιου** to open sb's eyes
▷**ανοίγω τα φτερά μου** to spread one's wings
▷**ανοίγω την αγκαλιά μου** to hold out one's arms
▷**ανοίγω την καρδιά μου (σε κπν)** to open one's heart (to sb)
▷**ανοίγω την όρεξη κποιου** to give sb an appetite
▷**ανοίγω την όρεξη κποιου για κτ** (μτφ.) to give sb a taste for sth
▷**ανοίγω το βήμα μου** to start walking faster
▷**ανοίγω το σπίτι μου σε κπν** to welcome sb into one's home
▷**ανοίγω τον δρόμο σε κπν/για κτ** to pave the way for sb/sth
▷**δεν άνοιξε το στόμα του** he didn't say a word
▷**μην ανοίξεις το στόμα σου** don't say ή breathe a word
▷**μου ανοίγει η όρεξη** to get an appetite
▷**μου ανοίγει η όρεξη για κτ** to get a taste for sth
▷**ν' ανοίξει η γη (και) να με καταπιεί** (για συναίσθημα ντροπής) I wish the ground would open up and swallow me
▸ανοίγομαι ΜΕΣΟΠΑΘ (α) (= επεκτείνομαι) to branch out (β) (= ξανοίγομαι) to take risks (γ) (= σπαταλώ) to overspend (δ) (= εμπιστεύομαι) to open up (ε) (πλοίο) to head out to sea
▷**ανοίγονται νέες ευκαιρίες** new opportunities are opening up

ανοικοδόμηση ΟΥΣ ΘΗΛ (α) (= σπιτιού, ναού) reconstruction, rebuilding · (= εκ νέου οικοδόμηση) construction (β) (χώρας, οικονομίας) reconstruction

ανοικοδομώ Ρ Μ (α) (= ξαναχτίζω) to rebuild, to reconstruct (β) (= χτίζω) to build

ανοικοκύρευτος, -η, -ο ΕΠΙΘ (άνθρωπος, σπίτι, γραφείο) untidy

ανοικτά ΕΠΙΡΡ = **ανοιχτά**

ανοικτός, -ή, -ό ΕΠΙΘ = **ανοιχτός**

άνοιξη ΟΥΣ ΘΗΛ spring

ανοιξιάτικος, -η, -ο ΕΠΙΘ (καιρός, λουλούδια, ρούχα) spring
▸ανοιξιάτικα ΟΥΣ ΟΥΔ ΠΛΗΘ spring clothes

ανοιχτά ΕΠΙΡΡ (α) (αφήνω) open (β) (μιλώ) openly, candidly (γ) (= στα βαθιά) out at sea (δ) (ΑΘΛ: παίζω) offensively
▷**είμαστε ανοιχτά κάθε μέρα** we're open every day
▷**παίρνω τη στροφή ανοιχτά** to take a wide turn

ανοιχτήρι ΟΥΣ ΟΥΔ (κονσερβών) can ή tin (Βρετ.) opener · (μπουκαλιών) bottle opener

ανοιχτόκαρδος, -η, -ο ΕΠΙΘ warm-hearted

ανοιχτομάτης, -α ή -ισσα, -ικο (ανεπ.) ΕΠΙΘ smart, shrewd

ανοιχτόμυαλος, -η, -ο ΕΠΙΘ open-minded

ανοιχτός, -ή, -ό ΕΠΙΘ (α) (πόρτα, παράθυρο,

μπουκάλι, συρτάρι, μάτια, βλέφαρα) open · (αυτοκίνητο, δωμάτιο) open, unlocked · (δοχείο, κατσαρόλα) uncovered · (χωράφι) open, unfenced (β) (πουκάμισο, σακάκι, παντελόνι) undone · (= με μεγάλο ντεκολτέ: μπλούζα, φόρεμα) with a low neckline (γ) (τραύμα, πληγή) open (δ) (θάλασσα, πέλαγος) open · (ορίζοντας) far (ε) (βιβλίο, εφημερίδα, παλάμη) open (στ) (δρόμος) clear (ζ) (για καταστήματα, υπηρεσίες) open (η) (υπόθεση, ζήτημα, θέμα) unsettled (θ) (αγώνας, παιχνίδι) open–ended (ι) (διαγωνισμός, αγορά, οικονομία) open (ια) (λογαριασμός) outstanding (ιβ) (άνθρωπος, τύπος, χαρακτήρας) outgoing (ιγ) (χρώμα, επιδερμίδα) light (ιδ) (διαμαρτυρία, αντίδραση) overt · (επίθεση) direct · (περιφρόνηση, αποδοκιμασία) undisguised (ιε) (φυτό, λουλούδια) in bloom (ιστ) (ημερομηνία) not fixed
▷**αφήνω το φως/την τηλεόραση/τη βρύση ανοιχτό/ανοιχτή** to leave the light/the TV/ the tap (Βρετ.) ή faucet (Αμερ.) on
▷**είμαι ανοιχτό βιβλίο** to be an open book
▷**είμαι ανοιχτός σε νέες ιδέες/προτάσεις** to be open to new ideas/suggestions
▷**έχω ανοιχτή καρδιά** to be warm–hearted
▷**έχω ανοιχτό μυαλό ή πνεύμα** to be open–minded
▷**έχω ανοιχτούς λογαριασμούς με κπν** to have a score to settle with sb
▷**έχω τα μάτια μου ανοιχτά** to keep one's eyes open
▷**με ανοιχτές αγκάλες** with open arms
▷**μένω με ανοιχτό το στόμα** to stand open–mouthed
▷**το σπίτι μου είναι ανοιχτό σε σας** you're always welcome in my home
▸**ανοιχτή επιστολή** open letter
▸**ανοιχτό πανεπιστήμιο** Open University (Βρετ.), correspondence school (Αμερ.)
▸**ανοιχτή στροφή** wide turn
▸ανοιχτά ΟΥΣ ΟΥΔ ΠΛΗΘ: **τα ανοιχτά** the open sea

ανοιχτοχέρης, -α, -ικο ΕΠΙΘ generous, open–handed
▸**ανοιχτοχέρης** ΟΥΣ ΑΡΣ, **ανοιχτοχέρα** ΟΥΣ ΘΗΛ generous ή open–handed person

ανοιχτόχρωμος, -η, -ο ΕΠΙΘ (δέρμα, κοστούμι) light–coloured (Βρετ.), light–colored (Αμερ.)

ανομβρία ΟΥΣ ΘΗΛ drought

ανομία ΟΥΣ ΘΗΛ (α) (= έλλειψη νόμων) lawlessness (β) (= παρανομία) crime · (ηθική) sin

ανομοιογένεια ΟΥΣ ΘΗΛ diversity

ανομοιογενής, -ής, -ές ΕΠΙΘ (πληθυσμός, ήπειρος, μάζα, σύνολο, στοιχεία) disparate, diverse

ανομοιομορφία ΟΥΣ ΘΗΛ lack of uniformity

ανομοιόμορφος, -η, -ο ΕΠΙΘ (ροή, κίνηση, σχέδια) irregular · (εμφάνιση) dissimilar ·

A

(κατανομή) unequal · (πεδίο) uneven

ανόμοιος, -α, -ο ΕΠΙΘ different

ανομοιότητα ΟΥΣ ΘΗΛ difference, disparity

ανομολόγητος, -η, -ο ΕΠΙΘ (α) (πράξεις) unmentionable · (κίνητρο) ulterior (β) (έρωτας, πάθος) secret, unspoken · (μυστικό) hidden (γ) (χαρά, λύπη, φρικαλεότητα) indescribable

άνομος, -η, -ο ΕΠΙΘ (α) (= παράνομος) illegal (β) (= ανήθικος) immoral

ανοξείδωτος, -η, -ο ΕΠΙΘ (σκεύη, νεροχύτης) stainless steel · (χάλυβας) stainless

ανόργανος, -η, -ο ΕΠΙΘ (ΧΗΜ) inorganic
▸**ανόργανη γυμναστική** free gymnastics

ανοργάνωτος, -η, -ο ΕΠΙΘ (α) (εταιρεία, ενέργεια) disorganized (β) (= ακατάστατος) disorganized (γ) (εργαζόμενοι) unaffiliated

ανορεξία ΟΥΣ ΘΗΛ (α) (= έλλειψη όρεξης) lack of appetite (β) (= έλλειψη διάθεσης) low spirits πληθ.
▷**έχω ανορεξία** to have no appetite
▷**έχω ανορεξίες** (ειρων.) to eat like a horse (ανεπ.)

ανόρεχτος, -η, -ο ΕΠΙΘ (α) (= που δεν έχει όρεξη) with no appetite (β) (= άκεφος) dispirited (γ) (= απρόθυμος: βλέμμα) lifeless · (γέλια) half-hearted

ανορθογραφία ΟΥΣ ΘΗΛ spelling mistake

ανορθόγραφος, -η, -ο ΕΠΙΘ (α) (μαθητής, φοιτητής) poor at spelling (β) (έκθεση, κείμενο) full of spelling mistakes

ανορθόδοξος, -η, -ο ΕΠΙΘ (μέθοδος, πρακτική, τακτική) unorthodox

ανορθώνω Ρ Μ (α) (σακί, κολόνα) to stand upright (β) (οικονομία) to revive (γ) (αρχοντικό, τείχος) to restore

ανόρθωση ΟΥΣ ΘΗΛ (α) (εκκλησίας, τείχους) restoration (β) (οικονομίας, κράτους) recovery · (παιδείας) reform · (στήθους) reconstruction

ανορθωτικός, -ή, -ό ΕΠΙΘ (πρόγραμμα) of reforms · (κίνημα) for reforms

ανόρυξη (επίσ.) ΟΥΣ ΘΗΛ (α) (θεμελίων, σήραγγας) digging, excavation (β) (γαιάνθρακα) mining

ανοσία ΟΥΣ ΘΗΛ (κυριολ., μτφ.) immunity

ανόσιος, -α, -ο ΕΠΙΘ (πράξεις) ungodly, sacrilegious · (έγκλημα) heinous · (σκοπός, πάθος) unholy

ανοσιούργημα ΟΥΣ ΟΥΔ outrage

ανοσοποιητικός, -ή, -ό ΕΠΙΘ (μηχανισμός, παράγοντας) immune
▸**ανοσοποιητικό σύστημα** immune system

ανοσταίνω Ρ Μ = **ανοστίζω**

ανοστίζω ① Ρ Μ (φαγητό) to make tasteless ② Ρ ΑΜ (φαγητό) to be tasteless

άνοστος, -η, -ο ΕΠΙΘ (α) (φαγητό) tasteless, bland (β) (αστείο) lame · (έργο, ηθοποιός, ζωή) dull · (γυναίκα, άντρας) plain

ανούσιος, -α, -ο ΕΠΙΘ (α) (φαγητό) tasteless (β) (βιβλίο, ταινία) tame · (συζήτηση) inane ·

(πάρτι) dull

ανοχή ΟΥΣ ΘΗΛ tolerance
▷**δείχνω ανοχή σε κπν/κτ** to be tolerant of sb/ sth
▸**οίκος ανοχής** (ευφημ.) house of ill-repute

ανοχύρωτος, -η, -ο ΕΠΙΘ (α) (σημείο, θέση) unfortified (β) (για φυσικές καταστροφές) defenceless (Βρετ.) · ή defenseless (Αμερ.)(against natural disasters)

ανταγωνίζομαι Ρ Μ ΑΠΟΘ: **ανταγωνίζομαι κπν (σε κτ)** to compete with ή against sb (for sth)

ανταγωνισμός ΟΥΣ ΑΡΣ (μαθητών, επαγγελματιών) rivalry · (εμπορικός) competition
▸**αθέμιτος ανταγωνισμός** (ΝΟΜ) unfair competition · (γενικότ.) fierce ή bitter rivalry

ανταγωνιστής ΟΥΣ ΑΡΣ (= αντίπαλος) rival · (για εταιρείες) competitor

ανταγωνιστικός, -ή, -ό ΕΠΙΘ (α) (σχέση, παιχνίδια) competitive · (εταιρεία, περιοδικό, σχολεία) rival (β) (προϊόντα, τιμές) competitive

ανταγωνίστρια ΟΥΣ ΘΗΛ βλ. **ανταγωνιστής**

ανταλλαγή ΟΥΣ ΘΗΛ exchange
▷**κάνω μια ανταλλαγή** to do a swap
▷**κάνω ανταλλαγή γραμματοσήμων** to swap stamps
▷**κάνω ανταλλαγή καρτών** to exchange cards
▸**πολιτιστικές ανταλλαγές** cultural exchanges
▸**ανταλλαγή φοιτητών/μαθητών** student exchange

αντάλλαγμα ΟΥΣ ΟΥΔ exchange
▷**βοηθώ κπν χωρίς αντάλλαγμα** to help sb without asking for anything in return
▷**δίνω κτ ως αντάλλαγμα (για κτ)** to give sth in exchange (for sth)
▷**ζητώ κτ ως αντάλλαγμα** to ask for sth in return
▷**με αντάλλαγμα κτ** in exchange for sth

ανταλλακτικό ΟΥΣ ΟΥΔ spare part

ανταλλάσσω Ρ Μ (ιδέες, βρισιές, αιχμαλώτους, κάρτες) to exchange · (προϊόντα) to trade · (γραμματόσημα, βιβλία) to swap
▷**αντάλλαξαν χαμόγελα/φιλοφρονήσεις** they smiled at/complimented each other

ανταμείβω Ρ Μ to reward

ανταμοιβή ΟΥΣ ΘΗΛ reward
▸**μην περιμένεις ανταμοιβή** don't expect anything in return

ανταμώνω ① Ρ Μ (άνθρωπο) to meet · (ζώα) to come across
② Ρ ΑΜ (= συναντώμαι) to meet
▷**ανταμώνω με κπν** to bump into sb
▸**ανταμώνομαι** ΜΕΣΟΠΑΘ to meet

αντάμωση ΟΥΣ ΘΗΛ: **καλή αντάμωση!** see you again soon!

αντανάκλαση ΟΥΣ ΘΗΛ (κυριολ., μτφ.) reflection

αντανακλαστικά ΟΥΣ ΟΥΔ ΠΛΗΘ reflexes

αντανακλαστικός, -ή, -ό ΕΠΙΘ (φακός, κάτοπτρο) reflective

▸**αντανακλαστικό φαινόμενο** reflex action

αντανακλώ ① Ρ Μ (*κυριολ., μτφ.*) to reflect ② Ρ ΑΜ (*φως, ήχος*) to reflect
▹**αντανακλώ σε κπν/κτ** to have an effect on sb/sth

αντάξιος, -α, -ο ΕΠΙΘ worthy
▹**είμαι αντάξιος κποιου** to be worthy of sb

ανταπάντηση ΟΥΣ ΘΗΛ reply, retort

ανταπαντώ Ρ Μ to reply, to retort

ανταποδίδω Ρ Μ (*ευχές, χαιρετισμό, επίσκεψη, φιλοφρόνηση*) to return · (*αγάπη*) to return, to reciprocate · (*ενεργεσία, χάρη*) to repay, to return · (*ζημιά, κακό*) to pay back
▹**ανταποδίδω το χτύπημα** to hit back
▹**ανταποδίδω τα ίσα** to pay in kind · (= *εκδικούμαι*) to get even

ανταπόδοση ΟΥΣ ΘΗΛ (*φιλοφρόνησης, χαιρετισμού, επίσκεψης*) return · (*αγάπης*) reciprocation · (*ζημιάς, κακού*) repayment
▹**ανταπόδοση χτυπήματος** hitting back
▹**θα βρεις ανταπόδοση από μένα** I'll repay you
▹**περιμένω ανταπόδοση για κτ** to expect something in return for sth
▹**σε ανταπόδοση** +γεν. in return for

ανταποδοτικός, -ή, -ό ΕΠΙΘ reciprocal

ανταποκρίνομαι Ρ ΑΜ ΑΠΟΘ: **ανταποκρίνομαι σε** (*ερέθισμα, κάλεσμα*) to respond to · (*πραγματικότητα*) to reflect · (*υποχρεώσεις, έξοδα, απαιτήσεις*) to meet · (*καθήκοντα*) to fulfil (*Βρετ.*), to fulfill (*Αμερ.*)
▹**αναποκρίνομαι στην αγάπη ή στον έρωτα/ στα συναισθήματα κποιου** to reciprocate sb's love/feelings

ανταπόκριση ΟΥΣ ΘΗΛ (*α*) (= *απάντηση*) response (*β*) (*δημοσιογράφου*) report (*γ*) (*για μεταφορικά μέσα*) connection
▹**βρίσκω ανταπόκριση (από κπν για ή σε κτ)** to get support (from sb for sth)
▹**η αγάπη ή ο έρωτάς μου έμεινε χωρίς ανταπόκριση** my love was not reciprocated

ανταποκριτής ΟΥΣ ΑΡΣ correspondent
▸**πολεμικός ανταποκριτής** war correspondent

ανταποκρίτρια ΟΥΣ ΘΗΛ *βλ.* **ανταποκριτής**

αντάρα (*λογοτ.*) ΟΥΣ ΘΗΛ (*α*) (= *κακοκαιρία*) stormy weather (*β*) (= *ομίχλη*) fog (*γ*) (= *ταραχή*) commotion · (*μάχης*) mayhem

Ανταρκτική ΟΥΣ ΘΗΛ: **η Ανταρκτική** Antarctica

ανταρκτικός, -ή, -ό ΕΠΙΘ Antarctic

Προσοχή!: Τα εθνικά επίθετα, όπως **Antarctic**, *γράφονται με κεφαλαίο το αρχικό γράμμα στα Αγγλικά.*

ανταρσία ΟΥΣ ΘΗΛ (*α*) (*σε πλοίο*) mutiny (*β*) (*στρατιωτών, φυλακισμένων, πολιτών*) rebellion, revolt · (*παιδιών, εφήβων*) rebellion
▹**κάνω ανταρσία** to rebel

αντάρτης ΟΥΣ ΑΡΣ (*α*) (= *επαναστάτης*) guerrilla, partisan (*β*) (= *ταραξίας*) troublemaker

αντάρτισσα ΟΥΣ ΘΗΛ *βλ.* **αντάρτης**

ανταρτοπόλεμος ΟΥΣ ΑΡΣ guerrilla warfare

ανταύγεια ΟΥΣ ΘΗΛ (= *λάμψη*) glow
▸**ανταύγειες** ΠΛΗΘ highlights

άντε (*ανεπ.*) ΕΠΙΦΩΝ: **άντε να** go and
▹**άντε να παίξετε** go and play
▹**άντε γρήγορα!** hurry up!
▹**άντε να τον γνωρίσεις!** you'd hardly recognize him!
▹**άντε πνίξου!** go take a running jump!
▹**άντε! Δεν το πιστεύω** get away with you!
▹**άντε, ρε, σοβαρά;** you're kidding!
▹**άντε, τι μου λες!** get away with you!
▹**άντε ντε!** go on!
▹**είναι 28, άντε το πολύ 30 χρονών** he's 28, or 30 at the most
▹**άντε καλέ (που)** (*για διαφωνία*) there's no way (he/she/it) · (*για ειρωνεία*) you don't say!
▹**άντε πάλι (απ'την αρχή)!** here we go again! (*ανεπ.*)

αντεγκλήσεις ΟΥΣ ΘΗΛ ΠΛΗΘ recriminations

αντεθνικός, -ή, -ό ΕΠΙΘ unpatriotic

αντεισαγγελέας ΟΥΣ ΑΡΣΘΗΛ assistant public prosecutor, assistant district attorney (*Αμερ.*)

αντεκδίκηση ΟΥΣ ΘΗΛ reprisal, retaliation

αντεκδικούμαι ① Ρ Μ ΑΠΟΘ (*επίθεση*) to counter · (*φόνο*) to avenge ② Ρ ΑΜ: **αντεκδικούμαι για κτ** to take revenge for sth, to retaliate for sth

αντένα ΟΥΣ ΘΗΛ (*α*) (*τηλεόρασης, ραδιοφώνον, ασυρμάτου*) aerial (*Βρετ.*), antenna (*Αμερ.*)

Προσοχή!: Ο πληθυντικός του **antenna** *είναι* **antennae** *ή* [.

(*β*) (*ιστιοφόρου πλοίου*) (sail)yard

αντενδείκνυμαι Ρ ΑΜ: **αντενδείκνυται** ΤΡΙΤΟΠΡΟΣ (*φάρμακο, θεραπεία*) not to be recommended

αντεπεξέρχομαι (*επίσ.*) Ρ ΑΜ ΑΠΟΘ: **αντεπεξέρχομαι σε** (*προβλήματα, κατάσταση*) to cope with · (*ανάγκες, υποχρεώσεις*) to meet

αντεπίθεση ΟΥΣ ΘΗΛ counterattack
▹**περνώ στην αντεπίθεση** to launch a counterattack

αντεπιστημονικός, -ή, -ό ΕΠΙΘ (*μέθοδος*) unscientific

αντεπιτίθεμαι Ρ ΑΜ ΑΠΟΘ to counterattack

αντεραστής ΟΥΣ ΑΡΣ rival (*in love*)

αντεργκράουντ ΕΠΙΘ ΑΚΛ (*ταινία, εικονογραφημένα, ρεύμα*) underground
▸**αντεργκράουντ** ΟΥΣ ΟΥΔ underground art

άντερο ΟΥΣ ΟΥΔ bowel, gut
▹**βγάζω τ' άντερά μου** to throw up (*ανεπ.*)
▹**δεν μου μένει άντερο από τα γέλια** my sides are aching with laughter
▹**μου γυρίζουν τ' άντερα** it turns my stomach
▹**στριμμένο άντερο** ugly customer (*ανεπ.*) · *βλ. κ.* **έντερο**

αντευρωπαϊκός, -ή, -ό ΕΠΙΘ =

αντιευρωπαϊκός
αντευρωπαϊστής ΟΥΣ ΑΡΣ *βλ.*
αντιευρωπαϊστής
αντευρωπαϊστρια ΟΥΣ ΘΗΛ *βλ.*
αντιευρωπαϊστής
αντέχω ① P AM (α) *(αμίαντος, ύφασμα)* to be resistant · *(ρούχο)* to be hard–wearing (β) *(στρατός)* to hold out · *(αθλητής)* to take the pace (γ) *(άνθρωπος, γάλα, τυρί, μπαταρία)* to last ② P M (α) *(άνθρωπο, φωνές, κακά αστεία)* to tolerate, to stand (β) *(κρύο, ζέστη, πίεση)* to stand, to take (γ) *(θεραπεία, φάρμακο, εγχείρηση)* to withstand
▷**αντέχει η τσέπη μου** I can afford it
▷**αντέχω στο κρύο/στα βασανιστήρια** to endure the cold/torture
▷**αντέχω στις υψηλές θερμοκρασίες/στην πολλή δουλειά** to stand high temperatures/hard work
▷**αντέχω στον χρόνο** to last
▷**δεν αντέχω άλλο!** I can't stand it any more!, I can't take any more!
▷**δεν σε αντέχω (άλλο) πια!** I've had enough of you!
▷**δεν αντέχω καβγάδες/να βλέπω αίματα** I can't stand arguments/the sight of blood
▷**δεν αντέχω να κάνω κτ** I can't stand doing sth
▷**δεν αντέχω σε έλεγχο** not to bear close inspection
▷**δεν αντέχω σε συγκρίσεις** to bear no comparison
▷**δεν αντέχεται!** it can't go on!
▷**δεν τον/την αντέχω** I can't stand him/her
αντζούγια ΟΥΣ ΘΗΛ = **αντσούγια**
αντηλιά ΟΥΣ ΘΗΛ *(επιφάνειας)* glare
αντηλιακό ΟΥΣ ΟΥΣ sunscreen
αντηλιακός, -ή, -ό ΕΠΙΘ *(κρέμα)* suntan · *(προστασία)* sun
αντηρίδα ΟΥΣ ΘΗΛ *(στεγάστρου)* prop, strut · *(οικοδομήματος)* strut · *(ασταθούς εδάφους)* shoring *χωρίς πληθ.*
αντήχηση ΟΥΣ ΘΗΛ echo
αντηχώ P AM (α) *(φωνή)* to echo · *(μουσική)* to reverberate (β) *(χώρος, δωμάτιο)* to resound *(από* with)
αντί, αντ', ανθ' ΠΡΟΘ (α) *(= αντικατάσταση)* instead of (β) *(= προτίμηση)* instead of (γ) *(= ανταπόδοση)* instead of (δ) *(= αντίτιμο)* for
▷**αντί να κάνω κτ** instead of doing sth
αντιαεροπορικός, -ή, -ό ΕΠΙΘ *(βλήματα, άμυνα)* anti-aircraft
▶**αντιαεροπορικά** ΟΥΣ ΟΥΔ ΠΛΗΘ ant–aircraft defences *(Βρετ.)* ή defenses *(Αμερ.)*
αντιαθλητικός, -ή, -ό ΕΠΙΘ *(συμπεριφορά, πνεύμα)* unsporting, unsportsmanlike
▶**αντιαθλητικό φάουλ** *(στην καλαθοσφαίρηση)* flagrant foul
αντιαισθητικός, -ή, -ό ΕΠΙΘ unsightly
αντιαρματικός, -ή, -ό ΕΠΙΘ *(πυροβόλο,*

βλήματα, όπλα) antitank
▶**αντιαρματικά** ΟΥΣ ΟΥΔ ΠΛΗΘ antitank weapons
αντιασφυξιογόνος, -ος ή -α, -ο ΕΠΙΘ:
αντιασφυξιογόνος μάσκα gas mask, respirator
αντιβαίνω P AM: **αντιβαίνει σε κτ** ΤΡΙΤΟΠΡΟΣ to be contrary to sth
αντιβαλλιστικός, -ή, -ό ΕΠΙΘ *(πύραυλος)* antiballistic
αντίβαρο ΟΥΣ ΟΥΔ (α) *(μηχανισμού)* counterweight (β) *(= αντιστάθμισμα)* counterbalance
αντιβασιλέας ΟΥΣ ΑΡΣ regent
αντιβασιλεία ΟΥΣ ΘΗΛ regency
αντιβασιλικός, -ή, -ό ΕΠΙΘ *(ιδέα, εκδήλωση)* anti–royalist
▶**αντιβασιλικός** ΟΥΣ ΑΡΣ, **αντιβασιλική** ΟΥΣ ΘΗΛ anti–royalist
αντιβασίλισσα ΟΥΣ ΘΗΛ regent
αντιβιοτικό ΟΥΣ ΟΥΔ antibiotic
αντιβίωση ΟΥΣ ΘΗΛ antibiotics *πληθ.*
▷**παίρνω αντιβίωση** to be on antibiotics
αντιγνωμία ΟΥΣ ΘΗΛ difference of opinion
αντιγραμματικός, -ή, -ό ΕΠΙΘ *(πρόταση)* ungrammatical
αντιγραφέας ΟΥΣ ΑΡΣ&ΘΗΛ (α) *(κειμένου, χειρογράφου)* scribe (β) *(έργων τέχνης)* reproducer (γ) *(αρνητ.)* plagiarist
αντιγραφή ΟΥΣ ΘΗΛ (α) *(χειρογράφων)* copying (out) (β) *(ΠΛΗΡΟΦ)* copy (γ) *(ΤΕΧΝ)* reproduction (δ) *(= λογοκλοπή)* plagiarism (ε) *(σε γραπτή εξέταση)* cheating, copying (στ) *(προτύπων)* copying, imitating
▷**κάνω αντιγραφή** *(σε γραπτή εξέταση)* to cheat, to copy
αντίγραφο ΟΥΣ ΟΥΔ (α) *(ομιλίας)* transcript · *(εγγράφου, συμβολαίου)* copy (β) *(ΤΕΧΝ)* reproduction, copy (γ) *(βιβλίου, κασέτας, σιντί)* copy
▶**ακριβές αντίγραφο** true copy
▶**επικυρωμένο αντίγραφο** certified copy
αντιγράφω ① P M (α) *(κείμενο, ασκήσεις)* to copy (out) (β) *(πίνακα)* to copy, to do a reproduction of (γ) *(χαρακτήρα, συμπεριφορά)* to copy, to mimic (δ) *(κασέτα, σιντί, δισκέτα)* to make a copy of ② P AM *(μαθητής, φοιτητής)* to cheat, to copy
αντιδεοντολογικός, -ή, -ό ΕΠΙΘ unethical
αντιδήμαρχος ΟΥΣ ΑΡΣ&ΘΗΛ deputy mayor
αντιδημοκρατικός, -ή, -ό ΕΠΙΘ undemocratic
αντιδημοτικός, -ή, -ό ΕΠΙΘ *(πολιτική, μέτρα)* unpopular
αντίδι ΟΥΣ ΟΥΔ endive
αντιδιαστέλλω P M to distinguish
αντιδιαστολή ΟΥΣ ΘΗΛ distinction
▷**κατ' αντιδιαστολή προς κτ** as distinct from sth
αντίδικη ΟΥΣ ΘΗΛ *βλ.* **αντίδικος**
αντιδικία ΟΥΣ ΘΗΛ *(ΝΟΜ)* litigation

(β) (= *διαφωνία*) argument
αντίδικος ΟΥΣ ΑΡΣ litigant
αντιδικώ Ρ ΑΜ to argue
αντιδογματικός, -ή, -ό ΕΠΙΘ not dogmatic
αντίδοτο ΟΥΣ ΟΥΔ (*κυριολ., μτφ.*) antidote
αντίδραση ΟΥΣ ΘΗΛ (α) (*γενικότ.*) reaction
(β) (= *αρνητική στάση*) opposition *χωρίς*
πληθ. (γ) (*οργανισμού*) reaction
▷**από αντίδραση** (*διαφωνώ*) out of spite ·
(*παντρεύομαι*) on the rebound
▷**σε αντίδραση για** in protest against
▸**δράση-αντίδραση** action and reaction
▸**μυϊκή αντίδραση** muscular reaction
▸**πυρηνική αντίδραση** nuclear reaction
▸**χημική αντίδραση** chemical reaction
αντιδραστήρας ΟΥΣ ΑΡΣ reactor
▸**πυρηνικός αντιδραστήρας** nuclear reactor
αντιδραστικός, -ή, -ό ΕΠΙΘ (α) (*άνθρωπος*)
argumentative · (*συμπεριφορά*)
confrontational (β) (*πολιτική, τάσεις, ιδέες*)
reactionary
αντιδρώ Ρ ΑΜ (α) (= *εναντιώνομαι*) to be
opposed (*σε* to) (β) (*σε νέα, είδηση,*
πληροφορία) to react (*σε* to) (γ) (ΧΗΜ) to
react (*με* with) (δ) (*οργανισμός*) to react
αντίδωρο ΟΥΣ ΟΥΔ communion wafer
αντιεμπορικός, -ή, -ό ΕΠΙΘ eclectic
αντιεπαγγελματικός, -ή, -ό ΕΠΙΘ
unprofessional
αντιεπιστημονικός, -ή, -ό ΕΠΙΘ =
αντεπιστημονικός
αντιευρωπαϊκός, -ή, -ό ΕΠΙΘ anti–European
αντιευρωπαΐστρια ΟΥΣ ΑΡΣ anti–European
αντιευρωπαΐστρια ΟΥΣ ΘΗΛ *βλ.*
αντιευρωπαΐστής
αντιζηλία ΟΥΣ ΘΗΛ rivalry
αντίζηλος ΟΥΣ ΑΡΣΘΗΛ rival
αντίθεος ΟΥΣ ΑΡΣ (= *άθεος*) atheist
▷**ο αντίθεος** the Antichrist
αντίθεση ΟΥΣ ΘΗΛ (α) opposition (*για* to) ·
(*απόψεων*) clash (β) (*χρωμάτων, φωτισμού*)
contrast (γ) (ΦΙΛΟΛ) antithesis

Προσοχή!: Ο πληθυντικός του **antithesis**
είναι **antitheses.**

▷**εν αντιθέσει προς, σε αντίθεση με** as
opposed to
▷**έρχομαι σε αντίθεση με κπν/κτ** to clash
with sb/sth
▷**κατ' αντίθεσιν προς** unlike, in contrast to
▸**χρωματική αντίθεση** contrasting colour
(*Βρετ.*) *ή* color (*Αμερ.*)
αντίθετα ΕΠΙΡΡ (α) (*για αντιπαράθεση*) on the
contrary (β) (= *κάθε άλλο*) on the contrary
(γ) : **κάνω κτ αντίθετα από** to do sth
contrary to
αντιθετικός, -ή, -ό ΕΠΙΘ (*τάσεις*) contrasting
▸**αντιθετικός σύνδεσμος** adversative
conjunction
αντίθετο ΟΥΣ ΟΥΔ opposite

▷**το αντίθετο (μάλιστα)** on the contrary
αντίθετος, -η, -ο ΕΠΙΘ (α) (*έννοια,*
αποτέλεσμα, πλευρά) opposite (β) (*πορεία*)
reverse · (*κατεύθυνση*) opposite
(γ) (= *ενάντιος*) opposed
▷**είναι αντίθετο από τις αρχές μου** it's
against my principles
▸**αντίθετο φύλο** opposite sex
αντιθρησκευτικός, -ή, -ό ΕΠΙΘ
(*προπαγάνδα*) anti–religious
αντιιός ΟΥΣ ΑΡΣ (ΠΛΗΡΟΦ) antivirus
αντίκα ΟΥΣ ΘΗΛ antique
αντικαγκελλάριος ΟΥΣ ΑΡΣ vice–chancellor
αντικαθεστωτικός, -ή, -ό ΕΠΙΘ (*δράση,*
διακύρηξη, σύνθημα) subversive
▸**αντικαθεστωτικός** ΟΥΣ ΑΡΣ, **αντικαθεστωτική**
ΟΥΣ ΘΗΛ subversive
αντικαθιστώ Ρ Μ (α) (*μηχανή, υλικό*) to
replace · (*τιμές*) to substitute (β) (*συνάδελφο,*
υπάλληλο) to stand in for · (*σκοπό*) to relieve
αντικανονικός, -ή, -ό ΕΠΙΘ (*προσπέραση,*
στάθμευση) illegal
αντικανονικότητα ΟΥΣ ΘΗΛ (*διαδικασιών,*
ενεργειών) irregularity
αντικαρκινικός, -ή, -ό ΕΠΙΘ (*θεραπεία,*
έρανος, κέντρο) cancer
αντικαταβολή ΟΥΣ ΘΗΛ : **πληρώνω με**
αντικαταβολή to pay on delivery
αντικατασκοπία ΟΥΣ ΘΗΛ
(α) (= *καταπολέμηση κατασκοπίας*)
counterespionage, counterintelligence
(β) (*κρατική υπηρεσία*) secret service
αντικατάσταση ΟΥΣ ΘΗΛ (*λάμπας, μηχανής,*
υπαλλήλου) replacement · (*σκοπών*) changing
αντικαταστάτης ΟΥΣ ΑΡΣ (*για γονείς, παίκτη*)
substitute · (*για υπάλληλο*) stand–in,
replacement · (*για ηθοποιό*) understudy
αντικαταστάτρια ΟΥΣ ΘΗΛ *βλ.*
αντικαταστάτης
αντικατοπτρισμός ΟΥΣ ΑΡΣ (α) (= *οπτική*
απάτη) mirage (β) (= *αντανάκλαση*)
reflection
αντίκειμαι (*επίσ.*) Ρ ΑΜ ΑΠΟΘ: **αντίκειμαι σε** *ή*
προς κτ to go against sth · (*Σύνταγμα, νόμο*)
to contravene sth
αντικειμενικός, -ή, -ό ΕΠΙΘ (α) (*περιγραφή,*
κριτική, διαδικασίες) objective (β) (*κριτής,*
δάσκαλος, παρατηρητής) impartial
▸**αντικειμενική αξία** value per square metre
(*Βρετ.*) *ή* meter (*Αμερ.*)
▸**αντικειμενικός σκοπός** *ή* **στόχος** objective
αντικειμενικότητα ΟΥΣ ΘΗΛ objectivity
αντικείμενο ΟΥΣ ΟΥΔ (α) (= *πράγμα*) object
(β) (*έρευνας, συζήτησης, σπουδών, μελέτης*)
subject
▷**αντικείμενα πολυτελείας** luxury items
▷**είμαι** *ή* **γίνομαι αντικείμενο κοροϊδίας/τού**
πόθου/θαυμασμού to be/become an object
of ridicule/desire/admiration
▷**είμαι** *ή* **γίνομαι αντικείμενο σχολίων/**
παραπόνων to receive comments/complaints

▷**είμαι** ή **γίνομαι αντικείμενο εκμετάλλευσης** to be exploited
▷**εξ αντικειμένου** objectively
▸**άμεσο/έμμεσο αντικείμενο** direct/indirect object
αντικέρ ΟΥΣ ΑΡΣ/ΘΗΛ ΑΚΛ antique dealer
αντικίνητρο ΟΥΣ ΟΥΔ disincentive
αντικλείδι ΟΥΣ ΟΥΔ master key, skeleton key
▷**βγάζω αντικλείδι** to have a key cut
αντικοινωνικός, -ή, -ό ΕΠΙΘ
(α) (*συμπεριφορά, ενέργεια*) antisocial
(β) (*άνθρωπος*) unsociable
αντικοινωνικότητα ΟΥΣ ΘΗΛ (α) (= *εχθρική συμπεριφορά*) antisocial behaviour (*Βρετ.*) ή behavior (*Αμερ.*) (β) (= *έλλειψη κοινωνικότητας*) unsociability
αντικολλητικός, -ή, -ό ΕΠΙΘ (*σκεύος*) non–stick
αντικρίζω Ρ Μ (α) (= *βλέπω*) to see (β) (= *βρίσκομαι απέναντι*) to be opposite, to face (γ) (= *αντιμετωπίζω*) to face
αντικρινός, -ή, -ό ΕΠΙΘ opposite
αντίκρισμα ΟΥΣ ΟΥΔ (α) (= *θέα*) sight (β) (ΟΙΚΟΝ) funds *πληθ.*
▷**επιταγή χωρίς αντίκρισμα** bad cheque (*Βρετ.*) ή check (*Αμερ.*)
αντικριστά ΕΠΙΡΡ (*κάθομαι, βρίσκομαι, χορεύω*) face to face
αντικριστός, -ή, -ό ΕΠΙΘ (α) (*θέση*) opposite, facing (β) (*χορός*) for two people
▷**το αντικριστό σπίτι** the house opposite, the house across ή over the way
αντικρουόμενος, -η, -ο ΕΠΙΘ (*συμφέροντα, θεωρίες*) conflicting
αντίκρουση ΟΥΣ ΘΗΛ (*επιχειρημάτων, ισχυρισμών*) rebuttal
αντικρούω Ρ Μ (*επιχείρημα, άποψη*) to refute
αντικρύ ΕΠΙΡΡ = **αντίκρυ**
αντίκρυ ΕΠΙΡΡ (*στέκομαι, βρίσκομαι*) opposite
αντίκτυπος ΟΥΣ ΑΡΣ repercussions *πληθ.*, impact
αντικυβερνητικός, -ή, -ό ΕΠΙΘ anti–government
αντικυκλώνας ΟΥΣ ΑΡΣ anticyclone
αντιλαϊκός, -ή, -ό ΕΠΙΘ (*πολιτική, μέτρα, νομοσχέδιο*) unpopular
αντίλαλος ΟΥΣ ΑΡΣ echo
αντιλαλώ Ρ ΑΜ to echo
▷**αντιλαλώ από φωνές** to ring ή resound with voices
αντιλαμβάνομαι Ρ Μ ΑΠΟΘ (α) (*παρουσία, άνθρωπο, θόρυβο*) to notice (β) (*νόημα*) to understand · (*προθέσεις*) to see through · (*κίνδυνο*) to be aware of
αντιλέγω ①︎ Ρ ΑΜ (= *διαφωνώ*) to disagree
②︎ Ρ Μ (= *λέω το αντίθετο*) to contradict
αντιληπτικός, -ή, -ό ΕΠΙΘ (*μηχανισμός*) sensory
▷**αντιληπτική ικανότητα** powers *πληθ.* of perception

αντιληπτικότητα ΟΥΣ ΘΗΛ perceptiveness
αντιληπτός, -ή, -ό ΕΠΙΘ (α) (= *αισθητός*) felt (β) (= *κατανοητός*) understood
αντίληψη ΟΥΣ ΘΗΛ (α) (*χρωμάτων, χώρου*) perception (β) (= *βαθμός ευφυΐας*) understanding (γ) (= *νοημοσύνη*) intelligence (δ) (= *άποψη*) outlook (*για on*)
▷**άνθρωπος μεγάλης αντίληψης** a very perceptive man
▷**υποπίπτω** ή **πέφτω στην αντίληψη κποιου** to come to sb's notice
αντιλογία (*επίσ.*) ΟΥΣ ΘΗΛ argument
▷**πνεύμα αντιλογίας** argumentative character
αντίλογος ΟΥΣ ΑΡΣ objection
▷**λόγος και αντίλογος** arguments for and against
αντιλόπη ΟΥΣ ΘΗΛ antelope
αντιλυσσικός, -ή, -ό ΕΠΙΘ (*ορός, εμβόλιο*) rabies
αντιμάχομαι Ρ Μ ΑΠΟΘ to resist
αντιμαχόμενος, -η, -ο ΕΠΙΘ (*συμφέροντα, τάσεις*) conflicting · (*παρατάξεις*) warring
αντίμαχος (*επίσ.*) ΟΥΣ ΑΡΣ adversary, opponent
αντιμεθαύριο ΕΠΙΡΡ in three days' time
αντίμετρα ΟΥΣ ΟΥΔ ΠΛΗΘ countermeasures
αντιμετωπίζω Ρ Μ (α) (*επίθεση*) to resist · (*εχθρό*) to confront · (*ομάδα*) to play against, to take on (β) (*κίνδυνο, δυσκολίες, πρόβλημα*) to face (γ) (= *αντεπεξέρχομαι*) to face
αντιμετώπιση ΟΥΣ ΘΗΛ (*πληθωρισμού, αρρώστιας, δυσκολιών*) dealing with
αντιμέτωπος, -η, -ο ΕΠΙΘ (= *αντικριστός*) facing
▷**έρχομαι αντιμέτωπος με κπν** to come face to face with sb
▷**έρχομαι αντιμέτωπος με κτ** to be faced with sth
αντιμιλώ ①︎ Ρ Μ to answer back
②︎ Ρ ΑΜ to answer back
αντιμισθία ΟΥΣ ΘΗΛ payment, remuneration
αντιμοναρχικός, -ή, -ό ΕΠΙΘ (*παράταξη, κίνημα*) anti–monarchy
▸**αντιμοναρχικός** ΟΥΣ ΑΡΣ, **αντιμοναρχική** ΟΥΣ ΘΗΛ anti–monarchist
αντιναύαρχος ΟΥΣ ΑΡΣ vice admiral
αντινομία ΟΥΣ ΘΗΛ contradiction
αντιντόπινγκ ΟΥΣ ΟΥΔ ΑΚΛ dope test
αντίξοος, -η, -ο (*επίσ.*) ΕΠΙΘ unfavourable (*Βρετ.*), unfavorable (*Αμερ.*), adverse
αντιξοότητα ΟΥΣ ΘΗΛ adversity
αντίο ΕΠΙΦΩΝ ΑΚΛ (*οικ.*) bye (*ανεπ.*)
▸**αντίο** ΟΥΣ ΟΥΔ ΑΚΛ goodbye
αντιοικονομικός, -ή, -ό ΕΠΙΘ uneconomical
αντιολισθητικός, -ή, -ό ΕΠΙΘ (*υλικό, τάπητας*) anti–skid
▸**αντιολισθητικές αλυσίδες** snow chains
αντιπάθεια ΟΥΣ ΘΗΛ dislike
αντιπαθής, -ής, -ές ΕΠΙΘ disagreeable

▷**μου είναι αντιπαθής** I dislike him

αντιπαθητικός, -ή, -ό ΕΠΙΘ (*άνθρωπος, φωνή*) disagreeable, objectionable · (*εικόνα*) unpleasant

αντιπαθώ Ρ Μ to dislike

αντιπαιδαγωγικός, -ή, -ό ΕΠΙΘ unpedagogical

αντιπαλεύω Ρ Μ to fight

αντίπαλος, -η, -ο ΕΠΙΘ (*στρατόπεδο, παράταξη, πλευρές*) opposing · (*δυνάμεις*) rival

▸ **αντίπαλος** ΟΥΣ ΑΡΣ⊕ΘΗΛ (*ερωτικός, κρυφός*) rival · (*οικονομικός*) competitor · (*στρατιωτικός*) adversary, enemy · (*εκλογικός*) opponent · (*για παίκτη*) opponent

▸ **πολιτικός αντίπαλος** political opponent

αντιπαλότητα ΟΥΣ ΘΗΛ rivalry

αντιπαραβάλλω Ρ Μ to compare

αντιπαραβολή ΟΥΣ ΘΗΛ comparison

αντιπαράθεση ΟΥΣ ΘΗΛ (α) (= *αντιπαραβολή*) juxtaposition (β) (= *σύγκρουση*) confrontation

▷**έρχομαι σε αντιπαράθεση με κπν (για κτ)** to clash with sb (over sth)

αντιπαραθέτω Ρ Μ (α) (= *παραθέτω συγκριτικά*) to compare (β) (= *αντιπροτείνω*) to counter with

▸ **αντιπαρατίθεμαι** ΜΕΣΟΠΑΘ: **αντιπαρατίθεμαι σε κπν/κτ** to disagree with sb/sth

αντιπαράσταση ΟΥΣ ΘΗΛ: **εξέταση κατ' αντιπαράσταση** cross-examination

αντιπαράταξη ΟΥΣ ΘΗΛ (α) (*στρατεύματος*) order of battle (β) (*επιχειρημάτων*) putting up

αντιπαρατάσσω Ρ Μ (α) (*στράτευμα*) to draw up (β) (*επιχειρήματα*) to put up

αντιπαρέρχομαι Ρ Μ ΑΠΟΘ (α) (*ερώτηση, ύβρεις*) to ignore · (*ελάττωμα*) to ignore, to overlook · (*συμβάν*) to dismiss (β) (*παγίδα, δυσκολία, πρόβλημα*) to avoid

αντιπαροχή ΟΥΣ ΘΗΛ consideration

αντιπερισπασμός ΟΥΣ ΑΡΣ (α) (= *απόσπαση προσοχής*) distraction (β) (ΣΤΡΑΤ) diversion

▸ **αντιπληθωρισμός** ΟΥΣ ΑΡΣ deflation

αντιπληθωριστικός, -ή, -ό ΕΠΙΘ (*μέτρα, πολιτική*) anti-inflationary

αντιπλημμυρικός, -ή, -ό ΕΠΙΘ: **αντιπλημμυρικά έργα** flood defences (*Βρετ.*) ή defenses (*Αμερ.*)

αντιπλοίαρχος ΟΥΣ ΑΡΣ lieutenant commander

αντίποδας ΟΥΣ ΑΡΣ complete opposite

▷**βρίσκομαι στον αντίποδα κποιου** to be the complete opposite of sb

▸ **αντίποδες** ΠΛΗΘ opposite ends

αντιποίηση ΟΥΣ ΘΗΛ (*περιουσίας*) misappropriation · (*δικαιώματος*) usurpation

αντιποιητικός, -ή, -ό ΕΠΙΘ (α) (*γλώσσα, λέξεις*) unpoetical (β) (*εποχή*) that stifles the arts

αντίποινα ΟΥΣ ΟΥΔ ΠΛΗΘ reprisal, retaliation

▷**σε αντίποινα (για κτ)** in retaliation (for sth)

αντιπολιτεύομαι Ρ Μ ΑΠΟΘ (α) (= *ασκώ αντίθετη πολιτική*) to oppose, to be in opposition to (β) (= *εναντιώνομαι*) to contradict

αντιπολίτευση ΟΥΣ ΘΗΛ opposition

▷**κάνω ή ασκώ αντιπολίτευση σε κτ** to oppose sth

▸ **η αξιωματική αντιπολίτευση** the opposition

αντίπραξη ΟΥΣ ΘΗΛ counteraction

▷**κάνω αντίπραξη σε κπν** to oppose sb

αντιπροεδρία ΟΥΣ ΘΗΛ vice presidency

αντιπρόεδρος ΟΥΣ ΑΡΣ⊕ΘΗΛ (*κυβέρνησης, βουλής, δικαστηρίου*) vice president · (*οργανισμού, σωματείου*) vice chairman

αντιπρόπερσι ΕΠΙΡΡ three years ago

αντιπροσφορά ΟΥΣ ΘΗΛ counter bid

αντιπροσωπεία ΟΥΣ ΘΗΛ = **αντιπροσωπία**

αντιπροσώπευση ΟΥΣ ΘΗΛ representation

αντιπροσωπευτικός, -ή, -ό ΕΠΙΘ (α) (*φορέας*) representative (β) (*έργο, δημιουργίες*) representative (γ) (= *χαρακτηριστικός: τύπος, δείγμα*) typical

▷**ένα αντιπροσωπευτικό δείγμα του πληθυσμού** a cross-section of the population

▷**το αντιπροσωπευτικό συγκρότημα της Ελλάδας** the band representing Greece

▸ **αντιπροσωπευτική διοίκηση** representative body

αντιπροσωπεύω Ρ Μ (α) (= *εκπροσωπώ*) to represent (β) (= *εκφράζω: ιδανική γυναίκα*) to exemplify · (*αλήθεια, απόψεις*) to reflect

αντιπροσωπία ΟΥΣ ΘΗΛ (α) (= *σύνολο αντιπροσώπων*) delegation (β) (ΕΜΠΟΡ) agency

▸ **αποκλειστική αντιπροσωπία** sole agency

▸ **εθνική αντιπροσωπία** parliament

▸ **επίσημη αντιπροσωπία** authorized dealer

αντιπρόσωπος ΟΥΣ ΑΡΣ⊕ΘΗΛ (= *πληρεξούσιος*) representative · (= *μέλος αντιπροσωπίας*) delegate

▸ **αποκλειστικός αντιπρόσωπος** sole agent

▸ **διπλωματικός αντιπρόσωπος** diplomat

▸ **αποκλειστικός/επίσημος αντιπρόσωπος** authorized agent

▸ **εμπορικός αντιπρόσωπος** dealer

αντιπροτείνω Ρ Μ to counter-propose, to propose in return

αντιπρύτανης ΟΥΣ ΑΡΣ⊕ΘΗΛ vice chancellor

αντιπτέραρχος ΟΥΣ ΑΡΣ air marshal (*Βρετ.*), lieutenant general (*Αμερ.*)

αντιπυρετικός, -ή, -ό ΕΠΙΘ (*χάπια, φάρμακα*) antipyretic (*επιστ.*)

αντίρρηση ΟΥΣ ΘΗΛ objection

▷**έχω αντίρρηση (για κτ)** to object (to sth)

▷**καμία αντίρρηση** I don't mind at all

▷**φέρνω ή προβάλλω αντίρρηση σε κπν** to oppose sb

αντιρρησίας ΟΥΣ ΑΡΣ⊕ΘΗΛ argumentative

person
►**αντιρρησίας συνειδήσεως** conscientious
  objector
αντίρροπος, -η, -ο ΕΠΙΘ *(δυνάμεις, τάσεις)*
  opposing
αντισεισμικός, -ή, -ό ΕΠΙΘ *(κατασκευή)*
  earthquake–proof · *(προστασία)* earthquake
αντισημίτης ΟΥΣ ΑΡΣ anti–Semite
αντισημιτικός, -ή, -ό ΕΠΙΘ anti–Semitic
αντισημιτισμός ΟΥΣ ΑΡΣ anti–Semitism
αντισημίτρια ΟΥΣ ΘΗΛ *βλ.* **αντισημίτης**
αντισηπτικός, -ή, -ό ΕΠΙΘ *(φάρμακα)*
  antiseptic
►**αντισσηπτικό** ΟΥΣ ΟΥΔ antiseptic
αντισηψία ΟΥΣ ΘΗΛ antisepsis
αντίσκηνο ΟΥΣ ΟΥΔ tent
αντισκορικός, -ή, -ό ΕΠΙΘ *(ουσία)* anti–moth
►**αντισκορικό** ΟΥΣ ΟΥΔ moth repellent
αντισμήναρχος ΟΥΣ ΑΡΣ wing commander
  (Βρετ.), lieutenant colonel *(Αμερ.)*
αντισοσιαλιστικός, -ή, -ό ΕΠΙΘ *(κίνημα,*
  θεωρία) anti–socialist
αντισταθμίζω Ρ Μ (= *εξισορροπώ*) to balance ·
  (ζημία, απώλειες) to compensate for, to make
  up for
αντιστάθμιση ΟΥΣ ΘΗΛ (α) *(χρεών)*
  compensation (β) *(ΦΥΣ)* counterbalance
αντιστάθμισμα ΟΥΣ ΟΥΔ (α) (= *αντίβαρο*)
  counterweight (β) (= *ανταμοιβή*)
  compensation
αντισταθμιστικός, -ή, -ό ΕΠΙΘ *(οφέλη,*
  παράγοντας) compensatory · *(δασμός)*
  countervailing
αντιστάρ ΟΥΣ ΑΡΣ ΘΗΛ ΑΚΛ anti–star
αντίσταση ΟΥΣ ΘΗΛ resistance
▷**προβάλλω αντίσταση** to resist, to put up *ή*
  offer resistance
►**Εθνική Αντίσταση** Resistance Movement
►**ηλεκτρική αντίσταση** electrical resistance
►**αντίσταση κατά της αρχής** *(σε σύλληψη)*
  resisting arrest
►**Αντίσταση** ΟΥΣ ΘΗΛ: **η Αντίσταση** the
  Resistance
αντιστέκομαι Ρ ΑΜ ΑΠΟΘ to resist
▷**αντιστέκομαι σε κτ** to resist sth
▷**δεν μπορώ ν' αντισταθώ σε κτ** I can't resist
  sth
αντιστήριγμα ΟΥΣ ΟΥΔ support
αντίστοιχα ΕΠΙΡΡ respectively
αντιστοιχία ΟΥΣ ΘΗΛ correspondence, parallel
▷**κατ' αντιστοιχία(ν)** respectively
αντίστοιχος, -η, -ο corresponding
αντιστοιχώ Ρ ΑΜ to correspond
▷**αντιστοιχώ σε κτ** to correspond to sth
αντιστοίχως ΕΠΙΡΡ = **αντίστοιχα**
αντιστρατεύομαι Ρ Μ ΑΠΟΘ to oppose, to be
  opposed to
αντιστράτηγος ΟΥΣ ΑΡΣ lieutenant general
αντιστρεπτός, -ή, -ό ΕΠΙΘ reversible
αντιστρέφω Ρ Μ (α) *(ρεύμα κυκλοφορίας,*

πόλους μπαταρίας) to reverse (β) *(κλίμα,*
όρους) to alter, to change (γ) *(ΜΑΘ)* to invert
αντιστρέψιμος, -η, -ο ΕΠΙΘ reversible
αντιστροφή ΟΥΣ ΘΗΛ (α) *(ρόλων)* reversal ·
  (κλίματος, εικόνας, όρων, δεδομένων) change
  (β) *(μετρικό σχήμα)* antistrophe
αντίστροφο ΟΥΣ ΟΥΔ reverse, opposite
αντίστροφος, -η, -ο ΕΠΙΘ *(πορεία,*
διαδικασία, κατεύθυνση) reverse
►**αντίστροφος αριθμός** reciprocal number
►**αντίστροφο κλάσμα** inverted fraction
►**αντίστροφη μέτρηση** countdown
►**αντίστροφη συνάρτηση** inverse function
αντισυλληπτικό ΟΥΣ ΟΥΔ *(επίσης*
  αντισυλληπτικό χάπι) contraceptive pill
αντισυλληπτικός, -ή, -ό ΕΠΙΘ *(μέθοδος,*
φάρμακο) contraceptive
αντισύλληψη ΟΥΣ ΘΗΛ contraception
αντισυνταγματάρχης ΟΥΣ ΑΡΣΘΗΛ lieutenant
  colonel
αντισυνταγματικός, -ή, -ό ΕΠΙΘ
  unconstitutional
αντισυνταγματικότητα ΟΥΣ ΘΗΛ
  unconstitutional nature, unconstitutionality
αντισφαίριση *(επίσ.)* ΟΥΣ ΘΗΛ tennis
►**επιτραπέζια αντισφαίριση** table tennis
αντίσωμα ΟΥΣ ΟΥΔ *(ΒΙΟΛ)* antibody
αντιτάσσω Ρ Μ (α) (= *αντιπαραθέτω*) to
  oppose · *(επιχειρήματα)* to put up
  (β) (= *επικαλούμαι*) to plead
►**αντιτάσσομαι** ΜΕΣΟΠΑΘ: **αντιτάσσομαι σε κτ** to
  oppose sth
αντιτείνω *(επίσ.)* Ρ Μ to object to
αντιτετανικός, -ή, -ό ΕΠΙΘ: **αντιτετανικός**
  ορός anti–tetanus serum
αντιτίθεμαι Ρ ΑΜ ΜΕΣΟΠΑΘ: **αντιτίθεμαι σε κτ**
  to be opposed to sth
αντίτιμο ΟΥΣ ΟΥΔ *(κυριολ., μτφ.)* price
αντιτορπιλικό ΟΥΣ ΟΥΔ destroyer
αντίτυπο ΟΥΣ ΟΥΔ copy
αντιφάρμακο ΟΥΣ ΟΥΔ (α) (= *αντίδοτο*)
  antidote (β) (= *λύση*) cure
αντίφαση ΟΥΣ ΘΗΛ (α) (= *αντίθεση λόγων*)
  inconsistency, contradiction
  (β) (= *ασυνέπεια*) inconsistency
▷**έρχομαι** *ή* **βρίσκομαι σε αντίφαση με κτ** to
  be inconsistent with sth
αντιφασιστικός, -ή, -ό ΕΠΙΘ inconsistent
αντιφάσκω *(επίσ.)* Ρ ΑΜ to be inconsistent
▷**φάσκω και αντιφάσκω** to contradict oneself
αντιφατικός, -ή, -ό ΕΠΙΘ (α) *(αιτιολογία,*
ισχυρισμός) inconsistent
  (β) *(προσωπικότητα)* full of contradictions
αντιφρονούντες *(επίσ.)* ΟΥΣ ΑΡΣ ΠΛΗΘ
  dissenters
αντιφώνηση ΟΥΣ ΘΗΛ response, reply
αντίχειρας ΟΥΣ ΑΡΣ thumb
αντιχριστιανικός, -ή, -ό ΕΠΙΘ unchristian
αντίχριστος, -η, -ο ΕΠΙΘ (α) (= *αντίθεος*)
  atheist (β) *(ανεπ.: = αθεόφοβος)* heartless

A

▸Αντίχριστος ΟΥΣ ΑΡΣ: **ο Αντίχριστος** the Antichrist

αντίχτυπος ΟΥΣ ΑΡΣ = **αντίκτυπος**

αντιψυκτικό ΟΥΣ ΟΥΔ (επίσης **αντιψυκτικό υγρό**) antifreeze

άντληση ΟΥΣ ΘΗΛ (α) (νερού, πετρελαίου) pumping (β) (πληροφοριών) finding · (κεφαλαίων, πόρων) drawing

αντλία ΟΥΣ ΘΗΛ (νερού) pump
▸**πυροσβεστική αντλία** fire pump

αντλώ Ρ Μ (α) (νερό, πετρέλαιο) to pump (β) (πληροφορία) to find · (συμπέρασμα, δύναμη) to draw

αντοχή ΟΥΣ ΘΗΛ (α) (υλικών) durability · (πετρωμάτων) resistance (β) (= μυϊκή δύναμη) stamina · (= υπομονή) resilience
▸**φτάνω στα όρια της αντοχής μου** to be at the end of one's tether

αντράκι (υποκορ.) ΟΥΣ ΟΥΔ (α) (χαϊδευτ.) young man (β) (αργητ.) brat
▸**κάνω το αντράκι** to act like the big man (ανεπ.)

αντράκλας ΟΥΣ ΑΡΣ (α) (= μεγαλόσωμος άνδρας) big man (β) (= αρρενωπός άνδρας) hunk (ανεπ.)

άντρας ΟΥΣ ΑΡΣ = **άνδρας**

αντρειεύω (λογοτ.) Ρ ΑΜ (= μεγαλώνω) to become a man · (= δυναμώνω) to get stronger

αντρείος, -α, -ο ΕΠΙΘ = **ανδρείος**

αντρειοσύνη ΟΥΣ ΘΗΛ bravery · = **ανδρειοσύνη**

αντρειωμένος, -η, -ο ΕΠΙΘ = **ανδρειωμένος**

αντρίκεια ΕΠΙΡΡ (α) (μιλώ, φέρομαι, στέκομαι) like a man (β) (πεθαίνω) like a man · (υπερασπίζομαι) bravely

αντρίκειος, -εια, -ειο ΕΠΙΘ (α) (φορεσιά) men's · (φωνή, έδεσμο, συμπεριφορά) manly (β) (λόγια) brave

αντρίκιος, -ια, -ιο ΕΠΙΘ = **αντρίκειος**

αντρικός, -ή, -ό (ανεπ.) ΕΠΙΘ = **ανδρικός**

άντρο ΟΥΣ ΟΥΔ (α) (= σπηλιά) cave (β) (= καταφύγιο) den, lair

αντρογυναίκα ΟΥΣ ΘΗΛ masculine woman

αντρόγυνο (ανεπ.) ΟΥΣ ΟΥΔ = **ανδρόγυνο**

αντρούλης (χαϊδευτ.) ΟΥΣ ΑΡΣ husband, hubby (ανεπ.)

αντροφέρνω Ρ ΑΜ (για γυναίκα) to act like a man

αντρώνομαι Ρ ΑΜ ΜΕΣΟΠΑΘ = **ανδρώνομαι**

αντσούγια ΟΥΣ ΘΗΛ anchovy

άντυτος, -η, -ο ΕΠΙΘ (α) (= γυμνός) not dressed (β) (ανεπ.: = χωρίς κατάλληλα ρούχα) not properly dressed

αντωνυμία ΟΥΣ ΘΗΛ (α) (κλιτή λέξη) pronoun (β) (= αντίθεση στη σημασία) antonymy
▸**προσωπική/κτητική/ερωτηματική αντωνυμία** personal/possessive/interrogative pronoun

αντώνυμο ΟΥΣ ΟΥΔ antonym

ανυδρία ΟΥΣ ΘΗΛ aridity

άνυδρος, -η, -ο ΕΠΙΘ (γη, νησί) arid · (εποχή) dry

ανύμφευτος, -η, -ο (επίσ.) ΕΠΙΘ unmarried

ανυπακοή ΟΥΣ ΘΗΛ disobedience

ανυπάκουος, -η, -ο ΕΠΙΘ disobedient

ανύπαντρος, -η, -ο ΕΠΙΘ unmarried

ανύπαρκτος, -η, -ο ΕΠΙΘ (προβλήματα, ζητήματα) nonexistent

ανυπαρξία ΟΥΣ ΘΗΛ nonexistence

ανυπεράσπιστος, -η, -ο ΕΠΙΘ (άνθρωπος) defenceless (Βρετ.), defenseless (Αμερ.) · (πόλη) undefended

ανυπέρβλητος, -η, -ο ΕΠΙΘ (εμπόδιο, δυσκολία) insurmountable · (αξία, ομορφιά) unrivalled (Βρετ.), unrivaled (Αμερ.)

ανυπερθέτως (επίσ.) ΕΠΙΡΡ without delay

ανυπόγραφος, -η, -ο ΕΠΙΘ (κείμενο, επιταγή, συμβόλαιο) unsigned

ανυπόδυτος, -η, -ο ΕΠΙΘ barefoot

ανυπόκριτος, -η, -ο ΕΠΙΘ (χαρά, επιθυμία, θαυμασμός) sincere, genuine

ανυπόληπτος, -η, -ο ΕΠΙΘ (άτομο) disreputable

ανυποληψία ΟΥΣ ΘΗΛ disrepute
▸**πέφτω σε ανυποληψία** to fall into disrepute

ανυπολόγιστος, -η, -ο ΕΠΙΘ incalculable

ανυπομονησία ΟΥΣ ΘΗΛ impatience
▸**περιμένω με ανυπομονησία** to wait impatiently

ανυπόμονος, -η, -ο ΕΠΙΘ impatient

ανυπομονώ Ρ Μ to be impatient
▸**ανυπομονώ να κάνω κτ** to be impatient ή eager to do sth, to be looking forward to doing sth

ανύποπτος, -η, -ο ΕΠΙΘ (α) (= ανυποψίαστος) unsuspecting (β) (στιγμή, φάση) unguarded
▸**σε ανύποπτο χρόνο** unexpectedly

ανυπόστατος, -η, -ο ΕΠΙΘ (κατηγορίες, φήμες, πληροφορίες) unfounded

ανυπότακτος, -η, -ο ΕΠΙΘ (παιδί) unruly · (χαρακτήρας) intractable
▸**ανυπότακτος** ΟΥΣ ΑΡΣ (ΣΤΡΑΤ) draft dodger

ανυπόταχτος, -η, -ο ΕΠΙΘ = **ανυπότακτος**

ανυπόφορος, -η, -ο ΕΠΙΘ (άνθρωπος, ζέστη, πόνος) unbearable · (ζωή, κατάσταση) insufferable

ανυποχώρητος, -η, -ο ΕΠΙΘ unyielding

ανυποψίαστος, -η, -ο ΕΠΙΘ (α) (περαστικός, θύμα) unsuspecting (β) (= άσχετος) clueless

ανυστερόβουλος, -η, -ο ΕΠΙΘ disinterested, without an ulterior motive

ανυψώνω Ρ Μ (βάρος, φορτίο) to lift · (ηθικό) to boost, to raise

ανύψωση ΟΥΣ ΘΗΛ (κιβωτίου, βάρους) lifting · (κεραίας) raising · (ηθικού) boosting, raising · (στάθμης, θερμοκρασίας) rise

ανυψωτικός, -ή, -ό ΕΠΙΘ (μηχανή) hoisting · (δύναμη) lifting

ανφάς ΕΠΙΡΡ from the front

άνω (επίσ.) ΕΠΙΡΡ (α) (= επάνω) upper (β) (= περισσότερο από) over
▸**άνω-κάτω** upside–down

▷**γίνομαι** ή **είμαι άνω ποταμών** to be beside oneself
▷**εκ των άνω** from the top
▸**άνω τελεία** semicolon
ανώγειο ΟΥΣ ΟΥΔ upper floor
ανώγι ΟΥΣ ΟΥΔ = **ανώγειο**
ανώδυνος, -η, -ο ΕΠΙΘ (α) (= *χωρίς πόνο*) painless (β) (*αγώνας*) painless · (*δήλωση*) harmless · (*ήττα, συνέπειες*) minor
▸**ανώδυνος τοκετός** natural childbirth
άνωθεν (*επίσ.*) ΕΠΙΡΡ (α) (= *από ανώτερη ιεραρχία*) from higher up (β) (= *από το Θεό*) from above
ανωμαλία ΟΥΣ ΘΗΛ (α) (*για μηχανή, σε υπηρεσία*) trouble *χωρίς πληθ.*, problem (β) (= *διαστροφή*) deviation, perversion (γ) (ΙΑΤΡ) abnormality (δ) (*οδοστρώματος, επιφάνειας*) bump, unevenness (ε) (ΓΛΩΣΣ) irregularity
ανώμαλος, -η, -ο ΕΠΙΘ (α) (*κατάσταση, κλίμα*) unstable, troubled (β) (*ρυθμοί*) irregular (γ) (*ουσιαστικά, ρήματα*) irregular (δ) (*έδαφος*) uneven, bumpy · (*δρόμος, μονοπάτι*) bumpy · (*επιφάνεια*) rough
▸**ανώμαλη προσγείωση** bumpy landing · (*μτφ.*) rude awakening
▸**ανώμαλος** ΟΥΣ ΑΡΣ, **ανώμαλη** ΟΥΣ ΘΗΛ pervert · (*καταχρ.*: = *ανισόρροπο άτομο*) deranged person
▸**ανώμαλος** ΟΥΣ ΑΡΣ (*επίσης* **ανώμαλος δρόμος**) cross–country (race)
ανωνυμία ΟΥΣ ΘΗΛ (α) (*συγγραφέα, δωρητή*) anonymity (β) (= *αφάνεια*) obscurity (γ) (= *αποξένωση*) anonymity
ανώνυμος, -η, -ο ΕΠΙΘ (α) (*συγγραφέας, δωρητής, γράμμα, τηλεφώνημα*) anonymous (β) (*καταχρ.*: = *άγνωστος*) unknown
▸**ανώνυμος** ή **ανώνυμη εταιρεία** limited company (*Βρετ.*), corporation (*Αμερ.*)
ανώριμος, -η, -ο ΕΠΙΘ (α) (*καρποί, φρούτα*) not ripe (β) (*άνθρωπος, συμπεριφορά, χαρακτήρας*) immature (γ) (*συνθήκες*) unfavourable (*Βρετ.*), unfavorable (*Αμερ.*)
ανωριμότητα ΟΥΣ ΘΗΛ (α) (*ατόμου, σκέψης*) immaturity (β) (*συνθηκών*) unfavourable (*Βρετ.*) ή unfavorable (*Αμερ.*) nature
ανώτατος, -η, ή -άτη, -ο ΕΠΙΘ (*άρχοντας*) highest · (*κλιμάκιο*) top
▸**ανώτατη εκπαίδευση** higher education, university education
▸**Ανώτατο Εκπαιδευτικό Ίδρυμα** institute of higher education
ανώτερος, -η, ή -έρα, -ο ΕΠΙΘ (*τιμή, αξία*) higher · (*επίπεδο, θέση, βαθμίδα*) higher, top · (*υπάλληλος, αξιωματούχος*) senior · (*ποιότητα*) superior · (*ιδανικά*) high
▷**ανωτέρα βία** circumstances *πληθ.* beyond one's control · (ΝΟΜ) force majeure
▷**και εις ανώτερα!** (*ευχή*) every success for the future!
▸**ανώτερος άνθρωπος** high–minded person
▸**ανώτερη διοίκηση** (*για εταιρεία*) top

management · (ΣΤΡΑΤ) high command
▸**ανώτερη εκπαίδευση** further education
▸**ανώτερα μαθηματικά** advanced mathematics
▸**ανώτερες σπουδές** further education
▸**ανώτεροι** ΠΛΗΘ superiors
ανωτερότητα ΟΥΣ ΘΗΛ superiority
▷**δείχνω ανωτερότητα** to rise above things
ανώφελα ΕΠΙΡΡ (α) (= *μάταια*) in vain (β) (= *χωρίς όφελος*) fruitlessly
ανωφελής, -ής, -ές ΕΠΙΘ not beneficial
ανώφελος, -η, -ο ΕΠΙΘ (*κόπος, λόγια*) wasted, futile
ανωφέρεια (*επίσ.*) ΟΥΣ ΘΗΛ ascent
ανωφερής, -ής, -ές ΕΠΙΘ (*δρόμος*) uphill
άξαφνα ΕΠΙΡΡ = **ξαφνικά**
άξαφνος, -η, -ο ΕΠΙΘ = **ξαφνικός**
αξάφριστος, -η, -ο ΕΠΙΘ (α) (*γάλα*) unskimmed, full-fat (β) (= *που δεν τον έκλεψαν*) not stolen · (*τσέπη*) not picked
αξέβγαλτος, -η, -ο ΕΠΙΘ (*ρούχα*) not taken off, still on
αξεδιάλεχτος, -η, -ο ΕΠΙΘ (*φρούτα*) not picked over
αξεδιάλυτος, -η, -ο ΕΠΙΘ (*μυστήριο, αντίφαση*) unresolved
αξεκαθάριστος, -η, -ο (*ανεπ.*) ΕΠΙΘ (*λογαριασμός*) unsettled
αξεμπέρδευτος, -η, -ο ΕΠΙΘ (*κουβάρι*) still tangled, not untangled
άξενος, -η, -ο (*επίσ.*) ΕΠΙΘ (*χώρα, τόπος*) inhospitable
αξεπέραστος, -η, -ο ΕΠΙΘ (α) (*εμπόδιο, δυσκολία*) insurmountable · (*ομορφιά*) unrivalled (*Βρετ.*), unrivaled (*Αμερ.*) (β) (*έργο, τέχνη*) unequalled (*Βρετ.*), unequaled (*Αμερ.*)
αξεσουάρ ΟΥΣ ΟΥΔ ΑΚΛ accessory
άξεστος, -η, -ο ΕΠΙΘ (*άνθρωπος*) crude · (*συμπεριφορά*) coarse
αξεφλούδιστος, -η, -ο ΕΠΙΘ (*φρούτο*) unpeeled
αξέχαστος, -η, - ο ΕΠΙΘ unforgettable
αξημέρωτος, -η, -ο ΕΠΙΘ (*νύχτες, βράδια*) endless
αξία ΟΥΣ ΘΗΛ (α) (*εμπορεύματος, ακινήτου, γης, δολαρίου*) value (β) (*παιδείας, τέχνης, δημοκρατίας*) value (γ) (*για εργαζόμενο*) merit, worth (δ) (= *σπουδαιότητα*) importance
▷**αντίκες αξίας** valuable antiques
▷**έργα τέχνης αξίας πολλών εκατομμυρίων δολαρίων** works of art worth millions of dollars
▷**δεν έχω αξία** to be worthless
▷**έχω (μεγάλη) αξία** to be (very) valuable
▷**με την αξία μου** on one's own merits, on merit
▷**συναισθηματική αξία** sentimental value
▸**κινητές αξίες** securities, stocks and shares
▸**αξίες** ΠΛΗΘ values
αξιαγάπητος, -η, -ο ΕΠΙΘ lovable

αξιέπαινος, -η, -ο ΕΠΙΘ commendable, praiseworthy

αξίζω ① Ρ ΑΜ to be worth
② Ρ Μ (α) (χιλιάδες, εκατομμύρια) to be worth (β) (νίκη, τιμωρία, τύχη) to deserve
▷ δείχνω σε κπν τι αξίζω to show sb what one is worth
▷ δεν αξίζει τον κόπο it's not worth it, it's not worth the trouble
▷ δεν αξίζει τον κόπο να κάνω κτ it's not worth doing sth
▷ μου αξίζει κτ to deserve sth
▷ αξίζει τα λεφτά του it's worth it, it's good value (for money)
▷ το αξίζεις! you deserve it
▸ αξίζει ΑΠΡΟΣ it is worth (να κάνω doing)

αξίνα ΟΥΣ ΘΗΛ hoe

αξιογέλαστος, -η, -ο ΕΠΙΘ laughable

αξιοδάκρυτος, -η, -ο (επίσ.) ΕΠΙΘ (άνθρωπος) pitiful · (τέλος) wretched

αξιοζήλευτος, -η, -ο ΕΠΙΘ enviable

αξιοθαύμαστος, -η, -ο ΕΠΙΘ admirable

αξιοθέατα ΟΥΣ ΟΥΔ ΠΛΗΘ sights

αξιοθρήνητος, -η, -ο ΕΠΙΘ (α) (άνθρωπος, κατάσταση) pitiful · (ζωή, τέλος) wretched (β) (παράσταση, ταινία) pathetic, lamentable

αξιοκατάκριτος, -η, -ο ΕΠΙΘ reprehensible

αξιοκαταφρόνητος, -η, -ο ΕΠΙΘ (άνθρωπος) contemptible · (θέση) lowly · (έργο) useless

αξιοκρατία ΟΥΣ ΘΗΛ meritocracy

αξιοκρατικός, -ή, -ό ΕΠΙΘ meritocratic

αξιολάτρευτος, -η, -ο ΕΠΙΘ adorable

αξιολόγηση ΟΥΣ ΘΗΛ (α) (υπαλλήλων, έργου, προσόντων) assessment · (πράξεων, αποτελεσμάτων) evaluation (β) (μαθητών) assessment

αξιόλογος, -η, -ο ΕΠΙΘ (α) (προσπάθεια, έργο) remarkable · (περιουσία, ποσό) considerable (β) (άνθρωπος) notable

αξιολογώ Ρ Μ (προτάσεις, εργαζόμενους, υποψηφίους, έργο, μαθητές) to assess

αξιολύπητος, -η, -ο ΕΠΙΘ pitiful

αξιόμαχος, -η, -ο ΕΠΙΘ (στράτευμα) well–trained

αξιόμεμπτος, -η, -ο ΕΠΙΘ (πράξη) reprehensible

αξιομίμητος, -η, -ο ΕΠΙΘ (άνθρωπος, προσπάθεια) exemplary

αξιομνημόνευτος, -η, -ο ΕΠΙΘ (έργο, συμπεριφορά, λόγια) remarkable

αξιοπαρατήρητος, -η, -ο ΕΠΙΘ (φαινόμενο, έρευνα) noteworthy

αξιοπερίεργος, -η, -ο ΕΠΙΘ (φαινόμενο, γεγονός) curious

αξιοπιστία ΟΥΣ ΘΗΛ (μάρτυρα, πολιτικού, κυβέρνησης) credibility · (πηγών, κειμένων, μεθόδων) reliability

αξιόπιστος, -η, -ο ΕΠΙΘ (μαρτυρίες, πηγή, αποτελέσματα) reliable · (επιστήμονας) authoritative

αξιοποίηση ΟΥΣ ΘΗΛ (α) (πληροφοριών, μεθόδου, ικανοτήτων) utilization (β) (καταχρ.: = εκμετάλλευση: περιοχής, χώρου) development · (γης, δασών) exploitation

αξιόποινος, -η, -ο ΕΠΙΘ (πράξη, συμπεριφορά) punishable

αξιοποιώ Ρ Μ (ταλέντο, ικανότητες, ευκαιρία, συνεργάτες) to make the most of · (ελεύθερο χρόνο) to use, to put to good use · (πηγές ενέργειας) to exploit

αξιοπρέπεια ΟΥΣ ΘΗΛ dignity
▷ ανθρώπινη αξιοπρέπεια human dignity

αξιοπρεπής, -ής, -ές ΕΠΙΘ (άνθρωπος, συμπεριφορά) dignified · (βίος) respectable · (στάση) honourable (Βρετ.), honorable (Αμερ.) · (ντύσιμο, τρόποι) decent

αξιοπρόσεκτος, -η, -ο ΕΠΙΘ (έργο, χώρος) remarkable · (παρατήρηση) noteworthy

αξιοπρόσεχτος, -η, -ο ΕΠΙΘ = αξιοπρόσεκτος

άξιος, -α, -ο ΕΠΙΘ (α) (παλικάρι, πολιτικός, καλλιτέχνης) able (β) (γαμπρός) worthy ·+γεν. worthy of, deserving of
▷ άξιος θαυμασμού admirable
▷ άξιος εμπιστοσύνης trustworthy
▷ άξιος επαίνου praiseworthy
▷ άξιος σεβασμού respectable
▷ είμαι άξιος να κάνω/για κτ to be worthy of doing/of sth
▷ είμαι άξιος της τύχης ή της μοίρας μου to get one's just deserts
▷ είμαι άξιος του ονόματός μου to live up to one's reputation
▷ άξιος λόγου worth mentioning

αξιοσέβαστος, -η, -ο ΕΠΙΘ (άνθρωπος) respectable · (ποσό, περιουσία) considerable

αξιοσημείωτος, -η, -ο ΕΠΙΘ (α) (γεγονός, φαινόμενο) remarkable (β) (πρόοδος) remarkable · (αύξηση, αλλαγή, διαφορά) significant

αξιοσύνη ΟΥΣ ΘΗΛ ability, capability

αξιότιμος, -η, -ο ΕΠΙΘ honourable (Βρετ.), honorable (Αμερ.)

αξιόχρεος, -η, -ο ΕΠΙΘ (οφειλέτης) creditworthy

αξίωμα ΟΥΣ ΟΥΔ (α) (βουλευτή) office · (στρατηγού) rank (β) (ΦΙΛΟΣ, ΜΑΘ) axiom
▷ κατέχω αξίωμα to hold office

αξιωματικά ΕΠΙΡΡ conclusively

αξιωματικός¹ ΟΥΣ ΑΡΣΘΗΛ (α) (στρατού, αστυνομίας) officer (β) (στο σκάκι) bishop
▷ απόστρατος αξιωματικός retired officer
▸ ανώτερος/κατώτερος αξιωματικός senior/ junior officer

αξιωματικός², -ή, -ό ΕΠΙΘ (θέσεις, αρχές) axiomatic

αξιωματούχος ΟΥΣ ΑΡΣΘΗΛ official

αξιώνω Ρ Μ (= απαιτώ) to demand · (αποζημίωση) to claim
▸ αξιώνομαι ΜΕΣΟΠΑΘ: αξιώνομαι να κάνω κτ to manage to do sth, to succeed in doing sth ·

(ειρων.) to get around to doing sth

αξίωση ΟΥΣ ΘΗΛ (α) (= απαίτηση) demand · (αποζημίωσης) claim (β) (= παράλογη απαίτηση) unreasonable demand
▷**έχω την αξίωση να κάνει κποιος κτ** to demand that sb do sth
▷**προβάλλω αξίωση διατροφής/αποζημίωσης** to claim for maintenance/damages
▸**αξιώσεις** ΠΛΗΘ (= καλές προοπτικές) good prospects
▷**παίκτης/καλλιτέχνης αξιώσεων** player/artist of a high calibre (Βρετ.) ή caliber (Αμερ.)

αξόδευτος, -η, -ο ΕΠΙΘ (ποσό) unspent

άξονας ΟΥΣ ΑΡΣ (α) (Γης) axis

> *Προσοχή!: Ο πληθυντικός του* **axis** *είναι* **axes**.

(β) (σφαίρας, κώνου, κυλίνδρου) axis (γ) (αυτοκινήτου) axle (δ) (= σημείο αναφοράς) focus

> *Προσοχή!: Ο πληθυντικός του* **focus** *είναι* **foci** *ή* **focuses**.

▸**Άξονας** ΟΥΣ ΑΡΣ: **ο Άξονας** the Axis

αξονικός, -ή, -ό ΕΠΙΘ (κίνηση) axial
▸**αξονικός τομογραφία** CAT scan
▸**αξονικός τομογράφος** CAT scanner

αξόφλητος, -η, -ο ΕΠΙΘ = **ανεξόφλητος**

αξύριστος, -η, -ο ΕΠΙΘ unshaven

αοιδός ΟΥΣ ΑΡΣ&ΘΗΛ (α) (στην αρχαιότητα) bard (β) (ειρων.) singer

άοκνος, -η, -ο ΕΠΙΘ (άνθρωπος, δουλειά, προσπάθεια) tireless

αόμματος, -η, -ο ΕΠΙΘ blind

άοπλος, -η, -ο ΕΠΙΘ unarmed

αόρατος, -η, -ο ΕΠΙΘ (α) (δυνάμεις, υπάρξεις, κόσμος) invisible · (κίνδυνος) unseen (β) (έμποροι ναρκωτικών, κύκλωμα εμπορίας όπλων) covert
▷**γίνομαι αόρατος** to become invisible

αοριστία ΟΥΣ ΘΗΛ (κειμένου, διατύπωσης, δηλώσεων) vagueness
▸**αοριστίες** ΠΛΗΘ vague words

αοριστολογία ΟΥΣ ΘΗΛ (= αοριστία) vagueness
▸**αοριστολογίες** ΠΛΗΘ vague words

αοριστολογώ Ρ ΑΜ to be vague

αόριστος¹, -η, -ο ΕΠΙΘ (α) (λόγια, υποσχέσεις, φόβος, ιδέα) vague (β) (άρθρο, αντωνυμίες) indefinite
▷**σύμβαση αορίστου χρόνου** permanent contract

αόριστος² ΟΥΣ ΑΡΣ (ΓΛΩΣΣ) aorist, past tense

αορτή ΟΥΣ ΘΗΛ aorta

άοσμος, -η, -ο ΕΠΙΘ odourless (Βρετ.), odorless (Αμερ.)

άουτ ΟΥΣ ΟΥΔ ΑΚΛ (ΑΘΛ: στο ποδόσφαιρο, ράγκμπι) touch
▷**είμαι άουτ** (αργκ.) to be untrendy
▷**η μπάλα βγήκε άουτ** the ball went out

αουτσάιντερ ΟΥΣ ΟΥΔ ΑΚΛ outsider

▷**είμαι το αουτσάιντερ** (σε ιπποδρομία) to be an outsider · (σε αγώνα ποδοσφαίρου) to be the underdog

απαγγελλία ΟΥΣ ΘΗΛ (ποιήματος) recitation
▸**απαγγελία κατηγορίας** reading of the charges, indictment

απαγγέλλω Ρ Μ (στίχους, ποίημα) to recite
▷**απαγγέλλω κατηγορία εναντίον κποιου** to bring charges against sb, to indict sb

απάγκιο ΟΥΣ ΟΥΔ sheltered spot

απαγκιστρώνω Ρ Μ (ψάρι) to unhook
▸**απαγκιστρώνομαι** ΜΕΣΟΠΑΘ to break away (από from)

απαγκίστρωση ΟΥΣ ΘΗΛ (α) (ψαριού) unhooking (β) (από επιρροή, εξάρτηση) breaking away

απαγορευμένος, -η, -ο ΕΠΙΘ forbidden · (λέξη) taboo · (τραγούδι, βιβλίο) banned
▸**απαγορευμένος καρπός** forbidden fruit

απαγόρευση ΟΥΣ ΘΗΛ prohibition, ban
▷**θέτω κπν/κτ υπό απαγόρευση** to ban sb/sth
▸**απαγόρευση κυκλοφορίας** curfew

απαγορευτικός, -ή, -ό ΕΠΙΘ (α) (πινακίδα) warning · (διατάξεις) prohibitive (β) (τιμές, δίδακτρα) prohibitive
▸**απαγορευτικό** ΟΥΣ ΟΥΔ (επίσης **απαγορευτικό σήμα**: για οχήματα) warning sign · (για πλοία) warning

απαγορεύω Ρ Μ (τραγούδι, βιβλίο, εκδηλώσεις) to ban · (για γιατρό) to forbid · (για νόμο, συνείδηση) to prohibit
▷**απαγορεύεται αυστηρά το κάπνισμα/η φωτογράφηση** smoking/photography is strictly prohibited ή forbidden
▷**"απαγορεύεται η είσοδος"** "no entry"
▷**"απαγορεύεται η στάθμευση"** "no parking"
▷**απαγορεύεται να κάνω κτ** to be forbidden to do sth
▷**"απαγορεύεται το κάπνισμα"** "no smoking"
▷**σας απαγορεύω να μιλάτε κατ' αυτόν τον τρόπο!** I forbid you to talk to me like that!

απαγχονίζω Ρ Μ to hang

απαγχονισμός ΟΥΣ ΑΡΣ hanging

απάγω Ρ Μ to kidnap, to abduct

απαγωγέας ΟΥΣ ΑΡΣ&ΘΗΛ kidnapper

απαγωγή ΟΥΣ ΘΗΛ (α) (παιδιού, εμπόρου) abduction, kidnapping (β) (ΝΟΜ) abduction
▷**εις άτοπον απαγωγή** reductio ad absurdum

απαθανατίζω Ρ Μ to immortalize

απάθεια ΟΥΣ ΘΗΛ indifference, apathy
▷**δείχνω απάθεια σε κτ** to be indifferent to sth

απαθής, -ής, -ές ΕΠΙΘ indifferent
▷**παραμένω απαθής (μπροστά) σε κτ** to remain indifferent to sth

απαίδευτος, -η, -ο ΕΠΙΘ (= αμόρφωτος) uneducated
▷**είμαι απαίδευτος** (= είμαι αβασάνιστος) not to have suffered, to have had an easy life

άπαικτος, -η, -ο ΕΠΙΘ (α) (επίσης **άπαιχτος**: έργο: στον κινηματογράφο) not out, not released· (στην τηλεόραση) not shown· (στο θέατρο) not put on (β) (επίσης **άπαιχτος**: παιχνίδι, χαρτί) unplayed

απαισιοδοξία ΟΥΣ ΘΗΛ pessimism

απαισιόδοξος, -η, -ο ΕΠΙΘ pessimistic

απαίσιος, -α, -ο ΕΠΙΘ (άνθρωπος) awful, horrible· (συμπεριφορά, χαρακτήρας) awful, despicable· (καιρός) awful, foul· (έγκλημα) horrific, terrible· (θέαμα, συνθήκες) awful

απαίτηση ΟΥΣ ΘΗΛ demand
▷**έχω την απαίτηση να κάνει κποιος κτ** to demand that sb do sth
▷**προβάλλω απαιτήσεις** to make demands

απαιτητικός, -ή, -ό ΕΠΙΘ (παιδί, κοινό, εργοδότης, εργασία) demanding

απαιτητός, -ή, -ό ΕΠΙΘ (φόρος, χρέος) due

απαιτούμενος, -η, -ο ΕΠΙΘ (έλεγχος, προσόντα, χρόνος, πειθαρχία, υπομονή) necessary, requisite
▸**απαιτούμενα** ΟΥΣ ΟΥΔ ΠΛΗΘ necessary funds

απαιτώ Ρ Μ (α) (σεβασμό, πειθαρχία) to demand· (παραίτηση) to call for (β) (μισθό, πληρωμή, απάντηση) to demand
(γ) (προσοχή, υπομονή) to require, to call for· (χρόνο) to take

άπαιχτος, -η, -ο (αργκ.) ΕΠΙΘ (τύπος) in a class of his own· (αστείο) priceless· βλ. κ. **άπαικτος**

απαλείφω Ρ Μ to erase

απάλειψη ΟΥΣ ΘΗΛ erasing

απαλλαγή ΟΥΣ ΘΗΛ (α) (από υποχρέωση) exemption· (από πιέσεις) relief (β) (ΣΤΡΑΤ) discharge (γ) (κατηγορουμένου) acquittal
▷**παίρνω απαλλαγή από κτ** (από φόρο) to be exempt from sth· (από μάθημα) to be excused from sth
▸**φορολογική απαλλαγή** tax exemption

απαλλακτικός, -ή, -ό ΕΠΙΘ: **απαλλακτική απόφαση** acquittal
▸**απαλλακτικό βούλευμα** order of dismissal

απαλλάσσω Ρ Μ (α) (= απελευθερώνω) to release (β) (κληρωτό, φορολογούμενο) to exempt
▷**απαλλάσσω κπν από τα καθήκοντά του** to relieve sb of their duties
▷**απαλλάσσω κπν από την κατηγορία** to acquit sb

απαλλοτριώνω Ρ Μ to expropriate

απαλλοτρίωση ΟΥΣ ΘΗΛ expropriation

απαλοιφή ΟΥΣ ΘΗΛ (α) (= απάλειψη) removal (β) (ΜΑΘ) cancelling out

απαλός, -ή, -ό ΕΠΙΘ (α) (χέρι, ρούχο, μαλλιά) soft (β) (μουσική, φωτισμός) soft, gentle· (χρώμα) pastel (αεράκι, χάδι) gentle

απαλότητα ΟΥΣ ΘΗΛ (ρούχων, δέρματος) softness

απάλυνση ΟΥΣ ΘΗΛ (α) (ρούχου, υφάσματος) softening (β) (πόνου, θλίψης, δογματισμού) alleviation

απαλύνω ① Ρ Μ (α) (ρούχα) to soften (β) (πόνο, πρόβλημα) to alleviate

② Ρ ΑΜ (πόνος) to ease· (θυμός) to abate

απάνεμος, -η, -ο ΕΠΙΘ (μέρος, γωνιά) sheltered

απάνθισμα ΟΥΣ ΟΥΔ (α) (= ελίτ) elite (β) (= ανθολογία λογοτεχνημάτων) anthology

απανθρακώνω Ρ Μ (πτώμα) to burn· (δάσους, κτήριο) to burn down, to reduce to ashes

απανθράκωση ΟΥΣ ΘΗΛ (δάσους, κτηρίου) burning down

απανθρωπιά ΟΥΣ ΘΗΛ inhumanity

απάνθρωπος, -η, -ο ΕΠΙΘ (συνθήκες, συμπεριφορά, πράξη) inhuman, inhumane

άπαντα ΟΥΣ ΟΥΔ ΠΛΗΘ collected ή complete works

απανταχού (επίσ.) ΕΠΙΡΡ everywhere

απάντηση ΟΥΣ ΘΗΛ (α) (= απόκριση) answer, reply (β) (σε αίτηση, επιστολή) reply (γ) (προβλήματος, άσκησης) answer (δ) (= αντίδραση) response
▷**αρνητική/καταφατική απάντηση** negative/positive ή affirmative answer ή reply
▷**βρίσκω απάντηση** to receive ή get an answer
▷**γραπτή απάντηση** written reply ή response
▷**προφορική απάντηση** verbal response
▷**δίνω/παίρνω απάντηση** to give/receive ή get an answer

απαντητικός, -ή, -ό ΕΠΙΘ (επιστολή, έγγραφο) answering

απαντώ ① Ρ ΑΜ (α) (= δίνω απάντηση) to answer, to reply (β) (σε γράμμα, επιστολή) to reply, to write back (γ) (= αντιδρώ) to respond
② Ρ Μ (α) (= αποκρίνομαι) to answer (β) (= συναντώ) to meet
▷**απαντώ γραπτώς** to answer in writing
▷**απαντώ σε κπν** to give sb an answer, to answer sb
▷**απαντώ σε γράμμα** to answer a letter, to reply to a letter
▷**απαντώ σε μια ερώτηση** to answer a question
▷**απαντώ στα πυρά κποιου** to return sb's fire
▷**απαντώ στο τηλέφωνο** to answer the phone
▸**απαντά** ΤΡΙΤΟΠΡΟΣ (επίσ.: = υπάρχει) to exist

απάνω ΕΠΙΡΡ = **επάνω**

απανωτός, -ή, -ό ΕΠΙΘ (χτυπήματα, πυροβολισμοί) continual

απαξιώ Ρ Μ to refuse

απαράβατος, -η, -ο ΕΠΙΘ (όρκος, νόμος) inviolable· (όρος) strict· (κανόνας) hard–and–fast

απαραβίαστος, -η, -ο ΕΠΙΘ (α) (κλειδαριά) not tampered with· (πόρτα) not broken into (β) (χρηματοκιβώτιο) impregnable (γ) (κανόνας) inviolable· (δικαίωμα) inalienable· (όρος) strict· (τόπος) inviolate

απαράβλεπτος, -η, -ο ΕΠΙΘ (δικαίωμα, χαρακτηριστικό) not overlooked

A

απαράγραπτος, -η, -ο ΕΠΙΘ (*κανόνας*) inviolable · (*δικαίωμα*) inalienable

απαράδεκτος, -η, -ο ΕΠΙΘ (α) (*συμπεριφορά, στάση*) unacceptable, inadmissible · (*κατάσταση*) intolerable · (*τρόπος*) objectionable (β) (*φαγητό, κουζίνα*) abysmal
▷**είναι απαράδεκτο να** it is unacceptable *ή* inadmissible that

απαραίτητος, -η, -ο ΕΠΙΘ (*εφόδιο, προϋπόθεση*) essential · (*χρόνος*) necessary

απαράλλακτος, -η, -ο ΕΠΙΘ (*μορφή, συμπεριφορά*) identical
▷**ίδιος κι απαράλλακτος** exactly the same

απαράμιλλος, -η, -ο ΕΠΙΘ (*γενναιοδωρία*) unparalleled · (*ομορφιά*) matchless, peerless · (*χάρη*) incomparable

απαρατήρητος, -η, -ο ΕΠΙΘ unnoticed

απαρέγκλιτος, -η, -ο ΕΠΙΘ (*κυριολ., μτφ.*) unswerving

απαρέμφατο ΟΥΣ ΟΥΔ infinitive

απαρηγόρητος, -η, -ο ΕΠΙΘ inconsolable

απαρίθμηση ΟΥΣ ΘΗΛ enumeration, listing

απαριθμώ Ρ Μ to enumerate, to list

απάρνηση ΟΥΣ ΘΗΛ (α) (*πίστης*) renunciation · (*αξιών*) rejection (β) (*οικογένειας*) abandonment · (*καριέρας*) giving up

απαρνούμαι, απαρνιέμαι Ρ Μ ΑΠΟΘ (α) (*θρησκεία*) to renounce · (*ιδέες*) to reject (β) (*παιδιά, γονείς*) to abandon · (*καριέρα*) to give up · (*πλούτη*) to renounce, to turn one's back on

απαρτία ΟΥΣ ΘΗΛ quorum
▷**έχουμε απαρτία** to have a quorum
▷**πλήρης απαρτία** full complement

απαρτίζω Ρ Μ to constitute
▸**απαρτίζομαι** ΜΕΣΟΠΑΘ: **απαρτίζομαι από κτ** to consist of sth, to be made up of sth

απαρχαιωμένος, -η, -ο ΕΠΙΘ (*ιδέες, πρότυπα*) old-fashioned · (*μηχάνημα*) antiquated

απαρχή ΟΥΣ ΘΗΛ beginning, start

απαστράπτων, -ουσα, -ον ΕΠΙΘ (*καθαριότητα, λευκότητα, αίθουσα*) sparkling

απασχολημένος, -η, -ο ΕΠΙΘ busy

απασχόληση ΟΥΣ ΘΗΛ (α) (= *εργασία*) occupation (β) (*καταχρ.: = ασχολία*) pastime
▸**κύρια απασχόληση** main occupation
▸**πλήρης/μερική απασχόληση** full-time/part-time employment

απασχολώ Ρ Μ (α) (= *παρέχω εργασία*) to employ (β) (= *προβληματίζω*) to concern (γ) (= *αποσπώ την προσοχή*) to distract · (= *γεμίζω τον χρόνο*) to occupy, to keep busy
▸**απασχολούμαι** ΜΕΣΟΠΑΘ (= *εργάζομαι*) to work

απατεώνας ΟΥΣ ΑΡΣ crook, con man, swindler

Προσοχή!: Ο πληθυντικός του **con man** *είναι* **con men**.

απατεωνιά ΟΥΣ ΘΗΛ swindle, confidence trick

απατεώνισσα ΟΥΣ ΘΗΛ *βλ.* **απατεώνας**

απάτη ΟΥΣ ΘΗΛ (α) (= *καπατσαριά*) deception,

fraud, swindle (β) (= *απατεώνας*) crook (γ) (= *ψέμα*) lie
▸**οπτική απάτη** optical illusion

απατηλός, -ή, -ό ΕΠΙΘ (α) (*εντύπωση, αντίληψη, όνειρα, ελπίδες*) false (β) (*μέσα, τέχνασμα*) underhand, deceitful · (*υπόσχεση*) empty

απάτητος, -η, -ο ΕΠΙΘ (α) (*μονοπάτι*) untrodden · (*ακτή, περιοχή*) virgin · (*βουνό, κορυφή*) unclimbed (β) (*σταφύλια*) untrodden, unpressed (γ) (*κάστρο*) impregnable

άπατρις (*επίσ.*) ΟΥΣ ΑΡΣ/ΘΗΛ stateless

απατώ Ρ Μ (α) (= *κάνω απάτη*) to cheat (β) (*προαίσθηση*) to let down, to fail (γ) (*σύζυγο*) to deceive, to cheat on (*ανεπ.*)
▷**αν δεν με απατά η μνήμη μου** if memory serves
▷**τα φαινόμενα απατούν** appearances are deceptive
▸**απατώμαι** ΜΕΣΟΠΑΘ to be mistaken

απαυτός, -ή, -ό ΕΠΙΘ (α) (*οικ.: αντί ονόματος: για πρόσ.*) what's-his-name/what's-her-name, thingummy (*ανεπ.*) · (*για πράγμα*) whatsit (*ανεπ.*) (β) (*ευφημ.: = οπίσθια*) backside
▸**απαυτά** ΟΥΣ ΟΥΔ ΠΛΗΘ (*ευφημ.*) privates

απαυτώνω Ρ Μ (*ευφημ.*) to sleep with

άπαχος, -η, -ο ΕΠΙΘ (*γάλα*) fat-free · (*τυρί*) low-fat · (*κρέας*) not fatty

απεγκλωβίζω Ρ Μ (α) (= *απελευθερώνω*) to set free, to free (β) (= *αποδεσμεύω*) to free

απεγκλωβισμός ΟΥΣ ΑΡΣ (α) (= *απελευθέρωση*) freeing (β) (= *αποδέσμευση*) freedom

απεγνωσμένος, -η, -ο ΕΠΙΘ (*προσπάθεια, έκκληση*) desperate

απειθάρχητος, -η, -ο ΕΠΙΘ (*παιδί*) disobedient, unruly · (*πλήθος, συμπεριφορά, ομάδα*) unruly · (*στρατιώτης*) insubordinate

απειθαρχία ΟΥΣ ΘΗΛ (*παιδιού*) disobedience · (*συμπεριφοράς*) unruliness · (*στρατιώτη*) insubordination

απείθαρχος ΟΥΣ ΑΡΣ (*στρατιώτης*) insubordinate · (*μαθητής*) unruly, disobedient

απειθαρχώ Ρ ΑΜ (*παιδί*) to disobey · (*στρατιώτης*) to be insubordinate

απείθεια ΟΥΣ ΘΗΛ (*παιδιού*) disobedience · (*στρατιώτη*) insubordination

απειθής, -ής, -ές ΕΠΙΘ (*στρατιώτης*) insubordinate · (*μαθητής*) unruly, disobedient

απεικονίζω Ρ Μ (α) (= *αποδίδω*) to depict (β) (= *περιγράφω*) to portray

απεικόνιση ΟΥΣ ΘΗΛ (= *αναπαράσταση*) portrayal · (= *περιγραφή*) description

απειλή ΟΥΣ ΘΗΛ (α) (= *εκφοβισμός*) threat (β) (= *κίνδυνος*) threat, menace

απειλητικός, -ή, -ό ΕΠΙΘ threatening, menacing

απειλώ Ρ Μ (α) (= *εκφοβίζω*) to threaten (β) (= *ενέχω κίνδυνο*) to threaten, to be a threat to
▸απειλούμαι ΜΕΣΟΠΑΘ: **απειλούμαι με εξαφάνιση** to be threatened with extinction

απειράριθμος, -η, -ο ΕΠΙΘ infinite, countless

απείραχτος, -η, -ο ΕΠΙΘ (α) (= *που δεν τον έχουν ενοχλήσει*) not bothered (β) (= *άθικτος*) untouched

απειρία ΟΥΣ ΘΗΛ inexperience

άπειρο ΟΥΣ ΟΥΔ infinity
▷**επ' άπειρον** to infinity

απειροελάχιστος ΕΠΙΘ (*πιθανότητες*) infinitesimal

άπειρος[1] ΕΠΙΘ (= *χωρίς πείρα*) inexperienced

άπειρος[2] ΕΠΙΘ (α) (= *απέραντος*) infinite (β) (= *πάρα πολύς*) endless

απείρως ΕΠΙΡΡ (= *υπερβολικά*) infinitely

απεκδύομαι Ρ Μ (*επίσ.: = αποβάλλω, απορρίπτω*) to divest oneself of

απέκκριση ΟΥΣ ΘΗΛ (= *έκκριση, αποβολή: ούρων, ασβεστίου*) excretion

απέλαση ΟΥΣ ΘΗΛ (= *απομάκρυνση*) expulsion, deportation

απελαύνω Ρ Μ (= *διώχνω: μετανάστες*) to expel, to deport

απελέκητος ΕΠΙΘ (*μάρμαρο, ξύλο*) unhewn

απελεύθερος ΟΥΣ ΑΡΣ (ΙΣΤ) freedman

> *Προσοχή!: Ο πληθυντικός του* **freedman** *είναι* **freedmen**.

απελευθερώνω Ρ Μ (α) (*σκλάβο, δούλο*) to set free · (*λαό*) to set free, to liberate (β) (= *ενέργεια*) to release (γ) (*μτφ.*) to deregulate (δ) (*ψυχή*) to release

απελευθέρωση ΟΥΣ ΘΗΛ (*λαού, σκλάβων*) liberation, emancipation
▷**σεξουαλική απελευθέρωση** sexual liberation
▷**εθνική απελευθέρωση** national liberation

απελευθερωτής ΟΥΣ ΑΡΣ liberator

απελευθερωτικός ΕΠΙΘ (*στρατός*) liberating
▷**απελευθερωτικό μέτωπο** liberation movement

απελπίζω Ρ Μ to discourage, to dishearten
▸απελπίζομαι ΜΕΣΟΠΑΘ to despair, to give up hope

απελπισία ΟΥΣ ΘΗΛ despair, desperation
▷**με πιάνει απελπισία** to feel desperate

απελπισμένος ΕΠΙΘ desperate

απελπιστικά ΕΠΙΡΡ (= *πάρα πολύ*) desperately

απελπιστικός ΕΠΙΘ (*κατάσταση, θέση*) desperate, hopeless

απεμπλοκή ΟΥΣ ΘΗΛ (*επίσ.: = ξεμπλοκάρισμα: κατάστασης*) disengagement

απεμπολώ Ρ ΑΜ (*επίσ.*) to abandon

Απέννινα ΟΥΣ ΟΥΔ ΠΛΗΘ (*όρος*) the Apennines

απένταρος ΕΠΙΘ (= *φτωχός*) broke, penniless

απεραντολογία ΟΥΣ ΘΗΛ (= *ακατάσχετη*

φλυαρία) garrulousness

απεραντολόγος ΟΥΣ ΑΡΣΘΗΛ (= *φλύαρος*) garrulous

απεραντολογώ Ρ ΑΜ (= *φλυαρώ*) to run on, to ramble

απεραντοσύνη ΟΥΣ ΘΗΛ (α) (*ουρανού, κόσμου*) vastness (β) (= *άπειρο, σύμπαν*) infinity

απεργάζομαι Ρ Μ ΑΠΟΘ (*επίσ.: = μηχανορραφώ*) to machinate

απεργία ΟΥΣ ΘΗΛ strike
▷**απεργία πείνας** hunger strike
▷**λευκή απεργία** sit–down strike
▷**24ωρη/48ωρη απεργία** 24–hour/48–hour strike
▷**σπάει η απεργία** to break the strike
▷**λύνω την απεργία** to end the strike
▷**γενική απεργία** general strike
▷**απεργία διαρκείας** long–term strike
▷**προειδοποιητική απεργία** token strike
▷**κατεβαίνω σε απεργία** to go on strike, to walk out
▷**αναστέλλω την απεργία** to call off the strike
▷**κάνω απεργία** to be on strike

απεργιακός ΕΠΙΘ (*κινητοποίηση, επιτροπή, κίνημα*) strike

απεργός ΟΥΣ ΑΡΣΘΗΛ striker

απεργοσπάστης ΟΥΣ ΑΡΣ strikebreaker, blackleg

απεργοσπαστικός ΕΠΙΘ (*προσπάθεια, κίνηση, μηχανισμός*) strike–breaking

απεργοσπάστρια ΟΥΣ ΘΗΛ βλ. **απεργοσπάστης**

απεργώ Ρ ΑΜ (*εργαζόμενος, εργάτης*) to strike

απερίγραπτος ΕΠΙΘ (*θλίψη, χαρά, ταραχή*) indescribable

απεριόριστος ΕΠΙΘ (*εξουσία, φιλοδοξία*) limitless · (*εμπιστοσύνη*) unconditional, absolute

απεριποίητος ΕΠΙΘ (α) (*για πρόσ.*) unkempt (β) (*κήπος*) neglected, uncared–for · (*σπίτι*) untidy

απερίσκεπτος ΕΠΙΘ (α) (*απόφαση*) rash · (*ενέργεια*) thoughtless, unwise · (*κίνηση*) thoughtless (β) (*για πρόσ.: = επιπόλαιος*) foolhardy

απερισκεψία ΟΥΣ ΘΗΛ (= *αμυαλιά*) rashness

απερίσπαστος ΕΠΙΘ undisturbed

απέριττος ΕΠΙΘ (= *λιτός*) unadorned, plain

απερίφραστα ΕΠΙΡΡ outright

απερίφραστος ΕΠΙΘ outright

απέρχομαι Ρ ΑΜ ΑΠΟΘ (*επίσ.*) to leave

απεσταλμένος, -η, -ο ΕΠΙΘ: **απεσταλμένο μήνυμα** sent message
▸απεσταλμένος ΟΥΣ ΑΡΣ, απεσταλμένη ΟΥΣ ΘΗΛ (α) (*χώρας, Ο.Η.Ε.*) envoy, delegate (β) (*καναλιού, εφημερίδας*) correspondent

απευθείας ΕΠΙΡΡ (α) (= *άμεσα*) directly (β) (= *αμέσως*) immediately
▷**απευθείας μετάδοση** live

απευθύνω P M (*έγγραφο, επιστολή*) to deliver
▷**απευθύνω τον λόγο σε κπν** to address sb, to speak to sb
▸**απευθύνομαι** ΜΕΣΟΠΑΘ: **απευθύνομαι σε** (*προφορικά*) to address · (*εγγράφως*) to write to · (*καλοσύνη, ευαισθησία*) to appeal to · (*σε υπηρεσία*) to apply to
απευθυσμένο ΟΥΣ ΟΥΔ rectum
απευκταίος ΕΠΙΘ (= *ανεπιθύμητος*) undesirable
▸**απευκταίον** ΟΥΣ ΟΥΔ (*ευφημ.*) mishap
απεύχομαι P M ΑΠΟΘ not to want
απεχθάνομαι P M ΑΠΟΘ (= *αντιπαθώ, σιχαίνομαι*) to detest, to loathe
απέχθεια ΟΥΣ ΘΗΛ (= *αποστροφή*) repugnance, loathing
▷**νιώθω/αισθάνομαι απέχθεια για κπν** to feel repulsed by sb
απεχθής ΕΠΙΘ loathsome
απέχω P ΑΜ (α) (= *βρίσκομαι μακριά*) to be far (β) : **απέχω από** (*συνάντηση*) to be absent from · (*ψηφοφορία*) to abstain from · (*προπονήσεις*) not taking part in (γ) (= *διαφέρω*) to be far–removed from
▷**απέχω από κτ** (= *αποφεύγω*) to refrain from sth
απήχηση ΟΥΣ ΘΗΛ (α) (= *αποδοχή*) reception (β) (= *αντίκτυπος*) effect
▷**βρίσκω απήχηση** to have an effect
απηχώ P M (α) (= *εκφράζω: ιδέα, άποψη, πεποίθηση*) to echo (β) (= *εντυπωσιάζω*) to come across
άπιαστος ΕΠΙΘ (α) (= *απραγματοποίητος*) unfulfilled (β) (= *αξεπέραστος*) unbeatable
απίδι ΟΥΣ ΟΥΔ pear
απίθανος ΕΠΙΘ (α) (= *εκπληκτικός*) amazing, fantastic (β) (= *μη πιθανός*) incredible, unbelievable
▷**είναι απίθανο να** it's unlikely that
απίκο ΕΠΙΡΡ: **είμαι απίκο** (= *είμαι έτοιμος*) to be all set
απίστευτος ΕΠΙΘ incredible
▷**είναι απίστευτο!** it's incredible!
απιστία ΟΥΣ ΘΗΛ (α) (ΝΟΜ) breach of trust (β) (= *μοιχεία*) infidelity
άπιστος [1] ΕΠΙΘ (α) (= *άθρησκος*) unbelieving (β) (*σύζυγος*) unfaithful [2] ΟΥΣ (ΘΡΗΣΚ) unbeliever · (*μειωτ.*) infidel
▷**άπιστος Θωμάς** doubting Thomas
απιστώ P M (= *αθετώ*) to betray
απλά ΕΠΙΡΡ simply
άπλα ΟΥΣ ΘΗΛ (= *ευρυχωρία*) roominess, spaciousness
▷**έχει άπλα εδώ** it's nice and roomy in here
απλανής ΕΠΙΘ (= *αμετακίνητος: βλέμμα*) blank, glazed
απλέρωτος ΕΠΙΘ = **απλήρωτος**
άπλετος ΕΠΙΘ: **άπλετο φως** dazzling light
απληροφόρητος ΕΠΙΘ uninformed
απλήρωτος ΕΠΙΘ (α) (*λογαριασμός, υπάλληλος*) unpaid (β) (*σκεύος, μηχάνημα*)

not paid for
απλησίαστος ΕΠΙΘ (α) (*ρούχο, σπίτι, αυτοκίνητο*) unaffordable (β) (*για πρόσ.*) unapproachable
απληστία ΟΥΣ ΘΗΛ (α) (= *υπερβολική επιθυμία*) ardent desire (β) (= *πλεονεξία*) greed
άπληστος ΕΠΙΘ (α) (= *αχόρταγος*) insatiable (β) (= *πλεονέκτης*) greedy
απλοϊκός ΕΠΙΘ (α) (*πίνακας, βιβλίο*) simple, basic · (*σχέδιο, λύση*) simple (β) (= *αφελής: άνθρωπος*) naive, simple · (*μυαλό*) simple · (*άποψη*) naive
απλοϊκότητα ΟΥΣ ΘΗΛ (α) (*ιδεών, σκέψης*) simplicity (β) (*ανθρώπου, λαού*) naivety
απλοποίηση ΟΥΣ simplification
απλοποιώ P M to simplify
απλός ΕΠΙΘ (α) (= *μη πολύπλοκος: περιγραφή, θέμα, θεωρία, εργαλείο*) simple · (*γλώσσα*) plain, simple (β) (*γνωριμία, ματιά, βλέμμα*) just, mere (γ) (*για πρόσ.: = προσιτός*) unaffected, simple (δ) (*πολίτης, άνθρωπος*) ordinary (ε) (= *απλοϊκός: άνθρωπος, χαρακτήρας*) naive, simple
▸**απλή πρόταση** simple sentence
▸**απλή επιστολή, απλό γράμμα** ordinary letter
▸**απλό εισιτήριο** single, one–way
▸**απλός στρατιώτης** private
απλότητα ΟΥΣ ΘΗΛ (α) (*συμπεριφοράς, τρόπων, σύνθεσης, πίνακα*) simplicity (β) (*σκέψης, λόγων, ανθρώπου, χαρακτήρα*) simplicity
απλούστατα ΕΠΙΡΡ very simply
απλούστευση ΟΥΣ ΘΗΛ (*διαδικασίας, προβλήματος, γεγονότος*) simplification
απλουστεύω P M (*πρόβλημα, γεγονός, κατάσταση*) to simplify
απλόχερα ΕΠΙΡΡ freely, liberally
απλοχεριά ΟΥΣ ΘΗΛ (= *γενναιοδωρία*) generosity
απλόχερος ΕΠΙΘ (α) (= *γενναιόδωρος*) generous (β) (= *άφθονος*) generous, liberal
απλόχωρος ΕΠΙΘ (*σπίτι, δωμάτιο*) spacious
απλυσιά ΟΥΣ ΘΗΛ dirtiness
άπλυτος ΕΠΙΘ (= *ακάθαρτος*) unwashed, dirty
▸**άπλυτα** ΟΥΣ ΟΥΔ ΠΛΗΘ dirty linen
▷**βγάζω τ' άπλυτα κποιου στη φόρα** to dish the dirt on sb, to expose sb
άπλωμα ΟΥΣ ΟΥΔ (α) (*ρούχων, χαλιών*) hanging out (β) (*χεριών*) holding out · (*ποδιών*) putting out (γ) (= *ξεδίπλωμα: κουβέρτας, σεντονιού*) spreading (out) (δ) (*αρρώστιας, ελονοσίας*) spread · (*αντιλήψεων, ιδεών, κινήματος*) spreading
απλώνω [1] P M (α) (*ρούχα*) to hang out · (*καπνό, αμύγδαλα, σύκα*) to put out, to spread out (β) (= *ξεδιπλώνω: κουβέρτα, τραπεζομάντηλο*) to spread (out) (γ) (*χέρι*) to hold out (δ) (*πόδι*) to put out · (*φτερά*) to spread · (*βούτυρο, μαρμελάδα*) to spread · (*χρώμα, βαφή*) to apply

Α

2 Ρ ΑΜ (*λεκές*) to spread
▸ **απλώνομαι** ΜΕΣΟΠΑΘ (α) (= *εκτείνομαι: πεδιάδα, λουλούδια*) to spread (β) (= *επεκτείνομαι: σκοτάδι, ομίχλη, ιός, χαμόγελο*) to spread · (*επιχείρηση*) to expand · (*έρευνα*) to widen · (*παρέα, κόμμα*) to grow · (*στρατός, πλήθος*) to spread out (γ) (= *επεκτείνομαι υπερβολικά: ομιλητής*) to ramble on

απλώς ΕΠΙΡΡ (= *μόνο*) just, only

απλωσιά ΟΥΣ ΘΗΛ (α) (= *υπαίθριος χώρος*) expanse (β) (= *άπλα*) spaciousness

απλώστρα ΟΥΣ ΘΗΛ clothes horse

απλωτός ΕΠΙΘ (*χέρια, πόδια*) outstretched
▸ **απλωτή** ΟΥΣ ΘΗΛ (*στην κολύμβηση*) stroke

άπνοια ΟΥΣ ΘΗΛ (= *νηνεμία*) dead calm, stillness

│ΛΕΞΗ-ΚΛΕΙΔΙ│

από, απ', αφ' ΠΡΟΘ (α) (*για αφετηρία, σημείο υπολογισμού, καταγωγή*) from ▢ ...*από την Αθήνα* ...from Athens · ...*από μακριά* ...from far away · *έφυγε από τη χώρα της* she left her country · *δεν είναι μακριά από το σπίτι μου* it's not far away from my place · *είμαι από την Ελλάδα* I'm ή I come from Greece (β) (*για διέλευση ή το δια μέσου*) via ▢ *το λεωφορείο πηγαίνει από την Λ. Αλεξάνδρας* the bus goes via Alexandra Avenue · *το λεωφορείο δεν περνά από 'δω* there's no bus service from here · *την είδα από το παράθυρο* I saw her through the window (γ) (*για μέρος συνόλου*) of ▢ *μας έφερε μερικά από τα ποιήματά του* he brought us some of his poems · *κάθισε από την έξω/τη μέσα πλευρά του τραπεζιού* she sat on the outside/the inside (of the table) (δ) (*για χρόνο*) from ▢ *θα ερμηνεύσει τραγούδια από την εποχή του νέου κύματος* he will sing songs from the '60s · *έχει να μ' επισκεφθεί από πέρυσι* he hasn't visited me since last year · *το μπαρ ήταν ανοιχτό από νωρίς* the bar was open early (ε) (*σε συγκρίσεις με θετικό βαθμό*) to ▢ *προτιμώ τις μηχανές από τα αυτοκίνητα* I prefer bikes to cars · (*με συγκριτικό βαθμό*) than · *είναι ψηλότερη από μένα* she's taller than me (στ) (*ποιητικό αίτιο*) by ▢ *χειροκροτήθηκε θερμά από το κοινό* she was warmly applauded by the audience (ζ) (*για ύλη ή περιεχόμενο*) made of ▢ *η μπλούζα είναι από μαλλί/μετάξι* the blouse is made from wool/silk · *τα έπιπλα είναι φτιαγμένα από ξύλο καρυδιάς* the furniture is oak (η) out of ▢ *προσελήφθησαν οι τρεις από τους πέντε υποψηφίους* three out of the five candidates were taken on (θ) (*για επιμερισμό*): *πήραν από 2.000 ευρώ ως αποζημίωση η καθεμία* each one got 2,000 euros as compensation ▢ *ο δάσκαλος μοίρασε από μία φωτοτυπία στον κάθε μαθητή* the teacher gave each pupil a

photocopy (ι) (*για τρόπο ή μέσο*) from ▢ *μαθαίνουμε τα νέα από το ραδιόφωνο* we get our news from the radio (ια) (*για αναφορά*): *από κάθε άποψη* from every perspective ▢ *από απόψεως οικονομίας* from an economic point of view · *από φυσική δεν ξέρει τίποτα* he doesn't know a thing about physics (ιβ) (*για απαλλαγή*) from ▢ *μας γλίτωσες από πολύ κόπο* you saved us a lot of trouble (ιγ) (*για αφαίρεση*) minus ▢ *10 από 35 κάνει 25* 35 minus 10 equals 25

αποβάθρα ΟΥΣ ΘΗΛ dock

αποβαίνω Ρ ΑΜ to prove
▸ **αποβαίνω σε ή εις βάρος κποιου** to be detrimental to sb

αποβάλλω **1** Ρ Μ (α) (*μόσχευμα*) to reject · (*φαγητό*) to bring up (β) (*θερμότητα*) to give off (γ) (*μτφ.: ιδέα, σκέψεις*) to dismiss · (*την κοινωνία*) to reject (δ) (*μαθητή, φοιτητή*) to expel (ε) (*παίκτη, ποδοσφαιριστή*) to send off
2 Ρ ΑΜ (*για εγκύους*) to miscarry, to have a miscarriage

απόβαρο ΟΥΣ ΟΥΔ (*φορτίου, εμπορεύματος*) tare

απόβαση ΟΥΣ ΘΗΛ (ΣΤΡΑΤ) landing
▸ **κάνω απόβαση** to land

αποβιβάζω Ρ Μ (*επιβάτη: από πλοίο*) to put ashore · (*από λεωφορείο*) to drop off
▸ **αποβιβάζομαι** ΜΕΣΟΠΑΘ (α) (*από πλοίο*) to disembark · (*από λεωφορείο, τρένο*) to get off (β) (ΣΤΡΑΤ) to land

αποβίβαση ΟΥΣ ΘΗΛ disembarkation

αποβιομηχάνιση ΟΥΣ ΘΗΛ (*περιοχής, χώρας*) deindustrialization

αποβλακώνω Ρ Μ to dull the senses of

αποβλάκωση ΟΥΣ ΘΗΛ dulling of the senses

αποβλέπω Ρ ΑΜ: **αποβλέπω σε** to aim at

απόβλητα ΟΥΣ ΟΥΔ ΠΛΗΘ (*εργοστασίου*) waste · (*υπονόμου, πόλης*) sewage

απόβλητος **1** ΕΠΙΘ (= *περιφρονημένος: άνθρωπος, ιδέα*) held in contempt
2 ΟΥΣ outcast

αποβολή ΟΥΣ ΘΗΛ (α) (*μοσχεύματος*) rejection · (*τροφής*) bringing up (β) (*μαθητή, φοιτητή*) exclusion (γ) (*παίκτη, ποδοσφαιριστή*) sending off (δ) (*για έγκυο*) miscarriage

αποβουτυρωμένος ΕΠΙΘ (*γάλα*) skimmed

αποβουτυρώνω Ρ Μ (*γάλα*) to skim

αποβραδίς ΕΠΙΡΡ in the evening

απόβραδο ΟΥΣ ΟΥΔ (*λογοτ.*) early evening

απόβρασμα ΟΥΣ ΟΥΔ (= *υβρ.*) scum
▸ **απόβρασμα της κοινωνίας** scum of the earth

απογαλακτισμός ΟΥΣ ΑΡΣ (= *βρέφους*) weaning

απόγειο ΟΥΣ ΟΥΔ (*δόξας, καριέρας*) peak

απογειώνω Ρ Μ (*αεροπλάνο, υδροπλάνο*) to get into the air
▸ **απογειώνομαι** ΜΕΣΟΠΑΘ (α) (*αεροπλάνο*) to take off (β) (*μτφ.: κίνημα*) to take off · (*τιμές*) to go through the roof · (*πληθωρισμός*) to soar

απογείωση ΟΥΣ ΘΗΛ (*αεροπλάνου*) takeoff

απόγεμα ΟΥΣ ΟΥΔ (*προφορ.*) = **απόγευμα**

απόγευμα ΟΥΣ ΘΗΛ afternoon

απογευματινός ΕΠΙΘ (*εργασία*) afternoon · (*εφημερίδα*) evening
▸ **απογευματινή** ΟΥΣ ΘΗΛ (*επίσης* **απογευματινή παράσταση**) matinée

απογίνομαι Ρ ΑΜ ΑΠΟΘ (α) (= *καταλήγω*) to become of (β) (= *χειροτερεύω*) to get worse

απόγνωση ΟΥΣ ΘΗΛ despair
▹ **είμαι ή βρίσκομαι σε απόγνωση** to be in despair

απογοητευμένος ΕΠΙΘ disappointed
▹ **απογοητευμένος από** disappointed with ή in, disenchanted with

απογοήτευση ΟΥΣ ΘΗΛ disappointment
▹ **με μεγάλη απογοήτευση** it was with great disappointment
▹ **προς μεγάλη μου απογοήτευση** to my great disappointment

απογοητευτικός ΕΠΙΘ (*απόδοση, αποτέλεσμα*) disappointing

απογοητεύω Ρ Μ (*γονείς, καθηγητές*) to let down, to disappoint
▸ **απογοητεύομαι** ΜΕΣΟΠΑΘ (α) (= *αποκαρδιώνομαι*) to be discouraged (β) (= *διαψεύδονται οι ελπίδες μου*) to be disappointed

απόγονος ΟΥΣ ΑΡΣ descendant
▹ **καλούς απογόνους!** (*ευχή*) may you have many children!

απογραφή ΟΥΣ ΘΗΛ (α) (*πληθυσμού*) census (β) (*περιουσίας, εμπορευμάτων*) inventory, control

απόγραφο ΟΥΣ ΟΥΔ (*συμβολαίου, σύμβασης, τίτλου*) certified copy

απογράφω Ρ Μ (α) (*πληθυσμό*) to take a census of (β) (*περιουσία, εμπόρευμα*) to take stock of, to make an inventory of to record, to register, to draw up a list of

απογυμνώνω Ρ Μ (α) (*άνθρωπο*) to strip naked · (*δέντρο, περιοχή*) to strip (β) (= *καταληστεύω: άνθρωπο, κατάστημα, σπίτι*) to strip (γ) (*από αξίωμα, εξουσία*) to deprive

απογύμνωση ΟΥΣ ΘΗΛ (α) (*ανθρώπου, υπαίθρου*) stripping (β) (*από εξουσία*) deprivation

αποδεδειγμένος ΕΠΙΘ proven

αποδεικνύω Ρ Μ (*θεωρία, θάνατο*) to prove · (*αλήθεια*) to demonstrate
▹ **αποδεικνύω πως/ότι** to show how/to prove that
▸ **αποδεικνύομαι** ΜΕΣΟΠΑΘ to be proven to be

αποδεικτικό ΟΥΣ ΟΥΔ proof

αποδεικτικός ΕΠΙΘ: **αποδεικτικά στοιχεία** evidence *χωρίς πληθ.*

απόδειξη ΟΥΣ ΘΗΛ (α) (*συλλογισμού, ισχυρισμού, γνησιότητας*) proof (β) (= *πειστήριο*) evidence, proof (γ) (*αγοράς, πώλησης*) receipt

αποδείχνω Ρ Μ = **αποδεικνύω**

αποδεκατίζω Ρ Μ to decimate

αποδέκτης ΟΥΣ ΑΡΣ recipient

αποδεκτός ΕΠΙΘ (α) (= *που γίνεται δεκτός*) accepted (β) (= *που θεωρείται ορθός*) acceptable

αποδέκτρια ΟΥΣ ΘΗΛ *βλ.* **αποδέκτης**

αποδελτιώνω Ρ Μ (*βιβλίο, πηγές, έργο*) to index

αποδελτίωση ΟΥΣ ΘΗΛ (*πηγών, βιβλίου*) indexing

αποδέσμευση ΟΥΣ ΘΗΛ release

αποδεσμεύω Ρ Μ (α) (= *απαλλάσσω από δέσμευση*) to release (β) (*κεφάλαιο, σύμβαση*) to unblock (γ) (= *απελευθερώνω: ενέργεια, θερμότητα*) to release (δ) (*μτφ.*) to free

αποδέχομαι Ρ Μ ΑΠΟΘ to accept

αποδημητικός ΕΠΙΘ migrant

αποδημία ΟΥΣ ΘΗΛ (= *μετανάστευση: ζώου*) migration

απόδημος ΕΠΙΘ (= *ξενιτεμένος: πληθυσμός*) emigrant, expatriate
▹ **απόδημος ελληνισμός** the Greek diaspora

αποδημώ Ρ ΑΜ (*επίσ.: = ξενιτεύομαι: άνθρωπος*) to emigrate · (*ζώο*) to migrate
▹ **αποδημώ εις Κύριον/ουρανούς** (*επίσ.: = πεθαίνω*) to pass away

αποδίδω 1 Ρ Μ (α) (= *καταλογίζω: ατύχημα, επιτυχία, ευθύνη*) to attribute, to put down to (β) (*έργο*) to ascribe (γ) (*τιμή*) to pay (δ) (= *απονέμω: δικαιοσύνη*) to administer (ε) (*φόρο*) to pay · (*οφειλόμενο*) to pay (off) (στ) (= *μεταφράζω: κείμενο*) to render, to convey (ζ) (= *αποφέρω κέρδος: επιχείρηση, δουλειά*) to yield (η) (*καρπό*) to produce (θ) (*αποτέλεσμα*) to produce (ι) (ΤΕΧΝ: *χαρακτηριστικά, τοπίο, ύφος*) to render (ια) (*μηχανή: ιπποδύναμη*) to produce 2 Ρ ΑΜ (α) (= *παράγω έργο*) to perform well (β) (= *έχω αποτέλεσμα*) to pay off

αποδιοπομπαίος ΕΠΙΘ: **αποδιοπομπαίος τράγος** scapegoat

αποδιοργανώνω Ρ Μ (α) (= *διαλύω ψυχολογικά: άνθρωπο*) to throw into confusion (β) (*οργάνωση, οικονομία*) to disrupt

αποδιοργάνωση ΟΥΣ ΘΗΛ disruption

αποδιωγμένος ΕΠΙΘ (α) (= *περιφρονημένος*) rejected (β) (= *κατατρεγμένος*) driven away

αποδιώχνω Ρ Μ (α) (= *απομακρύνω: τύψεις, συναίσθημα*) to push away (β) (= *κατατρέχω: άνθρωπο*) to chase away

αποδοκιμάζω Ρ Μ (*άνθρωπο, πρόταση, συμπεριφορά*) to disapprove of, to frown on

αποδοκιμασία ΟΥΣ ΘΗΛ (*ανθρώπου, πρότασης,*

ιδέας) disapproval

αποδοκιμαστικός ΕΠΙΘ (βλέμμα, απάντηση) disapproving

απόδοση ΟΥΣ ΘΗΛ (α) (χρέους, φόρου) reimbursement (β) (ευθύνης) attribution (γ) (= παραγωγή: για άνθρωπο, επιχείρηση) output (δ) (ομάδας, αθλητή, μηχανής) performance (ε) (= μετάφραση) translation (στ) (= ερμηνεία: τραγουδιού, κομματιού) rendition · (ηθοποιού) performance (ζ) (ΓΛΩΣΣ: στον υποθετικό λόγο) apodosis

αποδοτικός ΕΠΙΘ (α) (= προσοδοφόρος: εργασία) productive · (επένδυση) profitable (β) (= παραγωγικός: υπάλληλος) efficient, productive

αποδοτικότητα ΟΥΣ ΘΗΛ (= παραγωγικότητα: υπαλλήλων) efficiency, productivity · (μηχανής) capacity · (επένδυσης) profitability

αποδοχή ΟΥΣ ΘΗΛ acceptance
▸ **αποδοχές** ΠΛΗΘ pay εν.

απόδραση ΟΥΣ ΘΗΛ (κυριολ., μτφ.) escape

αποδυναμώνω Ρ Μ (άνθρωπο, χώρα, κυβέρνηση) to weaken, to cripple · (προσπάθεια, θέση, ρόλο) to undermine · (σώμα, οργανισμό) to weaken

αποδυνάμωση ΟΥΣ ΘΗΛ weakening

αποδυτήρια ΟΥΣ ΟΥΔ ΠΛΗΘ changing room

αποζημιώνω Ρ Μ (= πληρώνω τη ζημιά) to compensate for

αποζημίωση ΟΥΣ ΘΗΛ (επανόρθωση ζημιάς) compensation · (= υλική ή ηθική αμοιβή) reward

αποζητώ Ρ Μ (α) (συμμαχία, βοήθεια) to seek (β) (= επιθυμώ: άνθρωπο) to yearn for · (παρέα) to seek, to crave, to long for, to crave · (χάδι, άγγιγμα) to long for

απόηχος ΟΥΣ ΑΡΣ (α) (= αντίλαλος: καταρράκτη, μουσικής) roar (β) (λόγων) echo (γ) (= συνέπεια: επανάστασης) echo

αποθαλασσώνομαι Ρ ΑΜ to take off

αποθανατίζω Ρ Μ = **απαθανατίζω**

αποθανών, -ούσα, -όν ① ΕΠΙΘ (επίσ.) deceased, late
② ΟΥΣ the deceased

αποθαρρυμένος ΕΠΙΘ discouraged

αποθάρρυνση ΟΥΣ ΘΗΛ discouragement

αποθαρρυντικός ΕΠΙΘ discouraging

αποθαρρύνω Ρ Μ to discourage

απόθεμα ΟΥΣ ΟΥΔ stock
▸ **αποθέματα** ΠΛΗΘ (πετρελαίου, ενέργειας, υπομονής, δύναμης) reserves · (τροφίμων) supplies

αποθεματικό ΟΥΣ ΟΥΔ reserve

αποθεραπεία ΟΥΣ ΘΗΛ (αθλητή) full recovery · (τραύματος) complete healing

αποθεραπεύομαι Ρ ΑΜ (αθλητής, ασθενής) to make a full recovery · (πόδι) to heal completely · (νόσος) to be completely cured

απόθεση ΟΥΣ ΘΗΛ (α) (αντικειμένου) setting down (β) (εδάφους, υλικού) depositing

αποθέτω Ρ Μ (α) (= αφήνω κατάγής) to lay down · (βιβλίο) to put down · (β) (= τοποθετώ: μηχάνημα, ξίφος) to place (γ) (μτφ.: ελπίδα, προσπάθεια) to pin one's hopes on

αποθεώνω Ρ Μ (α) (= θεοποιώ: άνθρωπο) to put on a pedestal, to deify (β) (= εγκωμιάζω υπερβολικά: άνθρωπο, έρωτα) to praise to the skies (γ) (= δέχομαι με ενθουσιασμό: άνθρωπο, βιβλίο) to go mad for

αποθέωση ΟΥΣ ΘΗΛ (α) (= θεοποίηση: ανθρώπου, ιδέας) deification (β) (ανθρώπου, ικανότητας) worship (γ) (= ενθουσιώδης υποδοχή: ανθρώπου) acclaim

αποθηκάριος ΟΥΣ ΑΡΣ (επάγγελμα) warehouse keeper

αποθήκευση ΟΥΣ ΘΗΛ (α) (= τοποθέτηση προς φύλαξη: αντικειμένου, τυριού, κρασιού) storage (β) (για ανθρώπινο οργανισμό: σιδήρου, λίπους) storage (γ) (δεδομένων, πληροφορίας, προγράμματος) storing

αποθηκευτικός ΕΠΙΘ (α) (= που μπορεί να αποθηκεύει: χώρος) storage (β) (τέλη) storage (γ) (= που μπορεί να αποθηκευθεί: τροφή) storable (δ) (ανάγκη, ικανότητα) storage

αποθηκεύω Ρ Μ to store

αποθήκη ΟΥΣ ΘΗΛ storeroom

αποθηλασμός ΟΥΣ ΑΡΣ (μωρού) weaning

αποθησαυρίζω Ρ Μ (α) (χρήματα, κεφάλαιο) to save (β) (= συγκεντρώνω επιστημονικό υλικό: στοιχεία) to collate

αποθησαύριση ΟΥΣ ΘΗΛ (α) (πλούτου, χρημάτων) saving (β) (μτφ.: γνώσεων, γνωμικών) accumulation

αποθρασύνση ΟΥΣ ΘΗΛ audacity (επίσ.), cheek

αποθρασύνω Ρ Μ to make bold, to embolden

αποθυμιά (λογοτ.) ΟΥΣ ΘΗΛ (α) (= νοσταλγία) longing, yearning (β) (= λαχτάρα) desire

αποθυμώ (λογοτ.) Ρ Μ (α) (= νοσταλγώ) to miss (β) (= ποθώ) to desire

αποίκηση ΟΥΣ ΘΗΛ = **αποικισμός**

αποικία ΟΥΣ ΘΗΛ colony

αποικιακός ΕΠΙΘ colonial

αποικίζω Ρ Μ to colonize

αποικιοκράτης ΟΥΣ ΑΡΣ colonizer

αποικιοκρατία ΟΥΣ ΘΗΛ colonialism

αποικιοκράτισσα ΟΥΣ ΘΗΛ βλ. **αποικιοκράτης**

αποικισμός ΟΥΣ ΑΡΣ colonization

άποικος ΟΥΣ ΑΡΣ/ΘΗΛ settler

αποικώ Ρ Μ to emigrate

αποκαθηλώνω Ρ Μ to take down from the cross

Αποκαθήλωση ΟΥΣ ΘΗΛ: **η Αποκαθήλωση του Χριστού** the deposition of Christ

αποκαθιστώ Ρ Μ (α) (βλάβη) to repair · (κυκλοφορία) to restore to normal (β) (τάξη, τιμή, έργο) to establish (γ) (= εξασφαλίζω οικονομικά) to provide for

αποκαλυπτήρια ΟΥΣ ΟΥΔ ΠΛΗΘ (α) (μνημείου, αγάλματος) unveiling (β) (μτφ.: απάτης,

A

κατάχρησης) exposure

αποκαλυπτικός ΕΠΙΘ revealing

αποκαλύπτω Ρ Μ (*αλήθεια, μυστικό*) to reveal · (*απάτη, σκευωρία, μηχανορραφία*) to expose

▸ **αποκαλύπτομαι** ΜΕΣΟΠΑΘ (ΣΤΡΑΤ) to take one's hat off

αποκάλυψη ΟΥΣ ΘΗΛ (α) (= *φανέρωμα*: *αλήθειας, στοιχείων, μυστικού*) revelation, disclosure (β) (= *ξεσκέπασμα: ανθρώπου*) exposure, unmasking · (*απάτης, κερδοσκοπίας*) exposure

▷ **η Αποκάλυψη του Ιωάννη** (ΘΡΗΣΚ) the Revelation of St John, the Apocalypse

αποκαλώ Ρ Μ (= *ονομάζω: άνθρωπο, τέχνη, περιοχή*) to call

αποκαμωμένος ΕΠΙΘ (= *εξαντλημένος: άνθρωπος, ζώο*) exhausted

αποκάνω ① Ρ Μ/ΑΜ (= *κουράζω: άνθρωπο*) to tire out, to exhaust

② Ρ ΑΜ (= *κουράζομαι: άνθρωπος*) to get tired

▷ **τι απόκανες;** (= *τι έκανες τελικά;*) what did you do in the end?

▷ **αποκάνω να…** (= *κουράζομαι να*) to grow tired of

αποκαρδιωμένος ΕΠΙΘ (= *αποθαρρυμένος*) discouraged · (= : *βλέμμα, χαμόγελο*) dejected

αποκαρδιώνω Ρ Μ (= *αποθαρρύνω*) to discourage, to dishearten

αποκαρδιωτικός ΕΠΙΘ (*αποτέλεσμα, εμφάνιση*) disappointing, disheartening

αποκατάσταση ΟΥΣ ΘΗΛ (α) (= *πλήρης επανόρθωση: βλάβης, ζημιάς, υγείας*) compensation · (*υγείας*) restoration (β) (= *επαναφορά σε προηγούμενη κατάσταση: δικτύου, ρεύματος, επαφής*) restoration (γ) (= *επαναφορά: δημοκρατίας, συμμαχίας, ισορροπίας*) restoration (δ) (= *εξασφάλιση: ανθρώπου*) establishment (ε) (*για γάμο*) settling down (στ) (*προσφύγων, πληγέντων, σεισμόπληκτων*) reparation

απόκειμαι Ρ ΑΜ ΑΠΟΘ: **απόκειται σε** ΑΠΡΟΣ it depends on

απόκεντρος ΕΠΙΘ (= *απόμερος: περιοχή, δρόμος, σπίτι*) out of the way

αποκεντρώνω Ρ Μ to decentralize

αποκέντρωση ΟΥΣ ΘΗΛ decentralization

αποκεφαλίζω Ρ Μ (α) (= *κόβω το κεφάλι: άνθρωπο*) to behead (β) (*μτφ*.: = *αποκόβω την κορυφή, στερώ τον αριθμό*) to abolish

αποκεφαλισμός ΟΥΣ ΑΡΣ (α) (= *καρατόμηση: ανθρώπου*) beheading (β) (*μτφ*.: = *στέρηση του αρχηγού*) taking away

αποκήρυξη ΟΥΣ ΘΗΛ (α) (= *δημόσια αποδοκιμασία: δικαιώματος, ιδέας*) renunciation (β) (= *απόρριψη*) rejection (γ) (= *άρνηση πατρότητας: παιδιού*) disowning, disinheritance (δ) (= *αφορισμός: ανθρώπου*) excommunication · (*βιβλίου, ιδεών*) renunciation

αποκηρύσσω, αποκηρύττω Ρ Μ (α) (*θρησκεία, ιδεολογία, κόμμα*) to renounce (β) (= *αποκληρώνω: παιδί*) to disown, to disinherit (γ) (= *αφορίζω*) to excommunicate

αποκλεισμένος ΕΠΙΘ (α) (*άνθρωπος, περιοχή*) cut off (β) (*μτφ*.: = *απομονωμένος*) cut off

αποκλεισμός ΟΥΣ ΑΡΣ (α) (= *απαγόρευση εισόδου ή εξόδου*) exclusion (β) (*υποψηφίου, εταιρείας*) exclusion (γ) (*αθλητή, ομάδας*) disqualification

αποκλειστική ΟΥΣ ΘΗΛ (*επίσης* **αποκλειστική νοσοκόμα**) private nurse

αποκλειστικός ΕΠΙΘ (*αντιπρόσωπος*) sole, exclusive · (*εισαγωγέας*) sole · (*αρμοδιότητα, ευθύνη*) sole · (*συνέντευξη*) exclusive

αποκλειστικότητα ΟΥΣ ΘΗΛ (α) (= *αποκλειστικό δικαίωμα*) exclusive rights *πληθ*. (β) (*ιδιότητα του αποκλειστικού*) exclusivity, exclusiveness

▷ **κατ(ά) αποκλειστικότητα** exclusively

αποκλείω Ρ Μ (α) (*δρόμο*) to block off, to close (off) · (*περιοχή*) to seal (off) (β) (= *εμποδίζω την επικοινωνία: άνθρωπο, νησί*) to cut off (γ) (ΣΤΡΑΤ: *πόλη, χώρα*) to blockade (δ) (ΑΘΛ: *ομάδα*) to eliminate, to knock out (ε) (= *εξαιρώ: παίκτη*) to exclude

▸ **αποκλείεται** ΑΠΡΟΣ it's out of the question, it's impossible

▷ **δεν αποκλείεται να …** it's quite possible that …

απόκληρος ΟΥΣ ΑΡΣ (= *αποκηρυγμένος από οικογένεια*) person who has been disinherited · (*κοινωνίας*) outcast

αποκληρώνω Ρ Μ to disinherit

αποκλήρωση ΟΥΣ ΘΗΛ disinheritance

αποκλιμακώνω Ρ Μ to reduce

αποκλιμάκωση ΟΥΣ ΘΗΛ reduction

αποκλίνω Ρ ΑΜ (α) (= *εκτρέπομαι: κατάσταση, αποτέλεσμα*) to diverge (β) (= *γέρνω: κτήριο, πλοίο*) to lean (over)

▷ **αποκλίνω από την πορεία μου** (*μτφ*.) to deviate from one's path

απόκλιση ΟΥΣ ΘΗΛ (α) (= *εκτροπή από καθορισμένη θέση: κτιρίου, πλοίου*) cant · (*ποταμού*) divergence, deviation (β) (= *κλίση προς μια κατεύθυνση*) trend (γ) (= *προτίμηση προς ιδεολογία, άποψη*) inclination

▷ **απόκλιση από ή προς** (*μτφ*.) leanings *πληθ*. towards

αποκόβω Ρ Μ (*μωρό, βρέφος*) to wean · *βλ. κ.* **αποκόπτω**

αποκοιμιέμαι, αποκοιμάμαι Ρ ΑΜ to fall asleep, to drop off

αποκοιμίζω Ρ Μ (α) (= *κοιμίζω, βάζω κπν να κοιμηθεί: άνθρωπο, ζώο*) to put to bed (β) (*μτφ*.: = *εξαπατώ, ξεγελώ*) to throw off one's guard

αποκοιμισμένος ΕΠΙΘ (α) (= *αυτός που κοιμάται*) asleep, sleeping (β) (= *που έχει ξεγελαστεί, εξαπατηθεί: λαός, κόμμα, χώρα*) dozy

αποκόλληση ογς θηλ *(πετρώματος, πλάκας)* separation

αποκολλώ ρ μ (α) (= ξεκολλώ) to separate · *(δέρμα)* to detach (β) *(μτφ.: = σταματώ την επαφή, εξάρτηση)* to separate

αποκομιδή ογς θηλ *(επία.)* collection

απόκομμα ογς ογδ cutting, clipping

απόκοντα επιρρ *(προφορ.)* closely

αποκοπή ογς θηλ (α) (= απομόνωση) isolation (β) (= απογαλακτισμός: μωρού, παιδιού) weaning (γ) *(λέξης, συμφώνου)* elision ▷**ποσό κατ' αποκοπή** (ΟΙΚΟΝ) lump sum

αποκόπτω ρ μ (= απομονώνω: εχθρό, πόλη) to cut off · *(φως)* to shut out

αποκορύφωμα ογς ογδ *(θριάμβου, ευτυχίας)* height · *(αγώνα)* climax · *(προσπάθειας)* culmination

αποκορυφώνω ρ μ *(αγωνία)* to rouse to a high pitch

▸**αποκορυφώνομαι** μεσοπαθ *(πόλεμος, απεργία)* to reach a peak

αποκορύφωση ογς θηλ *βλ.* **αποκορύφωμα**

απόκοσμος επιθ (α) (= απομακρυσμένος από τον κόσμο) eerie (β) (= ακοινώνητος: άνθρωπος, χαρακτήρας) morose

αποκοτιά ογς θηλ *(ανεπ.)* recklessness

αποκούμπι ογς ογδ (= στήριγμα) support

αποκρατικοποίηση ογς θηλ denationalization, privatization

απόκρημνος επιθ steep

Αποκριά ογς θηλ carnival

αποκριάτικος επιθ carnival

Απόκριες ογς θηλ πληθ = **Αποκριά**

αποκρίνομαι ρ μ αποθ to reply to ▷**αποκρίνομαι πως** *ή* **ότι** to answer that, to reply that

απόκριση ογς θηλ (α) (= απάντηση) reply, answer (β) *(συχνότητας)* response

αποκρουση ογς θηλ (α) (= απώθηση επιτιθέμενου: στρατού, εχθρού) repulse (β) *(μτφ.: επιχειρήματος, κατηγορίας)* rebuttal *(επία.)*, disproving (γ) (= ανασκευή, αναίρεση: καταγγελίας, αγωγής) dismissal · *(ένστασης)* overruling (δ) *(σουτ, μπάλας, μπαλιάς)* save

αποκρουστικός επιθ *(άνθρωπος, πρόσωπο)* hideous, repulsive, repulsive, repellent

αποκρούω ρ μ (α) *(στρατό, εχθρό)* to repulse, to repel (β) *(μτφ.: επιχείρημα, ισχυρισμό)* to reject · *(κατηγορίες)* to refute (γ) (ΑΘΛ: μπάλα: τερματοφύλακας: αμυντικός) to block

αποκρύβω ρ μ = **αποκρύπτω**

αποκρυπτογράφηση ογς θηλ *(μηνύματος)* decoding · *(γραφής)* deciphering

αποκρυπτογραφώ ρ μ (α) *(μήνυμα)* to decode (β) *(γραφή)* to decipher

αποκρύπτω ρ μ to hide · *(έσοδα, χρήματα)* not to declare · *(πληροφορίες)* to withhold

αποκρυσταλλώνω ρ μ to crystallize

▸**αποκρυσταλλώνομαι** μεσοπαθ *(κατάσταση, σχέση, απόφαση)* to crystallize

αποκρυστάλλωση ογς θηλ crystallization

αποκρυφισμός ογς αρς occultism

απόκρυφος επιθ (= μυστικός: μέρος, σημείο) secret (α) *(συναισθήματα)* profound (β) *(διδασκαλία)* occult

απόκρυψη ογς θηλ (α) (= το να κρύβει κανείς κάτι) concealing, hiding (β) *(στοιχείων, γεγονότων)* withholding · *(εσόδων)* non–declaration

απόκτημα, απόχτημα ογς ογδ (= ότι αποκτά κανείς) acquisition

αποκτηνώνω ρ μ to brutalize, to dehumanize

αποκτήνωση ογς θηλ brutalization, dehumanization

απόκτηση ογς θηλ (α) *(ακινήτου, αγαθών, αυτοκινήτου)* acquisition (β) *(γνώσεων, εμπειρίας)* acquisition · *(εμπιστοσύνης)* building (γ) *(δικαιώματος, εξουσίας, δύναμης)* acquisition

αποκτώ ρ μ *(περιουσία, αυτοκίνητο, πλούτη)* to acquire · *(γνώσεις, πείρα, δικαίωμα)* to acquire, to gain · *(εξουσία)* to gain · *(φίλο)* to make, to gain · *(αντίπαλο, εχθρό)* to make (oneself) · *(συνεργάτη)* to gain · *(παιδιά)* to have

αποκύημα ογς ογδ: **απόκύημα της φαντασίας** figment of the imagination

απολαβές ογς θηλ πληθ salary *εν.*, income *εν.*

απολαμβάνω ρ μ to enjoy

απόλαυση ογς θηλ enjoyment ▷**με απόλαυση** with relish

▸**απολαύσεις** πληθ (= σαρκικές ηδονές) sensual pleasure

απολαυστικός επιθ enjoyable

απολειφάδι ογς ογδ *(χοροϊδ.)* squirt *(ανεπ.)*

απολεπίζω ρ μ *(ψάρι)* to take the scales off · *(φρούτο)* to peel

▸**απολεπίζομαι** μεσοπαθ (ΙΑΤΡ) to flake

απολέπιση ογς θηλ *(δέρματος)* exfoliation

απολήγω ρ αμ to turn out to be ▷**απολήγω σε ...** to end in ...

απόληξη ογς θηλ ending

απολίθωμα ογς ογδ fossil

απολιθωμένος επιθ (α) *(δέντρο, σκελετός, ξύλο)* fossilized (β) *(μτφ.: = ακίνητος: άνθρωπος)* rooted to the spot, petrified · *(φύλλα)* motionless

απολιθώνομαι ρ αμ *(ξύλο, σκελετός)* to become fossilized

απολίθωση ογς ογδ fossilization

απολίτιστος επιθ (α) *(λαός)* uncivilized (β) *(τρόπος, συμπεριφορά)* uncouth

απολλύω ρ μ *(επία.)* to lose

απολογητής ογς αρς *(θρησκείας, φιλοσοφίας)* apologist · *(άποψης)* advocate

απολογητική ογς θηλ (ΘΡΗΣΚ) apologetics *εν.*

απολογητικός επιθ apologetic

απολογία ΟΥΣ ΘΗΛ defence (*Βρετ.*), defense (*Αμερ.*), plea

απολογισμός ΟΥΣ ΑΡΣ (α) (*επιχείρησης*) accounts, report (β) (*ζωής*) account · (*πολέμου, πεπραγμένων*) report · (*έργου*) review
▷**κάνω απολογισμό** to give an account of, to report on

απολογούμαι Ρ ΑΜ (α) (*κατηγορούμενος*) to defend oneself (β) (= *δικαιολογούμαι*) to justify oneself
▷**απολογούμαι για κτ** to justify oneself for sth
▷**απολογούμαι σε κπν** to go before sb

απολυμαίνω Ρ Μ to disinfect

απολύμανση ΟΥΣ ΘΗΛ disinfecting

απολυμαντικό ΟΥΣ ΟΥΔ disinfectant

απολυμαντικός ΕΠΙΘ (*ουσία, υγρό*) disinfectant

απόλυση ΟΥΣ ΘΗΛ (α) (*μισθωτού, υπαλλήλου, εργαζόμενου*) dismissal (β) (= *αποφυλάκιση: κρατουμένου*) release, discharge (γ) (= *λήξη στρατιωτικής θητείας*) discharge (δ) (= *τέλος θρησκευτικής ακολουθίας*) end of a service

απόλυτα ΕΠΙΡΡ (= *τελείως*) completely

απολυταρχία ΟΥΣ ΘΗΛ despotism, autocracy

απολυταρχικός ΕΠΙΘ (α) (*πολίτευμα, καθεστώς*) despotic (β) (*εξουσία*) absolute · (*πνεύμα*) despotic

απολυταρχισμός ΟΥΣ ΑΡΣ = **απολυταρχία**

απολυτήριο ΟΥΣ ΟΥΔ (α) (*λυκείου, γυμνασίου*) school certificate (β) (*στρατού*) discharge papers *πληθ.* (γ) (*φυλακής*) release papers *πληθ.*

απολυτήριος ΕΠΙΘ: **απολυτήριες εξετάσεις** (ΣΧΟΛ) final exams

απολυτίκιο ΟΥΣ ΟΥΔ chant or hymn sung in honour of a saint or important religious event

απόλυτο ΟΥΣ ΟΥΔ (*επίσης*: ΦΙΛΟΣ) the absolute

απολυτός (*προφορ.*) ΕΠΙΘ (*σκύλος*) loose · (*σκοινί*) untied, loose

απόλυτος ΕΠΙΘ (α) (*ελευθερία, ανεξαρτησία*) complete, total · (*ερημιά, σκοτάδι, σιωπή*) complete, utter · (*εξουσία, κυβέρνηση*) full · (*τάξη*) perfect · (*κυρίαρχος, κυβερνήτης*) absolute (β) (= *αμετάκλητος: θέση*) uncompromising
▷**είμαι απόλυτος σε κτ** to be inflexible in sth
▷**έχω απόλυτη ανάγκη από κπν/κτ** to need sb/sth desperately
▷**έχω απόλυτο δίκιο** to be quite ή absolutely right
▷**έχω απόλυτη εμπιστοσύνη σε κπν/κτ** to have absolute trust in sb/sth
▸**γενική απόλυτη** ή **απόλυτος** (ΓΛΩΣΣ) genitive absolute
▸**απόλυτο μηδέν** absolute zero
▸**απόλυτη μοναρχία** absolute monarchy
▸**(κατά) απόλυτη πλειοψηφία** (by an) absolute majority

απολυτρώνω Ρ Μ to free, to redeem

απολύτρωση ΟΥΣ ΘΗΛ liberation

απολυτρωτικός ΕΠΙΘ (*αγώνας*) for freedom

απολύτως ΕΠΙΡΡ = **απόλυτα**

απολύω ① Ρ Μ (α) (*υπάλληλο, μισθωτό*) to dismiss, to fire, to sack (β) (*κρατούμενο, φυλακισμένο*) to release, to set free (γ) (*στρατιώτη*) to discharge, to demobilize ② Ρ ΑΜ (*για εκκλησιαστική ακολουθία*) to be over ή at an end

απολωλαίνω Ρ Μ (*προφορ.*) to drive crazy (*ανεπ.*), to send around the bend (*ανεπ.*)

απολωλός ΟΥΣ ΟΥΔ: **απολωλός πρόβατο** black sheep

απομαγνητίζω Ρ Μ to demagnetize

απομαγνητισμός ΟΥΣ ΑΡΣ demagnetization

απομαγνητοφώνηση ΟΥΣ ΘΗΛ transcript

απομαγνητοφωνώ Ρ Μ to transcribe

απόμακρος ΕΠΙΘ (α) (*πόλη*) remote, far–off, faraway · (*γωνιά*) far–off · (*βουνό*) faraway, distant · (*μελωδία, φωνή, βουή*) far–off (γ) (*για πρόσ.*) remote, distant · (*χαρακτήρας, συμπεριφορά*) distant

απομάκρυνση ΟΥΣ ΘΗΛ (α) (= *ξεμάκρεμα: ανθρώπου, πλοίου*) departure, moving away, evacuation (β) (= *μεταφορά: νερού, σκουπιδιών, αποβλήτων*) removal (γ) (*για πρόσ.*: = *εκτοπισμός*) removal

απομακρύνω Ρ Μ (α) (= *διώχνω*) to move away (β) (= *εκτοπίζω*) to remove, to oust
▸**απομακρύνομαι** ΜΕΣΟΠΑΘ (α) (= *ξεμακραίνω*) to move away · (*αυτοκίνητο*) to move ή drive away (β) (= *αποκόπτομαι*) to become estranged (γ) (= *ξεφεύγω*: *από δεδομένες αρχές*) to move away · (*από το θέμα*) to stray

απόμαχος ΟΥΣ ΑΡΣ (α) (= *συνταξιούχος*) retiree, pensioner (β) (= *απόστρατος*) retired (γ) (*πολέμου*) veteran
▷**απόμαχος της ζωής** old campaigner

απομεινάρι ΟΥΣ ΟΥΔ (α) (= *υπόλοιπο: φαγητού*) leftovers *πληθ.* (β) (*ειδωλίου, τάφου, ναού*) remains *πληθ.* · (*παράδοσης, τέχνης, εξουσίας*) vestige

απομένω Ρ ΑΜ to be left
▷**απομένει να κάνω κτ** it remains for one to do sth
▷**δεν απομένει (άλλο τίποτα) παρά να** all that one can do now is to

απόμερος ΕΠΙΘ out–of–the–way, secluded

απομεσήμερο ΟΥΣ ΟΥΔ early afternoon

απομίμηση ΟΥΣ ΘΗΛ imitation

απομνημονεύματα ΟΥΣ ΟΥΔ ΠΛΗΘ (ΛΟΓ) memoirs

απομνημόνευση ΟΥΣ ΘΗΛ (= *αποστήθιση: κειμένου, λεπτομερειών*) memorizing

απομνημονεύω Ρ Μ (= *αποστηθίζω*: *κείμενο, μάθημα*) to memorize, to learn by heart

απομονωμένος ΕΠΙΘ (α) (= *αυτός που βρίσκεται μακριά από άλλους: άνθρωπος*) isolated · (*περιοχή, κτίριο*) isolated, secluded (β) (*μτφ.*: *άνθρωπος, φυλή*) withdrawn

απομονώνω Ρ Μ (α) (*γεγονός, δεδομένο*) to

isolate · (= χωρίζω) to separate, to cut off (β) (κατοίκους, περιοχή) to cut off
▸**απομονώνομαι** ΜΕΣΟΠΑΘ (για πρόσ.) to withdraw, to cut oneself off (από from and shut oneself away to work) · (χώρα) to isolate itself

απομόνωση ΟΥΣ ΘΗΛ (α) (για πρόσ., χώρα) isolation (β) (λιμανιού, χώρας, περιοχής) cutting off (γ) (ως τιμωρία) solitary confinement (δ) (= ειδικός χώρος φυλακής) solitary confinement cell

απομονωτικός ΕΠΙΘ (στάση, συμπεριφορά) isolationist

απομονωτισμός ΟΥΣ ΑΡΣ isolationism

απομύζηση ΟΥΣ ΘΗΛ (α) (επίσ.: = ρούφηγμα: αίματος, ουσίας) sucking (β) (μτφ.) bleeding dry

απομυζώ Ρ Μ (α) (επίσ.: = ρουφώ: αίμα, χυμό, γάλα) to suck (β) (μτφ.: οικονομία) to bleed dry · (ζωτικότητα, δύναμη) to sap · (γονείς) to bleed dry, to milk

απομυθοποίηση ΟΥΣ ΘΗΛ debunking

απομυθοποιώ Ρ Μ (α) (άνθρωπο) to expose (β) (μτφ.) to demystify

απονεκρώνω Ρ Μ (α) (χέρι) to deaden, to leave numb (β) (μτφ.: οικονομία) to cause to stagnate

απονέμω Ρ Μ (α) (επίσ.: τίτλο, βραβείο, μετάλλιο) to award · (: δικαιοσύνη) to administer, to mete out · (τιμές) to give (β) (σύνταξη, παροχές) to grant, to give

απονευρώνω Ρ Μ (α) (= αποκόβω ή αφαιρώ νεύρο) to kill the nerve in (β) (μτφ.) to weaken

απονεύρωση ΟΥΣ ΘΗΛ killing of the nerves

απονήρευτος ΕΠΙΘ ingenuous, artless

απονιά ΟΥΣ ΘΗΛ heartlessness, lack of feeling

απονομή ΟΥΣ ΘΗΛ (α) (βραβείου) giving · (τίτλου, πτυχίου) awarding (β) (= η τελετή) award ceremony, prize-giving (γ) (δικαιοσύνης) administration · (χάριτος) bestowal (επίσ.) · (δικαιώματος) conferment (επίσ.)

άπονος ΕΠΙΘ (= άσπλαχνος, σκληρόκαρδος: άνθρωπος) heartless, unfeeling · (ζωή, τύχη) cruel

αποξενώνω Ρ Μ to alienate, to estrange
▸**αποξενώνομαι** ΜΕΣΟΠΑΘ to become alienated, to become estranged

αποξένωση ΟΥΣ ΘΗΛ (α) (= ηθελημένη ή επιβεβλημένη απομάκρυνση κποιου: ανθρώπου) estrangement · (χώρας) isolation (β) (= αλλοτρίωση) alienation

απόξεση ΟΥΣ ΘΗΛ (επίσ.: ΙΑΤΡ) scraping

αποξηραίνω Ρ Μ (α) (έκταση, βάλτο) to drain (β) (λουλούδια, καρπούς) to dry

αποξηραμένα ΟΥΣ ΟΥΔ ΠΛΗΘ potpourri

αποξηραμένος ΕΠΙΘ (α) (φυτό, λουλούδι, φρούτο) dried (β) (βάλτος, λίμνη) drained, dried up

αποξήρανση ΟΥΣ ΘΗΛ (α) (λίμνης, κάμπου)

draining (β) (προϊόντων) drying

αποξηραντικός ΕΠΙΘ (μέθοδος) drying

αποπαίρνω Ρ Μ (προφορ.: = μιλώ σε κπν απότομα, επιτιμητικά) to snap at

απόπατος ΟΥΣ ΑΡΣ (= αποχωρητήριο) toilet, lavatory (Βρετ.)

απόπειρα ΟΥΣ ΘΗΛ attempt
▸**απόπειρα αυτοκτονίας** suicide attempt

αποπειρώμαι Ρ Μ (επίσ.: = προσπαθώ) to attempt

αποπέμπω Ρ Μ (α) (επίσ.: = απολύω) to dismiss (β) (= απομακρύνω, εκδιώκω) to remove, to oust

αποπερατώνω Ρ Μ (επίσ.: εργασία, έργο) to complete, to finish

αποπεράτωση ΟΥΣ ΘΗΛ (επίσ.: εργασιών, έργου, σχεδιασμών) completion

αποπλάνηση ΟΥΣ ΘΗΛ seduction

αποπλανώ Ρ Μ to seduce

αποπλέω Ρ ΑΜ (πλοίο) to sail

αποπληθωρισμός ΟΥΣ ΑΡΣ (ΟΙΚΟΝ) deflation

αποπληξία ΟΥΣ ΘΗΛ (ΙΑΤΡ) stroke

αποπληρωμή ΟΥΣ ΘΗΛ (= εξόφληση: χρεών, πίστωσης) repayment

αποπληρώνω Ρ Μ (= εξοφλώ: δάνειο, χρέος) to repay, to pay off

απόπλους ΟΥΣ ΑΡΣ (πλοίου) sailing

αποπλύνω Ρ Μ (= ξεπλένω: αμαρτία) to pay for

αποπνέω Ρ Μ to exude

αποπνικτικός ΕΠΙΘ (α) (καπνός) suffocating · (μυρουδιά) overwhelming (β) (ατμόσφαιρα) stifling, stuffy

αποποίηση ΟΥΣ ΘΗΛ (επίσ.: δικαιώματος) renunciation, refusal

αποποιούμαι Ρ Μ (επίσ.: = αρνούμαι) to decline, to refuse

αποπομπή ΟΥΣ ΘΗΛ (επίσ.: υπουργού) removal

αποπροσανατολίζω Ρ Μ to divert attention away from

αποπροσανατολισμός ΟΥΣ ΑΡΣ diverting attention away from

απορημένος ΕΠΙΘ confused

απόρθητος ΕΠΙΘ impregnable

απορία ΟΥΣ ΘΗΛ (α) (= ερώτηση) question (β) (= έκπληξη που συνοδεύεται από αμφιβολία) bewilderment, wonder
▸**είναι απορίας άξιο** it's incredible
▸**λύνω απορία** to answer a question

άπορος ① ΕΠΙΘ destitute
② ΟΥΣ ΑΡΣ pauper, poor man

απορρέω Ρ ΑΜ (επίσ.) to stem

απόρρητος ① ΕΠΙΘ confidential
② ΟΥΣ ΟΥΔ confidentiality
▸**επαγγελματικό απόρρητο** professional confidentiality ή secrecy
▸**(ο) εξ απορρήτων** confidant

απορρίμματα ΟΥΣ ΟΥΔ ΠΛΗΘ (επίσ.: = σκουπίδια) refuse χωρίς πληθ.

απορριπτέος ΕΠΙΘ unacceptable

απορρίπτω Ρ Μ (φοιτητή, μαθητή) to fail · (πρόταση, αίτηση) to reject, to turn down · (πρόληψη, ιδέα) to reject, to dismiss

απόρριψη ΟΥΣ ΘΗΛ (α) (σκουπιδιών, λυμάτων) tipping (β) (σχεδίου, πρότασης, αίτησης) rejection · (φοιτητή, υποψηφίου) failing, rejection (γ) (εφέσεως) rejection · (ένστασης) overruling

απόρροια ΟΥΣ ΘΗΛ (= επακόλουθο) result

απορροφημένος ΜΤΧ: **είμαι απορροφημένος με κτ** to be absorbed in sth

απορρόφηση ΟΥΣ ΘΗΛ absorption

απορροφητήρας ΟΥΣ ΑΡΣ (α) (γενικότ.) extractor (β) (κουζίνας) (air) extractor

▸**απορροφητικός** ΕΠΙΘ absorbent

απορροφητικότητα ΟΥΣ ΘΗΛ absorbency

απορροφώ Ρ Μ (α) (σφουγγάρι: υγρασία, νερό) to soak up, to absorb (β) (μτφ.: ενεργητικότητα, ενέργεια) to take up
▸ **απορροφώμαι** ΜΕΣΟΠΑΘ to become absorbed ή engrossed

απορρυπαντικό ΟΥΣ ΟΥΔ detergent

απορφανισμένος ΕΠΙΘ orphaned

απορώ Ρ ΑΜ to be surprised
▹**απορώ και εξίσταμαι** to be stunned

αποσαθρώνομαι Ρ ΑΜ to decay, to rot

αποσάθρωση ΟΥΣ ΘΗΛ decay, decomposition · (μτφ.: διοίκησης) disintegration

αποσαφηνίζω Ρ Μ to clarify

αποσαφήνιση ΟΥΣ ΘΗΛ (στόχων, πολιτικής) clarification

αποσβεννύω Ρ Μ to pay off, to cover the cost of

απόσβεση ΟΥΣ ΘΗΛ (α) (χρέους, δανείου, δαπάνης) amortization (β) (ΟΙΚΟΝ: κεφαλαίου) depreciation

αποσβεστικός ΕΠΙΘ (προθεσμία, παραγραφή) payment date

αποσβολώνω Ρ Μ to stun
▹**μένω αποσβολωμένος** to be dumbfounded

απόσειση ΟΥΣ ΘΗΛ (ευθυνών, υποχρεώσεων) absolution

αποσείω Ρ Μ (= αποτινάζω: κατηγορία, συκοφαντία) to refute · (ενοχή) to disprove

αποσιώπηση ΟΥΣ ΘΗΛ (γεγονότος, αλήθειας) withholding, suppression

αποσιωπητικά ΟΥΣ ΟΥΔ ΠΛΗΘ (σημείο στίξης) ellipsis εν., suspension periods (Αμερ.)

*Προσοχή!: Ο πληθυντικός του **ellipsis** είναι **ellipses**.*

αποσιωπώ Ρ Μ to suppress

αποσκευές ΟΥΣ ΘΗΛ ΠΛΗΘ luggage χωρίς πληθ. (κυρ. Βρετ.), baggage χωρίς πληθ. (κυρ. Αμερ.)

αποσκίρτηση ΟΥΣ ΘΗΛ (= απομάκρυνση) defection

αποσκιρτώ Ρ ΑΜ to defect

αποσκοπώ Ρ ΑΜ (α) (= αποβλέπω σε κτ) to intend, to aim (β) (= στοχεύω) to be intended

αποσμητικό ΟΥΣ ΟΥΔ (σώματος) deodorant · (χώρου) air freshener

αποσόβηση ΟΥΣ ΘΗΛ (επίσ.: = απομάκρυνση, αποτροπή: κινδύνου, κακού) averting

αποσοβώ Ρ Μ (επίσ.) to avert

απόσπαση ΟΥΣ ΘΗΛ (α) (= προσωρινή μετάθεση: υπαλλήλου) secondment (β) (= αποκοπή: εδαφών) appropriation

απόσπασμα ΟΥΣ ΟΥΔ (α) (= κομμάτι, μέρος: κειμένου, μουσικού κομματιού, ομιλίας) extract, excerpt · (πυροβολικού, στρατού) detachment
▸**εκτελεστικό απόσπασμα** firing squad

αποσπασματικός ΕΠΙΘ (α) (= τμηματικός: κείμενο, παρουσίαση) fragmentary (β) (= μερικός: πληροφορίες) sketchy

αποσπερίτης ΟΥΣ ΑΡΣ (πρ/ανεπ: ΑΣΤΡ) evening star, Venus

αποσπώ Ρ Μ (α) (= αποκολλώ) to detach (β) (υπάλληλο) to second (κυρ. Βρετ.), to put on temporary assignment (Αμερ.) (γ) (χρήματα) to extort · (πληροφορίες, αλήθεια, στοιχεία) to extract (δ) (προσοχή, σκέψη, μυαλό) to distract (ε) (βραβείο) to get, to win · (θαυμασμό) to get · (εμπιστοσύνη) to gain
▸**αποσπώμαι** ΜΕΣΟΠΑΘ: **αποσπώμαι από κτ** to be distracted from sth

απόσταγμα ΟΥΣ ΟΥΔ (α) (= το κύριο χαρακτηριστικό, περιεχόμενο) essence (β) (= αποτέλεσμα) fruit, result (γ) (= προϊόν απόσταξης) essence, extract

αποστάζω Ρ Μ (ΧΗΜ) to distil (Βρετ.), to distill (Αμερ.)

αποσταθεροποίηση ΟΥΣ ΘΗΛ destabilization

αποσταθεροποιητικός ΕΠΙΘ destabilizing

αποσταθεροποιώ Ρ Μ (κατάσταση) to destabilize

αποστακτήρας ΟΥΣ ΑΡΣ (συσκευή) still

απόσταξη ΟΥΣ ΘΗΛ (ΧΗΜ) distillation

απόσταση ΟΥΣ ΘΗΛ (α) distance (β) (στον χρόνο) interval (γ) (μτφ.: = διαφορά) gap
▹**από απόσταση** from a distance, from afar
▹**σε απόσταση** (= μακριά) apart
▹**κρατώ κπν σε απόσταση** to keep sb at a distance
▹**σε απόσταση αναπνοής** within spitting distance, a stone's throw away
▹**σε απόσταση βολής** within (shooting) range
▸**απόσταση ασφαλείας** a safe distance

αποστασία ΟΥΣ ΘΗΛ desertion · (= εξέγερση κατά της εξουσίας) rebellion

αποστασιοποίηση ΟΥΣ ΘΗΛ detachment

αποστασιοποιούμαι Ρ ΑΜ to distance oneself

αποστάτης ΟΥΣ ΑΡΣ (= που απαρνιέται τις αρχές του) defector, renegade

αποστατώ Ρ ΑΜ (= εγκαταλείπω ιδεολογία,

αρχές) to defect

αποστειρώνω Ρ Μ (= καταστρέφω τα μικρόβια: γάλα) to pasteurize · (εργαλεία, σκεύη, μπιμπερό) to sterilize

αποστείρωση ΟΥΣ ΘΗΛ (γάλακτος) pasteurization · (σκεύους) sterilization

αποστέλλω Ρ Μ (α) (επίσ.: = στέλνω: εμπορεύματα) to send (off), to dispatch (επίσ.)· (χρήματα) to send, to remit (επίσ.) (β) (εκπρόσωπο) to send (γ) (γράμμα, τηλεγράφημα) to send

αποστέρηση ΟΥΣ ΘΗΛ deprivation
▸**σύνδρομο αποστέρησης** withdrawal symptom

αποστερώ Ρ Μ (α) (επίσ.: = αφαιρώ κτ από κπν: δικαίωμα, δυνατότητα, προνόμια) to take away (β) (= στερώ) to deprive

αποστεωμένος ΕΠΙΘ (α) (= κοκαλιάρης) emaciated, gaunt (β) (μτφ.) stick–in–the–mud

αποστηθίζω Ρ Μ (κείμενο) to learn by heart, to memorize

αποστήθιση ΟΥΣ ΘΗΛ (κειμένου) memorization

απόστημα ΟΥΣ ΟΥΔ (ΙΑΤΡ) abscess

αποστολέας ΟΥΣ ΑΡΣ (εμπορεύματος) sender, dispatcher

αποστολή ΟΥΣ ΘΗΛ (επίσ.: εμπορεύματος, γραμμάτων, στρατευμάτων) dispatch (α) (= σημαντικό έργο για εκτέλεση) mission, assignment (β) (= αυτοί που συμμετέχουν σε σημαντικό έργο) mission, expedition (γ) (= προορισμός, σκοπός) mission (δ) (= αντιπροσωπεία) delegation
▷**ειδική αποστολή** special mission
▸**δελτίο αποστολής** (ΕΜΠ) dispatch note

αποστολικός ΕΠΙΘ (= ο των Αποστόλων: χρόνοι) apostolic, of the Apostles

Απόστολος ΟΥΣ ΑΡΣ (= βιβλίο) Epistles πληθ.

απόστολος ΟΥΣ ΑΡΣ apostle

αποστομώνω Ρ Μ to shut up

αποστομωτικός ΕΠΙΘ (απάντηση) disarming

αποστράγγιση ΟΥΣ ΘΗΛ (έλους) drainage, draining

αποστραγγιστικός ΕΠΙΘ (έργο, μέθοδος, δίκτυο) drainage, draining

αποστρατεία ΟΥΣ ΘΗΛ (α) (= η απομάκρυνση από την ενεργό υπηρεσία) discharge (β) (= η κατάσταση του απόστρατου) retirement
▷**εν αποστρατεία** discharged

αποστράτευση ΟΥΣ ΘΗΛ discharge

αποστρατεύω Ρ Μ (αξιωματικό) to discharge · (στρατιώτη) to demobilize
▸**αποστρατεύομαι** ΜΕΣΟΠΑΘ (αξιωματικός) to be discharged · (στρατιώτης) to be demobilized

αποστρατιωτικοποίηση ΟΥΣ ΘΗΛ (περιοχής) demilitarization

απόστρατος ΟΥΣ ΑΡΣΘΗΛ (αξιωματικός, στέλεχος) retired person

αποστρέφομαι Ρ Μ to detest, to loathe

αποστρέφω Ρ Μ (πρόσωπο) to turn away · (βλέμμα, ματιά) to avert

αποστροφή ΟΥΣ ΘΗΛ loathing, repugnance

απόστροφος ΟΥΣ ΘΗΛ apostrophe

αποσυμφόρηση ΟΥΣ ΘΗΛ easing of congestion

αποσύνδεση ΟΥΣ ΘΗΛ disconnection, disassociation

αποσυνδέω Ρ Μ to disconnect
▸**αποσυνδέομαι** ΜΕΣΟΠΑΘ to distance oneself

αποσύνθεση ΟΥΣ ΘΗΛ (α) (= σήψη: πτώματος, ύλης) decomposition (β) (κοινωνίας, συζυγικών σχέσεων) breakdown (γ) (= διάλυση: κράτους, στρατού, καθεστώτος) disintegration
▷**βρίσκομαι σε οικονομική αποσύνθεση** to be in economic decline

αποσυνθέτω Ρ Μ (α) (= αποδιοργανώνω) to disrupt (β) (= διαλύω: κράτος, διοίκηση) to dismantle
▸**αποσυντίθεμαι** ΜΕΣΟΠΑΘ (μικροοργανισμός) to decompose

απόσυρση ΟΥΣ ΘΗΛ (α) (νόμου, μέτρου, πρότασης) withdrawal (β) (στρατού) withdrawal (γ) (χρημάτων) withdrawal (from circulation) (δ) (βιβλίου) withdrawal (from sale) (ε) (ΨΥΧ) withdrawal

αποσύρω Ρ Μ (α) (διάταγμα, νόμο) to repeal · (δήλωση) to retract, to withdraw (β) (χρήματα, χαρτονομίσματα) to withdraw, to draw out (γ) (= τραβώ) to pull away (δ) (αυτοκίνητο) to withdraw (from circulation) (ε) (βιβλίο) to withdraw
▸**αποσύρομαι** ΜΕΣΟΠΑΘ (α) (= φεύγω από την ενεργό δράση) to retire (β) (= αποχωρώ) to withdraw

αποσφραγίζω Ρ Μ (επίσ.) to open

αποσφράγιση ΟΥΣ ΘΗΛ (επίσ.) opening

αποσχίζομαι Ρ ΑΜ ΑΠΟΘ to break away

απόσχιση ΟΥΣ ΘΗΛ secession

αποσχιστικός ΕΠΙΘ (τάσεις) secessionist

αποσώνω Ρ Μ (α) (προφορ.: = ολοκληρώνω: λόγο) to finish (β) (= αποτελειώνω: δουλειά) to finish (off)

αποταμίευμα ΟΥΣ ΟΥΔ savings πληθ.

αποταμίευση ΟΥΣ ΘΗΛ saving
▸**αποταμιεύσεις** ΠΛΗΘ savings

αποταμιευτής ΟΥΣ ΑΡΣ saver

αποταμιεύω Ρ Μ (α) (χρήματα) to save (β) (μτφ.) to save up

απόταξη ΟΥΣ ΘΗΛ discharge, dismissal

αποτάσσω Ρ Μ to discharge, to cashier

αποτείνω Ρ Μ (έκκληση) to address
▸**αποτείνομαι** ΜΕΣΟΠΑΘ (= απευθύνομαι) to ask · (για βοήθεια) to turn to

αποτελειώνω Ρ Μ (α) (= τελειώνω, ολοκληρώνω) to finish (β) (= δίνω το τελειωτικό θανάσιμο χτύπημα) to finish off (γ) (= αφανίζω) to finish off

αποτέλεσμα ΟΥΣ ΟΥΔ (α) (= έκβαση: αγώνα) result, score · (εκλογών) result

A

(β) (= *συνέπεια, επακολούθημα*) consequence
▷**καταλήγω σε αποτέλεσμα** to show results
▷**ως ή σαν αποτέλεσμα** as a result
▷**έχω αποτέλεσμα, κανένα αποτέλεσμα** to come to nothing
▷**φέρνω αποτέλεσμα** to show results
▷**χωρίς αποτέλεσμα** without result, to no effect
▷**με αποτέλεσμα να...** with the result that...
▷**αποτέλεσμα μηδέν** to no effect, in vain
▷**το αντίθετο αποτέλεσμα** the opposite effect
▷**τελικό αποτέλεσμα** end result
▸αποτελέσματα πληθ (*εξετάσεων*) results

αποτελεσματικός επιθ (α) (*μέθοδος, θεραπεία*) effective (β) (*άνθρωπος*) efficient

αποτελεσματικότητα ουσ θηλ effectiveness

αποτελματώνομαι ρ αμ to stagnate

αποτελμάτωση ουσ θηλ stagnation

αποτελώ ρ μ (= *θεωρούμαι, είμαι*) to be, to constitute · (= *απαρτίζω*) to make up

αποτεφρώνω ρ μ (α) (= *κατακαίω*) to burn down (β) (*νεκρό*) to cremate

αποτέφρωση ουσ θηλ (α) (*έκτασης, δάσους*) destruction (β) (*νεκρού*) cremation

αποτεφρωτήρας ουσ αρς incinerator

αποτίμηση ουσ θηλ (α) (*εμπορεύματος*) evaluation · (*ζημιάς*) evaluation, appraisal (β) (= *εκτίμηση: προσπαθειών, εργασίας*) assessment, appraisal

αποτιμώ ρ μ to assess

αποτίναξη ουσ θηλ (*επίσ.*) throwing off

αποτινάσσω ρ μ (α) (*φραγμούς*) to break down (β) (*μτφ.:* = *τινάζω μακριά*) to rid oneself of (γ) (*μτφ.:* = *λυτρώνομαι από κάτι που με πιέζει: ζυγό, κυριαρχία, μιζέρια*) to throw ή shake off

απότιση ουσ θηλ (*επίσ.*) paying

απότιστος επιθ (*κήπος, λουλούδια*) not watered, unwatered

αποτίω ρ μ to pay

απότοκος επιθ: **είμαι απότοκος γεν** to be the result of

αποτολμώ ρ μ to dare

απότομος επιθ (α) (= *απόκρημνος: πλαγιά*) steep · (*βράχος*) steep, sheer (β) (= *ξαφνικός, αναπάντεχος: σταμάτημα, αλλαγή, τέλος*) abrupt, sudden (γ) (= *βίαιος, προσβλητικός: άνθρωπος, τρόποι*) abrupt, brusque (δ) (= *ορμητικός: χείμαρρος, ποτάμι*) raging

αποτοξινώνω ρ μ to detoxify

αποτοξίνωση ουσ θηλ detoxification
▷**κλινική/κέντρο αποτοξίνωσης** detoxification ή detox (*ανεπ.*) clinic/centre (*Βρετ.*) ή center (*Αμερ.*)
▷**κάνω αποτοξίνωση** to go through detoxification ή detox (*ανεπ.*), to detox (*ανεπ.*)

αποτραβηγμένος επιθ withdrawn

αποτραβιέμαι ρ αμ (= *αποσύρομαι*) to withdraw

αποτρελαίνω ρ μ: **αποτρελαίνω κπν** to drive

sb completely mad, to send sb out of their mind

αποτρεπτικός επιθ (*συμβουλή, προειδοποίηση*) dissuasive · (*παράγοντας*) prohibitive

αποτρέπω ρ μ (= *εμποδίζω: κίνδυνο, κακό*) to avert, to stave off · (*τραγωδία*) to prevent, to stop
▷**αποτρέπω κπν από κτ ή το να κάνει κτ** to dissuade sb from doing sth

αποτριχώνω ρ μ to shave

αποτρίχωση ουσ θηλ shaving

αποτριχωτικός επιθ (*μέθοδος*) depilation · (*κερί*) depilatory

αποτρόπαιος επιθ (*έγκλημα*) heinous · (*θέαμα, όψη*) hideous, ghastly

αποτροπή ουσ θηλ prevention

αποτροπιασμός ουσ αρς disgust, horror
▷**προκαλώ αποτροπιασμό** to horrify

αποτσίγαρο ουσ ουδ (cigarette/cigar) butt ή stub

αποτυγχάνω ρ αμ (α) (*άνθρωπος*) to fail (β) (*προσπάθεια*) to fail · (*σχέδιο*) to fall through, to fail · (*κίνημα*) not to succeed, to fail · (*συνομιλίες*) to break down
▷**αποτυγχάνω να κάνω κτ** to fail to do sth

αποτύπωμα ουσ ουδ (α) (*ποδιού*) print (β) (*μτφ.*) imprint
▸**δακτυλικά αποτυπώματα** fingerprints

αποτυπώνω ρ μ (*σφραγίδα*) to impress
▸**αποτυπώνομαι** μεσοπαθ: **αποτυπώνεται στο μυαλό μου** (*μτφ.*) to be imprinted upon one's mind

αποτύπωση ουσ θηλ (*σφραγίδας*) impression

αποτυχαίνω = **αποτυγχάνω**

αποτυχημένος επιθ failed

αποτυχία ουσ θηλ (*πειράματος, προσπάθειας*) failure · (*υποψηφίου, κόμματος*) defeat · (*συνομιλιών*) breakdown, flop, washout (*ανεπ.*)
▷**οδηγώ κτ σε αποτυχία** to lead to the failure of sth, to cause sth to fail
▷**παταγώδης αποτυχία** flop

αποΰλητος επιθ (*εμπορεύματα*) unsold

απούσα επιθ θηλ *βλ.* **απών**

απουσία ουσ θηλ (α) (*άνθρωπος*) absence (β) (*μτφ.:* = *έλλειψη*) lack, absence (γ) (= *χρόνος που λείπει κπς*) absence (δ) (*στο σχολείο*) absence
▷**βάζω απουσία σε κπν** to mark sb absent

απουσιάζω ρ αμ to be absent

απουσιολόγιο ουσ ουδ register

απόφαγα ρ αμ (*προφορ.:* = *τελείωσα το φαγητό*) to have finished eating

αποφάγια ουσ ουδ πληθ scraps, remains, leftovers

αποφαίνομαι ρ μ (α) (*επίσ.:* = *εκφράζω τη γνώμη μου*) to pronounce ή pass judg(e)ment on (β) (= *εκδίδω απόφαση, πόρισμα*) to pass judg(e)ment on

απόφαση ουσ θηλ decision · (*δικαστών*)

ruling, judg(e)ment · (ενόρκων) verdict
▷**παίρνω (την) απόφαση να κάνω κτ**
(= αποφασίζω) to decide to do sth
▷**το παίρνω απόφαση ότι** to resign oneself to the fact that
▷**πάρτ' το απόφαση** face ή accept it
▷**εκδίδω απόφαση** (δικαστήριο) to pass judg(e)ment · (ένορκοι) to return a verdict
▷**τελεσίδικη απόφαση** final decision
▷**παίρνω τη μεγάλη απόφαση** to take the plunge
▸**καταδικαστική απόφαση** sentence

αποφασίζω ① ρ μ (= παίρνω απόφαση) to decide
② ρ αμ to make a decision, to decide · (ένορκοι) to reach a verdict · (δικαστήριο) to reach a decision ή judg(e)ment
▷**το αποφάσισα** I've made up my mind
▷**οι γιατροί τον αποφάσισαν** (για άρρωστο) the doctors have given up hope (for him)

αποφασισμένος μτχ determined, resolved (επίσ.)
▷**είμαι αποφασισμένος να κάνω κτ** to be determined ή resolved (επίσ.) to do sth
▷**είμαι αποφασισμένος για κτ** to be bent on sth
▷**είμαι αποφασισμένος για όλα** to stop at nothing

αποφασιστικός επιθ (α) (= καθοριστικός: παράγοντας, ρόλος) decisive
(β) (= ριψοκίνδυνος, θαρραλέος: άνθρωπος) determined, resolute

αποφασιστικότητα ουσ θηλ determination, resolution

αποφατικός επιθ (προτάσεις, μόρια) negative

αποφέρω ρ μ (κέρδη) to yield, to bring in · (έσοδα) to bring in · (αποτελέσματα) to produce, to yield

αποφεύγω ρ μ to avoid
▷**αποφεύγω να κάνω** to avoid doing

αποφευκτός επιθ (κίνδυνος, κακό) avoidable

απόφθεγμα ουσ ουδ maxim, adage

αποφθεγματικός επιθ (λόγια) proverbial

αποφλοιώνω ρ μ (ντομάτα) to peel, to skin · (ξύλο) to strip

αποφλοίωση ουσ θηλ (ντομάτας) peeling, skinning · (κορμού) stripping

αποφοίτηση ουσ θηλ graduation

απόφοιτος ουσ αρσθηλ (σχολείου) school–leaver (Βρετ.), graduate (Αμερ.) · (πανεπιστημίου, σχολής) graduate

αποφοιτώ ρ αμ (μαθητής) to leave school, to graduate (Αμερ.) · (φοιτητής, σπουδαστής) to graduate

αποφορά ουσ θηλ stench

αποφόρι ουσ ουδ (= φορεμένο ρούχο) cast-off

αποφράδα ουσ θηλ, **αποφράς: αποφράδα ημέρα** (= γρουσούζικη μέρα) unlucky day · (= καταραμένη μέρα) ill–fated day

αποφράζω ρ μ, **αποφράσσω**
(α) (= βουλώνω: σωλήνα) to block ·

(= ξεβουλώνω: σωλήνα) to unblock, to clear
(β) (= αποκλείω με φράγμα: δρόμο, είσοδο) to block, to barricade · (= ξεφράζω: δρόμο, είσοδο) to clear (γ) (= βουλώνω: αρτηρία) to block · (= ξεβουλώνω: αρτηρία) to unblock

απόφραξη ουσ θηλ (α) (= φράξιμο, βούλωμα: σωλήνα) blocking (β) (αρτηρίας, κόλον, εντέρου) blocking (γ) (= αποφράξιμο, ξεβούλωμα: βόθρων) unblocking

αποφράσσω ρ μ, **αποφράζω** (επίσ.) βλ. **αποφράζω**

αποφυγή ουσ θηλ avoidance
▷**είναι ένα παράδειγμα προς αποφυγή(ν)** it's an example of what not to do

αποφυλακίζω ρ μ to release

αποφυλάκιση ουσ θηλ release

αποφυλακιστήριο ουσ ουδ release papers πληθ.

απόφυση ουσ θηλ outgrowth, excrescence
▸**σκωληκοειδής απόφυση** appendix

> *Προσοχή!: Ο πληθυντικός του* **appendix** *είναι* **appendices** *ή* **appendixes**.

αποχαιρετίζω ρ μ βλ. **αποχαιρετώ**

αποχαιρετισμός ουσ αρσ farewell

αποχαιρετιστήριος επιθ (φιλί) goodbye, parting · (δείπνο, γλέντι, λόγος) farewell

αποχαιρετώ ρ μ, **αποχαιρετίζω** ρ μ to say goodbye to, to take leave of · (μτφ.) to kiss goodbye

αποχαλάω ① ρ αμ (α) (= χαλώ ολότελα) to be completely ruined, to have had it (ανεπ.)
(β) (μτφ.: = διαφθείρομαι: για πρόσ.) to be corrupted
② ρ μ (α) (μηχάνημα) to destroy · (παπούτσια) to completely ruin (β) (μτφ.: = κακομαθαίνω, διαφθείρω: άνθρωπο) to corrupt

αποχαλινώνομαι ρ αμ to run riot

αποχαλίνωση ουσ θηλ (ηθών) dissolution

αποχαρακτηρίζω ρ μ to declassify

αποχαυνώνω ρ μ to put in a stupor
▸**αποχαυνώνομαι** μεσοπαθ to be in a daze

αποχαυνωτικός επιθ (μυρωδιά) heady

αποχέτευση ουσ θηλ sanitation
▷**σύστημα αποχέτευσης** drainage system

αποχετευτικός επιθ (σύστημα, εγκατάσταση) drainage

αποχή ουσ θηλ abstention · (= εγκράτεια) abstinence
▷**λευκή αποχή** sit-in

απόχη ουσ θηλ (για ψάρεμα ή κυνήγι) net
▷**πιάνω κπν στην απόχη μου** to trap sb
▷**πιάνομαι στην απόχη κποιου** to fall into sb's trap

αποχρεμπτικός επιθ (ΦΑΡΜ) expectorant

αποχρωματίζω ρ μ (= αφαιρώ το χρώμα: εικόνα) to discolour (Βρετ.), to discolor (Αμερ.) · (ύφασμα) to bleach

αποχρωματισμός ουσ αρσ (= αφαίρεση χρώματος: πίνακα) discoloration ·

(υφάσματος) bleaching

απόχρωση ΟΥΣ ΘΗΛ (α) (για χρώμα) shade (β) (μτφ.) tinge

αποχρωστικός ΕΠΙΘ (ουσία) bleaching

απόχτημα = απόκτημα

αποχτώ = αποκτώ

αποχυμωτής ΟΥΣ ΑΡΣ (συσκευή) liquidizer

αποχώρηση ΟΥΣ ΘΗΛ (α) (στρατευμάτων) withdrawal (β) (βουλευτού, πολιτικού, δικαστού) resignation

αποχωρητήριο ΟΥΣ ΟΥΔ toilet

αποχωρίζω Ρ Μ (= τοποθετώ χωριστά) to separate
▸ **αποχωρίζομαι** ΜΕΣΟΠΑΘ to leave

αποχωρισμός ΟΥΣ ΑΡΣ parting

αποχωρώ Ρ ΑΜ (α) to leave (β) (στράτευμα) to withdraw, to pull out (γ) (διαδηλωτές) to disperse (δ) (μτφ.) to retire

απόψε ΕΠΙΡΡ (α) (= σήμερα το βράδυ) tonight (β) (= το προηγούμενο βράδυ) last night

άποψη ΟΥΣ ΘΗΛ (α) (= γνώμη) view, opinion · (= θέα από απόσταση) view
▸ **κατά την άποψή μου** in my opinion
▸ **από κάθε άποψη** (= αναμφισβήτητα) in all respects, in every way
▸ **από μια άποψη** in a way, in some respects
▸ **επιβάλλω τις απόψεις μου (σε κπν)** to impose one's views (on sb)
▸ **από...άποψη, από...απόψεως** from a ... point of view

αποψιλώνω Ρ Μ to clear

αποψίλωση ΟΥΣ ΘΗΛ (εδάφους, δασών, εκτάσεων) deforestation

αποψινός ΕΠΙΘ (εκδήλωση) tonight's

απόψυξη ΟΥΣ ΘΗΛ defrosting

αποψύχω Ρ Μ (τρόφιμα) to defrost

απραγματοποίητος ΕΠΙΘ (α) (= που δεν πραγματοποιήθηκε: όνειρα, φιλοδοξίες) unrealized, unfulfilled · (επιθυμίες, τύχες) unfulfilled (β) (= που δεν μπορεί να πραγματοποιηθεί) impracticable, unfeasible

άπρακτος, -η, -ο ΕΠΙΘ inactive

απραξία ΟΥΣ ΘΗΛ (α) (= αδράνεια, αργία) inactivity, inaction (β) (ΕΜΠ) slump

άπραχτος, -η, -ο ΕΠΙΘ = **άπρακτος**

απρέπεια ΟΥΣ ΘΗΛ (= απρεπής λόγος, πράξη) improper behaviour (Βρετ.) ή behavior (Αμερ.)

απρεπής ΕΠΙΘ (α) (= αγενής, άτοπος, ανάρμοστος: λόγια, πράξεις) improper (β) (= χυδαίος) indecent

άπρεπος ΕΠΙΘ immodest

Απρίλης ΟΥΣ ΑΡΣ = **Απρίλιος**

Απρίλιος ΟΥΣ ΑΡΣ April

απρόβλεπτο ΟΥΣ ΟΥΔ unforeseen circumstances πληθ.

απρόβλεπτος ΕΠΙΘ (έξοδα) unforeseen, unexpected · (εξέλιξη, αποτελέσματα) unexpected, unpredictable

απρογραμμάτιστος ΕΠΙΘ unplanned

απροειδοποίητα ΕΠΙΡΡ without warning

απροειδοποίητος ΕΠΙΘ unannounced

απροετοίμαστος ΕΠΙΘ unprepared
▸ **βρίσκω κπν απροετοίμαστο** to catch sb unawares

απροθυμία ΟΥΣ ΘΗΛ reluctance
▸ **δείχνω απροθυμία** to be reluctant

απρόθυμος ΕΠΙΘ reluctant, unwilling

απροίκιστος ΕΠΙΘ (α) (= που δεν έχει προίκα) without a dowry (β) (= χωρίς ταλέντο) untalented

άπροικος ΕΠΙΘ without a dowry

απροκάλυπτα ΕΠΙΡΡ openly

απροκάλυπτος ΕΠΙΘ (α) (εχθρότητα) undisguised (β) (= ειλικρινής: ενδιαφέρον) undisguised · (εξομολόγηση) frank

απροκατάληπτος ΕΠΙΘ unbias(s)ed, open–minded

απρόκλητος ΕΠΙΘ (επίθεση) unprovoked · (σχόλια) uncalled–for

απρονοησία ΟΥΣ ΘΗΛ lack of foresight

απρόοπτο ΟΥΣ ΟΥΔ the unexpected ή unforeseen
▸ **εκτός απρόοπτου** barring any unforeseen circumstances

απρόοπτος ΕΠΙΘ (εξέλιξη) unexpected, unforeseen · (συνάντηση) unexpected, surprise

απροσανατόλιστος ΕΠΙΘ having no sense of direction

απροσάρμοστος ΕΠΙΘ maladjusted

απρόσβλητος ΕΠΙΘ fireproof/waterproof · (μτφ.) immune

απροσδιόριστος ΕΠΙΘ (μυρωδιά) elusive · (χρώμα) indefinable
▸ **απροδιόριστης ηλικίας** of indeterminate age

απροσδόκητα ΕΠΙΡΡ unexpectedly

απροσδόκητος ΕΠΙΘ (α) (επίσκεψη, εξέλιξη, αποτέλεσμα) unexpected (β) (θάνατος) sudden

απρόσεκτος ΕΠΙΘ, **απρόσεχτος** careless · (ενέργεια) rash

απροσεξία ΟΥΣ ΘΗΛ carelessness

απρόσιτος ΕΠΙΘ (α) (= απλησίαστος) unapproachable (β) (τιμές) prohibitive, unaffordable · (μέρος) inaccessible (γ) (= δυσνόητος) inaccessible (για κπν to sb)

απροσκάλεστος ΕΠΙΘ (προφορ.) uninvited

απρόσκλητος ΕΠΙΘ uninvited

απρόσκοπτος ΕΠΙΘ (= χωρίς εμπόδια: πορεία, διέλευση) unhindered, unimpeded

απρόσμενος ΕΠΙΘ (συνάντηση) unexpected · (δυσκολία) unexpected, unforeseen

απρόσοδος ΕΠΙΘ (επιχείρηση) unprofitable

απροσπέλαστος ΕΠΙΘ inaccessible · (για πρόσ.) unapproachable, aloof

απροσποίητος ΕΠΙΘ (χαρά) unaffected · (ευγένεια) genuine · (ενδιαφέρον) genuine, unfeigned

απροστάτευτος επιθ (χήρα) helpless · (σύνορα) unprotected, undefended

απροσχεδίαστος επιθ (έγκλημα) unpremeditated, not premeditated

απρόσωπος επιθ (α) (= χωρίς πρόσωπο) faceless (β) (μτφ.) impersonal (γ) (ρήματα, εκφράσεις) impersonal

απροφύλακτος επιθ unprotected

απροχώρητο ουσ **φτάνω στο απροχώρητο** to reach its limits

άπταιστος επιθ fluent

απτόητος επιθ undaunted

άπτομαι ρ μ (επίσ.: = αναφέρομαι σε κτ, θίγω: + γεν) to be related to
▷**μη μου άπτου** (προφορ.) delicate · (= για εύθικτο άνθρωπο) touchy, sensitive

απτός επιθ tangible

απύθμενος επιθ (α) (πηγάδι) bottomless · (βάθος) fathomless (β) (μτφ.: ανάγκες) insatiable

απύραυλος επιθ (περιοχή, ζώνη) missile–free

απύρετος επιθ (= χωρίς συμπτώματα πυρετού: ασθένεια) without fever, apyretic (επιστ.)

άπω επιρρ: **η άπω Ανατολή** the Far East

απωθημένα ουσ ουδ πληθ inhibitions
▷**βγάζω τα απωθημένα μου** (= εκδηλώνω κρυμμένες διαθέσεις) to get rid of one's inhibitions
▷**έχω πολλά απωθημένα** to have a lot of inhibitions

απώθηση ουσ θηλ repulsion · (ΨΥΧ) repression

απωθητικός επιθ objectionable

απωθώ ρ μ (α) (= σπρώχνω) to push away (β) (μτφ.) to repel (γ) (= αποκρούω) to push ή drive back (δ) (ΨΥΧ) to repress

απώλεια ουσ θηλ (α) loss (β) (ηλεκτρικού ρεύματος) loss of current
▷**απώλεια συνείδησης** (ΨΥΧΟΛ) loss of consciousness
▶**απώλειες** πληθ losses, casualties
▷**υφίσταμαι απώλειες** to suffer losses

απών, -ούσα, -όν επιθ absent
▷**είμαι απών** to be absent

άπωση ουσ θηλ (ΦΥΣ) repulsion
▶**ηλεκτρική/μαγνητική άπωση** electrical/ magnetic repulsion

απώτατος επιθ (σκοπός) ultimate · (χρόνος) remote
▷**απώτατο παρελθόν/μέλλον** the far distant past/future

απώτερος επιθ ultimate
▷**απώτερο παρελθόν/μέλλον** the distant past/future
▶**απώτεροι συγγενείς** distant relations
▶**απώτερος σκοπός** ulterior motive

άρα επιρρ βλ. **άραγε**

Άραβας ουσ αρσ Arab

Αραβία ουσ θηλ Arabia

αραβικά ουσ ουδ πληθ Arabic

αραβική ουσ θηλ (επίσ.: επίσης **αραβική γλώσσα**) Arabic

αραβικός επιθ (γλώσσα) Arabic · (έθιμα, πολιτική, κράτος, φυλή) Arab

> *Προσοχή!: Τα εθνικά επίθετα, όπως Arab/ Arabic, γράφονται με κεφαλαίο το αρχικό γράμμα στα Αγγλικά.*

αραβόσιτος ουσ αρσ (επίσ.) maize, corn (Αμερ.)
▷**άνθος αραβοσίτου** cornflour (Βρετ.), cornstarch (Αμερ.) · βλ. κ. **αραποσίτι**

αραβούργημα ουσ ουδ arabesque

άραγε, άρα επιρρ I wonder

άραγμα ουσ ουδ (α) (πλοίου) anchoring, mooring (β) (μτφ.: προφορ.: = τεμπελιά, βόλεμα) laziness
▷**το ρίχνω στο άραγμα** (προφορ.) to loaf around (ανεπ.), to take things easy

αραγμένος επιθ (α) (πλοίο) anchored, moored (β) (= βολεμένος: προφορ.: για πρόσ.) taking it easy

αράδα 1 ουσ θηλ (προφορ.) line · (: = σειρά) turn
2 επιρρ constantly
▷**στην αράδα** in a line, in a row
▷**αράδα αράδα** line by line
▷**της αράδας** (= της σειράς, ευτελές) cheap
▷**κι αν είσαι και παπάς με την αράδα σου θα πας** you'll wait your turn like everyone else
▷**παίρνω κτ αράδα** to do sth one after the other

αραδιάζω ρ μ (ανεπ/πρφ) to line up · (μτφ.: αρνητ.) to reel off, to come out with

αράδιασμα ουσ ουδ lining up

αράζω 1 ρ μ (α) (οδηγός: αυτοκίνητο, μηχανάκι) to park (β) (προφορ.: καπετάνιος: πλοίο) to moor
2 ρ αμ (πλοίο) to anchor, to moor · (μτφ.: = ξεκουράζομαι, βολεύομαι) to relax
▷**την αράζω** (προφορ.) to stretch out
▷**σία κι αράξαμε!** we've made it!

αραιά επιρρ far apart
▷**αραιά και που** once in a while
▷**αραιά αραιά** far apart

αραιοκατοικημένος επιθ sparsely populated

αραιός επιθ (α) (υγρό, διάλυμα) diluted, watered down · (μτφ.) infrequent, rare (β) (βλάστηση) sparse (γ) (νεφώσεις) broken, scattered

αραίωμα ουσ ουδ βλ. **αραίωση**

αραιώνω 1 ρ μ to dilute, to water down · (επαφές) to cut down · (τσιγάρο) to cut down on
2 ρ αμ (επισκέψεις) to become rarer ή less frequent · (διαβάτες) to thin out · (μαλλιά) to become thin ή sparse

αραίωση ουσ θηλ (α) (ποτού, υγρού, χρώματος) dilution, watering down (β) (πλήθους) thinning · (για μείωση: πελατών, οπαδών) decrease (γ) (επισκέψεων, *επαφών*) reduction (δ) (*μαλλιών*) thinning

αρακάς ΟΥΣ ΑΡΣ (fresh) peas *πληθ.*

αράντιστος ΕΠΙΘ (*κλήμα, ντοματιά*) not sprayed

αραξοβόλι ΟΥΣ ΟΥΔ (*λογοτ.:* = *απάνεμο λιμανάκι*) harbour (*Βρετ.*), harbor (*Αμερ.*)
▷**βρίσκω αραξοβόλι** to find refuge *ή* a haven

αράπης ΟΥΣ ΑΡΣ dark–skinned person · (*υποτιμ*) negro
▷**τον αράπη κι αν τον πλύνεις το σαπούνι σου χαλάς!** a leopard can't change its spots

Αραπιά ΟΥΣ ΘΗΛ (*ΛΟΓ*) Middle East

αράπικος ΕΠΙΘ (*κορμί, χορός*) Arabian

> *Προσοχή!: Τα εθνικά επίθετα, όπως* **Arabian**, *γράφονται με κεφαλαίο το αρχικό γράμμα στα Αγγλικά.*

▸**αράπικο φυστίκι** peanut

αραποσίτι ΟΥΣ ΟΥΔ (*καρπός*) sweet corn, corncob

άραφτος ΕΠΙΘ not sewn

άραχλος ΕΠΙΘ, **άραχνος** miserable
▷**μαύρος κι άραχλος** *ή* **άραχνος** doom and gloom

αράχνη ΟΥΣ ΘΗΛ (α) (*έντομο*) spider (β) (= *ο ιστός του εντόμου*) cobweb, spider's web

αραχνιάζω Ρ ΑΜ (α) (*σπίτι, αποθήκη*) to be full of cobwebs · (*τοίχος*) to be covered in cobwebs (β) (*μτφ.: ιδανικά*) to become outdated

αραχνιασμένος ΕΠΙΘ (α) (*δωμάτιο, σπίτι*) full of cobwebs · (*έπιπλα*) covered in cobwebs (β) (*μτφ.:* = *ξεπερασμένος, αναχρονιστικός*) outdated

αραχνοΰφαντος ΕΠΙΘ (α) (*ύφασμα*) fine–spun · (*πέπλος, νυχτικό*) flimsy (β) (*μτφ.*) flimsy

αρβανίτης ΟΥΣ ΑΡΣ Albanian

αρβανιτιά ΟΥΣ ΘΗΛ (*αρνητ.*) the Albanians *πληθ.*

αρβανίτικα ΟΥΣ ΟΥΔ ΠΛΗΘ Albanian

αρβανίτικος ΕΠΙΘ (*λέξεις, γλώσσα, καταγωγή*) Albanian

> *Προσοχή!: Τα εθνικά επίθετα, όπως* **Albanian**, *γράφονται με κεφαλαίο το αρχικό γράμμα στα Αγγλικά.*

αρβανίτισσα ΟΥΣ ΘΗΛ *βλ.* **αρβανίτης**

αρβύλα ΟΥΣ ΘΗΛ, **άρβυλα** ΟΥΣ ΟΥΔ ΠΛΗΘ (*στο στρατό*) (army) boot
▷**λέω αρβύλες** (*αργκ.*) to say stupid things
▷**ράδιο αρβύλα** (*αργκ.:* = *ανακριβής πληροφορία*) hearsay, rumours *πληθ.* (*Βρετ.*), rumors *πληθ.* (*Αμερ.*)

αργά ΕΠΙΡΡ (*κοιμάμαι, σηκώνομαι*) late · (*πίνω, περπατώ, μιλώ*) slowly
▷**αργά ή γρήγορα** sooner or later
▷**αργά αργά** very late
▷**είναι πολύ αργά για κτ/για να κάνω κτ** it's too late for sth/to do sth

▷**ποτέ δεν είναι αργά** it's never too late
▷**κάλλιο αργά παρά ποτέ** better late than never

αργαλειός ΟΥΣ ΑΡΣ loom

Αργεντινή ΟΥΣ ΘΗΛ Argentina

αργία ΟΥΣ ΘΗΛ (α) holiday · (*εθνικής επετείου*) public holiday, bank (*Βρετ.*) *ή* national (*Αμερ.*) holiday · (*της Κυριακής*) day off, day of rest (β) (= *κλείσιμο, σταμάτημα*) inactivity (γ) (*ποινή: σε κληρικό, στρατιωτικό, υπάλληλο*) suspension
▷**τίθεμαι σε αργία** to be suspended
▷**αργία μήτηρ πάσης κακίας** the devil finds work for idle hands to do (*παροιμ.*)

αργίλιο ΟΥΣ ΟΥΔ (*μέταλλο*) aluminium (*Βρετ.*), aluminum (*Αμερ.*)
▸**φθοριούχο/χλωριούχο/θειικό αργίλιο** aluminium (*Βρετ.*) *ή* aluminum (*Αμερ.*) fluoride/chloride/sulphate
▸**οξείδιο του αργιλίου** aluminium (*Βρετ.*) *ή* aluminum (*Αμερ.*) oxide

άργιλος ΟΥΣ ΑΡΣ clay, potter's clay *ή* earth

αργιλόχωμα ΟΥΣ ΟΥΔ clay soil

αργιλώδης ΕΠΙΘ (*έδαφος*) clay · (*περιοχή*) clayey

αργκό ΟΥΣ ΘΗΛ ΑΚΛ slang

αργοκίνητος ΕΠΙΘ (α) (*τρένο, όχημα*) slow–moving (β) (*υπάλληλος, άνθρωπος*) slow (γ) (*μτφ.*) slow–moving
▸**αργοκίνητο καράβι** slowcoach (*Βρετ.*) (*ανεπ.*), slowpoke (*Αμερ.*) (*ανεπ.*)

αργοναυτικός ΕΠΙΘ: **η αργοναυτική εκστρατεία** (*ΜΥΘ*) the Argonauts' journey

αργοπορία ΟΥΣ ΘΗΛ delay, lateness

αργοπορώ Ρ ΑΜ (α) (= *βαδίζω, προχωρώ αργά*) to linger, to slow down (β) (= *καθυστερώ*) to delay, to be late

αργός ΕΠΙΘ (α) slow (β) (= *νωθρός*) slack (γ) (= *βραδυκίνητος: πλοίο, καράβι, μηχάνημα*) slow–moving (δ) (= *αργόσχολος*) idle · (ΕΚΚΛ/ΣΤΡ/ΔΙΟΙΚ) suspended
▷**αργός θάνατος** slow death

αργοσβήνω Ρ ΑΜ (α) (*κερί*) to slowly go out · (*λάμπα, άστρο*) to fade away (β) (*μτφ.:* = *αργοπεθαίνω*) to be slowly dying, to slowly die · (: *ελπίδα, προσδοκίες*) to slowly die, to fade away

αργόστροφος ΕΠΙΘ (α) (*μηχανή*) slow–turning (β) (*μτφ.: προφορ.*) slow (off the mark *ή* on the uptake)

αργόσχολος ΕΠΙΘ idle, unoccupied

αργότερα ΕΠΙΡΡ later

αργύρια ΟΥΣ ΟΥΔ ΠΛΗΘ: **τριάντα** *ή* **τριάκοντα αργύρια** (= *χρηματικό ποσό για δωροδοκία*) thirty pieces of silver, blood money

αργυροποίκιλτος ΕΠΙΘ (*λογοτ.: κόσμημα*) silvered, silvery

αργυρός ΕΠΙΘ (*σκεύος, νόμισμα, κόσμημα, βραβείο, μετάλλιο*) silver
▸**ο αργυρός αιώνας** (*στη ρωμαϊκή ιστορία*) the Silver Age

▸**αργυροί γάμοι** silver wedding

άργυρος ΟΥΣ ΑΡΣ (επίσ.) silver

αργυροχοΐο ΟΥΣ ΟΥΔ silversmith's

αργυροχόος ΟΥΣ ΑΡΣ silversmith

αργώ ① Ρ Μ to hold up, to delay
② Ρ ΑΜ (α) (= έρχομαι αργά) to be late
(β) (= καθυστερώ) to be late (γ) (μαγαζί, υπηρεσία) to be closed

άρδευση ΟΥΣ ΘΗΛ irrigation

αρδευτικός ΕΠΙΘ (μηχανήματα, σωλήνες, δίκτυο, έργα) irrigation

αρδεύω Ρ Μ to irrigate

άρδην ΕΠΙΡΡ (επίσ.) radically

αρειανός ΟΥΣ ΑΡΣ Martian

αρειμάνιος ΕΠΙΘ (= άγριος) belligerent, bellicose (επίσ.), warlike, bellicose (επίσ.) · (ειρων.) blustering, full of bluster

αρειμανίως ΕΠΙΡΡ belligerently

Άρειος Πάγος ΟΥΣ ΑΡΣ (α) (ΑΡΧ ΙΣΤ) Areopagus, *hill in ancient Athens where the highest judicial court held its sittings* (β) (= ανώτατο δικαστήριο) ≈ Supreme Court of Judicature (Βρετ.), ≈ Supreme Court (Αμερ.)

αρένα ΟΥΣ ΘΗΛ arena

Αρεοπαγίτης ΟΥΣ ΑΡΣ (= ανώτατος δικαστής) *member of the Supreme Court of Judicature,* ≈ Supreme Court Justice (Αμερ.)

αρέσει Ρ ΑΠΡΟΣ to like

αρέσκεια ΟΥΣ ΘΗΛ (επίσ.) liking (για for) love (για of)
▹**της αρεσκείας μου** to sb's liking
▹**είμαι της αρεσκείας μου** to be to sb's liking

αρέσκομαι Ρ Μ (επίσ.) to like
▹**αρέσκομαι στο να κάνω κτ** to like doing sth ή to do sth
▹**αρέσκομαι σε κτ** to like sth

αρεστός ΕΠΙΘ (α) (κατάσταση) pleasant · (βιβλία, ιδέες) nice (β) (υπάλληλος, συνεργάτης, άνθρωπος) pleasant, likeable

αρέσω Ρ ΑΜ: **αρέσω σε κπν** to be liked by sb
▹**είτε μ' αρέσει είτε όχι, μου αρέσει δε μου αρέσει** whether I/you/we like it or not
▹**αν σ' αρέσει!** like it or lump it! (ανεπ.)
▹**όπως σου/σας αρέσει!** please yourself!, do as you please!
▹**θα κάνω ό, τι μ' αρέσει!** I'll do as I please!

αρετή ΟΥΣ ΘΗΛ (α) (γενικότ.) virtue (β) (= το καλό) virtue χωρίς πληθ. (γ) (= πλεονέκτημα, προτέρημα) virtue (δ) (= αγνότητα: κυρίως για γυναίκα) chastity, virtue

αρετσίνωτος ΕΠΙΘ (κρασί) unresinated

αρθρίτιδα ΟΥΣ ΘΗΛ arthritis εν.

αρθριτικά ΟΥΣ ΟΥΔ ΠΛΗΘ (προφορ.) arthritis εν.

αρθριτικός ΕΠΙΘ (πόνος, παραμόρφωση) arthritic

άρθρο ΟΥΣ ΟΥΔ (α) (εφημερίδας, περιοδικού) article (β) (ΝΟΜ: νόμου, συνθήκης, καταστατικού) article (γ) (ΓΛΩΣΣ) article (δ) (ΑΝΑΤ: = ανθρώπινο άκρο (χέρι, πόδι))

limb (ε) (ΘΡΗΣΚ) Article
▸**άρθρο πίστεως** article of faith
▸**κύριο άρθρο** lead story (Βρετ.), leading article (Αμερ.)
▸**οριστικό/αόριστο άρθρο** definite/indefinite article

αρθρογραφία ΟΥΣ ΘΗΛ journalism

αρθρογράφος ΟΥΣ ΑΡΣ/ΘΗΛ columnist

αρθρογραφώ Ρ ΑΜ to write articles

αρθροπάθεια ΟΥΣ ΘΗΛ (ΙΑΤΡ) arthropathy (επιστ.)

αρθρώνω Ρ Μ (άνθρωπος, ομιλητής: κουβέντα) to utter
▹**δεν αρθρώνω λέξη** not to utter a word
▹**αρθρώνω πολιτικό λόγο** (= μιλώ πολιτικά, πολιτικολογώ) to talk politics

αρθρωτός ΕΠΙΘ (κατασκευή, αλυσίδα) articulated, jointed

αρία ΕΠΙΘ: **η αρία φυλή** the Aryan race

άρια ΟΥΣ ΘΗΛ (ΜΟΥΣ) aria

αριβάρω Ρ ΑΜ (σνθ ειρ: = φτάνω) to arrive

αριβίστας ΟΥΣ ΑΡΣ, **αριβιστής** ΟΥΣ ΑΡΣ (πολιτικός, επιχειρηματίας) go–getter (ανεπ.), careerist, arriviste (επίσ.)

αρίδα ΟΥΣ ΘΗΛ (α) (εργαλείο) auger (β) (προφορ.) leg
▹**απλώνω την αρίδα μου** (= απλώνομαι και ξεκουράζομαι) to take it easy

αρίθμηση ΟΥΣ ΘΗΛ counting · (σελίδων) numbering, pagination · (σελίδων, νόμων, οικιών) numbering

αριθμητής ΟΥΣ ΑΡΣ (κλάσματος) numerator

αριθμητικά ΟΥΣ ΟΥΔ ΠΛΗΘ (ΓΛΩΣΣ) numerals πληθ.

αριθμητική ΟΥΣ ΘΗΛ arithmetic

αριθμητικός ΕΠΙΘ (μέθοδος, πρόβλημα) arithmetic · (βαθμολογία, δεδομένα) numerical
▸**αριθμητική μηχανή** calculator
▸**αριθμητική πρόοδος** (ΜΑΘ) arithmetic progression

αριθμομηχανή ΟΥΣ ΘΗΛ calculator

αριθμός ΟΥΣ ΑΡΣ (α) number (β) (εφημερίδας) edition · (τεύχους, περιοδικού) number · (περιοδικού) issue
▹**υπ' αριθμόν ένα** number one
▹**αριθμός μητρώου (Α.Μ.)** (ΔΙΟΙΚ) registration number (of a company)
▹**αριθμός φορολογικού μητρώου (Α.Φ.Μ.)** (ΔΙΟΙΚ/ΟΙΚ) tax code
▹**αύξων αριθμός** serial number
▹**ενικός/πληθυντικός αριθμός** (ΓΛΩΣΣ) singular/plural number
▸**αριθμός κυκλοφορίας** registration (Βρετ.) ή license (Αμερ.) number
▸**ακέραιος αριθμός** whole number, integer
▸**δεκαδικός αριθμός** decimal number
▸**θετικός/αρνητικός αριθμός** positive/negative number
▸**ατομικός αριθμός** atomic number
▸**αραβικοί/λατινικοί αριθμοί** Arabic/Roman

numerals

αριθμώ ① Ρ Μ (= βάζω αριθμό: θέση, εισιτήρια) to number · (βιβλία) to paginate · (= μετρώ) to count · (= απαριθμώ: αίτια, κίνητρα, λόγους) to enumerate ② Ρ ΑΜ to number · (= μετρώ) to count ▸**αριθμός νεκρών** death toll

άριος ΟΥΣ ΑΡΣ Aryan

άριστα ① ΟΥΣ ΟΥΔ Α, top marks πληθ. ② ΕΠΙΡΡ (γνωρίζω, μιλώ) very well

αριστείο ΟΥΣ ΟΥΔ award ▷**αριστείο προόδου** distinction

Αριστερά ΟΥΣ ΘΗΛ (ΠΟΛΙΤ): **η Αριστερά** the Left

αριστερίζω Ρ ΑΜ (κόμμα, ψηφοφόρος, πολίτης, καθηγητής) to be left–wing, to have left–wing leanings

αριστερισμός ΟΥΣ ΑΡΣ (ΠΟΛΙΤ) leftism

αριστεριστής ΟΥΣ ΑΡΣ left–winger, leftist

αριστερός ① ΕΠΙΘ (α) (τροχός, καναπές, φρουρός) left–hand (β) (χέρι, μάτι, γόνατο) left (γ) (όχθη) left ② ΟΥΣ ΑΡΣΘΗΛ (α) (ΠΟΛΙΤ) left–winger, leftist (β) (= αριστερόχειρας) left–hander, southpaw (Αμερ.) (ανεπ.) ▷**να μην γνωρίζει η αριστερά σου τι ποιεί η δεξιά σου** the right hand doesn't know what the left hand is doing ▷**από (τα) αριστερά** from the left ▷**κλίνατε επ' αριστερά!** left turn! ▷**κπς είναι αριστερός** (= ανήκει στο κόμμα της Αριστεράς) to be a left–winger

αριστερόστροφος ΕΠΙΘ (κίνηση) to the left

αριστερόχειρας ΟΥΣ ΑΡΣ, **αριστερόχειρ** · (άντρας, γυναίκα, μαθητής) left–hander

αριστεύω Ρ ΑΜ (α) (= βαθμολογούμαι με βαθμό άριστα: μαθητής, σπουδαστής, διαγωνιζόμενος) to get an A ή As, to get full marks (Βρετ.) (β) (= σημειώνω επιτυχίες: πολιτικός, πολιτεία) to excel · (προϊόν) to be a success ή hit (ανεπ.)

αριστοκράτης ΟΥΣ ΑΡΣ (α) (= αυτός που έχει ευγενική καταγωγή) aristocrat (β) (μτφ.) gentleman

Προσοχή!: Ο πληθυντικός του **gentleman** *είναι* **gentlemen.**

αριστοκρατία ΟΥΣ ΘΗΛ aristocracy, nobility · (πολίτευμα) aristocracy

αριστοκρατικός ΕΠΙΘ (γενιά, καταγωγή) noble, aristocratic · (κύκλος, συνοικία) upper–class · (τάξη) upper · (μτφ.: άντρα, συμπεριφορά) gentlemanly · (γυναίκα, συμπεριφορά) gracious · (παρουσιαστικό, εμφάνιση, χαρακτήρας) distinguished

αριστοκρατικότητα ΟΥΣ ΘΗΛ graciousness

άριστος ΕΠΙΘ (α) (μαθητής) excellent (β) (επίδοση) excellent, first–class · (κατάσταση, εντύπωση) excellent · (γνώση) thorough · (υπάλληλος, ερευνητής, πολιτικός, διπλωμάτης) first–rate

αριστοτέλειος ΕΠΙΘ (σύγγραμμα, φιλοσοφία) Aristotelian ▷**Αριστοτέλειο Πανεπιστήμιο Θεσσαλονίκης** Aristotle University of Thessaloniki · βλ. κ. **αριστοτελικός**

αριστοτελικός ΕΠΙΘ Aristotelian · βλ. κ. **αριστοτέλειος**

αριστοτέχνημα ΟΥΣ ΟΥΔ masterpiece

αριστοτέχνης ΟΥΣ ΑΡΣ master

αριστοτεχνικός ΕΠΙΘ (α) (σκηνοθεσία, μπαλιά) masterly · (πλοκή) ingenious (β) (τέχνασμα, κίνηση) ingenious

αριστούργημα ΟΥΣ ΟΥΔ (τέχνης, ζωγραφικής) masterpiece · (κινηματογράφου) masterpiece, classic ▷**κλασικό αριστούργημα** classic

αριστουργηματικός ΕΠΙΘ (παράσταση, διάλογος) masterly · (έργα τέχνης) master · (ταινία) classic

αριστούχος ① ΕΠΙΘ (μαθητής, σπουδαστής, φοιτήτρια) A ② ΟΥΣ ΑΡΣ top student

αρκεί Ρ ΑΠΡΟΣ as long as, provided (that) ▷**αρκεί!** that's enough!, enough is enough!

αρκετά ΕΠΙΡΡ enough, quite ▷**αρκετά από κτ** that's enough (of) sth ▷**αρκετά πια!** enough is enough!, I've had enough! ▷**αρκετά καλά** reasonably ή quite well

αρκετός ΕΠΙΘ (α) enough · (ποσότητα) adequate, sufficient (β) (άνθρωποι) several, quite a few ▷**μου είναι αρκετό να κάνω/ότι** it is enough for me to do/that

αρκούδα ΟΥΣ ΘΗΛ (ΖΩΟΛ) bear

αρκουδάκι ΟΥΣ ΟΥΔ (α) bear cub (β) (ζωάκι παιχνίδι) teddy (bear)

αρκουδιάρης ΟΥΣ ΑΡΣ bear trainer

αρκουδίσιος ΕΠΙΘ (α) (γούνα) bear (β) (μτφ.: περπάτημα, μπόι, τρίχωμα) bear–like

αρκούμαι Ρ ΑΜ to be content, to make do ▷**αρκούμαι με κτ** to be satisfied ή content with sth ▷**αρκούμαι να κάνω κτ** to be content ή content oneself with doing sth

αρκούντως ΕΠΙΡΡ (επίσ.) rather

Αρκτική ΟΥΣ ΘΗΛ: **η Αρκτική** the Arctic

Αρκτικός Ωκεανός ΟΥΣ ΑΡΣ: **ο Αρκτικός Ωκεανός** the Arctic Ocean

αρκτικός, -ή, -ό ΕΠΙΘ (κλίμα, ζώνη) Arctic ▸**ο αρκτικός κύκλος** the Arctic Circle

άρκτος ΟΥΣ ΘΗΛ: **μικρή/μεγάλη άρκτος** (ΑΣΤΡ) Ursa Minor/Major, the Little/Great Bear

αρκώ Ρ ΑΜ to be enough ▷**αρκώ για να** ή **αρκώ να...** to be enough to do

αρλεκίνος ΟΥΣ ΑΡΣ harlequin

άρμα ΟΥΣ ΟΥΔ (α) float (β) (= τεθωρακισμένο, τανκ) tank (γ) (ΜΥΘ) chariot ▸**άρμα μάχης** (ΣΤΡΑΤ) battle tank ▸**άρματα** ΠΛΗΘ (= όπλα) arms

αρμάδα ΟΥΣ ΘΗΛ armada

αρμαθιά ΟΥΣ ΘΗΛ (*προφορ.*: *κλειδιά*) bunch · (*ψάρια*, *κρεμμύδια*) string

αρματαγωγό ΟΥΣ ΟΥΔ (*επίσης* **αρματαγωγό πλοίο**) landing craft

αρματοδρομία ΟΥΣ ΘΗΛ (ΙΣΤ) chariot race

αρματωλός ΟΥΣ ΑΡΣ (ΙΣΤ) armatole, *Greek with military and police duties under Ottoman rule*

αρμάτωμα ΟΥΣ ΟΥΔ (α) (*πλοίου*) fitting out (β) (*στρατιώτη, ληστή, αρματολού*) arming

αρματωμένος ΕΠΙΘ (α) (= *οπλισμένος*) armed (β) (*μτφ.*: = *εξοπλισμένος*) equipped

αρματώνω (*λογοτ.*) Ρ Μ (α) (*άντρες, στρατιώτες*) to arm (β) (*πλοίο*) to equip, to fit out

► **αρματώνομαι** ΜΕΣΟΠΑΘ to arm oneself

αρματωσιά (*λογοτ.*) ΟΥΣ ΘΗΛ (= *εξοπλισμός*) arms *πληθ.*

άρμεγμα ΟΥΣ ΟΥΔ (*γίδας, αγελάδας*) milking

αρμέγω Ρ Μ to milk

Αρμένης ΟΥΣ ΑΡΣ Armenian

Αρμενία ΟΥΣ ΘΗΛ Armenia

αρμενίζω Ρ ΑΜ (α) (= *ταξιδεύω με πλοίο*) to sail (β) (*μτφ.*: = *περιπλανιέμαι*) to wander (around *ή* about (*Βρετ.*))

αρμένικος ΕΠΙΘ: **αρμένικη βίζιτα** *ή* **επίσκεψη** (= *πολύωρη επίσκεψη*) visitor that overstays his/her welcome

άρμη ΟΥΣ ΘΗΛ (α) (= *αλατόνερο*) brine, saltwater (β) (= *αρμύρα*) saltiness

αρμόδιος ① ΕΠΙΘ (α) (= *υπεύθυνος: τμήμα, ανακριτής, φορέας*) in charge, responsible (β) (= *κατάλληλος, ικανός*) qualified, competent (γ) (*για πρόσ.*) competent ② ΟΥΣ ΠΛΗΘ (= *που έχουν κάποια δικαιοδοσία*) the authorities

► **οι αρμόδιες αρχές** the authorities

αρμοδιότητα ΟΥΣ ΘΗΛ (α) (= *δικαιοδοσία: φορέα, δικαστηρίου, αρχών*) jurisdiction (β) (= *ευθύνη, δικαίωμα*) responsibility

► **στερούμαι αρμοδιοτήτων** to have no authority

► **υπάγομαι στην αρμοδιότητα κποιου** to come under sb's jurisdiction

αρμόζει Ρ ΑΠΡΟΣ to be fitting

αρμόζω Ρ ΑΜ (= *ταιριάζω*) to be proper

αρμονία ΟΥΣ ΘΗΛ harmony

► **εσωτερική αρμονία** inner harmony

αρμονικός ΕΠΙΘ (α) (= *συμμετρικός: σχήμα*) symmetrical (β) (*συνδυασμός, σύνολο*) harmonious (γ) (*συνεργασία, συμβίωση*) harmonious, harmonic

αρμόνιο ΟΥΣ ΟΥΔ harmonium

αρμός ΟΥΣ ΑΡΣ joint

αρμοστεία ΟΥΣ ΘΗΛ (α) (*κτίριο*) residency, residence (β) (= *περιοχή δικαιοδοσίας του αρμοστή*) province (*ruled by a governor*) (γ) (= *το αξίωμα του αρμοστή*) governorship

► **υπάτη αρμοστεία** high commission

αρμοστής ΟΥΣ ΑΡΣ (*ανώτατος αξιωματικός*) governor

► **ύπατος αρμοστής** High Commissioner

άρμπουρο = **άλμπουρο**

αρμύρα = **αλμύρα**

αρμυρός = **αλμυρός**

άρνηση ΟΥΣ ΘΗΛ denial, refusal

αρνησιθρησκία ΟΥΣ ΘΗΛ apostasy

αρνησικυρία ΟΥΣ ΘΗΛ (ΝΟΜ) veto

> *Προσοχή!: Ο πληθυντικός του* **veto** *είναι* **vetoes**.

αρνητικός ① ΕΠΙΘ negative ② ΟΥΣ ΟΥΔ ΠΛΘ (ΦΩΤ) negatives

αρνί ΟΥΣ ΟΥΔ lamb

αρνιέμαι Ρ Μ (*πρφ/ανεπ*) *βλ.* **αρνούμαι**

αρνίσιος ΕΠΙΘ (*παϊδάκια*) lamb's

αρνούμαι Ρ Μ/ΑΜ (α) (= *λέω όχι*) to refuse (β) (= *δε δέχομαι*) to reject, to refuse (γ) (= *δεν παραδέχομαι: κατηγορία, ανάμειξη*) to deny (δ) (= *απορρίπτω*) to reject, to refuse, to turn down (ε) (= *απαρνιέμαι*) to deny

► **αρνούμαι να κάνω κτ** to refuse to do sth

άρον άρον ΕΠΙΡΡ (= *δια της βίας*) in a hurry, in haste

άροτρο ΟΥΣ ΟΥΔ plough (*Βρετ.*), plow (*Αμερ.*)

αρουραίος ΟΥΣ ΑΡΣ rat

άρπα ΟΥΣ ΘΗΛ harp

άρπαγας ΟΥΣ ΑΡΣ (α) (= *κλέφτης*) thief

> *Προσοχή!: Ο πληθυντικός του* **thief** *είναι* **thieves**.

(β) (= *πλεονέκτης*) grasping person, vulture

αρπαγή ΟΥΣ ΘΗΛ (α) (= *κλοπή*) theft (β) (= *απαγωγή: για πρόσ.*) abduction

αρπάζω ① Ρ Μ (α) (= *αφαιρώ με τη βία*) to snatch (away) (β) (= *κλέβω*) to steal (γ) (= *πιάνω κπν ή κτ ξαφνικά*) to grab, to snatch (δ) (= *προσβάλλομαι: συνάχι, αρρώστια*) to catch ② Ρ ΑΜ (*φαγητό, γλυκό*) to catch, to get slightly burnt

► **αρπάζομαι** ΜΕΣΟΠΑΘ (α) (= *συμπλέκομαι*) to come to blows (β) (= *οργίζομαι*) to lose one's temper, to blow up (*ανεπ.*)

αρπα-κόλλα ΕΠΙΡΡ (*ανεπ.*) willy–nilly, in a slapdash way

αρπακτικό ΟΥΣ ΟΥΔ bird of prey

αρπακτικός ΕΠΙΘ predatory

αρπακτικότητα ΟΥΣ ΘΗΛ rapacity

αρπαχτά ΕΠΙΡΡ (α) (*προφορ.*: = *βιαστικά*) hurriedly (β) (= *πρόχειρα*) willy–nilly

► **στ'αρπαχτά** on the run

αρπιστής ΟΥΣ ΑΡΣ harpist

αρραβώνας ΟΥΣ ΑΡΣ (α) (= *μνηστεία*) engagement (β) (= *δαχτυλίδι της μνηστείας*) engagement ring

αρραβωνιάζω Ρ Μ (*νέους, κόρη*) to perform an engagement ceremony for

αρραβωνιάζομαι ΜΕΣΟΠΑΘ (= *μνηστεύομαι*) to get engaged

αρραβωνιάρα ΟΥΣ ΘΗΛ *βλ.* **αρραβωνιαστικιά**

αρραβωνιάρης ΟΥΣ ΑΡΣ (*προφορ.*) *βλ.* **αρραβωνιαστικός**

αρραβώνιασμα ΟΥΣ ΟΥΔ engagement

▸**αρραβωνιάσματα** ΠΛΗΘ (= *τελετή αρραβώνων*) engagement ceremony

αρραβωνιαστικιά ΟΥΣ ΘΗΛ fiancee

αρραβωνιαστικός ΟΥΣ ΑΡΣ fiance

αρραγής ΕΠΙΘ (*επίσ.*: = *αδιάσπαστος: φιλία, ενότητα*) unbreakable

αρρενωπός ΕΠΙΘ (*φωνή, χαρακτηριστικά, πρόσωπο*) manly, masculine, virile

αρρενωπότητα ΟΥΣ ΘΗΛ masculinity, virility

άρρηκτος ΕΠΙΘ (= *αδιάσπαστος: δεσμός, σχέση*) unbreakable

άρρην ΕΠΙΘ male

άρρητος ΕΠΙΘ inexpressible

αρριβιστής ΟΥΣ ΑΡΣ opportunist

αρρυθμία ΟΥΣ ΘΗΛ irregularity

▹**καρδιακή αρρυθμία** (ΙΑΤΡ) arrhythmia (*επιστ.*), irregular heartbeat

αρρωσταίνω ① Ρ ΑΜ (α) to become *ή* fall ill (β) (= *μαραίνομαι*) to wilt, to wither (γ) (= *στενοχωριέμαι*) to get upset ② Ρ Μ (= *δυσαρεστώ, στενοχωρώ*) to upset

αρρωστημένος ΕΠΙΘ (*φαντασία*) morbid · (*κατάσταση*) unhealthy · (= *υπερβολικός: αγάπη*) obsessive

αρρώστια ΟΥΣ ΘΗΛ, **αρρώστεια** illness, disease

αρρωστιάρης ΕΠΙΘ (α) (= *φιλάσθενος*) sickly, frail (β) (= *καχεκτικός*) unhealthy, ill-looking

άρρωστος, -η, -ο ΕΠΙΘ (*για πρόσ.: σωματικά*) ill (*κυρ. Βρετ.*), sick

▹**είμαι άρρωστος** to be ill · (*μτφ.*) to be out of one's mind · (*διεστραμμένος*) to be sick

▸άρρωστος ΟΥΣ ΑΡΣ, άρρωστη ΟΥΣ ΘΗΛ sick *ή* ill person

αρσενικό ΟΥΣ ΟΥΔ arsenic

αρσενικός ΕΠΙΘ male

άρση ΟΥΣ ΘΗΛ (α) (= *απομάκρυνση: εμποδίου*) lifting, removal · (*διαφωνίας*) ending (β) (= *κατάργηση: ασυλίας, μονιμότητας*) lifting (γ) (ΜΟΥΣ) upbeat

▸**άρση βαρών** (ΑΘΛ) weightlifting

αρταίνομαι Ρ ΑΜ (*ανεπ.*) to break one's fast

αρτεργάτης ΟΥΣ ΑΡΣ baker

αρτεσιανό ΟΥΣ ΟΥΔ artesian well

αρτζιμπούρτζι : αρτζιμπούρτζι και λουλάς (*ανεπ.: για προχειροδουλειά*) mumbo-jumbo (*ανεπ.*) · (= *ανακατωσούρα*) bedlam

αρτηρία ΟΥΣ ΘΗΛ artery

▸**στεφανιαία αρτηρία** coronary artery

▸**νεφρική αρτηρία** renal artery

▸**οδική αρτηρία** arterial *ή* major road

αρτηριακός ΕΠΙΘ (*πίεση*) arterial

αρτηριοσκλήρωση ΟΥΣ ΘΗΛ,

αρτηριοσκλήρυνση (α) (*ασθένεια*) arteriosclerosis, hardening of the arteries (β) (= *οπισθοδρόμηση*) old-fashionedness

αρτηριοσκληρωτικός ΕΠΙΘ (α) (= *που πάσχει από αρτηριοσκλήρωση*) suffering from arteriosclerosis (*επιστ.*) *ή* hardening of the arteries, arteriosclerotic (*επιστ.*) (β) (*ιδέα, στάση*) old-fashioned

αρτιμέλεια ΟΥΣ ΘΗΛ fitness

αρτιμελής ΕΠΙΘ able-bodied

άρτιος ΕΠΙΘ (α) (= *πλήρης*) complete (β) (= *τέλειος: έργο, παρουσίαση*) perfect (γ) (= *ζυγός*) even

αρτιότητα ΟΥΣ ΘΗΛ (α) (*εκπαίδευσης*) comprehensiveness (β) (= *τελειότητα: έργου, επιτεύγματος*) high standard

αρτίστα ΟΥΣ ΘΗΛ *βλ.* **αρτίστας**

αρτίστας ΟΥΣ ΑΡΣ artiste

αρτοβιομηχανία ΟΥΣ ΘΗΛ bread industry

αρτοκλασία ΟΥΣ ΘΗΛ (ΘΡΗΣΚ) breaking of bread

αρτοποιείο ΟΥΣ ΟΥΔ (*επίσ.*: = *φούρνος*) bakery, baker's

αρτοποιία ΟΥΣ ΘΗΛ bread making

αρτοποιός ΟΥΣ ΑΡΣ (*επίσ.*) baker

αρτοπωλείο ΟΥΣ ΟΥΔ (*επίσ.*) bakery, baker's

άρτος ΟΥΣ ΑΡΣ (*επίσ.*: = *ψωμί*) bread

▸**άγιος άρτος** (ΘΡΗΣΚ) the Host, wafer

▸**άζυμος άρτος** unleavened bread

αρτοσκεύασμα ΟΥΣ ΟΥΔ bakery product

αρχάγγελος ΟΥΣ ΑΡΣ archangel

αρχαία ΟΥΣ ΟΥΔ ΠΛΗΘ (α) (= *μνημεία προχριστιανικών χρόνων*) antiquities (β) (ΕΚΠ) ancient Greek lesson *ή* class

αρχαΐζω Ρ ΑΜ (*επίσ.*) to use archaic language *ή* archaisms (*επίσ.*)

αρχαΐζων ΕΠΙΘ *in favour of using purist Greek*

▹**αρχαΐζον ύφος** archaic style

▹**αρχαΐζουσα γλώσσα** archaic language

αρχαϊκός ΕΠΙΘ (α) (*τέχνη, περίοδος, εποχή*) archaic (β) (= *αρχαίος*) ancient

αρχαιοδίφης ΟΥΣ ΑΡΣ specialist in ancient history

αρχαιοκαπηλία ΟΥΣ ΘΗΛ (= *παράνομο εμπόριο αρχαιοτήτων*) illegal trade in antiques

αρχαιοκάπηλος ΟΥΣ ΑΡΣ&ΘΗΛ illegal trader in antiques

αρχαιολάτρης ΟΥΣ ΑΡΣ lover of classical antiquity

αρχαιολογία ΟΥΣ ΘΗΛ arch(a)eology

▸**κλασική/βυζαντινή αρχαιολογία** classical/ Byzantine arch(a)eology

αρχαιολογικός ΕΠΙΘ arch(a)eological

▸**αρχαιολογικό μουσείο** arch(a)eological museum

▸**αρχαιολογικός χώρος** arch(a)eological site, dig (*ανεπ.*)

▸**αρχαιολογική υπηρεσία** department of arch(a)eology

αρχαιολόγος ΟΥΣ ΑΡΣ&ΘΗΛ arch(a)eologist

αρχαιοπρεπής ΕΠΙΘ (λόγος) archaic

αρχαιόπρεπος ΕΠΙΘ βλ. **αρχαιοπρεπής**

αρχαίος ① ΕΠΙΘ (α) (χρόνοι, Έλληνες, πολιτισμός) ancient · (άγαλμα) antique (β) (ειρ: = ξεπερασμένος, παλιός) ancient, antiquated
② ΟΥΣ ΑΡΣ ΠΛΘ the ancients

αρχαιότερος ΕΠΙΘ (υπάλληλος) senior

αρχαιότητα ΟΥΣ ΘΗΛ (α) (= παλαιότητα) antiquity (β) (= αρχαίοι χρόνοι) ancient times πληθ., antiquity (γ) (για υπάλληλο) seniority
▷**κατ' αρχαιότητα** in ancient times
▸**ελληνική/κλασική/ρωμαϊκή αρχαιότητα** Hellenistic/classical/Roman antiquity
▸**αρχαιότητες** ΠΛΗΘ antiquities

αρχαιρεσία ΟΥΣ ΘΗΛ elections πληθ.

αρχαϊσμός ΟΥΣ ΑΡΣ archaism

αρχαϊστής ΟΥΣ ΑΡΣ archaist

αρχάριος ΕΠΙΘ inexperienced

αρχέγονος ΕΠΙΘ (= πρωτόγονος: ορμές, κατάσταση) primitive · (ανάγκη) primordial

αρχείο ΟΥΣ ΟΥΔ archive, archives πληθ.
▷**αρχεία τυχαίας προσπέλασης** (ΠΛΗΡΟΦ) random access files

αρχειοθήκη ΟΥΣ ΘΗΛ filing cabinet

αρχειοφύλακας ΟΥΣ ΑΡΣ archivist

αρχέτυπο ΟΥΣ ΟΥΔ archetype

αρχέτυπος ΕΠΙΘ (έννοιες, μορφές) archetypal

αρχή ΟΥΣ ΘΗΛ (α) (= έναρξη: έργου, βιβλίου, δρόμου) beginning (β) (= αιτία) root (γ) (= επιστημονικός νόμος) principle (δ) (έτους, μήνα) beginning (ε) (= εξουσία) authority
▷**άνθρωπος με αρχές** man of principle
▷**κάνω νέα αρχή** to start ή begin again
▷**στην αρχή** in the beginning, at first
▷**η αρχή είναι το ήμισυ του παντός** well begun is half done (παροιμ.)
▷**καλή αρχή!** (ως ευχή) good luck!
▷**κάνω την αρχή** to set off
▸**αρμόδια αρχή** competent authority
▸**δημόσια αρχή** public authority
▸**δικαστική αρχή** legal authorities πληθ.
▸**πανεπιστημιακή αρχή** university authorities πληθ.

αρχηγείο ΟΥΣ ΟΥΔ (= για οίκημα) headquarters · (= στρατιωτική διοίκηση) headquarters, HQ

αρχηγία ΟΥΣ ΘΗΛ leadership
▷**αναλαμβάνω την αρχηγία**+γεν to assume leadership of, to take on the leadership of
▷**υπό την αρχηγία κπου** under sb's leadership
▸**η θρησκευτική/πολιτική αρχηγία** (= αρχές) the church/political leadership

αρχηγικός ΕΠΙΘ (ρόλος) leading

αρχηγός ΟΥΣ ΑΡΣ (α) (κόμματος, κράτους) leader (β) (αποστολής) leader (γ) (ομάδας) captain, skipper (Βρετ.) (ανεπ.) (δ) (στόλου,

στρατού, ενόπλων δυνάμεων) commander
▸**θρησκευτικός αρχηγός** religious leader

αρχι- ΠΡΩΜ (α) (= ανώτατο αξίωμα) master (β) (= έναρξη) first

αρχίατρος ΟΥΣ ΑΡΣ (α) (= διευθυντής θεραπευτηρίου) chief surgeon (β) (= στρατιωτικός γιατρός) Surgeon General

αρχιβλάκας ΟΥΣ ΑΡΣ (προφορ.) incredibly stupid, a real idiot

αρχίδι ΟΥΣ ΟΥΔ (ανεπ.) ball (χυδ.) · (: υβρ.: για πρόσ.) prick (χυδ.)
▷**αρχίδια!** balls! (χυδ.), bollocks! (χυδ.), nuts! (χυδ.)

αρχιδιάκονος ΟΥΣ ΑΡΣ archdeacon

αρχιδικαστής ΟΥΣ ΑΡΣ chief justice

αρχιδούκας ΟΥΣ ΑΡΣ archduke

αρχιεπισκοπή ΟΥΣ ΘΗΛ (α) (= κατοικία αρχιεπισκόπου) archbishop's residence ή palace (β) (= περιοχή) see, archdiocese

αρχιεπίσκοπος ΟΥΣ ΑΡΣ archbishop

αρχιερατεία ΟΥΣ ΘΗΛ prelacy

αρχιερατικός ΕΠΙΘ prelatic

αρχιεργάτης ΟΥΣ ΑΡΣ foreman/woman

> Προσοχή!: Ο πληθυντικός του **foreman/woman** είναι **foremen/women**.

αρχιερέας ΟΥΣ ΑΡΣ prelate

αρχίζω ① Ρ Μ (= ξεκινάω) to start, to begin
② Ρ ΑΜ to start, to begin
▷**αρχίζω να κάνω κτ** to start ή begin to do sth
▷**αρχίζω από κτ** to start ή begin with sth

αρχιθαλαμηπόλος ΟΥΣ ΑΡΣ chief steward

αρχιθερμαστής ΟΥΣ ΑΡΣ chief stoker

αρχικά ① ΕΠΙΡΡ (α) (= στην αρχή) initially, originally (β) (= κατ'αρχήν) to begin ή start with, in the beginning
② ΟΥΣ ΟΥΔ ΠΛΗΘ (ονόματος, εταιρείας) initials

αρχικελευστής ΟΥΣ ΑΡΣ (ΝΑΥΤ) warrant officer (Αμερ.)

αρχικός ΕΠΙΘ (α) (απόφαση, σχέδιο, ιδέα, θέση) initial, original (β) (φάση) initial, early · (κατάσταση) original

αρχιληστής ΟΥΣ ΑΡΣ leader of a gang of thieves

αρχιμάγειρος ΟΥΣ ΑΡΣ, **αρχιμάγειρας** ΟΥΣ ΑΡΣ (επάγγελμα) head chef

αρχιμανδρίτης ΟΥΣ ΑΡΣ (ΘΡΗΣΚ) archimandrite (επιστ.), superior of a large monastery or group of monasteries

αρχιμηχανικός ΟΥΣ ΑΡΣ·ΘΗΛ chief engineer, head mechanic

αρχιναύαρχος ΟΥΣ ΑΡΣ Admiral of the Fleet (Βρετ.), Fleet Admiral (Αμερ.)

αρχινίζω Ρ Μ (προφορ.) βλ. **αρχίζω**

αρχινοσοκόμος ΟΥΣ ΑΡΣ head nurse · (ΣΤΡΑΤ) chief medical officer

αρχινώ Ρ Μ (προφορ.) βλ. **αρχίζω**

αρχιπέλαγος ΟΥΣ ΟΥΔ archipelago

> *Προσοχή!: Ο πληθυντικός του*
> **archipelago** *είναι* **archipelagos** *ή*
> **archipelagoes.**

▶ **ελληνικό αρχιπέλαγος** Aegean Sea

αρχιστράτηγος ΟΥΣ ΑΡΣ
commander–in–chief

αρχισυντάκτης ΟΥΣ ΑΡΣ chief editor

αρχισυντάκτρια ΟΥΣ ΘΗΛ *βλ.* **αρχισυντάκτης**

αρχιτέκτονας ΟΥΣ ΑΡΣ (*επάγγελμα*) architect

αρχιτεκτονική ΟΥΣ ΘΗΛ (α) (*τέχνη, επιστήμη*)
architecture (β) (*μτφ.*) structure · (*δικτύου*)
architecture

αρχιτεκτονικός ΕΠΙΘ architectural

αρχιφύλακας ΟΥΣ ΑΡΣ chief warden, warden
(*Αμερ.*) · (ΑΣΤΥΝΟΜΙΑ) sergeant

αρχομανής ΕΠΙΘ power–hungry

αρχομανία ΟΥΣ ΘΗΛ lust *ή* hunger for power

αρχόμενος ΕΠΙΘ (*επίσ.*) incipient (*επίσ.*)

αρχοντάνθρωπος ΟΥΣ ΑΡΣ gentleman

> *Προσοχή!: Ο πληθυντικός του* **gentleman**
> *είναι* **gentlemen.**

άρχοντας ΟΥΣ ΑΡΣ overlord (α) (= *ευγενής*)
nobleman, lord

> *Προσοχή!: Ο πληθυντικός του* **nobleman**
> *είναι* **noblemen.**

(β) (= *άνθρωπος με αρχοντική συμπεριφορά*)
leader of men
▷ **ζω σαν άρχοντας** to live in like a lord *ή*
king
▷ **άρχοντά μου** (= *αφέντη μου*) my lord

αρχοντιά ΟΥΣ ΘΗΛ nobility
▷ **η αρχοντιά σας** your lordship
▷ **η αρχοντιά σου** (*ειρ*) your lordship

αρχοντικό ΟΥΣ ΟΥΔ manor (house)

αρχοντικός ΕΠΙΘ (α) (= *που ταιριάζει σε
άρχοντα: τρόποι*) genteel · (*συμπεριφορά,
παράστημα*) gentlemanly, distinguished
(β) (*ρούχα*) chic, expensive · (*σπίτι*)
luxurious, palatial

αρχόντισσα ΟΥΣ ΘΗΛ *βλ.* **άρχοντας**

αρχοντογυναίκα ΟΥΣ ΘΗΛ *βλ.*
αρχοντάνθρωπος

αρχοντοπούλα ΟΥΣ ΘΗΛ *βλ.* **αρχοντόπουλο**

αρχοντόπουλο ΟΥΣ ΟΥΔ (α) (= *γιος άρχοντα*)
young lord *ή* nobleman, master (β) (*μτφ.*)
young heir

αρχοντόσπιτο ΟΥΣ ΟΥΔ mansion

αρχοντοχωριάτης ΟΥΣ ΑΡΣ (*αρνητ.*) nouveau
riche

> *Προσοχή!: Ο πληθυντικός του* **nouveau
> riche** *είναι* **nouveaux riches.**

αρχύτερα ΕΠΙΡΡ **μια ώρα αρχύτερα** as soon as
possible

άρχω Ρ ΑΜ (*επίσ.*) to rule

άρχων, -ουσα, -ον ΕΠΙΘ **άρχουσα τάξη**
ruling class

αρωγή ΟΥΣ ΘΗΛ (*επίσ.*) (α) (= *βοήθεια*)
assistance, aid (β) (= *οικονομική βοήθεια*) aid

αρωγός ΕΠΙΘ (*επίσ.*: = *βοηθός, υπερασπιστής*)
assistant

άρωμα ΟΥΣ ΟΥΔ (α) (= *ευωδία: λουλουδιού,
μπαχαρικού*) scent, fragrance
(β) (*καλλυντικό*) perfume, scent (γ) (*για
τροφή: κρασιού*) bouquet · (*τυριού, καφέ*)
aroma
▷ **φοράω άρωμα** to wear perfume, to put
perfume on

αρωματίζω Ρ Μ (*ρούχα*) to put *ή* spray
perfume on · (*δωμάτιο*) to spray perfume in ·
(*στόμα, αναπνοή*) to sweeten · (*φαγητό,
γλυκό*) to flavour (*Βρετ.*), to flavor (*Αμερ.*) ·
(*τρόφιμα*) to add flavouring (*Βρετ.*) *ή*
flavoring (*Αμερ.*) to
▶ **αρωματίζομαι** ΜΕΣΟΠΑΘ (= *φορώ άρωμα*) to
wear perfume · (= *βάζω άρωμα*) to put
perfume on

αρωματικός ΕΠΙΘ (α) (*καφές, βότανα, κρασί*)
aromatic (β) (= *τεχνητώς αρωματισμένος:
σαπούνι*) scented, perfumed · (*καραμέλες*)
flavoured (*Βρετ.*), flavored (*Αμερ.*) (γ) (ΧΗΜ)
aromatic

αρωματοποιία ΟΥΣ ΘΗΛ (α) (*τέχνη*) perfumery
(β) (*βιομηχανία*) perfume industry

αρωματοποιός ΟΥΣ ΑΡΣ perfumer

αρωματοπωλείο ΟΥΣ ΟΥΔ (*κατάστημα*)
perfume shop *ή* store (*κυρ. Αμερ.*),
perfumery

αρωματοπώλης ΟΥΣ ΑΡΣ (*έμπορος*) perfumer

ας ΜΟΡ (α) (*για προτροπή*) let's (β) +παρατ. *ή*
υπερσ. should have (γ) (*συγκατάβαση*) let
▷ **ας φύγουμε τώρα!** let's go now!
▷ **ας πήγαινες νωρίτερα!** you should have
gone earlier!
▷ **ας έλθει κι αυτή!** let her come too!
▷ **ας είναι καλά ο άνθρωπος!** God bless him!

ασάλευτος ΕΠΙΘ (α) (= *στέρεος, ακλόνητος:
βάση*) firm, solid (β) (= *στατικός: κόσμος,
ζωή*) still (γ) (= *ακίνητος: άτομο*) still,
unmoving · (*βλέμμα*) fixed · (*φύλλα*) still ·
(*σύννεφα*) not moving

ασάφεια ΟΥΣ ΘΗΛ (= *αοριστία: εγγράφου,
κειμένου, λόγου*) vagueness · (= *σύγχυση*)
ambiguity, obscurity

ασαφής ΕΠΙΘ (= *συγκεχυμένος: πληροφορίες,
διαταγή*) vague, unclear · (*όρια*) unclear,
blurred · (*σημεία*) unclear, obscure

ασβεστάδικο ΟΥΣ ΟΥΔ (*ανεπ.*) lime–works εν.

ασβέστης ΟΥΣ ΑΡΣ (α) (*φυσικό σώμα*)
(quick)lime (β) (= *ασβεστοκονίαμα*)
whitewash χωρίς πληθ., lime mortar χωρίς
πληθ., lime–cast χωρίς πληθ.

ασβέστιο ΟΥΣ ΟΥΔ calcium
▶ **ανθρακικό ασβέστιο** calcium carbonate

ασβεστοκάμινο ΟΥΣ ΟΥΔ **ασβεστοκάμινος**
ΟΥΣ ΘΗΛ limekiln

ασβεστοκονίαμα ΟΥΣ ΟΥΔ (επίσ.: *οικοδομικό υλικό*) whitewash *χωρίς πληθ.*, lime mortar *χωρίς πληθ.*, lime–cast *χωρίς πληθ.*

ασβεστόλιθος ΟΥΣ ΑΡΣ limestone

ασβεστόνερο ΟΥΣ ΟΥΔ limewater, whitewash

άβεστος ΕΠΙΘ (*μίσος*) implacable · (*πάθος*) undying, everlasting · (*δίψα*) unquenchable

ασβεστούχος ΕΠΙΘ (*διάλυμα, μείγμα*) calciferous

ασβέστωμα ΟΥΣ ΟΥΔ (*τοίχου, αυλής, πεζουλιού*) whitewashing

ασβεστώνω Ρ Μ to whitewash

άσβηστος ΕΠΙΘ (α) (= *αναμμένος*: *δαδί, φωτιά*) lit, burning (β) (*μτφ.*: *ενθουσιασμός*) irrepressible, undiminished · (*πόθος*) undying, everlasting · (*μίσος*) implacable, bitter

ασβός ΟΥΣ ΑΡΣ badger

ασέβεια ΟΥΣ ΘΗΛ (α) (= *έλλειψη σεβασμού*) disrespect, lack of respect (β) (ΘΡΗΣΚ: = *ύβρις προς τα Θεία*) impiety, irreverence
▷ **ασέβεια σε** *ή* **προς κπν/κτ** disrespect *ή* lack of respect for sb/sth
▷ **δείχνω ασέβεια** to show disrespect, to be disrespectful

ασεβής ⬚ ΕΠΙΘ (α) (= *που χαρακτηρίζεται από έλλειψη σεβασμού: συμπεριφορά, λόγος*) disrespectful (β) (ΘΡΗΣΚ: *σκέψη, θεωρία*) impious, irreverent
⬚ ΟΥΣ ΑΡΣ&ΘΗΛ (ΘΡΗΣΚ) non–believer

ασεβώ Ρ ΑΜ (α) (= *διαπράττω ασέβεια*) to be disrespectful (*σε* to) (β) (ΘΡΗΣΚ) to be irreverent *ή* impious

ασέλγεια ΟΥΣ ΘΗΛ lust, lasciviousness

ασελγής ΕΠΙΘ (= *λάγνος, ακόλαστος*) lecherous, lewd, lustful, lascivious

ασελγώ Ρ ΑΜ (= *διαπράττω ασέλγεια*) to be promiscuous

άσεμνος ΕΠΙΘ (= *αισχρός, ανήθικος: χειρονομία, φράση*) obscene, rude · (*θέαμα*) obscene

ασετιλίνη ΟΥΣ ΘΗΛ, **ασετυλίνη** acetylene
▸ **λάμπα ασετιλίνης** acetylene lamp

ασήκωτος ΕΠΙΘ (α) (= *πολύ βαρύς*) heavy, too heavy to lift · (*βάρος*) dead, heavy · (*φορτίο*) overweight (β) (*μτφ.*: = *δυσβάσταχτος: θλίψη, καημός*) unbearable · (*βάρος*) heavy

ασήμαντος ΕΠΙΘ (α) (= *χωρίς σπουδαιότητα: λεπτομέρεια, υπόθεση*) insignificant, trivial (β) (= *πολύ μικρός: ποσό*) trifling, measly · (*ζημιά*) negligible, slight (γ) (= *ανάξιος λόγου, άσημος: άνθρωπος, υπάλληλος*) unimportant, insignificant

ασημαντότητα ΟΥΣ ΘΗΛ (= *έλλειψη σημασίας: θέματος*) triviality

ασημένιος ΕΠΙΘ (α) (= *από ασήμι: νόμισμα, σκεύος*) silver (β) (= *με χρώμα ασημί: παπούτσια*) silver (γ) (= *που μοιάζει ασημένιος: σύννεφα, θάλασσα, φεγγάρι*) silvery

ασημής ⬚ ΕΠΙΘ (= *με χρώμα ασημί: ανταύγειες*) silvery ⬚ ΟΥΣ ΟΥΔ silver, silver–grey (Βρετ.), silver–gray (Αμερ.)

ασήμι ΟΥΣ ΟΥΔ silver

ασημικά ΟΥΣ ΟΥΔ ΠΛΗΘ (= *ασημένια σκεύη*) silver(ware) *εν.*

άσημος ΕΠΙΘ (α) (= *άγνωστος, αφανής: ηθοποιός, ζωγράφος*) obscure (β) (= *ασήμαντος*) insignificant, unimportant

ασημόχαρτο ΟΥΣ ΟΥΔ silver paper

ασήμωμα ΟΥΣ ΟΥΔ (α) (*προφορ.*: = *επαργύρωση: σκεύους*) silver–plating (β) (*έθιμο*: = *προσφορά χρημάτων*) offering of a silver coin to newly weds or a newborn baby as a token of good luck

ασημώνω Ρ Μ (α) (*προφορ.*: = *επαργυρώνω*) to silver–plate (β) (= *προσφέρω κόσμημα ή χρήματα για καλή τύχη: μωρό, αυτοκίνητο*) to give a silver coin to a baby or decorate a car with a silver object for good luck
▷ **ασημώνω κπν** (*για τσιγγάνα*) to cross sb's palm with silver

άσηπτος ΕΠΙΘ (*φλεγμονή, τραύμα*) not septic, aseptic

ασηψία ΟΥΣ ΘΗΛ (ΙΑΤΡ) asepsis

ασθένεια ΟΥΣ ΘΗΛ (= *αρρώστια*) illness, disease
▸ **σωματική/πνευματική** *ή* **ψυχική ασθένεια** physical/mental illness
▸ **μεταδοτική/μολυσματική ασθένεια** contagious/infectious disease
▸ **παιδική ασθένεια** childhood disease *ή* illness
▸ **χρόνια ασθένεια** chronic disease *ή* illness
▸ **ανίατη ασθένεια** incurable disease *ή* illness

ασθενής[1] ΕΠΙΘ (επίσ.: *ήχος, αντίσταση, άμυνα, επιχείρημα*) feeble, weak · (*βούληση*) weak · (*άνεμος*) faint, slight · (*μνήμη, όραση, ακοή*) impaired, poor · (*χαρακτήρας*) weak, feeble
▸ **το ασθενές φύλο** the weaker sex

ασθενής[2] ΟΥΣ ΑΡΣ (επίσ.) patient

ασθενικός ΕΠΙΘ (α) (= *επιρρεπής σε ασθένειες, φιλάσθενος: κράση, οργανισμός*) weak, frail · (*φύση*) frail, sickly (β) (= *αδύναμος: προσπάθεια*) pathetic, weak · (*μνήμη*) impaired, poor

ασθενοφόρο ΟΥΣ ΟΥΔ ambulance

ασθενώ Ρ ΑΜ (επίσ.: = *είμαι άρρωστος*) to be ill *ή* sick (Αμερ.)

άσθμα ΟΥΣ ΟΥΔ asthma
▸ **πνευμονικό** *ή* **βρογχικό/αλλεργικό άσθμα** bronchial/allergic asthma

ασθμαίνω Ρ ΑΜ (α) (= *λαχανιάζω*) to wheeze, to (puff and) pant (β) (*μτφ.*) to struggle

ασθματικός[1], -ή, -ό ΕΠΙΘ (α) (*κρίση, συμπτώματα*) asthma, asthmatic (β) (*για πρόσ.*) asthmatic (γ) (= *λαχανιαστός, ξέπνοος: αναπνοή*) wheezing, gasping

Ασία ΟΥΣ ΘΗΛ Asia

Ασιάτης ΟΥΣ ΑΡΣ Asian

ασιατικός, -ή, -ό ΕΠΙΘ Asian

Προσοχή!: Τα εθνικά επίθετα, όπως **Asian**, *γράφονται με κεφαλαίο το αρχικό γράμμα στα Αγγλικά.*

Ασιάτισσα ΟΥΣ ΘΗΛ *βλ.* **Ασιάτης**

άσιαχτος ΕΠΙΘ (*προφορ.: μαλλιά*) uncombed, not done · (*κρεβάτι*) not made

ασίγαστος ΕΠΙΘ (*λαχτάρα, φιλοδοξία*) burning · (*πάθος*) enduring · (*μίσος*) implacable

άσιγμος ΕΠΙΘ (ΓΛΩΣΣ.: *αόριστος*) not formed with sigma · (*ονομαστική*) not containing sigma

ασιδέρωτος ΕΠΙΘ (*πουκάμισο, σεντόνι*) unironed, not ironed

ασίκης ΟΥΣ ΑΡΣ (*αργκ.:* = *λεβέντης*) hunk (*ανεπ.*), fine figure of a man, real man

ασίτευτος ΕΠΙΘ (*προφορ.: για σφάγια και θηράματα*) not high *ή* gam(e)y

ασιτία ΟΥΣ ΘΗΛ (*επίσ.*) starvation

άσκαφτος ΕΠΙΘ (*χωράφι, αμπέλι*) not dug (over)

ασκέπαστος ΕΠΙΘ (*προφορ.*) (α) (= *δίχως σκέπασμα ή κάλυμμα: δοχείο, πιθάρι*) uncovered, not covered (β) (= *ξεσκέπαστος*) uncovered, without covers on

ασκεπής ΕΠΙΘ (*επίσ.*) bareheaded

ασκέρι ΟΥΣ ΟΥΔ (α) (*πρφ/ποιητ.: = πλήθος ανθρώπων, ομάδα*) horde · (: = *σώμα στρατού*) troops πληθ., horde (β) (*προφορ.: = πολυμελής οικογένεια*) tribe (*ανεπ.*)

ασκήμια = **ασχήμια**

ασκημομούρα = **ασκημομούρης**

ασκημομούρης = **ασχημομούρης**

άσκημος = **άσχημος**

άσκηση ΟΥΣ ΘΗΛ (α) (= *εκγύμναση σώματος*) (physical) exercise (β) (= *εξάσκηση: μνήμης, απαγγελίας*) practice (*Βρετ.*), practise (*Αμερ.*) (γ) (*επίσης* **γυμναστική άσκηση**) exercise (δ) (= *πρακτική εφαρμογή θεωρίας*) exercise (ε) (= *συνεχής ενασχόληση με κάτι: επαγγέλματος*) practice (*Βρετ.*), practise (*Αμερ.*) (στ) (= *εκτέλεση: καθήκοντος*) performance, execution (*επίσ.*) · (*ελέγχου*) carrying out (ζ) (= *χρήση δικαιώματος: δικαιώματος, εξουσίας*) exercise (η) (= *επιβολή: βίας, πίεσης*) use ▷**κάνω την άσκησή μου** (*για νέο δικηγόρο*) to be in training *ή* in articles ▷**στρατιωτική άσκηση/στρατιωτικές ασκήσεις** military exercise(s) ▶**γυμναστικές ασκήσεις** keep–fit exercises ▶**πνευματικές ασκήσεις** mental exercises

ασκητεύω Ρ ΑΜ to lead an ascetic's life, to be an ascetic

ασκητής ΟΥΣ ΑΡΣ ascetic

ασκητικός ΕΠΙΘ ascetic

ασκί ΟΥΣ ΟΥΔ goatskin (*for wine, water etc*)

ασκλάβωτος ΕΠΙΘ free, not enslaved

άσκοπος ΕΠΙΘ (= *χωρίς σκοπό: περιπλάνηση*) aimless · (*δαπάνη*) pointless, needless · (= *μάταιος, ανώφελος: κινήσεις, ενέργειες, χειρισμός*) pointless

ασκός ΟΥΣ ΑΡΣ (*δερμάτινο δοχείο: = ασκί*) goatskin (*for wine, water etc*)

ασκούμενος ΕΠΙΘ (*δικηγόρος, γιατρός*) trainee · *βλ. κ.* **ασκώ**

ασκούπιστος ΕΠΙΘ (α) (*χέρια, πιάτα*) not wiped, not dried (β) (*πάτωμα, αυλή*) unswept, not swept

ασκώ Ρ Μ (α) (*σώμα, μνήμη*) to exercise · (*αθλητές*) to train · (*μαθητές, στρατιώτες*) to drill (β) (*επάγγελμα, χόμπι*) to practise (*Βρετ.*), to practise (*Αμερ.*) · (*δραστηριότητα*) to engage in (γ) (*δικαίωμα*) to exercise · (*καθήκον*) to perform, to carry out (δ) (*έλεγχο*) to carry out · (*επίδραση, επιρροή, πίεση*) to exert · (*γοητεία*) to use · (*βία*) to use, to resort to · (*μέθοδο, σύστημα*) to implement, to put into practice ▷**ασκώ πολιτική** to practise (*Βρετ.*) *ή* practice (*Αμερ.*) politics ▷**ασκώ λατρεία** to worship ▷**ασκώ κριτική** to criticize ▷**ασκώ εξουσία** to hold power ▶**ασκούμαι** ΜΕΣΟΠΑΘ (α) (= *γυμνάζομαι*) to exercise, to train (β) (= *εξασκούμαι*) to practise (*Βρετ.*), to practice (*Αμερ.*)

άσμα ΟΥΣ ΟΥΔ (α) (*επίσ.:* = *τραγούδι*) song (β) (= *υποδιαίρεση μεγάλου (επικού) ποιήματος*) canto · (*έπος*) (epic) poem (γ) (= *ψαλμός*) psalm (δ) (*επίσ.:* = *κελάηδημα πουλιού*) song ▷**κύκνειο άσμα** swan song ▷**Άσμα Ασμάτων** Song of Songs, Canticle of Canticles

ασμένως ΕΠΙΡΡ (*επίσ.*) gladly

ασοβά(ν)τιστος ΕΠΙΘ (*τοίχος, δωμάτιο*) unplastered, not plastered

ασορτί ΕΠΙΘ ΑΚΛ (*για ρούχα και αξεσουάρ*) matching ▷**είμαι** *ή* **πηγαίνω ασορτί με κτ** to go with sth, to match sth

άσος ΟΥΣ ΑΡΣ, **άσσος** (α) (*αριθμός*) one (β) (*για χαρτιά*) ace · (*για ζάρια*) one (γ) (*μτφ.:* = *πρώτος, πρωταθλητής: ποδοσφαίρου, αθλητισμού*) ace ▷**είμαι άσος σε κτ** to be a genius at sth, to be a past master at sth ▷**έχω κρυμμένο άσσο** to have an ace up one's sleeve ▷**έχω τον άσο στο μανίκι (μου)** to have an ace up one's sleeve ▷**μένω στον άσο** (*προφορ.*) to be flat *ή* stony broke (*ανεπ.*) ▷**φέρνω** *ή* **ρίχνω άσσους** (*για ζάρια*) to get *ή* throw ones

ασουλούπωτος ΕΠΙΘ (α) (= *κακοφτιαγμένος: άνθρωπος*) (*ρούχο*) shabby, ragged (β) (= *άτσαλος: ντύσιμο*) sloppy · (*κινήσεις*) clumsy

ασούρωτος ΕΠΙΘ (*ζουμί, τσάι*) not strained,

unstrained

άσοφος ΕΠΙΘ (= *ασύνετος*) imprudent, unwise

ασπάζομαι Ρ Μ (α) (*επίσ*.: = *φιλώ*) to kiss (β) (= *ενστερνίζομαι: ιδέα, θεωρία*) to embrace, to espouse (γ) (*μοναχισμός, θρησκεία*) to embrace

άσπαρτος ΕΠΙΘ (*γη, χωράφι*) not planted, unplanted

ασπασμός ΟΥΣ ΑΡΣ (*επίσ*.: = *φιλί*) kiss, embrace
▷**δίνω τον τελευταίο ασπασμό** to say one's final farewells

άσπαστος ΕΠΙΘ ΟΥΣ ΘΗΛ unbroken

ασπίδα ΟΥΣ ΘΗΛ (α) (= *αρχαίο αμυντικό όπλο*) shield (β) (*μτφ*.) shield (γ) (*φίδι*) asp

ασπιδοφόρος ΕΠΙΘ (*πολεμιστής*) bearing a shield

άσπιλος ① ΕΠΙΘ (α) (= *δίχως κηλίδα*) spotless (β) (*μτφ*.: = *αγνός*) pure (γ) (*μτφ*.: = *καθαρός: υπόληψη, όνομα*) spotless · (*παρελθόν*) blameless
② ΟΥΣ ΟΥΔ immaculateness

ασπιρίνη ΟΥΣ ΘΗΛ aspirin

ασπλαχνία ΟΥΣ ΘΗΛ cruelty, inhumanity

άσπλαχνος ΕΠΙΘ (= *ανελέητος*) cruel, inhumane, pitiless · (*μητριά*) wicked (*ανεπ*.)

άσπονδος ΕΠΙΘ (α) (= *αδιάλλακτος: εχθρός*) bitter, sworn · (*έχθρα*) bitter, fierce · (*μίσος*) implacable (β) (*ειρ*: *φίλος*) so-called

ασπόνδυλα ΟΥΣ ΟΥΔ ΠΛΗΘ invertebrates

ασπόνδυλος ΕΠΙΘ (α) (*οργανισμός*) invertebrate (β) (*μτφ*.: *αρνητ*.) spineless

ασπούδαστος ΕΠΙΘ, **ασπούδαχτος** (*ανεπ*.) uneducated

άσπρα ΟΥΣ ΟΥΔ ΠΛΗΘ (= *άσπρα ρούχα*) whites
▷**ντύνομαι (μες) στα άσπρα** to dress in white

ασπράδα ΟΥΣ ΘΗΛ whiteness

ασπράδι ΟΥΣ ΟΥΔ (α) (= *λευκό στίγμα*) white mark (β) (= *λεύκωμα αυγού*) (egg) white, albumen (*επιστ*.) (γ) (*ματιού*) white

άσπρη ΟΥΣ ΘΗΛ (*αργκ*.: = *ηρωίνη*) junk (*χυδ*.), scag (*χυδ*.)

ασπριδερός ΕΠΙΘ, **ασπρουδερός** (*ανεπ*.: = *κάπως άσπρος*) whitish, off–white

ασπρίζω ① Ρ Μ (α) (*επιδερμίδα*) to whiten (β) (*τοίχο, αυλή*) to whitewash
② Ρ ΑΜ (α) (= *γίνομαι άσπρος: μαλλιά, μουστάκι*) to go ή turn white (β) (= *ασπρίζουν τα μαλλιά μου: για πρόσ*.) to go grey (*Βρετ*.) ή gray (*Αμερ*.) (γ) (= *χάνω το φυσικό μου χρώμα: πρόσωπο*) to go ή turn white (δ) (= *φαίνομαι άσπρος*) to be white

ασπρίλα ΟΥΣ ΘΗΛ (*αρνητ*.) whiteness

άσπρισμα ΟΥΣ ΟΥΔ whitewashing

άσπρο ΟΥΣ ΟΥΔ (*χρώμα*) white

ασπρομάλλα ΟΥΣ ΘΗΛ *βλ*. **ασπρομάλλης**

ασπρομάλλης ΟΥΣ ΑΡΣ white–haired person

ασπροντυμένος ΕΠΙΘ dressed in white

ασπροπρόσωπος ΕΠΙΘ: **βγαίνω ασπροπρόσωπος** to come out on top
▷**βγάζω κπν ασπροπρόσωπο** to do sb credit, to be a credit to sb

ασπρόρουχα ΟΥΣ ΟΥΔ ΠΛΗΘ (α) (= *εσώρουχα*) underwear *εν*. (β) (= *υφασμάτινα είδη οικιακής χρήσεως (σεντόνια κλπ)*) (household) linen *εν*.

άσπρος, -η, -ο ΕΠΙΘ white
▷**(γίνομαι) άσπρος σαν το πανί** (to go) as white as a sheet
▷**άσπρος σαν το γάλα** (= *με λευκή επιδερμίδα*) lily–white, as white as snow

ασπρουδερός = **ασπριδερός**

ασπροφορεμένος ΕΠΙΘ dressed in white

άσσος = **άσος**

ασσυριακός ΕΠΙΘ Assyrian

αστάθεια ΟΥΣ ΘΗΛ (*βαδίσματος, βήματος, κίνησης*) unsteadiness, instability, fickleness, capriciousness · (*γνώμης*) fickleness · (*θερμοκρασίας*) variability · (*οικονομίας, αγοράς*) volatility
▸**συναισθηματική αστάθεια** emotional instability
▸**πολιτική/οικονομική αστάθεια** political/ economic instability

ασταθής ΕΠΙΘ (α) (*βήμα*) unsteady · (*υλικό*) unstable · (*τραπέζι*) shaky, unsteady (β) (*μτφ*.: *χαρακτήρας*) fickle, capricious · (*βάση*) shaky · (*χώρα*) unstable

αστάθμητος ΕΠΙΘ unforeseeable
▷**αστάθμητοι παράγοντες** imponderables (*επίσ*.)

αστακός ΟΥΣ ΑΡΣ lobster
▷**οπλισμένος σαν αστακός** armed to the teeth

ασταμάτητα ΕΠΙΡΡ continuously, nonstop

ασταμάτητος ΕΠΙΘ (*ροή*) constant, continuous · (*φλυαρία*) constant, incessant · (*βροχή*) continuous, nonstop

αστάρι ΟΥΣ ΟΥΔ first coat (of paint) ή primer)

άστατος ΕΠΙΘ (α) (= *ασταθής: βήμα*) unsteady (β) (= *ευμετάβλητος: χαρακτήρας*) fickle, capricious · (*καιρός*) changeable, unpredictable, unsettled · (*ύπνος*) troubled (γ) (= *άπιστος: άντρας, καρδιά*) unfaithful

αστέγαστος ΕΠΙΘ (α) (*σπίτι*) roofless, without a roof (β) (= *ο μη στεγασμένος*) homeless, without a roof over one's head

άστεγος[1] ΕΠΙΘ homeless

άστεγος[2] ΟΥΣ ΑΡΣ (= *δίχως κατοικία*) homeless person

αστειεύομαι Ρ ΑΜ (= *λέω ή κάνω αστεία*) to joke
▷**δεν αστειεύομαι** to mean business
▷**αστειεύομαι** to be joking ή kidding (*ανεπ*.)
▷**αστειεύεσαι**; you must be joking!

αστεΐζομαι Ρ ΑΜ (*επίσ*.: = *αστειεύομαι*) to jest (*επίσ*.), to joke

αστείο ΟΥΣ ΟΥΔ joke
▷**κάνω αστεία** to tell ή crack (*ανεπ*.) a joke
▷**λέω αστεία** to tell jokes
▷**(λέω/κάνω κτ) για αστείο** ή **στα αστεία** (to say/do sth) as a joke ή for fun

▷**το ρίχνω** ή **το γυρίζω στο αστείο** to make a joke of it, to laugh it off
▷**το αστείο είναι ότι** the funny thing is that
▷**ούτε για αστείο** not in my wildest dreams
▷**πολύ κράτησε το αστείο** this has gone on long enough
▷**τελειώσανε** ή **τέρμα τα αστεία** the party's ή the fun's over
▷**(δε) σηκώνω αστεία, δεν καταλαβαίνω από αστεία** he can't take a joke
▷**δεν είναι αστεία αυτά!** it's no joke!
▷**δεν είναι ώρα για αστεία** this is no time for jokes ή joking
▷**μεταξύ αστείου και σοβαρού** half-joking, half-serious

αστείος ΕΠΙΘ (α) (= *διασκεδαστικός: ιστορία, διήγηση, άνθρωπος*) funny, amusing · (*κουβέντες*) amusing (β) (= *γελοίος: καπέλο, γυαλιά, άνθρωπος*) funny (γ) (= *ασήμαντος: κέρδος, δικαιολογία*) paltry, piddling (*ανεπ.*) · (*λόγος*) trivial

αστείρευτος ΕΠΙΘ (= *ανεξάντλητος: δυνάμεις, χιούμορ*) boundless, inexhaustible · (*έμπνευση*) constant · (*δίψα*) unquenchable
▷**είμαι αστείρευτη πηγή** to have an endless supply of

αστεϊσμός ΟΥΣ ΑΡΣ (*επίσ.: = αστείο, ευφυολόγημα*) joke, jest (*επίσ.*)
▷**χάριν αστεϊσμού** in jest (*επίσ.*), by way of a joke

αστέρας ΟΥΣ ΑΡΣ star
▷**ξενοδοχείο/κονιάκ τεσσάρων αστέρων** (*σε ένδειξη της ποιότητας*) four–star hotel/brandy
▷**διάττοντες αστέρες** falling ή shooting stars · (*μτφ.*) one–hit wonders
▸**απλανείς αστέρες** fixed stars
▸**πολικός αστέρας** Pole Star, North Star, Polaris

αστέρι ΟΥΣ ΟΥΔ (α) (ΑΣΤΡ) star (β) (*μτφ.: τηλεόρασης, ποδοσφαίρου*) star (γ) (= *αντικείμενο με σχήμα αστεριού*) star (δ) (*ανεπ.*: = *διακριτικό αξιώματος*) pip (*ανεπ.*) (ε) (= *μοίρα*) lucky star

αστερίας ΟΥΣ ΑΡΣ starfish

αστερίσκος ΟΥΣ ΑΡΣ asterisk

αστερισμός ΟΥΣ ΑΡΣ (α) (ΑΣΤΡ) constellation (β) (*ζώδιο: του Κριού, του Σκορπιού, των Διδύμων*) (star) sign

αστεροειδής ΕΠΙΘ (= *με σχήμα αστεριού: σχέδιο, διάταξη*) star–shaped, asteroid

αστεροσκοπείο ΟΥΣ ΟΥΔ observatory

αστεφάνωτος ΕΠΙΘ (*προφορ.*) unmarried, not married

αστή ΟΥΣ ΘΗΛ βλ. **αστός**

αστήρικτος ΕΠΙΘ, **αστήριχτος** (α) (*συμπέρασμα*) unjustified · (*θεωρία, ισχυρισμός*) unfounded, unsubstantiated · (*κατηγορίες*) groundless, unsubstantiated · (*επιχείρημα*) untenable, tenuous (β) (*τοίχος*) unsupported

αστίατρος ΟΥΣ ΑΡΣ/ΘΗΛ health inspector

αστιγματικός ① ΕΠΙΘ (*φακός*) anastigmatic ② ΟΥΣ ΑΡΣ/ΘΗΛ astigmatic

αστιγματισμός ΟΥΣ ΑΡΣ astigmatism

αστιγμάτιστος ΕΠΙΘ (*μητρώο*) spotless · (*διαγωγή*) irreproachable

αστικό ΟΥΣ ΟΥΔ (*επίσης* **αστικό λεωφορείο**) (city) bus

αστικοποίηση ΟΥΣ ΘΗΛ urbanization, urbanisation (*Βρετ.*)

αστικός ΕΠΙΘ (α) (*πληθυσμός, οικογένεια, λύματα*) urban · (*ζωή, λεωφορείο, γραμμή τρένου*) urban, city (β) (*ιδεολογία*) bourgeois · (*συνείδηση*) civic (γ) (*ζωή*) urban, city
▸**αστικό δίκαιο** civil law
▸**αστική ευθύνη** civic responsibility
▸**αστικό κέντρο** urban centre (*Βρετ.*) ή center (*Αμερ.*)
▸**αστικός κώδικας** civil code
▸**αστική συγκοινωνία** public transport
▸**αστική τάξη** middle class, bourgeoisie
▸**αστικό τηλεφώνημα** local call

αστοιχείωτος ΕΠΙΘ ignorant, illiterate

αστόλιστος ΕΠΙΘ (α) (*δωμάτιο, εκκλησία*) unadorned, not decorated (β) (*φόρεμα*) plain

άστοργος ΕΠΙΘ (*πατέρας, γονιός, σύζυγος*) unloving, unaffectionate

αστός ΟΥΣ ΑΡΣ (α) (= *ο κάτοικος της πόλης*) city dweller, town dweller (β) (ΙΣΤ) bourgeois

αστοχασιά ΟΥΣ ΘΗΛ (*λογοτ.*) imprudence, thoughtlessness

αστόχαστος ΕΠΙΘ (α) (*πράξη*) thoughtless, reckless · (*φέρσιμο*) thoughtless, inconsiderate (β) (*άνθρωπος*) thoughtless

αστοχία ΟΥΣ ΘΗΛ (α) (*βολής, σκοπευτού*) miss (β) (*μτφ.*) error

άστοχος ΕΠΙΘ (α) (*βολή, σουτ, κεφαλιά*) unsuccessful (β) (*μτφ.: ερωτήσεις*) that miss the point · (*εκτίμηση, κρίσεις*) misplaced · (*προβλέψεις*) off the mark, out

αστοχώ Ρ ΑΜ (α) (*σκοπευτής*) to miss (one's target) · (*σφαίρα, βόμβα*) to miss (its target) (β) (*ποδοσφαιριστής, παίκτης*) to miss (γ) (*μτφ.: = σφάλλω, κάνω λάθος*) to be wrong, to be mistaken

αστράγαλος ΟΥΣ ΑΡΣ (α) (*για πρόσ.*) ankle (β) (*για ζώα*) hock (γ) (*παιχνίδι*: = "*κότσια*") jacks ΕΝ., knucklebones ΕΝ.

αστράκι ΟΥΣ ΟΥΔ (= *μικρό άστρο*) small star
▷**βλέπω αστράκια** to see stars

αστραπή ① ΟΥΣ ΘΗΛ (α) (*φυσικό φαινόμενο*) flash of lightning, lightning (β) (*μτφ.*) flash ② ΕΠΙΡΡ (= *αστραπιαία*) like greased lightning, in a flash

αστραπιαία ΕΠΙΡΡ in a flash, as quick as a flash

αστραπιαίος ΕΠΙΘ (*ταχύτητα, επέμβαση*) lightning · (*κίνηση*) swift

αστραποβόλημα ΟΥΣ ΟΥΔ flash, flashing *χωρίς πληθ.*, sparkle *χωρίς πληθ.*, sparkling

A

χωρίς πληθ.

αστραποβόλος ΕΠΙΘ (πνεύμα, εντύπωση) sparkling

αστραποβολώ Ρ ΑΜ (α) (= αστράφτω: ουρανός) to be lit up (β) (μτφ.: φωτιά) to blaze · (: = λάμπω) to gleam · (: άνθρωπος) to glow, to shine

αστραπόβροντο ΟΥΣ ΟΥΔ (λογοτ.) thunder and lightning

αστράτευτος ΕΠΙΘ not conscripted

αστρατολόγητος ΕΠΙΘ not enlisted ή recruited

αστράφτει Ρ ΑΠΡΟΣ it's lightning

αστραφτερός ΕΠΙΘ (α) (ασήμι, μέταλλο) gleaming, sparkling · (αυτοκίνητο) shiny, gleaming · (κοσμήματα) sparkling, glittering (β) (ήλιος, φως) bright, dazzling (γ) (μτφ.: χαμόγελο) dazzling · (μάτια, δόντια) sparkling · (νερά) sparkling, shimmering

αστράφτω Ρ ΑΜ (ουρανός) to be lit up · (πολύτιμα πετράδια) to gleam, to glitter, to sparkle · (μαλλιά) to gleam, to shine · (μτφ.: μάτια) to sparkle, to shine · (προσωπικότητά) to sparkle · (χαρακτήρας, ήθος) to shine through
▷**αστράφτω ένα χαστούκι σε κπν** to give sb a slap in the face
▷**αστράφτω από χαρά** to be radiant ή glowing with joy

αστρικός ΕΠΙΘ (επιρροή, δυνάμεις, κόσμος, σώμα) stellar · (έτος, ημέρα, χρόνος) sidereal
▸**αστρική σκόνη** stardust
▸**αστρικό σμήνος** star cluster
▸**αστρικό φως** starlight

αστρίτης ΟΥΣ ΑΡΣ (ΖΩΟΛ) adder, viper

άστρο ΟΥΣ ΟΥΔ star
▷**τάζω σε κπν τον ουρανό με τ' άστρα** to promise sb the moon ή the earth
▷**το άστρο της Βηθλεέμ** the Star of Bethlehem
▸**άστρο της αυγής** morning star
▸**πολέμος των άστρων** Star Wars εν. · βλ. κ. **αστέρι**

αστρολογία ΟΥΣ ΘΗΛ astrology

αστρολόγος ΟΥΣ ΑΡΣ&ΘΗΛ astrologist

αστροναύτης ΟΥΣ ΑΡΣ astronaut, spaceman

Προσοχή!: Ο πληθυντικός του **spaceman** είναι **spacemen**.

αστρονομία ΟΥΣ ΘΗΛ astronomy

αστρονομικός ΕΠΙΘ astronomical
▷**αστρονομικό ποσό** an astronomical sum

αστρονόμος ΟΥΣ ΑΡΣ&ΘΗΛ astronomer

αστροπελέκι ΟΥΣ ΟΥΔ (α) (λογοτ.) thunderbolt (β) (μτφ.) bolt from the blue, thunderbolt
▷**να σε κάψει αστροπελέκι** (βαριά κατάρα) may you burn ή rot in hell

αστροφεγγιά ΟΥΣ ΘΗΛ (λογοτ.) starlight

αστροφυσική ΟΥΣ ΘΗΛ astrophysics εν.

Προσοχή!: Αν και το **astrophysics** φαίνεται ως τύπος πληθυντικού, είναι ουσιαστικό μόνο στον ενικό και συντάσσεται με ρήμα στον ενικό.

αστροφώτιστος ΕΠΙΘ (λογοτ.: νύχτα, ουρανός) starry, starlit · (δρόμος) starlit

άστρωτος ΕΠΙΘ (α) (= ατακτοποίητος: κρεβάτι) unmade, not made (β) (= χωρίς χαλιά, στρωσίδια: δωμάτιο, σπίτι) uncarpeted, without rugs (γ) (= άφτιαχτος: δρόμος) unpaved

άστυ ΟΥΣ ΟΥΔ (ειρ: = μεγάλη πόλη) big city
▷**το κλεινόν άστυ** Athens

αστυνόμευση ΟΥΣ ΘΗΛ (= παρουσία αστυνομίας) policing

αστυνομεύω Ρ Μ (α) (πόλη, περιοχή) to police, to patrol · (πολίτες) to police (β) (μτφ.) to control

αστυνομία ΟΥΣ ΘΗΛ (α) (= αστυνομικοί) police πληθ. (β) (= αστυνομικό σώμα) police force (γ) (= αστυνομικό τμήμα) police station
▷**φωνάζω ή καλώ την αστυνομία** to call the through
▸**λιμενική αστυνομία** harbour (Βρετ.) ή harbor (Αμερ.) police
▸**μυστική αστυνομία** secret police
▸**στρατιωτική αστυνομία** military police
▸**τουριστική αστυνομία** tourist police

αστυνομικίνα ΟΥΣ ΘΗΛ police officer, policewoman · βλ. **αστυνομικός**

Προσοχή!: Ο πληθυντικός του **policewoman** είναι **policewomen**.

αστυνομικοκρατούμαι Ρ ΑΜ (πολιτεία, πολίτης) to be heavily policed

αστυνομικός¹ ΟΥΣ ΑΡΣ policeman, police officer

Προσοχή!: Ο πληθυντικός του **policeman** είναι **policemen**.

αστυνομικός² ΕΠΙΘ (α) (διεύθυνση, δυνάμεις) police (β) (έργο, ταινία) detective
▸**αστυνομικός διευθυντής** (police) commissioner
▸**αστυνομικό κράτος** police state
▸**αστυνομικό τμήμα** police station
▸**αστυνομικό δελτίο** police bulletin

αστυνόμος ΟΥΣ ΑΡΣ (= βαθμοφόρος της αστυνομίας) police captain

αστυφιλία ΟΥΣ ΘΗΛ rural exodus

αστυφύλακας ΟΥΣ ΑΡΣ (= κατώτερο όργανο της αστυνομίας) (police) constable (Βρετ.), patrolman (Αμερ.)

ασυγκίνητος ΕΠΙΘ unmoved, indifferent
▷**είμαι/μένω ασυγκίνητος (από κτ)** to be/ remain unmoved (by sth) ή indifferent (to sth)

ασυγκράτητος ΕΠΙΘ (α) (δάκρυα, λύσσα) uncontrollable · (συναισθήματα) uncontrollable, overwhelming · (γέλια) helpless · (ενθουσιασμός) irrepressible, unbridled (β) (μτφ.: πληθωρισμός) rapidly rising

ασύγκριτος επιθ (α) (ομορφιά, χάρες) unequalled (Βρετ.), unequaled (Αμερ.), incomparable · (ποιότητα) outstanding · (επίτευγμα) unparalleled (β) (σπουδαστής) outstanding · (ηγέτης) exceptional

ασυγύριστος επιθ (α) (σπίτι, δωμάτιο) untidy, messy (β) (άτομο) unkempt, dishevelled (Βρετ.), disheveled (Αμερ.)

ασυγχρόνιστος επιθ (ρυθμός, βήμα) not synchronized, out of sync(h) (ανεπ.)

ασυγχώρητος επιθ unforgivable, inexcusable

ασυδοσία ουσ θηλ lack of restraint · (σεξουαλική) promiscuity

ασύδοτος επιθ (α) (για πρόσ.) uncontrollable (β) (συμπεριφορά, ζωή) wild · (εκμετάλλευση) unrestrained

ασυζητητί επιρρ (επίσ.) indisputably, without question · (δέχομαι) without question · (απορρίπτω) out of hand

ασύλητος επιθ (επίσ.: τάφος) not looted ή plundered

ασυλία ουσ θηλ immunity
▷ **παρέχω/δίνω ασυλία σε κπν** to grant/to give sb immunity
▷ **αίρω την ασυλία κπου** to strip sb of their immunity, to lift sb's immunity
▸ **βουλευτική ασυλία** parliamentary immunity
▸ **διπλωματική ασυλία** diplomatic immunity

ασύλληπτος επιθ (α) (δραπέτης, φονιάς, καταζητούμενος) not caught, at large (β) (μτφ.: πραγματικότητα, γεγονός) inconceivable · (φόβος, αγωνία) unimaginable · (τιμές) preposterous · (μνήμη) incredible

ασυλλόγιστος επιθ (α) (πράξεις) thoughtless, reckless · (σπατάλη) mindless · (ζωή) carefree (β) (= άμυαλος) brainless

άσυλο ουσ ουδ (α) (= φιλανθρωπικό ίδρυμα περίθαλψης) home (β) (επίσης **μτφ.**: = καταφύγιο) sanctuary
▷ **ζητώ άσυλο** (γένικοτ.) to seek sanctuary, to seek asylum
▷ **βρίσκω άσυλο** (γένικοτ.) to find shelter ή sanctuary, to get asylum
▸ **Άσυλο Ανιάτων** (ίδρυμα) hospice
▸ **οικογενειακό άσυλο** the sanctuary of the home
▸ **πολιτικό άσυλο** political asylum

ασύμβατος επιθ incompatible, incongruous
▷ **ασύμβατος προς** ή **με κτ** incompatible with sth

ασυμβατότητα ουσ θηλ incompatibility

ασυμβίβαστος επιθ (α) (= αταίριαστος: επιθυμίες, ιδέες) incompatible, irreconcilable (β) (ζωή, χαρακτήρες) incompatible (β) (= αυτός που δε συμβιβάζεται) uncompromising

ασυμμάζευτος επιθ (α) (= ατακτοποίητος: δωμάτιο, χώρος) untidy, messy (β) (για πρόσωπα) wild, uncontrollable

ασυμμετρία ουσ θηλ asymmetry

ασύμμετρος επιθ asymmetrical, incompatible · (μτφ.) unequal, uneven

ασυμπλήρωτος επιθ (κενό, αποτέλεσμα, άθροισμα) left blank, not filled in · (θέση εργασίας) unfilled
▷ **αφήνω κτ ασυμπλήρωτος** to leave sth blank

ασυμφιλίωτος επιθ irreconcilable (με with)

ασύμφορος επιθ (αγορά) uneconomical · (επένδυση) unprofitable · (επιχείρηση) unprofitable, uneconomical

ασυμφωνία ουσ θηλ disagreement
▷ **ασυμφωνία χαρακτήρων** personality clash, incompatibility

ασυναγώνιστος επιθ (τιμές) unbeatable · (ομορφιά, αισθητική) unrivalled (Βρετ.), unrivaled (Αμερ.), unmatched

ασυναίρετος επιθ (ΓΛΩΣΣ) uncontracted

ασυναίσθητα επιρρ instinctively

ασυναίσθητος επιθ (α) (κινήσεις) instinctive (β) (μτφ.) subconscious

ασυναρμολόγητος επιθ (συσκευή, μηχανή) unassembled, not assembled

ασυναρτησία ουσ θηλ incoherence · (= ακατανόητες φράσεις) raving
▷ **λέω ασυναρτησίες** to talk nonsense, to rave
▸ **βλακείες** πληθ nonsense εν.

ασυνάρτητος επιθ (φλυαρία, παραμιλητό, λόγος) incoherent, rambling · (όνειρο) incoherent · (λόγια) incoherent, disjointed

ασύνδετο ουσ ουδ (ΓΛΩΣΣ: επίσης **ασύνδετο σχήμα** (επιστ.), sentence without conjunctions

ασύνδετος επιθ (α) (= ασυνάρτητος: στοιχεία, φαινόμενα) unconnected · (λόγος, συλλογισμός) incoherent, disjointed (β) (= αυτός που δεν έχει ενότητα) disunited

ασυνειδησία ουσ θηλ unscrupulousness

ασυνείδητο ουσ ουδ unconscious

ασυνείδητος επιθ (α) (κίνητρο, επιθυμία, ιδέες) unconscious (β) (άνθρωπος) unprincipled, unscrupulous

ασύνειδος επιθ (απόφαση, δυνάμεις, αλλαγή) unconscious

ασυνέπεια ουσ θηλ inconsistency
▷ **(υπάρχει) ασυνέπεια ανάμεσα σε κτ και κτ άλλο** (there is) some inconsistency between sth and sth else

ασυνεπής επιθ (πρόγραμμα, σχέση, συμπεριφορά) inconsistent, unreliable

ασυνεχής επιθ (πρόοδος, στάδια) uneven

ασυνήθης επιθ (επίσ.) unusual

ασυνήθιστος επιθ (α) (= ο έξω από τα συνηθισμένα) unusual · (πολυτέλεια, ομορφιά) uncommon, extraordinary (β) (= ο μη εξοικειωμένος με κτ) unaccustomed, unused
▷ **είμαι ασυνήθιστος σε κτ** to be

unaccustomed *ή* unused to sth

ασυννέφιαστος ΕΠΙΘ (α) (*ουρανός, τοπίο*) cloudless (β) (*μτφ.: ζωή, γάμος*) untroubled

ασυνόδευτος ΕΠΙΘ (α) (= *χωρίς συνοδό: παιδί, ηλικιωμένος, ασθενής*) unaccompanied (β) (*δέματα*) unaccompanied, unattended (γ) (= *χωρίς συνοδό, καβαλιέρο ή ντάμα: για άντρα ή γυναίκα*) unaccompanied

ασύντακτος ΕΠΙΘ, **ασύνταχτος** (α) (= *ανοργάνωτος, άτακτος: πλήθος, μαθητές*) disorderly · (*στρατός*) undisciplined, in disarray (β) (= *ανολοκλήρωτο: προτάσεις, φράσεις, λόγος*) incomplete (γ) (*κείμενο, άρθρο, εργασία*) not written up, not composed

ασυνταξία ΟΥΣ ΘΗΛ syntactical error, error of syntax

ασυντήρητος ΕΠΙΘ (*σπίτι, δρόμος*) in disrepair · (*δίκτυο*) poorly maintained

ασυντόνιστος ΕΠΙΘ (α) (*κινήσεις, υπηρεσίες, προσπάθειες*) uncoordinated (β) (*κεραία*) unadjusted · (*ραδιόφωνο, τηλεόραση*) not tuned (in)

ασυντρόφευτος ΕΠΙΘ (*άντρας, γυναίκα*) without a companion

ασυρματιστής ΟΥΣ ΑΡΣ radio operator

ασύρματο ΟΥΣ ΟΥΔ (*επίσης* **ασύρματο τηλέφωνο**) cordless phone

ασύρματος ΕΠΙΘ (*τηλεπικοινωνία, συσκευή*) wireless · (*τηλέφωνο*) cordless
▸ **ασύρματος** ΟΥΣ ΑΡΣ radio

ασύστατος ΕΠΙΘ (*κατηγορία*) unfounded, groundless · (*στοιχείο*) unconfirmed

ασυστηματοποίητος ΕΠΙΘ (*μελέτη, έρευνα*) unsystematic

ασύστολος ΕΠΙΘ (= *αδιάντροπος, αναίσχυντος: ψεύδος, ανακρίβεια*) barefaced · (*τρόπος*) brazen, shameless

ασύχναστος ΕΠΙΘ (*περιοχή, δρόμος*) out of the way, unfrequented

άσφαιρος ΕΠΙΘ (*φυσίγγι*) blank
▸ **άσφαιρα πυρά** blanks, blank cartridges

ασφάλεια ΟΥΣ ΘΗΛ (α) safety (β) (= *το αστυνομικό γραφείο*) police station (γ) (*ζωής, πυρός, κλοπής*) insurance (δ) (= *η ασφαλιστική εταιρεία*) insurance company (ε) (*σε πόρτα σπιτιού, αυτοκινήτου*) safety catch, fuse (*Βρετ.*), fuze (*Αμερ.*), cutout
▷ **δημόσια ασφάλεια** national security
▷ **παρέχω ασφάλεια** to offer security
▸ **ειδική ασφάλεια** security police
▸ **απόσταση ασφαλείας** safe distance
▸ **μέτρα σφαλείας** safety measures *πληθ.*
▸ **ζώνη ασφαλείας** safety belt
▸ **Συμβούλιο Ασφαλείας του Ο.Η.Ε** UN Security Council
▸ **σώματα ασφαλείας** security services
▸ **Ασφάλεια** ΟΥΣ ΘΗΛ ≈ CID

ασφαλής ΕΠΙΘ (α) (*κατασκευή*) safe · (*θεμέλια*) solid, secure (β) (*προϊόντα*) safe (γ) (*έδαφος, καταφύγιο, περιβάλλον*) safe · (*συμπέρασμα*) safe (δ) (= *βάσιμος: πληροφορία, ένδειξη,*

διάγνωση) reliable (ε) (= *ακίνδυνος: ταξίδι, μετακίνηση, αποχώρηση*) safe (στ) (*για πρόσ.*) safe
▷ **δεν είναι ασφαλές να κάνω κτ** it isn't safe to do sth

ασφαλίζω Ρ Μ (α) (= *προφυλάσσω από ενδεχόμενο κίνδυνο*) to secure, to keep safe (β) (= *συνάπτω σύμβαση ασφάλειας*) to insure

ασφάλιση ΟΥΣ ΘΗΛ (α) (= *εξασφάλιση*) insurance (β) (= *σύναψη ασφαλιστικής σύμβασης*) insurance, underwriting
▷ **κοινωνική ασφάλιση** social security

ασφαλιστήριος ☐ ΕΠΙΘ: **ασφαλιστήριο συμβόλαιο** insurance policy
☑ ΟΥΣ ΟΥΔ (= *σύμβαση ασφάλισης*) insurance policy

ασφαλιστής ΟΥΣ ΑΡΣ insurance broker *ή* agent, insurer

ασφαλιστικός ΕΠΙΘ (α) (*εταιρεία, οργανισμός, φορέας*) insurance (β) (*παροχές, συμβόλαιο, σύμβαση*) insurance (γ) (*μέτρο*) safety
▸ **ασφαλιστική δικλείδα** safety valve

ασφάλιστρα ΟΥΣ ΟΥΔ ΠΛΗΘ premiums

άσφαλτος ΟΥΣ ΘΗΛ (α) (= *δρόμος*) asphalt road (β) asphalt

ασφαλτοστρώνω Ρ Μ to asphalt, to surface

ασφαλτόστρωση ΟΥΣ ΘΗΛ (*δρόμου*) asphalting, surfacing

ασφαλτώνω Ρ Μ *βλ.* **ασφαλτοστρώνω**

ασφαλώς ΕΠΙΡΡ (= *με βεβαιότητα*) certainly, of course

ασφόδελος ΟΥΣ ΑΡΣ asphodel, daffodil

ασφράγιστος ΕΠΙΘ (α) (*επιστολή, γράμμα*) without a postmark, not postmarked (β) (*δόντι*) unfilled

ασφυκτικός ΕΠΙΘ, **ασφυχτικός** (α) (= *αποπνικτικός: ατμόσφαιρα*) suffocating, stifling (β) (*μτφ.: σχέση, πίεση, κλοιός*) suffocating

ασφυκτιώ Ρ ΑΜ to suffocate

ασφυξία ΟΥΣ ΘΗΛ (= *διακοπή της αναπνοής*) suffocation, asphyxiation (*επιστ.*)
▷ **παθαίνω ασφυξία** to suffocate

ασφυξιογόνα ΟΥΣ ΟΥΔ ΠΛΗΘ (*επίσης* **ασφυξιογόνα αέρια**) CS gas *εν.*

άσχετα ΕΠΙΡΡ, **ασχέτως** regardless (*αν/από* of whether/of)

άσχετος ΕΠΙΘ (α) (*ερώτηση, θέμα*) irrelevant (β) (*για πρόσ.*) incompetent
▷ **είσαι άσχετος** (*υποτμ*) you're useless! (*ανεπ.*)
▷ **είναι άσχετο** it's irrelevant

ασχετοσύνη ΟΥΣ ΘΗΛ incompetence

άσχημα ΕΠΙΡΡ badly
▷ **την έχω άσχημα** to be in a bad way
▷ **νιώθω άσχημα** to feel bad

ασχημαίνω ☐ Ρ Μ: **ασχημαίνω κτ** to make sth look ugly
☑ Ρ ΑΜ to grow ugly, to lose one's looks

ασχημάνθρωπος ΟΥΣ ΑΡΣ very ugly person

ασχημάτιστος ΕΠΙΘ (α) (= *άμορφος: ύλη, μάζα*) shapeless, unformed (β) (= *αδιαμόρφωτος*) undeveloped, immature

ασχήμια ΟΥΣ ΘΗΛ ugliness

ασχημίζω ① Ρ Μ to make ugly ② Ρ ΑΜ to grow ugly, to lose one's looks

ασχημομούρης ΕΠΙΘ (*πρφ/ανεπ*) (as) ugly as sin

ασχημονώ Ρ ΑΜ (*επίσ.*) to misbehave

άσχημος ΕΠΙΘ (α) (*για πρόσ.*) ugly (β) (= *άκομψος: ντύσιμο, χτένισμα*) not nice (γ) (= *απρεπής: συμπεριφορά*) bad · (*λόγος*) nasty (δ) (*καιρός*) bad, nasty · (*ανάμνηση, κατάσταση*) bad, unpleasant

ασχολία ΟΥΣ ΘΗΛ (α) (= *απασχόληση*) occupation, pursuit · (= *επάγγελμα*) occupation, job ▷**έχω πολλές ασχολίες** to be very busy ή fully occupied ▸**κύρια ασχολία** principal occupation

ασχολίαστος ΕΠΙΘ (*θέμα, βιβλίο*) that has not been commented on ▷**τίποτε δεν αφήνω ασχολίαστο** to criticize everything

ασχολούμαι Ρ ΑΜ: **ασχολούμαι με** (= *καταγίνομαι σε*) to be busy with (α) (= *επαγγέλλομαι*) to be in (β) (= *καταπιάνομαι*) to deal with

ασώματος ΕΠΙΘ (*λογοτ.*: = *άυλος*) disembodied

ασωτεία = **ασωτία**

ασωτεύω ① Ρ ΑΜ (= *ζω άσωτα*) to lead a life of debauchery ② Ρ Μ (= *κατασπαταλώ*) to squander

ασωτία ΟΥΣ ΘΗΛ, **ασωτεία** (= *ακολασία*) debauchery ▷**το ρίχνω στην ασωτία** to lead a life of debauchery

άσωτος ΕΠΙΘ (= *ακόλαστος: ζωή*) debauched, dissipated ▸**άσωτος υιός** prodigal son

αταβισμός ΟΥΣ ΑΡΣ atavism

αταίριαστος ΕΠΙΘ (α) (= *μη ταιριαστός: ζευγάρι*) ill–suited, unsuited (β) (= *ανάρμοστος*) inappropriate

ατάκα ΟΥΣ ΘΗΛ (*στον κιν/φο, το θέατρο*) line

ατακτοποίητος ΕΠΙΘ (α) (= *ασυγύριστος: δωμάτιο, σπίτι*) untidy (β) (= *που δεν έχει μπει στη θέση του: βιβλία*) not put away

άτακτος ΕΠΙΘ, **άταχτος** (α) (= *που δε γίνεται με τάξη: φυγή*) disorderly (β) (= *απείθαρχος: παιδί*) badly behaved, naughty

ατακτώ Ρ ΑΜ to misbehave, to be a troublemaker

αταλάντευτος ΕΠΙΘ unwavering

ατάλαντος ΕΠΙΘ talentless

αταξία ΟΥΣ ΘΗΛ (α) (= *έλλειψη τάξης*) disorder (β) (= *παρεκτροπή*) misbehaviour χωρίς πληθ. (*Βρετ.*), misbehavior χωρίς πληθ. (*Αμερ.*) ▷**κάνω αταξίες στο σχολείο** to misbehave at school

αταξίδευτος ΕΠΙΘ (*λογοτ.*) untravelled (*Βρετ.*), untraveled (*Αμερ.*)

αταξικός ΕΠΙΘ classless

αταξινόμητος ΕΠΙΘ unclassified

αταραξία ΟΥΣ ΘΗΛ (α) (= *απάθεια*) apathy (β) (= *ψυχραιμία*) coolness (γ) (= *ψυχική γαλήνη*) calm

ατάραχος ΕΠΙΘ (α) (= *ήρεμος*) calm (β) (*νερά*) still, calm (γ) (= *ψύχραιμος*) composed, calm (δ) (= *ασυγκίνητος*) unruffled, impassive

ατασθαλία ΟΥΣ ΘΗΛ irregularity

άταφος ΕΠΙΘ unburied

αταχτοποίητος = **ατακτοποίητος**

άταχτος = **άτακτος**

άτεγκτος ΕΠΙΘ (= *σκληρός*) stern, severe

ατείχιστος ΕΠΙΘ unwalled

άτεκνος ΕΠΙΘ (*οικογένεια*) childless

ατέλεια ΟΥΣ ΘΗΛ (= *ελάττωμα, μειονέκτημα*) imperfection, flaw ▷**φορολογική ατέλεια** tax exemption

ατελείωτος ΕΠΙΘ (α) (= *με μεγάλη διάρκεια: συζήτηση, διαφωνία, ουρές*) endless, never–ending (β) (= *ανεξάντλητος: πηγή*) endless (γ) (= *ημιτελής*) unfinished ▷**ατελείωτε!** (*προφορ.: έκφραση θαυμασμού*) wicked! (*ανεπ.*)

ατελείωτος = **ατελείωτος**

ατελέσφορος ΕΠΙΘ (*μέτρα, φάρμακο, πολιτική*) ineffective · (*προσπάθεια*) futile

ατελής ΕΠΙΘ (α) (= *μισοτελειωμένος*) unfinished, incomplete (β) (= *που έχει ατέλειες*) flawed, imperfect (γ) (= *χωρίς φόρους*) tax–free

ατελιέ ΟΥΣ ΟΥΔ ΑΚΛ (= *εργαστήριο καλλιτέχνη*) studio

ατελώς ΕΠΙΡΡ post–free, postage–free

ατενίζω Ρ Μ (= *παρατηρώ από ψηλά*) to look down on (β) to contemplate

ατέρμονος ΕΠΙΘ endless, never–ending

άτεχνος ΕΠΙΘ (*μετάφραση*) sloppy · (*απομίμηση, διασκευή*) crude

ατζαμής ΟΥΣ ΑΡΣ (*πρφ/ανεπ*) bungler (*ανεπ.*), cowboy (*Βρετ.*) (*ανεπ.*)

ατζαμίδικος ΕΠΙΘ (*πρφ/ανεπ*) botched (*ανεπ.*), cobbled together

ατζαμοσύνη ΟΥΣ ΘΗΛ (*πρφ/ανέπ: = αδεξιότητα*) ham–fistedness (*Βρετ.*) (*ανεπ.*), ham–handedness (*Αμερ.*) (*ανεπ.*)

ατημέλητος ΕΠΙΘ (α) (= *απεριποίητος*) scruffy (β) (*εμφάνιση, ντύσιμο, χτένισμα*) scruffy, unkempt

άτι ΟΥΣ ΟΥΔ (*λογοτ.*) stallion

ατίθασος ΕΠΙΘ (α) (*άλογο*) untamed, wild (β) (*για πρόσ.*) unruly, rebellious (γ) (*ύφος, συμπεριφορά, χαρακτήρας*) rebellious (δ) (*μτφ.: γενειάδα, μαλλιά*) unruly

ατιμάζω Ρ Μ (*άντρα, γυναίκα, οικογένεια, σπίτι*) to dishonour (*Βρετ.*), to dishonor (*Αμερ.*) · (*όνομα*) to dishonour (*Βρετ.*), to dishonor (Αμερ.)

ατίμητος ΕΠΙΘ (δώρο, κόσμημα) priceless· (πετράδι) precious

ατιμία ΟΥΣ ΘΗΛ (α) (= ανήθικη πράξη) outrage (β) (= ντροπή) shame, dishonour (Βρετ.), dishonor (Αμερ.)

άτιμος ΕΠΙΘ (α) (= ανήθικος: προδοσία, διαγωγή, πράξη) dishonourable (Βρετ.), dishonorable (Αμερ.) (β) (= ανυπόληπτος) disreputable
▷**άτιμε/άτιμη!** (υβρ.) you rogue!

ατιμωρησία ΟΥΣ ΘΗΛ impunity

ατιμωρητί ΕΠΙΡΡ (επίσ.) unpunished

ατιμώρητος ΕΠΙΘ unpunished
▷**μένω ατιμώρητος** to go unpunished
▷**αφήνω κπν ατιμώρητο** to let sb go unpunished

ατίμωση ΟΥΣ ΘΗΛ dishonour (Βρετ.), dishonor (Αμερ.)

ατιμωτικός ΕΠΙΘ dishonourable (Βρετ.), dishonorable (Αμερ.)

ατλαζένιος ΕΠΙΘ satin

ατλάζι ΟΥΣ ΟΥΔ satin

Ατλαντικός ΟΥΣ ΑΡΣ: **ο Ατλαντικός (Ωκεανός)** the Atlantic (Ocean)

ατμάκατος ΟΥΣ ΘΗΛ steamboat, steamer

ατμοκίνητος ΕΠΙΘ (βάρκα) steam(-powered)

ατμόλουτρο ΟΥΣ ΟΥΔ steam bath

ατμομηχανή ΟΥΣ ΘΗΛ steam engine, locomotive

ατμοπλοϊκός ΕΠΙΘ (συγκοινωνία) by steamer· (επιχείρηση, εταιρεία) shipping

ατμόπλοιο ΟΥΣ ΟΥΔ steamer

ατμός ΟΥΣ ΑΡΣ (= αέριο από βρασμένο νερό) steam
▷**υπ' ατμόν** (= έτοιμος) standing by

ατμόσφαιρα ΟΥΣ ΘΗΛ atmosphere
▷**φιλική/ευχάριστη/εχθρική ατμόσφαιρα** friendly/happy/bad atmosphere
▷**φτιάχνω ατμόσφαιρα** to create an atmosphere

ατμοσφαιρικός ΕΠΙΘ (φαινόμενο) atmospheric· (ρύπανση) air

άτοκος ΕΠΙΘ (δάνειο, γραμμάτιο) interest-free

ατολμία ΟΥΣ ΘΗΛ timidity

άτολμος ΕΠΙΘ timid

ατομικισμός ΟΥΣ ΑΡΣ (= εγωισμός) individualism

ατομικιστής ΟΥΣ ΑΡΣ individualist

ατομικιστικός ΕΠΙΘ (τέχνη, αντίληψη, έκφραση) individualistic

ατομικός ΕΠΙΘ (α) (δικαιώματα, γνώρισμα του ατόμου) individual (β) (= προσωπικός: θέμα, ρεκόρ, συμφέρον) personal (γ) (αθλήματα, παιχνίδια) individual (δ) (ΦΥΣ, ΧΗΜ) atomic
▸**ατομική ενέργεια** atomic energy
▸**ατομική βόμβα** atomic bomb
▸**ατομικός επιστημών** nuclear physicist
▸**ατομικός αριθμός** atomic number
▸**ατομικό βάρος** atomic weight

ατομικότητα ΟΥΣ ΘΗΛ (α) (= ατομισμός) individualism (β) (= προσωπικότητα) individuality

ατομισμός = **ατομικισμός**

ατομιστής ΟΥΣ ΑΡΣ individualist

άτομο ΟΥΣ ΟΥΔ (α) atom· (= ο άνθρωπος ως μονάδα) individual (β) (επίσ.: = άνθρωπος) person

Προσοχή!: Ο πληθυντικός του **person** είναι **people**.

(γ) (= το ένα από κάθε είδος) individual
▷**διάσπαση του ατόμου** splitting the atom

ατονία ΟΥΣ ΘΗΛ sluggishness, lack of energy

ατονικός ΕΠΙΘ: **ατονικό σύστημα γραφής** unaccented writing system

άτονος ΕΠΙΘ (α) (βλέμμα, ύφος) lifeless· (φωνή) flat (β) (εκδηλώσεις, κινητοποιήσεις) feeble (γ) (λέξεις) unaccented

ατονώ Ρ ΑΜ (ενδιαφέρον) to flag, to wane· (συμπεριφορά) to calm down

ατόπημα ΟΥΣ ΟΥΔ mistake

άτοπος ΕΠΙΘ (= παράλογος: συμπέρασμα) illogical
▷**εις άτοπον απαγωγή** reductio ad absurdum

ατού ΟΥΣ ΟΥΔ ΑΚΛ asset

ατόφιος ΕΠΙΘ (α) (= ακέραιος) complete, whole (β) (για υλικό) solid, pure

άτρακτος ΟΥΣ ΘΗΛ (ΑΕΡΟΠ) fuselage

ατράνταχτος ΕΠΙΘ (= ακλόνητος: επιχείρημα) watertight· (βεβαιότητα) absolute

ατραπός ΟΥΣ ΘΗΛ (λογοτ.) path

άτριχος ΕΠΙΘ hairless

ατρόμητος ΕΠΙΘ fearless

άτρομος ΕΠΙΘ fearless

ατροφία ΟΥΣ ΘΗΛ (μυών, ιστών) atrophy

ατροφικός ΕΠΙΘ (= ασθενικός) atrophied

ατροφώ Ρ ΑΜ to atrophy

ατρόχιστος ΕΠΙΘ (μαχαίρι) unsharpened

ατρύγητος ΕΠΙΘ (αμπέλι) not harvested· (σταφύλια) not picked

ατρύπητος ΕΠΙΘ (= που δεν τρυπήθηκε) unperforated

ατρύπωτος ΕΠΙΘ (φόρεμα, παντελόνι) not tacked

άτρωτος ΕΠΙΘ (= απρόσβλητος) invulnerable

ατσαλάκωτος ΕΠΙΘ (παντελόνι, ύφασμα) not wrinkled

ατσαλένιος ΕΠΙΘ (α) (= από ατσάλι) steel (β) (καρδιά) steely· (κορμί) sinewy
▷**ατσάλινη θέληση** iron will
▷**ατσάλινα νεύρα** nerves of steel

ατσάλι ΟΥΣ ΟΥΔ steel

ατσαλιά ΟΥΣ ΘΗΛ (α) (= ακαταστασία) mess (β) (= κακοτεχνία (στο τετράδιο)) inkblot (γ) (= βρωμιά, ρυπαρότητα) mess χωρίς πληθ.
▷**κάνω ατσαλιές** to make a mess

ατσάλινος ΕΠΙΘ (α) (= από ατσάλι) steel

(β) (λογική) implacable (γ) (= ανθεκτικός: νεύρα) of steel

άτσαλος ΕΠΙΘ (α) (= που κάνει ατσαλιές) sloppy (β) (κίνηση) clumsy (γ) (γραπτό) untidy (δ) (για πρόσ.: = απρόσεκτος) careless

ατσαλώνω Ρ Μ (α) (= κάνω σκληρό σαν ατσάλι) to reinforce · (= επικαλύπτω με ατσάλι) to plate with steel (β) (μτφ.: νεύρα, θέληση) to strengthen

ατσίδας ΟΥΣ ΑΡΣ, **ατσίδα** ΟΥΣ ΘΗΛ ΑΚΛ (πρφ/ ανεπ) shrewd customer (ανεπ.)

Αττική ΟΥΣ ΘΗΛ Attica

αττικός ΕΠΙΘ Attic

άτυπος ΕΠΙΘ (α) (= μη σύμφωνος με τους τύπους: σύμβαση) irregular (β) (συνάντηση, συμφωνία, παραχώρηση) informal

ατύχημα ΟΥΣ ΟΥΔ accident · (= μικρή βλάβη) accident, mishap
▷**εργατικό ατύχημα** accident in the workplace ή at work
▸**αεροπορικό/αυτοκινητιστικό ατύχημα** air/car crash

ατυχής ΕΠΙΘ (α) (σύμπτωση, συγκυρία) unhappy, unfortunate (β) (= αποτυχημένος: επιλογή, προσπάθεια) unhappy (γ) (άποψη) inappropriate

ατυχία ΟΥΣ ΘΗΛ (α) (= κακή τύχη) bad luck, misfortune (β) (= αποτυχία) failure (γ) (= ατύχημα) accident
▷**έχω την ατυχία να κάνω κτ** to have the bad luck ή the misfortune to do sth
▷**φέρνω σε κπν ατυχία** to bring sb bad luck

άτυχος ΕΠΙΘ (α) (γάμος) unhappy · (έρωτας) ill–fated (β) (για πρόσ.) unfortunate, unlucky (γ) (= ανεπιτυχής: ενέργεια, απόπειρα) unsuccessful
▷**στέκομαι άτυχος** to fail

ατυχώ Ρ ΑΜ to fail

αυγατίζω Ρ Μ/ΑΜ, **αυγαταίνω** (προφορ.: = αυξάνω) to increase

Αυγερινός ΟΥΣ ΑΡΣ (λογοτ.) morning star

αυγή ΟΥΣ ΘΗΛ (α) (= ξημέρωμα) dawn, daybreak (β) (λογοτ.: = αρχή) dawn

αυγό ΟΥΣ ΟΥΔ = **αβγό**

αυγοθήκη ΟΥΣ ΘΗΛ = **αβγοθήκη**

αυγοκόβω Ρ Μ = **αβγοκόβω**

αυγολέμονο ΟΥΣ ΟΥΔ = **αβγολέμονο**

αυγοτάραχο ΟΥΣ ΟΥΔ = **αβγοτάραχο**

αυγουστιάτικος, -η, -ο ΕΠΙΘ (νύχτα, φεγγάρι) August

Αύγουστος ΟΥΣ ΑΡΣ August

αυθάδεια ΟΥΣ ΘΗΛ insolence

αυθάδης, -ης, -ες ΕΠΙΘ insolent

αυθαδιάζω Ρ ΑΜ to be insolent

αυθάδικος ΕΠΙΘ insolent

αυθαιρεσία ΟΥΣ ΘΗΛ (α) (= κατάχρηση εξουσίας) abuse (of power) (β) (= ενέργεια που αντιτίθεται σε νόμους, κανόνες) irregularities πληθ.

αυθαίρετα ΕΠΙΡΡ (α) (= χωρίς άδεια) without

permission (β) (= παράνομα) unlawfully

αυθαίρετο ΟΥΣ ΟΥΔ building contravening planning regulations

αυθαίρετος ΕΠΙΘ (α) (συμπέρασμα, ερμηνεία, απόφαση, ενέργεια) arbitrary (β) (κατασκευή, δόμηση) construction of a building in breach of planning regulations

αυθεντία ΟΥΣ ΘΗΛ authority
▷**είμαι/θεωρούμαι αυθεντία σε κτ** to be/to be considered an authority on sth

αυθεντικός ΕΠΙΘ genuine

αυθεντικότητα ΟΥΣ ΘΗΛ authenticity

αυθημερόν ΕΠΙΡΡ on the same day

αυθόρμητα ΕΠΙΡΡ spontaneously

αυθορμητισμός ΟΥΣ ΑΡΣ spontaneity

αυθόρμητος ΕΠΙΘ spontaneous

αυθύπαρκτος ΕΠΙΘ (αξία) independent · (οντότητα) self–sustaining

αυθυπαρξία ΟΥΣ ΘΗΛ independence

αυθυποβάλλομαι Ρ ΑΜ to delude oneself

αυθυποβολή ΟΥΣ ΘΗΛ autosuggestion

αυλαία ΟΥΣ ΘΗΛ (θεάτρου) curtain (Βρετ.), drape (Αμερ.)

αυλάκι ΟΥΣ ΟΥΔ (= χαντάκι) ditch
▷**από τότε κύλησε πολύ νερό στ' αυλάκι** it's all water under the bridge
▷**βάζω το νερό στ' αυλάκι** to set the wheels in motion, to get things under way
▸**μπήκε το νερό στ' αυλάκι** things have settled down

αυλακιά ΟΥΣ ΘΗΛ furrow

αυλακώνω Ρ Μ (α) (χωράφι) to furrow, to plough (Βρετ.), to plow (Αμερ.) (β) (μτφ.) to streak
▷**δάκρυα αυλάκωναν το πρόσωπό του** his face was streaked with tears

αυλακωτός ΕΠΙΘ (κίονας) fluted · (κύλινδρος) grooved

αυλάρχης ΟΥΣ ΑΡΣ Lord Chamberlain

αυλή ΟΥΣ ΘΗΛ (α) (σπιτιού) courtyard, yard (β) (σχολείου) playground, schoolyard · (= οι ευγενείς) court (γ) (ειρων.) retinue
▷**εσωτερική αυλή** inner circle

αυλητής ΟΥΣ ΑΡΣ piper

αυλικός [1] ΕΠΙΘ (κοινωνία, ποίηση) court [2] ΟΥΣ ΑΡΣ courtier

αυλόγυρος ΟΥΣ ΑΡΣ (α) (= αυλότοιχος) wall (β) (= περίβολος) courtyard · (εκκλησίας) churchyard · (σχολείου) schoolyard, playground

αυλοκόλακας ΟΥΣ ΑΡΣ sycophant, toady

αυλόπορτα ΟΥΣ ΘΗΛ gate

αυλός ΟΥΣ ΑΡΣ (α) pipe (similar to an oboe) (β) tube

άυλος ΕΠΙΘ (α) (= ασώματος) incorporeal (β) (ΟΙΚΟΝ) intangible

αυνανίζομαι Ρ ΑΜ to masturbate

αυνανισμός ΟΥΣ ΑΡΣ masturbation

αυξάνω [1] Ρ Μ (αριθμό, απαισιοδοξία, άγχος, όγκο, μέγεθος, μήκος, ταχύτητα) to increase ·

(*ενοίκιο, τιμή*) to put up, to increase · (*μισθό, φόρους, αποδοτικότητα*) tο raise, to increase · (*παραγωγή*) to step up, to increase · (*θερμοκρασία*) to raise, to send up
2 P ΑΜ (*παραγωγικότητα*) to rise, to increase · (*αριθμός, μισθός, θερμοκρασία*) to rise, to go up, to increase · (*έλλειμμα, όγκος, μήκος, διαστάσεις*) to grow, to increase · (*αγωνία, φόβος*) to grow
▷**αυξάνω σε μέγεθος** to increase ή grow in size
▸αυξάνομαι ΜΕΣΟΠΑΘ (*μήκος, όγκος, πληθυσμός, αγωνία, φόβος, ικανότητα*) to increase, to grow · (*εισόδημα, μισθός, αριθμός, συμμετοχή, παραγωγή, θερμοκρασία*) to rise, to go up, to increase
αύξηση ΟΥΣ ΘΗΛ (α) (*ταχύτητας, αποδοτικότητας, παραγωγής, εξαγωγών*) increase (*σε* in) · (*εκληματικότητας, ανεργίας, ενοικίου, φόρων, τιμής, θερμοκρασίας*) increase (*σε* in) rise (*σε* in) · (*μισθού*) rise (*Βρετ.*), raise (*Αμερ.*) (β) (ΒΙΟΛ) growth (γ) (ΓΛΩΣΣ) augment
▷**γίνεται αύξηση σε κτ** there has been an increase in sth
▷**δίνω ή κάνω αύξηση σε κπν** to give sb a (pay) rise (*Βρετ.*) ή raise (*Αμερ.*)
▷**παίρνω αύξηση** to get a (pay) rise (*Βρετ.*) ή raise (*Αμερ.*)
▸**αύξηση κεφαλαίου** capital growth
▸**αύξηση ταχύτητας** acceleration, increase in speed
▸**αύξηση της θερμοκρασίας της γης** global warming
▸**αύξηση του πληθυσμού** population growth
αυξητικός ΕΠΙΘ upward
▷**παρουσιάζω αυξητική τάση** to be on the increase
▸**αυξητική ορμόνη** growth hormone
αυξομειώνω P Μ to fluctuate
αυξομείωση ΟΥΣ ΘΗΛ fluctuation
αύξων ΕΠΙΘ (*ανεργία, κλίμακα*) rising · (*ρυθμό*) increasing · (*ένταση, ανησυχία, πεποίθηση*) growing · (*σελήνη*) waxing
▸**αύξων αριθμός** serial number
αϋπνία ΟΥΣ ΘΗΛ insomnia *χωρίς πληθ.*
▷**υποφέρω από αϋπνίες** to suffer from insomnia
άυπνος ΕΠΙΘ sleepless
▷**είμαι άυπνος** I haven't had any sleep
▷**περνώ άυπνος τη νύχτα** to have a sleepless night
αύρα ΟΥΣ ΘΗΛ breeze
▷**θαλάσσια ή θαλασσινή αύρα** sea breeze
αυριανός ΕΠΙΘ (α) (*συνέλευση, καιρός*) tomorrow's (β) (= *μελλοντικός: πολίτης, κόσμος*) tomorrow's, of tomorrow
▷**αυριανή μέρα** tomorrow
αύριο ΕΠΙΡΡ (α) tomorrow (β) (= *στο μέλλον*) in the future
▷**ασ' το γι' αύριο** leave it till tomorrow
▷**αύριο-μεθαύριο, σήμερα-αύριο** (= *όπου να 'ναι*) any day now · (= *μια απ' αυτές τις*

μέρες) one of these days
▷**δεν έχω αύριο** to have no future
▷**κι αύριο μέρα είναι** there's always tomorrow
▸αύριο ΟΥΣ ΟΥΔ future
αυστηρός ΕΠΙΘ (α) (*τιμωρία, ποινές, κριτική*) harsh, severe · (*δάσκαλος, νόμος, στάση*) strict (β) (*καθορισμός, κριτήρια, διατύπωση*) strict (γ) (*ήθη, αρχές*) strict (δ) (*οδηγίες, δίαιτα, κανόνας*) strict · (*μέτρα*) stringent (ε) (= *λιτός*) austere (στ) (= *σοβαρός: ματιά*) stern · (*άνθρωπος, ύφος*) stern, austere (ζ) (= *άτεγκτος*) stern (η) (= *προσηλωμένος στις αρχές*) strict
αυστηρότητα ΟΥΣ ΘΗΛ (α) (= *έλλειψη επιείκειας: τιμωρίας, ποινής, κριτικής*) harshness, severity · (*νόμου, δασκάλου*) strictness (β) (= *ακρίβεια*) strictness (γ) (*ύφους, προσώπου*) sternness (δ) (= *λιτότητα: μορφής*) austerity (ε) (*ηθών*) strictness, austerity
Αυστραλέζα ΟΥΣ ΘΗΛ *βλ.* **Αυστραλός**
αυστραλέζικος, -η, -ο ΕΠΙΘ = **αυστραλιανός**
Αυστραλέζος ΟΥΣ ΑΡΣ = **Αυστραλός**
Αυστραλή ΟΥΣ ΘΗΛ *βλ.* **Αυστραλός**
Αυστραλία ΟΥΣ ΘΗΛ Australia
αυστραλιανός, -ή, -ό ΕΠΙΘ Australian
Αυστραλός ΟΥΣ ΑΡΣ Australian
Αυστρία ΟΥΣ ΘΗΛ Austria
Αυστριακή ΟΥΣ ΘΗΛ *βλ.* **Αυστριακός**
Αυστριακός ΟΥΣ ΑΡΣ Austrian
αυστριακός, -ή, -ό ΕΠΙΘ Austrian
αύτανδρος ΕΠΙΘ: **το πλοίο βυθίστηκε αύτανδρο** the ship went down with all hands on board
αυταπάρνηση ΟΥΣ ΘΗΛ self-denial
αυταπάτη ΟΥΣ ΘΗΛ self-deception, delusion
▷**τρέφω αυταπάτες** to delude oneself
αυταπατώμαι P ΑΜ to delude oneself
αυταπόδεικτος ΕΠΙΘ self-evident
αυταρέσκεια ΟΥΣ ΘΗΛ smugness, complacency
αυτάρεσκος ΕΠΙΘ smug, complacent
αυτάρκεια ΟΥΣ ΘΗΛ self-sufficiency
αυτάρκης ΕΠΙΘ self-sufficient
αυταρχικός ΕΠΙΘ (α) (*καθεστώς, ηγέτης, δάσκαλος*) authoritarian · (*γονείς*) domineering, authoritarian (β) (*συμπεριφορά, ύφος*) high-handed · (*χαρακτήρας*) domineering
αυταρχικότητα ΟΥΣ ΘΗΛ (α) (*κράτους, ηγεσίας*) autocracy (β) (*συμπεριφοράς, χαρακτήρα*) high-handedness
αυτασφάλεια ΟΥΣ ΘΗΛ self-insurance
αυτενέργεια ΟΥΣ ΘΗΛ taking the initiative
αυτενεργώ P ΑΜ to take the initiative, to act on one's own
αυτεξούσιος ΕΠΙΘ independent · (*αρχή*) self-governing, independent
αυτεπάγγελτος ΕΠΙΘ (*δίωξη, έρευνα*) ex

officio

αυτεπαγγέλτως ΕΠΙΡΡ, **αυτεπάγγελτα** ex officio, by virtue of one's office

αυτήκοος ΕΠΙΘ: **αυτήκοος μάρτυς** witness (with aural evidence)

αυτηνής ΑΝΤΩΝ ΘΗΛ ΓΕΝ ΕΝ (προφορ.) βλ. **αυτός**

αυτί ΟΥΣ ΟΥΔ = **αφτί**

αυτιστικός ΕΠΙΘ autistic

αυτοάμυνα ΟΥΣ ΘΗΛ self–defence (Βρετ.), self–defense (Αμερ.)

αυτοαπασχολούμενος ΟΥΣ ΑΡΣ self–employed person, freelancer

αυτοβιογραφία ΟΥΣ ΘΗΛ autobiography

αυτοβιογραφικός ΕΠΙΘ autobiographical

αυτόβουλος ΕΠΙΘ (άτομο) acting of one's own free will

αυτοβούλως ΕΠΙΡΡ (ενεργώ, δρώ) of one's own free will · (κινούμαι) of one's own accord

αυτογνωσία ΟΥΣ ΘΗΛ self–knowledge

αυτογονιμοποίηση ΟΥΣ ΘΗΛ (α) self–pollination (β) self–fertilization

αυτόγραφο ΟΥΣ ΟΥΔ autograph

αυτοδημιούργητος ΕΠΙΘ self–made

αυτοδιάθεση ΟΥΣ ΘΗΛ self–determination

αυτοδιαφημίζομαι Ρ ΑΜ to sing one's own praises, to blow one's own trumpet (Βρετ.) ή horn (Αμερ.) (ανεπ.)
▷**αυτοδιαφημίζομαι ότι** to boast that

αυτοδιαχείριση ΟΥΣ ΘΗΛ self–management

αυτοδίδακτος, αυτοδίδαχτος ΕΠΙΘ self–taught

αυτοδικαίως, αυτοδίκαια ΕΠΙΡΡ by rights

αυτοδικία ΟΥΣ ΘΗΛ taking the law into one's own hands

αυτοδιοίκηση ΟΥΣ ΘΗΛ self–government
▶**τοπική αυτοδιοίκηση** local government

αυτοδιοικούμαι Ρ ΑΜ to be self–governing

αυτοδυναμία ΟΥΣ ΘΗΛ (α) (ατόμου) self–reliance (β) (ΠΟΛΙΤ) autonomy

αυτοδύναμος ΕΠΙΘ (α) (άνθρωπος) self–reliant (β) (ενότητα) independent
▶**αυτοδύναμη κυβέρνηση** one–party government

αυτοέλεγχος ΟΥΣ ΑΡΣ (α) (= αυτοκυριαρχία) self–control (β) (= αυτοκριτική) self–examination
▷**χάνω τον αυτοέλεγχό μου** to lose one's self–control

αυτοεξορία ΟΥΣ ΘΗΛ self–imposed exile

αυτοεξορίζομαι Ρ ΑΜ to exile oneself

αυτοεξόριστος ΕΠΙΘ self–exiled

αυτοεξυπηρέτηση ΟΥΣ ΘΗΛ (α) (= η προμήθεια εμπορεύματος από τον ίδιο τον πελάτη) self–service (β) ability to care for oneself

αυτοεξυπηρετούμαι Ρ ΑΜ (α) (πελάτης) to serve oneself (β) (ηλικιωμένος, ανάπηρος) to take care of oneself

αυτόθι ΕΠΙΡΡ (επία.: = εδώ, σ'αυτό το σημείο) here · (για παραπομπές) ibid.

αυτοθυσία ΟΥΣ ΘΗΛ self–sacrifice

αυτοϊκανοποίηση ΟΥΣ ΘΗΛ (α) (= ανταρέσκεια) self–satisfaction (β) (επία.: = αυνανισμός) masturbation

αυτοϊκανοποιούμαι Ρ ΑΜ (α) (= ικανοποιώ τον εαυτό μου) to satisfy oneself (β) (= αυνανίζομαι) to masturbate

αυτοκαλούμαι Ρ ΑΜ to call oneself

αυτοκαταστρέφομαι Ρ ΑΜ to self–destruct

αυτοκαταστροφή ΟΥΣ ΘΗΛ self–destruction

αυτοκαταστροφικός ΕΠΙΘ (συναισθήματα, συμπεριφορά, τάση) self–destructive

αυτοκέφαλος ΕΠΙΘ (α) (= ανεξάρτητος) autonomous, independent (β) (εκκλησία, αρχιεπισκοπή) autocephalous

αυτοκινητάκι ΟΥΣ ΟΥΔ (= μικρό αυτοκίνητο) small car
▶**αυτοκινητάκια** ΠΛΗΘ (στο λούνα παρκ) dodgems (Βρετ.), dodgem cars (Βρετ.), bumper cars (Αμερ.)

αυτοκινητάμαξα ΟΥΣ ΘΗΛ railcar

αυτοκινητιστής ΟΥΣ ΑΡΣ (α) (επάγγελμα) professional driver (β) (καταχρ.: = οδηγός αυτοκινήτου) driver, motorist

αυτοκινητιστικός ΕΠΙΘ (ατύχημα) motor, traffic

αυτοκίνητο ΟΥΣ ΟΥΔ car, automobile (κυρ. Αμερ.)
▶**αγωνιστικό αυτοκίνητο** racing car
▶**αυτοκίνητο αντίκα** vintage car
▶**αυτοκίνητο δημόσιας χρήσης** commercial vehicle
▶**αυτοκίνητο ιδιωτικής χρήσης** private vehicle
▶**επιβατικό αυτοκίνητο** passenger vehicle
▶**σπορ αυτοκίνητο** sports car
▶**φορτηγό αυτοκίνητο** van

αυτοκινητόδρομος ΟΥΣ ΑΡΣ motorway (Βρετ.), interstate (highway ή freeway) (Αμερ.)

αυτόκλητος ΕΠΙΘ unsolicited

αυτοκόλλητο ΟΥΣ ΟΥΔ sticker

αυτοκόλλητος ΕΠΙΘ (ταινία, ετικέτα) (self–)adhesive, sticky

αυτοκράτειρα ΟΥΣ ΘΗΛ empress

αυτοκράτορας ΟΥΣ ΑΡΣ emperor
▷**αυτοκράτορας του Τύπου** press baron, media mogul

αυτοκρατορία ΟΥΣ ΘΗΛ (κυριολ., μτφ.) empire

αυτοκρατορικός ΕΠΙΘ imperial
▷**αυτοκρατορικός ρυθμός** Empire style

αυτοκράτωρ ΟΥΣ ΑΡΣ = **αυτοκράτορας**

αυτοκριτική ΟΥΣ ΘΗΛ self–criticism

αυτοκτονία ΟΥΣ ΘΗΛ suicide
▶**ομαδική αυτοκτονία** mass suicide

αυτοκτονώ Ρ ΑΜ to commit suicide, to kill oneself

αυτοκυβέρνηση ΟΥΣ ΘΗΛ self–government

αυτοκυβερνώμαι Ρ ΑΜ to be self–governed

αυτοκυριαρχία ΟΥΣ ΘΗΛ self–control
αυτολεξεί ΕΠΙΡΡ verbatim, word for word
αυτόματα ΕΠΙΡΡ automatically
αυτοματισμός ΟΥΣ ΑΡΣ (α) (= *εκτέλεση παραγωγικών λειτουργιών από μηχανή*) automation (β) (ΨΥΧ) automatism
αυτόματο ΟΥΣ ΟΥΔ (*επίσης* **αυτόματο όπλο**) automatic (weapon)
αυτόματος ΕΠΙΘ (α) (*συσκευή, λειτουργία, αντίδραση, κίνηση*) automatic (β) (*ανάφλεξη*) spontaneous (γ) (*μηχανάκι, αυτοκίνητο*) automatic
▸ **αυτόματη γραφή** automatic writing
▸ **αυτόματη μετάφραση** machine translation
▸ **αυτόματος πιλότος** automatic pilot
▸in>**αυτόματος τηλεφωνητής** answering machine
αυτομάτως ΕΠΙΡΡ automatically
αυτομόληση ΟΥΣ ΘΗΛ defection
αυτομολώ Ρ ΑΜ to defect (*σε* to) to go over (*σε* to)
αυτονόητος ΕΠΙΘ self–evident
▷ **είναι αυτονόητο ότι** it's self–evident that, it goes without saying that
αυτονομία ΟΥΣ ΘΗΛ autonomy
▷ **η μπαταρία έχει αυτονομία δύο ωρών** the battery life is two hours
▷ **το διαμέρισμα έχει αυτονομία** the apartment is self–contained
αυτονομιστής ΟΥΣ ΑΡΣ separatist
αυτονομιστικός ΕΠΙΘ separatist
αυτονομίστρια ΟΥΣ ΘΗΛ *βλ.* **αυτονομιστής**
αυτόνομος ΕΠΙΘ (α) (*κράτος, οργανισμός, εταιρεία, άτομο*) autonomous (β) (*θέρμανση*) independent · (*διαμέρισμα*) self–contained
▸ **αυτόνομο νευρικό σύστημα** autonomic nervous system
αυτονομούμαι Ρ ΑΜ (*επίσ.*) to be autonomous
αυτοπαθής ΕΠΙΘ (*αντωνυμία, ρήμα*) reflexive
αυτοπαρουσιάζομαι Ρ ΑΜ to introduce oneself
αυτοπειθαρχία ΟΥΣ ΘΗΛ (self–)discipline
αυτοπεποίθηση ΟΥΣ ΘΗΛ confidence, self–confidence
αυτοπροβάλλομαι Ρ ΑΜ to push oneself forward
αυτοπροβολή ΟΥΣ ΘΗΛ self–assertion
αυτοπρόσωπος ΕΠΙΘ (*επίσ.: εξέταση, εμφάνιση*) personal
αυτοπροσώπως ΕΠΙΡΡ in person
αυτόπτης ΟΥΣ ΑΡΣ: **αυτόπτης μάρτυς** *ή* **μάρτυρας** eyewitness
αυτοπυρπολούμαι Ρ ΑΜ to burn oneself, to immolate oneself
αυτορρυθμιζόμενος ΕΠΙΘ (*σύστημα*) self–adjusting

αυτός, -ή, -ό ΑΝΤΩΝ (α) (*προσωπική*) he/she/

it · (*στον πληθυντικό*) they · (*στην αιτιατική*) him/her/it · (*στον πληθυντικό*) them □ **αυτός δεν αργεί ποτέ** he's never late · **σ' αυτήν βασίζομαι** I'm counting on her · **δεν το ήξερα** I didn't know (that)
(β) (*δεικτική*) this · (*στον πληθυντικό*) these · (= *εκείνος*) that · (*στον πληθυντικό*) those □ **αυτό το βιβλίο** this book · **αυτή είναι η μητέρα μου** this my mother · **θα κάνω αυτό που θέλω!** I'll do what I want! · **δεν το ήξερα αυτό!** I didn't know that!
▷ **αυτά!** that's it!
▷ **αυτά και άλλα** this and more
▷ **αυτά κι αυτά** things like that
▷ **αυτό θα πει τύχη!** what a stroke of luck!
▷ **αυτοί που ...** those who ..., people who ...
▷ **αυτό που σου λέω!** I'm telling you!
▷ **αυτός καθαυτόν/αυτή καθαυτή(ν)/αυτό καθαυτό** himself/herself/itself
▷ **αυτός κι όχι άλλος** he and nobody else
▷ **αυτός ο ίδιος** he himself/the same □ **αυτός ο ίδιος που σε χτύπησε, μου έκλεψε το αυτοκίνητο** the same person who hit you stole my car
▷ **δος μου το αυτό, πώς το λένε;** (*προφορ.*) give me that thingummy (*ανεπ.*)
▷ **κι αυτός ο ...!** that damned ...!
▷ **μας μίλησε κι ο αυτός, πώς τον λένε;** (*προφορ.*) what's his name talked to us (*ανεπ.*)
▷ **μ' αυτά και μ' αυτά** with all that
▷ **ποιος τον σκότωσε, αυτό να μου πεις** just tell me this: who killed him?
▷ **το αυτό(ν)** the same

αυτοσεβασμός ΟΥΣ ΑΡΣ self–respect
αυτοσκοπός ΟΥΣ ΑΡΣ: **αποτελεί αυτοσκοπός** to be an end in itself
αυτοστιγμεί ΕΠΙΡΡ instantly, at once
αυτοσυγκεντρώνομαι Ρ ΑΜ to concentrate
αυτοσυγκέντρωση ΟΥΣ ΘΗΛ concentration
αυτοσυγκράτηση ΟΥΣ ΘΗΛ self–control
αυτοσυναίσθημα ΟΥΣ ΟΥΔ self–esteem
αυτοσυνείδηση ΟΥΣ ΘΗΛ self–awareness
αυτοσυντήρηση ΟΥΣ ΘΗΛ self–preservation
▸ **ένστικτο αυτοσυντήρησης** instinct for self–preservation
αυτοσυστήνομαι Ρ ΑΜ to introduce oneself
αυτοσχεδιάζω Ρ ΑΜ to improvize
αυτοσχεδιασμός ΟΥΣ ΑΡΣ improvization
αυτοσχέδιος ΕΠΙΘ (α) (*βόμβα*) home–made (β) (*παράσταση, στίχος, λόγος*) impromptu (γ) (*λύση*) provisional · (*κατασκευή*) improvised
αυτοτέλεια ΟΥΣ ΘΗΛ independence
αυτοτελής ΕΠΙΘ (α) (= *ανεξάρτητος: μελέτη, υπηρεσία, οργανισμός*) independent (β) (= *πλήρης: έργο*) complete (γ) (*διαμέρισμα*) self–contained
αυτοτιμωρούμαι Ρ ΑΜ to punish oneself
αυτοτραυματίζομαι Ρ ΑΜ to injure oneself, to inflict injuries on oneself

αυτουνού ΑΝΤΩΝ ΑΡΣ ΓΕΝ ΕΝ (προφορ.) βλ.
αυτός

αυτουργία ΟΥΣ ΘΗΛ perpetration
► **ηθική αυτουργία** incitement

αυτουργός ΕΠΙΘ perpetrator
► **ηθικός αυτουργός** accessory, inciter

αυτούσιος ΕΠΙΘ (κείμενο, έγγραφο) full,
unedited · (λέξεις, έγγραφο) unaltered

αυτόφωρο ΟΥΣ ΟΥΔ police court
▷ **πιάνω κπν επ' αυτοφώρω** to catch sb
red-handed
▷ **πιάνω κπν επ' αυτοφώρω να κλέβει** to catch
sb stealing

αυτόφωτος ΕΠΙΘ (α) (σώμα, αστέρι)
self-luminous (β) (μτφ.) independent

αυτόχειρας ΟΥΣ ΑΡΣ suicide

αυτοχειρία ΟΥΣ ΘΗΛ (επίσ.) suicide

αυτόχθων ΕΠΙΘ (επίσ.) (α) (πληθυσμός,
κάτοικος) indigenous · (ομιλητής) native
(β) (αρχιτεκτονική, παράδοση, όρος) local

αυτοχρηματοδότηση ΟΥΣ ΘΗΛ self-funding,
self-financing

αυτοψία ΟΥΣ ΘΗΛ (α) (= νεκροψία) autopsy,
post-mortem (β) (= η επιτόπια έρευνα,
μελέτη) personal inspection

αυχένας ΟΥΣ ΑΡΣ nape

αυχενικός ΕΠΙΘ (σπόνδυλος) cervical

αφάγωτος ΕΠΙΘ (προφορ.) uneaten

αφαίμαξη ΟΥΣ ΘΗΛ (ΙΑΤΡ) bloodletting,
bleeding · (μτφ.: = απόσπαση χρημάτων από
κπν) drain on one's resources

αφαιρεμένος ΕΠΙΘ (α) (προφορ.: υβρ.: =
χαζός) thick (ανεπ.) (β) (προφορ.: = που δεν
είναι συγκεντρωμένος) preoccupied,
distracted (γ) (μάτια) distant · (νους)
preoccupied

αφαίρεση ΟΥΣ ΘΗΛ (α) (ΤΕΧΝ) abstractionism
(β) (ΦΙΛΟΣ) abstraction (γ) (= απόσπαση:
ζωής) taking · (οργάνου, όγκου) removal ·
(καλύμματος, καλουπιών) taking off,
removal · (φύλλου) tearing out · (δοντιών)
extraction · (ναρκών) clearing, clearance
(δ) (κρατήσεων) taking off · (ποσοστών,
χρημάτων) deduction (ε) (καθηκόντων,
προνομίων, άδειας) suspension (στ) (ΜΑΘ)
subtraction (ζ) (ΓΛΩΣΣ) contraction

αφαιρετέος ΕΠΙΘ (ΜΑΘ) subtrahend

αφαιρετικός ΕΠΙΘ abstract

αφαιρώ Ρ Μ (α) (κάλυμμα, σκέπασμα,
παπούτσια, συσκευασία) to take off, to
remove · (πόρτα) to take off its hinges
(β) (όργανο, νεφρό) to take out, to remove ·
(δόντι) to take out, to extract (γ) (= σβήνω:
λέξη, γραμμή) to take out, to delete
(δ) (άδεια κυκλοφορίας) to suspend, to take
away · (πινακίδες) to take away (ε) (ποσό,
χρήματα) to deduct · (κρατήσεις) to take off
(στ) (= κλέβω) to steal, to take (ζ) (ΜΑΘ) to
subtract (η) (έδαφος, κτήσεις) to take
(θ) (ασφάλεια, διακόπτη) to switch off
(ι) (μτφ.: ελπίδα, τίτλο, δικαίωμα) to take
away

▷ **αφαιρώ από την αξία** +γεν. to detract from
the value of sth
▷ **αφαιρώ τη ζωή κποιου** to take sb's life
► **αφαιρούμαι** ΜΕΣΟΠΑΘ to be distracted

αφαλάτωση ΟΥΣ ΘΗΛ desalination

αφαλός ΟΥΣ ΑΡΣ (ανεπ.) belly button (ανεπ.)

αφάνα ΟΥΣ ΘΗΛ (α) (= αγκαθωτός θάμνος)
broom (β) (μτφ.) bushy hair

αφανάτιστος ΕΠΙΘ (α) (φίλαθλος, πολιτικός)
not fanatical (β) (γλώσσα, άποψη)
dispassionate

αφάνεια ΟΥΣ ΘΗΛ obscurity
▷ **κηρύσσω κπν σε αφάνεια** (ΝΟΜ) to declare
sb missing, presumed dead

αφανέρωτος ΕΠΙΘ unrevealed, undisclosed

αφανής ΕΠΙΘ (α) (συμφέροντα, δυνάμεις)
invisible (β) (= άσημος: πολιτικός, ποιητής,
καταγωγή) obscure
▷ **αφανής ήρωας** unsung hero
► **αφανής εταίρος** sleeping partner (Βρετ.),
silent partner (Αμερ.)

αφανίζω Ρ Μ (α) (= καταστρέφω: στρατό,
χώρα) to destroy, to annihilate · (λαό) to
exterminate · (δάση) to destroy
(β) (= εκμηδενίζω: άνθρωπο) to ruin
(γ) (= κατασπαταλώ: περιουσία) to squander
(δ) (χρόνος, ηλικία, βάσανα: σώμα, νεότητα,
μυαλό) to ravage (ε) (μτφ.: πολιτισμό, κράτος,
όνειρο) to destroy (στ) (= αλλοιώνω,
διαστρέφω: κείμενο, λόγια, ποίηση) to
destroy, to ruin

αφανισμός ΟΥΣ ΑΡΣ (α) (στρατού, κράτους)
destruction · (λαού) extermination
(β) (= ολοκληρωτική καταστροφή)
destruction

αφάνταστος ΕΠΙΘ (ομορφιά, ευτυχία,
δυστυχία, γοητεία) unimaginable · (ποικιλία,
κέρδος) incredible · (περιουσία) immense ·
(ζημιά) enormous

άφαντος ΕΠΙΘ (α) (= που έχει εξαφανιστεί)
vanished (β) (ΝΟΜ) missing, presumed dead
▷ **γίνομαι άφαντος** to vanish

αφασία ΟΥΣ ΘΗΛ (α) (ΙΑΤΡ) aphasia (β) (αργκ.)
fun

άφατος ΕΠΙΘ (χαρά) inexpressible, ineffable
(επίσ.) · (θλίψη, λύπη) unspeakable, ineffable
(επίσ.) · (πόνος) indescribable

Αφγανιστάν ΟΥΣ ΟΥΔ ΑΚΛ Afghanistan

αφειδώλευτα ΕΠΙΡΡ generously

αφειδώς ΕΠΙΡΡ generously

αφέλεια ΟΥΣ ΘΗΛ (α) (= απλοϊκότητα)
innocence (β) (= ευπιστία) gullibility
(γ) (= ανοησία) naivety
► **αφέλειες** ΠΛΗΘ fringe εν. (Βρετ.), bangs
(Αμερ.)

αφελής ΕΠΙΘ (α) (= εύπιστος) gullible, naive
(β) (= ανόητος: ερώτηση, συμπεριφορά,
πράξεις) ingenuous (γ) (= απλός) innocent,
naive

αφέντης ΟΥΣ ΑΡΣ master

A

▷**ο αφέντης του σπιτιού** the man *ή* master of the house

▷**η πολλή δουλειά τρώει τον αφέντη** (*παροιμ.*) all work and no play makes Jack a dull boy (*παροιμ.*)

αφεντιά ΟΥΣ ΘΗΛ (*προφορ.*): **η αφεντιά μου/ σου/του** I/you/he

αφεντικίνα ΟΥΣ ΘΗΛ *βλ.* **αφεντικό**

αφεντικό ΟΥΣ ΟΥΔ (α) (= *εργοδότης*) employer, boss (*ανεπ.*) (β) (*σπιτιού, σκύλου*) master· (*μαγαζιού*) owner

▷**είμαι αφεντικό του εαυτού μου** to be one's own master

αφέντρα ΟΥΣ ΘΗΛ *βλ.* **αφέντης**

αφερέγγυος ΕΠΙΘ (*επίσ.*) (α) (= *αναξιόχρεος*) insolvent (β) (= *αναξιόπιστος*) unreliable, untrustworthy

αφερεγγυότητα ΟΥΣ ΘΗΛ (*επίσ.*) (α) insolvency (β) unreliability, untrustworthiness

άφεση ΟΥΣ ΘΗΛ: **άφεση αμαρτιών** absolution

▷**δίνω άφεση (αμαρτιών) σε κπν** to absolve sb of sin

αφετηρία ΟΥΣ ΘΗΛ (α) (*λεωφορείου*) terminal (β) (ΑΘΛ) starting line (γ) (*μτφ.*: = *βάση συλλογισμού*) starting point (δ) (*για χρόνο, τόπο*) starting point (ε) (*κρίσης, ταραχής*) trigger

αφέψημα ΟΥΣ ΟΥΔ infusion

αφή ΟΥΣ ΘΗΛ touch

αφήγημα ΟΥΣ ΘΗΛ narrative, story

αφηγηματικός ΕΠΙΘ narrative

αφήγηση ΟΥΣ ΘΗΛ narration, story

αφηγητής ΟΥΣ ΑΡΣ narrator

αφηγήτρια ΟΥΣ ΘΗΛ *βλ.* **αφηγητής**

αφηγούμαι Ρ Μ to relate, to tell· (*σε ντοκιμαντέρ*) to narrate

αφηνιάζω Ρ ΑΜ (α) (*άλογο*) to bolt (β) (*μτφ.*) to fly into a rage, to be furious

αφήνω Ρ Μ (α) (= *παύω να κρατώ: χειρολαβή, χέρι*) to let go of· (*πιάτο, δίσκο*) to drop (β) (= *βάζω, τοποθετώ: βιβλίο*) to leave (γ) (*κραυγή, αναστεναγμό*) to let out, to give (δ) (= *διατηρώ μια κατάσταση*) to leave (ε) (= *αποφέρω κέρδος*) to make (στ) (= *κληροδοτώ: περιουσία*) to leave (ζ) (= *εμπιστεύομαι*) to leave (η) (= *εγκαταλείπω: άνθρωπο, δουλειά*) to leave· (*σπουδές, θέμα*) to drop (ϑ) (= *επιτρέπω*) to let (ι) (*κληρονόμο, διάδοχο*) to leave (ια) (= *παύω να σφίγγω*) to let go of (ιβ) (= *ελευθερώνω: κρατούμενο, αιχμάλωτο*) to let go (ιγ) (= *δίνω, παραχωρώ: περιθώρια, επιλογές, ευκαιρίες*) to give (ιδ) (= *κατεβάζω από όχημα*) to drop off

▷**ας τ' αφήσουμε** let's leave it

▷**αφήνω γεια** (= *αποχαιρετώ και φεύγω μακριά*) to bid farewell

▷**αφήνω εποχή** (*για πρόσ.*) to make a name for oneself· (*για έργο*) to be seminal

▷**αφήνω ίχνη** to leave prints

▷**αφήνω κπν έγκυο** to get sb pregnant

▷**αφήνω κπν ήσυχο** *ή* **στην ησυχία του** to leave sb alone

▷**αφήνω κπν να κάνει κτ** to let sb do sth

▷**αφήνω κπν στην τύχη του** to leave sb to their fate

▷**αφήνω κτ κατά μέρος** to leave sth aside

▷**αφήνω την πόρτα ανοιχτή/το παράθυρο ανοιχτό** to leave the door/the window open

▷**αφήνω κτ να πέσει** to drop sth

▷**αφήνω κτ σε κπν** (= *κληροδοτώ*) to leave sth to sb· (= *εμπιστεύομαι*) to leave sth with sb

▷**αφήνω κτ στη μέση** to leave sth half done

▷**αφήνω κτ στην τύχη** to leave sth to chance

▷**αφήνω όνομα** to make a name for oneself

▷**αφήνω χρόνους** (*ανεπ./πρφ*) to die

▷**δρόμο παίρνω δρόμο αφήνω** (*στα παραμύθια*) to go up hill and down dale

▷**με αφήνει αδιάφορο** it leaves me cold

▷**με άφησαν οι δυνάμεις μου** my strength failed me

▶**αφήνομαι** ΜΕΣΟΠΑΘ (α) : **αφήνομαι σε** to put oneself in· (*αγκαλιά*) to sink into (β) (= *χαλαρώνω*) to relax

▷**ασ' τα/ασ' τα να πάνε!** drop it/ let it be!, let it be

▷**άσ' τα αυτά** come off it

▷**ασ' το σε μένα** leave it to me

▷**άσε!** (= *δεν φαντάζεσαι*) guess what!

▷**... άσε πια ο αδελφός του!** ... to say nothing of his brother!

▷**άσε/αφήστε τα αστεία!** stop joking!

▷**μην αφήνεσαι να καταρρεύσεις!** don't let yourself go!

αφηρημάδα ΟΥΣ ΘΗΛ (= *απροσεξία*) absent-mindedness

▷**είμαι όλο αφηρημάδες** to be very absent-minded

αφηρημένος ΕΠΙΘ (α) (*άνθρωπος, ύφος, βλέμμα*) absent-minded, preoccupied (β) (*σύνθεση, ζωγραφική*) abstract (γ) (*έννοια, νόημα*) abstract

▶**αφηρημένη τέχνη** abstract art

άφθα ΟΥΣ ΘΗΛ, **άφτρα** mouth ulcer, aphtha (*επιστ.*)

αφθαρσία ΟΥΣ ΘΗΛ (*ύλης*) indestructibility· (*ενέργειας*) energy

▷**βρίσκομαι μεταξύ φθοράς και αφθαρσίας** to be a borderline case

άφθαρτος ΕΠΙΘ (α) (*αιωνιότητα, ομορφιά*) everlasting· (*δόξα*) undying· (*ύλη*) indestructible (β) (*ρούχο, παπούτσια, χαλί*) not worn, as good as new

άφθαστος, -η, -ο ΕΠΙΘ = **άφταστος**

αφθονία ΟΥΣ ΘΗΛ (α) (= *περίσσεια*) abundance (β) (= *απλοχεριά*) generosity

▷**σε αφθονία** in abundance

▷**υπάρχει αφθονία φαγητών και ποτών** there's plenty of food and drink, there's plenty to eat and drink

▶**κοινωνία της αφθονίας** affluent society

άφθονος ΕΠΙΘ (*αγαθά, δώρα, τροφή*)

abundant · (δακρυά) copious · (αγάπη, φροντίδα) ample

αφθονώ P M AM to abound, to be abundant

αφθώδης ΕΠΙΘ: **αφθώδης πυρετός** foot and mouth disease

αφιέρωμα ΟΥΣ ΟΥΔ (α) (= ανάθημα: σε θεό, σε άγιο) offering, tribute (β) (για βιβλίο, εφημερίδα) special edition · (για εκπομπές) special feature · (για καλλιτεχνική εκδήλωση) festival

αφιερώνω P M (α) (= προσφέρω: εικόνα) to offer · (ναό) to consecrate (β) (= διαθέτω για κάποιο σκοπό: χρόνο, χώρο) to devote (γ) (= αφιερώνω τιμητικά, κάνω ειδικό αφιέρωμα: τεύχος, βιβλίο, τραγούδι) to dedicate (δ) (ζωή) to dedicate, to devote
▸ **αφιερώνομαι** ΜΕΣΟΠΑΘ: **αφιερώνομαι σε κτ** to devote oneself to sth
▹ **αφιερωμένος σε** (για τραγούδι, βιβλίο) dedicated to

αφιέρωση ΟΥΣ ΘΗΛ (α) (= αφοσίωση σε κάποιο σκοπό) dedication (β) (σε βιβλίο) dedication · (για τραγούδι) request (γ) (= τιμητική προσφορά: σε ναό, σε εικόνα) offering

αφίλητος ΕΠΙΘ unkissed

αφιλοκερδής ΕΠΙΘ disinterested, unselfish

αφιλόξενος ΕΠΙΘ (α) (άνθρωπος, χώρα, λαός) inhospitable (β) (γη, ακτή) hostile

αφιλότιμος ΕΠΙΘ (= που δεν έχει φιλότιμο) shameless

αφιλοχρήματος ΕΠΙΘ not interested in money · (βοήθεια) disinterested

άφιξη ΟΥΣ ΘΗΛ (α) (καραβιού, αεροπλάνου, επιβατών, επισήμων προσώπων) arrival (β) (προϊόντων) import
▸ **αφίξεις** ΠΛΗΘ (πίνακας) arrivals board εν. · (χώρος) arrivals hall εν.

αφιόνι ΟΥΣ ΟΥΔ (ανεπ.) opium

αφιονισμένος ΕΠΙΘ (μτφ.) brainwashed

αφίσα ΟΥΣ ΘΗΛ, **αφίσσα** poster

αφισοκόλληση ΟΥΣ ΘΗΛ billposting

αφισοκολλητής ΟΥΣ ΑΡΣ billposter

αφιχθείς ΕΠΙΘ (επίσ.) newly arrived

άφλεκτος ΕΠΙΘ incombustible, fireproof

αφοβία ΟΥΣ ΘΗΛ fearlessness

άφοβος ΕΠΙΘ fearless

αφόδευση ΟΥΣ ΘΗΛ (επίσ.) defecation

αφοδράριστος ΕΠΙΘ unlined

αφομοιώνω P M (α) (= ενσωματώνω, συγχωνεύω σε σύνολο) to assimilate · (= κάνω κτήμα μου: γνώσεις, ιδέες, κανόνες) to assimilate (β) (οργανισμός: τροφές) to digest, to assimilate

αφομοίωση ΟΥΣ ΘΗΛ (α) (μεταναστών, πληθυσμού, ιδεών, στοιχείων, γνώσης) assimilation (β) (τροφής) digestion, assimilation (γ) (για φυτά) photosynthesis (δ) (συμφώνων) assimilation

αφομοιωτικός ΕΠΙΘ assimilative
▹ **αφομοιωτική δύναμη/ικανότητα** power/

ability to assimilate information

αφοπλίζω P M (κυριολ., μτφ.) to disarm

αφοπλισμός ΟΥΣ ΑΡΣ disarmament

αφοπλιστικός ΕΠΙΘ (χαμόγελο, δήλωση) disarming

αφόρετος ΕΠΙΘ (ρούχο) unworn

αφόρητος ΕΠΙΘ unbearable, intolerable

αφορίζω P M (α) (ΘΡΗΣΚ) to excommunicate (β) (μτφ.) to curse

αφορισμένος ΕΠΙΘ, **αφορεσμένος** (γενιά) excommunicated · (βιβλίο) proscribed

αφορισμός ΟΥΣ ΑΡΣ (α) (ΘΡΗΣΚ) excommunication (β) (μτφ.: θεωρίας, άποψης) categorical statement (γ) (= γνωμικό) aphorism

αφορμή ΟΥΣ ΘΗΛ (α) (= αιτία, λόγος) reason (β) (= πρόφαση) pretext, excuse (γ) (= ευκαιρία) opportunity
▹ **παίρνω αφορμή από κτ** to use sth as an opportunity
▹ **γίνομαι αφορμή**+γεν.
▹ **δίνω αφορμή για κτ** to give rise to sth, to occasion sth
▹ **δίνω αφορμή σε κπν για παράπονο** to give sb cause for complaint

αφορολόγητο ΟΥΣ ΟΥΔ tax relief

αφορολόγητος ΕΠΙΘ (ποσό, εισόδημα) tax-free, nontaxable · (προϊόντα) duty-free

αφόρτιστος ΕΠΙΘ not charged

αφορώ ⓵ P M to concern
⓶ P AM: **αφορώ σε κπν/κτ** to concern sb/sth
▹ **σε ό, τι αφορά** regarding
▹ **όσον αφορά σε κπν/κτ** regarding sb/sth
▹ **όσο με αφορά** as for me, as far as I'm concerned

αφοσιωμένος ΕΠΙΘ (α) (= πιστός: φίλος, σύζυγος) devoted (β) (= ένθερμος: υπηρέτης) faithful · (οπαδός) staunch, loyal
▹ **αφοσιωμένος στις σκέψεις μου** lost in thought
▹ **είμαι αφοσιωμένος σε κτ** to be committed to sth

αφοσιώνομαι P M: **αφοσιώνομαι σε κπν/κτ** to devote oneself to sb/sth

αφοσίωση ΟΥΣ ΘΗΛ (α) (= σε ιδέα, πίστη) dedication, commitment (β) (= αγάπη, λατρεία) devotion

αφουγκράζομαι P M (α) (= ακούω με προσοχή: ήχο, τραγούδι) to listen carefully to (β) (= βάζω αυτί) to eavesdrop on

άφραγκος ΕΠΙΘ (προφορ.) broke (ανεπ.), penniless

αφράτος ΕΠΙΘ (α) (= λευκός και απαλός: πρόσωπο, δέρμα, χέρι) soft and white (β) (= φουσκωτός, απαλός: ψωμί, γλυκό) fluffy (γ) (= λευκός και παχουλός: γυναίκα, στήθος) plump (δ) (καρπός) soft (ε) (= μαλακός: χιόνι, ρούχο) soft

αφρίζω P M (α) (ποταμός, θάλασσα, κρασί, μπύρα) to foam, to froth (β) (= βγάζω αφρούς από το στόμα: άνθρωπος, ζώο) to

foam at the mouth (γ) (μτφ.: = οργίζομαι από θυμό, λύσσα κλπ) to foam at the mouth

Αφρικάνα ΟΥΣ ΘΗΛ (προφορ.) βλ. **Αφρικανός**

Αφρικανή ΟΥΣ ΘΗΛ βλ. **Αφρικανός**

αφρικανικός, -ή, -ό ΕΠΙΘ African

> Προσοχή!: Τα εθνικά επίθετα, όπως African, γράφονται με κεφαλαίο το αρχικό γράμμα στα Αγγλικά.

αφρικάνικος, -η, -ο ΕΠΙΘ = **αφρικανικός**

Αφρικανός ΟΥΣ ΑΡΣ African

Αφρικάνος ΟΥΣ ΑΡΣ (προφορ.) = **Αφρικανός**

Αφρική ΟΥΣ ΘΗΛ Africa

αφρόγαλα ΟΥΣ ΟΥΔ cream

αφροδισιακός ΕΠΙΘ (α) (νόσος) venereal (β) (τροφές, ποτό, βότανο) aphrodisiac
▸ **αφροδισιακό** ΟΥΣ ΟΥΔ aphrodisiac

αφροδισιολόγος ΟΥΣ ΑΡΣ venereologist

αφροδίσιος ΕΠΙΘ (ορμή, έλξη, ηδονές) sexual
▸ **αφροδίσιο νόσημα** venereal disease, VD
▸ **αφροδίσια** ΠΛΗΘ venereal diseases

αφρόκρεμα ΟΥΣ ΘΗΛ (κυριολ., μτφ.) cream

αφρολέξ ΟΥΣ ΟΥΔ ΑΚΛ foam (rubber)

αφρόλουτρο ΟΥΣ ΟΥΔ bubble bath

αφρόντιστος ΕΠΙΘ (εμφάνιση) unkempt · (ντύσιμο) sloppy · (ζώα, σπίτι) neglected

αφρός ΟΥΣ ΑΡΣ (α) (θάλασσας, νερού, υγρών) foam, froth (β) (μπύρας) head (γ) (για σαπούνι) lather (δ) (= η επιφάνεια της θάλασσας) surface of the sea (ε) (= το καλύτερο ποιοτικά πράγμα) pick of the bunch
▸ **βγάζω αφρούς** (κυριολ., μτφ.) to foam at the mouth
▸ **αφρός ξυρίσματος** shaving foam

αφροσύνη ΟΥΣ ΘΗΛ folly, stupidity

αφρούρητος ΕΠΙΘ unguarded

αφρόψαρο ΟΥΣ ΟΥΔ surface fish

αφρώδης ΕΠΙΘ (α) (υλικό) foamy (β) (κρασί) sparkling · (ποτό) fizzy
▸ **αφρώδης οίνος** sparkling wine

άφρων ΕΠΙΘ foolish

άφταστος, άφθαστος (α) (κορυφή, στόχοι) unattainable (β) (μτφ.: για πρόσ.) second to none · (χάρη, ομορφιά) unequalled (Βρετ.), unequaled (Αμερ.) · (ποιότητα) outstanding
▸ **είμαι άφταστος στα μαθηματικά** to be second to none at maths
▸ **είμαι άφταστος στην καλοσύνη** to be the kindest of people
▸ **είμαι άφταστος στο κολύμπι** to be an exceptionally good swimmer
▸ **είμαι άφταστος στα ψέματα** to be a terrible liar

αφτί ΟΥΣ ΟΥΔ ear
▸ **ανοίγω τ' αφτιά μου** to listen carefully, to keep one's ears open
▸ **από αφτί σε αφτί** by word of mouth
▸ **από το ένα αφτί μπαίνει κι από το άλλο βγαίνει** it goes in one ear and out the other

▸ **από το στόμα σου και στου Θεού τ' αφτί!** may your wish come true!
▸ **αρπάζω κπν από τ' αφτί** to box sb's ears
▸ **γελούν και τ' αφτιά μου** to smile from ear to ear
▸ **δεν πιστεύω στ' αφτιά μου** I can't believe my ears
▸ **είμαι όλος αφτιά** to be all ears
▸ **είμαι περήφανος στ' αφτιά** to be hard of hearing
▸ **είμαι χρεωμένος ως τ' αφτιά** to be indebted up to one's ears
▸ **έχει γερό ή καλό αφτί** to have good hearing, to have a good ear
▸ **έχω μουσικό αφτί** to have an ear for music
▸ **θα σου βγάλω τ' αφτιά!** I'll box your ears!
▸ **κλείνω τ' αφτιά μου σε κτ** to shut ή close one's ears to sth
▸ **πιάνει κτ τ' αφτί μου** to overhear sth
▸ **το πήρε τ' αφτί μου** it came to ή reached my ears
▸ **φθάνει κτ στ' αυτιά μου** sth comes to ή reaches my ears
▸ **λέω κτ στ' αφτί κποιου** to whisper sth in sb's ear · (μτφ.) to have a word in sb's ear
▸ **μου μπαίνουν ψύλλοι στ' αφτιά** to become suspicious
▸ **του το σφύριξε στ' αφτί** he tipped him off
▸ **οι τοίχοι έχουν αφτιά** walls have ears
▸ **τεντώνω τ' αφτιά μου** to strain one's ears
▸ **τρώω ή ζαλίζω τ' αφτιά κποιου** to bend sb's ear
▸ **τρώω τ' αφτιά κποιου να κάνει κτ** to go on at sb to do sth, to pester sb to do sth
▸ **στήνω ή βάζω αφτί** to eavesdrop

άφτιαχτος ΕΠΙΘ (α) (= ακαταστεύαστος) unbuilt, not built (β) (= ατακτοποίητος: δωμάτιο, σπίτι) untidy (γ) (φαγητό, ποτό) not made (δ) (εργασία) not done · (σχέδιο) not made (ε) (= απεριποίητος: για πρόσ.) unkempt

άφτρα = **άφθα**

αφυδατώνω Ρ Μ (δέρμα, οργανισμό) to dehydrate

αφυδάτωση ΟΥΣ ΘΗΛ dehydration

αφύλακτος ΕΠΙΘ, **αφύλαχτος** (στρατόπεδο, πόλη, εργοστάσιο) unguarded, unprotected
▸ **αφύλακτη διάβαση** unguarded passage

αφυλαξία ΟΥΣ ΘΗΛ, **αναφυλαξία** allergy

αφύλαχτος = **αφύλακτος**

αφυπνίζω Ρ Μ (α) (= ξυπνώ) to wake up (β) (μτφ.: = αναζωογονώ: ενδιαφέρον) to arouse, to awaken
▸ **αφυπνίζομαι** ΜΕΣΟΠΑΘ (μτφ.) to wake up

αφύπνιση ΟΥΣ ΘΗΛ (κυριολ., μτφ.) awakening

αφύσικος ΕΠΙΘ (μέγεθος, συμπεριφορά) unnatural · (στίχος, ερμηνεία) stilted · (κινήσεις) wooden

άφωνος ΕΠΙΘ (α) (= άλαλος) mute (β) (από έκπληξη) speechless (γ) (σύμφωνα) unvoiced, voiceless
▸ **αφήνω κπν άφωνο** to leave sb speechless
▸ **μένω άφωνος** to be left speechless

αφώτιστος ΕΠΙΘ (α) (*δωμάτιο, διάδρομος, σπίτι*) dark, not lit (β) (*μτφ.*): = *ακαλλιέργητος, απαίδευτος*) unenlightened (γ) (= *αβάπτιστος*) not christened, not baptized

αχαϊκός ΕΠΙΘ Achaean, Achaian

Αχαιός ΟΥΣ ΑΡΣ (α) (= *ο κάτοικος της Αχαΐας*) Achaean (β) (= *Έλληνας*) Achaean

αχαΐρευτος ΕΠΙΘ (*υβρ.*): **είμαι αχαΐρευτος** to be a good-for-nothing

αχαλιναγώγητος ΕΠΙΘ (α) (= *αχαλίνωτος*: *φαντασία, πάθη*) unbridled (β) (= *ακαθοδήγητος*: *νεολαία, πλήθος*) unruly

αχαλίνωτος ΕΠΙΘ (α) (*άλογο*) unbridled (β) (*μτφ.*: *πάθη, ερωτισμός, φαντασία*) unbridled (γ) (*αρνητ.*: *γλώσσα*) loose (δ) (= *ο χωρίς ηθικούς περιορισμούς*) wild

αχαμνά ΟΥΣ ΟΥΔ ΠΛΗΘ private parts, testicles

αχαμνός ΕΠΙΘ skinny

αχανής ΕΠΙΘ vast

αχάραγα ΕΠΙΡΡ (*λογοτ.*) before dawn *ή* daybreak

αχάραγος ΕΠΙΘ (= *αχάραχτος*) uncarved ▷**μέσα στην αχάραγη νύχτα** (*λογοτ.*) in the early hours

αχαρακτήριστος ΕΠΙΘ (α) (*άνθρωπος, πράξεις, συμπεριφορά, τρόποι*) outrageous (β) (= *αυτός που δεν μπορεί να αναγνωριστεί*) unidentified

αχαριστία ΟΥΣ ΘΗΛ ingratitude ▷**δείχνω αχαριστία** to show ingratitude

αχάριστος ΕΠΙΘ ungrateful ▷**φαίνομαι αχάριστος (απέναντι σε κπν)** to appear ungrateful (to sb)

άχαρος ΕΠΙΘ (α) (*κοπέλα*) plain · (*ηλικία*) awkward · (*ρούχο*) drab (β) (*ζωή*) joyless · (*δουλειά*) tedious

αχάτης ΟΥΣ ΑΡΣ agate

αχειραγώγητος ΕΠΙΘ (*επίσ.*: = *ακαθοδήγητος*: *πλήθος, συνείδηση, ιδεολογία*) unguided

Αχελώος ΟΥΣ ΑΡΣ Achelous

αχθοφόρος ΕΠΙΘ porter

αχιβάδα ΟΥΣ ΘΗΛ, **αχηβάδα** clam

αχίλλειος ΕΠΙΘ: **αχίλλειος πτέρνα** Achilles heel

αχινός ΟΥΣ ΑΡΣ sea urchin

αχλάδα ΟΥΣ ΘΗΛ big pear ▷**πίσω έχει η αχλάδα την ουρά** (*προφορ.*) to get one's comeuppance (*ανεπ.*)

αχλάδι ΟΥΣ ΟΥΔ pear

αχλαδιά ΟΥΣ ΘΗΛ pear tree

αχλύς ΟΥΣ ΘΗΛ, **αχλή** (α) (*λογοτ.*) mist (β) (*μτφ.*) gloom

άχνα ΟΥΣ ΘΗΛ ΑΚΛ (α) (= *υδρατμός*) steam (β) (= *αναπνοή*) breath ▷**δε βγάζω άχνα, δε βγαίνει άχνα από το στόμα μου** not to breathe a word ▷(**να μην ακούσω άχνα!** don't say a word!)

αχνάρι ΟΥΣ ΟΥΔ, **χνάρι** (α) (*λογοτ.*: = *αποτύπωμα*: *ανθρώπου*) footprint · (*ζώου*) track (β) (*μτφ.*: = *ίχνος, σημάδι*) trace ▷**ακολουθώ τα χνάρια κποιου** to follow in sb's footsteps ▷**βρίσκομαι *ή* είμαι στ' αχνάρια κποιου** to be on sb's trail

άχνη ΟΥΣ ΘΗΛ: **ζάχαρη άχνη** caster sugar (*Βρετ.*), superfine sugar (*Αμερ.*)

αχνίζω ☐ P ΑΜ (α) (*φαγητό, νερό, κατσαρόλα*) to steam (β) (*μτφ.*: = *θυμώνω πολύ*) to fume ② P Μ to steam

αχνιστός ΕΠΙΘ (α) (*σούπα, ρόφημα*) steaming *ή* piping hot (β) (*χορταρικά, κρέας, μύδια*) steamed

αχνογελώ P ΑΜ to smile faintly

αχνός[1] ΕΠΙΘ (α) (= *αμυδρός*: *φως, χαμόγελο, χρώμα, γραμμή*) faint · (*εντύπωση*) vague (β) (= *ωχρός*) pale

αχνός[2] ΟΥΣ ΑΡΣ (α) (= *ατμός*) steam (β) (= *αναπνοή*) breath

αχνοφέγγω P ΑΜ (*λογοτ.*: *φεγγάρι, κερί*) to give off a faint light

αχολογώ P ΑΜ to ring

αχόρταγα ΕΠΙΡΡ (α) (*τρώω, πίνω*) greedily, voraciously (β) (*κοιτάζω*) hungrily · (*ακούω*) avidly · (*διαβάζω*) voraciously

αχόρταγος ΕΠΙΘ, **αχόρταστος** (α) (= *αδηφάγος*) greedy, insatiable (β) (*μτφ.*: = *ακόρεστος*) insatiable (γ) (= *άπληστος*) greedy, avaricious

αχορτασιά ΟΥΣ ΘΗΛ (*λογοτ.*) greed, avarice

αχός ΟΥΣ ΑΡΣ sound

αχούρι ΟΥΣ ΟΥΔ (α) (= *αχυρώνας*) stall · (*για άλογο*) stable (β) (= *ακατάστατος χώρος*) dump, pigsty (*Βρετ.*)

άχραντος ΕΠΙΘ (*επίσ.*: *τελειότητα, αγάπη*) pure ▷**τα άχραντα μυστήρια** the Sacraments, the Holy Communion

αχρείαστος ΕΠΙΘ unnecessary, unneeded ▷**αχρείαστος να 'ναι** may we never need it

αχρείος ΕΠΙΘ (*υβρ.*) vile, foul

αχρειότητα ΟΥΣ ΘΗΛ infamy

αχρησία ΟΥΣ ΘΗΛ disuse ▷**σε αχρησία** in disuse

αχρησιμοποίητος ΕΠΙΘ (*εργαλείο, δωμάτιο, μολύβι, ξυραφάκι*) unused

αχρήστευση ΟΥΣ ΘΗΛ (α) (*νομίσματος*) withdrawal · (*μηχανήματος*) disabling (β) (*μτφ.*: *γνώσεων*) waste

αχρηστεύω P Μ (α) (= *καταστρέφω*) to make useless, to put out of use · (*τοίχο*) to take down (β) (*μτφ.*: *νιάτα*) to waste (γ) (= *θέτω σε αχρησία*: *συσκευές, ηλεκτρονικά συστήματα*) to make obsolete ▸**αχρηστεύομαι** ΜΕΣΟΠΑΘ to become useless

αχρηστία ΟΥΣ ΘΗΛ (α) (= *μη χρησιμότητα*) obsolescence (β) (= *αχρησία*) disuse ▷**είμαι *ή* βρίσκομαι/πέφτω σε αχρηστία** to be in/to fall into disuse

άχρηστος ΕΠΙΘ (α) (= *περιττός*) useless,

worthless (β) **useless** (γ) (υβρ.: για πρόσ.) **useless, hopeless** (δ) (μτφ.) **useless, worthless**

αχρονολόγητος ΕΠΙΘ **undated**

άχρονος ΕΠΙΘ (α) (= αυτός που δεν έχει χρονικά όρια) **timeless** (β) (μελωδία, κομμάτι) **not in time**

αχρωμάτιστος ΕΠΙΘ (α) (σχέδιο, ζωγραφιά, εικόνα) **uncoloured** (Βρετ.), **uncolored** (Αμερ.) (β) (μτφ.) **neutral**

αχρωματοψία ΟΥΣ ΘΗΛ **colour–blindness** (Βρετ.), **color–blindness** (Αμερ.)

άχρωμος ΕΠΙΘ (α) (= χωρίς χρώμα) **colourless** (Βρετ.), **colorless** (Αμερ.) (β) (μτφ.: = μονότονος, επίπεδος: φωνή) **flat** · (λόγια, συμπεριφορά) **lifeless** · (ζωή) **dull** · (μτφ.: = ωχρός: χέρια, πρόσωπο, χείλη) **pale**

αχτένιστος ΕΠΙΘ (α) (για πρόσ.) **with one's hair uncombed** (β) (μαλλιά, τρίχωμα, κεφάλι) **uncombed, unkempt** (γ) (= που δε χτενίστηκε σε κομμωτήριο: για γυναίκα) **who hasn't had their hair styled**

άχτι ΟΥΣ ΟΥΔ ΑΚΛ (= πόθος για εκδίκηση) **grudge**
▷**έχω κπν άχτι** to hold a grudge against sb
▷**βγάζω το άχτι μου** to let off steam
▷**(το) έχω άχτι να κάνω κτ** to long to do sth

αχτίδα ΟΥΣ ΘΗΛ, **ακτίδα** (κυριολ., μτφ.) **ray**

αχτίνα = **ακτίνα**

αχτύπητος ΕΠΙΘ (α) (= ατρακάριστος, γερός: αυτοκίνητο) **undamaged** (β) (αυγό, κρέμα) **unbeaten** · (καφές) **not stirred** (γ) (αργκ.: = ακαμάκωτος) **not picked up** (ανεπ.) (δ) (προφορ.: = σπουδαίος, πολύ καλός: ομάδα, παίκτης) **ace** (ανεπ.)
▷**είμαι αχτύπητος σε κτ** (προφορ.) to be an ace at sth

αχυράνθρωπος ΟΥΣ ΑΡΣ (α) (= αχυρένιο ομοίωμα ανθρώπου) **scarecrow** (β) (μτφ.) **front man, man of straw** (κυρ. Αμερ.)

αχυρένιος ΕΠΙΘ (καπέλο, στρώμα, καλύβα, στέγη) **straw** · (μαλλιά) **flaxen**

άχυρο ΟΥΣ ΟΥΔ **straw**
▷**δεν τρώω άχυρο** I wasn't born yesterday
▷**γυρεύω ψύλλους στ' άχυρα** to be looking for a needle in a haystack

αχυρόστρωμα ΟΥΣ ΟΥΔ (παλιότερα) **straw mattress, palliasse**

αχυρώνας ΟΥΣ ΑΡΣ, **αχερώνας** **barn**

αχώνευτος ΕΠΙΘ (α) (τροφή, φαγητό) **undigested, indigestible** (β) (μτφ.: = απεχθής: άνθρωπος) **unlikeable** (γ) (= που δεν έχει ενσωματωθεί: ιδέες, τεχνική, υλικά) **unused**

αχώριστος ΕΠΙΘ **inseparable**
▸**αχώριστα μόρια** inseparable particles

αψαλίδιστος ΕΠΙΘ (α) (ύφασμα) **uncut** · (μαλλιά) **untrimmed** (β) (μτφ.: κείμενο, άρθρο, βιβλίο) **uncut, uncensored**

άψαλτος ΕΠΙΘ (α) (= χωρίς επικήδεια δέηση, χωρίς ψαλμούς) **without last rites** (β) (= χωρίς επίπληξη) **unscathed**

άψε : **άψε σβήσε** in next to no time, in a

flash

αψεγάδιαστος ΕΠΙΘ (α) (= τέλειος, χωρίς ψεγάδι: σώμα, δέρμα) **unblemished, flawless** · (ύφασμα) **flawless** (β) (μτφ.: συμπεριφορά, χαρακτήρας) **irreproachable** · (ζωή) **blameless**

αψέκαστος ΕΠΙΘ **not sprayed**

αψέντι ΟΥΣ ΟΥΔ **absinth(e)**

αψηλός ΕΠΙΘ (λογοτ.) **tall**

άψητος ΕΠΙΘ (α) (κρέας) **underdone** (β) (ψωμί) **underbaked** (γ) (πηλός, αγγείο) **not baked** (δ) (κρασί, ξύδι) **immature** (ε) (για πρόσ.) **inexperienced, not hardened**

αψήφιστα ΕΠΙΡΡ **recklessly, thoughtlessly**
▷**παίρνω κπν/κτ αψήφιστα** to take sb/sth lightly

αψήφιστος ΕΠΙΘ (α) (νόμος) **not passed** (β) (= αυτός που δεν έχει ψηφιστεί) **not voted for** (γ) (= ριψοκίνδυνος: απόφαση, ενέργεια) **reckless**

αψηφώ Ρ Μ (νόμους, κινδύνους) to flout · (θάνατο) to risk · (συμβουλή) to brush aside

αψίδα ΟΥΣ ΘΗΛ (= τόξο, καμάρα) arch
▷**Αψίδα του Θριάμβου** triumphal arch, Arc de Triomphe

αψιδωτός ΕΠΙΘ **arched**
▸**αψιδωτή πύλη** archway

αψιθυμία ΟΥΣ ΘΗΛ **irritability**

αψίθυμος ΕΠΙΘ **irritable**

αψιλία ΟΥΣ ΘΗΛ, **αψιλιά** : **έχω αψιλίες** ή **αψιλιές** (αργκ.) to be broke (ανεπ.)

άψιλος ΕΠΙΘ : **είμαι** ή **μένω άψιλος** (αργκ.) broke (ανεπ.)

αψιμαχία ΟΥΣ ΘΗΛ (α) (= ελαφρά πολεμική σύγκρουση) **skirmish** (β) (επίσ.: = έντονη φιλονικία) **wrangle, dispute**

αψιμαχώ Ρ ΑΜ (α) (στρατός, αστυνομία) to **skirmish** (β) (μτφ.: = λογοφέρω έντονα) to **wrangle**

άψογος ΕΠΙΘ (α) (εμφάνιση, παρουσιαστικό, ρούχα) **impeccable, immaculate** · (πρόσωπο) **perfect** (β) (συμπεριφορά, τρόποι) **irreproachable** (γ) (μαθητής, φοιτητής) **perfect** · (ελληνικά) **impeccable, perfect**

αψύς ΕΠΙΘ (α) (για πρόσ.) **irascible** (β) (ξύδι, κρασί) **sharp**

αψυχολόγητος ΕΠΙΘ (α) (κίνηση, ενέργεια) **ill–considered** (β) (συμπεριφορά, αντίδραση) **unpredictable**

άψυχος ΕΠΙΘ (α) (κόσμος, ον, πράγματα) **inanimate** (β) (σώμα, πτώμα, κουφάρι) **lifeless** (γ) (μτφ.: παγωμένος: φωνή, ομορφιά, μάτια) **cold** (δ) (μτφ.: παίξιμο ηθοποιού) **lifeless, wooden** · (σουτ, κίνηση) **feeble** · (παρέλαση) **dull**
▷**είμαι άψυχη κούκλα** to be a cold fish, to be unfeeling

άωρος ΕΠΙΘ (α) (επίσ.: = πρώιμος) **early** (β) (μτφ.: = άκαιρος: ενέργεια, κίνηση) **ill–timed**

άωτον ΟΥΣ ΟΥΔ : **το άκρον άωτον**+γεν. the height of

Β β

Β, β beta, *second letter of the Greek alphabet*
▷**β΄** 2
▷,**β** 2,000

Β. ΣΥΝΤΟΜ Ν

ΒΑ. ΣΥΝΤΟΜ ΝΕ

Βαβαρία ΟΥΣ ΘΗΛ Bavaria

βαβαρικός, -ή, -ό ΕΠΙΘ Bavarian

> *Προσοχή!: Τα εθνικά επίθετα, όπως* **Bavarian**, *γράφονται με κεφαλαίο το αρχικό γράμμα στα Αγγλικά.*

Βαβέλ ΟΥΣ ΘΗΛ ΑΚΛ: **πύργος της Βαβέλ** Tower of Babel

βαβούρα ΟΥΣ ΘΗΛ din, hubbub

Βαβυλώνα ΟΥΣ ΘΗΛ Babylon

Βαβυλωνία ΟΥΣ ΘΗΛ (α) (ΑΡΧ ΙΣΤ) Babylonia (β) (= *σύγχυση*) Babel

βαγαμπόντης ΟΥΣ ΑΡΣ = **μπαγαπόντης**

Βαγγελίστρα ΟΥΣ ΘΗΛ Virgin Mary

Βαγδάτη ΟΥΣ ΘΗΛ Baghdad, Bagdad

βάγιο ΟΥΣ ΟΥΔ (α) (ΒΟΤ) palm leaf *ή* branch (β) (ΜΑΓΕΙΡ) bay leaf
▷(**υποδέχομαι** κπν) **μετά βαΐων και κλάδων** (to receive sb) with great pomp and ceremony
►**Κυριακή των Βαΐων** Palm Sunday

βαγονέτο ΟΥΣ ΟΥΔ small open truck

βαγόνι ΟΥΣ ΟΥΔ (*επιβατών*) carriage (*Βρετ.*), car (*Αμερ.*)· (*εμπορευμάτων*) goods wagon (*Βρετ.*), freight car (*Αμερ.*)
►**βαγόνι καπνιστών** smoking compartment (*Βρετ.*), smoking car (*Αμερ.*)
►**βαγόνι προϊσταμένου** *ή* **υπεύθυνου αμαξοστοιχίας** guard's van

βάδην ΕΠΙΡΡ at a walking pace
►**βάδην** ΟΥΣ ΟΥΔ ΑΚΛ (= *αγώνας*) walking race· (= *δραστηριότητα*) race walking

βαδίζω Ρ ΑΜ (α) (= *περπατώ*) to walk (β) (= *κατευθύνομαι*) to move
▷**βαδίζω προς την καταστροφή/ύφεση** to be heading for disaster/into recession

βάδισμα ΟΥΣ ΟΥΔ walk

βαζελίνη ΟΥΣ ΘΗΛ Vaseline ®, petroleum jelly

βάζο ΟΥΣ ΟΥΔ (*για λουλούδια*) vase· (*για τρόφιμα*) jar

ΛΕΞΗ-ΚΛΕΙΔΙ

βάζω 1 Ρ Μ (α) : **βάζω κτ σε κτ** (*μέσα σε*) to put sth in sth· (*πάνω σε*) to put sth (down)

on sth □ **έβαλε το νερό στο ψυγείο** he put the water in the fridge· **βάλε τα ποτήρια στο τραπέζι** put the glasses on the table· **βάλε το βιβλίο στο τραπέζι** put the book (down) on the table· **βάζω έναν δίσκο στο πικάπ** to put on *ή* to play a record· **βάζω έναν δίσκο στο σιντί** to put a CD in the CD player· **βάλε το παλτό σου στην κρεμάστρα** hang your coat up
▷**βάζω κατά μέρος** *ή* **στην άκρη** (*διαφορές*) to set aside
▷**βάζω κπν για ύπνο** to put sb to bed
▷**βάζω κτ πάνω από κτ άλλο** to put sth above sth else □ **βάζει το χρήμα πάνω απ' την αγάπη** he puts money above love· **βάζει το συμφέρον της πάνω απ' όλα** she puts her personal interest above anything else
▷**τα βάζω κάτω** to look at the facts □ **βάλ' τα κάτω και θα δεις ότι έχω δίκιο** look at the facts and you'll see that I'm right
▷**το βάζω κάτω** (= *υποκύπτω*) to give in
(β) (*για φαγητά και ποτά*: = *προσθέτω*) to put □ **βάλε λάδι/αλάτι στη σαλάτα** put some olive oil on/salt in the salad· **έβαλες τυρί στα μακαρόνια;** have you put any cheese in the spaghetti?· **να σας βάλω ένα ποτό;** do you want me to fix you a drink?· **έβαλε λίγο ουίσκι στο ποτήρι της** she put some whisky in her glass, she poured some whisky into her glass
(γ) (= *φορώ*: *φόρεμα, μέικ-απ, άρωμα*) to wear, to put on □ **ποια φούστα θα βάλεις;** which skirt are you going to wear?· **έχεις βάλει άρωμα;** are you wearing perfume?· **έβαλε το σακάκι του κι έφυγε** he put his jacket on and left· **ξέχασα να βάλω μέικ-απ** I forgot to put my make–up on
(δ) : **βάζω κπν να κάνει κτ** (= *παρακινώ*) to put sb up to sth· (= *αναθέτω*) to get sb to do sth □ **ποιος σ' έβαλε να κάνεις κάτι τέτοιο;** who put you up to something like that?· **τους βάζει να τσακώνονται** he gets them arguing· **έβαλε ντετέκτιβ να τον παρακολουθεί** he got a private eye to tail him
(ε) (= *ορίζω*: *κανόνες, προθεσμία*) to set· (*όρο*) to lay down, to impose □ **πριν ξεκινήσουμε το παιχνίδι, θα βάλουμε κανόνες** before we start the game, we'll set the rules
(στ) (*για ηλεκτρική συσκευή*: = *ανάβω*) to turn on □ **βάλε την τηλεόραση** turn on the

B

TV· **ας βάλουμε το σιντί ν' ακούσουμε μουσική** let's turn on the CD player and listen to some music

(ζ) (= επενδύω: κεφάλαιο, χρήματα) to put, to sink □ **έβαλε όλα της τα χρήματα στο μαγαζί της** she put ή sank all her money into her shop

(η) (= επιβάλλω: φόρους) to impose ▷**βάζω πρόστιμο/τιμωρία σε κπν** to impose a fine/a penalty on sb, to fine/punish sb

(θ) (= διορίζω) to make, to appoint □ **την έβαλε γενική διευθύντρια** he made ή appointed her general manager

(ι) (για δουλειά: = κάνω) to do ▷**θα βάλω πλυντήριο/σίδερο αύριο** I'll do the washing/ironing tomorrow

(ια) (= επιτυγχάνω: γκολ, καλάθι, πόντους) to score

(ιβ) (για παίκτη: = χρησιμοποιώ) to use □ **δεν τον έβαλε στο τελευταίο παιχνίδι** he didn't use him in the last game

(ιγ) (= βαθμολογώ) to give □ **μου έβαλε οκτώ για την εργασία** she gave me an eight for the essay· **πόσο σου έβαλε στην ιστορία;** what mark (Βρετ.) ή grade did he give you in history?

(ιδ) (σε εξετάσεις: θέματα, διαγώνισμα, τεστ) to set □ **τι θέματα έβαλαν στη φυσική;** what questions did they set in physics? ▷**βάζω θέμα ή ζήτημα** to set a topic ή question

(ιε) (= εγκαθιστώ: ρεύμα, τηλέφωνο, γραμμή) to install, to have put in

(ιστ) (για παραγγελίες: = φέρνω) to bring □ **βάλε μια μερίδα κοτόπουλο!** bring us a portion of chicken!

(ιζ) (= συνεισφέρω: χρήματα) to give □ **δεν έβαλε καθόλου χρήματα για το δώρο της** he didn't give any money towards her present

(ιη) (για αυτοκίνητα: = επιλέγω: ταχύτητα) to select □ **βάζω πρώτη/δευτέρα** to go into first/second

(ιθ) (για την ώρα: = ρυθμίζω) to set □ **βάλε το ρολόι δύο ώρες μπροστά** set the clock two hours forward

(κ) : **βάζω για** (βουλευτής, δήμαρχος) to run for ▷**βάζω κπν πόστα** to tell sb off ▷**το βάζω για κάπου** to be going somewhere □ **για πού το 'βαλες;** where are you off to?, where are you going to? ▷**τα βάζω με/μαζί με κπν** (= θεωρώ υπεύθυνο) to blame sb for sth · (από νεύρα) to take it out on sb · (= αντιμετωπίζω) to take sb on □ **τα έβαλε με τον ταμία για το λάθος** he blamed the cashier for the mistake **τελευταία, τα βάζει με όλους** just lately he's been taking it out on everybody · **μπορείς να τα βάλεις μαζί του;** can you take him on? · **μην τα βάζεις μαζί της!** don't mess with her!

2 ΜΕΣΟΠΑΘ: **βάλθηκα ή έχω βαλθεί να κάνω κτ** to be set on doing sth □ **βάλθηκε να γίνει γιατρός** he's set on ή he's set his heart on becoming a doctor · **έχει βαλθεί να την**

πείσει να μείνει he's determined to persuade her to stay

βαθαίνω ① Ρ ΑΜ (α) (θάλασσα, λίμνη, ποτάμι) to get deeper · (μάγουλα) to grow hollow · (φωνή) to get deeper, to deepen (β) (χάσμα γενεών, κρίση, ρήγμα) to widen
② Ρ Μ (πηγάδι, χαντάκι) to make deeper, to deepen ▷**βαθαίνω το συλλογισμό μου ή τη σκέψη μου** to broaden one's mind

βαθιά ΕΠΙΡΡ (α) (κρύβω, σκάβω) deep · (προχωρώ) deep down (β) (αναπνέω, αναστενάζω) deeply (γ) (κοιτώ) deep · (χαράζομαι, αποτυπώνομαι) deeply · (εξετάζω) in depth (δ) (πληγώνω, θλίβω, ταράζομαι) deeply, profoundly · (μισώ) intensely ▷**κοιμάμαι βαθιά** to be fast ή sound asleep

βαθμηδόν ΕΠΙΡΡ (επίσ.) gradually

βαθμιαία ΕΠΙΡΡ gradually

βαθμιαίος, -α, -ο ΕΠΙΘ gradual

βαθμίδα ΟΥΣ ΘΗΛ (α) (επίσ.: = σκαλί) step · (σε κινητή σκάλα) rung (β) (μτφ.: καθηγητή, λέκτορα, διευθυντή) rank · (εκπαίδευσης, παιδείας) level · (αναπτυξιακής περιόδου) stage (γ) (ΜΟΥΣ) note

βαθμολόγηση ΟΥΣ ΘΗΛ (α) (γραπτού, διαγωνιζομένου, μαθητή) marking (Βρετ.), grading (Αμερ.) · (εργαζομένου) appraisal (β) (οργάνου) calibrating

βαθμολογία ΟΥΣ ΘΗΛ (α) (= βαθμός) grades πληθ., marks πληθ. (Βρετ.) (β) (= έντυπο) detailed breakdown of grades, transcript (Αμερ.) (γ) (ΑΘΛ) rankings πληθ. · (στο ποδόσφαιρο, μπάσκετ, βόλεϊ) league table

βαθμολόγιο ΟΥΣ ΟΥΔ (α) (Γυμνασίου, Δημοτικού) mark book (Βρετ.), grade book (Αμερ.) (β) (υπαλλήλων) appraisal

βαθμολογώ Ρ Μ (α) (μαθητή, φοιτητή, διαγωνιζόμενο) to give a mark (Βρετ.) ή grade (Αμερ.) to · (υπάλληλο, συμπεριφορά) to assess · (γραπτό, εργασία, δοκιμασία) to mark (Βρετ.), to grade (Αμερ.) (β) (όργανο) to calibrate ▷**βαθμολογώ αυστηρά/επιεικώς** to be a strict/lenient marker (Βρετ.) ή grader (Αμερ.)

βαθμονόμηση ΟΥΣ ΘΗΛ calibration

βαθμονομώ Ρ Μ (μετρικό όργανο) to calibrate, to graduate

βαθμός ΟΥΣ ΑΡΣ (α) (για θερμοκρασία, φούρνο) degree (β) (για έγκαυμα) degree (γ) (μαθητή, μαθήματος) mark (Βρετ.), grade (Αμερ.) · (απολυτηρίου) grade · (διαγωνιζόμενου, αθλητή, ομάδας) point (δ) (στρατιωτικού) rank · (υπαλλήλου) grade (ε) (εμπιστοσύνης, ακρίβειας, ειδίκευσης) degree · (γνώσης) extent (στ) (ΓΛΩΣΣ, ΜΑΘ) degree ▷**μέχρι ποίου βαθμού** to what extent, to what degree ▷**σε ή ως κάποιο βαθμό** to a certain extent

▷**σε τέτοιον βαθμό (ώστε)** to such an extent (that)
▷**σε μεγάλο βαθμό** to a great extent
▷**σεισμός 5 βαθμών στην κλίμακα Ρίχτερ** an earthquake that is number 5 on the Richter scale
▷**στον βαθμό που** in so far as
▷**στον μέγιστο** ή **υπέρτατο** ή **ύψιστο βαθμό** to the extreme
▷**φέρω βαθμό** to be an officer
▷**φέρω τον βαθμό** +γεν. to hold the rank of
▷**ως έναν βαθμό** to a certain extent, to an extent
▷**ως έναν μεγάλο βαθμό** to a great extent
▸**αλκοολικός βαθμός** proof
▸**βαθμός συγγενείας** degree of relation
▸ βαθμοί ΠΛΗΘ grades, marks (*Βρετ.*)
βαθμοφόρος ΟΥΣ ΑΡΣ&ΘΗΛ officer
βαθμομέτρηση ΟΥΣ ΘΗΛ sounding
βάθος ΟΥΣ ΟΥΔ (α) (= *πάτος*) bottom ·
(*θάλασσας, λίμνης, πηγαδιού*) depth
(β) (*χαράδρας, συρταριού, ντουλάπας*) depth
(γ) (*διαδρόμου*) far end · (*δρόμου*) bottom ·
(*δωματίου, αίθουσας, λεωφορείου, βαγονιού*)
back (δ) (*υπόθεσης, θέματος, αισθήματος, σκέψης*) depth, profundity · (*γνώσεων*) depth
(ε) (*πίνακα, ζωγραφιάς*) background
(στ) (*έννοιας*) essence · (*προβλήματος*) heart
▷**από το βάθος** ή **τα βάθη της καρδιάς μου, εκ βάθους καρδίας** (*επίσ.*) from the bottom of my heart
▷**εις** ή **σε βάθος** (*εξετάζω, αναλύω*) in depth · (*επηρρεάζω*) deeply
▷**κατά βάθος** deep down
▷**στα βάθη των αιώνων** in the depths of time
▸ βάθη ΠΛΗΘ (*θάλασσας*) bottom εν.
βαθουλός, -ή, -ό ΕΠΙΘ = **βαθουλωτός**
βαθούλωμα ΟΥΣ ΟΥΔ (*σε δρόμο*) pothole · (*σε έπιπλο, σε τοίχο, βράχο*) hollow
βαθουλωμένος, -η, -ο ΕΠΙΘ (*μάτια, μάγουλα*) hollow, sunken
βαθουλώνω ① P Μ (*μάγουλα*) to suck in
② P ΑΜ (*μάγουλα, μάτια*) to become sunken ή hollow
βαθουλωτός, -ή, -ό ΕΠΙΘ (*μάτια*) deep–set
▸**βαθουλωτό πιάτο** shallow dish
βάθρο ΟΥΣ ΟΥΔ (α) (*αγάλματος*) pedestal · (ΑΘΛ) podium (β) (*μτφ.*) basis

> *Προσοχή!: Ο πληθυντικός του* **basis** *είναι* **bases**.

▷**γκρεμίζω κπν από το βάθρο του** to knock sb off his/her pedestal
▷**στήνω κπν σε βάθρο** to put sb on a pedestal
βαθυγάλαζος, -η, -ο ΕΠΙΘ (*ουρανός, μάτια*) deep ή dark blue
▸ βαθυγάλαζο ΟΥΣ ΟΥΔ dark blue
βαθυγάλανος, -η, -ο ΕΠΙΘ = **βαθυγάλαζος**
βαθύμετρο ΟΥΣ ΟΥΔ (α) (*για θάλασσες*) sounding line, sounder (β) (ΤΕΧΝΟΛ) depth gauge

βαθύνοια ΟΥΣ ΘΗΛ (*επίσ.*) profundity
βαθύνους, -ους, -ουν ΕΠΙΘ (*επίσ.*) profound
βαθύπλουτος, -η, -ο ΕΠΙΘ extremely ή immensely rich
βαθυπράσινος, -η, -ο ΕΠΙΘ (*μάτια*) dark green
▸ βαθυπράσινο ΟΥΣ ΟΥΔ dark green
βαθύς, -ιά ή **-εία, -ύ** ΕΠΙΘ (α) (*πηγάδι, τραύμα, ρίζα, αναστεναγμός, πολυθρόνα*) deep · (*ίσκιος*) deep, dense (β) (*χρώμα*) dark, deep (γ) (*σιωπή*) deep · (*σκοτάδι*) pitch (δ) (*σκέψη, γνώση, περιεχόμενο*) profound, deep · (*ανάλυση*) in–depth (ε) (*γεράματα*) great
▷**παίρνω βαθιά εισπνοή** to take a deep breath, to breathe in deeply
▷**πέφτω/βυθίζομαι σε βαθύ ύπνο** to fall/to sink into a deep sleep
▷**στα βαθιά** (*σε θάλασσα*) in the deep water · (*σε πισίνα*) at the deep end · (= *στα δύσκολα*) out of one's depth
▸**βαθιά υπόκλιση** low bow
▸**βαθύ κάθισμα** (ΓΥΜΝΑΣΤ) squat
βαθυσκάφος ΟΥΣ ΟΥΔ bathyscaph
βαθύσκιος, -α, -ο ΕΠΙΘ = **βαθύσκιωτος**
βαθύσκιωτος, -η, -ο ΕΠΙΘ deep–shaded
βαθυστόχαστος, -η, -ο ΕΠΙΘ profound
βαθύφωνος, -η, -ο ΕΠΙΘ (α) (*άνδρας, γυναίκα*) with a deep voice (β) (*όργανο*) bass
▸ βαθύφωνη ΟΥΣ ΘΗΛ contralto
▸ βαθύφωνος ΟΥΣ ΑΡΣ bass
βαθύχορδο ΟΥΣ ΟΥΔ double bass
βαθύχρωμος, -η, -ο ΕΠΙΘ dark–coloured (*Βρετ.*), dark–colored (*Αμερ.*)
βαίνω P ΑΜ (*επίσ.*) to proceed
▷**βαίνω επί τα ίχνη κποιου** to be on sb's trail
▷**βαίνω καλώς** to go well
▷**βαίνω προς εξαφάνιση/βελτίωση** to be gradually disappearing/improving
▷**πώς βαίνουν τα πράγματα;** how are things going?
βάιο ΟΥΣ ΟΥΔ = **βάγιο**
βακαλάος ΟΥΣ ΑΡΣ = **μπακαλιάρος**
βακελίτης ΟΥΣ ΑΡΣ Bakelite ®
βάκιλος ΟΥΣ ΑΡΣ bacillus

> *Προσοχή!: Ο πληθυντικός του* **bacillus** *είναι* **bacilli**.

βακτηρίδιο ΟΥΣ ΟΥΔ bacterium

> *Προσοχή!: Ο πληθυντικός του* **bacterium** *είναι* **bacteria**.

βακτηριολογία ΟΥΣ ΘΗΛ bacteriology
βακτηριολογικός, -ή, -ό ΕΠΙΘ bacteriological
βακχικός, -ή, -ό ΕΠΙΘ Bacchic
Βάκχος ΟΥΣ ΑΡΣ (ΜΥΘΟΛ) Bacchus, Dionysus
βαλανίδι ΟΥΣ ΟΥΔ acorn
βαλανιδιά ΟΥΣ ΘΗΛ oak (tree)
βάλανος ΟΥΣ ΘΗΛ glans penis

βαλάντιο ουσ ουδ (α) (παλαιότ.) purse (Βρετ.), change purse (Αμερ.) (β) (= οικονομικές δυνατότητες) means πληθ.
▷**υψηλό βαλάντιο** (μτφ.) top income bracket
▷**το μέσο βαλάντιο** (μτφ.) the average pocket

βαλαντώνω ρ αμ (α) (= κουράζομαι) to be worn out (β) (= υποφέρω) to suffer (γ) (= στενοχωριέμαι) to be down (ανεπ.)
▷**βαλαντώνω στο κλάμα** to cry one's eyes out

βαλβίδα ουσ θηλ (α) (επίσης: ΜΗΧΑΝ, ΑΝΑΤ) valve (Βρετ.), tube (Αμερ.) (β) (ΑΘΛ) starting–post

βαλβολίνη ουσ θηλ valve lubricant

βαλές ουσ αρσ (α) (στην τράπουλα) jack, knave (κυρ. Βρετ.) (β) (παλαιότ.) valet

βαλίτσα ουσ θηλ (suit)case
▷**ετοιμάζω ή φτιάχνω τη βαλίτσα/τις βαλίτσες μου** to pack (one's case/bags)
▷**θα πάει μακριά η βαλίτσα;** is this going to take ages?
▸**ιατρική βαλίτσα** medical bag

Βαλκάνια¹ ουσ θηλ βλ. **Βαλκάνιος**

Βαλκάνια² ουσ ουδ πληθ: **τα Βαλκάνια** the Balkans

Βαλκανιάδα ουσ θηλ the Balkan Games

βαλκανικός, -ή, -ό επιθ Balkan
▸**οι βαλκανικοί πόλεμοι** the Balkan wars
▸**Βαλκανική** ουσ θηλ (επίσης **η Βαλκανική Χερσόνησος**) the Balkan Peninsula
▸**Βαλκανικοί** ουσ αρσ πληθ (επίσης **οι Βαλκανικοί Αγώνες**) the Balkan Games

Βαλκάνιος ουσ αρσ Balkan

βαλλάντιο ουσ ουδ = **βαλάντιο**

βαλλαντώνω ρ αμ = **βαλαντώνω**

βαλλιστικός, -ή, -ό επιθ ballistic
▸**βαλλιστικός πύραυλος** ballistic missile
▸**βαλλιστική** ουσ θηλ (επιστήμη) ballistics εν.

*Προσοχή!: Αν και το **ballistics** φαίνεται ως τύπος πληθυντικού, είναι ουσιαστικό μόνο στον ενικό και συντάσσεται με ρήμα στον ενικό.*

βάλλω ρ αμ (επίσ.) (α) (= πυροβολώ) to open fire, to shoot (β) (μτφ.) to attack
▷**βάλλομαι από κπν για κτ** to be accused of sth by sb

βαλς ουσ ουδ ακλ waltz

βάλσαμο ουσ ουδ (κυριολ.) balsam, balm · (μτφ.) balm

βαλσάμωμα ουσ ουδ (ανθρώπου) embalming · (ζώου, πουλιού) stuffing

βαλσαμώνω ρ μ (άνθρωπο) to embalm · (ζώο, πουλί) to stuff

Βαλτική¹ ουσ θηλ: **η Βαλτική** the Baltic States

Βαλτική² ουσ θηλ (επίσης **η Βαλτική Θάλασσα**) the Baltic Sea

βαλτικός, -ή, -ό επιθ Baltic

βαλτός, -ή, -ό επιθ: **είμαι βαλτός** to be put up to it
▷**βαλτός είσαι;** are you doing it on purpose?

βάλτος ουσ αρσ swamp

βαλτότοπος ουσ αρσ swampland

βαλτώδης, -ης, -ες επιθ swampy

βαλτώνω ρ αμ (α) (για τόπο) to turn into a swamp (β) (για πρόσ.) to get stuck in the mud (γ) (μτφ.: = λιμνάζω) to stagnate · (συζήτηση) to grind to a halt · (υπόθεση) to lie forgotten

βαμβακέλαιο ουσ ουδ cottonseed oil

βαμβακέμπορος ουσ αρσ cotton merchant

βαμβακερός, -ή, -ό επιθ cotton
▸**βαμβακερά** ουσ ουδ πληθ cottons

βαμβάκι ουσ ουδ (α) (γενικότ.) cotton (β) (για επάλειψη πληγής) cotton wool (Βρετ.), cotton (Αμερ.)
▷**εργάζομαι ή δουλεύω στα βαμβάκια** to pick cotton

βαμβακιά ουσ θηλ (ΒΟΤ) cotton

βαμβακίαση ουσ θηλ mildew

βαμβακομέταξος, -η, -ο επιθ silk cotton, kapok

βαμβακομηχανή ουσ θηλ cotton picker (machine)

βαμβακοπαραγωγή ουσ θηλ cotton production

βαμβακοπαραγωγός ουσ αρσ cotton producer

βαμβακόσπορος ουσ αρσ cottonseed

βαμβακοσυλλέκτης ουσ αρσ cotton picker (person and machine)

βαμβακοσυλλέκτρια ουσ θηλ βλ. **βαμβακοσυλλέκτης**

βαμβακουργείο ουσ ουδ cotton mill

βαμβακουργία ουσ θηλ cotton manufacture

βαμβακοφυτεία ουσ θηλ cotton plantation

βάμμα ουσ ουδ tincture

βαμμένος, -η, -ο επιθ (α) (μαλλιά, ύφασμα) dyed · (πρόσωπο) made–up · (ξύλο) painted (β) (= φανατικός) die–hard

βάνα ουσ θηλ sluicegate

βάναυσος, -η, -ο επιθ rough

βαναυσότητα ουσ θηλ roughness

βανδαλισμός ουσ αρσ vandalism

βάνδαλος ουσ αρσ vandal

βανίλια ουσ θηλ (α) (φυτό, αρωματική σκόνη) vanilla (β) (γλυκό) sweet vanilla icing served on a spoon in chilled water

βαποράκι ουσ ουδ (α) (= μικρό βαπόρι) small steamboat (β) (αργκ.) (drug) dealer, pusher (ανεπ.)

βαπόρι ουσ ουδ steamship, steamboat
▷**γίνομαι βαπόρι** to fly off the handle
▷**κάνω κπν βαπόρι** to put sb's back up

βαπτίζω ρ μ = **βαφτίζω**

βάπτιση ουσ θηλ = **βάφτιση**

βάπτισμα ουσ ουδ baptism, christening
▷**βάπτισμα του πυρός** baptism of fire

βαπτιστικός, -ή, -ό επιθ = **βαφτιστικός**

βάραθρο ουσ ουδ chasm, gulf

βαραίνω 1 Ρ Μ (α) (*καταναλωτές, φορολογούμενους*) to be a burden on (β) (*στομάχι, οργανισμό*) to lie heavy on (γ) (*συνείδηση*) to burden · (*για χρόνια, ηλικία*) to tell on · (*βλέφαρα*) to make heavy · (*ατμόσφαιρα*) to make tense (δ) (= *γίνομαι βάρος*) to trouble, to be a burden to 2 Ρ ΑΜ (α) (= *γίνομαι βαρύτερος*) to put on weight · (= *γίνομαι δυσκίνητος*) to stiffen up (β) (*φωνή*) to get deeper (γ) (*νους*) to become clouded (δ) (*λόγια, κουβέντες*) to carry weight

βαράω (*ανεπ.*) 1 Ρ Μ (α) (*πόρτα, τοίχο, γραφείο*) to bang on (β) (*πόδι, χέρι, κεφάλι*) to bang (γ) (= *δέρνω*) to beat (δ) (*σουτ, μπάλα*) to kick · (*κεφαλιά*) to do (ε) (*για ποτό*) to give a thick head to (στ) (*κουδούνι, καμπάνα*) to ring (ζ) (= *τραυματίζω*) to hit · (*με πιστόλι*) · (= *σκοτώνω: λαγό, πέρδικα*) to shoot, to kill 2 Ρ ΑΜ (α) (= *τραυματίζομαι*) to be hurt (β) (*ούζο, βότκα*) to be strong stuff (γ) (*καμπάνα, κουδούνι*) to ring · (*ρολόι*) to go off (δ) (= *πυροβολώ*) to fire

βαρβαρίζω Ρ ΑΜ (α) (ΓΛΩΣΣ) to barbarize (β) (= *συμπεριφέρομαι σαν βάρβαρος*) to be barbaric

βαρβαρικός, -ή, -ό ΕΠΙΘ barbaric

βαρβαρισμός ΟΥΣ ΑΡΣ (α) (ΓΛΩΣΣ) barbarism (β) (= *βαρβαρική συμπεριφορά*) barbarity, barbarism

βάρβαρος, -η, -ο ΕΠΙΘ (*άνθρωπος*) barbaric · (*συνήθεια, τρόπος*) barbaric, barbarous ▸ **βάρβαρος** ΟΥΣ ΑΡΣ, **βάρβαρη** ΟΥΣ ΘΗΛ barbarian

βαρβαρότητα ΟΥΣ ΘΗΛ barbarity ▸ **βαρβαρότητες** ΠΛΗΘ barbarities, atrocities

βαρβατίλα ΟΥΣ ΘΗΛ (α) (*τράγου*) rut (β) (*άνδρα*) unwashed smell

βαρβάτος, -η, -ο ΕΠΙΘ (α) (*άλογο, ταύρος*) stud (β) (*άντρας*) virile (γ) (*μτφ.: γιατρός*) first–rate · (*δικηγόρος*) first–rate, hotshot (*ανεπ.*) (δ) (*μτφ.: αμοιβή, ποσό*) huge · (*περιουσία*) immense

βαρβιτουρικά ΟΥΣ ΟΥΔ ΠΛΗΘ barbiturates

Βαρδάρης ΟΥΣ ΑΡΣ vardar(ac), *cold north wind in Macedonia*

βάρδια ΟΥΣ ΘΗΛ (α) (*εργάτη, υπαλλήλου*) shift (β) (ΝΑΥΤ) duty · (= *φρούρηση*) watch ▸ **αλλάζω βάρδια** (*για εργάτη, υπάλληλο*) to change shifts · (*για φρουρό*) to change over ▸ **διπλή βάρδια** double shift ▸ **κάνω ή είμαι βάρδια** (= *έχω υπηρεσία*) to be on duty · (= *είμαι σκοπός*) to be on guard

βάρδος ΟΥΣ ΑΡΣ (α) (ΙΣΤ) bard (β) (= *ποιητής*) bard (*επία.*) · (= *τραγουδιστής*) minstrel

βαρεία ΟΥΣ ΘΗΛ (ΓΛΩΣΣ) grave accent

βαρέλα ΟΥΣ ΘΗΛ (α) (= *μεγάλο βαρέλι*) butt, large barrel (β) (*υβρ.*) fatso (*ανεπ.*), tub of lard (*ανεπ.*)

βαρελάκι ΟΥΣ ΟΥΔ keg, small barrel

βαρελάς ΟΥΣ ΑΡΣ cooper

βαρέλι ΟΥΣ ΟΥΔ (*για κρασί, μπίρα, τυρί*) barrel, cask · (*για πετρέλαιο, τοξικά απόβλητα*) drum

βαρελίσιος, -α, -ο ΕΠΙΘ from the barrel

βαρελοποιός ΟΥΣ ΑΡΣ (*επία.*) cooper

βαρελότο ΟΥΣ ΟΥΔ firecracker, banger (*Βρετ.*)

βάρεμα ΟΥΣ ΟΥΔ (α) (*ανεπ.*: = *χτύπημα*) blow (β) (*αργκ.*: = *βαρεμάρα*) boredom · (= *τεμπελιά*) laziness ▸ **έχω βάρεμα με κπν/κτ** (*αργκ.*) to be nuts about sb/sth (*ανεπ.*)

βαρεμάρα ΟΥΣ ΘΗΛ (*ανεπ.*) (α) (= *τεμπελιά*) listlessness (β) (= *πλήξη*) boredom

βαρεμένος, -η, -ο ΕΠΙΘ injured, hurt ▸ **είμαι βαρεμένος** (*αργκ.*) to be a freak (*ανεπ.*)

βαρετός, -ή, -ό ΕΠΙΘ boring

βαρέως ΕΠΙΡΡ (*επία.*: *αρρωσταίνω, τραυματίζομαι*) seriously ▸ **φέρω κτ βαρέως** to resent sth deeply

βαρηκοΐα ΟΥΣ ΘΗΛ (*επία.*) hearing loss

βαρήκοος, -η, -ο ΕΠΙΘ (*επία.*) hard of hearing

βαριά[1] ΟΥΣ ΘΗΛ sledge hammer

βαριά[1] ΕΠΙΡΡ (α) (*καμπάνα: χτυπώ*) loudly · (*ροχαλίζω*) loudly, noisily (β) (*αρρωσταίνω, τραυματίζομαι*) seriously (γ) (*κοιμάμαι*) heavily, deeply (δ) (*ανασαίνω*) heavily (ε) (*παίρνω, θεωρώ*) seriously (στ) (*περπατώ, κινούμαι*) heavily

βαριακούω Ρ ΑΜ to be hard of hearing

βαριαναστενάζω Ρ ΑΜ to sigh heavily

βαρίδι ΟΥΣ ΟΥΔ (*ζυγαριάς*) weight · (*πετονιάς*) sinker

βαριέμαι 1 Ρ Μ (α) (*δεξιώσεις, εκδηλώσεις*) to be bored with (β) (*μουρμούρα*) to be fed up with 2 Ρ ΑΜ to get bored, to be bored ▸ **βαριέμαι να κάνω κτ** (= *δεν έχω διάθεση*) I can't be bothered to do sth · (= *δεν αντέχω πια*) I'm fed up of doing sth ▸ **δεν βαριέσαι!** don't worry about it! ▸ **βαριέμαι που ζω** to be bored to death

βαριεστημάρα ΟΥΣ ΘΗΛ boredom

βαριεστημένος, -η, -ο ΕΠΙΘ bored

βάριο ΟΥΣ ΟΥΔ (ΧΗΜ) barium

βαριόμοιρος, -η, -ο ΕΠΙΘ unfortunate

βαριοπούλα ΟΥΣ ΘΗΛ sledgehammer

βάρκα ΟΥΣ ΘΗΛ boat ▸ **φουσκωτή βάρκα** rubber dinghy

βαρκάδα ΟΥΣ ΘΗΛ boating ▸ **κάνω βαρκάδα** to go boating

βαρκάκι ΟΥΣ ΟΥΔ small boat

βαρκάρης ΟΥΣ ΑΡΣ boatman

βαρκάρισσα ΟΥΣ ΘΗΛ boatwoman

Βαρκελώνη ΟΥΣ ΘΗΛ Barcelona

βαρκούλα ΟΥΣ ΘΗΛ small boat

βαρομετρικός, -ή, -ό ΕΠΙΘ (*φαινόμενο*) barometric ▸ **βαρομετρική πίεση** barometric pressure ▸ **βαρομετρικό υψηλό** anticyclone, high ▸ **βαρομετρικό χαμηλό** depression, low

βαρόμετρο ΟΥΣ ΟΥΔ (*κυριολ., μτφ.*) barometer

βαρόνη ουσ θηλ baroness

βαρόνος ουσ αρσ (α) (τίτλος) baron ▸ (β) (αρνητ.) baron

βάρος ουσ ουδ (α) (ανθρώπου, ζώου, αντικειμένου) weight · (μτφ.: εξελίξεων) pressure · (παρουσίας) burden ▸ (β) (= υποχρέωση) obligation (γ) (αποδείξες, προσωπικότητας) strength
▷ **εις ή σε βάρος κποιου** against sb · (γελώ) at sb's expense
▷ **έχω ένα βάρος στο στομάχι/στο κεφάλι** my stomach/head feels heavy
▷ **μου φεύγει ένα βάρος, φεύγει ένα βάρος από πάνω μου** it's a weight off my shoulders
▷ **ο λόγος του έχει βάρος** his word carries weight
▷ **παίρνω/χάνω βάρος** to put on ή gain/lose weight
▷ **πόσο βάρος έχεις;** how much do you weigh?
▷ **ρίχνω (όλο μου) το βάρος σε κτ** to put everything one has into sth, to give sth all one has got
▷ **ρίχνω το βάρος σε κπν** to blame sb, to put the blame on sb
▷ **το 'χω βάρος στην ψυχή ή συνείδησή μου** it weighs on my mind ή conscience
▷ **το βάρος μου είναι 75 κιλά** I weigh 75 kilos
▸ **ειδικό βάρος** relative density
▸ **μικτό βάρος** gross weight
▸ **οικογενειακά βάρη** family obligations
▸ **σωματικό βάρος** body weight
▸ **φορολογικά βάρη** tax burden εν.
▸ **βάρη** πληθ (ΑΘΛ) weights
▸ **άρση βαρών** weightlifting

βαρούλκο ουσ ουδ winch

Βαρσοβία ουσ θηλ Warsaw

βαρυγγώμια ουσ θηλ resentment

βαρυγγωμώ ρ αμ to be resentful

βαρύγδουπος, -η, -ο επιθ (δηλώσεις, τίτλος) high-sounding

βαρυθυμία ουσ θηλ gloom, despondency

βαρύθυμος, -η, -ο επιθ despondent

βαρύνω ρ μ (ευθύνη) to lie with
▷ **τη βαρύνουν πολύ σοβαρές κατηγορίες** the charges against her are very serious
▸ **βαρύνομαι** ΜΕΣΟΠΑΘ: **βαρύνομαι με κτ** (= έχω εις βάρος μου) to be accused of sth, to be charged with sth, to be lumbered with sth · βλ. κ. **βαραίνω**

βαρύνων, -ουσα, -ον επιθ (σημασία) utmost · (γνώμη) weighty

βαρυπενθής, -ής, -ές επιθ (συγγενής, χήρα) in deep mourning

βαρυποινίτης ουσ αρσ long-term prisoner · (σε ισόβια) life prisoner, lifer (ανεπ.)

βαρυποινίτισσα ουσ θηλ βλ. **βαρυποινίτης**

βαρύς, -ιά ή εία-, -ύ επιθ (α) (άνθρωπος, αντικείμενο) heavy (β) (δουλειά) hard · (φορολογία) heavy · (ποινή) severe, harsh (γ) (μυρωδιά, άρωμα) strong, heavy (δ) (αρχιτεκτονική, διακόσμηση, κοσμήματα) heavy, clunky (ανεπ.) (ε) (μελαγχολία, στενοχώρια, λύπη) deep (στ) (για φαγητό) stodgy, heavy · (με πολλά μπαχαρικά) spicy · (για ρόφημα, ποτό, τσιγάρο) strong · (κεφάλι, πόδια) heavy · (στομάχι) bloated (ζ) (ύπνος) deep (η) (φωνή) deep (θ) (κρύο) bitter · (χειμώνας) harsh (ι) (ρούχα, κουβέρτα, πάπλωμα) heavy (ια) (παράπτωμα, συνέπειες, αρρώστια, τραύμα) serious · (απώλειες, κόστος) heavy · (γρίπη) bad (ιβ) (καθήκον, όρκος, υπόσχεση) solemn · (κληρονομιά, ευθύνη) weighty, heavy (ιγ) (λόγος, κουβέντα, χαρακτηρισμοί) harsh (ιδ) (χαρακτήρας, συμπεριφορά, ύφος) stern (ιε) (ταινία, βιβλίο, έργο) obscure, hard-going (ιστ) (= αργός: τραγούδι, μουσική, χορός) solemn · (= μελαγχολικός) gloomy (ιζ) (= δυσκίνητος) heavy, heavily built
▷ **βαρύ κλίμα** unhealthy climate · (μτφ.) tense atmosphere
▷ **είμαι βαρύ πεπόνι** to be a cold fish
▷ **είμαι βαρύς κι ασήκωτος** to look stern
▷ **η ατμόσφαιρα είναι βαριά** it's close · (μτφ.) there's a heavy atmosphere
▷ **με βαριά καρδιά** with a heavy heart
▷ **κάνω τον βαρύ** to look stern
▸ **βαριά βιομηχανία** heavy industry
▸ **βαρύ πυροβολικό** (κυριολ., μτφ.) heavy artillery
▸ **βαρύ ύδωρ ή νερό** (ΧΗΜ) heavy water

βαρυσήμαντος, -η, -ο επιθ (δήλωση) weighty, momentous

βαρυστομαχιά ουσ θηλ indigestion

βαρυστομαχιάζω ρ αμ to feel bloated

βαρύτητα ουσ θηλ (α) (ΦΥΣ) gravity (β) (λόγου, γνώμης) weight · (μαρτυρίας) significance
▷ **δίνω βαρύτητα σε κτ** to place a lot of importance on sth

βαρύτιμος, -η, -ο επιθ (κοσμήματα) extremely valuable

βαρύτονος, -η, -ο επιθ (λέξη, ρήμα) not accented on the last syllable
▸ **βαρύτονος** ουσ αρσ (ΜΟΥΣ) baritone

βαρυχειμωνιά ουσ θηλ hard ή harsh winter

βαρώ ρ μ = **βαράω**

βαρώνη ουσ θηλ = **βαρόνη**

βαρώνος ουσ αρσ = **βαρόνος**

βασάλτης ουσ αρσ basalt

βασανίζω ρ μ (α) (κρατούμενο, αιχμάλωτο) to torture (β) (γονείς) to be a worry to (γ) (υπόθεση, στοιχεία, κείμενο) to scrutinize
▷ **βασανίζω το μυαλό μου** to rack one's brains
▷ **βασανίζει τους καθηγητές του στο σχολείο** he plays up ή he's a troublemaker at school
▷ **κάποιο πρόβλημα ή κάποια σκέψη τον βασανίζει** he's got something on his mind
▷ **με βασανίζουν οι τύψεις** to be stricken ή overcome with remorse
▸ **βασανίζομαι** ΜΕΣΟΠΑΘ (α) (= ταλαιπωρούμαι) to struggle (β) (= ταλαιπωρούμαι ψυχικά) to

torture oneself

βασανιστήριο ΟΥΣ ΘΗΛ torture

βασανιστής ΟΥΣ ΑΡΣ torturer

βασανιστικός, -ή, -ό ΕΠΙΘ (α) *(μέθοδοι)* torture (β) *(άνθρωπος)* brutal · *(σκέψη)* nagging · *(αναμονή)* agonizing, nerve-racking

βασανίστρια ΟΥΣ ΘΗΛ *βλ.* **βασανιστής**

βάσανο ΟΥΣ ΟΥΔ (α) (= *καημός*) trial (β) *(πείνας)* torment · *(φτώχειας, ξενιτιάς)* misery
▷**με χίλια βάσανα** by the skin of one's teeth

βάση ΟΥΣ ΘΗΛ (α) *(κολόνας, αγάλματος)* base · *(κτηρίου)* foundations πληθ. (β) *(υπόθεσης, θεωρίας, διαλόγου, πολιτικής)* basis

> *Προσοχή!: Ο πληθυντικός του basis είναι* **bases.**

(γ) (= *αφετηρία, δεδομένο*) basis (δ) *(εταιρείας, εργαζομένου)* base (ε) *(τούρτας, χυμού, ζύμης)* base (στ) *(βουνού, λόφου)* foot (ζ) *(ΓΛΩΣΣ)* root (η) *(ΓΕΩΜ, ΧΗΜ)* base (θ) *(ΣΧΟΛ)* pass (ι) *(κόμματος)* base (ια) *(ΣΤΡΑΤ)* base
▷**βάσει σχεδίου** according to plan
▷**δίνω βάση σε κτ** to take heed of sth
▷**επιστρέφω στη βάση μου** to return to base
▷**επί τη βάσει** +*γεν.*, **βάσει** +*γεν.* (*επίσ.*) on the basis of
▷**κατά βάση** ή **βάσιν** basically
▷**με βάση** +*γεν.* based on
▷**πιάνω τη βάση** *(για βαθμολογία)* to pass, to get a pass
▷**σε εικοσιτετράωρη βάση, επί εικοσιτετραώρου βάσεως** twenty-four hours a day, around the clock
▷**σε καθημερινή/μηνιαία/μόνιμη βάση** on a daily/monthly/permanent basis
▶**βάσεις** ΠΛΗΘ (α) *(οικογένειας)* foundations · *(κοινωνίας)* bedrock *εν.*, foundations (β) *(για εισαγωγή σε πανεπιστήμιο)* grades (γ) *(ΣΤΡΑΤ)* bases
▷**έχω γερές βάσεις σε κτ** *(για μάθημα, γνώσεις)* to have good grounding in sth

βασιζόμενος, -η, -ο ΕΠΙΘ: **βασιζόμενος σε κτ** (= *έχοντας ως βάση*) based on sth · (= *δείχνοντας εμπιστοσύνη*) counting on sth

βασίζω Ρ Μ *(θεωρία, σκέψη, ελπίδα, πρόοδο)* to base
▶**βασίζομαι** ΜΕΣΟΠΑΘ: **βασίζομαι σε κτ** *(θεωρία, τεχνική, ταινία, έργο)* to be based on sth · *(κατηγορία)* to be based ή grounded on sth
▷**βασίζομαι σε κπν/κτ** (= *στηρίζομαι*) to rely on sb/sth · *(οικονομικά)* to depend on sb/sth
▷**βασίζομαι σε κπν** (= *εμπιστεύομαι*) to trust sb, to depend on sb

βασικά ΕΠΙΡΡ basically

βασικό ΟΥΣ ΟΥΔ basic thing
▷**τα βασικά** the basics

βασικός, -ή, -ό ΕΠΙΘ (α) *(αρχή, προϋπόθεση, κανόνας)* basic, fundamental (β) *(χαρακτήρας)* basic · *(παράγοντας, αιτία,*

χρηματοδότης) chief, main · *(χρώμα)* primary (γ) *(εντεκάδα, παίκτης, σύνθεση)* main
▷**παίζω ή αγωνίζομαι βασικός** to be on the team
▷**σε βασικές γραμμές** generally
▶**βασική εκπαίδευση** primary *(Βρετ.)* ή elementary *(Αμερ.)* education · *(ΣΤΡΑΤ)* basic training

βασιλεία ΟΥΣ ΘΗΛ (α) *(αξίωμα)* crown, kingship (β) (= *μοναρχία*) monarchy (γ) *(Ιουστινιανού, Σολομώντα)* reign (δ) *(τρόμου, σκοταδισμού)* reign

βασίλειο ΟΥΣ ΟΥΔ (α) *(Μακεδονίας, Περσίας)* kingdom (β) *(μτφ.)* kingdom · *(ύπνου)* realms πληθ. (γ) *(ζώων, πουλιών)* kingdom

βασιλεύς ΟΥΣ ΑΡΣ = **βασιλιάς**

βασιλεύω Ρ ΑΜ (α) (= *κυβερνώ*) to reign (β) *(αγάπη, καλλιτέχνης)* to prevail · *(ησυχία)* to reign (γ) *(ήλιος, φεγγάρι)* to set

βασιλιάς ΟΥΣ ΑΡΣ (α) *(χώρας, λαού)* king (β) *(ρέγκε, σόουλ)* king · *(πετρελαίου, διαμαντιών)* tycoon (γ) *(στο σκάκι)* king
▷**ο βασιλιάς των ζώων** the king of the beasts

βασιλική ΟΥΣ ΘΗΛ basilica

βασιλικός¹ ΟΥΣ ΑΡΣ *(φυτό)* basil

βασιλικός², -ή ή -ιά, -ό ΕΠΙΘ (α) *(στέμμα, εξουσία, οικογένεια, διαταγή)* royal (β) *(υποδοχή)* sumptuous
▶**βασιλικό γεύμα** a feast fit for a king
▶**βασιλικός πολτός** royal jelly
▶**βασιλικός** ΟΥΣ ΑΡΣ, **βασιλική ή -ιά** ΟΥΣ ΘΗΛ royalist

βασίλισσα ΟΥΣ ΘΗΛ (α) *(χώρας, λαού)* queen (β) *(ΖΩΟΛ)* queen (γ) *(στο σκάκι)* queen
▶**βασίλισσα της ομορφιάς** beauty queen

βασιλομήτωρ ΟΥΣ ΘΗΛ queen mother

βασιλόπιτα ΟΥΣ ΘΗΛ New Year's cake

βασιλοπούλα ΟΥΣ ΘΗΛ princess

βασιλόπουλο ΟΥΣ ΟΥΔ prince

βασιλόφρονας ΟΥΣ ΑΡΣ&ΘΗΛ royalist

βασιλόφρων, -ων, -ον (*επίσ.*) ΕΠΙΘ royalist

βάσιμος, -η, -ο ΕΠΙΘ *(λόγος)* legitimate, valid · *(ισχυρισμός, επιχείρημα)* valid · *(φόβος)* well-founded · *(αποδείξεις)* tangible

βασιμότητα ΟΥΣ ΘΗΛ legitimacy

βασκαίνω Ρ Μ to put the evil eye on

βάσκαμα ΟΥΣ ΟΥΔ = **βασκανία**

βασκανία ΟΥΣ ΘΗΛ evil eye

βαστάζω Ρ Μ (α) *(φορτίο)* to carry (β) *(χαμό, συμφορά)* to bear, to stand

βαστώ ① Ρ Μ (α) *(βιβλία, κιβώτιο, μωρό)* to hold (β) *(γέλια, δάκρυα)* to hold back · *(θυμό)* to contain (γ) *(αψίδα, κτήριο, οροφή)* to support (δ) *(λεφτά)* to have on one (ε) *(λογιστικά βιβλία, σπίτι)* to keep (στ) *(μυστικό, όρκο)* to keep · *(μίσος, κακία)* to harbour *(Βρετ.)*, to harbor *(Αμερ.)* (ζ) *(πόνο, αποχωρισμό, πείνα, ντροπή)* to bear, to stand
② Ρ ΑΜ (α) (= *αντέχω*) to stand it · *(κλαδί, σχοινί)* to hold (β) (= *συγκρατούμαι*) to hold

on (γ) (= διαρκώ: επανάσταση, καρναβάλι) to last · (δουλειά) to take (δ) (ρούχο, φρούτο) to last · (άρωμα) to linger

▷**αν σου βαστάει** if you dare

▷**βαστώ από** (= κατάγομαι) to come from

▷**βαστώ την κοιλιά μου από τα γέλια** to hold one's sides with laughter

▷**δεν βαστώ άλλο!** I can't take any more!

▷**δεν το βαστά η καρδιά μου να τον πληγώσω** I can't bear to hurt him

▶**βαστιέμαι** ΜΕΣΟΠΑΘ (= κρατιέμαι) to control oneself

▷**βαστιέμαι καλά** (= έχω καλή υγεία) to be in good health · (= έχω χρήματα) to be well off

βατ ΟΥΣ ΟΥΔ ΑΚΛ (ΗΛΕΚΤΡ) watt

βάτα ΟΥΣ ΘΗΛ (σακακιού, πουκαμίσου) padding

βάτεμα ΟΥΣ ΟΥΔ (για ζώα) mounting

Βατερλώ ΟΥΣ ΟΥΔ ΑΚΛ (κυριολ., μτφ.) Waterloo

βατεύω Ρ Μ (για ζώα) to mount

βατήρας ΟΥΣ ΑΡΣ springboard

Βατικανό ΟΥΣ ΟΥΔ Vatican

βάτο ΟΥΣ ΟΥΔ βλ. **βάτος**

βατομουριά ΟΥΣ ΘΗΛ blackberry bush

βατόμουρο ΟΥΣ ΟΥΔ blackberry

βατός, -ή, -ό ΕΠΙΘ (α) (δρόμος, μονοπάτι) passable (β) (θέματα) easy

βάτος ΟΥΣ ΑΡΣΘΗΛ bramble

βατραχάνθρωπος ΟΥΣ ΑΡΣΘΗΛ (α) (ΣΤΡΑΤ) frogman

> *Προσοχή!: Ο πληθυντικός του* **frogman** *είναι* **frogmen**.

(β) (γενικότ.) diver

βατράχι ΟΥΣ ΟΥΔ (α) (= βάτραχος) frog (β) (αργκ.: = βατραχάνθρωπος) frogman

> *Προσοχή!: Ο πληθυντικός του* **frogman** *είναι* **frogmen**.

βατραχοπέδιλο ΟΥΣ ΟΥΔ flipper

βατραχοπόδαρα ΟΥΣ ΟΥΔ ΠΛΗΘ frog's legs

βάτραχος ΟΥΣ ΑΡΣ frog

Βαυαρία ΟΥΣ ΘΗΛ = **Βαβαρία**

βαυαρικός, -ή, -ό ΕΠΙΘ = **βαβαρικός**

βαυκαλίζω Ρ Μ to delude

▶**βαυκαλίζομαι** ΜΕΣΟΠΑΘ to be deluded

βαφέας ΟΥΣ ΑΡΣ (α) (δερμάτων, υφασμάτων) dyer · (αυτοκινήτων) sprayer (β) (επίσ.: = μπογιατζής) painter

βαφείο ΟΥΣ ΟΥΔ (αυτοκινήτων) paint shop · (ρούχων) dyer's shop

βαφή ΟΥΣ ΘΗΛ (α) (= μπογιά: πόρτας) paint · (ξύλου) stain · (μαλλιών) dye (β) (= βάψιμο: πόρτας, σπιτιού, αβγών) painting · (ξύλου) staining · (υφάσματος, μαλλιών) dyeing

βαφιάς ΟΥΣ ΑΡΣ (δερμάτων, υφασμάτων) dyer · (αυτοκινήτων) sprayer

βαφτίζω Ρ Μ (α) (παιδί) to baptize, to christen (β) (= δίνω όνομα: μωρό) to call, to

name · (νησί) to name · (πλοίο) to christen, to name (γ) (= αποκαλώ) to call

▶**βαφτίζομαι** ΜΕΣΟΠΑΘ to be baptized, to be christened

βάφτιση ΟΥΣ ΘΗΛ (α) (μυστήριο) baptism (β) (επίσης **βαφτίσια**: τελετή) baptism, christening (γ) (πλοίου) christening, naming · (ηπείρου) naming

βαφτίσια ΟΥΣ ΟΥΔ ΠΛΗΘ βλ. **βάφτιση**

βαφτισιμιά ΟΥΣ ΘΗΛ goddaughter

βαφτισιμιός ΟΥΣ ΑΡΣ godson

βάφτισμα ΟΥΣ ΟΥΔ = **βάπτισμα**

βαφτιστήρα ΟΥΣ ΘΗΛ = **βαφτισιμιά**

βαφτιστήρι ΟΥΣ ΟΥΔ godchild

> *Προσοχή!: Ο πληθυντικός του* **godchild** *είναι* **godchildren**.

βαφτιστικός, -ή ή -ιά, -ό ΕΠΙΘ (ρούχα) christening · (σταυρός) baptismal

▶**βαφτιστικά** ΟΥΣ ΟΥΔ ΠΛΗΘ christening clothes

▶**βαφτιστικό** ΟΥΣ ΟΥΔ given name

▶**βαφτιστικός** ΟΥΣ ΑΡΣ godson

▶**βαφτιστικιά** ΟΥΣ ΘΗΛ goddaughter

βάφω Ρ Μ (τοίχο, κάγκελα) to paint · (αυτοκίνητο) to spray · (μαλλιά) to dye · (μάτια) to make up · (χείλη) to put lipstick on · (νύχια) to varnish · (παπούτσια) to polish · (μτφ.: τοπίο) to colour (Βρετ.), to color (Αμερ.)

▷**την έβαψες!, την έχεις βαμμένη!** (οικ.) you're for it! (ανεπ.), you're in big trouble!

▶**βάφομαι** ΜΕΣΟΠΑΘ to put one's make-up on, to do one's make-up

βάψιμο ΟΥΣ ΟΥΔ (α) (τοίχου) painting · (ματιών, χειλιών) making up · (μαλλιών) dyeing · (νυχιών) varnishing · (παπουτσιών) polishing (β) (= μακιγιάζ) make-up

---

ΛΕΞΗ-ΚΛΕΙΔΙ

βγάζω Ρ Μ (α) : **βγάζω κτ από κάπου** to take sth out of somewhere □ **έβγαλε τα σπίρτα από την τσέπη του** he took the matches out of his pocket · **έβγαλε τα τσιγάρα από την τσάντα της** she took the cigarettes out of her handbag · **έβγαλες τα σκουπίδια;** have you taken the rubbish (Βρετ.) ή garbage (Αμερ.) out? · **έβγαλε και τα υπόλοιπα υλικά** she got out the rest of the ingredients

(β) : **βγάζω κπν σε** to take sb to □ **έβγαλα τα παιδιά/τον σκύλο στο πάρκο** he took the children/the dog to the park · **έβγαλε τη γιαγιά στον κήπο** he took granny into the garden

(γ) (= αφαιρώ: ρούχα, παπούτσια, ρολόι, μακιγιάζ) to take off □ **του έβγαλε τα βρεγμένα ρούχα** she took his wet clothes off · **δεν μπορώ να βγάλω αυτό το μακιγιάζ!** I can't get this make-up off!

(δ) (= εξαφανίζω: λεκέ, μουντζούρα) to get out, to remove

(ε) (= εξάγω: δόντι) to take out, to extract · (φρύδια) to pluck · (καρφί, κόκκαλα) to take out · (*λέπια*) to remove

(στ) (= *κάνω εξαγωγή*) to take to □ *έβγαλε τα κεφάλαια στη Βουλγαρία* he took the capital to Bulgaria · *έβαλε λαθραία τσιγάρα στο εξωτερικό* he took smuggled cigarettes abroad

(ζ) (= *απομακρύνω: μαθητή, σκύλο*) to get out □ *πάλι μ' έβγαλε από την τάξη!* she got me out of the classroom again! · *βγάλε τον σκύλο απ' το δωμάτιο* get the dog out of the room · *ο δάσκαλος τον έβγαλε έξω* the teacher sent him out

▷ **βγάζω** κπν από το μυαλό μου (= *παύω να σκέπτομαι*) to get sb out of one's mind

(η) (= *κάνω αφαίρεση*) to take away □ *αν από τέσσερα στυλό βγάλεις δύο, θα σου μείνουν δύο* four pens take away two leaves two

(θ) (= *παίρνω από κάπου: παιχνίδια, ρούχα, βιβλία*) to take □ **βγάλε τα παιχνίδια σου απ' το τραπέζι!** take your toys off the table

(ι) : **βγάζω** κπν **έξω** (*σύζυγο, σύντροφο*) to take sb out

(ια) (= *εξαρθρώνω: ώμο, λεκάνη*) to dislocate · (*καρπό, αστράγαλο*) to sprain

(ιβ) (= *οδηγώ: μονοπάτι, δρόμος*) to take, to lead □ *αυτή η στάση δεν θα σε βγάλει πουθενά* that attitude won't get you anywhere

▷ **βγάζω** κπν **μέχρι** *ή* **ως την πόρτα** to show *ή* see sb to the door

▷ **όπου μας βγάλει η άκρη** wherever it may lead us

(ιγ) (= *αφήνω: κραυγή, φωνή, αναστεναγμό*) to let out

(ιδ) (= *εμφανίζω*): **βγάζω άνθη** to bud

▷ **βγάζω δόντια** to be teething

▷ **βγάζω λουλούδια** to flower

▷ **βγάζω σπυριά** to have spots · (*οικ.*) to get annoyed

(ιε) (= *παράγω: για δέντρα, φυτά, εταιρεία, εργοστάσιο, χώρα, κλιματιστικό*) to produce □ *το ερ-κοντίσιον δεν βγάζει κρύο αέρα* the air conditioner doesn't produce any cool air · *δεν βγάζει πολλή δουλειά* he's not very productive

(ιστ) : **βγάζω** κτ από κτ άλλο to make *ή* extract sth from sth else □ **βγάζουν λάδι από τις ελιές** they make *ή* extract olive oil from olives

(ιζ) (= *κυκλοφορώ: δίσκο*) to bring out, to release · (*βιβλίο, εφημερίδα, περιοδικό*) to bring out, to publish

(ιη) (= *αναδεικνύω: επιστήμονες, καλλιτέχνες*) to produce □ *αυτή η χώρα έχει βγάλει πολλούς καλλιτέχνες* that country has produced many artists

(ιθ) (= *δημοσιοποιώ: αποτελέσματα*) to publish, to make public

(κ) (= *εκλέγω: βουλευτή, πρόεδρο*) to elect

(κα) (= *δίνω όνομα*) to name, to call □ *την έβγαλαν Ελένη* they named *ή* called her Eleni

(κβ) (= *καταλήγω: απόφαση*) to make, to take · (*συμπέρασμα*) to draw

(κγ) (= *διακρίνω: γράμματα*) to make out □ *δεν μπορώ να βγάλω τα γράμματά σου* I can't make your writing out

(κδ) (= *κερδίζω*) to earn, to make □ *πόσα βγάζεις τον μήνα;* how much do you earn *ή* make a month?

(κε) (= *τελειώνω: δουλειά*) to do, to finish · (*λύκειο, πανεπιστήμιο, γυμνάσιο*) to finish □ *έβγαλε δουλειά ενός μήνα σε μία εβδομάδα* she did *ή* finished a month's work in a week

▷ **βγάζω το σχολείο** to finish school

(κστ) (= *διανύω: μήνα, εβδομάδα*) to get through

▷ **πόσα έχεις για να βγάλεις τον μήνα;** how much have you got to get through the month? (κζ) (*για μύτη, πληγή*: = *τρέχω*) to run □ *η πληγή βγάζει πύον* pus is running from the wound · *η μύτη σου βγάζει αίμα!* your nose is bleeding! (κη) (= *παθαίνω: ιλαρά, ανεμοβλογιά*) to have (κθ) (*οικ.*: = *κάνω εμετό*) to throw up (*ανεπ.*) □ *μην πιεις πολύ γιατί θα τα βγάλεις* don't drink too much because you'll throw up (λ) (= *αντλώ*) to pump · (*νερό από πηγάδι*) to draw

(λα) (= *αποβιβάζω: επιβάτες, ταξιδιώτες*) to drop off □ *το φέρι έβγαλε τους επιβάτες στο λιμάνι* the ferry dropped the passengers off at the harbour (λβ) (= *απολύω: μυρωδιά, άρωμα, καπνό*) to give off, to give out · (*φως*) to give out (λγ) (= *απολύω*) to sack, to fire · (= *αλλάζω καθήκοντα*) to relieve □ *την έβγαλαν από διευθύντρια πωλήσεων* she was relieved of her position as sales manager (λδ) (= *κάνω: μπαλιά, σέντρα*) to deliver · (*γκολ*) to score

▷ **βγάζω σε** κπν **το όνομα** to give sb a reputation

▷ **βγάζω την Παναγία σε** κπν to tire sb

▷ **πόσο βγάζεις;** (*για υπολογισμό πράξης*) what do you make it?

βγαίνω P AM (α) (*από δωμάτιο, αίθουσα*) to come out · (*έξω*) to go out · (*ήλιος*) to rise, to come up · (*φεγγάρι, αστέρια*) to come out □ *δεν βγήκε από το δωμάτιό του* he didn't come out of his room · *βγήκε από το σπίτι τρέχοντας* she ran out of the house · *οι εργάτες βγήκαν στον δρόμο* the workers took to the streets · *έβγαινε καπνός/φως κάτω από την πόρτα* there was smoke/a light coming from under the door · *έβγαιναν φλόγες απ' το σπίτι* there were flames coming out of the house · *είχε χαλάσει το κλιματιστικό κι έβγαινε ένας περίεργος θόρυβος* the air conditioner was broken and it was making a strange noise

▷ **βγαίνω από τα όρια** to go too far

(β) (*καρφί, πάσσαλος*) to come out · (*τακούνι*) to come off · (*ώμος*) to be dislocated · (*καρπός*) to be sprained

(γ) : *μου βγήκαν τα μάτια* (= *καταπονούμαι*)

B

my eyes are tired
(δ) : **βγαίνω από** (οργάνωση, συμφωνία) to pull out of · (αφάνεια, αδράνεια) to emerge from · (τέλμα) to extricate oneself from
(ε) (= απομακρύνομαι: παίκτης) to be sent off · (μαθητής) to be sent out
(στ) (= εξαφανίζομαι: λεκέδες, μουντζούρα) to come off ή out
▷**κραγιόν** to come off · (μάσκαρα) to run
(ζ) (= πηγαίνω στα ανοιχτά: πλοίο, βάρκα) to leave □ **το πλοίο βγήκε απ' το λιμάνι** the ship left the harbour
(η) (= διασκεδάζω) to go out □ **δεν βγαίνω συχνά (έξω)** I don't go out very often
▷**βγαίνω μαζί με** κπν (για ζευγάρι) to date sb, to go out with sb □ **βγήκα μαζί της χθες** I went out with her yesterday
▷**βγαίνω με** κπν (για φίλους) to go out with sb
(θ) : **βγαίνω σε** (= φθάνω) to get to □ **αν πάρετε αυτόν τον δρόμο, θα βγείτε στην παραλία** if you follow this road, you'll get to the beach
(ι) (= καταλήγω: δρόμος, μονοπάτι) to lead, to go · (ιστορία, υπόθεση) lead
(ια) (πόνος, παράπονο) to come out □ **σ' αυτό το ποίημα βγαίνει ο πόνος του ποιητή** the poet's pain is expressed in this poem
(ιβ) (= προέρχομαι: λέξη, όνομα) to come □ **δεν ξέρω από πού βγαίνει αυτή η λέξη** I don't know where this word comes from, I don't know the origin of this word
(ιγ) (= αναδίδομαι: μυρωδιά, άρωμα) to come □ **από κάπου έβγαινε μια μυρωδιά** there was a smell coming from somewhere
(ιδ) (= φυτρώνω: λουλούδια) to come out · (σπυρί, εξάνθημα) to appear · (τρίχες, γένια) to grow □ **βγήκε ένα σπυρί στο πρόσωπό σου** you've got a spot on your face
(ιε) (= εμφανίζομαι) to appear · (ξαφνικά: αυτοκίνητο, πεζός) to appear from nowhere □ **βγήκε στην πόρτα** she appeared at the door
(ιστ) (= αναδεικνύομαι: μουσικοί, καλλιτέχνες) to come from □ **από τη Γαλλία βγήκαν πολλοί ζωγράφοι** many painters came from France
(ιζ) (= παράγομαι: αυτοκίνητα, υπολογιστές) to be made □ **τα γρηγορότερα αυτοκίνητα βγαίνουν στην Ιταλία** the fastest cars are made in Italy
(ιη) (= κυκλοφορώ: εφημερίδα, βιβλίο) to come out, to be published · (δίσκος) to come out, to be released
(ιθ) (= εκδίδομαι: νόμισμα, διάταγμα) to be issued
(κ) (αποτελέσματα) to be out · (σκάνδαλο) to break out
▷**βγήκε μια φήμη ότι...** there's a rumour (Βρετ.) ή rumor (Αμερ.) that...
(κα) (για εκλογές: = εκλέγομαι) to be elected · (= κερδίζω) to win
(κβ) (= αποδεικνύομαι: πρόσθεση, εξίσωση, αφαίρεση) to work out

(κγ) +κατηγορ. (= επαληθεύομαι: όνειρο, προβλέψεις, λόγια) to come true
▷**βγαίνω λάθος/σωστός** to be proved wrong/ right
(κδ) (= προκύπτω: κέρδος) to be made · (συμπέρασμα) to derive □ **θα βγει κέρδος από αυτή τη δουλειά;** is there a profit to be made from this job? are we going to make a profit from this job?
(κε) (= τελειώνω: δουλειά, διατριβή) to finish · (= αποφοιτώ: φοιτητής, σπουδαστής) to become □ **βγήκε γιατρός** he became a doctor
(κστ) (= φθάνω στο τέλος: χρόνος, μήνας) to end (κζ) (= επαρκώ: ύφασμα, μερίδες) to be enough
▷**βγήκα!** (σε χαρτοπαίγνιο) out!
▷**δεν βγαίνει τίποτα** it's pointless ή meaningless □ **δεν βγαίνει με τόσα που παίρνει** she can't make ends meet on what she earns
▷**δεν μου (τη) βγαίνει κανείς (σε** κτ) (αργκ.) to be unbeatable (at sth)
▷**μου βγαίνει το όνομα ότι** to have a reputation for

βγαλμένος, η, -ο ΕΠΙΘ (ώμος) dislocated · (χέρι) sprained
βγάλσιμο ΟΥΣ ΟΥΔ (α) (δοντιού) extraction · (ματιού) taking out (β) (ποδιού, χεριού) spraining · (ώμου) dislocating
ΒΔ. ΣΥΝΤΟΜ NW
βδέλλα ΟΥΣ ΘΗΛ leech
▷**γίνομαι βδέλλα (κποιου)** (οικ.) to stick (to sb) like a leech
βδέλυγμα ΟΥΣ ΟΥΔ object of disgust
βδελυγμία (επίσ.) ΟΥΣ ΘΗΛ disgust, repugnance (επίσ.)
βδελυρός, -ή, -ό (επίσ.) ΕΠΙΘ (άνθρωπος) repugnant · (ζωή) execrable (επίσ.) · (έγκλημα, πράξη) despicable (θάνατος) terrible
βδομάδα ΟΥΣ ΘΗΛ = **εβδομάδα**
βδομαδιάτικος, -η, -ο ΕΠΙΘ (άδεια) weekly
► **βδομαδιάτικο** ΟΥΣ ΟΥΔ weekly wage
βε ΟΥΣ ΟΥΔ ΑΚΛ V · (μπλούζας, φορέματος) V-neck
βέβαια ΕΠΙΡΡ (α) (= σίγουρα) of course, certainly (β) (= όπως είναι φυσικό) of course
▷**θα με βοηθήσεις; - και βέβαια!** will you help me? – of course I will!
▷**θα πήγαινες εκεί εσύ; - και βέβαια!** would you have gone? – of course I would!
▷**και βέβαια!** of course!
▷**όχι βέβαια** of course not, certainly not
βέβαιος, -η, -ο ΕΠΙΘ (α) (θάνατος, απόδειξη, απόλυση) certain (β) (για πρόσ.) sure, certain
▷**είμαι βέβαιος για** κτ to be sure about sth
▷**είμαι βέβαιος ότι** to be sure that
▷**το βέβαιο είναι ότι** what is certain is that
βεβαιότητα ΟΥΣ ΘΗΛ certainty

βεβαιώνω Ρ Μ (α) (= *επιβεβαιώνω*) to confirm
(β) (= *διαβεβαιώνω*) to assure
▸ βεβαιώνομαι ΜΕΣΟΠΑΘ to make sure

βεβαίως ΕΠΙΡΡ = **βέβαια**

βεβαίωση ΟΥΣ ΘΗΛ (α) (*αιτήματος, πολιτικής*)
confirmation (β) (*ιατρού, εγγραφής,*
συμβολαιογράφου) certificate
▸ **γραπτή βεβαίωση** certificate
▸ **ένορκη βεβαίωση** affidavit
▸ **ψευδής βεβαίωση** false testimony

βεβαιωτικός, -ή, -ό ΕΠΙΘ (*απάντηση*)
affirmative · (*απόδειξη*) positive
▸ **βεβαιωτικό έγγραφο** certificate
▸ **βεβαιωτικό επίρρημα** affirmative adverb
▸ **βεβαιωτικό στοιχείο** proof *εν.*

βεβαρημένος, -η, -ο ΕΠΙΘ (α) (*συνείδηση*)
troubled, guilty · (*παρελθόν*) murky
(β) (*υγεία*) frail (γ) (*πρόγραμμα*) heavy,
demanding
▸ **βεβαρημένο ποινικό μητρώο** long criminal
record

βέβηλος, -η, -ο ΕΠΙΘ sacrilegious
▸ βέβηλος ΟΥΣ ΑΡΣ, βέβηλη ΟΥΣ ΘΗΛ (*μτφ.*)
barbarian

βεβηλώνω Ρ Μ (*ναό, τάφο, κείμενο*) to
desecrate · (*μνήμη,*) to insult

βεβήλωση ΟΥΣ ΘΗΛ desecration

βεβιασμένα ΕΠΙΡΡ hastily

βεβιασμένος, -η, -ο ΕΠΙΘ (*ενέργεια,*
απόφαση) hasty

βεγγαλικό ΟΥΣ ΟΥΔ firework

βελάζω Ρ ΑΜ (*πρόβατα, γίδια*) to bleat

βελανίδι ΟΥΣ ΟΥΔ = **βαλανίδι**

βελανιδιά ΟΥΣ ΘΗΛ = **βαλανιδιά**

βέλασμα ΟΥΣ ΟΥΔ bleat, bleating

Βέλγα, Βελγίδα ΟΥΣ ΘΗΛ βλ. **Βέλγος**

βελγικός, -ή, -ό ΕΠΙΘ Belgian

> *Προσοχή!: Τα εθνικά επίθετα, όπως*
> **Belgian**, *γράφονται με κεφαλαίο το*
> *αρχικό γράμμα στα Αγγλικά.*

βέλγικος, -η, -ο ΕΠΙΘ = **βελγικός**

Βέλγιο ΟΥΣ ΟΥΔ Belgium

Βέλγος ΟΥΣ ΑΡΣ Belgian

βεληνεκές ΟΥΣ ΟΥΔ (*όπλου, βλήματος*) range

Βελιγράδι ΟΥΣ ΟΥΔ Belgrade

βέλο ΟΥΣ ΟΥΔ veil

βελόνα ΟΥΣ ΘΗΛ (α) (*γενικότ.*) needle
(β) (*πικάπ*) stylus

> *Προσοχή!: Ο πληθυντικός του* **stylus**
> *είναι* **styli** *ή* **styluses**.

▸ **κάθομαι (πάνω) σε βελόνες** to be on
tenterhooks
▸ **μαγνητική βελόνα** magnetic needle

βελόνη (*επίσ.*) ΟΥΣ ΘΗΛ = **βελόνα**

βελόνι ΟΥΣ ΟΥΔ (small) needle

βελονιά ΟΥΣ ΘΗΛ stitch
▸ **βελονιές** ΠΛΗΘ (*μτφ.*) shooting pains

βελονιάζω Ρ Μ (α) (= *τρυπώνω*) to stitch
(β) (= *τρυπώ*) to prick
▸ **βελονιάζω την κλωστή** to thread a needle

βελόνιασμα ΟΥΣ ΟΥΔ (α) (= *πέρασμα κλωστής*
σε βελόνα) threading a needle (β) (= *ραφή*)
stitching (γ) (= *τσίμπημα*) pricking

βελονισμός ΟΥΣ ΑΡΣ acupuncture

βελονοθήκη ΟΥΣ ΘΗΛ needle case

βελονωτός, -ή, -ό ΕΠΙΘ (*φύλλα*) pointed

βέλος ΟΥΣ ΟΥΔ (α) (*τόξου*) arrow (β) (= *δείκτης*
κατεύθυνσης) arrow (γ) (*μτφ.*) shaft

βελουδένιος, -ια, -ιο ΕΠΙΘ = **βελούδινος**

βελούδινος, -η, -ο ΕΠΙΘ (α) (*ύφασμα, παλτό,*
φόρεμα) velvet (β) (*φωνή, δέρμα, χείλη*)
velvety

βελούδο ΟΥΣ ΟΥΔ velvet

βέλτιστος, -η, -ο (*επίσ.*) ΕΠΙΘ best, optimum
▸ **εύχομαι τα βέλτιστα σε κπν** to wish sb all
the best

βελτιώνω Ρ Μ (*ποιότητα, γνώσεις, απόδοση,*
κατάσταση, σχέσεις) to improve · (*θέση*) to
better · (*εμφάνιση, γεύση*) to enhance
▸ βελτιώνομαι ΜΕΣΟΠΑΘ (*καιρός*) to get better,
to improve · (*υγεία, κατάσταση ασθενούς*) to
improve

βελτίωση ΟΥΣ ΘΗΛ improvement
▸ **βελτίωση της υγείας κποιου/του καιρού**
improvement in sb's health/in the weather
▸ **βελτιώσεις** ΠΛΗΘ improvements

βελτιώσιμος, -η, -ο ΕΠΙΘ open to
improvement

βελτιωτικός, -ή, -ό ΕΠΙΘ (*προσπάθειες,*
μέτρα) effective

Βενετία ΟΥΣ ΘΗΛ Venice

βενετσιάνικος, -η, -ο ΕΠΙΘ Venetian

βενζίνα ΟΥΣ ΘΗΛ = **βενζίνη**

βενζινάδικο ΟΥΣ ΘΗΛ petrol station (*Βρετ.*),
gas station (*Αμερ.*)

βενζινάκατος ΟΥΣ ΘΗΛ motorboat

βενζίνη ΟΥΣ ΘΗΛ petrol (*Βρετ.*), gasoline
(*Αμερ.*), gas (*Αμερ.*)

βενζινοκινητήρας ΟΥΣ ΑΡΣ = **βενζινομηχανή**

βενζινοκίνητος, -η, -ο ΕΠΙΘ petrol–driven
(*Βρετ.*), gas–driven (*Αμερ.*)

βενζινομηχανή ΟΥΣ ΘΗΛ petrol engine

βενζινοπώλης ΟΥΣ ΑΡΣ owner of a petrol
(*Βρετ.*) ή gas (*Αμερ.*) station

βενζινοπώλισσα ΟΥΣ ΘΗΛ βλ. **βενζινοπώλης**

βενζόλιο ΟΥΣ ΟΥΔ benzol

βεντάλια ΟΥΣ ΘΗΛ fan

βεντέτα[1] ΟΥΣ ΘΗΛ (= *αντεκδίκηση*) vendetta

βεντέτα[2] ΟΥΣ ΘΗΛ (*κινηματογράφου,*
ποδοσφαίρου) star
▸ **το παίζω βεντέτα** (*αργκ.*) to swank (*Βρετ.*)
(*ανεπ.*), to put on the dog (*Αμερ.*) (*ανεπ.*)

βεντιλατέρ ΟΥΣ ΟΥΔ ΑΚΛ (ΑΥΤΟΚΙΝ) fan

βεντούζα ΟΥΣ ΘΗΛ (α) (ΙΑΤΡ) cupping glass
(β) (*κρεμάστρας, παιχνιδιού*) sucker
▸ **κολλάω (σε κπν) σαν βεντούζα** to stick (to
sb) like a leech

▶**βεντούζες** ΠΛΗΘ (χταποδιού) suckers

βέρα ΟΥΣ ΘΗΛ (γάμου) wedding ring · (αρραβώνα) engagement ring

βεράντα ΟΥΣ ΘΗΛ verandah

βέργα ΟΥΣ ΘΗΛ (α) (= κλαδί χωρίς φύλλα) switch (β) (χρυσού, αργύρου) bar · (σιδήρου) rod

βερεσέ ΕΠΙΡΡ on tick (Βρετ.)(ανεπ.) on the nod (Αμερ.)
▷**αυτά τ' ακούω βερεσέ!** I couldn't care less!

βερεσέδια ΟΥΣ ΟΥΔ ΠΛΗΘ money owed εν.

βερικοκιά ΟΥΣ ΘΗΛ apricot tree

βερίκοκο ΟΥΣ ΟΥΔ apricot

βερμούδα ΟΥΣ ΘΗΛ Bermuda shorts πληθ.

βερμούτ ΟΥΣ ΟΥΔ ΑΚΛ vermouth

βερμπαλισμός ΟΥΣ ΑΡΣ (α) (= μεγαλοστομία) verbosity (β) (= φλυαρία) chitchat

βερμπαλιστής ΟΥΣ ΑΡΣ (α) (= μεγαλόστομος) verbose person (β) (= φλύαρος) chatterbox (ανεπ.)

βερμπαλιστικός, -ή, -ό ΕΠΙΘ (ύφος, λόγος) verbose, long-winded

βερμπαλίστρια ΟΥΣ ΘΗΛ βλ. **βερμπαλιστής**

Βέρνη ΟΥΣ ΘΗΛ Bern

βερνίκι ΟΥΣ ΟΥΔ (επίπλων, ξύλων: προστατευτικό) varnish · (για γυάλισμα) polish · (παπουτσιών) polish
▶**βερνίκι νυχιών** nail polish

βερνίκωμα ΟΥΣ ΟΥΔ (επίπλων, κουφωμάτων: για προστασία) varnishing · (για γυάλισμα) polishing · (παπουτσιών) polishing

βερνικωμένος, -η, -ο ΕΠΙΘ (έπιπλο, ξύλο) varnished · (= γυαλισμένος) polished · (παπούτσια) polished

βερνικώνω Ρ Μ (έπιπλα: για προστασία) to varnish · (για γυάλισμα) to polish · (παπούτσια) to polish

Βερολινέζα ΟΥΣ ΘΗΛ βλ. **Βερολινέζος**

Βερολινέζος ΟΥΣ ΑΡΣ Berliner

Βερολίνο ΟΥΣ ΟΥΔ Berlin

βέρος, -α, -ο ΕΠΙΘ genuine

βεσέ, βε-σε ΟΥΣ ΟΥΔ ΑΚΛ WC

βέσπα ΟΥΣ ΘΗΛ moped

βεστιάριο ΟΥΣ ΟΥΔ (α) (= χώρος φύλαξης ρούχων) cloakroom (Βρετ.), checkroom (Αμερ.) (β) (= γκαρνταρόμπα) wardrobe (Βρετ.), closet (Αμερ.)

βετέξ ΟΥΣ ΟΥΔ ΑΚΛ sponge

βετεράνος ΟΥΣ ΑΡΣ (πολέμου, ποδοσφαίρου, μπάσκετ, πολιτικής) veteran

βέτο ΟΥΣ ΟΥΔ ΑΚΛ veto

Προσοχή!: Ο πληθυντικός του **veto** *είναι* **vetoes.**

Βηθλεέμ ΟΥΣ ΘΗΛ ΑΚΛ Bethlehem

βήμα ΟΥΣ ΟΥΔ (α) (= μετακίνηση ποδιών, δρασκελιά) step · (μεγάλο) stride (β) (= ταχύτητα μετακίνησης ποδιών) pace

(γ) (= απόσταση ανοίγματος ποδιών) foot

Προσοχή!: Ο πληθυντικός του **foot** *είναι* **feet.**

(δ) (χορού) step (ε) (= βάδισμα) walk
(στ) (= πρωτοβουλία) step, move
(ζ) (= σημείο προσπάθειας) step
(η) (= βάθρο) podium
▷**ακολουθώ** κπν **βήμα προς βήμα** ή **κατά βήμα** to follow in sb's footsteps
▷**ακούω βήματα** I can hear footsteps
▷**ανοίγω το βήμα μου** to lengthen one's stride, to step out
▷**βήμα προς τα εμπρός/πίσω** step forward/back
▷**βήμα προς βήμα** step by step
▷**βήμα-βήμα** one step at a time
▷**δυο βήματα (από)** a few steps away (from)
▷**ένα βήμα προόδου/προσέγγισης** a step towards progress/rapprochement
▷**κάνω τα πρώτα μου βήματα** (κυριολ., μτφ.) to take one's first steps
▷**κάνω το πρώτο βήμα** to make the first move
▷**κάνω βήμα σημειωτόν** to mark time
▷**με αργά βήματα** slowly
▷**με κουρασμένο βήμα** dragging one's feet
▷**με ταχύ βήμα** quickly
▷**μην κάνεις βήμα!** don't move a muscle!
▷**τα μεγάλα τεχνολογικά βήματα του 20ού αιώνα** the great technological strides of the 20th century

βηματίζω Ρ ΑΜ to walk
▷**βηματίζω πάνω κάτω** to pace up and down

βηματισμός ΟΥΣ ΑΡΣ (α) (= περπάτημα, τρόπος βαδίσματος) walk (β) (= ήχος βημάτων) footstep

βηματοδότης ΟΥΣ ΑΡΣ (ΙΑΤΡ, ΤΕΧΝΟΛ) pacemaker

βήξιμο ΟΥΣ ΟΥΔ (α) (= το να βήχει κανείς) coughing (β) (= βήχας) cough

Βηρυτός ΟΥΣ ΘΗΛ Beirut

βήτα ΟΥΣ ΟΥΔ ΑΚΛ beta, *second letter of the Greek alphabet*
▷**βήτα κατηγορίας** ή **διαλογής** second-rate
▷**για τον άλφα ή βήτα λόγο** for whatever reason, for some reason or other
▷**ο άλφα και ο βήτα** people πληθ.

βήχας ΟΥΣ ΑΡΣ cough
▷**κόβω τον βήχα κποιου** (οικ.) to send sb about their business
▷**με πιάνει βήχας** to get a cough
▷**μου κόβεται ο βήχας** (οικ.) to be taken down a peg or two

βήχω Ρ ΑΜ to cough

βία ΟΥΣ ΘΗΛ (α) (= εξαναγκασμός) violence (β) (= πίεση) rush
▷**ασκώ** ή **χρησιμοποιώ βία** to use force
▷**δεν υπάρχει βία** there's no rush
▷**δια (της) βίας** by force
▷**(μόλις και) μετά βίας** only just, barely
▷**λόγοι ανωτέρας βίας** for reasons beyond

my control
▷**πράξη βίας** act of violence
▸**ανωτέρα βία** (ΝΟΜ) force majeure
βιάζω¹ Ρ Μ (α) (= *κακοποιώ σεξουαλικά*) to
rape (β) (*μτφ.*) to violate
▷**βιάζω κπν να κάνει κτ** to force sb to do sth
βιάζω² Ρ Μ (*εξελίξεις, κατάσταση, πράγματα*)
to rush
▸**βιάζομαι** ΜΕΣΟΠΑΘ (α) (= *επείγομαι*) to be in a
hurry · (= *κάνω γρήγορα*) to hurry (up)
(β) (*καταχρ.*: = *επισπεύδω*) to rush, to hurry ·
(= *χρειάζομαι επειγόντως*) to need urgently,
to be in a hurry for
▷**βιάζομαι να κάνω κτ** (= *προτρέχω*) to be in a
hurry to do sth · (= *ανυπομονώ*) I can't wait
to do sth
▷**μη βιαστείτε να βγάλετε συμπεράσματα**
don't jump to conclusions
▷**όποιος βιάζεται, σκοντάφτει** (*παροιμ.*) more
haste, less speed (*παροιμ.*)
βιαιοπραγία ΟΥΣ ΘΗΛ (α) (= *άσκηση βίας*)
physical assault (β) (ΝΟΜ) assault and
battery
βιαιοπραγώ Ρ ΑΜ (α) (= *ασκώ βία*) to use
force *ή* violence (β) (ΝΟΜ) to commit assault
▷**βιαιοπραγώ εναντίον** *ή* **κατά κποιου** to
assault sb
βίαιος, -η, -ο ΕΠΙΘ (*χαρακτήρας, ενέργεια,
αντίδραση*) violent
βιαιότητα ΟΥΣ ΘΗΛ violence
▸**βιαιότητες** ΠΛΗΘ violence *εν.*, acts of violence
βιάση ΟΥΣ ΘΗΛ = **βιασύνη**
βιασμός ΟΥΣ ΑΡΣ (α) (ΝΟΜ) rape (β) (*μτφ.*)
violation
βιαστής ΟΥΣ ΑΡΣ (α) (ΝΟΜ) rapist (β) (*μτφ.*)
violator
βιαστικός, -ή, -ό ΕΠΙΘ (α) (*διαβάτης*) in a
hurry (β) (*ματιά, βάδισμα*) hasty · (*επίσκεψη*)
flying · (*καφές*) quick (γ) (*απόφαση,
συμπέρασμα, ενέργεια*) hasty
βιασύνη ΟΥΣ ΘΗΛ haste
βιβάρι ΟΥΣ ΟΥΔ = **διβάρι**
βιβλιαράκι ΟΥΣ ΟΥΔ booklet
βιβλιάριο ΟΥΣ ΟΥΔ book
▸**ασφαλιστικό βιβλιάριο** insurance certificate
▸**βιβλιάριο ενσήμων** book of stamps
▸**βιβλιάριο επιταγών** chequebook (*Βρετ.*),
checkbook (*Αμερ.*)
▸**βιβλιάριο καταθέσεων** pass book
▸**εκλογικό βιβλιάριο** voting card
βιβλιεκδότης ΟΥΣ ΑΡΣ publisher
βιβλιεκδότρια ΟΥΣ ΘΗΛ *βλ.* **βιβλιεκδότης**
βιβλικός, -ή, -ό ΕΠΙΘ biblical
▷**βιβλική καταστροφή** major catastrophe
βιβλίο ΟΥΣ ΟΥΔ book
▷**δεν ανοίγει βιβλίο, δεν πιάνει βιβλίο στα
χέρια του** he never opens a book
▷**διαβάζω** *ή* **ξέρω κπν σαν ανοιχτό βιβλίο** to
read sb like a book
▷**είναι χωμένος στα βιβλία** he's always got
his head in a book

▸**βιβλίο ιστορίας/γραμματικής** history/
grammar book
▸**βιβλίο επισκτών** visitors' book
▸**βιβλίο παραγγελιών** order book
▸**βιβλίο τσέπης** paperback
▸**εξωσχολικό βιβλίο** extracurricular book
▸**παιδικό βιβλίο** children's book
▸**σχολικό βιβλίο** school book
▸**βιβλία** ΠΛΗΘ (*επίσης* **λογιστικά βιβλία**) books,
accounts
▷**κρατάω τα βιβλία** to keep the books
βιβλιογνωσία ΟΥΣ ΘΗΛ knowledge of books
βιβλιογραφία ΟΥΣ ΘΗΛ bibliography
βιβλιοδεσία ΟΥΣ ΘΗΛ bookbinding
βιβλιοδετείο ΟΥΣ ΟΥΔ bookbinder's shop
βιβλιοδέτης ΟΥΣ ΑΡΣ⊕ΘΗΛ bookbinder
βιβλιοδετικά ΟΥΣ ΟΥΔ ΠΛΗΘ bookbinding
expenses
βιβλιοδετώ Ρ ΑΜ to bind books
βιβλιοθηκάριος ΟΥΣ ΑΡΣ⊕ΘΗΛ librarian
βιβλιοθήκη ΟΥΣ ΘΗΛ (α) (*έπιπλο*) bookcase
(β) (*δήμου, Βουλής*) library
▸**δανειστική βιβλιοθήκη** lending library
▸**Εθνική βιβλιοθήκη** National Library
βιβλιοθηκονομία ΟΥΣ ΘΗΛ library science,
librarianship
βιβλιοθηκονόμος ΟΥΣ ΑΡΣ⊕ΘΗΛ librarian
βιβλιοκρισία ΟΥΣ ΘΗΛ book review
βιβλιοκριτική ΟΥΣ ΘΗΛ = **βιβλιοκρισία**
βιβλιοκριτικός ΟΥΣ ΑΡΣ⊕ΘΗΛ book reviewer,
literary critic
βιβλιολάτρης ΟΥΣ ΑΡΣ book lover
βιβλιολάτρισσα ΟΥΣ ΘΗΛ *βλ.* **βιβλιολάτρης**
βιβλιομανία ΟΥΣ ΘΗΛ (α) (= *μανιώδης συλλογή
βιβλίων*) obsession with books
(β) (= *μανιώδης ανάγνωση βιβλίων*) obsessive
reading
βιβλιοπωλείο ΟΥΣ ΟΥΔ book shop (*Βρετ.*),
bookstore (*Αμερ.*)
βιβλιοπώλης ΟΥΣ ΑΡΣ bookseller
βιβλιοπώλισσα ΟΥΣ ΘΗΛ *βλ.* **βιβλιοπώλης**
βιβλιόσημο ΟΥΣ ΟΥΔ stamp (*on a book*)
βιβλιοσυλλέκτης ΟΥΣ ΑΡΣ book collector
βιβλιοσυλλέκτρια ΟΥΣ ΘΗΛ *βλ.*
βιβλιοσυλλέκτης
βιβλιοτεχνία ΟΥΣ ΘΗΛ publishing techniques
πληθ.
βιβλιοφάγος ΟΥΣ ΑΡΣ⊕ΘΗΛ (*κυριολ., μτφ.*)
bookworm
βιβλιόφιλος, -η, -ο ΕΠΙΘ who loves books,
bibliophile (*επίσ.*)
βιβλιοχαρτοπωλείο ΟΥΣ ΟΥΔ book shop
(*Βρετ.*) *ή* bookstore (*Αμερ.*) and stationer's
βιβλιοχαρτοπώλης ΟΥΣ ΑΡΣ bookseller and
stationer
βιβλιοχαρτοπώλισσα ΟΥΣ ΘΗΛ *βλ.*
βιβλιοχαρτοπώλης
Βίβλος ΟΥΣ ΘΗΛ Bible
▸**Λευκή Βίβλος** White Paper
▸**Μαύρη Βίβλος** blacklist

βίδα ΟΥΣ ΘΗΛ screw
▷**γίναμε βίδες** (οικ.) we've had a major falling out (ανεπ.)
▷**μου 'στριψε ή 'φυγε ή λάσκαρε η βίδα** (οικ.) to have a screw loose (ανεπ.)
▷**κάνω βίδες** (μηχανή, αυτοκίνητο) to smash up, to write off (Βρετ.)
▸**βίδες** ΠΛΗΘ (ζυμαρικό) twists

βιδάνιο ΟΥΣ ΟΥΔ (α) (= απόπιομα) dregs πληθ.
(β) (στη χαρτοπαιξία) profits (of a casino)

βίδωμα ΟΥΣ ΟΥΔ (α) (βίδας) screwing
(β) (λάμπας) screwing in

βιδώνω Ρ Μ (α) (βίδα) to screw (β) (λάμπα, τμήματα) to screw in
▷**μου τη βιδώνει** (αργκ.: = μου μπαίνει στο μυαλό) to get it into one's head · (= μου τη δίνει) to lose it (ανεπ.)

βιδωτός, -ή, -ό ΕΠΙΘ (α) (καθρέφτης) screwed to the wall (β) (λάμπα) screw–in
(γ) (γραφείο, τραπέζι) that can be dismantled

Βιενέζα ΟΥΣ ΘΗΛ βλ. **Βιενέζος**

βιενέζικος, -η, -ο ΕΠΙΘ Viennese

Προσοχή!: Τα εθνικά επίθετα, όπως **Viennese**, *γράφονται με κεφαλαίο το αρχικό γράμμα στα Αγγλικά.*

Βιενέζος ΟΥΣ ΑΡΣ Viennese

Βιένη, Βιέννη ΟΥΣ ΘΗΛ Vienna

βίζα ΟΥΣ ΘΗΛ visa
▷**βγάζω βίζα** to get a visa

βίζιτα ΟΥΣ ΘΗΛ visit
▷**κάνω αρμένικη βίζιτα** (οικ.) to overstay ή outstay one's welcome

βιζόν ΟΥΣ ΟΥΔ ΑΚΛ mink

Βιθυνία ΟΥΣ ΘΗΛ Bithynia

βίκος ΟΥΣ ΑΡΣ vetch

βίλα ΟΥΣ ΘΗΛ villa

Βίλνιους ΟΥΣ ΘΗΛ Vilnius, Vilnyus

βίντεο ΟΥΣ ΟΥΔ ΑΚΛ (α) (συσκευή) video (recorder), VCR (β) (= βιντεοκασέτα) video (tape)

βιντεογκέιμ ΟΥΣ ΟΥΔ ΑΚΛ = **βιντεοπαιχνίδι**

βιντεογουόλ ΟΥΣ ΟΥΔ ΑΚΛ video wall

βιντεοδίσκος ΟΥΣ ΑΡΣ DVD

βιντεοκάμερα ΟΥΣ ΘΗΛ video camera

βιντεοκασέτα ΟΥΣ ΘΗΛ video tape

βιντεοκλάμπ ΟΥΣ ΟΥΔ ΑΚΛ video club, video shop (Βρετ.) ή store (Αμερ.)

βιντεοκλίπ ΟΥΣ ΟΥΔ ΑΚΛ video clip

βιντεοπαιχνίδι ΟΥΣ ΟΥΔ video game

βιντεοταινία ΟΥΣ ΘΗΛ video tape

βιντεοτηλέφωνο ΟΥΣ ΟΥΔ βλ. **εικονοτηλέφωνο**

βίντσι ΟΥΣ ΟΥΔ winch

βινύλιο ΟΥΣ ΑΡΣ vinyl

βιογραφία ΟΥΣ ΘΗΛ biography

βιογραφικός, -ή, -ό ΕΠΙΘ biographical
▸**βιογραφικό** ΟΥΣ ΟΥΔ (επίσης **βιογραφικό**

σημείωμα) curriculum vitae (Βρετ.), CV (Βρετ.), résumé (Αμερ.)

βιογράφος ΟΥΣ ΑΡΣ/ΘΗΛ biographer

βιογραφώ Ρ ΑΜ to be a biographer

βιόλα¹ ΟΥΣ ΘΗΛ (ΜΟΥΣ) viola

βιόλα² ΟΥΣ ΘΗΛ (καλλωπιστικό φυτό) viola

βιολέτα ΟΥΣ ΘΗΛ violet

βιολί ΟΥΣ ΟΥΔ violin
▷**πρώτο βιολί** first violin · (μτφ.) prime mover
▷(**αυτός**) **το βιολί του!, το βιολί βιολάκι!, το ίδιο βιολί!** there he goes again!
▸**βιολιά** ΠΛΗΘ (= βιολιστές ορχήστρας) violins · (= μικρή ορχήστρα) quartet εν.

βιολιστής ΟΥΣ ΑΡΣ violinist

βιολίστρια ΟΥΣ ΘΗΛ βλ. **βιολιστής**

βιολιτζής ΟΥΣ ΑΡΣ violinist, fiddler

βιολογία ΟΥΣ ΘΗΛ biology

βιολογικός, -ή, -ό ΕΠΙΘ biological
▸**βιολογικός καθαρισμός** biological purification
▸**βιολογικός κύκλος** life cycle
▸**βιολογικό όπλο** biological weapon
▸**βιολογικός πόλεμος** biological warfare

βιολόγος ΟΥΣ ΑΡΣ/ΘΗΛ biologist

βιολονίστας ΟΥΣ ΑΡΣ = **βιολιστής**

βιολονίστρια ΟΥΣ ΘΗΛ βλ. **βιολιστής**

βιολοντσελίστας ΟΥΣ ΑΡΣ cellist

βιολοντσελίστρια ΟΥΣ ΘΗΛ βλ. **βιολοντσελίστας**

βιολοντσέλο ΟΥΣ ΟΥΔ cello

βιομηχανία ΟΥΣ ΘΗΛ (α) (καλλυντικών, τροφίμων, όπλων) industry
(β) (= εργοστάσιο) factory, works πληθ.
▸**βιομηχανία (του) θεάματος** entertainment industry

βιομηχανικός, -ή, -ό ΕΠΙΘ (α) (περιοχή, μονάδα, απόβλητα, τομέας) industrial · (προϊόν) manufactured · (παραγωγή) mass · (κλάδος) of industry · (χώρα) industrialized
(β) (έπιπλα, χαλιά) mass–produced
▸**η Βιομηχανική Επανάσταση** the Industrial Revolution
▸**βιομηχανικός εργάτης** factory worker

βιομηχανοποιημένος, -η, -ο ΕΠΙΘ (κοινωνία, χώρα) industrialized · (προϊόν) manufactured · (παραγωγή) mass

βιομηχανοποίηση ΟΥΣ ΘΗΛ (α) (παραγωγής, χώρας) industrialization · (προϊόντος) mass production (β) (διασκέδασης) making an industry out of

βιομηχανοποιώ Ρ Μ (α) (παραγωγή, χώρα) to industrialize · (προϊόν) to mass–produce
(β) (διασκέδαση) to make an industry out of

βιομήχανος ΟΥΣ ΑΡΣ/ΘΗΛ industrialist

βιονικός, -ή, -ό ΕΠΙΘ bionic
▸**βιονική** ΟΥΣ ΘΗΛ bionics εν.

βιοπαλαιστής ΟΥΣ ΑΡΣ person who works hard for a living

βιοπαλαίστρια ΟΥΣ ΘΗΛ βλ. **βιοπαλαιστής**

βιοπάλη ΟΥΣ ΘΗΛ daily struggle for survival

βιοπορισμός ΟΥΣ ΑΡΣ earning a living

βιοποριστής ΟΥΣ ΑΡΣ person who works hard to earn a living

βιοποριστικός, -ή, -ό ΕΠΙΘ: **βιοποριστικό επάγγελμα** job that allows one to earn a living
▷**για βιοποριστικούς λόγους** in order to earn a living

βιορυθμός, βιόρυθμος ΟΥΣ ΑΡΣ biorhythm

βιος (ανεπ.) ΟΥΣ ΟΥΔ fortune

βίος ΟΥΣ ΑΡΣ (α) (= ζωή) life

Προσοχή!: Ο πληθυντικός του life είναι **lives.**

(β) (= τρόπος ζωής) lifestyle (γ) (= διάρκεια ζωής) lifespan (δ) (= βιογραφία) life
▷**δια βίου** for life
▷**κάνω τον βίο αβίωτο σε κπν** to make sb's life hell
▸**βίοι παράλληλοι** parallel lives
▸**βίος και πολιτεία** (για περιπετειώδη ζωή) exciting life

βιόσφαιρα ΟΥΣ ΘΗΛ biosphere

βιοτέχνης ΟΥΣ ΑΡΣ&ΘΗΛ tradesman/woman

Προσοχή!: Ο πληθυντικός του **tradesman/woman** *είναι* **tradesmen/ women.**

βιοτεχνία ΟΥΣ ΘΗΛ (α) (ΟΙΚΟΝ) small industry, cottage industry (β) (κτήριο) workshop

βιοτεχνικός, -ή, -ό ΕΠΙΘ (επιχείρηση) small · (παραγωγή) small–scale
▸**βιοτεχνικά προϊόντα** handicrafts

βιοτεχνολογία ΟΥΣ ΘΗΛ biotechnology

βιοτικός, -ή, -ό ΕΠΙΘ (συνθήκες, πόροι) living
▸**βιοτικό επίπεδο** standard of living

βιότοπος ΟΥΣ ΑΡΣ habitat

βιοφυσική ΟΥΣ ΘΗΛ biophysics εν.

Προσοχή!: Αν και το **biophysics** *φαίνεται ως τύπος πληθυντικού, είναι ουσιαστικό μόνο στον ενικό και συντάσσεται με ρήμα στον ενικό.*

βιοχημεία ΟΥΣ ΘΗΛ biochemistry

βιοχημικός, -ή, -ό ΕΠΙΘ biochemical
▸**βιοχημικός** ΟΥΣ ΑΡΣ&ΘΗΛ biochemist

βιοψία ΟΥΣ ΘΗΛ biopsy

βίρα ΕΠΙΦΩΝ (ΝΑΥΤ) heave ho!

βιρτουόζα ΟΥΣ ΑΡΣ βλ. **βιρτουόζος**

βιρτουόζος ΟΥΣ ΑΡΣ (κυριολ., μτφ.) virtuoso

Προσοχή!: Ο πληθυντικός του **virtuoso** *είναι* **virtuosos** *ή* **virtuosi.**

βίσωνας ΟΥΣ ΑΡΣ bison

βιταμίνη ΟΥΣ ΘΗΛ vitamin

βιταμινούχος, -ος, -ο ΕΠΙΘ full of vitamins

βιτρίνα ΟΥΣ ΘΗΛ (α) (μαγαζιού, ζαχαροπλαστείου) (shop) window
(β) (μουσείου) showcase, cabinet (γ) (μτφ.)

shining example

βιτριόλι ΟΥΣ ΟΥΔ sulphuric (Βρετ.) ή sulfuric (Αμερ.) acid

βιτρό ΟΥΣ ΟΥΔ ΑΚΛ stained–glass window

βίτσα ΟΥΣ ΘΗΛ (α) (= βέργα) switch
(β) (= μαστίγιο) whip

βιτσιά ΟΥΣ ΘΗΛ lash

βίτσιο ΟΥΣ ΟΥΔ vice

βιτσιόζα (οικ.) ΟΥΣ ΘΗΛ βλ. **βιτσιόζος**

βιτσιόζος (οικ.) ΟΥΣ ΑΡΣ kinky person

βίωμα ΟΥΣ ΟΥΔ experience

βιώνω Ρ Μ to experience

βιώσιμος, -η, -ο ΕΠΙΘ (λύση, επιχείρηση) viable

βλαβερός, -ή, -ό ΕΠΙΘ (φάρμακα, ουσία) harmful · (συνέπειες) harmful, damaging · (συνήθεια) unhealthy

βλάβη ΟΥΣ ΘΗΛ (γενικότ.) damage χωρίς πληθ. · (αυτοκινήτου) breakdown · (ψυγείου, καλοριφέρ) failure
▷**παθαίνω βλάβη** to be damaged · (αυτοκίνητο) to break down
▸**σωματική βλάβη** physical harm

βλάκας ΟΥΣ ΑΡΣ (α) (ΙΑΤΡ) retarded person
(β) (μειωτ.) idiot
▷**βλάκας με περικεφαλαία** ή **με πατέντα, ένας βλάκας και μισός** a complete idiot, as thick as two short planks (ανεπ.)
▷**είμαι βλάκας** to be stupid ή an idiot
▷**κάνω** ή **παριστάνω τον βλάκα** to play dumb

βλακεία ΟΥΣ ΘΗΛ (α) (ΙΑΤΡ) retardation
(β) (= χαζομάρα) stupidity · (= πράξη) stupid thing to do · (= λόγος) stupid thing to say
▷**έκανα τη βλακεία να τον πιστέψω** I was stupid enough to believe him
▷**κάνει συνέχεια βλακείες** he's always doing stupid things

βλακόμουτρο (υβρ.) ΟΥΣ ΟΥΔ idiot, fool

βλακώδης, -ης, -ες ΟΥΣ ΑΡΣ (συμπεριφορά) idiotic, foolish · (άποψη, ιδέα, έκφραση) silly · (γέλιο, ενέργεια) stupid

βλαμμένος, -η, -ο (υβρ.) ΕΠΙΘ stupid

βλαξ (επίσ., κοροϊδ.) ΟΥΣ ΑΡΣ idiot · βλ. κ. **βλάκας**

βλαπτικός, -ή, -ό ΕΠΙΘ harmful

βλάπτω ① Ρ Μ (υγεία, καλλιέργειες) to damage · (συμφέροντα, υπόληψη, χώρα) to harm, to damage · (δικαιώματα) to prejudice · (ανάπτυξη, εξέλιξη) to impair
② Ρ ΑΜ (ποτό, κάπνισμα, ξενύχτι) to be bad for the health
▷**δεν βλάπτει να ζητάς συγγνώμη** it wouldn't hurt to apologize

βλασταίνω, βλαστάνω Ρ ΑΜ (α) (για φυτά) to sprout (β) (αγάπη, ιδέα, ελπίδα) to grow

βλαστάρι ΟΥΣ ΟΥΔ shoot
▷**βλαστάρι μου!** (χαϊδευτ.) my little one!

βλαστήμια ΟΥΣ ΘΗΛ swear word

βλάστημος, -η, -ο ΕΠΙΘ = **βλάσφημος**

βλαστημώ ① Ρ Μ to swear at

2 ρ ΑΜ to swear

βλάστηση ΟΥΣ ΘΗΛ (α) (φυτού) germination, sprouting (β) (περιοχής) vegetation

βλαστός ΟΥΣ ΑΡΣ (α) (ΒΟΤ) stem (β) (= βλαστάρι) shoot

βλασφημία ΟΥΣ ΘΗΛ (α) (= ύβρις) blasphemy (β) (= αισχρολογία) oath, swearword

βλάσφημος, -η, -ο ΕΠΙΘ (α) (= που βρίζει τα θεία) blasphemous (β) (χειρονομία) rude

βλασφημώ **1** ρ Μ (τα θεία) to blaspheme against
2 ρ ΑΜ to be blasphemous

βλάχα (μειωτ.) ΟΥΣ ΘΗΛ βλ. **βλάχος**

βλαχιά (μειωτ.) ΟΥΣ ΘΗΛ boorish behaviour (Βρετ.) ή behavior (Αμερ.)

βλάχικος, -η, -ο ΕΠΙΘ (α) (γάμος, έθιμα) Vlach (β) (μειωτ.: συμπεριφορά) boorish · (προφορά, ντύσιμο) hick (ανεπ.)
▸ **Βλάχικα** ΟΥΣ ΟΥΔ ΠΛΗΘ (ΓΛΩΣΣ) Vlachika, *Aromanian or Megleno–Romanian*

βλαχοδήμαρχος (μειωτ.) ΟΥΣ ΑΡΣ pompous provincial mayor

βλάχος ΟΥΣ ΑΡΣ (μειωτ.) yokel, hick

βλαχουριά ΟΥΣ ΘΗΛ (μειωτ.) yokels, hicks

βλάψιμο ΟΥΣ ΟΥΔ (υγείας, επιχείρησης, καλλιέργειας, ματιών) damage · (συμφερόντων) harm, damage

βλέμμα ΟΥΣ ΟΥΔ (α) (= ματιά) look · (επίμονο) stare (β) (μελαγχολίας, ανησυχίας) look
▷**καρφώνω κπν με το βλέμμα (μου)** to stare fixedly at sb
▷**καρφώνω το βλέμμα μου σε κτ** to stare at sth
▷**όσο μακριά φτάνει το βλέμμα** as far as the eye can see
▷**ρίχνω ή πέφτει το βλέμμα μου σε κπν/κτ** to glance at sb/sth
▷**τραβώ το βλέμμα μου** to look away

βλέννα ΟΥΣ ΘΗΛ mucus

βλεννογόνος, -ος, -ο ΕΠΙΘ mucous

βλεννόρροια ΟΥΣ ΘΗΛ gonorrhoea (Βρετ.), gonorrhea (Αμερ.)

βλεννώδης, -ης, -ες ΕΠΙΘ (έκκριμα) mucous

βλέπω **1** ρ Μ (α) (άνθρωπο, πράγμα) to see (β) (= παρακολουθώ: τηλεόραση, παράσταση) to watch (γ) (= κρίνω) to see (δ) (= διαπιστώνω: σφάλμα, άδικο) to see (ε) (= κατανοώ: λόγους, στάση) to see (στ) (= εξετάζω: κατάσταση, τα πράγματα, θέμα) to see, to look at (ζ) (γιατρός) to examine, to see (η) (= προβλέπω) to foresee (θ) (= αποφασίζω) to see (ι) (= προσέχω) to watch · (φαγητό) to keep an eye on · (παιδί) to look after, to keep an eye on · (= σκέπτομαι: συμφέρον, κέρδος) to have an eye for (ια) (= συναντώ: γνωστό, προϊστάμενο) to see · (= επισκέπτομαι: φίλο) to see · (μουσείο) to visit
2 ρ ΑΜ to see
▷**ακόμα δεν τον είδαμε, Γιάννη τονε βγάλαμε!** (παροιμ.) don't count your

chickens before they are hatched (παροιμ.)
▷**αυτό θα το δούμε!** we'll see about that!
▷**βλέπε πού πατάς!** watch where you're going!
▷**βλέπεις, βλέπετε** (προφορ.) you see
▷**βλέπω άσπρη μέρα ή Θεού πρόσωπο** to have some good fortune
▷**βλέπω αστεράκια ή πουλάκια** to see stars
▷**βλέπω όνειρο** to have a dream
▷**για να δούμε** let's see
▷**για δες!** (για θαυμασμό) just look at that! · (= για φαντάσου) just imagine!
▷**δεν βλέπω την ώρα να γυρίσω σπίτι μου** I can't wait to go home
▷**είδα κι απόειδα** (για έμφαση) it was an uphill struggle
▷**είδα κι έπαθα να κάνω κτ** (για έμφαση) to have a hard time doing sth
▷**θα δούμε** we'll see
▷**όπως σε βλέπω και με βλέπεις!** (για έμφαση) as sure as I'm standing here!
▷**προχωρώ βλέποντας και κάνοντας** to wait and see
▷**τα βλέπεις;** do you see?
▷**τα βλέπω** (σε χαρτοπαιξία) see you
▷**τα είδα όλα!** (αργκ.) it's/she's something else! (ανεπ.)
▷**την έχω δει** (αργκ.) to fancy oneself
▷**το δωμάτιό μου/το παράθυρο βλέπει στον κήπο** my room/the window looks onto the garden
▷**το σπίτι βλέπει στη θάλασσα** the house has a sea view
▸ **βλέπομαι** ΜΕΣΟΠΑΘ (α) (= συναντιέμαι) to see each other (β) (ταινία, άνθρωπος) to be seen

βλεφαρίδες ΟΥΣ ΘΗΛ ΠΛΗΘ eyelashes

βλεφαρίζω ρ ΑΜ to blink · (για να εκφράσω το ερωτικό ενδιαφέρον) to flutter one's eyelashes

βλεφαρίτιδα ΟΥΣ ΘΗΛ blepharitis

βλέφαρο ΟΥΣ ΟΥΔ eyelid
▷**ρίχνω ένα βλέφαρο** (αργκ.) to have a quick look

βλέψεις ΟΥΣ ΘΗΛ ΠΛΗΘ aspirations

βλήμα ΟΥΣ ΟΥΔ (α) (γενικότ.) missile · (όλμου, πυροβόλου) shell · (= σφαίρα) bullet (β) (υβρ.) idiot

βλητικός, -ή, -ό ΕΠΙΘ ballistic
▸ **βλητική** ΟΥΣ ΘΗΛ ballistics εν.

Προσοχή!: Αν και το ballistics φαίνεται ως τύπος πληθυντικού, είναι ουσιαστικό μόνο στον ενικό και συντάσσεται με ρήμα στον ενικό.

βλήτο ΟΥΣ ΟΥΔ = **βλίτο**

βλίτο ΟΥΣ ΟΥΔ (α) (χορταρικό) dandelion leaf (β) (υβρ.) idiot

βλογάω ρ Μ = **ευλογώ**

βλογιά ΟΥΣ ΘΗΛ = **ευλογιά**

βλογιοκομμένος, -η, -ο ΕΠΙΘ pockmarked

βλοσυρά ΕΠΙΡΡ sternly

βλοσυρός, -ή, -ό ΕΠΙΘ forbidding

βλοσυρότητα ΟΥΣ ΘΗΛ sternness

βόας ΟΥΣ ΑΡΣ boa (constrictor)

βογγητό ΟΥΣ ΟΥΔ (α) (ανθρώπου) groan, moan (β) (θάλασσας, μηχανής, τρένου) roar

βογγώ Ρ ΑΜ (α) (άρρωστος, πληγωμένος) to groan, to moan (β) (θάλασσα, μηχανή, κινητήρας) to roar

βογκητό ΟΥΣ ΟΥΔ = **βογγητό**

βογκώ Ρ ΑΜ = **βογγώ**

βόδι ΟΥΣ ΟΥΔ (α) (μηρυκαστικό ζώο) ox

> *Προσοχή!: Ο πληθυντικός του* **ox** *είναι* **oxen**.

(β) (μειωτ.: = αργός) sluggard (γ) (μειωτ.: = άξεστος) lout (δ) (μειωτ.: = βλάκας) idiot

βοδινός, -ή, -ό ΕΠΙΘ (γλώσσα, οπλή) ox
▸ **βοδινό** ΟΥΣ ΟΥΔ beef

βοή ΟΥΣ ΘΗΛ (α) (βροντής) rumble · (κυμάτων, ανέμου, καταρράκτη) roar (β) (πλήθους, μαγαζιού) hubbub

βοήθεια ΟΥΣ ΘΗΛ (α) (= υποστήριξη) help, assistance · (στρατιωτική, ιατρική, οικονομική) aid (β) (= βοήθημα) aid
▷ **βοήθεια!** help!
▷ **ηθική βοήθεια** moral support
▷ **ανθρωπιστική βοήθεια** humanitarian aid ή relief
▸ **πρώτες βοήθειες** first aid
▸ **σταθμός πρώτων βοηθειών** first-aid station ή post

βοήθημα ΟΥΣ ΟΥΔ (α) (= υποστήριξη) aid (β) (φοιτητή, μελετητή) study aid · (για σχολικά μαθήματα) answer book

βοηθητικός, -ή, -ό ΕΠΙΘ (α) (στοιχείο, μέσο, παράγοντας) helpful (β) (υπηρεσία) ancillary, subsidiary · (προσωπικό, υπάλληλος) auxiliary, ancillary · (πηγή, σύγγραμμα) additional
▸ **βοηθητικό ρήμα** auxiliary verb
▸ **βοηθητικοί χώροι** storage space εν.
▸ **βοηθητικό** ΟΥΣ ΟΥΔ (ΑΘΛ) training ground
▸ **βοηθητικός** ΟΥΣ ΑΡΣ (ΣΤΡΑΤ) auxiliary, non-combatant

βοηθός ΟΥΣ ΑΡΣ&ΘΗΛ (α) (= συμπαραστάτης) helper (β) (λογιστή, δικηγόρου) assistant (γ) (= μαθητευόμενος) apprentice

βοηθώ ① Ρ Μ (γενικότ.) to help · (φτωχό) to give relief to
② Ρ ΑΜ to help

Βοημία ΟΥΣ ΘΗΛ Bohemia

βόθρος ΟΥΣ ΑΡΣ (= οχετός) cesspool, cesspit
▷ **το στόμα της είναι βόθρο** she has a foul mouth

βοϊδάμαξα ΟΥΣ ΘΗΛ ox-cart

βόιδι ΟΥΣ ΟΥΔ = **βόδι**

βολάν ΟΥΣ ΟΥΔ ΑΚΛ (αυτοκινήτου) steering wheel

βολβός ΟΥΣ ΑΡΣ (α) (ΒΟΤ) bulb (β) (ματιού) eyeball

βολέ ΟΥΣ ΟΥΔ ΑΚΛ (στο ποδόσφαιρο) volley

βόλεϊ, βόλεϊ-μπολ ΟΥΣ ΟΥΔ ΑΚΛ volleyball

βολεϊμπολίστας ΟΥΣ ΑΡΣ volleyball player

βολεϊμπολίστρια ΟΥΣ ΘΗΛ βλ. **βολεϊμπολίστας**

βόλεμα ΟΥΣ ΟΥΔ (α) (γιου, υπαλλήλου) finding a position for (β) (επίπλων, δωματίου) tidying up

βολεύω Ρ Μ (α) (έπιπλα) to put, to arrange · (αντικείμενα, βιβλία) to fit (σε in) · (πόδια, χέρια) to fit in (β) (πελάτη, φιλοξενούμενο) to make comfortable (γ) (γιο, κόρη, συγγενή) to get a job for, to set up
▷ **τη βολεύω (καλά)** to be well set up, to find a cushy number (ανεπ.)
▷ **τα βολεύω με κπν** to come to an agreement with sb
▷ **τα βολεύω (όπως-όπως)** to get by, to manage to make ends meet
▸ **βολεύει, βολεύουν** ΤΡΙΤΟΠΡΟΣ to suit, to be convenient
▷ **δεν με βολεύει** it doesn't suit me, it isn't convenient for me
▸ **βολεύομαι** ΜΕΣΟΠΑΘ (α) (σε σπίτι) to settle in · (σε κάθισμα) to settle, to make oneself comfortable · (= εξυπηρετούμαι προσωρινά) to make do (με with) (β) (= τακτοποιούμαι) to be well set up · (για δουλειά) to land a good job

βολή ΟΥΣ ΘΗΛ (α) (δίσκου, λίθου, ακοντίου) throw · (στην καλαθοσφαίριση) shot (β) (= πυροβολισμός) shot (γ) (= κατηγορία) attack
▷ **εκτός βολής** out of range
▷ **εντός βολής** within range
▷ **έχω ελεύθερο πεδίο βολής** (μτφ.) to have a free hand
▷ **σε απόσταση βολής** within firing range · (μτφ.) a stone's throw away

βόλι ΟΥΣ ΟΥΔ bullet

Βολιβία ΟΥΣ ΘΗΛ Bolivia

βολίδα ΟΥΣ ΘΗΛ (α) (όπλου) bullet (β) (ΝΑΥΤ) plumb (γ) (στο ποδόσφαιρο) blast (δ) (ΑΣΤΡΟΝ) meteor
▷ **φεύγω βολίδα** to go off like a shot

βολιδοσκόπηση ΟΥΣ ΘΗΛ (α) (μτφ.) sounding out, putting out feelers (β) (= βυθομέτρηση) sounding

βολιδοσκοπώ Ρ Μ (α) (άνθρωπο) to sound out · (κλίμα, ατμόσφαιρα) to test (β) (= βυθομετρώ) to sound
▷ **βολιδοσκοπώ μια κατάσταση** to put out feelers

βολικά ΕΠΙΡΡ: **νιώθω** ή **αισθάνομαι βολικά** to feel comfortable
▷ **μου έρχονται (όλα) βολικά** to fall ή land on one's feet
▷ **τα φέρνω όλα βολικά** to come out on top

βολικός, -ή, -ό ΕΠΙΘ (α) (έπιπλο) comfortable (β) (χώρος, σημείο, ώρα) convenient, suitable (γ) (παιδί, χαρακτήρας) easy-going

βολοδέρνω Ρ ΑΜ (νέος) to struggle · (πλοίο) to be knocked about

Βόλος ΟΥΣ ΑΡΣ Volos

βόλος ΟΥΣ ΑΡΣ (α) (= σφαίρα) ball
(β) (χώματος) clod (γ) (= γυάλινο σφαιρίδιο) marble
▸ βόλοι ΠΛΗΘ marbles

βολτ ΟΥΣ ΟΥΔ ΑΚΛ volt

βόλτα ΟΥΣ ΘΗΛ (α) (= περίπατος) walk · (με όχημα) drive, ride (β) (βίδας) thread
(γ) (μηχανής, έλικα) revolution, rev (ανεπ.)
▹ **βγάζω** ή **πηγαίνω** κπν **βόλτα** to take sb for a walk
▹ **έκανε βόλτες γύρω γύρω στην πλατεία** (με όχημα) he drove around and around the square
▹ **κάνω (μια) βόλτα (με το αυτοκίνητο/με τα πόδια)** to go for a drive/walk ή stroll
▹ **κόβω βόλτες** to walk up and down · (άγνωστος) to hang around
▹ **παίρνω την κάτω/πάνω βόλτα** to take a turn for the worse/better
▹ **πάω βόλτα** to go for a walk
▹ **πάω βόλτα στα μαγαζιά** to go down to the shops

βολταϊκός, -ή, -ό ΕΠΙΘ voltaic
▸ **βολταϊκή στήλη** voltaic pile
▸ **βολταϊκό τόξο** arc

βολτάρω Ρ ΑΜ (με τα πόδια) to go for a walk · (με το αυτοκίνητο) to go for a drive

βόμβα ΟΥΣ ΘΗΛ bomb
▹ **δήλωση-βόμβα** bombshell
▹ **αποκάλυψη-βόμβα** bombshell
▹ **σκάω** ή **πέφτω σαν βόμβα** (νέα, είδηση) to come as a bombshell
▸ **βόμβα μολότοφ** Molotov cocktail

βομβαρδίζω Ρ Μ (α) (ΣΤΡΑΤ) to bomb, to shell, to bombard (β) (μτφ.) to bombard

βομβαρδισμός ΟΥΣ ΑΡΣ (α) (ΣΤΡΑΤ) bombing, bombardment (β) (μτφ.) bombardment

βομβαρδιστικό ΟΥΣ ΟΥΔ (ΣΤΡΑΤ) bomber

βομβητής ΟΥΣ ΑΡΣ pager

βομβιστής ΟΥΣ ΑΡΣ bomber

βομβίστρια ΟΥΣ ΘΗΛ βλ. **βομβιστής**

βόμβος ΟΥΣ ΑΡΣ (κοινού) buzz, hum · (αεροπλάνου) drone · (εργοστασίου) hum

βομβώ Ρ ΑΜ (αεροπλάνο, μηχάνημα) to drone · (κοινό) to buzz, to hum

Βόννη ΟΥΣ ΘΗΛ Bonn

βοξίτης ΟΥΣ ΑΡΣ bauxite

βορά (επίσ.) ΟΥΣ ΘΗΛ (κυριολ., μτφ.) prey
▹ **γίνομαι βορά**+γεν. to fall prey to

βόρεια ΕΠΙΡΡ (κοιτάζω, πηγαίνω, φυσώ) north · (βρίσκομαι) in the

Βόρεια Αμερική ΟΥΣ ΘΗΛ North America

Βόρεια Αφρική ΟΥΣ ΘΗΛ North Africa

Βόρεια Θάλασσα ΟΥΣ ΘΗΛ: **η Βόρεια Θάλασσα** the North Sea

βορεινός, -ή, -ό ΕΠΙΘ = **βορινός**

βορειοανατολικά ΕΠΙΡΡ (κοιτάζω, πηγαίνω, φυσώ) north-east · (βρίσκομαι) in the north-east

βορειοανατολικός, -ή, -ό ΕΠΙΘ
(α) (παράθυρο, δωμάτιο) north-east facing

(β) (άνεμος) north-east

βορειοδυτικά ΕΠΙΡΡ (κοιτάζω, πηγαίνω, φυσώ) north-west · (βρίσκομαι) in the north-west

βορειοδυτικός, -ή, -ό ΕΠΙΘ (α) (πρόσοψη, δωμάτιο) north-west facing (β) (άνεμος) north-west

βόρειος, -α, -ο ΕΠΙΘ (α) (ακτή, ημισφαίριο) northern · (παράθυρο) north-facing, north
(β) (άνεμοι) north (γ) (ιδιοσυγκρασία, χαρακτηριστικά) northern
▸ **Βόρειος** ΟΥΣ ΑΡΣ, **Βόρεια** ΟΥΣ ΘΗΛ Northerner

Βόρειος Παγωμένος Ωκεανός ΟΥΣ ΑΡΣ = **Αρκτικός Ωκεανός**

Βόρειος Πόλος ΟΥΣ ΑΡΣ: **ο Βόρειος Πόλος** the North Pole

βοριάς ΟΥΣ ΑΡΣ (α) (άνεμος) north wind
(β) (= ψυχρός καιρός) cold weather
(γ) (= βορράς) north

βορινός, -ή, -ό ΕΠΙΘ north-facing

βόριο ΟΥΣ ΟΥΔ boron

βορράς ΟΥΣ ΑΡΣ (α) (σημείο του ορίζοντα) north (β) (χώρας, επαρχίας) north (γ) (επίσ.: = βοριάς) north wind
▸ **Βορράς** ΟΥΣ ΑΡΣ North

βοσκή ΟΥΣ ΘΗΛ (α) (= βοσκότοπος) pasture (β) (= χορτάρι) grass
▹ **ζώα ελευθέρας βοσκής** free-range animals

βοσκήσιμος, -η, -ο ΕΠΙΘ fit for pasture

βοσκός ΟΥΣ ΑΡΣ shepherd

βοσκοτόπι ΟΥΣ ΟΥΔ grassland, pasture

βόσκω ① Ρ ΑΜ to graze
② Ρ Μ to graze
▹ **πού βόσκεις;** (κοροϊδ.) is there anybody home?

Βόσπορος ΟΥΣ ΑΡΣ Bosphorus

βοτάνι ΟΥΣ ΟΥΔ herb
▹ **βοτάνι αγάπης** love potion

βοτανίζω Ρ Μ to weed

βοτανικός, -ή, -ό ΕΠΙΘ herbal
▸ **βοτανικός κήπος** botanical garden
▸ **βοτανική** ΟΥΣ ΘΗΛ botany

βοτάνισμα ΟΥΣ ΟΥΔ weeding

βότανο ΟΥΣ ΟΥΔ herb

βοτανολογία ΟΥΣ ΘΗΛ botany

βοτανολόγος ΟΥΣ ΑΡΣ&ΘΗΛ botanist

βότκα ΟΥΣ ΘΗΛ vodka

βότσαλο ΟΥΣ ΟΥΔ pebble, stone

βουβαίνομαι Ρ ΑΜ to fall silent

βουβάλα ΟΥΣ ΘΗΛ (α) (= θηλυκό βουβάλι) buffalo cow (β) (υβρ.) fat cow (ανεπ.)

βουβάλι ΟΥΣ ΟΥΔ = **βούβαλος**

βουβαλίσιος, -α, -ο ΕΠΙΘ (α) (κρέας, τομάρι) buffalo (β) (μτφ.: σώμα, κεφάλι) fat

βούβαλος ΟΥΣ ΑΡΣ (α) (= βουβάλι) buffalo, bison

*Προσοχή!: Ο πληθυντικός του **buffalo** είναι **buffaloes** ή **buffalo**. Ο πληθυντικός του **bison** είναι **bison**.*

(β) (υβρ.) fat slob (ανεπ.)

βουβαμάρα ουσ θηλ silence

βουβός, -ή, -ό επιθ (α) (= αμίλητος) silent
(β) (κλάμα) stifled · (παράπονο) muted ·
(θλίψη) dumb
▸βουβός ή βωβός κινηματογράφος silent
films πληθ.

Βουδαπέστη ουσ θηλ Budapest

Βούδας ουσ αρσ Buddha

βουδισμός ουσ αρσ Buddhism

βουδιστής ουσ αρσ Buddhist

βουδίστρια ουσ θηλ βλ. βουδιστής

βουή ουσ θηλ = βοή

βουίζω ρ αμ (α) (μέλισσες) to buzz, to hum ·
(σφήκες) to buzz · (ποτάμι, θάλασσα, αέρας)
to roar (β) (= αντιλαλώ) to ring
▷βουίζουν τα αφτιά μου my ears are ringing,
there's a ringing in my ears
▷βουίζει το κεφάλι μου my head's buzzing
▷η γειτονιά/ο κόσμος όλος βουίζει the whole
neighbourhood(Βρετ.) ή neighborhood
(Αμερ.)/everyone is talking about it
▷βουίζει (ακουστικό τηλεφώνου) it's engaged
(Βρετ.), the line's busy (Αμερ.)

βούισμα ουσ ουδ (α) (μελισσιού) buzz, buzzing
χωρίς πληθ., hum, humming χωρίς πληθ. ·
(ποταμού, θάλασσας, αέρα) roar (β) (για
αφτιά, κεφάλι) ringing

βουκέντρα ουσ θηλ (παλαιότ.) goad

βούκινο ουσ ουδ horn
▷γίνομαι βούκινο to become common
knowledge, to be the talk of the town
▷κάνω κπν βούκινο to tell sb's secret to all
and sundry
▷κάνω κτ βούκινο to shout sth from the
rooftops

βουκολικός, -ή, -ό επιθ (τοπίο, πίνακες, ζωή)
pastoral
▸βουκολική ποίηση pastoral poetry

Βουκουρέστι ουσ ουδ Bucharest

βούλα ουσ θηλ (α) (= σφραγίδα) stamp
(β) (= στίγμα) spot (γ) (= λακκάκι) dimple
▷με τη βούλα (πεπόνι, καρπούζι)
quality–guaranteed
▸άσπρη βούλα (στο ποδόσφαιρο) penalty spot

Βουλγάρα ουσ θηλ βλ. Βούλγαρος

Βουλγαρία ουσ θηλ Bulgaria

βουλγαρικός, -ή, -ό επιθ Bulgarian

Προσοχή!: Τα εθνικά επίθετα, όπως
Bulgarian, γράφονται με κεφαλαίο το
αρχικό γράμμα στα Αγγλικά.

▸Βουλγαρικά, Βουλγάρικα ουσ ουδ πληθ
Bulgarian

βουλγάρικος, -η, -ο επιθ = βουλγαρικός

Βούλγαρος ουσ αρσ Bulgarian

βούλευμα ουσ ουδ (= γνωμοδότηση) decision
▸παραπεμπτικό βούλευμα (νομ) bill of
indictment
▸απαλλακτικό βούλευμα (νομ) order of
dismissal

βουλευτής ουσ αρσ©θηλ deputy · (στην Μ.
Βρετανία) member of parliament · (στις
Η.Π.Α.) representative

βουλευτικός, -ή, -ό επιθ parliamentary
▸βουλευτική ασυλία parliamentary immunity
ή privilege
▸βουλευτικές εκλογές parliamentary ή
general election(s)

βουλευτιλίκι (ειρων.) ουσ ουδ
(α) (= βουλευτικό αξίωμα) public office
(β) (= βουλευτική θητεία) term of office (as a
deputy)

βουλευτίνα ουσ θηλ βλ. βουλευτής

βουλή ουσ θηλ (α) (= κοινοβούλιο)
parliament, chamber (of deputies)
(β) (= απόφαση) will
▸'νω Βουλή Lower House
▸Βουλή των Αντιπροσώπων House of
Representatives
▸Βουλή των Ελλήνων Hellenic Parliament
▸Βουλή των Κοινοτήτων House of Commons
▸Κάτω Βουλή Upper House

βούληση ουσ θηλ (επίσ.) will
▷θεία βούληση God's will
▷κατά βούλησιν at will

βουλητικός, -ή, -ό επιθ: βουλητική πράξη
act of will
▷βουλητική δύναμη strength of will

βούλιαγμα ουσ ουδ (α) (πλοίου) sinking
(β) (σκεπής) collapse (γ) (εδάφους, δρόμου)
subsidence (δ) (πόρτας αυτοκινήτου,
λαμαρίνας) dent (ε) (επιχείρησης) sinking ·
(ταμείου) dent

βουλιάζω 1 ρ μ (α) (βάρκα, πλοίο) to sink
(β) (στέγη) to bring down (γ) (μαγαζί) to
pull under · (ταμείο) to deplete
2 ρ αμ (α) (καράβι) to sink (β) (δρόμος,
έδαφος) to subside (γ) (πόρτα, λαμαρίνα) to
be dented (δ) (επιχείρηση) to go under, to go
bankrupt
▷βουλιάζω στη θλίψη to sink into despair

βουλιμία ουσ θηλ (α) (= λαιμαργία) insatiable
appetite (β) (ιατρ) bulimia (γ) (μτφ.: =
απληστία) greed
▷τρώω κτ με βουλιμία to devour sth

βουλκανιζατέρ ουσ ουδ ακλ vulcanizer

βουλκανισμός ουσ αρσ vulcanization

βούλλα ουσ θηλ = βούλα

βουλοκέρι ουσ ουδ sealing wax

βούλωμα ουσ ουδ (α) (δοχείου) bung,
stopper · (μπουκαλιού) cork (β) (= σφράγιση)
sealing

βουλώνω 1 ρ μ (μπουκάλι) to put the cork
in · (βαρέλι, δοχείο) to put the bung in ·
(γράμμα) to seal · (σωλήνες) to block
2 ρ αμ (υπόνομοι, νιπτήρας) to be blocked
(or) clogged up · (μύτη) to be blocked, to be
bunged up
▷το βουλώνω to shut up, to belt up
▷βουλώνω τ' αφτιά μου (κυριολ.) to plug
one's ears · (μτφ.) to stop ή shut one's ears

βουνίσιος, -α, -ο επιθ (α) (αέρας, χωριό)

mountain · (άρωμα) of the mountains
(β) (για πρόσ.) mountain–dwelling, living in
the mountains

βουνό ΟΥΣ ΟΥΔ (κυριολ., μτφ.) mountain
▷**μου φαίνεται βουνό** it seems a tall order
▷**παίρνω (τα όρη και) τα βουνά** to take to ή
go on the road

βουνοκορφή ΟΥΣ ΘΗΛ summit

βουνοπλαγιά ΟΥΣ ΘΗΛ mountainside, flank

βουντού ΟΥΣ ΟΥΔ ΑΚΛ voodoo

βούρδουλας ΟΥΣ ΑΡΣ whip

βουρδουλιά ΟΥΣ ΘΗΛ lash, stroke of the whip

βούρκος ΟΥΣ ΑΡΣ (α) (= λάσπες) mud
(β) (= βάλτος) swamp, marsh (γ) (μτφ.)
gutter

βουρκότοπος ΟΥΣ ΑΡΣ swampland,
marshland

βουρκώνω Ρ Μ (άνθρωπος) to feel the tears
welling up · (μάτια) to fill ή mist with tears

βούρλο ΟΥΣ ΟΥΔ (α) (φυτό) rush (β) (μειωτ.)
idiot

βούρτσα ΟΥΣ ΘΗΛ (μαλλιών) (hair)brush ·
(ρούχων) (clothes) brush · (παπουτσιών)
brush · (βαψίματος) (paint)brush

βουρτσίζω Ρ Μ (δόντια, ρούχα, μαλλιά,
παπούτσια) to brush

βούρτσισμα ΟΥΣ ΟΥΔ brush, brushing χωρίς
πληθ.

βουστάσιο ΟΥΣ ΟΥΔ cow shed

βουστροφηδόν ΕΠΙΡΡ *written from left to right
and right to left alternately*
▸**βουστροφηδόν γραφή** boustrophedonic
writing (επιστ.)

βουτηγμένος, -η, -ο ΕΠΙΘ: **βουτηγμένος σε**
(σε γάλα, νερό, λάδι, σιρόπι) dipped in · (στη
λάσπη, στο αίμα) covered in · (στα χρέη) deep
in

βουτήματα ΟΥΣ ΟΥΔ ΠΛΗΘ biscuits (Βρετ.),
cookies (Αμερ.)

βουτιά ΟΥΣ ΘΗΛ (α) (= κατάδυση, μακροβούτι)
dive (β) (τερματοφύλακα) dive (γ) (μετοχών,
τιμών) nose dive

βουτυρέμπορος ΟΥΣ ΑΡΣ dairyman

*Προσοχή!: Ο πληθυντικός του dairyman
είναι dairymen.*

βούτυρο ΟΥΣ ΟΥΔ butter
▷**νωπό ή φρέσκο βούτυρο** fresh butter

βουτυρόγαλα ΟΥΣ ΟΥΔ buttermilk

βουτυροκομικός, -ή, -ό ΕΠΙΘ (προϊόντα)
dairy

βουτυροκόμος ΟΥΣ ΑΡΣΘΗΛ dairyman/woman

*Προσοχή!: Ο πληθυντικός του dairyman/
woman είναι dairymen/women.*

βουτυρομπεμπές (μειωτ.) ΟΥΣ ΑΡΣ =
βουτυρόπαιδο

βουτυρόπαιδο (μειωτ.) ΟΥΣ ΟΥΔ mummy's
boy (Βρετ.), mommy's boy (Αμερ.)

βουτυρώνω Ρ Μ (α) (σκεύος, ψωμί,
φρυγανιά) to butter · (ζύμη) to add butter to
(β) (μακαρόνια) to put butter in

βουτώ ① Ρ Μ (α) (σε γάλα, νερό, στη σάλτσα)
to dip (β) (από τα μαλλιά, το χέρι) to grab
(γ) (οικ.: = συλλαμβάνω) to collar (ανεπ.), to
nick (Βρετ.) (ανεπ.) (δ) (οικ.: = κλέβω) to
pinch (ανεπ.), to nick (Βρετ.) (ανεπ.)
② Ρ ΑΜ (α) (= κάνω βουτιά) to dive
(β) (= πηδώ) to jump (γ) (ήλιος) to sink
▸**βουτιέμαι** ΜΕΣΟΠΑΘ (= τσακώνομαι) to fight, to
come to blows
▷**βουτήχτηκαν μέχρι το λαιμό στα σκάνδαλα**
they were up to their necks in scandal

βοώ Ρ ΑΜ (α) (= κραυγάζω) to shout ·
(πλήθος) to roar (β) (= καταγγέλω) to raise
an outcry (για against)
▷**φωνή βοώντος εν τη ερήμω** a voice in the
wilderness

βραβείο ΟΥΣ ΟΥΔ prize · (για ανδρεία, ταινία,
βιβλίο) award
▷**απονέμω βραβείο** to award a prize
▸**βραβείο Νόμπελ** Nobel prize
▸**βραβείο Όσκαρ** Academy Award, Oscar

βραβευμένος, -η, -ο ΕΠΙΘ prize–winning ·
(ταινία, έργο) award–winning
▸**βραβευμένοι** ΟΥΣ ΑΡΣ ΠΛΗΘ prize–winners

βράβευση ΟΥΣ ΘΗΛ (α) (= επιβράβευση)
reward (β) (= τελετή επιβράβευσης)
prize–giving

βραβεύσιμος, -η, -ο ΕΠΙΘ award–winning

βραβεύω Ρ Μ (α) (= απονέμω βραβείο) to
award a prize to, to give an award to
(β) (= επιβραβεύω) to reward

βράγχια ΟΥΣ ΟΥΔ ΠΛΗΘ gills

βραδάκι ΟΥΣ ΟΥΔ early evening
▷**(κατά) το βραδάκι** in the early evening

βραδιά ΟΥΣ ΘΗΛ (α) (= βράδυ) evening
(β) (κινηματογράφου, όπερας) night
(γ) (= νύχτα) night
▸**μουσική βραδιά** musical evening

βραδιάζω Ρ ΑΜ to be overtaken by night
▸**βραδιάζει** ΑΠΡΟΣ it's getting dark

βράδιασμα ΟΥΣ ΟΥΔ nightfall

βραδιάτικα ΕΠΙΡΡ in the evening

βραδιάτικος, -η, -ο ΕΠΙΘ = **βραδινός**

βραδινός, -ή, -ό ΕΠΙΘ (ύπνος) night's ·
(μάθημα, εκπομπή, φορέματα, δελτίο)
evening
▷**τις πρώτες βραδινές ώρες** in the early
evening
▸**βραδινή** ΟΥΣ ΘΗΛ evening performance
▸**βραδινό** ΟΥΣ ΟΥΔ evening meal, dinner

βράδυ ΟΥΣ ΟΥΔ (α) (= βραδιά) evening
(β) (= νύχτα) night
▷**από το πρωί ως το βράδυ** from dawn till
dusk
▷**καλό βράδυ** good evening
▷**πρωί, μεσημέρι, βράδυ** morning, noon and
night
▷**φεύγω/ξεκινώ βράδυ** to leave/set off in the
evening

βραδυγλωσσία ουΣ ΘΗΛ stammer, stutter

βραδύγλωσσος, -η, -ο ΕΠΙΘ stammerer, stutterer

βραδυκαρδία ουΣ ΘΗΛ bradycardia (επιστ.), abnormally low pulse

βραδύκαυστος, -η, -ο ΕΠΙΘ slow–burning

βραδυκίνητος, -η, -ο ΕΠΙΘ (α) (αργοκίνητος) slow–moving (β) (= νωθρός) sluggish

βραδύνοια ουΣ ΘΗΛ (επίσ.) slow–wittedness

βραδύνω ① Ρ Μ (βήμα) to slow down ② Ρ ΑΜ (έργο) to be delayed · (= μειώνω ταχύτητα: όχημα, πλοίο) to slow down · (= καθυστερώ) to be running late

βραδυπορία ουΣ ΘΗΛ (α) (= αργή πορεία) slow progress (β) (= καθυστέρηση) delay

βραδυπορώ Ρ ΑΜ (α) (= πηγαίνω αργά) to move slowly (β) (= καθυστερώ να φτάσω) to be late ή delayed

βραδύς, -εία, -ύ (επίσ.) ΕΠΙΘ slow

βραδύτητα ουΣ ΘΗΛ (α) (= αργός ρυθμός) slowness (β) (= καθυστέρηση) delay (γ) (= νωθρότητα) sluggishness

Βραζιλία ουΣ ΘΗΛ Brazil

Βραζιλιάνα ουΣ ΘΗΛ βλ. **Βραζιλιάνος**

βραζιλιάνικος, -η, -ο ΕΠΙΘ Brazilian

> *Προσοχή!: Τα εθνικά επίθετα, όπως Brazilian, γράφονται με κεφαλαίο το αρχικό γράμμα στα Αγγλικά.*

Βραζιλιάνος ουΣ ΑΡΣ Brazilian

βράζω ① Ρ Μ (νερό, μακαρόνια, κρέας, γάλα) to boil ② Ρ ΑΜ (α) (νερό, κρέας, γάλα, ρύζι) to boil (β) (μούστος) to ferment (γ) (σπίτι, τσιμέντο) to be boiling hot (δ) (χώρα, Ευρώπη) to be in a ferment
> ▷**να σε βράσω!** (οικ.) to hell with you! (ανεπ.)
> ▷**βράζω απ' το κακό μου** ή **από μέσα μου** to be seething
> ▷**βράσ' τα (κι άσ' τα)!** (οικ.) forget about it! (ανεπ.)

βράκα ουΣ ΘΗΛ (α) (νησιώτη, Κρητικού) breeches πληθ. (β) (οικ., κοροϊδ.) baggy pants πληθ.

βρακί ουΣ ουΔ (α) (= εσώρουχο: γυναικείο) pants πληθ. (Βρετ.), knickers πληθ. (Βρετ.), panties πληθ. (Αμερ.)· (ανδρικό) (under)pants πληθ. (Βρετ.), shorts πληθ. (Αμερ.) (β) (= παντελόνι) trousers πληθ. (Βρετ.), pants πληθ. (Αμερ.)
> ▷**βάζω κπν στο βρακί μου** (οικ.) to have sb around one's little finger
> ▷**κατεβάζω τα βρακιά** (οικ.) to eat dirt (ανεπ.)

βρακώνομαι Ρ ΑΜ (= φορώ βρακί) to put one's pants (Βρετ.) ή panties (Αμερ.) on · (= φορώ παντελόνι) to put one's trousers (Βρετ.) ή pants (Αμερ.) on

βράση ουΣ ΘΗΛ (α) (= βρασμός) boiling (β) (= ζύμωση) fermentation
> ▷**παίρνω βράση** to come to the boil

> ▷**στη βράση κολλάει το σίδερο** (παροιμ.) strike while the iron is hot (παροιμ.), make hay while the sun shines (παροιμ.)

βρασιά ουΣ ΘΗΛ panful

βράσιμο ουΣ ουΔ boiling

βρασμός ουΣ ΑΡΣ (α) (= βράση) boiling (β) (= ζύμωση) fermentation (γ) (μτφ.: = αναβρασμός) turmoil
> ▷**σημείο βρασμού** boiling point

βραστερός, -ή, -ό ΕΠΙΘ quick to cook

βραστήρας ουΣ ΑΡΣ (α) (νερού) kettle (β) (= λέβητας) boiler

βραστός, -ή, -ό ΕΠΙΘ (α) (κρέας, πατάτες, λαχανικά) boiled (β) (= ζεματιστός) boiling
> ▷**βραστό** ουΣ ουΔ boiled food

βράχια ουΣ ουΔ ΠΛΗΘ rocks · βλ. κ. **βράχος**

βραχιόλι ουΣ ουΔ bracelet, bangle
> ▷**βραχιόλια** πληθ. (ευφημ.) cuffs

βραχίονας ουΣ ΑΡΣ (α) (= μπράτσο) upper arm (β) (= χέρι) arm (γ) (ΖΩΟΛ) foreleg (δ) (γερανού, πικάπ) arm (ε) (λιμανιού, άγκυρας) arm

βραχιόνιος, -α, -ο ΕΠΙΘ brachial, of the upper arm
> ▷**βραχιόνιος μυς** brachialis

βραχμανισμός ουΣ ΑΡΣ Brahmanism

βραχμάνος ουΣ ΑΡΣ Brahman

βραχνάδα ουΣ ΘΗΛ (εκ φύσεως) huskiness · (από κρυολόγημα) hoarseness

βραχνάς ουΣ ΑΡΣ nightmare
> ▷**μου έγινε βραχνάς** it has become a nightmare for me

βραχνιάζω Ρ ΑΜ to go hoarse

βραχνοκόκορας (κοροϊδ.) ουΣ ΑΡΣ person with a gravelly voice

βραχνός, -ή, -ό ΕΠΙΘ (α) (φωνή: εκ φύσεως) husky · (από κρυολόγημα) hoarse (β) (ήχος) raucous (γ) (για πρόσ.) hoarse
> ▷**ήταν βραχνή από το κάπνισμα** her voice was husky from smoking

βραχοβούνι ουΣ ουΔ rocky mountain

βραχονήσι ουΣ ουΔ rocky ή barren island

βραχονησίδα ουΣ ΘΗΛ rocky islet

βράχος ουΣ ΑΡΣ (α) (= μεγάλη πέτρα) rock (β) (σε ακτή) cliff (γ) (μτφ.) rock
> ▷**βράχος ακλόνητος** a tower of strength
> ▷**βράχος ηθικής** person with great moral strength

βραχότοπος ουΣ ΑΡΣ rocky ή barren landscape

βραχύβιος, -α, -ο ΕΠΙΘ (κυριολ., μτφ.) short–lived

βραχυγραφία ουΣ ΘΗΛ abbreviation

βραχυκύκλωμα ουΣ ουΔ short circuit
> ▷**παθαίνω βραχυκύκλωμα** (αργκ.) to be confused, not to know if one is coming or going

βραχυκυκλώνω Ρ Μ (α) (πηγή τάσεως, καλώδια) to short–circuit (β) (προσπάθεια, λειτουργία) to interfere with, to upset

B

(γ) (αϱγκ.) to confuse

βραχυλογία ΟΥΣ ΘΗΛ brevity

βράχυνση (επία.) ΟΥΣ ΘΗΛ shortening

βραχύνω (επία.) Ρ Μ (κείμενο, λόγο, μήκος) to shorten

βραχυπρόθεσμα ΕΠΙΡΡ in the short term

βραχυπρόθεσμος, -η, -ο ΕΠΙΘ short–term

βραχύς, -εία, -ύ (επία.) ΕΠΙΘ (α) (απόσταση, δρόμος, σκέλος) short (β) (διάρκεια) short, brief· (απεργία) short, short–lived (γ) (ΓΛΩΣΣ) short

▸ **βραχέα** ΟΥΣ ΟΥΔ ΠΛΗΘ (επίσης **βραχέα κύματα**) short waves

βραχύσωμος, -η, -ο ΕΠΙΘ short

βραχύτητα (επία.) ΟΥΣ ΘΗΛ shortness

βραχυχρόνιος, -α, -ο ΕΠΙΘ (αποτέλεσμα) short–lived· (εμπειρία) brief· (διάρκεια) brief, short· (ρόλος) small

Βραχώδη Όρη ΟΥΣ ΟΥΔ ΠΛΗΘ: **τα Βραχώδη Όρη** the Rocky Mountains, the Rockies

βραχώδης, -ης, -ες ΕΠΙΘ rocky

βρε ΜΟΡ (α) (ως έκφραση οικειότητας) hey (β) (ως υποτιμητική έκφραση) hey you (γ) (για έκπληξη) hey

βρεγμένος, βρεμένος, -η, -ο ΕΠΙΘ (α) (γη, χέρια, μαλλιά, ρούχα) wet· (παξιμάδι, φέτα, ψωμιού) soggy (β) (στρώμα) wet

▷ **σαν (τη) βρεγμένη γάτα** with one's tail between one's legs

βρέξιμο ΟΥΣ ΟΥΔ (προσώπου, χεριών, μαλλιών) wetting· (ρούχων, υφάσματος) dampening· (βερόντας) watering

Βρετανή ΟΥΣ ΘΗΛ British woman

Βρετάνη ΟΥΣ ΘΗΛ Brittany

Βρετανία ΟΥΣ ΘΗΛ (α) (= Μεγάλη Βρετανία) Britain (β) (καταχρ.: = Ηνωμένο Βασίλειο) United Kingdom

βρετανικός, -ή, -ό ΕΠΙΘ British

> *Προσοχή!: Τα εθνικά επίθετα, όπως* **British**, *γράφονται με κεφαλαίο το αρχικό γράμμα στα Αγγλικά.*

▸ **βρετανικά Αγγλικά** British English

Βρετανός ΟΥΣ ΑΡΣ British man

▷ **οι Βρετανοί** the British

βρεφικός, -ή, -ό ΕΠΙΘ infantile

▷ **βρεφικά βήματα** (μτφ.) infancy

▸ **βρεφική ηλικία** infancy

▸ **βρεφικός σταθμός** crèche ή creche (Βρετ.), day nursery (Αμερ.)

▸ **βρεφικές τροφές** baby food εν.

βρεφοζυγός ΟΥΣ ΑΡΣ baby scales πληθ.

βρεφοκομείο ΟΥΣ ΟΥΔ home for abandoned babies

βρεφοκομία, βρεφοκομική ΟΥΣ ΘΗΛ babycare

βρεφοκομικός, -ή, -ό ΕΠΙΘ (περίθαλψη) baby

βρεφοκόμος ΟΥΣ ΑΡΣΘΗΛ baby carer

βρεφοκομώ Ρ Μ to nurse

βρεφοκτονία ΟΥΣ ΘΗΛ infanticide

βρεφοκτόνος ΟΥΣ ΑΡΣΘΗΛ infanticide

βρεφονηπιακός, -ή, -ό ΕΠΙΘ: **βρεφονηπιακός σταθμός** crèche ή creche (Βρετ.), day nursery (Αμερ.)

βρεφονηπιοκόμος ΟΥΣ ΑΡΣΘΗΛ childminder (Βρετ.), babysitter (Αμερ.)

βρέφος ΟΥΣ ΟΥΔ baby, infant

βρέχω 1 Ρ ΑΜ: **βρέχει ο ουρανός** it's raining 2 Ρ Μ (α) (πρόσωπο, χέρια, μαλλιά) to wet· (παξιμάδι, ψωμί) to dip, to dunk· (ρούχα, σεντόνι) to dampen· (χείλη) to moisten, to wet (β) (αυλή, χορτάρι, δρόμο) to sprinkle (γ) (ιδρώτας, αίμα: μέτωπο, πρόσωπο, στήθος) to trickle down (δ) (ευφημ.: = κατουρώ: σεντόνι) to wet (ε) (για θάλασσα: ακτές) to wash

▷ **έχω κπν μη βρέξει και μη στάξει** to wrap sb in cotton wool

▷ **ό, τι βρέξει ας κατεβάσει** whatever happens, happens

▷ **τις βρέχω σε κπν** to smack ή spank sb

▷ **το βρέχω** (οικ.) to have a drink to celebrate

▸ **βρέχει** ΑΠΡΟΣ it's raining

▷ **... αλλά αυτή, πέρα βρέχει** ... but she couldn't care less

▷ **βρέχει καρεκλοπόδαρα ή καταρρακτωδώς** it's pouring down, it's raining cats and dogs

▷ **βρέχει με το τουλούμι** it's bucketing ή pelting down

▷ **βρέχει συνέχεια εδώ** it rains all the time here

▷ **βρέξει-χιονίσει** come rain or shine

▸ **βρέχομαι** ΜΕΣΟΠΑΘ (α) (θεατές, κοινό) to get wet, to get rained on (β) (ευφημ.: = κατουριέμαι) to wet oneself

▷ **η χώρα βρέχεται από τον Ειρηνικό** the country is on the Pacific Ocean

βρίζα ΟΥΣ ΘΗΛ rye

βρίζω 1 Ρ Μ to insult 2 Ρ ΑΜ to swear

▷ **βρίζω κπν πίσω από την πλάτη του** to run sb down behind their back

▷ **βρίζω σκαιότατα** to swear like a trooper

βρίθω Ρ ΑΜ +από/γεν. to be teeming with, to be full of

βρικόλακας ΟΥΣ ΑΡΣ (α) (= βαμπίρ) vampire (β) (μτφ.) ghost

βρικολακιάζω Ρ ΑΜ (α) (= γίνομαι βρυκόλακας) to become a vampire (β) (αναμνήσεις, παρελθόν, γεγονότα) to return to haunt one

βρικολάκιασμα ΟΥΣ ΟΥΔ (α) (νεκρού) turning into a vampire (β) (γεγονότων, αναμνήσεων) return

βρισιά ΟΥΣ ΘΗΛ (α) (= ύβρις) insult (β) (= αισχρολογία) swearword, curse

βρισίδι ΟΥΣ ΟΥΔ stream of abuse

▷ **ρίχνω (σε κπν) ένα βρισίδι** to hurl abuse (at sb)

▷ **τρώω (ένα) βρισίδι** to be subjected to a stream of abuse

βρίσιμο ΟΥΣ ΟΥΔ abuse χωρίς πληθ.

βρίσκομαι P AM (α) (χώρα, μνημείο, έργα, προσπάθεια, κατασκευή) to be (β) (φάρμακο, εμβόλιο) to be found ή discovered · (ληστής, δολοφόνος, αγνοούμενος) to be found, to be caught · (χρήματα, κεφάλαια, λύση, απάντηση) to be found (γ) (= είμαι) to be
▷ **βρίσκομαι με κπν** to meet sb, to meet up with sb
▷ **βρίσκομαι με κτ** to come by sth
▷ **βρίσκομαι σε κπν** (= συμπαραστέκομαι) to help sb
▷ **βρίσκομαι στην ανάγκη (κποιου)** to need sb
▷ **σε δουλειά να βρισκόμαστε!** if only we had something to do!
▸ βρίσκεται, βρίσκονται ΜΕΣΟΠΑΘ: **βρέθηκε κανείς για την αγγελία;** has anyone answered the ad?
▷ **βρέθηκε κανείς για την δουλειά/το διαμέρισμα;** has anyone taken the job/the apartment?
▷ **δεν βρίσκονται πια τέτοιοι εργάτες!** you can't find workers like that any more!
▷ **μήπως σου βρίσκεται κανένα ευρώ/τσιγάρο;** have you got a euro/cigarette to spare?

βρίσκω 1 P M (α) (κλειδιά, διαβατήριο, αγνοούμενο) to find (β) (λήμμα, λίμνη σε χάρτη) to find (γ) (υπάλληλο) to find · (μαγαζί) to find, to come across · (αρχαία, πτώμα) to find, to discover · (περιουσία) to come into (δ) (θάνατο) to meet with · (άσχημο τέλος) to meet to to · (ανταπόκριση, απήχηση, καλοσύνη, στοργή) to find (ε) (εργασία, σπίτι, το τέλειο, αγοραστές) to find (στ) (σχέδιο) to come up with · (λύση, δικαιολογία) to find, to come up with · (καταχρ.: φάρμακο, εμβόλιο, θεραπεία) to find, to discover (ζ) (ταινία, έργο, συμπεριφορά) to find (η) (κακό, συμφορά) to befall · (προβλήματα, δυσκολίες) to come up against, to meet with · (εχθρό, αντίπαλο) to meet (θ) (στόχο, κέντρο) to hit (ι) (σφαίρα) to hit (ια) (αίνιγμα, γρίφο) to solve
2 P AM (α) (καρφί, γρανάζι) to be sticking (β) (αυτοκίνητο, ρόδα) to be dented
▷ **απ' τον Θεό να το 'βρεις** let God be your judge
▷ **έτσι τα βρήκαμε τα δημοτικά τραγούδια** this is how the folk songs were handed down to us
▷ **καλώς σε/σας βρήκα!** I'm glad to see you!
▷ **ο γιατρός του βρήκε πέτρα στα νεφρά** the doctor diagnosed him with kidney stones
▷ **τα βρίσκω με κπν** to make up with sb
▷ **τα βρίσκω σκούρα** (οικ.) to have a hard time
▷ **τι της βρήκε;** what did he see in her?
▷ **το βρήκα!** I've got it!, eureka! (ανεπ.)
▷ **βρίσκω και τα κάνω** (οικ.) to be always up to no good
▷ **βρίσκω (την) άκρη** to see one's way out of a situation

βρογχικά ΟΥΣ ΟΥΔ ΠΛΗΘ bronchitis εν.

βρογχίτιδα ΟΥΣ ΘΗΛ bronchitis

βρογχοπνευμονία ΟΥΣ ΘΗΛ bronchopneumonia

βρόγχος ΟΥΣ ΑΡΣ bronchus

> *Προσοχή!: Ο πληθυντικός του* **bronchus** *είναι* **bronchi.**

βρόμα (ανεπ.) ΟΥΣ ΘΗΛ (α) (= δυσοσμία) stink, stench (β) (= ρύπος) dirt, filth (γ) (υβρ.: για γυναίκα) slut (χυδ.)

βρομερός, -ή, -ό ΕΠΙΘ = **βρόμικος**

βρομερότητα ΟΥΣ ΘΗΛ (α) (δρόμων, χεριών) dirtiness, filthiness (β) (αέρα) pollution (γ) (ανθρώπου) sleaziness · (λεξιλογίου, γλώσσας) foulness

βρόμη ΟΥΣ ΘΗΛ oats πληθ.

βρομιά ΟΥΣ ΘΗΛ (α) (σπιτιού, ρούχων, πόλης) dirt, filth (β) (= ανομία) dirty trick (γ) (= διαφθορά) sleaze

βρομιάρης, -α, -ικο ΕΠΙΘ (α) (ρούχα, άνθρωπος) dirty (β) (μτφ.) vulgar
▸ βρομιάρης ΟΥΣ ΑΡΣ, βρομιάρα ΟΥΣ ΘΗΛ (υβρ.) filthy person · (μτφ.) scum

βρομιάρικος, -η, -ο ΕΠΙΘ = **βρομιάρης**

βρομίζω 1 P M (α) (ρούχα, σπίτι) to get dirty (β) (όνομα, υπόληψη) to blacken, to sully 2 P AM (ρούχα, σπίτι) to be dirty

βρόμικος, -η, -ο ΕΠΙΘ (α) (χέρια, τοίχος, ρούχα) dirty (β) (ατμόσφαιρα, αέρας) polluted (γ) (μτφ.: άνθρωπος) sleazy · (λόγια) foul, obscene · (δουλειά, χρήμα, μυαλό) dirty

βρόμιο ΟΥΣ ΟΥΔ bromine

βρόμισμα ΟΥΣ ΟΥΔ (α) (ρούχων, σπιτιού) dirtying (β) (ονόματος, τιμής) blackening

βρομόγλωσσα (οικ.) ΟΥΣ ΘΗΛ (α) (= βρομόστομα) bad language (β) (για πρόσ.) foul-mouthed person

βρομοδουλειά (οικ.) ΟΥΣ ΘΗΛ (α) (= υπαμειβόμενη εργασία) low-paid job (β) (= βρομιά) dirty trick

βρομόκαιρος (οικ.) ΟΥΣ ΑΡΣ filthy weather

βρομοκοπώ (οικ.) 1 P M to stink of, to reek of 2 P AM to stink, to reek

βρομοκουβέντα (ανεπ.) ΟΥΣ ΘΗΛ dirty word, foul language χωρίς πληθ.

βρομόλογα ΟΥΣ ΟΥΔ ΠΛΗΘ foul language εν.

βρομόνερο (οικ.) ΟΥΣ ΟΥΔ dirty water

βρομόξυλο (οικ.) ΟΥΣ ΟΥΔ beating, thrashing

βρομόπαιδο (οικ.) ΟΥΣ ΟΥΔ (α) (= βρόμικο παιδί) dirty child (β) (= κακό παιδί) brat

βρομόστομα (οικ.) ΟΥΣ ΘΗΛ (α) (= βρομόγλωσσα) bad language (β) (για πρόσ.) foul-mouthed person

βρομόστομος, -η, -ο (οικ.) ΕΠΙΘ foul-mouthed

βρομούσα ΟΥΣ ΘΗΛ (α) (φυτό) stinkweed (β) (έντομο) stinkbug

βρομόχερα ΟΥΣ ΟΥΔ ΠΛΗΘ dirty hands
▷ **μάζεψε ή πάρε τα βρομόχερά σου!** keep your dirty ή filthy hands to yourself!

βρομύλος (κοροϊδ.) ΟΥΣ ΑΡΣ filthy person

βρομώ 1 Ρ ΑΜ (α) (ρούχα, άνθρωπος) to stink, to reek (β) (υπόθεση, ιστορία) to be fishy (ανεπ.), to be suspicious · (δουλειά) to be dodgy (ανεπ.)
2 Ρ Μ to stink of, to reek of

βροντερός, -ή, -ό ΕΠΙΘ (φωνή, γέλιο) booming

βροντή ΟΥΣ ΘΗΛ (α) (= μπουμπουνητό) thunder χωρίς πληθ., thunderclap (β) (κανονιού) booming χωρίς πληθ., boom

βρόντημα ΟΥΣ ΟΥΔ (α) (= μπουμπούνισμα) rumble (of thunder) (β) (σε πόρτα) banging

βροντοκοπώ 1 Ρ ΑΜ (πόρτα, παράθυρο) to bang · (μηχάνημα, συσκευή) to roar
2 Ρ Μ (πόρτα, τραπέζι) to bang on

βρόντος ΟΥΣ ΑΡΣ (α) (= ήχος βροντής) rumble, boom (β) (= δυνατός θόρυβος) boom, bang, crash
▷**στον βρόντο** in vain

βροντοφωνάζω 1 Ρ ΑΜ to boom
2 Ρ Μ (όνομα, αλήθεια) to shout out

βροντοχτυπώ Ρ Μ (πόρτα) to bang, to slam · (ζάρια, πούλια) to bang down, to slam down

βροντώ 1 Ρ Μ (α) (πόρτα) to slam, to bang · (τραπέζι) to bang on · (ακουστικό) to slam down (β) (παλαιστή, αντίπαλο) to bang down
2 Ρ ΑΜ (α) (κανόνια) to boom, to roar (β) (βουνό, αίθουσα) to ring (από with) to resound (από with)
▷**βροντά (ο ουρανός)** there's thunder
▷**τα βροντώ (κάτω ή χάμω)** (= εγκαταλείπω) to throw in the towel · (= παραιτούμαι) to hand in one's notice

βροντώδης, -ης, -ες ΕΠΙΘ (φωνή, γέλια) booming · (χειροκρότημα) thunderous

βρούβα ΟΥΣ ΘΗΛ (α) (φυτό) black mustard (β) (καρπός) mustard leaf
▷**πάω ή με στέλνουν για βρούβες** (κοροϊδ.) to be left on the sidelines

βροχερός, -ή, -ό ΕΠΙΘ rainy, wet

βροχή ΟΥΣ ΘΗΛ (α) (μετεωρολογικό φαινόμενο) rain (β) (προτάσεων, ερωτήσεων, μηνύσεων, πληροφοριών) flood, deluge · (μετεωριτών) shower
▷**οι ερωτήσεις έπεσαν βροχή** the questions came thick and fast
▶ βροχές ΠΛΗΘ rains

βροχικά ΟΥΣ ΟΥΔ ΠΛΗΘ = **βρογχικά**

βρόχινος, -η, -ο ΕΠΙΘ: **βρόχινο νερό** rainwater

βροχόμετρο ΟΥΣ ΟΥΔ rain gauge

βροχόνερο ΟΥΣ ΟΥΔ rainwater

βροχόπτωση ΟΥΣ ΘΗΛ rainfall

βρόχος ΟΥΣ ΑΡΣ (α) (κρεμάλας) noose (β) (για θηράματα) noose (γ) (νόμου, αμαρτίας, γοητείας) web (δ) (διχτυού) mesh (ε) (ΙΑΤΡ) sling

βροχούλα ΟΥΣ ΘΗΛ drizzle, light ή fine rain

βρύα ΟΥΣ ΟΥΔ ΠΛΗΘ moss

βρυκόλακας ΟΥΣ ΑΡΣ = **βρικόλακας**

Βρυξέλλες ΟΥΣ ΘΗΛ ΠΛΗΘ Brussels

βρύση ΟΥΣ ΘΗΛ (α) (μπάνιου, νεροχύτη) tap (Βρετ.), faucet (Αμερ.) (β) (πλατείας, χωριού, αυλής) fountain · (βουνού, δάσους) spring
▷**η βρύση στάζει** the tap drips
▷**η βρύση τρέχει** the tap's on, the water's running
▷**τρέχει βρύση** ή **βρύσες το αίμα** blood is pouring out
▷**τρέχουν βρύση τα μάτια** ή **τα δάκρυά μου** to be in floods of tears

βρυσομάνα ΟΥΣ ΘΗΛ fountainhead

βρυσούλα ΟΥΣ ΘΗΛ (α) (μπάνιου) tap (Βρετ.), faucet (Αμερ.) (β) (δάσους) small spring · (χωριού) small fountain

βρυχηθμός ΟΥΣ ΑΡΣ roar

βρυχιέμαι Ρ ΑΜ ΑΠΟΘ = **βρυχώμαι**

βρυχώμαι Ρ ΑΜ ΑΠΟΘ (α) (λιοντάρι) to roar (β) (συνομιλητής, σύνεδρος) to bellow (γ) (θάλασσα, αυτοκίνητο) to roar

βρώμα ΟΥΣ ΘΗΛ = **βρόμα**

βρωμερός, -ή, -ό ΕΠΙΘ = **βρομερός**

βρωμερότητα ΟΥΣ ΘΗΛ = **βρομερότητα**

βρώμη ΟΥΣ ΘΗΛ = **βρόμη**

βρωμιά ΟΥΣ ΘΗΛ = **βρομιά**

βρωμιάρης, -α, -ικο ΕΠΙΘ = **βρομιάρης**

βρωμίζω Ρ Μ = **βρομίζω**

βρώμικος, -η, -ο ΕΠΙΘ = **βρόμικος**

βρώμιο ΟΥΣ ΟΥΔ = **βρόμιο**

βρώμισμα ΟΥΣ ΟΥΔ = **βρόμισμα**

βρωμώ Ρ Μ/ΑΜ = **βρομώ**

βρώση (επίσ.) ΟΥΣ ΘΗΛ consumption

βρώσιμος, -η, -ο (επίσ.) ΕΠΙΘ edible, eatable

βύζαγμα ΟΥΣ ΟΥΔ (α) (= θηλασμός) suckling (β) (δαχτύλου) sucking

βυζαίνω 1 Ρ Μ (α) (γάλα) to suckle (β) (μωρό, μικρό) to breastfeed (γ) (πιπίλα, δάχτυλο) to suck
2 Ρ ΑΜ to suckle

βυζανιάρικο ΟΥΣ ΟΥΔ (α) (για νεογνό) newborn baby, child at the breast (β) (μειωτ.) person still wet behind the ears

Βυζαντινή ΟΥΣ ΘΗΛ βλ. **Βυζαντινός**

βυζαντινολόγος ΟΥΣ ΑΡΣ/ΘΗΛ Byzantinist

Βυζαντινός ΟΥΣ ΑΡΣ Byzantine

βυζαντινός, -ή, -ό ΕΠΙΘ Byzantine
▶ **Βυζαντινή Αυτοκρατορία** Byzantine Empire

Βυζάντιο ΟΥΣ ΟΥΔ Byzantium

βυζαρού ΟΥΣ ΘΗΛ busty (ανεπ.) woman

βυζί (ανεπ.) ΟΥΣ ΟΥΔ (α) (γυναίκας) boob (ανεπ.), tit (χυδ.) (β) (ζώου) udder

βυζού ΟΥΣ ΘΗΛ = **βυζαρού**

βυθίζω Ρ Μ (α) (πλοίο, βάρκα) to sink (β) (σώμα, κεφάλι, χέρια) to immerse, to plunge (γ) (νύχια) to sink · (δάχτυλα, μαχαίρι, ξίφος) to stick
▷**βυθίζω κπν στην απελπισία** to bring sb to despair

▷**βυθίζω** κπν/κτ **στο σκοτάδι** to plunge sb/sth into darkness

▸βυθίζομαι ΜΕΣΟΠΑΘ: **βυθίζομαι στην απαισιοδοξία** to be deeply pessimistic
▷**βυθίζομαι στην απελπισία/σε λήθαργο** to sink into despair/lethargy
▷**βυθίζομαι σε βαθύ πένθος** to be in deep mourning
▷**βυθίζομαι στη λύπη** to be overcome with sorrow
▷**βυθίζομαι στην πολυθρόνα/στον καναπέ** to sink *ή* collapse into an armchair/into the sofa
▷**βυθίζομαι σε (βαθιές) σκέψεις** to be deep in thought

βύθιση ΟΥΣ ΘΗΛ (α) (*σώματος*) submersion (β) (*φρεγάτας, αντιτορπιλικού*) sinking

βύθισμα ΟΥΣ ΟΥΔ (α) (*πινέλου, σώματος*) immersion (β) (*φρεγάτας*) sinking (γ) (ΝΑΥΤ) draught (*Βρετ.*), draft (*Αμερ.*)

βυθισμένος, -η, -ο ΕΠΙΘ (*πλοίο*) sunken
▷**βυθισμένος σε** κτ sunk into sth
▷**βυθισμένος σε πολυθρόνα/καναπέ** collapsed in an armchair/on the sofa
▷**βυθισμένος σε σκέψεις/πένθος** deep in thought/mourning
▷**βυθισμένος στο σκοτάδι** plunged in darkness

βυθοκόρος ΟΥΣ ΘΗΛ dredger

βυθομέτρηση ΟΥΣ ΘΗΛ (*θάλασσας, ποταμού, λίμνης*) sounding

βυθόμετρο ΟΥΣ ΟΥΔ depth finder

βυθομετρώ Ρ Μ (*θάλασσα, λίμνη*) to sound

βυθός ΟΥΣ ΑΡΣ (α) (*θάλασσας*) seabed, bottom · (*ποταμού*) riverbed, bottom · (*λίμνης*) bottom · (*κατάπτωσης, παρακμής*) depths *πληθ.* (β) (= *βάθη*) deep sea

βυθοσκόπηση ΟΥΣ ΘΗΛ underwater observation

βύνη ΟΥΣ ΘΗΛ malt

βύρσα ΟΥΣ ΘΗΛ hide

βυρσοδεψείο ΟΥΣ ΟΥΔ tannery

βυρσοδέψης ΟΥΣ ΑΡΣ (*τεχνίτης*) tanner · (*ιδιοκτήτης*) tannery owner

βυρσοδεψία ΟΥΣ ΘΗΛ tanning

βυρωνικός, -ή, -ό ΕΠΙΘ Byronic

βυρωνισμός ΟΥΣ ΑΡΣ Byronism

βύσμα ΟΥΣ ΟΥΔ (α) (ΗΛΕΚΤΡ) plug (β) (*αργκ.*) influential friends *πληθ.*, friends in high places *πληθ.*
▷**έχω** *ή* **βάζω βύσμα** to pull strings *ή* wires (*Αμερ.*)

βυσσινάδα ΟΥΣ ΘΗΛ cherry juice

βυσσινής, -ιά, -ί ΕΠΙΘ (*ουρανός, μαντήλι*) crimson · (*χείλη*) cherry(–red)
▸**βυσσινί** ΟΥΣ ΟΥΔ crimson

βυσσινιά ΟΥΣ ΘΗΛ sour cherry tree

βύσσινο ΟΥΣ ΟΥΔ sour cherry
▷**να μένει** *ή* **να (μου) λείπει το βύσσινο** no thanks, you're welcome to it/him

βυτίο ΟΥΣ ΟΥΔ (*υγρών*) barrel, drum · (*αερίων*) canister

βυτιοφόρο ΟΥΣ ΟΥΔ tanker

βωβός, -ή, -ό ΕΠΙΘ = **βουβός**

βωλοδέρνω Ρ ΑΜ = **βολοδέρνω**

βώλος ΟΥΣ ΑΡΣ = **βόλος**

βωμολοχία ΟΥΣ ΘΗΛ obscenity

βωμολόχος ΟΥΣ ΑΡΣ&ΘΗΛ foul–mouthed person

βωμολοχώ Ρ ΑΜ to utter obscenities

βωμός ΟΥΣ ΑΡΣ (ΑΡΧΑΙΟΛ, ΘΡΗΣΚ) altar
▷**αγωνίζομαι** *ή* **πολεμώ υπέρ βωμών και εστιών** (*επίσ.*) to fight for God and country
▷**θυσιάζομαι στο βωμό της ελευθερίας** to be sacrificed on the altar of freedom

βωξίτης ΟΥΣ ΑΡΣ = **βοξίτης**

Γ, γ gamma, *third letter of the Greek alphabet*
▷**γ΄** 3
▷**,γ** 3,000

γαβάθα ΟΥΣ ΘΗΛ (α) (*σκεύος*) (large) bowl
(β) (= *περιεχόμενο γαβάθας*) bowl(ful)

γαβγίζω ① Ρ ΑΜ (α) (*σκύλος*) to bark ·
(*ενοχλητικά*) to yap · (*από πόνο*) to yelp
(β) (*μτφ.: άνθρωπος*) to yell
② Ρ Μ to bark at
▷**σκύλος ή σκυλί που γαβγίζει δεν δαγκώνει**
(*παροιμ.*) his/her bark is worse than his/her
bite (*παροιμ.*)

γάβγισμα ΟΥΣ ΟΥΔ (α) (*σκύλου*) bark, barking
χωρίς πληθ. · (*ενοχλητικό*) yap, yapping *χωρίς*
πληθ. · (*πόνου*) yelp, yelping *χωρίς πληθ.*
(β) (*μτφ.: ανθρώπου*) bark

γάβρος ΟΥΣ ΑΡΣ = **γαύρος**

γάγγραινα ΟΥΣ ΘΗΛ (α) (ΙΑΤΡ) gangrene
(β) (*μτφ.*) canker

γάζα ΟΥΣ ΘΗΛ (ΦΑΡΜ) gauze

γαζέλα ΟΥΣ ΘΗΛ (*κυριολ., μτφ.*) gazelle

γαζί ΟΥΣ ΟΥΔ (= *εξωτερική ραφή*) (machine)
stitching · (= *συρραφή*) seam
▷**δουλεύω** κπν **ψιλό γαζί** to make a fool of sb

γαζία ΟΥΣ ΘΗΛ acacia

γαζωμένος, -η, -ο ΕΠΙΘ (*ρούχο, ύφασμα*)
machine–stitched
▷**γαζωμένος από σφαίρες** riddled with
bullets

γαζώνω Ρ Μ (α) (*ρούχο, ύφασμα*) to
machine–stitch, to sew (β) (*μτφ.: με σφαίρες*)
to rake

γαζωτός, -ή, -ό ΕΠΙΘ machine–stitched

γαία ΟΥΣ ΘΗΛ (*επίσ.: για καλλιέργεια*) land
χωρίς πληθ. · (*για οικοδόμηση*) plot (of land)
▶ **Γαία** ΟΥΣ ΘΗΛ (ΜΥΘΟΛ) Gaia

γαιάνθρακας ΟΥΣ ΑΡΣ coal

γαϊδάρα ΟΥΣ ΘΗΛ = **γαϊδούρα**

γάιδαρος ΟΥΣ ΑΡΣ (α) (*ζώο*) donkey, ass
(β) (*υβρ.: για άνθρωπο*) lout
▷**γάιδαρος με περικεφαλαία ή σέλλα** (*υβρ.*) a
real lout
▷**δένω ή έχω δεμένο τον γάιδαρό μου** to be
sitting pretty (*ανεπ.*)
▷**δυο γάιδαροι μαλώνανε σε ξένο αχυρώνα**
(*παροιμ.*) they're squabbling over something
that doesn't even belong to them
▷**είπε ο γάιδαρος τον πετεινό κεφάλα**
(*παροιμ.*) it's the pot calling the kettle black
▷**ήταν(ε) στραβό το κλήμα, το 'φαγε κι ο**

γάιδαρος (*παροιμ.*) that was the last straw
▷**κάποιου του χάριζαν (ένα) γάιδαρο, και**
(αυτός) τον κοίταζε στα δόντια (*παροιμ.*)
don't look a gift horse in the mouth
(*παροιμ.*)
▷**-Πετάει ο γάιδαρος; - Πετάει!** (*για*
αναγκαστική παραδοχή ή υποχώρηση) a
man's got to do what a man's got to do ·
(*για εύπιστο άνθρωπο*) he'll/she'll believe
anything you tell him/her
▷**σκάω γάιδαρο** (*ανεπ.*) to try the patience of
a saint

γαϊδούρα ΟΥΣ ΘΗΛ (α) (= *θηλυκό γαϊδούρι*)
female donkey, jenny (β) (*υβρ.: για γυναίκα*)
cow (*ανεπ.*)

γαϊδουράγκαθο ΟΥΣ ΟΥΔ thistle

γαϊδούρι ΟΥΣ ΟΥΔ (α) (= *γάιδαρος*) donkey
(β) (*υβρ.: = για άνθρωπο*) lout

γαϊδουριά ΟΥΣ ΘΗΛ rudeness
▷**αυτό που έκανες ήταν γαϊδουριά!** that was
very rude of you

γαϊδουρινός, -ή, -ό ΕΠΙΘ (α) (*πόδια, ουρά,*
αυτιά) donkey's (β) (*μτφ.: συμπεριφορά,*
φέρσιμο) loutish
▷**έχω γαϊδουρινό πείσμα** to be as stubborn as
a mule
▷**έχω γαϊδουρινή υπομονή** to have the
patience of a saint

γαϊδουρόβηχας ΟΥΣ ΑΡΣ racking cough

γαϊδουροδένω Ρ ΑΜ: **κάλλιο γαϊδουρόδενε,**
παρά γαϊδουρογύρευε (*παροιμ.*) prevention
is better than cure (*παροιμ.*)

γαιοκτήμονας ΟΥΣ ΑΡΣ&ΘΗΛ landowner
▶ **γαιοκτήμονες** ΠΛΗΘ (ΙΣΤ) landed gentry *πληθ.*

γαιοκτησία ΟΥΣ ΘΗΛ (= *ιδιοκτησία*
γαιοκτήμονα) property, land · (= *κατοχή γης*)
landownership

γαϊτανάκι ΟΥΣ ΟΥΔ (α) (= *μικρό γαϊτάνι*) braid
(β) (= *αποκριάτικος χορός*) maypole dancing

γαιώδης, -ης, -ες ΕΠΙΘ (α) (*χρώματα*) earthy,
earth (β) (*όγκοι*) of earth

γάλα ΟΥΣ ΟΥΔ (α) (*γενικότ.*) milk (β) (*συκιάς*)
latex
▷**άσπρος σαν το γάλα** as white as snow,
lily–white
▷**βγάζω ή κατεβάζω γάλα** to produce milk
▷**μου κόβεται το γάλα** (*ανεπ.*) to stop
producing milk, to dry up
▷**φτύνω της μάνας μου το γάλα** to wish one
had never been born

▸**αρνάκι γάλακτος** spring lamb
▸**γάλα άπαχο** low–fat milk
▸**γάλα αποβουτυρωμένο** skimmed milk (Βρετ.), skim milk (Αμερ.)
▸**γάλα εβαπορέ** evaporated milk
▸**γάλα μακράς διαρκείας** long–life milk
▸**γάλα ομογενοποιημένο** homogenized milk
▸**γάλα παστεριωμένο** pasteurized milk
▸**γάλα πλήρες** full–cream milk
▸**γάλα σκόνη** dried ή powdered milk
▸**γάλα σοκολατούχο** chocolate milk, chocolate–flavoured (Βρετ.) ή chocolate–flavored (Αμερ.) milk
▸**γάλα συμπυκνωμένο** condensed milk
▸**γάλα του κουτιού** tinned milk
▸**γάλα φρέσκο** ή νωπό fresh milk
▸**γάλα χωρίς λιπαρά** non–fat milk
▸**γουρουνόπουλο γάλακτος** suckling pig
▸**μοσχαράκι γάλακτος** milk–fed veal
▸**σοκολάτα γάλακτος** milk chocolate

γαλάζιος, -α, -ο ΕΠΙΘ blue
▸**γαλάζιο** ΟΥΣ ΟΥΔ blue

γαλαζοαίματος, -η, -ο ΕΠΙΘ blue–blooded
▷**έχω γαλαζοαίματη καταγωγή** to have blue blood
▸**γαλαζοαίματος** ΟΥΣ ΑΡΣ, **γαλαζοαίματη** ΟΥΣ ΘΗΛ aristocrat

γαλαζόπετρα ΟΥΣ ΘΗΛ (α) (για ράντισμα) copper sulphate (β) (πολύτιμος λίθος) turquoise

γαλαζωπός, -ή, -ό ΕΠΙΘ blu(e)ish

γαλακτερός, -ή, -ό ΕΠΙΘ (α) (φαγητό) dairy · (γλυκό) milk (β) (καρπός) full of milk (γ) (ανεπ.: γίδα, προβατίνα) that is a good milker (δ) (τζάμι, φως, λάμπα) milky
▸**γαλακτερά** ΟΥΣ ΟΥΔ ΠΛΗΘ (α) (= προϊόντα γάλακτος) dairy products (β) (γλυκά) milk puddings

γαλακτικός, -ή, -ό ΕΠΙΘ (ζύμωση) lactic
▸**γαλακτικό οξύ** lactic acid

γαλακτοκομία ΟΥΣ ΘΗΛ dairying
▸**προϊόντα γαλακτοκομίας** dairy products

γαλακτοκομικός, -ή, -ό ΕΠΙΘ dairy

γαλακτοκόμος ΟΥΣ ΑΡΣ&ΘΗΛ dairyman

Προσοχή! Ο πληθυντικός του **dairyman** είναι **dairymen**.

γαλακτομπούρεκο, γαλακτομπούρικο ΟΥΣ ΟΥΔ ≈ custard pie

γαλακτοπαραγωγή ΟΥΣ ΘΗΛ (α) (= παραγωγή γάλακτος) dairy farming (β) (αγελάδας) milk yield

γαλακτοπαραγωγός ΟΥΣ ΑΡΣ&ΘΗΛ dairy farmer

γαλακτοπωλείο ΟΥΣ ΟΥΔ (για πώληση) dairy · (για κατανάλωση) milk bar

γαλακτοπώλης ΟΥΣ ΑΡΣ (= ιδιοκτήτης γαλακτοπωλείου) owner of a dairy · (= διανομέας γάλακτος) milkman

Προσοχή! Ο πληθυντικός του **milkman** είναι **milkmen**.

γαλακτοπώλισσα ΟΥΣ ΘΗΛ = **γαλακτοπώλης**

γαλακτώδης, -ης, -ες ΕΠΙΘ (α) (απόχρωση, χυμός) milky (β) (προϊόντα) dairy, milk

γαλάκτωμα ΟΥΣ ΟΥΔ (α) (ΧΗΜ) emulsion (β) (προσώπου) cleansing lotion, cleanser · (σώματος) moisturizer

γαλανόλευκος, -η, -ο ΕΠΙΘ blue and white
▸**η γαλανόλευκη** ΟΥΣ ΘΗΛ the Greek flag

γαλανομάτης, -α ή **-ισσα, -ικο** ΕΠΙΘ blue–eyed

γαλανός, -ή, -ό ΕΠΙΘ pale–blue, light–blue
▸**γαλανό** ΟΥΣ ΟΥΔ pale ή light blue

γαλαξίας ΟΥΣ ΑΡΣ (α) (ΑΣΤΡΟΝ) galaxy (β) (μτφ.: διασημοτήτων, ηθοποιών) galaxy · (εταιρειών, γεγονότων) host
▸**ο Γαλαξίας** ΟΥΣ ΑΡΣ the Galaxy, the Milky Way

γαλαρία ΟΥΣ ΘΗΛ (α) (θεάτρου, κινηματογράφου) gallery · (λεωφορείου) back seat (β) (= όσοι κάθονται στη γαλαρία) gallery · (λεωφορείου) people πληθ. sitting on the back seat (γ) (ορυχείου) gallery · (σιδηροδρομικής γραμμής) tunnel

γαλατάδικο ΟΥΣ ΟΥΔ (α) (= όχημα γαλατά) milk float (β) (= γαλακτοπωλείο: για πώληση) dairy · (για κατανάλωση) milk bar

γαλατάς ΟΥΣ ΑΡΣ (= ιδιοκτήτης γαλακτοπωλείου) dairyman · (= διανομέας γάλακτος) milkman

Προσοχή! Ο πληθυντικός του **milkman** είναι **milkmen**.

γαλατομπούρεκο ΟΥΣ ΟΥΔ = **γαλακτομπούρεκο**

γαλατόπιτα, γαλακτόπιτα ΟΥΣ ΘΗΛ milk pie

γαλβανίζω Ρ Μ (κυριολ., μτφ.) to galvanize

γαλβανικός, -ή, -ό ΕΠΙΘ galvanic, voltaic

γαλβανισμός ΟΥΣ ΑΡΣ, **γαλβάνιση** ΟΥΣ ΘΗΛ galvanization

γαλβανόμετρο ΟΥΣ ΟΥΔ (ΦΥΣ) galvanometer

γαλέος ΟΥΣ ΑΡΣ dogfish, tope

γαλέρα ΟΥΣ ΘΗΛ galley

γαλέτα ΟΥΣ ΘΗΛ (α) (= παξιμάδι) hardtack (β) (= τριμμένη φρυγανιά) breadcrumbs πληθ.

γαλήνεμα ΟΥΣ ΟΥΔ (α) (προσώπου) calming down (β) (θάλασσας, φύσης) calmness

γαληνεύω ① Ρ ΑΜ (θάλασσα, φύση) to grow calm · (ουρανός) to clear · (πρόσωπο, βλέμμα) to relax
② Ρ Μ (άνθρωπο) to calm (down) · (καρδιά) to still

γαλήνη ΟΥΣ ΘΗΛ (α) (θάλασσας) calm · (νύχτας) quiet · (εξοχής) peace and quiet (β) (προσώπου, βλέμματος) serenity, calmness · (χώρας, κράτους, οικογένειας) peace
▸**γαλήνη της ψυχής** peace of mind

γαλήνιος, -α, -ο ΕΠΙΘ (α) (θάλασσα) calm · (ουρανός) clear · (νύχτα) quiet, peaceful (β) (φωνή, πρόσωπο) calm, serene · (ζωή) quiet, peaceful

γαλιάντρα ΟΥΣ ΘΗΛ (α) (= κορυδαλλός) skylark (β) (μτφ.) chatterbox (ανεπ.)

γαλίφης, -α, -ικο ΕΠΙΘ smooth-talking

γαλιφιά ΟΥΣ ΘΗΛ flattery, sweet talk χωρίς πληθ. (ανεπ.)

γαλίφικος, -η, -ο ΕΠΙΘ (φωνή) cajoling, wheedling

Γαλλία ΟΥΣ ΘΗΛ France

Γαλλίδα ΟΥΣ ΘΗΛ Frenchwoman

> *Προσοχή!: Ο πληθυντικός του* **Frenchwoman** *είναι* **Frenchwomen**.

γαλλικός, -ή, -ό ΕΠΙΘ French

> *Προσοχή!: Τα εθνικά επίθετα, όπως* **French**, *γράφονται με κεφαλαίο το αρχικό γράμμα στα Αγγλικά.*

▷ **την κάνω** ή **στρίβω** ή **το σκάω** ή **φεύγω αλά γαλλικά** to cut and run (ανεπ.), to take French leave (Βρετ.) (ανεπ.)
▸ **γαλλικό κλειδί** wrench
▸ **γαλλικό φιλί** French kiss
▸ **η Γαλλική Επανάσταση** the French Revolution
▸ Γαλλικά ΟΥΣ ΟΥΔ ΠΛΗΘ French

γαλλισμός ΟΥΣ ΑΡΣ (ΓΛΩΣΣ) Gallicism

γαλλομαθής, -ής, -ές ΕΠΙΘ French-speaking

Γάλλος ΟΥΣ ΑΡΣ Frenchman

> *Προσοχή!: Ο πληθυντικός του* **Frenchman** *είναι* **Frenchmen**.

γαλονάς ΟΥΣ ΑΡΣ (μειωτ.) top brass (Βρετ.) (ανεπ.), brass (Αμερ.) (ανεπ.)

γαλόνι[1] ΟΥΣ ΟΥΔ (ανεπ.: ΣΤΡΑΤ) stripe
▷ **μου ξηλώνουν τα γαλόνια** to lose one's stripes
▷ **ξηλώνω σε κπν τα γαλόνια** to strip sb of their rank
▷ **έχω πλάκα τα γαλόνια** to be a top-ranking officer

γαλόνι[2] ΟΥΣ ΟΥΔ gallon
▷ **23 ευρώ το γαλόνι** 23 euros a ή per gallon
▷ **τρία χιλιόμετρα το γαλόνι** three kilometres (Βρετ.) ή kilometers (Αμερ.) to the gallon

γαλοπούλα ΟΥΣ ΘΗΛ turkey (hen)

γάλος ΟΥΣ ΑΡΣ turkey (cock)

γαλότσα ΟΥΣ ΘΗΛ wellington (Βρετ.) ή rubber (Αμερ.)

γαλούχηση ΟΥΣ ΘΗΛ (α) (= θηλασμός) breast-feeding · (για ζώα) suckling (β) (μτφ.) bringing up

γαλουχώ Ρ Μ (α) (= θηλάζω) to breast-feed (β) (= ανατρέφω) to bring up

γάμα ΟΥΣ ΟΥΔ ΑΚΛ (α) (γράμμα) gamma, *third letter of the Greek alphabet* (β) (= σχήμα Γ) L shape (γ) (στο ποδόσφαιρο) top corner of the goal
▷ **σχηματίζω** ή **κάνω (ένα) Γ** to be L-shaped

γαμέτης ΟΥΣ ΑΡΣ gamete

γαμήλιος, -α, -ο ΕΠΙΘ wedding
▸ **γαμήλιο ταξίδι** honeymoon

γαμημένος, -η, -ο ΕΠΙΘ (χυδ., υβρ.) fucking (χυδ.), bloody (Βρετ.) (ανεπ.)

γαμήσι ΟΥΣ ΟΥΔ (χυδ.) (α) (= πήδημα) screw (χυδ.), fuck (χυδ.) (β) (μτφ.: = μεγάλη καταπόνηση ή δυσκολία) fucking drag (χυδ.)

γαμικός, -ή, -ό ΕΠΙΘ (επίσ.: διαφορές) marital · (συμβόλαιο) marriage · (συμπόσιο) wedding

γάμος ΟΥΣ ΑΡΣ (α) (= νόμιμη ένωση και συμβίωση) marriage · (τελετή) wedding · (μυστήριο) matrimony (β) (μτφ.: εταιρειών) merger
▷ **δίνω υπόσχεση γάμου** to become engaged
▷ **ενώνομαι με τα δεσμά του γάμου** to unite in wedlock
▷ **πάρ' τον στον γάμο σου, να σου πει "και του χρόνου"** (παροιμ.) you can rely on him to say the wrong thing
▷ **προτείνω γάμο** ή **κάνω πρόταση γάμου σε κπν** to propose to sb
▸ **αδαμάντινος γάμοι** diamond wedding (anniversary) εν.
▸ **άδεια γάμου** marriage licence (Βρετ.) ή license (Αμερ.)
▸ **άκυρος γάμος** annulment
▸ **ανοικτός γάμος** big wedding
▸ **αργυροί γάμοι** silver wedding (anniversary)
▸ **γάμος συμφέροντος** marriage of convenience
▸ **επέτειος του γάμου, ημέρα του γάμου** wedding day
▸ **θρησκευτικός γάμος** church wedding
▸ **κλειστός γάμος** private wedding
▸ **λευκός γάμος** white wedding
▸ **πιστοποιητικό γάμου** marriage certificate
▸ **πολιτικός γάμος** civil wedding
▸ **συμβόλαιο** ή **συμφωνητικό γάμου** marriage contract
▸ **χρυσοί γάμοι** golden wedding (anniversary)

γάμπα ΟΥΣ ΘΗΛ calf

> *Προσοχή!: Ο πληθυντικός του* **calf** *είναι* **calves**.

γαμπριάτικος, -η, -ο ΕΠΙΘ: **το γαμπριάτικο κοστούμι** the bridegroom's suit
▸ **τα γαμπριάτικα** ΟΥΣ ΟΥΔ ΠΛΗΘ the bridegroom's suit εν.

γαμπρίζω Ρ ΑΜ (ειρων.) to date

γαμπρός ΟΥΣ ΑΡΣ (α) (= νεόνυμφος) bridegroom (β) (= μελλόνυμφος) eligible bachelor (γ) (= ο σύζυγος της κόρης) son-in-law · (= ο σύζυγος της αδελφής) brother-in-law

> *Προσοχή!: Ο πληθυντικός του* **son-in-law** *είναι* **sons-in-law**. *Ο πληθυντικός του* **brother-in-law** *είναι* **brothers-in-law**.

▷ **ντύνομαι σαν γαμπρός** to put on one's Sunday best, to get dressed up to the nines

γαμψός, -ή, -ό ΕΠΙΘ hooked

γαμψώνυχος, -η, -ο ΕΠΙΘ (*πτηνό, ζώο*) with claws

γαμώ Ρ Μ (*χυδ.*) (α) (= *συνουσιάζομαι*) to fuck (*χυδ.*), to screw (*χυδ.*), to shag (*Βρετ.*) (*χυδ.*) (β) (*μτφ.*: = *νικώ ταπεινωτικά*) to wipe the floor with (*ανεπ.*), to slaughter (*ανεπ.*)
▷ **γάμα ή γάμησέ τα** fuck it! (*χυδ.*), fucking hell! (*χυδ.*), bloody hell! (*Βρετ.*) (*χυδ.*)
▷ **γαμάει και δέρνει** to be fucking (*χυδ.*) ή bloody (*Βρετ.*) (*χυδ.*) brilliant
▷ **(και) γαμώ** (*αργκ.*: = *πολύ καλός*) fucking (*χυδ.*) ή bloody (*Βρετ.*) (*χυδ.*) great· (= *πολύ ωραίος*) fucking (*χυδ.*) ή bloody (*Βρετ.*) (*χυδ.*) beautiful
▸ **γαμιέμαι** ΜΕΣΟΠΑΘ (= *εξαντλούμαι*) to work one's arse (*Βρετ.*) (*χυδ.*) ή ass (*Αμερ.*) (*χυδ.*) off
▷ **άι ή άντε ή τράβα (και) γαμήσου!** (*υβρ.*) fuck off! (*χυδ.*), screw you! (*χυδ.*)
▷ **δεν γαμιέται!** (*υβρ.*) I don't give a fuck! (*χυδ.*) ή damn! (*χυδ.*)

γαμώ το, γαμώ τη ΕΠΙΦΩΝ (*ανεπ.*) damn (it)! (*χυδ.*)
▸ **γαμώτο** ΟΥΣ ΟΥΔ ΑΚΛ self–respect

γανιάζω Ρ ΑΜ (α) (*σκεύος*) to be covered in verdigris· (*από φωτιά*) to be covered in burn marks (β) (= *διψώ πολύ*) to be parched (γ) (*ρούχα*) to get dirty (δ) (*μτφ.*: = *ταλαιπωρούμαι*) to have had enough
▷ **γανιάζει η γλώσσα μου** my tongue is furred

γάντζος ΟΥΣ ΑΡΣ hook

γάντζωμα ΟΥΣ ΟΥΔ (α) (*κιβωτίου*) attaching (with a hook)· (*ρούχου*) snagging, catching (β) (*κρεάτων*) hanging up (on a butcher's hook)· (*θηράματος*) hanging (γ) (*μτφ.*: = *σφιχτό κράτημα*) grip (δ) (*σε σανίδα, σε κορμό*) gripping (ε) (*σε άνθρωπο, σε ελπίδα*) clinging (*σε* (on) to)

γαντζώνω Ρ Μ (α) (*αντικείμενο*) to hook· (*κρέας*) to hang (on a hook) (β) (*μτφ.*: = *αρπάζω*) to grab, to grip
▸ **γαντζώνομαι** ΜΕΣΟΠΑΘ: **γαντζώνομαι από ή σε κπν/κτ** to grab hold of sb/sth· (*μτφ.*) to cling on to sb/sth

γάντι ΟΥΣ ΟΥΔ glove· (*χωρίς χώρισμα για τα δάχτυλα*) mitten
▷ **με το γάντι** with kid gloves
▷ **μου έρχεται ή πάει γάντι** it fits me like a glove
▷ **ρίχνω ή πετάω το γάντι σε κπν** to provoke sb

γαντοφορεμένος, -η, -ο ΕΠΙΘ wearing gloves

γαργάλημα ΟΥΣ ΟΥΔ = **γαργαλητό**

γαργαλητό ΟΥΣ ΟΥΔ tickle, tickling *χωρίς πληθ.*

γαργαλίζω Ρ Μ = **γαργαλώ**

γαργάλισμα ΟΥΣ ΟΥΔ = **γαργαλητό**

γαργαλιστικός, -ή, -ό ΕΠΙΘ (α) (*άγγιγμα*) ticklish (β) (*μτφ.*: *μυρωδιές*) tantalizing· (*θέματα, λεπτομέρειες*) titillating· (*ταινία,*

χιούμορ) saucy

γαργαλώ Ρ Μ (α) (*μωρό, πατούσες, πλευρά*) to tickle (β) (*μτφ.*: *αισθήσεις*) to excite
▷ **η μυρωδιά τού φαγητού μου γαργαλάει το στομάχι** the smell of the food is making my mouth water
▷ **με γαργαλάει ο λαιμός μου** I've got a tickle in my throat
▸ **γαργαλιέμαι** ΜΕΣΟΠΑΘ to be ticklish

γαργάρα ΟΥΣ ΘΗΛ gargle
▷ **κάνω γαργάρες (με κτ)** to gargle (with sth)
▷ **κάνω κτ γαργάρα** to let sth lie

γάργαρος, -η, -ο ΕΠΙΘ (*κυριολ., μτφ.*) gurgling

γαρδέλι ΟΥΣ ΟΥΔ goldfinch

γαρδένια ΟΥΣ ΘΗΛ gardenia

γαρδούμπα ΟΥΣ ΘΗΛ spit–roasted lamb or goat's offal

γαριάζω Ρ ΑΜ to look shabby ή dingy

γαρίδα ΟΥΣ ΘΗΛ prawn (*Βρετ.*), shrimp (*Αμερ.*)· (*μικρή γαρίδα*) shrimp (*Βρετ.*)
▷ **γαρίδα το μάτι του!** his eyes were out on stalks!
▷ **έγινε το μάτι μου γαρίδα να βρω ξενοδοχείο** I had to look long and hard to find a hotel

γαριφαλέλαιο ΟΥΣ ΟΥΔ oil of cloves

γαριφαλιά ΟΥΣ ΘΗΛ carnation

γαρίφαλο ΟΥΣ ΟΥΔ (α) (= *άνθος*) carnation (β) (ΜΑΓΕΙΡ) clove

γαρνίρισμα ΟΥΣ ΟΥΔ (α) (*φαγητού*) garnish, trimmings *πληθ.*· (*τούρτας*) topping (β) (*μτφ.*: *λόγου, κειμένου*) embellishment

γαρνίρω Ρ Μ (α) (*φαγητό*) to garnish· (*γλυκό, τούρτα*) to decorate (β) (*μτφ.*: *λόγο, κείμενο*) to embellish

γαρνιτούρα ΟΥΣ ΘΗΛ (α) (*φαγητού*) garnish, trimmings *πληθ.*· (*γλυκού, τούρτας*) topping· (*φορέματος*) trimming· (*κάγκελου, επίπλου*) decorative work (β) (*μτφ.*: *λόγου, κειμένου*) embellishment

γαρύφαλλο ΟΥΣ ΟΥΔ = **γαρίφαλο**

γάστρα ΟΥΣ ΘΗΛ (α) (= *μαγειρικό σκεύος*) casserole dish (β) (= *γλάστρα*) flowerpot (γ) (ΝΑΥΤ) bottom

γαστρεντερίτιδα ΟΥΣ ΘΗΛ (ΙΑΤΡ) gastroenteritis

γαστρικός, -ή, -ό ΕΠΙΘ gastric
▸ **γαστρικό υγρό** gastric juices *πληθ.*

γαστριμαργία ΟΥΣ ΘΗΛ (*επίσ.*) gluttony, greed

γαστρίτιδα ΟΥΣ ΘΗΛ gastritis

γαστρονομία ΟΥΣ ΘΗΛ gastronomy

γαστρονομικός, -ή, -ό ΕΠΙΘ gastronomic

γαστρορραγία ΟΥΣ ΘΗΛ bleeding from the stomach

γάτα ΟΥΣ ΘΗΛ (α) (*ζώο*) cat (β) (*μτφ.*) crafty devil (*ανεπ.*)
▷ **γάτα με πέταλα** crafty devil (*ανεπ.*)
▷ **όσο πατάει η γάτα** (*αγγίζω, πατώ*) very gently· (*βρέχομαι, βουτώ*) just a little bit, ever so slightly

▷**όταν λείπει η γάτα, χορεύουν τα ποντίκια** (*παροιμ.*) when the cat's away, the mice will play (*παροιμ.*)
▷**ούτε γάτα ούτε ζημιά** there's no harm done
▷**σαν βρεγμένη γάτα** (= *με ενοχές*) with one's tail between one's legs, with a hangdog look
▷**σκίζω τη γάτα** to wear the trousers (*Βρετ.*) ή pants (*Αμερ.*)

γατάκι ΟΥΣ ΟΥΔ (*υποκορ.*: = *μικρή γάτα*) kitten · (*χαϊδευτ.*) puss, kitty

γατί ΟΥΣ ΟΥΔ (α) (= *γάτα*) cat (β) (= *μικρή γάτα*) kitten

γατίσιος, -α, -ο ΕΠΙΘ (α) (*αυτιά, ουρά*) cat's (β) (*μτφ.*: *μάτια, σώμα*) cat–like, like a cat's

γάτος ΟΥΣ ΑΡΣ tomcat
▸**παπουτσωμένος γάτος** Puss in Boots

γατόψαρο ΟΥΣ ΟΥΔ catfish

γαυγίζω Ρ ΑΜ = **γαβγίζω**

γαύρος ΟΥΣ ΑΡΣ (α) (*ψάρι*) anchovy (β) (*αρχ.*) Olympiakos fan

γδάρσιμο ΟΥΣ ΟΥΔ (α) (= *γρατζούνισμα*) scratch (β) (= *αφαίρεση δέρματος*) skinning (γ) (*μτφ.*: *για χρήματα*) overcharging, fleecing (*ανεπ.*)

γδάρτης ΟΥΣ ΑΡΣ (α) (*ζώων*) skinner (β) (*μτφ.*) swindler

γδέρνω Ρ Μ (α) (*ζώο*) to skin (β) (*δέρμα, επιφάνεια*) to scratch · (*παπούτσια*) to scuff (γ) (*λαιμό*) to make raw (δ) (*μτφ.*) to swindle, to fleece (*ανεπ.*)

γδούπος ΟΥΣ ΑΡΣ thud

γδύνω Ρ Μ: **γδύνω κπν** (= *γυμνώνω*) to take sb's clothes off, to undress sb · (*μτφ.*: = *αποσπώ μεγάλο ποσό*) to bleed sb dry · (= *κλέβω*) to rob sb
▷**οι ληστές μάς έγδυσαν τη νύχτα** the burglars stripped the house bare in the night
▸**γδύνομαι** ΜΕΣΟΠΑΘ to get undressed, to take one's clothes off · (= *μείνω γυμνός*) to strip naked

γδύσιμο ΟΥΣ ΟΥΔ (α) (= *ξεντύσιμο*) undressing · (= *γύμνωμα*) stripping (β) (*μτφ.*: *από την εφορία*) bleeding dry, fleecing (*ανεπ.*) · (= *κλέψιμο*) robbing

γδυτός, -ή, -ό ΕΠΙΘ (α) (= *γυμνός*) naked (β) (*καταχρ.*: = *που φορά λίγα ρούχα*) half–naked
▷**είμαι γδυτός** to have nothing on, to be naked

γεγονός ΟΥΣ ΟΥΔ (α) (= *συμβάν*) event · (= *περιστατικό*) incident (β) (= *δεδομένο*) fact (γ) (*για κτ αναπόφευκτο*) certainty
▷**από το γεγονός ότι, εκ του γεγονότος ότι** (*επίσ.*) based on the fact that
▷**είναι γεγονός ότι** it is a fact that
▷**ζω τα γεγονότα** to experience events at first hand
▷**κατά τη φυσική πορεία των γεγονότων** in the normal course of events
▷**παρά το γεγονός ότι** in spite of ή despite the fact that
▷**τα γεγονότα μιλούν από μόνα τους** the facts speak for themselves
▸**ειδησεογραφικό γεγονός** newsworthy event

γεια ΟΥΣ ΘΗΛ/ΟΥΔ (*χαιρετισμός*) hello, hi (*ανεπ.*) · (*αποχαιρετισμός*) goodbye, bye (*ανεπ.*), bye–bye (*ανεπ.*)
▷**γεια μας/σας!** (= *στην υγειά μας/σας*) cheers!
▷**γεια σου!** (= *γείτσες*) bless you!
▷**γεια στα χέρια σου!** well done!
▷**γεια στο στόμα σου!** well said!
▷**γεια χαρά, γεια και χαρά, άντε γεια** goodbye, bye (*ανεπ.*)
▷**με γεια (σου)!** wish made to someone who has just bought something
▷**με γεια σου (και) με χαρά σου** and good luck to you, I wish you joy of it

γειρτός, -ή, -ό ΕΠΙΘ (α) (*επιφάνεια*) slanting, sloping · (*πύργος*) leaning · (*δέντρο*) bowed (β) (*ώμος*) rounded · (*πλάτη*) hunched (γ) (*πόρτα, παράθυρο*) ajar

γείσο, γείσωμα ΟΥΣ ΟΥΔ (α) (*στέγης*) eaves πληθ. · (*τζακιού*) mantelpiece (β) (*πηληκίου*) peak

γειτνιάζω Ρ ΑΜ (*επίσ.*: *κράτη, περιοχές*) to be contiguous (*επίσ.*)

γειτνίαση ΟΥΣ ΘΗΛ (*επίσ.*) contiguity (*επίσ.*), contiguousness (*επίσ.*)

γείτονας ΟΥΣ ΑΡΣ neighbour (*Βρετ.*), neighbor (*Αμερ.*)

γειτονεύω Ρ ΑΜ (α) (*άνθρωποι*) to be neighbours (*Βρετ.*) ή neighbors (*Αμερ.*) (β) (*χώρες*) to share a border
▷**γειτονεύω με κπν** to live next door to sb

γειτονιά ΟΥΣ ΘΗΛ (α) (= *τμήμα συνοικίας*) neighbourhood (*Βρετ.*), neighborhood (*Αμερ.*) (β) (= *γείτονες*) neighbours (*Βρετ.*), neighbors (*Αμερ.*) (γ) (= *γειτονικές χώρες*) region
▷**της γειτονιάς** local

γειτονικός, -ή, -ό ΕΠΙΘ (α) (*δωμάτιο*) next · (*σπίτι, αυλή*) adjacent, next–door (β) (*λαός, χώρα, χωριό*) neighbouring (*Βρετ.*), neighboring (*Αμερ.*)

γειτόνισσα ΟΥΣ ΘΗΛ *βλ.* **γείτονας**

γειτονοπούλα ΟΥΣ ΘΗΛ girl next door

γειτονόπουλο ΟΥΣ ΟΥΔ boy next door
▸**γειτονοπούλα** ΠΛΗΘ: **τα γειτονόπουλα** the neighbourhood (*Βρετ.*) ή neighborhood (*Αμερ.*) children

γείτσες ΕΠΙΦΩΝ bless you!

γειώνω Ρ Μ to earth (*Βρετ.*), to ground (*Αμερ.*)

γείωση ΟΥΣ ΘΗΛ (*ηλεκτρικής συσκευής, εγκατάστασης*) earthing (*Βρετ.*), grounding (*Αμερ.*) · (*καλώδιο*) earth (*Βρετ.*), ground (*Αμερ.*)

γελάδα ΟΥΣ ΘΗΛ = **αγελάδα**

γελασμένος, -η, -ο ΕΠΙΘ: **είσαι γελασμένος** you're mistaken

γελαστός, -ή, -ό ΕΠΙΘ (α) (*παιδί, πρόσωπο*) smiling (β) (*μτφ.*: *τύπος, άτομο*) cheerful

γελέκο ΟΥΣ ΟΥΔ = **γιλέκο**

γέλιο ΟΥΣ ΟΥΔ laugh
▷**αφήνω ένα δυνατό γέλιο** to laugh out loud
▷**γέλιο μέχρι τ' αυτιά** big grin, grin from ear to ear
▷**δεν κρατιέμαι απ' τα γέλια** to be helpless with laughter
▷**δεν μπορώ να κρατήσω τα γέλια μου** I can't stop laughing
▷**είναι για γέλια** it's laughable
▷**είναι για γέλια και για κλάματα** it's both funny and sad
▷**θα πέσει (πολύ) γέλιο!** it'll be good fun! *ή* a good laugh (*ανεπ.*)
▷**κάνω πολλά γέλια** to have a lot of fun
▷**κατουριέμαι απ' τα γέλια** (*ανεπ.*) to be in stitches (*ανεπ.*)
▷**λύνομαι στα γέλια** to be weak with laughter
▷**με πιάνει νευρικό γέλιο** to get the giggles
▷**με πιάνουν** *ή* **βάζω τα γέλια** to start laughing
▷**ξεσπώ σε δυνατά** *ή* **τρανταχτά γέλια** to burst out laughing
▷**πεθαίνω στα γέλια** to laugh one's head off
▷**πιάνω την κοιλιά μου απ' τα γέλια** to hold one's sides with laughter
▷**ρίχνω κάτι γέλια** to roar with laughter
▷**σκάω στα γέλια** (= *ξεσπώ σε γέλιο*) to burst out laughing · (= *γελώ μέχρι δακρύων*) to fall about laughing
▷**τα γέλια μού βγαίνουν ξινά** to laugh on the other side of one's face
▸**γέλια** ΠΛΗΘ laughter *εν.*

γελοιογράφημα ΟΥΣ ΟΥΔ *βλ.* **γελοιογραφία**

γελοιογραφία ΟΥΣ ΘΗΛ (α) (*σε εφημερίδα, περιοδικό*) cartoon (β) (*γνωστού προσώπου*) caricature (γ) (*τέχνη*) cartoon art

γελοιογράφος ΟΥΣ ΑΡΣΘΗΛ cartoonist

γελοιογραφώ Ρ Μ (*κατάσταση*) to draw a cartoon of · (*γνωστό πρόσωπο*) to caricature, to do a caricature of

γελοιοποίηση ΟΥΣ ΘΗΛ mockery

γελοιοποιώ Ρ Μ (α) (*νόμο, θεσμούς*) to make a mockery of · (*ιδέες*) to ridicule (β) (*άτομο*) to make a fool of, to ridicule · (*οικογένεια*) to show up (γ) (*άμυνα, σύστημα ασφαλείας*) to make a mockery of

γελοίος, -α, -ο ΕΠΙΘ (α) (= *κωμικός*) ridiculous (β) (= *άξιος περιφρόνησης: αυτοκίνητο, κατασκευή*) pathetic · (*μαγαζί*) awful · (*ποσό*) piffling
▷**γίνομαι γελοίος** to look ridiculous, to become a laughing stock
▷**μη γίνεσαι γελοίος** don't be ridiculous
▸**το γελοίον** ΟΥΣ ΟΥΔ the funny side

γελοιότητα ΟΥΣ ΘΗΛ ridiculousness

γελώ ① Ρ ΑΜ (α) (= *ξεσπώ σε γέλιο*) to laugh (β) (*μτφ.: μάτια*) to twinkle with laughter · (*πρόσωπο*) to be all smiles ② Ρ Μ (α) (*τύχη*) to smile on (β) (= *ξεγελώ*) to deceive
▷**ας μη γελιόμαστε** let's not kid ourselves
▷**γελάει καλύτερα, όποιος γελάει τελευταίος** (*παροιμ.*) he who laughs last, laughs longest

(*παροιμ.*)
▷**γελάει κι ο κάθε πικραμένος** it's completely laughable
▷**γελάει το χειλάκι κποιου** to be all smiles
▷**γελούν και τα μουστάκια** *ή* **τα αφτιά μου** to grin from ear to ear
▷**γελώ με κπν/κτ** to laugh at sb/sth · (= *περιγελώ*) to make fun of sb/sth
▷**γελώ με την καρδιά μου** *ή* **με την ψυχή μου** to laugh heartily
▷**γελώ μέχρι δακρύων** to laugh till *ή* until one cries
▷**γελώ σε** *ή* **εις βάρος κποιου** to laugh at sb
▷**γελώ σε κπν** to smile at sb
▷**είναι να γελάει κανείς!** it's laughable!
▷**θα σε γελάσω** don't take my word for it
▷**μου γέλασε η τύχη** fortune smiled on me
▷**μου γέλασε κατάμουτρα** he laughed in my face
▷**σε γελάσανε** you're mistaken
▸**γελιέμαι** ΜΕΣΟΠΑΘ (α) (= *απατώμαι*) to be deceived, to be taken in (β) (= *λαθεύω*) to be mistaken

γελωτοποιός ΟΥΣ ΑΡΣ fool

γεμάτος, -η, -ο ΕΠΙΘ (α) (*μπουκάλι, ποτήρι, λεωφορείο*) full · (*μπαταρία*) fully charged · (*όπλο*) loaded · (*μήνας, χρόνος*) full, whole (β) (*μτφ.: αίματα, τρίχες, ρυτίδες*) covered in · (*ευτυχία, δυστυχία*) full of · (*δυσκολίες*) fraught with (γ) (*ευφημ.*) plump
▷**είμαι γεμάτος ερωτηματικά** to be full of questions
▷**ένα βλέμμα γεμάτο ερωτηματικά** a questioning look
▷**η ζωή μου είναι γεμάτη** to have a full life
▷**μιλάω με γεμάτο στόμα** *ή* **με το στόμα γεμάτο** to talk with one's mouth full
▸**γεμάτος αστέρια** starry
▸**γεμάτος ζωή** *ή* **ζωντάνια** full of life, lively
▸**γεμάτος λακκούβες** bumpy
▸**γεμάτος πάθος** passionate
▸**γεμάτο φεγγάρι** full moon

γεμίζω ① Ρ Μ (α) (= *πληρώ*) to fill (*με* with) · (*μαξιλάρι, πιπεριά, γαλοπούλα*) to stuff (*με* with) · (*όπλο*) to load (*μπαταρία*) to charge (β) (= *ικανοποιώ*) to fulfil (*Βρετ.*), to fulfill (*Αμερ.*) ② Ρ ΑΜ (*δοχείο, λεωφορείο, ξενοδοχείο*) to be full
▷**γεμίζω αισιοδοξία/μίσος** to be filled with optimism/hatred
▷**γεμίζω κπν (με) δώρα/τιμές** to shower sb with gifts/honours
▷**γεμίζω από** *ή* **με** to be full of
▷**γεμίζω τα παπούτσια (με) λάσπες** to get one's shoes muddy, to get mud on one's shoes
▷**γεμίζω τα ρούχα μου αίμα** to get blood on one's clothes
▷**γεμίζω την μπανιέρα** to run a bath
▷**γεμίζω το κεφάλι κποιου (με) ιδέες** to fill sb's head with ideas
▷**γεμίζω το πιάτο μου με φαγητό** to fill one's plate (with food)

▷**γεμίζω το τραπέζι νερά** to spill water on the table

▷**γεμίζω το τραπέζι/το πάτωμα (με) ψίχουλα** to get crumbs on the table/floor

▷**γέμισα το πουκάμισό μου (με) λεκέδες** I stained my shirt

▷**ο αέρας γέμισε μυρωδιές** the air was heavy with aromas

▷**ο αέρας γέμισε ιαχές/ζητωκραυγές** the air filled with cries/cheers

▷**τα μάτια μου γέμισαν δάκρυα** my eyes filled with tears

▷**το πρόσωπό του έχει γεμίσει ρυτίδες/σπυριά** his face was all wrinkled/covered in spots

▷**το τραπέζι/πάτωμα έχει γεμίσει νερά** the table/floor is covered in water

▷**το φεγγάρι θα γεμίσει/γέμισε** there's going to be/it's a full moon

γέμιση ΟΥΣ ΘΗΛ (α) (*ντομάτας, κοτόπουλου*) stuffing (β) (*διαδικασία*) filling · (*όπλου*) loading · (*μπαταρίας*) charging

▸**γέμιση του φεγγαριού** first quarter

γέμισμα ΟΥΣ ΟΥΔ (α) (*πιπεριάς, γαλοπούλας*) stuffing · (*πίτας, αλλαντικών, καλουμπιού*) filling (β) (*διαδικασία*) filling · (*βαλίτσα*) packing · (*όπλου*) loading · (*μπαταρίας*) charging

γεμιστήρας ΟΥΣ ΑΡΣ (α) (*όπλου*) magazine (β) (*πυροβόλου*) loader

γεμιστός, -ή, -ό ΕΠΙΘ (*γαλοπούλα, πιπεριά*) stuffed

▸**γεμιστά** ΟΥΣ ΟΥΔ ΠΛΗΘ stuffed vegetables

γεν ΟΥΣ ΟΥΔ ΑΚΛ yen

Γενάρης ΟΥΣ ΑΡΣ = **Ιανουάριος**

γενάρχης ΟΥΣ ΑΡΣ founder

γενάτος, -η, -ο ΕΠΙΘ bearded man

γενεά ΟΥΣ ΘΗΛ (*επία.*) generation

▷**περνάω κπν γενεές δεκατέσσερις** to haul (*Βρετ.*) *ή* rake (*Αμερ.*) sb over the coals · *βλ. κ.* **γενιά**

γενεαλογία ΟΥΣ ΘΗΛ (α) (*οικογένειας*) genealogy · (*πολιτικού*) lineage · (*κατάλογος*) family tree (β) (*μτφ.: κινήματος, ιδέας*) development

γενεαλογικός, -ή, -ό ΕΠΙΘ genealogical

▸**γενεαλογικό δέντρο** family tree

γενέθλιος, -α, -ο ΕΠΙΘ (α) (*πόλη, χώρα*) native, home (β) (*πάρτι, δώρα, ημέρα*) birthday

▸**γενέθλια γη** homeland, native land

▸**γενέθλια ημέρα** birthday

▸**γενέθλια** ΟΥΣ ΟΥΔ ΠΛΗΘ birthday εν.

▷**έχω γενέθλια** *ή* **τα γενέθλιά μου** it's my birthday

▷**πηγαίνω σε γενέθλια** to go to a birthday party

▸**πάρτι/τούρτα γενεθλίων** birthday party/cake

γενειάδα ΟΥΣ ΘΗΛ long beard

γενειοφόρος, -ος, -ο ΕΠΙΘ bearded

γένεση, γένεσις (*επία.*) ΟΥΣ ΘΗΛ (α) (*κόσμου, έργου τέχνης*) creation · (*κράτους, έθνους,*

πόλης) birth · (*ιδέας, τέχνης*) birth, genesis (*επία.*) (β) (ΒΙΟΛ) generation

▸**Γένεσις** ΟΥΣ ΘΗΛ (ΘΡΗΣΚ) Genesis

γενεσιουργός, -ός, -ό ΕΠΙΘ generative · (*αιτία, δύναμη*) underlying

γενέτειρα ΟΥΣ ΘΗΛ (= *χώρα καταγωγής*) homeland, native country · (= *ιδιαίτερη πατρίδα*) native town *ή* village · (*μτφ.: δημοκρατίας, τέχνης, πολιτισμού*) birthplace

γενετής ΟΥΣ ΘΗΛ: **εκ γενετής** (*ανάπηρος*) from birth · (*υπήκοος*) by birth

γενετήσιος, -α, -ο ΕΠΙΘ (*ένστικτο, πράξη*) sex

▸**γενετήσια επιθυμία** sexual urge

▸**γενετήσια ορμή** sex drive

γενετική ΟΥΣ ΘΗΛ genetics εν.

> *Προσοχή!: Αν και το* **genetics** *φαίνεται ως τύπος πληθυντικού, είναι ουσιαστικό μόνο στον ενικό και συντάσσεται με ρήμα στον ενικό.*

γενετικός, -ή, -ό ΕΠΙΘ (*στοιχείο, βελτίωση, υλικό*) genetic

▸**γενετική βιολογία** genetic biology

▸**γενετικός κώδικας** genetic code

▸**γενετική μηχανική** genetic engineering

γενετιστής ΟΥΣ ΑΡΣ geneticist

γενετίστρια ΟΥΣ ΘΗΛ *βλ.* **γενετιστής**

Γενεύη ΟΥΣ ΘΗΛ Geneva

γένι ΟΥΣ ΟΥΔ beard

▷**ο παπάς πρώτα τα γένια του βλογάει** (*παροιμ.*) every man for himself (and God for us all *ή* the Devil take the hindmost) (*παροιμ.*)

▷**όποιος έχει τα γένια, έχει και τα χτένια** (*παροιμ.*) fame comes at a price

▸**γένια** ΠΛΗΘ beard εν.

▷**έχω γένια** to have a beard

γενιά ΟΥΣ ΘΗΛ (α) (*ανθρώπων, ζώων, φυτών*) family · (*Ελλήνων, Ιταλών*) race (β) (*του '60, του '70*) generation

γενικά, γενικώς ΕΠΙΡΡ (α) (= *σε γενικές γραμμές, συνολικά*) in general · (= *συνήθως*) generally (β) (*αποδεκτός*) generally (γ) (*αναφέρομαι, μιλώ*) generally

γενίκευση ΟΥΣ ΘΗΛ (α) (*για παρατήρηση*) generalization (β) (*ταραχών, πολέμου, απόψεων*) spread

γενικευτικός, -ή, -ό ΕΠΙΘ (*μέθοδος*) general

▸**γενικευτικές παρατηρήσεις** generalizations

▸**γενικευτικά σχόλια** sweeping statements

γενικεύω Ρ Μ to generalize · (*συμπλοκή*) to extend

▸**γενικεύομαι** ΜΕΣΟΠΑΘ (*καταστροφή, πόλεμο, λατρεία*) to spread · (*κατάσταση, χρήση, σύγκρουση*) to become more widespread · (*συζήτηση*) to open up · (*μόδα*) to be popular · (*τεχνολογία*) to come into general use, to be widely used

γενικός, -ή, -ό ΕΠΙΘ general

▷**είναι στο γενικό συμφέρον** it's in the general interest

Γ

▷**η γενική εικόνα** the general picture
►**γενική αναισθησία** general anaesthetic (*Βρετ.*) *ή* anesthetic (*Αμερ.*)
►**γενική αμνηστία** general amnesty
►**γενική απεργία** general strike
►**γενική άποψη** overview
►**γενική διεύθυνση** general management
►**γενική δοκιμή** dress rehearsal
►**θέμα γενικού ενδιαφέροντος** subject of general interest
►**γενική επιστράτευση** general mobilization
►**γενική κατακραυγή** outcry, hue and cry
►**γενική προϊσταμένη** matron
►**γενική συνέλευση** general meeting
►**γενικό σύνολο** grand total
►**γενικός επιθεωρητής** chief supervisor
►Γε**νικός** ΟΥΣ ΑΡΣ (*επίσης* **γενικός διευθυντής**) general manager · (*επίσης* **γενικός γραμματέας**) Secretary General
►**ο γενικός** ΟΥΣ ΑΡΣ (*γκαζιού, νερού, ηλεκτρικού*) the mains *πληθ.* · (*επίσης* **γενικός διακόπτης**) cutoff switch
►**γενική** ΟΥΣ ΘΗΛ (ΓΛΩΣΣ) genitive
►**γενικό** ΟΥΣ ΟΥΔ (*επίσης* **γενικό λύκειο**) secondary school

γενικότητα ΟΥΣ ΘΗΛ generality

γέννα ΟΥΣ ΘΗΛ (α) (= *γέννηση*) birth, childbirth (β) (= *γόνος*) offspring, issue
▷**οι πόνοι της γέννας** labour (*Βρετ.*) *ή* labor (*Αμερ.*) pains

γενναιόδωρα ΕΠΙΡΡ generously

γενναιοδωρία ΟΥΣ ΘΗΛ generosity

γενναιόδωρος, -η, -ο ΕΠΙΘ generous

γενναίος, -α, -ο ΕΠΙΘ (α) (*στρατιώτης, λαός, στάση, απόφαση*) brave (β) (*αμοιβή, ποσό, συνεισφορά*) generous · (*αύξηση, μερίδα*) substantial (γ) (*μτφ.: γλέντι, συμπόσιο*) sumptuous
►**γενναία συμπεριφορά** bravery

γενναιότητα ΟΥΣ ΘΗΛ bravery, courage

γενναιοφροσύνη ΟΥΣ ΘΗΛ generosity · (*αντιπάλου*) magnanimity

γενναιόφρων, -ων, -ον ΕΠΙΘ (*επίσ.*) generous · (*πολεμιστής*) magnanimous

γενναιοψυχία ΟΥΣ ΘΗΛ (α) (= *γενναιότητα*) bravery, courage (β) (= *γενναιοφροσύνη*) generosity · (*πολεμιστή*) magnanimity

γενναιόψυχος, -η, -ο ΕΠΙΘ (= *γενναίος*) brave · (= *γενναιόφρων*) magnanimous

γέννημα ΟΥΣ ΟΥΔ (α) (= *δημιούργημα*) creation (β) (= *γόνος*) child, offspring *χωρίς πληθ.*

Προσοχή!: Ο πληθυντικός του **child** *είναι* **children**.

▷**είμαι γέννημα (και) θρέμμα Κρητικός/ Γάλλος** to be Cretan/French born and bred
▷**είναι γέννημα της φαντασίας σου** it's a figment of your imagination
►**γεννήματα** ΠΛΗΘ (= *σιτηρά*) cereals, cereal crops

γεννημένος, -η, -ο ΕΠΙΘ (*ποιητής, αρχηγός*) born
▷**είναι γεννημένος απατεώνας!** he's an out–and–out *ή* absolute crook!

γέννηση ΟΥΣ ΘΗΛ (*κυριολ., μτφ.*) birth
►**έλεγχος των γεννήσεων** birth control
►**η Γέννηση** ΟΥΣ ΘΗΛ (α) (= *εικόνα*) the Nativity (β) (= *Χριστούγεννα*) (the feast of) Nativity
►**τροπάρια της Γέννησης** Christmas carols

γεννησιμιό ΟΥΣ ΟΥΔ: **από γεννησιμιού** from birth

γεννητικός, -ή, -ό ΕΠΙΘ genital

γεννητικότητα ΟΥΣ ΘΗΛ (α) (*είδους*) reproductivity (β) (*χώρας*) birthrate

γεννητούρια ΟΥΣ ΟΥΔ ΠΛΗΘ birth *εν.*

γεννήτρια ΟΥΣ ΘΗΛ generator

γεννοφάσκια ΟΥΣ ΟΥΔ ΠΛΗΘ (*παλαιότ.*) swaddling clothes
▷**από τα γεννοφάσκια του** since he was born

γεννώ Ρ Μ (α) (*παιδί*) to give birth to (β) (*αβγό*) to lay (γ) (*μτφ.: δυστυχία, πόνο*) to cause · (*γκρίνια*) to give rise to · (*υποψίες*) to arouse · (*αμφιβολίες, ερωτηματικά*) to raise (δ) (= *επινοώ: ιδέες, δικαιολογίες*) to come up with · (*ελπίδες, πόθο*) to cherish
▷**έχω γεννήσει κπν** (*μτφ.*) to know sb too well
▷**όπως τον/τη γέννησε η μάνα του/της** as naked as the day he/she was born, in his/her birthday suit
►**γεννιέμαι** ΜΕΣΟΠΑΘ (α) (= *έρχομαι στη ζωή*) to be born (β) (*μτφ.: κράτος, έθνος*) to be born, to come into being · (*προβλήματα*) to arise · (*ελπίδες, αμφιβολίες, ερωτηματικά*) to be raised
▷**γεννιέμαι έξυπνος/βλάκας** to be born stupid/clever

Γένοβα ΟΥΣ ΘΗΛ Genoa

γενοκτονία ΟΥΣ ΘΗΛ genocide

γένος ΟΥΣ ΑΡΣ (α) (= *γενιά*) family (β) (= *έθνος*) nation (γ) (= *πατρικό όνομα μητέρας*) maiden name (δ) (*φιλοσόφων, ποιητών*) race (ε) (ΒΙΟΛ) genus

Προσοχή!: Ο πληθυντικός του **genus** *είναι* **genera**.

(στ) (ΓΛΩΣΣ) gender
▷**εν γένει** overall
▷**ονομάζεται Μαίρη Γεωργίου, το γένος Παππά** she's called Mary Georgiou, her maiden name was Pappas
►**γραμματικό γένος** (ΓΛΩΣΣ) grammatical gender
►**το ανθρώπινο γένος** mankind
►**φυσικό γένος** (ΓΛΩΣΣ) natural gender
►**το Γένος** ΟΥΣ ΟΥΔ the Greek nation

γερά ΕΠΙΡΡ (*κρατώ*) tight(ly), firmly · (*χτυπώ*) hard · (*φτιάχνω, χτίζω*) solidly · (*πληρώνομαι*) very well · (*οικονομάω*) a lot

γεράκι ΟΥΣ ΟΥΔ (α) (*αρπακτικό*) falcon, hawk (β) (*μτφ.*) hawk

γερακίσιος, -ια, -ιο ΕΠΙΘ (*μύτη*) beaky

▷**έχω γερακίσια μάτια/βλέμμα** to have hawk eyes *ή* eyes like a hawk

γεράματα ΟΥΣ ΟΥΔ ΠΛΗΘ (*ανεπ.*) old age *εν.*

▷**καλά γεράματα!** (*ως ευχή*) may you live to a ripe old age!, *wish that someone should have a trouble-free old age*

▷**με παίρνουν τα γεράματα** old age is catching up with me

γεράνι ΟΥΣ ΟΥΔ geranium

γερανός ΟΥΣ ΑΡΣ (α) (*πτηνό*) crane (β) (*μηχάνημα*) crane (γ) (*όχημα*) tow truck (δ) (*μηχάνημα πυροσβεστικής*) ladder

γερασμένος, -η, -ο ΕΠΙΘ (α) (*άνθρωπος*) aged · (*φωνή, όψη*) of an old person (β) (*απόψεις, ιδέες, πολιτική*) old–fashioned, outdated

γερατειά ΟΥΣ ΟΥΔ ΠΛΗΘ = **γηρατειά**

γέρικος, -η, -ο ΕΠΙΘ (α) (*ζώο, δέντρο*) old (β) (*μάτια, φωνή*) of an old person · (*δέρμα*) wrinkled · (*πρόσωπο*) age–worn

Γερμανία ΟΥΣ ΘΗΛ Germany

Γερμανίδα ΟΥΣ ΘΗΛ *βλ.* **Γερμανός**

γερμανικός, -ή, -ό ΕΠΙΘ German · (ΙΣΤ: *φύλα*) Germanic

> *Προσοχή!: Τα εθνικά επίθετα, όπως* **German**, *γράφονται με κεφαλαίο το αρχικό γράμμα στα Αγγλικά.*

▸**γερμανικές γλώσσες** Germanic languages

▸**το γερμανικό νούμερο** (*αργκ.*: ΣΤΡΑΤ) the graveyard shift

▸**Γερμανικά** ΟΥΣ ΟΥΔ German

Γερμανός ΟΥΣ ΑΡΣ German

γερμάς ΟΥΣ ΑΡΣ = **γιαρμάς**

γερνώ ① Ρ ΑΜ (α) (*άνθρωπος*) to age, to grow old (β) (*κράτος*) to have an ageing population
② Ρ Μ (*άνθρωπο*) to age, to make old

γέρνω ① Ρ Μ (α) (*βαρέλι, κανάτι, δοχείο*) to tip, to tilt · (*ώμο*) to dip · (*πλάτη*) to bend (β) (*πόρτα, παράθυρο*) to push to
② Ρ ΑΜ (α) (*δέντρο, κλαδιά*) to bow, to bend · (*βάρκα*) to list · (*πλάτη*) to be bent · (*άνθρωπος: προς τα κάτω*) to stoop · (*προς τα πλάγια*) to turn over (β) (= *πλαγιάζω*) to lie down (γ) (*ήλιος*) to set (δ) (= *ακουμπώ*) to lean (*σε* on)

▷**γέρνω το κεφάλι (μου)** (= *πλαγιάζω*) to lie down · (= *χαμηλώνω τα μάτια*) to bow one's head · (*μτφ.*: = *υποτάσσομαι*) to bow down

γεροδεμένος, -η, -ο ΕΠΙΘ well–built

γεροκομώ Ρ Μ = **γηροκομώ**

γερόλυκος ΟΥΣ ΑΡΣ (α) (= *γέρικος λύκος*) old wolf (β) (*μτφ.*: = *πολύπειρος*) old hand, old campaigner

γερομπαμπαλής ΟΥΣ ΑΡΣ (*μειωτ.*) old codger (*ανεπ.*), old fogey *ή* fogy (*Βρετ.*) (*ανεπ.*)

γεροντάκι ΟΥΣ ΟΥΔ little old man

γέροντας ΟΥΣ ΑΡΣ (α) (= *γέρος*) old man (β) (= *μοναχός*) father

▸**γέροντες** ΠΛΗΘ (*παλαιότ.*) village elders

γεροντικός, -ή, -ό ΕΠΙΘ (*ηλικία*) old · (*αρρώστια, ιδιοτροπίες*) of old age

▸**γεροντική άνοια** senility

γερόντισσα ΟΥΣ ΘΗΛ (α) (= *γριά*) old lady (β) (= *μοναχή*) mother superior

γεροντίστικος, -η, -ο ΕΠΙΘ (*μειωτ.*) like an old man/woman

γεροντοκόρη ΟΥΣ ΘΗΛ (*μειωτ.*: = *άγαμη*) spinster, old maid

▷**είμαι** *ή* **κάνω σαν γεροντοκόρη** (*μτφ.*) I'm like an old maid

γεροντοκορίστικος, -η, -ο ΕΠΙΘ old–maidish

γεροντοπαλίκαρο, γεροντοπαλλήκαρο ΟΥΣ ΟΥΔ bachelor

γεροντόπαχα ΟΥΣ ΟΥΔ ΠΛΗΘ (*ανεπ.*) middle–aged spread *εν.*

γεροντοφέρνω Ρ ΑΜ (= *μοιάζω με γέρο*) to look old · (= *έχω γεροντίστικες συνήθειες*) to be like an old man/woman

γεροπαραλυμένος ΟΥΣ ΑΡΣ (*υβρ.*) dirty old man, old goat (*ανεπ.*)

γεροπαράξενος, -η, -ο ΕΠΙΘ cantankerous

γερός, -ή, -ό ΕΠΙΘ (α) (*για πρόσ.*: = *υγιής*) fit, healthy (β) (*κράση, νεύρα, στομάχι, σώμα*) strong (γ) (*θεμέλια*) solid · (*σπίτι*) well–built · (*παπούτσια*) sturdy, stout (δ) (*ποτήρι*) unbroken (ε) (*επιστήμονας, μαθητής*) capable · (*μυαλό*) excellent (στ) (*μεροκάματο*) hefty · (*κομπόδεμα*) substantial (ζ) (*καβγάς*) violent · (*δεσμός, αέρας*) strong · (*βροχή*) heavy (η) (*γλέντι, απάτη*) big · (*φαΐ*) big, hearty

▷**γερή μπάζα** tidy sum

▷**είναι γερό σκαρί** (*για πλοίο*) it's a sturdy boat · (*μτφ.*: *για άνθρωπο*) he's as strong as an ox

▷**είμαι γερό πιρούνι** *ή* **κουτάλι** to be a hearty eater

▷**είμαι γερό ποτήρι** to be a heavy drinker

▷**έχω γερές πλάτες** *ή* **γερό δόντι** *ή* **γερό μέσον** to have friends in high places

▷**ρίχνω ένα (γερό) χέρι ξύλο σε κπν** to give sb a good thrashing

▷**τρώω ένα (γερό) χέρι ξύλο** to get a good thrashing

γέρος ΟΥΣ ΑΡΣ (= *ηλικιωμένος*) old man

▷**ο γέρος μου** (*αργκ.*) my old man (*ανεπ.*)

▷**οι γέροι μου** (*αργκ.*) my folks (*ανεπ.*)

▷**ο γέρος πατέρας μου** my old father

γερούνδιο ΟΥΣ ΟΥΔ (ΓΛΩΣΣ) gerund

γερουσία ΟΥΣ ΘΗΛ (α) (= *σύγκλητος*) senate (β) (*μειωτ.*) old folks (*ανεπ.*)

▸**Γερουσία** ΟΥΣ ΘΗΛ (ΠΟΛΙΤ) Senate

γερουσιαστής ΟΥΣ ΑΡΣΘΗΛ senator

γερτός, -ή, -ό ΕΠΙΘ = **γειρτός**

γεύμα ΟΥΣ ΟΥΔ (α) (= *φαγητό*) meal (β) (= *μεσημεριανό φαγητό*) lunch (γ) (*επίσ.*) banquet

▸**γεύμα εργασίας** working lunch

▸**επίσημο γεύμα** formal dinner

γευματίζω Ρ ΑΜ (α) (= *τρώω*) to eat

(β) (= *τρώω για μεσημέρι*) to have lunch (γ) (*επίσ.*) to dine

γεύομαι Ρ ΑΜ ΑΠΟΘ (*κυριολ., μτφ.*) to taste

γεύση ΟΥΣ ΘΗΛ (α) (*αίσθηση*) taste (β) (*φαγητού, ποτού*) taste, flavour (*Βρετ.*), flavor (*Αμερ.*) (γ) (= *νοστιμιά*) flavour (*Βρετ.*), flavor (*Αμερ.*) (δ) (= *φαγητό*) food (ε) (*μτφ.*: *χαράς, απογοήτευσης*) taste
▷**με γεύση φράουλα/λεμόνι** strawberry–/lemon–flavoured (*Βρετ.*), strawberry–/lemon–flavored (*Αμερ.*)
▷**παίρνω μια πρώτη γεύση** +*γεν.* to have one's first taste ή experience of
▷**το φαγητό δεν έχει γεύση** the food is tasteless

γευστικός, -ή, -ό ΕΠΙΘ (α) (*όργανα, κατηγορίες*) taste (β) (*φαγητό*) tasty, delicious· (*κρασί*) palatable

γευστικότητα ΟΥΣ ΘΗΛ (*φαγητού, ποτού, προϊόντος*) fine flavour (*Βρετ.*) ή flavor (*Αμερ.*)

γέφυρα ΟΥΣ ΘΗΛ (*κυριολ., μτφ.*) bridge
▷**η Γέφυρα των Στεναγμών** the Bridge of Sighs

γεφύρι, γιοφύρι ΟΥΣ ΟΥΔ bridge

γεφυρώνω Ρ Μ (*κυριολ., μτφ.*) to bridge

γεφύρωση ΟΥΣ ΘΗΛ (*κυριολ., μτφ.*) bridging

γεωγραφία ΟΥΣ ΘΗΛ (α) (*επιστήμη*) geography (β) (*μάθημα*) geography (lesson)· (*βιβλίο*) geography book

γεωγραφικός, -ή, -ό ΕΠΙΘ (*σημείο, ζώνη, χάρτης*) geographic(al)
▶**γεωγραφική θέση** geographical location
▶**γεωγραφικό μήκος** longitude
▶**γεωγραφικό πλάτος** latitude
▶**γεωγραφικές συντεταγμένες** geographic(al) coordinates

γεωγράφος ΟΥΣ ΑΡΣ&ΘΗΛ geographer

γεωδυναμική ΟΥΣ ΘΗΛ geodynamics *εν.*

γεωδυναμικός, -ή, -ό ΕΠΙΘ geodynamic

γεωλογία ΟΥΣ ΘΗΛ geology

γεωλογικός, -ή, -ό ΕΠΙΘ geological

γεωλόγος ΟΥΣ ΑΡΣ&ΘΗΛ geologist

γεωμετρία ΟΥΣ ΘΗΛ (α) geometry (β) (*μάθημα*) geometry (lesson)· (*βιβλίο*) geometry book
▶**αναλυτική γεωμετρία** analytical geometry
▶**ευκλείδειος γεωμετρία** Euclidean geometry

γεωμετρικός, -ή, -ό ΕΠΙΘ geometric(al)
▶**γεωμετρική κατασκευή** geometrical design
▶**γεωμετρική τέχνη** (ΑΡΧΑΙΟΛ) geometric art
▶**Γεωμετρικοί Χρόνοι, Γεωμετρική Εποχή** (ΑΡΧ ΙΣΤ) Geometric period

γεωπονία ΟΥΣ ΘΗΛ agriculture

γεωπονικός, -ή, -ό ΕΠΙΘ agricultural

γεωπόνος ΟΥΣ ΑΡΣ&ΘΗΛ agriculturist

γεωργία ΟΥΣ ΘΗΛ (α) (= *καλλιέργεια της γης*) farming (β) (*χώρας*) agriculture
▶**Υπουργείο Γεωργίας** Ministry of Agriculture

γεωργικός, -ή, -ό ΕΠΙΘ agricultural
▶**γεωργικό έτος** farming year

▶**γεωργικός συνεταιρισμός** farmer's co–operative
▶**γεωργική σχολή** agricultural college

γεωργός ΟΥΣ ΑΡΣ farmer

γεωσκώληκας ΟΥΣ ΑΡΣ earthworm

γεώτρηση ΟΥΣ ΘΗΛ drilling, boring

γεωτρύπανο ΟΥΣ ΟΥΔ drill

γεωφυσική ΟΥΣ ΘΗΛ geophysics *εν.*

> *Προσοχή!: Αν και το* **geophysics** *φαίνεται ως τύπος πληθυντικού, είναι ουσιαστικό μόνο στον ενικό και συντάσσεται με ρήμα στον ενικό.*

γεωφυσικός, -ή, -ό ΕΠΙΘ geophysical
▶**γεωφυσικός** ΟΥΣ ΑΡΣ&ΘΗΛ geophysicist

γη ΟΥΣ ΘΗΛ (α) (*πλανήτης, επιφάνεια*) earth (β) (= *ανθρωπότητα, οικουμένη*) world (γ) (= *έδαφος*) ground (δ) (= *χώμα*) earth, soil (ε) (= *ξηρά, οικόπεδο*) land *χωρίς πληθ.* (στ) (= *πατρίδα*) land
▷**άνοιξε η γη και τον κατάπιε** he vanished into thin air
▷**γης Μαδιάμ** havoc
▷**δεν πατάω στη γη (από τη χαρά μου)** (I'm so happy) my feet haven't touched the ground
▷**κινώ γη και ουρανό** to move heaven and earth
▷**να ανοίξει η γη να με καταπιεί** I wanted the ground to open up and swallow me
▷**στην (άλλη) άκρη της γης** to the ends of the earth
▷**στον ουρανό σε γύρευα (και) στη γη σε βρήκα!** you were heaven–sent!
▶**Γη του Πυρός** Tierra del Fuego
▶**η Γη της Επαγγελίας** the Promised Land

γηγενής, -ής, -ές ΕΠΙΘ indigenous, native

γήινος, -η, -ο ΕΠΙΘ (α) (*ατμόσφαιρα*) earth's· (*υπόσταση*) on earth· (*μαγνητισμός, ακτινοβολία*) terrestrial (β) (*αγαθά*) worldly· (*κόσμος*) earthly
▶**γήινη σφαίρα** globe
▶**γήινος** ΟΥΣ ΑΡΣ, **γήινη** ΟΥΣ ΘΗΛ earthling

γήλοφος ΟΥΣ ΑΡΣ hillock

γήπεδο ΟΥΣ ΟΥΔ (α) (*ποδοσφαίρου*) field, pitch· (*καλαθοσφαίρισης, αντισφαίρισης, πετοσφαίρισης*) court· (*γκολφ*) course (β) (= *θεατές*) spectators *πληθ.*

γηπεδούχος, -ος, -ο ΕΠΙΘ (*ομάδα*) home
▶**γηπεδούχος** ΟΥΣ ΘΗΛ, **γηπεδούχοι** ΟΥΣ ΑΡΣ ΠΛΗΘ home team

γηραιός, -ά, -ό ΕΠΙΘ (*επίσ.*: *κύριος, κυρία*) elderly
▶**Γηραιός** ΟΥΣ ΑΡΣ (ΑΘΛ) Iraklis, *Salonica team*

γήρας ΟΥΣ ΟΥΔ (*επίσ.*) ag(e)ing

γηράσκω Ρ ΑΜ: **γηράσκω αεί διδασκόμενος** to live and learn

γηρατειά ΟΥΣ ΟΥΔ ΠΛΗΘ (α) (= *γεράματα*) old age *εν.* (β) (= *ηλικιωμένοι*) elderly ή old people

γηροκομείο ΟΥΣ ΟΥΔ old people's home

γηροκομώ Ρ Μ: **γηροκομώ κπν** to care for sb in old age

───── ΛΕΞΗ-ΚΛΕΙΔΙ ─────

για, γι' ① ΠΡΟΘ (α) *(για τόπο)* to □ **αύριο φεύγουμε για την Ιταλία** we're going to Italy tomorrow, we're leaving for Italy tomorrow (β) *(για σκοπό)* for □ **ήρθαν όλοι για το πάρτι** they're all here for the party (γ) *(για χρόνο, καταλληλότητα, χάριν κάποιου)* for □ **για πολύ καιρό δεν ακούστηκε** we did not hear from him for a long time · **αυτός ο δρόμος δεν είναι για μηχανάκια** this road is not for motorbikes ▷ **για την ώρα** for the time being ▷ **για σένα** for you (δ) *(για αναφορά)* about □ **μιλούσε για τις επιχειρήσεις του** he was talking about his business (ε) *(για αντικατάσταση)* instead of □ **πήγε αυτός για τη γυναίκα του** he went instead of his wife ② ΜΟΡ (α) *(προτρεπτικά):* **για να** let's □ **για να δούμε!** let's see! (β) +*προστ.* if □ **για τόλμησε να το ξανακάνεις και θα δεις τι θα πάθεις!** if you dare do this again you'll see what will happen to you! ▷ **για ελάτε εδώ!** (you) come here! ▷ **για πρόσεξε καλά, γιατί...** you watch out otherwise... ▷ **για στάσου!** wait a minute! ③ ΣΥΝΔ (= επειδή) because □ **για να μην ακούς, κοίτα τι έπαθες!** look what's happened to you because you're not listening! · **θα πάω, για να μη τον κάνω να θυμώσει** I'll go so as not to anger him

─────────────────────────

γιαγιά ΟΥΣ ΘΗΛ (α) *(παιδιού)* grandmother, grandma *(ανεπ.)*, granny *(ανεπ.)* (β) (= *ηλικιωμένη γυναίκα*) old woman

> *Προσοχή!: Ο πληθυντικός του* **woman** *είναι* **women**.

(γ) *(υβρ.)* granny *(ανεπ.)*

γιακάς ΟΥΣ ΑΡΣ collar

γιαλαντζί ΕΠΙΘ ΑΚΛ: **γιαλαντζί ντολμάδες** meatless dolmades

γιαλός ΟΥΣ ΑΡΣ seashore ▷ **πηγαίνω γιαλό-γιαλό** to go along the shoreline ▷ **κάνε το καλό και ρίξ' το στον γιαλό** *(παροιμ.)* cast your bread upon the waters

για να ΣΥΝΔ (α) (= *με τον σκοπό να*) (in order) to, so that (β) (= *επειδή*) because (γ) (= *ώστε να*) to (δ) (= *μέχρι να*) before, until

γιαούρτι ΟΥΣ ΟΥΔ, **γιαούρτη** ΟΥΣ ΘΗΛ yog(h)urt

γιάπης ΟΥΣ ΑΡΣ yuppie

γιαπί ΟΥΣ ΟΥΔ (α) (= *ατελείωτη οικοδομή*) building site (β) (= *σκελετός οικοδομής*) skeleton

γιάπισσα ΟΥΣ ΘΗΛ *βλ.* **γιάπης**

Γιαπωνέζα ΟΥΣ ΘΗΛ *βλ.* **Ιάπωνας**

γιαπωνέζικος, -η, -ο ΕΠΙΘ = **ιαπωνικός**

Γιαπωνέζος ΟΥΣ ΘΗΛ = **Ιάπωνας**

γιάρδα ΟΥΣ ΘΗΛ yard

γιαρμάς, γερμάς ΟΥΣ ΑΡΣ yellow cling peach

γιασεμί ΟΥΣ ΟΥΔ jasmine

γιατί ΣΥΝΔ (α) *(ερωτηματικός)* why (β) *(αιτιολογικός)* because ▸ **γιατί** ΟΥΣ ΟΥΔ (= *ερώτηση*) question ▷ **θέλω να μάθω το γιατί** I want to find out why

γιατρειά ΟΥΣ ΘΗΛ (α) *(αρρώστου, αρρώστιας)* cure (β) *(μτφ.)* healer

γιατρεύω Ρ Μ (α) *(άρρωστο, αρρώστια)* to cure · *(πληγή)* to heal (β) *(μτφ.: πόνο, ψυχή)* to heal ▸ **γιατρεύομαι** ΜΕΣΟΠΑΘ to be cured

γιατρικό ΟΥΣ ΟΥΔ medicine

γιατρίνα ΟΥΣ ΘΗΛ doctor

γιατρός ΟΥΣ ΑΡΣ&ΘΗΛ (α) *(επάγγελμα)* doctor (β) *(μτφ.)* healer ▷ **ο χρόνος είναι ο καλύτερος γιατρός** time is the best healer ▷ **πήγαινε να σε δει κανένας γιατρός!** you need your head examined! ▷ **χρειάζομαι γιατρό** to need a doctor · *(μτφ.)* to need one's head examined ▸ **στρατιωτικός γιατρός** army medical officer ▸ **εφημερεύων γιατρός** doctor on call

γιατροσόφι ΟΥΣ ΟΥΔ *(ανεπ.)* (α) (= *γιατρικό*) remedy (β) (= *βάλσαμο*) quack medicine

γιατρουδάκι ΟΥΣ ΟΥΔ *(μειωτ.)* quack *(ανεπ.)*

γι' αυτό ΕΠΙΡΡ that's why

γιαχνί ΟΥΣ ΟΥΔ ΑΚΛ casserole *(with onions and tomatoes)* ▸ **πατάτες γιαχνί** potatoes baked with onions and tomatoes

γιαχνιστός, -ή, -ό ΕΠΙΘ baked

Γιβραλτάρ ΟΥΣ ΟΥΔ ΑΚΛ Gibraltar ▸ **ο Πορθμός του Γιβραλτάρ, τα Στενά του Γιβραλτάρ** the Straits of Gibraltar

γιγαμπάιτ, γκιγκαμπάιτ ΟΥΣ ΟΥΔ ΑΚΛ gigabyte

γίγαντας ΟΥΣ ΑΡΣ *(κυριολ., μτφ.)* giant ▸ **Γίγαντας** (ΜΥΘΟΛ) Giant ▸ **γίγαντες** ΠΛΗΘ (ΜΑΓΕΙΡ) butter beans in tomato sauce, ≈ baked beans

γιγαντεύω Ρ ΑΜ = **γιγαντώνω**

γιγαντιαίος, -α, -ο ΕΠΙΘ (α) *(κτήριο, κατασκευή, διαστάσεις, μηχάνημα)* gigantic (β) *(πρόοδος)* enormous (γ) *(έργο, αναμέτρηση, προσπάθεια)* colossal (δ) *(επιστήμονας)* pre-eminent ▷ **γιγαντιαία μορφή της τέχνης** a giant of the art world

γιγάντιος, -ια, -ιο ΕΠΙΘ (α) *(διαστάσεις)* gigantic (β) *(έργο, επιχείρηση)* colossal

γιγαντισμός ΟΥΣ ΑΡΣ (α) (ΙΑΤΡ) gigantism (β) *(μτφ.)* excess · *(πόλεων)* sprawl

γιγαντοαφίσα ΟΥΣ ΘΗΛ billboard

γιγαντομαχία ΟΥΣ ΘΗΛ *(επίσης μτφ.)* battle of

the giants, gigantomachy (επίσ.)

γιγαντοοθόνη ΟΥΣ ΘΗΛ giant screen

γιγαντόσωμος, -η, -ο ΕΠΙΘ gigantic

γιγαντώνω Ρ ΑΜ (επιχείρηση, χώρα) to grow to a colossal size (αγώνας, κίνημα) to gather momentum · (πόθος) to become overwhelming

γίγας ΟΥΣ ΑΡΣ (επίσ.) = **γίγαντας**

γιγαχέρτς, γιγαχέρτζ ΟΥΣ ΟΥΔ ΑΚΛ gigahertz

γιγαψηφιολέξη ΟΥΣ ΘΗΛ gigabyte

γίγνεσθαι ΟΥΣ ΟΥΔ ΑΚΛ (β) (ΦΙΛΟΣ) existentialism (β) (= εξελικτική διαδικασία τομέα) evolution

γίδα ΟΥΣ ΘΗΛ goat

γίδι ΟΥΣ ΟΥΔ (α) (= κατσικάκι) kid (β) (υβρ.) lout
  ▷ **γίδια** ΠΛΗΘ flock of goats

γιδίσιος, -α, -ο ΕΠΙΘ (γάλα, μαλλί, κρέας) goat's

γιδοβοσκός ΟΥΣ ΑΡΣ goatherd

γιδοπρόβατα ΟΥΣ ΟΥΔ ΠΛΗΘ sheep and goats

γιεν ΟΥΣ ΟΥΔ ΑΚΛ = **γεν**

γιλέκο ΟΥΣ ΟΥΔ waistcoat (Βρετ.), vest (Αμερ.)

γινάτι ΟΥΣ ΟΥΔ stubbornness
  ▷ **από γινάτι** out of spite
  ▷ **το γινάτι βγάζει μάτι** (παροιμ.) to cut off one's nose to spite one's face
  ▷ **το κρατάω γινάτι σε κπν** to bear a grudge against sb

ΛΕΞΗ-ΚΛΕΙΔΙ

γίνομαι Ρ ΣΥΝΔΕΤ ΑΠΟΘ (α) (= δημιουργούμαι: κόσμος) to be created · (προϊόντα) to be made · (φαγητό) to be ready · (κτήριο, μνημείο) to be built ▯ **αυτό το αυτοκίνητο έγινε από γνωστή εταιρεία** this car was made by a well–known company · **αυτός ο πίνακας έγινε από γνωστό καλλιτέχνη** that painting is by a famous artist · **από τι γίνονται αυτά τα προϊόντα;** what are those products made of? · **έγινε το φαγητό;** is the food ready?
(β) (= είμαι) to become ▯ **ήθελε να γίνει γιατρός** he wanted to be ή become a doctor · **γίνε χρήσιμος μια φορά στη ζωή σου!** make yourself useful for once! · **ο παπούς θα γίνει εξήντα χρονών τον άλλο μήνα** granddad will be ή turn sixty next month · **έγινε κόκκινη από θυμό** she went ή turned red with anger · **έγινε χλομός από τον φόβο του** he went ή turned white with fear
(γ) (= μετατρέπομαι) to turn into · (για κτήρια) to be turned into ▯ **το νερό έγινε πάγος** the water turned to ice ή froze · **το σπίτι έγινε γκαλερί** the house was turned into a gallery · **το βιβλίο έχει γίνει κουρέλι** the book has fallen apart
(δ) (= πραγματοποιούμαι) to happen · (δίκη, διαπραγματεύσεις) to be held, to take place ▯ **τι έγινε;** what happened? · **τίποτε δεν έγινε** nothing happened · **τι γίνεται;** how are things? · **τι γίνεται εδώ πέρα;** what's going

on here? · **κάτι γίνεται μ' αυτούς** there's something going on between them · **ό, τι γίνεται δεν ξεγίνεται** what's done can't be undone · **πότε έγινε ο φόνος/η κλοπή/η συνάντηση;** when did the murder/theft/meeting take place? · **πότε γίνεται ο γάμος;** when is the wedding? · **έγινε ο γάμος χθες** the wedding took place ή was yesterday · **αν δεν φτιάξουν τον δρόμο, θα γίνει ατύχημα** if they don't mend the road, there's going to be an accident · **γίνονται πολλές κλοπές τελευταία** there have been a lot of thefts recently · **χθες έγινε σεισμός στην Ιαπωνία** there was an earthquake in Japan yesterday · **γινόταν φασαρία στον δρόμο** there was a disturbance in the street · **έγιναν μεγάλες καταστροφές από τις βροχοπτώσεις** a lot of damage was done by the heavy rain
(ε) (αρνητ.: = καταντώ) to end up
(στ) (= μεστώνω) to become ripe, to ripen ▯ **τα σύκα δεν έχουν γίνει ακόμα** the figs aren't ripe yet
  ▷ **αυτό γίνεται/δεν γίνεται** that's possible/ impossible, that can be done/can't be done
  ▷ **γίνομαι άλλος άνθρωπος** to be a different person
  ▷ **γίνομαι βάρος σε κπν** to be a burden on sb
  ▷ **γίνομαι καπνός ή άφαντος ή λούης** to take to one's heels
  ▷ **γίνομαι πετσί και κόκαλο** to be skin and bone
  ▷ **δεν έγινε τίποτα** (= δεν πειράζει) it doesn't matter · (= δεν υπήρξε αποτέλεσμα) it was no good
  ▷ **δεν ξέρει τι του γίνεται** (= έχει πλήρη άγνοια) he doesn't know what's going on · (= είναι σε σύγχυση) he doesn't know if he's coming or going
  ▷ **(και) κάτι έγινε!** so what!
  ▷ **και τι έγινε;** so what?
  ▷ **ο μη γένοιτο** may it never happen
  ▷ **όσο πιο γρήγορα γίνεται** as soon as possible
  ▷ **ό, τι έγινε έγινε, ο γέγονεν γέγονεν** (επίσ.) what's done is done, what is done cannot be undone
  ▷ **ό, τι είναι να γίνει θα γίνει** whatever will be, will be
  ▷ **ό, τι και να γίνει** come what may, whatever happens
  ▷ **τι έγινες (τόσα χρόνια);** how have you been?
  ▷ **τι (μου) γίνεσαι;** how are you?, how are you doing?
  ▷ **τι θα γίνει;** so?
  ▷ **τι να γίνει;** what can you do?
  ▶ **γίνεται** ΑΠΡΟΣ (= αρμόζει) it is right · (= είναι δυνατόν) it is possible ▯ **γίνεται να μου ζητάς εσύ τέτοιο πράγμα;** how can you ask me such a thing? · **γίνεται να έρθουμε μόνοι μας;** can we come on our own? · **δεν γίνεται να μιλάς έτσι στη μητέρα σου!** you can't talk to your mother like that!

γινόμενο ΟΥΣ ΟΥΔ (ΜΑΘ) product

γινωμένος, -η, -ο ΕΠΙΘ (φρούτο, καρπός)
ripe · (φαγητό) cooked · (άνθρωπος) made

γιογιό[1] ΟΥΣ ΟΥΔ ΑΚΛ (για νήπια) potty · (για ηλικιωμένους) bedpan

γιογιό[2] ΟΥΣ ΟΥΔ ΑΚΛ (παιχνίδι) yo–yo

γιόγκα ΟΥΣ ΘΗΛ ΑΚΛ yoga

γιόκας ΟΥΣ ΑΡΣ (χαϊδευτ.) son

γιομάτος, -η, -ο ΕΠΙΘ = **γεμάτος**

γιομίζω Ρ Μ = **γεμίζω**

γιορτάζω Ρ Μ, Ρ ΑΜ to celebrate

γιορταστικός, -ή, -ό ΕΠΙΘ (κάρτα) greeting · (ατμόσφαιρα, όψη, θέμα) festive

γιορτή ΟΥΣ ΘΗΛ (α) (επετείου, Χριστουγέννων) holiday · (= αργία) public holiday
(β) (= ονομαστική εορτή) name day
(γ) (= τελετή) celebration, party (δ) (μτφ.) feast
▷**Κυριακή κοντή γιορτή** (= η Κυριακή είναι σύντομη αργία) Monday comes around all too quickly · (= σύντομα θα ξέρω το αποτέλεσμα γεγονότος) we'll soon find out
▸ **γιορτές** ΠΛΗΘ holidays

γιορτινός, -ή, -ό ΕΠΙΘ (ατμόσφαιρα, όψη) festive
▸ **γιορτινή μέρα** holiday
▸ **γιορτινά** ΟΥΣ ΟΥΔ ΠΛΗΘ Sunday best

γιος ΟΥΣ ΑΡΣ son
▷**γιε μου!** son!

γιοτ ΟΥΣ ΟΥΔ ΑΚΛ yacht

γιουβαρλάκια, γιουβαρελάκια ΟΥΣ ΟΥΔ ΠΛΗΘ rice meatballs

γιουβέτσι ΟΥΣ ΟΥΔ (α) (φαγητό) lamb or beef casserole with pasta and tomatoes (β) (σκεύος) earthenware casserole dish

Γιουγκοσλάβα ΟΥΣ ΘΗΛ βλ. **Γιουγκοσλάβος**

Γιουγκοσλαβία ΟΥΣ ΘΗΛ Yugoslavia

γιουγκοσλαβικός, -ή, -ό ΕΠΙΘ Yugoslavian

Προσοχή!: Τα εθνικά επίθετα, όπως **Yugoslavian**, *γράφονται με κεφαλαίο το αρχικό γράμμα στα Αγγλικά.*

γιουγκοσλάβικος, -η, -ο ΕΠΙΘ (ανεπ.) = **γιουγκοσλαβικός**

Γιουγκοσλάβος ΟΥΣ ΑΡΣ Yugoslavian

γιούλι ΟΥΣ ΟΥΔ violet

Γιουροβίζιον ΟΥΣ ΘΗΛ ΑΚΛ (α) (= Ευρωπαϊκή Ραδιοτηλεοπτική Ένωση) Eurovision
(β) (= διαγωνισμός τραγουδιού) Eurovision song contest

γιούχα ΕΠΙΦΩΝ boo!
▸ **γιούχα** ΠΛΗΘ catcalling εν.

γιουχαΐζω, γιουχάρω Ρ Μ to boo

γιρλάντα ΟΥΣ ΘΗΛ garland

γιωτ ΟΥΣ ΟΥΔ ΑΚΛ = **γιοτ**

γιώτα ΟΥΣ ΟΥΔ ΑΚΛ iota, *ninth letter of the Greek alphabet*

γιωταχί ΟΥΣ ΟΥΔ ΑΚΛ private car

γκαβίζω Ρ ΑΜ to squint

γκαβός, -ή, -ό ΕΠΙΘ (α) (= αλλήθωρος) cross–eyed (β) (= στραβός) blind
▸ **γκαβά** ΟΥΣ ΟΥΔ ΠΛΗΘ (υβρ.) eyes

γκαγκά ΕΠΙΘ ΑΚΛ (αργκ.) dumb (ανεπ.), thick (Βρετ.) (ανεπ.)

γκαζάκι ΟΥΣ ΟΥΔ (συσκευή) portable gas stove

γκάζι ΟΥΣ ΟΥΔ (α) (= φωταέριο) gas
(β) (εργοστάσιο) gasworks (γ) (στα αυτοκίνητα) accelerator
▷**κόβω (το) γκάζι** to take one's foot off the accelerator
▷**πατάω (το) γκάζι** to step on the accelerator
▷**πατάω γκάζι κι φεύγω** to accelerate away
▸ **γκάζια** ΠΛΗΘ (αργκ.) full speed εν.
▷**με τέρμα τα γκάζια** flat out (ανεπ.)

γκαζιά ΟΥΣ ΘΗΛ: **ρίχνω μια γκαζιά** to rev up

γκαζιέρα ΟΥΣ ΘΗΛ primus (stove)

γκαζόζα ΟΥΣ ΘΗΛ lemonade

γκαζόν ΟΥΣ ΟΥΔ ΑΚΛ lawn

γκαζοφονιάς ΟΥΣ ΑΡΣ (αργκ.) boy racer (ανεπ.)

γκαζώνω 1 Ρ ΑΜ (αργκ.: οδηγός) to step on the gas (ανεπ.)
2 Ρ Μ (μηχανή, αυτοκίνητο) to rev up
▷**γκαζώνω** ΚΠΝ to run sb ragged (ανεπ.)

γκαλερί ΟΥΣ ΘΗΛ ΑΚΛ gallery

γκάλοπ ΟΥΣ ΟΥΔ ΑΚΛ opinion poll

γκάμα ΟΥΣ ΘΗΛ (α) (χρωμάτων, προϊόντων, φαγητών) range (β) (μτφ.: συναισθημάτων) gamut

γκαμήλα ΟΥΣ ΘΗΛ = **καμήλα**

γκανιάν ΟΥΣ ΟΥΔ ΑΚΛ favourite (Βρετ.), favorite (Αμερ.)

γκαντέμης ΟΥΣ ΑΡΣ (ανεπ.) unlucky person, born loser (ανεπ.)

γκαντεμιά ΟΥΣ ΘΗΛ (ανεπ.) bad luck

γκαντεμιάζω 1 Ρ Μ (ανεπ.) to jinx
2 Ρ ΑΜ to tempt fate

γκαντέμισσα, γκαντέμω ΟΥΣ ΘΗΛ (ανεπ.) βλ. **γκαντέμης**

γκαράζ ΟΥΣ ΟΥΔ ΑΚΛ garage

γκαρίζω Ρ ΑΜ (α) (γάιδαρος) to bray
(β) (μτφ.) to bellow

γκάρισμα ΟΥΣ ΟΥΔ (α) (γαϊδάρου) braying χωρίς πληθ. (β) (μτφ.) bellowing χωρίς πληθ.

γκαρνταρόμπα ΟΥΣ ΘΗΛ (α) (= βεστιάριο) cloakroom (Βρετ.), checkroom (Αμερ.)
(β) (= ρούχα) wardrobe (Βρετ.), closet (Αμερ.)

γκαρσόν ΟΥΣ ΟΥΔ ΑΚΛ waiter

γκαρσόνα ΟΥΣ ΘΗΛ waitress

γκαρσόνι ΟΥΣ ΟΥΔ = **γκαρσόν**

γκαρσονιέρα ΟΥΣ ΘΗΛ studio (flat (Βρετ.) ή apartment (Αμερ.))

γκάστρωμα ΟΥΣ ΟΥΔ pregnancy

γκαστρωμένη ΟΥΣ ΘΗΛ pregnant woman

γκαστρώνω Ρ Μ (α) (= καθιστώ έγκυο) to get ή make pregnant (β) (= αφήνω σε ανυπομονησία) to keep waiting · (= πρήζω) to pester

γκάφα ΟΥΣ ΘΗΛ blunder

γκαφατζής ΟΥΣ ΑΡΣ blunderer

γκαφατζού ΟΥΣ ΘΗΛ *βλ.* **γκαφατζής**

γκέι ΟΥΣ ΑΡΣ ΑΚΛ gay

γκέισα ΟΥΣ ΘΗΛ geisha

γκέμια ΟΥΣ ΟΥΔ ΠΛΗΘ reins
▷**κρατάω τα γκέμια** (*μτφ.*) to hold the reins

γκέτα ΟΥΣ ΘΗΛ gaiter

γκέτο ΟΥΣ ΟΥΔ ΑΚΛ (*κυριολ., μτφ.*) ghetto

γκι ΟΥΣ ΟΥΔ ΑΚΛ mistletoe

γκιλοτίνα ΟΥΣ ΘΗΛ guillotine

γκίνια ΟΥΣ ΘΗΛ bad luck

γκιουβέτσι ΟΥΣ ΟΥΔ = **γιουβέτσι**

γκισέ ΟΥΣ ΟΥΔ ΑΚΛ, **γκισές** ΟΥΣ ΑΡΣ counter

γκλάβα ΟΥΣ ΘΗΛ head
▷**κατεβάζει η γκλάβα μου** to be smart

γκλασάρω Ρ Μ = **γλασάρω**

γκλάσο ΟΥΣ ΟΥΔ = **γλάσο**

γκλίτσα ΟΥΣ ΘΗΛ shepherd's crook

γκολ ΟΥΣ ΟΥΔ ΑΚΛ (*στο ποδόσφαιρο*) goal
▷**γίνομαι/είμαι γκολ** (*αργκ.*) to get/be legless (*ανεπ.*)

γκολτζής ΟΥΣ ΑΡΣ (*ανεπ.*) goal scorer

γκολφ ΟΥΣ ΟΥΔ ΑΚΛ golf

γκόμενα ΟΥΣ ΘΗΛ (α) (= *ερωμένη*) girlfriend (β) (= *κούκλα*) looker (*ανεπ.*) (γ) (= *ερωτικό αντικείμενο*) hot stuff (*ανεπ.*)

γκόμενος ΟΥΣ ΑΡΣ (α) (= *εραστής*) boyfriend (β) (= *κούκλος*) looker (*ανεπ.*) (γ) (= *ερωτικό αντικείμενο*) hot stuff (*ανεπ.*)

γκουβερνάντα ΟΥΣ ΘΗΛ governess

γκοφρέτα ΟΥΣ ΘΗΛ waffle

γκραβούρα ΟΥΣ ΘΗΛ engraving

γκρανκάσα ΟΥΣ ΘΗΛ bass drum

γκραν-πρί ΟΥΣ ΟΥΔ ΑΚΛ (*στη Φόρμουλα 1*) Grand Prix

γκρέιπ-φρουτ ΟΥΣ ΟΥΔ ΑΚΛ grapefruit

γκρεμίζω Ρ Μ (α) (*σπίτι, τοίχο, οικοδόμημα*) to demolish, to knock down (β) (= *ρίχνω κάτω*) to throw down (γ) (*μτφ.: δικτάτορα, δικτατορία, χούντα*) to overthrow, to bring down (δ) (*είδωλα*) to destroy · (*προκαταλήψεις*) to break down
▷**γκρεμίζω κπν από τις σκάλες** to throw sb down the stairs
▷**γρεμίζω κπν στη χαράδρα** to throw sb off a cliff
▸**γκρεμίζομαι** ΜΕΣΟΠΑΘ (*κόσμος, αυτοκρατορία*) to collapse · (*ιδανικά*) to be destroyed
▷**γρεμίζομαι από άλογο/σκαμπό** to fall off a horse/a stool
▷**γρεμίζομαι από ύψος** to fall from a height
▷**γρεμίζομαι σε χαράδρα/γκρεμό** to fall into a ravine/off a cliff

γκρέμισμα ΟΥΣ ΟΥΔ (α) (*τείχους, σπιτιού, κτίσματος*) demolition (β) (*μτφ.*) collapse · (= *πτώση*) overthrow (γ) (*από ύψος*) throwing off
▸**γκρεμίσματα** ΠΛΗΘ (= *ερείπια*) ruins · (= *συντρίμμια*) rubble εν.

γκρεμός ΟΥΣ ΑΡΣ cliff, precipice
▷**μπρος γκρεμός και πίσω ρέμα** between the devil and the deep blue sea, between a rock and a hard place
▷**ρίχνω κπν στον γκρεμό** to throw sb off the edge of a cliff
▷**στο χείλος του γκρεμού** (*κυριολ.*) on the edge of the cliff · (*μτφ.*) on the edge of a precipice

γκρεμοτσακίζομαι Ρ ΑΜ ΑΠΟΘ (α) (= *πέφτω και χτυπώ*) to fall and hurt oneself, to take a tumble (β) (= *φεύγω αμέσως*) to rush off
▷**γκρεμοτσακίζομαι να εξυπηρετήσω κπν** to go out of one's way to help sb

γκρι ΕΠΙΘ ΑΚΛ grey (*Βρετ.*), gray (*Αμερ.*)
▸**γκρι** ΟΥΣ ΟΥΔ grey (*Βρετ.*), gray (*Αμερ.*)

γκριζομάλλα ΟΥΣ ΘΗΛ grey-haired (*Βρετ.*) ή gray-haired (*Αμερ.*) woman

γκριζομάλλης ΟΥΣ ΑΡΣ grey-haired (*Βρετ.*) ή gray-haired (*Αμερ.*) man

γκριζόμαυρος, -η, -ο ΕΠΙΘ dark grey (*Βρετ.*), dark gray (*Αμερ.*)

γκρίζος, -α, -ο ΕΠΙΘ (α) (*μαλλιά, ουρανός*) grey (*Βρετ.*), gray (*Αμερ.*) · (*καιρός*) dull (β) (*μτφ.*) dull
▸**γκρίζο** ΟΥΣ ΟΥΔ grey (*Βρετ.*), gray (*Αμερ.*)

γκριζωπός, -ή, -ό ΕΠΙΘ greyish (*Βρετ.*), grayish (*Αμερ.*)

γκριμάτσα ΟΥΣ ΘΗΛ grimace

γκρίνια ΟΥΣ ΘΗΛ (*ανεπ.*) (α) (= *κλάψα*) whining *χωρίς πληθ.* · (= *μουρμούρα*) moaning *χωρίς πληθ.*, nagging *χωρίς πληθ.* (β) (*μωρού*) grizzling *χωρίς πληθ.* (γ) (= *διχόνοια*) dissension

γκρινιάζω 1 Ρ ΑΜ (α) (*σύζυγος, γυναίκα*) to moan, to nag (β) (*μωρό*) to grizzle (γ) (= *μεμψιμοιρώ*) to grumble 2 Ρ Μ (*σύζυγο, γυναίκα, μητέρα*) to nag

γκρινιάρης, -α, -ικο ΕΠΙΘ (*ανεπ.*) grouchy (*ανεπ.*)

γκρινιάρικος, -η, -ο ΕΠΙΘ nagging
▸**γκρινιάρικο** ΟΥΣ ΟΥΔ grouch (*ανεπ.*)

γκρουπ ΟΥΣ ΟΥΔ ΑΚΛ group

γλαδιόλα ΟΥΣ ΘΗΛ gladioli

γλαρός, -ή, -ό ΕΠΙΘ (α) (= *φωτεινός*) bright (β) (= *γαλήνιος*) calm

γλάρος ΟΥΣ ΑΡΣ (sea)gull
▷**μη φας, (θα) έχουμε γλάρο!** forget it!

γλάρωμα ΟΥΣ ΟΥΔ drowsiness

γλαρώνω Ρ ΑΜ (α) (*άνθρωπος*) to feel sleepy · (*μάτια*) to be heavy with sleep (β) (= *χαζεύω*) to stare into space

Γλασκώβη ΟΥΣ ΘΗΛ Glasgow

γλασάρω Ρ Μ to ice (*Βρετ.*), to frost (*Αμερ.*)

γλάσο ΟΥΣ ΟΥΔ icing (*Βρετ.*), frosting (*Αμερ.*)

γλάστρα ΟΥΣ ΘΗΛ flowerpot, plant pot · (*μειωτ.*) bimbo (*ανεπ.*)

γλαφυρός, -ή, -ό ΕΠΙΘ (α) (*ύφος*) elegant · (*περιγραφή*) vivid (β) (*ομιλητής, ποιητής*) eloquent

γλαφυρότητα ΟΥΣ ΘΗΛ (α) (*ύφους*) elegance ·

(*περιγραφής*) vividness (β) (*ομιλητή, συγγραφέα*) eloquence

γλειφιτζούρι ΟΥΣ ΟΥΔ lollipop

γλείφτης ΟΥΣ ΑΡΣ (*μειωτ.*) toady, bootlicker (*ανεπ.*), creep (*Βρετ.*) (*ανεπ.*)

γλείφω Ρ Μ (α) (*δάχτυλα, γλειφιτζούρι, χείλη, πληγή*) to lick · (*φλόγες*) to lick · (*θάλασσα: βράχια*) to lap against (β) (*μειωτ.: καθηγητή, ανώτερο*) to crawl to, to suck up to (*ανεπ.*)
▷**να γλείφεις τα δάχτυλά σου** mouth–watering
▸**γλείφομαι** ΜΕΣΟΠΑΘ to lick one's lips · (*μτφ.*) to drool

γλείψιμο ΟΥΣ ΟΥΔ (α) (*παγωτού, γλειφιτζουριού*) licking (β) (*μειωτ.*) bootlicking (*ανεπ.*) · (*καθηγητή*) sucking up to (*ανεπ.*)

γλεντζές ΟΥΣ ΑΡΣ fun–lover, party animal (*ανεπ.*)

γλεντζού ΟΥΣ ΘΗΛ *βλ.* **γλεντζές**

γλέντι ΟΥΣ ΟΥΔ (α) (= *ξεφάντωμα*) party, merry–making *χωρίς πληθ.* (β) (*για έντονη κατάσταση*) fireworks *πληθ.* (*ανεπ.*)

γλεντοκοπώ Ρ ΑΜ to have fun, to live it up (*ανεπ.*)

γλεντώ ① Ρ ΑΜ to have fun
② Ρ Μ (*ζωή, νιάτα*) to enjoy (β) (*νίκη*) to celebrate (γ) (*λεφτά*) to fritter away
▷**γλεντώ κπν** (= *διασκεδάζω*) to take sb out · (*γυναίκα, άνδρα*) to play around with sb
▷**το γλεντάω** to enjoy it, to enjoy oneself

γλιστερός, -ή, -ο ΕΠΙΘ slippery

γλιστρίδα ΟΥΣ ΘΗΛ purslane
▷**έφαγα γλιστρίδα** ή **γλιστρίδες** to talk non–stop

γλιστρώ ① Ρ ΑΜ (α) (*άνθρωπος, χέρι, ρούχο*) to slip (β) (*σκιέρ, βάρκα*) to glide (γ) (*ποτήρι*) to slip · (*φως, βροχή*) to come in (*από through*) (δ) (*δρόμος, πάτωμα*) to be slippery
② Ρ Μ (*χέρι*) to slip, to slide
▷**γλιστρώ από το σπίτι/το δωμάτιο** to slip out of the house/the room
▷**γλιστρώ από μια δύσκολη κατάσταση** to get out of a difficult situation
▷**ξέρω να γλιστρώ** to be able to wriggle out of things
▷**γλιστράω σαν χέλι** to be as slippery as an eel
▷**γλιστρώ μέσα από τα χέρια κποιου** to slip through sb's fingers
▷**φέξε μου και γλίστρησα** (*ειρων.*) better late than never
▸**γλιστράει** ΑΠΡΟΣ it's slippery
▷**το έδαφος γλιστράει κάτω από τα πόδια μου** the floor went from under my feet

γλίτσα ΟΥΣ ΘΗΛ (*ανεπ.*) (α) (*δρόμου*) sludge, mud (β) (= *βρόμα*) dirt, muck (*ανεπ.*)

γλιτσιάζω ① Ρ ΑΜ (*δρόμος*) to be muddy
② Ρ Μ (*ρούχα*) to get dirty

γλιτωμός ΟΥΣ ΑΡΣ escape
▷**ο γλιτωμός του ήτανε ότι φορούσε ζώνη** he

was saved by the fact that he was wearing a seat belt
▷**δεν έχω γλιτωμό!** there's no getting away from it!
▷**δεν έχω γλιτωμό από κτ** I can't get away from sth

γλιτώνω ① Ρ Μ (α) (*άνθρωπο, χώρα*) to save (β) (*τιμωρία, πρόστιμο, ξύλο*) to escape · (*καταδίκη*) to get off (γ) (*χρήματα, κόπο*) to save
② Ρ ΑΜ (α) (= *ξεφεύγω*) to escape (*από from*) (β) (= *σώζομαι*) to survive
▷**γλιτώνω από έκρηξη** to survive an explosion
▷**θα γλιτώσουμε δρόμο** we'll get there quicker ή more quickly
▷**γλιτώνω με κτ** to get off with sth
▷**γλιτώνω παρά τρίχα** ή **στο παρα πέντε** ή **στο τσακ** to have a close shave
▷**τη γλιτώνω** (= *απαλλάσσομαι*) to get away with it · (= *σώζομαι*) to make it
▷**φθηνά τη γλίτωσα** I had a very close shave

γλοιώδης, -ης, -ες ΕΠΙΘ (α) (*υγρό, ψαρόκολλα, ζώο*) slimy · (*κηλίδα*) sticky (β) (*μτφ.: τύπος, άνθρωπος*) unctuous (*επίσ.*), smarmy (*Βρετ.*) (*ανεπ.*)

γλόμπος ΟΥΣ ΑΡΣ (α) (= *λάμπα*) light bulb (β) (*μτφ.: ειρων.*) bald man

γλουτός ΟΥΣ ΑΡΣ buttock

γλύκα ΟΥΣ ΘΗΛ (α) (*φαγητού, γλυκού, φρούτου*) sweetness (β) (*καιρού*) mildness · (*φιλιού, ματιών, χειλιών*) sweetness · (*ζωής, έρωτα, ύπνου*) joy
▷**βλέπω** ή **καταλαβαίνω τη γλύκα** (*ειρων.*) to see what life is all about
▷**γλύκα (μου)!** sweetheart!, honey!
▷**είσαι σκέτη γλύκα** you're so sweet
▷**μένω με τη γλύκα** to be disappointed
▸**γλύκες** ΠΛΗΘ (*ειρων.*) billing and cooing *χωρίς πληθ.*
▷**είμαι όλο γλύκες** to be all lovey–dovey (*ανεπ.*)

γλυκάδι ΟΥΣ ΟΥΔ (*ευφημ.*) vinegar
▸**γλυκάδια** ΠΛΗΘ sweetbreads

γλυκαίνω ① Ρ Μ (α) (*κρέμα, καφέ*) to sweeten (β) (*καρδιά, τόνο της φωνής*) to soften · (*πόνο*) to ease
② Ρ ΑΜ (α) (*κρασί*) to mellow · (*σταφύλια*) to become sweet (β) (*καιρός*) to become milder · (*άνθρωπος*) to mellow · (*φωνή, μάτια*) to soften · (*πόνος*) to ease · (*πρόσωπο*) to relax
▸**γλυκαίνομαι** ΜΕΣΟΠΑΘ: **γλυκαίνομαι με κτ** to get used to sth

γλυκανάλατος, -η, -ο ΕΠΙΘ (α) (*φαγητό, γεύση*) insipid (β) (*μειωτ.: ταινία, ιστορία*) soppy, slushy · (*ύφος, φέρσιμο*) soppy (γ) (*χαμόγελο*) sickly · (*κωμικός, αστείο*) corny · (*ηθοποιός*) hammy

γλυκάνισο ΟΥΣ ΟΥΔ, **γλυκάνισος** ΟΥΣ ΑΡΣ (α) (*φυτό*) anise (β) (*αρωματικό συστατικό*) aniseed

γλυκαντικός, -ή, -ό ΕΠΙΘ sweetening

▸**γλυκαντική ύλη** sweetener
γλυκερίνη ΟΥΣ ΘΗΛ glycerine
γλυκίζω Ρ ΑΜ to be sweet
γλύκισμα ΟΥΣ ΟΥΔ sweet
γλυκό ΟΥΣ ΟΥΔ sweet
▹**γλυκό του κουταλιού** *preserved fruit in syrup*
▹**κουταλάκι** *ή* **κουταλιά του γλυκού** teaspoon
▹**του γλυκού** *(κουτάλι, μαχαίρι, πιάτο)* dessert
γλυκοαίματος, -η, -ο ΕΠΙΘ sweet
γλυκόζη ΟΥΣ ΘΗΛ glucose
γλυκοκοιτάζω Ρ Μ (α) *(τρυφερά)* to look tenderly at (β) *(ερωτικά)* to have one's eye on
γλυκόλογα ΟΥΣ ΟΥΔ ΠΛΗΘ sweet nothings
γλυκομίλητος, -η, -ο ΕΠΙΘ softly–spoken
γλυκομιλώ Ρ ΑΜ to speak tenderly
γλυκόξινος, -η, -ο ΕΠΙΘ sweet–and–sour
γλυκοπατάτα ΟΥΣ ΘΗΛ sweet potato
γλυκόπικρος, -η, -ο ΕΠΙΘ *(κυριολ., μτφ.)* bitter–sweet
γλυκόπιοτος, -η, -ο ΕΠΙΘ (α) (= *που έχει γλυκιά γεύση: κρασί*) mellow · *(ποτό)* sweet (β) (= *που πίνεται ευχάριστα*) easy to drink
γλυκός, -ιά, -ό ΕΠΙΘ (α) *(κρασί, φρούτο, καφές)* sweet (β) *(βλέμμα, φωνή, παιδί, χαμόγελο)* sweet · *(νύχτα, καιρός)* mild · *(αεράκι, θαλπωρή, άγγιγμα)* gentle · *(χρώματα)* soft · *(λόγος)* kind
▹**κάνω τα γλυκά μάτια σε κπν** to make eyes at sb
▹**όνειρα γλυκά!** sweet dreams!
▹**του γλυκού νερού** *(για ψάρια, φύκια)* freshwater · *(μειωτ.: για άνθρωπο)* phoney *(ανεπ.)*
▸**γλυκά νερά** fresh water εν.
γλυκοτραγουδώ Ρ ΑΜ to sing sweetly
γλυκούλης, -α, -ικο ΕΠΙΘ *(υποκορ.)* sweetie *(ανεπ.)*
γλυκοφιλώ Ρ Μ to kiss tenderly
γλυκοχαράζω Ρ ΑΜ *(βουνό)* to glow in the dawn light
▸**γλυκοχαράζει** ΑΠΡΟΣ *(αυγή)* dawn is breaking · *(ημέρα)* day is dawning
γλυκοχάραμα ΟΥΣ ΟΥΔ (α) *(αυγής)* glow (β) (= *χάραμα*) dawn
γλυκύτητα ΟΥΣ ΘΗΛ (α) *(καφέ, κρασιού)* sweetness (β) *(μτφ.)* sweetness · *(νύχτας, καιρού)* mildness · *(αέρα, θαλπωρής, αγγίγματος)* gentleness · *(χρώματος)* delicacy · *(ύφους, λόγων)* kindness
γλύπτης ΟΥΣ ΑΡΣ sculptor
γλυπτικός, -ή, -ό ΕΠΙΘ sculptural
▸**γλυπτική** ΟΥΣ ΘΗΛ sculpture
γλυπτός, -ή, -ό ΕΠΙΘ carved, sculpted
▸**γλυπτό** ΟΥΣ ΟΥΔ sculpture
γλύπτρια ΟΥΣ ΘΗΛ βλ. **γλύπτης**
γλυτωμός ΟΥΣ ΑΡΣ = **γλιτωμός**
γλυτώνω Ρ Μ/ΑΜ = **γλιτώνω**
γλυφίδα ΟΥΣ ΘΗΛ chisel

γλυφίζω Ρ ΑΜ to be brackish
γλυφός, -ή, -ό ΕΠΙΘ brackish
γλύφω Ρ Μ *(επίσ.)* to sculpt
γλώσσα ΟΥΣ ΘΗΛ (α) (ΑΝΑΤ) tongue (β) (= *κώδικας επικοινωνίας*) language (γ) *(παπουτσιού, φωτιάς)* tongue (δ) *(ψάρι)* sole
▹**βγάζω γλώσσα** to be cheeky *(Βρετ.)*, to act fresh *(Αμερ.)*
▹**βγάζω τη γλώσσα μου σε κπν** to stick one's tongue out at sb
▹**βγάζω τη γλώσσα μου σε κτ** to thumb one's nose at sth
▹**δεν βάζω γλώσσα μέσα μου** *ή* **στο στόμα μου** to talk non–stop
▹**δεν πάει η γλώσσα μου να πω κτ** I can't bring myself to say sth
▹**έχω κτ στη άκρη της γλώσσας μου** to have sth on the tip of one's tongue
▹**έχω μακριά** *ή* **μεγάλη γλώσσα** to be lippy *(ανεπ.)*
▹**η γλώσσα κόκαλα δεν έχει και κόκαλα τσακίζει** *(παροιμ.)* sticks and stones may break my bones, but words will never hurt me *(παροιμ.)*
▹**η γλώσσα του στάζει μέλι/φαρμάκι** his words are dripping with honey/poison
▹**η γλώσσα μου πάει ροδάνι** *ή* **ψαλίδι** to talk nineteen to the dozen *(Βρετ.)*, to talk like crazy *(Αμερ.)*
▹**θα σου κόψω τη γλώσσα!** *(ως απειλή σε παιδί)* I'll wash your mouth out with soap!
▹**κόβει και ράβει η γλώσσα μου** to have the gift of the gab
▹**μάζεψε** *ή* **κράτησε τη γλώσσα σου!** watch your tongue!
▹**με τρώει η γλώσσα μου** *(μτφ.)* to be dying to spit it out
▹**μιλάμε άλλη γλώσσα** *(μτφ.)* we don't speak the same language
▹**μου βγαίνει η γλώσσα** (= *λαχανιάζω*) to be out of breath · *(μτφ.:* = *ξεθεώνομαι)* to be worn out
▹**μπερδεύω τη γλώσσα μου** to trip over one's tongue
▹**οι κακές γλώσσες** the gossips
▸**γλώσσα προγραμματισμού** programming language
▸**γλώσσα της δημοσιογραφίας** journalese
▸**γλώσσα του σώματος** body language
▸**μητρική γλώσσα** mother tongue
γλωσσάριο, γλωσσάρι ΟΥΣ ΟΥΔ glossary
γλωσσάς ΟΥΣ ΑΡΣ *(ανεπ.)* (α) (= *φλύαρος*) chatterbox *(ανεπ.)* (β) (= *αυθάδης*) upstart (γ) (= *κουτσομπόλης*) gossip
γλωσσίδα ΟΥΣ ΘΗΛ = **γλωττίδα**
γλωσσίδι ΟΥΣ ΟΥΔ (α) *(καμπάνας, κουδουνιού)* clapper (β) *(πνευστού οργάνου)* reed
γλωσσικός, -ή, -ό ΕΠΙΘ linguistic
▸**γλωσσικός άτλας** linguistic atlas
▸**το γλωσσικό ζήτημα** (ΓΛΩΣΣ) the language question
γλωσσίτσα ΟΥΣ ΘΗΛ *(υποκορ.)* little tongue

γλωσσοδέτης ΟΥΣ ΑΡΣ tongue–twister
▷ **με πιάνει γλωσσοδέτης, παθαίνω γλωσσοδέτη** to be tongue–tied
γλωσσοκοπάνα ΟΥΣ ΘΗΛ chatterbox (ανεπ.)
γλωσσολογία ΟΥΣ ΘΗΛ linguistics εν.

Προσοχή!: Αν και το **linguistics** *φαίνεται ως τύπος πληθυντικού, είναι ουσιαστικό μόνο στον ενικό και συντάσσεται με ρήμα στον ενικό.*

γλωσσολογικός, -ή, -ό ΕΠΙΘ linguistic
γλωσσολόγος ΟΥΣ ΑΡΣ&ΘΗΛ linguist
γλωσσομάθεια ΟΥΣ ΘΗΛ knowledge of foreign languages
γλωσσομαθής, -ής, -ές ΕΠΙΘ multilingual
γλωσσοπλάστης ΟΥΣ ΑΡΣ neologist
γλωσσοπλάστρια ΟΥΣ ΘΗΛ βλ. **γλωσσοπλάστης**
γλωσσοτρώγω, γλωσσοτρώω Ρ Μ
(α) (= γρουσουζεύω) to jinx
(β) (= κακολογώ) to bad–mouth
γλωσσού ΟΥΣ ΘΗΛ (ανεπ.) βλ. **γλωσσάς**
γλωττίδα ΟΥΣ ΘΗΛ (α) (ΑΝΑΤ) glottis
(β) (ΜΟΥΣ) reed
γναθιαίος, -α, -ο ΕΠΙΘ: **γναθιαίο οστό** jawbone
γνάθος ΟΥΣ ΘΗΛ (επίσ.) jaw
γνέθω Ρ Μ to spin
γνέσιμο ΟΥΣ ΟΥΔ spinning
γνέφω ① Ρ ΑΜ (= κάνω σήμα) to signal ② Ρ Μ (με το κεφάλι) to nod to· (με το χέρι) to wave to· (με τα μάτια) to wink at
γνέψιμο ΟΥΣ ΟΥΔ (κεφαλιού) nod· (χεριού) wave
γνήσιος, -α, -ο ΕΠΙΘ (α) (υπογραφή, νόμισμα, αντίκα, αίσθημα) genuine· (έγγραφο) authentic· (μετάξι, χρυσάφι, ουίσκι) pure· (δέρμα) genuine, real· (έρωτας) true
(β) (απόγονος, καλλιτέχνης) true
(γ) (= πηγαίος: άνθρωπος) easy
γνησιότητα ΟΥΣ ΘΗΛ authenticity· (μεταξιού, χρυσαφιού, χαρακτήρα) purity
γνωμάτευση ΟΥΣ ΘΗΛ expert opinion
γνωματεύω Ρ Μ: **γνωματεύω ότι** to pronounce that
γνώμη ΟΥΣ ΘΗΛ opinion
▷ **αλλάζω γνώμη** to change one's mind
▷ **είμαι της γνώμης ότι** ή **να** to think that
▷ **εκφέρω γνώμη** to express an opinion
▷ **έχω το θάρρος της γνώμης μου** to have the courage of one's convictions
▷ **κατά τη γνώμη μου** in my opinion
▷ **μια δεύτερη γνώμη** a second opinion
γνωμικό ΟΥΣ ΟΥΔ saying
γνωμοδότης ΟΥΣ ΑΡΣ consultant
γνωμοδότηση ΟΥΣ ΘΗΛ opinion
γνωμοδοτικός, -ή, -ό ΕΠΙΘ advisory
γνωμοδότρια ΟΥΣ ΘΗΛ βλ. **γνωμοδότης**
γνωμοδοτώ Ρ ΑΜ to give an expert opinion

γνώμονας ΟΥΣ ΑΡΣ (α) (όργανο) protractor
(β) (μτφ.: = αρχή) motto

Προσοχή!: Ο πληθυντικός του **motto** *είναι* **mottoes**.

(γ) (ΜΟΥΣ) key
γνωρίζω Ρ Μ (α) (= ξέρω) to know
(β) (= μαθαίνω) to learn about (γ) (= κάνω γνωριμία) to meet (δ) (επιτυχία, απογοήτευση) to meet with· (χαρά, λύπη) to know, to experience· (πίκρα) to feel· (δόξα) to know· (ανάπτυξη) to undergo
(ε) (= αναγνωρίζω) to recognize
(στ) (= αντιλαμβάνομαι) to realize
(ζ) (καταχρ.: = πληροφορώ) to inform
(η) (= συστήνω) to introduce
▷ **γνωρίζω άνθηση** to flourish
▷ **να σας γνωρίσω έναν παλιό μου φίλο** I'd like to introduce you to ή I'd like you to meet an old friend of mine
▷ **το γνωρίζω** I know
▸ **γνωρίζομαι** ΜΕΣΟΠΑΘ (= συστήνομαι) to meet (each other)· (= ξέρω) to know each other
γνωριμία ΟΥΣ ΘΗΛ (α) (κυριολ.) acquaintance
(β) (μτφ.) familiarity (γ) (= γνωστός) acquaintance
▷ **μεγάλες γνωριμίες** friends in high places, good connections
▷ **χάρηκα για τη γνωριμία!** it's been nice meeting you!, (it was) nice to meet you!
γνώριμος, -η, -ο ΕΠΙΘ familiar
▸ **γνώριμος** ΟΥΣ ΑΡΣ acquaintance
γνώρισμα ΟΥΣ ΟΥΔ feature
▸ **διακριτικό γνώρισμα** distinctive feature
▸ **χαρακτηριστικό γνώρισμα** characteristic trait
γνώση ΟΥΣ ΘΗΛ (α) (γενικότ.) knowledge
(β) (σπάν.: = φρόνηση) sense
▷ **βάζω γνώση** to see sense
▷ **βάζω γνώση σε κπν** to make sb see sense
▷ **είμαι ή τελώ εν γνώσει** +γεν. to be aware of
▷ **εν γνώσει** +γεν. in full knowledge of
▷ **προς γνώση και συμμόρφωση, προς γνώσιν και συμμόρφωσιν** (επίσ.) let that be a lesson to you
▸ **γνώσεις** ΠΛΗΘ knowledge εν.
γνώστης ΟΥΣ ΑΡΣ +γεν. (ζωγραφικής, υπόθεσης, Αγγλικής) expert on
γνωστικισμός ΟΥΣ ΑΡΣ (ΘΡΗΣΚ) gnosticism
γνωστικός, -ή, -ό ΕΠΙΘ (α) (επίσ.) cognitive
(β) (ανεπ.: = συνετός) sensible· (= λογικός) rational
▸ **γνωστικό επίπεδο** level of knowledge
γνωστοποίηση ΟΥΣ ΘΗΛ announcement
γνωστοποιώ Ρ Μ to announce
γνωστός, -ή, -ό ΕΠΙΘ (α) (γεγονός) known
(β) (βιομήχανος, διηγόρος) noted· (τραγουδιστής, καλλιτέχνης, ηθοποιός,) well–known· (φωνή, φυσιογνωμία) familiar
▷ **ο γνωστός και μη εξαιρετέος** (ειρων.) the one and only
▷ **είναι γνωστό ότι** it is known that
▷ **ως γνωστόν** (επίσ.) as is well known

▸ **γνωστός** ΟΥΣ ΑΡΣ, **γνωστή** ΟΥΣ ΘΗΛ acquaintance

γνώστρια ΟΥΣ ΘΗΛ *βλ.* **γνώστης**

γόβα ΟΥΣ ΘΗΛ court shoe, pump (*Αμερ.*)
▸ **γόβες στιλέτο** stilettos (*Βρετ.*), spike heels (*Αμερ.*)

γογγύζω Ρ ΑΜ (*άρρωστος, τραυματίας*) to groan · (*εργάτης, εργαζόμενος*) to grumble

γογγύλι ΟΥΣ ΟΥΔ, **γογγύλη** ΟΥΣ ΘΗΛ turnip

γοερός, -ή, -ό ΕΠΙΘ plaintive

γόης ΟΥΣ ΑΡΣ charmer
▸ **γόης φιδιών** snake charmer

γόησσα ΟΥΣ ΘΗΛ *βλ.* **γόης**

γοητεία ΟΥΣ ΘΗΛ (*άντρα, γυναίκας, χαμόγελου, τοπίου, πίνακα*) charm · (*βιβλίου, μουσικής, τραγουδιού*) appeal · (*χρωμάτων*) attractiveness · (*εξουσίας*) lure
▷ **η γοητεία των ματιών της** her attractive eyes

γοητευτικός, -ή, -ό ΕΠΙΘ (*άντρας, γυναίκα, χαμόγελο, παρουσία*) charming · (*μάτια, χρώματα*) attractive · (*πίνακας, βιβλίο, τοπίο, μουσική*) enchanting

γοητεύω Ρ Μ (*άντρας, γυναίκα, λόγια*) to charm · (*πίνακας, βιβλίο, ιδέα, τοπίο*) to enchant · (*μουσική, τραγούδι*) to appeal to

γόητρο ΟΥΣ ΟΥΔ prestige

γολέτα ΟΥΣ ΘΗΛ schooner

γόμα ΟΥΣ ΘΗΛ (α) (= *γομολάστιχα*) eraser, rubber (*Βρετ.*) (β) (= *κόλλα*) glue

γομάρι ΟΥΣ ΟΥΔ (α) (= *γαϊδούρι*) donkey, ass (β) (*υβρ.*) boor

γόμμα ΟΥΣ ΘΗΛ = **γόμα**

γομολάστιχα ΟΥΣ ΘΗΛ eraser, rubber (*Βρετ.*)

γομφίος ΟΥΣ ΑΡΣ molar

γόμωση ΟΥΣ ΘΗΛ (α) (*όπλου*) loading (β) (= *εκρηκτική ύλη*) charge

γονατιά ΟΥΣ ΘΗΛ kneeling *χωρίς πληθ.*

γονατίζω 1 Ρ ΑΜ (α) (*στο έδαφος, στο πάτωμα*) to kneel (down) (β) (*στο Θεό, στην ομορφιά*) to kneel (γ) (*από την πείνα, τις κακουχίες*) to be brought to one's knees 2 Ρ Μ: **γονατίζω κπν** to force sb to their knees · (*μτφ.*) to bring sb to their knees

γονάτισμα ΟΥΣ ΟΥΔ kneeling · (*μτφ.*) degradation

γονατιστός, -ή, -ό ΕΠΙΘ on bended knee

γόνατο ΟΥΣ ΟΥΔ knee
▷ **γραμμένο στο γόνατο** written quickly
▷ **μεγαλώνω κπν στα γόνατά μου** to bring sb up from a baby
▷ **παίρνω κπν στα γόνατά μου** to sit sb on one's lap
▷ **πέφτω στα γόνατα** to fall on *ή* to one's knees
▷ **πήγε το γλέντι** *ή* **η φωνή γόνατο** (*ανεπ.*) to have a whale of a time (*ανεπ.*)

γόνδολα ΟΥΣ ΘΗΛ gondola

γονδολιέρης ΟΥΣ ΑΡΣ gondolier

γονέας ΟΥΣ ΑΡΣ&ΘΗΛ parent

▸ **γονείς** ΠΛΗΘ parents

γονίδιο ΟΥΣ ΟΥΔ gene

γονικός, -ή, -ό ΕΠΙΘ parental
▸ **γονική άδεια** (*για μητέρα*) maternity leave · (*για πατέρα*) paternity leave
▸ **γονικά** ΟΥΣ ΟΥΔ ΠΛΗΘ (= *γονείς*) parents

γονιμοποίηση ΟΥΣ ΘΗΛ (α) (ΒΙΟΛ) fertilization (β) (ΒΟΤ) pollination
▸ **τεχνητή γονιμοποίηση** artificial insemination

γονιμοποιώ Ρ Μ (α) (*ωάριο*) to fertilize · (*φυτά*) to pollinate (β) (*μτφ.: σκέψη, φαντασία*) to stimulate

γόνιμος, -η, -ο ΕΠΙΘ (α) (*χώμα, γη*) fertile (β) (*μτφ.: συζήτηση, συνεργασία*) fruitful · (*σταδιοδρομία*) prolific · (*κριτική*) constructive (γ) (*για γυναίκα: μέρες*) fertile
▷ **γόνιμο έδαφος** (*μτφ.*) fertile ground

γονιμότητα ΟΥΣ ΘΗΛ (*κυριολ., μτφ.*) fertility

γονιός ΟΥΣ ΑΡΣ = **γονέας**

γονόρροια ΟΥΣ ΘΗΛ gonorrhoea (*Βρετ.*), gonorrhea (*Αμερ.*)

γόνος ΟΥΣ ΑΡΣ (*επία.*) (α) (= *παιδί*) descendant (β) (= *σπέρμα*) seed (γ) (= *αβγά ψαριών*) spawn *χωρίς πληθ.* · (= *νεογνά ψαριών*) fry *πληθ.* (δ) (ΒΟΤ) pollen

γονυπετής, -ής, -ές ΕΠΙΘ (*επία.*) on one's knees, kneeling

γόπα ΟΥΣ ΘΗΛ (α) (*ψάρι*) bogue (β) (= *αποτσίγαρο*) cigarette end, butt

γοργόνα ΟΥΣ ΘΗΛ (α) (ΜΥΘΟΛ) mermaid (β) (= *διακοσμητικό πλώρης*) figurehead (γ) (*μτφ.: = όμορφη γυναίκα*) beauty

γοργοπόδαρος, -η, -ο ΕΠΙΘ swift-footed

γοργός, -ή, -ό ΕΠΙΘ (*βήματα, διασκελισμοί, ρυθμοί*) swift · (*πνεύμα, μυαλό*) nimble
▷ **το γοργόν και χάριν έχει** (*παροιμία*) strike while the iron is hot

γοργοτάξιδος, -η, -ο ΕΠΙΘ swift

Γόρδιος δεσμός ΟΥΣ ΑΡΣ: **ο Γόρδιος δεσμός** the Gordian knot

γορίλας ΟΥΣ ΑΡΣ (*κυριολ., μτφ.*) gorilla

γοτθικός, -ή, -ό ΕΠΙΘ Gothic
▸ **γοτθικό μυθιστόρημα** Gothic novel

γούβα ΟΥΣ ΘΗΛ (α) hollow (β) (*αρνητ.: για κατοικημένη περιοχή*) low-lying area

γουβώνω, γουβιάζω 1 Ρ ΑΜ (*μάγουλο*) to become hollow 2 Ρ Μ (*λαμαρίνα*) to turn out · (*μελιτζάνες*) to scoop out

γουδί ΟΥΣ ΟΥΔ mortar
▷ **το γουδί το γουδοχέρι (και τον κόπανο στο χέρι)** the same old story

γουδοχέρι ΟΥΣ ΟΥΔ pestle

γουλί ΟΥΣ ΟΥΔ (= *μίσχος*) stalk
▷ **είμαι κουρεμένος γουλί** to have one's head shaved

γουλιά ΟΥΣ ΘΗΛ sip · (*μεγάλη*) gulp
▷ **γουλιά-γουλιά** a sip at a time

γούνα ΟΥΣ ΘΗΛ fur

▷**έχω ράμματα για τη γούνα κποιου** to have the goods on sb

▷**καίω τη γούνα κποιου** to show sb up

γουναράδικο ΟΥΣ ΟΥΔ furrier's shop

γουναράς ΟΥΣ ΑΡΣ furrier

γουναρικό ΟΥΣ ΟΥΔ (α) (= γούνα) fur (β) (= σύνολο γουνών) furs πληθ., fur coats πληθ.

γούνινος, -η, -ο ΕΠΙΘ fur

γουργουρητό ΟΥΣ ΟΥΔ rumble

γουργουρίζω Ρ ΑΜ (α) (στομάχι, κοιλιά) to rumble (β) (γάτα) to purr· (περιστέρι) to coo (γ) (μτφ.: νερό) to gurgle

γούρι ΟΥΣ ΟΥΔ (ανεπ.) (α) (= καλή τύχη) (good) luck (β) (= αντικείμενο που φέρνει τύχη) lucky charm

▷**γύρισε το γούρι** my/his/her luck turned

▷**φέρνω γούρι σε κπν** to bring sb luck

γούρικος, -η, -ο ΕΠΙΘ lucky

γουρλής, -ού, -ίδικο ΕΠΙΘ lucky

γουρλομάτης, -α, -ικο ΕΠΙΘ goggle–eyed

γουρλώνω Ρ Μ: **γουρλώνω τα μάτια μου** to stare goggle–eyed ή wide–eyed

γουρλωτός, -ή, -ό ΕΠΙΘ bulging

γούρνα ΟΥΣ ΘΗΛ (α) (= δεξαμενή: φυσική) waterhole· (κτιστή) water basin (β) (για πότισμα ζώων) trough

γουρούνα ΟΥΣ ΘΗΛ (ανεπ.) (α) (= θηλυκό γουρούνι) sow (β) (για γυναίκα: υβρ.) cow (ανεπ.) (γ) (αργκ.: μοτοσυκλέτα) trike (ανεπ.), three–wheeled motorbike

γουρουνάκι ΟΥΣ ΟΥΔ (υποκορ.) (α) (= μικρό γουρούνι) piglet (β) (μτφ.) piggy, piglet

γουρούνι ΟΥΣ ΟΥΔ (α) (= χοίρος) pig (β) (υβρ.: = χυδαίος) swine (ανεπ.)· (= βρόμικος) pig (ανεπ.)

▷**αγοράζω ή παίρνω γουρούνι στο σακί** to buy a pig in a poke

▷**όλα τα γουρούνια την ίδια μύτη ή μια μούρη έχουν** (μειωτ.) they're all the same

γουρουνίσιος, -α, -ο ΕΠΙΘ (μύτη) pig's· (μτφ.: τρόπος, συνήθεια) filthy

γουρουνόπουλο ΟΥΣ ΟΥΔ (α) (= γουρουνάκι) piglet (β) (φαγητό) suckling pig

γουρουνότριχα ΟΥΣ ΘΗΛ (κυριολ., μτφ.) bristle

▷**παρά μία γουρουνότριχα!** it was a close shave!

γουρουνόψαρο ΟΥΣ ΟΥΔ porpoise

γουστάρω ① Ρ Μ (αργκ.: = μου αρέσει) to like· (= θέλω) to want, to fancy (Βρετ.) (ανεπ.)

② Ρ ΑΜ to like it

γούστο ΟΥΣ ΟΥΔ (α) (= αντίληψη) taste (β) (= ό, τι διασκεδάζει) fun

▷**γούστο μου και γούστο σου** there's no accounting for tastes

▷**γούστο μου και καπέλο μου** that's how I like it and that's how it's going to be

▷**δεν είναι του γούστου μου** it's not to my taste

▷**είναι θέμα γούστου** it's a matter of taste

▷**έχει γούστο** (= είναι ευχάριστος) to be fun

▷**έχει γούστο να με απολύσουν/με άκουσαν** I hope they don't fire me/didn't hear me

▷**κάνω κπν γούστο** to take a liking to sb

▷**κάνω το γούστο μου** to do as one pleases

▷**είναι του γούστου μου** I like it, it's to my liking

▷**ο καθένας με το γούστο του** each to his own

▷**χάριν γούστου, για γούστο** (just) for fun

▶ **γούστα** ΠΛΗΘ tastes

▷**βγάζω γούστα** to do what one wants

γουστόζικος, -η, -ο ΕΠΙΘ funny

γοφός ΟΥΣ ΑΡΣ hip

γραβάτα ΟΥΣ ΘΗΛ tie

γραβιέρα ΟΥΣ ΘΗΛ Gruyère

γράμμα ΟΥΣ ΟΥΔ (= ψηφίο, επιστολή) letter

▷**άνθρωπος των γραμμάτων** a man of letters

▷**διαβάζω βουλωμένο γράμμα** to be very perceptive

▷**κατά γράμμα** to the letter

▷**κορώνα (ή) γράμματα** heads or tails

▷**παίζω κτ κορώνα-γράμματα** to gamble with sth

▷**το γράμμα του νόμου** the letter of the law

▶ **γράμματα** ΠΛΗΘ (= φιλολογία) literature εν.· (= μόρφωση) education εν.· (= γραφικός χαρακτήρας) (hand)writing εν.· (= τίτλοι ταινίας) credits· (= υπότιτλοι ταινίας) subtitles

▷**μ' όποιον δάσκαλο καθίσεις, τέτοια γράμματα θα μάθεις** (παροιμ.) like master like man

▷**ξέρω γράμματα** to be able to read and write

▷**(τα) παίρνω τα γράμματα** to be a quick learner

γραμμάριο ΟΥΣ ΟΥΔ gram, gramme (Βρετ.)

γραμματέας ΟΥΣ ΑΡΣ&ΘΗΛ secretary

▶ **Γραμματείς** ΟΥΣ ΑΡΣ ΠΛΗΘ (ΘΡΗΣΚ) scribes

γραμματεία ΟΥΣ ΘΗΛ (α) (σχολής) secretary's office· (ιδρύματος) secretariat (β) (= λογοτεχνία) literature

γραμματεύς ΟΥΣ ΑΡΣ&ΘΗΛ (επίσ.) = **γραμματέας**

γραμματιζούμενος, -η, -ο ΕΠΙΘ (ειρων.) highbrow

γραμματική ΟΥΣ ΘΗΛ (ΓΛΩΣΣ) grammar· (βιβλίο) grammar book

γραμματικός, -ή, -ό ΕΠΙΘ (λάθος, πρόταση, φράση) grammatical· (κανόνες) grammar

▶ **γραμματικός** ΟΥΣ ΑΡΣ (α) (επιστήμονας) grammarian (β) (= γραμματέας: παλαιότ.) secretary

γραμμάτιο ΟΥΣ ΟΥΔ promissory note

▶ **τραπεζικό γραμμάτιο** bank draft

▶ **γραμμάτιο Δημοσίου** government bond

γραμματοκιβώτιο ΟΥΣ ΟΥΔ letter box (Βρετ.), mailbox (Αμερ.)

γραμματοσειρά ΟΥΣ ΘΗΛ font

γραμματοσήμανση ΟΥΣ ΘΗΛ (επίσ.) stamping· (με μηχανή) franking

γραμματόσημο ΟΥΣ ΟΥΔ stamp

γραμματοσυλλέκτης[1] ΟΥΣ ΑΡΣ (*ταχυδρομικός υπάλληλος*) postman (*Βρετ.*), mailman (*Αμερ.*)

γραμματοσυλλέκτης[2] ΟΥΣ ΑΡΣ stamp collector

γραμματοσυλλέκτρια ΟΥΣ ΘΗΛ *βλ.* **γραμματοσυλλέκτης**[1]

γραμματοσυλλέκτρια ΟΥΣ ΘΗΛ *βλ.* **γραμματοσυλλέκτης**[2]

γραμμένος, -η, -ο ΕΠΙΘ (α) (*λόγια*) written · (*τετράδιο, πίνακας*) covered in writing (β) (*για μαθητή*) well-prepared (γ) (*σε κατάλογο*) registered (δ) (*φρύδια*) finely drawn · (*μάτια*) beautiful
▷ **έχω κπν γραμμένο** (*χυδ.*) to ignore sb
▸ **γραμμένο** ΟΥΣ ΟΥΔ, **γραμμένα** ΟΥΣ ΟΥΔ ΠΛΗΘ destiny
▷ **της μοίρας τα γραμμένα** it's written in the stars

γραμμή ΟΥΣ ΘΗΛ (α) (= *συνεχές ίχνος*) line (β) (*θερμομέτρου*) degree · (*οργάνου*) mark (γ) (*παλάμης, χεριού, προσώπου*) line (δ) (*ανθρώπων, οχημάτων, άμυνας*) line · (*πελατών*) queue (*Βρετ.*), line (*Αμερ.*) · (*δέντρων*) row (ε) (*κειμένου, ποιήματος, βιβλίου*) line (στ) (*φορέματος, παντελονιού*) cut (ζ) (*μτφ.: κόμματος, κυβέρνησης, πολιτικής*) line · (= *εντολή*) directive (η) (*για μέσα μεταφοράς*) line · (= *δρομολόγιο*) route (ϑ) (= *τηλεφωνική σύνδεση*) line (ι) (*συνόρων, ορίζοντα*) line (ια) (*σώματος, τοπίου*) outline
▷ **ανοιχτή γραμμή (επικοινωνίας)** (*μτφ.*) communication, exchange of information
▷ **διαβάζω μέσα ή κάτω από τις γραμμές** to read between the lines
▷ **είμαι στην πρώτη γραμμή της επικαιρότητας/ενδιαφέροντος** to be highly topical/the focus of interest
▷ **έχει ωραία γραμμή** she has a nice figure
▷ **η πρώτη γραμμή** (*μάχης*) the front line · (*αγώνα ή κινήματος*) the forefront
▷ **η πρώτη γραμμή της δημοσιογραφίας** the front page
▷ **μπαίνω στη γραμμή** (= *στοιχίζομαι: μαθητές*) to queue (up) (*Βρετ.*), to stand in line (*Αμερ.*) · (*στρατιώτες*) to fall in line · (= *παρατάσσομαι δίπλα σε άλλους*) to get in line · (= *παρεμβάλλομαι σε τηλεφωνική συνομιλία*) to be on the line
▷ **έπεσε ή κόπηκε η γραμμή** the line went dead
▷ **παίρνω γραμμή τα μαγαζιά/σπίτια** to go to one shop/house after another
▷ **πιάνω γραμμή** to get a line
▷ **πρώτης γραμμής** first-rate
▷ **σε γενικές γραμμές** in broad outline
▷ **τραβάω γραμμή** to draw a line · (*μτφ.*) to turn the page
▷ **φεύγω ή πηγαίνω γραμμή για το σπίτι** to go straight home
▸ **γραμμή του ορίζοντα** skyline
▸ **σιδηροδρομική γραμμή** railway line (*Βρετ.*), railroad (*Αμερ.*)
▸ **τηλεφωνική γραμμή** telephone line
▸ **γραμμή παραγωγής** production line
▸ **γραμμές** ΠΛΗΘ (*τρένου*) tracks

γραμμικός, -ή, -ό ΕΠΙΘ linear
▸ **Γραμμική (γραφή) Α** Linear A
▸ **Γραμμική (γραφή) Β** Linear B
▸ **γραμμικό σχέδιο** graphic design

γραμμοειδής, -ής, -ές ΕΠΙΘ striped

γραμμοσκιάζω P M to shade

γραμμόφωνο ΟΥΣ ΟΥΔ gramophone

γραμμωτός, -ή, -ό ΕΠΙΘ lined
▸ **γραμμωτός κωδικός** bar code (*Βρετ.*), universal product code (*Αμερ.*)
▸ **γραμμωτός μυς** striped *ή* striated muscle

γρανάζι ΟΥΣ ΟΥΔ (*μηχανής*) gear
▸ **γρανάζια** ΠΛΗΘ (*συστήματος, γραφειοκρατίας*) machinery εν.

γρανίτα ΟΥΣ ΘΗΛ water ice

γρανιτένιος, -ια, -ιο ΕΠΙΘ (α) (*τραπέζι, πάγκος, γραφείο*) granite (β) (*μτφ.: θέληση*) iron · (*ηθική*) sterling

γρανίτης ΟΥΣ ΑΡΣ (α) (*πέτρωμα*) granite (β) (*γρανιτένια κατασκευή*) granite object
▷ **είμαι/παραμένω γρανίτης** (*μτφ.*) to be/remain unbending

γρανιτώδης, -ης, -ες ΕΠΙΘ (α) (*κυριολ.*) granite (β) (*μτφ.: θέληση*) iron · (*δύναμη, υπομονή*) immense

γραπτός, -ή, -ό ΕΠΙΘ (*λόγος, εξέταση, μαρτυρία*) written
▸ **γραπτό** ΟΥΣ ΟΥΔ paper · *βλ. κ.* **γραφτός**

γραπτώς, γραπτά ΕΠΙΡΡ in writing

γραπώνω P M (α) (= *αρπάζω*) to grab (β) (= *συλλαμβάνω*) to arrest
▸ **γραπώνομαι** ΜΕΣΟΠΑΘ (= *αγκιστρώνομαι*) to hang on (*από* to)
▷ **γραπώνομαι από κπν/κτ** (*μτφ.*) to cling to sb/sth

γρασαδόρος ΟΥΣ ΑΡΣ (α) (*επάγγελμα*) grease monkey (*ανεπ.*) (β) (*συσκευή*) grease gun

γρασάρισμα ΟΥΣ ΟΥΔ greasing

γρασάρω P M to grease

γρασίδι ΟΥΣ ΟΥΔ grass

γράσο ΟΥΣ ΟΥΔ (α) (= *λιπαντικό λάδι*) grease (β) (*αργκ., ειρων.*) rookie (*ανεπ.*)

γρατζουνιά ΟΥΣ ΘΗΛ scratch

γρατζουνίζω P M (α) (*χέρι, πάτωμα, έπιπλο*) to scratch (β) (*μτφ.: κιθάρα, μπάσο*) to strum

γρατζούνισμα ΟΥΣ ΟΥΔ scratch

γρατσουνιά ΟΥΣ ΘΗΛ = **γρατζουνιά**

γρατσουνίζω P M = **γρατζουνίζω**

γρατσούνισμα ΟΥΣ ΟΥΔ = **γρατζούνισμα**

γραφέας ΟΥΣ ΑΡΣ&ΘΗΛ clerk, clerical worker

γραφειακός, -ή, -ό ΕΠΙΘ office

γραφείο ΟΥΣ ΟΥΔ (α) (*έπιπλο*) desk (β) (= *δωμάτιο σπιτιού*) study (γ) (*επιχείρηση και χώρος εργασίας*) office (δ) (*κόμματος*) central office · (*οργάνωσης, επιχείρησης*) headquarters

►**Γραφείο Ευρέσεως Εργασίας** job centre (*Βρετ.*), unemployment office (*Αμερ.*)
►**Γραφείο Τύπου και Πληροφοριών** press office
►**γραφείο συνοικεσίων** dating agency
►**γραφείο δασκάλων** ή **καθηγητών** staff room
►**διαφημιστικό γραφείο** advertising agency
►**πολιτικό γραφείο** Politburo
►**στρατολογικό γραφείο** draft board
►**ταξιδιωτικό γραφείο** travel agency
►**τουριστικό γραφείο** tourist office
►**υπάλληλος γραφείου** office worker
►γραφεία ΠΛΗΘ (*κόμματος*) central office · (*υπηρεσίας, ιδρύματος*) headquarters *εν.* ή *πληθ.* · (*επιχείρησης*) head office, headquarters *εν.* ή *πληθ.*

γραφειοκράτης ΟΥΣ ΑΡΣ bureaucrat
γραφειοκρατία ΟΥΣ ΘΗΛ bureaucracy
γραφειοκρατικός, -ή, -ό ΕΠΙΘ bureaucratic
γραφειοκράτισσα ΟΥΣ ΘΗΛ *βλ.* **γραφειοκράτης**

γραφή ΟΥΣ ΘΗΛ (α) (= *αποτύπωση λόγου*) writing (β) (*μάθημα*) writing lesson (γ) (= *γράψιμο*) writing (δ) (= *γράμματα*) (hand)writing (ε) (= *ύφος λογοτέχνη* ή *καλλιτέχνη*) style (στ) (= *επιστολή*) letter
►**Αγία Γραφή** Holy Scripture
►Γραφές ΠΛΗΘ: **οι Γραφές** the Scriptures

γραφιάς ΟΥΣ ΑΡΣ (*μειωτ.*) pen–pusher (*Βρετ.*), pencil pusher (*Αμερ.*)

γραφίδα ΟΥΣ ΘΗΛ (α) (= *στυλό*) pen · (*από φτερό πτηνού*) quill (β) (*μτφ.*: = *γραπτό ύφος*) pen (γ) (ΑΡΧΑΙΟΛ) stylus

> *Προσοχή!: Ο πληθυντικός του* stylus *είναι* styli *ή* styluses.

γραφικός, -ή, -ό ΕΠΙΘ (α) (*εργασίες, εξέταση*) written (β) (*κήπος, τοπίο, λιμάνι, χωριό*) picturesque · (*σπίτι*) quaint (γ) (*άνθρωπος, τύπος*) colourful (*Βρετ.*), colorful (*Αμερ.*) · (*καλλιτέχνης*) eccentric (δ) (*ύφος, διήγηση*) graphic
►**γραφικές τέχνες** graphic arts
►**γραφική ύλη** stationery
►γραφικά ΟΥΣ ΟΥΔ ΠΛΗΘ graphics

γραφικότητα ΟΥΣ ΘΗΛ (α) (*τοπίου, λιμανιού, χωριού*) picturesqueness (β) (*καλλιτέχνη, ανθρώπου*) colourfulness (*Βρετ.*), colorfulness (*Αμερ.*) (γ) (*ύφους, διήγησης*) graphicness

γραφίστας ΟΥΣ ΑΡΣ graphic designer
γραφίστρια ΟΥΣ ΘΗΛ *βλ.* **γραφίστας**

γραφίτης ΟΥΣ ΑΡΣ (α) (*ορυκτό*) graphite (β) (*χρώμα*) dark grey (*Βρετ.*) ή gray (*Αμερ.*)

γραφολογία ΟΥΣ ΘΗΛ graphology
γραφολογικός, -ή, -ό ΕΠΙΘ graphological
γραφολόγος ΟΥΣ ΑΡΣ&ΘΗΛ graphologist
γραφομηχανή ΟΥΣ ΘΗΛ typewriter
γραφτό ΟΥΣ ΟΥΔ *βλ.* **γραπτός**
γραφτός, -ή, -ό ΕΠΙΘ (*ανεπ.*) written
►γραφτό ΟΥΣ ΟΥΔ destiny
  ▷**είναι γραφτό** it's meant to be

▷**είναι γραφτό μου να κάνω κτ** to be destined to do sth
▷**είναι γραφτό από τη μοίρα** ή **της μοίρας** it's written in the stars

γράφω ① Ρ Μ (α) (*έκθεση, γράμμα, βιβλίο, μουσική*) to write (β) (= *κρατώ σημείωση*) to write (down) (γ) (*για εφημερίδα, βιβλίο, φυλλάδιο*) to say (δ) (= *σχεδιάζω: σχήμα, κύκλο*) to draw · (= *διαγράφω*) to describe (ε) (*για μετρητή*) to read (στ) (*για παράβαση*) to book, to give a ticket to (ζ) (*παιδί, μαθητή*) to enroll (*Βρετ.*), to enroll (*Αμερ.*) (η) (*έσοδα, έξοδα*) to enter (θ) (*για ορθογραφία*) to spell (ι) (*ανεπ.: στο ποδόσφαιρο, στην καλαθοσφαίριση*) to score ② Ρ ΑΜ (α) (*γενικότ.*) to write (β) (= *συμμετέχω σε εξετάσεις*) to have exams
▷**αν με ξαναδείς, γράψε μου!** you'll never set eyes on me again!
▷**γράφω κπν/κτ (στα παλιά μου τα παπούτσια** ή **κανονικά και με το νόμο** ή **εκεί που δεν πιάνει μελάνι)** not to care two hoots about sb/sth, not to give a damn about sb/sth (*ανεπ.*)
▷**γράφω κπν/κτ στ' αρχίδια μου** (*χυδ.*) not to give a fuck about sb/sth (*χυδ.*)
▷**γράφω κπν στα μαύρα τα κατάστιχα** ή **στη μαύρη λίστα** to blacklist sb, to put sb on the blacklist
▷**γράφ' τα (στον λογαριασμό μου)** put it on my account
▷**γράφ' το καλά στο μυαλό σου** don't forget it
▷**γράφω την περιουσία/το σπίτι σε κπν** to leave one's fortune/the house to sb
▷**γράφει τίποτε ενδιαφέρον η εφημερίδα;** is there anything interesting in the paper?
▷**(και) να μας γράφεις** (= *μη μας ξεχάσεις*) keep in touch · (*ειρων.*) good riddance
▷**έγραψε!** (*προφορ.*) right on! (*ανεπ.*)
▷**τι γράφουν για το θέμα οι εφημερίδες;** what do the papers say about the matter?
▷**τι γράφει η επιγραφή/η ταμπέλα;** what does the inscription/sign say?
▷**το στυλό μου δεν γράφει** my pen doesn't work
►γράφομαι ΜΕΣΟΠΑΘ (α) (= *εγγράφομαι*) to enrol (*Βρετ.*), to enroll (*Αμερ.*) (β) (*βιβλίο, εργασία*) to be written
►γράφει ΑΠΡΟΣ it says
  ▷**ό, τι γράφει δεν ξεγράφει** (*για το μέλλον*) what will be, will be · (*για το παρελθόν*) what's done is done

γράψιμο ΟΥΣ ΟΥΔ (α) (= *γραφή*) writing (β) (= *γραφικός χαρακτήρας*) (hand)writing (γ) (*μτφ.: ανεπ.*) cold shoulder
▷**έχω κπν στο γράψιμο** (*ανεπ.*) not to give a damn about sb (*ανεπ.*)
►γραψίματα ΠΛΗΘ written exams

γρεναδιέρος ΟΥΣ ΑΡΣ grenadier

γρήγορα ΕΠΙΡΡ (α) (= *με μεγάλη ταχύτητα: κινούμαι, τρέχω, σκέφτομαι, μιλώ*) quickly, fast · (*γράφω, αντιδρώ, δακτυλογραφώ*) quickly (β) (= *σύντομα: καταλαβαίνω,*

τελειώνω) soon
▷**γρήγορα-γρήγορα** very quickly
▷**διαβάζω γρήγορα** to read quickly, to be a fast reader
▷**κάνε γρήγορα!** hurry up!, be quick!
▷**στα γρήγορα** quickly
γρηγοράδα ΟΥΣ ΘΗΛ speed
γρήγορος, -η, -ο ΕΠΙΘ (α) (άλογο, καράβι, σκάφος, αυτοκίνητο) fast (β) (βήμα) quick, brisk · (ρυθμός) fast, brisk (γ) (κοίταγμα, νεύμα) quick, swift · (μυαλό) quick (δ) (προαγωγή, αποφάσεις, αντίδραση) quick, rapid · (ανάπτυξη, εξελίξεις) rapid
▷**είμαι γρήγορο πιστόλι** to be a sharp shooter, to be quick on the draw · (μτφ.: ανεπ.) to be on the ball
▷**είμαι γρήγορος σε κτ** to be fast ή quick at sth
▷**με ή σε γρήγορους ρυθμούς** at a rapid pace
γρηγορώ Ρ ΑΜ (επίσ.) to be alert
γριά ΟΥΣ ΘΗΛ (α) (= γερόντισσα) old woman (β) (= μητέρα) mum (Βρετ.) (ανεπ.), mom (Αμερ.) (ανεπ.) · (= ηλικιωμένη σύζυγος) old woman (ανεπ.)
▷**γριά κότα/φοράδα** old hen/mare
γριγρί, γρι-γρι ΟΥΣ ΟΥΔ ΑΚΛ fishing boat (with a lamp)
γρίλια ΟΥΣ ΘΗΛ louvre (Βρετ.), louver (Αμερ.), slat
γριούλα ΟΥΣ ΘΗΛ (υποκορ.) little old lady
γρίπη ΟΥΣ ΘΗΛ flu, influenza (επίσ.)
γριπιάζω Ρ ΑΜ = **γριπώνομαι**
γριπώνομαι Ρ ΑΜ ΑΠΟΘ to have the flu, to have flu (Βρετ.)
γρίφος ΟΥΣ ΑΡΣ (α) (= αίνιγμα) riddle (β) (μτφ.: για άνθρωπο) enigma · (για κατάσταση) puzzle
γροθιά ΟΥΣ ΘΗΛ (α) (= κλειστή παλάμη) fist (β) (= μπουνιά) punch (γ) (μτφ.: στο κατεστημένο) blow (σε against ή to)
γρονθοκόπημα ΟΥΣ ΟΥΔ pummelling (Βρετ.), pummeling (Αμερ.)
γρονθοκοπώ Ρ Μ to punch
γρουσούζα ΟΥΣ ΘΗΛ βλ. **γρουσούζης**
γρουσουζεύω [1] Ρ Μ (ανεπ.) to jinx, to put a jinx on
[2] Ρ ΑΜ to be negative
γρουσούζης, -α, -ικο ΕΠΙΘ jinxed, unlucky
▶**γρουσούζης** ΟΥΣ ΑΡΣ, **γρουσούζα** ΟΥΣ ΘΗΛ unlucky person
γρουσουζιά ΟΥΣ ΘΗΛ (α) (= κακοτυχία) bad luck (β) (= κακομοιριά) misery
γρυ ΟΥΣ ΟΥΔ ΑΚΛ grunt
▷**δεν βγάζω γρυ** not to breathe a word
▷**δεν καταλαβαίνω/ή σκαμπάζω ξέρω γρυ** to understand/to know nothing
γρυλίζω Ρ ΑΜ (α) (γουρούνι) to grunt (β) (μτφ.: άνθρωπος) to growl
γρύλισμα ΟΥΣ ΟΥΔ grunt
γρύλος ΟΥΣ ΑΡΣ (α) (= τριζόνι) cricket

(β) (εργαλείο) jack (γ) (= σύρτης παραθύρου) latch
γυάλα ΟΥΣ ΑΡΣ (α) (ψαριών) bowl (β) (ανεπ.: για μωρό) incubator
γυαλάδα ΟΥΣ ΘΗΛ shine
γυαλάκιας ΟΥΣ ΑΡΣ (μειωτ.) four-eyes (ανεπ.)
γυαλί ΟΥΣ ΟΥΔ (α) (βιτρίνας) glass · (= τζάμι) pane (β) (= ποτήρι) glass · (= κανάτι) jug (γ) (μτφ.: μειωτ.: = τηλεόραση) TV, box (Βρετ.) (ανεπ.)
▷**είμαι από γυαλί** (ειρων.) to be fragile
▷**η θάλασσα είναι γυαλί** the sea is like a mill pond
▷**σπάει ή ραγίζει το γυαλί** (μτφ.) it's all over between them
▷**τον/τη(ν) θέλει ή πάει το γυαλί** he/she looks good on TV
▷**το πάτωμα είναι γυαλί** the floor is sparkling clean
▶**γυαλιά** ΠΛΗΘ (για την όραση) glasses · (= κομμάτια) glass εν.
▷**βάζω ή φοράω (τα) γυαλιά σε κπν** to get the better of sb
▷**τα κάνω γυαλιά-καρφιά** to smash everything up
▶**γυαλιά ηλίου** sunglasses
γυαλίζω [1] Ρ Μ (ασημικά, έπιπλα, παπούτσια) to polish
[2] Ρ ΑΜ (κουμπιά, μάτια, νόμισμα) to shine
▷**αυτά τα παπούτσια μου γυάλισαν το μάτι** those shoes caught my eye
▷**γυαλίζει το μάτι μου** to have a wild look in one's eye
▷**γυαλίζω τον πάγκο** (ΑΘΛ: αργκ.) to be sidelined
▷**μου γυαλίζει κπς** to take a shine to sb
γυαλικά ΟΥΣ ΟΥΔ ΠΛΗΘ glassware εν.
γυάλινος, -η, -ο ΕΠΙΘ (α) (σκεύος, βάζο, χάντρα) glass (β) (μτφ.: μάτια) glazed
γυάλισμα ΟΥΣ ΟΥΔ polishing
γυαλιστερός, -ή, -ό ΕΠΙΘ shiny · (χαρτί, εξώφυλλο) glossy
γυαλοπωλείο ΟΥΣ ΟΥΔ = **υαλοπωλείο**
γυαλόχαρτο ΟΥΣ ΟΥΔ sandpaper
γυάρδα ΟΥΣ ΘΗΛ = **γιάρδα**
γυλιός ΟΥΣ ΑΡΣ kitbag
γύλος ΟΥΣ ΑΡΣ wrasse
γυμνάζω Ρ Μ (σώμα, πόδια, μυς) to exercise · (παίκτη, άλογο, σκυλί) to train · (στρατιώτη) to drill · (μαθητή) to school
▶**γυμνάζομαι** ΜΕΣΟΠΑΘ (στο τρέξιμο, στην πάλη, στο ποδόσφαιρο) to train (β) (= κάνω γυμναστική) to exercise, to take exercise
γυμνασιακός, -ή, -ό ΕΠΙΘ secondary-school (Βρετ.), high-school (Αμερ.)
γυμνασιάρχης ΟΥΣ ΑΡΣΘΗΛ (secondary school) head teacher (Βρετ.), (high school) principal (Αμερ.)
γυμνάσιο ΟΥΣ ΟΥΔ (α) (ΣΧΟΛ) secondary school (Βρετ.), high school (Αμερ.) (β) (ΑΡΧ

ιστ) gymnasium

> *Προσοχή!: Ο πληθυντικός του*
> **gymnasium** *είναι* **gymnasiums** *ή* **gymnasia.**

▸ **γυμνάσια** πληθ exercises
▹ **κάνω γυμνάσια σε** κπν to put sb through the mill
γυμνασιοκόριτσο ουσ ουδ secondary school (*Βρετ.*) *ή* high school (*Αμερ.*) student
γυμνασιόπαιδο ουσ ουδ secondary school (*Βρετ.*) *ή* high school (*Αμερ.*) student
γυμνασμένος, -η, -ο επιθ trained
γυμναστήριο ουσ ουδ (α) (= *χώρος άθλησης*) gym (β) (= *γήπεδο*) stadium

> *Προσοχή!: Ο πληθυντικός του* **stadium**
> *είναι* **stadiums** *ή* **stadia** .

γυμναστής ουσ αρσ (α) (= *αθλητής γυμναστικής*) gymnast (β) (= *προπονητής αθλητών*) trainer (γ) (= *καθηγητής φυσικής αγωγής*) PE teacher
γυμναστική ουσ θηλ (α) (= *σωματική άσκηση*) exercise (β) (*άθλημα*) gymnastics εν. (γ) (*μάθημα*) PE lesson
γυμναστικός, -ή, -ό επιθ gymnastic
γυμνάστρια ουσ θηλ βλ. **γυμναστής**
γύμνια ουσ θηλ (α) (*αρνητ.: σώματος*) nudity (β) (*μτφ.: πνεύματος, ψυχής*) emptiness · (*τοπίου, εικόνας*) bareness
γυμνικός, -ή, -ό επιθ (*εμφάνιση*) naked
γυμνισμός ουσ αρσ nudism
γυμνιστής ουσ αρσ nudist
γυμνίστρια ουσ θηλ βλ. **γυμνιστής**
γυμνός, -ή, -ό επιθ (α) (*άνθρωπος, σώμα*) naked · (*πλάτη, ώμος, στήθος*) bare · (*σπαθί, ξίφος*) drawn, unsheathed · (*μτφ.: τοπίο, βράχος, σπίτι, τοίχος*) bare · (*δάσος*) denuded · (*μτφ.: = φτωχός*) poor (β) (= *ελαφρά ή προκλητικά ντυμένος*) half–naked (γ) (*φωτογραφία, πόζα, σκηνή*) nude (δ) (*αλήθεια*) naked · (*πραγματικότητα*) stark
▹ **δια γυμνού οφθαλμού** (*επίσ.*)
▹ **με γυμνό μάτι** (*ανεπ.*) with the naked eye
▹ **είμαι γυμνός από** κτ (= *ανεπαρκής*) to be devoid of sth
▸ **γυμνά** ουσ ουδ πληθ (= *φωτογραφίες*) nude photographs · (= *σκηνές*) nude scenes
▸ **γυμνό** ουσ ουδ (= *γύμνια*) nudity · (τεχν) nude
γυμνοσάλιαγκας ουσ αρσ (α) (= *σαλιγκάρι*) slug (β) (*μειωτ.: = γλοιώδης*) toady
γυμνόστηθος, -η, -ο επιθ topless · (*για άντρα*) bare–chested
γυμνότητα ουσ θηλ nakedness
γυμνώνω ρ μ (α) (*άνθρωπο*) to strip · (*στήθη*) to bare · (*σπαθί*) to draw (β) (*μτφ.: σπίτι*) to strip
▹ **γυμνώνω τα πόδια μου** to take one's shoes and socks off
▸ **γυμνώνομαι** μεσοπαθ (α) (= *γδύνομαι*) to take one's clothes off (β) (= *φορώ λίγα ρούχα*) to wear light clothes (γ) (= *είμαι προκλητικά*

ντυμένος) to be half–naked
γυναίκα ουσ θηλ (α) (= *θηλυκό πρόσωπο*) woman

> *Προσοχή!: Ο πληθυντικός του* **woman**
> *είναι* **women.**

(β) (*ανεπ.: = σύζυγος*) wife

> *Προσοχή!: Ο πληθυντικός του* **wife** *είναι*
> **wives.**

(γ) (*ανεπ.: = οικιακή βοηθός*) woman
▹ **κάνω κπια γυναίκα μου** to marry sb
▹ **κλείνω ως γυναίκα** (= *γερνώ*) to grow old · (= *σταματώ να ψάχνω για άνδρα*) not to be looking for a husband any more
γυναικαδέλφη ουσ θηλ sister–in–law

> *Προσοχή!: Ο πληθυντικός του*
> **sister–in–law** *είναι* **sisters–in–law.**

γυναικάδελφος ουσ αρσ brother–in–law

> *Προσοχή!: Ο πληθυντικός του*
> **brother–in–law** *είναι* **brothers–in–law.**

γυναικάρα ουσ θηλ (α) (= *μεγαλόσωμη γυναίκα*) big woman (β) (= *πολύ ωραία γυναίκα*) beautiful woman
γυναικάς ουσ αρσ (*ανεπ.*) womanizer
γυναικείος, -α, -ο επιθ (α) (*φύλο, σώμα, χαρακτηριστικά*) feminine · (*διαίσθηση*) feminine · (*φύση*) woman's · (*σπουδές, θέματα*) women's · (*κίνημα*) feminist (β) (*εσώρουχα, ρούχα, παπούτσια*) women's (γ) (*χτένισμα, δάχτυλα, συμπεριφορά*) feminine · (*μειωτ.: ασχολίες*) feminine · (*δουλειές*) woman's · (= *θηλυπρεπής: περπάτημα, φωνή, κινήσεις*) effeminate (δ) (*πληθυσμός*) female · (*οργάνωση*) women's
▹ **γυναικείες συζητήσεις** girl talk, women's talk
▸ **γυναικείο μοναστήρι** convent
γυναικίστικος, -η, -ο επιθ (*μειωτ.: για γυναίκα*) girly · (*για άντρα*) effeminate
γυναικοδουλειά ουσ θηλ (α) (*μειωτ.*) woman's work (β) (= *ερωτική περιπέτεια*) affair
γυναικοκατακτητής ουσ αρσ womanizer
γυναικόκοσμος ουσ αρσ womankind
γυναικοκρατία ουσ θηλ (α) (= *επικράτηση των γυναικών*) predominance of women (β) (*έθιμο*) custom whereby the women in an area take on the men's role for a brief period (γ) (*πολίτευμα*) matriarchy
γυναικοκρατούμαι ρ αμ αποθ to be dominated by women
γυναικολογία ουσ θηλ gynaecology (*Βρετ.*), gynecology (*Αμερ.*)
γυναικολογικός, -ή, -ό επιθ gynaecological (*Βρετ.*), gynecological (*Αμερ.*)
γυναικολόγος ουσ αρσ&θηλ gynaecologist

(*Βρετ.*), gynecologist (*Αμερ.*)

γυναικολόι ΟΥΣ ΟΥΔ crowd of women

γυναικομάνι ΟΥΣ ΟΥΔ crowd of women

γυναικόπαιδα ΟΥΣ ΟΥΔ ΠΛΗΘ women and children

γυναικοπαρέα ΟΥΣ ΘΗΛ group of women

γυναικούλα ΟΥΣ ΘΗΛ (α) (*χαϊδευτ.*: = *σύζυγος*) dear wife (β) (*μειωτ.*: = *ανάξια λόγου*) worthless woman (γ) (= *απλοϊκή γυναίκα*) simple woman (δ) (*μειωτ.*: *για άντρα*) woman

γυναικοφοβία ΟΥΣ ΘΗΛ fear of women

γυναικωνίτης ΟΥΣ ΑΡΣ (α) (*εκκλησίας, ναού*) area set aside for women (β) (*στην αρχαιότητα*) women's quarters · (*σε μουσουλμανικές χώρες*) harem

γύναιο ΟΥΣ ΘΗΛ (*επία., υβρ.*) slut

γυνή ΟΥΣ ΘΗΛ (*επίσ.*) woman
▷**πυρ, γυνή και θάλασσα** fire, women and the sea (*expression implying that women are one of the three worst evils in the world*)

γυπαετός ΟΥΣ ΑΡΣ bearded vulture, lammergeier

γύπας ΟΥΣ ΑΡΣ vulture

γύρα ΟΥΣ ΘΗΛ (= *βόλτα*) stroll
▷**βγαίνω στη γύρα για φιλοδωρήματα/ζητιανιά** to go around looking for tips/begging
▷**φέρνω μια γύρα** (*στην πιάτσα*) to take a twirl · (*στην πόλη*) to stroll around

γυρεύω Ρ Μ (α) (*δραπέτη, κλειδιά, γυναίκα, γιατρό*) to look for · (*βοήθεια, χρήματα*) to ask for · (*δικαιοσύνη, το δίκιο μου, ησυχία, γαλήνη*) to want (β) (*παντρειά*) to want · (*μπλεξίματα*) to be looking for
▷**γυρεύω να κάνω κτ** to want to do sth
▷**πάω γυρεύοντας για κτ** to be asking for sth
▷**πάει γυρεύοντας να φάει το κεφάλι του** he's asking for trouble
▷**τι γυρεύεις εσύ εδώ**; what on earth are you doing here?
▷**τρέχα γύρευε!** forget about it!

γυρίζω ① Ρ Μ (α) (*κλειδί, διακόπτη, σελίδα, τιμόνι, κεφάλι*) to turn (β) (*όπλο, κάμερα*) to point (*κατά πάνω ή προς* at) (γ) (*κανάλι, σταθμό*) to switch (*ανεπ.: φίλο, φιλοξενούμενο*) to show around (ε) (*χώρα, κόσμο*) to travel (στ) (*μαγαζιά, εταιρείες, πόλη*) to go around (ζ) (*ανάποδα: παντελόνι, μπλούζα, πουκάμισο*) to turn inside out · (*μτφ.: παιχνίδι, αποτέλεσμα*) to turn around (η) (*στην άρδευση: νερό*) to divert (θ) (*λεφτά, βιβλίο, αρραβώνα*) to give back · (*συναλλαγματική*) to endorse (ι) (*ταινία, σκηνή*) to shoot
② Ρ ΑΜ (α) (*πλανήτες, δίσκος, ρόδα*) to spin, to turn around · (*ωρολόικτες*) to turn · (*μτφ.: κεφάλι*) to spin (β) (= *αλλάζω κατεύθυνση*) to turn around (γ) (*στα μπαρ, κέντρα*) to hang around · (*άσκοπα*) to wander about (δ) (= *επιστρέφω*) to go back (ε) (*κόσμος, κοινή γνώμη*) to turn (*υπέρ/εναντίον* in

favour of/against) · (*κατάσταση, πράγματα*) to change
▷**γυρίζει ο τροχός** things change
▷**γυρίζω κτ στο αστείο** to make a joke out of sth
▷**γυρίζω με κπν** (*ανεπ.*) to go out with sb
▷**γυρίζω την πόλη με τα πόδια** to walk all over town
▷**γυρίζω μπροστά/πίσω** (*ρολόι*) to put forward/back · (*ταινία, κασέτα*) to forward/rewind
▷**γυρίζω όλο το κόσμο** to travel all over the world
▷**γυρίζω σαν (τη) σβούρα** (= *είμαι υπερκινητικός*) to run around · (= *είμαι πολυάσχολος*) to be in a flat spin
▷**γυρίζω στο σοβαρό** to turn serious
▷**γυρίζω στο σπίτι/στην πατρίδα/στη δουλειά** to go back home/to one's country/to work
▷**γυρίζω το κεφάλι ή τα μυαλά κποιου** (= *μεταπείθω*) to change sb's mind
▷**γυρίζω σελίδα** to turn the page
▷**γυρίζω την πλάτη (μου) σε κπν** (*κυριολ., μτφ.*) to turn one's back on sb
▷**γυρίζω φύλλο** to change one's tune
▷**να πας και να μη γυρίσεις!** (*κατάρα*) good riddance!
▷**όταν εσύ πήγαινες, εγώ γύριζα** (*μτφ.*) don't teach your grandmother to suck eggs
▷**τα γυρίζω** to go back on one's word

γυρίνος ΟΥΣ ΑΡΣ tadpole

γύρισμα ΟΥΣ ΟΥΔ (α) (*σελίδας, διακόπτη, τροχού, κλειδιού, αιώνα, χιλιετίας*) turn (β) (*όπλου, κάμερας*) pointing (γ) (*δρόμου*) turn (δ) (*στην πατρίδα, στο χωριό*) return (ε) (*χρημάτων, βιβλίων, αρραβώνα*) return (στ) (*μπάλας*) return (ζ) (*φορέματος, παντελονιού, φούστας*) taking up (η) (*ταινίας, σκηνής*) shoot (θ) (*τύχης*) reversal (ι) (*τα τραγούδια*) change of key
▷**έχει ο καιρός γυρίσματα** life has its ups and downs
▷**του χρόνου τα γυρίσματα** things change

γυρισμός ΟΥΣ ΑΡΣ (α) (*ταξιδιώτη*) return (β) (*ξενιτεμένου*) return, homecoming
▷**παίρνω τον δρόμο του γυρισμού** to start back
▷**στον γυρισμό** (= *καθώς γυρίζω*) on the way back · (= *όταν έφτασα*) when I got back

γυριστός, -ή, -ό ΕΠΙΘ (α) (*σίδερο, ξύλο*) twisted (β) (*σκάλα*) spiral (γ) (*γιακάς*) reversible
▷**την κάνω γυριστή σε κπν** (*αργκ.*) to get one's own back on sb

γυρνώ Ρ Μ = **γυρίζω**

γυρολόγος ΟΥΣ ΑΡΣ hawker

γύρος ΟΥΣ ΑΡΣ (α) (*λιμανιού, χωραφιού*) perimeter (β) (*βαρελιού*) hoop · (*φούστας*) hem · (*καπέλου*) brim (γ) (*ωροδείκτη*) turn (δ) (*χώρας*) tour (ε) (*συνομιλιών, εκλογών, τσάμπιονς λιγκ*) round · (*αγώνα δρόμου*) lap (στ) (*φαγητό*) pork gyros
▷**κάνω τον γύρο του κόσμου/της πόλης** to go

around the world/the town

▷**κάνω τον γύρο της πλατείας** (*με τα πόδια*) to walk around the square · (*με αυτοκίνητο*) to drive around the square

▷**ο γύρος της Γαλλίας** (*ποδηλατικό αγώνισμα*) the Tour de France

γυροσκόπιο ΟΥΣ ΟΥΔ gyroscope

γυροφέρνω ⓵ P AM to hang around ⓶ P M (= *προσεγγίζω*) to approach

▷**με γυροφέρνει κρύωμα/γρίπη** to be coming down with a cold/with flu

γύρω ΕΠΙΡΡ (= *περιφερειακά*) around

▷**γύρω από** (= *περιφερειακά*) around · (= *σχετικά με*) about

▷**γύρω-γύρω** in a roundabout way

▷**γύρω στις 5/στις δύο χιλιάδες/στα 3 κιλά** about 5 o'clock/two thousand/three kilos

▷**έχει γύρω του/της ικανούς ανθρώπους** he/she is surrounded by capable people

▷**τα γύρω** the outskirts

▸**γύρω-γύρω όλοι** (*παιδικό παιχνίδι*) ≈ ring a ring o'roses

Γυφτάκι ΟΥΣ ΟΥΔ (α) (= *μικρός Γύφτος*) gypsy boy (β) (*μειωτ.*) urchin

γυφταριό ΟΥΣ ΟΥΔ (α) (= *χώρος διαβίωσης Γύφτων*) gypsy camp (β) (= *Γύφτοι*) gypsies *πληθ.* (γ) (*μτφ.*: *μειωτ.*) pigsty

γυφτιά ΟΥΣ ΘΗΛ (α) (= *Γύφτοι*) gypsies *πληθ.* (β) (= *μικροπρέπεια*) mean trick (γ) (= *ακαταστασία*) mess (δ) (*μτφ.*) stinginess

γύφτικος, -η, -ο ΕΠΙΘ (α) (*τσαντίρι*) gypsy (β) (*μειωτ.*: *συμπεριφορά*) shabby

▸**γύφτικα** ΟΥΣ ΟΥΔ ΠΛΗΘ gypsy camp *εν.*

▷**καμαρώνω σαν γύφτικο σκεπάρνι** to show off

▷**κάτι τρέχει στα γύφτικα** so what?

Γύφτισσα ΟΥΣ ΘΗΛ (*μειωτ.*) (α) (= *Τσιγγάνα*) gypsy woman (β) (*μτφ.*) slut

Γύφτος ΟΥΣ ΑΡΣ (*μειωτ.*) (α) (= *Τσιγγάνος*) gypsy (β) (*μτφ.*: = *μελαμψός*) swarthy man (γ) (: = *βρομιάρης*) dirty man (δ) (: = *υπερβολικά τσιγγούνης*) stingy *ή* mean person

γύψινος, -η, -ο ΕΠΙΘ (*άγαλμα, διακοσμητικό*)

plaster

▸**γύψινα** ΟΥΣ ΟΥΔ ΠΛΗΘ mouldings (*Βρετ.*), moldings (*Αμερ.*)

γυψοκονίαμα ΟΥΣ ΟΥΔ plaster of Paris

γυψοποιείο ΟΥΣ ΟΥΔ plaster workshop

γυψοποιός ΟΥΣ ΑΡΣ plasterer

γύψος ΟΥΣ ΑΡΣ (α) (*ορυκτό*) plaster (of Paris) (β) (= *νάρθηκας*) cast

γυψοσανίδα ΟΥΣ ΘΗΛ plasterboard

γύψωμα ΟΥΣ ΟΥΔ plastering

γυψώνω P M (α) (*οροφή*) to plaster (β) (*χέρι, πόδι*) to put in plaster

γωβιός ΟΥΣ ΑΡΣ = **κωβιός**

γωνιά ΟΥΣ ΘΗΛ (α) (= *σπίτι*) home

▷**κάθομαι στη γωνιά μου** (*ανεπ.*) to mind one's own business · *βλ. κ.* **γωνία**

γωνία ΟΥΣ ΘΗΛ (α) (*τριγώνου*) angle (β) (*τραπεζιού, βιβλίου, γηπέδου, δρόμου*) corner (γ) (*μτφ.*: = *τοποθέτηση, πρίσμα*) angle (δ) (*ψωμιού, γλυκού*) end (ε) (= *απομακρυσμένο τμήμα χώρας*) out-of-the-way spot (στ) (*εργαλείο*) set square

▷**βάζω κπν/κτ στη γωνία** to push sb/sth aside

▷**πήγαινε στη γωνία να δεις αν έρχομαι** (*αργκ.*) tell me about it (*ανεπ.*)

▸**μαγαζί γωνία** corner shop

▸**οπτική γωνία** point of view

▸**γωνίες** ΠΛΗΘ (*προσώπου*) angles

γωνιάζω P M (α) (= *δίνω ορθή γωνία σε*) to square (β) (*σπάν.*: = *βάζω στη γωνία*) to put in the corner

γωνιαίος, -α, -ο ΕΠΙΘ (*επίσ.*) = **γωνιακός**

γωνιακός, -ή, -ό ΕΠΙΘ (*κατάστημα*) corner, around the corner · (*σπίτι*) on the corner · (*διαμέρισμα*) corner

γωνιοειδής, -ής, -ές ΕΠΙΘ angular

γωνιόμετρο ΟΥΣ ΟΥΔ goniometer

γωνίτσα ΟΥΣ ΘΗΛ (*υποκορ.*) (α) (= *μικρή γωνία*) little corner, nook (β) (= *σπίτι*) home

γωνιώδης, -ης, -ες ΕΠΙΘ angular

γώπα ΟΥΣ ΘΗΛ = **γόπα**

Δ δ

Δ, δ delta, *fourth letter of the Greek alphabet*
 ▷δ΄ 4
 ▷,δ 4,000
Δ. W

δάγκαμα ΟΥΣ ΟΥΔ = **δάγκωμα**

δαγκάνα ΟΥΣ ΘΗΛ (α) (*ασταχού, κάβουρα*) claw, pincer (β) (*μηχανήματος*) claws πληθ. · (*εφορίας*) grasp

δαγκανιά ΟΥΣ ΘΗΛ = **δαγκωνιά**

δαγκάνω Ρ Μ/ΑΜ = **δαγκώνω**

δάγκειος ΟΥΣ ΑΡΣ dengue
 ▸**δάγκειος πυρετός** dengue fever

δάγκωμα ΟΥΣ ΟΥΔ bite

δαγκωματιά ΟΥΣ ΘΗΛ bite

δαγκωνιά ΟΥΣ ΘΗΛ (α) (*ζώου*) bite (β) (= *δαγκωματιά*) bite (mark) · (*από φιλί*) lovebite (γ) (*ψωμιού, μήλου*) bite
 ▷**είμαι γεμάτος δαγκωνιές** (*για εραστές*) to be covered in lovebites

δαγκώνω ① Ρ Μ (α) (*πόδι, χέρι*) to bite · (*μήλο*) to bite into, to take a bite of · (*ψωμί*) to bite off a piece of (β) (*για εραστές*) to give a lovebite to
 ② Ρ ΑΜ (*ζώο*) to bite
 ▷**δαγκώνω τα χείλη μου** to bite one's lip ή tongue
 ▷**δαγκώνω τη λαμαρίνα (για τα καλά)** (*ανεπ.*) to fall for sb (in a big way) (*ανεπ.*)
 ▷**δάγκωσε τη γλώσσα σου!** don't tempt fate!
 ▷**(μη φοβάσαι), δεν δαγκώνω!** I don't bite!
 ▷**"προσοχή! Ο σκύλος δαγκώνει"** "beware of the dog!"
 ▸**δαγκώνομαι** ΜΕΣΟΠΑΘ to bite one's lip ή tongue

δαγκωτός, -ή, -ό ΕΠΙΘ: **δαγκωτό φιλί** lovebite

δάδα ΟΥΣ ΘΗΛ (*κυριολ., μτφ.*) torch

δαδί ΟΥΣ ΟΥΔ torch

δαδούχος ΟΥΣ ΑΡΣ torch-bearer

Δαίδαλος ΟΥΣ ΑΡΣ (ΜΥΘΟΛ) Daedalus

δαίδαλος ΟΥΣ ΑΡΣ (α) (= *περίπλοκη κατασκευή*) maze, labyrinth (*επίσ.*) (β) (*κατάστασης, σκέψεων, νόμων*) maze

δαιδαλώδης, -ης, -ες ΕΠΙΘ (*επίσ.*) (α) (*κτήριο, δρόμοι, διάδρομοι*) labyrinthine (*επίσ.*) (β) (*σκέψη, πρόβλημα*) complex · (*συζήτηση*) involved

δαίμονας ΟΥΣ ΑΡΣ (α) (= *διάβολος*) devil (β) (ΜΥΘΟΛ) demon, evil spirit (γ) (= *πλανευτής*) fiend
 ▷**άι στον δαίμονα!** go to hell!
 ▷**έχω τον δαίμονα μέσα μου** (= *είμαι δραστήριος*) to be a human dynamo · (= *είμαι επιρρεπής στο κακό*) to have an evil streak
 ▷**είμαι ο κακός δαίμονας κποιου** to be sb's nemesis
 ▷**που να πάρει ο δαίμονας!** to hell with it!
 ▸**δαίμονες** ΠΛΗΘ demons, evil spirits
 ▷**χορός δαιμόνων** pandemonium
 ▸**Δαίμονας** ΟΥΣ ΑΡΣ: **ο Δαίμονας** the Devil

δαιμονικός, -ή, -ό ΕΠΙΘ (α) (*στίχοι, τελετή*) satanic (β) (= *σχετικός με δαίμονες*) demonic
 ▸**δαιμονικό** ΟΥΣ ΟΥΔ demon, evil spirit

δαιμόνιο ΟΥΣ ΟΥΔ (α) (ΘΡΗΣΚ) demon (β) (ΛΑΟΓΡ) demon, evil spirit (γ) (= *ευφυΐα*) genius

> *Προσοχή!: Ο πληθυντικός του* **genius** *είναι* **geniuses**.

 ▷**με πιάνουν τα δαιμόνιά μου** to be in a rage

δαιμόνιος, -α, -ο ΕΠΙΘ (α) (= *διαβολικός*) demonic (β) (*έμπορος, επιχειρηματίας, άνθρωπος, νους*) resourceful, ingenious · (*σχέδιο*) cunning · (*εφεύρεση*) ingenious

δαιμονισμένα ΕΠΙΡΡ deafeningly

δαιμονισμένος, -η, -ο ΕΠΙΘ (α) (= *που κατέχεται από δαίμονες*) possessed · (= *παράφρων*) like one possessed (β) (*θόρυβος*) deafening, tremendous · (*φασαρία*) tremendous
 ▷**δουλεύω σαν δαιμονισμένος** to work like a maniac
 ▷**τρέχω σαν δαιμονισμένος** to run like the blazes

δαιμονιώδης, -ης, -ες ΕΠΙΘ (α) (*συμπεριφορά*) fiendish (β) (*θόρυβος*) explosive · (*χειροκροτήματα, χορός, ρυθμός*) frenzied, wild

δαιμονιωδώς ΕΠΙΡΡ (*συμπεριφέρομαι*) like a madman · (*χορεύω*) wildly

δαίμων ΟΥΣ ΑΡΣ (*επίσ.*) = **δαίμονας**

δάκος ΟΥΣ ΑΡΣ olive (fruit) fly

δάκρυ ΟΥΣ ΟΥΔ (α) (*κυριολ.*) tear (β) (*μτφ.*) drop
 ▷**έχω τα δάκρυα στην τσέπη** (*κοροϊδ.*) to cry easily
 ▷**μετά δακρύων** with tears in one's eyes, tearfully

δακρύβρεκτος, -η, -ο ΕΠΙΘ = **δακρύβρεχτος**

δακρύβρεχτος, -η, -ο ΕΠΙΘ (*μάτια*)

tear–filled · (πρόσωπο) tear–stained · (ειρων.) sentimental, soppy (Βρετ.) (ανεπ.), sappy (Αμερ.) (ανεπ.)
▷**ένα δακρύβρεχτο μυθιστόρημα, μια δακρύβρεχτη ταινία/ιστορία** a tearjerker (ανεπ.)

δακρυγόνο ΟΥΣ ΟΥΔ tear gas χωρίς πληθ., CS gas χωρίς πληθ.
▷**ένα δακρυγόνο** a tear gas canister

δακρυγόνος, -ος, -ο ΕΠΙΘ tear
▸**δακρυγόνο αέριο** tear gas, CS gas
▸**δακρυγόνοι αδένες** tear glands

δακρύζω Ρ ΑΜ (α) (άνθρωπος) to cry (β) (μάτια) to water (γ) (στάμνα, σωλήνας) to leak · (δέντρο) to bleed · (εικόνα) to weep
▷**δακρύζω από συμπόνια/από τα γέλια** to cry in sympathy/with laughter
▷**δακρύζω από χαρά** to cry with happiness, to shed tears of joy

δακρυσμένος, -η, -ο ΕΠΙΘ (α) (άνθρωπος) in tears, crying (β) (μάτια) filled with tears, tear–filled · (πρόσωπο) tear–stained (γ) (φωνή) tearful

δακτυλάκι ΟΥΣ ΟΥΔ = **δαχτυλάκι**

δακτυλήθρα ΟΥΣ ΘΗΛ (επίσ.) = **δαχτυλήθρα**

δακτυλίδι ΟΥΣ ΟΥΔ = **δαχτυλίδι**

δακτυλικός, -ή, -ό ΕΠΙΘ (ΠΟΙΗΣ) dactylic
▷**δακτυλικά αποτυπώματα** fingerprints
▷**δακτυλική εξέταση** palpation
▷**παίρνω (τα) δακτυλικά αποτυπώματα από κπν ή κποιου** to fingerprint sb

δακτύλιος ΟΥΣ ΑΡΣ (επίσ.) (α) (= δαχτυλίδι) ring (β) (πλανήτη) ring
▸**δακτύλιος ετήσιος** (ΒΟΤ) annual ring
▸**(κυκλοφοριακός) δακτύλιος** area in the centre of a town where traffic restrictions apply

δάκτυλο ΟΥΣ ΟΥΔ (επίσ.) = **δάχτυλο**

δακτυλογράφηση ΟΥΣ ΘΗΛ (σε γραφομηχανή) typing · (σε ηλεκτρονικό υπολογιστή) keying

δακτυλογραφία ΟΥΣ ΘΗΛ typing

δακτυλογράφος ΟΥΣ ΑΡΣΘΗΛ (σε γραφομηχανή) typist · (σε ηλεκτρονικό υπολογιστή) keyboarder

δακτυλογραφώ Ρ Μ (σε γραφομηχανή) to type · (σε ηλεκτρονικό υπολογιστή) to key

δακτυλοδεικτούμενος, -η, -ο ΕΠΙΘ notorious

δάκτυλος ΟΥΣ ΑΡΣ (α) (επίσ.) finger (β) (χώρας, ξένης δύναμης) hand (γ) (στην αρχαία μετρική) dactyl

δαλτονικός, -ή, -ό ΕΠΙΘ colour–blind (Βρετ.), color–blind (Αμερ.)

δαλτονισμός ΟΥΣ ΑΡΣ (α) (ΙΑΤΡ) colour–blindess (Βρετ.), color–blindness (Αμερ.), daltonism (επιστ.) (β) (μτφ.) short–sightedness

δαλτωνικός, -ή, -ό ΕΠΙΘ = **δαλτονικός**

δαλτωνισμός ΟΥΣ ΑΡΣ = **δαλτονισμός**

δαμάζω Ρ Μ (α) (άλογο) to break in · (λιοντάρι, τίγρη) to tame (β) (παιδί, μαθητή) to discipline · (σχολική τάξη) to bring under control · (στρατιώτες, πλήθος) to bring under control, to subdue (γ) (πάθη, στοιχεία) to master · (ορμές) to check

δαμάλα ΟΥΣ ΘΗΛ heifer

δαμάλι ΟΥΣ ΟΥΔ bullock

δαμαλισμός ΟΥΣ ΑΡΣ vaccination

δαμασκηνής, -ιά, -ί ΕΠΙΘ (παλτό, φούστα) plum
▸**δαμασκηνί** ΟΥΣ ΟΥΔ plum

δαμασκηνιά ΟΥΣ ΘΗΛ plum tree

δαμάσκηνο ΟΥΣ ΟΥΔ plum · (ξηρό) prune

Δαμασκός ΟΥΣ ΘΗΛ Damascus

δαμαστής ΟΥΣ ΑΡΣ tamer

δαμάστρια ΟΥΣ ΘΗΛ βλ. **δαμαστής**

Δανέζα ΟΥΣ ΘΗΛ βλ. **Δανός**

δανέζικος, -η, -ο ΕΠΙΘ = **δανικός**

Δανέζος ΟΥΣ ΑΡΣ = **Δανός**

δανειακός, -ή, -ό ΕΠΙΘ (σύμβαση) loan · (ανάγκες) borrowing

δανείζω Ρ Μ (χρήματα, βιβλία) to lend
▷**δανείζω κτ σε κπν** to lend sth to sb, to lend sb sth
▸**δανείζομαι** ΜΕΣΟΠΑΘ (χρήματα, ιδέες, θέματα) to borrow · (βιβλία) to borrow, to take out

δανεικός, -ή, -ό ΕΠΙΘ (βιβλίο) on loan · (ρούχο) borrowed
▷**είμαι ή δίνομαι δανεικός σε/από ομάδα** to be on loan to/from a club
▷**παίρνω κτ δανεικό (από κπν)** to borrow sth (from sb)
▸**δανεικά** ΟΥΣ ΟΥΔ ΠΛΗΘ loan εν.
▷**ζητώ δανεικά** to ask for a loan

δάνειο ΟΥΣ ΟΥΔ (ΓΛΩΣΣ) loan (word)

δανειοδότης ΟΥΣ ΑΡΣ lender

δανειοδότρια ΟΥΣ ΘΗΛ βλ. **δανειοδότης**

δάνειος, -α, -ο ΕΠΙΘ loan

δανεισμός ΟΥΣ ΑΡΣ (α) (= παροχή δανείου) lending · (= λήψη δανείου) borrowing (β) (= δάνειο) loan (γ) (ΓΛΩΣΣ) loan (word)

δανειστήριο ΟΥΣ ΟΥΔ loan company, loan office (Αμερ.)

δανειστής ΟΥΣ ΑΡΣ creditor, lender

δανειστικός, -ή, -ό ΕΠΙΘ (α) (συμβόλαιο, σύμβαση) loan (β) (βιβλιοθήκη) lending

Δανή ΟΥΣ ΘΗΛ βλ. **Δανός**

Δανία ΟΥΣ ΘΗΛ Denmark

δανικός, -ή, -ό ΕΠΙΘ Danish

> *Προσοχή!: Τα εθνικά επίθετα, όπως* **Danish**, *γράφονται με κεφαλαίο το αρχικό γράμμα στα Αγγλικά.*

▸**Δανικά, Δανέζικα** ΟΥΣ ΟΥΔ ΠΛΗΘ (ΓΛΩΣΣ) Danish εν.

Δανός ΟΥΣ ΑΡΣ Dane
▷**οι Δανοί** the Danes, the Danish

δαντέλα ΟΥΣ ΘΗΛ lace

δαντελένιος, -ια, -ιο ΕΠΙΘ (α) (μαντήλι, τραπεζομάντηλο) lace, lacy (β) (τέχνη, ύφος, ιστός αράχνης) delicate

δαντελωτός, -ή, -ό ΕΠΙΘ **(α)** (*ύφασμα, φόρεμα*) lace, lacy · (*κουρτίνα*) lace **(β)** (*ακρογιαλιά*) rugged, indented

δαπάνη ΟΥΣ ΘΗΛ **(α)** (*προϋπολογισμού, άμυνας*) expenditure · (*δικαστηρίου, διαδίκων*) costs πληθ. · (*μισθοδοσίας, θυρωρού, πετρελαίου*) expenses πληθ. · (*χρημάτων*) outlay **(β)** (*χρόνου, ενέργειας, δυνάμεων*) expenditure
▷**δεν φείδομαι δαπάνης** ή **δαπανών** to spare no expense

δαπανηρά ΕΠΙΡΡ at great expense

δαπανηρός, -ή, -ό ΕΠΙΘ costly, expensive

δαπανώ Ρ Μ to spend

δάπεδο ΟΥΣ ΟΥΔ (*σπιτιού, εκκλησίας, δωματίου*) floor · (*υλικό πατώματος*) flooring
▷**το δάπεδο της πλατείας/του πεζοδρομίου** the square/pavement

δαρβινισμός ΟΥΣ ΑΡΣ **(α)** (ΒΙΟΛ) Darwinism **(β)** (*επίσης* **κοινωνικός δαρβινισμός**) social Darwinism

Δαρδανέλια ΟΥΣ ΟΥΔ ΠΛΗΘ: **τα Δαρδανέλια** the Dardanelles

δάρσιμο ΟΥΣ ΟΥΔ **(α)** (*ανθρώπου*) beating **(β)** (*κυμάτων, θάλασσας*) lashing · (*αυγού*) beating · (*γάλακτος*) churning

δασαρχείο ΟΥΣ ΟΥΔ ≈ forestry commission (*Βρετ.*), ≈ forest service (*Αμερ.*)

δασάρχης ΟΥΣ ΑΡΣ head of the forestry commission (*Βρετ.*) ή forest service (*Αμερ.*)

δασεία ΟΥΣ ΘΗΛ rough breathing

δασικός, -ή, -ό ΕΠΙΘ (*προϊόν*) forest
▸**δασική έκταση** forest
▸**δασική υπηρεσία** ≈ forestry commission (*Βρετ.*), ≈ forest service (*Αμερ.*)
▸**δασικός πλούτος** forest resources
▸**δασικός** ΟΥΣ ΑΡΣ forester

δασκάλα ΟΥΣ ΘΗΛ teacher · *βλ. κ.* **δάσκαλος**

δασκάλεμα ΟΥΣ ΟΥΔ (*αρνητ.*) instructions πληθ.

δασκαλεύω Ρ Μ (*αρνητ.*): **δασκαλεύω κπν να κάνει κτ** to prime sb to do sth

δασκαλίστικος, -η, -ο ΕΠΙΘ (*μειωτ.*) pedantic

δάσκαλος ΟΥΣ ΑΡΣ **(α)** (*Αγγλικών, μουσικής, χορού*) teacher · (*τένις, σκι, οδήγησης*) instructor **(β)** (= *δεξιοτέχνης*) master · (*στις δικαιολογίες, στην απάτη*) past master (*σε* at)
▷**βρίσκω τον δάσκαλό μου** to meet one's match
▷**μ' όποιον δάσκαλο καθίσεις τέτοια γράμματα θα μάθεις** (*παροιμ.*) like master like man (*παροιμ.*)
▸**δάσκαλος δημοτικού σχολείου** primary (*Βρετ.*) ή elementary (*Αμερ.*) school teacher
▸**δάσκαλος κατ' οίκον** private tutor

δασμολόγηση ΟΥΣ ΘΗΛ tariff

δασμολογικός, -ή, -ό ΕΠΙΘ tariff

δασμολόγιο ΟΥΣ ΟΥΔ tariff

δασμολογώ Ρ Μ to impose ή set a tariff on
▸**δασμολογούμαι** ΜΕΣΟΠΑΘ to be listed on a tariff

δασμός ΟΥΣ ΑΡΣ duty, tariff

δασόβιος, -α, -ο ΕΠΙΘ (*για ζώα και φυτά*) forest

δασοκομία ΟΥΣ ΘΗΛ forestry

δασοκομικός, -ή, -ό ΕΠΙΘ forestry
▸**δασοκομική** ΟΥΣ ΘΗΛ forestry

δασοκόμος ΟΥΣ ΑΡΣΘΗΛ forestry expert

δασολογία ΟΥΣ ΘΗΛ forestry

δασολόγος ΟΥΣ ΑΡΣΘΗΛ forestry expert

δασονομία ΟΥΣ ΘΗΛ forest management

δασονόμος ΟΥΣ ΑΡΣ forest ranger

δασοπονία ΟΥΣ ΘΗΛ silviculture

δασοπόνος ΟΥΣ ΑΡΣΘΗΛ silviculturist

δασοπροστασία ΟΥΣ ΘΗΛ forest protection

δάσος ΟΥΣ ΟΥΔ wood · (= *δρυμός*) forest

δασοσκεπής, -ής, -ές ΕΠΙΘ wooded, forested

δασότοπος ΟΥΣ ΑΡΣ woodland

δασοφύλακας ΟΥΣ ΑΡΣ forest ranger

δασοφυλακή ΟΥΣ ΘΗΛ **(α)** (= *κρατική δασική υπηρεσία*) forestry commission (*Βρετ.*), forest service (*Αμερ.*) **(β)** (= *σώμα δασοφυλάκων*) forest rangers πληθ.

δασόφυτος, -η, -ο ΕΠΙΘ wooded, forested

δασύλλιο ΟΥΣ ΟΥΔ (*επίσ.*) copse, spinney (*Βρετ.*)

δασύνω Ρ Μ (*φθόγγο*) to aspirate
▸**δασύνομαι** ΜΕΣΟΠΑΘ to be aspirated

δασύς, -ιά ή -εία, -ύ ΕΠΙΘ **(α)** (*φύλλωμα*) dense · (*φρύδια*) bushy · (*στήθος*) hairy **(β)** (ΓΛΩΣΣ) aspirated

δασύτητα ΟΥΣ ΘΗΛ **(α)** (*φυλλώματος*) denseness · (*φρυδιών*) bushiness · (*στήθους*) hairiness **(β)** (ΓΛΩΣΣ) aspiration

δασύτριχος, -η, -ο ΕΠΙΘ (*επίσ.: φρύδια*) bushy · (*στήθος, πίθηκος*) hairy · (*πρόβατο*) woolly (*Βρετ.*), wooly (*Αμερ.*) · (*σκύλος*) shaggy

δασύφυλλος, -η, -ο ΕΠΙΘ leafy

δασώδης, -ης, -ες ΕΠΙΘ wooded, forested

δαυλί ΟΥΣ ΟΥΔ **(α)** (= *μικρός δαυλός*) small torch **(β)** (= *καυσόξυλο*) firewood

δαυλός ΟΥΣ ΑΡΣ **(α)** (= *δάδα*) torch **(β)** (= *αιτία*) trigger, spark

δαφνέλαιο ΟΥΣ ΟΥΔ laurel oil

δάφνη ΟΥΣ ΘΗΛ **(α)** (= *δέντρο*) bay tree, laurel **(β)** (*στη μαγειρική*) bay leaf
▸**δάφνες** ΠΛΗΘ (*μτφ.*) laurels
▷**αναπαύομαι στις δάφνες μου** to rest ή sit on one's laurels

δάφνινος, -η, -ο ΕΠΙΘ laurel

δαφνοστέφανο ΟΥΣ ΟΥΔ laurel crown ή wreath

δαφνοστεφανωμένος, -η, -ο ΕΠΙΘ **(α)** (= *εκκλησία, πόρτα*) crowned with laurels **(β)** (*μτφ.: αθλητής, ποιητής*) renowned

δαφνόφυλλο ΟΥΣ ΟΥΔ bay leaf

δαχτυλάκι ΟΥΣ ΟΥΔ **(α)** (*γενικότ.: χεριού*) finger · (*ποδιού*) toe **(β)** (= *το πιο μικρό*

δάχτυλο: χεριού) little finger, pinkie (*ανεπ.*) ·
(*ποδιού*) little toe (γ) (*για ποτό*) drop
▷**δεν την φτάνει** ή **δεν της μοιάζει ούτε στο
μικρό της δαχτυλάκι** she/he can't hold a
candle to her

δαχτυλήθρα ΟΥΣ ΘΗΛ (α) (*ραψίματος*)
thimble (β) (= *ποσότητα ρευστού*) thimbleful

δαχτυλιά ΟΥΣ ΘΗΛ fingermark

δαχτυλιδένιος, -ια, -ιο ΕΠΙΘ: **δαχτυλιδένια
μέση** wasp waist

δαχτυλίδι ΟΥΣ ΟΥΔ ring
▷**αλλάζω** ή **βάζω δαχτυλίδια** to get engaged
▷**μέση-δαχτυλίδι** wasp waist
▸**δαχτυλίδι αρραβώνων** engagement ring

δαχτυλιδόπετρα ΟΥΣ ΘΗΛ gemstone

δαχτυλικός, -ή, -ό ΕΠΙΘ = **δακτυλικός**

δάχτυλο ΟΥΣ ΟΥΔ (α) (*χεριού*) finger · (*ποδιού*)
toe · (*ζώου*) claw (β) (*για ποτά*) finger · (*για
ύψος*) centimetre (*Βρετ.*), centimeter (*Αμερ.*)
▷**αρκεί να κουνήσω το μικρό μου δάχτυλο** ή
δαχτυλάκι he only has to raise his little
finger
▷**βάζω το δάχτυλό μου** to put ή stick one's
oar in
▷**δεν κουνάω ούτε το μικρό μου δάχτυλο** ή
δαχτυλάκι not to lift ή raise a finger
▷**κρύβομαι πίσω από το δάχτυλό μου** to try
to hide the obvious
▷**μετριούνται στα δάκτυλα (του ενός χεριού)**
they can be counted on the fingers of one
hand
▷**όλα τα δάχτυλα δεν είναι ίσα** (*παροιμ.*) it
takes all sorts to make a world (*παροιμ.*)
▷**όποιο δάχτυλο κι αν κόψεις, πονεί** (*παροιμ.*)
a parent loves all their children equally
▷**παίζω κτ στα δάχτυλα** to have sth off ή
down pat

δε¹ ΣΥΝΔ (α) (*συμπλεκτικός*) also
(β) (*εναντιωματικός*) but also
▷**εάν δε** if
▷**επειδή δε** since

δε² ΑΡΝΗΤ ΜΟΡ = **δεν**

δεδηλωμένος, -η, -ο ΕΠΙΘ (*επίσ.: οπαδός,
αντίπαλος, σύμμαχος*) avowed · (*πρόθεση,
προτίμηση*) declared

δεδομένο ΟΥΣ ΟΥΔ (*κατάστασης, υπόθεσης*)
fact · (*προβλήματος, άσκησης, επιστήμης*) data
▸**βάση δεδομένων** database
▸**τράπεζα δεδομένων** databank

δεδομένος, -η, -ο ΕΠΙΘ given
▷**δεδομένου ότι** (*επίσ.*) given that
▷**θεωρώ κτ (ως) δεδομένο** to take sth for
granted

δέηση ΟΥΣ ΘΗΛ supplication (*επίσ*), prayer
▸**επιμνημόσυνος δέηση** memorial service,
requiem

δείγμα ΟΥΣ ΟΥΔ (α) (*κρασιού*) sample ·
(*υφάσματος*) swatch · (*χρωμάτων*) sampler ·
(*αρώματος, κρέμας*) tester · (*ούρων, αίματος*)
specimen (β) (*αδυναμίας, προόδου,
αισθητικής*) sign · (*εκτίμησης, καλής θέλησης,
ευγνωμοσύνης*) token · (*αρχιτεκτονικής*)

example (γ) (*κατοίκων*) cross–section

δειγματοληπτικός, -ή, -ό ΕΠΙΘ sampling
▸**δειγματοληπτικός έλεγχος** spot check

δειγματοληψία ΟΥΣ ΘΗΛ (*εμπορεύματος,
τροφίμων*) sampling

δειγματολόγιο ΟΥΣ ΟΥΔ (*γενικότ.*) range of
samples · (*χρωμάτων*) sampler · (*αρωμάτων*)
selection · (*χαλιών, κουρτινών*) swatch book

δείκτης ΟΥΣ ΑΡΣ (α) (*ρολογιού*) hand ·
(*ζυγαριάς*) pointer · (*πυξίδας,
γαλβανομέτρου*) needle · (*βαρομέτρου*) gauge
(β) (*δάχτυλο*) index finger, forefinger
(γ) (ΧΗΜ: = *χημική ένωση*) indicator ·
(= *αριθμός*) atomic number (δ) (ΜΑΘ)
exponent (ε) (ΠΛΗΡΟΦ) cursor
▸**Γενικός Δείκτης Τιμών του Χρηματιστηρίου**
share index
▸**οδικός δείκτης** road sign
▸**δείκτης ανεργίας/εγκληματικότητας**
unemployment/crime figures *πληθ.*
▸**δείκτης ευφυΐας** ή **νοημοσύνης** intelligence
quotient
▸**δείκτης λαδιού** oil gauge
▸**δείκτες της οικονομίας** economic indicators
▸**δείκτης προστασίας** protection factor
▸**δείκτης τηλεθέασης** ratings *πληθ.*
▸**δείκτης τιμών/παραγωγής** price/production
index
▸**δείκτης τιμών καταναλωτή** consumer price
index
▸**δείκτης τιμών** Dow–Jones Index ή average

δεικτικός, -ή, -ό ΕΠΙΘ indicating
▸**δεικτική αντωνυμία** demonstrative pronouns
▸**δεικτικά** ΟΥΣ ΟΥΔ ΠΛΗΘ (ΓΛΩΣΣ) demonstratives

δειλά ΕΠΙΡΡ diffidently

δείλι ΟΥΣ ΟΥΔ ΑΚΛ (*λογοτ.*) *βλ.* **δειλινό**

δειλία ΟΥΣ ΘΗΛ (*στρατιώτη*) cowardice ·
(*νεαρού, εραστή*) shyness · (*παιδιού, μαθητή*)
timidity, diffidence

δειλιάζω Ρ ΑΜ (α) (= *λιποψυχώ*) to shrink
back, to flinch (β) (= *διστάζω*) to hesitate

δείλιασμα ΟΥΣ ΟΥΔ (α) (= *λιποψυχία:
στρατιωτών*) cowardice · (*εραστή, νεαρού*)
shyness · (*παιδιού, μαθητή*) timidity
(β) (= *δισταγμός*) hesitation

δειλινό ΟΥΣ ΟΥΔ (α) (*επίσης* **δείλι**: = *σούρουπο*)
late afternoon (β) (*επίσης* **δείλι**: = *δύση*)
sunset (*Βρετ.*), sundown (*Αμερ.*)
(γ) (= *νυχτολούλουδο*) night–flower

δειλός, -ή, -ό ΕΠΙΘ (α) (*στρατιώτης*)
cowardly, faint–hearted · (*νεαρός, εραστής*)
shy, timid · (*παιδί, μαθητής*) timid
(β) (*πράξη*) cowardly · (*φιλί, χαιρετισμός,
ματιά, εμφάνιση*) timid, shy
▷**είμαι δειλός/δειλή** to be a coward

δείνα ΑΝΤΩΝ ΑΚΛ (*για πρόσ.*) so and so · (*για
πράγμα*) such and such
▷**ο τάδε ή ή και ο δείνα** people *πληθ.*

δεινοπάθημα ΟΥΣ ΟΥΔ (α) (= *ταλαιπωρία*)
trial, ordeal (β) (= *δυστυχία*) misfortune

δεινοπαθώ Ρ ΑΜ (= *υποφέρω*) to suffer ·
(= *ταλαιπωρούμαι*) to have a hard time

δεινοπαθών, -ούσα, -ούν ΕΠΙΘ stricken

δεινός, -ή, -ό ΕΠΙΘ (α) (*κατάσταση*) dire, dreadful· (*καταστροφή, δοκιμασία*) terrible, dreadful· (*ήττα*) crushing (β) (*ομιλητής, χορευτής, αθλητής, κολυμβητής*) accomplished
► **δεινά** ΟΥΣ ΟΥΔ ΠΛΗΘ suffering, trials and tribulations

δεινόσαυρος ΟΥΣ ΑΡΣ (*κυριολ., μτφ.*) dinosaur

δεινότητα ΟΥΣ ΘΗΛ skills *πληθ.*

δείπνο ΟΥΣ ΟΥΔ dinner
► **επίσημο δείπνο** official dinner, banquet
► **λιτό δείπνο** a light supper
► **φιλικό δείπνο** dinner with friends

δείπνος ΟΥΣ ΑΡΣ (*επίσ.*) dinner
▷ **ο Μυστικός Δείπνος** the Last Supper

δειπνώ Ρ ΑΜ (*επίσ.*) to dine, to have dinner

δεισιδαιμονία ΟΥΣ ΘΗΛ superstition

δεισιδαίμων, -ων, -ον ΕΠΙΘ superstitious
► **δεισιδαίμονας** ΟΥΣ ΑΡΣ/ΘΗΛ superstitious person

δείχνω ⓵ Ρ Μ (α) (= *εντοπίζω: άνθρωπο, αντικείμενο, σημείο σώματος*) to point to, to point out· (*κατεύθυνση*) to indicate, to point out (β) (= *εμφανίζω: εισιτήριο, πρόσκληση, ταυτότητα, διαβατήριο*) to show (γ) (= *παρουσιάζω: συλλογή, ρούχα, πίνακες*) to show· (= *επιδεικνύω*) to display (δ) (= *αποδεικνύω*) to show, to prove (ε) (*χαρά, λύπη, ενδιαφέρον, κατανόηση, καλοσύνη*) to show· (*καινούργιο αυτοκίνητο*) to show off (στ) (= *επεξηγώ*) to show (ζ) (= *εμφανίζω ένδειξη: ρολόι, ζυγαριά*) to say· (*θερμόμετρο*) to show· (*ένδειξη: σειρά*) to indicate (η) (= *σημαίνω*) to stand for, to represent
⓶ Ρ ΑΜ (α) (= *δείχνω με το δάχτυλο*) to point (β) (= *φαίνομαι: αδύνατος, νέος, μυστηριώδης, γοητευτικός*) to look, to appear (γ) (= *συμπεριφέρομαι συγκεκριμένα: νευρικός, ανήσυχος, χαρούμενος, σίγουρος*) to look, to seem, to appear
▷ **δείχνει να το έχει πάρει ελαφρά/βαριά** he seems to have taken it lightly/seriously
▷ **δείχνω επιμονή** to persevere
▷ **δείχνω πυγμή** to take the bull by the horns
▷ **δείχνω τον δρόμο σε** κπν to show sb the way
▷ **δείχνω την πόρτα σε** κπν to show sb the door
▷ **δείχνω τον καλύτερο εαυτό μου** to show one's better side
▷ **δείχνω υπομονή** to be patient
▷ **θα δείξει** we shall see
▷ **ο καιρός** ή **ο χρόνος θα δείξει** (only) time will tell
▷ **της αρέσει να δείχνει τα λεφτά της** she likes to flash her money around
▷ **τι ώρα δείχνει το ρολόι σου;** what time do you make it?, what time is it by your watch?
▷ **το θερμόμετρο δείχνει δέκα βαθμούς κάτω από το μηδέν** the thermometer reads ten degrees below zero

▷ **το χτένισμα σε δείχνει νεότερο** that hairstyle makes you look younger
▷ **(τώρα) θα σου δείξω (εγώ)**! I'll show you!
► **δείχνομαι** ΜΕΣΟΠΑΘ (*ανεπ.*) to show off

δείχτης ΟΥΣ ΑΡΣ = **δείκτης**

δέκα ΑΡΙΘ ΑΠΟΛ ΑΚΛ (α) (*αριθμός*) ten (β) (ΣΧΟΛ) A · (ΠΑΝΕΠ) first (*Βρετ.*), first–class degree (*Βρετ.*), summa cum laude (*Αμερ.*) (γ) (*τραπουλόχαρτο*) ten
▷ **βγάζω δέκα στο πτυχίο** to get a first–class degree ή a first (*Βρετ.*), to graduate summa cum laude (*Αμερ.*)
▷ **δέκα με τόνο** (*κυριολ.*) A + · (*μτφ.*) ten out of ten, top marks
▷ **παίρνω δέκα στην εργασία/στο διαγώνισμα** to get an A for one's work/in the exam
► **δέκα λεπτά** ten cents

δεκάδα ΟΥΣ ΘΗΛ ten
▷ **κατά δεκάδες** in tens

δεκαδικός, -ή, -ό ΕΠΙΘ (*κλίμακα*) of ten
► **δεκαδικός αριθμός** (ΜΑΘ) decimal number
► **δεκαδικό μετρικό σύστημα** (ΜΑΘ) metric system
► **δεκαδικό σύστημα** (ΜΑΘ) decimal system

δεκαεννέα, δεκαεννιά ΑΡΙΘ ΑΠΟΛ ΑΚΛ nineteen

δεκαέξι ΑΡΙΘ ΑΠΟΛ ΑΚΛ sixteen

δεκαεπτά ΑΡΙΘ ΑΠΟΛ ΑΚΛ seventeen

δεκαετηρίδα ΟΥΣ ΘΗΛ (α) (= *δεκαετία*) decade (β) (= *εορτασμός*) tenth anniversary

δεκαετής, -ής, -ές ΕΠΙΘ ten–year

δεκαετία ΟΥΣ ΘΗΛ decade
▷ **η δεκαετία του '90** the nineties

δεκαεφτά ΑΡΙΘ ΑΠΟΛ ΑΚΛ = **δεκαεπτά**

δεκαήμερο ΟΥΣ ΟΥΔ ten days *πληθ.*

δεκαήμερος, -η, -ο ΕΠΙΘ ten–day

δέκαθλο ΟΥΣ ΟΥΔ decathlon

δεκάλεπτο ΟΥΣ ΟΥΔ ten minutes *πληθ.*

δεκάλεπτος, -η, -ο ΕΠΙΘ ten–minute

δεκάλογος ΟΥΣ ΑΡΣ (*της υγείας, του καλού οδηγού*) basic rules *πληθ.*
► **Δεκάλογος** ΟΥΣ ΑΡΣ: **ο Δεκάλογος** (ΘΡΗΣΚ) the Ten Commandments

δεκαμελής, -ής, -ές ΕΠΙΘ ten–member, of ten (members)
▷ **μια δεκαμελής οικογένεια** a family of ten

δεκανέας ΟΥΣ ΑΡΣ/ΘΗΛ corporal

δεκανίκι ΟΥΣ ΟΥΔ (*κυριολ., μτφ.*) crutch
▷ **περπατώ με δεκανίκια** to walk on crutches

δεκάξι ΑΡΙΘ ΑΠΟΛ ΑΚΛ = **δεκαέξι**

δεκαοκτώ, δεκαοχτώ ΑΡΙΘ ΑΠΟΛ ΑΚΛ eighteen

δεκαπενθήμερο ΟΥΣ ΟΥΔ two weeks *πληθ.*, fortnight (*Βρετ.*)

δεκαπενθήμερος, -η, -ο ΕΠΙΘ (α) (*άδεια, προθεσμία*) two-week, two weeks' (β) (*περιοδικό, επιθεώρηση, έκδοση*) fortnightly (*Βρετ.*), biweekly (*Αμερ.*)

δεκαπενταετία ΟΥΣ ΘΗΛ fifteen years *πληθ.*

δεκαπενταριά ΟΥΣ ΘΗΛ: **καμιά δεκαπενταριά** about fifteen

δεκαπεντασύλλαβος ΟΥΣ ΑΡΣ
fifteen–syllable line

Δεκαπενταύγουστος ΟΥΣ ΑΡΣ (ΘΡΗΣΚ)
Assumption, *feast celebrated on 15th August*

δεκαπέντε ΑΡΙΘ ΑΠΟΛ ΑΚΛ fifteen

δεκαπλασιάζω Ρ Μ (*αριθμό*) to multiply by ten · (*περιουσία, γνώσεις, προβλήματα*) to increase tenfold

δεκάρα ΟΥΣ ΘΗΛ (α) (*παλαιότ.*) ten-lepta coin (β) (*ειρων.*: = *ασήμαντο ποσό*) penny, cent (*Αμερ.*)

> *Προσοχή!: Ο πληθυντικός του* **penny** *είναι* **pennies** *ή* **pence**.

> ▷**δεκάρα τσακιστή** (*ανεπ.*) penny, red cent (*Αμερ.*)
> ▷**δεν αξίζω δεκάρα** (*ανεπ.*) not to be worth a damn (*ανεπ.*)
> ▷**δεν δίνω δεκάρα** (*ανεπ.*) not to give a damn (*ανεπ.*)
> ▷**της δεκάρας** (*ανεπ.*) useless, naff (*Βρετ.*) (*ανεπ.*), two–bit (*Αμερ.*) (*ανεπ.*)

δεκάρι ΟΥΣ ΟΥΔ (α) (*τραπουλόχαρτο*) ten (β) (ΣΧΟΛ) Α · (ΠΑΝΕΠ) first (*Βρετ.*), first–class degree (*Βρετ.*), summa cum laude (*Αμερ.*) (γ) (*ανεπ.*: = *δεκάδα*) ten

δεκαριά ΟΥΣ ΘΗΛ: **καμιά δεκαριά** about ten

δέκατα ΟΥΣ ΟΥΔ ΠΛΗΘ slight fever
> ▷**ανεβάζω/έχω δέκατα** to have *ή* be running a slight temperature *ή* fever

δεκατέσσερα ΑΡΙΘ ΑΠΟΛ ΑΚΛ fourteen

δεκατέσσερεις, -εις, -α ΑΡΙΘ ΑΠΟΛ ΠΛΗΘ fourteen
> ▷**τα μάτια σου δεκατέσσερα!** keep your eyes open!

δεκατέσσερις, -ις, -α ΑΡΙΘ ΑΠΟΛ ΠΛΗΘ = **δεκατέσσερεις**

δεκατημόριο ΟΥΣ ΟΥΔ tenth

δεκάτομος, -η, -ο ΕΠΙΘ ten-volume

δέκατος, -η *ή* **-άτη, -ο** ΑΡΙΘ ΤΑΚΤ tenth
▸ **δέκατος** ΟΥΣ ΑΡΣ October
▸ **δεκάτη** ΟΥΣ ΘΗΛ tenth
▸ **δέκατο** ΟΥΣ ΟΥΔ tenth
> ▷**σε δέκατα του δευτερολέπτου** in a split second

δέκατος έβδομος, -η, -ο ΑΡΙΘ ΤΑΚΤ seventeenth

δέκατος έκτος, -η, -ο ΑΡΙΘ ΤΑΚΤ sixteenth

δέκατος ένατος, -η, -ο ΑΡΙΘ ΤΑΚΤ nineteenth

δέκατος όγδοος, -η, -ο ΑΡΙΘ ΤΑΚΤ eighteenth

δέκατος πέμπτος, -η, -ο ΑΡΙΘ ΤΑΚΤ fifteenth

δέκατος τέταρτος, -η, -ο ΑΡΙΘ ΤΑΚΤ fourteenth

δέκατος τρίτος, -η, -ο ΑΡΙΘ ΤΑΚΤ thirteenth

δεκατρείς, -είς, -ία ΑΡΙΘ ΑΠΟΛ ΠΛΗΘ thirteen

δεκατρία ΑΡΙΘ ΑΠΟΛ ΑΚΛ thirteen

δεκατριάρης ΟΥΣ ΑΡΣ (*στο ΠΡΟ-ΠΟ*) person who gets thirteen correct scores

δεκατριάρι ΟΥΣ ΟΥΔ (*στο ΠΡΟ-ΠΟ*) thirteen correct scores

δεκάωρο ΟΥΣ ΟΥΔ ten hours *πληθ.*

δεκάωρος, -η, -ο ΕΠΙΘ ten-hour

Δεκέμβρης ΟΥΣ ΑΡΣ = **Δεκέμβριος**

δεκεμβριανός, -ή, -ό ΕΠΙΘ (*κρύο, χιόνι*) December

Δεκέμβριος ΟΥΣ ΑΡΣ December

δέκτης ΟΥΣ ΑΡΣ (α) (= *λήπτης*) recipient (β) (*ιδεών*) receiver · (*μηνυμάτων*) recipient (γ) (ΤΕΧΝΟΛ) receiver
> ▷**γίνομαι δέκτης παραπόνων** to receive complaints

δεκτικός, -ή, -ό ΕΠΙΘ (*επίσ.*: *άνθρωπος, νους*) receptive
> ▷**δεκτικός** +γεν. (*νέων απόψεων, νέων τάσεων*) receptive *ή* open to · (*βελτιώσεως*) open to
> ▷**δεκτικός εκτελέσεως** likely to be developed
> ▷**δεκτικός εκμετάλλευσης** fit for exploitation

δεκτικότητα ΟΥΣ ΘΗΛ receptivity

δεκτός, -ή, -ό ΕΠΙΘ (α) (*πρόταση, άποψη, αίτημα, φοιτητής*) accepted (β) (*για επίσημο, προσκεκλημένο*) received
> ▷**γίνομαι δεκτός για μεταπτυχιακά** to be accepted to do post–graduate studies
> ▷**γίνομαι δεκτός με ενθουσιασμό** to be received with enthusiasm
> ▷**γίνομαι δεκτός σε ακρόαση** to receive an audience
> ▷**δεκτό(ν)!** hear hear!

δελεάζω Ρ Μ (*αρχηγός, κόμμα*) to entice · (*χρήματα*) to entice, to tempt · (*υπόσχεση, θέλγητρα*) to seduce

δέλεαρ ΟΥΣ ΟΥΔ (*επίσ.*) lure

δελεαστικά ΕΠΙΡΡ temptingly

δελεαστικός, -ή, -ό ΕΠΙΘ (*ευκαιρία, υπόσχεση, ιδέα, προσφορά*) tempting, enticing · (*γυναίκα, χαρακτήρας*) alluring, seductive

δέλτα ΟΥΣ ΟΥΔ ΑΚΛ (α) (*γράμμα*) delta, *fourth letter of the Greek alphabet* (β) (*ποταμού*) delta
> ▷**το δέλτα του Νείλου** the Nile delta

δελτάριο ΟΥΣ ΟΥΔ (*ταχυδρομείου*) plain (post)card

δελτίο ΟΥΣ ΟΥΔ (α) (*ενημέρωσης, πληροφόρησης*) bulletin (β) (*συλλόγου, σωματείου*) newsletter (γ) (ΠΡΟ-ΠΟ) coupon · (*Λόττο*) ticket (δ) (= *πιστοποιητικό*) card, papers *πληθ.* (ε) (*τράπεζας*) exchange rate
> ▷**βάζω δελτίο σε κτ** to ration sth
> ▷**δελτίο των οκτώ/εννιά** eight o'clock/nine o'clock news
▸ **αστυνομικό δελτίο** crime news *πληθ.*
▸ **δελτίο αποστολής** consignment note
▸ **δελτίο (αστυνομικής) ταυτότητας** identity card
▸ **δελτίο ειδήσεων** news bulletin
▸ **δελτίο εισόδου/εξόδου** admission/release form
▸ **δελτίο καιρού** weather forecast, weather

report

▸**δελτίο παραγγελίας** order form
▸**δελτίο παράδοσης** delivery note
▸**δελτίο παραλαβής** receipt
▸**δελτίο παροχής υπηρεσιών** invoice
▸**δελτίο πορείας νόσου** medical progress
report
▸**δελτίο τροφίμων/βενζίνης** food/petrol
(*Βρετ.*) ή gas (*Αμερ.*) coupon
▸**δελτίο Τύπου** press release

δελτιοθήκη ΟΥΣ ΘΗΛ card index

δελφίνι ΟΥΣ ΟΥΔ dolphin
▹**κολυμπώ σαν** ή **είμαι δελφίνι** to swim like a
fish

Δελφοί ΟΥΣ ΑΡΣ ΠΛΗΘ Delphi

Δελχί ΟΥΣ ΟΥΔ Delhi

δέμα ΟΥΣ ΟΥΔ parcel
▹**ένα δέμα με βιβλία/ρούχα** a bundle of
books/clothes

δεμάτι ΟΥΣ ΟΥΔ (*ξύλα*) bundle · (*στάχυα*) sheaf

Προσοχή!: Ο πληθυντικός του **sheaf**
είναι **sheaves**.

δεμένος, -η, -ο ΕΠΙΘ (α) (= *παροπλισμένος*)
out of commission, laid up
(β) (= *γεροδεμένος*) stocky

δεν ΑΡΝΗΤ ΜΟΡ not
▹**νόστιμο δεν είναι;** tasty, isn't it?, isn't it
tasty?
▹**δεν κάθεστε να φάμε μαζί το μεσημέρι;**
(*ανεπ.*) why don't you stay ή why not stay
and have lunch with me?
▹**δεν μου λες, τι είπε ο πατέρας σου;** (*ανεπ.*)
by the way, what did your father say?
▹**θα πάμε σινεμά, έτσι δεν είναι;** we're going
to the cinema, aren't we?
▹**θέλω δεν θέλω, πρέπει να πάω μαζί τους**
whether I want to or not, I have to go with
them
▹**προλαβαίνουμε δεν προλαβαίνουμε το
λεωφορείο** we only just caught the bus

δένδρο ΟΥΣ ΟΥΔ = **δέντρο**

δενδρογαλή ΟΥΣ ΘΗΛ (*επίσ.*) = **δεντρογαλιά**

δενδροκαλλιέργεια ΟΥΣ ΘΗΛ arboriculture

δενδροκαλλιεργητής ΟΥΣ ΑΡΣ arboriculturist

δενδροκομία ΟΥΣ ΘΗΛ dendrology

δενδρολίβανο ΟΥΣ ΟΥΔ rosemary

δενδροστοιχία ΟΥΣ ΘΗΛ row of trees

δενδροφυτεία ΟΥΣ ΘΗΛ plantation

δενδροφυτεμένος, -η, -ο ΕΠΙΘ (*έκταση,
περιοχή*) planted with trees

δενδροφύτευση ΟΥΣ ΘΗΛ tree planting

δενδροφυτεύω Ρ Μ (*έκταση, περιοχή,
πλατεία*) to plant trees in · (*δρόμο*) to plant
trees along

δενδρύλλιο ΟΥΣ ΟΥΔ (*επίσ.: = μικρό δέντρο*)
small tree · (= *νεαρό δέντρο*) sapling

δενδρώδης, -ης, -ες ΕΠΙΘ wooded

δεντράκι ΟΥΣ ΟΥΔ (*υποκορ.: = μικρό δέντρο*)
small tree · (= *δενδρύλλιο*) sapling

δεντρί ΟΥΣ ΟΥΔ (*λογοτ.*) tree

δέντρο ΟΥΣ ΟΥΔ (α) (ΒΟΤ) tree
(β) (= *σχηματική παράσταση*) tree (diagram)
▸**οικογενειακό δέντρο** family tree
▸**χριστουγεννιάτικο δέντρο** Christmas tree

δεντρογαλιά ΟΥΣ ΘΗΛ whip snake

δεντροκαλλιέργεια ΟΥΣ ΘΗΛ =
δενδροκαλλιέργεια

δεντροκαλλιεργητής ΟΥΣ ΑΡΣ =
δενδροκαλλιεργητής

δεντρολίβανο ΟΥΣ ΟΥΔ = **δενδρολίβανο**

δεντρομολόχα ΟΥΣ ΘΗΛ hollyhock

δεντροπερίβολο ΟΥΣ ΟΥΔ orchard

δεντροστοιχία ΟΥΣ ΘΗΛ = **δενδροστοιχία**

δεντροφυτεία ΟΥΣ ΘΗΛ = **δενδροφυτεία**

δεντροφυτεμένος, -η, -ο ΕΠΙΘ =
δενδροφυτεμένος

δεντροφύτευση ΟΥΣ ΘΗΛ = **δενδροφύτευση**

δεντροφυτεύω Ρ Μ = **δενδροφυτεύω**

δένω ① Ρ Μ (α) (*άνθρωπο*) to tie (up) ·
(*άλογο*) to tether · (*σκύλο*) to tie ή chain up ·
(*κορδόνια, γραβάτα*) to do up, to tie · (*ζώνη*)
to fasten, to do up · (*δέμα*) to tie up · (*μαλλιά*)
to tie back · (*βάρκα*) to moor · (*μτφ.: χέρια*) to
clasp (together) (β) (= *συσκευάζω:
αντικείμενα*) to package, to do up (γ) (*βιβλίο,
τεύχη*) to bind · (*μηχανή*) to assemble
(δ) (*τραύμα, πληγή, έγκαυμα*) to dress · (*πόδι,
χέρι*) to bandage (ε) (*μαργαριτάρι, ρουμπίνι*)
to mount (στ) (*φιλία, παρελθόν*) to bind · (*με
όρκο, διαθήκη*) to bind · (*με συμβόλαιο*) to
bind, to tie down (ζ) (*με μάγια*) to put a
curse on
② Ρ ΑΜ (α) (*σιρόπι, σάλτσα*) to thicken ·
(*γλυκό*) to set (β) (= *ακινητοποιούμαι: πλοίο*)
to be laid up · (= *αράζω*) to moor (γ) (*φυτό,
άνθος, καρπός*) to fruit (δ) (= *ωριμάζω
σωματικά*) to fill out (ε) (*χρώμα, μουσική*) to
go (*με* with)
▹**δένω ένα ζώο σε κτ** to tether ή tie an
animal to sth
▹**δένω κόμπο την καρδιά μου** to harden
one's heart
▹**δένω κπν/κτ με αλυσίδες** to chain sb/sth
▹**δένω κπν/κτ με σκοινί** to tie sb/sth up with
a rope
▹**δένω κπν πισθάγκωνα** to tie sb's hands
behind their back
▹**δένω κπν σε κτ** to tie sb to sth
▹**δένω κπν χειροπόδαρα** to bind sb hand and
foot
▹**δένω κτ κόμπο** ή **σε ψιλό μαντήλι** to take
sth as read, to take sth at face value
▹**δένω τα μάτια κποιου** to blindfold sb
▹**δένω τα χέρια, κάθομαι με δεμένα τα χέρια**
to do nothing
▹**δένω τα χέρια και τα πόδια κποιου** to bind
sb hand and foot
▹**είχε τα μαλλιά της δεμένα** she had her hair
tied back
▹**ήρθε κι έδεσε!** everything is happening at
once!

▷**παρακαλώ δέστε τις ζώνες σας** please fasten your seat belts

▷**τώρα, δέσαμε!** (οικ.) now we're for it! (ανεπ.)

► **δένομαι** ΜΕΣΟΠΑΘ (μτφ.) to become attached (με το)

▷**δένεται η γλώσσα μου** to get tongue–tied

▷**δένομαι με δεσμούς φιλίας με κπν** to be friends with sb

δεξαμενή ΟΥΣ ΘΗΛ (α) (νερού) tank · (κτιστή) cistern (β) (επισκευής πλοίων) dock (γ) (σε πλοίο: αποθήκευσης καυσίμων) tank · (αποθήκευσης αντικειμένων) container

► **μόνιμη/πλωτή δεξαμενή** dry/floating dock

► **δεξαμενή καυσίμων** fuel tank

► **δεξαμενή σκέψης** think tank

δεξαμενόπλοιο ΟΥΣ ΟΥΔ tanker · (μεταφοράς πετρελαίου) oil tanker

δεξής, -ιά, -ί ΕΠΙΘ = **δεξιός**

Δεξιά ΟΥΣ ΘΗΛ: **η Δεξιά** the Right

► **η άκρα Δεξιά** the Far Right

δεξιά¹ (επίσ.) ΟΥΣ ΘΗΛ right hand

δεξιά² ΕΠΙΡΡ (α) (πηγαίνω, στρίβω) right · (κάθομαι, οδηγώ) on the right (β) (ΠΟΛΙΤ: κλίνω, κινούμαι) to the right

▷**από δεξιά** on the right

▷**δεξιά κι αριστερά** (κυριολ.) (on the) right and left · (μτφ.) left and right

▷**κλίνατε επί δεξιά!** (ΣΤΡΑΤ) right turn!

▷**μου έρχονται ή πάνε όλα δεξιά** (μτφ.) to fall on one's feet

▷**προς τα δεξιά** to the right

δεξιός, -ά, -ό ΕΠΙΘ (α) (πλευρά) right(–hand) · (πεζοδρόμιο) right–hand · (μάτι, όχθη, πτέρυγα) right (β) (ΠΟΛΙΤ) right–winger

► **δεξιός** ΟΥΣ ΑΡΣ, **δεξιά** ΟΥΣ ΘΗΛ right–hander, right–handed person

► **δεξί** ΟΥΣ ΟΥΔ (= χέρι) right hand · (= πόδι) right foot

▷**μπαίνω ή ξεκινώ με το δεξί** (μτφ.) to get off to a good start

▷**το δεξί χέρι του** his right–hand man

δεξιόστροφος, -η, -ο ΕΠΙΘ (α) (έλικας, βίδα) right–hand (β) (πολιτική) rightist, conservative

δεξιοτέχνης ΟΥΣ ΑΡΣ (τεχνίτης) master craftsman · (καλλιτέχνης) master · (μουσικός) virtuoso

▷**ένας δεξιοτέχνης του πιάνου** a piano virtuoso, a virtuoso pianist

δεξιοτεχνία ΟΥΣ ΘΗΛ (τεχνίτη) craftsmanship · (καλλιτέχνη) mastery

δεξιοτέχνης ΟΥΣ ΘΗΛ (επίσ.) βλ. **δεξιοτέχνης**

δεξιοτέχνισσα ΟΥΣ ΘΗΛ βλ. **δεξιοτέχνης**

δεξιότητα ΟΥΣ ΘΗΛ (= ικανότητα: συγγραφική) skill, ability · (πνευματική, σωματική) ability

δεξιόχειρας ΕΠΙΘ ΑΡΣΘΗΛ right–handed

► **δεξιόχειρας** ΟΥΣ ΑΡΣΘΗΛ right–hander, right–handed person

δεξιώνομαι Ρ Μ ΑΠΟΘ to receive, to hold a reception for

δεξίωση ΟΥΣ ΘΗΛ reception, function

▷**παραθέτω δεξίωση** to hold a reception

► **γαμήλια δεξίωση** wedding reception

δέομαι Ρ ΑΜ ΑΠΟΘ (επίσ.) (α) (= έχω ανάγκη) to need (β) (= προσεύχομαι) to pray

δεοντολογία ΟΥΣ ΘΗΛ (α) (ιατρού, δικηγόρου) ethics πληθ. (β) (ΦΙΛΟΣ) deontology

δεόντως ΕΠΙΡΡ (επίσ.: εκτιμώ, τιμώ, πράττω) duly

δέος ΟΥΣ ΟΥΔ awe

▷**αντίπαλον δέος** dread

δέρας ΟΥΣ ΟΥΔ (επίσ.: αλόγου, λιονταριού) hide · (κάστορα) pelt · (προβάτου) fleece

► **το χρυσόμαλλο δέρας** (ΜΥΘΟΛ) the Golden Fleece

δέρμα ΟΥΣ ΟΥΔ (α) (ανθρώπου, ζώον) skin (β) (αλόγου) hide · (λεοπάρδαλης) skin · (κάστορα) pelt (γ) (για παπούτσια, ρούχα) leather

▷**αλλάζω δέρμα** (φίδι) to slough (off) ή shed its skin

▷**από γνήσιο δέρμα** made of ή from genuine ή real/buffalo leather

δερματέμπορος ΟΥΣ ΑΡΣΘΗΛ dealer in hides

δερματικός, -ή, -ό ΕΠΙΘ (πάθηση, νόσημα) skin

δερμάτινος, -η, -ο ΕΠΙΘ (τσάντα, είδη) leather

► **δερμάτινο** ΟΥΣ ΟΥΔ (μπουφάν, σακάκι) leather jacket

δερματίτιδα ΟΥΣ ΘΗΛ dermatitis

δερματόδετος, -η, -ο ΕΠΙΘ leather–bound

δερματολογία ΟΥΣ ΘΗΛ dermatology

δερματολογικός, -ή, -ό ΕΠΙΘ dermatological

δερματολόγος ΟΥΣ ΑΡΣΘΗΛ dermatologist

δερματοπάθεια ΟΥΣ ΘΗΛ skin disease

δερματουργός ΟΥΣ ΑΡΣ tanner

δέρνω Ρ Μ (α) (άνθρωπο) to beat · (ως τιμωρία) to thrash (β) (θάλασσα, βροχή, άνεμος) to lash, to whip

▷**η βλακεία/η τρέλα σε δέρνει!** you're an idiot/mad!

▷**θα σε δείρω!** I'll smack you ή give you a smack!

▷**με δέρνει η κακοτυχία/οι σκοτούρες** to be dogged by bad luck/misfortune

▷**με δέρνει η φτώχεια** to be poverty–stricken

► **δέρνομαι** ΜΕΣΟΠΑΘ to mourn

δέσιμο ΟΥΣ ΟΥΔ (α) (ανθρώπου) tying (up) · (σκύλου) tying up · (αλόγου) tethering · (παπουτσιού) doing up, lacing · (πακέτου, γραβάτας) tying, doing up · (ζώνης) fastening, doing up · (μαλλιών) tying back · (βάρκας) mooring (β) (= συσκευασία) doing up, tying up (γ) (βιβλίου) binding (δ) (πληγής, τραύματος) dressing · (ποδιού, χεριού) bandaging (ε) (σιροπιού, σάλτσας) thickening · (γλυκού) setting (στ) (κοσμήματος, πολύτιμου λίθου) mounting, setting (ζ) (συναισθηματικό, ψυχικό) bond (η) (για άνθη και φυτά)

fruiting (ϑ) (*αρχιτεκτονικών ρυθμών, ήχων*)
blend (ι) (= *μάγια*) spell
▷**είμαι (τρελός) για δέσιμο** to be
stark–staring mad, to be as mad as a hatter
δεσμά ΟΥΣ ΟΥΔ ΠΛΗΘ *βλ.* **δεσμός**
δεσμευμένος, -η, -ο ΕΠΙΘ (α) (*κεφάλαια,
καταθέσεις*) frozen · (*σε επενδύσεις*) tied up
(β) (*ηθικά ή νομικά*) bound
(γ) (= *παντρεμένος*) married ·
(= *αρραβωνιασμένος*) engaged
δέσμευση ΟΥΣ ΘΗΛ (α) (= *ανάληψη
υποχρέωσης*) commitment, undertaking
(β) (= *περιορισμός*) restriction, tie
(γ) (*κεφαλαίων, περιουσίας*) freezing ·
(*λογαριασμού*) freezing, blocking ·
(*χρημάτων: σε επένδυση*) tying up
(δ) (*θερμότητας, ενέργειας*) absorption
δεσμευτικός, -ή, -ό ΕΠΙΘ binding
δεσμεύω Ρ Μ (α) (= *περιορίζω*) to bind
(β) (*χρήμα: σε επενδύσεις*) to tie up ·
(*καταθέσεις*) to freeze, to block · (*περιουσία*)
to freeze (γ) (*θερμότητα, ενέργεια*) to absorb
▷**δεσμεύομαι** ΜΕΣΟΠΑΘ (= *περιορίζομαι*) to be
bound · (*από δουλειά*) to be tied up
▷**δεσμεύομαι να κάνω κτ** to undertake to do
sth
δέσμη ΟΥΣ ΘΗΛ (α) (*λουλουδιών*) bunch ·
(*χαρτιών*) pack · (*εγγράφων*) bundle
(β) (*μέτρων*) package, raft · (*ιδεών,
αντιλήψεων, απόψεων*) set (γ) (*φωτεινών
ακτίνων, ηλεκτρομαγνητικών κυμάτων*)
pencil, beam (δ) (ΣΧΟΛ: *παλαιότ.*) stream ·
(ΠΑΝΕΠ: *ειδικών μαθημάτων*) course
δεσμίδα ΟΥΣ ΘΗΛ (*χαρτονομισμάτων*) bundle,
wad · (*χαρτιού*) ream, sheaf · (*εισιτηρίων*)
book · (*φυσιγγίων*) round

Προσοχή!: Ο πληθυντικός του **sheaf**
είναι **sheaves**.

δέσμιος, -α, -ο ΕΠΙΘ (= *δεμένος*) tied up
▷**είμαι δέσμιος των παθών μου/των βλέψεων
μου/προκαταλήψεων** to be a slave to one's
passions/one's ambitions/superstition
▷**είμαι δέσμιος των υποσχέσεών μου** to be
bound by one's promises
δεσμός ΟΥΣ ΑΡΣ (α) (*φιλίας, γάμου, αγάπης*)
bond · (*αίματος*) tie (β) (= *ερωτική σχέση*)
relationship · (*εξωσυζυγικός*) affair
▶ **δεσμά** ΟΥΣ ΟΥΔ ΠΛΗΘ (α) (= *αλυσίδες*) chains,
shackles · (= *ζυγός*) shackles (β) (= *φυλάκιση*)
imprisonment *εν.*
δεσμοφύλακας ΟΥΣ ΑΡΣ&ΘΗΛ (prison) guard,
(prison) warder (*Βρετ.*)
δεσμωτήριο (*επίσ.*) ΟΥΣ ΟΥΔ
(α) (= *κρατητήριο*) cell (β) (*παλαιότ.*: =
φυλακή) jail, gaol
δεσμώτης ΟΥΣ ΑΡΣ (*επίσ.*) *βλ.* **δέσμιος**
δεσμώτρια ΟΥΣ ΘΗΛ (*επίσ.*) *βλ.* **δέσμιος**
δεσπόζω Ρ Μ to dominate
δέσποινα ΟΥΣ ΘΗΛ (α) (= *οικοδέσποινα*)
hostess, lady of the house (β) (*λογοτ.*: =

αριστοκράτισσα) lady
▶ **Δέσποινα** ΟΥΣ ΘΗΛ (= *Παναγία*) Our Lady, the
Virgin Mary
δεσποινίδα (*ανεπ.*) ΟΥΣ ΘΗΛ = **δεσποινίς**
δεσποινίς ΟΥΣ ΘΗΛ (α) (*παλαιότ.*: = *κοπέλα*)
young lady (β) (= *ανύπαντρη γυναίκα*) Miss,
Ms
δεσποτάτο ΟΥΣ ΟΥΔ domain
δεσποτεία ΟΥΣ ΘΗΛ (α) (= *δεσποτισμός*)
despotism (β) (= *επιβολή απόλυτης υπακοής*)
tyranny
▶**πεφωτισμένη δεσποτεία** enlightened
despotism
δεσπότης ΟΥΣ ΑΡΣ (α) (*ανεπ.*: = *επίσκοπος*)
bishop (β) (= *δυνάστης*) despot · (*μτφ.*) tyrant
(γ) (ΙΣΤ: *της Ηπείρου, του Μυστρά*) despot
δεσποτικό ΟΥΣ ΟΥΔ (α) (= *επισκοπικός
θρόνος*) episcopal throne (β) (= *επισκοπή*)
episcopal palace
δεσποτικός, -ή, -ό ΕΠΙΘ (α) (*καθεστώς*)
despotic, tyrannical · (*συμπεριφορά,
χαρακτήρας*) tyrannical (β) (*τροπάρια*) in
praise of Christ (γ) (*θρόνος, άμφια*)
episcopal
▶**δεσποτικές εορτές ή γιορτές** Christian
festivals
δεσποτισμός ΟΥΣ ΑΡΣ (α) (= *δεσποτεία*)
despotism (β) (= *αυταρχικότητα*) tyranny
δέστρα ΟΥΣ ΘΗΛ (*σε λιμάνι*) bollard
δετός, -ή, -ό ΕΠΙΘ (*παπούτσια*) lace–up ·
(*μαλλιά*) tied back
Δευτέρα ΟΥΣ ΘΗΛ Monday
▷**τη Δευτέρα (το πρωί/το απόγευμα)** on
Monday (morning/afternoon)
▷**την επόμενη/προηγούμενη Δευτέρα** next/
last Monday
▶**Καθαρά ή Καθαρή Δευτέρα** Monday before
Shrove Tuesday
δευτερεύων, -ουσα, -ον ΕΠΙΘ
(α) (*πρόβλημα*) secondary · (*θέση, ρόλος*)
secondary, subordinate (β) (*στοιχείο, όρος,
υπηρεσία*) auxiliary
▷**ένα θέμα δευτερεύουσας σημασίας** a
matter of secondary importance
▶**δευτερεύον ζήτημα** side issue
▶**δευτερεύουσα πρόταση** subordinate clause
δευτεριάτικα (*ανεπ.*) ΕΠΙΡΡ on Monday
δευτεριάτικος, -η, -ο ΕΠΙΘ (*ανεπ.*:
εφημερίδα) Monday's · (*πρωινό, ξύπνημα*)
Monday morning
δευτεροβάθμιος, -α, -ο ΕΠΙΘ:
δευτεροβάθμιο δικαστήριο court of appeal,
appeal court
▶**δευτεροβάθμια εκπαίδευση** secondary
education
▶**δευτεροβάθμια επιτροπή** board of appeal
▶**δευτεροβάθμια εξίσωση** equation of the
second degree
δευτερογενής, -ής, -ές ΕΠΙΘ (α) (*υιός,
κόρη*) second–born (β) (*παραγωγή, τομέας,
συνέπεια*) secondary (γ) (ΙΑΤΡ) secondary
δευτεροετής, -ής, -ές ΕΠΙΘ (α) (*φοιτητής,*

σπουδαστής) second-year, sophomore (Αμερ.) (β) (μαθητής) repeating a year

δευτερόκλιτος, -η, -ο ΕΠΙΘ (ουσιαστικό, επίθετο) belonging to the second declension

δευτερόλεπτο ΟΥΣ ΟΥΔ second
▷ **ανά ή το δευτερόλεπτο** a ή per second
▷ **είναι υπόθεση δευτερολέπτων** it'll only take a second
▷ **σε δέκατα ή εκατοστά δευτερολέπτου** in a split second
▷ **σε κλάσμα ή κλάσματα δευτερολέπτου** in a fraction of a second

δευτερολογία ΟΥΣ ΘΗΛ rejoinder, reply

δευτερολογώ Ρ ΑΜ to speak for a second time

δεύτερον ΕΠΙΡΡ secondly

δεύτερος, -η ή -έρα, -ο ΑΡΙΘ ΤΑΚΤ (α) (γύρος, βραβείο, γάμος) second (β) (για ποιότητα) inferior
▷ **βάζω ή θέτω κτ σε δεύτερη μοίρα** to put sth on the back burner
▷ **δεν υπήρξε δεύτερος Μπετόβεν** there has never been another Beethoven
▷ **έρχομαι δεύτερος** to come second
▷ **ήταν δεύτερη μητέρα για μένα** she was like a second mother to me
▷ **κατά δεύτερο λόγο** secondly
▷ **παίζω δεύτερο ρόλο** (μτφ.) to play second fiddle
▷ **περνώ σε δεύτερη μοίρα** to be sidelined
▷ **χωρίς δεύτερη κουβέντα ή δεύτερο λόγο** (= αμέσως) without delay · (= χωρίς αντίρρηση) without another word
▸ **Γεώργιος ο δεύτερος** George the second
▸ **ένα ή εν δεύτερο(ν)** (ΜΑΘ) half
▸ **συγγένεια δευτέρου βαθμού** second-degree relations
▸ **τόμος δεύτερος** Volume Two
▸ **δεύτερη (ε)ξαδέλφη** second cousin
▸ **δεύτερος (ε)ξάδελφος** second cousin
▸ **δεύτερη κλίση** (ΓΛΩΣΣ) second declension
▸ **δεύτερο πρόσωπο** (ΓΛΩΣΣ) second person
▸ **δεύτερος τόμος** second volume
▸ **δεύτερος** ΟΥΣ ΑΡΣ (α) (= όροφος) second floor (Βρετ.), first floor (Αμερ.) (β) (= Οκτώβριος) October (γ) (ΝΑΥΤ) second-in-command
▸ **δευτέρα** ΟΥΣ ΘΗΛ (α) (= ταχύτητα) second (gear) (β) (= σχολική τάξη) second year (γ) (ημέρα) second
▸ **δεύτερο** ΟΥΣ ΟΥΔ (= δευτερόλεπτο) second

δευτερότοκος, -η, -ο ΕΠΙΘ second-born

δεφτέρι ΟΥΣ ΟΥΔ account-book

δέχομαι ① Ρ Μ ΑΠΟΘ (α) (= παίρνω) to receive (β) (= γίνομαι δέκτης) to accept (γ) (= υποδέχομαι: πρέσβη, τιμώμενα πρόσωπα) to receive · (φίλους) to entertain, to have round (Βρετ.) (δ) (= βλέπω: ασθενείς, κοινό, φοιτητές) to see (ε) (= παραδέχομαι) to accept · (όρους, σχέδιο) to accept, to agree to (στ) (= ανέχομαι: σχόλια, κριτική, πειράγματα, αστεία) to take, to tolerate · (περιορισμούς) to tolerate · (στομάχι: υγρά, τροφή) to tolerate

② Ρ ΑΜ (γιατρός) to see patients · (δικηγόρος) to see clients
▷ **ας δεχτούμε ότι** let's assume that
▷ **δεν δέχομαι κουβέντα!** I don't want to hear another word about it!
▷ **δεχθείτε τα θερμά μου συλλυπητήρια** please accept my sincere condolences
▷ **δέχομαι!** you're on!
▷ **δέχομαι γκολ** (τερματοφύλακας) to let in a goal · (ομάδα) to have a goal scored against one
▷ **δέχομαι επίθεση** to be attacked, to come under attack
▷ **δέχομαι κλάδεμα/λίπανση** to be pruned/ fertilized
▷ **δέχομαι κτ αδιαμαρτύρητα** (επίθεση, προσβολή) to take sth lying down · (αλλαγές) to accept sth without complaint
▷ **δέχομαι κτ ευχαρίστως** to leap at sth
▷ **δέχομαι ευχαρίστως να πάμε μαζί στο χορό!** I'd love to go with you to the dance!
▷ **δέχομαι να κάνω κτ** to agree to do sth
▷ **δέχομαι ότι ή πως** (= πιστεύω) to accept that
▷ **δέχομαι σφαίρα** to be shot
▷ **δέχομαι επιδράσεις από κπν** to be influenced by sb
▷ **δέχομαι χτύπημα/πλήγμα** to be hit/ wounded

δεχούμενος, -η, -ο ΕΠΙΘ (= δεκτός) accepted · (= ανεκτός) tolerated
▸ **και τα καλά δεχούμενα και τα κακά δεχούμενα** (παροιμ.) you have to take the rough with the smooth

δεχτός, -ή, -ό ΕΠΙΘ = δεκτός

δέων, -ουσα, -ον ΕΠΙΘ (επίσ.: σεβασμός, υπευθυνότητα, σοβαρότητα) due · (μέτρα) appropriate
▷ **αντιμετωπίζω κτ με τη δέουσα προσοχή** to show due care and attention
▷ **δείχνω τη δέουσα προσοχή σε κτ** to give sth the attention it is due
▷ **υπέρ το δέον, πέραν του δέοντος** excessively, too
▸ **δέοντα** ΟΥΣ ΟΥΔ ΠΛΗΘ (α) (= πρέποντα) what is necessary (β) (= χαιρετίσματα) regards, best wishes

δήθεν ΕΠΙΡΡ (ειρων.) ostensibly
▷ **δήθεν αδιαφορία** apparent ή feigned indifference
▷ **δήθεν δικαίωμα** alleged ή so-called right
▷ **δήθεν ληστής** alleged robber
▷ **δήθεν φιλία** so-called friendship
▷ **ένα δήθεν αδιάφορο ακροατήριο** a seemingly indifferent audience
▷ **κάνω δήθεν πως ή ότι δεν ακούω/βλέπω κπν** to pretend not to hear/see sb
▷ **κάνω δήθεν πως ή ότι φεύγω** to make as if to leave, to make a show of leaving
▷ **κάνω δήθεν τον ανήξερο** to pretend not to know
▸ **δήθεν** ΟΥΣ ΑΡΣ ΠΛΗΘ (μειωτ.) posers, pseuds (Βρετ.) (ανεπ.)

δηκτικός, -ή, -ό ΕΠΙΘ (*λόγος, σχόλιο, παρατήρηση*) cutting, scathing · (*σάτιρα, κριτική*) scathing · (*υπαινιγμός*) pointed

δηκτικότητα ΟΥΣ ΘΗΛ (*λόγων, παρατηρήσεων*) venom · (*ανθρώπου*) biting wit ▷**μιλάω/γράφω με δηκτικότητα για κπν/κτ** to speak/write scathingly of sb/sth

δηλαδή ΣΥΝΔ (α) (*επεξηγηματικός*) namely, that is (to say) (β) (*συμπερασματικός*) then (γ) (*για έμφαση*) then

δηλητηριάζω Ρ Μ (α) (*άνθρωπο, ζώο, τροφή, νερό*) to poison (β) (*αέρα, ατμόσφαιρα, περιβάλλον*) to pollute, to poison · (*οργανισμό, πνεύμονες, συκώτι*) to poison (γ) (*μυαλό, σχέση, ζωή*) to poison · (*άνθρωπο*) to embitter

δηλητηρίαση ΟΥΣ ΘΗΛ (α) (*ανθρώπου, ζώου, οργανισμού*) poisoning (β) (*σχέσης*) poisoning · (*ατόμων*) embitterment · (*νεολαίας*) polluting

δηλητήριο ΟΥΣ ΟΥΔ (α) (*ψαριού, φυτού, αράχνης*) poison · (*φιδιού, σκορπιού*) venom (β) (*στίχων, λόγων, ψυχής*) venom ▷**αυτός ο καφές είναι δηλητήριο** this coffee is really bitter ▷**λόγια δηλητήριο** venomous words ▷**στάζω δηλητήριο** to be dripping with venom

δηλητηριώδης, -ης, -ες ΕΠΙΘ (α) (*ουσία, φυτό, έντομο, βροχή, αράχνη*) poisonous · (*φίδι*) venomous (β) (*λόγια, σχόλια, επίδραση*) venomous · (*προπαγάνδα*) poisonous ▷**δηλητηριώδεις αδένες** venom gland ▷**δηλητηριώδες αέριο** poison gas ▷**δηλητηριώδεις αναθυμιάσεις** noxious fumes

Δήλος ΟΥΣ ΘΗΛ Delos

δηλωμένος, -η, -ο ΕΠΙΘ (*οπαδός, ομοφυλόφιλος*) open, declared · (*δεξιός, αριστερός*) declared · (*εχθρός*) avowed

δηλώνω Ρ Μ (α) (= *φανερώνω: πρόθεση*) to declare, to state · (*προτίμηση, γνώμη*) to state · (*αδιαφορία, ευχαρίστηση, δυσαρέσκεια*) to display (β) (*απόφαση, μέτρα*) to announce (γ) (*άγνοια, αδυναμία*) to admit · (*συμπαράσταση, μετάνοια*) to express · (*πίστη*) to declare, to profess · (*υποταγή*) to pledge (δ) (*κλοπή, απαγωγή*) to report · (*εισόδημα, εισαγωγή προϊόντος*) to declare · (*γέννηση παιδιού*) to register (ε) (*λέξη, παροιμία, φράση*) to mean · (*σύμβολο, γράμμα*) to stand for ▷**δηλώνω συμμετοχή σε κτ** to go in for sth, to enter sth

δήλωση ΟΥΣ ΘΗΛ (α) (*αιτίας*) statement (β) (*προέδρου, υπουργού, επιθεωρητή*) statement · (*υπουργού*) announcement (γ) (*κλοπής, απαγωγής*) report · (*εισοδήματος, φόρου ακίνητης περιουσίας*) declaration · (*γεννήσεως, θανάτου, γάμου*) registration ▷**κάνω δήλωση** to make a statement

▶**δήλωση αποποιήσεως ή αγνοίας** (ΝΟΜ) disclaimer

▶**δήλωση παραιτήσεως** (ΝΟΜ) waiver

δηλωτικός, -ή, -ό ΕΠΙΘ (α) (= *ενδεικτικός*) indicative (β) (*λέξη, όρος*) explicit

δημαγωγία ΟΥΣ ΘΗΛ (α) (= *παραπλάνηση λαού*) demagogy (β) (= *παραπλανητικός λόγος*) lie

δημαγωγικός, -ή, -ό ΕΠΙΘ demagogic

δημαγωγός ΟΥΣ ΑΡΣΘΗΛ demagogue (*Βρετ.*), demagog (*Αμερ.*)

δημαγωγώ Ρ ΑΜ to be a demagogue

δημαρχείο ΟΥΣ ΟΥΔ city hall · (*κωμόπολης*) town hall (*Βρετ.*)

δημαρχία ΟΥΣ ΘΗΛ (α) (= *αξίωμα δημάρχου*) mayorship, mayoralty (β) (= *εξουσία δημάρχου*) mayoral duties (γ) (= *θητεία δημάρχου*) mayoralty (δ) (= *δημαρχείο*) city hall · (*κωμόπολης*) town hall (*Βρετ.*)

δημαρχιακός, -ή, -ό ΕΠΙΘ (*επιτροπή, συμβούλιο*) municipal

δημαρχιλίκι (ειρων.) ΟΥΣ ΟΥΔ (= *αξίωμα δημάρχου*) mayoralty, mayorship · (= *εξουσία δημάρχου*) mayoral duties

δημαρχίνα ΟΥΣ ΘΗΛ (α) (= *δήμαρχος*) mayoress (β) (= *γυναίκα δημάρχου*) mayor's wife

δήμαρχος ΟΥΣ ΑΡΣΘΗΛ mayor ▷**από δήμαρχος κλητήρας** (*για υποβιβασμό*) how are the mighty fallen · (*για χρεωκοπία*) from riches to rags

δημεγέρτης ΟΥΣ ΑΡΣ (*επίσ.*) agitator, firebrand

δήμευση ΟΥΣ ΘΗΛ confiscation

δημεύσιμος, -η, -ο ΕΠΙΘ subject to confiscation

δημεύω Ρ Μ to confiscate

δημηγορία ΟΥΣ ΘΗΛ (α) (*επίσ.: πολιτικού*) speech (β) (ΑΡΧ ΙΣΤ) oration

δημηγορώ Ρ ΑΜ (α) (*επίσ.: βουλευτής, πολιτικός*) to make a speech (β) (ΑΡΧ ΙΣΤ) to deliver an oration

δημητριακά ΟΥΣ ΟΥΔ ΠΛΗΘ cereals, grain

δήμιος ΟΥΣ ΑΡΣ (α) (= *εκτελεστής*) (public) executioner · (*για απαγχονισμό*) hangman (β) (= *φονιάς*) murderer (γ) (= *δυνάστης*) tyrant

δημιούργημα ΟΥΣ ΟΥΔ (= *έργο*) creation ▷**δημιούργημα της φαντασίας κποιου** a figment of sb's imagination

δημιουργημένος, -η, -ο ΕΠΙΘ (α) (= *κατασκευασμένος*) created (β) (= *καταξιωμένος*) successful

δημιουργία ΟΥΣ ΘΗΛ creation ▶**Δημιουργία** ΟΥΣ ΘΗΛ (the) Creation

δημιουργικά ΕΠΙΡΡ creatively

δημιουργικός, -ή, -ό ΕΠΙΘ (*καλλιτέχνης, πνεύμα, ζωή, εργασία*) creative · (*ημέρα*) productive

δημιουργικότητα ΟΥΣ ΘΗΛ creativity

δημιουργικώς ΕΠΙΡΡ = **δημιουργικά**

δημιουργός ΟΥΣ ΑΡΣΘΗΛ (*νόμου, θεωρίας, κινήματος*) founder · (*επανάστασης*) instigator · (*καλλιτεχνικού είδους*) originator · (*καλλιτεχνήματος*) creator

▸ Δημιουργός ΟΥΣ ΑΡΣ: **ο Δημιουργός** the Creator

δημιουργώ ① Ρ Μ (α) (*κόσμο, φυτά, άνθρωπο*) to create, to make · (*κτήριο, πλατεία*) to build · (*επιχείρηση, εταιρεία*) to generate (β) (*καταχρ.* = *προκαλώ*: *αναστάτωση, διαφορές*) to create, to cause · (*αρνητικές εντυπώσεις, ατμόσφαιρα, αίσθημα*) to create · (*καταστροφές, αντιθέσεις*) to cause · (*προβλήματα, δυσκολίες*) to make · (*χρέος*) to run up
② Ρ ΑΜ (*για καλλιτέχνες*) to create

δημογέροντας ΟΥΣ ΑΡΣ village elder

δημογραφία ΟΥΣ ΘΗΛ demography

δημογραφικός, -ή, -ό ΕΠΙΘ demographic

δημοκοπία ΟΥΣ ΘΗΛ demagogy

δημοκόπος ΟΥΣ ΑΡΣΘΗΛ demagogue (*Βρετ.*), demagog (*Αμερ.*)

δημοκοπώ Ρ ΑΜ to be a demagogue

δημοκράτης ΟΥΣ ΑΡΣ democrat

δημοκρατία ΟΥΣ ΘΗΛ (α) (= *πολίτευμα*) democracy (β) (= *έθνος ή κράτος*) republic
▸ **αβασίλευτη δημοκρατία** republic
▸ **άμεση δημοκρατία** direct *ή* pure democracy
▸ **Ελληνική Δημοκρατία** Hellenic Republic
▸ **έμμεση** *ή* **αντιπροσωπευτική δημοκρατία** representative democracy
▸ **κοινοβουλευτική δημοκρατία** parliamentary democracy
▸ **λαϊκή δημοκρατία** people's republic
▸ **ομοσπονδιακή δημοκρατία** federal republic

δημοκρατικός, -ή, -ό ΕΠΙΘ
(α) (= *λαοκρατικός*) democratic
(β) (= *φιλελεύθερος*) liberal
▸ Δημοκρατικό Κόμμα ΟΥΣ ΟΥΔ: **το Δημοκρατικό Κόμμα** the Democratic Party
▸ Δημοκρατικοί ΟΥΣ ΑΡΣ ΠΛΗΘ: **οι Δημοκρατικοί** the Democrats

δημοκρατικότητα ΟΥΣ ΘΗΛ democratic nature

δημοκράτισσα ΟΥΣ ΘΗΛ *βλ.* **δημοκράτης**

δημοπρασία ΟΥΣ ΘΗΛ auction
▹ **βγάζω κτ σε δημοπρασία** to put sth up for auction
▹ **βγαίνω σε δημοπρασία** to be put up for auction
▹ **διεξάγω δημοπρασία** to hold an auction
▸ **μειοδοτική/πλειοδοτική** *ή* **φανερή δημοπρασία** Dutch/English auction
▸ **μυστική δημοπρασία** sealed–bid auction
▸ **οίκος δημοπρασιών** auction house

δημοπρατήριο ΟΥΣ ΟΥΔ (α) (= *χώρος δημοπρασιών*) auction room (β) (*για φθηνά μεταχειρισμένα είδη: κατάστημα*) second–hand shop (*Βρετ.*) *ή* store (*Αμερ.*) · (*υπαίθριος χώρος*) flea market

δημοπρατώ Ρ Μ (α) (*έργα τέχνης,*

αντικείμενα) to auction (β) (*κατασκευή έργου*) to put out to tender

δήμος ΟΥΣ ΑΡΣ (α) (= *διοικητική περιφέρεια*) municipality (β) (= *σύνολο κατοίκων*) local community
▹ **τα εν οίκω μη εν δήμω** (*παροιμ.*) you shouldn't air your dirty linen in public

δημοσία (*επίσ.*) ΕΠΙΡΡ in public, publicly

δημόσια ΕΠΙΡΡ in public, publicly

δημοσίευμα ΟΥΣ ΟΥΔ publication

δημοσίευση ΟΥΣ ΘΗΛ (*ανακοίνωσης, προκήρυξης, απόφασης*) publication
▹ **δίνω κτ προς δημοσίευση** to submit sth for publication

δημοσιεύω Ρ Μ (*έργο, κείμενο*) to publish · (*φωτογραφία*) to publish, to print · (*αγγελία*) to run
▹ **δημοσιεύω κτ σε συνέχειες** to serialize sth
▹ **δημοσιεύω μια σειρά άρθρων πάνω σε κτ** to run a series of articles on sth

Δημόσιο ΟΥΣ ΟΥΔ (= *κρατικές υπηρεσίες*) civil service
▹ **το Δημόσιο** the state, the government

δημοσιογραφία ΟΥΣ ΘΗΛ (α) (= *συγκέντρωση και διάδοση ειδήσεων*) journalism (β) (= *έντυπα και ηλεκτρονικά μέσα*) media
▸ **η ελληνική δημοσιογραφία** (= *σύνολο δημοσιογράφων*) the Greek press

δημοσιογραφικός, -ή, -ό ΕΠΙΘ (*επάγγελμα, ύφος*) journalistic · (*ενδιαφέρον, πηγές*) media · (*οργανισμός*) press
▸ **δημοσιογραφικό απόρρητο** press confidentiality
▸ **δημοσιογραφική γλώσσα** journalese
▸ **δημοσιογραφικοί κύκλοι** media sources

δημοσιογράφος ΟΥΣ ΑΡΣΘΗΛ journalist

δημοσιογραφώ Ρ ΑΜ to be a journalist

δημοσιονομία ΟΥΣ ΘΗΛ public finance

δημοσιονομικός, -ή, -ό ΕΠΙΘ fiscal
▸ **δημοσιονομική πολιτική** fiscal policy

δημόσιος, -α *ή* -ία, -ο ΕΠΙΘ (α) (*δρόμος, χώρος, ασφάλεια, συμφέρον*) public · (*σχολείο*) state, public (*Αμερ.*) · (*νοσοκομείο*) public, NHS (*Βρετ.*) (β) (*συζήτηση, ομιλία, εμφάνιση*) public (γ) (*περιουσία, έγγραφο, θέση, κτήριο*) public · (*λειτουργός*) civil
▸ **δημόσιος άνδρας** public figure
▸ **δημόσια αρχή** the public authorities
▸ **δημόσιος βίος** public life
▸ **δημόσια δαπάνη** at public expense
▸ **δημόσιες δαπάνες** public expenditure *ή* spending
▸ **δημόσιος διάλογος** debate
▸ **Δημόσιο Δίκαιο** public law
▸ **δημόσια διοίκηση** public administration
▸ **δημόσιες επενδύσεις** public *ή* state investments
▸ **δημόσια επιχείρηση** public utility
▸ **δημόσιος οργανισμός** public corporation
▸ **δημόσια έργα** public works
▸ **δημόσια έσοδα** *ή* **οικονομικά** public revenue
▸ **δημόσιος κατήγορος** public prosecutor

▸**δημόσιος κίνδυνος** public enemy · (*ειρων.*) public enemy number one
▸**δημόσιο πρόσωπο** public figure
▸**δημόσιες σχέσεις** (*για πρόσωπο, εταιρεία, κράτος*) public relations, PR · (*υπηρεσία*) public relations *ή* PR department · (*επιστήμη*) public relations · (*μτφ.*) networking
▸**δημόσιο ταμείο** state revenue office
▸**δημόσια τάξη** public order
▸**δημόσιος τομέας** the public sector
▸**δημόσια υγιεινή** public health
▸**δημόσιος υπάλληλος** public–sector employee · (*σε κρατική υπηρεσία*) civil servant
▸**δημόσια υπηρεσία** civil service
▸**δημόσιο χρέος** national debt

δημοσιότητα ΟΥΣ ΘΗΛ publicity
▷**βλέπω το φως της δημοσιότητας** to be in the (media) spotlight
▷**έρχομαι στη** *ή* **παίρνω** *ή* **λαμβάνω δημοσιότητα** (*σκάνδαλο*) to become public knowledge · (*γεγονός*) to get a lot of publicity
▷**τα φώτα της δημοσιότητας** the (media) spotlight
▷**υπό το φως της δημοσιότητας** under the spotlight
▷**φέρνω** *ή* **δίνω στη δημοσιότητα** to make public

δημοσίως ΕΠΙΡΡ = **δημόσια**

δημοσκόπηση ΟΥΣ ΘΗΛ (opinion) poll

δημότης ΟΥΣ ΑΡΣ citizen

δημοτική ΟΥΣ ΘΗΛ (ΓΛΩΣΣ) demotic (Greek), dhemotiki

δημοτικισμός ΟΥΣ ΑΡΣ demoticism

δημοτικιστής ΟΥΣ ΑΡΣ demoticist

δημοτικίστρια ΟΥΣ ΘΗΛ *βλ.* **δημοτικιστής**

δημοτικός, -ή, -ό ΕΠΙΘ (α) (*θέατρο, έργα, ιατρείο*) municipal · (*υπάλληλος, εκλογές, υπηρεσίες*) municipal, council (*Βρετ.*) · (*νοσοκομείο*) district · (*άρχοντας*) civic (β) (*μουσική, παράδοση*) folk
▸**δημοτική αρχή** local *ή* district authorities
▸**δημοτική βιβλιοθήκη** city library
▸**δημοτική εκπαίδευση** primary (*Βρετ.*) *ή* elementary (*Αμερ.*) education
▸**δημοτικό συμβούλιο** town *ή* borough council
▸**δημοτικός σύμβουλος** councillor *ή* councilor (*Αμερ.*)
▸**δημοτικά τέλη, δημοτικός φόρος** municipal taxes, ≈ council tax (*Βρετ.*)
▸**Δημοτικό** ΟΥΣ ΟΥΔ (*επίσης* **δημοτικό σχολείο**) primary (*Βρετ.*) *ή* elementary (*Αμερ.*) school
▸**δημοτικό** ΟΥΣ ΟΥΔ (*επίσης* **δημοτικό τραγούδι**) folk song

δημοτικότητα ΟΥΣ ΘΗΛ popularity

δημότισσα, δημότις (*επίσ.*) ΟΥΣ ΘΗΛ *βλ.* **δημότης**

δημοτολόγιο ΟΥΣ ΟΥΔ municipal roll

δημοφιλής, -ής, -ές ΕΠΙΘ (α) (*ηθοποιός, πολιτικός, ποδοσφαιριστής*) popular ·

(β) (*καταχρ.*: = *διάσημος*) well–known, famous

δημοψήφισμα ΟΥΣ ΟΥΔ referendum, plebiscite

> *Προσοχή!: Ο πληθυντικός του* **referendum** *είναι* **referenda** *ή* **referendums**.

▷**με δημοψήφισμα** by referendum
▷**κάνω δημοψήφισμα (για κτ)** to hold a referendum (on sth)

δημώδης, -ης, -ες ΕΠΙΘ (*επίσ.*: *γλώσσα, ποίηση*) popular · (*τραγούδια*) popular, folk

δηνάριο ΟΥΣ ΟΥΔ dinar

δια, δι' (*επίσ.*) ΠΡΟΘ (α) (= *διέλευση*) +γεν. by (β) (= *χρονική διάρκεια*) +γεν. for (γ) (= *όργανο, μέσο, τρόπος*) +γεν. by (δ) (= *για*) +αιτ. for (ε) (ΜΑΘ) divided by
▷**δια γυμνού οφθαλμού** to the naked eye
▷**δια θαλάσσης/ξηράς** by sea/land
▷**δια μιας** immediately
▷**δια παν ενδεχόμενο** just in case, to be on the safe side
▷**ένας πίνακας δια χειρός Νταλί** a painting by Dali

διάβα ΟΥΣ ΟΥΔ ΑΚΛ (*λογοτ.*) (α) (*ανθρώπου, ποταμού, βροχής*) passage (β) (*ζωής*) passing · (*καιρού*) passage · (*χρόνων*) passing, passage

διαβάζω ① Ρ Μ (α) (*εφημερίδα, περιοδικό, βιβλίο*) to read (β) (*μάθημα*) to study (γ) (*μαθητή*) to coach ② Ρ ΑΜ (α) (= *ξέρω ανάγνωση*) to read (β) (= *μελετώ*) to study
▷**διαβάζω δυνατά** to read out
▷**διαβάζω εντατικά** to cram
▷**διαβάζω κτ λανθασμένα** to misread sth
▷**διαβάζω κτ στα πεταχτά** to skim through sth
▷**διαβάζω κτ στο πρόσωπο/στα μάτια κποιου** to see sth in sb's face/eyes
▷**διαβάζω τ' άστρα** to read the stars
▷**διαβάζω τα χείλη** to lip–read
▷**διαβάζω την παλάμη** *ή* **το χέρι κποιου** to read sb's palm
▷**διαβάζω τις σκέψεις κποιου** to read sb's thoughts
▷**διαβάζω το σολφέζ** to read music, to sight–read

διαβαθμίζω Ρ Μ to grade, to rank

διαβάθμιση ΟΥΣ ΘΗΛ (*δημοσίων υπαλλήλων, αξιωματούχων*) grading, ranking · (*χρωμάτων*) gradation

διαβαίνω ① Ρ Μ (*ποταμό, γέφυρα, κατώφλι, απόσταση*) to cross · (*δάσος*) to go *ή* walk through · (*μονοπάτι*) to walk along ② Ρ ΑΜ (α) (= *διέρχομαι*) to pass by (β) (*καιρός, μέρες, χρόνος*) to pass (γ) (*λύπες, στενοχώριες, χαρές, πόνοι*) to pass, to go
▷**αν έχεις τύχη διάβαινε (και ριζικό περπάτει)** (*παροιμ.*) when you've got luck on your side, you can't go wrong

διαβαλκανικός, -ή, -ό ΕΠΙΘ inter–Balkan

διαβάλλω Ρ Μ to slander

διάβαση ΟΥΣ ΘΗΛ (α) *(ποταμού, βουνού, θάλασσας, χώρας)* crossing (β) *(= πέρασμα)* crossing· *(= γέφυρα)* bridge· *(= ρηχό σημείο ποταμού)* ford· *(= μονοπάτι)* pass

▸ανισόπεδη διάβαση flyover *(Βρετ.)*, overpass *(Αμερ.)*

▸ορεινή διάβαση mountain pass

▸σιδηροδρομική διάβαση level *(Βρετ.)* ή grade *(Αμερ.)* ή railroad *(Αμερ.)* crossing

▸υπόγεια διάβαση underpass, subway *(Βρετ.)*

▸διάβαση πεζών zebra crossing *(Βρετ.)*, pedestrian crossing *(Βρετ.)*, crosswalk *(Αμερ.)*

διάβασμα ΟΥΣ ΟΥΔ (α) *(βιβλίων, εφημερίδων, περιοδικών)* reading (β) *(μαθημάτων)* study

▷έχω διάβασμα *(για μαθητή)* to have homework· *(για φοιτητή)* to have to study

▷στρώνομαι στο διάβασμα to get down to studying

διαβασμένος, -η, -ο ΕΠΙΘ (α) *(γράμμα, βιβλίο)* read (β) *(μαθητής)* well-prepared (γ) *(= πολυμαθής)* well-read· *(σε συγκεκριμένο αντικείμενο)* clued-up (δ) *(= δασκαλεμένος)* coached

διαβατάρικος, -η, -ο ΕΠΙΘ *(λογοτ.)* (α) *(φυλή, λαός)* nomadic (β) *(πουλιά)* migratory (γ) *(νιότη, χρόνια)* transient

διαβατήριο ΟΥΣ ΟΥΔ *(κυριολ., μτφ.)* passport

▸έκδοση διαβατηρίου passport issue

▸έλεγχος διαβατηρίων passport control

▸θεώρηση διαβατηρίου visa

διαβάτης ΟΥΣ ΑΡΣ passer-by

Προσοχή!: Ο πληθυντικός του **passer-by** *είναι* **passers-by.**

διαβεβαιώνω, διαβεβαιώ *(επίσ.)* Ρ Μ to assure

διαβεβαίωση ΟΥΣ ΟΥΔ assurance

διάβημα ΟΥΣ ΟΥΔ step

▷απονενοημένο διάβημα desperate measure, drastic step

▷κάνω διάβημα (σε) to make representations (to)

διαβήτης ΟΥΣ ΑΡΣ (α) *(ΓΕΩΜ)* (pair of) compasses (β) *(ΙΑΤΡ)* diabetes *εν.*

▷μπαλιά διαβήτης *(ΑΘΛ)* deadly accurate ball

διαβητική ΟΥΣ ΘΗΛ *βλ.* διαβητικός

διαβητικός ΟΥΣ ΑΡΣ diabetic

διαβιβάζω *(επίσ.)* Ρ Μ (α) *(οδηγία, είδηση)* to send· *(αναφορά)* to pass on· *(επιστολή)* to forward (β) *(ευχές, χαιρετίσματα)* to send, to convey

διαβίβαση ΟΥΣ ΘΗΛ transmission

▸Διαβιβάσεις ΠΛΗΘ Signals *(Βρετ.)*, Signals Corp *(Αμερ.)*

διαβιβαστής ΟΥΣ ΑΡΣ *(ΣΤΡΑΤ)* signalman

Προσοχή!: Ο πληθυντικός του **signalman** *είναι* **signalmen.**

διαβιβαστικός, -ή, -ό ΕΠΙΘ *(έγγραφο, σημείωμα)* covering

διαβιβάστρια ΟΥΣ ΘΗΛ *βλ.* διαβιβαστής

διαβιώνω, διαβιώ *(επίσ.)* Ρ ΑΜ to live

διαβίωση ΟΥΣ ΘΗΛ living

διαβλέπω Ρ Μ (α) *(κίνδυνο, απειλή)* to foresee (β) *(δυνατότητα, αλλαγή, προθέσεις, σκοπούς)* to sense

διαβλητός, -ή, -ό ΕΠΙΘ *(μέθοδος, απόφαση, διαδικασίες)* questionable· *(εκλογικό αποτέλεσμα)* called into question· *(κατάθεση, μαρτυρία)* spurious

διαβόητος, -η, -ο *(αρνητ.)* ΕΠΙΘ notorious, infamous

διαβολάκι ΟΥΣ ΟΥΔ (α) *(= μικρός Διάβολος)* imp, little devil (β) *(= ζωηρό και έξυπνο παιδί)* little devil

διαβολάκος ΟΥΣ ΑΡΣ = διαβολάκι

διαβολέας ΟΥΣ ΑΡΣΘΗΛ slanderer

διαβολεμένα ΕΠΙΡΡ *(φυσώ)* ferociously· *(πεινώ)* ravenously

▷βρέχει διαβολεμένα it's pouring with rain

διαβολεμένος, -η, -ο ΕΠΙΘ (α) *(άνθρωπος, σχέδιο, νους)* diabolical, fiendish (β) *(εξυπνάδα)* acute· *(ικανότητα)* extraordinary· *(ράτσα)* shrewd, canny (γ) *(κρύο)* bitter· *(θόρυβος)* infernal· *(καιρός)* dreadful· *(ζέστη, πόνος)* unbearable· *(ταχύτητα)* terrific

▷κάνει διαβολεμένο κρύο it's bitterly cold

διαβολή ΟΥΣ ΘΗΛ slur

διαβολιά ΟΥΣ ΘΗΛ *(για παιδιά)* mischief

διαβολικός, -ή, -ό ΕΠΙΘ (α) *(άνθρωπος)* fiendish· *(τέχνη)* satanic (β) *(σχέδιο, ενέργεια, συνωμοσία)* fiendish (γ) *(χαμόγελο, έκφραση)* malicious

διαβολογυναίκα ΟΥΣ ΘΗΛ she-devil

διαβολοθήλυκο ΟΥΣ ΟΥΔ = διαβολογυναίκα

διαβολόκαιρος ΟΥΣ ΑΡΣ dreadful weather

διαβολοκόριτσο ΟΥΣ ΟΥΔ (little) minx

διαβολόπαιδο ΟΥΣ ΟΥΔ (little) rascal, menace

διάβολος ΟΥΣ ΑΡΣ (α) *(= δαίμονας)* devil (β) *(= κόλαση)* hell (γ) *(= ζωηρό παιδί)* little devil

▷(άει ή άντε ή πήγαινε ή τράβα) στον διά(β)ολο! *(υβρ.)* go to hell! *(ανεπ.)*· *(για έκφραση έκπληξης)* I'll be damned! *(ανεπ.)*, bloody hell *(Βρετ.)* *(χυδ.)*

▷αποφεύγω κπν/κτ όπως ο διά(β)ολος το λιβάνι to avoid sb/sth like the plague

▷βάζει ο διάβολος την ουρά του that's put a spoke in the wheel

▷βρίσκω τον διά(β)ολό μου to find oneself in deep water

▷διά(β)ολε! damn! *(χυδ.)*

▷δια(β)όλου κάτσα as sharp as a needle

▷δουλειά δεν είχε ο διάολος the devil finds work for idle hands (to do) *(παροιμ.)*

▷είμαι διά(β)ολος *(= είμαι πανούργος)* to be crafty· *(= είμαι εύστροφος)* to have one's wits about one· *(= είμαι δυσάρεστος)* to be a troublemaker, to be no good

▷είμαι διά(β)ολος (σε κτ) *(= πολύ ικανός)* to

be an expert (at sth)
▷**είμαι διά(β)ολος στους υπολογιστές** to be a computer whizz
▷**έχω τον διά(β)ολο μέσα μου** (= *φέρομαι ανάμοστα*) to have the devil in one· (= *είμαι ευφυής*) to be a human dynamo
▷**κάνω τον συνήγορο ή δικηγόρο του διαβόλου** to play devil's advocate
▷**κατά δια(β)όλου** from bad to worse
▷**μας πήρε ο διά(β)ολος και μας σήκωσε** our world has been turned upside down
▷**που να σε πάρει ο διάβολος και να σε σηκώσει!** (*υβρ.*) go to hell! (*χυδ.*)
▷**πουλάω (και) την ψυχή μου στον διάβολο** to sell one's soul to the devil
▷**(που) να πάρει ο διάβολος!** damn! (*χυδ.*)
▷**(που) να πάρει κπν/κτ ο διά(β)ολος** (*υβρ.*) to hell with sb/sth (*χυδ.*)
▷**στέλνω κπν στον διά(β)ολο** (*υβρ.*) to send sb packing (*ανεπ.*), to tell sb to go to hell (*χυδ.*)
▷**πάω/φτάνω στου δια(β)όλου τη μάνα** to go to/to end up in the back of beyond
▷**που στο διάβολο ... ;** where on earth ... ?
▷**τι (στο) διά(β)ολο συμβαίνει;!** what the hell (*χυδ.*) ή what on earth (*ανεπ.*) is going on?!
▷**τραβάω τον διάβολό μου (να κάνω κτ)** to have a hell of a time (doing sth) (*ανεπ.*)
▷**φοβάμαι κπν/κτ όπως ο διά(β)ολος το λιβάνι** to be scared stiff of sb/sth
▸**Διάβολος** ΟΥΣ ΑΡΣ: **ο Διάβολος** the Devil
διαβολοσκορπίσματα ΟΥΣ ΟΥΔ ΠΛΗΘ *βλ.* **ανεμομάζωμα**
διαβολοστέλνω Ρ Μ to send packing (*ανεπ.*), to tell to go to hell (*χυδ.*)
διαβουλεύομαι Ρ ΑΜ ΑΠΟΘ to consult
διαβούλευση (*επία.*) ΟΥΣ ΘΗΛ consultation
▸**διαβουλεύσεις** ΠΛΗΘ (α) (= *συζητήσεις*) talks (β) (*ειρων.*) machinations
διαβούλιο ΟΥΣ ΟΥΔ secret meeting
▸**διαβούλια** ΠΛΗΘ (= *ραδιουργίες*) intrigue *εν.*
▷**συμβούλια και διαβούλια** hot air (*ανεπ.*)
διαβρώνω Ρ Μ (α) (*πέτρωμα, έδαφος*) to erode· (*μέταλλο*) to corrode (β) (*ηθικό, οργάνωση, κοινωνία*) to corrupt
διάβρωση ΟΥΣ ΘΗΛ (α) (*εδάφους, πετρώματος*) erosion· (*μετάλλου*) corrosion (β) (*κοινωνίας, νεολαίας, πολιτικών*) corruption
διαβρωτικός, -ή, -ό ΕΠΙΘ (*κυριολ.*) corrosive· (*μτφ.*) insidious
διάγγελμα ΟΥΣ ΟΥΔ proclamation· (*πρωτοχρονιάτικο*) message
διαγιγνώσκω (*επία.*) Ρ Μ (α) (= *συμπεραίνω*) to discern (β) (*ασθένεια, πάθηση*) to diagnose
διάγνωση ΟΥΣ ΘΗΛ (α) (ΙΑΤΡ) diagnosis (β) (*κινδύνου, κατάστασης*) prognosis

Προσοχή!: Ο πληθυντικός του **diagnosis** *είναι* **diagnoses**. *Ο πληθυντικός του* **prognosis** *είναι* **prognoses**.

διαγνωστικός, -ή, -ό ΕΠΙΘ (*μέθοδος, κέντρο*)

diagnostic
▸**διαγνωστική** ΟΥΣ ΘΗΛ diagnostics *εν.*

Προσοχή!: Αν και το **diagnostics** *φαίνεται ως τύπος πληθυντικού, είναι ουσιαστικό μόνο στον ενικό και συντάσσεται με ρήμα στον ενικό.*

διάγραμμα ΟΥΣ ΟΥΔ (α) (*σπιτιού*) plan· (*μηχανήματος*) diagram (β) (*πυρετού, σεισμού, τιμαρίθμου*) chart (γ) (ΜΑΘ) diagram (δ) (= *περίληψη: προτάσεων, συγγράματος, εργασίας, ομιλίας*) outline· (*μαθημάτων, έκθεσης*) plan· (*θεατρικού έργου*) synopsis

Προσοχή!: Ο πληθυντικός του **synopsis** *είναι* **synopses**.

▸**διάγραμμα θερμοκρασίας** temperature chart
▸**διάγραμμα ροής** flow chart
διαγράμμιση ΟΥΣ ΘΗΛ (α) (*δρόμου, γηπέδου*) painting lines on· (*τετραδίου*) drawing lines on (β) (= *γραμμή*) line
διαγραφή ΟΥΣ ΘΗΛ (α) (*λέξεων, φράσεων*) deletion· (*αδικημάτων*) eradication· (*χρέους, οφειλής*) cancellation, writing off (β) (*μέλους*) expulsion (γ) (*χαρακτήρων*) depiction· (*πολιτικής, εργασίας*) outline (δ) (*σχήματος, τριγώνου*) drawing
διαγράφω Ρ Μ (α) (*λέξεις, φράσεις*) to delete, to cross out· (*χρέη*) to write off, to cancel (β) (*μέλος, βουλευτή*) to expel (γ) (*κύκλο, σχήμα*) to draw· (*τροχιά*) to describe (δ) (*ήρωες, χαρακτήρες*) to depict· (*πολιτική, σχέδια*) to outline
▸**διαγράφομαι** ΜΕΣΟΠΑΘ (*μτφ.: κίνδυνος*) to loom· (*βουνά*) to stand out
▷**το μέλλον διαγράφεται απρόβλεπτο/ λαμπρό** the future looks uncertain/bright
▷**διαγράφομαι στον ορίζοντα** to stand out ή be silhouetted against the horizon· (*μτφ.: πιθανότητες*) to emerge· (*προβλήματα, πόλεμος*) to loom on the horizon
διάγω (*επία.*) Ρ ΑΜ to live
διαγωγή ΟΥΣ ΘΗΛ behaviour (*Βρετ.*), behavior (*Αμερ.*), conduct
▷**δείχνω καλή διαγωγή** to behave well
διαγώνια, διαγωνίως ΕΠΙΡΡ diagonally
διαγωνίζομαι Ρ ΑΜ ΑΠΟΘ (*μαθητής, φοιτητής*) to take an examination· (*αθλητής*) to compete
▷**διαγωνίζομαι για/σε κτ** to compete for/in sth
διαγωνιζόμενη ΟΥΣ ΘΗΛ *βλ.* **διαγωνιζόμενος**
διαγωνιζόμενος ΟΥΣ ΑΡΣ (*σε εξετάσεις*) candidate· (*σε διαγωνισμό ομορφιάς*) contestant
διαγώνιος[1] ΟΥΣ ΘΗΛ diagonal
διαγώνιος[2], **-α** ή **-ος** ΕΠΙΘ diagonal
διαγώνισμα ΟΥΣ ΟΥΔ test, exam
διαγωνισμός ΟΥΣ ΑΡΣ (α) (*ομορφιάς, τραγουδιού*) contest· (*ζωγραφικής,*

φωτογραφίας) competition (β) (κατασκευής έργου) competition (γ) (για μαθητές) exam, examination

διαδεδομένος, -η, -ο ΕΠΙΘ (αντίληψη, ιδέα) prevalent · (άθλημα, είδος) popular · (ιστορία, μύθος, ασθένεια) widespread

διαδέχομαι Ρ Μ ΑΠΟΘ (α) (πατέρα, πολιτικό, προκάτοχο) to succeed, to take over from (β) (για κατάσταση, συναίσθημα) to succeed

διαδηλώνω ① Ρ Μ (φοιτητές, εργαζόμενοι, πολίτες) to demonstrate ② Ρ Μ (πίστη) to declare · (άποψη, συμπαράσταση) to express · (θέση) to state

διαδήλωση ΟΥΣ ΘΗΛ (α) (φοιτητών, ανέργων, εργαζομένων) demonstration (β) (αγανάκτησης, οργής) expression ▷**κάνω διαδήλωση** to demonstrate ▷**κάνω διαδήλωση διαμαρτυρίας** to go on a protest march ▷**μαζική διαδήλωση** mass demonstration ή mass protest

διαδηλωτής ΟΥΣ ΑΡΣ demonstrator

διαδηλώτρια ΟΥΣ ΘΗΛ βλ. **διαδηλωτής**

διάδημα ΟΥΣ ΟΥΔ (βασίλισσας, πρίγκηπα) crown · (πάπα) tiara

διαδίδω Ρ Μ (α) (νέα) to spread · (γνώσεις) to spread, to disseminate (επίσ.) (β) (φήμες, ψέματα) to spread
▶ **διαδίδομαι** ΜΕΣΟΠΑΘ (α) (ασθένεια, πυρκαγιά) to spread · (εμπόριο) to expand (β) (νέα, ειδήσεις, φήμες) to spread, to get about · (μυστικό) to be divulged ή revealed
▶ **διαδίδεται** ΑΠΡΟΣ: **διαδίδεται ότι** rumour (Βρετ.) ή rumor (Αμερ.) has it that, it is rumoured (Βρετ.) ή rumored (Αμερ.) that

διαδικασία ΟΥΣ ΘΗΛ (α) (δίκης) proceedings πληθ. · (εκλογής προέδρου, χορήγησης αδειών) procedure (β) (πένης, μεταβολισμού, φθοράς, εκμάθησης) process (γ) (μτφ.) rigmarole

διαδικαστικός, -ή, -ό ΕΠΙΘ procedural

διάδικος ΟΥΣ ΑΡΣΘΗΛ litigant, party ▷**οι διάδικοι** the litigants

διαδικτυακός, -ή, -ό ΕΠΙΘ: **διαδικτυακή τοποθεσία, διαδικτυακός τόπος** website

Διαδίκτυο ΟΥΣ ΟΥΔ Internet, Net

διαδικτυώνομαι Ρ ΑΜ to log on

διαδικτύωση ΟΥΣ ΘΗΛ logging on

διάδοση ΟΥΣ ΘΗΛ (ειδήσεων) spreading · (γνώσεων, ιδεών, θρησκείας) spreading, dissemination (επίσ.) · (ναρκωτικών) spread
▶ **διαδόσεις** ΠΛΗΘ rumours (Βρετ.), rumors (Αμερ.)

διαδοσίας ΟΥΣ ΑΡΣΘΗΛ rumour–monger (Βρετ.), rumor–monger (Αμερ.)

διαδοχή ΟΥΣ ΘΗΛ (α) (κυβερνήσεων, εξουσίας) succession (β) (γεγονότων, εικόνων) sequence · (ατυχημάτων, εποχών) succession

διαδοχικά ΕΠΙΡΡ, **διαδοχικώς** (νικώ, χάνω, χτυπώ, συσκέπτομαι) repeatedly

διαδοχικός, -ή, -ό ΕΠΙΘ (α) (νίκες, ήττες,

συνομιλίες, εικόνες) successive (β) (βασιλεία, δικαιώματα) hereditary

διαδοχικότητα ΟΥΣ ΘΗΛ succession

διαδοχικώς ΕΠΙΡΡ = **διαδοχικά**

διάδοχος ΟΥΣ ΑΡΣΘΗΛ (α) (προέδρου, διευθυντού) successor (β) (θρόνου) heir (γ) (= πρωτότοκος γιος) first–born son

διαδραματίζω Ρ Μ (ρόλο) to play
▶ **διαδραματίζεται, διαδραματίζονται** ΜΕΣΟΠΑΘ ΤΡΙΤΟΠΡΟΣ (γεγονότα, σκηνές) to take place · (εξελίξεις) to unfold

διαδρομή ΟΥΣ ΘΗΛ (α) (= δρόμος) route (β) (= απόσταση: με τα πόδια) walk · (με όχημα) trip, drive (γ) (ιστορίας, αιώνων) course (δ) (ΠΛΗΡΟΦ) path (ε) (εμβόλου, πιστονιού) stroke
▷**η διαδρομή είναι δύο ώρες με το αυτοκίνητο/με το τρένο** it's a two–hour drive/train journey
▷**η διαδρομή Πάτρα-Αθήνα είναι 210 χλμ.** Patras is 210 km from Athens
▷**η διαδρομή προς τα Τέμπη είναι πολύ ωραία** the drive to Tembi is beautiful

διάδρομος ΟΥΣ ΑΡΣ (α) (σπιτιού, σχολείου, τρένου) corridor (Βρετ.), hall (Αμερ.) · (θεάτρου) aisle (β) (αεροδρομίου) runway (γ) (στον στίβο) lane (δ) (= χαλί) runner (ε) (όργανο γυμναστικής) treadmill
▷**ανοίγω διάδρομο** to make way
▶ **διάδρομος απογείωσης/προσγείωσης** take–off/landing runway

διαζευγμένος, -η, -ο (επίσ.) ΕΠΙΘ divorced

διαζευκτικός, -ή, -ό ΕΠΙΘ (σύνδεσμος) disjunctive

διάζευξη ΟΥΣ ΘΗΛ (α) (εννοιών, στοιχείων, υλικών) separation (β) (= διαζύγιο) divorce (γ) (ΓΛΩΣΣ) disjunction

διαζύγιο ΟΥΣ ΟΥΔ (α) (ΝΟΜ) divorce (β) (= χωρισμός) separation (γ) (μτφ.) divorce
▷**παίρνω διαζύγιο από κτ** to give up on sth

διάζωμα ΟΥΣ ΟΥΔ (α) (θεάτρου, σταδίου) aisle (β) (ΑΡΧΙΤ, ΑΡΧΑΙΟΛ) frieze

διάθεση ΟΥΣ ΘΗΛ (α) (χρόνου, ώρας) use (β) (προϊόντων, περιοδικού, κερδών, πιστώσεων) distribution (γ) (= ψυχική κατάσταση) mood · (= ευθυμία) good spirits πληθ. (δ) (= συναισθήματα προς τρίτους) disposition (ε) (ΓΛΩΣΣ) mood
▷**δεν έχω διάθεση για κτ** ή **να κάνω κτ** not to feel like doing sth
▷**είμαι σε καλή/άσχημη διάθεση** to be in a good/bad mood
▷**είμαι** ή **τίθεμαι στη διάθεση κποιου** to be at sb's disposal
▷**έχω (όλη) την καλή διάθεση να κάνω κτ** to have every intention of doing sth
▷**έχω κτ στη διάθεσή μου** to have sth
▶ **διαθέσεις** ΠΛΗΘ intentions

διαθέσιμος, -η, -ο ΕΠΙΘ (προϊόν, κεφάλαιο, δωμάτιο, προσωπικό) available · (χρόνος) spare

▷**είμαι διαθέσιμος** to be available

διαθεσιμότητα ΟΥΣ ΘΗΛ: **είμαι** ή **τίθεμαι σε διαθεσιμότητα** (*για υπάλληλο, στρατιωτικό*) to be suspended
▷**θέτω κπν σε διαθεσιμότητα** to suspend sb

διαθέτω Ρ Μ (α) (= *έχω: περιουσία, αυτοκίνητο*) to own, to have · (*χρόνο, πείρα, γνωριμίες, δύναμη, υπόληψη*) to have · (*κύρος*) to carry (β) (= *χρησιμοποιώ: χρήματα, κονδύλια, χρόνο, δυνάμεις*) to use (γ) (= *αφιερώνω: ζωή, χρόνο*) to give (δ) (= *δίνω: σπίτι, αυτοκίνητο*) to give · (*χρόνο*) to spare, to give (ε) (*αίθουσα, χώρο, ποσό*) to allocate (στ) (= *πουλώ: εμπόρευμα, προϊόντα*) to sell (ζ) (= *κληροδοτώ: περιουσία, ακίνητο*) to leave (*σε το*)
▷**διαθέτω κπν αρνητικά απέναντι σε κπν/κτ** to turn sb against sb/sth
▷**διαθέτω κπν θετικά απέναντι σε κπν/κτ** to make sb well–disposed towards sb/sth
▸**διατίθεμαι** ΜΕΣΟΠΑΘ: **διατίθεμαι να κάνω κτ** want to do sth
▷**διατίθεμαι θετικά/αρνητικά απέναντι σε κπν/κτ** to be well–disposed/ill–disposed towards sb/sth

διαθήκη ΟΥΣ ΘΗΛ (α) (ΝΟΜ) will (β) (*μτφ.*) heritage
▷**ρίχνω τη διαθήκη** to dispute a will

διάθλαση ΟΥΣ ΘΗΛ diffraction, refraction

διαθλαστικός, -ή, -ό ΕΠΙΘ (*τηλεσκόπιο, πρίσμα*) refracting

διαθλαστικότητα ΟΥΣ ΘΗΛ refractivity

διαθλώ Ρ Μ (ΦΥΣ) to refract

διαίρεση ΟΥΣ ΘΗΛ (α) (*εδαφών, κοινωνίας, εργασιών*) division (β) (*έθνους, ομάδας, οικογένειας*) division, split (γ) (ΜΑΘ) division
▷**κάνω/μαθαίνω διαίρεση** to do/to learn division

διαιρετέος, -α, -ο ΕΠΙΘ (*ποσό, σύνολο, αριθμός*) divisible
▸**διαιρετέος** ΟΥΣ ΑΡΣ (ΜΑΘ) dividend

διαιρέτης ΟΥΣ ΑΡΣ (ΜΑΘ) divisor

διαιρετικός, -ή, -ό ΕΠΙΘ dividing

διαιρετός, -ή, -ό ΕΠΙΘ (*επίσης:* ΜΑΘ) divisible

διαιρώ Ρ Μ (α) (*ποσό, έργο, χώρο, χρόνο*) to divide (β) (ΜΑΘ) to divide (γ) (*λαό, κόμμα, οικογένεια*) to divide, to split
▷**διαίρει και βασίλευε** divide and rule

διαισθάνομαι Ρ Μ ΑΠΟΘ to sense

διαίσθηση ΟΥΣ ΘΗΛ intuition
▷**έχω τη διαίσθηση ότι** ή **πως** to have the feeling that
▷**έχω διαίσθηση** to have good intuition

διαισθητικός, -ή, -ό ΕΠΙΘ intuitive

δίαιτα ΟΥΣ ΘΗΛ (= *τρόπος διατροφής, αδυνατίσματος*) diet
▷**αρχίζω δίαιτα** to go on a diet
▷**κάνω δίαιτα** to be on a diet

διαιτησία ΟΥΣ ΘΗΛ (α) (ΝΟΜ) arbitration

(β) (ΑΘΛ) refereeing
▷**παραπέμπω κτ σε διαιτησία** to take ή refer sth to arbitration
▷**προσφεύγω σε διαιτησία** to go to arbitration

διαιτητεύω Ρ Μ (α) (ΝΟΜ) to arbitrate (β) (*αγώνα ποδοσφαίρου, μπάσκετ*) to referee · (*αγώνα τένις, κρίκετ, μπέιζμπολ*) to umpire

διαιτητής ΟΥΣ ΑΡΣ (α) (ΝΟΜ) arbitrator (β) (*ποδοσφαίρου, μπάσκετ*) referee · (*τένις, κρίκετ, μπέιζμπολ*) umpire

διαιτητική ΟΥΣ ΟΥΔ dietetics εν.

> *Προσοχή!: Αν και το **dietetics** φαίνεται ως τύπος πληθυντικού, είναι ουσιαστικό μόνο στον ενικό και συντάσσεται με ρήμα στον ενικό.*

διαιτητικός, -ή, -ό ΕΠΙΘ (α) (*απόφαση, διαδικασία*) arbitration (β) (*αγωγή, κανόνες*) dietary
▸**διαιτητικό δικαστήριο** court of arbitration

διαιτήτρια ΟΥΣ ΘΗΛ *βλ.* **διαιτητής**

διαιτολόγιο ΟΥΣ ΟΥΔ diet
▷**ισορροπημένο διαιτολόγιο** balanced diet

διαιτολόγος ΟΥΣ ΑΡΣ&ΘΗΛ dietician

διαιωνίζω Ρ Μ to perpetuate

διαιώνιση ΟΥΣ ΘΗΛ perpetuation

διακαής, -ής, -ές ΕΠΙΘ (*πόθος, επιθυμία*) burning, fervent

Διακαινήσιμος ΟΥΣ ΘΗΛ Easter week

διακανονίζω Ρ Μ (*υπόθεση, διαφορές*) to settle · (*λεπτομέρειες*) to sort out

διακανονισμός ΟΥΣ ΑΡΣ (*υπόθεσης, ζητήματος, χρέους*) settling · (*λεπτομερειών*) sorting out

διακατέχω Ρ Μ (*συναίσθημα, ιδέα*) to grip
▸**διακατέχομαι** ΜΕΣΟΠΑΘ: **διακατέχομαι από κτ** to be gripped by sth

διάκειμαι (*επίσ.*) Ρ ΑΜ ΑΠΟΘ: **διάκειμαι φιλικά/εχθρικά απέναντι σε κπν/κτ** to be well–disposed/ill–disposed towards sb/sth

διακείμενος, -η, -ο (*ελίσ.*) ΕΠΙΘ disposed

διακεκαυμένη ΟΥΣ ΘΗΛ (*επίσης* **διακεκαυμένη ζώνη**) torrid zone

διακεκομμένος, -η, -ο ΕΠΙΘ (*γραμμή*) dotted · (*φωνή*) staccato · (*εργασία*) interrupted
▸**διακεκομμένη συνουσία** coitus interruptus

διακεκριμένος, -η, -ο ΕΠΙΘ (α) (*θέματα, ζητήματα*) distinct, separate (β) (*επιστήμονας*) eminent · (*καλλιτέχνης, ομιλητής*) distinguished · (*μέλος*) prominent · (*οικογένεια*) of note

διάκενο ΟΥΣ ΟΥΔ (α) (*γενικότ.*) gap (β) (ΤΥΠΟΓΡ, ΜΟΥΣ) space

διακήρυξη ΟΥΣ ΘΗΛ (α) (*ιδέας, πίστης*) declaration · (*πολιτικού, προέδρου, επιτροπής*) proclamation (β) (*οργάνωσης,* *κινήματος*) manifesto

---

Προσοχή!: Ο πληθυντικός του **manifesto** *είναι* **manifestos** *ή* **manifestoes.**

(γ) (*φιλίας, συνεργασίας*) treaty, declaration
▷**η Διακήρυξη της Ανεξαρτησίας** the Declaration of Independence
▷**η Διακήρυξη των Δικαιωμάτων του Ανθρώπου και του Πολίτη** the Universal Declaration of Human Rights

διακηρύσσω, διακηρύττω Ρ Μ (α) (*αντίθεση, διαφωνία*) to express · (*απόφαση*) to announce · (*πίστη*) to declare (β) (*ανεξαρτησία*) to declare, to proclaim

διακινδύνευση ΟΥΣ ΘΗΛ (α) (*ζωής*) risking, endangering · (*θέσης*) risking, jeopardizing · (*ευτυχίας*) jeopardizing · (*κεφαλαίου*) risking (β) (*εκτίμησης, προβλέψεως*) hazarding, venturing

διακινδυνεύω Ρ Μ (α) (*ζωή*) to risk, to endanger · (*θέση*) to risk, to jeopardize · (*ευτυχία*) to jeopardize · (*χρήματα*) to risk (β) (*πρόβλεψη, σχόλιο, εκτίμηση*) to hazard, to venture

διακίνηση ΟΥΣ ΘΗΛ (α) (*αγαθών, προϊόντων, επιβατών*) transport · (*κεφαλαίου*) movement · (*αλληλογραφίας, εγγράφων*) handling (β) (*ναρκωτικών*) traffic · (*όπλων*) trafficking
▷**διακίνηση ιδεών** exchange of ideas
▷**διακίνηση μετοχών** share trading

διακινώ Ρ Μ (α) (*προϊόντα, επιβάτες*) to transport · (*χρήματα*) to move around · (*μετοχές*) to trade (β) (*ναρκωτικά, όπλα*) to traffic in (γ) (*ιδέες*) to put across

διακλαδίζομαι, διακλαδώνομαι Ρ ΑΜ (α) (*δέντρο*) to branch (β) (*ποταμός, δρόμος*) to fork, to branch

διακλάδωση ΟΥΣ ΘΗΛ (α) (*δέντρου*) branch (β) (*δρόμου*) fork · (*ποταμού*) branch · (*σιδηροδρομικής γραμμής*) branch line

διακοινοτικός, -ή, -ό ΕΠΙΘ (*διάλογος, συνομιλίες, πρόγραμμα*) intercommunity

διακοινώνω Ρ Μ (*απόφαση*) to communicate · (*διαμαρτυρία*) to lodge

διακοίνωση ΟΥΣ ΘΗΛ (*κυβερνήσεως*) communiqué · (*διαμαρτυρίας*) note

διακομιδή ΟΥΣ ΘΗΛ (*τραυματία, αρρώστου*) transporting

διακομίζω Ρ Μ (*άρρωστο, τραυματία*) to take, to transport

διακονεύω [1] Ρ ΑΜ to beg, to panhandle (*Αμερ.*) (*ανεπ.*)
[2] Ρ Μ (*λεφτά, ψωμί*) to beg for, to panhandle for (*Αμερ.*) (*ανεπ.*)

διακονιά ΟΥΣ ΘΗΛ beggary, panhandling (*Αμερ.*) (*ανεπ.*)
▷**βγαίνω** ή **πέφτω στη διακονιά** to be reduced to beggary

διακονία ΟΥΣ ΘΗΛ (α) (= *υπηρεσία*) service (β) (ΘΡΗΣΚ) deaconship

διακονιάρα ΟΥΣ ΘΗΛ (α) (*μειωτ.*) beggar woman, panhandler (*Αμερ.*) (*ανεπ.*)
(β) (= *πολύ φτωχή*) pauper

διακονιάρης ΟΥΣ ΑΡΣ (α) (*μειωτ.*) beggar, panhandler (*Αμερ.*) (*ανεπ.*) (β) (= *πολύ φτωχός*) pauper

διακονικός, -ή, -ό ΕΠΙΘ (ΘΡΗΣΚ) diaconal

διακόνισσα ΟΥΣ ΘΗΛ (α) (= *που φροντίζει τον ναό*) deaconess (β) (= *σύζυγος διακόνου*) deacon's wife

διάκονος ΟΥΣ ΑΡΣ (α) (ΘΡΗΣΚ: *επίσης* **διάκος**) deacon (β) (*τέχνης, επιστήμης, ειρήνης*) servant

διακονώ [1] Ρ Μ (*επιστήμη, τέχνη*) to serve [2] Ρ ΑΜ (ΘΡΗΣΚ) to be deacon

διακοπή ΟΥΣ ΘΗΛ (α) (*κυκλοφορίας, κίνησης, προγράμματος*) disruption · (*ταξιδιού*) interruption · (*αγώνα*) stoppage · (*διπλωματικών σχέσεων, διαπραγματεύσεων*) breakdown · (*δίκης*) adjournment · (*συμβολαίου, κυήσεως*) termination (β) (= *διάλειμμα*) break (γ) (*δικτύου*) shutdown · (*νερού*) cut
▷**διακοπές** ΠΛΗΘ holiday *εν.* (*Βρετ.*), vacation *εν.* (*Αμερ.*)
▷**είμαι σε διακοπές** to be on holiday (*Βρετ.*) ή vacation (*Αμερ.*)
▷**κάνω** ή **πηγαίνω διακοπές** to go on holiday (*Βρετ.*) ή vacation (*Αμερ.*)
▷**οι διακοπές των Χριστουγέννων/τού Πάσχα** the Christmas/Easter holidays (*Βρετ.*) ή vacation (*Αμερ.*)
▶**διακοπή ρεύματος** power cut ή failure

διακόπτης ΟΥΣ ΑΡΣ switch

διακόπτω Ρ Μ (α) (*εργασία, πρόγραμμα, κυκλοφορία*) to disrupt · (*σχέσεις*) to sever · (*αγώνα*) to stop · (*διαπραγματεύσεις*) to break off · (*ταξίδι*) to break · (*ηλεκτροδότηση*) to cut off (β) (*ομιλητή, συζήτηση*) to interrupt

διακόρευση ΟΥΣ ΘΗΛ defloration

διακορευτής ΟΥΣ ΑΡΣ (α) (= *που διακορεύει*) ravisher (β) (*συσκευή*) hole punch

διακορεύω Ρ Μ to deflower

διάκος ΟΥΣ ΑΡΣ deacon

διακοσάρα ΟΥΣ ΘΗΛ (α) (*δρομέας*) 200–metre (*Βρετ.*) ή 200–meter (*Αμερ.*) runner (β) (*βιντεοκασέτα*) 200–minute video tape

διακοσάρης ΟΥΣ ΑΡΣ (ΑΘΛ) 200–metre (*Βρετ.*) ή 200–meter (*Αμερ.*) runner

διακοσάρι ΟΥΣ ΟΥΔ (ΑΘΛ) 200–metre race (*Βρετ.*), 200–meter race (*Αμερ.*)

διακοσαριά ΟΥΣ ΘΗΛ: **καμιά διακοσαριά** about two hundred

διακόσια ΑΡΙΘ ΑΠΟΛ ΑΚΛ two hundred

διακόσιοι, -ες, -α ΑΡΙΘ ΑΠΟΛ ΠΛΗΘ two–hundred

διακοσιομέδιμνοι ΟΥΣ ΑΡΣ ΠΛΗΘ *third–class citizens in ancient Athens*

διακοσιοστός, -ή, -ό ΑΡΙΘ ΤΑΚΤ two hundredth

διακόσμηση ΟΥΣ ΘΗΛ (α) (= *εξωραϊσμός*)

διακοσμητής decoration · (βιτρίνας) dressing (β) (= διάκοσμος) decor

διακοσμητής ΟΥΣ ΑΡΣ decorator

διακοσμητική ΟΥΣ ΘΗΛ decorative arts πληθ.

διακοσμητικός, -ή, -ό ΕΠΙΘ (α) (φυτά) ornamental · (φωτισμός) decorative (β) (ρόλος, στοιχείο) decorative

διακοσμήτρια ΟΥΣ ΘΗΛ βλ. **διακοσμητής**

διάκοσμος ΟΥΣ ΑΡΣ (α) (= στολίδια) decor (β) (Χριστουγέννων, Αποκριάς) decoration

διακοσμώ Ρ Μ to decorate

διακρίνω Ρ Μ (α) (= ξεχωρίζω) to distinguish · (κάμψη, αλλαγή) to detect · (είδη) to identify (β) (πρόσωπα, φιγούρα, αντικείμενα) to make out

▷**διακρίνω το καλό από το κακό** to distinguish good from evil ή between good and evil

▷**διακρίνω τον τίμιο από τον απατεώνα** to tell the difference between an honest man and a cheat

▷**με διακρίνει η ευγένεια/η καλοσύνη** to be polite/kind

▸**διακρίνομαι** ΜΕΣΟΠΑΘ (α) (πλοίο, σημάδι) to be visible (β) (= παίρνω διάκριση) to make a mark, to distinguish oneself · (= ξεχωρίζω) to stand out

▷**διακρίνομαι για την ειλικρίνειά της/την καλοσύνη της** to be very sincere/kind

▷**διακρίνομαι στις σπουδές** to be an excellent student

▷**διακρίνομαι ως ποιητής** to stand out as a poet

διάκριση ΟΥΣ ΘΗΛ (α) (θεωριών, επιστημών, ειδών, σημασιών, νοημάτων) distinction (β) (= τιμή) honour (Βρετ.), honor (Αμερ.), accolade (επίσ.)

▸**τιμητική διάκριση** honour (Βρετ.), honor (Αμερ.)

▸**διάκριση εξουσιών** separation of powers

▸**διακρίσεις** ΠΛΗΘ discrimination εν.

▷**κάνω διακρίσεις (ανάμεσα)** to discriminate (between)

▸**κοινωνικές διακρίσεις** social discrimination εν.

▸**φυλετικές διακρίσεις** racial discrimination εν.

διακριτικά ΕΠΙΡΡ discreetly

διακριτικός, -ή, -ό ΕΠΙΘ (α) (γνώρισμα, χαρακτηριστικό, σήμα) distinguishing (β) (ντύσιμο, βάψιμο, φωτισμός) discreet · (ζωή) quiet · (χρώμα) muted · (ήχος) unobtrusive · (άρωμα) delicate (γ) (άνθρωπος, συμπεριφορά) tactful, discreet

▸**διακριτικά** ΟΥΣ ΟΥΔ ΠΛΗΘ (στολής, αξιώματος, πένθους) stripe εν., chevron εν.

διακριτικότητα ΟΥΣ ΘΗΛ discretion

διακυβέρνηση ΟΥΣ ΘΗΛ (κράτους, χώρας) government · (πλοίου) navigation

διακυβερνώ Ρ Μ (χώρα, κράτος) to govern · (σκάφος) to steer

διακύβευση ΟΥΣ ΘΗΛ (ονόματος, συμφερόντων) staking · (ζωής) risking · (ειρήνης, ασφάλειας) threatening

διακυβεύω Ρ Μ (συμφέροντα, όνομα) to stake, to put at stake · (ζωή) to risk · (ειρήνη) to threaten

▸**διακυβεύομαι** ΜΕΣΟΠΑΘ (ασφάλεια, ποσά) to be at stake

διακυμαίνομαι Ρ ΑΜ ΑΠΟΘ to fluctuate

διακύμανση ΟΥΣ ΘΗΛ (τιμής, κόστους, σκορ, δημοτικότητας) fluctuation · (εδάφους) undulation · (κατάστασης) variation

▷**η ζωή παρουσιάζει πολλές διακυμάνσεις** life has many ups and downs

διακωμώδηση ΟΥΣ ΘΗΛ (προσώπου) send-up, caricature · (κατάστασης) send-up · (θεσμού) parody

διακωμωδώ Ρ Μ (πρόσωπο, κατάσταση) to make fun of

διαλαλητής ΟΥΣ ΑΡΣ (παλαιότ.) town crier

διαλαλώ Ρ Μ (α) (νέα, ειδήσεις) to spread · (μυστικό) to reveal, to disclose (β) (εμπόρευμα, προϊόντα) to hawk

διάλεγμα ΟΥΣ ΟΥΔ (α) (= επιλογή) selection, choosing (β) (= ξεχώρισμα) sorting

διαλεγμένος, -η, -ο ΕΠΙΘ selected

διαλέγομαι (επίσ.) Ρ ΑΜ ΑΠΟΘ to discuss

διαλέγω Ρ Μ (α) (φόρεμα, φίλους, έπιπλα) to choose · (έργα, θέματα) to select (β) (καρπούς, φρούτα, λουλούδια) to sort

διάλειμμα ΟΥΣ ΟΥΔ (α) (διάλεξης, συνεδρίου) break · (χρόνων, ημερών, λιακάδας) interval · (χαράς) period, interlude · (ενημερίας, ελευθερίας) period (β) (στο σχολείο) break (γ) (έργου, ταινίας) interval (Βρετ.), intermission (Αμερ.)

▷**κατά διαλείμματα** on and off

▸**διαφημιστικό διάλειμμα** commercial break

▸**μουσικό διάλειμμα** musical interlude

διαλείπων, -ουσα, -ον (πυρετός, συμπτώματα, προβλήματα) recurring, recurrent · (σφυγμός) irregular · (εργασία) intermittent

διάλειψη ΟΥΣ ΘΗΛ (μνήμης) lapse · (καρδιάς) trouble

διαλεκτική ΟΥΣ ΘΗΛ dialectic

διαλεκτικός¹, -ή, -ό ΕΠΙΘ (ΦΙΛΟΣ) dialectical

▸**διαλεκτικός υλισμός** dialectical materialism

διαλεκτικός², -ή, -ό ΕΠΙΘ (ΓΛΩΣΣ) dialectal

διαλεκτός, -ή, -ό ΕΠΙΘ (= διαλεγμένος)

διάλεκτος ΟΥΣ ΘΗΛ (α) (Κρήτης, Θεσσαλίας) dialect (β) (ποδοσφαίρου, δημοσιογράφων) jargon

▸**δημοσιογραφική διάλεκτος** journalese

διάλεξη ΟΥΣ ΘΗΛ (α) (σε πανεπιστήμιο) lecture · (γενικότ.) talk (β) (ειρων.) lecture

διαλευκαίνω Ρ Μ (μυστήριο) to clear up, to solve · (υπόθεση, έγκλημα) to solve

διαλεύκανση ΟΥΣ ΘΗΛ solution

διαλεχτός, -ή, -ό ΕΠΙΘ (α) (έπιπλα, σταφύλι) choice · (αποσπάσματα) selected (β) (φίλος)

Δ

special · (συνεργάτης) outstanding
διαλλακτικός, -ή, -ό ΕΠΙΘ conciliatory
διαλλακτικότητα ΟΥΣ ΘΗΛ (ομιλητή, πολιτικού, συζήτησης) conciliatory tone · (κατάστασης, απόφασης) spirit of conciliation
διαλογέας ΟΥΣ ΑΡΣ ΘΗΛ (φρούτων, ταχυδρομείου) sorter · (ψήφων) scrutineer
διαλογή ΟΥΣ ΘΗΛ (δελτίων ΠΡΟ-ΠΟ) drawing · (ψήφων) counting · (φρούτων, μεταλλεύματος) sorting
▷προϊόντα πρώτης/δεύτερης διαλογής top-quality/standard products
διαλογίζομαι ① Ρ Μ ΑΠΟΘ (έννοια, συνέπειες, πρόβλημα) to ponder, to reflect on ② Ρ ΑΜ to meditate
διαλογικός, -ή, -ό ΕΠΙΘ (συζήτηση) two-way
▷σε διαλογική μορφή in dialogue (Βρετ.) ή dialog (Αμερ.) form
διαλογισμός ΟΥΣ ΑΡΣ (α) (= στοχασμός) reflection (β) (ΘΡΗΣΚ) meditation
διάλογος ΟΥΣ ΑΡΣ (α) (γενικότ.) dialogue (Βρετ.), dialog (Αμερ.) (β) (μεταξύ φίλων) conversation, chat
▷ανοίγω διάλογο με κπν to start a dialogue (Βρετ.) ή dialog (Αμερ.) with sb
▷ανοικτός διάλογος open dialogue (Βρετ.) ή dialog (Αμερ.)
▸πλατωνικοί διάλογοι Platonic dialogue (Βρετ.) ή dialog (Αμερ.)
διάλυμα ΟΥΣ ΟΥΔ solution
διαλυμένος, -η, -ο ΕΠΙΘ (α) (μηχανή, καράβι) dismantled (β) (καρέκλα, μύτη) broken · (δωμάτιο, πρόσωπο) in a mess · (παπούτσια, ρούχα) falling apart · (μτφ.) shattered (γ) (κράτος, χώρα, κόμμα) in upheaval · (οικονομία) wrecked (δ) (εταιρεία, επιχείρηση) liquidated · (σύνδεσμος) dissolved (ε) (γάμος, δεσμός, συμφωνία) broken (στ) (ζάχαρη, αλάτι, κακάο) dissolved
▸διαλυμένο σπίτι broken home
διάλυση ΟΥΣ ΘΗΛ (α) (μηχανής) dismantling (β) (κράτους, κόμματος, οικογένειας) break–up · (οικονομίας) wrecking · (ομίχλης, συννεφιάς, υδρατμών) dispersal (γ) (επιχείρησης) liquidation · (Βουλής) dissolution (δ) (συμφωνίας) cancellation · (αρραβώνα) breaking off · (σχέσης) breakdown (ε) (αλατιού, ζάχαρης) solution · (μπογιάς) dilution (στ) (υποψιών, αμφιβολιών, φόβων) dispelling
▷βαράω διάλυση (ανεπ.: = χρεωκοπώ) to fold, to go bankrupt · (= αποσυντονίζομαι) to be disrupted
διαλύτης ΟΥΣ ΑΡΣ solvent
διαλυτικός, -ή, -ό ΕΠΙΘ (α) (ουσία, υγρό) solvent (β) (πολιτική, στάση) disruptive
▸διαλυτικά ΟΥΣ ΟΥΔ ΠΛΗΘ (ΓΛΩΣΣ) diaeresis εν. (Βρετ.), dieresis εν. (Αμερ.)
▸διαλυτικό ΟΥΣ ΟΥΔ solvent · (διορθωτικού) correcting fluid
διαλυτός, -ή, -ό ΕΠΙΘ soluble

διαλυτότητα ΟΥΣ ΘΗΛ solubility
διαλύω Ρ Μ (α) (μηχανή, πλοίο) to dismantle, to take apart (β) (σπίτι, έπιπλο) to wreck · (παπούτσια, ρούχα) to wear out · (μτφ.: εχθρό, αντίπαλο) to beat · (για κούραση) to wear out (γ) (κράτος, κόμμα, οικογένεια, διαδήλωση, συγκέντρωση) to break up · (οικονομία, φιλία, σχέση) to wreck · (απεργούς, πλήθος) to disperse · (γάμο) to dissolve · (πάγο) to break up · (ομίχλη, σύννεφα, καπνό) to clear, to disperse (δ) (εταιρεία, επιχείρηση) to liquidate · (Βουλή) to dissolve (ε) (συμφωνία, σύμβαση) to cancel · (αρραβώνα) to break off (στ) (ζάχαρη, αλάτι, μπογιά, χρώμα) to dissolve (ζ) (υποψίες, ανησυχίες, φόβους) to dispel · (προλήψεις) to eradicate
▷το διαλύουμε (οικ.: για σχέση) we're splitting up
▷το διαλύσαμε στις δέκα (οικ.: για γλέντι, συνάθροιση) we broke up at ten
διαμαντένιος, -ια, -ιο ΕΠΙΘ (σκουλαρίκια, δαχτυλίδι) diamond
διαμάντι ΟΥΣ ΟΥΔ (α) (δαχτυλιδιού, στέμματος) diamond (β) (μτφ.) gem, jewel
▷άνθρωπος/γυναίκα διαμάντι man/woman of integrity
▷νερό/κρασί διαμάντι crystal clear water/wine
διαμαντικά ΟΥΣ ΟΥΔ ΠΛΗΘ diamonds, diamond jewellery (Βρετ.) ή jewelry (Αμερ.) χωρίς πληθ
διαμαντόπετρα ΟΥΣ ΘΗΛ diamond
διαμαρτύρηση ΟΥΣ ΘΗΛ protest
διαμαρτυρία ΟΥΣ ΘΗΛ protest
▷δέχομαι κτ χωρίς διαμαρτυρία to accept sth without protest
▷πορεία διαμαρτυρίας protest march
▷επιστολή διαμαρτυρίας letter of protest
διαμαρτύρομαι Ρ ΑΜ ΑΠΟΘ to protest
διαμαρτυρόμενη ΟΥΣ ΘΗΛ βλ. διαμαρτυρόμενος
διαμαρτυρόμενος ΟΥΣ ΑΡΣ Protestant
διαμάχη ΟΥΣ ΘΗΛ (α) (καθηγητών, φοιτητών) dispute, row (β) (κομμάτων, κρατών) conflict · (διαδοχής) contention
▷εμπλέκομαι σε διαμάχη to come into conflict
▷πολιτική/θρησκευτική διαμάχη political/religious conflict
▷φιλολογική διαμάχη literary controversy
διαμελίζω Ρ Μ (α) (πτώμα) to dismember · (ζώο) to cut up (β) (κράτος, χώρα) to partition
διαμελισμένος, -η, -ο ΕΠΙΘ (α) (σώμα, ζώο) dismembered (β) (κράτος, χώρα) partitioned
διαμελισμός ΟΥΣ ΑΡΣ (α) (πτώματος, ζώων) dismemberment (β) (χώρας) partition
διαμένω Ρ ΑΜ (μόνιμα) to live · (σε ξενοδοχείο, με φίλους) to stay
διαμέρισμα ΟΥΣ ΟΥΔ (α) (πολυκατοικίας) flat (Βρετ.), apartment (κυρ. Αμερ.) (β) (χώρας)

region · (πόλης) district

διαμερισμός (επίσ.) ΟΥΣ ΑΡΣ sharing out

διάμεσος, -ος, -ο ΕΠΙΘ (τοίχος) separating · (διάστημα) middle · (κενό, χρόνος, περίοδος) intervening · (τιμή, πίεση, ποσό) medium

▸**διάμεσο χώρισμα** partition

▸**διάμεσος** ΟΥΣ ΘΗΛ (τριγώνου, τραπεζίου) median

δια μέσου ΠΡΟΘ +ΓΕΝ. (α) (για τόπο) via, through (β) (για τρόπο) through (γ) (για χρόνο) over

διαμετακομιστικός, -ή, -ό ΕΠΙΘ (κέντρο) transit

▸**διαμετακομιστικό εμπόριο** transit trade

▸**διαμετακομιστικό μέσο** means of transport

διαμέτρημα ΟΥΣ ΟΥΔ (α) (κάννης, σωλήνα) calibre (Βρετ.), caliber (Αμερ.), bore, gauge (Αμερ.) (β) (καλλιτέχνη) calibre (Βρετ.), caliber (Αμερ.)

▷**άνθρωπος μεγάλου διαμετρήματος** person of high calibre (Βρετ.) ή caliber (Αμερ.)

διαμετρικά ΕΠΙΡΡ = **διαμετρικώς**

διαμετρικώς ΕΠΙΡΡ diametrically

▷**είμαι διαμετρικώς αντίθετος** to be diametrically opposed

διάμετρος ΟΥΣ ΘΗΛ diameter

▷**εκ διαμέτρου αντίθετος** diametrically opposed

διαμήκης, -ης, -ες ΕΠΙΘ longitudinal

διαμήνυση (επίσ.) ΟΥΣ ΘΗΛ message

διαμηνύω (επίσ.) Ρ Μ to notify

διαμιάς ΕΠΙΡΡ all at once, all of a sudden

διαμοιράζω Ρ Μ to share out

▸**διαμοιράζομαι** ΜΕΣΟΠΑΘ (περιουσία) to share

διαμοίραση ΟΥΣ ΘΗΛ sharing out

διαμονή ΟΥΣ ΘΗΛ stay

▷**έξοδα διαμονής** living expenses

▷**τόπος διαμονής** place of residence

διαμορφώνω Ρ Μ (α) (χώρο) to arrange · (δωμάτιο) to convert (σε into) (β) (προσωπικότητα, χαρακτήρα) to mould (Βρετ.), to mold (Αμερ.) · (ήθος: γνώμη, πολιτική, εξέλιξη) to shape · (κατάσταση, συνθήκες) to influence · (σκορ) to contribute to (γ) (τιμές, ενοίκια) to set

διαμόρφωση ΟΥΣ ΘΗΛ (α) (χώρου, γραφείου) arranging · (πλατείας) landscaping · (εδάφους) shaping (β) (χαρακτήρα, προσωπικότητας) formation · (ιστορίας, κοινής γνώμης) shaping · (πλαισίου, πρακτικής, πορείας) establishing (γ) (τιμών, ενοικίων) setting

▷**η διαμόρφωση του σκορ** the final score

διαμορφωτής ΟΥΣ ΑΡΣ (α) (χώρου) designer · (πολιτικής, εξελίξεων) shaper (β) (χαρακτήρα, προσωπικότητας) builder

διαμορφωτικός, -ή, -ό ΕΠΙΘ formative

διαμορφώτρια ΟΥΣ ΘΗΛ βλ. **διαμορφωτής**

διαμπερής, -ής, -ές ΕΠΙΘ (τραύμα) clean · (διαμέρισμα) with windows front and back

διαμφισβήτηση (επίσ.) ΟΥΣ ΘΗΛ (α) (γνώμης,

γνησιότητας) contention (β) (συνόρων, εδαφών) dispute

διαμφισβητώ (επίσ.) Ρ Μ (α) (ισχυρισμό, εγκυρότητα, αλήθεια) to contest (β) (έδαφος, κυριότητα) to dispute

διάνα ΕΠΙΡΡ: **πετυχαίνω** ή **κάνω διάνα** (κυριολ., μτφ.) to hit the bull's eye

▷**διάνα!** bull's eye!

διανεμητής ΟΥΣ ΑΡΣ (α) (= διανομέας) distributor (β) (γεωργικό μηχάνημα) fertilizer spreader, muck spreader

διανεμητικός, -ή, -ό ΕΠΙΘ distributive

διανεμήτρια ΟΥΣ ΘΗΛ distributor

διανέμω Ρ Μ (κέρδη) to distribute · (περιουσία, κληρονομιά) to share out · (τρόφιμα, ρουχισμό, φάρμακα) to distribute · (φυλλάδια) to distribute, to hand out · (αλληλογραφία) to deliver

διανθίζω Ρ Μ (έκθεση, ομιλία, ταινία) to embellish

διανθισμένος, -η, -ο ΕΠΙΘ (ομιλία) embellished

διανόηση ΟΥΣ ΘΗΛ (α) (= διαλογισμός) thought (β) (= διανοούμενοι) intelligentsia

διανοητής ΟΥΣ ΑΡΣ intellectual

διανοητικά ΕΠΙΡΡ mentally

▷**διανοητικά καθυστερημένος** ή **ανάπηρος** mentally retarded

διανοητικός, -ή, -ό ΕΠΙΘ (α) (λειτουργίες, υγεία) mental (β) (τύπος) intellectual

▷**διανοητική καθυστέρηση** ή **ανεπάρκεια** mental retardation

διανοητικότητα ΟΥΣ ΘΗΛ intelligence

διανοητικώς ΕΠΙΡΡ = **διανοητικά**

διανοήτρια ΟΥΣ ΘΗΛ βλ. **διανοητής**

διάνοια ΟΥΣ ΘΗΛ (α) (= πνεύμα) intellect (β) (= μυαλό) mind (γ) (= μεγαλοφυΐα) genius

▷**ούτε κατά διάνοια** not on your life

διανοίγω Ρ Μ (οδό, σήραγγα, διώρυγα) to cut

▸**διανοίγομαι** ΜΕΣΟΠΑΘ (μτφ.) to open up

διάνοιξη ΟΥΣ ΘΗΛ (α) (= κατασκευή: σήραγγας, διώρυγας, δρόμου) cutting (β) (= διαπλάτυνση: δρόμου) widening

διανομέας ΟΥΣ ΑΡΣ⊕ΘΗΛ (α) (προϊόντων, εμπορευμάτων) distributor (β) (κινητήρα) distributor

▸**ταχυδρομικός διανομέας** (επίσ.) postman (Βρετ.), mailman (Αμερ.)

> *Προσοχή!: Ο πληθυντικός του* **postman**/ **mailman** *είναι* **postmen/mailmen**.

διανομή ΟΥΣ ΘΗΛ (α) (βιβλίων, εισιτηρίων, κερδών, ρεύματος) distribution · (επιστολών, φαγητού) delivery (β) (ταχυδρομική υπηρεσία) sorting office (γ) (στο θέατρο: = καθορισμός των ρόλων) casting · (= ηθοποιοί) cast

▷**διανομή κατ' οίκον** home delivery

▸**δίκτυο διανομής** distribution network

διανοούμαι ① Ρ Μ ΑΠΟΘ to conceive of

2 P AM to think
▷**πως διανοήθηκες τέτοιο πράγμα** how can you think of such a thing?
διανοούμενη ΟΥΣ ΘΗΛ βλ. **διανοούμενος**
διανοουμενίστικος, -η, -ο (μειωτ.) ΕΠΙΘ highbrow
διανοούμενος ΟΥΣ ΑΡΣ intellectual
διάνος ΟΥΣ ΑΡΣ turkey (cock)
διανυκτέρευση ΟΥΣ ΘΗΛ overnight stay
διανυκτερεύω P AM (α) (= καταλύω) to stay overnight (β) (φαρμακείο, νοσοκομείο, βενζινάδικο) to be open all night
διανυκτερεύων, -ουσα, -ον ΕΠΙΘ all–night
διάνυσμα ΟΥΣ ΟΥΔ (ΜΑΘ) vector
διανυσματικός, -ή, -ό ΕΠΙΘ vectorial
διανύω P M (α) (απόσταση, χιλιόμετρα) to cover, to travel (β) (χρόνο, περίοδο, κρίση) to be in
▷**διανύω το εικοστό έτος της ηλικίας μου** to be in one's twentieth year
διαξιφισμός ΟΥΣ ΑΡΣ clash
διαολεμένα ΕΠΙΡΡ = **διαβολεμένα**
διαολεμένος, -η, -ο ΕΠΙΘ = **διαβολεμένος**
διαολιά ΟΥΣ ΘΗΛ = **διαβολιά**
διαολογυναίκα ΟΥΣ ΘΗΛ = **διαβολογυναίκα**
διαολοθήλυκο ΟΥΣ ΟΥΔ = **διαβολογυναίκα**
διαολόκαιρος ΟΥΣ ΑΡΣ = **διαβολόκαιρος**
διαολοκόριτσο ΟΥΣ ΟΥΔ = **διαβολοκόριτσο**
διαολόπαιδο ΟΥΣ ΟΥΔ = **διαβολόπαιδο**
διάολος ΟΥΣ ΑΡΣ = **διάβολος**
διαολοσκορπίσματα ΟΥΣ ΟΥΔ ΠΛΗΘ βλ. **ανεμομάζωμα**
διαολοστέλνω P M = **διαβολοστέλνω**
διαπαιδαγώγηση ΟΥΣ ΘΗΛ (σεξουαλική, ηθική, θρησκευτική) education · (οικογενειακή) upbringing · (στρατιωτική) training
διαπαιδαγωγώ P M to educate
διαπάλη ΟΥΣ ΘΗΛ conflict
δια παντός (επίσ.) ΕΠΙΡΡ forever, for ever
▷**άπαξ (και) δια παντός** once and for all
διαπασών ΟΥΣ ΘΗΛ/ΟΥΔ ΑΚΛ (ΜΟΥΣ = ογδόη) octave
▷**στη διαπασών** (για ραδιόφωνο, τηλεόραση) at full blast
▸**διαπασών** ΟΥΣ ΟΥΔ tuning fork
διαπεπιστευμένος, -η, -ο (επίσ.) ΕΠΙΘ = **διαπιστευμένος**
διαπεραιώνω (επίσ.) P M to ferry across
διαπεραστικός, -ή, -ό ΕΠΙΘ (α) (κρύο) biting · (βλέμμα, ματιά) piercing, penetrating (β) (φωνή, κραυγή, ήχος) shrill
διαπερατός, -ή, -ό ΕΠΙΘ permeable
διαπερατότητα ΟΥΣ ΘΗΛ permeability
διαπερνώ P M (α) (ξίφος, βέλος) to go through (β) (φως) to penetrate
▷**ένα δυνατό ρίγος τον διαπέρασε** he shuddered violently, he gave a violent shudder
διαπίδυση ΟΥΣ ΘΗΛ (α) (= εκροή υγρού)

secretion (β) (ΦΥΣ) osmosis
διαπιστευμένος, -η, -ο ΕΠΙΘ accredited
διαπιστευτήρια ΟΥΣ ΟΥΔ ΠΛΗΘ credentials
▷**επιδίδω τα διαπιστευτήριά μου** to present one's credentials · (μτφ.) to prove one's worth
διαπιστώνω P M (πρόβλημα, παρανομία) to discover · (αλήθεια) to discover, to establish · (άγνοια, προθυμία, ασάφεια) to note
▷**διαπιστώνω ότι** to ascertain that
διαπίστωση ΟΥΣ ΘΗΛ discovery
διαπλάθω P M = **διαπλάσσω**
διαπλανητικός, -ή, -ό ΕΠΙΘ interplanetary
διάπλαση ΟΥΣ ΘΗΛ (μαθητών, γενιάς) moulding (Βρετ.), molding (Αμερ.)
▸**σωματική διάπλαση** physique
διαπλάσσω P M (προσωπικότητα, ήθος) to mould (Βρετ.), to mold (Αμερ.)
διάπλατα ΕΠΙΡΡ wide open
▷**ανοίγω διάπλατα την πόρτα/την αγκαλιά μου** to open the door/one's arms wide
διαπλάτυνση ΟΥΣ ΘΗΛ widening
διαπλατύνω P M to widen
διάπλευση ΟΥΣ ΘΗΛ crossing
διαπλέω **1** P M (ποταμό, ωκεανό) to sail across · (ακτές) to ply
2 P AM to sail
διαπληκτίζομαι P AM ΑΠΟΘ to argue ή quarrel (με with)
διαπληκτισμός ΟΥΣ ΑΡΣ argument, quarrel
διάπλους ΟΥΣ ΑΡΣ crossing
διαπνέομαι P AM: **διαπνέομια από κτ** to be inspired with sth
διαπόμπευση ΟΥΣ ΘΗΛ pillorying
διαπομπεύω P M to pillory
διαπορθμεύω P M to ferry across
διαποτίζω P M (α) (= μουσκεύω) to soak (β) (μτφ.) to imbue
διαπραγματεύομαι **1** P M ΑΠΟΘ (α) (σύναψη δανείου, αγορά σπιτιού, όρους συμβολαίου) to negotiate (β) (καταχρ.: = πραγματεύομαι) to deal with
2 P AM to negotiate
διαπραγμάτευση ΟΥΣ ΘΗΛ negotiation
▷**αρχίζω διαπραγματεύσεις** to begin negotiations
▷**βρίσκομαι στο στάδιο των διαπραγματεύσεων** to be at the negotiation stage
▷**διεξάγω διαπραγματεύσεις** to conduct negotiations
διαπραγματεύσιμος, -η, -ο ΕΠΙΘ negotiable
διαπραγματευτής ΟΥΣ ΑΡΣ negotiator
διαπραγματεύτρια ΟΥΣ ΘΗΛ βλ. **διαπραγματευτής**
διάπραξη ΟΥΣ ΘΗΛ perpetration
διαπράττω P M (έγκλημα, αδικία) to commit
▷**διαπράττω σφάλμα** to commit an error, to make a mistake
διαπρεπής, -ής, -ές ΕΠΙΘ (επιστήμονας,

πολιτικός) eminent · (επισκέπτης, προσκεκλημένος) distinguished

διαπρέπω Ρ ΑΜ to excel

διάπυρος, -η, -ο ΕΠΙΘ (α) (σώμα, μέταλλο) glowing (β) (έρωτας) passionate · (πόθος) burning

διαρθρωμένος, -η, -ο ΕΠΙΘ structured

διαρθρώνω Ρ Μ to structure

διάρθρωση ΟΥΣ ΘΗΛ structure

διαρθρωτικός, -ή, -ό ΕΠΙΘ (αλλαγές, μεταρρυθμίσεις) structural

διάρκεια ΟΥΣ ΘΗΛ (έργου, ταινίας) length · (τρικυμίας, πολέμου) duration
 ⊳**έχω διάρκεια** to last
 ⊳**έχω διάρκεια δύο ώρες** to be two hours long
 ⊳**έχω μεγάλη διάρκεια** (ταινία, έργο, αγώνας) to be very long · (σχέση) to last a long time
 ⊳**κατά τη διάρκεια**+γεν. during
 ▸**γάλα διαρκείας** long–life milk
 ▸**εισιτήριο διαρκείας** season ticket

διαρκής, -ής, -ές ΕΠΙΘ (α) (πόλεμος) constant · (καβγάς, εργασία) endless · (ειρήνη) lasting (β) (απασχόληση, σχέση) permanent

διαρκώ Ρ ΑΜ to last

διαρκώς ΕΠΙΡΡ constantly, always

διαρρέω ① Ρ ΑΜ (α) (νερό, αέριο) to leak out (β) (χρόνος) to pass, to go by (γ) (μυστικό, πληροφορίες) to leak out, to get out ② Ρ Μ (ποταμός) to flow through

διαρρηγνύω (επίσ.) Ρ Μ (α) (έδαφος, βουνό) to fissure (β) (χρηματοκιβώτιο, σπίτι, τράπεζα) to break into (γ) (δεσμούς) to sever · (σχέση) to break off
 ⊳**διαρρηγνύω αρραβώνα** to break off an engagement
 ⊳**διαρρηγνύω τα ιμάτιά μου** to protest one's innocence

διαρρήκτης ΟΥΣ ΑΡΣ burglar

διαρρηκτικός, -ή, -ό ΕΠΙΘ (εργαλεία, εξοπλισμός) burglar's

διαρρήκτρια ΟΥΣ ΘΗΛ βλ. **διαρρήκτης**

διάρρηξη ΟΥΣ ΘΗΛ (α) (γραφείου, τράπεζας) break–in, burglary (β) (πετρωμάτων, τοίχου) fissure (γ) (αρτηρίας, φλέβας) rupture (δ) (συμβολαίου) breach
 ▸**διάρρηξη χρηματοκιβωτίου** safe–breaking

διαρροή ΟΥΣ ΘΗΛ (α) (ραδιενέργειας, υγρού, πετρελαίου) leak (β) (πληροφοριών, μυστικών) leak (γ) (ψηφοφόρων) defection · (ψήφων) loss
 ⊳**διαρροή συναλλάγματος** drain

διάρροια ΟΥΣ ΘΗΛ diarrhoea (Βρετ.), diarrhea (Αμερ.)

διαρρυθμίζω Ρ Μ (χώρο, δωμάτιο) to arrange

διαρρύθμιση ΟΥΣ ΘΗΛ arrangement, layout

Δίας ΟΥΣ ΑΡΣ (α) (ΜΥΘΟΛ) Zeus (β) (ΑΣΤΡΟΝ) Jupiter

διασάλευση ΟΥΣ ΘΗΛ disturbance
 ▸**διασάλευση της τάξης** disturbance · (of the peace)

διασαλεύω Ρ Μ to disturb

διασαφηνίζω Ρ Μ to clarify

διασαφήνιση ΟΥΣ ΘΗΛ clarification

διασάφηση ΟΥΣ ΘΗΛ (α) (θέσεων) clarification (β) (εμπορεύματος) declaration

διάσειση ΟΥΣ ΘΗΛ (ΙΑΤΡ) concussion
 ▸**διάσειση εγκεφάλου, εγκεφαλική διάσειση** concussion

διάσελο ΟΥΣ ΟΥΔ (mountain) pass

διάσημος, -η, -ο ΕΠΙΘ (ηθοποιός, τραγουδιστής) famous
 ▸**διάσημα** ΟΥΣ ΟΥΔ ΠΛΗΘ (στρατηγού) insignia

διασημότητα ΟΥΣ ΘΗΛ (α) (= καλή φήμη) fame (β) (= γνωστή προσωπικότητα) celebrity

διασκεδάζω ① Ρ Μ (α) (κοινό, φίλους, θεατές) to entertain (β) (φόβους, ανησυχίες, εντυπώσεις, υποψίες) to dispel ② Ρ ΑΜ to have fun, to enjoy oneself
 ⊳**το διασκεδάζω** to enjoy it
 ⊳**το διασκεδάζω με την ψυχή μου** to have great fun ή a great time
 ⊳**διασκεδάζω με κπν** to have fun with sb
 ⊳**διασκεδάζω με κτ** to enjoy sth

διασκέδαση ΟΥΣ ΘΗΛ (α) (= γλέντι) fun χωρίς πληθ., pleasure (β) (= ψυχαγωγία) pastime
 ⊳**καλή διασκέδαση!** have fun!
 ▸**κέντρο διασκεδάσεως** night club

διασκεδαστής ΟΥΣ ΑΡΣ entertainer

διασκεδαστικός, -ή, -ό ΕΠΙΘ (α) (βιβλίο, ταινία) entertaining, funny · (παιχνίδι, απασχόληση) fun · (ιστορίες, καταστάσεις) amusing (β) (άνθρωπος) funny

διασκεδάστρια ΟΥΣ ΘΗΛ βλ. **διασκεδαστής**

διασκελιά ΟΥΣ ΘΗΛ = **δρασκελιά**

διασκελίζω Ρ Μ = **δρασκελίζω**

διασκελισμός ΟΥΣ ΑΡΣ stride

διασκέπτομαι Ρ ΑΜ ΑΠΟΘ to confer

διασκευάζω Ρ Μ (λογοτεχνικό έργο) to adapt, to dramatize · (μουσικό έργο) to arrange

διασκευασμένος, -η, -ο ΕΠΙΘ (έργο) adapted · (τραγούδι) arranged

διασκευαστής ΟΥΣ ΑΡΣ (έργου, μυθιστορήματος) adapter · (μουσικού έργου) arranger

διασκευάστρια ΟΥΣ ΘΗΛ βλ. **διασκευαστής**

διασκευή ΟΥΣ ΘΗΛ (έργου, μυθιστορήματος) adaptation · (τραγουδιού) arrangement

διάσκεψη ΟΥΣ ΘΗΛ (πολιτικών αρχηγών) conference · (δικαστών) deliberation
 ▸**διάσκεψη κορυφής** summit (conference ή meeting)

διασκορπίζω Ρ Μ (έγγραφα, βιβλία, στάχτες, φύλλα) to scatter · (διαδηλωτές) to disperse · (περιουσία, χρήματα) to squander
 ▸**διασκορπίζομαι** ΜΕΣΟΠΑΘ to scatter

διασκορπισμός ΟΥΣ ΑΡΣ (α) (σημειώσεων, στάχτης, φύλλων) scattering · (λαών) diaspora (β) (χρημάτων, περιουσίας) squandering

διασπαθίζω (αρνητ.) Ρ Μ (χρήματα,

περιουσία) to squander

διασπάθιση ΟΥΣ ΘΗΛ squandering

διάσπαρτος, -η, -ο ΕΠΙΘ *(σκηνές, νησιά)* scattered
▷**διάσπαρτος από** *(ουρανός, χώρος)* studded

διάσπαση ΟΥΣ ΘΗΛ (α) *(κράτους, ενότητας, κόμματος)* split, division (β) *(μετώπου, αμυντική γραμμή)* breach · *(προσοχής)* distraction (γ) (ΧΗΜ) breakdown
▶**διάσπαση του ατόμου** (ΦΥΣ) splitting the atom

διασπασμένος, -η, -ο ΕΠΙΘ (α) *(κράτος, κόμμα, κίνημα)* divided (β) *(μέτωπο, αμυντική γραμμή)* breached

διασπαστικός, -ή, -ό ΕΠΙΘ *(ενέργειες, τάσεις)* divisive

διασπείρω Ρ Μ (α) *(επίσ.: στρατιώτες, πυραύλους)* to deploy (β) *(ψέματα, φήμες)* to spread

διασπορά ΟΥΣ ΘΗΛ (α) *(ναρκών)* spread · *(θραυσμάτων)* scattering (β) *(αρμοδιοτήτων, όπλων)* deployment (γ) *(λαών)* diaspora (δ) *(ψεμάτων, φημών)* spreading
▷**ο ελληνισμός της Διασποράς** the Greek diaspora
▶**διασπορά ψευδών ειδήσεων** spreading false information

διασπώ Ρ Μ (α) *(κράτος, κόμμα, παράταξη)* to split (β) *(μέτωπο, εχθρικές γραμμές)* to break through

διασταλτικός, -ή, -ό ΕΠΙΘ (ΦΥΣ) dilative

διασταλτικότητα ΟΥΣ ΘΗΛ (ΦΥΣ) dilatability

διασταλτός, -ή, -ό ΕΠΙΘ dilatable

διάσταση ΟΥΣ ΘΗΛ (α) *(κτηρίου, τοίχου)* dimension, measurement (β) *(ζητήματος)* dimension (γ) *(απόψεων)* difference · *(ιδεών)* divergence (δ) *(για ανδρόγυνα)* separation
▷**βρίσκομαι σε διάσταση** ή **εν διαστάσει** to be separated, to be living apart
▷**διάσταση απόψεων** a difference of opinion
▷**με τα πόδια σε διάσταση** (ΓΥΜΝΑΣΤ) with legs apart
▷**οι διαστάσεις του γραφείου της είναι 3 επί 4 μέτρα** her office measures 3 metres *(Βρετ.)* ή meters *(Αμερ.)* by four
▶**διαστάσεις** ΠΛΗΘ (= σωματικές αναλογίες) proportions · (= όρια θέματος) dimensions
▷**παίρνω διαστάσεις** to be blown out of proportion

διασταυρούμενος, -η, -ο ΕΠΙΘ: **διασταυρούμενα πυρά** crossfire εν.

διασταυρώνω Ρ Μ (α) *(πασσάλους, ομπρέλες)* to cross (β) *(φυτά, ζώα)* to cross, to crossbreed (γ) *(πληροφορίες, ειδήσεις)* to crosscheck
▷**διασταυρώνω το ξίφος μου με κπν** to cross swords with sb
▶**διασταυρώνομαι** ΜΕΣΟΠΑΘ (α) *(δρόμος)* to intersect · *(γραμμές)* to cross, to intersect · *(τρένα)* to cross (β) *(γνωστοί, φίλοι)* to bump into each other · *(βλέμματα, ματιές)* to cross

διασταύρωση ΟΥΣ ΘΗΛ (α) *(πασσάλων, ξιφών)*

crossing (β) *(φυτών, ζώων)* cross, crossbreed (γ) *(οδών, γραμμών)* crossing, intersection (δ) *(πληροφοριών, στοιχείων, ειδήσεων)* crosschecking
▷**υπάρχει διασταύρωση απόψεων** they/we share the same views

διαστέλλω Ρ Μ (α) *(κόρες ματιών)* to dilate · *(μύες, χείλη)* to stretch (β) (ΦΥΣ) to expand

διάστημα ΟΥΣ ΟΥΔ (α) (= χρονική απόσταση) interval · (= τοπική απόσταση) distance (β) (= άπειρο) space (γ) (ΜΟΥΣ) interval
▷**σε πολύ μικρό χρονικό διάστημα** in a very short space of time
▷**το τελευταίο διάστημα** recently

διαστημικός, -ή, -ό ΕΠΙΘ *(πρόγραμμα, πτήση, σταθμός)* space

διαστημόπλοιο ΟΥΣ ΟΥΔ spacecraft, spaceship

διάστικτος, -η, -ο ΕΠΙΘ *(χέρια, πλάτη)* spotty
▷**διάστικτος με αστέρια** star-studded, studded with stars

διάστιχο ΟΥΣ ΟΥΔ (ΤΥΠΟΓΡ) (α) (= διάστημα ανάμεσα σε δύο σειρές) space (β) (= πλάκα στοιχειοθεσίας) lead

διαστολή ΟΥΣ ΘΗΛ (α) *(καρδιάς)* diastole · *(πνευμόνων)* expansion · *(αιμοφόρων αγγείων)* dilation (β) (ΦΥΣ) expansion (γ) (ΜΟΥΣ) bar (line)

διαστρεβλώνω Ρ Μ *(αλήθεια, γεγονός, λόγια)* to twist, to distort · *(απόψεις)* to distort

διαστρέβλωση ΟΥΣ ΘΗΛ *(αλήθειας, γεγονότων, λόγων)* distortion, twisting · *(απόψεων)* distortion

διάστρεμμα ΟΥΣ ΟΥΔ sprain

διαστρέφω Ρ Μ (α) (= διαστρεβλώνω) to distort, to twist (β) (= διαφθείρω) to corrupt

διαστροφέας ΟΥΣ ΑΡΣ (α) *(αλήθειας, γεγονότων, λόγων)* twister (β) *(ηθών)* corrupter

διαστροφή ΟΥΣ ΘΗΛ (α) (= αλλοίωση) distortion (β) (= διαφθορά) corruption

διαστρωμάτωση ΟΥΣ ΘΗΛ (α) *(εδάφους)* stratification (β) (ΚΟΙΝΩΝ) (class) stratification

διασυλλογικός, -ή, -ό ΕΠΙΘ *(αγώνες, πρωτάθλημα)* inter-club

διασυμμαχικός, -ή, -ό ΕΠΙΘ between allies

διασύνδεση ΟΥΣ ΘΗΛ (α) *(γεγονότων)* link · *(συστημάτων)* link-up (β) *(αρνητ.)* link

διασυνδέω Ρ Μ *(γεγονότα)* to link · *(συστήματα)* to link up
▶**διασυνδέομαι** ΜΕΣΟΠΑΘ *(αρνητ.)*: **διασυνδέομαι με** to have links with

διασυρμός ΟΥΣ ΑΡΣ defamation

διασύρω Ρ Μ to defame

διασφαλίζω Ρ Μ to safeguard

διασφάλιση ΟΥΣ ΘΗΛ safeguard

διασχίζω Ρ Μ (α) *(δρόμο, χώρα, έρημο)* to cross (β) *(ποταμό)* to flow through

διασώζω Ρ Μ (α) *(όμηρο, ναυαγό)* to rescue (β) *(αρχεία, χειρόγραφα, μνημεία, έργα τέχνης, κληρονομιά)* to preserve · *(φορτίο)* to salvage

διάσωση ΟΥΣ ΘΗΛ **(α)** (*πληρώματος, πλοίου*) rescue **(β)** (*αγαλμάτων, χειρογράφων, μνημείων*) preservation · (*πανίδας, χελώνας*) conservation, preservation
▸ **ομάδα** *ή* **συνεργείο διάσωσης** rescue party *ή* team

διασώστης ΟΥΣ ΑΡΣ rescue worker

διασωστικός, -ή, -ó ΕΠΙΘ rescue

διασώστρια ΟΥΣ ΘΗΛ *βλ.* **διασώστης**

διαταγή ΟΥΣ ΘΗΛ order, command
▷ **εκτελώ διαταγές** to follow orders
▷ **στις διαταγές μου, υπό τας διαταγάς μου** (*επία.*) under one's command
▷ **η επιθυμία σας (είναι για μένα) διαταγή!** your wish is my command!
▷ **στις διαταγές σας!** (ΣΤΡΑΤ) yes sir!

διάταγμα ΟΥΣ ΟΥΔ **(α)** (*έγγραφη εντολή*) order **(β)** (ΝΟΜ) decree

διατάζω ☐ Ρ Μ to order, to command
☐ Ρ ΑΜ to give orders
▷ **διατάξτε!** yes sir!

διατακτική ΟΥΣ ΘΗΛ (*παραλαβής, είσπραξης, αποθήκευσης*) receipt

διάτανος ΟΥΣ ΑΡΣ = **διάβολος**

διάταξη ΟΥΣ ΘΗΛ **(α)** (*επίπλων, εκθεμάτων*) arrangement · (*πλοίου, στρατιωτικών δυνάμεων*) position **(β)** (*ιδεών*) order **(γ)** (ΝΟΜ) clause

διαταραγμένος, -η, -ο ΕΠΙΘ (*ενότητα, προσωπικότητα*) disturbed · (*σχέσεις*) troubled

διατάραξη ΟΥΣ ΘΗΛ (*τάξης, ησυχίας*) disturbance · (*σχέσεων*) turbulence

διαταράσσω Ρ Μ **(α)** (*τάξη, κλίμα*) to disturb · (*ισορροπία*) to upset **(β)** (*όραση, ακοή*) to affect

διαταραχή ΟΥΣ ΘΗΛ **(α)** (= *αναταραχή*) disturbance **(β)** (ΙΑΤΡ) disorder

διάταση ΟΥΣ ΘΗΛ (*χεριών*) stretching
▸ **διάταση μυών** muscle strain
▸ **διατάσεις** ΠΛΗΘ (= *τέντωμα μυών*) stretching

διατάσσω Ρ Μ **(α)** (*πίνακες, έπιπλα*) to arrange · (*στρατιώτες*) to position **(β)** (*επίσ.*: = *διατάζω*) to order

διατεθειμένος, -η, -ο ΕΠΙΘ **(α)** (= *πρόθυμος*) willing **(β)** (= *διακείμενος*) disposed
▷ **είμαι διατεθειμένος να κάνω κτ** to be willing *ή* prepared to do sth
▷ **είμαι διατεθειμένος ευνοϊκά/αρνητικά απέναντι σε κπν/κτ** to be well-disposed/ ill-disposed to sb/sth

διατείνομαι Ρ Μ ΑΠΟΘ: **διατείνομαι ότι** to claim that, to maintain that

διατελώ Ρ ΑΜ to be

διατηρημένος, -η, -ο ΕΠΙΘ (*κτήριο*) preserved · (*τρόφιμα*) that must be refrigerated or frozen

διατήρηση ΟΥΣ ΘΗΛ **(α)** (*τάξης, ηρεμίας, τιμών, θερμοκρασίας*) maintenance · (*προσωπικού*) keeping **(β)** (*κρέατος, γάλακτος*)

preservation, keeping **(γ)** (*ενδιαφέροντος*) retention · (*περιβάλλοντος*) conservation · (*υγείας, παράδοσης*) preservation **(δ)** (*σχέσεων, δεσμών*) continuation

διατηρητέος, -α, -ο ΕΠΙΘ (*κτήριο, μνημείο*) listed (*Βρετ.*), scheduled (*Αμερ.*)
▸ **διατηρητέο** ΟΥΣ ΟΥΔ listed (*Βρετ.*) *ή* scheduled (*Αμερ.*) building

διατηρώ Ρ Μ **(α)** (*φόρμα, ισορροπίες, οικογένεια*) to keep · (*τιμές, θερμοκρασία*) to keep up, to maintain · (*ορθογραφία, ονομασία, μέθοδο*) to keep, to retain **(β)** (*τρόφιμα, φάρμακα*) to keep, to preserve **(γ)** (*θέση, αξίωμα, ενδιαφέρον, θάρρος, σιγουριά*) to keep · (*ηθικό*) to keep up **(δ)** (*σχέσεις, φιλία, αλληλογραφία*) to keep up · (*υποψίες, αμφιβολίες, ελπίδες*) to have **(ε)** (*εξοχικό, κατάστημα, γραφείο*) to have, to own
▷ **διατηρώ την ανωνυμία μου** to remain anonymous
▷ **διατηρώ επαφή με κπν** to keep in touch with sb
▷ **διατηρώ την ισορροπία μου** to keep one's balance
▷ **διατηρώ την ψυχραιμία μου** to keep cool
▷ **διατηρώ το δικαίωμα** +*γεν.* to have the right of
▸ **διατηρούμαι** ΜΕΣΟΠΑΘ (*τρόφιμα*) to be kept *ή* preserved · (*θερμοκρασία*) to hold · (*κακοκαιρία, ηλιοφάνεια*) to continue · (*κτήριο*) to preserve
▷ **διατηρούμαι καλά** to be well preserved
▷ **διατηρούμαι σε καλή φυσική κατάσταση** to keep in shape
▷ **διατηρούμαι σε φόρμα** to keep in shape
▷ **διατηρούμαι καλά στην υγεία μου** to keep in good health

διατίθεμαι Ρ ΑΜ *βλ.* **διαθέτω**

διατίμηση ΟΥΣ ΘΗΛ price control

διατιμώ Ρ Μ to fix

διατομή ΟΥΣ ΘΗΛ cross-section

διατονικός, -ή, -ó ΕΠΙΘ (ΜΟΥΣ) diatonic

διατρανώνω Ρ Μ (*απόφαση*) to announce · (*αντίθεση*) to express · (*χαρά, ενθουσιασμό*) to manifest · (*πίστη, αγάπη, υποστήριξη*) to demonstrate

διατρέφω Ρ Μ to support

διατρέχω Ρ Μ **(α)** (*απόσταση*) to run **(β)** (*πεδιάδα, περιοχή: ποτάμι*) to go through · (*άνθρωπος*) to cross **(γ)** (*χρονική περίοδο, στάδιο*) to go through **(δ)** (*φήμες, συκοφαντίες*) to spread through · (*ρίγος*) to run through
▷ **διατρέχω κίνδυνο** to be in danger
▷ **διατρέχω τον κίνδυνο να κάνω κτ** to be in danger of doing sth

διάτρηση ΟΥΣ ΘΗΛ **(α)** (*τοίχου*) drilling · (*εισιτηρίου*) punching **(β)** (*στομάχου*) perforation

διατρητικός, -ή, -ó ΕΠΙΘ (*εργαλείο, μηχάνημα*) drilling · (*για εισιτήρια*) punching

διάτρητος, -η, -ο ΕΠΙΘ (α) *(ύφασμα, χαρτί, τοίχος)* riddled with holes· *(ταινία)* punched (β) *(σχέδιο)* full of holes· *(νόμος)* full of loopholes

διατριβή ΟΥΣ ΘΗΛ (= *πραγματεία*) treatise
▸**διδακτορική διατριβή** doctoral thesis

διατροφή ΟΥΣ ΘΗΛ (α) (= *τροφή*) diet (β) (= *διαιτολόγιο*) diet (γ) (= *επισιτισμός*) provisioning *χωρίς πληθ.* (δ) (ΝΟΜ: *συζύγου*) alimony· *(παιδιού)* maintenance
▸**πλήρης διατροφή** *(σε ξενοδοχείο)* full board

διατρυπώ Ρ Μ *(τοίχο)* to drill· *(χαρτί)* to punch· *(πνεύμονα, σώμα, κρανίο)* to perforate

διάττοντας ΜΤΧ = **διάττων**

διάττων ΜΤΧ: **διάττων αστήρ, διάττοντας αστέρας** shooting *ή* falling star

διατυμπανίζω Ρ Μ to trumpet

διατυμπάνιση ΟΥΣ ΘΗΛ spreading

διατυπώνω Ρ Μ *(αντίρρηση, επιφύλαξη)* to express, to voice· *(θέση)* to declare· *(ερώτηση, απορία)* to ask· *(πρόταση, θεωρία)* to formulate· *(φράση)* to word· *(ορισμό, αρχές)* to set out
▸**διατυπώνω κτ γραπτώς** *ή* **εγγράφως** to put sth in writing

διατύπωση ΟΥΣ ΘΗΛ (α) *(αντιρρήσεων, απόψεων, επιφυλάξεων)* expression· *(προτάσεων, θεωρίας)* formulation· *(αρχών)* setting out· *(αιτήματος, διεκδίκησης)* statement· *(ερώτησης)* phrasing (β) *(έκθεσης, ποιήματος, λογοτέχνη)* style
▸**διατυπώσεις** ΠΛΗΘ formalities

διαύγεια ΟΥΣ ΘΗΛ (α) *(νερού, κρασιού)* clarity (β) *(πνεύματος, νου)* lucidity· *(κρίσης, σκέψης)* clarity (γ) *(ατμόσφαιρας, ορίζοντα)* clarity (δ) *(έκφρασης, ύφους, επιχειρήματος)* lucidity· *(απόψεων, θέσεων)* clarity
▸**πνευματική διαύγεια** mental lucidity

διαυγής, -ής, -ές ΕΠΙΘ (α) *(υγρό)* clear· *(διαδικασία, διαγωνισμός)* transparent (β) *(ατμόσφαιρα, ορίζοντας)* clear (γ) *(ύφος, έκφραση, κείμενο)* lucid· *(μέθοδος, τρόπος, συλλογισμός)* clear (δ) *(νους, κρίση)* lucid

δίαυλος ΟΥΣ ΑΡΣ (α) (= *πορθμός)* channel, sound (β) *(τεχνικές εγκαταστάσεις)* channel· (= *ραδιοφωνικός ή τηλεοπτικός σταθμός)* station
▸**δίαυλος επικοινωνίας** *(μτφ.)* means of communication

διαφαίνομαι Ρ ΑΜ ΑΠΟΘ: **διαφαίνεται, διαφαίνονται** ΤΡΙΤΟΠΡΟΣ *(κρίση, κίνδυνος)* to loom· *(αποτέλεσμα)* to emerge· *(στάση, τάση, σκοπός)* to be discernible· *(επίλυση)* to be in sight

διαφάνεια ΟΥΣ ΘΗΛ (α) *(νερού)* transparency· *(ατμόσφαιρας, ορίζοντα)* clarity (β) *(ενεργειών, αποφάσεων, συζητήσεων)* transparency (γ) (= *σλάιντ)* transparency, slide

διαφανής, -ής, -ές ΕΠΙΘ (α) *(ρούχο, ύφασμα)* see–through· *(γυαλί, πλαστικό)* transparent·

(νερά) clear (β) *(διαδικασία, σκοπός, πρόθεση, κίνητρα)* transparent

διάφανος, -η, -ο ΕΠΙΘ = **διαφανής**

διαφέρω Ρ ΑΜ to be different
▸**διαφέρω από κπν/κτ** to be different from sb/ sth, to be unlike sb/sth
▸**δεν διαφέρω σε τίποτα από κπν/κτ** to be no different from sb/sth
▸**διαφέρω ως προς την οργάνωση** to be organized differently
▸**το πράγμα διαφέρει** it's a different matter

διαφεύγω [1] Ρ Μ *(θάνατο, σύλληψη, συνέπειες, κυρώσεις)* to escape
[2] Ρ ΑΜ (α) *(κατάδικος, δράστης)* to escape, to get away (β) *(βενζίνη)* to leak· *(αέριο, ραδιενέργεια)* to escape, to leak
▸**μου διαφεύγει η λεπτομέρεια/το όνομά σας** the details/your name escapes me
▸**διαφεύγω στο εξωτερικό** to flee abroad
▸**διαφεύγω την προσοχή κποιου** to escape sb's attention

διαφημίζω Ρ Μ *(προϊόν, κατάστημα, συναυλία, εταιρεία)* to advertise· *(ηθοποιό, τραγούδι, τόπο)* to promote

διαφήμιση ΟΥΣ ΘΗΛ (α) *(προϊόντων, ταινίας, εταιρείας)* advertisement (β) (= *εμπορική δραστηριότητα)* advertising (γ) *(προσώπου, ιδέας, θεωρίας)* publicity

διαφημιστής ΟΥΣ ΑΡΣ advertiser

διαφημιστικός, -ή, -ό ΕΠΙΘ *(φυλλάδιο, εταιρεία, εκστρατεία)* advertising· *(διάλειμμα, εκπομπή)* commercial
▸**διαφημιστικό** ΟΥΣ ΟΥΔ commercial, advert *(Βρετ.)*

διαφημίστρια ΟΥΣ ΘΗΛ *βλ.* **διαφημιστής**

διαφθείρω Ρ Μ (α) *(χαρακτήρα, κοινωνία, ψυχή)* to corrupt (β) (= *αποπλανώ)* to lead astray (γ) (= *διακορεύω)* to deflower

διαφθορά ΟΥΣ ΘΗΛ (α) *(αστυνομικού, δικαστή, πολιτικού)* corruption (β) (= *ακολασία)* immorality, vice

διαφθορέας ΟΥΣ ΑΡΣ *(χαρακτήρων, κοινωνίας)* corruptor· *(ανηλίκων)* seducer

διαφιλονικώ Ρ Μ *(όρια, όρους, εδάφη)* to dispute· *(νίκη, βραβείο)* to contest

διαφορά ΟΥΣ ΘΗΛ (α) *(ιδεών, απόψεων, ύψους, θερμοκρασίας)* difference (β) *(προϊόντων)* superiority (γ) (ΝΟΜ) dispute (δ) (ΜΑΘ) difference· *(χρημάτων)* balance (ε) *(ώρας, πόντων, βαθμών, τερμάτων)* difference
▸**διαφορά απόψεων** difference of opinion
▸**διαφορά ύψους/θερμοκρασίας** difference in height/in temperature
▸**η διαφορά των γενεών** the generation gap
▸**η διαφορά των δύο ομάδων** the difference between the two teams
▸**γεφυρώνω τη διαφορά** +*γεν.* to bridge the gap between
▸**διατηρώ τη διαφορά** to keep the lead
▸**έχει διαφορά** there's a difference
▸**η Ελλάδα έχει διαφορά μιας ώρας από την Ιταλία** there's a one–hour time difference

between Greece and Italy
▷**οι γηπεδούχοι κέρδισαν με διαφορά 9 πόντων** the home team won by 9 points
▷**με τη (μόνη) διαφορά ότι** the (only) difference is that
▸**διαφορές** ΠΛΗΘ differences
▷**λύνω τις διαφορές μου με** κπν to settle one's differences with sb

διαφορετικά ΕΠΙΡΡ (α) (= *αλλιώς*) differently (β) (= *σε αντίθετη περίπτωση*) otherwise
▷**δεν γίνεται διαφορετικά** there's no other way
▷**δεν μπορώ να κάνω διαφορετικά** to have no other choice

διαφορετικός, -ή, -ό ΕΠΙΘ different (*από* from)

διαφορικός, -ή, -ό ΕΠΙΘ (ΜΑΘ) differential
▸**διαφορικό** ΟΥΣ ΟΥΔ (ΑΥΤΟΚΙΝ) differential (gear)

διαφοροποίηση ΟΥΣ ΘΗΛ (α) (*πληθυσμού, κοινωνίας, τάξεων*) diversification (β) (ΒΙΟΛ) differentiation

διάφορος, -η, -ο ΕΠΙΘ (*αιτίες, λάθη, λύσεις, κίνδυνοι, φήμες, τιμές*) various
▷**διάφορος από** different from
▸**διάφορο** ΟΥΣ ΟΥΔ (α) (= *όφελος*) profit (β) (= *τόκος*) interest

διάφραγμα ΟΥΣ ΟΥΔ (α) (ΑΝΑΤ) diaphragm (β) (ΦΩΤΩΓΡ) shutter (γ) (ΙΑΤΡ) diaphragm

διαφυγή ΟΥΣ ΘΗΛ (α) (*φυγάδα, υπόδικου, κακοποιού*) escape (β) (*αερίων, ραδιενέργειας*) escape, leak

διαφύλαξη ΟΥΣ ΘΗΛ (*έργων, κληρονομιάς, εθίμων*) preservation · (*ειρήνης*) keeping · (*δικαιωμάτων, συμφερόντων*) safeguarding · (*περιουσίας, βιβλίων*) safekeeping · (*επικοινωνίας, συχνοτήτων*) securing

διαφυλάσσω Ρ Μ (*δικαιώματα, συμφέροντα*) to safeguard · (*τάξη, έθιμα, παράδοση*) to preserve · (*ειρήνη*) to keep · (*αρχές, υπόληψη, τιμή*) to protect · (*βιβλία, περιουσία*) to keep safe

διαφωνία ΟΥΣ ΘΗΛ (*παιδιών*) disagreement · (*κομμάτων*) dissent · (*απόψεων, ιδεών, αρχών*) clash · (*δικαστηρίων, διαδίκων*) dispute
▷**έχω διαφωνία με** κπν to have a disagreement with sb

διαφωνώ Ρ ΑΜ to disagree
▷**διαφωνώ μαζί σου** I disagree with you, I don't agree with you
▷**διαφωνώ με** κπν **ως προς** κτ to disagree with sb about sth

διαφωτίζω Ρ Μ (α) (*λαό, νεολαία*) to enlighten · (*στέλεχος, μέλος*) to instruct (β) (*υπόθεση, μυστήριο*) to clear up · (*έγκλημα*) to solve

διαφώτιση ΟΥΣ ΘΗΛ (α) (*λαού*) enlightenment · (*παιδιών*) education (β) (*υπόθεσης, μυστηρίου*) clearing up · (*εγκλήματος*) solving

διαφωτισμός ΟΥΣ ΑΡΣ enlightenment
▸**Ευρωπαϊκός Διαφωτισμός** European Enlightenment
▸**Νεοελληνικός Διαφωτισμός** Modern Greek Enlightenment

διαφωτιστής ΟΥΣ ΑΡΣ (α) (= *μέλος Διαφωτισμού*) philosopher of the Enlightenment (β) (*ευφημ.*) propagandist

διαφωτίστρια ΟΥΣ ΘΗΛ βλ. **διαφωτιστής**

διαχαράσσω (*επία.*) Ρ Μ (α) (*σύνορα, όρια*) to mark out, to delimit (β) (*πορεία, αρχές, πολιτική*) to define

διαχειρίζομαι Ρ Μ ΑΠΟΘ (*περιουσία, χρήματα, κληρονομιά*) to manage · (*θέμα, υπόθεση*) to handle · (*οικονομικά, πολιτική*) to administer

διαχείριση ΟΥΣ ΘΗΛ (α) (*προβλήματος, υπόθεσης, κατάστασης*) handling · (*κοινών, πολιτικής*) administration · (*πολυκατοικίας*) management (β) (*οικονομικών, χρημάτων, περιουσίας, εταιρείας, επιχειρήσεων*) management (γ) (ΠΛΗΡΟΦ) management

διαχειριστής ΟΥΣ ΑΡΣ (α) (*χρημάτων, περιουσίας*) financial manager (β) (*πολυκατοικίας*) manager

διαχειριστικός, -ή, -ό ΕΠΙΘ (*έλεγχος, ευθύνη*) managerial · (*περίοδος, λειτουργία*) administrative · (*επιτροπή, εταιρεία, ομάδα, μέθοδος*) management

διαχειρίστρια ΟΥΣ ΘΗΛ βλ. **διαχειριστής**

διαχέω Ρ Μ (*φως*) to shed · (*άρωμα, θερμότητα*) to give off

διαχρονικός, -ή, -ό ΕΠΙΘ (*προβλήματα, αξία, ισχύς*) perennial

διαχρονικότητα ΟΥΣ ΘΗΛ (*τάσεων, αξίας*) perennial nature · (*ιδέας, μορφής*) perennial value

διάχυση ΟΥΣ ΘΗΛ (*υγρών, αερίων, φωτός, θερμότητας*) diffusion
▸**διαχύσεις** ΠΛΗΘ outpourings

διαχυτικός, -ή, -ό ΕΠΙΘ (*άνθρωπος*) demonstrative · (*συμπεριφορά, τρόπος*) expansive · (*υποδοχή*) effusive

διαχυτικότητα ΟΥΣ ΘΗΛ (*ανθρώπου*) demonstrativeness · (*συμπεριφοράς, χαρακτήρα, τρόπου*) expansiveness

διάχυτος, -η, -ο ΕΠΙΘ (*ζεστασιά, αγανάκτηση, ανησυχία*) general · (*αίσθημα*) pervasive

διαχωρίζω Ρ Μ (α) (*δωμάτιο, οικόπεδο*) to partition · (*φορτία, μόρια*) to split · (*ψάρια, φρούτα*) to sort out (β) (*θέση, ευθύνες*) to dissociate (*από* from) · (*είδος, σημασία, έννοια*) to differentiate

διαχωρισμός ΟΥΣ ΑΡΣ (*ευγενών, τάξεων*) segregation · (*ειδών, εννοιών*) differentiation · (*υλικών, αντικειμένων*) sorting · (*πόλων*) separation

διαχωριστικός, -ή, -ό ΕΠΙΘ (*τοίχος*) dividing · (*ζώνη*) buffer
▸**διαχωριστική γραμμή** (*κυριολ., μτφ.*) dividing line
▸**διπλή διαχωριστική** double line

διαψεύδω Ρ Μ (α) (*καταγγελία, δήλωση, φήμη*) to deny · (*αντίπαλο*) to prove wrong

(β) (*όραμα*) to give the lie to · (*ελπίδες, προσδοκίες*) to frustrate · (*ανησυχίες*) to prove unfounded · (*πατέρα, υποστηρικτές*) to disappoint
▸**διαψεύδομαι** ΜΕΣΟΠΑΘ (*προβλέψεις*) to prove wrong

διάψευση ΟΥΣ ΘΗΛ **(α)** (*δήλωσης, λόγου, θέσης*) denial **(β)** (*ελπίδων*) frustration · (*υποψιών, προβλέψεων*) disproving · (*εφημερίδας, επιστημόνων*) disclaimer **(γ)** (*προσδοκιών, αισθημάτων*) disappointment

διβάρι ΟΥΣ ΟΥΔ fish farm

δίβουλος, -η, -ο ΕΠΙΘ **(α)** (*χαρακτήρας, πελάτης*) irresolute **(β)** (*εφημερίδα, κυβέρνηση*) disingenuous

διγαμία ΟΥΣ ΘΗΛ bigamy

δίγαμος, -η, -ο ΕΠΙΘ bigamous
▸**δίγαμοι** ΟΥΣ ΑΡΣ ΠΛΗΘ bigamists

διγενής, -ής, -ές ΕΠΙΘ **(α)** (*φυτό, ζώο*) hermaphrodite **(β)** (ΓΛΩΣΣ) with two genders

διγλωσσία ΟΥΣ ΘΗΛ (*γενικότ.*) bilingualism · (*καταχρ.*: = *διμορφία*) diglossia

δίγλωσσος, -η, -ο ΕΠΙΘ bilingual

διγνωμία ΟΥΣ ΘΗΛ dissent

δίγνωμος, -η, -ο ΕΠΙΘ in two minds

δίδαγμα ΟΥΣ ΟΥΔ (*πείρας, ζωής*) lesson · (*Ευαγγελίου*) teaching
▸**διδάγματα** ΠΛΗΘ teachings

διδακτέος, -α, -ο ΕΠΙΘ: **διδακτέα ύλη** syllabus

> *Προσοχή!: Ο πληθυντικός του* **syllabus** *είναι* **syllabuses** *ή* **syllabi***.*

διδακτήριο ΟΥΣ ΟΥΔ school building

διδακτικός, -ή, -ό ΕΠΙΘ **(α)** (*έργο*) educational · (*ώρα, στόχοι, προσωπικό*) teaching · (*έτος*) school **(β)** (*μύθος, ιστορία*) didactic · (*ταινία*) educational · (*εμπειρία*) learning
▸**διδακτικά βιβλία** schoolbooks, textbooks
▸**διδακτική** ΟΥΣ ΘΗΛ didactics *εν.*

διδάκτορας ΟΥΣ ΑΡΣΘΗΛ doctor
▹**αναγορεύομαι διδάκτωρ** to be awarded a doctorate *ή* PhD
▸**επίτιμος διδάκτωρ** honorary doctor

διδακτορία ΟΥΣ ΘΗΛ doctorate, PhD

διδακτορικός, -ή, -ό ΕΠΙΘ (*διατριβή, δίπλωμα*) doctoral
▸**διδακτορικό** ΟΥΣ ΟΥΔ doctorate, PhD
▹**κάνω διδακτορικό** to do a doctorate *ή* PhD

δίδακτρα ΟΥΣ ΟΥΔ ΠΛΗΘ tuition *εν.*

διδάκτωρ (*επίσ.*) ΟΥΣ ΑΡΣ = **διδάκτορας**

διδασκαλείο ΟΥΣ ΟΥΔ **(α)** (= *σχολή κατάρτισης ή επιμόρφωσης*) teacher training college **(β)** (= *εκπαιδευτήριο*) school, institute

διδασκαλία ΟΥΣ ΘΗΛ **(α)** (*μαθήματος, γλώσσας, χορού*) teaching **(β)** (= *νουθεσία*) lecture **(γ)** (*υλιστών, σοφιστών*) teachings *πληθ.* **(δ)** (*τραγωδίας*) staging
▹**διδασκαλία κατ'οίκον** home schooling

διδασκάλισσα (*επίσ.*) ΟΥΣ ΘΗΛ *βλ.* **διδάσκαλος**

διδάσκαλος (*επίσ.*) ΟΥΣ ΑΡΣ teacher

διδάσκουσα (*επίσ.*) ΟΥΣ ΘΗΛ *βλ.* **διδάσκων**

διδάσκω ① Ρ Μ **(α)** (*μαθηματικά, γλώσσα, τέχνη*) to teach **(β)** (= *ανεβάζω θεατρικό έργο*) to stage
② Ρ ΑΜ to teach

διδάσκων (*επίσ.*) ΟΥΣ ΑΡΣ teacher

διδαχή ΟΥΣ ΘΗΛ **(α)** (= *νουθεσία*) lecture **(β)** (= *διδασκαλία*) instruction

δίδυμος, -η, -ο ΕΠΙΘ (*αδέλφια, αγόρια, κορίτσια*) twin
▸**δίδυμο** ΟΥΣ ΟΥΔ (*ομάδας*) pair · (*κινηματογράφου*) duo, double act
▸**δίδυμα** ΟΥΣ ΟΥΔ ΠΛΗΘ twins
▸**Δίδυμοι** ΟΥΣ ΑΡΣ ΠΛΗΘ (ΑΣΤΡΟΝ, ΑΣΤΡΟΛ) Gemini
▸**δίδυμοι** ΟΥΣ ΑΡΣ ΠΛΗΘ, **δίδυμες** ΟΥΣ ΘΗΛ ΠΛΗΘ twins

δίδω (*επίσ.*) Ρ Μ = **δίνω**

διεγείρω Ρ Μ (*ενδιαφέρον*) to excite, to arouse · (*προσοχή*) to catch · (*ζήλο, αισθήσεις, ένστικτα, πάθη, μίση*) to arouse · (*φαντασία, νεύρα*) to stimulate, to excite · (*άνδρα, γυναίκα*) to arouse, to turn on (*ανεπ.*) · (*ψυχικά*) to stimulate · (*πλήθη, όχλο*) to whip up, to stir up

διέγερση ΟΥΣ ΘΗΛ **(α)** (*νευρικού συστήματος*) stimulation **(β)** (*παθών, επιθυμίας*) stirring · (*φαντασίας*) stimulation **(γ)** (*όχλου*) whipping up, stirring up

διεγερτικός, -ή, -ό ΕΠΙΘ stimulant, stimulating
▸**διεγερτικό** ΟΥΣ ΟΥΔ stimulant

διεθνής, -ής, -ές ΕΠΙΘ international
▸**Διεθνής Αστυνομία** Interpol
▸**Διεθνές Εμπορικό Επιμελητήριο** International Chamber of Commerce
▸**διεθνής** ΟΥΣ ΑΡΣΘΗΛ (ΑΘΛ) international (player) (*Βρετ.*), player on the national team (*Αμερ.*)

διεθνισμός ΟΥΣ ΑΡΣ internationalism

διεθνολογία ΟΥΣ ΘΗΛ international law

διεθνολόγος ΟΥΣ ΑΡΣΘΗΛ international law expert

διεθνοποίηση ΟΥΣ ΘΗΛ internationalization

διεθνοποιώ Ρ Μ to internationalize

διεθνώς ΕΠΙΡΡ internationally

διείσδυση ΟΥΣ ΘΗΛ **(α)** (*νερού*) seepage **(β)** (*ξένης κουλτούρας, πληροφορικής*) penetration **(γ)** (*στρατευμάτων*) penetration **(δ)** (*ανδρικού μορίου*) penetration

διεισδυτικός, -ή, -ό ΕΠΙΘ penetrating

διεισδύω Ρ ΑΜ: **διεισδύω σε** (*φως*) to filter in · (*μυρωδιά*) to permeate · (*νερό*) to seep into · (*σκόνη*) to get into · (*επιχείρηση, εταιρεία*) to penetrate

διεκδίκηση ΟΥΣ ΘΗΛ (*ακινήτου, δικαιωμάτων, εδαφών*) claim · (*αξιώματος, βραβείου*) contending
▹**προβάλλω διεκδικήσεις** to put forward

claims

διεκδικητής ΟΥΣ ΑΡΣ (εξουσίας) contender· (θρόνου) pretender· (πρωταθλήματος, κυπέλλου) challenger, contender

διεκδικητικός, -ή, -ό ΕΠΙΘ (αγώνας) protest· (άτομο) assertive

διεκδικήτρια ΟΥΣ ΘΗΛ βλ. **διεκδικητής**

διεκδικώ Ρ Μ (αίτημα) to make, to issue· (δικαίωμα, αποζημίωση) to claim· (θέση, έδρα, τίτλο, μετάλλιο) to contest
▷**διεκδικώ τα πρωτεία** to contest for first place

διεκπεραιώνω Ρ Μ (α) (αποστολή) to accomplish· (υποθέσεις, εργασία) to see through· (έργο) to complete· (καθήκοντα, εντολή) to carry out· (συμφωνία, απόφαση) to abide by (β) (έγγραφα, αλληλογραφία) to dispatch

διεκπεραίωση ΟΥΣ ΘΗΛ (α) (υποθέσεως, εργασίας, έργου) completion· (εντολής) execution (β) (= εγγράφων, αλληλογραφίας) dispatching (γ) (υπηρεσία) forwarding office

διεκπεραιωτής ΟΥΣ ΑΡΣ forwarding agent

διεκπεραιώτρια ΟΥΣ ΘΗΛ βλ. **διεκπεραιωτής**

διεκτραγώδηση ΟΥΣ ΘΗΛ dramatizing

διεκτραγωδώ Ρ Μ (γεγονός) to lament· (πάθημα, συμβάν) to dramatize

διέλευση ΟΥΣ ΘΗΛ (α) (πεζών, οχημάτων, ζώων) passage, crossing· (ηλεκτρισμού) passage· (συνόρων) crossing (β) (= διάβαση) crossing

διελκυστίνδα ΟΥΣ ΘΗΛ tug of war

διένεξη ΟΥΣ ΘΗΛ dispute

διενέργεια (επίσ.) ΟΥΣ ΘΗΛ (αυτοψίας, εκλογών, ψηφοφορίας, διαγωνισμού) holding· (ελέγχου) conducting

διενεργώ (επίσ.) Ρ Μ (έλεγχο, έρευνα) to conduct· (ανάκριση, εκλογές, διαγωνισμό, κλήρωση) to hold

διεξάγω (επίσ.) Ρ Μ (έλεγχο, εργασία) to carry out· (ανάκριση, έλεγχο) to hold· (δίκη) to conduct· (πόλεμο, εκστρατεία) to wage· (αγώνα) to put up
▸**διεξάγομαι** ΜΕΣΟΠΑΘ (εκλογές, εξετάσεις, δίκη) to take place

διεξαγωγή ΟΥΣ ΘΗΛ (δίκης, εκλογών, διαγωνισμού) holding· (πολέμου) waging

διεξοδικά ΕΠΙΡΡ thoroughly

διεξοδικός, -ή, -ό ΕΠΙΘ (απάντηση, αναφορά, διαπραγμάτευση, εξήγηση) detailed· (ανάλυση, συζήτηση) detailed, in–depth· (ανάπτυξη) extensive· (έρευνα) thorough, in–depth· (εργασία) thorough· (διαδικασία) exhaustive

διεξοδικότητα ΟΥΣ ΘΗΛ thoroughness

διέξοδος ΟΥΣ ΘΗΛ (κυριολ., μτφ.) way out (από, σε of)
▷**βρίσκω διέξοδο σε κτ** to find an outlet in sth
▷**δεν έχω άλλη διέξοδο** to have no other choice

▷**δίνω διέξοδο σε κπν** to provide a way out for sb

διέπω Ρ Μ to govern

διερεύνηση ΟΥΣ ΘΗΛ investigation

διερευνητικά ΕΠΙΡΡ inquiringly

διερευνητικός, -ή, -ό ΕΠΙΘ (βλέμμα, πνεύμα) enquiring· (διαπραγμάτευση) exploratory

διερευνώ Ρ Μ (αίτια, κίνητρα, περίπτωση) to look into· (σκάνδαλο) to inquire into, to investigate

διερμηνέας ΟΥΣ ΑΡΣ&ΘΗΛ interpreter
▷**κάνω τον διερμηνέα** to act as interpreter, to interpret

διερμηνεύω Ρ Μ (α) (= μεταφράζω) to interpret (β) (= εκφράζω) to speak on behalf of
▷**διερμηνεύω κακώς** to misinterpret

διέρχομαι (επίσ.) Ρ Μ ΑΠΟΘ (α) (ποταμός, όχημα) to go through, to pass through (β) (περίοδο, φάση, στάδιο) to go through
▷**κέντρο διερχομένων** (μειωτ.) like Piccadilly Circus (Βρετ.) ή central station (Αμερ.)

διερωτώμαι (επίσ.) Ρ Μ ΑΠΟΘ to wonder

δίεση ΟΥΣ ΘΗΛ sharp

διεσπαρμένος, -η, -ο (επίσ.) ΕΠΙΘ (α) (λαοί, φυλές) dispersed, scattered (β) (φήμες, ψέματα) that have been spread

διεστραμμένος, -η, -ο ΕΠΙΘ perverse, twisted
▷**διεστραμμένη φύση** perverse nature
▷**σεξουαλικά διεστραμμένος** perverted

διετής, -ής, -ές ΕΠΙΘ (α) (= δύο χρόνων) two–year–old (β) (συμβόλαιο, σύμβαση) two–year

διετία ΟΥΣ ΘΗΛ two years πληθ.

διευθέτηση (επίσ.) ΟΥΣ ΘΗΛ (κατάστασης, ζητήματος, προβλήματος) settlement

διευθετώ (επίσ.) Ρ Μ (αντικείμενα, αίθουσα) to arrange· (θέμα, πρόβλημα) to settle

διεύθυνση ΟΥΣ ΘΗΛ (α) (= τόπος διαμονής) address (β) (= διοίκηση: επιχείρησης, γραφείου, έργου) management· (ορχήστρας) conducting (γ) (ανέμου, πεδίου) direction
▸**αστυνομική διεύθυνση** police headquarters
▸**σύστημα διευθύνσεως** steering system
▸**διεύθυνση κατοικίας** home address

διευθυντήριο ΟΥΣ ΟΥΔ manager's office

διευθυντής ΟΥΣ ΑΡΣ (εταιρείας, οργανισμού) manager· (σχολείου) head, principal (Αμερ.)· (ορχήστρας) conductor· (αστυνομίας) police commissioner, chief of police
▸**διευθυντής προγραμματισμού** programming manager
▸**διευθυντής προσωπικού** personnel manager
▸**διευθυντής πωλήσεων** sales manager
▸**διευθυντής σπουδών** director of studies
▸**διευθυντής σύνταξης** editor–in–chief
▸**διευθυντής ταχυδρομείου** postmaster
▸**διευθυντής τράπεζας** bank manager

διευθύντρια ΟΥΣ ΘΗΛ βλ. **διευθυντής**

διευθύνω Ρ Μ (α) (εταιρεία, οργανισμό, ίδρυμα, θέατρο, έργα) to manage, to run·

Δ

(σχολείο) to be head of · (διαπραγματεύσεις, ενέργειες) to direct · (αγώνα) to referee (β) (ορχήστρα, χορωδία) to conduct (γ) (βλέμμα, κινήσεις) to direct

διευθύνων, -ουσα, -ον ΕΠΙΘ: **διευθύνων/ διευθύνουσα σύμβουλος** chief executive, managing director (Βρετ.)

διευκόλυνση ΟΥΣ ΘΗΛ (πολιτών, εργαζομένων, συναλλαγών, ενεργειών) facilitating · (κυκλοφορίας) easing
▶ **διευκολύνσεις** ΠΛΗΘ facilities

διευκολύνω Ρ Μ (α) (συναλλαγές, ενέργειες, πέψη) to facilitate · (κυκλοφορία) to ease · (παράνομο) to abet (β) (= παρέχω οικονομική εξυπηρέτηση) to help out
▷ **διευκολύνω κπν σε κτ** to make sth easy for sb

διευκρινίζω Ρ Μ (άποψη, κατάσταση, ζήτημα) to clarify

διευκρίνιση ΟΥΣ ΘΗΛ clarification
▶ **διευκρινίσεις** ΠΛΗΘ clarification εν.

διεύρυνση ΟΥΣ ΘΗΛ (α) (δρόμου, τάφρου) widening (β) (δυνατοτήτων, ευκαιριών, διαφορᾶς) increase · (δακτυλίου, εμπορίου) expansion · (έννοιας) widening

διευρύνω Ρ Μ (α) (χώρο, δρόμο, χάσμα, άνοιγμα) to widen (β) (σύνορα, επιρροή) to extend · (ορίζοντες, όρια, γνώσεις) to broaden · (ακροατήριο, πελατεία, επαφές, συναλλαγές) to increase
▷ **διευρύνω τον κύκλο των γνωριμιών μου** to widen one's circle of friends

διεφθαρμένος, -η, -ο ΕΠΙΘ corrupt, depraved

δίζυγο ΟΥΣ ΟΥΔ parallel bars πληθ.

διήγημα ΟΥΣ ΟΥΔ short story

διηγηματικός, -ή, -ό ΕΠΙΘ narrative

διηγηματογραφία ΟΥΣ ΘΗΛ short–story writing

διηγηματογράφος ΟΥΣ ΑΡΣΘΗΛ short–story writer

διήγηση ΟΥΣ ΘΗΛ narrative

διηγούμαι Ρ Μ ΑΠΟΘ (ιστορία, μύθο) to tell, to narrate · (γεγονότα) to relate

διήθηση ΟΥΣ ΘΗΛ filtering

διηθητικός, -ή, -ό ΕΠΙΘ (χαρτί) filter

διηθώ Ρ Μ to filter

διημέρευση ΟΥΣ ΘΗΛ spending the day

διημερεύω Ρ ΑΜ (α) (ταξιδιώτης) to spend the day (β) (φαρμακείο, νοσοκομείο) to be open all day

διήμερο ΟΥΣ ΟΥΔ two days πληθ.

διήμερος, -η, -ο ΕΠΙΘ two–day

διηνεκής, -ής, -ές (επίσ.) ΕΠΙΘ perpetual
▷ **εις το διηνεκές** in perpetuity

διηπειρωτικός, -ή, -ό ΕΠΙΘ intercontinental

διθέσιος, -α, -ο ΕΠΙΘ (καναπές, αυτοκίνητο) two–seater

διθυραμβικός, -ή, -ό ΕΠΙΘ (α) (ποίηση, ποιήματα) dithyrambic (β) (κριτικές) rave ·

(έπαινοι) fulsome

διθύραμβος ΟΥΣ ΑΡΣ (α) (ΠΟΙΗΣ) dithyramb (β) (= εγκώμιο) rave review
▷ **γράφω διθυράμβους για κπν/κτ** to write rave reviews about sb/sth
▷ **εισπράττω διθυράμβους** to get rave reviews

διΐσταμαι (επίσ.) Ρ ΑΜ ΑΠΟΘ (απόψεις, γνώμες) to diverge

διιστάμενος, -η, -ο ΜΤΧ (απόψεις) dissenting

δικάζω Ρ Μ (υπόθεση, έφεση) to hear · (διαφορές) to adjudicate · (κατηγορούμενο) to try, to put on trial
▶ **δικάζομαι** ΜΕΣΟΠΑΘ (α) (= κρίνομαι) to stand trial (β) (καταχρ. : = καταδικάζομαι) to be condemned
▷ **δικάζομαι ερήμην** to be tried in absentia
▷ **δικάζομαι σε φυλάκιση** to be sentenced to imprisonment

δίκαια ΕΠΙΡΡ (α) (= σύμφωνα με το νόμο) justly, fairly (β) (= σωστά) rightly

δίκαιο ΟΥΣ ΟΥΔ (α) (χώρας, περιοχής) law (β) (= ορθό) right
▷ **δεν είναι δίκαιο να κάνω κτ** it isn't right to do sth
▶ **άγραφο δίκαιο** unwritten law
▶ **γραπτό δίκαιο** statue law
▶ **Διεθνές Δίκαιο** international law
▶ **Οικογενειακό Δίκαιο** family law
▶ **Δίκαιο** ΟΥΣ ΟΥΔ law
▶ **δίκαια** ΠΛΗΘ (έθνους) rights

δικαιόγραφο ΟΥΣ ΟΥΔ title deed

δικαιοδοσία ΟΥΣ ΘΗΛ jurisdiction
▷ **έχω στη δικαιοδοσία μου ή υπό τη δικαιοδοσία μου κπν** to have jurisdiction over sb
▷ **έχω (τη) δικαιοδοσία να κάνω κτ** to have the authority ή competence to do sth
▷ **τίθεμαι στη δικαιοδοσία κποιου** to be under sb's jurisdiction
▷ **υπάγομαι στη δικαιοδοσία κποιου** to come under the jurisdiction of sb

δικαιοκρισία ΟΥΣ ΘΗΛ fair judgement

δικαιολογημένος, -η, -ο ΕΠΙΘ justifiable, justified

δικαιολόγηση ΟΥΣ ΘΗΛ (α) (εξόδων, απουσιών, κατάστασης) justification (β) (συναδέλφου) excuse (γ) (φαινομένου) cause

δικαιολογητικός, -ή, -ό ΕΠΙΘ (λόγος, στάση) justifiable
▶ **δικαιολογητικά** ΟΥΣ ΟΥΔ ΠΛΗΘ documentation εν.

δικαιολογία ΟΥΣ ΘΗΛ (α) (= πρόφαση) excuse (β) (= επιχείρημα) excuse, reason
▷ **δεν έχω καμιά (απολύτως) δικαιολογία** to have (absolutely) no excuse
▷ **με τη δικαιολογία ότι** with the excuse that
▷ **ωραία δικαιολογία** ! fine excuse!
▶ **δικαιολογίες** ΠΛΗΘ (ειρων.) excuses
▷ **βρίσκω δικαιολογίες** to make excuses
▷ **είμαι όλο δικαιολογίες** to be full of excuses

δικαιολογώ Ρ Μ (α) (= δικαιώνω) to excuse

(β) (= *υπερασπίζομαι*) to justify, to make excuses for **(γ)** (= *αιτιολογώ*) to be the cause of
▸**δικαιολογούμαι** ΜΕΣΟΠΑΘ to make excuses

δίκαιος, -η, -ο ΕΠΙΘ **(α)** (*τιμωρία, απόφαση, αίτημα, αποτέλεσμα, νίκη*) fair, just **(β)** (*άνθρωπος, δικαστής, διαγωνισμός, συμπεριφορά*) fair · (*νόμος*) just
▷**για να είμαστε δίκαιοι** to be fair

δικαιοσύνη ΟΥΣ ΘΗΛ **(α)** (= *δίκαιο*) justice **(β)** (*καταχρ.*: = *ορθό*) right
▷**απονέμω δικαιοσύνη** to administer *ή* dispense justice
▷**επιβάλλω (τη) δικαιοσύνη** to enforce the law
▸**Δικαιοσύνη** ΟΥΣ ΘΗΛ justice
▷**καταφεύγω στη Δικαιοσύνη** to go to law
▸**Υπουργείο Δικαιοσύνης** Ministry of Justice
▸**υπουργός Δικαιοσύνης** Minister of Justice

δικαιούμαι Ρ Μ ΑΠΟΘ to be entitled to
▷**δικαιούμαι να κάνω κτ** to be entitled to do sth, to have the right to do sth

δικαιούχος ΟΥΣ ΑΡΣ&ΘΗΛ beneficiary

δικαίωμα ΟΥΣ ΟΥΔ **(α)** (ΝΟΜ) right **(β)** (= *δυνατότητα δράσης*) right
▷**ασκώ το εκλογικό μου δικαίωμα** to exercise one's voting right
▷**διεκδικώ τα δικαιώματά μου** to claim one's rights
▷**δίνω το δικαίωμα** *ή* **δικαιώματα σε κπν (να κάνει κτ)** to give sb the right (to do sth)
▷**εκχωρώ** *ή* **παραχωρώ δικαίωμα** to extend a right
▷**έχω το δικαίωμα** *ή* **είναι δικαίωμά μου να κάνω κτ** to have the right to do sth
▷**παραβιάζω** *ή* **θίγω δικαίωμα** to infringe a right
▸**εκλογικό δικαίωμα** voting right
▸**κεκτημένο δικαίωμα** vested right
▸**δικαιώματα** ΠΛΗΘ **(α)** (*συγγραφέα*) royalties **(β)** (*μετάδοσης, διανομής*) (exclusive) rights
▸**πνευματικά δικαιώματα** copyright *εν.*
▸**συγγραφικά δικαιώματα** royalties

δικαιωματικά ΕΠΙΡΡ rightfully

δικαιωματικός, -ή, -ό ΕΠΙΘ rightful

δικαιώνω Ρ Μ **(α)** (*γεγονός, εξελίξεις*) to justify, to vindicate **(β)** (*φήμη, όνομα*) to live up to
▷**δικαιώνω κπν** (*δικαστής, δικαστήριο*) to come out *ή* find in sb's favour (Βρετ.) *ή* favor (Αμερ.) · (*απόφαση, νόμος*) to be in sb's favour (Βρετ.) *ή* favor (Αμερ.)
▸**δικαιώνομαι** ΜΕΣΟΠΑΘ to be vindicated

δικαίως (*επίσ.*) ΕΠΙΡΡ = **δίκαια**

δικαίωση ΟΥΣ ΘΗΛ vindication

δικανικός, -ή, -ό ΕΠΙΘ (*ικανότητα*) forensic · (*πάλη*) legal

δίκαννο ΟΥΣ ΟΥΔ double–barrelled (Βρετ.) *ή* double–barreled (Αμερ.) shotgun

δικάσιμη ΟΥΣ ΘΗΛ = **δικάσιμος**

δικάσιμος ΟΥΣ ΘΗΛ trial date

δικαστήριο ΟΥΣ ΟΥΔ **(α)** (= *δικαστές*) court

(β) (*κτήριο*) court, law court, courthouse (*Αμερ.*) **(γ)** (= *δίκη*) trial
▷**πηγαίνω** *ή* **τραβάω κπν στα δικαστήρια** to take sb to court
▷**φτάνω στα δικαστήρια** (*υπόθεση, αντίδικοι*) to go to court *ή* trial
▷**δικαστήριο ανηλίκων** juvenile court
▸**Διεθνές Δικαστήριο** International Court of Justice
▸**διοικητικό δικαστήριο** administrative tribunal
▸**ειδικό δικαστήριο** special jury, blue–ribbon jury (Αμερ.)
▸**Ευρωπαϊκό Δικαστήριο** European Court
▸**ποινικό δικαστήριο** criminal court
▸**πολιτικό δικαστήριο** civil court
▸**στρατιωτικό δικαστήριο** military court

δικαστής ΟΥΣ ΑΡΣ&ΘΗΛ judge
▸**αθλητικός δικαστής** judge on a sports tribunal

δικαστικά ΕΠΙΡΡ = **δικαστικώς**

δικαστικός, -ή, -ό ΕΠΙΘ (*απόφαση, ενέργεια, έλεγχος, έρευνα*) judicial · (*έξοδα*) court, legal
▸**δικαστικός αγώνας** legal battle
▸**δικαστικός αντιπρόσωπος** (*σε εκλογές*) returning officer (Βρετ.), chief election official (Αμερ.)
▸**δικαστικές αρχές** judicial authorities
▸**δικαστική εξουσία** judicial power
▸**δικαστικός επιμελητής** bailiff
▸**δικαστική πλάνη** miscarriage of justice
▸**δικαστικό σώμα** judiciary
▸**δικαστικός** ΟΥΣ ΑΡΣ&ΘΗΛ (= *δικαστής*) judge, magistrate · (= *εισαγγελέας*) public prosecutor

δικαστικώς ΕΠΙΡΡ legally

δικατάληκτος, -η, -ο ΕΠΙΘ (ΓΛΩΣΣ) with two endings

δικάταρτος, -η, -ο ΕΠΙΘ (*πλοίο*) two–masted
▸**δικάταρτο** ΟΥΣ ΟΥΔ two–master

δικέλλα ΟΥΣ ΘΗΛ grub hoe, grubber

δικέφαλος, -η, -ο ΕΠΙΘ (*αετός*) two–headed
▸**δικέφαλος μυς** (ΑΝΑΤ) biceps *πληθ.*

δίκη ΟΥΣ ΘΗΛ trial
▷**διεξάγω δίκη** to conduct a trial
▷**παραπέμπω κπν σε δίκη** to commit sb for trial, to put sb on trial
▷**περνά από δίκη** to go to *ή* stand trial
▸**δίκη ερήμην** trial in absentia
▸**δίκη κεκλεισμένων των θυρών** trial in camera
▸**θεία δίκη** divine retribution

δικηγορία ΟΥΣ ΘΗΛ legal profession
▷**ασκώ (τη) δικηγορία** to practise (Βρετ.) *ή* practice (Αμερ.) law

δικηγορικός, -ή, -ό ΕΠΙΘ (*αμοιβή, ιδιότητα*) lawyer's
▸**δικηγορικό γραφείο** law firm
▸**δικηγορικός σύλλογος, δικηγορικό σώμα** the Bar

δικηγόρος ΟΥΣ ΑΡΣ&ΘΗΛ lawyer, attorney (Αμερ.)

Δ

▷**δεν χρειάζομαι δικηγόρο!** (*ειρων.*) I don't need anyone to defend me!

δικηγορώ Ρ ΑΜ to practise (*Βρετ.*) *ή* practice (*Αμερ.*) law

δίκην (*επίσ.*) ΕΠΙΡΡ just like

δικινητήριος, -α, -ο ΕΠΙΘ (*αεροπλάνο*) twin–engined

δίκιο ΟΥΣ ΟΥΔ right

▷**βρίσκω το δίκιο μου** to find justice

▷**για να λέμε** *ή* **πούμε και του στραβού το δίκιο** to give the devil his due, in all fairness

▷**δίνω σε κπν δίκιο** to admit that sb is right

▷**έχω δίκιο** to be right

▷**έχω (όλο) το δίκιο με το μέρος μου** to have right on one's side

▷**(και) με το δίκιο μου** quite rightly, justifiably

▷**παίρνω το δίκιο μου πίσω** to get one's revenge

δικλείδα ΟΥΣ ΘΗΛ = **δικλίδα**

δικλίδα ΟΥΣ ΘΗΛ valve

▷**ασφαλιστική δικλίδα** safety valve · (*μτφ.*) safety net

δίκλινος, -η, -ο ΕΠΙΘ (*δωμάτιο*) twin

▸**δίκλινο** ΟΥΣ ΟΥΔ twin room, twin–bedded room

δίκλωνος, -η, -ο ΕΠΙΘ (α) (*φυτό*) two–branched · (*σχήμα Ντι-Εν-Έι*) two–strand (β) (*μετάξι*) two–ply

δικογραφία ΟΥΣ ΘΗΛ brief

δικόγραφο ΟΥΣ ΟΥΔ legal document

δικολαβισμός (*αρνητ.*) ΟΥΣ ΑΡΣ sophistry

δικολαβίστικος, -η, -ο (*αρνητ.*) ΕΠΙΘ: **δικολαβίστικα επιχειρήματα** chicanery *εν.*

δικολάβος (*αρνητ.*) ΟΥΣ ΑΡΣ sophist

δικομματικός, -ή, -ό ΕΠΙΘ bipartisan, two–party

δικομματισμός ΟΥΣ ΑΡΣ bipartisanism

δικονομία ΟΥΣ ΘΗΛ (legal) procedure

δικονομικός, -ή, -ό ΕΠΙΘ procedural

δίκοπος, -η, -ο ΕΠΙΘ double–edged

▷**δίκοπο μαχαίρι** double–edged knife · (*μτφ.*) two–edged *ή* double–edged sword

δικός, -ή *ή* **-ιά, -ό** ΑΝΤΩΝ ΚΤΗΤ: **δικός μου/σου/ του/της/μας/σας/τους** my/your/his/her/our/ your/their

▷**δεν έχω τίποτα δικό μου** to have nothing to call one's own

▷**είναι δικό μου/σου/του** it's mine/yours/his

▷**έχω δικό μου σπίτι** I have a house of my own

▷**λέω τα δικά μου με κπν** (= *συζητώ προσωπικά θέματα*) to tell sb one's news

▷**λέω τα δικά μου** (= *λέω τα τυπικά μου*) to get on one's hobbyhorse · (= *μιλώ άσχετα*) to go off on a tangent

▷**οι δικοί μου** one's family

▷**ο δικός μου/η δικιά μου** (*αργκ.*) my boyfriend/girlfriend

▷**τα θέλω όλα δικά μου** to want to have everything one's own way

▷**δικέ μου!** (*αργκ.*) my man! (*ανεπ.*)

▷**δικός σου/σας** (*σε επιστολή*) yours

δικοτυλήδονος, -η, -ο ΕΠΙΘ dicotyledonous

▸**δικοτυλήδονα** ΟΥΣ ΟΥΔ ΠΛΗΘ dicotyledons

δίκοχο ΟΥΣ ΟΥΔ forage cap

δίκροκο ΟΥΣ ΟΥΔ egg with two yolks

δίκταμο ΟΥΣ ΟΥΔ dittany

δικτάτορας ΟΥΣ ΑΡΣ (*κυριολ., μτφ.*) dictator

δικτατορία ΟΥΣ ΘΗΛ (α) (ΠΟΛΙΤ) dictatorship (β) (*των Μ.Μ.Ε., του Τύπου*) tyranny

δικτατορικός, -ή, -ό ΕΠΙΘ (α) (*καθεστώς, κυβέρνηση, εξουσία*) dictatorial (β) (*μτφ.*) bossy

δικτατορίσκος (*μειωτ.*) ΟΥΣ ΑΡΣ tinpot dictator

δικτυακός, -ή, -ό ΕΠΙΘ (α) (*εγκατάσταση*) network (β) (*καταχρ.*: = *διαδικτυακός: χρήστης, περιοδικό, υπηρεσίες*) Internet

δίκτυο ΟΥΣ ΟΥΔ (α) (*πληροφοριών, μεταφορών, αεράμυνας*) network (β) (= *Διαδίκτυο*) Internet, Net (γ) (*αντίστασης, πρακτόρων, εμπόρων ναρκωτικών, καταστημάτων*) network (δ) (*επίσ.*: = *δίχτυ*) net

▷**είμαι στο δίκτυο** to be on the Internet

▷**μπαίνω στο δίκτυο** to go on the Internet

▷**συνδέομαι σε δίκτυο** to connect to the Internet

δικτυοπειρατεία ΟΥΣ ΘΗΛ (ΠΛΗΡΟΦ) hacking

δικτυοπειρατής ΟΥΣ ΑΡΣ (ΠΛΗΡΟΦ) hacker

δικτυωμένος, -η, -ο ΕΠΙΘ: **είμαι δικτυωμένος** to have connections

δικτυώνω Ρ Μ (α) (*εταιρείες*) to link up (β) (= *εντάσσω σε ομάδα*) to link up with

▸**δικτυώνομαι** ΜΕΣΟΠΑΘ (α) (= *αποκτώ γνωστούς*) to network (β) (= *συνδέομαι με δίκτυο*) to get connected

δικτυωτός, -ή, -ό ΕΠΙΘ (*καλσόν*) fishnet

▸**δικτυωτό** ΟΥΣ ΟΥΔ trellis

δίκυκλο ΟΥΣ ΟΥΔ (= *ποδήλατο*) bicycle, bike · (= *μοτοσυκλέτα*) (motor)bike

δίλημμα ΟΥΣ ΟΥΔ dilemma

▷**αντιμετωπίζω (ένα) δίλημμα** to face *ή* confront a dilemma

▷**βρίσκομαι μπροστά στο δίλημμα να κάνω κτ** to be faced with a dilemma about whether to do sth

▷**βρίσκομαι σε (σοβαρό) δίλημμα** to be in a (real *ή* serious) dilemma

▷**θέτω σε κπν το δίλημμα** to pose *ή* create a dilemma for sb

διλημματικός, -ή, -ό ΕΠΙΘ puzzling

δίλιτρος, -η, -ο ΕΠΙΘ (α) (*μπουκάλι*) two–litre (*Βρετ.*), two–liter (*Αμερ.*) (β) (*αυτοκίνητο*) with a two–litre (*Βρετ.*) *ή* two–liter (*Αμερ.*) engine

διμελής, -ής, -ές ΕΠΙΘ (*ομάδα*) two–man

διμερής, -ής, -ές ΕΠΙΘ (α) (*κυβέρνηση*) two–party (β) (*συμφωνία, σύμβαση, δεσμεύσεις*) bilateral

διμέτωπος, -η, -ο ΕΠΙΘ (*αγώνας, επίθεση*) on two fronts

διμηνία ΟΥΣ ΘΗΛ two months πληθ.

διμηνιαίος, -α, -ο ΕΠΙΘ (α) (ταξίδι, περιοδεία) two–month (β) (έκδοση, περιοδικό) bimonthly, fortnightly (Βρετ.)

διμηνίτικο ΟΥΣ ΟΥΔ two–month–old baby

δίμηνο ΟΥΣ ΟΥΔ two months πληθ.

δίμηνος, -η, -ο ΕΠΙΘ (α) (ξεκούραση) two–month (β) (σκυλάκι) two–month–old

διμοιρία ΟΥΣ ΘΗΛ (α) (ΣΤΡΑΤ) platoon (β) (των Μ.Α.Τ.) unit

διμορφία ΟΥΣ ΘΗΛ (α) (ΧΗΜ) dimorphism (β) (ΓΛΩΣΣ) diglossia

διμορφισμός ΟΥΣ ΑΡΣ = **διμορφία**

δίνη ΟΥΣ ΘΗΛ (α) (νερού) eddy, whirlpool · (ανέμου) eddy (β) (πολέμου, έρωτα, εξελίξεων) maelstrom

───────────
│ *ΛΕΞΗ-ΚΛΕΙΔΙ* │
───────────

δίνω Ρ Μ (α) : **δίνω κτ σε κπν** to give sb sth · (στο τραπέζι) to pass sb sth □ **της έδωσε το βιβλίο** he gave her the book · **μου δίνεις το αλάτι;** can you pass me the salt, please?
▷ **δίνω πίσω** to give back
(β) (= προσφέρω: ευκαιρία, άδεια, συμβουλή) to give □ **της έδωσε δυο μέρες άδεια** she gave her two days off · **του έδωσε την άδεια να μιλήσει** she gave him permission to speak · **πάντα είχε να σου δώσει μια καλή συμβουλή** he always gave you good advice
(γ) (= πουλώ) to sell □ **πόσο σου (το) έδωσε τελικά το σπίτι;** how much did she sell you the house for?
(δ) (= πληρώνω: για εργοδότη) to pay · (για αγοραστή) to give □ **πόσα, λες, να της δίνει;** how much do you think he's paying her? · **δεν μπορώ να δώσω τόσα χρήματα** I can't give that much money
(ε) (= διοργανώνω: δεξίωση, δείπνο) to give · (χορό) to hold □ **έδωσαν επίσημο δείπνο, για να τιμήσουν τον υψηλό προσκεκλημένο τους** they gave a formal dinner to honour their VIP guest
(στ) (χαρά, πόνο, θλίψη) to give □ **η επίσκεψή σου μου έδωσε μεγάλη χαρά** your visit gave me great pleasure
(ζ) (= εκδίδω: διαταγές, οδηγίες) to give
▷ **δίνε του!** (αργκ.) beat it! (ανεπ.), get lost! (ανεπ.)
▷ **δίνω και παίρνω** to be influential
▷ **δίνω κπν (στο τηλέφωνο)** to put sb through □ **είναι ο μπαμπάς, να στον δώσω;** it's dad, shall I put you through?
▷ **και τι δεν θα 'δινα να ...!** I would give anything to ...!
▷ **μου τη δίνει!** (οικ.: = με εκνευρίζει) he/she/it pisses me off! (ανεπ.) · (= με ξετρελαίνει) I'm mad about him/her/it! (ανεπ.)
▷ **του δίνω** (αργκ.) to push off (ανεπ.) □ **αποφάσισα να του δίνω** I decided to push off
▶ **δίνομαι** ΜΕΣΟΠΑΘ: **δίνομαι σε κπν** to give oneself to sb
▷ **δίνομαι σε κτ** to be devoted ή dedicated to

sth □ **έχει δοθεί στην επιστήμη** she's devoted ή dedicated to science
▷ **μου δίνεται η ευκαιρία** to have the opportunity

───────────

διογκώνω Ρ Μ (α) (μπαλόνι) to inflate (β) (έλλειμμα, χρέος) to increase · (προϋπολογισμό) to inflate (γ) (περιστατικό, γεγονός, πρόβλημα) to exaggerate
▶ **διογκώνομαι** ΜΕΣΟΠΑΘ (κοιλιά, αδένες) to swell · (πρόβλημα, αριθμός, κρίση) to grow · (εταιρεία) to expand

διόγκωση ΟΥΣ ΘΗΛ (α) (μπαλονιού) inflation · (κοιλιάς, μαστού, αδένα) swelling · (δαπανών, εξόδων, αριθμού) increase (β) (φήμης, περιστατικού) exaggeration

διόδια ΟΥΣ ΟΥΔ ΠΛΗΘ toll εν.

δίοδος ΟΥΣ ΘΗΛ passage
▷ **ανοίγω δίοδο** to open a passage

διοίκηση ΟΥΣ ΘΗΛ (α) (κράτους) administration · (επιχείρησης) management, administration · (στρατού) command (β) (= εξουσία διαχυβέρνησης) power (γ) (= αρχή) management · (κράτους) government, administration (Αμερ.)
▷ **αναλαμβάνω τη διοίκηση** to take control · (στρατού) to take command
▷ **ασκώ (τη) διοίκηση** (σε εταιρεία) to have control · (ΣΤΡΑΤ) to be in command
▷ **έχω τη διοίκηση** (εταιρείας) to manage · (λόχου) to command
▶ **διοίκηση επιχειρήσεων** business management ή administration
▶ **στρατιωτική διοίκηση** military command

διοικητήριο ΟΥΣ ΟΥΔ headquarters

διοικητής ΟΥΣ ΑΡΣ (αστυνομίας) chief · (τράπεζας) manager
▶ **γενικός διοικητής** general manager
▶ **στρατιωτικός διοικητής** commanding officer

διοικητικός, -ή, -ό ΕΠΙΘ (ικανότητες, έλεγχος) administrative · (καθήκοντα) executive · (τομέας) management
▶ **Διοικητικό Δίκαιο** administrative law
▶ **διοικητικό στέλεχος** manager
▶ **διοικητικό συμβούλιο** board of directors
▶ **Διοικητική** ΟΥΣ ΘΗΛ management
▶ **διοικητικός** ΟΥΣ ΑΡΣ, **διοικητική** ΟΥΣ ΘΗΛ administrator

διοικήτρια ΟΥΣ ΘΗΛ βλ. **διοικητής**

διοικώ Ρ ΑΜ (επιχείρηση, τράπεζα) to manage · (οργανισμό, αυτονομία) to run, to head up · (στρατό) to command · (κράτος) to be at the head of

διολισθαίνω Ρ ΑΜ (νόμισμα) to slide, to slip

διολίσθηση ΟΥΣ ΘΗΛ (νομίσματος, ισοτιμίας) slide

διόλου ΕΠΙΡΡ not all all, by no means

διονυσιακός, -ή, -ό ΕΠΙΘ (μύθος, λατρεία, τελετές) Dionysian (β) (γλέντι) gargantuan

διοξείδιο ΟΥΣ ΟΥΔ = **διοξίδιο**

διοξίδιο ΟΥΣ ΟΥΔ dioxide
▶ **διοξίδιο του άνθρακα** carbon dioxide

διόπτρα ΟΥΣ ΘΗΛ (= κιάλια) binoculars πληθ. · (= τηλεσκόπιο) telescope
▸**διόπτρες** ΠΛΗΘ (επίσ.: μυωπίας, πρεσβυωπίας) glasses · (ηλίου) sunglasses
διόραση ΟΥΣ ΘΗΛ insight
διορατικός, -ή, -ό ΕΠΙΘ perceptive
διορατικότητα ΟΥΣ ΘΗΛ insight
διοργανώνω Ρ Μ to organize
διοργάνωση ΟΥΣ ΘΗΛ (α) (εκθέσεων, αγώνα) organization (β) (= εκδήλωση) event
διοργανωτής ΟΥΣ ΑΡΣ organizer
διοργανωτικός, -ή, -ό ΕΠΙΘ organizing
διοργανώτρια ΟΥΣ ΘΗΛ organizing
▸**διοργανώτρια αρχή** organizer
▸**διοργανώτρια χώρα** host country
διόρθωμα ΟΥΣ ΟΥΔ (α) (γραπτού, διαγωνισμάτων) correction (β) (ενδυμάτων, παπουτσιών, εγκαταστάσεων) repair
▸**θέλει διόρθωμα** it needs repairing
διορθώνω Ρ Μ (α) (παπούτσια) to mend · (ήχο, χρώματα) to readjust (β) (οικονομικά) to improve · (κατάσταση) to rectify (γ) (κείμενο, λάθη) to correct · (καταχρ.: = βαθμολογώ) to mark (Βρετ.), to grade (Αμερ.)
▸**διορθώνω το λάθος ή το σφάλμα** to make amends
διόρθωση ΟΥΣ ΘΗΛ (α) (πορείας, σχεδίου, θέσης) readjusting · (χαρακτήρα) reforming (β) (γραπτών, εκθέσεων) correction (γ) (κειμένου) proof-reading
▸**διορθώσεις** ΠΛΗΘ (ΤΥΠΟΓΡ) corrections
διορθωτής ΟΥΣ ΑΡΣ (α) (γενικότ.) corrector (β) (ΤΥΠΟΓΡ) proofreader
διορθωτικός, -ή, -ό ΕΠΙΘ corrective
▸**διορθωτικό ποσό** adjustment
▸**διορθωτικό υγρό** ΟΥΔ correcting fluid
▸**διορθωτικά** ΟΥΣ ΟΥΔ ΠΛΗΘ proofreading fees
διορθώτρια ΟΥΣ ΘΗΛ βλ. **διορθωτής**
διορία ΟΥΣ ΘΗΛ βλ. **διωρία**
διορίζω Ρ Μ (υπάλληλο, υπουργό, επιτροπή) to appoint
διορισμός ΟΥΣ ΑΡΣ appointment
διόρυξη ΟΥΣ ΘΗΛ excavation, digging
διότι ΣΥΝΔ because
διούρηση ΟΥΣ ΘΗΛ urination
διουρητικά ΟΥΣ ΟΥΔ ΠΛΗΘ (επίσης **διουρητικά φάρμακα**) diuretics
διοχέτευση ΟΥΣ ΘΗΛ (α) (ύδατος) channelling (Βρετ.), channeling (Αμερ.) · (αερίου, ρεύματος) conduction (β) (πληροφοριών, ειδήσεων) transmission · (ναρκωτικών, χρημάτων, μετοχών) channelling (Βρετ.), channeling (Αμερ.)
διοχετεύω Ρ Μ (α) (νερό) to channel, to pipe · (αέριο) to conduct, to pipe · (ρεύμα) to conduct (β) (πληροφορίες, ειδήσεις) to convey · (χρήμα, μετοχές) to channel
δίπατος, -η, -ο ΕΠΙΘ (α) (σπίτι) two-storey (Βρετ.), two-story (Αμερ.) · (λεωφορείο) double-decker (β) (βαλίτσα, μπαούλο)

false-bottomed
δίπλα¹ ΕΠΙΡΡ: **δίπλα σε** (= πλάι σε) next to · (= σε σχέση με) in comparison to
▸**δίπλα-δίπλα** side by side
▸**είχα πάει δίπλα** I was next door
▸**κάθησε δίπλα μου!** sit next to me!
δίπλα² ΟΥΣ ΘΗΛ (α) (= πτύχωση) fold, pleat (β) (γλυκό) turnover
διπλανός, -ή, -ό ΕΠΙΘ (δωμάτιο, οικόπεδο) adjoining
▸**το διπλανό σπίτι** the house next door
▸**διπλανός** ΟΥΣ ΑΡΣ, **διπλανή** ΟΥΣ ΘΗΛ (α) (= γείτονας) next-door neighbour (Βρετ.) ή neighbor (Αμερ.) (β) (στο σχολείο) neighbour (Βρετ.), neighbor (Αμερ.)
▸**ο διπλανός μου** one's fellow man
διπλάρωμα ΟΥΣ ΟΥΔ accosting
διπλαρώνω Ρ Μ (άντρα, γυναίκα) to accost
διπλασιάζω Ρ Μ to double
διπλασιασμός ΟΥΣ ΑΡΣ doubling
διπλάσιος, -α, -ο ΕΠΙΘ double
▸**είμαι διπλάσιος από κπν** to be twice the size of sb
▸**είμαι διπλάσιος από κτ** (για φυσικό μέγεθος) to be twice as big as sth · (για ποσότητα) to be twice as much as sth
διπλογραφία ΟΥΣ ΘΗΛ (στη λογιστική) double-entry bookkeeping
διπλοκλειδώνω Ρ Μ to lock properly
διπλός, -ή, -ό ΕΠΙΘ (α) (τζάμια, πόρτα, διαφορικό, γράμμα, ύφεση, δίεση, γραμμή) double (β) (μισθός, τιμή, ποτό, καφές, μερίδα, τεύχος, σιντί) double · (λεωφορείο) double-decker (γ) (κρεβάτι, κουβέρτα) double (δ) (στόχος) twofold · (εκλογές) double · (συνομιλίες) dual-purpose (ε) (προσωπικότητα) dual · (δρόμος) two-way (στ) (σημασία, παραλλαγή ΠΡΟ-ΠΟ) double (ζ) (ζωή) double (η) (χαρά, λύπη, πένθος, επιτυχία) twofold (θ) (= διπλωμένος: κουβέρτα, σεντόνι) doubled up
▸**γίνομαι διπλός** (οικ.) to double in size
▸**είμαι διπλός από κπν** (οικ.) to be twice as big as sb
▸**εις διπλούν** in duplicate
▸**ζω ή κάνω διπλή ζωή** to lead a double life
▸**και του χρόνου διπλή!** wish that somebody will get pregnant soon
▸**και του χρόνου διπλός!** wish that somebody will be married soon
▸**παίζω διπλό παιχνίδι** to play a double game
▸**τα βλέπω διπλά** (οικ.) to see double
▸**διπλό ποδήλατο** tandem
▸**δρόμος διπλής κατευθύνσεως** two-way road
διπλό ΟΥΣ ΟΥΔ (στην τράπουλα) two
▸**διπλές** ΟΥΣ ΘΗΛ ΠΛΗΘ (στο τάβλι) twos, double two εν.
διπλοτυπία ΟΥΣ ΘΗΛ dual spelling
διπλότυπο ΟΥΣ ΟΥΔ (α) (βιβλίο αποδείξεων) receipt book (β) (= στέλεχος) counterfoil
▸**διπλότυπο πληρωμής** duplicate pay slip

▸**διπλότυπο παραλαβής** duplicate receipt

διπλούς, -ή, -ούν (επίσ.) ΕΠΙΘ = **διπλός**

διπλοψηφίζω Ρ ΑΜ to vote twice

δίπλωμα ΟΥΣ ΟΥΔ (α) (χαρτιού, εφημερίδας, ρούχου) folding (β) (τροφίμων, πακέτων) wrapping (γ) (σχολής) diploma, certificate · (πανεπιστημίου) diploma, degree
▸**διδακτορικό δίπλωμα** doctorate, PhD
▸**δίπλωμα ευρεσιτεχνίας** patent
▸**δίπλωμα οδήγησης** driving licence (Βρετ.), driver's license (Αμερ.)

διπλωμάτης ΟΥΣ ΑΡΣ/ΘΗΛ (α) (ΠΟΛΙΤ) diplomat (β) (μτφ.) diplomat

διπλωματία ΟΥΣ ΘΗΛ (α) (ΠΟΛΙΤ) diplomacy (β) (μτφ.) tact

διπλωματικός, -ή, -ό ΕΠΙΘ (α) (υπάλληλος, ασυλία, ενέργεια) diplomatic · (καριέρα) in diplomacy (β) (συμπεριφορά, απάντηση) tactful
▸**Διπλωματικό Σώμα** Diplomatic Corps
▸**διπλωματική** ΟΥΣ ΘΗΛ (επίσης **διπλωματική εργασία**) dissertation

διπλωματικότητα ΟΥΣ ΘΗΛ (α) (κυριολ.) diplomacy (β) (απάντησης, στάσης) tact

διπλωματούχος, -ος, -ο ΕΠΙΘ (μηχανικός, γιατρός) qualified
▸**διπλωματούχος** ΟΥΣ ΑΡΣ/ΘΗΛ (ιδρύματος, σχολής) graduate

διπλώνω 1 Ρ Μ (α) (εφημερίδα, ρούχα) to fold (β) (τρόφιμα, πακέτα) to wrap 2 Ρ ΑΜ to double up
▸**διπλώνομαι** ΜΕΣΟΠΑΘ (με κουβέρτες) to curl up
▹**διπλώνομαι από τον πόνο** to double up in pain

δίποδος, -η, -ο ΕΠΙΘ (βάση) two-legged
▸**δίποδο** ΟΥΣ ΟΥΔ biped

διπολικός, -ή, -ό ΕΠΙΘ (κυριολ., μτφ.) bipolar

δίποντο ΟΥΣ ΟΥΔ (στην καλαθοσφαίριση) 2-point shot

δίπορτος, -η, -ο ΕΠΙΘ (αυτοκίνητο) two-door
▸**δίπορτο** ΟΥΣ ΟΥΔ (μτφ.): **το έχω δίπορτο** (= έχω δύο ασχολίες) to have two jobs · (= έχω δύο σχέσεις) to be involved with two people, to be a two-timer (ανεπ.)

διπροσωπία ΟΥΣ ΘΗΛ duplicity

διπρόσωπος, -η, -ο ΕΠΙΘ two-faced

δίπτερος, -η, -ο ΕΠΙΘ with two wings, dipteran (επιστ.)
▸**δίπτερος ναός** (ΑΡΧΑΙΟΛ) dipteral temple, temple with a double row of columns on each side
▸**δίπτερα** ΟΥΣ ΟΥΔ ΠΛΗΘ (ΖΩΟΛ) dipterans, Diptera

δίπτυχος, -η, -ο ΕΠΙΘ (πρόβλημα) two-sided
▸**δίπτυχο κινηματογραφικό αφιέρωμα** double bill

δίπτωτος, -η, -ο ΕΠΙΘ (α) (ουσιαστικό) with two endings (β) (ρήμα) with two objects

δις¹ (επίσ.) ΣΥΝΤΟΜ (= δεσποινίς) Ms, Miss

δις² ΣΥΝΤΟΜ (= δισεκατομμύριο) thousand million (Βρετ.), billion (Αμερ.)

δις³ (επίσ.) ΕΠΙΡΡ (= δύο φορές) twice
▹**το δις εξ αμαρτείν ουκ ανδρός σοφού** ≈ once bitten twice shy (παροιμ.), a wise man never makes the same mistake twice

δισάκι ΟΥΣ ΟΥΔ (παλαιότ.) saddlebag

δισέγγονη ΟΥΣ ΘΗΛ great-granddaughter

δισέγγονο ΟΥΣ ΟΥΔ great-grandchild

> *Προσοχή!:* Ο πληθυντικός του
> **great-grandchild** *είναι*
> **great-grandchildren**.

δισέγγονος ΟΥΣ ΑΡΣ great-grandson

δισεκατομμύριο ΟΥΣ ΟΥΔ billion

δισεκατομμυριούχος, -ος, -ο ΕΠΙΘ (α) (= που έχει πάνω από ένα δις) billionaire (β) (= πάμπλουτος) multimillionaire

δίσεκτος, -η, -ο ΕΠΙΘ: **δίσεκτο έτος** leap year
▹**δίσεκτα χρόνια** ή **καιροί** hard times

δισέλιδος, -η, -ο ΕΠΙΘ two-page

δισκάδικο ΟΥΣ ΟΥΔ = **δισκοπωλείο**

δισκέτα ΟΥΣ ΘΗΛ diskette, floppy disk

δισκίο ΟΥΣ ΟΥΔ tablet

δισκοβολία ΟΥΣ ΘΗΛ discus

δισκοβόλος ΟΥΣ ΑΡΣ/ΘΗΛ discus thrower

δισκογραφία ΟΥΣ ΘΗΛ (καλλιτέχνη) discography

δισκογραφικός, -ή, -ό ΕΠΙΘ: **δισκογραφική εταιρεία** record company

δισκοθήκη ΟΥΣ ΘΗΛ (α) (= θήκη μουσικών δίσκων: για δίσκο βινυλίου) record sleeve · (για σιντί) CD case (β) (= συλλογή δίσκων) record library (γ) (= ντίσκο) disco, night club

δισκοπάθεια ΟΥΣ ΘΗΛ slipped disc

δισκοπότηρο ΟΥΣ ΟΥΔ (ΘΡΗΣΚ) chalice
▸**δισκοπότηρα** ΠΛΗΘ (σπιτιού) glasses, cups and trays (for serving drinks)

δισκοπωλείο ΟΥΣ ΟΥΔ music shop (Βρετ.) ή store (Αμερ.)

δίσκος ΟΥΣ ΑΡΣ (α) (σερβιρίσματος) tray (β) (πικάπ) record · (σιντί) CD (γ) (ΑΘΛ) discus (δ) (ΠΛΗΡΟΦ) disk (ε) (ηλίου) disc · (ρολογιού) face (στ) (στην εκκλησία) communion tray
▹**βγάζω δίσκο** (= κάνω έρανο) to pass the hat around (Βρετ.), to pass the hat (Αμερ.)
▸**σκληρός δίσκος** (ΠΛΗΡΟΦ) hard disk
▸**ψηφιακός δίσκος** CD

δισκόφρενο ΟΥΣ ΟΥΔ disc brake

δισταγμός ΟΥΣ ΑΡΣ hesitation

διστάζω Ρ ΑΜ to hesitate

διστακτικός, -ή, -ό ΕΠΙΘ (άνθρωπος, τρόπος, ύφος, φωνή, ματιά) hesitant · (στάση) ambivalent

διστακτικότητα ΟΥΣ ΘΗΛ hesitation

δίστηλος, -η, -ο ΕΠΙΘ (ρεπορτάζ) two-column
▸**δίστηλο** ΟΥΣ ΟΥΔ two-column article

δίστιχο ΟΥΣ ΟΥΔ couplet

δίστρατο ΟΥΣ ΟΥΔ fork (in the road)

δισύλλαβος, -η, -ο ΕΠΙΘ two–syllable

δίτομος, -η, -ο ΕΠΙΘ (λεξικό) two–volume

δίτροχος, -η, -ο ΕΠΙΘ (όχημα) two–wheeled

▸δίτροχο ΟΥΣ ΟΥΔ (= μοτοσυκλέτα) motorbike · (= ποδήλατο) bicycle

διττός, -ή, -ό (επίσ.) ΕΠΙΘ twofold

διυλίζω Ρ Μ (πετρέλαιο) to refine

διύλιση ΟΥΣ ΘΗΛ (πετρελαίου) refinement
▸προϊόντα διύλισης distillates

διυλιστήριο ΟΥΣ ΟΥΔ (πετρελαίου) refinery

διφασικός, -ή, -ό ΕΠΙΘ: διφασικό ρεύμα two–phase current

διφθερίτιδα ΟΥΣ ΘΗΛ diphtheria

δίφθογγος ΟΥΣ ΘΗΛ diphthong

διφορούμενος, -η, -ο ΕΠΙΘ (έννοια, φύση, απάντηση, λόγια) ambiguous

δίφραγκο ΟΥΣ ΟΥΔ (παλαιότ.) two–drachma coin
▸τέρμα τα δίφραγκα (οικ.) there's no money left

δίφυλλος, -η, -ο ΕΠΙΘ (ντουλάπα) two–door
▸δίφυλλη πόρτα double door

διφωνία ΟΥΣ ΘΗΛ duet

διχάζω Ρ Μ (α) (οπαδούς, πολιτικούς) to divide (β) (κοινότητα, κόμμα, ομάδα, χώρα) to split
▸διχάζομαι ΜΕΣΟΠΑΘ (κοινή γνώμη) to be split · (πολιτικοί, απόψεις, γνώμες) to be divided
▸διχασμένη προσωπικότητα split personality

διχάλα ΟΥΣ ΘΗΛ (α) (δρόμου, δέντρου, σφεντόνας) fork (β) (γεωργικό εργαλείο) pitchfork

διχαλωτά ΕΠΙΡΡ (χωρίζω, κόβω) in two

διχαλωτός, -ή, -ό ΕΠΙΘ forked

διχασμός ΟΥΣ ΑΡΣ (απόψεων, κόμματος, χώρας) division · (προσωπικότητας) split

διχαστικός, -ή, -ό ΕΠΙΘ divisive

διχογνωμία ΟΥΣ ΘΗΛ difference of opinion

διχόνοια ΟΥΣ ΘΗΛ discord
▸σπέρνω διχόνοια to sow discord

διχοτόμηση, διχοτομία ΟΥΣ ΘΗΛ (α) (οικοπέδου) splitting in two · (γωνίας) bisection (β) (κόμματος) split · (χώρας) partition

διχοτομικός, -ή, -ό ΕΠΙΘ (ενέργεια, τάση) divisive

διχοτόμος ΟΥΣ ΘΗΛ (ΜΑΘ) bisector

διχοτομώ Ρ Μ (α) (γωνία) to bisect · (οικόπεδο) to split in two (β) (χώρα) to partition · (κόμμα) to split

δίχρονα ΟΥΣ ΟΥΔ ΠΛΗΘ second anniversary εν.

δίχρονος, -η, -ο ΕΠΙΘ (α) (παιδί) two-year–old (β) (φωνήεν) sometimes long, sometimes short (γ) (μηχανή, κινητήρας) two-stroke

διχρωμία ΟΥΣ ΘΗΛ (α) (= ύπαρξη δύο χρωμάτων) two colours πληθ. (Βρετ.) ή colors πληθ. (Αμερ.) (β) (μέθοδος εκτύπωσης) two–colour printing (Βρετ.), two-color printing (Αμερ.)

δίχρωμος, -η, -ο ΕΠΙΘ (εικόνα, ρούχο) in two colours (Βρετ.) ή colors (Αμερ.)

δίχτυ ΟΥΣ ΟΥΔ (α) (ψαρά, κυνηγού, τένις, βόλεϊ, καλαθιού) net · (για τα μαλλιά) hairnet (β) (τέρματος) net · (παραθύρου) screen · (αράχνης) web (γ) (ναρκωτικών) trap
▸πιάνομαι στα δίχτυα τού έρωτα to fall head over heels in love
▸ρίχνω τα δίχτυα μου σε κπν to try to ensnare sb
▸τυλίγω στα δίχτυα μου κπν to ensnare sb

διχτυωτός, -ή, -ό ΕΠΙΘ = δικτυωτός

δίχως ΠΡΟΘ without
▸δίχως να κάνω κτ without doing sth
▸(το) δίχως άλλο without fail

δίψα ΟΥΣ ΘΗΛ (α) (κυριολ.) thirst (β) (για μάθηση, εξουσία) thirst · (για δόξα, χρήμα) lust
▸έχω δίψα to be thirsty
▸πεθαίνω της δίψας to die of thirst

διψασμένος, -η, -ο ΕΠΙΘ (α) (άνθρωπος, ζώο, φυτό) thirsty · (χώμα) dry (β) (για εκδίκηση, δόξα, χρήμα) eager · (για εξουσία) hungry

διψήφιος, -α, -ο ΕΠΙΘ (αριθμός) two–digit, two–figure

δίψηφο ΟΥΣ ΟΥΔ (επίσης δίψηφο φωνήεν/σύμφωνο) composite vowel/consonant

διψώ ① Ρ ΑΜ (άνθρωπος, ζώο) to be thirsty · (χώμα, γη) to be dry
② Ρ Μ: διψώ για κτ (χρήμα, δόξα) to be hungry for sth · (δράση, εκδίκηση) to be eager for sth

διωγμός ΟΥΣ ΑΡΣ (= εκδίωξη) expulsion
▸διωγμοί ΠΛΗΘ (χριστιανών) persecution εν.

διωδία ΟΥΣ ΘΗΛ duet

διώκτης ΟΥΣ ΑΡΣ (λαού) persecutor
▸διώκτης του εγκλήματος crime fighter

διωκτικός, -ή, -ό ΕΠΙΘ: διωκτικές αρχές security forces

διώκτρια ΟΥΣ ΘΗΛ βλ. διώκτης

διώκω Ρ Μ (α) (λαό, θρησκεία) to persecute (β) (δολοφόνο, ληστή) to seek (γ) (έγκλημα, φοροδιαφυγή) to fight (δ) (ΝΟΜ) to prosecute

διώνυμο ΟΥΣ ΟΥΔ binomial

δίωξη ΟΥΣ ΘΗΛ (α) (= καταπολέμηση) fight (β) (αντιφρονούντων) persecution
▸ασκώ (ποινική) δίωξη κατά κποιου για κτ to start proceedings against sb, to prosecute sb
▸η δίωξη του εγκλήματος/των ναρκωτικών the fight against crime/drugs
▸υφίσταμαι διώξεις to be the victim of persecution
▸ποινική δίωξη (ΝΟΜ) criminal proceedings πληθ.
▸Δίωξη ΟΥΣ ΘΗΛ (υπηρεσία Αστυνομίας) crime squad
▸Δίωξη Ναρκωτικών Drug Squad

διώξιμο ΟΥΣ ΟΥΔ (α) (καλεσμένου) dismissal (β) (κατακτητών) driving out (γ) (υπαλλήλου) dismissal · (στρατιωτικού) discharge (δ) (πληθυσμού) expulsion,

deportation (ε) *(ενοικιαστή)* eviction
(στ) *(πρεσβευτή, διπλωμάτη)* expulsion
(ζ) *(μαθητή, ταραξία)* expulsion
διωρία ΟΥΣ ΘΗΛ *(για προειδοποίηση)* notice·
(για αποπεράτωση έργου) deadline
δίωρο ΟΥΣ ΟΥΔ two hours *πληθ.*
δίωρος, -η, -ο ΕΠΙΘ *(παράσταση, καθυστέρηση)* two–hour
διώροφος, -η, -ο ΕΠΙΘ *(σπίτι, πολυκατοικία)* two–storey *(Βρετ.)*, two–story *(Αμερ.)*
► **διώροφο** ΟΥΣ ΟΥΔ two–storey *(Βρετ.)* ή two–story *(Αμερ.)* building
διώρυγα ΟΥΣ ΘΗΛ canal
διώχνω Ρ Μ (α) *(κόσμο, καλεσμένους)* to send away (β) *(αγελάδες, πρόβατα)* to chase away, to shoo away (γ) *(υπάλληλο)* to dismiss, to fire· *(στρατιωτικό)* to discharge (δ) *(πληθυσμό, κατοίκους)* to expel, to deport (ε) *(σκέψη, φόβο)* to dismiss, to chase away· *(πόνο)* to get rid of (στ) *(ενοικιαστή)* to evict (ζ) *(πρεσβευτή, διπλωμάτη)* to expel (η) *(μαθητή, ταραξίες)* to expel (θ) *(ερωτικό σύντροφο)* to finish with (ι) *(πιτυρίδα)* to get rid of· *(έντομα)* to repel
▷ **διώχνω κπν απο το δωμάτιο** to send sb out of the room
δόγης ΟΥΣ ΑΡΣ doge
δόγμα ΟΥΣ ΟΥΔ (α) *(ΦΙΛΟΣ)* doctrine (β) *(= αξίωμα)* principle, tenet (γ) *(ΠΟΛΙΤ)* doctrine· *(ΣΤΡΑΤ)* strategy (δ) *(ΘΡΗΣΚ)* denomination, faith
δογματίζω Ρ ΑΜ to be dogmatic
δογματικός, -ή, -ό ΕΠΙΘ (α) *(διαφορά)* in belief· *(ζήτημα)* of belief (β) *(άνθρωπος, στάση, απάντηση)* dogmatic
δογματισμός ΟΥΣ ΑΡΣ dogmatism
δοθείς, -είσα, -έν *(επίσ.)* ΕΠΙΘ given
▷ **δοθέντος ότι** given that
▷ **δοθείσης της ευκαιρίας, ευκαιρίας δοθείσης** given the opportunity
δοιάκι ΟΥΣ ΟΥΔ tiller
δόκανο ΟΥΣ ΟΥΔ *(κυριολ., μτφ.)* trap
▷ **πιάνομαι στο δόκανο** to get caught in the trap
δοκάρι ΟΥΣ ΟΥΔ *(πατώματος)* joist· *(στέγης)* beam (β) *(από μέταλλο, μπετόν)* girder (γ) *(στο ποδόσφαιρο: οριζόντιο)* crossbar· *(κάθετο)* (goal)post
▷ **έχω δοκάρι** *(για παίκτη, ομάδα)* to get a goal
δοκιμάζω ① Ρ Μ (α) *(άρωμα, απορρυπαντικό, σαπούνι, σαμπουάν)* to try (out)· *(παίκτη, υπάλληλο)* to try out· *(φρένα, λάστιχα, ένταση, πίεση, σιδηροκρασία)* to test (β) *(φαγητό, κρασί)* to taste, to try· *(ρούχα, παπούτσια)* to try on (γ) *(ικανότητες, γνώσεις)* to test· *(υπομονή)* to try, to test (δ) *(πίστη, άτομο, φίλο)* to test (ε) *(στερήσεις, κακουχίες, διώξεις)* to experience (στ) *(έρωτα)* to experience (ζ) *(χαρά, θλίψη, απογοήτευση)* to feel
② Ρ ΑΜ to try

▷ **δοκιμάζω να κάνω κτ** to try to do sth
▷ **δοκιμάζω την τύχη μου** to try one's luck
► **δοκιμάζομαι** ΜΕΣΟΠΑΘ to suffer
δοκιμασία ΟΥΣ ΘΗΛ (α) *(υποψηφίων, μαθητών, πειράματος, προγράμματος)* test (β) *(= ζόρισμα)* strain (γ) *(= δεινοπάθημα)* ordeal, trial
▷ **αντέχω στη δοκιμασία του χρόνου** to stand the test of time
▷ **γραπτή/προφορική δοκιμασία** written/oral test
▷ **περνώ από δοκιμασία** to be put to the test
▷ **υποβάλλω κπν/κτ σε δοκιμασία** to put sb/sth to the test, to test sb/sth
δοκιμασμένος, -η, -ο ΕΠΙΘ (α) *(μέθοδος, σύστημα, συνταγή)* tried and tested· *(φίλος)* staunch (β) *(τεχνίτης, μάστορας)* experienced (γ) *(περιοχή, οικογένεια)* hard hit
δοκιμαστήριο ΟΥΣ ΟΥΔ fitting room
δοκιμαστής ΟΥΣ ΑΡΣ *(κρασιών, φαγητών)* taster
δοκιμαστικός, -ή, -ό ΕΠΙΘ *(πρόγραμμα)* test· *(περίοδος)* trial
► **δοκιμαστική εξέταση** mock exam
► **δοκιμαστική οδήγηση** test drive
► **δοκιμαστική πτήση** test flight
► **δοκιμαστικός σωλήνας** test tube
► **δοκιμαστικό** ΟΥΣ ΟΥΔ trial· *(για ηθοποιό)* audition
δοκιμάστρια ΟΥΣ ΘΗΛ *βλ.* **δοκιμαστής**
δοκιμή ΟΥΣ ΘΗΛ (α) *(προϊόντος)* trial (β) *(αυτοκινήτου, αεροσκάφους)* trial· *(όπλου)* test (γ) *(έργου, συναυλίας)* rehearsal
▷ **είμαι υπό δοκιμή(ν)** to be on probation
δοκίμιο ΟΥΣ ΟΥΔ (α) *(ΤΥΠΟΓΡ)* proof (β) *(κείμενο απόψεων)* essay
δοκιμιογράφος ΟΥΣ ΑΡΣ&ΘΗΛ essayist
δόκιμος, -η, -ο ΕΠΙΘ (α) *(= δοκιμασμένος: συγγραφέας)* accomplished (β) *(για λέξεις, φράσεις)* established (γ) *(μοναχός)* novice· *(αξιωματικός)* probationary
► **δόκιμος** ΟΥΣ ΑΡΣ *(ΣΤΡΑΤ)* cadet
► **Ναυτικός Δόκιμος** midshipman
δοκός *(επίσ.)* ΟΥΣ ΘΗΛ (α) *(= δοκάρι: πατώματος)* joist· *(στέγης)* beam (β) *(ΓΥΜΝΑΣΤ)* balance beam
δόκτορας ΟΥΣ ΑΡΣ&ΘΗΛ (α) *(= διδάκτορας)* Doctor (β) *(= τίτλος γιατρού)* doctor
δολάριο ΟΥΣ ΟΥΔ dollar
δολερός, -ή, -ό ΕΠΙΘ *(άνθρωπος, χαρακτήρας)* deceitful· *(σχέδιο)* underhand
δόλια ΕΠΙΡΡ deceitfully· *βλ.* **δόλιος**¹
δόλιος¹, **-α, -ο** ΕΠΙΘ *(άνθρωπος, τέχνασμα, πράξη)* deceitful
δόλιος², **-α, -ο** ΕΠΙΘ *(= ταλαίπωρος)* wretched, miserable
δολιότητα ΟΥΣ ΘΗΛ deceit· *βλ.* **δόλιος**¹
δολιοφθορά ΟΥΣ ΘΗΛ sabotage
δολίως ΕΠΙΡΡ = **δόλια**
δολομίτης ΟΥΣ ΑΡΣ dolomite
δολοπλοκία ΟΥΣ ΘΗΛ scheming *χωρίς πληθ.*

▷**πολιτικές δολοπλοκίες** political intrigue *εν.*

δολοπλόκος ΟΥΣ ΑΡΣ＝ΘΗΛ intriguer

δολοπλοκώ Ρ ΑΜ to scheme

δόλος ΟΥΣ ΑΡΣ (α) (= *τέχνασμα*) deceit (β) (ΝΟΜ) intention

δολοφονία ΟΥΣ ΘΗΛ (α) (= *ανθρωποκτονία*) murder · (*πολιτική*) assassination (β) (*γλώσσας, φύσης*) destruction
▷**απόπειρα δολοφονίας** attempted murder
▷**εν ψυχρώ δολοφονία, δολοφονία εν ψυχρώ** cold–blooded murder

δολοφονικός, -ή, -ό ΕΠΙΘ (α) (*χτύπημα*) fatal (β) (*ενέργεια, επίθεση*) murderous · (*σχέδιο*) murder (γ) (*αμέλεια, ανευθυνότητα*) criminal (δ) (*βλέμμα, ματιά*) murderous
▷**δολοφονική απόπειρα εναντίον κποιου** murder attempt on sb
▷**δολοφονικό όπλο** murder weapon

δολοφόνος ΟΥΣ ΑΡΣ＝ΘΗΛ murderer · (*πολιτικού*) assassin
▸**επαγγελματίας δολοφόνος** professional assassin
▸**μανιακός δολοφόνος** crazed killer
▸**πληρωμένος δολοφόνος** hired killer *ή* assassin
▸**φάλαινα-δολοφόνος** killer whale
▸**δολοφόνος κατά συρροήν** serial killer

δολοφονώ Ρ Μ (α) (*άνθρωπο*) to murder, to kill · (*πολιτικό*) to assassinate (β) (*γλώσσα, μουσική*) to murder

δόλωμα ΟΥΣ ΟΥΔ (*κυριολ., μτφ.*) bait
▷**ρίχνω ή βάζω δόλωμα σε κπν** to set a trap for sb
▷**τσιμπάω ή χάβω το δόλωμα** (*μτφ.*) to take the bait, to rise to the bait (*Βρετ.*)
▸**ζωντανό δόλωμα** live bait

δολώνω Ρ Μ (*αγκίστρι, παγίδα*) to bait

δομή ΟΥΣ ΘΗΛ (*κτηρίου, παραγράφου, ποιήματος*) structure

δόμηση ΟΥΣ ΘΗΛ (α) (*κατοικίας, κτίσματος*) building (β) (*πρότασης, παιδείας*) structure · (*κοινωνίας*) structure, fabric

δομικός, -ή, -ό ΕΠΙΘ (α) (*υλικά*) building · (*εργασίες*) structural (β) (*αλλαγές, μεταβολές*) structural
▸**δομικά έργα** buildings
▸**δομικές μηχανές** construction machinery *εν.*
▸**δομικά στοιχεία** structural works

δόνηση ΟΥΣ ΘΗΛ (α) (*από σεισμό*) tremor, shock · (*χορδής*) vibration (β) (*λογοτ.: καρδιάς*) tremor · (*πνεύματος*) shock
▸**σεισμική δόνηση** earth tremor

δονητής ΟΥΣ ΑΡΣ (α) (*σκυροδέματος*) mixer (β) (*μασάζ, ερωτικής ικανοποίησης*) vibrator

δονκιχωτισμός ΟΥΣ ΑΡΣ quixotism

δόντι ΟΥΣ ΟΥΔ (Δ) (*ανθρώπου, ζώου*) tooth

Προσοχή!: Ο πληθυντικός του **tooth** *είναι* **teeth**.

(β) (*χτένας*) tooth · (*γραναζιού*) cog ·

(*πριονιού*) notch
▷**αλλάζω δόντια** (*για παιδί*) to cut new teeth
▷**βγάζω δόντια** (*για μωρό*) to teethe
▷**δείχνω τα δόντια μου** to flex one's muscles
▷**δεν είναι για τα δόντια σου** he's/she's/it's not for the likes of you, he/she/it is too good for you
▷**έξω από τα δόντια** straight
▷**έχω δόντι** (*αργκ.*) to have influence
▷**μιλώ μέσ' από τα δόντια μου** to murmur
▷**οπλισμένος ως τα δόντια** armed to the teeth
▷**πονάει το δοντάκι μου** (*για κπν*) to be in love (with sb)
▷**σφίγγω τα δόντια** (*κυριολ.*) to clench one's teeth · (*μτφ.*) to grit one's teeth
▷**χτυπούν τα δόντια μου από το κρύο** my teeth are chattering with cold

δοντιά ΟΥΣ ΘΗΛ bite

δονώ Ρ Μ (α) (*χορδές*) to vibrate (β) (*έδαφος, σπίτι*) to shake (γ) (*καρδιές*) to fill · (*πλήθος*) to move

δόξα ΟΥΣ ΘΗΛ (α) (= *αίγλη, ακτινοβολία: συγγραφέα, ηθοποιού, ζωγράφου*) fame (β) (= *καύχημα*) pride (γ) (*κινηματογράφου, τραγουδιού*) star
▷**είμαι στις δόξες μου** to be in one's heyday
▷**στο απόγειο της δόξας** at the height of one's fame
▷**δόξα πατρί** (*προφορ.*) right between the eyes
▷**δόξα τω Θεώ, δόξα σοι ο Θεός, δόξα να 'χει ο Θεός!** thank God!

δοξάζω Ρ Μ (α) (*Θεό*) to praise (β) (*πατρίδα*) to bring glory on

δοξάρι ΟΥΣ ΟΥΔ bow

δοξαριά ΟΥΣ ΘΗΛ bow, bowing *χωρίς πληθ.*

δοξασία ΟΥΣ ΘΗΛ belief

δοξαστικός, -ή, -ό ΕΠΙΘ (*ύμνος*) of praise

δοξολογία ΟΥΣ ΘΗΛ (α) (*ύμνος στον Θεό*) doxology (β) (*εκκλησιαστική λειτουργία*) Te Deum

δοξολογώ Ρ Μ to praise

δορά (*επίσ.*) ΟΥΣ ΘΗΛ (*προβάτου*) skin · (*λιονταριού*) hide

δορκάς (*επίσ.*) ΟΥΣ ΘΗΛ roe deer

δόρυ ΟΥΣ ΟΥΔ pike, spear

δορυφορικός, -ή, -ό ΕΠΙΘ (*σύνδεση, εικόνα*) satellite
▸**δορυφορικό κάλυψη** satellite coverage
▸**δορυφορικό κανάλι** satellite channel
▸**δορυφορική κεραία, δορυφορικό πιάτο** (*προφορ.*) satellite dish
▸**δορυφορική λήψη** satellite reception
▸**δορυφορικό πρόγραμμα** programme (*Βρετ.*) *ή* program (*Αμερ.*) on satellite TV
▸**δορυφορική τηλεόραση** satellite television *ή* TV

δορυφόρος ΟΥΣ ΑΡΣ (α) (ΑΣΤΡΟΝ, ΤΕΧΝΟΛ)

satellite (β) (*στην αρχαιότητα*) spearman

> *Προσοχή!: Ο πληθυντικός του* **spearman** *είναι* **spearmen**.

δοσατζής ΟΥΣ ΑΡΣ (= *εισπράκτορας*) debt collector

δοσατζού ΟΥΣ ΘΗΛ (= *εισπράκτορας*) debt collector

δόση ΟΥΣ ΘΗΛ (α) (*φαρμάκου, ναρκωτικού*) dose · (*δανείου, φόρου*) instalment (*Βρετ.*), installment (*Αμερ.*) (β) (*αλήθειας*) element · (*πικρίας, τρέλας*) touch
▷**παίρνω τη δόση μου** to get one's fix
▸**υπερβολική δόση** overdose
▸**δόσεις** ΠΛΗΘ instalments (*Βρετ.*), installments (*Αμερ.*)
▷**αγοράζω με δόσεις** to pay for sth in instalments (*Βρετ.*) *ή* installments (*Αμερ.*)
▸**άτοκες δόσεις** interest–free instalments (*Βρετ.*) *ή* installments (*Αμερ.*)

δοσίλογος ΟΥΣ ΑΡΣ = **δωσίλογος**

δοσοληψία ΟΥΣ ΘΗΛ transaction
▸**δοσοληψίες** ΠΛΗΘ (*αρνητ.*) dealings

δότης ΟΥΣ ΑΡΣ (*ζωής*) giver
▸**δότης αίματος** blood donor
▸**δότης οργάνων** organ donor
▸**δότης σπέρματος** sperm donor

δοτική ΟΥΣ ΘΗΛ dative

δότρια ΟΥΣ ΘΗΛ *βλ.* **δότης**

Δουβλίνο ΟΥΣ ΟΥΔ Dublin

δούκας ΟΥΣ ΑΡΣ duke

δούκισσα ΟΥΣ ΘΗΛ duchess

δούλα ΟΥΣ ΘΗΛ, **δούλη** *βλ.* **δούλος**

δουλειά ΟΥΣ ΘΗΛ (α) (= *επάγγελμα*) job (β) (= *εργασία*) work (γ) (= *έργο*) work (δ) (= *τόπος εργασίας*) workplace, office (ε) (= *κίνηση*) business (στ) (= *αρμοδιότητα*) job (ζ) (= *κομπίνα*) affair
▷**αναλαμβάνω μια δουλειά** to take on a job
▷**άνθρωπος της δουλειάς** (= *εργατικός*) hard worker
▷**ανοίγω δική μου δουλειά** to start one's own business
▷**ανοίγω δουλειές σε κπν** to create a lot of work for sb
▷**αυτά έχει η δουλειά** that's part of the job
▷**βάζω κπν σε δουλειά** (= *μεσολαβώ*) to find sb a job
▷**δεν είναι δική σου δουλειά!** it's not your job!
▷**εσύ να κοιτάς τη δουλειά σου!** mind your own business!
▷**η πολλή δουλειά τρώει τον αφέντη** (*παροιμ.*) all work and no play makes Jack a dull boy (*παροιμ.*)
▷**κάνει τη δουλειά του, μου κάνει τη δουλειά μου** it'll do the job
▷**κλείνω μια δουλειά** to close a deal
▷**ξεπατώνομαι στη δουλειά** to work one's fingers to the bone
▷**πέφτει (πολλή) δουλειά** business is brisk
▷**πέφτω** *ή* **ρίχνομαι με τα μούτρα στη**

δουλειά to throw oneself into one's work, to work with a will
▷**πιάνω δουλειά** to start work
▷**πνίγομαι στη δουλειά** to be up to one's ears in work, to be rushed off one's feet
▷**σκοτώνομαι στη δουλειά** to work one's fingers to the bone
▷**τι δουλειά έχω εγώ μ' αυτά;** what has that got to do with me?
▷**τι δουλειά έχεις (εσύ) εδώ;** what are you doing here?
▷**τι δουλειά έχεις (εσύ) με αυτόν;** what do you want with him?
▷**τι δουλειά κάνεις;** what do you do (for a living)?, what's your job?
▷**χάλασε η δουλειά** the deal's off
▷**δουλειά του ποδαριού** (= *ευκαιριακή εργασία*) odd job · (= *προχειροδουλειά*) slapdash job
▸**δουλειές του σπιτιού** housework ΕΝ.
▸**δουλειές** ΠΛΗΘ (= *επιχειρηματική δραστηριότητα*) business ΕΝ.
▷**πώς πάνε οι δουλειές;** how's business?

δουλεία ΟΥΣ ΘΗΛ (α) (= *σκλαβιά*) slavery (β) (*μτφ.*) enslavement

δούλεμα ΟΥΣ ΟΥΔ (α) (= *επεξεργασία*) polishing (β) (*οικ.: = κοροϊδία*) leg–pulling (*ανεπ.*), teasing
▷**άσε** *ή* **κόψε το δούλεμα!** (*οικ.*) stop kidding around! (*ανεπ.*)
▷**ρίχνω δούλεμα σε κπν** (*αργκ.*) to pull sb's leg (*ανεπ.*)

δουλεμπορικός, -ή, -ό ΕΠΙΘ slave

δουλεμπόριο ΟΥΣ ΟΥΔ (α) (= *αγοραπωλησία δούλων*) slave trade (β) (*καταχρ.: = μεταφορά λαθρομεταναστών*) smuggling *ή* trafficking of illegal immigrants

δουλέμπορος ΟΥΣ ΑΡΣ (α) (= *που αγοράζει και πουλάει δούλους*) slaver, slave–trader (β) (*καταχρ.: = που μεταφέρει λαθρομετανάστες*) illegal immigrant smuggler

δουλεύω ① Ρ ΑΜ (α) (= *εργάζομαι, μοχθώ*) to work (β) (*ρολόι, τηλέφωνο, πλυντήριο*) to work (γ) (*μαγαζί, επιχείρηση*) to do well ② Ρ Μ (α) (*υλικό, ζύμη*) to work · (*ιδέα, κείμενο, κτήματα*) to work on · (*σχέδιο*) to work out, to elaborate (β) (*μαγαζί*) to run
▷**αφήνω τη φαντασία μου να δουλεύει** to let one's imagination run wild
▷**δουλεύω κπν** (*οικ.: = κοροϊδεύω*) to pull sb's leg (*ανεπ.*)
▷**δουλεύω για κπν** to work for sb
▷**δουλεύει ρολόι** it's going like clockwork
▷**δουλεύει το μυαλό μου** to think
▷**κοιμάμαι και η τύχη μου δουλεύει** to be born lucky
▷**ο χρόνος δουλεύει για μας** time is on our side

δούλη (*επίσ.*) ΟΥΣ ΘΗΛ *βλ.* **δούλος**

δουλικός, -ή, -ό ΕΠΙΘ (*συμπεριφορά, τρόποι*) slavish

δουλικότητα ΟΥΣ ΘΗΛ slavishness

δουλίτσα ΟΥΣ ΘΗΛ (= ευκαιριακή δουλειά) odd job

δουλοπρέπεια ΟΥΣ ΘΗΛ obsequiousness, subservience

δουλοπρεπής, -ής, -ές ΕΠΙΘ obsequious, subservient

δουλοπρεπώς ΕΠΙΡΡ obsequiously

δούλος ΟΥΣ ΑΡΣ (α) (= σκλάβος) slave (β) (παλαιότ.: = υπηρέτης) servant
▷ **δούλος του πάθους/του χρήματος/της εργασίας** a slave to passion/to money/to one's work

δουλόφρονας ΟΥΣ ΑΡΣΘΗΛ βλ. **δουλόφρων**

δουλοφροσύνη ΟΥΣ ΘΗΛ obsequiousness, subservience

δουλόφρων, -ων, -ον (επίσ.) ΕΠΙΘ obsequious, subservient

δούναι ΟΥΣ ΟΥΔ ΑΚΛ: **δούναι και λαβείν** give and take

δούρειος ίππος ΟΥΣ ΑΡΣ (κυριολ., μτφ.) Trojan Horse

δοχείο ΟΥΣ ΟΥΔ (υγρών, ρευστών) pot · (τροφίμων) container · (απορριμμάτων) bin (Βρετ.), can (Αμερ.) · (= γλάστρα: λουλουδιών) pot · (= βάζο) vase
▸ **συγκοινωνούντα δοχεία** communicating vessels
▸ **δοχείο νυκτός** bedpan

δραγόνος ΟΥΣ ΑΡΣ (ΙΣΤ) dragoon

δράκαινα ΟΥΣ ΘΗΛ (α) (= θηλυκός δράκοντας) dragon (β) (στα παραμύθια: = γυναίκα δράκου) ogress (γ) (ψάρι) dragonet (δ) (= κακιά γυναίκα) dragon

δράκοντας ΟΥΣ ΑΡΣ dragon

δρακόντειος, -α, -ο ΕΠΙΘ (νόμοι) Draconian
▷ **δρακόντεια μέτρα ασφαλείας** Draconian measures

δράκος ΟΥΣ ΑΡΣ (α) (= ανθρωπόμορφος δαίμονας) ogre (β) (= βιαστής και δολοφόνος) rapist and killer (γ) (= δράκοντας) dragon

δράκουλας ΟΥΣ ΑΡΣ Dracula

δράμα ΟΥΣ ΟΥΔ (α) (ΦΙΛΟΛ) drama (β) (= κινηματογραφικό ή τηλεοπτικό έργο) drama · (= θεατρικό έργο) play, drama (γ) (= τραγικό γεγονός) tragedy
▷ **τα πάω δράμα** to be in a terrible way
▷ **δράμα η κατάσταση** it's a tragic situation

δραμαμίνη ΟΥΣ ΘΗΛ Dramamine ®, dimenhydrinate

δραματικά ΕΠΙΡΡ, **δραματικώς** (αυξάνομαι, μειώνομαι) dramatically
▷ **εξελίσσομαι δραματικά** to take a tragic turn

δραματικός, -ή, -ό ΕΠΙΘ (α) (τέχνη, ύφος) dramatic (β) (εξομολογήσεις) dramatic (γ) (ειρων.) melodramatic (δ) (γεγονότα, καταστάσεις, εξελίξεις) tragic
▸ **δραματικό έργο** drama
▸ **δραματική σχολή** drama school
▸ **δραματικός συγγραφέας** playwright, dramatist
▸ **δραματική ταινία** drama

δραματικότητα ΟΥΣ ΘΗΛ (α) (έργου, ταινίας, ιστορίας) drama (β) (εξελίξεων) tragic turn · (καταστάσεων) tragedy

δραματικώς ΕΠΙΡΡ = **δραματικά**

δραματολογία ΟΥΣ ΘΗΛ dramatics εν.

Προσοχή!: Αν και το **dramatics** *φαίνεται ως τύπος πληθυντικού, είναι ουσιαστικό μόνο στον ενικό και συντάσσεται με ρήμα στον ενικό.*

δραματολόγιο ΟΥΣ ΟΥΔ repertory, repertoire

δραματοποίηση ΟΥΣ ΘΗΛ (κυριολ., μτφ.) dramatization

δραματοποιώ Ρ Μ (α) (μύθο, μυθιστόρημα) to adapt for the theatre (Βρετ.) ή theater (Αμερ.), to dramatize (β) (κατάσταση, γεγονότα) to dramatize

δραματουργία ΟΥΣ ΘΗΛ play–writing

δραματουργός ΟΥΣ ΑΡΣΘΗΛ dramatist, playwright

δράμι ΟΥΣ ΟΥΔ (παλαιότ.) dram, drachm
▷ **δεν έχεις δράμι μυαλό!** you haven't an ounce of sense!

δραπέτευση ΟΥΣ ΘΗΛ (κυριολ., μτφ.) escape

δραπετεύω Ρ ΑΜ (α) (κατάδικος, φυλακισμένος) to escape (β) (μτφ.) to escape, to get away

δραπέτης ΟΥΣ ΑΡΣ fugitive, escaped prisoner

δραπέτισσα ΟΥΣ ΘΗΛ βλ. **δραπέτης**

δράση ΟΥΣ ΘΗΛ (α) (πολιτικού, συνδικαλιστή, κακοποιών, ληστών) activity (β) (φαρμάκου, δηλητηρίου, απορρυπαντικού) action (γ) (σε έργο, ταινία) action
▷ **ελευθερία δράσης** freedom of action
▷ **εν δράσει** in action
▷ **ώρα για δράση** time for action
▸ **πεδίο δράσης** field of activity

δρασκελιά ΟΥΣ ΘΗΛ (α) (= διασκελισμός) stride (β) (= απόσταση που διανύει κανείς) foot

Προσοχή!: Ο πληθυντικός του **foot** *είναι* **feet**.

δρασκελίζω ① Ρ Μ (σκαλί, κατώφλι, φράχτη) to step over
② Ρ ΑΜ to stride along

δραστηριοποίηση ΟΥΣ ΘΗΛ activation

δραστηριοποιώ Ρ Μ (υπαλλήλους, φορέα, κοινωνία) to activate
▸ **δραστηριοποιούμαι** ΜΕΣΟΠΑΘ (κυβέρνηση, εταιρεία) to take action

δραστήριος, -α, -ο ΕΠΙΘ (α) (άνθρωπος, πολιτικός, επιχειρηματίας, μέλος) active (β) (ενέργεια) strong, vigorous · (παρέμβαση) forceful

δραστηριότητα ΟΥΣ ΘΗΛ (πολιτικού, επαγγελματία) activity
▸ **δραστηριότητες** ΠΛΗΘ (= ασχολίες) activities

δράστης ΟΥΣ ΑΡΣ (α) (φόνου, κλοπής) perpetrator (β) (ειρων.) culprit

δράστιδα ΟΥΣ ΘΗΛ βλ. **δράστης**

δραστικά ΕΠΙΡΡ (επιδρώ) heavily · (καταπολεμώ) vehemently · (μειώνω) drastically · (επεμβαίνω, παρεμβαίνω) decisively

δραστικός, -ή, -ό ΕΠΙΘ (α) (φάρμακο) potent, effective · (θεραπεία) effective · (απορρυπαντικό) powerful (β) (ενέργεια, μέτρα) drastic (γ) (μείωση, περικοπές) drastic

δραστικότητα ΟΥΣ ΘΗΛ (α) (φαρμάκου) potency · (θεραπείας) efficacy (β) (ενεργειών, μέτρων) effectiveness (γ) (μείωσης, περικοπών) drastic nature

δράστις (επίσ.) ΟΥΣ ΘΗΛ βλ. **δράστης**

δράστρια ΟΥΣ ΘΗΛ βλ. **δράστης**

δράττομαι (επίσ.) Ρ Μ ΑΠΟΘ: **δράττομαι της ευκαιρίας να κάνω κτ** to take the opportunity to do sth

δραχμή ΟΥΣ ΘΗΛ (παλαιότ.) drachma

δραχμοσυντήρητος, -η, -ο ΕΠΙΘ low–paid

δρεπάνι ΟΥΣ ΟΥΔ scythe, sickle

δρεπανοειδής, -ής, -ές ΕΠΙΘ sickle–shaped

δρέπω Ρ Μ (α) (λουλούδια, καρπούς) to pick, to gather (β) (επακόλουθα, τιμές) to reap · (δόξα) to gain
▷**δρέπω τους καρπούς των κόπων μου** to reap the fruits of one's labours (Βρετ.) ή labors (Αμερ.)

δριμύς, -εία, -ύ ΕΠΙΘ (α) (κρύο, ψύχος) bitter · (χειμώνας) harsh, bitter · (πόνος) severe, intense (β) (κριτική) harsh · (σχόλιο) caustic
▷**επανέρχομαι** ή **επιστρέφω δριμύτερος** to come back with a vengeance

δριμύτητα ΟΥΣ ΘΗΛ (α) (χειμώνα, ψύχους, πόνου) severity (β) (κριτικής, σχολίων) acerbity

δρομάκι ΟΥΣ ΟΥΔ lane

δρομέας ΟΥΣ ΑΡΣ&ΘΗΛ (α) (αθλητής) runner (β) (ΠΛΗΡΟΦ) cursor

δρομολόγιο ΟΥΣ ΟΥΔ (α) (λεωφορείων, σιδηροδρόμων, πλοίων) route (β) (= πρόγραμμα) timetable (Βρετ.), schedule (Αμερ.) (γ) (ταχυδρόμου) route

δρομολογώ Ρ Μ (α) (πλοίο, τρένο, λεωφορείο) to run (β) (πρόγραμμα, έργο) to begin
▶**δρομολογούμαι** ΜΕΣΟΠΑΘ (εξελίξεις, ζήτημα, υπόθεση) to evolve

δρόμος ΟΥΣ ΑΡΣ (α) (= οδός) road, street (β) (= δρομολόγιο) way (γ) (= διαδρομή) journey, trip (δ) (ΑΘΛ) race (ε) (αρετής, καλού, κακού, Θεού) path (στ) (= χρόνια και εμπειρίες) future (ζ) (= διέξοδος) way out (η) (= λύση) path (θ) (= προσανατολισμός) way
▷**ανοίγω** ή **χαράζω νέους δρόμους** to open up new horizons
▷**από το σταθμό ως το κέντρο της πόλης είναι δρόμος δέκα λεπτών** it's a ten–minute journey from the station to the town centre (Βρετ.) ή center (Αμερ.)
▷**βγαίνω στον δρόμο** ή **στους δρόμους** to take to the streets
▷**βρίσκομαι σε καλό δρόμο** to be heading in the right direction
▷**είμαι από δρόμο** to have just arrived
▷**είμαι στον δρόμο (προς)** to be on one's way (to)
▷**είναι μακρύς ο δρόμος μέχρι το Παρίσι;** is it far to Paris?
▷**έχω δρόμο ακόμα μέχρι να φτάσω στην πόλη** I've still got a long way to go before I reach the city
▷**κόβω δρόμο** to take a shortcut
▷**μένω στον δρόμο** (από βλάβη, καύσιμα) to break down
▷**ο δρόμος προς την κορυφή/για την επιτυχία** the way to the top/to happiness
▷**ο δρόμος της επιστροφής** the way back
▷**παίρνω τον κακό (τον) δρόμο** to go off the rails
▷**παίρνω τον δρόμο για** ή **προς** to head for, to set off for
▷**παίρνω τον δρόμο** +γεν. to take the path of
▷**παίρνω τους δρόμους** to wander the streets
▷**(πάρε) δρόμο!** get out of here!
▷**παίρνω δρόμο** (οικ.: = φεύγω αμέσως) to run off · (= απολύομαι) to be fired, to get the sack
▷**πετάω κπν στο δρόμο** (= κάνω έξωση) to kick sb out
▷**ποιόν δρόμο παίρνεις για να πας στο σχολείο;** which way do you go to get to school?
▷**τα πράγματα τραβούν τον δρόμο τους** things are taking their course
▷**τραβώ τον δρόμο μου** to do one's own thing
▷**χάνω τον δρόμο μου** to lose one's way
▶**ταινία δρόμου** road movie

δροσάτος, -η, -ο (λογοτ.) ΕΠΙΘ (αεράκι) fresh

δροσερός, -ή, -ό ΕΠΙΘ (α) (αέρας, καιρός) cool, fresh (β) (νερό, αναψυκτικό) cool (γ) (πρόσωπο, χείλη) fresh

δροσιά ΟΥΣ ΘΗΛ (α) (= ήπια ψύχρα) coolness, freshness (β) (= υγρασία) dew (γ) (ίσκιος) shade (δ) (χειλιών, προσώπου, νιότης) freshness
▷**η δροσιά της νύχτας** the cool night air

δροσίζω ① Ρ Μ (α) (πρόσωπο, χείλη, μέτωπο) to cool (β) (φύλλα, έδαφος) to refresh ② Ρ ΑΜ to get cooler, to cool down

δροσιστικός, -ή, -ό ΕΠΙΘ (ποτό, φρούτο, αεράκι) refreshing

δροσοσταλίδα (λογοτ.) ΟΥΣ ΘΗΛ dewdrop

δρύινος, -η, -ο ΕΠΙΘ (έπιπλο, πάτωμα) oak

δρυμός ΟΥΣ ΑΡΣ (α) (= δάσος βαλανιδιών) oak forest (β) (= δάσος) forest
▶**εθνικός δρυμός** national park

δρυοκολάπτης ΟΥΣ ΑΡΣ woodpecker

δρυς ΟΥΣ ΘΗΛ oak (tree)

δρω Ρ ΑΜ (α) (= αναπτύσσω δράση) to take action · (στρατιώτης, κακοποιός) to act (β) (φάρμακο) to take effect · (περιβάλλον) to have an effect (σε on)

δρώμενα ΟΥΣ ΟΥΔ ΠΛΗΘ (= *κοινωνική δραστηριότητα*) activities

δρωτσίλα ΟΥΣ ΘΗΛ blotch

δυάδα ΟΥΣ ΘΗΛ pair

δυαδικός, -ή, -ό ΕΠΙΘ (α) (*ψηφίο*) binary (β) (*θρησκευτικό σύστημα, οργάνωση*) dual · ▸**δυαδικό σύστημα** binary system

δυάρι ΟΥΣ ΟΥΔ (α) (*διαμέρισμα*) two–roomed flat (*Βρετ.*) *ή* apartment (*Αμερ.*) (β) (*τραπουλόχαρτο*) two (γ) (*καλαθοσφαίριση*) number two position

δυϊκός ΟΥΣ ΑΡΣ (ΓΛΩΣΣ: *επίσης* **δυϊκός αριθμός**) dual (number)

δύναμαι Ρ Μ ΑΠΟΘ: **δύναμαι να κάνω κτ** I can do sth

δύναμη ΟΥΣ ΘΗΛ (α) (*σώματος, χεριών, ανθρώπου, ζώου*) strength (β) (= *ευφυΐα*) mental powers *πληθ.* (γ) (*ψυχής, χαρακτήρα*) strength (δ) (*γροθιάς, έκρηξης, χτυπήματος*) force · (*ανέμου*) strength, force (ε) (= *ικανότητα*) power (στ) (*φαρμάκου*) potency, strength (ζ) (*επιχειρήματος*) strength, force (η) (*συνήθειας, τηλεόρασης, πίστης, τεχνολογίας, επιστήμης*) power (θ) (= *εξουσία*) power (ι) (= *ισχυρό κράτος*) power (ια) (*νόμων*) power · (*παραδείγματος*) force (ιβ) (ΜΑΘ) power (ιγ) (ΦΥΣ) force (ιδ) (*καλού, κακού, σκότους*) force ▸**βρίσκω τη δύναμη να κάνω κτ** to find the strength to do sth ▸**είναι πάνω από τις δυνάμεις μου** it's beyond my capabilities ▸**εν δυνάμει** potential ▸**κινητήρια δύναμη** (*μτφ.*) prime mover ▸**με δύναμη** (*πέφτω*) heavily · (*χτυπώ*) hard · (*σκάω, εκρήγνυμαι*) violently ▸**παίρνω δυνάμεις** to build up one's strength ▸**το κατά δύναμιν** as much as one can ▸**χάνω τις δυνάμεις μου** my strength is failing ▸**δυνάμεις** ΠΛΗΘ forces

δυναμική ΟΥΣ ΘΗΛ dynamics *εν.*

δυναμικό ΟΥΣ ΟΥΔ (α) (ΦΥΣ) potential (β) (= *σύνολο ανθρώπων που παράγουν έργο*) resources *πληθ.* ▸**έμψυχο δυναμικό** human resources *πληθ.* ▸**εργατικό δυναμικό** workforce

δυναμικός, -ή, -ό ΕΠΙΘ (α) (*ενέργεια, πεδίο*) dynamic (β) (*διευθυντής, επιχειρηματίας, προσωπικότητα*) dynamic (γ) (*πωλητής*) forceful (γ) (*επέμβαση*) forceful · (*λύση*) drastic

δυναμικότητα ΟΥΣ ΘΗΛ (α) (*εργατών, υπαλλήλων*) efficiency (β) (*επιχειρήσεων*) productivity

δυναμισμός ΟΥΣ ΑΡΣ dynamism, drive

δυναμίτης ΟΥΣ ΑΡΣ (*κυριολ., μτφ.*) dynamite

δυναμίτιδα ΟΥΣ ΘΗΛ = **δυναμίτης**

δυναμό ΟΥΣ ΟΥΔ ΑΚΛ dynamo

δυναμόμετρο ΟΥΣ ΟΥΔ dynamometer

δυνάμωμα ΟΥΣ ΟΥΔ (α) (*ηθικού*) boosting (β) (*έντασης ραδιοφώνου*) turning up (γ) (*αρρώστου*) building up (δ) (*αέρα*) strengthening (ε) (*κράτους*) strengthening

δυναμώνω ① Ρ Μ (α) (*ηθικό*) to boost (β) (*ραδιόφωνο, τηλεόραση*) to turn up ② Ρ ΑΜ (α) (= *αποκτώ μυϊκή δύναμη*) to get stronger, to build oneself up (β) (*ασθενής*) to build oneself up (γ) (*αέρας*) to get stronger, to pick up · (*κλάμα, φωνή, ένταση*) to get louder (δ) (*κράτος, κίνημα*) to get stronger ▸**η βροχή δυναμώνει** it's raining even harder

δυναμωτικός, -ή, -ό ΕΠΙΘ (*φαγητό, ρόφημα*) fortifying ▸**δυναμωτικό φάρμακο** tonic ▸**δυναμωτικό** ΟΥΣ ΟΥΔ tonic

δυναστεία ΟΥΣ ΘΗΛ (α) (*Ισαύρων, Φαραώ, Κέννεντι*) dynasty (β) (= *δεσποτισμός*) tyranny

δυνάστης ΟΥΣ ΑΡΣ (α) (= *απόλυτος άρχοντας*) despot (β) (*μτφ.*) tyrant

δυνάστρια ΟΥΣ ΘΗΛ *βλ.* **δυνάστης**

δυνατά ΕΠΙΡΡ (*πέφτω, χτυπώ*) hard · (*μιλώ*) loudly

δυνατός, -ή, -ό ΕΠΙΘ (α) (*άνθρωπος, προσωπικότητα, χέρι, σώμα*) strong · (*μυαλό*) good · (*πολιτικός, βασιλιάς, κυβερνήτης*) powerful (β) (*δικηγόρος, μαθητής, καθηγητής*) capable (γ) (*λαμαρίνα*) strong, tough · (*σχοινί*) strong · (*πόρτα*) heavy (δ) (*μηχανή, κινητήρας*) powerful · (*φάρμακο*) potent (ε) (*αέρας, φως, μυρωδιά, άρωμα, δόνηση*) strong · (*ήλιος*) strong, fierce · (*πυρετός*) high · (*φωτιά*) fierce · (*πόνος, πάθος*) intense · (*έρωτας*) deep · (*φωνή, θόρυβος*) loud (στ) (*εικόνες, φωτογραφίες*) powerful (ζ) (*κρασί, μπίρα*) strong (η) (*λύση, περίπτωση, έλεγχος*) possible ▸**βάζω τα δυνατά μου** to do one's best ▸**δεν είναι δυνατόν!** impossible! ▸**είναι δυνατόν (να κάνω κτ)** it's possible (to do sth) ▸**κάνω τ' αδύνατα δυνατά** to do one's utmost, to do everything in one's power ▸**κάνω το μέγιστο δυνατό για να πετύχω κτ** to do one's level best to achieve sth ▸**κατά το δυνατόν, όσο είναι δυνατόν** as far as possible ▸**όσο το δυνατόν γρηγορότερα** as soon as possible ▸**πώς είναι δυνατόν!** how is it possible? ▸**στο μέτρο του δυνατού** as far as possible ▸**το μέγιστο δυνατό κέρδος** the maximum amount of profit

δυνατότητα ΟΥΣ ΘΗΛ (α) (*συμφωνίας, επιλογής, ανάπτυξης*) possibility (β) (= *μέσο*) capability ▸**δυνατότητες** ΠΛΗΘ (*ηθοποιού, τραγουδιστή, μαθητή*) potential *εν.*

δύνη ΟΥΣ ΘΗΛ (ΦΥΣ) dyne

δυνητικός, -ή, -ό ΕΠΙΘ (α) (*ερμηνεία*) potential (β) (ΓΛΩΣΣ) potential

δύο, δυο ΑΡΙΘ ΑΠΟΛ ΑΚΛ two ▸**ανά δύο** in twos ▸**δυο-δυο** two by two ▸**δυο φορές** twice ▸**ένας-δυο, δυο-τρεις, κάνα δυο (τρεις)** one

or two, a couple
▷**και μια και δυο** and in no time
▷**και οι δυο (μας)** both of us
▷**μπαίνω στα δύο** to turn two
▷**στα δύο** in two
▷**στις δύο το μεσημέρι** at two in the afternoon
δυόμισι ΕΠΙΘ ΑΚΛ two and a half
▷**στις δυόμισι το μεσημέρι/τη νύχτα** at two thirty *ή* half past two in the afternoon/at night
δυοσμαρίνι ΟΥΣ ΟΥΔ rosemary
δυόσμος ΟΥΣ ΑΡΣ mint, peppermint, spearmint
δυσανάγνωστος, -η, -ο ΕΠΙΘ illegible
δυσαναλογία ΟΥΣ ΘΗΛ disproportion
δυσανάλογος, -η, -ο ΕΠΙΘ disproportionate
▷**δυσανάλογος σε σχέση με** *ή* **προς κτ** out of all proportion to sth
δυσαναπλήρωτος, -η, -ο ΕΠΙΘ (*κενό*) aching
δυσανασχετώ Ρ ΑΜ to be indignant
δυσαρέσκεια ΟΥΣ ΘΗΛ displeasure
▷**προς μεγάλη δυσαρέσκεια μου** to my great annoyance
δυσαρεστημένος, -η, -ο ΕΠΙΘ displeased · (*λαός*) disaffected
δυσάρεστος, -η, -ο ΕΠΙΘ (*άνθρωπος*) disagreeable, unpleasant · (*συντροφιά*) bad · (*ειδήσεις, συνέπεια, έκπληξη*) unpleasant · (*συναίσθημα*) bad, unpleasant
δυσαρεστώ Ρ Μ to displease, to annoy
δυσαρμονία ΟΥΣ ΘΗΛ (α) (ΜΟΥΣ) dissonance (β) (*προσώπων, χρωμάτων, χαρακτήρων*) clash · (*γνωμών*) difference · (*στόχων, σχέσεων*) conflict
δυσβάστακτος, δυσβάσταχτος, -η, -ο ΕΠΙΘ (*υποχρεώσεις, φόροι*) hard to bear, unbearable
δύσβατος, -η, -ο ΕΠΙΘ (*όρος, τόπος*) inaccessible · (*δρόμος, περιοχή*) rough
δυσδιάκριτος, -η, -ο ΕΠΙΘ (*χαρακτηριστικά, όρια*) indistinct · (*αιτία*) imperceptible
δυσδιάλυτος, -η, -ο ΕΠΙΘ difficult to dissolve
δυσεπίλυτος, -η, -ο ΕΠΙΘ intractable
δυσερμήνευτος, -η, -ο ΕΠΙΘ hard to interpret
δυσεύρετος, -η, -ο ΕΠΙΘ (*έργο τέχνης, βιβλίο, μέταλλο*) rare · (*κατaχρ.: άνθρωπος, χαρακτήρας*) hard to come by, rare
δυσεφάρμοστος, -η, -ο ΕΠΙΘ hard to implement
δύση ΟΥΣ ΘΗΛ (α) (*ηλίου*) sunset, sundown (*Αμερ.*) (β) (*σημείο του ορίζοντα*) west (γ) (*πολιτισμού, αυτοκρατορίας*) decline (δ) (*ζωής, καριέρας*) end
▸ **Δύση** ΟΥΣ ΘΗΛ: **η Δύση** the West
▷**η Άγρια Δύση** the Wild West
δυσθεράπευτος, -η, -ο ΕΠΙΘ hard to cure
δύσθυμος, -η, -ο (*επία.*) ΕΠΙΘ moody
δύσκαμπτος, -η, -ο ΕΠΙΘ (*κυριολ., μτφ.*) rigid

δυσκαμψία ΟΥΣ ΘΗΛ (*κυριολ., μτφ.*) rigidity
δυσκινησία ΟΥΣ ΘΗΛ (α) (= *δυσκολία κινήσεων*) sluggishness, slowness (β) (ΙΑΤΡ) dysfunction (γ) (= *νωθρότητα*) apathy
δυσκίνητος, -η, -ο ΕΠΙΘ (α) (*άνθρωπος, ζώο, κράτος, οργανισμός*) sluggish (β) (= *νωθρός*) apathetic (γ) (*μυαλό, νους*) slow
δυσκοίλιος, -α, -ο ΕΠΙΘ (α) (= *που πάσχει από δυσκοιλιότητα*) constipated (β) (= *που προκαλεί δυσκοιλιότητα*) constipating
δυσκοιλιότητα ΟΥΣ ΘΗΛ constipation
δυσκόλεμα ΟΥΣ ΟΥΔ (α) (*πραγματοποίησης σχεδίου*) hampering (β) (*εξετάσεων, θεμάτων*) increasing difficulty
δυσκολεύω ① Ρ Μ (*ζωή, κατάσταση*) to make difficult *ή* hard, to complicate · (*υλοποίηση σχεδίου*) to hamper
② Ρ ΑΜ (*εξετάσεις, ζωή, κατάσταση*) to get harder
▸ **δυσκολεύομαι** ΜΕΣΟΠΑΘ (= *ζορίζομαι*) to have difficulties, to be in difficulty
▷**δυσκολεύομαι να κάνω κτ** (= *έχω δυσκολία*) to have trouble *ή* difficulty doing sth · (= *διστάζω*) to find it hard to do sth
δυσκολία ΟΥΣ ΘΗΛ difficulty
▸ **δυσκολίες** ΠΛΗΘ problems
▷**έχω δυσκολίες** to be in difficulty
δύσκολος, -η, -ο ΕΠΙΘ (α) (*δουλειά, ανάβαση, ταξίδι*) hard, difficult · (*αγώνας*) tough · (*δρόμος*) rough (β) (*άσκηση, πρόβλημα*) difficult, hard · (*αντίπαλος*) tough (γ) (*θέμα, θεωρία*) difficult (δ) (*συνθήκες, θέση*) difficult (ε) (*στιγμές, ώρες, καιροί*) difficult, hard (στ) (*αρρώστια*) hard to cure · (*περίπτωση*) difficult (ζ) (*άνθρωπος, χαρακτήρας, πελάτης, παιδί*) difficult
▷**είμαι/φέρνω κπν σε δύσκολη θέση** to be/to put sb in a difficult position
▷**είμαι δύσκολος στο φαγητό** to be a fussy eater
▷**είναι δύσκολο** *ή* **μου είναι δύσκολο να κάνω κτ** it is hard for me to do sth
▷**κάθε αρχή και δύσκολη** the hardest part is getting started
▷**κάνω τον δύσκολο** to be difficult
▸ **δύσκολα** ΟΥΣ ΟΥΔ ΠΛΗΘ problems
▷**αρχίζουν τα δύσκολα** the problems are just beginning
δυσκολοχώνευτος, -η, -ο ΕΠΙΘ (*φαγητό*) hard to digest · (*άνθρωπος*) unpalatable
δυσλειτουργία ΟΥΣ ΘΗΛ (*προγράμματος, υπηρεσίας*) malfunction · (*καρδιάς, πεπτικού συστήματος*) dysfunction
δυσλειτουργώ Ρ ΑΜ (*πρόγραμμα, υπηρεσία, μηχάνημα*) to malfunction · (*καρδιά, αδένας*) to dysfunction
δυσλεκτικός, -ή, -ό ΕΠΙΘ = **δυσλεξικός**
δυσλεξία ΟΥΣ ΘΗΛ dyslexia
δυσλεξικός, -ή, -ό ΕΠΙΘ dyslexic
▸ **δυσλεξικός** ΟΥΣ ΑΡΣ, **δυσλεξικός** ΟΥΣ ΘΗΛ dyslexic person
δυσμένεια ΟΥΣ ΘΗΛ disgrace

▷**πέφτω σε δυσμένεια** to be out of favour (*Βρετ.*) *ή* favor (*Αμερ.*)

▷**δυσμένεια της τύχης** ill fate

δυσμενής, -ής, -ές ΕΠΙΘ (*κρίση*) unfavourable (*Βρετ.*), unfavorable (*Αμερ.*), hostile· (*σχόλια, καιρικές συνθήκες*) adverse

δυσμηνόρροια ΟΥΣ ΘΗΛ dysmenorrhea

δύσμοιρος, -η, -ο ΕΠΙΘ unlucky, unfortunate

δυσμορφία ΟΥΣ ΘΗΛ (α) (= *ασχήμια*) ugliness (β) (ΙΑΤΡ) deformity

δύσμορφος, -η, -ο ΕΠΙΘ ugly

δυσνόητος, -η, -ο ΕΠΙΘ (*ομιλητής, συγγραφέας*) abstruse· (*ταινία*) obscure

δυσοίωνος, -η, -ο ΕΠΙΘ ominous, inauspicious

δυσοσμία ΟΥΣ ΘΗΛ stench, stink, foul smell

δύσοσμος, -η, -ο ΕΠΙΘ foul–smelling

δύσπεπτος, -η, -ο ΕΠΙΘ heavy, hard to digest

δυσπεψία ΟΥΣ ΘΗΛ indigestion, dyspepsia

δύσπιστα ΕΠΙΡΡ sceptically (*Βρετ.*), skeptically (*Αμερ.*)

δυσπιστία ΟΥΣ ΘΗΛ incredulity, disbelief

δύσπιστος, -η, -ο ΕΠΙΘ (α) (*πελάτης, ψηφοφόρος*) wary, distrustful (β) (*βλέμμα*) incredulous

δυσπιστώ Ρ ΑΜ to be wary *ή* distrustful (*σε of*)

δύσπνοια ΟΥΣ ΘΗΛ difficulty breathing, dyspnea (*επιστ.*)

δυσπροσάρμοστος, -η, -ο ΕΠΙΘ maladjusted

δυσπρόσιτος, -η, -ο ΕΠΙΘ inaccessible

δυστοκία ΟΥΣ ΘΗΛ (α) (ΙΑΤΡ: = *δυσκολία κατά τον τοκετό*) difficult delivery (β) (*μτφ.*) irresolution

δυστροπία ΟΥΣ ΘΗΛ (*ανθρώπου*) bad temper, cantankerousness· (*παιδιού*) waywardness

δύστροπος, -η, -ο ΕΠΙΘ (*χαρακτήρας, άνθρωπος*) bad–tempered, cantankerous· (*παιδί*) wayward

δυστροπώ Ρ ΑΜ (α) (*γέρος*) to be cantankerous· (*παιδί*) to be wayward (β) (= *αντιδρώ αρνητικά*) to object

δυστύχημα ΟΥΣ ΟΥΔ (α) (= *ατύχημα*) accident, crash (β) (= *πλήγμα*) tragedy

▷**το δυστύχημα είναι ότι** unfortunately, the sad thing is that

▸**αυτοκινητιστικό δυστύχημα** car accident, car crash

▸**αεροπορικό δυστύχημα** air crash

δυστυχής, -ής, -ές ΕΠΙΘ unfortunate

δυστυχία ΟΥΣ ΘΗΛ (α) (*οικογένειας, λαού*) misfortune (β) (= *στερημένη ζωή*) unhappiness, misery

▷**δυστυχία μου!** poor me!, woe is me!

δυστυχισμένος, -η, -ο ΕΠΙΘ (α) (= *δύσμοιρος*) unhappy (β) (= *καημένος*) unfortunate, poor

δύστυχος, -η, -ο ΕΠΙΘ = **δυστυχής**

δυστυχώ Ρ ΑΜ (α) (*άνθρωπος*) to be unhappy· (*χώρα, λαός*) to suffer

(β) (= *στερούμαι*) to be destitute

δυστυχώς ΕΠΙΡΡ (α) (= *για κακή τύχη*) unfortunately, sadly (β) (*ως μονολεκτική απάντηση*) I'm afraid not· (= *είναι αλήθεια*) I'm afraid so

δυσφήμηση ΟΥΣ ΘΗΛ defamation

δυσφημίζω Ρ Μ = **δυσφημώ**

δυσφήμιση ΟΥΣ ΘΗΛ = **δυσφήμηση**

δυσφημιστικός, -ή, -ό ΕΠΙΘ defamatory

δυσφημώ Ρ Μ (*υπουργό*) to defame, to slander· (*χώρα, εταιρεία, σχολείο, κόμμα, προϊόν, βιβλίο*) to discredit

δυσφορία ΟΥΣ ΘΗΛ (α) (= *δυσαρέσκεια*) displeasure (β) (= *αδιαθεσία*) malaise, discomfort

δυσφορώ Ρ ΑΜ (α) (*γονείς, παρέα, φίλος*) to be displeased, to be annoyed (β) (= *αδιαθετώ*) to have a malaise

δυσχεραίνω Ρ Μ (*σχέσεις, επικοινωνία, κατάσταση*) to make difficult

δυσχέρεια ΟΥΣ ΘΗΛ (α) (*στην ομιλία, διευθέτηση προβλήματος, μετακίνηση*) impediment (β) (= *δύσκολη κατάσταση*) difficulty

▷**οικονομικές δυσχέρειες** financial difficulties

δυσχερής, -ής, -ές ΕΠΙΘ difficult, arduous

δύσχρηστος, -η, -ο ΕΠΙΘ (α) (*εργαλείο, μηχάνημα*) hard to use, unwieldy (β) (*λέξη, όρος*) rare

δυσώδης, -ης, -ες ΕΠΙΘ foul–smelling

δυσωδία ΟΥΣ ΘΗΛ (α) (*δωματίου, ατμόσφαιρας, πτώματος, αυγού*) stench, reek (β) (= *ανηθικότητα*) immorality

▷**βρόμα και δυσωδία** (= *μπόχα*) foul smell· (= *σήψη*) corruption

δύτης ΟΥΣ ΑΡΣ diver

δυτικός, -ή, -ό ΕΠΙΘ (α) (*πτέρυγα, παραλίες*) west· (*επαρχίες*) western (β) (*άνεμος*) west, westerly· (*προέλευση*) western

▸**Δυτικοί** ΟΥΣ ΑΡΣ ΠΛΗΘ: **οι Δυτικοί** westerners

δύτρια ΟΥΣ ΘΗΛ *βλ.* **δύτης**

δύω Ρ ΑΜ (α) (*ήλιος, φεγγάρι*) to set, to go down (β) (*ζωή, δόξα, καριέρα, ταλέντο*) to decline· (*ηθοποιός, τραγουδιστής, πολιτικός*) to be on the wane

δώδεκα ΑΡΙΘ ΑΠΟΛ ΑΚΛ twelve

δωδεκάδα ΟΥΣ ΘΗΛ dozen

δωδεκάθεο ΟΥΣ ΟΥΔ **το δωδεκάθεο** the twelve gods of ancient Greece

δωδεκάμηνο ΟΥΣ ΟΥΔ twelve months *πληθ.*

δωδεκάμηνος, -η, -ο ΕΠΙΘ twelve–month

δωδεκάμισι ΕΠΙΘ ΑΚΛ (α) (*κιλά, γαλόνια, λίτρα*) twelve and a half (β) (*για ώρα*) twelve thirty, half past twelve

Δωδεκάνησα ΟΥΣ ΟΥΔ ΠΛΗΘ: **τα Δωδεκάνησα** the Dodecanese

δωδεκάρα ΟΥΣ ΘΗΛ *βλ.* **δωδεκάρης**

δωδεκάρης ΟΥΣ ΑΡΣ (α) (= *δώδεκα ετών*) twelve–year–old (β) (*στο ΠΡΟ-ΠΟ*) person

who gets twelve correct scores

δωδεκάρι ΟΥΣ ΟΥΔ (στο *ΠΡΟ-ΠΟ*) twelve correct scores

δωδεκαριά ΟΥΣ ΘΗΛ: **καμιά δωδεκαριά** about a dozen *ή* twelve, a dozen or so

δωδέκατος, -η, -ο ΑΡΙΘ ΤΑΚΤ twelfth

▸ **δωδέκατος** ΟΥΣ ΑΡΣ (= *Δεκέμβριος*) December

▸ **δωδεκάτη** ΟΥΣ ΘΗΛ (α) (= *ημέρα*) twelfth
(β) (= *μεσημέρι ή μεσάνυχτα*) twelve o' clock

▸ **δωδέκατο** ΟΥΣ ΟΥΔ twelfth

δώμα ΟΥΣ ΟΥΔ attic apartment

δωμάτιο ΟΥΣ ΟΥΔ room

▸ **ενοικιαζόμενα δωμάτια** rooms for rent *ή* to let (*Βρετ.*)

▸ **κλείνω** *ή* **κρατάω ένα δωμάτιο σε ξενοδοχείο** to book a room in a hotel

δωρεά ΟΥΣ ΘΗΛ (α) (= *δώρο*) gift (β) (*ιδιώτη, ευεργέτη*, (ΝΟΜ) endowment

δωρεάν ΕΠΙΡΡ free (of charge)

▸ **δωρεάν διακοπές/εισιτήρια/ταξίδι** free holiday (*Βρετ.*) *ή* vacation (*Αμερ.*)/tickets/trip

δωρητής ΟΥΣ ΑΡΣ donor

▸ **δωρητής σώματος** *ή* **οργάνων** organ donor

δωρήτρια ΟΥΣ ΘΗΛ *βλ.* **δωρητής**

δωρίζω Ρ Μ (= *κάνω δώρο*) to give · (= *κάνω δωρεά*) to donate

δωρικός, -ή, -ό ΕΠΙΘ (*διάλεκτος, χιτώνας, αποικία*) Doric, Dorian

▸ **δωρικός ρυθμός** Doric order

δώρο ΟΥΣ ΟΥΔ (α) (*γενικότ.*) present, gift
(β) (*για εργαζομένους*) bonus
(γ) (*ελευθερίας, ζωής*) gift

▸ **δώρο εξ ουρανού** *ή* **Θεού** godsend

▸ **θείο δώρο** God–given gift

▸ **κάνω δώρο σε** κπν to give sb a present

▸ **δώρον άδωρο(ν)** gift that came too late

▸ **γαμήλιο δώρο** wedding present

δωροδόκημα ΟΥΣ ΟΥΔ bribe

δωροδοκία ΟΥΣ ΘΗΛ bribery

δωροδοκώ Ρ Μ to bribe

δωροεπιταγή ΟΥΣ ΘΗΛ gift voucher

δωροληψία ΟΥΣ ΘΗΛ bribery

δωσίλογος ΟΥΣ ΑΡΣ (α) (= *υπόλογος*) person responsible (β) (*στην Κατοχή*) collaborator

E ε

E, ε epsilon, *fifth letter of the Greek alphabet*
▷ε′ 5
▷‚ε 5,000
ε ΕΠΙΦΩΝ hey!
▷**θα έρθεις, ε;** you're coming, right, you're coming, aren't you?
▷**εεε ... err...**
Ε.Ε. ΣΥΝΤΟΜ EU
έαρ ΟΥΣ ΟΥΔ (= άνοιξη) spring
εαρινός, -ή, -ό ΕΠΙΘ (εξάμηνο) Lent·
(ισημερία) spring
εαυτός ΑΝΤΩΝ self
▷**ο εαυτός μου/σου/του/της/μας/σας/τους** myself/yourself/himself/herself/ourselves/yourselves/themselves
▷**δείχνω τον καλό μου εαυτό** to show one's good side
▷**κομμάτι του εαυτού μου** part of oneself
▷**ξαναβρίσκω τον εαυτό μου** I'm back to myself, I'm myself again
▷**αφ' εαυτού μου** by oneself
εαυτούλης ΟΥΣ ΑΡΣ (ειρων.): **ο εαυτούλης μου** number one
εβδομάδα ΟΥΣ ΘΗΛ week
▷**Μεγάλη Εβδομάδα, Εβδομάδα των Παθών** Holy Week
εβδομαδιαίος, -α, -ο ΕΠΙΘ weekly
εβδομήκοντα ΑΡΙΘ ΑΠΟΛ ΑΚΛ seventy
εβδομηκοστός, -ή, -ό ΑΡΙΘ ΤΑΚΤ seventieth
εβδομήντα ΑΡΙΘ ΑΠΟΛ ΑΚΛ seventy
εβδομηντάρα ΟΥΣ ΘΗΛ *βλ.* **εβδομηντάρης**
εβδομηντάρης ΟΥΣ ΑΡΣ seventy–year–old person
έβδομος, -η ή -όμη, -ο ΕΠΙΘ (αγώνας, αυτοκίνητο) seventh
▸**έβδομος** ΟΥΣ ΑΡΣ (α) (= Ιούλιος) July (β) (= όροφος) seventh floor (Βρετ.), eighth floor (Αμερ.)
▸**εβδόμη** ΟΥΣ ΘΗΛ (= ημέρα) seventh
εβένινος, -η, -ο ΕΠΙΘ ebony
έβενος ΟΥΣ ΑΡΣ ebony
εβίβα ΕΠΙΦΩΝ (= εις υγείαν) cheers!
Εβραία ΟΥΣ ΘΗΛ *βλ.* **Εβραίος**
εβραϊκός, -ή, -ό ΕΠΙΘ (νόμος, γλώσσα) Hebraic· (θρησκεία) Jewish
▸**Εβραϊκά** ΟΥΣ ΟΥΔ ΠΛΗΘ Hebrews
Εβραίος ΟΥΣ ΑΡΣ Hebrew, Jew
έγγαμος, -ος, -ο (επίσ.) ΕΠΙΘ (= παντρεμένος) married

▸**έγγαμος βίος** matrimony
εγγαστρίμυθος ΟΥΣ ΑΡΣΘΗΛ ventriloquist
εγγεγραμμένος, -η, -ο ΜΤΧ: **εγγεγραμένος σε** (δικηγόρος, πολίτης, μέλος) registered· (ΓΕΩΜ) inscribed angle
έγγειος, -α ή -ος, -ο(ν) ΕΠΙΘ (φόρος) land· (ιδιοκτησία) landed
εγγίζω Ρ Μ *βλ.* **αγγίζω**
Εγγλέζα ΟΥΣ ΘΗΛ Englishwoman

> *Προσοχή!: Ο πληθυντικός του* **Englishwoman** *είναι* **Englishwomen**.

εγγλέζικος, -η, -ο ΕΠΙΘ English

> *Προσοχή!: Τα εθνικά επίθετα, όπως* **English**, *γράφονται με κεφαλαίο το αρχικό γράμμα στα Αγγλικά.*

▸**Εγγλέζικα** ΟΥΣ ΟΥΔ ΠΛΗΘ English
Εγγλέζος ΟΥΣ ΑΡΣ English, Englishman

> *Προσοχή!: Ο πληθυντικός του* **Englishman** *είναι* **Englishmen**.

▷**είμαι Άγγλος ή Εγγλέζος στα ραντεβού μου** to be very punctual
▷**οι Εγγλέζοι** the English
εγγονή ΟΥΣ ΘΗΛ granddaughter
εγγόνι ΟΥΣ ΟΥΔ grandchild

> *Προσοχή!: Ο πληθυντικός του* **grandchild** *είναι* **grandchildren**.

εγγονός ΟΥΣ ΑΡΣ grandson
έγγονος ΟΥΣ ΑΡΣ = **εγγονός**
εγγράμματος, -η, -ο ΕΠΙΘ literate
εγγραφή ΟΥΣ ΘΗΛ (α) (μαθητή, φοιτητή) enrolment (Βρετ.), enrollment (Αμερ.)· (συνδρομητή) subscription (β) (κασέτας) recording (γ) (υποθήκης, επιταγής) registration
▷**ανανέωση εγγραφής** renewal of registration
▷**εικονική εγγραφή** bogus registration
έγγραφο ΟΥΣ ΟΥΔ (επίσης: ΠΛΗΡΟΦ) document
▸**αποδεικτικό έγγραφο** documentary proof
▸**δημόσιο έγγραφο** public record
▸**δικαστικό έγγραφο** judicial document
▸**απόρρητο έγγραφο** confidential document
έγγραφος, -η, -ο ΕΠΙΘ (απάντηση,

ειδοποίηση, καταγγελία) written

εγγράφω Ρ Μ (α) : **εγγράφω κπν σε** (*μαθητή*) to enrol ή enroll (*Αμεφ.*) sb in (β) (*κασέτα, δίσκο*) to record (γ) (ΓΕΩΜ) to inscribe
▸**εγγράφομαι σε** ΜΕΣΟΠΑΘ: **εγγράφομαι σε** (*συνδρομητής*) to subscribe to

εγγράφως ΕΠΙΡΡ in writing

εγγύηση ΟΥΣ ΘΗΛ (α) (ΝΟΜ) guarantee (β) (= *διαβεβαίωση*) pledge (γ) (*κατασκευαστή, προϊόντος*) warranty

εγγυητήριος, -α, -ο ΕΠΙΘ = **εγγυητικός**

εγγυητής ΟΥΣ ΑΡΣ guarantor
▷**οικονομικός εγγυητής** financial guarantor

εγγυητικός, -ή, -ό ΕΠΙΘ (*επιστολή*) guaranteeing

εγγυήτρια ΟΥΣ ΘΗΛ *βλ.* **εγγυητής**

εγγύς ΕΠΙΡΡ (= *κοντά*) near
▷**στο εγγύς μέλλον** in the near future
▸**Εγγύς Ανατολή** Near East

εγγύτατος, -η, -ο ΕΠΙΘ nearest

εγγύτερα ΕΠΙΡΡ (*βρίσκομαι, είμαι*) closer

εγγύτερος, -η, -ο ΕΠΙΘ (*νησί*) nearer

εγγύτητα ΟΥΣ ΘΗΛ (*ξηράς, νησιού*) proximity

εγγυώμαι Ρ Μ (α) (= *δίνω εγγύηση*) to guarantee (β) (= *υπόσχομαι*) to promise

εγείρω Ρ Μ (α) (*σημαία*) to raise (β) (*απαίτηση, υποψίες, αξίωση*) to cause (γ) (*αγωγή*) to file a suit

έγερση ΟΥΣ ΘΗΛ (α) (*σημαίας*) raise (β) (= *ξύπνημα*) waking up (γ) (*θέματος, ζητήματος*) raising (δ) (*αγωγής*) filing a suit

εγερτήριο ΟΥΣ ΟΥΔ (= *πρωινό σάλπισμα*) clarion call

εγκάθειρκτος, -η, -ο ΕΠΙΘ (= *φυλακισμένος*) imprisoned

εγκάθετη ΟΥΣ ΘΗΛ *βλ.* **εγκάθετος**

εγκάθετος ΟΥΣ ΑΡΣ (*για να επιδοκιμάζει*) heckler · (*για να επιδοκιμάζει*) claqueur

εγκαθίδρυση ΟΥΣ ΘΗΛ (*δημοκρατίας, επιχείρησης, μεθόδου*) setting up

εγκαθιδρύω Ρ Μ (*δημοκρατία, καθεστώς, επιχείρηση*) to set up

εγκαθιστώ Ρ Μ (*ανσανσέρ, καλοριφέρ*) to put in · (*τηλεφωνική γραμμή*) to install (β) (*πυραύλους, φρουρά*) to install (γ) (*κληρονόμο, διευθυντή, υπουργό*) to appoint
▸**εγκαθίσταμαι** ΜΕΣΟΠΑΘ (= *διαμένω μόνιμα*) to settle down

εγκαίνια ΟΥΣ ΟΥΔ ΠΛΗΘ (*ιδρύματος, έκθεσης*) inauguration *εν.*

εγκαινιάζω Ρ Μ (α) (*ναό*) to inaugurate · (*γέφυρα, κατάστημα*) to top out (β) (*κρασί*) to drink for the first time · (*φόρεμα, παπούτσια*) to wear for the first time (γ) (*εποχή*) to mark the beginning of

εγκαινίαση ΟΥΣ ΘΗΛ (α) (*ναού*) consecration · (*σχολείου*) inauguration (β) (*κρασιού*) drinking for the first time · (*φορέματος*) wearing for the first time

έγκαιρα ΕΠΙΡΡ = **εγκαίρως**

έγκαιρος, -η, -ο ΕΠΙΘ (*επέμβαση, κίνηση, απόφαση*) opportune

εγκαίρως ΕΠΙΡΡ duly

εγκαλώ Ρ Μ (ΝΟΜ) to prosecute

εγκάρδιος, -α, -ο ΕΠΙΘ (α) (*χαρακτήρας*) warm–hearted (β) (*υποδοχή, χαιρετισμός, ευχή, ατμόσφαιρα*) cordial, warm

εγκαρδιότητα ΟΥΣ ΘΗΛ cordiality

εγκαρδιώνω Ρ Μ to encourage

εγκαρδιωτικός, -ή, -ό ΕΠΙΘ (*λόγια*) encouraging

εγκάρσιος, -α, -ο ΕΠΙΘ (*τομή, δοκός*) cross

εγκαρτέρηση ΟΥΣ ΘΗΛ resignation, patience

έγκατα ΟΥΣ ΟΥΔ ΠΛΗΘ (*γης, κόλασης*) depths, bowels

εγκαταλειμένος = **εγκαταλελειμμένος**

εγκαταλείπω Ρ Μ (α) (*παιδί, γυναίκα*) to abandon (β) (*χώρα, σπίτι*) to abandon, to desert (γ) (*προσπάθεια, αγώνα, σπουδές*) to abandon (δ) (*αρχές, εσωστρέφεια, μοναχικότητα*) to abandon

εγκατάλειψη ΟΥΣ ΘΗΛ (α) (*παιδιών, γυναίκας*) abandonment (β) (*πλοίου, χώρας*) desertion (γ) (*προσπάθειας, σπουδών*) quitting (δ) (*αξιών, συνηθειών*) abandonment

εγκατάσταση ΟΥΣ ΘΗΛ (α) (*καλωδίου, καλοριφέρ, ανελκυστήρα*) installation (β) (*εργοστασίου*) plant (γ) (= *μόνιμη διαμονή*) settlement
▷**υδραυλικές εγκαταστάσεις** installation
▷**αποχετευτικές εγκαταστάσεις** drainage installation
▷**αθλητικές εγκαταστάσεις** sports installations
▷**πυρηνικές εγκαταστάσεις** nuclear power installations
▷**ξενοδοχειακές εγκαταστάσεις** hotel installations

έγκαυμα ΟΥΣ ΟΥΔ (*από ήλιο/φωτιά*) burn
▸**έγκαυμα πρώτου βαθμού** first–degree burn
▸**έγκαυμα δεύτερου βαθμού** second–degree burn
▸**έγκαυμα τρίτου βαθμού** third–degree burn

έγκειμαι Ρ ΑΜ
▷**έγκειται σε** ΑΠΡΟΣ it lies with

εγκεκριμένος, -η, -ο ΜΤΧ (*κονδύλι, πρόγραμμα, σχέδιο*) approved

Εγκέλαδος ΟΥΣ ΑΡΣ (*σεισμός*) earthquake
▷**χτυπά ο Εγκέλαδος** to be hit by an earthquake

εγκεφαλικός, -ή, -ό ΕΠΙΘ (α) (ΙΑΤΡ: *νεύρα, όγκος*) cerebral (β) (*αιμορραγία*) cerebral (γ) (*επεισόδιο*) stroke (δ) (*άνθρωπος, έργο, διεργασία*) cerebral
▸**εγκεφαλικό** ΟΥΣ ΟΥΔ (*επίσης* **εγκεφαλικό επεισόδιο**) stroke

εγκεφαλικότητα ΟΥΣ ΘΗΛ (*έργου, διεργασίας*) intellectualism

εγκεφαλίτιδα ΟΥΣ ΘΗΛ (ΙΑΤΡ) encephalitis

εγκέφαλος ΟΥΣ ΑΡΣ (α) (ΑΝΑΤ) brain

(β) (επιχείρησης, εξέγερσης, κομπίνας) mastermind
▷**πλύση εγκεφάλου** brainwash

έγκλειστος, -η, -ο ΕΠΙΘ (= φυλακισμένος) imprisoned

έγκλημα ΟΥΣ ΟΥΔ **(α)** (εσχάτης προδοσίας, πάθους) crime **(β)** (= φόνος) felony **(γ)** (μτφ.) outrage
▷**αποτρόπαιο έγκλημα** heinous crime
▷**οργανωμένο έγκλημα** organized crime
▷**ομαδικό έγκλημα** mass crime
▷**διαπράττω έγκλημα** to commit a crime
▸**έγκλημα πολέμου** war crime
▸**έγκλημα πάθους** crime of passion

εγκληματίας ΟΥΣ ΑΡΣ criminal, delinquent
▷**πολιτικός εγκληματίας** political criminal
▷**κοινός εγκληματίας** common criminal
▷**σεσημασμένος εγκληματίας** branded criminal
▸**εγκληματίας πολέμου** war criminal

εγκληματικός, -ή, -ό ΕΠΙΘ criminal

εγκληματικότητα ΟΥΣ ΘΗΛ criminality

Εγκληματολογία ΟΥΣ ΘΗΛ criminology

εγκληματολογικός ΕΠΙΘ (υπηρεσία, έρευνα) criminological

εγκληματολόγος ΟΥΣ ΑΡΣΘΗΛ criminologist

εγκληματώ Ρ ΑΜ **(α)** (= κάνω κτ κακό) to offend **(β)** (= διαπράττω έγκλημα: κατηγορούμενος, δράστης) to commit a crime

έγκληση ΟΥΣ ΘΗΛ **(α)** (= κατηγορία, καταγγελία) accusation **(β)** (ΝΟΜ) indictment

εγκλιματίζω ① Ρ Μ (φυτό, οργανισμό) to acclimatize (Βρετ.), to acclimate (Αμερ.)
② ΜΕΣΟΠΑΘ (= εξοικειώνομαι: μετανάστης, επισκέπτης, εργαζόμενος) acclimatized (Βρετ.), acclimated (Αμερ.)

εγκλιματισμός ΟΥΣ ΑΡΣ acclimatization (Βρετ.), acclimation (Αμερ.)

έγκλιση ΟΥΣ ΘΗΛ **(α)** (ΓΛΩΣΣ: τόνου) mood **(β)** (ρήματος: σνθ πληθ) moods πληθ.

εγκλιτικά ΟΥΣ ΟΥΔ ΠΛΗΘ (ΓΛΩΣ: = εκλιτικές λέξεις) modal εν.

εγκλιτικός ΕΠΙΘ (ΓΛΩΣ: λέξη, μόριο) enclitic
▸**εγκλιτική αντικατάσταση** (ΓΛΩΣΣ) enclitic substitution

εγκλωβίζω Ρ Μ to encircle

εγκλωβισμός ΟΥΣ ΑΡΣ enclosure · (ΣΤΡΑΤ: εχθρού, εχθρικού τμήματος) encircling

εγκόλπιο ΟΥΣ ΟΥΔ **(α)** (= συνοπτικό εγχειρίδιο: του φοιτητού) handbook · (του κηπουρού) companion **(β)** (= επιστήθιο κόσμημα) pectoral cross **(γ)** (= φυλαχτό, γκόλφι) pectoral cross

εγκολπώνομαι Ρ Μ (= ενστερνίζομαι: ιδέες, ιδανικά, στόχους, μεθόδους) to adopt, to espouse

εγκοπή ΟΥΣ ΘΗΛ (= χαρακιά, αυλακιά) notch

εγκόσμια ΟΥΣ ΟΥΔ ΠΛΗΘ life εν. on earth

εγκόσμιος, -α, -ο ΕΠΙΘ **(α)** (αγαθά, εξουσία, απολαύσεις) earthly **(β)** (τέχνη, σοφία, μουσική) profane

εγκράτεια ΟΥΣ ΘΗΛ **(α)** (για υλικές απολαύσεις) abstinence **(β)** (σεξουαλική) continence
▷**εγκράτεια σε** (για ποτό/φαγητό) temperance
▸**εγκράτεια γλώσσης** abstinence of speaking

εγκρατής, -ής, -ές ΕΠΙΘ abstemious

εγκρίνω Ρ Μ to approve

έγκριση ΟΥΣ ΘΗΛ **(α)** (πρότασης, νόμου, δαπάνης) approbation **(β)** (της κυβέρνησης, του συμβουλίου, του υπουργού) approbation **(γ)** (= αποδοχή: γονιών, ανωτέρων) approval
▷**παίρνω έγκριση** to get approval
▷**δίνω/χορηγώ έγκριση** to give approval

εγκριτικός, -ή, -ό ΕΠΙΘ (απόφαση, πράξη, έγγραφο) approbatory

έγκριτος, -η, -ο ΕΠΙΘ (επιστήμονας, δικηγόρος, πολιτικός) distinguished

εγκύκλιος ΟΥΣ ΘΗΛ (υπουργού, επιτροπής) circular · (Πατριαρχείου) encyclical

εγκυκλοπαίδεια ΟΥΣ ΘΗΛ encyclopaedia (Βρετ.), encyclopedia (Αμερ.)

εγκυκλοπαιδικός, -ή, -ό ΕΠΙΘ encyclopaedic (Βρετ.), encyclopedic (Αμερ.)

εγκυκλοπαιδιστής ΟΥΣ ΑΡΣ (ΦΙΛΟΣ/ΙΣΤ: σνθ πληθ) encyclopaedist (Βρετ.), encyclopedist (Αμερ.)

εγκυμονούσα ΜΤΧ (για γυναίκα) being pregnant

εγκυμονώ Ρ ΑΜ to be pregnant

εγκυμοσύνη ΟΥΣ ΘΗΛ (για γυναίκα) pregnancy
▷**προχωρημένη εγκυμοσύνη** advanced pregnancy
▷**διακόπτω την εγκυμοσύνη** to terminate the pregnancy

έγκυος ΟΥΣΕΠΙΘ ΘΗΛ pregnant
▷**μένω έγκυος** to fall pregnant
▷**μένω έγκυος σε** to fall pregnant with
▷**είμαι έγκυος** I am pregnant, I am expecting
▷**είμαι έγκυος από** I am pregnant by
▷**είμαι έγκυος σε** I am pregnant with

έγκυρος, -η, -ο ΕΠΙΘ **(α)** (= με κύρος: έντυπο, πληροφορία, πηγή) reliable **(β)** (ΝΟΜ: = με νομική ισχύ: διαθήκη, συμβόλαιο) valid

εγκυρότητα ΟΥΣ ΘΗΛ (διαθήκης, συμβάσεως, κατάθεσης, καταγγελίας) validity

εγκωμιάζω Ρ Μ (άνθρωπο, ομορφιά, χάρισμα) to praise, to extol

εγκωμιαστικός, -ή, -ό ΕΠΙΘ (λόγος, ύμνος) laudatory

εγκώμιο ΟΥΣ ΟΥΔ **(α)** (= έπαινος, λόγος που εξαίρει αρετή ή πράξεις) praise **(β)** (ΘΡΗΣΚ: = είδος ύμνου) eulogy
▷**πλέκω εγκώμιο** to sing the praises of
▷**κάνω το εγκώμιο κποιου** to commend sb highly
▷**ψάλλω εγκώμιο** to sing a praise

έννοια ΟΥΣ ΘΗΛ **(α)** (= φροντίδα, ενδιαφέρον)

concern (β) (= *ανησυχία, σκοτούρα*) worry
▷**έγνοια σου/σας** (*απειλητικά*) wait!
▷**έχω την έγνοια κποιου** I am concerned about sb
▷**έχω/δεν έχω έγνοια** to be/not to be concerned
▷**βάζω κπν σε έγνοια ή έγνοιες** to cause sb anxiety
▷**με τρώει η έγνοια** (*προφορ.*: = *ανησυχώ*) I am worried

εγρήγορση ΟΥΣ ΘΗΛ vigilance
▷**βρίσκομαι σε εγρήγορση** I am in vigilance

εγχάραξη ΟΥΣ ΘΗΛ (α) (= *χάραγμα*) cutting (β) (= *αυλακοειδής διάνοιξη: εδάφους*) notching (γ) (ΤΕΧΝ) engraving

εγχαράσσω ① Ρ Μ (= *σκαλίζω*) to notch ② ΜΕΣΟΠΑΘ (*μτφ*.: *εικόνες, λόγια*) to be deeply impressed

εγχείρημα ΟΥΣ ΟΥΔ (α) (= *επιχείρηση, προσπάθεια*) venture, enterprise (β) (= *απόπειρα, τόλμημα*) attempt (γ) (ΣΤΡΑΤ: = *επίθεση μικρής τοπικής σημασίας*) local operation

εγχείρηση ΟΥΣ ΘΗΛ (ΙΑΤΡ) operation
▷**κάνω εγχείρηση** (*ασθενής*) to have an operation
▷**υποβάλλομαι σε εγχείρηση** to undergo an operation

εγχειρήσιμος, -η, -ο ΕΠΙΘ (*περίπτωση, ασθενής, έλκος*) operable

εγχειρητικός, -ή, -ό ΕΠΙΘ (*τράπεζα*) operating

εγχειρίδιο ΟΥΣ ΟΥΔ (α) (*αστρονομίας, λογιστικής, βοτανικής*) companion (β) (*του καλού οδηγού, του κηπουρού*) companion (γ) (= *μικρό μαχαίρι*) dagger
▷**διδακτικό εγχειρίδιο** textbook

εγχειρίζω Ρ Μ (*ασθενή*) to operate on

εγχείριση ΟΥΣ ΘΗΛ *βλ.* **εγχείρηση**

έγχορδα ΟΥΣ ΟΥΔ ΠΛΗΘ (ΜΟΥΣ) stringed instruments

έγχορδος ΕΠΙΘ (*όργανο*) stringed

έγχρωμος ΕΠΙΘ coloured (*Βρετ.*), colored (*Αμερ.*)

έγχυση ΟΥΣ ΘΗΛ (*επίσ.*) infusion

εγχώριος, -α, -ο ΕΠΙΘ (*προϊόν*) home · (*παραγωγή, βιομηχανία*) domestic

εγώ¹ ΑΝΤΩΝ I, me
▷**εγώ ο ίδιος** I personally
▷**εγώ, ο Παύλος και ο Γιάννης** me, Pavlos and Giannis
▷**εγώ φταίω** it's my fault
▷**κι εγώ** me too
▷**ποιος θέλει ποτό; - εγώ!** who wants a drink? – I do!

εγώ² ΟΥΣ ΟΥΔ ΑΚΛ (α) (= *ατομική συνείδηση*) ego (β) (= *εγωισμός*) self

Προσοχή!: Ο πληθυντικός του **self** *είναι* **selves**.

εγωισμός ΟΥΣ ΑΡΣ (α) (= *αξιοπρέπεια*)

self-respect · (= *περηφάνια*) pride (β) (= *φιλαυτία*) selfishness, egotism (γ) (= *έπαρση, αλαζονεία*) vanity

εγωιστής ΟΥΣ ΑΡΣ (α) (= *αλαζόνας*) selfish person (β) (= *φίλαυτος*) egotist

εγωιστικός, -ή, -ό ΕΠΙΘ (*συμπεριφορά, στάση, απόφαση*) selfish

εγωίστρια ΟΥΣ ΘΗΛ *βλ.* **εγωιστής**

εγωκεντρικός, -ή, -ό ΕΠΙΘ (α) (*για πρόσ.*: = *εγωπαθής*) self-centred (*Βρετ.*), self-centered (*Αμερ.*) (β) (= *με κέντρο το εγώ: αντίληψη, θεωρία, έργο*) egocentric

εγωκεντρισμός ΟΥΣ ΑΡΣ (= *εγωπάθεια*) egocentricity

εγωλατρία ΟΥΣ ΘΗΛ (= *λατρεία του εγώ, εγωπάθεια*) egomania

εγωμανής, -ής, -ές ΕΠΙΘ (= *εγωπαθής, εγωλάτρης*) egomaniacal

εγωπάθεια ΟΥΣ ΘΗΛ (= *παθολογικός εγωισμός*) egocentricity, self-absorption

εγωπαθής, -ής, -ές ΕΠΙΘ (= *παθολογικά εγωιστής*) self-centred (*Βρετ.*), self-centered (*Αμερ.*)

εγωτιστής ΟΥΣ ΑΡΣ (ΛΟΓ: *συγγραφέας, ποιητής*) egotist

εδαφικός, -ή, -ό ΕΠΙΘ territorial
▷**εδαφική ακεραιότητα** territorial integrity

εδάφιο ΟΥΣ ΟΥΔ (α) (ΝΟΜ) section (β) (ΘΡΗΣΚ) verse

Εδαφολογία ΟΥΣ ΘΗΛ (*επιστήμη*) soil science

εδαφολογικός, -ή, -ό ΕΠΙΘ terrain

έδαφος ΟΥΣ ΟΥΔ ground (α) (*για χώρα, ήπειρο*) territory, land (β) (*για σύσταση/ μορφολογία*) land, terrain (γ) (= *χώρος, τομέας δράσης*) ground
▷**χάνω/κερδίζω έδαφος** to lose/gain ground
▷**(καλύπτω) το χαμένο έδαφος** (to cover) lost ground
▷**εθνικά εδάφη** national territory
▷**τα πάτρια εδάφη** father lands
▷**κατεχόμενα εδάφη** occupied territories
▷**νέα εδάφη** new territories
▷**ομαλό/ανώμαλο έδαφος** flat/uneven ground
▷**(βρίσκω) γόνιμο/πρόσφορο έδαφος** (to find) fertile/suitable land
▷**αμμώδες έδαφος** sandy soil
▷**πετρώδες έδαφος** stony land

έδεσμα ΟΥΣ ΟΥΔ (*επίσ.*: = *φαγητό, τροφή*) food
▷**πλούσιο έδεσμα** rich food

εδεσματολόγιο ΟΥΣ ΟΥΔ (*επίσ.*) menu, bill of fare

Εδιμβούργο ΟΥΣ ΟΥΔ Edinburgh

έδρα ΟΥΣ ΘΗΛ (α) (= *βήμα: αίθουσας*) desk · (*δικαστηρίου*) bench (β) (*για πανεπιστήμιο: φιλολογίας, φυσικής*) chair (γ) (= *βάση: επιχείρησης, εταιρείας, εργαζομένου*) head office (δ) (*επισκοπής, αρχιεπισκόπου*) see · (*δήμου*) central office (ε) (= *κέντρο*) centre (*Βρετ.*), center (*Αμερ.*) (στ) (ΠΟΛΙΤ: *κοινοβουλίου, βουλής*) seat (ζ) (= *κάθισμα*)

seat (η) (ΑΝΑΤ) anus (ϑ) (ΜΑΘ: *κύβου*, *πρίσματος*) side
▷**βουλευτική έδρα** parliamentary seat
▷**(αρχι)επισκοπική έδρα** (arc)bishopric see
▷**Αγία Έδρα** Holy See

εδράζω ① Ρ Μ to base
② ΜΕΣΟΠΑΘ (*ϑεωρία*) to be based · (*πολιτισμός*) to be found

εδραίος, -α, -ο ΕΠΙΘ (*πεποίθηση*, *αντίληψη*) firm

εδραιώνω ① Ρ Μ (*κυριαρχία*, *κύρος*, *επιτεύγματα*, *θέση*) to consolidate
② ΜΕΣΟΠΑΘ (*αξίες*, *αντιλήψεις*) to be strengthened

εδραίωση ΟΥΣ ΘΗΛ (α) (*δημοκρατίας*, *ελευθερίας*, *αξιών*) securing (β) (*κυβέρνησης*, *κινήματος*, *κόμματος*) consolidation (γ) (*ιδρύματος*, *πανεπιστημίου*) strengthening

έδρανο ΟΥΣ ΟΥΔ (α) (= *κάθισμα*, *πάγκος*) bench (β) (ΜΗΧ: = *έρεισμα*) bearing
▸**έδρανα** ΠΛΗΘ (= *θέσεις*: *κοινοβουλίου*, *αμφιθεάτρου*, *δικαστηρίου*, *ενόρκων*) benches

εδρεύω Ρ ΑΜ: **εδρεύω σε**+ *τόπος εταιρεία*, *κυβέρνηση*, *οργανισμός*) to reside · (*αίσθηση*, *όραση*, *πόνος*) to be based

εδώ ΕΠΙΡΡ (α) (= *σ' αυτόν τον τόπο*) here (β) (*μτφ.*) here (γ) (= *σ' αυτό το σημείο*) at this point
▷**εδώ γύρω** around here, hereabouts
▷**εδώ πέρα** right here
▷**εδώ κάτω** down here
▷**από δω κι μπρος** from now on
▷**από εδώ** (*για πρόσ.*) here
▷**από εδώ** (*τόπος*) this way
▷**εδώ και** ago
▷**από 'δω (κι) από 'κει** from here (and) from there
▷**εδώ κι εκεί** (= *κατά τόπους*) here and there
▷**ως εδώ** (*για τόπο*) up to here
▷**ως εδώ** (*για χρόνο*) so far
▷**ως εδώ** (*εμφατικά*) enough
▷**ως εδώ και μη παρέκει** that's the limit!

εδωδά ΕΠΙΡΡ (*προφορ.*) here

εδώδιμα ΟΥΣ ΟΥΔ ΠΛΗΘ groceries · (*επίσης* **εδώδιμα είδη**) victuals
▷**εδώδιμα αποικιακά** colonies' victuals

εδώδιμος, -ος, -ο ΕΠΙΘ (= *βρώσιμος*) edible

εδώθε ΕΠΙΡΡ (*προφορ.*) here

εδώλιο ΟΥΣ ΟΥΔ (α) (*του δικαστηρίου*, *του εφετείου*, *των μαρτύρων*) dock (β) (= *κάθισμα*) bench
▷**το εδώλιο του κατηγορουμένου** the dock for the accused
▸**κάθομαι στο εδώλιο** I am sitting in the dock
▷**καθίζω στο εδώλιο** to put sb in the dock

εθελοδουλία ΟΥΣ ΘΗΛ (= *εθελοντική υποδούλωση*) servility

εθελοντής ΟΥΣ ΑΡΣ volunteer

εθελοντικός, -ή, -ό ΕΠΙΘ voluntary

εθελόντρια ΟΥΣ ΘΗΛ *βλ.* **εθελοντής**

εθελοτυφλώ Ρ ΑΜ (*επίσ.*: *κυβέρνηση*, *εκκλησία*, *βουλευτής*) to wink at

εθελούσιος, -α, -ο ΕΠΙΘ (*επίσ.*: *έξοδος*, *υποχρέωση*, *κατάταξη*) voluntary

εθίζω Ρ Μ
▸**εθίζω κπν σε κτ** to get sb used to sth
▷**εθίζομαι σε κτ** to become addicted to sth

εθιμικός, -ή, -ό ΕΠΙΘ (*πρακτική*, *κανόνας*) customary
▸**εθιμικό δίκαιο** common law
▸**εθιμικός αρχηγός** customary leader

έθιμο ΟΥΣ ΟΥΔ custom
▷**ήθη κι έθιμα** manners and customs

εθιμοτυπία ΟΥΣ ΘΗΛ (α) (*αυλής*, *ευγενών*) punctilio (β) (*τελετής*, *επίσκεψης*) ceremony
▷**αυστηρή εθιμοτυπία** strict formality

εθιμοτυπικός, -ή, -ό ΕΠΙΘ (*επίσκεψη*, *τελετή*) formal

εθισμός ΟΥΣ ΑΡΣ: **εθισμός σε κτ** addiction to sth

εθναπόστολος ΟΥΣ ΑΡΣ (*λαού*) national apostle

εθνάρχης ΟΥΣ ΑΡΣ (*λαού*, *Ελλήνων*) national leader

εθνεγερσία ΟΥΣ ΘΗΛ war of independence

εθνεγέρτης ΟΥΣ ΑΡΣ freedom fighter

εθνικά ΟΥΣ ΟΥΔ ΠΛΗΘ (ΓΛΩΣΣ) nationalities

Εθνική ΟΥΣ ΘΗΛ (*επίσης* **Εθνική Ελλάδος**) national team of Greece, national
▷**α'/β'/γ' εθνική** first/second/third division
▷**εθνική νέων/ανδρών/γυναικών** youth/men's/women's team

εθνικισμός ΟΥΣ ΑΡΣ (ΠΟΛΙΤ: *λαού*) nationalism
▷**δημοκρατικός εθνικισμός** democratic nationalism

εθνικιστής ΟΥΣ ΑΡΣ (α) (*αποικιών*, *Ευρώπης*) chauvinist (β) (*για αγωνιστή*, *ηγέτη*, *φοιτητή*) nationalist

εθνικιστικός, -ή, -ό ΕΠΙΘ chauvinistic
▷**εθνικιστικός υπαρξισμός** chauvinistic existentialism

εθνικίστρια ΟΥΣ ΘΗΛ *βλ.* **εθνικιστής**

εθνικοποίηση ΟΥΣ ΘΗΛ nationalization

εθνικοποιώ Ρ Μ (*εταιρεία*, *οργανισμό*, *επιχείρηση*) to nationalize

εθνικός, -ή, -ό ΕΠΙΘ national
▷**κατηγορία** (ΑΘΛ) national
▷**εθνικά σύνορα** national borders
▷**εθνική γη** national land
▷**Εθνική Πινακοθήκη** National Gallery
▷**Εθνικό Θέατρο** National Theatre (*Βρετ.*) ή Theater (*Αμερ.*)
▷**Εθνικό Στάδιο** National Stadium
▷**Εθνική Λυρική Σκηνή** National Opera House
▷**Εθνικός Κήπος** National Garden
▷**Υπουργείο Εθνικής 'μυνας** ≈ Ministry of Defence (*Βρετ.*), ≈ Department of Defense (*Αμερ.*)
▷**εθνικός ύμνος** national anthem
▷**εθνικό λαχείο** national lottery

▷**εθνικό νόμισμα** national coin
▷**εθνικός δρυμός** national park, nature reserve
▷**εθνικός ποιητής** national poet
▷**εθνικός ευεργέτης** national benefactor
▷**εθνική εορτή** national holiday
▷**Εθνική Αντίσταση** National Resistance
▷**εθνική οδός** motorway (*Βρετ.*), interstate (highway *ή* freeway) (*Αμερ.*)
▷**εθνική συνέλευση** national assembly
▷**εθνική ασφάλεια** national security
εθνικοσοσιαλισμός ΟΥΣ ΑΡΣ Nazism
εθνικότητα ΟΥΣ ΘΗΛ nationality
▸**εθνικότητες** ΠΛΗΘ nationalities
εθνικοφροσύνη ΟΥΣ ΘΗΛ (*κατοίκων, λαού*) national spirit
εθνικόφρων, -ων, -ον ΕΠΙΘ nationalist
εθνισμός ΟΥΣ ΑΡΣ (α) (= *εθνική καταγωγή*) nationality (β) (= *εθνική συνείδηση*) national spirit
εθνογραφία ΟΥΣ ΘΗΛ (*λαού*) ethnography
εθνογράφος ΟΥΣ ΑΡΣ/ΘΗΛ ethnographer
εθνολογία ΟΥΣ ΘΗΛ ethnology
εθνολογικός, -ή, -ό ΕΠΙΘ (α) (*μελέτη, παράγοντας*) ethnologic (β) (*μουσείο*) ethnological
εθνολόγος ΟΥΣ ΑΡΣ/ΘΗΛ ethnologist
εθνομάρτυρας ΟΥΣ ΑΡΣ national martyr
Εθνομουσικολογία ΟΥΣ ΘΗΛ (ΜΟΥΣ) folk musicology
έθνος ΟΥΣ ΟΥΔ nation
▷**Ηνωμένα Εθνη/Οργανισμός Ηνωμένων Εθνών (Ο.Η.Ε.)** United Nations/ United Nations Organization (U.N.O.)
▷**Κοινωνία των Εθνών** League of Nations
εθνόσημο ΟΥΣ ΟΥΔ (*χώρας, στρατού*) national emblem
εθνοσυνέλευση ΟΥΣ ΘΗΛ (*κυβέρνησης, λαού*) national assembly
εθνοσωτήρας ΟΥΣ ΑΡΣ (= *σωτήρας του έθνους*) saviour (*Βρετ.*) *ή* savior (*Αμερ.*) of the nation
εθνοσωτήριος, -α *ή* **-ος, -ο** ΕΠΙΘ (*πολιτική, τακτική*) saving a nation
εθνότητα ΟΥΣ ΘΗΛ (*Ελλήνων, Μακεδόνων*) nationality
▷**ελληνική εθνότητα** Greek nation
εθνοφθόρος ΟΥΣ ΑΡΣ *βλ.* **εθνοκτόνος**
εθνοφρουρά ΟΥΣ ΘΗΛ (ΣΤΡΑΤ: = *ένοπλη δύναμη*) National Guard
εθνοφρουρός ΟΥΣ ΑΡΣ (ΣΤΡΑΤ) territorial (*Βρετ.*), guardsman (*Αμερ.*)

Προσοχή!: Ο πληθυντικός του **guardsman** *είναι* **guardsmen**.

εθνοφύλακας ΟΥΣ ΑΡΣ (ΣΤΡΑΤ) militiaman

Προσοχή!: Ο πληθυντικός του **militiaman** *είναι* **militiamen**.

εθνοφυλακή ΟΥΣ ΘΗΛ (ΣΤΡΑΤ) militia

εθυλένιο ΟΥΣ ΟΥΔ *βλ.* **αιθυλένιο**
είδα ΑΟΡ *βλ. κ. ρ.* **βλέπω**
ειδάλλως ΕΠΙΡΡ (*ανεπ/πρφ*) otherwise
ειδεμή ΣΥΝΔ else, otherwise
ειδεχθής, -ής, -ές ΕΠΙΘ (= *αποκρουστικός: άνθρωπος, έγκλημα*) heinous
ειδήμονας ΟΥΣ ΑΡΣ/ΘΗΛ expert
ειδήμων ΟΥΣ ΑΡΣ (*επία.: προγράμματος, θέματος*) expert
ειδησεογραφία ΟΥΣ ΘΗΛ (*τύπου, εφημερίδας*) news reports *πληθ.*
▷**δημοσιογραφική ειδησεογραφία** journalistic news report
▷**τοπική ειδησεογραφία** local news reports
▷**διεθνής ειδησεογραφία** international news reports
▷**πολιτική ειδησεογραφία** political news reports
ειδησεογραφικός, -ή, -ό ΕΠΙΘ (*κάλυψη*) news
▸**ειδησιογραφικό πρακτορείο** news agency
είδηση ΟΥΣ ΘΗΛ a piece of news
▷**παίρνω είδηση** κπν *ή* κτ to notice sb or sth
▷**οικονομική είδηση** financial news
▷**ειδήσεις επί του πιεστηρίου** stop–press news
▷**πρακτορείο ειδήσεων** news agency
▷**δελτίο ειδήσεων** news programme (*Βρετ.*) *ή* program (*Αμερ.*)
▷**αστυνομική είδηση** police news
▷**πολιτική είδηση** political news
▷**πρωτοσέλιδη είδηση** cover news
▷**βγάζω είδηση** to extract information
▷**εξωτερικές/εσωτερικές ειδήσεις** foreign/ domestic news
▸**ειδήσεις** ΠΛΗΘ (ΤΗΛΕΡ) news *εν.*

Προσοχή!: Αν και το **news** *φαίνεται ως τύπος πληθυντικού, είναι ουσιαστικό μόνο στον ενικό και συντάσσεται με ρήμα στον ενικό.*

ειδικευμένος, -η, -ο ΕΠΙΘ
▷**ειδικευμένος σε** (*συνεργείο, προσωπικό*) skilled · (*επιστήμονας*) specialized
ειδίκευση ΟΥΣ ΘΗΛ specialization
▷**ειδίκευση σε** κτ specialization in sth
ειδικεύω Ρ Μ (α) (*συζήτηση, θέμα, ερώτηση*) to specify (β) (*περιοχή, βιομηχανία*) to specialize in (γ) (*κείμενο, απόφαση, πρόβλημα*) to specify
▷**ειδικεύομαι σε** κτ (*φοιτητής, υπάλληλος, επιστήμονας*) to specialize in sth
ειδικός, -ή, -ό ΕΠΙΘ (α) (*σχεδιασμός, άδεια, προνόμιο*) special (β) (*σύμβουλος, επιστήμονας, προσωπικό*) specialist (γ) (*θήκη, θυρίδα, επίχρισμα*) particular (δ) (ΨΥΧΟΛ: *παιδί, αγωγή*) special
▸**ειδικός** ΟΥΣ ΑΡΣ/ΘΗΛ specialist
▸**ειδικές δυνάμεις** (ΣΤΡΑΤ) special forces
▸**Ειδικό Δικαστήριο** (ΝΟΜ) Special Court
▸**ειδικός φόρος εισοδήματος** (ΟΙΚΟΝ) special income tax

E

▶ **ειδικό βάρος** (ΦΥΣ) specific gravity
▶ **ειδική αγωγιμότητα** (ΦΥΣ) specific conductivity
▶ **ειδική πυκνότητα** (ΦΥΣ) specific density
▶ **ειδική τάξη** (ΕΚΠ) special class
▶ **ειδικό σχολείο** (ΕΚΠ) special school
ειδικότητα ΟΥΣ ΘΗΛ speciality (*Βρετ.*), specialty (*Αμερ.*)
ειδοποίηση ΟΥΣ ΘΗΛ (α) (= ενημέρωση: *εκμισθωτή, υπηρεσίας, ενάγοντα*) notice (β) (= *έγγραφο που ειδοποιεί κπν για κτ*) notification
▷ **έγγραφη ειδοποίηση** written notice
▷ **ατομική ειδοποίηση** personal notice
▷ **μου έρχεται ειδοποίηση** I receive notification
ειδοποιητήριο ΟΥΣ ΟΥΔ (*απόφασης, επιταγής*) advice note
ειδοποιητήριος, -ος, -ο ΕΠΙΘ (*επιστολή*) advisory
ειδοποιός, -ός, -ό ΕΠΙΘ specific
▷ **ειδοποιός διαφορά** specific distinction
ειδοποιώ Ρ Μ (α) (= ενημερώνω: *ενδιαφερόμενο, θεατή*) to inform · (αρχές) to notify (β) (= στέλνω ειδοποίηση) to notify
είδος ΟΥΣ ΟΥΔ (α) (*φυτού, ζώου*) kind (β) (*δρόμου*) type · (*ρουχισμού*) wear · (*σπιτιού*) utensil (γ) (*ανθρώπου, οικογένειας*) kind (δ) (*θεάτρου, λόγου, γραφής*) type (ε) (*διακυβέρνησης*) form · (*προϊόντος, αποδοχών*) kind (στ) (*για περιεχόμενο: βιβλίου, χρώματος, μηχανήματος*) kind (ζ) (*αγάπης, αλήθειας, αδιαθεσίας*) kind (η) (ΦΙΛΟΣ) kind
▷ **καθαρό είδος** (*για ζώα*) clean kind
▷ **παιδικά/αθλητικά είδη** children's/sports wear
▷ **είδη υγιεινής** sanitary fixtures
▷ **είδος πολυτελείας** luxury goods
▷ **είδος πρώτης ανάγκης** primary necessity
▷ **είδη ταξιδίου** travel requisites
▷ **όλων των ειδών** of all types
▷ **σε είδος** in kind
▷ **κατά είδος** into groups
▷ **κάθε είδους/κανενός είδους** all kinds of/ none of
▷ **διαιωνίζω το είδος** to perpetuate the species
ειδυλλιακός, -ή, -ό ΕΠΙΘ idyllic
ειδύλλιο ΟΥΣ ΟΥΔ (α) (*νέων, ζευγαριού*) romance (β) (ΛΟΓ) idyll
▷ **πλέκω ειδύλλιο** to start a romance
▷ **ερωτικό ειδύλλιο** romance
ειδώλιο ΟΥΣ ΟΥΔ (ΑΡΧΑΙΟΛ) statuette
είδωλο ΟΥΣ ΟΥΔ (α) (*θεότητας, Δία*) idol (β) (μτφ.: = *ίνδαλμα: νεολαίας, παρέας, παιδιού*) idol (γ) (μτφ.: *τηλεόρασης, σινεμά*) image (δ) (ΦΥΣ: = *αντανάκλαση: εικόνας, αντικειμένου*) reflection
ειδωλολάτρης ΟΥΣ ΑΡΣ (ΘΡΗΣΚ) pagan
ειδωλολατρία ΟΥΣ ΘΗΛ (ΘΡΗΣΚ) paganism
ειδωλολατρικός, -ή, -ό ΕΠΙΘ pagan
ειδωλοποιώ Ρ Μ (*ηθοποιό, τραγουδιστή,*

ποδοσφαιριστή) to idolize
είθισται Ρ ΑΠΡΟΣ: **είθισται να** it is used to
▷ **ως είθισται** as it is used
εικάζω Ρ ΑΜ: **εικάζω πως/ότι** (= συμπεραίνω) to conclude · (= υποθέτω) to suppose
εικασία ΟΥΣ ΘΗΛ (= *συμπέρασμα μέσω μιας υπόθεσης: ομιλητή, ιστορικού, θεωρητικού*) conjecture
▷ **κάνω εικασία** to take a guess
εικαστικός, -ή, -ό ΕΠΙΘ plastic
▷ **εικαστικές τέχνες** plastic arts
εικόνα ΟΥΣ ΘΗΛ (α) (*βιβλίου, τοίχου, περιοδικού*) illustration (β) (*προσώπου*) portrait · (*αντικειμένου*) picture (γ) (ΚΙΝΗΜ: *τηλεόρασης, σινεμά*) picture (δ) (= *η γενική εντύπωση: επιχείρησης, πολιτικού*) image (ε) (*κατάστασης, κρίσης*) image (στ) (*οργάνωσης, απάντησης, τέχνης*) view (ζ) (= *σκηνή: αποχωρισμού, συνάντησης*) scene (η) (*καθρέφτη*) image (θ) (ΛΟΓ: *λόγου*) imagery (ι) (ΤΕΧΝ) imagery (ια) (ΑΡΧΑΙΟΛ: *ναού, τάφου, αγγείου, τέμπλου*) pictorial decoration (ιβ) (*Χριστού, Παναγίας*) icon
▷ **κλινική εικόνα** clinical picture
▷ **εργαστηριακή εικόνα** laboratory picture
▷ **δισδιάστατη/τρισδιάστατη εικόνα** two–dimensional/ three–dimensional picture
▷ **βυζαντινή εικόνα** (ΑΡΧΑΙΟΛ) Byzantine icon
▷ **ψηφιδωτή εικόνα** (ΑΡΧΑΙΟΛ) mosaic
▷ **φορητή εικόνα** (ΑΡΧΑΙΟΛ) portable icon
▷ **τελετουργική εικόνα** ceremonial icon
▷ **σχηματίζω εικόνα** to draw a picture
▷ **κατ' εικόνα και (καθ') ομοίωση** in his own image
▷ **βραβείο εικόνας** picture prize
▷ **ρύθμιση εικόνας** image control
▷ **σχηματίζω μια εικόνα για κπν/κτ** to draw a conclusion about sb/sth
▷ **καθαρή εικόνα** (*για τηλεόραση*) clear image
▷ **τρέμει η εικόνα** (*για τηλεόραση*) the picture is flickering
▷ **θαυματουργική εικόνα** miraculous icon
εικονίδιο ΟΥΣ ΟΥΔ (ΠΛΗΡΟΦ, ΘΡΗΣΚ) icon
εικονίζω Ρ Μ to portray
εικονικός, -ή, -ό ΕΠΙΘ (α) (*δικαιούχος, αγοραστής*) bogus (β) (*διαγωνισμού, γάμος, πώληση*) mock (γ) (= *ψεύτικος: τιμολόγιο, βιβλίο*) bogus (δ) (*αναπαράσταση*) virtual
▷ **εικονική πραγματικότητα** (ΠΛΗΡΟΦ) virtual reality
εικονικότητα ΟΥΣ ΘΗΛ (*πώλησης, εταιριών, συμβολαίου*) fictitiousness
εικόνισμα ΟΥΣ ΟΥΔ (ΘΡΗΣΚ: *Χριστού, Παναγίας, Αγίου*) icon
εικονογραφημένος, -η, -ο ΜΤΧ (*περιοδικό, βιβλίο, χειρόγραφο*) illustrated
▷ **κλασσικά εικονογραφημένα** classic comics
εικονογράφηση ΟΥΣ ΘΗΛ (α) (*βιβλίου, περιοδικού*) illustration (β) (*θέματος, στοιχείου*) illustration (γ) (ΠΡΟΣ) iconography

εικονογράφος ΟΥΣ ΑΡΣΘΗΛ **(α)** (*περιοδικού, βιβλίου*) illustrator **(β)** (ΠΡΟΣ) iconographer

εικονογραφώ Ρ Μ **(α)** (*βιβλίο, περιοδικό*) to illustrate **(β)** (ΑΡΧΑΙΟΛ: *ναό, τάφο*) to decorate · (*χειρόγραφο*) to illustrate

εικονοκλάστης ΟΥΣ ΑΡΣ (ΙΣΤ) iconoclast

εικονοκλαστικός, -ή, -ό ΕΠΙΘ (ΙΣΤ) iconoclastic

εικονολάτρης ΟΥΣ ΑΡΣ (ΙΣΤ) iconolater

εικονολατρία ΟΥΣ ΘΗΛ (ΙΣΤ) iconolatry

εικονομαχία ΟΥΣ ΘΗΛ (ΙΣΤ) iconoclasm

εικονομάχος ΟΥΣ ΑΡΣΘΗΛ (ΙΣΤ) iconoclast

εικονοστάσι ΟΥΣ ΟΥΔ **(α)** (*δρόμου*) shrine **(β)** (*σπιτιού, εκκλησίας*) family altar, icon stand

εικός ΟΥΣ ΟΥΔ
▷**ως εικός** of course
▷**κατά το εικός** naturally
▷**κατά τα εικότα** naturally

εικοσαετία ΟΥΣ ΘΗΛ twenty–year period

εικοσαήμερο ΟΥΣ ΟΥΔ twenty–day period

εικοσάλεπτο ΟΥΣ ΟΥΔ (*παιχνιδιού*) twenty–minute period

εικοσαμελής, -ής, -ές ΕΠΙΘ (*επιτροπή, αντιπροσωπεία*) with twenty members · (*τμήμα*) of twenty people

εικοσάμηνο ΟΥΣ ΟΥΔ twenty–month period

εικοσάρα ΟΥΣ ΘΗΛ (προφορ.: = *γυναίκα 20 ετών*) twenty–year–old woman

εικοσάρης ΟΥΣ ΑΡΣ twenty–year–old man

είκοσι ΑΡΙΘ ΑΠΟΛ ΑΚΛ twenty
▷**μπαίνω στα είκοσι** to be in one's twenties

εικοσιπεντάρα ΟΥΣ ΘΗΛ twenty–five–year–old woman

εικοσιπεντάρης ΟΥΣ ΑΡΣ twenty–five–year–old man

εικοσιτετράωρο ΟΥΣ ΟΥΔ twenty–four hours, day and night

εικοσιτετράωρος, -η, -ο ΕΠΙΘ (*απεργία, άδεια*) twenty–four–hour
▷**σε εικοσιτετράωρη βάση** twenty–four hours a day

εικοστός, -ή, -ό ΑΡΙΘ ΤΑΚΤ twentieth

ειλεός ΟΥΣ ΑΡΣ **(α)** (ΑΝΑΤ: = *τμήμα του εντέρου*) ileum **(β)** (ΙΑΤΡ: = *νόσος*) ileus

ειλημμένος, -η, -ο ΜΤΧ (*επίσ.: απόφαση*) taken

ειλικρίνεια ΟΥΣ ΘΗΛ sincerity · (*φοιτητή, φίλου*) honesty · (*κυβέρνησης*) candour (Βρετ.), candor (Αμερ.) · (*προθέσεων, κινήτρων, λόγου*) candour (Βρετ.), candor (Αμερ.)
▷**μιλώ με ειλικρίνεια** frankly speaking
▷**μεταξύ κατεργαρέων, ειλικρίνεια** honour (Βρετ.) ή honor (Αμερ.) among thieves
▷**απόλυτη ειλικρίνεια** absolute sincerity
▷**με κάθε ειλικρίνεια** in all sincerity

ειλικρινής, -ής, -ές ΕΠΙΘ (*τρόπος, ύφος, ενδιαφέρον*) sincere · (*φίλος, συνεργάτης*) honest · (*αίσθημα, αφοσίωση*) sincere · (*τέχνη, κίνημα*) candid

▷**για να είμαι (απόλυτα/απόλυτως) ειλικρινής** to be quite frank with you
▷**ειλικρινείς ευχές** sincere wishes

ειλικρινώς ΕΠΙΡΡ, **ειλικρινά** (*χαίρομαι, ντρέπομαι*) sincerely

είλωτας ΟΥΣ ΑΡΣ **(α)** (ΙΣΤ) Helot **(β)** (*μτφ.*) drudge, slave

╔══════════════╗
║ *ΛΕΞΗ-ΚΛΕΙΔΙ* ║
╚══════════════╝

είμαι Ρ ΣΥΝΔΕΤ **(α)** (= *υπάρχω*) to be ▫ **είναι κανείς εδώ;** is there anybody here? · **ήταν κάποιος εκεί κοντά** there was someone near · **είμαι με τα παιδιά στο μπαρ** I'm with the guys at the bar
▷**ποιος είναι; - εγώ (είμαι)!** who is it? – it's me!
(β) (= *έχω ιδιότητα*) to be ▫ **είναι πολύ τσιγγούνης** he's very stingy · **είναι γιατρός/μαθητής** he's a doctor/a student
(γ) (*βρίσκομαι σε κατάσταση*) to be, to feel ▫ **είμαι στις καλές μου** I'm in a good mood · **ήταν σε απελπισία** she was desperate · **είμαι άρρωστος** I'm ill · **ήταν νηστική όλη μέρα** she hadn't eaten anything all day · **αφότου χώρισαν είναι πολύ δυστυχισμένη** since they broke up she feels very unhappy · **μην ανησυχείς για μένα, είμαι εντάξει** don't worry about me, I'm ok
▷**είμαι μια χαρά!** I feel fine!
▷**πώς είσαι; - καλά!** how are you? – fine!
(δ) (= *βρίσκομαι*) to be ▫ **πού είναι η Πάρος;** where is Paros? · **θα είμαι σπίτι** I'll be (at) home · **εδώ είναι το πρόβλημα!** that's where the problem is!
▷**ποιος ήταν στο τηλέφωνο;** who was on the phone?
(ε) +γεν. (= *σχετίζομαι*) to be · (= *ανήκω*) to belong to ▫ **είναι η κόρη της Μαρίας** it's Maria's daughter · **είμαι θείος του** I'm his uncle **το βιβλίο είναι του αδελφού μου** the book belongs to my brother · **το μολύβι είναι δικό μου** the pencil is mine · **αυτό το στυλ δεν είναι πια της μόδας** this style isn't in fashion anymore · **αυτή η μουσική δεν είναι του γούστου της** this music is not to her taste
▷**είμαι από** to be ή come from ▫ **είμαι από την Πάτρα** I'm from Patras · **τα έπιπλα είναι από την Ιταλία** the furniture is from Italy
▷**είμαι 25 χρονών** I'm 25 years old
▷**τίνος είσαι;** who is your father?
(στ) +για (= *προορίζομαι*) to be for ▫ **η εργασία είναι για αύριο** the essay is for tomorrow · **το δώρο είναι για μια φίλη μου** the present is for a friend of mine · **ποιος είναι για συνέντευξη;** whose turn is it to be interviewed?
▷**είσαι για** (*οικ.*) do you (want) ▫ **είσαι για (ένα) ποτό;** do you want a drink?
(ζ) (= *υποστηρίζω*) to be ▫ **είμαι Ολυμπιακός** I'm an Olympiakos fan · **τι κόμμα είσαι;** what party do you vote for?
(η) (= *αξίζω*): **δεν είναι να κάνω κτ** it's not worth doing sth

▷**δεν είμαι για κτ** not to be up to sth ▫ *δεν είναι αυτή για τέτοια* she's not up to such things
▷**είμαι για να 'μαι!** (*ειρων.*) look at the state I'm in!
▷**είσαι (μέσα);** (*οικ.*) are you in?
▷**τι είναι;** (*οικ.*) what is it?, what's up? (*ανεπ.*)
▷**τι είναι (πάλι);** (*οικ.*) what (now)?

ειμαρμένη ΟΥΣ ΘΗΛ (= *τύχη, μοίρα*) fate

ειμή ΕΠΙΡΡ: **ειμή μόνον** (= *παρά μόνο*) unless

έι-μπι-ες ΟΥΣ ΟΥΔ (ΑΥΤΟΚΙΝ) ABS

είναι ΟΥΣ ΟΥΔ ΑΚΛ *βλ. κ. ρ.* **είμαι** (= *εσωτερικός κόσμος*) being
▷**ήταν όλο μου το είναι** it/he was everything to me
▷**με όλο μου το είναι** with my whole being

είπα Ρ ΑΟΡ *βλ. κ. ρ.* **λέγω**

ειπωμένος, -η, -ο ΜΤΧ (*ιστορία*) told

ειρήνευση ΟΥΣ ΘΗΛ (*χώρας, όχλου*) pacification
▷**ειρήνευση σε** (*για τόπο*) restoring peace in

ειρηνευτικός, -ή, -ό ΕΠΙΘ (*δύναμη, ρόλος*) peace–keeping · (*διαπραγμάτευση*) peace

ειρηνεύω ① Ρ Μ (= *συμφιλιώνω: περιοχή, χώρα*) to pacify, to bring peace to ② Ρ ΑΜ (α) (*οικογένεια*) to make peace · (*κατάσταση*) to calm down · (*πόλεμος*) to end (β) (= *γαληνεύω: παιδί, μωρό*) to calm down

ειρήνη ΟΥΣ ΘΗΛ peace
▷**διεθνής ή παγκόσμιος ειρήνη** world peace
▷**συνθήκη ειρήνης** peace treaty
▷**ειρήνη υμίν** peace be with you
▷**εν ειρήνη** in peace
▷**αποκαθιστώ την ειρήνη** to restore the peace
▷**πορεία ειρήνης** peace march
▷**υπογράφω ειρήνη** to sign a peace agreement

Ειρηνικός ΟΥΣ ΑΡΣ (*επίσης* **ο Ειρηνικός Ωκεανός**) the Pacific Ocean

ειρηνικός, -ή, -ό ΕΠΙΘ (α) (*πόλη, χώρα, κράτος*) peaceful (β) (*άνθρωπος, πολίτης*) peaceable (γ) (*επέμβαση, διευθέτηση*) peaceful (δ) (*διαδήλωση*) peaceful (ε) (*περίοδος*) peaceful (στ) (*αποκλεισμός, απόβαση, κατοχή*) peaceful

ειρηνισμός ΟΥΣ ΑΡΣ pacifism

ειρηνιστής ΟΥΣ ΑΡΣ pacifist

ειρηνοδικείο ΟΥΣ ΟΥΔ (*πόλης*) county court

ειρηνοδίκης ΟΥΣ ΑΡΣ magistrate

ειρηνοποιός, -ός, -ό(ν) ΕΠΙΘ (α) (*ρόλο, μεσολάβηση*) peacemaking (β) (*οργανισμός, μεσολαβητής*) conciliatory

ειρηνόφιλος, -η, -ο ΕΠΙΘ pacifist

ειρκτή ΟΥΣ ΘΗΛ (α) (ΝΟΜ: = *ποινή φυλάκισης*) imprisonment (β) (= *φυλακή*) jail

ειρμός ΟΥΣ ΑΡΣ (*λόγου, σκέψεων*) coherence
▷**χάνω τον ειρμό μου** to lose one's train of thought

ειρωνεία ΟΥΣ ΘΗΛ irony
▷**τραγική ειρωνεία** dramatic irony

▷**ειρωνεία της τύχης** quirk of fate

ειρωνεύομαι Ρ Μ ΑΠΟΘ (α) (*γνωστό, παρέα*) to be sarcastic about (β) (*τρόπο, θεωρία*) to mock

ειρωνικός, -ή, -ό ΕΠΙΘ (α) (*τόνος, ματιά, φωνή, γέλιο*) ironic (β) (*σχόλιο, διάθεση*) sarcastic (γ) (*άνθρωπος, πρόσωπο*) sarcastic

εις ΠΡΟΘ: **εις**+*αιτ.* to · *βλ. κ. σε*

εισαγγελέας ΟΥΣ ΑΡΣ/ΘΗΛ public prosecutor (*Βρετ.*), district attorney (*Αμερ.*)
▸**εισαγγελέας εφετών** public prosecutor in a court of appeal
▸**εισαγγελέας Αρείου Πάγου** public prosecutor of the Supreme Court of Appeal

εισαγγελία ΟΥΣ ΘΗΛ public prosecutor's office

εισαγγελικός, -ή, -ό ΕΠΙΘ of the public prosecutor

εισάγω Ρ Μ (α) (*ζώο, προϊόν*) to import (β) (*μέτρο, αρχή, θέμα*) to introduce (γ) (*βιβλίο, ποίημα, εκπομπή*) to introduce
▸**εισάγομαι** ΜΕΣΟΠΑΘ (*υποψήφιος, μαθητής*) to be admitted

εισαγωγέας ΟΥΣ ΑΡΣ (*τροφίμων, αυτοκινήτων*) importer

εισαγωγικά ΟΥΣ ΟΥΔ ΠΛΗΘ (ΓΛΩΣΣ) quotation marks, inverted commas
▷**βάζω σε εισαγωγικά** to put in quotes
▷**εντός εισαγωγικών** (*προφορ.*) quote, unquote

εισαγωγικός ΕΠΙΘ (α) (*σημείωμα, μέρος*) introductory (β) (*εταιρεία, επιχείρηση*) import (γ) (ΕΜΠ: *εμπόριο, δασμοί*) import (δ) (ΔΙΟΙΚ: *νόμος, βαθμός*) import (ε) (ΣΧΟΛ: *βαθμός*) induction
▸**εισαγωγικές εξετάσεις** (ΣΧΟΛ) entrance examinations

εισακούω Ρ Μ (*έκκληση, αίτημα*) to hear
▸**εισακούομαι** ΜΕΣΟΠΑΘ to be listened to

εισβάλλω Ρ ΑΜ (α) (= *μπαίνω μ' εχθρικό σκοπό*) to invade (β) (= *μπαίνω ορμητικά*) to burst in (γ) (*ποτάμι, πουλιά, ακτίνα*) to flow into

εισβολέας ΟΥΣ ΑΡΣ (*χώρας, περιοχής*) invader

εισβολή ΟΥΣ ΘΗΛ (α) (*εχθρών, βαρβάρων, στρατού*) invasion (β) (= *ξαφνική εμφάνιση*) incursion (γ) (*τουριστών, προσφύγων*) inrush (δ) (*μικροβίων*) invasion (ε) (*νερού, υγρασίας, ποταμού*) irruption
▷**δωρική εισβολή** Doric invasion

εισδοχή ΟΥΣ ΘΗΛ (α) (*επία.: Ελλάδας, χώρας*) admission (β) (= *αποδοχή: μελών, εταίρων*) admission, entrance

εισδύω Ρ ΑΜ (α) (= *μπαίνω κρυφά, τρυπώνω: κλέφτης, υπηρεσία, πράκτορας*) to slip into, to steal into (β) (= *μπαίνω μέσα*) to enter, to penetrate (γ) (*μτφ.: ποίηση, κίνημα*) to enter

εισέρχομαι Ρ ΑΜ (α) (*επία.: = μπαίνω μέσα: επισκέπτης, δημοσιογράφος*) to enter, to come in (β) (= *μεταβαίνω σε μια νέα κατάσταση*) to go into (γ) (= *γίνομαι δεκτός: μαθητής, υποψήφιος*) to get in

εισήγηση ΟΥΣ ΘΗΛ **(α)** (= *εισαγωγή υπόθεσης: υπουργού, δημάρχου*) proposal **(β)** (= *συμβουλή, παρακίνηση: επιτροπής, συνεργάτη, προέδρου*) suggestion, recommendation
▷**κατόπιν εισηγήσεως** (*επίσ.*) after a preamble
▷**μετά από εισήγηση** after a recommendation

εισηγητής ΟΥΣ ΑΡΣ **(α)** (*δικαστηρίου, στρατοδικείου, ολομέλειας*) court reporter **(β)** (*νομοσχεδίου, πτώχευσης*) sponsor · (*θεωρίας*) introducer, sponsor

εισηγητικός ΕΠΙΘ (*πρόταση*) introductory
▷**εισηγητική έκθεση** preamble

εισηγούμαι 1 Ρ Μ **(α)** (= *προτείνω ως εισηγητής*) to introduce **(β)** (= *συμβουλεύω*) to suggest 2 Ρ ΑΜ to be proposed

εισιτήριο ΟΥΣ ΟΥΔ (*μουσείου, λεωφορείου, χορού*) ticket
▷**μισό/ολόκληρο εισιτήριο** half–fare/full–fare ticket
▷**εισιτήριο με/χωρίς επιστροφή** return/single ticket (*Βρετ.*), round–trip/one–way ticket (*Αμερ.*)
▷**φοιτητικό εισιτήριο** student fare
▷**μειωμένο εισιτήριο** reduced fare
▷**έλεγχος εισητηρίου** ticket inspection

εισιτήριος ΕΠΙΘ (*εξετάσεις, δοκιμασία*) entrance

εισόδημα ΟΥΣ ΟΥΔ **(α)** (*μετόχου, παραγωγού*) income · (*χώρας*) revenue **(β)** (= *σοδειά: καρπών, λαδιού*) crop
▷**φόρος εισοδήματος** income tax
▷**δήλωση φορολογίας εισοδήματος** income tax declaration
▷**καθαρό/ακαθάριστο εισόδημα** net/gross income
▷**σταθερό εισόδημα** steady income
▷**φορολογικό εισόδημα** taxable income
▷**το κατά κεφαλήν εισόδημα** the per capita income
▷**εθνικό εισόδημα** national revenue

εισοδηματίας ΟΥΣ ΑΡΣ&ΘΗΛ man of independent means

Εισόδια ΟΥΣ ΟΥΔ ΠΛΗΘ (ΘΡΗΣΚ): **Εισόδια της Θεοτόκου** the presentation

είσοδος ΟΥΣ ΘΗΛ **(α)** (*στρατού, κοινού*) entry · (*μαθητή*) admission **(β)** (*σπιτιού, σχολείου*) entrance **(γ)** (= *πρώτη συμμετοχή*) setting in **(δ)** (= *μετάβαση*) transition **(ε)** (= *εισιτήριο*) entry
▷**ελευθέρα είσοδος** free admission
▷**κεντρική είσοδος** main entrance
▷**κύρια είσοδος** main entrance
▷**απαγορεύεται η είσοδος** no entry

εισόρμηση ΟΥΣ ΘΗΛ (*στρατού, εχθρού*) incursion

εισορμώ Ρ ΑΜ: **εισορμώ σε** (*στρατός, εχθρός*) to invade · (*αστυνομικός*) to rush into

εισπνέω Ρ Μ (*αιθέρα, αμμωνία, καυσαέρια*) to breathe in, to inhale

εισπνοή ΟΥΣ ΘΗΛ (*οξυγόνου, αμμωνίας, καυσαερίων*) inhalation
▷**βαθιά εισπνοή** deep breath

εισπρακτέος, -α, -ο ΕΠΙΘ (*φόρος, γραμμάτιο, λογαριασμός*) receivable

εισπράκτορας ΟΥΣ ΑΡΣ&ΘΗΛ collector

είσπραξη ΟΥΣ ΘΗΛ (= *η λήψη των οφειλομένων: τόκων, φόρων*) collection · (*επιταγών*) cashing
▸**εισπράξεις** (= *έσοδα*) proceeds
▷**οι εισπράξεις της ημέρας** the day's takings

εισπράττω Ρ Μ **(α)** (*γραμμάτιο*) to receive payment for · (*φόρο, ενοίκιο*) to collect · (*αποζημίωση*) to receive **(β)** (*μτφ.: έπαινο, χειροκρότημα*) to receive · (*αδιαφορία*) to be met with

εισρέω Ρ ΑΜ: **εισρέω σε (α)** (*νερό*) to flow into **(β)** (*μτφ.: μετανάστες*) to pour into **(γ)** (ΟΙΚΟΝ: *χρήμα, συνάλλαγμα*) to pour into

εισροή ΟΥΣ ΘΗΛ **(α)** (*επίσ.: υδάτων*) inflow **(β)** (*μεταναστών, πλήθους*) influx **(γ)** (*συναλλάγματος*) inflow, influx

εισφορά ΟΥΣ ΘΗΛ contribution
▷**ετήσια εισφορά** annual contribution
▷**ειδική εισφορά** special contribution

εισχώρηση ΟΥΣ ΘΗΛ penetration

εισχωρώ Ρ ΑΜ
▷**εισχωρώ σε** to penetrate

έκαστος, -η, -ο(ν) ΕΠΙΘ (*επίσ.*) each

εκάστοτε ΕΠΙΡΡ (*επίσ.*) each time

εκάτερος, -α, -ο(ν) ΕΠΙΘ (*επίσ.:* = *ο καθένας από τους δύο*) each
▷**έτερον εκάτερον** (= *άλλο το ένα και άλλο το άλλο*) they are two different matters

εκατέρωθεν ΕΠΙΡΡ (*επίσ.:* = *από το ένα κι από το άλλο μέρος*) on each side

εκατό ΑΡΙΘ ΑΠΟΛ ΑΚΛ a hundred
▷**εκατό φορές** (*για έμφαση*) a hundred times
▷**καλώ ή παίρνω το εκατό** ≈ to call 999 (*Βρετ.*) ή 911 (*Αμερ.*)
▷**τοις εκατό** per cent

εκατόμβη ΟΥΣ ΘΗΛ **(α)** (ΑΡΧΑΙΟΛ) hecatomb **(β)** (*μτφ.: αθώων, θυμάτων*) sacrifice

εκατομμύριο ΟΥΣ ΟΥΔ million

εκατομμυριούχος, -ος, -ο ΕΠΙΘ (= *πολύ πλούσιος*) millionaire

εκατοντάδα ΟΥΣ ΘΗΛ (*άνθρωποι, παιδιά*) hundred
▷**κατά εκατοντάδες** in their hundreds

εκατονταετηρίδα ΟΥΣ ΘΗΛ **(α)** (= *αιώνας*) century, hundred–year period **(β)** (= *εορτασμός 100 χρόνων*) centenary

εκατονταετής, -ής, -ές ΕΠΙΘ (*πόλεμος*) lasting a hundred years

εκατονταετία ΟΥΣ ΘΗΛ (= *αιώνας*) century, hundred–year period

εκατόνταρχος ΟΥΣ ΑΡΣ (ΙΣΤ) centurion

εκατοστή ΟΥΣ ΘΗΛ: **καμιά εκατοστή** a hundred or so

εκατοστημόριο ΟΥΣ ΟΥΔ (= *εκατοστό*) one hundredth

εκατοστίζω Ρ Μ (= φτάνω σε ηλικία 100 χρόνων) to be a hundred years old
▷ **να τα εκατοστίσεις** may you live to be a hundred
εκατοστόμετρο ΟΥΣ ΟΥΔ centimetre (Βρετ.), centimeter (Αμερ.)
εκατοστός, -ή, -ό ΑΡΙΘ ΤΑΚΤ (φορά, χρόνος) hundredth
▸ **εκατοστό** ΟΥΣ ΟΥΔ (α) (= εκατοστόμετρο) centimetre (Βρετ.), centimeter (Αμερ.)
(β) (= εκατοστημόριο) one hundredth
εκατόχρονος, -η, -ο ΕΠΙΘ (πόλεμος) one hundred–year
εκβάθυνση ΟΥΣ ΘΗΛ (λιμανιού) deepening
εκβαθύνω Ρ Μ (λιμάνι) to deepen
εκβάλλω Ρ ΑΜ (ποταμός) to flow into
εκβαρβαρώνω Ρ Μ (λαό, χώρα) to barbarize
εκβαρβάρωση ΟΥΣ ΘΗΛ (λαού, χώρας) barbarization
έκβαση ΟΥΣ ΘΗΛ (δίκης, διαπραγματεύσεων, πολέμου) outcome
▷ **αίσια έκβαση** successful outcome
▷ **αβέβαιη έκβαση** uncertain outcome
εκβιάζω Ρ Μ to blackmail
εκβιασμός ΟΥΣ ΑΡΣ blackmailing
εκβιαστής ΟΥΣ ΑΡΣ blackmailer
εκβιαστικός, -ή, -ό ΕΠΙΘ blackmailing
εκβιάστρια ΟΥΣ ΘΗΛ βλ. **εκβιαστής**
εκβιομηχανίζω Ρ Μ (περιοχή, χώρα) to industrialize
εκβιομηχάνιση ΟΥΣ ΘΗΛ (περιοχής, χώρας) industrialization
εκβλάστηση ΟΥΣ ΘΗΛ (ΒΟΤ) germination
εκβολή ΟΥΣ ΘΗΛ (α) (ποταμού) mouth
(β) (= εξαγωγή, απόρριψη) discharge
εκβράζω Ρ Μ (θάλασσα: πλοίο, ναυαγό) to wash up
εκγυμναζόμενος ΟΥΣ ΑΡΣ (= εκπαιδευόμενος) trainee
εκγυμνάζω Ρ Μ (α) (άλογο, σκύλο) to train
(β) (στρατιώτη) to drill
εκγύμναση ΟΥΣ ΘΗΛ (α) (αλόγου, σκύλου) training (β) (στρατιώτη) drilling
εκγυμναστής ΟΥΣ ΑΡΣ trainer
έκδηλος, -η, -ο ΕΠΙΘ (σκοπός, ανησυχία, προσπάθεια) evident, obvious
εκδηλώνω Ρ Μ (= φανερώνω: χαρά) to show ·
(ενδιαφέρον) to manifest · (επιθυμία) to indicate
▸ **εκδηλώνομαι** ΜΕΣΟΠΑΘ (α) (νόσος, σύμπτωμα) to manifest itself (β) (= φανερώνω τις σκέψεις μου) to make one's feelings known
εκδήλωση ΟΥΣ ΘΗΛ (α) (χαράς, ενθουσιασμού, ενδιαφέροντος) show (β) (= νόσον, συμπτώματος) sign (γ) (δήμου, συλλόγου, κόμματος,) festival (δ) (συμπαράστασης, διαμαρτυρίας) demonstration
▷ **εορταστική εκδήλωση** festival
▷ **κοσμική εκδήλωση** gala
▷ **φιλανθρωπική εκδήλωση** charity gala

εκδηλωτικός, -ή, -ό ΕΠΙΘ (α) (οπαδός, φίλαθλος) demonstrative (β) (= εξωστρεφής) exuberant
εκδίδω Ρ Μ (α) (εκδότης, συγγραφέας: βιβλίο, σύγγραμμα, εφημερίδα) to publish
(β) (υπηρεσία, αρχές: βιβλιάριο, άδεια, ένταλμα) to issue (γ) (υπουργείο: διάταγμα, ψήφισμα) to enact (δ) (συνάλλαγμα, επιταγή) to issue (ε) (χρηματιστήριο: μετοχές, ομολογίες) to issue (στ) (έμπορος, εταιρεία, επιχείρηση: απόδειξη, τιμολόγιο) to make out (ζ) (δικαστήριο: απόφαση) to pronounce
(η) (καταζητούμενο, ληστή) to extradite
(θ) (επίσ.: = προάγω σε πορνεία) to prostitute
εκδικάζω Ρ Μ (ΝΟΜ: δικαστήριο: υπόθεση) to judge
εκδίκαση ΟΥΣ ΘΗΛ (ΝΟΜ: υπόθεσης) hearing, trial
εκδίκηση ΟΥΣ ΘΗΛ revenge
▷ **ζητώ εκδίκηση** to want revenge
▷ **παίρνω εκδίκηση** to take revenge
εκδικητής ΟΥΣ ΑΡΣ avenger
εκδικητικός, -ή, -ό ΕΠΙΡΡ (α) (διάθεση) vengeful · (κίνητρο) vindictive · (μανία) avenging (β) (άνθρωπος, χαρακτήρας) vindictive
εκδικητικότητα ΟΥΣ ΘΗΛ vindictiveness
εκδικούμαι Ρ Μ (φονιά) to avenge · (εχθρό) to take (one's) revenge on
εκδιώκω Ρ Μ (εχθρό) to repel · (αντίπαλο) to oust
εκδίωξη ΟΥΣ ΘΗΛ (εχθρού) driving back ·
(αντιπάλου) ousting
εκδορά ΟΥΣ ΘΗΛ (α) (= γρατσούνισμα) scratch
(β) (ζώου) skinning, flaying
εκδορέας ΟΥΣ ΑΡΣ (επία.) flayer, skinner
έκδοση ΟΥΣ ΘΗΛ (α) (βιβλίου, εφημερίδας) publication (β) (βιβλιαρίου, αδείας) issue
(γ) (δελτίου, τιμολογίου, απόδειξης) issue
(δ) (επιταγής) making out ·
(συναλλαγματικής) drawing (ε) (μετοχών) issue (στ) (απόφασης, πορίσματος, ψηφίσματος) pronouncing
(ζ) (καταζητούμενου, ληστή) extradition
▷ **πρώτη/δεύτερη έκδοση** first/second edition
▷ **ειδική έκδοση** special edition
▷ **επαυξημένη έκδοση** expanded edition
▷ **αναθεωρημένη έκδοση** revised edition
εκδοτήριο ΟΥΣ ΟΥΔ ticket ή booking office
εκδότης ΟΥΣ ΑΡΣ (α) (βιβλίου, εφημερίδας) publisher (β) (επιταγής) drawer
εκδοτικός, -ή, -ό ΕΠΙΘ publishing
▷ **εκδοτικά δικαιώματα** publishing rights
▸ **εκδοτικός οίκος** publishing house
▸ **εκδότρια** ΟΥΣ ΘΗΛ βλ. **εκδότης**
εκδούλευση ΟΥΣ ΘΗΛ (= χαριστική εξυπηρέτηση) favour (Βρετ.), favor (Αμερ.)
▷ **κάνω εκδούλευση σε κπν** to be of service to sb
▷ **προσφέρω εκδούλευση σε κπν** to offer

one's services to sb

εκδοχή ΟΥΣ ΘΗΛ (*πράξης, γεγονότος*) version
▷**αντίθετη εκδοχή** opposite version

εκδρομέας ΟΥΣ ΑΡΣ daytripper, tourist

εκδρομή ΟΥΣ ΘΗΛ (*φίλων, συλλόγου*) trip, excursion
▷**ημερήσια/διήμερη εκδρομή** day/two–day trip
▷**σχολική εκδρομή** school trip
▷**εκπαιδευτική εκδρομή** educational trip

εκδρομικός, -ή, -ό ΕΠΙΘ (*σάκος, πρόγραμμα*) travelling (*Βρετ.*), traveling (*Αμερ.*)

εκεί ΕΠΙΡΡ there
▷**εκεί που** (= *καθώς*) where, while
▷**από κει, προς τα κει** that way
▷**από δω κι από κει** here and there
▷**ακούς εκεί!** (*προφορ.: για αποδοκιμασία*) what cheek! (*Βρετ.*), what impudence!

εκείθε ΕΠΙΡΡ from there

εκείνος, -η, -ο ΑΝΤΩΝ that
▷**εκείνος που** (= *όποιος*) he/she who

εκεχειρία ΟΥΣ ΘΗΛ (ΣΤΡΑΤ) armistice

έκζεμα ΟΥΣ ΟΥΔ (ΙΑΤΡ) eczema

εκζήτηση ΟΥΣ ΘΗΛ affectation

έκθαμβος, -η, -ο ΕΠΙΘ stunned

εκθαμβωτικός, -ή, -ό ΕΠΙΘ (*ομορφιά*) stunning

εκθειάζω Ρ Μ (*ομορφιά, κατόρθωμα*) to praise

εκθειασμός ΟΥΣ ΑΡΣ (*ομορφιάς, κατορθώματος*) high praise

εκθειαστικός, -ή, -ό ΕΠΙΘ (*κριτική*) laudatory

έκθεμα ΟΥΣ ΟΥΔ (α) (*μουσείου, πινακοθήκης*) exhibit (β) (ΝΟΜ) list

εκθεμελίωση ΟΥΣ ΘΗΛ (α) (*κτιρίου, οικοδομήματος*) demolition (β) (*μτφ.: πολιτεύματος*) destruction

εκθεμελιωτικός ΕΠΙΘ (*κρίση*) destructive

έκθεση ΟΥΣ ΘΗΛ (α) (*αυτοκινήτου*) show · (*βιβλίων*) fair (β) (*ζωγραφικής, γλυπτικής*) exhibition (γ) (ΣΚΟΛ) essay, composition (δ) (= *αναφορά*) report (ε) (= *εκθετήριο*) showroom (στ) (*απόψεων, θέσεων*) essay (ζ) (ΝΟΜ/ΠΟΛ) preamble
▷**γραπτή/προφορική έκθεση** written/verbal account
▷**υποβάλλω έκθεση** to submit a report
▷**συντάσσω έκθεση** to draw up a report
▷**έκθεση ιδεών** (ΕΚΠ) essay
▷**υπηρεσιακή έκθεση** (ΔΙΟΙΚ) official report
▷**ομαδική έκθεση** group essay
▷**Διεθνής Εκθεση Θεσσαλονίκης** Salonica International Fair

εκθετήριο ΟΥΣ ΟΥΔ showroom

εκθέτης ΟΥΣ ΑΡΣ exhibitor · (ΜΑΘ) exponent

έκθετος ΕΠΙΘ (= *εκτεθειμένος*) exposed
▷**μένω έκθετος** σε to be exposed
▷**αφήνω κπν έκθετο σε κτ** to leave sb exposed to sth

εκθέτω Ρ Μ (α) (*γεγονότα, παράπονο*) to expound, to set out (β) (*έργα, αυτοκίνητα, αντικείμενα*) to exhibit (γ) (*ιδέες, σκέψεις*) to

state (δ) (*κοπέλα, αγόρι*) to compromise
▷**εκθέτω κπν για προσκύνημα** to arrange for sb to lie in state
▷**εκθέτω κτ/κπν σε κίνδυνο** to endanger sth/sb, to jeopardize sth/sb
▷**εκθέτω σε κοινή θέα** to put on public view

έκθλιψη ΟΥΣ ΘΗΛ (α) (*επίδ.: σταφυλιών*) crushing (β) (ΓΛΩΣΣ) elision

εκθρονίζω Ρ Μ (*βασιλιά, δικτάτορα, αυτοκράτορα*) to dethrone

εκθρόνιση ΟΥΣ ΘΗΛ dethronement

εκκαθαρίζω Ρ Μ (α) (= *διαλευκαίνω*) to purge (β) (ΟΙΚΟΝ) to liquidate (γ) (*μτφ.: στράτευμα, υπηρεσία*) to clean up

εκκαθάριση ΟΥΣ ΘΗΛ (α) (*υπόθεσης*) purge (β) (*μτφ.*) clear-out (γ) (ΟΙΚΟΝ: *λογαριασμών*) liquidation
▷**τελώ** ή **βρίσκομαι υπό εκκαθάριση** to have gone into liquidation
▷**διενεργώ εκκαθάριση** to purge
▷**υπό εκκαθάριση** (*επία.*) in liquidation
▷**πολιτικές εκκαθαρίσεις** political purges

εκκαθαριστής ΟΥΣ ΑΡΣ liquidator

εκκαθαριστικός ① ΕΠΙΘ (ΣΤΡΑΤ) clean–up ② ΟΥΣ ΟΥΔ (ΟΙΚΟΝ) liquidation
▸**εκκαθαριστικό σημείωμα** statement of account
▸**εκκαθαριστική δήλωση** statement of account

εκκεντρικός ΕΠΙΘ (α) (*καλλιτέχνης, τύπος, χαρακτήρας*) eccentric (β) (*ρούχο, γυαλιά, διακόσμηση*) unconventional (γ) (*εμφάνιση, παρουσία, ντύσιμο*) unconventional

εκκεντρικότητα ΟΥΣ ΘΗΛ eccentricity
▷**με εκκεντρικότητα** eccentrically

έκκεντρο ΟΥΣ ΟΥΔ (ΜΗΧ) cam

εκκενώνω Ρ Μ (α) (*περιοχή, πόλη, στρατόπεδο*) to evacuate (β) (*βόθρο*) to empty out (γ) (*σπίτι, δωμάτιο, μαγαζί*) to vacate

εκκένωση ΟΥΣ ΘΗΛ (α) (*περιοχής, στρατοπέδου*) evacuation (β) (*δωματίου, αίθουσας, χώρου*) clearing (γ) (*βόθρου*) emptying
▷**ηλεκτρική εκκένωση** (ΗΛΕΚ) electrical discharge

εκκίνηση ΟΥΣ ΘΗΛ (α) (= *ξεκίνημα*) start (β) (ΑΘΛ) starting line (γ) (ΠΛΗΡΟΦ) start-up

εκκινώ Ρ Μ to start

εκκλησάρισσα ΟΥΣ ΘΗΛ sexton, sacristan

έκκληση ΟΥΣ ΘΗΛ appeal
▷**απευθύνω έκκληση** to launch an appeal
▷**κάνω έκκληση** to make an appeal

εκκλησία ΟΥΣ ΘΗΛ church
▷**Ορθόδοξη Εκκλησία** Orthodox Church
▷**Καθολική Εκκλησία** Catholic Church
▷**Αγγλικανική Εκκλησία** Anglican Church

εκκλησιάζομαι Ρ ΑΜ to go to church

εκκλησίασμα ΟΥΣ ΟΥΔ congregation

εκκλησιασμός ΟΥΣ ΑΡΣ church attendance

εκκλησιαστικός, -ή, -ό ΕΠΙΘ (α) (*μουσική, τελετουργία, ίδρυμα*) church (β) (*σκεύη*)

ecclesiastical
▷**εκκλησιαστική περιουσία** church property
▷**εκκλησιαστικό όργανο** church organ
εκκοκκισμός ΟΥΣ ΑΡΣ ginning
εκκοκκιστήριο ΟΥΣ ΟΥΔ *(βαμβακιού)* ginning
house · *(καλαμποκιού)* shelling house
εκκολαπτήριο ΟΥΣ ΟΥΔ (α) (= *χώρος
εκκόλαψης)* hatchery (β) (= *μηχανή
εκκόλαψης)* incubator
εκκολάπτω Ρ Μ (α) *(κλώσσα, εκκολαπτήριο:
αυγά)* to incubate (β) *(μτφ.)* to hatch
εκκόλαψη ΟΥΣ ΘΗΛ *(αυγών)* incubation
εκκρεμές ΟΥΣ ΟΥΔ pendulum
εκκρεμοδικία ΟΥΣ ΘΗΛ (ΝΟΜ) sub judice
εκκρεμότητα ΟΥΣ ΘΗΛ abeyance
▷**είμαι** ή **βρίσκομαι σε εκκρεμότητα** to be
pending
εκκρεμώ Ρ ΑΜ *(υπόθεση, μήνυση, δίκη)* to be
pending
έκκριμα ΟΥΣ ΟΥΔ excretion
εκκρίνω Ρ Μ *(ιδρώτα, ουσίες, χολή)* to excrete
έκκριση ΟΥΣ ΘΗΛ *(ιδρώτα, υγρών)* secretion
εκκριτικός, -ή, -ό ΕΠΙΘ secretory
εκκωφαντικός, -ή, -ό ΕΠΙΘ *(ήχος, αντίλαλος,
πυροβολισμός)* deafening
▷**εκκωφαντικός θόρυβος** deafening noise
εκλαΐκευση ΟΥΣ ΘΗΛ popularization
εκλαϊκευτικός, -ή, -ό ΕΠΙΘ *(κείμενο, βιβλίο)*
popularized · *(τάση)* popularizing
εκλαϊκεύω Ρ Μ to popularize
εκλαμβάνω Ρ Μ to take for
εκλαμπρότατος, -η, -ο ΕΠΙΘ *(επίσ.)*
Excellency, Eminence
εκλαμπρότης ΟΥΣ ΘΗΛ *(επίσ.)* Excellency,
Eminence
έκλαμψη ΟΥΣ ΘΗΛ flash
▷**έχω εκλάμψεις** to have lucid moments
εκλέγω Ρ Μ (α) *(πρόεδρο, αντιπρόσωπο,
συμβούλιο)* to elect (β) *(διαλέγω)* to select
▷**το εκλέγειν και το εκλέγεσθαι** the right to
vote and be elected
εκλείπω Ρ ΑΜ to disappear
έκλειψη ΟΥΣ ΘΗΛ eclipse
▷**ολική έκλειψη** total eclipse
▷**μερική έκλειψη** partial eclipse
εκλεκτικισμός ΟΥΣ ΑΡΣ eclecticism
εκλεκτικός, -ή, -ό ΕΠΙΘ selective
▷**είμαι εκλεκτικός σε κτ** to be selective about
sth
▷**εκλεκτική συγγένεια** close affinity
εκλεκτικότητα ΟΥΣ ΘΗΛ eclecticism
εκλέκτορας ΟΥΣ ΑΡΣ elector
εκλεκτός, -ή, -ό ① ΕΠΙΘ (α) *(πελατεία,
ακροατήριο)* select · *(συνεργάτης, πολιτικός)*
distinguished (β) *(εκλίδες, αποσπάσματα)*
select (γ) *(κρασί, μεζές, φαγητά)* fine
② ΟΥΣ ΑΡΣ/ΘΗΛ elite
▷**ο εκλεκτός/η εκλεκτή της καρδιάς μου** my
chosen one
▸**εκλεκτός λαός** chosen people *πληθ.*

εκλέξιμος, -η, -ο ΕΠΙΘ eligible
εκλέπτυνση ΟΥΣ ΘΗΛ refinement
εκλεπτύνω Ρ Μ to refine
εκλεπτυσμένος, -η, -ο ΜΤΧ refined
εκλιπαρώ ① Ρ Μ (α) *(συγγνώμη)* to beg ·
(οίκτο) to beg for (β) *(γυναίκα, εραστή)* to
implore, to beg
② Ρ ΑΜ to beg
εκλιπών, -ούσα, -όν ΜΤΧ absent
εκλογέας ΟΥΣ ΑΡΣ elector
▷**κατάλογος εκλογέων** electoral roll
εκλογή ΟΥΣ ΘΗΛ *(καθηγητού)* selection ·
(βουλευτή) election · *(καθηγητού, βουλευτού)*
election, choice
▷**δεν έχω άλλη εκλογή** I have no alternative
ή no other choice
▷**κατ' απόλυτη εκλογή** by unanimous vote
▸**εκλογές** ΠΛΗΘ elections
▷**πρόωρες εκλογές** early elections
▷**βουλευτικές εκλογές** parliamentary
elections
▷**φοιτητικές εκλογές** student elections
▷**δημοτικές εκλογές** local elections
▷**πηγαίνω σε εκλογές** to go to the polls
▷**επερχόμενες εκλογές** forthcoming
elections
▷**κατεβαίνω σε εκλογές** to go to the polls
▷**κάθοδος σε εκλογές** going to the polls
▷**προσφυγή σε εκλογές** resort to elections
▷**διεξάγονται** ή **διενεργούνται εκλογές**
elections are being held
▷**διενέργεια εκλογών** holding elections
▷**κερδίζω/χάνω τις εκλογές** to win/lose the
elections
εκλογίκευση ΟΥΣ ΘΗΛ rationalization
εκλογικεύω Ρ Μ to rationalize
εκλογικός, -ή, -ό ΕΠΙΘ (α) *(νόμος, σύστημα)*
electoral (β) *(κατάλογος, βιβλιάριο)* electoral
(γ) *(αποτελέσματα)* election
▷**ισχύων εκλογικός νόμος** the electoral law
in use
▸**εκλογικό δικαίωμα** voting right
▸**εκλογική νίκη/ήττα** electoral victory/defeat
▸**εκλογικό πρόγραμμα** election platform
▸**εκλογικός αντιπρόσωπος** electoral
representative
▸**εκλογική αναμέτρηση** electoral showdown
▸**εκλογικό σώμα** electoral body
εκλόγιμος, -ος, -ο ΕΠΙΘ eligible
εκλογοδικείο ΟΥΣ ΟΥΔ *court dealing with
electoral issues*
έκλυση ΟΥΣ ΘΗΛ *(θερμότητας, αερίου)*
emission
▷**έκλυση ηθών** depravity
έκλυτος, -η, -ο ΕΠΙΘ *(άντρας, γυναίκα)*
dissipated
▷**έκλυτα ήθη** corrupted morals
▷**έκλυτος βίος** dissolute living
εκλύω Ρ Μ (ΦΥΣ: *θερμότητα, αέριο)* to emit
εκμαγείο ΟΥΣ ΟΥΔ cast
▷**γύψινο εκμαγείο** plaster cast
εκμάθηση ΟΥΣ ΘΗΛ learning

εκμαιεύω Ρ Μ (*μυστικά, απαντήσεις, ομολογία*) to elicit

εκμαυλίζω Ρ Μ to corrupt

εκμαυλισμός ΟΥΣ ΑΡΣ corruption

εκμαυλιστής ΟΥΣ ΑΡΣ corruptor

εκμεταλλεύομαι Ρ Μ (α) (= αξιοποιώ) to exploit (β) (*γονείς, φοιτητή, υπάλληλο*) to take advantage of (γ) (*αξίωμα, θέση*) to take advantage of (δ) (*επιχείρηση*) to operate
▷ εκμεταλλεύομαι την ευκαιρία to exploit an opportunity
▷ εκμεταλλεύομαι κπν to take advantage of sb

εκμετάλλευση ΟΥΣ ΘΗΛ (α) (*ηλιακής ακτινοβολίας, μηχανής*) exploitation (β) (*ακινήτου, πλοίου*) exploitation (γ) (*υπαλλήλου, γονέα*) exploitation (δ) (*κτημάτων, αγρού, ελιάς*) exploitation (ε) (*ευαισθησίας, αισθημάτων*) taking advantage of (στ) (= *αξιοποίηση: γνώσεων, δυνατοτήτων*) taking advantage of

εκμεταλλεύσιμος, -η, -ο ΕΠΙΘ exploitable

εκμεταλλευτής ΟΥΣ ΑΡΣ (*αρνητ.*) exploiter

εκμηδενίζω Ρ Μ (α) (*επιχείρηση*) to wipe out (β) (*ανάπτυξη, αποτελεσματικότητα*) to cancel out (γ) (*πάθος, συναισθήματα*) to crush (δ) (*εξουσία, παίκτης, πολιτικός*) to annihilate

εκμηδένιση ΟΥΣ ΘΗΛ annihilation · (*προσωπικότητας*) crushing

εκμηδενιστικός, -ή, -ό ΕΠΙΘ annihilating

εκμισθώνω Ρ Μ (*οικία, κατάστημα*) to let · (*αυτοκίνητο*) to rent out

εκμίσθωση ΟΥΣ ΘΗΛ (α) (*ακινήτου, οικίας, στέγης*) renting (β) (*γαιών, εκτάσεων*) leasing

εκμισθωτής ΟΥΣ ΑΡΣ lessor

εκμισθώτρια ΟΥΣ ΘΗΛ lessor

εκμυστηρεύομαι Ρ Μ (*μυστικό, σκέψη*) to confide

εκμυστήρευση ΟΥΣ ΘΗΛ confidence

εκμυστηρευτικός, -ή, -ό ΕΠΙΘ (*ύφος*) confiding

εκναυλωτής ΟΥΣ ΑΡΣ (*πλοίου*) freighter

εκνευρίζω Ρ Μ (*θόρυβος, συμπεριφορά*) to annoy · (*καιρός*) to put on edge

εκνευρισμός ΟΥΣ ΑΡΣ exasperation, irritation

εκνευριστικός, -ή, -ό ΕΠΙΘ (α) (*θόρυβος*) maddening · (*καθυστέρηση, καιρός*) annoying (β) (*άνθρωπος, χαρακτήρας*) irritating

εκούσιος, -α, -ο ΕΠΙΘ (*αναχώρηση, αντιπροσώπευση, αναγνώριση*) voluntary

έκπαγλος, -ος, -ο(ν) ΕΠΙΘ (= *θαυμάσιος, υπέροχος: ομορφιά*) dazzling

εκπαιδευόμενος, -η, -ο ΜΤΧ trainee

εκπαίδευση ΟΥΣ ΘΗΛ education · (*προσωπικού, υπαλλήλων*) training
▷ δωρεάν εκπαίδευση free education
▷ δημοτική εκπαίδευση primary (*Βρετ.*) ή elementary (*Αμερ.*) education

▷ στοιχειώδης εκπαίδευση basic education
▷ μέση εκπαίδευση secondary education
▷ ανωτέρα εκπαίδευση further education
▷ ανωτάτη εκπαίδευση higher education
▷ στρατιωτική εκπαίδευση military training
▷ δημόσια εκπαίδευση public education
▷ τεχνική εκπαίδευση technical training
▷ επαγγελματική εκπαίδευση vocational training
▷ ναυτική εκπαίδευση naval training
▷ ιδιωτική εκπαίδευση private education
▷ σχολική εκπαίδευση school education
▷ πρωτοβάθμια εκπαίδευση primary (*Βρετ.*) ή elementary (*Αμερ.*) education
▷ δευτεροβάθμια εκπαίδευση secondary education
▷ τριτοβάθμια εκπαίδευση higher ή tertiary (*Βρετ.*) education
▷ βασική εκπαίδευση basic education
▷ υποχρεωτική εκπαίδευση compulsory education

εκπαιδευτήριο ΟΥΣ ΟΥΔ educational institute

εκπαιδευτής ΟΥΣ ΑΡΣ (α) (*προσωπικού, οδηγών*) instructor (β) (*σκύλων*) trainer

εκπαιδευτικός, -ή, -ό ① ΕΠΙΘ educational ② ΟΥΣ ΑΡΣ teacher
▷ ιδιωτικός εκπαιδευτικός private tutor
▷ δημόσιος εκπαιδευτικός schoolteacher
► εκπαιδευτική άδεια licence (*Βρετ.*) to teach
► εκπαιδευτικός κλάδος educational branch
► εκπαιδευτικό σύστημα educational system

εκπαιδεύω Ρ Μ (α) (*μαθητή, σπουδαστή*) to educate (β) (*στρατιώτη*) to train (γ) (*σκύλο*) to train
▷ εκπαιδεύω κπν σε κτ to educate sb about sth

εκπαραθυρώνω Ρ Μ (*μτφ.*) to oust

εκπαραθύρωση ΟΥΣ ΘΗΛ (*μτφ.*) ousting

εκπατρίζομαι Ρ ΑΜ ΑΠΟΘ to emigrate

εκπατρισμένος, -η, -ο ΜΤΧ expatriate

εκπατρισμός ΟΥΣ ΑΡΣ expatriation

εκπέμπω ① Ρ Μ (*θερμότητα, ακτινοβολία, ραδιενέργεια*) to radiate (β) (*άνθρακα, θείο, μόλυβδο*) to emit (γ) (*μτφ.: υγεία, χαρά*) to radiate ② Ρ ΑΜ (*ραδιοφωνικός σταθμός*) to transmit

εκπεσμός ΟΥΣ ΑΡΣ βλ. ξεπεσμός

εκπεφρασμένος, -η, -ο ΕΠΙΘ (*γνώμη, άποψη, δήλωση*) expressed

εκπηγάζω Ρ ΑΜ (*θάρρος, λύπη, ενθουσιασμός, ιδέα, φρόνημα*) to arise

εκπίπτω Ρ ΑΜ (α) : εκπίπτω από to lose (β) (= *χάνω την αξία μου*) to fall into disrepute (γ) (= *απαλλάσσομαι: φορολογούμενος*) to be exempt · (*για ποσό*) to be excluded

εκπλέω Ρ ΑΜ (*πλοίο*) to sail

εκπληκτικός, -ή, -ό ΕΠΙΘ (α) (*απόδοση, αποτελέσματα, επιτυχία, ευκαιρίες*) astonishing (β) (*άνθρωπος, χαρακτήρας*) extraordinary

έκπληκτος, -η, -ο ΕΠΙΘ (*όψη, ματιά, μάτια*)

surprised
▷**μένω έκπληκτος** to be surprised
έκπληξη ΟΥΣ ΘΗΛ surprise
▷**κάνω έκπληξη σε κπν** to give sb a surprise
εκπληρώ Ρ Μ (επίσ.: όρο, προυπόθεση, υποχρέωση) to fulfil
εκπληρώνω Ρ Μ (υποχρέωση, καθήκον, υπόσχεση) to fulfil · (έργο) to accomplish · (στρατιωτική θητεία) to do
▸**εκπληρώνομαι** ΜΕΣΟΠΑΘ (επιθυμία, όνειρο, στόχος) to be realized · (ευχή, προφητεία) to come true
εκπλήρωση ΟΥΣ ΘΗΛ (α) (καθήκοντος, υπόσχεσης, υποχρέωσης) fulfilment (β) (επιθυμίας, ονείρου) realization
εκπλήσσω Ρ Μ (γεγονός, κατάσταση, εξέλιξη) to surprise
έκπλους ΟΥΣ ΑΡΣ (πλοίου) sailing away
εκπνέω Ρ ΑΜ (α) to breathe out (β) (προθεσμία, τελεσίγραφο) to expire (γ) (= ξεψυχώ) to pass away, to die
εκπνοή ΟΥΣ ΘΗΛ (α) exhalation (β) (προθεσμίας) expiry (γ) (αιώνα, δεκαετίας) end · (χρόνου, τελεσιγράφου) running out (δ) (= ξεψύχισμα) dying
εκποίηση ΟΥΣ ΘΗΛ (μετοχών, επιχείρησης, ακινήτου, περιουσίας) sale
εκποιώ Ρ Μ (περιουσία, ακίνητο, εμπόρευμα) to sell
εκπολιτίζω Ρ Μ (χώρα, λαό) to civilize
εκπολιτισμός ΟΥΣ ΑΡΣ (λαού, χώρας) civilization
εκπολιτιστικός, -ή, -ό ΕΠΙΘ (σύλλογος, οργάνωση, έργο, δραστηριότητ) cultural
εκπομπή ΟΥΣ ΘΗΛ (α) (σταθμού, τηλεόρασης, ραδιοφώνου) programme (Βρετ.), program (Αμερ.) (β) (ραδιενέργειας, ακτινοβολίας) emission (γ) (ρύπων, άνθρακα, θείου, αζώτου) emission
▷**κλείνω την εκπομπή** to turn off the programme (Βρετ.) ή program (Αμερ.)
▷**ραδιοφωνική εκπομπή** radio broadcast
▷**τηλεοπτική εκπομπή** television programme (Βρετ.) ή program (Αμερ.)
▷**μουσική εκπομπή** music programme (Βρετ.) ή program (Αμερ.)
▷**παιδική εκπομπή** children's programme (Βρετ.) ή program (Αμερ.)
▷**ζωντανή εκπομπή** live broadcast
▷**ιατρική εκπομπή** medical programme (Βρετ.) ή program (Αμερ.)
▷**ενημερωτική εκπομπή** news programme (Βρετ.) ή program (Αμερ.)
εκπόνηση ΟΥΣ ΘΗΛ (α) (επίσ.: σχεδίου, προγράμματος) elaboration (β) (συντάγματος) drawing up · (διατριβής) planning
εκπονώ Ρ Μ (α) (επίσ.: σχέδιο, πρόγραμμα) to elaborate, to work out · (σύγγραμμα, διατριβή) to plan · (μελέτη) to work on (β) (κατάρτιση, έργο) to design
εκπορεύομαι Ρ ΑΜ: **εκπορεύομαι από** to

emanate from
εκπόρθηση ΟΥΣ ΘΗΛ (πόλης) conquest · (φρουρίου, οχυρού) storming
εκπορθητής ΟΥΣ ΑΡΣ (φρουρίου, πόλης, οχυρού) conqueror
εκπορθώ Ρ Μ (πόλη, χώρα) to conquer · (φρούριο) to storm
εκπόρνευση ΟΥΣ ΘΗΛ prostitution
εκπορνεύω Ρ Μ (κυριολ., μτφ.) to prostitute
εκπρόθεσμος, -η, -ο ΕΠΙΘ late
εκπροσώπηση ΟΥΣ ΘΗΛ representation
▷**ίση εκπροσώπηση** equal representation
▷**διεθνής εκπροσώπευση** international representation
▷**αναλογική εκπροσώπευση** proportional representation
▷**δικαστική εκπροσώπευση** judicial representation
εκπρόσωπος ΟΥΣ ΑΡΣ&ΘΗΛ representative
▷**κοινοβουλευτικός εκπρόσωπος** parliamentary representative
▷**κομματικός εκπρόσωπος** party spokesperson
▷**κυβερνητικός εκπρόσωπος** government spokesperson
▸**εκπρόσωπος τύπου** press representative
εκπροσωπώ Ρ Μ (α) (κυβέρνηση, εταιρεία) to represent (β) (μέλη, συμφέροντα, κίνημα) to represent (γ) (ιδεολογία, τάση, κοινωνική τάξη) to represent (δ) (= αποτελώ) to represent
έκπτωση ΟΥΣ ΘΗΛ (α) (για τιμή) discount (β) (για δικαιώματα) forfeiture (γ) (βασιλιά, τυράννου) dethronement
▷**εκπτώσεις** sales πληθ.
▷**κάνω έκπτωση** to give a discount
▷**βάζω εκπτώσεις** to hold sales
▷**χειμερινές εκπτώσεις** winter sales
▷**καλοκαιρινές εκπτώσεις** summer sales
έκπτωτος, -η, -ο ΕΠΙΘ (βασιλιάς) deposed
εκπυρσοκρότηση ΟΥΣ ΘΗΛ (όπλου, χειροβομβίδας) report
εκπυρσοκροτώ Ρ ΑΜ (όπλο) to fire
εκπωματίζω Ρ Μ (φιάλη, αγγείο) to uncork
εκπωμάτιση ΟΥΣ ΘΗΛ (αγγείου, φιάλης) uncorking
εκρέω Ρ ΑΜ (επίσ.: κεφάλαιο) to run out, to flow out
εκρήγνυμαι Ρ ΑΜ (α) (οβίδα, νάρκη, βόμβα) to explode (β) (ηφαίστειο) to erupt (γ) (πύραυλος, πλοίο) to explode (δ) (πυρκαγιά) to break out (ε) (πόλεμος, απεργία) to break out (στ) (άνθρωπος) to blow up
εκρηκτικός, -ή, -ό ΕΠΙΘ (α) (υλικό, μηχανισμός, ύλη) explosive (β) (γυναίκα) hot ανεπ. (γ) (διαστάσεις) explosive (δ) (ατμόσφαιρα, κλίμα) explosive (ε) (χαρακτήρας) fiery, explosive
▸**εκρηκτικά** ΟΥΣ ΟΥΔ ΠΛΗΘ explosives
έκρηξη ΟΥΣ ΘΗΛ (α) (οβίδας, νάρκης)

detonation · (βόμβας) explosion ·
(ηφαιστείου) eruption (β) (πολέμου,
επανάστασης) outbreak (γ) (τιμών) massive
increase (δ) (βίας, χαράς, θυμού) outburst
▷**πληθυσμιακή έκρηξη** population explosion
▷**δημογραφική έκρηξη** demographic
explosion
▷**επικοινωνιακή έκρηξη** communications
boom

εκροή ΟΥΣ ΘΗΛ (α) (υγρών, λαδιού) outflow
(β) (= στόμιο απ' όπου γίνεται η εκροή)
outlet (γ) (συναλλάγματος, μεταναστατών,
ποσών) outflow

έκρυθμος, -η, -ο ΕΠΙΘ: **έκρυθμη κατάσταση**
unsettled situation

εκσκαφέας ΟΥΣ ΑΡΣ (ΑΓΡ) excavator

εκσκαφή ΟΥΣ ΘΗΛ excavation

εκσπερματίζω, εκσπερματώνω Ρ ΑΜ (ΒΙΟΛ)
to ejaculate

εκσπερμάτωση ΟΥΣ ΘΗΛ (ΒΙΟΛ) ejaculation

έκσταση ΟΥΣ ΘΗΛ (ΘΡΗΣΚ: = απορρόφηση από
το θείο) trance
▷**θρησκευτική έκσταση** religious trance

εκστασιάζομαι Ρ ΑΜ to be entranced

εκστατικός, -ή, -ό ΕΠΙΘ (για πρόσ.: = με
κατάνυξη) ecstatic · (= με θαυμασμό)
enraptured · (ματιά) stunned

εκστομίζω Ρ Μ (λέξη, βρισιά, απειλή) to utter

εκστρατεία ΟΥΣ ΘΗΛ campaign
▷**οικονομική εκστρατεία** financial campaign
▷**κομματική εκστρατεία** party campaign
▷**διαφημιστική εκστρατεία** advertising
campaign
▷**θρησκευτική εκστρατεία** religious
campaign
▷**στρατιωτική εκστρατεία** military campaign
▷**αντικαπνιστική εκστρατεία** anti–smoking
campaign
▷**προεκλογική εκστρατεία** pre–election
campaign
▷**κρεβάτι εκστρατείας** camp bed (Βρετ.), cot
(Αμερ.)
▷**στολή εκστρατείας** battledress
▷**ενημερωτική εκστρατεία** information
campaign

εκστρατευτικός, -ή, -ό ΕΠΙΘ (σώμα)
expeditionary

εκστρατεύω Ρ ΑΜ (στρατός) to march out

εκσυγχρονίζω Ρ Μ (α) (επιχείρηση, υπηρεσία,
σπίτι, εξοπλισμό) to modernize
(β) (νομοθεσία, οικονομία) to update

εκσυγχρονισμός ΟΥΣ ΑΡΣ (α) (νομοθεσίας)
updating · (συστήματος, παραγωγής)
modernization (β) (εργοστασίου)
modernization

εκσφενδονίζω Ρ Μ (μπάλα, πέτρα) to fling,
to hurl · (βόμβα) to launch

εκσφενδόνιση ΟΥΣ ΘΗΛ (βόμβας) launching ·
(πέτρας) hurling

έκτακτος, -η, -ο ΕΠΙΘ (α) (υπάλληλος,
καθηγητής) temporary (β) (στρατοδικείο,

έλεγχος, συνέλευση) emergency (γ) (μτφ.: =
υπέροχος) extraordinary

εκτάριο ΟΥΣ ΟΥΔ hectare

έκταση ΟΥΣ ΘΗΛ (α) (γης) tract · (ωκεανού)
expanse (β) (οικοπέδου, ακινήτου) area,
extent (γ) (κειμένου, γραπτού, διηγήματος,
μετάφρασης) length (δ) (εφαρμογής,
επίδρασης, ζημιών) extent (ε) (οικονομικής
κρίσης, ελλειμμάτων) extent (στ) (ΑΘΛ:
χεριών, ποδιών) stretching
▷**μουσική έκταση** (ΜΟΥΣ) range
▷**σε μεγάλη/μικρή έκταση** to a large/small
extent
▷**αγροτική έκταση** agricultural area
▷**βραχώδης έκταση** rocky area
▷**γεωγραφική έκταση** geographical area
▷**εδαφική έκταση** expanse of land
▷**αμμώδης έκταση** stretch of sand
▷**δασική έκταση** wooded area
▷**εν εκτάσει** at great length, in detail
▷**παίρνω έκταση** to spread
▷**δίνω έκταση σε** to cause to spread

εκταφή ΟΥΣ ΘΗΛ (α) (νεκρού) exhumation
(β) (μτφ.: αντικειμένου) disinterment

εκτεθειμένος, -η, -ο ΜΤΧ exposed
▷**είμαι εκτεθειμένος σε κτ** to be exposed to
sth
▷**είμαι εκτεθειμένος σε κπν** to be exposed to
sb

εκτείνομαι Ρ ΑΜ (α) (χωράφια) to extend
(β) (για χρόνο) to last (γ) (δραστηριότητες,
συναλλαγές, επενδύσεις, εξουσία) to extend

εκτείνω Ρ Μ (χέρι, πόδι) to stretch

εκτέλεση ΟΥΣ ΘΗΛ (α) (καταδίκου, ομήρου)
execution (β) (εργασίας, καθηκόντων, έργου)
carrying out (γ) (διαταγής, εντολής,
αποφάσεως) execution (δ) (ΑΘΛ: βολής,
πέναλτι) execution (ε) (ΝΟΜ: διαθήκης,
συμβάσεως) execution
▷**μουσική εκτέλεση** musical performance

εκτελεστής ΟΥΣ ΑΡΣ executor

εκτελεστικός, -ή, -ό ΕΠΙΘ (διάταγμα,
επιτροπή) executive
▸**εκτελεστικό απόσπασμα** firing squad
▸**εκτελεστική εξουσία** the Executive

εκτελώ Ρ Μ (α) (άνθρωπο) to execute
(β) (εντολή, οδηγία) to execute (γ) (καθήκον,
εργασία) to carry out (δ) (πλοίο, αεροπλάνο:
δρομολόγιο, μεταφορά, πτήση) to execute
(ε) (αθλητής: πέναλτι, βολή) to execute
(στ) (χρέη, καθήκοντα) to execute
(ζ) (μουσικός: μουσικό κομμάτι) to perform

εκτελωνίζω Ρ Μ (αποσκευές, εμπορεύματα) to
clear

εκτελωνισμός ΟΥΣ ΑΡΣ (εμπορευμάτων,
αποσκευών) clearance

εκτελωνιστής ΟΥΣ ΑΡΣ (επάγγελμα) customs
clearance officer

εκτενής, -ής, -ές ΕΠΙΘ (πληροφορία, κείμενο,
ανάλυση, αναφορά) lengthy and detailed

εκτεταμένος, -η, -ο ΕΠΙΘ extensive

εκτίθεμαι Ρ ΑΜ (α) (πίνακας, έργο τέχνης) to

be exhibited · (βιβλία) to be displayed
(β) (λόγοι, αιτίες, γεγονότα, άποψη) to be exposed
▷**εκτίθεμαι σε κτ** to be exposed to sth
▷**εκτίθεμαι (απέναντι) σε κπν** to be exposed to sb
εκτίμηση ΟΥΣ ΘΗΛ (α) (= σεβασμός) respect
(β) (ζημιών, καταστροφής) assessment
(γ) (οικοπέδου) evaluation (δ) (κατάστασης, περίστασης, στοιχείων) evaluation
▷**χάνω την εκτίμηση κποιου** to go down in sb's estimation
▷**τον έχω σε μεγάλη εκτίμηση** to hold sb in high esteem
▷**(ξε)πέφτω στην εκτίμηση κποιου** to go down in sb's estimation
▷**ανεβαίνω στην εκτίμηση κποιου** to go up in sb's estimation
▷**βρίσκομαι ψηλά στην εκτίμηση κποιου** to be highly thought of by sb
εκτιμητής ΟΥΣ ΑΡΣ (αξίας, οικοπέδου) valuer · (ζημιών) assessor
εκτιμώ Ρ Μ (α) (= αναγνωρίζω την αξία) to value (β) (= κρίνω) to appreciate
(γ) (= αποτιμώ) to evaluate
(δ) (= υπολήπτομαι) to respect
εκτίναξη ΟΥΣ ΘΗΛ ejection
εκτινάσσω Ρ Μ (α) (= εκσφενδονίζω) to eject (β) (μτφ.: τιμές, τιμάριθμος) to cause to rocket, to send up
▸**εκτινασσόμενο κάθισμα** ejector seat (Βρετ.), ejection seat (Αμερ.)
έκτιση ΟΥΣ ΘΗΛ (ποινής, θητείας) serving
εκτίω Ρ Μ (ποινή, θητεία, χρέος) to serve
εκτονώνω Ρ Μ (α) (κρίση, ένταση) to defuse (β) (συναισθήματα) to relieve
▸**εκτονώνομαι** ΜΕΣΟΠΑΘ to be relaxed
εκτόνωση ΟΥΣ ΘΗΛ (α) (κρίσης, κατάστασης) defusing (β) (ΦΥΣ: αερίου) expansion
εκτόξευση ΟΥΣ ΘΗΛ (α) (πυραύλου) launching · (βλήματος, φωτοβολίδας) shooting (β) (μτφ.: κατηγοριών, απειλών) hurling
εκτοξεύω Ρ Μ (α) (βλήμα) to shoot · (πύραυλο, διαστημόπλοιο) to launch
(β) (μτφ.: απειλές, κατηγορίες, ύβρεις) to hurl
εκτοπίζω Ρ Μ (α) (= απομακρύνω) to displace (β) (= εξορίζω) to exile
εκτόπιση ΟΥΣ ΘΗΛ (α) (= απομάκρυνση) displacement (β) (= εξορία) exile
εκτόπισμα ΟΥΣ ΟΥΔ displacement
εκτόπλασμα ΟΥΣ ΟΥΔ ectoplasm
εκτός ΠΡΟΘ (α) (= με εξαίρεση) except (β) (= μακριά από) out of
▷**εκτός αυτού/τούτου** besides
▷**εκτός αν** unless
▷**εκτός όταν** apart from when
▷**εκτός (του) ότι** except
▷**εκτός κινδύνου** out of danger
▷**εκτός συζητήσεως** out of the question
▷**εκτός εποχής** out of season
▷**εκτός τόπου** out of place

▷**εκτός σειράς** out of order
▷**εκτός βολής** out of range
▷**θέτω κπν εκτός μάχης** to put sb out of action
▷**ο εκτός νόμου** outlaw
▷**είμαι εκτός υπηρεσίας** to be off duty
▷**εκτός υπηρεσίας** off duty
▷**εκτός χρόνου** untimely
▷**εκτός τόπου και χρόνου** inopportune
▷**εκτός θέματος** irrelevant
▷**εκτός συναγωνισμού** ineligible to compete
▷**θέατρο εκτός των τειχών** suburban theatre (Βρετ.) ή theater (Αμερ.)
▷**ζω/είμαι εκτός πραγματικότητας** to live/be in a dream world
▷**εκτός έδρας** away
▷**έξοδα εκτός έδρας** travel expenses
▷**εκτός από** apart from
▷**βρίσκομαι εκτός** to be out
έκτος, -η, -ο ΑΡΙΘ ΤΑΚΤ sixth
▸**έκτος** ΟΥΣ ΑΡΣ (α) (= όροφος) sixth floor (Βρετ.), seventh floor (Αμερ.) (β) (= Ιούνιος) June
▸**έκτη** ΟΥΣ ΘΗΛ (α) (= ημέρα) sixth (β) (= τάξη δημοτικού) sixth grade
έκτοτε ΕΠΙΡΡ (κατέχω, αρχίζω, ασκώ) since then · (= από τότε) ever since
εκτραχηλίζομαι Ρ ΑΜ (επίσ.: = αποχαλινώνομαι) to get out of control
εκτραχηλισμός ΟΥΣ ΑΡΣ (επίσ.: = αποχαλίνωση) shameless behaviour (Βρετ.) ή behavior (Αμερ.)
εκτράχυνση ΟΥΣ ΘΗΛ (α) (επίσ.: = η τροπή προς το χειρότερο: σχέσης, συζήτησης, κατάστασης) aggravation (β) (: = επιδείνωση) worsening
εκτραχύνω Ρ Μ (α) (επίσ.: = προκαλώ χειροτέρευση: κατάσταση, κλίμα, μορφή) to aggravate (β) (= κάνω κτ σκληρό, τραχύ) to make rough (γ) (μτφ.: = επιδεινώνω: κατάσταση, κλίμα, γεγονότα) to worsen
εκτρέπω Ρ Μ (πυξίδα) to deviate
▷**εκτρέπομαι από την πορεία μου** to go off one's course
▷**εκτρέπομαι σε βρισιές εναντίον κποιου** to shower abuse on sb
εκτρέφω Ρ Μ (α) (ζώο) to breed (β) (μτφ.: μίσος, ιδέα) to breed
έκτροπα ΟΥΣ ΟΥΔ ΠΛΗΘ (στρατιώτη, όχλου) outrages
εκτροπή ΟΥΣ ΘΗΛ (α) (ποταμού, οχήματος, κυκλοφορίας) diversion (β) (μτφ.: πολιτεύματος, συζήτησης, νέου) deviation · (ΦΥΣ: φωτός, ακτίνας) deflection
εκτροχιάζομαι Ρ ΑΜ (α) (τρένο, όχημα) to be derailed (β) (μτφ.: παρέα, νέος) to run wild (γ) (συζήτηση, ομιλία) to digress
εκτροχιασμός ΟΥΣ ΑΡΣ (α) (τραίνου, οχήματος) derailment (β) (μτφ.: νέου, παρέας) misconduct · (: πολιτικής) derailment · (συζήτησης) digression
έκτρωμα ΟΥΣ ΟΥΔ (α) (= έμβρυο από έκτρωση)

abortion (β) (μτφ.: = φοβερά άσχημος άνθρωπος) freak · (για τέχνη) monstrosity

εκτρωματικός, -ή, -ό ΕΠΙΘ (α) (= ο σχετικός με την έκτρωση) (β) (μτφ.: = φοβερά άσχημος: άνθρωπος, γλυπτό, πίνακας) freakish · (γλυπτό, πίνακας) monstrous

έκτρωση ΟΥΣ ΘΗΛ (ΙΑΤΡ: γυναίκας) abortion
▷**χάπι έκτρωσης** abortion pill

εκτυλίσσω P M (ιστορία, συζήτηση) to unfold
► **εκτυλίσσομαι** ΜΕΣΟΠΑΘ (γεγονός, ζωή, ιστορία) to develop

εκτυπώνω P M (α) (βιβλίο, κείμενο, προσκλήσεις) to print (β) (εικόνα, φωτογραφία) to print (γ) (νόμισμα) to mint

εκτύπωση ΟΥΣ ΘΗΛ (α) (έργου, βιβλίου, έργου) printing (β) (νομίσματος) minting
▷**α'/β'/γ' εκτύπωση** 1st/2nd/3rd impression
▷**μηχάνημα εκτύπωσης** printing press

εκτυφλωτικός, -ή, -ό ΕΠΙΘ (α) (ήλιος) glaring · (φως) blinding (β) (μτφ.: εμφάνιση, ομορφιά, γυναίκα) dazzling

έκφανση ΟΥΣ ΘΗΛ (= εκδήλωση, έκφραση) manifestation

εκφαυλισμός ΟΥΣ ΑΡΣ (= εξαχρείωση: κοινωνίας, ηθικής, κοπέλας) corruption

εκφέρω P M to express
► **εκφέρομαι** ΜΕΣΟΠΑΘ (ΓΛΩΣΣ: = συντάσσομαι) to govern

εκφεύγω P ΑΜ βλ. **ξεφεύγω**

εκφοβίζω P M (αντίπαλο, λαό, χώρα) to intimidate

εκφοβισμός ΟΥΣ ΑΡΣ intimidation
▷**για εκφοβισμό** as a means of intimidation

εκφορά ΟΥΣ ΘΗΛ (α) (= μεταφορά: επιταφίου, νεκρού) funeral procession (β) (= κηδεία) funeral procession (γ) (= έκφραση) expression (δ) (= παρουσίαση) bringing out (ε) (μτφ.: οργής, πάθους) bringing out (στ) (= προφορά: λέξης) pronunciation

εκφορτώνω P M (α) (επίσ.: φορτίο, προϊόν, καύσιμο) to unload · (πλοίο, φορτηγό, αυτοκίνητο) to unload (β) (ΗΛΕΚ: ρεύμα, δίκτυο) to discharge

εκφόρτωση ΟΥΣ ΘΗΛ unloading
▷**εξέδρα εκφόρτωσης** unloading jetty
▷**λιμάνι εκφόρτωσης** unloading harbour (Βρετ.) ή harbor (Αμερ.)
▷**προβλήτα εκφόρτωσης** unloading jetty

εκφορτωτής ΟΥΣ ΑΡΣ (α) (= εργάτης: εμπορεύματος, φορτίου) unloader (β) (πλοίου, λιμανιού) docker (Βρετ.), longshoreman (Αμερ.)

> Προσοχή!: Ο πληθυντικός του longshoreman είναι longshoremen.

εκφορτωτικός, -ή, -ό ① ΕΠΙΘ (μηχάνημα) unloading
② ΟΥΣ ΟΥΔ ΠΛΗΘ (= έξοδα εκφόρτωσης) unloading costs

εκφράζω P M to express
► **εκφράζομαι** ΜΕΣΟΠΑΘ to express oneself

▷**εκφράζομαι με** to be expressed
▷**εκφράζομαι σε** (= μιλώ σε μια γλώσσα) to express oneself in
▷**εκφράζομαι μέσα από** to be expressed through
▷**εκφράζομαι με χειρονομίες** to use gestures to express oneself
▷**εκφράζομαι θετικά/αρνητικά** to express oneself positively/negatively
▷**εκφράζομαι ανοιχτά** to profess
▷**εκφράζομαι διφορούμενα** to express ambiguously

έκφραση ΟΥΣ ΘΗΛ (α) (ματιών, βλέμματος) expression (β) (υπουργού) phrase (γ) (αμηχανίας, αντίθεσης, βούλησης) expression
▷**ιδιωματική έκφραση** idiomatic phrase
▷**στερεότυπη έκφραση** set expression ή phrase
▷**ψυχρή έκφραση** cruel expression
▷**κατά κοινή έκφραση** by general expression

εκφραστικός, -ή, -ό ΕΠΙΘ (α) (κοπέλα, παιδί) eloquent (β) (πρόσωπο, μάτια, φρύδια) expressive (γ) (τρόπος, αίσθημα, ικανότητα) expressive

εκφραστικότητα ΟΥΣ ΘΗΛ expressiveness

εκφυλίζω P M (άνθρωπο, οργανισμό, ζωτικότητα) to decay
► **εκφυλίζομαι** ΜΕΣΟΠΑΘ (α) (= παθαίνω οργανική αλλοίωση: ζώο, φυλή, είδος) to decay (β) (μάστιγα, αρρώστια, ιός) to become less severe (γ) (κυβέρνηση, πολιτική, κρίση, κίνημα) to degenerate

εκφυλισμός ΟΥΣ ΑΡΣ (α) (= οργανική αλλοίωση: οργανισμού, είδους, φυλής) decay (β) (ανθρώπου, ζώων) decay (γ) (= διαφθορά: κυβέρνησης, πολιτικής, κινήματος) degeneration (δ) (οπαδού, πιστού) degeneration (ε) (= ελάττωση της έντασης, κάμψη: τέχνης, πίστης) degeneration

εκφυλιστικός, -ή, -ό ΕΠΙΘ degenerative

έκφυλος, -η, -ο ΕΠΙΘ (α) (= διεφθαρμένος) lecherous (β) (υβρ.: = που έχασε τις φυσικές του ιδιότητες) perverted

εκφώνηση ΟΥΣ ΘΗΛ (α) (λόγου, προσευχής) delivering (β) (ονομάτων, θεμάτων) roll call (γ) (άσκησης, προβλήματος) dictation (δ) (στο δικαστήριο: υπόθεσης) calling (ε) (ειδήσεων, διαφημίσεων) announcement

εκφωνητής ΟΥΣ ΑΡΣ newscaster

εκφωνήτρια ΟΥΣ ΘΗΛ βλ. **εκφωνητής**

εκφωνώ P M (α) (λόγο, ομιλία, προσευχή) to deliver (β) (ονόματα) to call over · (θέματα) to dictate (γ) (δικαστής, ένορκοι: απόφαση) to call (δ) (ειδήσεις, διαφημίσεις) to announce

εκχερσώνω P M (γη) to reclaim

εκχέρσωση ΟΥΣ ΘΗΛ (γης) land reclamation

εκχιονιστήρας ΟΥΣ ΑΡΣ snowplough (Βρετ.), snowplow (Αμερ.)

εκχριστιανίζω P M (αλλόθρησκο) to Christianize

εκχριστιανισμός ΟΥΣ ΑΡΣ (*αλλοθρήσκου*) Christianization

εκχυδαΐζω Ρ Μ (*λέξη, γλώσσα*) to vulgarize, to trivialize

εκχυδαϊσμός ΟΥΣ ΑΡΣ (*λέξης, γλώσσας*) vulgarization, trivialization

εκχυδαϊστικός, -ή, -ό ΕΠΙΘ vulgarizing

εκχύλισμα ΟΥΣ ΟΥΔ (*βύνης, βρώμης*) extract

εκχύμωση ΟΥΣ ΘΗΛ (ΙΑΤΡ) ecchymosis

εκχωμάτωση ΟΥΣ ΘΗΛ excavation

εκχώρηση ΟΥΣ ΘΗΛ (α) (ΝΟΜ: *δικαιώματος, αρμοδιότητας*) surrender (β) (*έργου, υπηρεσίας*) assignation

εκχωρητήριο ΟΥΣ ΟΥΔ (ΝΟΜ) deed of session

εκχωρητής ΟΥΣ ΑΡΣ (ΝΟΜ: *δικαιώματος, αρμοδιότητας*) assignor

εκχωρώ Ρ Μ (α) (ΝΟΜ: *δικαίωμα, αρμοδιότητα*) to assign, to surrender · (*θρόνο*) to assign (β) (*έργο, υπηρεσία*) to assign

εκών, -ούσα, -όν ΕΠΙΘ (*επίσ.*) willing
▷**εκών άκων** (= *θέλοντας και μη*) willy-nilly

έλα ΠΡΟΣΤ *βλ. κ. ρ.* **έρχομαι**

έλαιο ΟΥΣ ΟΥΔ (*επίσ.*) oil
▷**λίπη και έλαια** oils and fats
▷**φυτικά έλαια** vegetable oils
▷**ζωικά έλαια** animal fats
▷**αιθέρια έλαια** ethereal oils
▷**αρωματικά έλαια** essential oils

ελαιογραφία ΟΥΣ ΘΗΛ (ΤΕΧΝ) oil painting

ελαιόδεντρο ΟΥΣ ΟΥΔ, **λιόδεντρο** (*επίσ.*) olive (tree)

ελαιόλαδο ΟΥΣ ΟΥΔ (*επίσ.*) olive oil
▷**αγνό ελαιόλαδο** virgin olive oil

ελαιοπαραγωγή ΟΥΣ ΘΗΛ olive crop

ελαιοπαραγωγικός, -ή, -ό ΕΠΙΘ (*διαδικασία*) oil-producing

ελαιοπαραγωγός, -ός, -ό(ν) ① ΟΥΣ ΑΡΣ&ΘΗΛ oil producer
② ΕΠΙΘ (*χώρα, οργανισμός*) oil-producing

ελαιοτριβείο ΟΥΣ ΟΥΔ (*επίσ.*) oil press

ελαιουργείο ΟΥΣ ΟΥΔ oil mill, oil factory

ελαιουργία ΟΥΣ ΘΗΛ oil industry

ελαιοχρωματιστής ΟΥΣ ΑΡΣ decorator

ελαιώνας ΟΥΣ ΑΡΣ olive grove

έλαση ΟΥΣ ΘΗΛ (*μετάλλου*) rolling, extrusion
▷**θερμή έλαση** hot rolling
▷**ψυχρή έλαση** cold rolling

έλασμα ΟΥΣ ΟΥΔ (*μετάλλου*) plate

ελασματοειδής, -ής, -ές ΕΠΙΘ plate-like

ελασματουργείο ΟΥΣ ΟΥΔ rolling mill

ελασματουργός ΟΥΣ ΑΡΣ rolling mill

ελάσσων, -ων, -ον ① ΕΠΙΘ (α) (*επίσ.: ζήτημα, πρόβλημα, σημασία,*) minor (β) (ΜΟΥΣ) minor · (*επίσης* **κλίμακα**) minor
② ΟΥΣ ΟΥΔ (ΜΟΥΣ) minor
▷**έλασσον τόξο** (ΓΕΩΜ) small curve
▷**στο έλασσον** (*επίσ.*) to the minimum

ελαστικό ΟΥΣ ΟΥΔ (*αυτοκινήτου*) tyre (Βρετ.),

tire (Αμερ.)

ελαστικός, -ή, -ό ΕΠΙΘ (α) (*ύφασμα, υλικό*) rubber (β) (*φούστα, παντελόνι*) rubbery (γ) (μτφ.: *πρόγραμμα, νομοθεσία, χαρακτήρας*) flexible

ελαστικότητα ΟΥΣ ΘΗΛ (α) (*υφάσματος, υλικού*) elasticity (β) (μτφ.: *μεθόδου, προγράμματος*) looseness (γ) (*χαρακτήρα*) flexibility

ελατήριο ΟΥΣ ΟΥΔ (α) (*ρολογιού, στρώματος*) spring (β) (μτφ.: *πράξης, εγκλήματος*) motive

έλατο ΟΥΣ ΟΥΔ, **έλατος** ΟΥΣ ΑΡΣ (ΒΟΤ) fir tree
▷**χριστουγεννιάτικο έλατο** Christmas tree

ελατόπισσα ΟΥΣ ΘΗΛ fir resin

ελατός, -ή, -ό ΕΠΙΘ (*μέταλλο*) laminable

ελατόφυτος, -η, -ο ΕΠΙΘ (*δάσος, πλαγιά, κορυφή*) fir

ελάττωμα ΟΥΣ ΟΥΔ (α) (*ρούχου, προϊόντος*) defect (β) (*ανθρώπου*) fault
▷**αγάπα τον φίλο σου με τα ελαττώματά του** (*παροιμ.*) take people as you find them
▷**σωματικό ελάττωμα** physical defect
▷**φυσικό ελάττωμα** natural defect

ελαττωματικός, -ή, -ό ΕΠΙΘ (α) (*ρούχο, προϊόν*) defective (β) (*λειτουργία, διάπλαση*) imperfect

ελαττώνω Ρ Μ (α) (*βάρος, έξοδα*) to reduce (β) (*φαγητό, κάπνισμα*) to reduce (γ) (*πόνο, θόρυβο*) to alleviate (δ) (*παραγωγή*) to slow down
▸**ελαττώνομαι** ΜΕΣΟΠΑΘ (*αντοχή, αντίσταση, προσπάθεια*) to be reduced · (*ροή, όγκος*) to cut down

ελάττωση ΟΥΣ ΘΗΛ (α) (*εξόδων, βάρους, καπνίσματος*) reduction (β) (*πόνου*) alleviation (γ) (*παραγωγής*) slowing down

ελάφι ΟΥΣ ΟΥΔ (ΖΩΟΛ) deer

> *Προσοχή!: Ο πληθυντικός του* **deer** *είναι* **deer**.

ελαφίνα ΟΥΣ ΘΗΛ (ΖΩΟΛ) doe

ελαφίσιος, -α, -ο ΕΠΙΘ of deer

ελαφράδα ΟΥΣ ΘΗΛ (= *έλλειψη βάρους*) lightness

ελαφραίνω Ρ Μ *βλ.* **ελαφρώνω**

ελαφρόμυαλος, -η, -ο ΕΠΙΘ (α) (= *ανόητος*) scatterbrained (β) (= *ματαιόδοξος*) frivolous

ελαφρόπετρα ΟΥΣ ΘΗΛ pumice (stone)

ελαφρός, -ιά, -ό ΕΠΙΘ light
▷**ελαφρά ήθη** easy virtues
▷**ελαφρό τραγούδι** light-hearted song
▷**ελαφρά τη καρδία** with light heart
▷**ελαφρά μουσική** light music

ελαφρότητα ΟΥΣ ΘΗΛ (α) (= *ελαφράδα*) lightness (β) (= *επιπολαιότητα*) frivolity

ελάφρυνση ΟΥΣ ΘΗΛ (*χρέους, φόρου*) reduction

ελαφρυντικός, -ή, -ό ΕΠΙΘ (*στοιχείο*) extenuating
▸**ελαφρυντικό** ΟΥΣ ΟΥΔ extenuation

▷**επικαλούμαι ελαφρυντικά** to plead extenuating circumstances

ελαφρύνω P M/AM = **ελαφραίνω**

ελαφρύς, -ιά, -ύ ΕΠΙΘ (α) (= *που έχει μικρό βάρος: βαλίτσα, κιβώτιο, άνθρωπος*) light (β) (= *ευκολοχώνευτος: φαγητό, γεύμα*) light (γ) (= *που έχει αραιωμένα συστατικά: καφές, τσιγάρο, ζύμη*) mild (δ) (*άρωμα, γεύση*) mild (ε) (*πυρετός, γρίπη*) light (στ) (*μτφ.: = ευκολοβάσταχτος: πόνος, τιμωρία, φορολογία*) weak (ζ) (*μτφ.: ειρωνία, ύπνος*) light

▷**ελαφρύς ύπνος** light sleep
▷**ελαφρύ χέρι** weak hand

ελαφρώνω ① P M (α) (*λύπη, πόνο*) to alleviate (β) (*μαλλιά, σκεπάσματα*) to lighten ② P AM (= *γίνομαι ελαφρός*) to become light

ελάχιστα ΕΠΙΡΡ barely

ελαχιστοποίηση ΟΥΣ ΘΗΛ (*χρόνου, κόστους, κινδύνων*) minimization

ελαχιστοποιώ P M (*απόσταση, πιθανότητα, κίνδυνο*) to minimize

ελάχιστος, -η, -ο ΕΠΙΘ minimum
▷**περιορίζω κάτι στο ελάχιστο** to keep sth to the minimum
▷**ελάχιστο κοινό πολλαπλάσιο** (ΜΑΘ) the lowest common denominator
▷**ελάχιστη κατανάλωση** minimum consumption

Ελβετή ΟΥΣ ΘΗΛ *βλ.* **Ελβετός**

Ελβετία ΟΥΣ ΘΗΛ Switzerland

Ελβετίδα ΟΥΣ ΘΗΛ *βλ.* **Ελβετός**

ελβετικός, -ή, -ό ΕΠΙΘ (*ρολόι*) Swiss

> *Προσοχή!: Τα εθνικά επίθετα, όπως* **Swiss**, *γράφονται με κεφαλαίο το αρχικό γράμμα στα Αγγλικά.*

Ελβετός ΟΥΣ ΑΡΣ Swiss
▷**οι Ελβετοί** the Swiss

ελεατικός, -ή, -ό ΕΠΙΘ (*σχολή*) Eleatic

ελεγεία ΟΥΣ ΘΗΛ (= *θρηνητικό ποίημα*) elegy

ελεγειακός, -ή, -ό ΕΠΙΘ elegiac

ελεγκτήριο ΟΥΣ ΟΥΔ (= *γραφείο ελέγχου: εισιτηρίων, αποσκευών*) check–in desk

ελεγκτής ΟΥΣ ΑΡΣ (*εισιτηρίων, διαβατηρίων*) inspector
▷**δημοσιονομικός ελεγκτής** fiscal auditor
►**τελωνειακός ελεγκτής** customs inspector
►**ελεγκτής εναέριας κυκλοφορίας** air traffic controller
►**ελεγκτής εσόδων εξόδων** income and expenses auditor

ελεγκτικός, -ή, -ό ΕΠΙΘ (*όργανο, καθήκοντα*) controlling, inspecting
►**ελεγκτικό συνέδριο** (ΝΟΜ) State Audit Council

έλεγχος ΟΥΣ ΑΡΣ (α) (*κειμένου*) checking · (*τροφίμων, υπαλλήλου*) control · (*διαβατηρίων αποσκευών*) control · (*αποσκευών*) examination (β) (*βιβλίων*) checking · (*τιμών*) control

(γ) (*συναισθημάτων, κατάστασης*) control
(δ) (ΕΚΠ: *μαθητών*) report
▷**είμαι ή τελώ υπό έλεγχο** to be under control
▷**θέτω κπν υπό έλεγχο** to bring sb under control
▷**περνώ από έλεγχο** to undergo a test
▷**χάνω τον έλεγχο** to lose control
▷**εξονυχιστικός έλεγχος** thorough examination
▷**οικονομικός έλεγχος** audit
▷**φορολογικός έλεγχος** tax inspection
▷**κοινοβουλευτικός έλεγχος** parliamentary inspection
▷**υγειονομικός έλεγχος** sanitary inspection
▷**ποιοτικός έλεγχος** quality control
▷**τελωνειακός έλεγχος** customs inspection
▷**πύργος ελέγχου** (ΑΕΡ) control tower

ελέγχω P M (α) (*κείμενο*) to check (β) (*βάρος*) to control (γ) (*βιβλία, τιμές*) to audit (δ) (*αποσκευές*) to examine · (*διαβατήρια*) to control (ε) (*εταιρία, κράτος, οικονομία*) to criticize, to censure (στ) (*κατάσταση, συναισθήματα*) to control

ελεεινολογώ P AM to deplore

ελεεινός, -ή, -ό ΕΠΙΘ (α) (*άνθρωπος*) deplorable (β) (*θέαμα, τρόπος, θάνατος*) miserable

ελεεινότητα ΟΥΣ ΘΗΛ meanness, misery

ελεημοσύνη ΟΥΣ ΘΗΛ charity

ελεήμων, -ων, -ον ΕΠΙΘ (*Θεός, άνθρωπος*) merciful, beneficent

έλεος ΟΥΣ ΟΥΔ (α) (= *ευσπλαχνία*) pity · (= *λύπηση*) compassion (β) (= *ελεημοσύνη*) charity
▷**αδελφή του ελέους** Sister of Charity
▷**είμαι στο έλεος κποιου** to be at the mercy of sb
▷**αφήνομαι στο έλεος της τύχης** to put oneself in the hands of the gods
▷**ελέω θεού** by the grace of God

ελευθέρας ΕΠΙΡΡ to have free admission
▷**κάρτα ελευθέρας** free admission card
▷**έχω ελευθέρας** to have free admission

ελευθερία ΟΥΣ ΘΗΛ freedom
▷**πολιτική ελευθερία** civil liberty
▷**εθνική ελευθερία** national freedom
▷**απόλυτη ελευθερία** absolute freedom
▷**καλλιτεχνική ελευθερία** artistic freedom
▷**ατομικές ελευθερίες** personal freedom

ελευθεριάζω P AM to take liberties

ελευθεριάζων, -ων, -ον ΕΠΙΘ who behaves as a liberal
▷**ελευθεριάζοντα ήθη** loose principles

ελευθέριος, -ος, -ο ΕΠΙΘ (*ήθη*) liberal
▷**ελευθέρια επαγγέλματα** liberal professions

ελευθεριότητα ΟΥΣ ΘΗΛ liberality

ελεύθερος, -η, -ο ΕΠΙΘ (α) (*κράτος, πατρίδα*) free (β) (*γνώμη, επιλογή*) free (γ) (*αγορά, εμπόριο*) free (δ) (*για πρόσ.*) free (ε) (= *ο μη παντρεμένος*) single (στ) (= *ο μη κατειλημμένος: θέση, χώρος*) available

(ζ) (= δωρεάν: είσοδος, μετακίνηση) free
(η) (ώρα, χρόνος) spare
▸**ελεύθερη μετάφραση** (ΛΟΓ) free translation
▸**ελεύθερος στίχος** (ΛΟΓ) free verse
▸**ελεύθερος σκοπευτής** (ΣΤΡΑΤ) sniper
▸**ελεύθερη πτώση** free fall
▸**ελεύθερος έρωτας** free love
ελευθεροστομία ΟΥΣ ΘΗΛ outspokenness
ελευθερόστομος, -η, -ο ΕΠΙΘ outspoken
ελευθεροτυπία ΟΥΣ ΘΗΛ free press
ελευθεροφροσύνη ΟΥΣ ΘΗΛ freethinking,
liberalism
ελευθερόφρων, -ων, -ον ΕΠΙΘ liberal,
broadminded
ελευθερώνω Ρ Μ (χώρα, λαό) to free, to
liberate
▸**ελευθερώνομαι** ΜΕΣΟΠΑΘ (για έγκυο) to give
birth
ελευθέρωση ΟΥΣ ΘΗΛ liberation
ελευθερωτής ΟΥΣ ΑΡΣ (πόλης, χώρας)
liberator
έλευση ΟΥΣ ΘΗΛ (επίσ.: = άφιξη) arrival
Ελευσίνα ΟΥΣ ΘΗΛ Eleusis
ελέφαντας ΟΥΣ ΑΡΣ (ΖΩΟΛ) elephant
ελεφαντένιος, -α, -ο ΕΠΙΘ βλ. **ελεφάντινος**
ελεφαντίαση ΟΥΣ ΘΗΛ (ΙΑΤΡ) elephantiasis
ελεφαντίνη ΟΥΣ ΘΗΛ (ΙΑΤΡ/ΑΝΑΤ) dentine
ελεφάντινος, -η, -ο ΕΠΙΘ (άγαλμα, κόσμημα)
ivory
ελεφαντόδετος, -η, -ο ΕΠΙΘ (κόσμημα)
mounted on ivory
ελεφαντόδοντο ΟΥΣ ΟΥΔ tusk, ivory
ελεφαντουργός ΟΥΣ ΑΡΣ ivory craftsman

Προσοχή!: Ο πληθυντικός του **craftsman**
είναι **craftsmen**.

ελεώ Ρ Μ (θεός, άνθρωπος: ζητιάνο, άπορο) to
show mercy to
▸**ελέησον με Κύριε!** Lord have mercy on me!
ελήφθη ΑΟΡ ΠΑΘ βλ. κ. ρ. **λαμβάνω**
ελιά ΟΥΣ ΘΗΛ (α) (δέντρο) olive tree
(β) (καρπός) olive (γ) (= φυσική κηλίδα του
δέρματος) wart
▸**ελιές Καλαμών** olives from Kalamata
ελιγμός ΟΥΣ ΑΡΣ (α) (πλοίου, αυτοκινήτου)
manoeuvre (Βρετ.), maneuver (Αμερ.)
(β) (= υπεκφυγή) evasion
▸**πολιτικός ελιγμός** political evasion
▸**επιδέξιος ελιγμός** clever manoeuvre (Βρετ.)
ή maneuver (Αμερ.)
έλικας ΟΥΣ ΑΡΣ (α) (αεροπλάνου, ελικοπτέρου)
airscrew (Βρετ.), propeller (Αμερ.) (β) (ΑΡΧΙΤ:
κιονόκρανου) scroll (γ) (ΒΟΤ: αμπέλου)
tendril
▸**κινητήριος έλικας** propeller
▸**διπλή έλικα** (ΒΙΟΛ) double helix
ελικοειδής ΕΠΙΘ (α) (γραμμή, τροχιά) sinuous
(β) (δρόμος) winding (γ) (κίονας) twisting
ελικοκίνητος ΕΠΙΘ (πλοίο) propeller–driven
ελικόπτερο ΟΥΣ ΟΥΔ (ΑΕΡ) helicopter, chopper

(ανεπ.)
ελικοπτεροφόρο ΟΥΣ ΟΥΔ (ΝΑΥΤ) helicopter
carrier
ελικοφόρος ΕΠΙΘ (λέμβος) propeller–driven
ελιξήριο ΟΥΣ ΟΥΔ elixir
▷**ελιξήριο της ζωής** elixir of life
▷**ελιξήριο της νεότητας** elixir of youth
ελίσσομαι Ρ ΑΜ (α) (φίδι) to twist
(β) (ποταμός) to meander (γ) (αυτοκίνητο)
to manoeuvre (Βρετ.), to maneuver (Αμερ.)
(δ) (ΣΤΡΑΤ: στράτευμα) to manoeuvre (Βρετ.),
to maneuver (Αμερ.) (ε) (μτφ.) to be flexible
ελίτ ΟΥΣ ΘΗΛ ΑΚΛ elite
▷**πνευματική ελίτ** intellectual elite
▷**πολιτισμική ελίτ** cultural elite
▷**κοινωνική ελίτ** social elite
έλκηθρο ΟΥΣ ΟΥΔ sled, sledge
ελκοπαθής ΟΥΣ ΑΡΣ/ΘΗΛ (ασθενής) person
suffering from an ulcer
έλκος ΟΥΣ ΟΥΔ (ΙΑΤΡ) ulcer
ελκτικός ΕΠΙΘ (ΦΥΣ: δύναμη, ικανότητα)
drawing
ελκυστικός ΕΠΙΘ (α) (άντρας, γυναίκα,
παρουσία) attractive (β) (χρώμα, ρούχο)
attractive (γ) (ατμόσφαιρα) winning
ελκυστικότητα ΟΥΣ ΘΗΛ (α) (εμφάνισης)
attractiveness (β) (πρότασης) allurement
ελκύω Ρ Μ to draw · (μτφ.) to attract
▷**ελκύω την προσοχή** to attract attention
έλκω Ρ Μ (μαγνήτης: σίδηρο) to attract
▷**έλκω την καταγωγή** to be coming from
Ελλάδα ΟΥΣ ΘΗΛ Greece
ελλαδικός, -ή, -ό ΕΠΙΘ Greek

Προσοχή!: Τα εθνικά επίθετα, όπως
Greek, *γράφονται με κεφαλαίο το αρχικό*
γράμμα στα Αγγλικά.

ελλανοδίκης ΟΥΣ ΑΡΣ juror
ελλανόδικος, -ος, -ον ΕΠΙΘ: **ελλανόδικος**
επιτροπή jury
Ελλάς (επίσ.) ΟΥΣ ΘΗΛ Hellas
έλλειμμα ΟΥΣ ΟΥΔ deficit
▷**δημόσιο έλλειμμα** public deficit
▷**δημοσιονομικό έλλειμμα** fiscal deficit
▸**έλλειμμα του εμπορικού ισοζυγίου** trade
deficit
▸**έλλειμμα του ισοζυγίου πληρωμών** balance
of payments deficit
ελλειμματικός, -ή, -ό ΕΠΙΘ showing a deficit
ελλειπτικός, -ή, -ό ΕΠΙΘ (α) (λόγος, κείμενο)
defective (β) (μορφές) elliptical
▸**ελλειπτικό ρήμα** defective verb
ελλειπτικότητα ΟΥΣ ΘΗΛ defectiveness
ελλείπω Ρ ΑΜ (επίσ.) to lack
▷**ελλείψει + γεν** lacking
έλλειψη ΟΥΣ ΘΗΛ lack (α) (σεβασμού, ήθους,
αξιοπιστίας) lack (β) (ευαισθησίας, χιούμορ)
lack (γ) (στέγης, νερού) lack
(δ) (επικοινωνίας) lack (ε) (ΓΕΩΜ) ellipse
▷**(δεν) έχω έλλειψη από** (not) to lack

 E

▷**έλλειψη βαρύτητας** (ΦΥΣ) lack
ελλειψοειδής, -ής, -ές ΕΠΙΘ ellipsoidal
Έλληνας ΟΥΣ ΑΡΣ Greek
Ελληνίδα ΟΥΣ ΘΗΛ *βλ.* **Έλληνας**
ελληνικός, -ή, -ό ΕΠΙΘ Greek
▷**ελληνικός οργανισμός τουρισμού** Greek tourist authority
▶ **Ελληνικά** ΟΥΣ ΟΥΔ ΠΛΗΘ, **Ελληνική** ΟΥΣ ΘΗΛ Greek
ελληνικότητα ΟΥΣ ΘΗΛ Greek character
ελληνισμός ΟΥΣ ΑΡΣ Hellenism, the Greek nation
▷**ο ελληνισμός της διασποράς** Greeks living abroad
ελληνιστής ΟΥΣ ΑΡΣ Greek scholar
ελληνιστικός, -ή, -ό ΕΠΙΘ Hellenistic
ελληνοαγγλικός, -ή, -ό ΕΠΙΘ (*λεξικό*) Greek–English

Προσοχή!: Τα εθνικά επίθετα, όπως **Greek-English**, *γράφονται με κεφαλαίο το αρχικό γράμμα στα Αγγλικά.*

ελληνοαλβανικός, -ή, -ό ΕΠΙΘ Greek–Albanian

Προσοχή!: Τα εθνικά επίθετα, όπως **Greek-Albanian**, *γράφονται με κεφαλαίο το αρχικό γράμμα στα Αγγλικά.*

ελληνοαμερικανικός, -ή, -ό ΕΠΙΘ Greek–American

Προσοχή!: Τα εθνικά επίθετα, όπως **Greek-American**, *γράφονται με κεφαλαίο το αρχικό γράμμα στα Αγγλικά.*

ελληνογαλλικός, -ή, -ό ΕΠΙΘ Greek–French

Προσοχή!: Τα εθνικά επίθετα, όπως **Greek-French**, *γράφονται με κεφαλαίο το αρχικό γράμμα στα Αγγλικά.*

ελληνογερμανικός, -ή, -ό ΕΠΙΘ Greek–German

Προσοχή!: Τα εθνικά επίθετα, όπως **Greek-German**, *γράφονται με κεφαλαίο το αρχικό γράμμα στα Αγγλικά.*

ελληνόγλωσσος, -η, -ο ΕΠΙΘ (*βιβλιογραφία*) Greek-speaking
ελληνολατινικός, -ή, -ό ΕΠΙΘ Graeco–Latin
ελληνολάτρης ΟΥΣ ΑΡΣ lover of all Greek things
ελληνομαθής, -ής, -ές ΕΠΙΘ versed in Greek language and literature
ελληνορωμαϊκός, -ή, -ό ΕΠΙΘ Graeco–Roman
ελληνόφωνος, -η, -ο ΕΠΙΘ Greek-speaking
Ελλήσποντος ΟΥΣ ΑΡΣ Hellespont
ελλιμενίζω Ρ Μ (*πλοίο*) to bring into port
ελλιμενισμός ΟΥΣ ΑΡΣ (*πλοίου*) mooring, anchoring

ελλιπής, -ής, -ές ΕΠΙΘ (α) (*πληροφορίες, απάντηση*) insufficient (β) (*διατύπωση*) insufficient (γ) (*αιτιολογία*) deficient (δ) (*προστασία, βοήθεια*) lacking, inadequate (ε) (*αμοιβή, αποδοχές*) lacking (στ) (*γνώση*) imperfect · (*κρίση*) deficient (ζ) (*προσωπικό*) lacking
ελλιπώς ΕΠΙΡΡ deficiently
έλλογος, -η, -ο ΕΠΙΘ rational
ελλοχεύω Ρ ΑΜ (*εχθρός*) to lie in wait · (*κίνδυνος, φόβος*) to lurk
έλξη ΟΥΣ ΘΗΛ attraction
▷**σαρκική/σεξουαλική έλξη** sex appeal
▷**παγκόσμια έλξη** international attraction
▷**μαγνητική έλξη** magnetic attraction
▷**ασκώ έλξη** to attract
▷**αισθάνομαι έλξη για κπν** to be attracted to sb
▶ **έλξεις** ΠΛΘ (ΙΑΤΡ) attraction
ελόβιος, -α/-ος, -ο ΕΠΙΘ (*φυτά, ζώα*) marsh, swamp
ελονοσία ΟΥΣ ΘΗΛ (ΙΑΤΡ) malaria
έλος ΟΥΣ ΟΥΔ marsh, swamp
ελπίδα ΟΥΣ ΘΗΛ hope
▷**υπάρχει/δεν υπάρχει ελπίδα** there is hope/ there is no hope
▷**πέρα από κάθε ελπίδα** beyond all expectations
▷**δίνω ελπίδα** to give hope
▷**έχω την ελπίδα** I have hope
▷**ελπίδα σωτηρίας** hope for salvation
▷**χάνω κάθε ελπίδα** to lose all hope
▷**τελευταία ελπίδα** last hope
▷**είμαι η τελευταία ελπίδα κποιου** to be sb's last hope
▷**μοναδική ελπίδα** only hope
▷**ζω με την ελπίδα...** to live in the hope...
▷**κρυφή ελπίδα** secret hope
▷**διαψεύδονται οι ελπίδες μου** to be deceived in sb
▷**στηρίζω τις ελπίδες μου σε κπν** to place one's hopes in sb
▷**με τις ελπίδες σε...** to trust in
▷**έχω τις ελπίδες μου στο Θεό** to trust in God
▷**εναποθέτω σε κπν τις ελπίδες μου** to set one's hopes in sb
▷**φρούδες ελπίδες** futile hopes
▷**ακρωτήριο της Καλής Ελπίδας** the Cape of Good Hope
ελπιδοφόρος, -α ή **-ος, -ο** ΕΠΙΘ hopeful, promising
ελπίζω ① Ρ Μ (α) : **ελπίζω να ...** to hope to ... (β) (= *περιμένω*) to expect to ... ② Ρ ΑΜ to have hope
▷**ελπίζω ότι/πως ...** to hope that ...
▷**το ελπίζω!** I hope so!
▷**ελπίζω/δεν ελπίζω** to hope/not to hope
▷**μην ελπίζεις!** don't get your hopes up!
▷**θέλω να ελπίζω ότι** I would like to believe that
▷**ελπίζω στον Θεό/στον Πανάγαθο** I trust in God/ in the most Merciful

Ελσίνκι ΟΥΣ ΟΥΔ ΑΚΛ Helsinki

εμαγιέ ΕΠΙΘ ΑΚΛ enamel

εμάς ΑΝΤΩΝ us
▷**από εμάς** from us
▷**από όλους εμάς** from all of us
▷**εμάς τους δύο** the two of us
▷**με ή μαζί με εμάς** with us
▷**σαν (κι) εμάς** like us

εμβαδόν ΟΥΣ ΟΥΔ (ΓΕΩΜ) area

εμβάζω Ρ Μ (ΟΙΚΟΝ: χρήματα) to remit

εμβάθυνση ΟΥΣ ΘΗΛ thorough examination

εμβαθύνω Ρ ΑΜ to carry out a thorough examination

εμβάλλω Ρ Μ to cause anxiety
▷**εμβάλλω σε κπν κτ** to make sb suspicious about sth

εμβάπτιση ΟΥΣ ΘΗΛ complete immersion

έμβασμα ΟΥΣ ΟΥΔ (ΟΙΚΟΝ) remittance

εμβατήριο ΟΥΣ ΟΥΔ march
▷**πένθιμο εμβατήριο** funeral march
▷**νεκρώσιμο εμβατήριο** death march
▷**στρατιωτικό εμβατήριο** military march
▷**γαμήλιο εμβατήριο** wedding march

εμβέλεια ΟΥΣ ΘΗΛ range

έμβιος, -α ή -ος, -ο ΕΠΙΘ living
▷**έμβιο ον/έμβια όντα** living creature/living creatures (Βρετ.)

έμβλημα ΟΥΣ ΟΥΔ emblem (α) (της Αθήνας, της Ισπανίας) emblem (β) (μτφ.: προδοσίας, τσαχπινιάς) badge
▷**οικογενειακό έμβλημα** family crest
▷**έμβλημα της ειρήνης** symbol of peace

εμβολέας ΟΥΣ ΑΡΣ (α) (ΣΤΡΑΤ) ramrod, rammer (β) (ΝΑΥΤ) ram (γ) (ΜΗΧ) bucket, plunger

εμβολή ΟΥΣ ΘΗΛ (α) (πυρίτιδας) collision (β) (ΝΑΥΤ) ramming (γ) (ΙΑΤΡ) embolism

εμβολιάζω Ρ Μ (άνθρωπο, παιδί, ζώο) to vaccinate

εμβολιασμός ΟΥΣ ΑΡΣ vaccination
▷**προληπτικός εμβολιασμός** preventive vaccination

εμβολίζω Ρ Μ (= συγκρούομαι: πλοίο) to ram

εμβόλιμος, -η, -ο ΕΠΙΘ (στίχοι) intercalary

εμβόλιο ΟΥΣ ΟΥΔ (ΙΑΤΡ) vaccine
▷**κάνω εμβόλιο** to get vaccinated

εμβολισμός ΟΥΣ ΑΡΣ (α) (ΜΗΧ) piston stroke (β) (πλοίου) ramming

έμβολο ΟΥΣ ΟΥΔ (μηχανής) piston · (αντλίας) bucket

εμβρίθεια ΟΥΣ ΘΗΛ (α) (= βάθος γνώσεων) profundity (β) (σκέψης) wisdom

εμβριθής, -ής, -ές ΕΠΙΘ (μελετητής, στοχαστής, μελέτη) profound

εμβρόντητος, -η, -ο ΕΠΙΘ: **μένω εμβρόντητος** flabbergasted, dumbfounded

εμβρυακός, -ή, -ό ΕΠΙΘ, **εμβρυϊκός** foetal (Βρετ.), fetal (Αμερ.)
▷**σε εμβρυακή κατάσταση** in embryo

έμβρυο ΟΥΣ ΟΥΔ (ΒΙΟΛ) embryo, foetus (Βρετ.), fetus (Αμερ.)

εμβρυουλκός ΟΥΣ ΑΡΣ (ΙΑΤΡ) forceps πληθ.

εμβρυώδης, -ης, -ες ΕΠΙΘ βλ. **εμβρυακός**

εμβυθίζω Ρ Μ (επίσ.: = βυθίζω) to deeen

εμβύθιση ΟΥΣ ΘΗΛ (αντικειμένου) deepening

εμείς ΑΝΤΩΝ we
▷**δεν φταίμε εμείς** it's not our fault
▷**εμείς οι δύο** the two of us
▷**εμείς κι εμείς** few of us
▷**κι εμείς** us too

εμένα ΑΝΤΩΝ myself
▷**μ' εμένα** with me
▷**εμένα μου αρέσει** I like it

εμετικός, -ή, -ό ΕΠΙΘ (συμπεριφορά, θέαμα) sickening

εμετός ΟΥΣ ΑΡΣ vomit, nausea
▷**κάνω εμετό** to vomit
▷**μου έρχεται εμετός** to feel sick
▷**κτ μου φέρνει εμετό** sth is nauseating

έμετος ΟΥΣ ΑΡΣ βλ. **εμετός**

εμιράτο ΟΥΣ ΟΥΔ emirate
▷**Ηνωμένα Αραβικά Εμιράτα** (ΓΕΩΓΡ) United Arab Emirates

εμίρης ΟΥΣ ΑΡΣ emir

εμμένω Ρ ΑΜ: **εμμένω σε κτ** to persist with sth

έμμεσα ΕΠΙΡΡ (προκαλώ, μιλώ, συνδέομαι) indirectly

έμμεσος, -η, -ο ΕΠΙΘ (τρόπος, προειδοποίηση, υπόδειξη, σχέση) indirectly
▷**έμμεσο αντικείμενο** (ΓΛΩΣΣ) indirect object

έμμετρος, -η, -ο ΕΠΙΘ (λόγος, μετάφραση) metrical, in verse

έμμηνα ΟΥΣ ΟΥΔ ΠΛΗΘ βλ. **εμμηνόρροια**

εμμηνόπαυση ΟΥΣ ΘΗΛ (ΒΙΟΛ) menopause
▷**πρόωρη εμμηνόπαυση** early menopause

εμμηνόρροια ΟΥΣ ΘΗΛ (επίσ.: ΒΙΟΛ) menstruation

εμμηνορροϊκός, -ή, -ό ΕΠΙΘ (ΒΙΟΛ) menstrual

έμμηνος, -ος, -ος ΕΠΙΘ (ροή, ρύση, περίοδος) menstrual

έμμισθος, -η, -ο ΕΠΙΘ (εργασία) paid, salaried

εμμονή ΟΥΣ ΘΗΛ persistence

έμμονος, -η, -ο ΕΠΙΘ (ιδέα, σκέψη) persistent

εμορφιά ΟΥΣ ΘΗΛ (λογοτ.) beauty · βλ. κ. **ομορφιά**

εμπάθεια ΟΥΣ ΘΗΛ hatred

εμπαθής, -ής, -ές ΕΠΙΘ (α) (πολιτικός, στέλεχος) malicious (β) (κριτική, σχόλιο) malevolent

εμπαιγμός ΟΥΣ ΑΡΣ (α) (= χλευασμός: ανθρώπου) ridicule (β) (πολιτικού) deception

εμπαίζω Ρ Μ (α) (= περιπαίζω: άνθρωπος) to ridicule (β) (= εξαπατώ: πολιτικός: λαό) to deceive

εμπαικτικός, -ή, -ό ΕΠΙΘ (κριτική, σχόλιο) deceitful

έμπαση ΟΥΣ ΘΗΛ (λογοτ.: = είσοδος) entering

έμπεδο ΟΥΣ ΟΥΔ (ΣΤΡΑΤ) regimental depot
εμπεδώνω Ρ Μ (α) (*κυβέρνηση, αστυνομία:*
τάξη, ειρήνη) to ensure (β) (*μαθητής:*
μάθημα, ύλη) to understand
εμπέδωση ΟΥΣ ΘΗΛ (α) (*τάξης*) consolidation,
strengthening (β) (*ύλης, μαθήματος, γνώσης*)
understanding
εμπειρία ΟΥΣ ΘΗΛ (*χωρών, ταξιδιών,*
εξετάσεων) experience
▷**εργασιακή εμπειρία** working experience
▷**προσωπική εμπειρία** personal experience
▷**ερωτική εμπειρία** experience of love
▷**πρακτική εμπειρία** practical experience
▷**διδακτική εμπειρία** teaching experience
▷**τραυματική εμπειρία** painful experience
▷**μοναδική εμπειρία** once in a lifetime
experience
▷**πικρή εμπειρία** painful experience
εμπειρικός, -ή, -ό ΕΠΙΘ empirical
▷**εμπειρικές επιστήμες** empirical sciences
▷**εμπειρική σχολή** empirical school
▷**εμπειρική πραγματικότητα** empirical reality
▷**εμπειρικός φιλόσοφος** empirical
philosopher
▷**εμπειρικά δεδομένα** empirical data
εμπειριοκρατία ΟΥΣ ΘΗΛ (ΦΙΛΟΣ) empiricism
εμπειριοκρατικός, -ή, -ό ΕΠΙΘ (ΦΙΛΟΣ: *σχολή,*
θεωρία) empiric
εμπειρισμός ΟΥΣ ΑΡΣ (ΦΙΛΟΣ) empiricism
εμπειρογνώμονας ΟΥΣ ΑΡΣ *βλ.*
εμπειρογνώμων
εμπειρογνωμοσύνη ΟΥΣ ΘΗΛ
connoisseurship
εμπειρογνώμων ΟΥΣ ΑΡΣ connoisseur
εμπειροπόλεμος, -η, -ο ΕΠΙΘ (*στρατός,*
κράτος, στρατηγός) veteran
έμπειρος, -η, -ο ΕΠΙΘ (*δικηγόρος, τεχνίτης,*
γιατρός) experienced
εμπειροτέχνης ΟΥΣ ΑΡΣ expert
εμπεριεκτικός, -ή, -ό ΕΠΙΘ comprehensive
εμπεριέχω Ρ Μ to comprehend
εμπερικλείω Ρ Μ (*κατάσταση: κίνδυνο,*
πρόβλημα) to involve
εμπεριστατωμένος, -η, -ο ΕΠΙΘ (*μελέτη,*
έρευνα, αιτιολογία) detailed, thorough
εμπίπτω Ρ ΑΜ (*θέμα, άρθρο, νομοσχέδιο*) to
fall into
εμπιστεύομαι Ρ Μ (α) (*άνθρωπο*) to trust
(β) (*μυστικό*) to confide (γ) (*αποστολή,*
υπόθεση, χρήματα) to entrust (δ) (*μνήμη*) to
trust
εμπιστευτικός, -ή, -ό ΕΠΙΘ confidential
έμπιστος, -η, -ο ΕΠΙΘ (*υπάλληλος, φίλος,*
υπάλληλος) trustworthy
εμπιστοσύνη ΟΥΣ ΘΗΛ trust
▷**απόλυτη εμπιστοσύνη** complete
confidence, absolute reliance
▷**απεριόριστη εμπιστοσύνη** infinite reliance
▷**αμοιβαία εμπιστοσύνη** mutual trust
▷**ανάξιος εμπιστοσύνης** unworthy of trust
▷**εμπνέω εμπιστοσύνη** to inspire confidence
in
▷**κερδίζω/χάνω εμπιστοσύνη** to win/lose the
confidence of
▷**δείχνω εμπιστοσύνη** to display confidence
▷**κλονίζεται η εμπιστοσύνη** one's confidence
is shaky
▷**κατάχρηση εμπιστοσύνης** breach of trust
▷**καταχρώμαι την εμπιστοσύνη** to breach
one's trust
▷**έχω/δεν έχω εμπιστοσύνη** to have
confidence/to lack confidence
▷**αποκτώ την εμπιστοσύνη κπου** to gain sb's
confidence
έμπλαστρο ΟΥΣ ΟΥΔ (ΦΑΡΜ) plaster
εμπλέκω Ρ Μ: **εμπλέκομαι σε**
(= *αναμιγνύομαι*) to be implicated ή involved
in
εμπλοκή ΟΥΣ ΘΗΛ (α) (*μέλους, ονόματος,*
προέδρου) involvement (β) (*τηλεφώνου*)
entanglement (γ) (ΣΤΡΑΤ: *όπλου*)
interlocking
▷**εμπλοκή σε** involvement in
εμπλουτίζω Ρ Μ (*γνώσεις, βιβλιοθήκη,*
γκαρνταρόμπα) to enrich
▷**εμπλουτίζω σε/με** (*μέταλλα, έδαφος*) to
enrich with
εμπλουτισμός ΟΥΣ ΑΡΣ enrichment
έμπνευση ΟΥΣ ΘΗΛ inspiration
▷**μου'ρθε η έμπνευση** to be inspired
▷**θεία έμπνευση** divine inspiration
▷**έμπνευση της στιγμής** a flash of inspiration
εμπνευσμένος, -η, -ο ΜΤΧ inspired
εμπνευστής ΟΥΣ ΑΡΣ (*σχεδίου, νίκης, στίχου*)
instigator
εμπνέω Ρ Μ to inspire
▷**με/δεν με εμπνέει κτ/κπς** it does/does not
inspire sth/sb
εμποδίζω Ρ Μ (*άνθρωπο*) to prevent
▷**εμποδίζω κπν να κάνει κτ** to prevent sb
from doing sth
▷**εμποδίζομαι από** to be prevented by
▷**κτ με εμποδίζει να** sth prevents me from
▷**σας εμποδίζω;** am I keeping you out?
εμπόδιο ΟΥΣ ΟΥΔ: **εμπόδιο σε** obstacle to ·
(ΣΤΡΑΤ) barrier to
▷**δρόμος μετ'εμποδίων** (ΑΘΛ) hurdle race,
obstacle race
▷**θέτω εμπόδιο** to put obstacles in the way
▷**μπαίνω εμπόδιο σε κπν** to hinder sb
▷**κάθε εμπόδιο για καλό** there is some good
to be derived from misfortune, every cloud
has a silver lining
▷**μετ' εμποδίων** obstacle race
εμπόλεμος, -η, -ο ΕΠΙΘ (*ζώνη*) warring ·
(*κατάσταση*) belligerent
▸**εμπόλεμοι** ΟΥΣ ΑΡΣ ΠΛΗΘ belligerent
εμποράκος ΟΥΣ ΑΡΣ (*μειωτ.*) small trader
εμπόρευμα ΟΥΣ ΟΥΔ commodity
εμπορευματοποίηση ΟΥΣ ΘΗΛ (*διατροφής,*
υγείας, τεχνολογίας) commercialization
εμπορεύομαι Ρ Μ (α) (*ύφασμα, αυτοκίνητο,*
ξυλεία) to trade (β) (*μτφ.: γυναίκα*) to

E

prostitute· (δούλο) to trade (γ) (φήμη, όνομα) to commercialize

εμπορευόμενος, -η, -ο ΜΤΧ trader

εμπορεύσιμος, -η, -ο ΜΤΧ (είδος, προϊόν) marketable

εμπορία ΟΥΣ ΘΗΛ (ηλεκτρικών συσκευών, κρεάτων, ναρκωτικών) trading

εμπορικό ΟΥΣ ΟΥΔ shopping centre (Βρετ.), shopping center (Αμερ.)

εμπορικός, -ή, -ό ΕΠΙΘ (α) (σύλλογος, αντιπροσωπεία, οίκος) commercial (β) (αντιπρόσωπος) commercial (γ) (ισοζύγιο) trade (δ) (κέρδος, κεφάλαιο) trade

▸ **εμπορική σχολή** commercial school

▸ **εμπορικός δρόμος** shopping street

▸ **εμπορικό κέντρο** shopping centre (Βρετ.), shopping center (Αμερ.)

▸ **εμπορικό δίκαιο** commercial law

▸ **Εμπορικό Επιμελητήριο** Chamber of Commerce

▸ **εμπορικό ναυτικό** merchant navy

▸ **εμπορικό πλοίο** merchant ship

εμπορικότητα ΟΥΣ ΘΗΛ (ΟΙΚΟΝ) marketability

εμπόριο ΟΥΣ ΟΥΔ (όπλων, σίτου, καπνού) trade· (ναρκωτικών) trafficking

▷ **διεθνές εμπόριο** international trade

▷ **παγκόσμιο εμπόριο** world trade

▷ **εισαγωγικό/εξαγωγικό εμπόριο** import/ export trade

▷ **παράνομο εμπόριο** illicit trade

▷ **εσωτερικό/εξωτερικό εμπόριο** domestic/ foreigh trade

▷ **ελεύθερο εμπόριο** free trade

▷ **λιανικό εμπόριο** retail trade

▷ **χονδρικό εμπόριο** wholesale trade

▷ **εμπόριο σαρκός** slave trade

εμποριολογία ΟΥΣ ΘΗΛ (science of) commerce

εμποροδικείο ΟΥΣ ΘΗΛ commercial tribunal

εμπορομεσίτης ΟΥΣ ΑΡΣ commercial broker

εμποροπανήγυρις ΟΥΣ ΘΗΛ trade fair

εμποροπλοίαρχος ΟΥΣ ΑΡΣ merchant ship's captain

έμπορος ΟΥΣ ΑΡΣ (μπαχαρικών, όπλων) merchant· (ναρκωτικών) trafficker

εμποροϋπάλληλος ΟΥΣ ΑΡΣ&ΘΗΛ shop assistant

εμποτίζω Ρ Μ: **εμποτίζω με** (επίσ.: = μουσκεύω: ξύλο) to soak· (μτφ.: ιδέα, συναίσθημα) to imbue

έμπρακτος, -η, -ο ΕΠΙΘ (αγάπη, μετάνοια, αφοσίωση) real

εμπρησμός ΟΥΣ ΑΡΣ arson

εμπρηστής ΟΥΣ ΑΡΣ arsonist

εμπρήστρια ΟΥΣ ΘΗΛ àîδñçôôPò

εμπριμέ ΕΠΙΘ ΑΚΛ (ύφασμα, σεντόνι, πουκάμισο) patterned

εμπρόθεσμος, -η, -ο ΕΠΙΘ (εξόφληση, διαμαρτυρία) on time

εμπρόθετος, -η, -ο ΕΠΙΘ (ΓΛΩΣΣ) prepositional

εμπρός ΕΠΙΡΡ ahead· (σε τηλεφωνική συνδιάλεξη) hello!

▷ **από δω κι εμπρός** from now on

▷ **βάζω μπρος** to start

▷ **μπρος γκρεμός και πίσω ρέμα** between the devil and the deep blue sea

▷ **εμπρός μαρς** start!

έμπροσθεν ΕΠΙΡΡ (α) (= εμπρός) in front (β) (= πριν) before (γ) (= ο μπροστινός) in front

εμπρόσθιος, -α, -ο ΕΠΙΘ (επίσ.: άξονας, τροχός) front

εμπροσθοφυλακή ΟΥΣ ΘΗΛ (α) (ΣΤΡΑΤ) vanguard (β) (μτφ.) advance guard

εμπύημα ΟΥΣ ΟΥΔ (ΙΑΤΡ: θώρακος) abscess

εμπύρετος, -η, -ο ΕΠΙΘ feverish

εμφαίνω Ρ Μ (επίσ.: = φανερώνομαι, προβάλλω) to denote

εμφανής, -ής, -ές ΕΠΙΘ (α) (λόγος/λόγοι) obvious (β) (μέρος, βλάβη) visible (γ) (αντίθεση, αντιπάθεια, ένταση) clear

▷ **εκ του εμφανούς** evidently

▷ **είναι εμφανές ότι** it is obvious that

▷ **εμφανίστηκε στου** to turn up at

εμφανίζομαι Ρ ΑΜ (α) (άνθρωπος) to appear (β) (ιδέες, γεγονότα, δυσκολίες) to emerge (γ) (πλοίο, τραίνο) to loom up (δ) (αρρώστια, επιδημία) to manifest itself

▷ **εμφανίζεται στον ορίζοντα** to loom up in the horizon

εμφανίζω Ρ Μ (α) (ύφεση, σύμπτωμα) to present (β) (φιλμ) to develop (γ) (εισιτήριο, διαβατήριο) to show

εμφάνιση ΟΥΣ ΘΗΛ (α) (βίας, νόσου) outbreak (β) (κομήτη) appearance (γ) (παρουσιαστικό) appearance

▷ **καλλιτεχνική εμφάνιση** artistic appearance

▷ **δημόσια εμφάνιση** public appearance

▷ **αριστοκρατική εμφάνιση** aristocratic presence

▷ **δυναμική εμφάνιση** dynamic presence

▷ **κάνω την εμφάνισή μου** to make an appearance

εμφανίσιμος, -η, -ο ΕΠΙΘ (άντρας, γυναίκα) presentable

εμφανιστήριο ΟΥΣ ΟΥΔ dark room

εμφαντικός, -ή, -ό ΕΠΙΘ (λόγος, ύφος) emphatic

έμφαση ΟΥΣ ΘΗΛ emphasis

▷ **δίνω έμφαση** to emphasize

εμφατικός = εμφαντικός

εμφιαλώνω Ρ Μ (χυμό, κρασί, νερό) to bottle

▸ **εμφιαλωμένο νερό** bottled water

εμφιάλωση ΟΥΣ ΘΗΛ (κρασιού, οινοπνευματωδών) bottling

εμφιλοχώρηση ΟΥΣ ΘΗΛ (τυπογραφικών λαθών, διακοπής) slipping in

εμφιλοχωρώ Ρ ΑΜ to slip in

έμφραγμα ΟΥΣ ΟΥΔ (ΙΑΤΡ) heart attack

▷ **παθαίνω έμφραγμα** to have a heart attack

▷ **υφίσταμαι έμφραγμα** to have a heart attack

▷**οξύ έμφραγμα** severe heart attack
▷**έμφραγμα μυοκαρδίου** myocardial infarction

έμφραξη ΟΥΣ ΘΗΛ (ΙΑΤΡ: *δοντιού*) filling

εμφύλιος, -α, -ο ΕΠΙΘ (*πόλεμος, σύρραξη, διαμάχη, σπαραγμός*) civil

εμφυσώ Ρ Μ (*ιδέα, λύπη, τρόπο ζωής/σκέψης*) to breathe life into

εμφυτεύω Ρ Μ to implant

έμφυτος, -η, -ο ΕΠΙΘ (*κακία, θάρρος, χαρίσματα*) innate · (*μουσικό ταλέντο*) inborn

έμψυχος, -η, -ο ΕΠΙΘ (*όντα*) living
▷**έμψυχο υλικό** human resources

εμψυχώνω Ρ Μ (*άνθρωπο, λαό*) to encourage

εμψύχωση ΟΥΣ ΘΗΛ (*λαού, ανθρώπου*) encouragement

εμψυχωτής ΟΥΣ ΑΡΣ (*λαού, ανθρώπου*) animating spirit

ένα ΑΡΙΘ ΑΠΟΛ ΑΚΛ one
▷**γίνομαι ένα με κπν/κτ** to become one with sb/sth
▷**ένα-δύο** one–two
▷**ένα-ένα** one by one
▷**ένα κι ένα** the very thing
▷**ένα και το αυτό** one and the same
▷**ένα προς ένα** one by one

εναγκαλίζομαι Ρ Μ (*επίσ.*) to embrace

εναγκαλισμός ΟΥΣ ΑΡΣ (*επίσ.*) embracing

εναγομένη ΟΥΣ ΘΗΛ *βλ.* **εναγόμενος**

εναγόμενος ΟΥΣ ΑΡΣ (ΝΟΜ) defendant

ενάγουσα ΟΥΣ ΘΗΛ *βλ.* **ενάγων**

ενάγω Ρ Μ (ΝΟΜ) to bring an action against

ενάγων ΟΥΣ ΑΡΣ plaintiff

εναγώνιος, -α, -ο ΕΠΙΘ (*προσπάθεια*) anguished · (*κραυγή*) agonized

εναέριος, -α, -ο ΕΠΙΘ (*κυκλοφορία, μεταφορέας, χώρος*) air

εναλλαγή ΟΥΣ ΘΗΛ (α) (*εποχών*) succession · (*φαινομένων*) interchange (β) (ΓΛΩΣΣ) alteration
▷**εναλλαγή της ύλης** (ΒΙΟΛ) modification of matter

εναλλακτικός, -ή, -ό ΕΠΙΘ alternative

εναλλάξ ΕΠΙΡΡ alternatively

εναλλασσόμενος, -η, -ο ΜΤΧ: **εναλλασσόμενο ρεύμα** (ΦΥΣ) alternating current

εναλλάσσω Ρ Μ (= *αλλάζω διαδοχικά: χρώματα, μεθόδους*) to interchange
▸**εναλλάσσομαι** ΜΕΣΟΠΑΘ to take turns at sth

ενάμισης, μιάμιση, ενάμισι ΕΠΙΘ one and a half

εξανθρώπιση ΟΥΣ ΘΗΛ (ΘΡΗΣΚ: *του Χριστού*) incarnation

έναντι ΕΠΙΡΡ (α) (= *απέναντι*) opposite (β) (= *σε σύγκριση, σε σχέση με*) compared to (γ) (= *αντί: αμοιβής, απόδειξης, αποζημίωσης*) as against

ενάντια ΠΡΟΘ: **ενάντια σε** against

εναντίον ΠΡΟΘ +γεν. against, versus
▷**στρέφομαι εναντίον κποιου** to turn against sb

ενάντιος, -α, -ο ΕΠΙΘ (*καιρός*) contrary
▷**το ενάντιο** the contrary

εναντιότητα ΟΥΣ ΘΗΛ opposition

εναντιωματικός, -ή, -ό ΕΠΙΘ (*σύνδεσμος, πρόταση*) adversative

εναντιώνομαι Ρ ΑΜ ΑΠΟΘ: **εναντιώνομαι σε κπν/κτ** to be opposed to sb/sth

εναντίωση ΟΥΣ ΘΗΛ opposition

εναπόθεμα ΟΥΣ ΘΗΛ (*λάσπης*) deposit, sediment

εναπόθεση ΟΥΣ ΘΗΛ (α) (*αντικειμένου, εμπορεύματος*) depositing · (*νεκρού*) placing (β) (*ελπίδων*) placing

εναποθέτω Ρ Μ (α) (*αντικείμενο, εμπόρευμα*) to deposit · (*νεκρό*) to place (β) (*μτφ.: ελπίδες*) to place

εναποθήκευση ΟΥΣ ΘΗΛ (*προϊόντων, αντικειμένων*) storing

εναποθηκεύω Ρ Μ (*προϊόντα, αντικείμενα*) to store

εναπόκειμαι Ρ ΑΜ to be up to

εναπομένω Ρ ΑΜ (*ελπίδα*) to be left over

ενάργεια ΟΥΣ ΘΗΛ (*νοήματος, λόγου*) vividness · (*επιχειρήματος*) perspicuity

εναργής, -ής, -ές ΕΠΙΘ (*νόημα, λόγος*) vivid · (*επιχείρημα*) perspicuous

ενάρετος, -η, -ο ΕΠΙΘ virtuous

έναρθρος, -η, -ο ΕΠΙΘ (α) (*σύνδεση*) articulated (β) (ΓΛΩΣΣ: *απαρέμφατο, μετοχή*) preceded by an article
▷**έναρθρος λόγος** articulated speech

εναρκτήριος, -α, -ο ΕΠΙΘ (*διάλεξη, λόγος*) inaugural
▸**εναρκτήριο λάκτισμα** kickoff

εναρμονίζω Ρ Μ (α) (*σχέσεις*) to harmonize with (β) (ΜΟΥΣ) to be in tune with

εναρμόνιση ΟΥΣ ΘΗΛ (α) (*χρωμάτων*) harmonization (β) (*μέτρων, προσπαθειών, σχέσεων*) reconciliation (γ) (ΜΟΥΣ: *θέματος, κομματιού*) harmonization

έναρξη ΟΥΣ ΘΗΛ (α) (*αγώνα*) beginning · (*πολέμου*) outbreak · (*δίκης*) institution (β) (*εργασιών, διαπραγματεύσεων*) opening

┌─────────────────┐
│ *ΛΕΞΗ-ΚΛΕΙΔΙ* │
└─────────────────┘

ένας, μία, ένα ☐ ΑΡΙΘ ΑΠΟΛ (α) (= *μονάδα*) one ☐ **μία ημέρα** one day (β) (*για μοναδικότητα*) one ☐ **μία είναι η ομάδα!** there's only one team!
▷**είναι μία και μοναδική** she's unique
▷**ο ένας και μοναδικός** the one and only (γ) (*πριν από ονόματα*) a, an ☐ **μόνο ένας Μπετόβεν θα μπορούσε να γράψει μουσική ενώ ήταν κουφός** only a Beethoven could write music while deaf (δ) (= *ίδιος*) the same ☐ **μαζί μεγαλώσαμε, σ' ένα σχολείο πήγαμε** we grew up together, we went to the same school
☐ ΑΡΘΡ ΑΟΡΙΣΤ (α) a, an ☐ **μια μπάλα/ένα μήλο** a ball/an apple

▷**μια φορά κι έναν καιρό** ... once upon a time
...

(β) (= *κάποιος*) someone ⊡ *ήθελε έναν για*
παρέα he wanted someone for company·
είχαν δει έναν άνδρα να φεύγει μόνος του
they saw some man leaving alone
▷**ένας κάποιος** some ⊡ *σε ήθελε ένας*
κάποιος Γιώργος some guy called Giorgos
was looking for you
▷**έναν προς έναν** one by one
▷**ένας-ένας** one by one, one at a time
▷**ένας κι ένας** special
▷**ο ένας τον άλλον** each other
▷**ο ένας κι άλλος** everyone
▷**μια για πάντα, μια και καλή** once and for all
▷**μια φορά** ... (*προφορ.*: = *πάντως*) anyway

έναστρος, -η, -ο ΕΠΙΘ (*ουρανός*) starry
ενασχόληση ΟΥΣ ΘΗΛ occupation
ενατένιση ΟΥΣ ΘΗΛ staring
ένατος, -η *ή* **-άτη, -ο** ΑΡΙΘ ΤΑΚΤ ninth
▸ **ένατος** ΟΥΣ ΑΡΣ (= *Σεπτέμβριος*) September
▸ **ενάτη** ΟΥΣ ΘΗΛ (= *ημέρα*) ninth
έναυσμα ΟΥΣ ΟΥΔ: **αποτελώ** *ή* **δίνω το έναυσμα**
για κτ to spark sth off
ενδεδειγμένος, -η, -ο ΕΠΙΘ (*μέθοδος, λύση,*
τρόπος) appropriate, advisable
ένδεια ΟΥΣ ΘΗΛ (*χρημάτων, στόχων*) penury
▷**σε έσχατη ένδεια** in utmost penury
ενδείκνυμαι ⊡ Ρ Μ to be advisable
⊡ ΑΠΡΟΣ it is advisable
ενδεικτικό ΟΥΣ ΟΥΔ (ΕΚΠ) school certificate
ενδεικτικός, -ή, -ό ΕΠΙΘ (*πίνακας, στοιχείο*)
indicative
▷**κτ είναι ενδεικτικό** sth is indicative of
ένδειξη ΟΥΣ ΘΗΛ (α) (*διαμαρτυρίας,*
αδυναμίας) indication (β) (*σε όργανο*)
reading
▸ **ενδείξεις** ΠΛΗΘ signs
ένδεκα ΑΡΙΘ ΑΠΟΛ ΑΚΛ = **έντεκα**
ενδέκατος, -η *ή* **-άτη, -ο** ΑΡΙΘ ΤΑΚΤ
(*κεφάλαιο, αιώνας*) eleventh
▸ **ενδέκατος** ΟΥΣ ΑΡΣ (= *Νοέμβριος*) November
▸ **εντεκάτη** ΟΥΣ ΘΗΛ (= *ημέρα*) eleventh
ενδελέχεια ΟΥΣ ΘΗΛ continuity
ενδελεχής, -ής, -ές ΕΠΙΘ (*δράση*)
continuous
ενδέχεται Ρ ΑΠΡΟΣΩΠΟ: **ενδέχεται να** it is
probable that
ενδεχόμενο ΟΥΣ ΟΥΔ eventuality
▷**για κάθε ενδεχόμενο** just in case
ενδεχόμενος, -η, -ο ΜΤΧ (*κίνδυνος,*
συνέπειες) potential, possible
ενδεχομένως ΕΠΙΡΡ possibly
ενδημικός, -ή, -ό ΕΠΙΘ endemic
ενδημώ Ρ ΑΜ (α) (*ασθένεια*) to be endemic
(β) (*πουλιά*) to be endemic· (*φυτά*) to be
indigenous
ενδιάμεσος, -η, -ο ΕΠΙΘ (*σταθμός*) way·
(*θέση, παρέμβαση*) intermediary
ενδιαφέρομαι Ρ ΑΜ: **ενδιαφέρομαι για** to be

interested in, to take an interest in
▷**ενδιαφέρομαι προσωπικά** to take a personal
interest
ενδιαφερόμενος, -η, -ο ⊡ ΜΤΧ (*πρόσωπο,*
φορέας) interested
⊡ ΟΥΣ ΑΡΣ⊕ΘΗΛ interested person
ενδιαφέρον ΟΥΣ ΟΥΔ interest
▷**έχω/παρουσιάζω ενδιαφέρον** to take/to
show an interest
ενδιαφέρω Ρ Μ (*πρόσωπο, θέμα γεγονός*) to
interest
ενδιαφέρων, -ουσα, -ον ΜΤΧ (*τύπος,*
πρόταση, ερώτηση) interesting
▷**βρίσκεται σε ενδιαφέρουσα** to be
expecting· (*για γυναίκα*) to be pregnant
ενδίδω Ρ ΑΜ to give in
▷**ενδίδω σε** to yield to
ένδικος, -η, -ο ΕΠΙΘ (ΝΟΜ: *αγωγή*) judicial
ενδοιασμός ΟΥΣ ΑΡΣ (α) (= *δισταγμός*)
hesitation (β) (= *αμφιβολία*) scruple
ενδοιαστικός, -ή, -ό ΕΠΙΘ (= *που έχει*
ενδοιασμούς) hesitant
ενδοκάρδιο ΟΥΣ ΟΥΔ (ΑΝΑΤ) endocardium

Προσοχή!: Ο πληθυντικός του
endocardium *είναι* **endocardia**.

ενδοκαρδίτιδα ΟΥΣ ΘΗΛ (ΙΑΤΡ) endocarditis
ενδοκρινής, -ής, -ές ΕΠΙΘ: **ενδοκρινείς**
αδένες (ΑΝΑΤ) endocrine
ενδοκρινολογία ΟΥΣ ΘΗΛ (ΙΑΤΡ)
endocrinology
ενδόμυχος, -η, -ο ΕΠΙΘ (*σκέψη, επιθυμία*)
inmost, innermost
ένδοξος, -η, -ο ΕΠΙΘ (*παρελθόν, νικητής,*
θάνατος) glorious
▸ **Ένδοξη Επανάσταση** (ΙΣΤ) Glorious
Revolution
ενδοσκόπηση ΟΥΣ ΘΗΛ (α) (ΙΑΤΡ) endoscopy
(β) (ΨΥΧΟΛ) introspection
ενδοσκοπικός, -ή, -ό ΕΠΙΘ (*εξέταση*)
introspective
ενδοσκόπιο ΟΥΣ ΟΥΔ endoscope
ενδότερος, -η, -ο ΕΠΙΘ (*διαμερίσματα*)
interior
ενδοτικός, -ή, -ό ΕΠΙΘ (α) (*χαρακτήρας*)
compliant (β) (ΓΛΩΣΣ: *προτάσεις*) concessive
ενδοτικότητα ΟΥΣ ΘΗΛ compliance
ενδοφλέβιος, -α, -ο ΕΠΙΘ (*ένεση*)
intravenous
ενδοχώρα ΟΥΣ ΘΗΛ hinterland
ένδυμα ΟΥΣ ΟΥΔ (*επίσ.: χορού, γάμου*) dress
▷**βραδυνό ένδυμα** evening dress
▷**επίσημο ένδυμα** formal dress
▷**έτοιμα ενδύματα** outfits
ενδυμασία ΟΥΣ ΘΗΛ costume
▷**εθνική ενδυμασία** national costume
▷**παραδοσιακή ενδυμασία** traditional
costume
ενδυματολογία ΟΥΣ ΘΗΛ costume designing
ενδυματολόγιο ΟΥΣ ΟΥΔ wardrobe (*Βρετ.*),

closet (Αμερ.)

ενδυματολόγος ΟΥΣ ΑΡΣ costume designer

ενδυναμώνω Ρ Μ (α) (σχέση, θεσμό, κράτος) to strengthen (β) (= δίνω θάρρος σε κπν) to encourage

ενδυνάμωση ΟΥΣ ΘΗΛ (θεσμού, κράτους) strengthening

ένδυση ΟΥΣ ΘΗΛ (επίσ.) clothing

ενέδρα ΟΥΣ ΘΗΛ (εχθρού, στρατού, κακοποιού) ambush
▷**στήνω ενέδρα σε κπν** to set up an ambush for sb

ένεκα, ένεκεν ΠΡΟΘ (επίσ.) because of
▷**τιμής ένεκεν** as a matter of courtesy

ένεμα ΟΥΣ ΟΥΔ (= κλύσμα) enema

ενενηκοστός, -ή, -ό ΑΡΙΘ ΤΑΚΤ (χρόνος, φορά) ninetieth

ενενήντα ΑΡΙΘ ΑΠΟΛ ΑΚΛ ninety

ενενηντάρα ΟΥΣ ΘΗΛ βλ. **ενενηντάρης**

ενενηντάρης ΟΥΣ ΑΡΣ ninety–year–old man

ενεπίγραφος, -η, -ο ΕΠΙΘ (στήλη, πλάκα) bearing an inscription

ενέργεια ΟΥΣ ΘΗΛ (α) (ομάδας, αστυνομίας, κράτους) act (β) (ΦΥΣ) power, energy
▷**εν ενεργεία** active
▷**ηλεκτρική ενέργεια** (ΦΥΣ) electric power
▷**μηχανική ενέργεια** (ΗΛΕΚ) mechanical power
▷**πυρηνική ενέργεια** (ΗΛΕΚ) nuclear energy
▷**ατομική ενέργεια** (ΗΛΕΚ) atomic energy
▷**θερμική ενέργεια** (ΗΛΕΚ) thermal energy
▷**ηλιακή ενέργεια** (ΗΛΕΚ) solar energy
▷**αιολική ενέργεια** (ΗΛΕΚ) wind power
▷**τρομοκρατική ενέργεια** act of terrorism
▷**βομβιστική ενέργεια** bombing
▷**εγκληματική ενέργεια** criminal act
▷**παροχή/κατανάλωση ενεργείας** provision/consumption of energy
▷**ηφαίστειο εν ενεργεία** active volcano

ενεργειακός, -ή, -ό ΕΠΙΘ (ανάγκες, αποθέματα, κρίση) energy

ενεργητικό ΟΥΣ ΟΥΔ credit · (ΕΜΠ: εταιρείας, τράπεζας) assets πληθ.

ενεργητικός, -ή, -ό ΕΠΙΘ (άνθρωπος, ρόλος) active
▷**ενεργητική φωνή** (ΓΛΩΣΣ) active
▷**ενεργητική διάθεση** (ΓΛΩΣΣ) active

ενεργητικότητα ΟΥΣ ΘΗΛ (πολιτικού, υπαλλήλου, κινήματος) vigour (Βρετ.), vigor (Αμερ.)
▷**άνθρωπος με μεγάλη ενεργητικότητα** a live wire
▷**έχω/δεν έχω ενεργητικότητα** to have energy/to have no energy

ενεργοποίηση ΟΥΣ ΘΗΛ (α) (φοιτητών, εργαζομένων, συλλόγου) activation (β) (εντάλματος, νόμου, κεφαλαίου) using (γ) (συναγερμού, μηχανισμού) activation (δ) (ηφαιστείου) activation

ενεργοποιώ Ρ Μ (α) (φοιτητές, υπαλλήλους, σύλλογο) to put into action (β) (ένταλμα,

νόμο, κεφάλαιο) to put to use, to use (γ) (συναγερμό, μηχανισμό) to activate

ενεργός, -ός, -όν ΕΠΙΘ (α) (μέλος, συμμετοχή, ενδιαφέρον) active (β) (υπηρεσία, πολιτική) active (γ) (ΟΙΚΟΝ: κεφάλαιο) used (δ) (ΗΛΕΚ: ισχύς) effective (ε) (ΧΗΜ: στοιχείο, ένζυμο) activated
▷**ενεργός δράση** action
▷**ενεργό ηφαίστειο** active volcano
▷**λαμβάνω/παίρνω ενεργό μέρος σε κτ** to have/take an active role in sth

ενεργούμενο ΟΥΣ ΟΥΔ pawn

ενεργώ ① Ρ ΑΜ (α) (άνθρωπος, κυβέρνηση, δικαστήριο) to act (β) (φάρμακο, δηλητήριο) to work (γ) (ΓΛΩΣΣ: το υποκείμενο) to work ② Ρ Μ (δαπάνη, πληρωμή) to make
▷**ενεργώ για λογαριασμό κποιου** to act on behalf of sb
▸**ενεργούμαι** ΜΕΣΟΠΑΘ to defecate

ένεση ΟΥΣ ΘΗΛ (α) (ινσουλίνης, νοβοκαΐνης) injection (β) (μτφ.) boost
▷**ενδοφλέβια ένεση** intravenous injection
▷**υποδόρια ένεση** subcutaneous injection
▷**ενδομυϊκή ένεση** intramuscular injection
▷**κάνω ένεση σε κπν** to give sb an injection

ενεστώτας ΟΥΣ ΑΡΣ (ΓΛΩΣΣ) present tense
▷**ιστορικός ενεστώς** (ΓΛΩΣΣ) historical tense

ενετοκρατία ΟΥΣ ΘΗΛ (ΙΣΤ) Venetian domination

ενέχομαι Ρ ΑΜ to be implicated

ενεχυριάζω Ρ Μ (= βάζω κτ ως ενέχυρο: ρολόι, κοσμήματα) to pawn

ενέχυρο ΟΥΣ ΟΥΔ pawn
▷**βάζω κτ ενέχυρο** to pawn sth

ενεχυροδανειστήριο ΟΥΣ ΟΥΔ pawnshop

ενεχυροδανειστής ΟΥΣ ΑΡΣ pawnbroker

ενέχω Ρ Μ to carry

ένζυμο ΟΥΣ ΟΥΔ (ΒΙΟ) enzyme

ενήλικας ΟΥΣ ΑΡΣ grown up, adult

ενηλικιώνομαι Ρ ΑΜ to come of age

ενηλικίωση ΟΥΣ ΘΗΛ maturity

ενήλικος, -η, -ο ΕΠΙΘ (γιος, τέκνο, άτομο) adult

ενήμερος, -η, -ο ΕΠΙΘ informed
▷**κρατώ κπν ενήμερο** to keep sb informed

ενημερότητα ΟΥΣ ΘΗΛ familiarity, awareness

ενημερωμένος, -η, -ο ΕΠΙΘ informed · (βιβλιοθήκη, κατάλογος) updated

ενημερώνω Ρ Μ (α) (τύπος, τηλεόραση, ραδιόφωνο) to inform (β) (λογιστής: βιβλία) to update

ενημέρωση ΟΥΣ ΘΗΛ (α) (πολίτη, κοινού) information (β) (βιβλιοθήκης, καταλόγου) updating (γ) (βιβλίων) updating
▷**Μέσα Μαζικής Ενημέρωσης** the media

ενημερωτικός, -ή, -ό ΕΠΙΘ (δελτίο, έντυπο, εκπομπή) informative

ενθάδε ΕΠΙΡΡ· **ενθάδε κείται** here lies

ενθάρρυνση ΟΥΣ ΘΗΛ (α) (γονέων, δασκάλων) encouragement (β) (πρωτοβουλίας, *επικοινωνίας, οικονομίας)* incitement

ενθαρρυντικός, -ή, -ό ΕΠΙΘ *(λόγια, στοιχεία)* encouraging

ενθαρρύνω Ρ Μ to encourage · *(προσπάθεια, πρωτοβουλία, επικοινωνία)* to foster

ένθεν ΕΠΙΡΡ *(επίσ.):* **ένθεν και ένθεν** on both sides

ένθεος, -η, -ο ΕΠΙΘ *(μανία)* inspired by God

ένθερμος, -η, -ο ΕΠΙΘ fervent

ένθετο ΟΥΣ ΟΥΔ inset

ένθετος, -η, -ο ΕΠΙΘ *(έντυπο)* inlaid

ενθουσιάζω Ρ Μ to fill with enthusiasm, to excite

▸ **ενθουσιάζομαι** ΜΕΣΟΠΑΘ to be excited

ενθουσιασμός ΟΥΣ ΑΡΣ excitement, enthusiasm

▷ **νεανικός ενθουσιασμός** ardour *(Βρετ.)* ή ardor *(Αμερ.)* of youth

▷ **ο πρώτος ενθουσιασμός** first ardour *(Βρετ.)* ή ardor *(Αμερ.)*

▷ **ξεθυμαίνει/φεύγει ο ενθουσιασμός** the enthusiasm fades/dies

ενθουσιαστικός, -ή, -ό ΕΠΙΘ *(ατμόσφαιρα)* exciting

ενθουσιώδης, -ης, -ες ΕΠΙΘ *(α)* *(νέοι, θιασώτης, κοινό)* enthusiastic *(β)* *(χειροκροτήματα)* enthusiastic *(γ)* *(εκδήλωση, χαιρετισμός, υποδοχή)* enthusiastic *(δ)* *(υποστηρικτής, οπαδός, χαρακτήρας)* enthusiastic *(ε)* *(άρθρο, λόγος)* inspiring *(στ)* *(λόγια)* inspiring

▷ **κπς είναι ενθουσιώδης** sb is enthusiastic

ενθρονίζω Ρ Μ *(βασιλιά, αυτοκράτορα)* to enthrone

ενθρόνιση ΟΥΣ ΘΗΛ enthronement

ενθύμημα ΟΥΣ ΟΥΔ memorabilia *πληθ.*

ενθύμηση ΟΥΣ ΘΗΛ remembrance

ενθυμίζω Ρ Μ *(επίσ.)* to remind

ενθύμιο ΟΥΣ ΟΥΔ keepsake

▷ **για ενθύμιο** as a keepsake

ενθυμούμαι Ρ Μ *(επίσ.)* to remember

ενιαίος, -α, -ο ΕΠΙΘ *(α)* *(κόσμος)* unified *(β)* *(χώρος)* united *(γ)* *(γλώσσα)* unified *(δ)* *(γραμμή, κατεύθυνση, πολιτική)* unified *(ε)* *(συγκέντρωση, συνέλευση)* united

▷ **ενιαίο μισθολόγιο** (ΔΙΟΙΚ) flat rate of pay

▷ **ενιαίο σύνολο** entity

▸ **ενιαία ευρωπαϊκή αγορά** unified European market

▸ **ενιαία Ευρώπη** united Europe

▸ **ενιαίο νόμισμα** (ΟΙΚΟΝ) single currency

ενικός ΟΥΣ ΑΡΣ (ΓΛΩΣΣ) singular

▷ **μιλάω σε κπν στον ενικό** to talk to sb in the singular

ενίοτε ΕΠΙΡΡ *(επίσ.)* sometimes

ενίσταμαι Ρ ΑΜ *(επίσ.:* ΝΟΜ) to object

ενίσχυση ΟΥΣ ΘΗΛ *(α)* *(οικονομική)* assistance *(β)* *(από φίλο)* encouragement *(γ)* *(κατασκευής)* propping, buttressing *(δ)* (ΣΤΡΑΤ) reinforcement *(ε)* (ΗΛΕΚΤΡ) amplification *(στ)* *(παντελονιού, μανικιού)* patch

▷ **προς ή για ενίσχυση** in aid

▷ **στέλνω ενισχύσεις** to send reinforcements

▸ **ενισχύσεις** ΠΛΗΘ (ΣΤΡΑΤ) reinforcements

ενισχυτής ΟΥΣ ΑΡΣ (ΤΕΧΝΛ) amplifier

ενισχυτικός, -ή, -ό ΕΠΙΘ *(προσπάθεια, στοιχεία)* reinforcing

ενισχύω Ρ Μ *(α)* *(αλλαγές, ανισότητα)* to support *(β)* (= *τονώνω)* to boost, to strengthen *(γ)* (= *στηρίζω οικονομικά)* to assist financially *(δ)* (= *ισχυροποιώ)* to strengthen, to reinforce *(ε)* *(τοίχο, μπετόν)* to buttress

εννέα ΑΡΙΘ ΑΠΟΛ ΑΚΛ nine

▷ **στις εννέα** at nine

εννεαμελής, -ής, -ές ΕΠΙΘ *(πλήρωμα, οικογένεια)* with nine members

εννεαπλάσιος, -α, -ο ΕΠΙΘ nine–fold

εννιά ΑΡΙΘ ΑΠΟΛ ΑΚΛ = **εννέα**

εννιακόσια ΑΡΙΘ ΑΠΟΛ ΑΚΛ nine hundred

εννιακόσιοι ΑΡΙΘ ΑΠΟΛ ΠΛΗΘ nine hundred

εννιακοσιοστός, -ή, -ό ΑΡΙΘ ΤΑΚΤ nine hundredth

εννιάμερα ΟΥΣ ΟΥΔ ΠΛΗΘ (ΘΡΗΣΚ) *a memorial service held nine days after sb's death*

έννοια¹ ΟΥΣ ΘΗΛ worry

▷ **έχω κτ/κπν έννοια** to have sth/sb on one's mind

▷ **έχω την έννοια κποιου** to worry about sb

▷ **με τρωει η έννοια κποιου** to worry about sb

▷ **βάζω κπν σε έννοια** to make sb worry

▷ **έννοια σου!** don't worry!

έννοια² ΟΥΣ ΘΗΛ *(α)* *(του Θεού)* concept *(β)* *(της γλώσσας)* meaning

▷ **κατά μία/υπό μία έννοια** in a sense

▷ **με τη στενή έννοια (του)** in its strict sense

▷ **με την καλή έννοια (του)** in a good sense

▷ **με την ευρεία έννοια (του)** in the broader sense

▷ **με ή υπό την ευρύτερη έννοια** in a broader sense

▷ **έχει την έννοια** to mean that

▷ **χάνει κάθε έννοια** it loses all meaning

▷ **με ή υπό την έννοια ότι...** in the sense that...

▷ **αφηρημένη έννοια** abstract meaning

εννοιολογικά ΕΠΙΡΡ conceptually

εννοιολογικός, -ή, -ό ΕΠΙΘ *(προσδιορισμός, διαφοροποίηση, προσέγγιση)* notional

έννομος, -η, -ο ΕΠΙΘ *(επίσ.: σχέση, προστασία)* lawful, legitimate

▷ **έννομο συμφέρον** legitimate interest

▸ **έννομος τάξη** law and order

εννοώ Ρ Μ to mean, to signify

▷ **τι εννοείς;** what do you mean?

▷ **δεν εννοώ να...** I do not mean to ...

▷ **το εννοώ** I mean it

▷ **με εννοείς;** do you understand me?

▷ **εννοώ να...** I mean to...

▷ **εννοώ να...** to continue to...

▷ **δεν εννοεί να καταλάβει** he doesn't understand

▷**εννοείται!** of course!
▷**αφήνω να εννοηθεί** to insinuate
▷**(δεν) εννοώ αυτά που λέω** I (don't) mean what I say

ενοικιάζω Ρ Μ (α) (*ιδιοκτήτης, σπιτονοικοκύρης: σπίτι*) to let out · (*αυτοκίνητα, στολές*) to hire out · (*μισθωτής*) to rent, to let (β) (*ενοικιαστής, εκμισθωτής, νοικάρης: δωμάτιο, μαγαζί*) to rent · (*ποδήλατο*) to hire · βλ. κ. **νοικιάζω**

ενοικίαση ΟΥΣ ΘΗΛ renting · (*γης, δωματίων*) letting · (*αυτοκινήτων*) rental
▷**προς/για ενοικίαση** to let

ενοικιαστήριο ΟΥΣ ΟΥΔ 'to let' notice

ενοικιαστής ΟΥΣ ΑΡΣ tenant

ενοίκιο ΟΥΣ ΟΥΔ rent
▷**χαμηλό/υψηλό ενοίκιο** low/high rent
▷**επιδότηση ενοικίου** ≈ housing benefit

ενοικιοστάσιο ΟΥΣ ΟΥΔ moratorium of rents

ένοικος ΟΥΣ ΑΡΣΘΗΛ (*πολυκατοικίας, σπιτιού*) tenant

ενοικώ Ρ ΑΜ (*επίσ.*) to reside

ενόν ΟΥΣ ΟΥΔ: **εκ των ενόντων** as far as possible

ένοπλος, -η, -ο ① ΕΠΙΘ armed
② ΟΥΣ ΑΡΣ armed person
▸**ένοπλες δυνάμεις** (ΣΤΡΑΤ) armed forces *πληθ.*

ενοποίηση ΟΥΣ ΘΗΛ (*εταιριών, φορέων*) merger, unification
▷**νομισματική ενοποίηση** monetary unification
▷**ευρωπαϊκή ενοποίηση** European unification
▷**πολιτική ενοποίηση** political unification
▷**ενοποίηση των δύο Γερμανιών** German unification

ενοποιώ Ρ Μ to unify
▷**ενοποιημένα συστήματα πληροφορικής** unified information systems
▷**ενοποιημένο δίκτυο** unified network
▷**ενοποιημένη Γερμανία** unified Germany

ενόραση ΟΥΣ ΘΗΛ (ΦΙΛΟΣ) intuition
▷**προφητική ενόραση** prophet's vision

ενόργανος, -η, -ο ① ΕΠΙΘ (α) (*άλατα, ενώσεις*) organic (β) (*γυμναστική*) instrumental (γ) (*μουσική*) instrumental
② ΟΥΣ ΘΗΛ instrumental
▸**ενόργανη χημεία** organic chemistry

ενορία ΟΥΣ ΘΗΛ parish

ενοριακός, -ή, -ό ΕΠΙΘ (*ιερέας, ναός*) parish

ενορίτης ΟΥΣ ΑΡΣ parishioner

ενορίτισσα ΟΥΣ ΘΗΛ βλ. **ενορίτης**

ένορκος ① ΟΥΣ ΑΡΣΘΗΛ (ΝΟΜ) member of the jury
② ΕΠΙΘ (*κατάθεση, μαρτυρία, βεβαίωση*) sworn

ενορχηστρώνω Ρ Μ (α) (*μαέστρος, μουσουργός: μουσικό έργο*) to orchestrate (β) (*μτφ.: αντίδραση*) to score

ενορχήστρωση ΟΥΣ ΘΗΛ (ΜΟΥΣ) orchestration

ενορχηστρωτής ΟΥΣ ΑΡΣ (ΜΟΥΣ) stage

manager

ενότητα ΟΥΣ ΘΗΛ unity
▷**ενότητα της γλώσσας** language coherence
▷**εθνική ενότητα** national unity

ενοχή ΟΥΣ ΘΗΛ guilt
▷**αίσθημα ενοχής** guilt
▷**έχω/δεν έχω ενοχές** to feel guilty/not to feel guilty
▸**ενοχές** ΠΛΗΘ guilt *εν.*

ενοχικός, -ή, -ό ΕΠΙΘ (ΝΟΜ) contractual
▸**ενοχικό δίκαιο** contractual law

ενόχλημα ΟΥΣ ΟΥΔ (ΙΑΤΡ) complaint
▷**έχω ενοχλήματα** to have problems

ενόχληση ΟΥΣ ΘΗΛ inconvenience
▷**έχω ενοχλήσεις** to have troubles
▷**στομαχικές ενοχλήσεις** stomach trouble
▷**προξενώ/προκαλώ ενόχληση** to cause trouble
▷**ζητώ συγγνώμη για την ενόχληση** I apologize for the inconvenience

ενοχλητικός, -ή, -ό ΕΠΙΘ (α) (*θόρυβος, ήχος*) annoying (β) (*αποτελέσματα, συνέπειες*) worrying (γ) (*επίσκεψη, παρουσία*) annoying
▷**γίνομαι/καταντώ ενοχλητικός** to become/ end up being annoying
▷**ενοχλητικά βλέμματα** annoying looks

ενοχλώ ① Ρ Μ (α) (*ασθενή, ηλικιωμένο, βρέφος*) to disturb (β) (= *αποσπώ, παρεμβαίνω*) to disturb (γ) (*θόρυβος, φως*) to grate (δ) (= *εκνευρίζει*) to annoy
② Ρ ΑΜ (= *παρεμποδίζω*) to disturb
▷**μην ενοχλείτε** do not disturb
▷**μην ενοχλείστε** do not disturb

ενοχοποίηση ΟΥΣ ΘΗΛ (*υπόπτου, κατηγορουμένου*) incrimination

ενοχοποιητικός, -ή, -ό ΕΠΙΘ incriminating

ενοχοποιώ Ρ Μ (α) (*αστυνομία, αρχές*) to incriminate (β) (*μαρτυρία, κατάθεση, στοιχεία, συμπεριφορά*) to implicate
▷**ενοχοποιώ κπν για κτ** to incriminate sb in sth

ένοχος, -η, -ο ① ΕΠΙΘ (*σχέσεις, συμπεριφορά*) guilty
② ΟΥΣ ΑΡΣΘΗΛ guilty
▷**αισθάνομαι/νιώθω ένοχος** to feel guilty
▷**είμαι ένοχος** to be guilty
▷**κρίνομαι ένοχος** to be found guilty by the jury

ένρινος, -η, -ο ΕΠΙΘ, **έρρινος** nasal

ενσαρκώνω Ρ Μ to incarnate

ενσάρκωση ΟΥΣ ΘΗΛ incarnation
▷**ενσάρκωση του Κυρίου** incarnation of the Lord

ένσημο ΟΥΣ ΟΥΔ stamp

ενσκήπτω Ρ ΑΜ (*αρνητ.: ασθένεια, πρόβλημα*) to break out

ενσπείρω Ρ Μ (*επίσ.: είδηση, εγκληματίας, πόλεμος: πανικό*) to raise · (*διχόνοια*) to sow · (*φόβο*) to spread

ενσταλάζω Ρ Μ (α) (*κολλύριο, στάλες*) to drip in (β) (*μτφ.: μίσος, κακία*) to infuse

ενστάλαξη ογΣ ΘΗΛ (ΙΑΤΡ) inculcation

ένσταση ογΣ ΘΗΛ (ΝΟΜ) plea
▷**γίνεται δεκτή (η) ένσταση** to sustain an objection
▷**απορρίπτω ένσταση** to overrule an objection
▷**απορρίπτεται (η) ένσταση** (the) objection is overruled
▷**ασκώ ένσταση** to lodge an objection
▷**κάνω ένσταση** to lodge an objection

ενστερνίζομαι Ρ Μ (α) (*αξίες, ιδανικά*) to adopt (β) (*αιτήματα*) to embrace

ένστικτο ογΣ ογΔ instinct
▷**από ένστικτο** by instinct
▷**σεξουαλικό ένστικτο** sexual urge
▷**αλάνθαστο ένστικτο** unerring instinct
▷**ένστικτο της αυτοσυντήρησης** instinct of self-preservation
▷**ζωώδη ένστικτα** animal instincts
▷**το ένστικτό μου μού λέει...** my instinct tells me...

ενστικτώδης, -ης, -ες ΕΠΙΘ (α) (*τάση, χειρονομία, συμπεριφορά*) instinctive (β) (*αντίληψη*) conception

ενστικτωδώς ΕΠΙΡΡ instinctively

ενσυνείδητα ΕΠΙΡΡ, **ενσυνειδήτως** consciously

ενσυνείδητος, -η, -ο ΕΠΙΘ (*συμμετοχή, επιρροή*) conscious

ενσφράγιστος, -η, -ο ΕΠΙΘ (*διαταγή, προσφορά*) sealed

ενσωματώνω Ρ Μ (α) (*οικογένεια, κράτος, επιχείρηση: προσωπικό, μέλος*) to embody (β) (*ιδεολογία, στοιχεία*) to incorporate
▶ **εσωματώνομαι** ΜΕΣΟΠΑΘ (*άποικος, μετανάστες*) to integrate · (*υλικά, γύψος*) to bind · (*μαγιά*) to mix · (*μέλη*) to embody

ενσωμάτωση ογΣ ΘΗΛ (α) (*υλικών, γύψου*) binding · (*λίπους*) mixing (β) (*μεταναστών, προσωπικού, υπαλλήλων*) integration
▷**κοινωνική ενσωμάτωση** social integration

ένταλμα ογΣ ογΔ warrant
▷**εκδίδω ένταλμα** (ΟΙΚ/ΝΟΜ) to issue a warrant
▷**χρηματικό ένταλμα** (ΟΙΚΟΝ) warrant
▷**δικαστικό ένταλμα** (ΝΟΜ) warrant
▶ **ένταλμα πληρωμής** (ΟΙΚΟΝ) payment order
▶ **ένταλμα (προσωπικής) κράτησης** (ΝΟΜ) warrant of imprisonment
▶ **ένταλμα συλλήψεως** (ΝΟΜ) arrest warrant
▶ **ένταλμα προφυλακίσεως** (ΝΟΜ) custody warrant

εντάξει ΕΠΙΡΡ alright
▷**λέω εντάξει** to say alright
▷**είμαι εντάξει** to be alright
▷**φέρομαι εντάξει** to behave alright
▷**(πολύ) εντάξει τύπος** (very) decent chap
▷**είμαι εντάξει σε κτ** to be a good sport in sth

ένταξη ογΣ ΘΗΛ (*μελών, νέων*) accession
▷**κοινωνική ένταξη** social accession
▷**πλήρης ένταξη** full accession

ένταση ογΣ ΘΗΛ (α) (*ήχου, φωνής, μουσικής*) volume (β) (= *συναισθηματική φόρτιση*) intensity (γ) (= *διαμάχη, αντιπαλότητα*) tension (δ) (*μυών, ματιών*) intentness (ε) (= *υπερένταση*) stress (στ) (ΗΛΕΚΤΡ) intensity (ζ) (ΜΟΥΣ) volume
▷**συναισθηματική ένταση** emotional stress
▷**ψυχική ένταση** psychological stress
▷**κλιμακώνεται η ένταση** the tension is building up
▷**κορυφώνεται η ένταση** the tension is reaching its peak
▷**χαμηλώνω την ένταση** to turn down the volume

εντάσσω Ρ Μ (*οικογένεια, κοινωνία: νέο, άτομο*) to integrate
▷**εντάσσω κτ/κπν κάπου** to place sth/sb somewhere

εντατική ογΣ ΘΗΛ casualty (*Βρετ.*), ER (*Αμερ.*)
▷**μονάδα εντατικής (παρακολουθήσεως)** emergency unit

εντατικός, -ή, -ό ΕΠΙΘ (α) (*ρυθμός*) intensive (β) (*για τηλέφωνα, πρόσωπα: παρακολούθηση*) intensive (γ) (*για μαθήματα, σεμινάρια: παρακολούθηση*) intensive (δ) (*ανάγκες*) intensive (ε) (*προετοιμασία, διαφήμιση, κινητοποίηση*) high-pressure (στ) (*εξάσκηση, προσπάθεια*) hard
▶ **εντατικά μαθήματα** intensive course
▶ **εντατική μελέτη** intensive study

ενταύθα ΕΠΙΡΡ here, in this place

ενταφιάζω Ρ Μ to bury

ενταφιασμός ογΣ ΑΡΣ burial

εντείνω Ρ Μ (α) (*προσπάθειες*) to intensify (β) (*προσοχή*) to strain, to concentrate (γ) (*σχέσεις*) to tighten
▶ **εντείνομαι** ΜΕΣΟΠΑΘ (*αισιοδοξία*) to become strained · (*διαμάχη, προβλήματα*) to grow worse
▷**εντεταμένες προσπάθειες** intensified efforts

έντεκα ΑΡΙΘ ΑΠΟΛ ΑΚΛ eleven

εντέλεια ογΣ ΘΗΛ: **στην εντέλεια** to perfection

εντελέχεια ογΣ ΘΗΛ (ΦΙΛΟΣ) entelechy

εντέλλομαι Ρ Μ (*επίσ.: = διατάσσω, αναθέτω έργο*) to order

εντελώς ΕΠΙΡΡ completely

εντερικός, -ή, -ό ΕΠΙΘ (*διαταραχή, ανωμαλία, σωλήνας*) intestinal
▶ **εντερικά** ογΣ ογΔ ΠΛΗΘ intestinal problems

εντερίτιδα ογΣ ΘΗΛ (ΙΑΤΡ: = *φλεγμονή εντέρου*) enteritis

έντερο ογΣ ογΔ (ΑΝΑΤ) intestine
▷**παχύ έντερο** (ΑΝΑΤ) large intestine
▷**λεπτό έντερο** (ΑΝΑΤ) small intestine

εντεροκολίτιδα ογΣ ΘΗΛ (ΙΑΤΡ) enterocolitis

εντερορραγία ογΣ ΘΗΛ (ΙΑΤΡ) bleeding of the intestine, intestinal bleeding

εντεταλμένος, -η, -ο (*επίσ.*) ΕΠΙΘ (α) (= *αρμόδιος: δικαστής, επιθεωρητής,*

πρεσβεία) authorized **(β)** (= *που έλαβε εντολή*) ordered
▷**εντεταλμένος να** (*επίσ*.) commissioned to
εντεύθεν ΕΠΙΡΡ hence
εντευκτήριο ΟΥΣ ΟΥΔ (*επίσ*.: = *αίθουσα επισκεπτών/εκδηλώσεων: ξενοδοχείου*) lounge · (*νοσοκομείου, ιδρύματος*) visitors' room · (= *λέσχη: νεότητος*) haunt
έντεχνα ΕΠΙΡΡ (*αποφεύγω, αντιμετωπίζω, χρησιμοποιώ*) skilfully (*Βρετ*.), skillfully (*Αμερ*.)
έντεχνος, -η, -ο ΕΠΙΘ **(α)** (= *επιδέξιος, μεθοδικός: επεξεργασία, μεθόδευση, αποπροσανατολισμός*) skilful (*Βρετ*.), skillful (*Αμερ*.) **(β)** (*έκφραση, διατύπωση*) sophisticated **(γ)** (= *καλλιτεχνικός: τραγούδι, αφίσα*) artistic
έντιμος, -η, -ο ΕΠΙΘ **(α)** (*άνθρωπος, συνεργάτης*) honest · (*πολίτης*) respectable **(β)** (*επάγγελμα, εργασία*) reputable **(γ)** (*γυναίκα, σύζυγος*) virtuous **(δ)** (*πράξη, απόφαση, δήλωση*) honest
εντιμότατος, -η, -ο ΕΠΙΘ (= *τίτλος ξένων ονομάτων*) Right Honourable (*Βρετ*.)
εντιμότητα ΟΥΣ ΘΗΛ (= *τιμιότητα*) probity
εντοιχίζω Ρ Μ (*επίσ*.) to wall in
εντοιχίζω Ρ Μ (*έπιπλο, καθρέφτη*) to build in
εντοίχιση ΟΥΣ ΘΗΛ, **εντοιχισμός** ΟΥΣ ΑΡΣ (*επίπλου, ψυγείου*) walling in
εντοιχισμένος, -η, -ο ΕΠΙΘ (*βιβλιοθήκη, κουζίνα, χρηματοκιβώτιο*) built–in
εντοιχισμός ΟΥΣ ΑΡΣ = **εντοίχιση**
έντοκος, -η, -ο ΕΠΙΘ (*δάνειο, κατάθεση, δόση*) interest–bearing
▷**έντοκα γραμμάτια (δημοσίου)** interest–bearing bill (of the state)
εντολέας ΟΥΣ ΑΡΣ **(α)** (ΝΟΜ: = *εντολοδότης*) principal **(β)** (= *παραγγέλλων*) assignor
εντολή ΟΥΣ ΘΗΛ **(α)** (= *διαταγή*) order **(β)** (ΘΡΗΣΚ: *του Θεού, της Αγίας Γραφής*) command **(γ)** (= *συμβουλή, οδηγία: πατέρα, γονιού*) instruction **(δ)** (ΝΟΜ: *πληρωμής, παράδοσης*) authority **(ε)** (ΠΛΗΡΟΦ) command
▷**δίνω σε κπν εντολή να** to instruct sb to
▷**εντολή να** (= *εξουσιοδότηση*) authority to
▷**δέχομαι εντολή** to accept an order
▷**κατ' εντολήν** by order of
▷**Δέκα Εντολές** (ΘΡΗΣΚ) the ten commandments
▷**υπό εντολή** mandated territories
εντολοδότης ΟΥΣ ΑΡΣ (ΝΟΜ: = *εντολέας*) principal
εντολοδόχος ΟΥΣ ΑΡΣΘΗΛ (ΝΟΜ) agent
εντομή ΟΥΣ ΘΗΛ (*επίσ*.: = *βαθιά τομή*) incision
έντομο ΟΥΣ ΟΥΔ insect
εντομοκτόνο ΟΥΣ ΟΥΔ insecticide, pesticide
εντομοκτόνος, -ος, -ο ΕΠΙΘ (*ουσία*) insecticidal
Εντομολογία ΟΥΣ ΘΗΛ entomology
εντομολόγος ΟΥΣ ΑΡΣΘΗΛ entomologist

εντομοφάγος, -ος, -ο ΕΠΙΘ insectivorous
έντονος, -η, -ο ΕΠΙΘ **(α)** (*παρουσία, κίνηση*) acute **(β)** (*φωνή, ύψος*) marked **(γ)** (*αντίθεση, αντίδραση, πίεση*) sharp **(δ)** (*χρώμα*) vivid **(ε)** (*ρυθμός, τρόπος*) sharp · (*προσπάθεια*) strenuous (ΣΤ) (*πόνος, ζαλάδα*) acute **(ζ)** (*φόβος, συγκίνηση, αγανάκτηση*) deep **(η)** (*συζήτηση, καυγάς*) intense **(θ)** (*μυς*) intense
εντοπίζω Ρ Μ **(α)** (= *ανακαλύπτω, βρίσκω: αιτία, προέλευση, μεταβολή*) to detect · (*ουσία, βλάβη, πρόβλημα*) to settle · (= *περιορίζω: πυρκαϊά, ζημιά, αρρώστια*) to localize **(β)** (*φυγά, αγνοούμενο, δράστη*) to locate
▸**εντοπίζομαι** ΜΕΣΟΠΑΘ (*πρόβλημα, πόνος, ευθύνη, αίτια*) to spot
εντόπιος, -α, -ο ΕΠΙΘ = **ντόπιος**
εντόπιση ΟΥΣ ΘΗΛ **(α)** (*αγνοουμένου, δράστη*) tracking down **(β)** (*λοιμώξεως, αιμορραγίας*) localization
εντοπιστής ΟΥΣ ΑΡΣ (*βλάβης*) fault finder · (*κεράτων*) localizer
εντός ΠΡΟΘ (*επίσ*.: *για χρονικό όριο: τριών ημερών, ενός μηνός, προθεσμίας*) within · (*για τοπικό όριο: του κτιρίου, της περιοχής*) inside
▷**εντός μου** inside me
▷**εντός ολίγου** (*χρονικό*) in a while
▷**οι εντός** the ins
▷**εντός βολής** (ΣΤΡΑΤ) within range
εντόσθια ΟΥΣ ΟΥΔ ΠΛΗΘ **(α)** (*ζώου, ανθρώπου*) entrails **(β)** (ΜΑΓΡ) offal *χωρίς πληθ*.
εντούτοις ΕΠΙΡΡ (*επίσ*.) yet, however
εντριβή ΟΥΣ ΘΗΛ **(α)** (*πλάτης, θώρακος*) massage **(β)** (ΙΑΤΡ: *αλοιφής*) liniment
▷**κάνω εντριβή** to massage
έντρομος, -η, -ο ΕΠΙΘ (= *περίφοβος*) scared
εντροπία ΟΥΣ ΘΗΛ (ΦΥΣ) entropy
εντρύφηση ΟΥΣ ΘΗΛ: **εντρύφηση σε** (= *ενασχόληση με κτ*) indulgence in
εντρυφώ Ρ ΑΜ: **εντρυφώ σε** (*επίσ*.) to indulge in
έντυπο ΟΥΣ ΟΥΔ **(α)** (= *περιοδικό*) periodical · (= *εφημερίδα*) newspaper **(β)** (*αιτήσεως, παραδόσεως, συμμετοχής*) form
έντυπος, -η, -ο ΕΠΙΘ printed
εντυπώνω Ρ Μ (*σε μνήμη, σε καρδιά: ανάμνηση, λόγια, χαρακτηριστικά*) to impress
εντύπωση ΟΥΣ ΘΗΛ impression · (ΨΥΧΟΛ) sensation
▷**κακή/καλή εντύπωση** bad/good impression
▷**αφήνω/προκαλώ εντύπωση** to leave/make an impression
▷**έχω την εντύπωση** to have an impression
▷**κάνω εντύπωση** to impress
▷**δίνω την εντύπωση** to leave an impression
▷**μένω με την εντύπωση** to be left with the impression
▷**γενική εντύπωση** general feeling
εντυπωσιάζω Ρ Μ to impress
εντυπωσιακός, -ή, -ό ΕΠΙΘ impressive

ενυδατώνω Ρ Μ to moisturize

ενυδάτωση ΟΥΣ ΘΗΛ moisturizing

ενυδρείο ΟΥΣ ΟΥΔ aquarium

> *Προσοχή!: Ο πληθυντικός του* **aquarium** *είναι* **aquaria**.

ενυδρίδα ΟΥΣ ΘΗΛ (ΖΩΟΛ) otter

ενυπάρχω Ρ ΑΜ to be inherent in

ενύπνιο(ν) ΟΥΣ ΟΥΔ (*επίσ*.: = *όνειρο*) dream

ενυπόγραφος, -η, -ο ΕΠΙΘ (*επιστολή, καταγγελία, διαταγή*) signed

ενυπόθηκος, -η, -ο ΕΠΙΘ (ΝΟΜ: = *που βαρύνεται με υποθήκη: ακίνητο, κτήμα*) mortgaged · (= *που εξασφαλίζεται με υποθήκη: πίστωση, δάνειο, χρέος*) mortgage · (*δανειστής, πιστωτής*) creditor, mortgagee
> **ενυπόθηκη πίστη** (ΝΟΜ) mortgage

ενωμένος, -η, -ο ΜΤΧ (α) (*έθνος, οικογένεια, χώρα, κόμμα*) united (β) (*φωνές, δυνάμεις*) united (γ) (*χέρια, χείλη, κορμιά*) hold together
> **ενωμένος σε κτ** held together by sth
> **ενωμένος με κτ** (= *αναμεμειγμένος*) amalgamated with sth
> **ενωμένος με κτ** (= *συνδεδεμένος*) joined to sth
> **ενωμένος με κπν/κτ** (*μτφ*.) attached to sb/ sth
> **Ενωμένη Ευρώπη** United Europe
> **μένω ενωμένος** to stick together

ενωμοτάρχης ΟΥΣ ΑΡΣ (= *υπαξιωματικός χωροφυλακής*) sergeant

ενωμοτία ΟΥΣ ΘΗΛ (ΣΤΡΑΤ) squad

ενώνω Ρ Μ (α) (*γέφυρα, σανίδα: όχθες*) to join (β) (*γραμμή, παύλα: σημεία, λέξεις*) to hyphenate (γ) (*υλικά, τούβλα*) to bind (δ) (*αγάπη, πίστη, παράδοση, ιδανικά: μέλη οικογένειας, πολίτες, νέους*) to bind (ε) (*στοιχεία, υγρά*) to combine (στ) (*δυνάμεις, προσπάθειες, αγώνα*) to join
> **ενώνομαι με κπν** to be united with sb
> **ενώνομαι σε** to be combined with

ενώπιον ΠΡΟΘ +γεν. (*επιτροπής, δικαστηρίου, αρχών*) before

ενωρίς ΕΠΙΡΡ = **νωρίς**

ένωση ΟΥΣ ΘΗΛ (*ον εν* **ένωσις**) (α) (= *σύνδεση, συναρμογή: καλωδίων*) join (β) (*συμφερόντων, δυνάμεων, προσπαθειών*) union (γ) (= *σημείο ένωσης: ποταμών, δρόμων*) join (δ) (= *σωματείο: βιομηχάνων, δικηγόρων, ελαιουργικών συνεταιρισμών*) union, association (ε) (= *εκούσια προσάρτηση: περιοχής, νησιού*) union (στ) (*δύο ανθρώπων*) union (ζ) (ΧΗΜ: *στοιχείων*) combination (η) (ΦΥΣ) join
> **Σοβιετική Ένωση** Soviet Union
> **φοιτητική/σπουδαστική ένωση** students' union
> **Ευρωπαϊκή Ένωση** European Union

ενωτικό ΟΥΣ ΟΥΔ (ΓΛΩΣΣ) hyphen

ενωτικός, -ή, -ό ΕΠΙΘ joining

εξαγγελία ΟΥΣ ΘΗΛ announcement

εξαγγέλλω Ρ Μ (*κυβέρνηση, υπουργός, επιτροπή: μέτρα, πολιτική, αποφάσεις*) to announce

εξάγγελος ΟΥΣ ΑΡΣ (ΛΟΓ) messenger

εξαγγελτήριος, -α/-ος, -ο ΕΠΙΘ announcing

εξαγιάζω Ρ Μ to sanctify

εξαγνίζω Ρ Μ to purify

εξαγνισμός ΟΥΣ ΑΡΣ, **εξάγνιση** ΟΥΣ ΘΗΛ purification

εξαγνιστήριος, -α, -ο ΕΠΙΘ (*τελετή, φλόγα*) purifing

εξαγόμενο ΟΥΣ ΟΥΔ (α) (= *συμπέρασμα*) conclusion (β) (ΜΑΘ) result

εξαγορά ΟΥΣ ΘΗΛ (α) (*επιχείρησης, μετοχών*) repurchase · (*ποινής, θητείας, δικαιωμάτων*) buying out (β) (*αιχμαλώτων, ομήρων*) ransom (γ) (*ψήφων*) bribery · (*συνειδήσεων, αμαρτιών*) subornation

εξαγοράζω Ρ Μ (α) (*ψήφο*) to bribe · (*συνείδηση, συγκατάθεση*) to suborn (β) (*μάρτυρα, δικαστή*) to bribe (γ) (*ελευθερία, ποινή, θητεία*) to buy out (δ) (*μετοχές, επιχείρηση, μερίδιο*) to ransom

εξαγριωμένος, -η, -ο ΜΤΧ (α) (*για πρόσ*.) infuriated (β) (*για ζώο*) wild · βλ. κ. **εξαγριώνω**

εξαγριώνω Ρ Μ (α) (*συμπεριφορά, δηλώσεις: κοινό, λαό*) to outrage (β) (*πλήθος, διαδηλωτές*) to infuriate (γ) (*χτύπημα, πόνος: σκυλί, λιοντάρι*) to let run wild
> **εξαγριώνομαι** ΜΕΣΟΠΑΘ to be incensed

εξαγρίωση ΟΥΣ ΘΗΛ (*πλήθους, αντιπάλου, λαού*) infuriation

εξάγω Ρ Μ (α) (*χώρα, εταιρεία: προϊόντα*) to export (β) (*συμπέρασμα, τεκμήριο, γνώση*) to draw (γ) (= *βγάζω κρυφά: συνάλλαγμα, ναρκωτικά*) to smuggle out (δ) (*δόντι*) to extract
> **εξάγω κτ από** (*λάδι, αλάτι, ουσία*) to extract sth from

εξαγωγέας ΟΥΣ ΑΡΣ,ΘΗΛ (α) (*επάγγελμα*) exporter (β) (*όργανο*) extractor

εξαγωγή ΟΥΣ ΘΗΛ (α) (*προϊόντος*) exportation (β) (*επιστημόνων, δυναμικού*) exportation (γ) (*συναλλάγματος, κερδών*) exportation (δ) (*δοντιού*) extraction (ε) (*συμπεράσματος, τεκμηρίων, πληροφοριών*) inference (στ) (ΜΑΘ: *τετραγωνικής ρίζας*) extraction
> **εξαγωγή προϊόντος από** (*λαδιού, μελιού*) extraction from

εξαγωγικός, -ή, -ό ΕΠΙΘ export

εξαγώγιμος, -η, -ο ΕΠΙΘ (*προϊόν*) exportable

εξάγωνο ΟΥΣ ΟΥΔ (ΓΕΩΜ) hexagon

εξάγωνος, -η, -ο ΕΠΙΘ (*σχήμα, χωράφι, δωμάτιο*) hexagonal

εξάδα ΟΥΣ ΘΗΛ half a dozen

εξαδέλφη ΟΥΣ ΘΗΛ βλ. **εξάδελφος**

εξαδέλφια ΟΥΣ ΟΥΔ ΠΛΗΘ cousins

εξάδελφος ΟΥΣ ΑΡΣ (*επίσ*.) cousin

εξάεδρο ΟΥΣ ΟΥΔ (ΓΕΩΜ) hexahedron
εξαερίζω Ρ Μ (*σπίτι, δωμάτιο*) to air
εξαερισμός ΟΥΣ ΑΡΣ (*σπιτιού, δωματίου*) ventilation, airing
εξαεριστήρας ΟΥΣ ΑΡΣ fan
εξαερώνω Ρ Μ (α) (ΦΥΣ: *υγρό*) to vaporize (β) (*καλοριφέρ*) to take the air out of
εξαέρωση ΟΥΣ ΘΗΛ (α) (ΦΥΣ: = *μεταβολή των υγρών σε αέρια*) vaporization (β) (*καλοριφέρ*) taking the air out
εξαετία ΟΥΣ ΘΗΛ six-year period
εξαήμερο ΟΥΣ ΟΥΔ six-day period
εξαήμερος, -η, -ο ΕΠΙΘ (*εκδρομή, συνέδριο*) six-day
εξαθλιωμένος, -η, -ο ΜΤΧ (α) (*πρόσφυγας, κάτοικος*) down-at-heel, poverty-stricken (β) (*εικόνα*) wretched (γ) (*χώρα, τόπος*) wretched (δ) (*παιδεία*) degraded
εξαθλιώνω Ρ Μ (α) (*εργαζόμενο, πληθυσμό, κάτοικο*) to reduce to utter poverty (β) (*παιδεία, οικονομίας*) to degrade
εξαθλίωση ΟΥΣ ΘΗΛ (α) (*κατοίκου, πρόσφυγα*) decline into poverty (β) (*παιδείας, θεσμού, οικονομίας*) degradation
εξαίρεση ΟΥΣ ΘΗΛ exception
▷**εξαίρεση από** exemption
▷**κάνω εξαίρεση (για κπν)** to make an exception (for sb)
▷**κατ' εξαίρεση** exceptionally
▷**χωρίς εξαίρεση** without exception
▷**με εξαίρεση** with the exception of
▷**αποτελώ εξαίρεση** to be an exception
▷**φωτεινή εξαίρεση** luminous exemption
▷**τιμητική εξαίρεση** honorary exemption
▷**εξαιρέσει** (*επίσ.*) with the exception of
εξαιρέσιμος, -η, -ο ΕΠΙΘ (*μάρτυρας, περίπτωση*) exceptionable
εξαιρετέος, -α, -ο ΕΠΙΘ (*μάρτυρας*) exempt
εξαιρετικός, -ή, -ό ΕΠΙΘ (α) (*επιστήμονας, ερευνητής, μαθητής*) excellent (β) (*περίπτωση, ανάγκη, περίσταση*) exceptional
εξαίρετος, -η, -ο ΕΠΙΘ excellent
εξαιρώ Ρ Μ (α) (= *αποκλείω: χώρα, υπάλληλο*) to exempt (β) (ΝΟΜ: *ένορκο*) to challenge · (*μάρτυρα, δικαστή*) to except
▷**εξαιρούμαι από** to be exempted from
▷**μηδενός εξαιρουμένου** barring no one
εξαίρω Ρ Μ (αορ **εξήρα**, αορ παθ **εξήρθην**) (α) (*σημασία, σπουδαιότητα*) to stress (β) (*εργατικότητα, θάρρος, υπομονή*) to praise
εξαίσιος, -α, -ο ΕΠΙΘ excellent
εξαιτίας ΠΡΟΘ + γεν because of, owing to
εξαίφνης ΕΠΙΡΡ (= *ξαφνικά*) suddenly
εξακολούθηση ΟΥΣ ΘΗΛ (*επίσ.: αδικήματος, παροχής, συμβίωσης, διαλόγου*) continuation
▷**κατ' εξακολούθηση** continuously
εξακολουθητικός, -ή, -ό ΕΠΙΘ (*νηστεία, δίαιτα, γκρίνια, κλάμα*) continuous
▷**εξακολουθητικός μέλλοντας** (ΓΛΩΣΣ) future

continuous
εξακολουθώ ① Ρ Μ (*κλάμα, παιχνίδι, πιέσεις, γκρίνια*) to continue
② Ρ ΑΜ (*κακοκαιρία, βροχή*) to continue
▷**εξακολουθώ να κάνω κτ** to carry on ή continue doing sth
εξακοντίζω Ρ Μ (α) (*βρισιές, κατηγορίες*) to hurl, to fling (β) (*βέλος, ακόντιο*) to shoot
εξακοντισμός ΟΥΣ ΑΡΣ (α) (*βελών, ακοντίων*) shooting (β) (*απειλών, κατηγοριών*) hurling
εξακόσια ΑΡΙΘ ΑΠΟΛ ΑΚΛ six hundred
εξακόσιοι ΑΡΙΘ ΑΠΟΛ ΠΛΗΘ six hundred
εξακοσιοστός, -ή, -ό ΑΡΙΘ ΤΑΚΤ six hundredth
εξακριβωμένος, -η, -ο ΜΤΧ (*μαρτυρία, γεγονός, στοιχείο, πληροφορία*) verified
εξακριβώνω Ρ Μ (*πληροφορία, είδηση, αλήθεια, καταλληλότητα*) verified
▷**εξακριβώνω ότι** to check that
▷**εξακριβώνω τί/ πώς/ πόσο** to find out what/ how/how much
εξακρίβωση ΟΥΣ ΘΗΛ (*καταλληλότητας, γεγονότος*) verification
εξακύλινδρος, -η, -ο ΕΠΙΘ (*μηχανή*) six-cylinder
εξαλείφω Ρ Μ (α) (*κηλίδα*) to rub out · (*ίχνος*) to efface (β) (*επιδημία, δεισιδαιμονία, συνήθεια*) to stamp out (γ) (*έλλειμμα, διαφορά, έλλειψη*) to abolish · (*διάκριση*) to do away with (δ) (*φόβο*) to dispel (ε) (*υποθήκη*) to pay off
εξάλειψη ΟΥΣ ΘΗΛ (α) (*κηλίδων*) rubbing out · (*ιχνών*) effacement (β) (*όπλων, γραφειοκρατίας, τρομοκρατίας, επιδημίας*) stamping out (γ) (*φόβου*) effacement (δ) (*υποθήκης*) redemption
έξαλλος, -η, -ο ΕΠΙΘ (α) (*για πρόσ.: = θυμωμένος*) frantic (β) (*για πρόσ.: = αυτός που εκδηλώνεται πολύ έντονα*) frantic (γ) (*γυναίκα, ματιά, χτένισμα, ρούχο, χορός*) way-out (δ) (*για συναίσθημα: ενθουσιασμός, χαρά, θυμός*) frenzied
▷**γίνομαι έξαλλος** to get into a state
▷**είμαι σε έξαλλη κατάσταση** to be in a state
εξάλλου ΕΠΙΡΡ besides
εξαμαρτείν ΟΥΣ ΟΥΔ ΑΚΛ: **το δις εξαμαρτείν ουκ ανδρός σοφού** a wise man never makes the same mistake twice
εξάμβλωμα ΟΥΣ ΟΥΔ (α) (*για έμβρυο*) abortion (β) (*μτφ.: = έκτρωμα*) monstrosity
εξαμελής, -ής, -ές ΕΠΙΘ (*οικογένεια, ομάδα*) with six members
εξάμετρος, -η, -ο ① ΕΠΙΘ (*στίχος*) hexametrical
② ΟΥΣ ΟΥΔ (ΛΟΓ) hexametrical
εξαμηνία ΟΥΣ ΘΗΛ = *χρονική περίοδος 6 μηνών*) six-month period
εξαμηνιαίος, -α, -ο ΕΠΙΘ (*πρόγραμμα, σεμινάριο*) biannual
εξάμηνο ΟΥΣ ΟΥΔ (= *περίοδος 6 μηνών*) six-month period

▷**εαρινό εξάμηνο** spring semester
▷**χειμερινό εξάμηνο** winter semester
▷**ακαδημαϊκό εξάμηνο** (ΕΚΠ) academic semester
εξάμηνος, -η, -ο ΕΠΙΘ (*προθεσμία, παραγραφή, άδεια, απουσία*) six–month
εξαναγκάζω Ρ Μ to force
▷**εξαναγκάζω** κπν **να κάνει** κτ to force sb to do sth
εξαναγκασμός ΟΥΣ ΑΡΣ (*εξουσίας*) coercion
εξαναγκαστικός, -ή, -ό ΕΠΙΘ (*εξήγηση, στρατολόγηση*) compulsory · (*προπαγάνδα*) coercive
εξανδραποδίζω Ρ Μ (= *υποδουλώνω: άνθρωπο*) to enslave
εξανδραποδισμός ΟΥΣ ΑΡΣ (= *υποδούλωση*) enslavement
εξανεμίζω Ρ Μ (α) (*όνειρα, σχέδια*) to cause to go up in smoke (β) (*περιουσία, οικονομίες*) to squander
εξάνθημα ΟΥΣ ΟΥΔ (ΙΑΤΡ) exanthema
εξανθηματικός, -ή, -ό ΕΠΙΘ (*νόσος*) eruptive
εξανθρωπίζω Ρ Μ (*μόρφωση, θρησκεία: άτομο*) to humanize
εξανθρωπισμός ΟΥΣ ΑΡΣ humanization
εξανίσταμαι Ρ ΑΜ (= *διαμαρτύρομαι έντονα: λαός*) to revolt
εξάντας ΟΥΣ ΑΡΣ (ΝΑΥΤ) sextant
εξάντληση ΟΥΣ ΘΗΛ (α) (*τροφίμων, χρημάτων, πόρων*) exhaustion (β) (*σώματος, οργανισμού*) exhaustion (γ) (*υπομονής, αντοχής*) distress
▷**σωματική εξάντληση** physical exhaustion
▷**ψυχική εξάντληση** mental exhaustion
εξαντλητικός, -ή, -ό ΕΠΙΘ (α) (*προσπάθεια, έρευνα, εργασία*) exhaustive (β) (*δίαιτα*) exhausting
εξαντλώ Ρ Μ (α) (*κεφάλαια, μέσα, δυνατότητες*) to run down (β) (*υπομονή*) to exhaust (γ) (*ποδαρόδρομος, εργασία, πυρετός*) to weaken
εξάπαντος ΕΠΙΡΡ (= *οπωσδήποτε*) without fail
εξαπάτηση ΟΥΣ ΘΗΛ (*λαού, κοινής γνώμης, καταναλωτή*) deceit
εξαπατώ Ρ Μ (*άνθρωπος, κυβέρνηση: λαό, κοινή γνώμη*) to mislead
εξαπίνης ΕΠΙΡΡ (*επίσ.: = ξαφνικά*) unexpectedly
εξαπλάσιος, -α, -ο ΕΠΙΘ six–fold
εξαπλώνω Ρ Μ (α) (*επιδημία, φωτιά*) to spread (β) (*εμπόριο*) to expand (γ) (*κράτος*) to expand (δ) (*ιδέες, δημοκρατία*) to spread
εξάπλωση ΟΥΣ ΘΗΛ (α) (*φωτιάς, επιδημίας*) spreading (β) (*εμπορίου*) expanding (γ) (*κράτους*) expanding (δ) (*ιδεών, Χριστιανισμού*) spreading
εξαποδώ(ς) ΟΥΣ ΑΡΣ ΑΚΛ (*προφορ.: = διάβολος*) Satan
εξαπόλυση ΟΥΣ ΘΗΛ (α) (*δίσκου*) letting loose (β) (*επίθεσης*) launching (γ) (*βρισιάς*) hurling

εξαπολύω Ρ Μ (α) (*επίθεση*) to launch (β) (*ύβρεις, βρισιές*) to hurl
εξαποστέλλω = **ξαποστέλλω**
εξαπτέρυγα ΟΥΣ ΟΥΔ ΠΛΗΘ (ΘΡΗΣΚ) cherubim
εξάπτω Ρ Μ (*πάθος, φαντασία*) to excite · (*περιέργεια*) to intrigue
▸**εξάπτομαι** ΜΕΣΟΠΑΘ (= *εξοργίζομαι*) to flare up
εξαργυρώνω Ρ Μ (*άνθρωπος: γραμμάτιο, επιταγή, τσεκ*) to cash
εξαργύρωση ΟΥΣ ΘΗΛ (*επιταγής, γραμματίου*) cashing
εξαρθρώνω Ρ Μ (*αστυνομία: σπείρα, ληστές*) to break up
▸**εξαρθρώνομαι** ΜΕΣΟΠΑΘ (α) (*κόκκαλο*) to be sprained (β) (*οικονομία, διοίκηση*) to be dislocated
εξάρθρωση ΟΥΣ ΘΗΛ (α) (ΙΑΤΡ: *οστού*) sprain (β) (*ομάδας, σπείρας*) breaking up
εξάρι ΟΥΣ ΟΥΔ (α) (*για ζάρια*) six (β) (*για τράπουλα*) the six of spades
έξαρση ΟΥΣ ΘΗΛ (α) (*ακμής, καρκίνου, επιδημίας*) bout (β) (*ανεργίας, αστυφιλίας, παραοικονομίας*) bout (γ) (*περιέργειας, ενδιαφέροντος, φαντασίας*) elevation
▷**είμαι σε έξαρση** (*επιδημία*) to be at its peak
▷**πλήρης έξαρση** complete exaltation
εξάρτημα ΟΥΣ ΟΥΔ (*μηχανής, αυτοκινήτου, εργοστασίου*) part, attachment
εξάρτηση ΟΥΣ ΘΗΛ: **εξάρτηση από** dependence on
▷**οικονομική εξάρτηση** financial dependence
▷**προσωπική εξάρτηση** personal dependence
▷**πλήρης εξάρτηση** complete dependence
▷**υλική εξάρτηση** materialistic dependence
εξάρτυση ΟΥΣ ΘΗΛ (ΣΤΡΑΤ) equipment
εξαρτώ Ρ Μ: **εξαρτώ** κτ **από** κτ **άλλο** to make sth dependent on sth else
▸**εξαρτώμαι** ΜΕΣΟΠΑΘ (α) (*άνθρωπος*) to be dependent (β) (*οικονομία, ευημερία, πρόοδος*) to be determined
▸**εξαρτάται** ΑΠΡΟΣ it depends
εξαρχαΐζω Ρ Μ to archaize
εξαρχής ΕΠΙΡΡ from the very beginning
▷**ευθύς εξαρχής** right from the beginning
έξαρχος ΟΥΣ ΑΡΣ (α) (ΙΣΤ) exarch (β) (ΘΡΗΣΚ) nuncio
εξασθένηση ΟΥΣ ΘΗΛ (α) (*σώματος, δύναμης, ψυχής*) weakening (β) (*οικονομίας*) decline (γ) (*μνήμης*) fading (δ) (*ανέμων*) abatement
▷**σωματική εξασθένηση** physical weakening
εξασθενώ ① Ρ ΑΜ (α) (*άνθρωπος*) to weaken (β) (*μνήμη, φαντασία*) to fade · (*δύναμη*) to decline (γ) (*κατάσταση, δραστηριότητα*) to weaken
② Ρ Μ (*γήρας, αρρώστια: άνθρωπο, σώμα*) to weaken
εξάσκηση ΟΥΣ ΘΗΛ (α) (*σώματος*) training (β) (*μνήμης, γνώσεων*) practice
▷**κάνω εξάσκηση σε** κτ to practise(Βρετ.) ή

practice (Αμερ.) on sth
▷**εργαστηριακή εξάσκηση** laboratory practice
▷**πρακτική εξάσκηση** practical exercise
εξασκώ Ρ Μ (α) (μνήμη, σώμα) to exercise (β) (ιατρική, δικηγορία) to profess (γ) (καθήκοντα(κηδεμόνα, διαιτητού)) to practise (Βρετ.), to practice (Αμερ.) (δ) (μτφ.: πίεση, γοητεία, επιρροή) to exert
▷**εξασκώ κπν σε** to train sb in
εξάστηλο ΟΥΣ ΟΥΔ (ΤΥΠ) six columns
εξάστιχο ΟΥΣ ΟΥΔ six-line stanza
εξασφαλίζω Ρ Μ (α) (σύνταξη, διαμονή, διατροφή) to secure (β) (μέλλον, καριέρα) to engage (γ) (υποστήριξη, συμπαράσταση) to obtain
εξασφάλιση ΟΥΣ ΘΗΛ (α) (οικονομικών πόρων, διατροφής, στέγης) securing (β) (καριέρας) securing (γ) (αξιοπιστίας, εμπιστοσύνης) ensuring
▷**οικονομική εξασφάλιση** financial securing
εξασφαλισμένος, -η, -ο ΜΤΧ (επιτυχία, καριέρα, μέλλον) secured
εξατάξιος, -α, -ο ΕΠΙΘ (σχολείο) six-form
εξατμίζω Ρ Μ to evaporate
▸**εξατμίζομαι** ΜΕΣΟΠΑΘ (γενναιοδωρία, καλοσύνη) to be evaporated
εξάτμιση ΟΥΣ ΘΗΛ (α) (νερού, κολώνιας) vaporization (β) (αυτοκινήτου) exhaust
εξατομίκευση ΟΥΣ ΘΗΛ (διδασκαλίας, συζήτησης, εργασίας) individualization
εξατομικεύω Ρ Μ (διδασκαλία, εργασία, συζήτηση) to individualize
εξάτομος, -η, -ο ΕΠΙΘ (εγκυκλοπαίδεια) six-volume
εξαϋλώνω Ρ Μ (ποιητής: μορφή, γυναίκα) to dematerialize
εξαφανίζω Ρ Μ (α) (ίχνος, σημάδι) to obliterate · (πιστόλι) to hide (β) (εχθρό) to destroy (γ) (χλωρίδα, πανίδα) to obliterate
▸**εξαφανίζομαι** ΜΕΣΟΠΑΘ to disappear
εξαφάνιση ΟΥΣ ΘΗΛ (α) (πορτοφολιού, όπλου) disappearance (β) (λαού, εχθρού, είδους) obliteration (γ) (φόβου, πόνου, άγχους) disappearance
▷**μυστηριώδης εξαφάνιση** mysterious disappearance
έξαφνα ΕΠΙΡΡ suddenly
εξαφρίζω = **ξαφρίζω**
εξάχορδος, -η, -ο ΕΠΙΘ (ΜΟΥΣ) six-stringed
εξαχρειωμένος, -η, -ο ΜΤΧ (α) (άνθρωπος) corrupted (β) (ήθη) depraved
εξαχρειώνω Ρ Μ (α) (πόλεμος: άνθρωπο) to corrupt (β) (ήθη) to deprave
εξαχρείωση ΟΥΣ ΘΗΛ (α) (ηθών) depravity (β) (ανθρώπου) corruption
εξάψαλμος ΟΥΣ ΑΡΣ (ΘΡΗΣΚ) tirade
▷**του'ψαλα τον εξάψαλμο** to launch a tirade
έξαψη ΟΥΣ ΘΗΛ (α) (παθών, οργής, επιτυχίας) excitement (β) (= αγανάκτηση, θυμός) irritation (γ) (ΙΑΤΡ) inflammation

εξάωρο ΟΥΣ ΟΥΔ six hours πληθ.
εξάωρος, -η, -ο ΕΠΙΘ (ύπνος, καθυστέρηση, μάθημα) six-hour
εξεγείρω Ρ Μ (αορ **εξήγειρα,** αορ παθ **εξεγέρθηκα,** μτχ **εξεγερμένος, -η, -ο**) (α) (λαό, στρατό, υπόδουλους) to rouse (β) (= οργίζομαι: φορολογία, νομοσχέδιο: πολίτες, αγρότες, δικηγόρους) to excite
εξέγερση ΟΥΣ ΘΗΛ (λαού, αγροτών) revolt
▷**επαναστατική εξέγερση** revolution
▷**λαϊκή εξέγερση** revolution of the masses
▷**εργατική εξέγερση** working-class revolt
▷**φοιτητική εξέγερση** students' rebellion
▷**ένοπλη εξέγερση** armed revolt
εξέδρα ΟΥΣ ΘΗΛ (α) (Φαλήρου) jetty (β) (γηπέδου) stand · (θεάτρου) balcony, gallery (γ) (για παρελάσεις, γιορτές, εκδηλώσεις) grandstand
▷**ξύλινη εξέδρα** wooden stand
▷**υπερυψωμένη εξέδρα** raised stand
εξεζητημένος, -η, -ο ΕΠΙΘ (συμπεριφορά) mannered · (ύφος) affected · (ντύσιμο) arty
εξειδικεύομαι Ρ ΑΜ: **εξειδικεύομαι σε** to specialize in
εξειδίκευση ΟΥΣ ΘΗΛ: **εξειδίκευση σε** specialisation in
▷**επαγγελματική εξειδίκευση** professional specialization
▷**εκπαιδευτική εξειδίκευση** educational specialization
εξελεγκτικός, -ή, -ό ΕΠΙΘ (έλεγχος, επιτροπή) auditing
εξελιγμένος, -η, -ο ΜΤΧ developed
εξελικτικός, -ή, -ό ΕΠΙΘ (διδασκαλία, θεωρία) evolutionary
εξέλιξη ΟΥΣ ΘΗΛ (α) (ανθρώπου) progress (β) (πολιτισμού, κατάστασης) evolution (γ) (νόσου) progress (δ) (γλώσσας) evolution
▷**βαθμολογική εξέλιξη** progress (on marks)
▷**κοινωνική εξέλιξη** social evolution
▷**ατομική εξέλιξη** personal development
▷**επαγγελματική εξέλιξη** professional advancement
▷**φυσική εξέλιξη** natural progress
▷**θεωρία της εξέλιξης** theory of evolution
▷**βρίσκομαι σε εξέλιξη** to be in progress
εξελίσσομαι Ρ ΑΜ ΜΕΣΟΠΑΘ to develop
▷**εξελίσσομαι σε** to develop into
εξέλκωση ΟΥΣ ΘΗΛ (ΙΑΤΡ: τραύματος) ulceration
εξελληνίζω Ρ Μ (α) (βάρβαρο, Ανατολή) to Hellenize (β) (κείμενο) to render into Greek
εξελληνισμός ΟΥΣ ΑΡΣ (α) (λαού, Ανατολής, Ρώμης) Hellenization (β) (λέξης, κειμένου) rendering into Greek
εξεπίτηδες ΕΠΙΡΡ (προφορ.) intentionally
εξερεθίζω Ρ Μ (= εξοργίζω) to irritate
εξερεθιστικός, -ή, -ό ΕΠΙΘ (συμπεριφορά, λόγος) provocative
εξερεύνηση ΟΥΣ ΘΗΛ (τόπου, νησιού, κόσμου) exploration

E

εξερευνητής ΟΥΣ ΑΡΣ explorer

εξερευνητικός, -ή, -ό ΕΠΙΘ (ομάδα, αποστολή, πλους) exploratory

εξερευνώ Ρ Μ (νησί, χώρα) to explore

εξέρχομαι Ρ ΑΜ: **εξέρχομαι από** to come out from
▷**εξέρχομαι σε/εις** (επίσ.) to come out in

εξετάζω Ρ Μ (μτχ **εξεταζόμενος, -η, -ο**) (α) (μηχανή, συσκευή) to overhaul (β) (ασθενή, αίμα, μάτια) to examine (γ) (επιχείρημα, κατάσταση) to look into (δ) (μάρτυρα, αιχμάλωτο) to question (ε) (μαθητές, φοιτητές) to examine
▷**εξετάζω λεπτομερώς** to overhaul
▷**εξετάζω σε/εις βάθος** to probe
▷**εξετάζω στα γρήγορα** to glance through
▷**εξετάζω εξαντλητικά** to scrutinize
▷**εξετάζω κατ'αντιπαράσταση** to cross-examine

εξέταση ΟΥΣ ΘΗΛ (α) (ασθενούς, αίματος) examination (β) (λόγων, ισχυρισμών) looking into (γ) (τίτλων) looking into (δ) (μαρτύρων, κατηγορουμένου) questioning (ε) (μαθητών, υποψηφίων, φοιτητών) examination
▷**υγειονομική εξέταση** hygiene inspection
▷**λεπτομερής εξέταση** overhauling
▷**τεχνική εξέταση** technical examination
▷**γραπτή εξέταση** written exam
▷**προφορική εξέταση** oral exam
▷**ιατρική εξέταση** check-up
▷**κλινική εξέταση** clinical examination
▷**εξονυχιστική εξέταση** overhauling
▷**ιερά εξέταση** Inquisition
▷**ένορκη εξέταση** examination under oath
▷**επιτόπια εξέταση** on-the-spot investigation
▷**προκαταρκτική εξέταση** preliminary investigation
▷**είμαι/βρίσκομαι σε εξέταση** to be under review

εξεταστέος, -α, -ο ΕΠΙΘ (ύλη) that should be examined

εξεταστής ΟΥΣ ΑΡΣ examiner

εξεταστικός, -ή, -ό ΕΠΙΘ (βλέμμα) examining
▸**εξεταστική επιτροπή** examining committee
▸**εξεταστική περίοδος** examination period

εξετάστρια ΟΥΣ ΘΗΛ examiner

εξευγενίζω Ρ Μ (ήθος, νου, άνθρωπο) to ennoble

εξευγενισμός ΟΥΣ ΑΡΣ (α) (ήθους) ennoblement (β) (μετάλλου) purification

εξευμενίζω Ρ Μ (= καταπραΰνω) to propitiate

εξευμενιστικός, -ή, -ό ΕΠΙΘ (επιστολή) propitiatory

εξεύρεση ΟΥΣ ΘΗΛ (α) (κεφαλαίων, πόρων, εργασίας) finding out (β) (δασκάλων, προσωπικού) finding out (γ) (λύσης, μεθόδου) discovering

εξευρίσκω Ρ Μ (α) (κεφάλαια, χρήματα, μέσα) to find out (β) (= επινοώ: λύση) to invent

εξευρωπαΐζω Ρ Μ (λαός, χώρα) to improve

conditions in

εξευτελίζω Ρ Μ (α) (= ντροπιάζω: όνομα, οικογένεια) to bring shame on (β) (= ταπεινώνω) to humiliate
▸**εξευτελίζομαι** ΜΕΣΟΠΑΘ (τιμή) to be depreciated

εξευτελισμός ΟΥΣ ΑΡΣ humiliation

εξευτελιστικός, -ή, -ό ΕΠΙΘ (α) (ήττα, δουλειά) humiliating (β) (τιμή, μισθός) depreciated

εξέχω Ρ ΑΜ (πρτ **εξείχα**) (α) (δόντια, ώμος, μάτια) to protrude (β) (βεράντα, σκεπή) to stick out· (= διακρίνομαι) to excel

εξέχων, -ουσα, -ον ΕΠΙΘ (φυσιογνωμία, θέση, προσωπικότητα) distinguished, eminent

εξήγηση ΟΥΣ ΘΗΛ (α) (συμπεριφοράς) explanation (β) (κειμένου, νόμου) interpretation (γ) (ονείρου) interpretation (δ) (= δικαιολογία) explanation
▷**δίνω εξηγήσεις** to give an explanation of
▷**ζητώ εξηγήσεις** to call to account
▷**λογική εξήγηση** rational explanation
▷**τι εξήγηση δίνεις;** (= πώς εξηγείς;) can you explain?
▷**τι εξήγηση δίνεις σε κτ;** (= πώς ερμηνεύεις;) what explanation can you give for sth?

εξηγώ Ρ Μ: **εξηγώ σε κπν κτ** to explain sth to sb· (λέξη, φράση, κείμενο) to interpret sth for sb· (στάση, αντίδραση, λόγια) to explain sth to sb· (όνειρο, σύμβολο) to interpret sth for sb
▸**εξηγούμαι** ΜΕΣΟΠΑΘ to sort it out

εξηκονταετία ΟΥΣ ΘΗΛ sixty-year period

εξηκοστός, -ή, -ό ΑΡΙΘ ΤΑΚΤ sixtieth

εξηκριβωμένος = **εξακριβωμένος**

εξηλεκτρισμός ΟΥΣ ΑΡΣ (ΦΥΣ) electrification

εξημερώνω Ρ Μ (α) (ζώο) to domesticate (β) (μτφ.: ήθος) to civilize (γ) (= ηρεμώ, καταπραΰνω) to appease

εξημέρωση ΟΥΣ ΘΗΛ (ζώου) domestication

εξήντα ΑΡΙΘ ΑΠΟΛ ΑΚΛ sixty

εξηνταβελόνης ΟΥΣ ΑΡΣ (προφορ.: = τσιγγούνης) skinflint (ανεπ.)

εξηντάρης ΟΥΣ ΑΡΣ sixty-year-old man

εξής ΕΠΙΡΡ (= κατά σειρά, ακολούθως) following
▷**στο εξής** from now on
▷**ως εξής** as follows

έξι ΑΡΙΘ ΑΠΟΛ ΑΚΛ six

εξιδανίκευση ΟΥΣ ΘΗΛ idealization

εξιδανικεύω Ρ Μ to idealize

εξίδρωση ΟΥΣ ΘΗΛ (α) (= έκκριση ιδρώτα) sweating (β) (ΒΟΤ) perspiration

εξιλασμός ΟΥΣ ΑΡΣ propitiation

εξιλαστήριος, -α, -ο ΕΠΙΘ (θύμα) expiatory

εξιλεώνω Ρ Μ (α) (άνθρωπος) to propitiate (β) (παράπτωμα, αμάρτημα) to expiate

εξιλέωση ΟΥΣ ΘΗΛ (αμαρτίας, παραπτώματος) expiation

έξις ΟΥΣ ΘΗΛ (επίσ.) habit

εξισλαμίζω P M (λαό, έθνος) to Islamize

εξισλαμισμός ΟΥΣ ΑΡΣ (λαού, έθνους) conversion to Islam

εξισορρόπηση ΟΥΣ ΘΗΛ (σχέσεων, ανισοτήτων) equalization

εξισορροπητής ΟΥΣ ΑΡΣ (= παράγοντας δημιουργίας εξισορρόπησης) equalizer

εξισορροπώ P M (συμφέροντα, ζημιά, έλλειμμα) to counterbalance

εξίσου ΕΠΙΡΡ equally

εξίσταμαι P AM to be astonished, to be amazed
 ▷απορώ κι εξίσταμαι not to be able to understand the rationale behind an action

εξιστόρηση ΟΥΣ ΘΗΛ (γεγονότων, περιπέτειας) narration

εξιστορώ P M (γεγονότα, ζωή, περιπέτεια, βάσανα) to narrate

εξισώνω P M: εξισώνω κπν με κπν to make sb equal to sb else

εξίσωση ΟΥΣ ΘΗΛ (μισθών, επιδομάτων) balancing
 ▷εξίσωση πρώτου βαθμού (ΜΑΘ) simple equation
 ▷αλγεβρική εξίσωση (ΜΑΘ) algebraic equation
 ▷λύνω εξίσωση to solve an equation
 ▷εξίσωση πυρηνικής αντίδρασης equation of nuclear reaction
 ▷χημική εξίσωση chemical equation

εξισωτής ΟΥΣ ΑΡΣ (ΗΛΕΚ) equalizer

εξίτηλος, -η, -ο ΕΠΙΘ (χρώμα, βαφή) effaceable

εξιτήριος, -α, -ο ① ΕΠΙΘ of discharge
 ② ΟΥΣ ΟΥΔ: παίρνω εξιτήριο to get a certificate of discharge

εξιχνιάζω P M (αιτίες, λόγους) to trace back · (έγκλημα) to investigate · (μυστήριο) to solve

εξιχνίαση ΟΥΣ ΘΗΛ (εγκλήματος, φόνου) investigation · (αιτιών) tracing back · (μυστηρίου) solution

εξοβελίζω P M to eliminate

εξοβελισμός ΟΥΣ ΑΡΣ elimination

εξόγκωμα ΟΥΣ ΟΥΔ (α) (ποδιού, χεριού) bulge (β) (δρόμου) bump

εξογκώνω P M to inflate

εξόγκωση ΟΥΣ ΘΗΛ (α) (λογαριασμού, τιμών, εξόδων) bumping, swelling (β) (μτφ.: περιπέτειας, ιστορίας) exaggeration

έξοδο ΟΥΣ ΟΥΔ (φαγητού, διασκέδασης, γάμου) expense
 ▷μπαίνω στα έξοδα to go to the expense of
 ▷βάζω κπν σε έξοδα to put sb to the expense of
 ▷με έξοδά μου at one's expense
 ▷βγάζω τα έξοδά μου to pay one's way
 ▷καλύπτω τα έξοδά μου to cover one's expenses
 ▷βιβλίο εξόδων expense book
 ▷έχω έξοδα to have expenses

έξοδος ΟΥΣ ΑΡΣ: από κπου way out of somewhere (α) (θεάτρου, σπηλιάς, σήραγγας) exit (β) (για το αρχαίο θέατρο) exodus
 ▷η Έξοδος (ΘΡΗΣΚ) the Exodus
 ▷η Έξοδος (ΙΣΤ) the sortie
 ▷ημέρα εξόδου servants' day off
 ▷έξοδος κινδύνου emergency exit
 ▷άδεια εξόδου leave permit
 ▷έχω έξοδο to go out

εξοικειώνω P M: εξοικειώνω κπν με κτ to familiarize sb with sth
 ▸ εξοικειώνομαι ΜΕΣΟΠΑΘ: εξοικειώνομαι με κτ to acquaint oneself with sth
 ▷εξοικειώνομαι (μαζί) με κπν to get to know sb

εξοικείωση ΟΥΣ ΘΗΛ familiarization

εξοικονόμηση ΟΥΣ ΘΗΛ saving

εξοικονομώ P M (α) (ενέργεια) to economize · (δαπάνες, κόπο, συνάλλαγμα) to save up (β) (κονδύλια, χρήματα, πόρους, αναγκαία) to save up

εξοκέλλω P AM (αορ εξόκειλα/εξώκειλα) (α) (πλοίο, ιστιοφόρο) to run aground, to run ashore (β) (μτφ.) to go astray

εξολκέας ΟΥΣ ΑΡΣ extractor

εξολόθρευση ΟΥΣ ΘΗΛ (α) (λαού, φύσης, οικοσυστήματος) destruction (β) (λαού, έθνους, μειονότητας) extermination

εξολοθρευτής ΟΥΣ ΑΡΣ (για πρόσ.) exterminator

εξολοθρευτικός, -ή, -ό ΕΠΙΘ (όπλα) destructive

εξολοθρεύτρια ΟΥΣ ΘΗΛ βλ. εξολοθρευτής

εξολοθρεύω P M (φυλή, λαό, ζώα, αντιπάλους) to exterminate

εξομάλυνση ΟΥΣ ΘΗΛ (α) (εδάφους) levelling (Βρετ.), leveling (Αμερ.), flattening (β) (διαφορών) settling · (κατάστασης, σχέσεων) smoothing out

εξομαλύνω P M (α) (επιφάνεια, προεξοχή) to level (β) (σύγκρουση, διαφορά, κατάσταση, σύστημα) to settle

εξομοιώνω P M: εξομοιώνω κπν/κτ με/προς κπν/κτ to equate sb/sth with sb/sth

εξομοίωση ΟΥΣ ΘΗΛ: εξομοίωση κποιου προς/ με κπν equating sb with sb

εξομολόγηση ΟΥΣ ΘΗΛ confession
 ▷κάνω εξομολόγηση to confess
 ▷ερωτική εξομολόγηση declaration of love

εξομολογητήριο ΟΥΣ ΟΥΔ (ΘΡΗΣΚ) confessional

εξομολογητής ΟΥΣ ΑΡΣ (ΘΡΗΣΚ) confessor
 ▷γίνομαι εξομολογητής κποιου to become sb's confessor

εξομολογώ P M (ιερέας: πιστούς) to confess
 ▸ εξομολογούμαι ΜΕΣΟΠΑΘ to confess
 ▷αμαρτία εξομολογημένη δεν είναι αμαρτία a confessed sin is not a sin

εξόν ΕΠΙΡΡ (προφορ.) except · βλ. κ. εκτός

εξοντώνω P M (α) (αντιπάλους, εχθρούς, λαό)

to exterminate (β) (*δουλειά, ρυθμός ζωής*) to exhaust

εξόντωση ΟΥΣ ΘΗΛ (*λαού, αντιπάλων, έθνους*) extermination

εξοντωτικός, -ή, -ό ΕΠΙΘ (α) (*πόλεμος, αγώνας*) destructive (β) (*μέτρα, δουλειά, ανταγωνισμός*) exhaustive

εξονυχίζω Ρ Μ (*υπόθεση, ζήτημα, αποδείξεις*) to shift

εξονύχιση ΟΥΣ ΘΗΛ (*εγγράφου, υπόθεσης, στοιχείων*) probe

εξονυχιστικός, -ή, -ό ΕΠΙΘ (*έλεγχος, έρευνα, ανάλυση*) thorough

εξοπλίζω Ρ Μ (α) (*αντάρτες, στρατό, χώρα*) to arm (β) (*γραφείο, εργαστήριο, νοσοκομείο*) to supply

εξοπλισμός ΟΥΣ ΑΡΣ equipment
▷**συμβατικός εξοπλισμός** conventional equipment
▷**εποπτικός εξοπλισμός** supervisory equipment
▷**τηλεπικοινωνιακός εξοπλισμός** communications equipment
▸ εξοπλισμοί ΠΛΗΘ arms *πληθ.*

εξοργίζω Ρ Μ (*συμπεριφορά, άνθρωπος, στάση*) to anger

εξοργιστικός, -ή, -ό ΕΠΙΘ (α) (*αδικία, μέτρα, συμπεριφορά, αδιαφορία*) exasperating, infuriating (β) (*μέτρα, συμπεριφορά, αδιαφορία, παραβιάσεις*) frustrating

εξορία ΟΥΣ ΘΗΛ exile
▷**κάνω εξορία** to be in exile
▷**στέλνω κπν εξορία** to exile sb
▷**είμαι στην εξορία** to be in exile
▷**εξορία του Αδάμ** remote place

εξορίζω Ρ Μ (α) (*πολιτικό, αντίπαλο, αντιφρονούντα*) to exile (β) (*μτφ.*) to banish

εξόριστος, -η, -ο ΕΠΙΘ exiled · (*μτφ.*) exiled
▷**πολιτικός εξόριστος** political exile

εξορκίζω Ρ Μ (α) : **εξορκίζω κπν να κάνει κτ** to urge sb to do sth (β) (*πνεύμα, δαίμονα*) to exorcize

εξορκισμός ΟΥΣ ΑΡΣ (*δαίμονα, κακού πνεύματος*) exorcism

εξορκιστής ΟΥΣ ΑΡΣ (*πνευμάτων, δαιμόνων*) exorcist

εξόρμηση ΟΥΣ ΘΗΛ campaign
▷**οικονομική εξόρμηση** financial campaign
▷**κάνω εξόρμηση** to campaign

εξορμώ Ρ ΑΜ (α) (*εχθρός, στρατός*) to launch a campaign (β) (*διείσδυση, επίθεση, εισβολή*) to make a start (γ) (*μέλη, πολιτικοί, φοιτητές*) to campaign

εξόρυξη ΟΥΣ ΘΗΛ (*μεταλλεύματος, ορυκτού, αργύρου*) mining

εξορύσσω Ρ Μ (*μετάλλευμα, ορυκτό*) to mine

εξοστρακίζω Ρ Μ (α) (*στην αρχαιότητα: πολιτικό, αντίπαλο*) to ostracize (β) (*δυσκολία, εμπόδιο*) to get rid of
▸ **εξοστρακίζομαι** ΜΕΣΟΠΑΘ (*σφαίρες*) to be distracted

εξοστρακισμός ΟΥΣ ΑΡΣ (α) (ΙΣΤ: = *καταδίκη σε εξορία: πολιτικού, πολίτη*) ostracism (β) (*σφαίρας*) distraction (γ) (*μτφ.*: = *διώξιμο, απομάκρυνση*: *δυσκολιών, προβλημάτων, λογικής*) divesting

εξουδετερώνω Ρ Μ (α) (*ιό, δηλητήριο*) to neutralize (β) (*αντιπολίτευση, αντίπαλο, εχθρό*) to eliminate (γ) (*μτφ.*: *κίνδυνο, επιρροή*) to eliminate (δ) (ΧΗΜ/ΦΥΣ) to neutralize

εξουδετέρωση ΟΥΣ ΘΗΛ (*άμυνας, ισχύος*) counteraction (α) (*εχθρού, αντιπάλου*) neutralization (β) (*συμφωνίας*) counteraction (γ) (ΧΗΜ: *ουσίας, φορτίου, οξύτητας*) neutralization

εξουδετερωτικός ΕΠΙΘ neutralizing

εξουθενώνω Ρ Μ (α) (*γρίπη, αρρώστια*) to knock the stuffing out of sb (*ανεπ.*), to defeat · (*ζέστη*) to overpower · (*άγχος*) to overwhelm (β) (*δουλειά*) to exhaust

εξουθένωση ΟΥΣ ΘΗΛ overwhelming
▷**σωματική εξουθένωση** physical exhaustion
▷**ψυχική εξουθένωση** psychological exhaustion
▷**πνευματική εξουθένωση** mental exhaustion

εξουθενωτικός, -ή, -ό ΕΠΙΘ (α) (*ζέστη*) overpowering (β) (*αγώνας, ανταγωνισμός*) cut–throat (γ) (*ωράριο, δουλειά*) exhausting (δ) (*φτώχεια*) overwhelming

εξουσία ΟΥΣ ΘΗΛ power (α) (*εκλογής, εκπροσώπησης, διεξαγωγής, ελέγχου*) authority (β) (*για πρόσ.*) authority · (*κυβέρνησης, κράτους, εκκλησίας, δικαστηρίου, κόμματος*) power
▷**φυσική εξουσία** natural power
▷**βρίσκομαι κάτω από την εξουσία κποιου** to be under sb's rule
▷**ασκώ εξουσία** to exercise power
▷**φέρνω κπν στην εξουσία** to put sb in control
▷**ανεβαίνω/έρχομαι στην εξουσία** to come to power
▷**δίνω την εξουσία σε κπν να κάνει κτ** to give sb the authority to do sth
▷**είμαι εξουσία** to be in control
▷**απόλυτη εξουσία** absolute power
▷**λαϊκή εξουσία** authority of the people
▷**οικονομική εξουσία** economic power
▷**πνευματική εξουσία** spiritual power
▷**νομοθετική εξουσία** legislative power
▷**δικαστική εξουσία** judicial power
▷**πολιτική εξουσία** political power
▷**εκτελεστική εξουσία** executive power
▷**θρησκευτική εξουσία** religious authority
▷**υπέρτατη εξουσία** supreme power
▷**ανώτατη εξουσία** main authority

εξουσιάζω ① Ρ Μ (α) (*βασιλιάς, κυβέρνηση, κράτος: πολίτη, χώρα*) to govern (β) (*πάθος, φόβο*) to dominate (γ) (*μτφ.*: *σύζυγο, φίλο*) to dominate
② Ρ ΑΜ (= *ασκώ εξουσία*) to rule
▷**εξουσιάζω τον εαυτό μου** (= *είμαι*

αυτεξούσιος) to be one's own master

εξουσιαστής ΟΥΣ ΑΡΣ (α) (χώρας, θάλασσας, όντων) master (β) (= που ασκεί εξουσία πάνω σε κπν ή κτ) ruler

εξουσιαστικός ΕΠΙΘ dominating

εξουσιοδότηση ΟΥΣ ΘΗΛ authorization
▷ **νομοθετική εξουσιοδότηση** (ΝΟΜ) warrant
▷ **έχω εξουσιοδότηση να** to have the authorization to
▷ **γραπτή εξουσιοδότηση** authorization in writing, written authorization
▷ **κατ'εξουσιοδότηση** by proxy

εξουσιοδοτώ Ρ Μ (δικηγόρο, όργανο, αντιπρόσωπο, τράπεζα) to authorize
▷ **εξουσιοδοτώ κπν να κάνει κτ** to depute sb to do sth

εξόφθαλμος, -η, -ο ΕΠΙΘ (α) (ΙΑΤΡ) exophthalmic (β) (για πρόσ.) with protruding eyes (γ) (επίσ.: αδικία, ψεύδη) obvious

εξόφληση ΟΥΣ ΘΗΛ (επιταγής, χρέους, δανείου) payment

εξοφλητέος, -α, -ο ΕΠΙΘ (δάνειο, επιταγή, γραμμάτιο) payable

εξοφλώ Ρ Μ (α) (δάνειο) to pay off· (χρέη) to clear off· (λογαριασμό) to settle (β) (μτφ.: χρέος) to discharge

εξοχή ΟΥΣ ΘΗΛ (α) (= ύπαιθρος) country (β) (= τόπος παραθερισμού) country (γ) (= προεξοχή) projection

εξοχήν ΕΠΙΡΡ· **κατ' εξοχήν** pre-eminently

εξοχικός ① ΕΠΙΘ (σπίτι, κέντρο) country ② ΟΥΣ ΟΥΔ cottage · (ΜΑΓΕΙΡ) roasted lamb with vegetables wrapped in greaseproof paper

έξοχος ΕΠΙΘ (α) (= επιφανής: γιατρός, δικηγόρος, συγγραφέας) excellent (β) (= εξαιρετικός, υπέροχος: αγόρευση, ιδέα, ταινία) superb

εξοχότης ΟΥΣ ΘΗΛ Excellency
▷ **η αυτού εξοχότης** his Excellency

εξπρεσιονισμός ΟΥΣ ΑΡΣ (ΤΕΧΝ) expressionism

εξπρεσιονιστής ΟΥΣ ΑΡΣ (ΤΕΧΝ) expressionist

εξπρεσιονιστικός, -ή, -ό ΕΠΙΘ (ΤΕΧΝ) expressionistic

έξτρα ΕΠΙΘ ΑΚΛ (χρήματα, αμοιβή, έσοδα) extra

εξτρεμισμός ΟΥΣ ΑΡΣ (ΠΟΛΙΤ) extremism

εξτρεμιστής ΟΥΣ ΑΡΣ (ΠΟΛΙΤ) extremist

εξτρεμιστικός ΕΠΙΘ extremist

εξυβρίζω Ρ Μ (α) (επίσ.: ανωτέρους, υπουργό, αρχές) to insult (β) (τα θεία) to swear at

εξύβριση ΟΥΣ ΘΗΛ (α) (επίσ.: ανωτέρων, υπουργού, αρχών) abuse (β) (θείων) swearing

εξυβριστικός, -ή, -ό ΕΠΙΘ (επίσ.: φράση, δημοσίευμα, άρθρο, συμπεριφορά) abusive, insulting

εξυγιαίνω Ρ Μ (α) (σύστημα, διοίκηση) to reform (β) (οικονομία, επιχείρηση) to restore

εξυγίανση ΟΥΣ ΘΗΛ reforming

▷ **πολιτική εξυγίανση** political reform
▷ **οικονομική εξυγίανση** to reform an economy

εξυγιαντικός, -ή, -ό ΕΠΙΘ (χαρακτήρας, μέτρα, πρόγραμμα, προσπάθεια) reforming

εξύμνηση ΟΥΣ ΘΗΛ (α) (ποιητή, συγγραφέα, ζωγράφου) praise (β) (μεγαλείου, ομορφιάς, πόλης, ηρωισμού) glorification

εξυμνώ Ρ Μ (α) (τραγούδι: ελευθερία, ήρωα, έργο, μεγαλείο, δόξα) to sing · (ποίημα: ελευθερία, ήρωα, έργο, μεγαλείο, δόξα) to extol (β) (ποιητής, συγγραφέας) to praise

εξυπακούεται Ρ it is understood, it is implied

εξυπηρέτηση ΟΥΣ ΘΗΛ (α) (κοινού, αυτοκινήτου, επιχείρησης) service (β) (σκοπού, αναγκών, μέτρων) furtherance (γ) (συναλλαγής, συμβίωσης, πολιτικής) servicing
▷ **κάνω μια εξυπηρέτηση σε κπν** to do sb a favour (Βρετ.) ή favor (Αμερ.)
▷ **καθήκον εξυπηρέτησης** service duty

εξυπηρετικός, -ή, -ό ΕΠΙΘ (α) (υπάλληλος, εργαλείο, εταιρεία) helpful (β) (τακτική, πολιτική, μεσολάβηση) accommodating

εξυπηρετώ Ρ Μ (α) (χρήστη, τεχνίτη, πλήθυσμό) to serve (β) (σχολή, τράπεζα, υπηρεσία) to help (γ) (σκοπό, συμφέρον, ανάγκη) to answer
▷ **μπορώ να σας εξυπηρετήσω (σε τίποτα);** (για μαγαζί) can I be of service to you?
▷ **σας εξυπηρετούν;** (για μαγαζί) are you being attended to?

εξυπνάδα ΟΥΣ ΘΗΛ (γυναίκας, εργοδότη, λαού) intelligence
▷ **εξυπνάδες!** (προφορ.) how funny!
▷ **κάνω εξυπνάδες** (προφορ.) to try to be funny
▷ **πουλάω εξυπνάδες** (προφορ.) to try to be funny
▷ **άσε τις εξυπνάδες** (προφορ.) stop trying to be funny

εξυπνάκιας ΟΥΣ ΑΡΣ (προφορ./αρν) wiseacre
▷ **κάνω τον εξυπνάκια** to be cheeky (Βρετ.), to act fresh (Αμερ.)

έξυπνος, -η, -ο ΕΠΙΘ (α) (δικηγόρος) astute · (οικογένεια) intelligent (β) (σάτιρα, ευχή, κόλπο) clever (γ) (μτφ.: κατασκευή, εργαλείο) ingenious
▷ **κάνω τον έξυπνο** to try to be funny
▷ **φαίνομαι πιο έξυπνος από κπν** to outsmart sb
▷ **είμαι πιο έξυπνος σε κτ** to be smarter at sth

εξυφαίνω Ρ Μ to hatch

εξύφανση ΟΥΣ ΘΗΛ hatching

εξυψώνω Ρ Μ (α) (νεαρό, κοινωνία, λαό) to elevate (β) (τέχνη, θέατρο, ποίημα) to uplift

εξύψωση ΟΥΣ ΘΗΛ (ανθρώπου, τέχνης, κινήματος) elevation

έξω ΕΠΙΡΡ (βγαίνω, πέφτω, αφήνω) out
▷ **το έξω** (κτηρίου, καρπού) the outside
▷ **προς τα έξω** outwards

▷ **είμαι στα μέσα και στα έξω** to know all the right people
▷ **έξω απ' τα δόντια** to speak out
▷ **ο έξω από δω** (= *ο διάβολος*) devil
▷ **σπουδάζω έξω** to study abroad
▷ **έξω καρδιά** extrovert person
▷ **έξω-έξω** on the edge
▷ **μια κι έξω** at one go
▷ **το ρίχνω έξω** to be let loose
▷ **γυρίζω τα μέσα, έξω** to turn everything inside out
▷ **απ' έξω** from the outside
▷ **μένω έξω** to stay out of
▷ **όποιος είναι έξω απ' το χορό, πολλά τραγούδια ξέρει** it is always easy for outsiders to criticize
▷ **ξέρω κτ απ' έξω κι ανακατωτά** to know sth inside out
▷ **έξω απ' τα πράγματα** to be out in the sticks
▷ **μπορώ να πάω έξω, κύριε;** may I be excused sir?
▷ **έξω φρενών** furious

εξώγαμο ΟΥΣ ΟΥΔ child born out of wedlock
▷ **αναγνώριση εξώγαμου** affiliation

εξώγαμος, -η, -ο ΕΠΙΘ (α) (*παιδί*) out of wedlock (β) (*σχέση*) illegitimate

εξωγενής, -ής, -ές ΕΠΙΘ (α) (*παράγοντας, αιτία, στάδιο*) exogenous (β) (*νερό, μηχανισμός, μάζα*) external (γ) (ΒΙΟΛ: *χοληστερόλη, τοξίνη*) exogenous

εξωγήινος, -η, -ο ΕΠΙΘ (*πλάσμα, διαστημόπλοιο*) extraterrestrial, alien
▸ **εξωγήινος** ΟΥΣ ΑΡΣ, **εξωγήινη** ΟΥΣ ΘΗΛ extraterrestrial, alien

εξώδικος, -η ή -ος, -ο ΕΠΙΘ (*διαμαρτυρία, ενέργεια*) settled out of court · (*δήλωση, διανομή, έγγραφο*) extrajudicial

έξωθεν ΕΠΙΡΡ outside
▷ **έξωθεν διαμαρτυρία** external evidence

εξώθηση ΟΥΣ ΠΛΗΘ (α) (= *ώθηση προς τα έξω: νερού*) pushing out εν. (β) (*μαθητή*) instigation εν. (γ) (= *υποκίνηση, παρακίνηση σε ακραία ενέργεια: πολιτικού, προέδρου, κόμματος*) instigation εν. (δ) (*οπαδού, όχλου*) instigation

εξώθυρα ① ΟΥΣ ΘΗΛ (= *εξωτερική πόρτα: σπιτιού, εκκλησίας*) front door
② ΟΥΣ ΟΥΔ ΠΛΗΘ (ΑΡΧΙΤ) gate εν.

εξωθώ Ρ Μ: **εξωθώ κπν σε κτ** (*πρόεδρος, κόμμα, υπάλληλος: εργαζόμενο, γυναίκα, λαό*) to compel sb to do sth · (*συνείδηση, εποχή, λόγος*) to drive sb to do sth · (*τόλμη, θυμό, πάθος*) to incite sb to do sth

εξωκκλήσι ΟΥΣ ΟΥΔ (ΑΡΧΙΤ: *βουνού, περιοχής*) country church

εξωκρινής, -ής, -ές ΕΠΙΘ (ΙΑΤΡ: *αδένας*) exocrine

εξώλης, -ης, -ες ΕΠΙΘ: **εξώλης και προώλης** rotten through and through

εξωμήτριος, -α/-ος, -ο ΕΠΙΘ (ΙΑΤΡ) extrauterine · (*επίσης* **κύηση**) extrauterine

έξωμος, -η, -ο ΕΠΙΘ (*φόρεμα, μπλούζα*) sleeveless

εξωμότης ΟΥΣ ΑΡΣ (= *αυτός που δεν τηρεί τον όρκο του: πίστης, υποσχέσεων*) apostate

εξωμότρια ΟΥΣ ΘΗΛ βλ. **εξωμότης**

εξώπορτα ΟΥΣ ΘΗΛ (*σπιτιού, ναού*) front door

εξωπραγματικός, -ή, -ό ΕΠΙΘ unrealistic

εξωραΐζω Ρ Μ (α) (*κτήριο, χώρο, μνημείο*) to embellish (β) (*εικόνα, πολίτευμα, ελάττωμα*) to whitewash

εξωραϊσμός ΟΥΣ ΘΗΛ (α) (*ναού, χώρου, μνημείου*) embellishment (β) (*κατάστασης, χαρακτήρα, μύθου*) whitewashing

εξωραϊστικός, -ή, -ό ΕΠΙΘ (α) (*σύλλογος, οργάνωση*) conservation (β) (*πρόγραμμα, σχέδιο*) for the improvement of the environment

έξωση ΟΥΣ ΘΗΛ (α) (ΝΟΜ: *ενοίκου, μισθωτή*) eviction (β) (= *εκθρονισμός: βασιλιά*) dethronement
▷ **κάνω έξωση σε κπν** to evict sb

εξώστης ΟΥΣ ΑΡΣ (α) (ΑΡΧΙΤ: *σπιτιού*) balcony (β) (*θεάτρου*) circle
▷ **α'/β' εξώστης** dress/upper circle

εξωστρέφεια ΟΥΣ ΘΗΛ (ΨΥΧΟΛ: *κοπέλας, χαρακτήρα*) extroversion

εξωστρεφής, -ής, -ές ΕΠΙΘ extrovert

εξωσυζυγικός, -ή, -ό ΕΠΙΘ (*σχέση, ρύθμιση*) extramarital

εξωσχολικός, -ή, -ό ΕΠΙΘ extracurricular

εξωσωματικός, -ή, -ό ΕΠΙΘ (*κυκλοφορία, γονιμοποίηση*) extracorporeal

εξωτερικά ΕΠΙΡΡ (*βγάζω, έχω, ωριμάζω*) outside

εξωτερικεύω Ρ Μ (*άποψη, συναίσθημα*) to express

εξωτερικό ΟΥΣ ΟΥΔ (α) (= *η εξωτερική όψη: κτιρίου, ανθρώπου, προσώπου*) exterior (β) (= *ξένη χώρα*) overseas (γ) (ΤΗΛΕΠ) external
▸ **εξωτερικά** ΠΛΗΘ (α) (ΤΗΛΕΟΡ: *φιλμ, σκηνής*) outdoor scenes (β) (*θρησκείας*) externals

εξωτερικός, -ή, -ό ΕΠΙΘ (α) (*όψη, πλευρά, επιφάνεια*) exterior (β) (*χώρος, αγωγός, βεράντα*) exterior (γ) (*ρούχο, κλειδί*) outer (δ) (*εργάτης, εχθρός*) foreign (ε) (*δραστηριότητα, εργασία, διαβούλευση*) foreign (στ) (ΟΙΚΟΝ: *εμπόριο, αντιπροσωπεία, πώληση*) foreign (ζ) (ΙΑΤΡ: *ιατρείο, γιατρός*) out–patient (η) (ΤΗΛΕΟΡ: *σκηνή, γύρισμα*) outdoor

εξώτερος, -η, -ο ΕΠΙΘ: **το πυρ το εξώτερον** to the fires of hell

εξωτικός, -ή, -ό ΕΠΙΘ exotic

εξωφρενικός, -ή, -ό ΕΠΙΘ (α) (= *αυτός που είναι παράλογος: περιπέτεια, ιστορία*) extraordinary (β) (= *αυτός που προκαλεί αγανάκτηση: τιμή, διάσταση, κατάσταση*) outrageous
▷ **εξωφρενικά λεφτά** ridiculous amount of money

εξώφυλλο ΟΥΣ ΟΥΔ (α) (*βιβλίου, περιοδικού,*

τετραδίου) cover (β) (παραθύρου) shutter
▷επιμέλεια εξώφυλλου cover editing
▷εξώφυλλο με κλάπες hinged shutter
▷πτυσσόμενο εξώφυλλο folding shutter
εορτάζω Ρ Μ *βλ.* **γιορτάζω**
εορτάσιμος, -η, -ο ΕΠΙΘ (*μέρα, περιβολή, διακόσμηση*) celebratory
εορτασμός ΟΥΣ ΑΡΣ (*επετείου, Χριστουγέννων*) celebration
εορτή ΟΥΣ ΘΗΛ (α) (*επίσ.*: = *γιορτή: γενεθλίων*) birthday · (*Πάσχα*) celebration · (*Αγίου*) festival (β) (= *πανηγυρισμός σπουδαίου γεγονότος: απελευθέρωσης, επανάστασης*) festival
▷**κατόπιν εορτής** (*προφορ.*: = *αφότου πραγματοποιηθεί το συμβάν*) a day after the fair
▷**ονομαστική εορτή** name day
▷**εθνική εορτή** (= *πανηγυρισμός μιας εθνικής επετείου*) national holiday
εορτολόγιο ΟΥΣ ΟΥΔ (= *κατάλογος εορτών*) church calendar
επαγγελία ΟΥΣ ΘΗΛ (= *υπόσχεση: πολιτικού, Θεού, θρησκείας*) promise
▷**Γη της Επαγγελίας** (ΘΡΗΣΚ) Promised Land
▷**Γη της Επαγγελίας** (*μτφ.*: = *μια χώρα, περιοχή που είναι πολύ ωραία*) promised land
επαγγέλλομαι ① Ρ ΑΜ (= *ασκώ επάγγελμα: άνθρωπος*) to profess
② Ρ Μ (= *υπόσχομαι*) to promise
επάγγελμα ΟΥΣ ΟΥΔ (= *μόνιμη βιοποριστική εργασία: γιατρού, εμπόρου*) profession
▷**κατ' επάγγελμα** (*για ακαδημαϊκούς*) by profession · (*για εργάτες*) by trade
▷**ελεύθερο** *ή* **ελευθέριο επάγγελμα** (= *εργασία που δεν ανήκει στο δημόσιο τομέα*) freelance
▷**εξ επαγγέλματος** (= *από συνήθεια*) professionally
▷**κλειστό επάγγελμα** closed shop
επαγγελματίας ΟΥΣ ΑΡΣ professional
▷**ελεύθερος επαγγελματίας** freelance
επαγγελματικός ΕΠΙΘ (α) (= *ο σχετικός με το επάγγελμα ή επαγγελματιά: κατάρτιση, αίτημα, στέγη*) vocational (β) (*θέατρο, ποδόσφαιρο, πρωτάθλημα*) professional
▷**τεχνικό επαγγελματικό λύκειο** vocational school
▸**επαγγελματικός προσανατολισμός** vocational
επαγγελματισμός ΟΥΣ ΑΡΣ professionalism
επαγρύπνηση ΟΥΣ ΘΗΛ (= *εντατική προσοχή: ανθρώπου, συνείδησης*) vigilance
επαγρυπνώ Ρ ΑΜ (= *επιβλέπω κτ με μεγάλη προσοχή*) to be vigilant
επάγω Ρ Μ: **επάγεται** ΑΠΡΟΣ it concludes
επαγωγή ΟΥΣ ΘΗΛ (α) (ΦΙΛΟΣ) induction (β) (ΦΥΣ: = *διέγερση ηλεκτρικής τάσης: πεδίον*) inductance (γ) (ΝΟΜ: = *επιβολή: σύμβασης, αποτελέσματος*) administering of an oath

▷**μαγνητική/ηλεκτρομαγνητική επαγωγή** (ΦΥΣ) magnetic/electromagnetic inductance
επαγωγικός ΕΠΙΘ inductive
επαγώγιμο ΟΥΣ ΟΥΔ (ΗΛΕΚ) armature
έπαθλο ΟΥΣ ΟΥΔ (*νικητή, ξιφασκίας*) prize
επαινετικός ΕΠΙΘ (= *εγκωμιαστικός: λόγια, παρατήρηση, σχόλιο*) praiseworthy
έπαινος ΟΥΣ ΑΡΣ (α) (= *επιβράβευση*) praise (β) (*είδος ηθικής αμοιβής*) praise (γ) (ΕΚΠ) award
επαινώ Ρ Μ (= *επιβραβεύω*) to praise · (*θάρρος, πράξη, πολιτισμό*) to commend
επαίρομαι Ρ ΑΜ (*επίσ.*: = *καυχιέμαι*) to boast
επαίσχυντος ΕΠΙΘ (*επίσ.*: *διαγωγή, παρελθόν, ζημιά*) disgraceful
επαιτεία ΟΥΣ ΘΗΛ (*επίσ.*: = *ζητιανιά*) mendicancy
επαίτης ΟΥΣ ΑΡΣ (*επίσ.*) mendicant
επαιτώ Ρ Μ/ΑΜ to beg
επακόλουθο ΟΥΣ ΟΥΔ (*ζημιάς, επίθεσης, κινήματος*) consequence
▷**υφίσταμαι τα επακόλουθα** to put up with the consequences
▷**έρχομαι σαν/ως επακόλουθο** to be the outcome
επακόλουθος, -η, -ο ΕΠΙΘ (*ήττα, γάμος, συστολή*) ensuing
επακολουθώ ① Ρ Μ (*στάδιο, αποτέλεσμα*) to cause to ensue
② Ρ Μ (*τιμωρία, εγγραφή, συζήτηση*) to ensue
επακριβής, -ής, -ές ΕΠΙΘ (*επίσ.*: *μέθοδος, προσδιορισμός, εκτέλεση*) exact, precise
επακριβώς ΕΠΙΡΡ (*επίσ.*: *αναφέρομαι, κατατοπίζω, προσδιορίζω*) precisely
έπακρο ΟΥΣ ΟΥΔ ΑΚΛ: **στο έπακρο** exceedingly
επάκτιος, -α, -ο ΕΠΙΘ (*έργο, πυροβολείο*) coastal
επαλείφω Ρ Μ: **επαλείφω κτ με κτ** (*επιφάνεια*) to coat sth with sth · (*δέρμα, πλάτη*) to spread sth with sth
επάλειψη ΟΥΣ ΘΗΛ (*δέρματος, επιφάνειας, εγκαύματος*) spreading
επαλήθευση ΟΥΣ ΘΗΛ verification
επαληθεύω Ρ Μ (*έννοια, πρόβλεψη, εκτίμηση*) to verify
επαλληλία ΟΥΣ ΘΗΛ (*επίσ.*: *θεωριών, γεγονότων, πράξεων*) sequence
επάλληλος, -η, -ο (*επίσ.*) ΕΠΙΘ (*δηλώσεις, επιθέσεις*) successive
έπαλξη ΟΥΣ ΘΗΛ (α) (*συνθ πληθ*: *μάχης, καυγά*) rampart (β) (*μτφ.*: *απόδειξης, ικανοποίησης*) bastion
επαμφοτερίζω Ρ ΑΜ (α) (*κατάσταση, γνώμη, χαρακτήρας*) to waver (β) (*ψηφοφόρος, χώρα, όνομα*) to waver (γ) (*αγάπη, σοσιαλισμός*) to vacillate
επαναβεβαιώνω Ρ Μ (*αποτέλεσμα, δέσμευση, γεγονός*) to reaffirm
επαναβλέπω Ρ Μ *βλ.* **ξαναβλέπω**

E

επανακάμπτω Ρ ΑΜ (επία.: αξιωματικός, κόμμα) to come back

επανάκαμψη ΟΥΣ ΘΗΛ (επία.:.μετανάστη, φοιτητών) return

επανάκτηση ΟΥΣ ΘΗΛ (α) (επία.: δικαιωμάτων, ψήφου, θέσης) recovery (β) (σπιτιού, όρασης, ισορροπίας) recovery (γ) (ΣΤΡΑΤ: θέσης, πόλης, περιοχής) recapture

επανακτώ Ρ Μ (α) (υγεία) to recover (β) (θέση, κύρος, εμπιστοσύνη) to recapture

επαναλαμβανόμενος ΜΤΧ (διαδικασία) repeated

επαναλαμβάνω Ρ Μ to repeat

επαναληπτικός ΕΠΙΘ (μάθημα, αγώνας) repeating · (ψηφοφορία) second
▷**επαναληπτική καραμπίνα** repeating

επανάληψη ΟΥΣ ΘΗΛ (μαθήματος, αγώνα, ψηφοφορίας) repetition

επαναπατρίζομαι Ρ ΑΜ (πρόσφυγας, αλλοδαπός) to be repatriated

επαναπατριζόμενος, -η, -ο ΜΤΧ repatriated

επαναπατρίζω Ρ Μ (πρόσφυγα, αλλοδαπό) to repatriate

επαναπατρισθέντες ΟΥΣ ΑΡΣ ΠΛΗΘ the repatriated

επαναπατρισμός ΟΥΣ ΑΡΣ (προσφύγων, αλλοδαπών) repatriation

επαναπαύομαι Ρ ΑΜ ΑΠΟΘ: **επαναπαύομαι σε** to rely on
▷**επαναπαύομαι στις δάφνες μου** to rest on one's laurels

επανάσταση ΟΥΣ ΘΗΛ revolution
▷**ένδοξη επανάσταση** (ΙΣΤ) glorious revolution
▸**επανάσταση του 1821** (ΙΣΤ) Greek War of Independence
▸**γαλλική επανάσταση** (ΙΣΤ) French Revolution
▸**οκτωβριανή επανάσταση** (ΙΣΤ) October Revolution
▸**αμερικανική επανάσταση** (ΙΣΤ) American Revolution
▸**βιομηχανική επανάσταση** industrial revolution

επαναστάτης ΟΥΣ ΑΡΣ revolutionary

επαναστατικός, -ή, -ό ΕΠΙΘ revolutionary

επαναστάτρια ΟΥΣ ΘΗΛ βλ. **επαναστάτης**

επαναστατώ ① Ρ ΑΜ (α) (λαός, χώρα) to revolt (β) (μτφ.: παιδιά, μαθητές, εργαζόμενοι) to rise in revolt
② Ρ Μ to cause to revolt

επανασύνδεση ΟΥΣ ΘΗΛ (α) (σύρματος, καλωδίου) rejoining (β) (ατόμων, σχέσεων) renewal

επανασυνδέω Ρ Μ (α) (σύρμα, καλώδια) to rejoin (β) (άτομα, σχέσεις) to resume

επαναφέρω Ρ Μ (αορ **επανέφερα**) (α) (θέμα, αίτημα, θεσμό) to bring back (β) (απολυμένους) to restore
▷**επαναφέρω την τάξη** to restore order
▷**επαναφέρω κπν στην τάξη** to bring sb back to order

επαναφορά ΟΥΣ ΘΗΛ (α) (πρότασης, αιτήματος, θεσμού) bringing back (β) (σχήμα λόγου) reinstatement (γ) (μετάλλου) tempering

επανδρώνω Ρ Μ (α) (πλοίο) to man (β) (νοσοκομείου, εργαστήριο, υπηρεσία) to staff

επάνδρωση ΟΥΣ ΘΗΛ (α) (πλοίου) manning (β) (νοσοκομείου, εργαστηρίου, υπηρεσίας) staffing

επανειλημμένος, -η, -ο ΜΤΧ (καθυστέρηση, προσπάθειες) repeated

επανειλημμένως ΕΠΙΡΡ repeatedly

επανεκδίδω Ρ Μ (τεύχος, βιβλίο, ταινία) to republish

επανέκδοση ΟΥΣ ΘΗΛ (τεύχους, ταινίας) re–issue · (βιβλίου) republication

επανεκλέγω Ρ Μ (αρχηγό, πρόεδρο) to re–elect

επανεκλογή ΟΥΣ ΘΗΛ (αρχηγού, προέδρου) re–election

επανεκτίμηση ΟΥΣ ΘΗΛ (κατάστασης, άποψης) reassessment

επανεκτιμώ Ρ Μ (κατάσταση, άποψη) to reassess

επανεμφανίζομαι Ρ ΑΜ to reappear

επανεμφάνιση ΟΥΣ ΘΗΛ (α) (προβλήματος, φαινομένου, νόσου) reappearance (β) (πολιτικού, καλλιτέχνη, αθλητή) reappearance (γ) (του ήλιου, της σελήνης) reappearance (δ) (ΦΩΤ: αρνητικού) redevelopment

επανεξετάζω Ρ Μ (α) (κατάσταση, υπόθεση, θέμα) to reconsider (β) (δικαστής, καθηγητής: μάρτυρα, μαθητή) to re–examine

επανεξέταση ΟΥΣ ΘΗΛ (α) (θέματος, κατάστασης, αίτησης) reconsideration (β) (μάρτυρα, μαθητή) re–examination

επανεξοπλίζω Ρ Μ (α) (πλοίο) to rearm (β) (στρατό) to rearm (γ) (γραφείο, εργαστήριο) to re–supply

επανέρχομαι Ρ ΑΜ (α) (εργαζόμενος, πολιτικός) to return (β) (θέμα, συζήτηση) to come back
▷**επανέρχομαι σε ένα θέμα** to come back to a matter

επανιδείν ΑΠΑΡ: **εις το επανιδείν** till we meet again

επανίδρυση ΟΥΣ ΘΗΛ (συλλόγου, σωματείου) reconstitution

επανιδρύω Ρ Μ (σύλλογο, σωματείο) to reconstitute

επάνοδος ΟΥΣ ΘΗΛ (πολιτικού, κόμματος) return

επανορθώνω ① Ρ Μ (λάθος, αδικία) to redress
② Ρ ΑΜ to put things right

επανόρθωση ΟΥΣ ΘΗΛ (αδικίας, σφάλματος) redressing

επανορθωτικός, -ή, -ό ΕΠΙΘ (προσπάθεια, δράση) remedial

επάνω ΕΠΙΡΡ, **απάνω** βλ. **πάνω**

επάξιος, -α, -ο ΕΠΙΘ (αμοιβή) worthy · (διαγωγή) deserving

επαξίως ΕΠΙΡΡ worthily

επάρατος ΕΠΙΘ (διχασμός, διχόνοια, πόλεμος) cursed
▷**επάρατος νόσος** (= καρκίνος) wretched disease

επάργυρος ΕΠΙΘ (δίσκος, σερβίτσιο) silver–plated

επαργυρώνω Ρ Μ (μαχαιροπίρουνα, ποτήρια) to silver–plate

επαργύρωση ΟΥΣ ΘΗΛ (σκεύους, ποτηριού) silvering

επάρκεια ΟΥΣ ΘΗΛ (γεν εν **επαρκείας**) (νερού, προϊόντων) sufficiency
▷**παίρνω (την) επάρκεια** (ΕΚΠ) to sit (Βρετ.) ή take the teaching certificate

επαρκής, -ής, -ές ΕΠΙΘ (α) (τρόφιμα, καύσιμα, χρήματα) sufficient (β) (προϋπηρεσία, απασχόληση) enough (γ) (εκπαίδευση, γνώσεις, εξάσκηση) adequate (δ) (διάστημα, περίοδος) adequate (ε) (αίθουσες, χώρος) sufficient

επαρκώ Ρ ΑΜ (τρόφιμα, χρήματα) to be sufficient
▷**επαρκώ για κτ** to be equal to sth

επαρκώς ΕΠΙΡΡ sufficiently

έπαρση ΟΥΣ ΘΗΛ (α) (= αλαζονεία, κομπασμός) arrogance (β) (σημαίας) hoisting, raising

επαρχία ΟΥΣ ΘΗΛ province

επαρχιακός, -ή, -ό ΕΠΙΘ provincial

επαρχιώτης ΟΥΣ ΑΡΣ provincial · (υποτμ) naive person

επαρχιώτικος, -η, -ο ΕΠΙΘ (αρνητ.: συνήθεια, συμπεριφορά, ήθη) provincial

επαρχιώτισσα ΟΥΣ ΘΗΛ βλ. **επαρχιώτης**

έπαρχος ΟΥΣ ΑΡΣ (ΔΙΟΙΚ) eparch

έπαυλη ΟΥΣ ΘΗΛ villa

επαυξάνω Ρ Μ (α) (έξοδα, κέρδη, έσοδα) to increase (β) (δυσκολίες) to increase
▷**επαυξημένη έκδοση** enlarged edition

επαύξηση ΟΥΣ ΘΗΛ (α) (χρημάτων , περιουσίας) enlargement (β) (κινδύνων, προβλημάτων) increase (γ) (διαστήματος, περιόδου) enlargement

επαφή ΟΥΣ ΘΗΛ touch
▷**πρώτη επαφή** first contact
▷**σεξουαλική επαφή** sexual contact
▷**έρχομαι σε επαφή με** to get in touch with
▷**είμαι σε επαφή με** to be in touch with
▷**χάνω επαφή με** to lose contact with
▷**βρίσκομαι σε επαφή** to be in touch
▷**στενή επαφή** close contact
▷**πνευματική επαφή** mental connection
▷**ψυχική επαφή** psychological connection
▷**σαρκική** ή **σωματική επαφή** physical contact
▷**τηλεφωνική επαφή** phone connection
▷**έρχομαι σε επαφή με κτ** to come into contact with sth

▷**φέρνω σε επαφή κπν** to get into contact with sb
▸**επαφές** ΠΛΗΘ contacts

επαφίεμαι Ρ Μ: **επαφίεμαι σε** (επίσ.) to depend on

επαχθής ΕΠΙΘ (α) (ρύθμιση, διακανονισμός, όρος) burdensome (β) (φορολογία, φορτίο) oppressive

επείγομαι Ρ ΑΜ to be in urgent need
▷**επείγομαι να** to be in a hurry to

επείγον ΜΤΧ ΟΥΔ βλ. **επείγων**

επειγόντως ΕΠΙΡΡ urgently

επείγω Ρ ΑΜ: **επείγει** ΤΡΙΤΟΠΡΟΣ (κατάσταση, υπόθεση, προβλήματα) it's urgent

επείγων, -ουσα, -ον ΕΠΙΘ urgent
▷**είναι επείγον να** (= επείγει) it is urgent to

επεισοδιακός, -ή, -ό ΕΠΙΘ (α) (αναχώρηση, είσοδος) incidental (β) (διαδήλωση) eventful (γ) (δράση, πλοκή) eventful, incidental (δ) (παιχνίδι, αγώνας) eventful

επεισόδιο ΟΥΣ ΟΥΔ (α) (= συμβάν) incident, episode (β) (ΙΑΤΡ: άγχους, καρδιάς) attack, episodes (γ) (ΤΗΛΕΟΡ) episode
▷**διπλωματικό επεισόδιο** (ΔΙΠΛ) diplomatic incident
▷**εγκεφαλικό επεισόδιο** (ΙΑΤΡ) stroke
▷**καρδιακό επεισόδιο** (ΙΑΤΡ) heart attack
▷**προκαλώ/δημιουργώ επεισόδια** to make a scene

έπειτα ΕΠΙΡΡ then
▷**έπειτα από** after
▷**από κει κι έπειτα** next
▷**κι έπειτα;** so what?
▷**έπειτα απ' αυτό** afterwards
▷**έπειτα από λίγο** after a while

επέκταση ΟΥΣ ΘΗΛ (α) (μτφ.: πολέμου, βίας, επανάστασης) spreading (β) (κτιρίου, οικοδομής) extension (γ) (ΙΑΤΡ) spreading (δ) (δικτύου: σιδηροδρομικού, οδικού, τηλεφωνικού) extension (ε) (ενεργειών, δραστηριοτήτων, κινήσεων) expansion (στ) (ορίων, συνόρων) expansion
▷**κατ' επέκταση** moreover
▷**νομοθετική επέκταση** legislative extension

επεκτατικός, -ή, -ό ΕΠΙΘ expansionist
▷**επεκτατικός πόλεμος** expansionist war

επεκτατισμός ΟΥΣ ΑΡΣ expansionism

επεκτείνω Ρ Μ (α) (δίκτυο: σιδηροδρομικό, οδικό, τηλεφωνικό) to extend (β) (δραστηριότητες, ενέργειες, έρευνες) to expand (γ) (φήμη) to spread (δ) (συζήτηση) to spread (ε) (επιχείρηση) to expand

επέλαση ΟΥΣ ΘΗΛ charge
▷**κάνω επέλαση** to charge at

επελαύνω Ρ ΑΜ (α) (ιππικό, στρατός) to attack (β) (μτφ.) to assault

επεμβαίνω Ρ ΑΜ (α) (κυβέρνηση, πολιτικός, μεσολαβητής) to intervene (β) (σε υποθέσεις, διαμάχες) to interfere (γ) (διορθωτής, φιλόλογος, κριτικός) to intervene

επέμβαση ΟΥΣ ΘΗΛ intervention

▷**δικαστική επέμβαση** judicial intervention
▷**(χειρουργική) επέμβαση** (ΙΑΤΡ) operation
επεμβατισμός ΟΥΣ ΑΡΣ (*κράτους, αρχών, εξουσίας*) interventionism
επένδυση ΟΥΣ ΘΗΛ (α) (*καλωδίων, σωλήνων*) lagging (β) (ΟΙΚΟΝ) investment
▷**μουσική επένδυση** (ΜΟΥΣ) incidental music
▷**αδιάβροχη επένδυση** rain coating
▷**Τράπεζα Επενδύσεων** investment bank
επενδυτής ΟΥΣ ΑΡΣ (ΟΙΚΟΝ) investor
επενδύτης ΟΥΣ ΑΡΣ coat
επενδυτικός, -ή, -ό ΕΠΙΘ entrepreneurial
επενδύτρια ΟΥΣ ΘΗΛ *βλ.* **επενδυτής**
επενδύω Ρ Μ (α) (ΟΙΚΟΝ: *χρήματα, κεφάλαιο*) to invest (β) (*σακάκι, παλτό*) to line (γ) (*μτφ.: όνειρα, κόπο, φιλοδοξίες*) to invest
επενέργεια ΟΥΣ ΘΗΛ (*φαρμάκου, υγρασίας, ενζύμων*) effect
επενεργώ Ρ ΑΜ (*φάρμακο, ένζυμο*) to react
επεξεργάζομαι Ρ Μ (α) (*σύγγραμμα*) to elaborate on (β) (*Βουλή: νομοσχέδιο*) to elaborate on (γ) (*υπολογιστής: πληροφορίες, δεδομένα*) to process (δ) (*υλικά, μέταλλα*) to process
επεξεργασία ΟΥΣ ΘΗΛ (α) (*καπνού, δέρματος, χάλυβα*) processing (β) (ΠΛΗΡΟΦ: *πληροφοριών, δεδομένων*) processing (γ) (*συγγράμματος, εργασίας, μελέτης*) elaboration (δ) (*προγράμματος, δεδομένων, στοιχείων*) processing
▷**περνώ κτ από επεξεργασία** to work sth out
▷**υφίσταμαι επεξεργασία** to be processed
▷**θερμική επεξεργασία** thermal process
▷**επεξεργασία κειμένου** (ΠΛΗΡΟΦ) word processing
επεξεργαστής ΟΥΣ ΑΡΣ (ΠΛΗΡΟΦ) processor
▷**επεξεργαστής κειμένου** (ΠΛΗΡΟΦ) word processor
επεξηγηματικός, -ή, -ό ΕΠΙΘ (*κείμενο, υπόμνημα, σημείωση*) explanatory clause
επεξήγηση ΟΥΣ ΘΗΛ explanation · (ΓΛΩΣΣ) explanatory
επεξηγώ Ρ Μ (*υπόθεση, σχέδιο*) to explain
επέρχομαι Ρ ΑΜ ΑΠΟΘ (*κρίση, συμφωνία*) to take place
▷**επέρχεται ρήξη σε** (*φίλους*) there is a rift between
επερχόμενος, -η, -ο ΜΤΧ (*κρίση, γήρας*) advancing
▷**επερχόμενες γενεές** advancing generations
επερώτηση ΟΥΣ ΘΗΛ interpellation
▷**καταθέτω επερώτηση (στη Βουλή)** to introduce an interpellation (to the Parliament)
επερωτώ Ρ Μ (*βουλευτής*) to question
επέτειος ΟΥΣ ΘΗΛ anniversary
▷**επέτειος του ΟΧΙ** anniversary
▷**εθνική επέτειος** national holiday
επετηρίδα ΟΥΣ ΘΗΛ list
▷**κατ' έτος επετηρίδα** list divided by year

επευφημία ΟΥΣ ΘΗΛ cheer
▷**ζωηρές επευφημίες** lusty cheers
επευφημώ Ρ Μ (*πλήθος: ηγέτη, ομάδα, αθλητή*) to cheer
επέχω Ρ Μ: **επέχω θέση** to stand for
επηρεάζω Ρ Μ (α) (*αλλαγές, μεταρρυθμίσεις, καινοτομίες: σύστημα, ζωή*) to influence (β) (*άνθρωπος, χαρακτήρας, δάσκαλος*) to influence (γ) (*αποφάσεις*) to prejudice
▷**είμαι επηρεασμένος (από κτ)** to be influenced (by sth)
▷**επηρεάζομαι εύκολα** to be susceptible
επηρεασμός ΟΥΣ ΑΡΣ influence
επήρεια ΟΥΣ ΘΗΛ influence
▷**υπό την επήρεια...** under the influence...
επηρμένος, -η, -ο ΜΤΧ arrogant
επίατρος ΟΥΣ ΑΡΣ (ΣΤΡΑΤ) surgeon general
επιβαίνω Ρ ΑΜ: **επιβαίνω σε** (*αυτοκίνητο, λεωφορείο*) to get on
επιβάλλον ΟΥΣ ΟΥΔ (= *κύρος, επιβλητικότητα*) imposing
επιβάλλω Ρ Μ (α) (*κράτος, νόμος, κανονισμός: πρόστιμο, ποινή*) to impose (β) (*περιορισμό, πειθαρχία*) to impose (γ) (*γνώμη, ιδέα, θέληση*) to force (δ) (*καιροί, συνθήκες*) to impose
▸**επιβάλλομαι** ΜΕΣΟΠΑΘ (*γονείς, δάσκαλος, σύζυγος*) to assert
▷**επιβάλλομαι στον εαυτό μου** to pull oneself together
▸**επιβάλλεται** ΑΠΡΟΣ must
επιβάρυνση ΟΥΣ ΘΗΛ charge
▷**οικονομική επιβάρυνση** financial charge
▷**φορολογική επιβάρυνση** additional tax
επιβαρυντικός, -ή, -ό ΕΠΙΘ (*κατάθεση, στοιχείο, περιστατικό*) incriminating
επιβαρύνω Ρ Μ (α) (*ρύπανση, συγκοινωνία, φορολογία: περιβάλλον, ατμόσφαιρα, πολίτη*) to aggravate (β) (*στοιχείο, κατάθεση, συμπεριφορά: θέση, κατάσταση*) to incriminate (γ) (*υγεία, οικονομία*) to burden
επιβατηγός, -ός, -ό ΕΠΙΘ (ΝΑΥΤ) passenger
▸**επιβατηγό** ΟΥΣ ΟΥΔ passenger ship
επιβάτης ΟΥΣ ΑΡΣ (*ταξί, πλοίου, αεροπλάνου*) passenger
επιβατικό ΟΥΣ ΟΥΔ (*αυτοκίνητο*) passenger
επιβατικός, -ή, -ό ΕΠΙΘ (*αυτοκίνητο, αμαξοστοιχία*) passenger
▷**επιβατικό κοινό** passengers
επιβεβαιώνω Ρ Μ (*πρόβλεψη, πληροφορία, υπόνοια*) to confirm
επιβεβαίωση ΟΥΣ ΘΗΛ (α) (*πληροφορίας, στοιχείου*) confirmation (β) (*άποψης, υποψίας*) verification
επιβεβαιωτικός, -ή, -ό ΕΠΙΘ (*στοιχείο*) affirmative
επιβεβλημένος, -η, -ο ΜΤΧ (*απόφαση, μέτρο, στρατηγική*) imperative
▷**είναι επιβεβλημένο** to be imperative
επιβήτορας ΟΥΣ ΑΡΣ (α) (*για ζώα*) stud (β) (*ειρ: για πρόσ.*) stud (γ) (*μτφ.: εξουσίας*)

usurper

επιβιβάζω Ρ Μ to take aboard
► **επιβιβάζομαι** ΜΕΣΟΠΑΘ to board
επιβίβαση ΟΥΣ ΘΗΛ *(σε πλοίο, τραίνο)* embarkation
επιβιώνω Ρ ΑΜ to survive
επιβίωση ΟΥΣ ΘΗΛ survival
▷ **εθνική επιβίωση** survival of the nation
επιβλαβής, -ής, -ές ΕΠΙΘ *(ουσία, επίπτωση, συνέπεια)* harmful
επιβλέπω Ρ Μ (α) *(γονείς: παιδί)* to keep an eye on · *(δάσκαλος: μαθητή, εργάτη)* to supervise (β) *(μαγείρεμα, εργασίες)* to oversee (γ) *(μηχανικός: κατασκευή)* to oversee
επίβλεψη ΟΥΣ ΘΗΛ supervision
▷ **υπό την επίβλεψιν** *(επία.)* under supervision
επιβλητικός, -ή, -ό ΕΠΙΘ imposing
επιβλητικότητα ΟΥΣ ΘΗΛ *(προσώπου, φωνής)* imposing presence
επιβοηθητικός, -ή, -ό ΕΠΙΘ *(ευθύνη)* assisting
επιβολή ΟΥΣ ΘΗΛ imposition
επιβουλεύομαι Ρ Μ *(ησυχία, μέλλον, τιμή)* to have designs on
επιβουλή ΟΥΣ ΘΗΛ designing
επίβουλος, -ος ή -η, -ο ΕΠΙΘ (α) *(άνθρωπος)* perfidious (β) *(σκοπός, ενέργεια)* treacherous
επιβράβευση ΟΥΣ ΘΗΛ *(κόπου, προσπάθειας, προσόντος)* reward
επιβράδυνση ΟΥΣ ΘΗΛ (α) (ΑΥΤΚ) slowing down (β) *(ανάπτυξης, δίκης, θανάτου)* delay (γ) (ΦΥΣ) retardation
επιβραδύνω Ρ Μ (α) *(ρυθμό, διαδικασία, πρόοδο)* to delay (β) *(ταχύτητα)* to slow down
επιγαμία ΟΥΣ ΘΗΛ *(= επιμειξία με γάμο)* intermarriage
επίγειος ΕΠΙΘ *(παράδεισος, αγαθά, ζωή)* earthly
επιγενόμενοι ΟΥΣ ΑΡΣ ΠΛΗΘ *(επία.: = μεταγενέστεροι)* the descendants
επιγλωττίδα ΟΥΣ ΘΗΛ (ΑΝΑΤ) epiglottis
επίγνωση ΟΥΣ ΘΗΛ *(θέσης, καθήκοντος, δυσκολίας)* awareness
▷ **έχω πλήρη επίγνωση** to be fully conscious
επιγονατίδα ΟΥΣ ΘΗΛ kneecap
επίγονος ΟΥΣ ΑΡΣ *(= απόγονος: Μεγάλου Αλεξάνδρου)* descendant
επίγραμμα ΟΥΣ ΟΥΔ (α) *(= επιγραφή σε μνημείο)* inscription (β) *(= μικρό στιχούργημα)* epigram
επιγραμματικός ΕΠΙΘ *(διατύπωση, λόγια)* epigrammatic
▷ **επιγραμματική ποίηση** epigrammatic poetry
επιγραμματικότητα ΟΥΣ ΘΗΛ *(λόγων, ανακοίνωσης)* succinctness
επιγραμματοποιός ΟΥΣ ΑΡΣ engraver
επιγραφή ΟΥΣ ΘΗΛ (α) *(ναού, τάφου)* inscription (β) *(καταστήματος)* signpost

▷ **φωτεινή επιγραφή** illuminated sign
επιγραφική ΟΥΣ ΘΗΛ epigraphy
επιγραφικός ΕΠΙΘ *(υλικό)* epigraphic
επιγράφω Ρ Μ *(βιβλίο, ποίημα, ενότητα)* to entitle
Επίδαυρος ΟΥΣ ΘΗΛ (ΙΣΤ) Epidaurus
επιδαψίλευση ΟΥΣ ΘΗΛ *(περιποίσεων, στοργής)* generous giving
επιδαψιλεύω Ρ Μ *(εγκώμιο, έπαινο, φροντίδα)* to lavish
επιδεικνύω Ρ Μ *(ικανότητα, πλούτη, ομορφιά)* to exhibit
► **επιδεικνύομαι** ΜΕΣΟΠΑΘ to show off
επιδεικτικός ΕΠΙΘ *(λόγος, συμπεριφορά)* showy
επιδεινώνω Ρ Μ to worsen
επιδείνωση ΟΥΣ ΘΗΛ *(ασθένειας, καιρού, κρίσης)* to worsen
επίδειξη ΟΥΣ ΘΗΛ (α) *(πλαστικών, καλλυντικών, προϊόντων)* exhibition (β) *(ικανότητας, πνεύματος)* demonstration
▷ **στρατιωτικές επιδείξεις** (ΣΤΡΤ) demonstrations of military force
▷ **επίδειξη μόδας** fashion show
▷ **γυμναστικές επιδείξεις** school sports
▷ **ναυτική επίδειξη** naval demonstration
▷ **κάνω επίδειξη** to exhibit
επιδειξίας ΟΥΣ ΑΡΣ (ΨΥΧΟΛ) exhibitionist
επιδειξιομανία ΟΥΣ ΘΗΛ (ΨΥΧΟΛ) exhibitionism
επιδεκτικός, -ή, -ό ΕΠΙΘ *(διδασκαλίας, μάθησης, καλλιέργειας)* capable
επιδεκτικότητα ΟΥΣ ΘΗΛ *(= η ικανότητα να δέχεται κανείς κάτι)* capability
επιδένω Ρ Μ *(χέρι, τραύμα)* to bandage
επιδέξιος, -α, -ο ΕΠΙΘ (α) *(πολιτικός, τεχνίτης, ζωγράφος)* skilful *(Βρετ.)*, skillful *(Αμερ.)* (β) *(ελιγμός, πρόλογος)* clever
επιδεξιότητα ΟΥΣ ΘΗΛ (α) *(τεχνίτη, πολιτικού)* skill (β) *(μυαλού)* cleverness · *(χεριού)* dexterity
▷ **παιδαγωγική επιδεξιότητα** educational talent
▷ **επαγγελματική επιδεξιότητα** professional skill
επιδερμίδα ΟΥΣ ΘΗΛ skin
▷ **απαλή επιδερμίδα** soft skin
▷ **σκούρα επιδερμίδα** dark skin
▷ **λεπτή επιδερμίδα** thin skin
▷ **αλαβάστρινη επιδερμίδα** alabaster skin
▷ **ξηρή/λιπαρή/μεικτή επιδερμίδα** dry/oily/combination skin
▷ **ευαίσθητη επιδερμίδα** sensitive skin
επιδερμικός, -ή, -ό ΕΠΙΘ (α) *(τραύμα, εξάνθημα)* skin (β) *(μτφ.: άνθρωπος)* superficial · *(αίσθημα)* superficial
επίδεση ΟΥΣ ΘΗΛ *(χεριού, τραύματος)* bandaging
επίδεσμος ΟΥΣ ΑΡΣ (ΙΑΤΡ) bandage
▷ **γύψινος επίδεσμος** plaster cast
επιδέχομαι Ρ Μ *(αναβολή, ερμηνεία,*

αμφισβήτηση) to admit

επιδημητικός, -ή, -ό ΕΠΙΘ *(πουλί)* resident

επιδημία ΟΥΣ ΘΗΛ epidemic
▷ **έξαρση επιδημίας** spreading of an epidemic
▷ **εκδήλωση επιδημίας** first signs of an epidemic

επιδημικός, -ή, -ό ΕΠΙΘ *(φαινόμενο, νόσος)* epidemic

Επιδημιολογία ΟΥΣ ΘΗΛ epidemiology

επιδημιολόγος ΟΥΣ ΑΡΣ＆ΘΗΛ epidemiologist

επιδίδω Ρ Μ *(διαπιστευτήρια, διαματυρνία, διακήρυξη)* to present
▸ **επιδίδομαι** ΜΕΣΟΠΑΘ: **επιδίδομαι σε** to go in for

επιδιόρθωμα ΟΥΣ ΟΥΔ = **επιδιόρθωση**

επιδιορθώνω Ρ Μ *(σπίτι, αυτοκίνητο, βλάβη)* to repair

επιδιόρθωση ΟΥΣ ΘΗΛ *(τοίχου, οχήματος, βλάβης)* repair

επιδιορθωτής ΟΥΣ ΑΡΣ repairer

επιδιορθωτικός, -ή, -ό ΕΠΙΘ repairing

επιδιώκω Ρ Μ *(διορισμό, επικοινωνία, επίλυση διαφορών)* to seek

επιδίωξη ΟΥΣ ΘΗΛ *(κέρδους, συμφερόντων)* aim
▷ **δικαστική επιδίωξη** judicial aim
▷ **κοινή επιδίωξη** common objective

επιδοκιμάζω Ρ Μ *(λαός, κοινή γνώμη: σχέδιο, πράξη, απόφαση)* to approve of

επιδοκιμαστικός, -ή, -ό ΕΠΙΘ *(κίνηση, χαμόγελο)* approving

επίδομα ΟΥΣ ΟΥΔ (α) *(= πρόσθετη αμοιβή)* allowance, benefit (β) *(= χρηματικό βοήθημα)* subsidy
▷ **έκτακτο επίδομα** special allowance
▷ **οικογενειακό επίδομα** family allowance
▷ **σχολικό επίδομα** student grant
▸ **επίδομα αδείας** holiday pay
▸ **επικουρικό επίδομα** supplementary benefit
▸ **επίδομα αναπηρίας** disability allowance
▸ **επίδομα ανεργίας** unemployment benefit *(Βρετ.)*, unemployment compensation *(Αμερ.)*
▸ **επίδομα ανθυγιεινής εργασίας** danger money
▸ **επίδομα ασθενείας** sick pay
▸ **επίδομα γάμου** marital allowance

επίδοξος, -η, -ο ΕΠΙΘ (α) *(διάδοχος, υπουργός, γαμπρός)* presumptive (β) *(αρνητ.)* aspiring

επιδόρπιο ΟΥΣ ΟΥΔ (ΜΑΓΕΡ) dessert

επίδοση ΟΥΣ ΘΗΛ (α) *(μαθητή, φοιτητή)* record · *(αθλητή)* performance (β) *(επίσ.: επιταγής, δικογράφου, αγωγής)* serving
▷ **επίδοση σε** performance in
▷ **χαμηλή επίδοση** low record
▷ **υψηλή επίδοση** high record
▷ **αθλητική επίδοση** sports record

επιδοτήριο(ν) ΟΥΣ ΟΥΔ (ΝΟΜ) deed of service

επιδότηση ΟΥΣ ΘΗΛ (α) *(πολιτείας, κράτους)* subsidy (β) *(ποιότητας, προϊόντων, ανεργίας)*

bounty (γ) *(εργοδοτών)* subsidy
▷ **κρατική επιδότηση** state subsidy
▸ **επιδότηση ανεργίας** unemployment benefit *(Βρετ.)*, unemployment compensation *(Αμερ.)*
▸ **επιδότηση επιτοκίου** interest–linked subsidy
▸ **επιδότηση ενοικίου** ≈ housing benefit
▸ **επιδότηση ασθενείας** sickness benefit
▸ **κοινοτική επιδότηση** communal subsidy

επιδοτώ Ρ Μ *(άνεργο, ενοίκιο, καλλιέργεια)* to subsidize

επίδραση ΟΥΣ ΘΗΛ *(οικογένειας, βιβλίου)* influence
▷ **ασκώ επίδραση** to influence
▷ **δέχομαι επίδραση** to be influenced
▷ **θετική επίδραση** positive impact
▷ **αρνητική επίδραση** negative impact
▷ **υπό την επίδραση** under the influence

επιδρομέας ΟΥΣ ΑΡΣ invader

επιδρομή ΟΥΣ ΘΗΛ (α) *(βαρβάρων, εχθρού)* raid (β) *(μτφ.)* invasion
▷ **αεροπορική επιδρομή** air raid

επιδρώ Ρ ΑΜ (α) *(μέτρα, αντιλήψεις: άνθρωπο)* to affect (β) *(θερμοκρασία)* to affect (γ) *(για φάρμακο)* to act on

επιείκεια ΟΥΣ ΘΗΛ *(γονέα, δασκάλου, δικαστηρίου)* leniency
▷ **δείχνω επιείκεια** to show forbearance

επιεικής, -ής, -ές ΕΠΙΘ (α) *(άνθρωπος)* clement, indulgent (β) *(αξιολόγηση, βαθμολογία)* charitable

επίζηλος, -η, -ο ΕΠΙΘ *(θέση, βαθμός)* enviable

επιζήμιος, -α, -ο ΕΠΙΘ *(προσπάθειες, γεγονός)* disadvantageous, harmful

επιζητώ Ρ Μ *(προβολή, φιλία, κέρδος)* to seek

επιζώ Ρ ΑΜ (α) *(άνθρωπος)* to survive (β) *(μτφ.: όνομα, χρήμα, πάθος)* to outlive

επιθαλάμιο ΟΥΣ ΟΥΔ *(= γαμήλιο τραγούδι)* nuptials *πληθ.*

επιθανάτιος, -α, -ο ΕΠΙΘ *(ρόγχος, αγωνία)* dying

επίθεμα ΟΥΣ ΟΥΔ (ΙΑΤΡ) compress

επίθεση ΟΥΣ ΘΗΛ (α) *(αναρχικών, εχθρού, στρατού)* attack (β) *(μτφ.: = καταπολέμηση με λόγια)* fulmination
▷ **βίαιη επίθεση** onslaught
▷ **τρομοκρατική επίθεση** terrorist attack
▷ **βομβιστική επίθεση** bombing raid

επιθετικός, -ή, -ό ΕΠΙΘ (α) *(πόλεμος, ενέργεια, όπλο)* offensive (β) *(ύφος, χαρακτήρας, λόγος)* aggressive
▸ **επιθετικός προσδιορισμός** (ΓΛΩΣΣ) adjectival complement
▸ **επιθετικός** ΟΥΣ ΑΡΣ (ΑΘΛ) attacker

επιθετικότητα ΟΥΣ ΘΗΛ (α) *(λόγων, ύφους)* offensiveness (β) *(ανθρώπου, χαρακτήρα)* aggressiveness

επίθετο ΟΥΣ ΟΥΔ (α) (ΓΛΩΣΣ) adjective (β) *(= επώνυμο)* surname

επιθέτω Ρ Μ *(επίσ.)* to impress

επιθεώρηση ΟΥΣ ΘΗΛ (α) *(λογαριασμού,*

εργαστηρίων, τροφίμων) inspection
(β) (ΔΙΟΙΚ: εργασίας, δημοτικής εκπαίδευσης)
inspection (γ) (θεατρικό έργο) review
▷**ιατρική επιθεώρηση** (ΤΥΠ) medical
inspection
▷**φιλολογική επιθεώρηση** (ΤΥΠ) philological
review
▷**ναυτική επιθεώρηση** (ΤΥΠ) survey
▷**έκτακτη επιθεώρηση** unexpected
inspection
▷**οικονομική επιθεώρηση** (ΤΥΠ) economic
review
▷**εβδομαδιαία επιθεώρηση** (ΤΥΠ) weekly
review
▷**θεατρική επιθεώρηση** theatrical review
επιθεωρησιογράφος ΟΥΣ ΑΡΣ/ΘΗΛ review
writer
επιθεωρητής ΟΥΣ ΑΡΣ (δασών, εργασίας)
supervisor
▷**υγειονομικός επιθεωρητής** sanitary
inspector
▷**γενικός επιθεωρητής** general inspector
▷**αστυνομικός επιθεωρητής** police inspector
▷**επιθεωρητής μέσης εκπαίδευσης**
secondary school inspector
επιθεωρώ Ρ Μ (δάσκαλος: γραπτά) to
examine · (στρατηγός: ταμείο, στρατό) to
inspect
επιθηλιακός ΕΠΙΘ (ΑΝΑΤ) of the epithelium
επιθήλιο ΟΥΣ ΟΥΔ (ΑΝΑΤ) epithelium
επίθημα ΟΥΣ ΘΗΛ (ΓΛΩΣΣ) suffix
επιθυμητός ΕΠΙΘ (α) (επισκέπτης,
διευθυντής) welcome (β) (αποτέλεσμα,
συμπεριφορά) desired
▷**είναι επιθυμητό** it is desired
επιθυμία ΟΥΣ ΘΗΛ wish
▷**εκπληρώνω την επιθυμία** to satisfy the
desire
▷**έχω την επιθυμία να** to have the desire to
▷**σεξουαλική επιθυμία** sexual desire
▷**πραγματοποιώ την επιθυμία** to satisfy the
desire
▷**με πιάνει η επιθυμία** to feel desire
▷**ικανοποιώ την επιθυμία** to grant the wish
▷**εκφράζω την επιθυμία** to express the wish
επιθυμώ Ρ Μ (α) (= θέλω πολύ: κρασί, σύκα,
πλούτη) to desire (β) (= θέλω ευγενικά) to
wish (γ) (= νοσταλγώ) to miss
επικάθομαι Ρ ΑΜ ΑΠΟΘ: **επικάθομαι σε** (επίσ.:
σκόνη, νέφος) to cover
επίκαιρα ΟΥΣ ΟΥΔ ΠΛΗΘ (ΤΥΠ) newsreel
επίκαιρος ΕΠΙΘ (α) (ερώτηση, πολιτική,
βοήθεια) well–timed (β) (σημείο, θέση)
strategic
επικαιρότητα ΟΥΣ ΘΗΛ (είδησης, νέων)
topicality
επικαλούμαι Ρ Μ to invoke
επικάλυμμα ΟΥΣ ΟΥΔ (= επένδυση) cover
επικαλύπτω Ρ Μ (τούρτα) to cover
επικάλυψη ΟΥΣ ΘΗΛ (τούρτας, σκεύους)
covering

επικαρπία ΟΥΣ ΘΗΛ (ΝΟΜ: ακινήτου,
οικοπέδου) usufruct
▷**δικαίωμα επικαρπίας** usufruct
επικαρπωτής ΟΥΣ ΘΗΛ (ΝΟΜ: ακινήτου,
οικοπέδου) usufructuary
επικασσιτερώνω Ρ Μ (= γανώνω) to tin–plate
επίκειμαι Ρ ΑΜ: **επίκειται** ΤΡΟΤΟΠΡΟΣ (πόλεμος,
κίνδυνος, εξέλιξη) to be imminent ·
(επέμβαση, ανάμειξη, συμφωνία) to be
brewing
επικείμενος, -η, -ο ΜΤΧ (εκλογές, εξελίξεις,
κρίση) imminent · (επίσ.: κτίσματα, κτίριο,
οικοδόμημα) impending
επίκεντρο ΟΥΣ ΟΥΔ (α) (= κεντρικό θέμα: της
συζήτησης, της δράσης, της έρευνας) focal
point (β) (= κέντρο: της κοινωνίας, του
κόσμου, της πολιτιστικής ζωής) centre
(Βρετ.), center (Αμερ.) (γ) (τοπικά) centre
(Βρετ.), center (Αμερ.)
▷**επίκεντρο του σεισμού** (ΓΕΩΛ) epicentre
(Βρετ.), epicenter (Αμερ.)
▷**επίκεντρο της προσοχής** centre (Βρετ.) ή
center (Αμερ.) of attention
▷**βρίσκομαι στο επίκεντρο** to be the centre
(Βρετ.) ή center (Αμερ.) of attention
επίκεντρος, -η, -ο ΕΠΙΘ central
επικεντρώνω Ρ Μ (προσοχή, ενδιαφέρον,
προσπάθειες) to centralize
επικερδής, -ής, -ές ΕΠΙΘ (συνεργασία,
επιχείρηση, δουλειά) profitable
επικεφαλής ① ΕΠΙΡΡ (μπαίνω, βαδίζω) taking
the head
② ΟΥΣ ΑΡΣ/ΘΗΛ ΑΚΛ (= αρχηγός) head
επικεφαλίδα ΟΥΣ ΘΗΛ (α) (άρθρου, κειμένου,
κεφαλαίου) title (β) (επιστολόχαρτου,
φακέλου) letterhead
επικήδειος, -α, -ο ① ΕΠΙΘ (τελετή, λειτουργία,
λόγος) funeral
② ΟΥΣ ΑΡΣ funeral · (επίσης **επικήδειος λόγος**)
funeral
επικήρυξη ΟΥΣ ΘΗΛ (ληστή, δραπέτη) 'wanted'
επικηρύσσω Ρ Μ (οι αρχές, η κυβέρνηση:
εγκληματία, τρομοκράτη, φυγά) to outlaw
επικίνδυνος, -η, -ο ΕΠΙΘ (α) (επάγγελμα,
ταξίδι, αποστολή) dangerous
(β) (= κακόφημος: περιοχή, δρόμος, γειτονιά)
dangerous (γ) (= βλαβερός: ουσία, φάρμακο)
hazardous (δ) (σκαλοπάτια, πέρασμα,
μονοπάτι) dangerous (ε) (= ισχυρός, δύσκολο
να αντιμετωπιστεί) dangerous
▷**επικίνδυνα νερά** hazardous waters
▷**επικίνδυνο παιχνίδι** dangerous game
▷**είναι επικίνδυνο να** it is dangerous to
επίκληση ΟΥΣ ΘΗΛ (α) (= πρόσκληση σε
βοήθεια) invocation (β) (= επωνυμία) calling
(γ) (επίσ.: διατάξεων, νόμου, ισχυρισμού)
appeal
▷**επίκληση σε** invocation to
▷**κατ' επίκλησιν** (επίσ.) calling
επικινής, -ής, -ές ΕΠΙΘ (επίσ.: έδαφος,
επίπεδο, πλευρά) sloping
επικοινωνία ΟΥΣ ΘΗΛ (α) (= ανταλλαγή

μηνυμάτων) communication **(β)** (= ψυχική επαφή) contact **(γ)** (ΦΙΛΟΣ/ΨΥΧ) contact **(δ)** (ΝΟΜ) contact **(ε)** (ΣΤΡΑΤ: = κέντρα επικοινωνίας) communication

▷**μέσα μαζικής επικοινωνίας** ή **ενημέρωσης** (ΤΗΛΕΠ) media

▷**έχω** ή **κρατώ επικοινωνία με** κπν to keep in contact with sb

▷**τηλεφωνική επικοινωνία** telephone communication

ΕΠΙΚΟΙΝΩΝΏ Ρ ΑΜ: **επικοινωνώ με** to communicate with **(α)** (= έρχομαι σε ψυχική επαφή) to contact **(β)** (ο δρόμος, το δωμάτιο) to communicate

▷**επικοινωνώ τηλεφωνικώς** to communicate by phone

▷**επικοινωνώ γραπτώς** to communicate by letter

▷**επικοινωνώ με τον εγκέφαλό μου** (ειρ) to use one's brain

ΕΠΙΚΌΛΛΗΣΗ ΟΥΣ ΘΗΛ (γραμματοσήμων, ενσήμων, διαφημιστικών εντύπων) sticking

ΕΠΙΚΟΛΛΏ Ρ Μ (αυτοκόλλητο, γραμματόσημο, έντυπο) to stick on

ΕΠΙΚΟΝΊΑΣΗ ΟΥΣ ΘΗΛ (ΒΟΤ) pollination

ΕΠΙΚΌΣ ΕΠΙΘ epic

▷**επικό θέατρο** (ΤΕΧΝ) epic theatre (Βρετ.) ή theater (Αμερ.)

ΕΠΙΚΟΎΡΕΙΟΣ ① ΕΠΙΘ **(α)** (ΦΙΛΟΣ: σχολή, φιλοσοφία, ηθική) epicurean **(β)** (= ευδαιμονικός: διάθεση, βίος) voluptuous

② ΟΥΣ ΑΡΣ (= οπαδός του Επίκουρου) epicurean

ΕΠΙΚΟΥΡΊΑ ΟΥΣ ΘΗΛ **(α)** (επίσ.: = βοήθεια) assistance **(β)** (ΣΤΡΑΤ: = εφεδρική δύναμη) reinforcement

▷**προς** ή **εις επικουρία** (επίσ.) for assistance

ΕΠΙΚΟΥΡΙΚΌΣ ΕΠΙΘ **(α)** (= βοηθητικός, δευτερεύων: υπάλληλος, προσωπικό, καθηγητής) additional **(β)** (ταμείο, ασφάλιση, σύνταξη) supplementary **(γ)** (= προς ενίσχυση: στράτευμα) auxiliary

ΕΠΙΚΟΥΡΙΣΜΌΣ ΟΥΣ ΑΡΣ **(α)** (ΦΙΛΟΣ) epicureanism **(β)** (μτφ.: = ευδαιμονισμός) hedonism

ΕΠΊΚΟΥΡΟΣ ① ΕΠΙΘ (= εφεδρικός, βοηθητικός: υπάλληλος, ιατρός) assistant

② ΟΥΣ (= βοηθός, σύμμαχος) assistant

▸**επίκουρος καθηγητής** (ΔΙΟΙΚ) assistant

ΕΠΙΚΟΥΡΏ Ρ Μ (επίσ.: = συντρέχω, βοηθώ: δικηγόρος, σύμβουλος, επιτροπή) to assist

ΕΠΙΚΡΆΤΕΙΑ ΟΥΣ ΘΗΛ (επίσ.) state

▷**Συμβούλιο Επικρατείας** (ΔΙΟΙΚ) State Council

▷**βουλευτής επικρατείας** (ΠΟΛ/ΔΙΟΙΚ) member of the Parliament of the State Council

ΕΠΙΚΡΑΤΈΣΤΕΡΟΣ ΕΠΙΘ **(α)** (= που υπερισχύει, συνηθέστερος: εκδοχή, άποψη, θέμα) prevalent **(β)** (για πρόσ.: = ισχυρότερος) strongest

ΕΠΙΚΡΑΤΉΣ ΕΠΙΘ prevalent

ΕΠΙΚΡΆΤΗΣΗ ΟΥΣ ΘΗΛ **(α)** (δικτατορίας) dominance · (κινήματος) prevalence **(β)** (= υπερίσχυση: θεωρίας, ιδεών, αξιών) prevalence **(γ)** (ΑΘΛ: = νίκη) victory **(δ)** (ΣΤΡΑΤ: του στρατεύματος, των δυνάμεων) victory

ΕΠΙΚΡΑΤΏ Ρ ΑΜ **(α)** (= είμαι επικρατέστερος: θεωρία, αντίληψη, θρησκεία) to prevail **(β)** (= κυριαρχεί: πανικός, αναβρασμός, ησυχία) to prevail **(γ)** (ηλιοφάνεια, νεφώσεις) to prevail **(δ)** (= νικώ, υπερισχύω: στράτευμα, ομάδα, κόμμα) to win

▷**επικρατώ + γεν** to get the better of

ΕΠΙΚΡΑΤΏΝ ΜΤΧ (σύστημα, αντίληψη, ιδεολογία, κατάσταση) prevailing

ΕΠΙΚΡΊΝΩ Ρ Μ **(α)** (= κρίνω αρνητικά, κατακρίνω: λάθη, κατάσταση, θεωρία, άποψη) to criticize · (= : βιβλίο, ταινία) to criticize **(β)** (επιτιμώ, ψέγω) to censure

▷**επικρίνω** κπν/κτ **για** to criticize sb/sth for

ΕΠΊΚΡΙΣΗ ΟΥΣ ΘΗΛ (= αποδοκιμασία, αρνητική κριτική) criticism

ΕΠΙΚΡΙΤΉΣ ΟΥΣ ΑΡΣ **(α)** (= που αποδοκιμάζει, κρίνει αρνητικά) censurer **(β)** (της κατάστασης, της θεωρίας, της ταινίας) critic

▷**αυστηρός επικριτής** harsh critic

ΕΠΙΚΡΙΤΙΚΌΣ ΕΠΙΘ critical

ΕΠΙΚΡΌΤΗΣΗ ΟΥΣ ΘΗΛ (πρότασης, πολιτικής, απόφασης) approbation

ΕΠΙΚΡΟΤΏ Ρ Μ (= επιδοκιμάζω, εγκρίνω: στάση, στρατηγική, ενέργεια) to applaud

ΕΠΊΚΡΟΥΣΗ ΟΥΣ ΘΗΛ percussion

ΕΠΙΚΡΟΥΣΤΉΡΑΣ ΟΥΣ ΑΡΣ (όπλου) striker

ΕΠΙΚΡΟΎΩ Ρ Μ **(α)** (= χτυπώ επάνω ή από επάνω) to tap **(β)** (ΙΑΤΡ: = εξετάζω με επίκρουση) to test by tapping

ΕΠΊΚΤΗΤΟΣ ΕΠΙΘ (ικανότητα, χαρακτηριστικά, αντιδράσεις, συνήθεια) acquired

ΕΠΙΚΥΡΙΑΡΧΊΑ ΟΥΣ ΘΗΛ (επίσ.) suzerainty

ΕΠΙΚΥΡΊΑΡΧΟΣ ① ΕΠΙΘ (επίσ.: = κυρίαρχος) suzerain

② ΟΥΣ suzerain

ΕΠΙΚΥΡΏΝΩ Ρ Μ **(α)** (= επισημοποιώ: απόφαση) to pass verdict on · (συνθήκη, διάταγμα) to ratify **(β)** (= καθιστώ έγκυρο: έγγραφο, αίτηση, αντίγραφο) to verify **(γ)** (= επιβεβαιώνω: κλίμα, διάθεση, λόγια) to confirm

ΕΠΙΚΎΡΩΣΗ ΟΥΣ ΘΗΛ **(α)** (νομοσχεδίου, ψηφίσματος) sanction **(β)** (φωτοτυπίας, αντιγράφου) certification

ΕΠΙΚΥΡΩΤΉΣ ΟΥΣ ΑΡΣ (αποφάσεων, αιτημάτων, προτάσεων) confirmer

ΕΠΙΚΥΡΩΤΙΚΌΣ ΕΠΙΘ (απόφαση, διάταξη, έγγραφο) ratification

ΕΠΊΚΥΨΗ ΟΥΣ ΘΗΛ (ΓΥΜΝΑΣΤ) touching the toes

ΕΠΙΛΑΜΒΆΝΟΜΑΙ Ρ Μ (επίσ.: = ασχολούμαι με) to take in hand

ΕΠΊΛΑΡΧΟΣ ΟΥΣ ΑΡΣ (ΣΤΡΑΤ) Cavalry Major

ΕΠΙΛΑΧΏΝ ΕΠΙΘ runner–up

επιλεγόμενα ΟΥΣ ΟΥΔ ΠΛΗΘ (*βιβλίου, κειμένου*) selected

επιλεγόμενος ΜΤΧ (= *επονομαζόμενος*) nicknamed

επιλέγω Ρ Μ (α) (*συμπεριφορά, πολιτική, στόχους*) to select (β) (*συνεργάτη, στελέχη, φίλους*) to choose (γ) (*απάντηση, θέμα*) to pick (δ) (*ρούχα, έπιπλα*) to choose
▷**επιλέγω μεταξύ** to choose between

επιλεκτικός ΕΠΙΘ (*χρήση, αντιμετώπιση*) fastidious
▷**επιλεκτικός σε** to be picky in

επίλεκτος ΕΠΙΘ (α) (*φρουρά, σώμα*) hand–picked (β) (*ακροατήριο, συνεργάτες*) select (γ) (*θέση*) select

επιληπτικός [1] ΕΠΙΘ (*κρίση, συμπτώματα*) epileptic
[2] ΟΥΣ ΑΡΣ&ΘΗΛ epileptic

επιλήσμων ΕΠΙΘ (*επίσ.*) forgetful

επιληψία ΟΥΣ ΘΗΛ (ΙΑΤΡ) epilepsy

επιλήψιμο ΟΥΣ ΟΥΔ (= *αξιοκατάκριτο*) reprehensibility

επιλήψιμος ΕΠΙΘ (= *αξιοκατάκριτος: συμπεριφορά, απόφαση*) reprehensible
▷**ηθικώς επιλήψιμος** morally objectionable

επιλογή ΟΥΣ ΘΗΛ (α) (= *εκλογή, διάλεγμα*) choice (β) (= *εναλλακτική λύση*) alternative
▷**δεν έχω άλλη επιλογή** to have no other choice
▷**κάνω την επιλογή ή τις επιλογές μου** to make one's choice
▷**δυνατότητα επιλογής** ability to choose
▷**φυσική επιλογή** (ΒΙΟΛ) natural selection
▷**τεχνητή επιλογή** (ΒΙΟΛ) artificial selection
▷**πολλαπλή επιλογή** (*σε εξέταση*) multiple choice
▷**κατ' επιλογήν** selectively
▸**επιλογές** ΠΛΗΘ choices *πληθ.*

επίλογος ΟΥΣ ΑΡΣ (α) (*έκθεσης, βιβλίου*) epilogue (*Βρετ.*), epilog (*Αμερ.*) (β) (*μτφ.: των γεγονότων, της ιστορίας*) conclusion

επιλόχειος ΕΠΙΘ, **επιλόχιος** (*πυρετός, επιπλοκές*) puerperal

επιλοχίας ΟΥΣ ΑΡΣ&ΘΗΛ (ΣΤΡΑΤ) Sergeant Major

επίλυση ΟΥΣ ΘΗΛ (α) (*διαφοράς, διαφωνίας, κρίσης*) settlement (β) (*ασκήσεων, εξίσωσης*) solution
▷**άμεση επίλυση** immediate solution
▷**έμμεση επίλυση** indirect solution

επιλύω Ρ Μ (α) (*διαφορά, διαφωνία, διένεξη*) to settle (β) (*άσκηση, πρόβλημα*) to solve

επίμαχος ΕΠΙΘ controversial

επιμειξία ΟΥΣ ΘΗΛ = **επιμιξία**

επιμέλεια ΟΥΣ ΘΗΛ (α) (= *φροντίδα, ενδιαφέρον*) attention (β) (= *εργατικότητα: μαθητή, φοιτητή*) attention (γ) (= *επίβλεψη: βιβλίου, έργου*) care (δ) (ΝΟΜ: *παιδιού, τέκνου*) custody
▷**αναθέτω/αναλαμβάνω την επιμέλεια κποιου** (ΝΟΜ) to give/be granted custody of sb

επιμελημένος ΕΠΙΘ (*ανατροφή, γλώσσα,* *εργασία, διακόσμηση*) well–looked–after

επιμελής ΕΠΙΘ (*μαθητής, φοιτητής*) attentive
▷**επιμελής σε** to be attentive to

επιμελητεία ΟΥΣ ΘΗΛ (ΣΤΡΑΤ) logistics *εν.*

> *Προσοχή!: Αν και το* **logistics** *φαίνεται ως τύπος πληθυντικού, είναι ουσιαστικό μόνο στον ενικό και συντάσσεται με ρήμα στον ενικό.*

επιμελητήριο(ν) ΟΥΣ ΟΥΔ chamber
▷**Εθνικό Επιμελητήριο της Ελλάδος** National Chamber of Greece
▷**Οικονομικό Επιμελητήριο της Ελλάδος** Economic Chamber of Greece
▷**Τεχνικό Επιμελητήριο της Ελλάδος** Technical Chamber of Greece

επιμελητής ΟΥΣ ΑΡΣ (α) (*εκδόσεων*) editor · (*νοσοκομείου*) caretaker (β) (*για σχολείο: τάξης*) monitor (γ) (*πανεπιστημιακή βαθμίδα*) lecturer (δ) (ΣΤΡΑΤ) quartermaster

επιμελήτρια ΟΥΣ ΘΗΛ *βλ.* **επιμελητής**

επιμελούμαι Ρ Μ (α) (= *φροντίζω, ενδιαφέρομαι, εποπτεύω: ανατροφή, υγεία, υποθέσεις*) to take care of (β) (= *εποπτεύω επαγγελματικά συλλογικό έργο: έκδοση, εργασία*) to edit (γ) (*επίσ.*) to take care of

επίμεμπτος ΕΠΙΘ (*επίσ.: = αξιοκατάκριτος: διαγωγή, συμπεριφορά*) blameworthy

επιμένω Ρ ΑΜ to insist
▷**επιμένω σε** to insist on

επιμερίζω Ρ Μ (= *διαμοιράζω: δαπάνες, ευθύνες*) to allocate

επιμερισμός ΟΥΣ ΑΡΣ allocation

επιμεριστικός, -ή, -ό ΕΠΙΘ distributive
▸**επιμεριστικές αντωνυμίες** distributive pronouns

επιμετάλλωση ΟΥΣ ΘΗΛ plating

επιμέτρηση ΟΥΣ ΘΗΛ (*επίσ.: εργασιών, έργου, δαπανών*) measurement
▷**επιμέτρηση ποινής** (ΝΟΜ) determination of sentence

επίμετρο ΟΥΣ ΟΥΔ (*βιβλίου, λεξικού*) addendum

> *Προσοχή!: Ο πληθυντικός του* **addendum** *είναι* **addenda**.

▷**εις επίμετρον** (*επίσ.: = επιπροσθέτως*) in addition

επιμήκης, -ης, -ες ΕΠΙΘ (*αίθουσα, αγωγός, άξονας*) oblong

επιμήκυνση ΟΥΣ ΘΗΛ (α) (= *αύξηση μήκους: σωλήνα, χώρου, δωματίου*) lengthening (β) (= *αύξηση διάρκειας: προθεσμίας, ζωής*) elongation

επιμηκύνω Ρ Μ (α) (= *αυξάνω το μήκος: αίθουσα, ραβδί, σχοινί*) to lengthen (β) (= *αυξάνω την διάρκεια: περιόδου, κατάστασης*) to elongate
▸**επιμηκύνομαι** ΜΕΣΟΠΑΘ (*χρόνος*) to be elongated

επιμιξία ΟΥΣ ΘΗΛ (α) (*για λαούς*) intermarriage

(β) (*για ράτσες ζώων*) cross–breeding

επιμνημόσυνος, -η, -ο ΕΠΙΘ (ΘΡΗΣΚ: *δέηση, τελετή*) memorial

επιμονή ΟΥΣ ΘΗΛ (α) (= *σταθερότητα*) persistence (β) (*αρνητ.*: = *πείσμα*) obstinacy (γ) (= *εμμονή*) insistence
▷**υπομονή και επιμονή** patience and insistence
▷**μουλαρίσια επιμονή** (*προφορ.*) stubbornness

επίμονος, -η, -ο ΕΠΙΘ (α) (*αγώνας, αίτημα, προσπάθεια*) persistent (β) (= *έντονο και σταθερό: βλέμμα, συναίσθημα, αντίδραση*) persistent (γ) (*άνθρωπος, άτομο, χαρακτήρας*) obstinate

επιμόρφωση ΟΥΣ ΘΗΛ (*προσωπικού, στελεχών, εκπαιδευτικών*) training
▷**λαϊκή επιμόρφωση** popular education

επιμορφωτικός, -ή, -ό ΕΠΙΘ (*σεμινάριο, πρόγραμμα, υλικό, κέντρο*) educative

επιμύθιο ΟΥΣ ΟΥΔ moral

επινικέλωση ΟΥΣ ΘΗΛ nickel–plating

επινίκια ΟΥΣ ΟΥΔ ΠΛΗΘ victory celebration

επινίκιος, -α, -ο ΕΠΙΘ (*ύμνος, εορτή*) victorious

επινόημα ΟΥΣ ΟΥΔ (α) (= *εφεύρημα, δημιούργημα φαντασίας*) invention (β) (*αρνητ.*) fabrication

επινόηση ΟΥΣ ΘΗΛ (α) (= *σύλληψη ιδέας: σχεδίου, προγράμματος*) invention (β) (= *εφεύρεση: τηλεφώνων, μουσικών οργάνων, τέχνης*) invention (γ) (*κατηγορίας, δικαιολογίας*) invention (δ) (= *εφεύρημα, φαντασίωση: του μυαλού, της φαντασίας, του νου*) fabrication
▷**δικής μου επινοήσεως** of one's own invention

επινοητής ΟΥΣ ΑΡΣ inventor

επινοητικός, -ή, -ό ΕΠΙΘ (= *εφευρετικός*) inventive

επινοητικότητα ΟΥΣ ΘΗΛ (= *εφευρετικότητα*) inventiveness

επινοώ Ρ Μ (α) (= *εφευρίσκω: τεχνική, μηχάνημα*) to invent (β) (*ιστορία, μύθο*) to make up (γ) (= *σοφίζομαι, σκαρφίζομαι: δικαιολογία, ψέμα*) to fabricate

επιορκία ΟΥΣ ΘΗΛ (= *καταπάτηση όρκου*) perjury

επίορκος, -η, -ο ΕΠΙΘ perjurious

επιορκώ Ρ ΑΜ to perjure oneself

επιούσιος, -α, -ο ΕΠΙΘ: **άρτος ο επιούσιος** daily bread
▷**κερδίζω τον επιούσιο** to earn one's daily bread

επίπεδο ΟΥΣ ΟΥΔ (α) (ΓΕΩΜ) plane (β) (*μτφ.*) standard · (: = *βαθμίδα αναπτύξεως*) level (γ) (= *στάδιο, φάση*) level
▷**χαμηλά/υψηλά επίπεδα** low/high levels
▷**κοινωνικό επίπεδο** (= *κοινωνικό στρώμα*) social level
▷**πνευματικό** ή **διανοητικό επίπεδο** mental ή

intellectual level
▷**οικονομικό επίπεδο** financial standards
▷**στα ίδια επίπεδα** to the same levels
▷**σε φυσιολογικά επίπεδα** normal

επίπεδος, -η, -ο ΕΠΙΘ (α) (ΓΕΩΜ: *γωνία, σχήμα*) plane (β) (= *χωρίς προεξοχές: επιφάνεια, δίσκος, οθόνη*) smooth (γ) (= *ομαλός: γη, έκταση, πυθμένας*) flat (δ) (*μτφ.: φωνή, έκφραση*) flat (ε) (ΤΕΧΝ: = *δίχως βάθος*) flat

επιπεφυκίτιδα ΟΥΣ ΘΗΛ (ΙΑΤΡ) conjunctiva

επιπλέον ① ΕΠΙΡΡ (α) (= *επιπροσθέτως*) moreover (β) (= *παραπάνω*) more ② ΕΠΙΘ extra

επιπλέω Ρ ΑΜ (α) (*πάγος, ξύλο, βάρκα, κουφάρι*) to float (β) (*μτφ.*: = *επιβιώνω, τα καταφέρνω*) to prosper (γ) (*μτφ.*: = *υποσκελίζω άλλους, διακρίνομαι*) to go ahead

επιπληκτικός, -ή, -ό ΕΠΙΘ (= *επιτιμητικός: τόνος, βλέμμα, λόγος, ύφος*) reproving

επίπληξη ΟΥΣ ΘΗΛ reprimand

επιπλήττω Ρ Μ (= *μαλώνω, επιτιμώ*) to berate

έπιπλο ΟΥΣ ΟΥΔ furniture

επιπλοκή ΟΥΣ ΘΗΛ complication
▷**μετετραυματικές επιπλοκές** (ΙΑΤΡ) after traumatic complications
▷**μετεγχειρητικές επιπλοκές** after operational complications

επιπλοποιείο ΟΥΣ ΟΥΔ furniture workshop

επιπλοποιία ΟΥΣ ΘΗΛ (α) furniture manufacture (β) (= *τεχνική κατασκευής επίπλων*) furniture manufacturing

επιπλοποιός ΟΥΣ ΑΡΣ cabinet–maker

επιπλοπωλείο ΟΥΣ ΟΥΔ furniture shop (*Βρετ.*) ή store (*Αμερ.*)

επιπλώνω Ρ Μ (*σπίτι, γραφείο, δωμάτιο*) to furnish
▸**επιπλωμένο διαμέρισμα** furnished flat (*Βρετ.*) ή apartment (*Αμερ.*)
▸**επιπλωμένο δωμάτιο** furnished room

επίπλωση ΟΥΣ ΘΗΛ (α) (*σπιτιού, δωματίου*) furnishings ΠΛΗΘ (β) (= *εφοδιασμός με έπιπλα: χώρου, αίθουσας*) furnishing
▷**πλούσια/απλή/λιτή επίπλωση** rich/simple/ minimal furnishings
▷**κλασσική επίπλωση** classic furnishing
▷**μοντέρνα επίπλωση** modern furnishing

επιπόλαιος ΕΠΙΘ (α) (*αγάπη, διένεξη*) skin–deep (β) (*συμπεριφορά, χαρακτήρας*) frivolous (γ) (*για πρόσ.*) shallow
▷**παίρνω κτ επιπόλαια** not to take sth seriously
▷**επιπόλαιο τραύμα** superficial wound

επιπολαιότητα ΟΥΣ ΘΗΛ (= *η ιδιότητα του απρόσεκτου και του μη σοβαρού*) superficiality

επίπονος ΕΠΙΘ (*εργασία, έργο, προσπάθεια, έρευνα*) laborious

επιπρόσθετος ΕΠΙΘ (*πρόβλημα, αιτία, λόγος*) additional

επίπτωση ΟΥΣ ΘΗΛ repercussion

επιρρεπής ΕΠΙΘ: **είμαι επιρρεπής σε κτ**
(αρνητ.) to be prone to sth

επιρρέπω Ρ ΑΜ: **επιρρέπω σε κτ** (αρνητ.) to be
prone to sth

επίρρημα ΟΥΣ ΟΥΔ adverb
▷**χρονικό επίρρημα** adverb of time
▷**τοπικό επίρρημα** adverb of place
▷**τροπικό επίρρημα** adverb of manner

επιρρηματικός ΕΠΙΘ (ΓΛΩΣΣ) adverbial
► **επιρρηματικό κατηγορούμενο** (ΓΛΩΣΣ)
adverbial predicate
► **επιρρηματική μετοχή** (ΓΛΩΣΣ) adverbial
participle
► **επιρρηματικός προσδιορισμός** (ΓΛΩΣΣ)
adverbial complement

επιρρίπτω Ρ Μ (ευθύνη, κατηγορία) to
attribute

επίρριψη ΟΥΣ ΘΗΛ (ευθυνών, κατηγοριών)
attribution

επιρροή ΟΥΣ ΘΗΛ (α) (ναρκωτικού, φαρμάκου,
ένεσης) influence (β) (= ισχύς, δύναμη) pull
▷**έχω επιρροή σε κπν** to have an influence
on sb

επίρρωση ΟΥΣ ΘΗΛ (γνώμης, ισχυρισμού,
αλήθειας) strengthening
▷**προς επίρρωσιν** in order to strengthen

επισείω Ρ Μ (κατηγορία, απειλή, ποινή)
threatening

επισημαίνω Ρ Μ (α) (λάθος, πρόβλημα,
ύπαρξη) to detect · (κίνδυνο) to stress
(β) (κτήριο) to locate (γ) (άνθρωπο) to point
out

επισήμανση ΟΥΣ ΘΗΛ (α) (κτιρίου) location
(β) (ανθρώπου) pointing out
(γ) (προβλήματος, παραγόντων, κινδύνου)
stressing

επισημοποίηση ΟΥΣ ΘΗΛ (α) (σχέσης,
αρραβώνα) making official (β) (συμφώνου,
γλώσσας) confirmation

επισημοποιώ Ρ Μ (α) (σχέση, αρραβώνα) to
make official (β) (συμφωνία, πρόγραμμα) to
confirm

επίσημος, -η, -ο ΕΠΙΘ (α) (ένδυμα, τελετή,
γεύμα) formal (β) (ύφος, μορφή) formal
(γ) (ανακοίνωση, έγγραφο, διακήρυξη)
official (δ) (αποτελέσματα, πρακτικά,
πρόσκληση) official

επισημότητα ΟΥΣ ΘΗΛ formality

επίσης ΕΠΙΡΡ (= επιπλέον) also

επισιτίζω Ρ Μ (επίσ.: = εφοδιάζω με τρόφιμα)
to supply with food

επισιτισμός ΟΥΣ ΑΡΣ (= εφοδιασμός με
τρόφιμα) food supplies πληθ.

επισκεπτήριο ΟΥΣ ΟΥΔ (νοσοκομείου,
φυλακής) visiting hours πληθ., visiting time

επισκέπτης ΟΥΣ ΑΡΣ (για τόπο/σπίτι) visitor
▷**σχολή επισκεπτών νοσοκόμων** College of
District Nurses

επισκέπτομαι Ρ Μ ΑΠΟΘ to visit

επισκέπτρια ΟΥΣ ΘΗΛ βλ. **επισκέπτης**

επισκευάζω Ρ Μ (μηχανικός: τηλεόραση,

αυτοκίνητο) to repair

επισκευή ΟΥΣ ΘΗΛ (τηλεόρασης, αυτοκινήτου)
repairing

επίσκεψη ΟΥΣ ΘΗΛ visit
▷**έχουμε/περιμένουμε επισκέψεις** to have/
expect visitors
▷**κάνω επίσκεψη σε κπν** to visit sb

επισκιάζω Ρ Μ to overshadow · (ανταγωνιστές,
αντιπάλους, συναδέλφους) to outshine

επισκίαση ΟΥΣ ΘΗΛ outshining

επισκοπή ΟΥΣ ΘΗΛ (α) (ΘΡΗΣΚ/ΔΙΟΙΚ: =
εκκλησιαστική περιφέρεια) episcopate
(β) (= το οίκημα του επισκόπου) bishop's
residence (γ) (= το αξίωμα του επισκόπου)
bishopric, diocese

επισκόπηση ΟΥΣ ΘΗΛ review

επίσκοπος ΟΥΣ ΑΡΣ (ΘΡΗΣΚ: ναού, εκκλησίας)
bishop

επισκοπώ Ρ Μ (α) (ΘΡΗΣΚ) to oversee
(β) (= εξετάζω: κατάσταση, γεγονότα) to
review

επισμηναγός ΟΥΣ ΑΡΣ (ΣΤΡΑΤ) squadron leader
(Βρετ.), air force major (Αμερ.)

επισμηνίας ΟΥΣ ΑΡΣ (ΣΤΡΑΤ) flight sergeant
(Βρετ.), master sergeant (Αμερ.)

επισπεύδω Ρ Μ (διαδικασίες, ρυθμίσεις,
ταξίδι, αναχώρηση) to rush over

επίσπευση ΟΥΣ ΘΗΛ (εργασιών, διαδικασίας,
συνομιλιών, εκλογών) precipitation

επιστάμενος ΕΠΙΘ (μελέτη, εξέταση, έρευνα)
after consideration

επισταμένως ΕΠΙΡΡ rigorously

επιστασία ΟΥΣ ΘΗΛ (έργων, εργασίας,
κατασκευής) supervision

επιστάτης ΟΥΣ ΑΡΣ (σχολείου, φυλακής,
κτημάτων) caretaker

επιστατώ Ρ Μ (= επιβλέπω) to oversee

επιστεγάζω Ρ Μ (έργο, προσπάθεια) to top
off

επιστέγασμα ΟΥΣ ΟΥΔ (προσπαθειών,
δραστηριότητας) crowning

επιστήθιος, -α, -ο ΕΠΙΘ (φίλος) intimate

επιστήμη ΟΥΣ ΘΗΛ science
▷**απόκρυφες επιστήμες** occult sciences
▷**οικονομικές επιστήμες** economic sciences
▷**πολιτικές επιστήμες** political sciences
▷**μαθηματικές επιστήμες** mathematical
sciences
▷**φυσικές επιστήμες** natural sciences
▷**πνευματικές επιστήμες** intellectual sciences
▷**κοινωνικές επιστήμες** social sciences
▷**θεωρητικές επιστήμες** theoretical sciences
▷**θετικές επιστήμες** the sciences
▷**εφαρμοσμένες επιστήμες** applied sciences
▷**έχω ανάγει κτ σε επιστήμη** to have sth
down to a fine art

επιστήμονας ΟΥΣ ΑΡΣ&ΘΗΛ scientist

επιστημονικός ΕΠΙΘ scientific
► **επιστημονική φαντασία** science fiction

επιστήμων ΟΥΣ ΑΡΣ&ΘΗΛ = **επιστήμονας**

επιστητό ΟΥΣ ΟΥΔ knowledge
▷**επί παντός επιστητού** about everything known to man

επιστολή ΟΥΣ ΘΗΛ letter · (ΘΡΗΣΚ) epistle
▷**συστατική επιστολή** letter of introduction
▷**ιδιόχειρη επιστολή** handwritten letter
▷**συστημένη επιστολή** registered letter
▷**ανοιχτή επιστολή** open letter
▷**ερωτική επιστολή** love letter
▷**εγγυητική επιστολή** letter of guarantee

επιστολογραφία ΟΥΣ ΘΗΛ (= *επικοινωνία με επιστολές*) correspondence

επιστολογράφος ΟΥΣ ΑΡΣ⁄ΘΗΛ correspondent

επιστόμιο ΟΥΣ ΟΥΔ (α) (*στάμνας, αγγείου, σωλήνα*) mouth (β) (*μουσικού οργάνου*) muzzle

επιστράτευση ΟΥΣ ΘΗΛ mobilization
▷**γενική επιστράτευση** general mobilization

επιστρατεύω Ρ Μ (α) (ΣΤΡΑΤ) to mobilize (β) (*μτφ.: πονηριά, κουράγιο, πείρα*) to call forth (γ) (= *αναθέτω καθήκοντα: υπηρεσίες*) to requisition

επίστρατος ΟΥΣ ΑΡΣ⁄ΘΗΛ (*στρατιώτης, αξιωματικός*) mobilized

επιστρέφω ① Ρ Μ (*δανεικά, χρήματα, επιστολή*) to pay back
② Ρ ΑΜ to return
▷**επιστρέφω δριμύτερος** to run back

επιστροφή ΟΥΣ ΘΗΛ (α) (*βιβλίου, δώρου*) return · (*χρημάτων*) repayment (β) (*μτφ.: πολιτεύματος, συστήματος*) comeback
▷**εισιτήριο μετ' επιστροφής** return ticket (*Βρετ.*), round–trip ticket (*Αμερ.*)
► επιστροφές ΠΛΗΘ refunds *πληθ.*

επίστρωμα ΟΥΣ ΟΥΔ (= *επικάλυμμα: σκόνης, λίπους*) cover

επιστρώνω Ρ Μ (*δάπεδο*) to cover · (*δρόμο*) to pave · (*τοίχο*) to face

επίστρωση ΟΥΣ ΘΗΛ (= *κάλυψη επιφάνειας*): **επίστρωση με** cover of

επιστύλιο ΟΥΣ ΟΥΔ (ΑΡΧΙΤ) epistyle

επισυνάπτω Ρ Μ (= *προσαρτώ: πιστοποιητικό, δικαιολογητικά, βιογραφικό*) to attach

επισύρω Ρ Μ (α) (*θαυμασμό, μίσος, αγανάκτηση*) to bring upon oneself (β) (*προσοχή*) to draw (γ) (*ποινή*) to incur

επισφαλής ΕΠΙΘ (α) (= *αβέβαιος: εισόδημα, θέση*) precarious (β) (= *επικίνδυνος: = κτίριο, θεμέλια, εγκαταστάσεις*) unsafe

επισφραγίζω Ρ Μ (α) (= *επιβεβαιώνω*) to corroborate (β) (= *ολοκληρώνω*) to complete

επισφράγιση ΟΥΣ ΘΗΛ, **επισφράγισμα** ΟΥΣ ΟΥΔ corroboration

επιταγή ΟΥΣ ΟΥΔ (α) (ΟΙΚΟΝ) cheque (*Βρετ.*), check (*Αμερ.*) (β) (ΝΟΜ: *για σχέση δανειστή - οφειλέτη*) writ of payment
▷**ανοιχτή επιταγή** (ΟΙΚΟΝ) blank cheque (*Βρετ.*), blank check (*Αμερ.*)
▷**ακάλυπτη επιταγή** (ΟΙΚΟΝ) dud cheque (*Βρετ.*), dud check (*Αμερ.*)
▷**εκδίδω επιταγή** (ΟΙΚΟΝ) to issue a cheque

(*Βρετ.*) *ή* check (*Αμερ.*)
▷**λογιστική επιταγή** (ΟΙΚΟΝ) accountant's cheque (*Βρετ.*) *ή* check (*Αμερ.*)
▷**ταχυδρομική επιταγή** (ΟΙΚΟΝ) postal cheque (*Βρετ.*) *ή* check (*Αμερ.*)
▷**δίγραμμη επιταγή** (ΟΙΚΟΝ) crossed cheque (*Βρετ.*), voucher check (*Αμερ.*)
▷**κατ'επιταγήν** (= *προσταγή*) on command

επιτακτικός ΕΠΙΘ (α) (*καθήκον, ανάγκη*) peremptory (β) (= *προστακτική: ύφος, φωνή*) commanding

επίταξη ΟΥΣ ΘΗΛ (*περιουσίας, κτιρίου, ζώου, κατοίκου*) requisition

επίταση ΟΥΣ ΘΗΛ (*κρίσης, δυσπραγίας, αναταραχής*) worsening

επιτάσσω Ρ Μ to enjoin

επιτατικός ΕΠΙΘ intensive

επιταυτού ΕΠΙΡΡ (*προφορ.: = επίτηδες*) deliberately

επιτάφιος ① ΕΠΙΘ (*επίγραμμα, πλάκα*) epitaph
② ΟΥΣ ΑΡΣ *holy ceremony of the burial of Christ*
▷**επιτάφιος θρήνος** dirge
► **επιτάφιος λόγος** epitaph

επιτάχυνση ΟΥΣ ΘΗΛ (α) (*αλλαγών, ρυθμού, ενοποίησης, πορείας*) precipitation (β) (ΦΥΣ) acceleration
▷**αρχή της επιταχύνσεως** (ΟΙΚΟΝ) precipitation

επιταχυντής ΟΥΣ ΑΡΣ accelerator

επιταχύνω Ρ Μ (*βήμα, διαδικασία, ρυθμό*) to hasten

επιτείνω Ρ Μ (α) (*ενδιαφέρον, προσπάθεια*) to heighten (β) (*κρίση, εχθρότητα, ένταση*) to aggravate

επιτελάρχης ΟΥΣ ΑΡΣ (ΣΤΡΑΤ: *αρχηγός επιτελείου*) chief of staff

επιτελείο ΟΥΣ ΟΥΔ staff
▷**γενικό επιτελείο** general staff

επιτέλεση ΟΥΣ ΘΗΛ (*επίσ.: καθήκοντος, εργασίας*) fulfilment (*Βρετ.*), fulfillment (*Αμερ.*)

επιτελής ΕΠΙΘ (α) (ΣΤΡΑΤ: = *αξιωματικός επιτελείου*) staff officer (β) (= *κύριος συνεργάτης*) top executive (γ) (*επιχείρησης, κόμματος*) top man

επιτελικός, -ή, -ό ΕΠΙΘ (*γραφείο, σχέδιο, έργο*) staff

επιτέλους ΕΠΙΡΡ at last

επιτελώ Ρ Μ (*επίσ.: έργο καθήκον*) to fulfil (*Βρετ.*), to fulfill (*Αμερ.*)

επιτετραμμένος ΟΥΣ ΑΡΣ (ΔΙΠΛ) chargé d'affaires

επίτευγμα ΟΥΣ ΟΥΔ achievement

επίτευξη ΟΥΣ ΘΗΛ (*στόχου, απόφασης, αποτελέσματος, ένωσης*) achievement

επιτήδειος ΕΠΙΘ (α) (*δικηγόρος*) shrewd (β) (*αρνητ.*) cunning

επιτηδειότητα ΟΥΣ ΘΗΛ skill · (*αρνητ.*) cunning

επίτηδες ΕΠΙΡΡ (*προφορ.*) deliberately

επιτήδευμα ΟΥΣ ΟΥΔ occupation

επιτηδευμένος ΕΠΙΘ (αρνητ.: *ύφος, τρόπος, συμπεριφορά, ντύσιμο*) stilted

επιτηδεύομαι Ρ ΑΜ: **επιτηδεύομαι σε κτ** (= *ασχολούμαι με επιδεξιότητα*) to be good at sth

επιτήδευση ΟΥΣ ΘΗΛ (αρνητ.: = *προσποίηση, έλλειψη φυσικότητας*) affectation

επιτήρηση ΟΥΣ ΘΗΛ (α) (*για εξετάσεις*) invigilation (β) (= *επίβλεψη: μηχανικού, αρχών*) supervision (γ) (*προγράμματος, λειτουργίας*) supervision (δ) (*σχεδίου*) supervision
▷ **αστυνομική επιτήρηση** police surveillance
▷ **υπό επιτήρηση** under surveillance

επιτηρητής ΟΥΣ ΑΡΣ (α) (*σε εξέταση*) invigilator (β) (*εργασίας*) supervisor

επιτηρήτρια ΟΥΣ ΘΗΛ *βλ.* **επιτηρητής**

επιτηρώ Ρ Μ (α) (*κτήμα, κτίριο*) to keep an eye on (β) (*εργάτη*) to supervise (γ) (*πρόγραμμα, λειτουργία*) to supervise (δ) (*εργασία, μαθητή*) to supervise

επιτίθεμαι Ρ ΑΜ ΑΠΟΘ (α) (*στρατός, στρατηγός*) to attack (β) (*ζώο*) to charge (γ) (*τύπος, Μ.Μ.Ε., εφημερίδα*) to go on the attack (δ) (*μτφ.: άνθρωπος*) to attack

επιτιθέμενος ΜΤΧ attacking

επιτίμηση ΟΥΣ ΘΗΛ (= *μομφή*) rebuke

επιτιμητικός ΕΠΙΘ (*λόγια, ματιά, παρατήρηση*) reproachful

επιτίμιο ΟΥΣ ΟΥΔ (ΘΡΗΣΚ: = *ποινή*) penance

επίτιμος ΕΠΙΘ (*πρόεδρος, καθηγητής, δημότης*) honorary

επιτιμώ Ρ Μ (= *επιπλήττω*) to rebuke

επιτόκιο ΟΥΣ ΟΥΔ rate of interest
▷ **υψηλά επιτόκια** high rates of interest
▷ **χαμηλά επιτόκια** low rates of interest

επιτομή ΟΥΣ ΘΗΛ (*έργου, μυθιστορήματος, πραγματείας*) epitome

επίτομος ΕΠΙΘ (*λεξικό, ιστορία*) shortened

επιτόπιος ΕΠΙΘ (*έρευνα, εξέταση*) on-the-spot

επιτραπέζιος ΕΠΙΘ (*ρολόι, τηλέφωνο*) table · (*παιχνίδι*) board
▸ **επιτραπέζιος οίνος** table wine

επιτραχήλιο ΕΠΙΘ (ΘΡΗΣΚ) stole

επιτρεπτός ΕΠΙΘ (*χρόνος, δημοσίευμα*) permissible
▷ **το επιτρεπτό** permissible

επιτρέπω Ρ Μ to allow, to permit · (= *ενθαρρύνω την ύπαρξη*) to enable
▷ **επιτρέψτε μου να** I beg to
▷ **καιρού επιτρέποντος** weather permitting
▸ **επιτρέπεται** ΑΠΡΟΣ permitted

επιτροπεία ΟΥΣ ΘΗΛ (ΝΟΜ) tutelage

επιτροπεύω Ρ Μ (*περιουσία*) to be a trustee of · (*πρόσωπο*) to be a guardian

επιτροπή ΟΥΣ ΘΗΛ committee · (*σε διαγωνισμό*) panel
▷ **νομαρχιακή επιτροπή** committee of prefecture
▷ **εφορευτική επιτροπή** returning board
▷ **οικονομική επιτροπή** economic board
▷ **εξεταστική επιτροπή** board of examiners
▷ **νομισματική επιτροπή** currency committee
▷ **υγειονομική επιτροπή** health board
▸ **ευρωπαϊκή επιτροπή** European commission
▸ **επιτροπή ολυμπιακών αγώνων** Olympic Games' committee

επίτροπος ΟΥΣ ΑΡΣ (α) (ΔΙΟΙΚ/ΝΟΜ: *περιουσίας, τράπεζας*) trustee (β) (*εκκλησίας*) church warden
▷ **κοινοτικός επίτροπος** commissar
▷ **κυβερνητικός επίτροπος** delegate
▷ **επισκοπικός επίτροπος** church warden

επιτροχάδην ΕΠΙΡΡ (= *γρήγορα*) hurriedly

επιτυγχάνω ① Ρ Μ to succeed in
② Ρ ΑΜ to succeed

επιτύμβιος ΕΠΙΘ (*επιγραφή, στήλη, ανάθημα*) on a tomb

επιτυχημένος ΜΤΧ successful

επιτυχής ΕΠΙΘ (*δοκιμή, εγχείρηση, στρατηγική*) successful

επιτυχία ΟΥΣ ΘΗΛ (α) (*ταινίας, γιορτής*) success (β) (*για τραγούδι*) hit
▷ **καλή επιτυχία** good luck
▷ **η μια επιτυχία φέρνει την άλλη** nothing succeeds like success
▷ **σημειώνω επιτυχία** to be a success
▷ **έχω επιτυχία σε κτ** to succeed in sth
▷ **κτ γίνεται επιτυχία** sth becomes a hit
▷ **γνωρίζω επιτυχία** to meet with success
▷ **στέφομαι με επιτυχία** to meet with success

επιφαινόμενο ΟΥΣ ΟΥΔ epiphenomenon

> *Προσοχή!:* Ο πληθυντικός του
> **epiphenomenon** *είναι* **epiphenomena.**

επιφάνεια ΟΥΣ ΘΗΛ (γεν εν **επιφανείας**) surface
▷ **οικονομική επιφάνεια** economic face
▷ **επίπεδη επιφάνεια** (ΜΑΘ) flat surface
▷ **κυλινδρική επιφάνεια** (ΜΑΘ) curved surface
▷ **φέρνω κτ στην επιφάνεια** to dredge sth up
▷ **βγήκε στην επιφάνεια** to surface

επιφανειακός ΕΠΙΘ (α) (*ίζημα, νερό*) surface (β) (*τραύμα*) superficial (γ) (*μτφ.: ευγένεια, ενδιαφέρον, θλίψη*) superficial

επιφανής ΕΠΙΘ eminent

επίφαση ΟΥΣ ΘΗΛ (*ευγένειας, νομιμότητας, φιλοξενίας*) surface
▷ **κατ' επίφαση** on the surface

επιφέρω Ρ Μ (*βελτίωση, συνέπεια*) to effect · (*αλλαγή*) to bring about

επίφοβος ΕΠΙΘ (α) (*αντίπαλος*) formidable (β) (*κτίριο, μπαλκόνι*) unsafe
▷ **είναι επίφοβο να...** it is dangerous to...

επιφοίτηση ΟΥΣ ΘΗΛ (α) (ΘΡΗΣΚ) descent (β) (*ειρ: μτφ.*) brainwave (Βρετ.), brainstorm (Αμερ.)

επιφορτίζω Ρ Μ (*υπάλληλο, υπεύθυνο, επιτροπή*) to entrust

επιφυλακή ΟΥΣ ΘΗΛ (*για στρατό, αστυνομία,*

κράτος) standby
▷**μπαίνω σ' επιφυλακή** to go onto alert
▷**βρίσκομαι σ' επιφυλακή** to be on alert
▷**είμαι σε επιφυλακή** to be on alert
▷**βάζω κπν επιφυλακή** to keep sb on standby
▷**όριο επιφυλακής** limit of alertness

επιφυλακτικός ΕΠΙΘ (α) (*άνθρωπος, χαρακτήρας*) cautious (β) (= *προσεκτικός: υποψήφιος, πολιτικός*) cautious (γ) (*στάση, τακτική, πολιτική*) circumspect (δ) (*ματιά, συμπεριφορά*) distant

επιφυλακτικότητα ΟΥΣ ΘΗΛ (α) (*πολιτικού, παιδιού, πολίτη*) reserved manner (β) (*χώρας, κόμματος, επιχείρησης*) cautiousness (γ) (*ματιάς, συμπεριφοράς, τρόπου*) cautiousness

επιφύλαξη ΟΥΣ ΘΗΛ (α) (= *δισταγμός*) circumspection · (*διάρκειας, εφαρμογής, δικαιώματος*) circumspection (β) (*άρθρου, διατάξεως, πρωτοκόλλου*) cautiousness
▷**έχω τις επιφυλάξεις μου για κτ** to have second thoughts about sth
▷**με κάθε επιφύλαξη** for what it is worth

επιφυλάσσω Ρ Μ (*επίσ.: πρόβλημα, έκπληξη*) to surprise
▸ **επιφυλάσσομαι** ΜΕΣΟΠΑΘ to be reserved

επιφυλλίδα ΟΥΣ ΘΗΛ feuilleton

επιφώνημα ΟΥΣ ΟΥΔ (α) (= *άκλιτη λέξη που δηλώνει συναίσθημα*) interjection (β) (*ανυπομονησίας, έκπληξης, θαυμασμού*) exclamation (γ) (ΓΛΩΣΣ) interjection

επιφωνηματικός ΕΠΙΘ exclamatory

επιχείρημα ΟΥΣ ΟΥΔ (= *απόπειρα*) attempt
▷**προβάλλω επιχείρημα** to bring up an argument
▷**σοβαρό επιχείρημα** serious reasoning
▷**ισχυρό επιχείρημα** strong argument
▷**φέρνω επιχείρημα** to present an argument

επιχειρηματίας ΟΥΣ ΑΡΣ/ΘΗΛ (*άνδρας*) businessman · (*γυναίκα*) busineswoman

---

Προσοχή!: Ο πληθυντικός του **businessman** *είναι* **businessmen**. *Ο πληθυντικός του* **businesswoman** *είναι* **businesswomen**.

επιχειρηματικός ΕΠΙΘ business
▷**επιχειρισιακός κύκλος** business cycle, trade cycle

επιχειρηματολογία ΟΥΣ ΘΗΛ argumentation

επιχειρηματολογώ Ρ ΑΜ (*κυβέρνηση, δικηγόρος, βουλευτής*) to argue

επιχείρηση ΟΥΣ ΘΗΛ (α) (ΕΜΠ: = *εταιρεία*) firm · (: *μεταφορών, οικοδομών, κηδειών*) company (β) (= *απόπειρα για επίτευξη σκοπού*) venture (γ) (ΣΤΡΑΤ: *στρατού, ναυτικού, αεροπορίας*) undertaking
▷**προβληματική επιχείρηση** business in trouble
▷**δημόσια/ιδιωτική επιχείρηση** state/private enterprise
▷**επιχείρηση κοινής ωφελείας** public utilities
▷**πολυεθνική επιχείρηση** multinational business
▷**στρατιωτική επιχείρηση** military enterprise
▷**κρατική επιχείρηση** state enterprise
▷**κερδοσκοπική επιχείρηση** speculative enterprise

επιχειρησιακός ΕΠΙΘ business

επιχειρώ Ρ Μ (= *προσπαθώ να: εργασία, μεταβολή, εφαρμογή*) to undertake

επιχορήγηση ΟΥΣ ΘΗΛ (α) (= *χρηματική ή υλική βοήθεια: πανεπιστημίου*) grant (β) (*χώρας, κράτους, υπουργείου*) allowance (γ) (*επένδυσης, καλλιέργειας*) subsidy
▷**κρατική επιχορήγηση** state subsidy

επιχορηγώ Ρ Μ (α) (*σύλλογο, πανεπιστήμιο, οργανισμό*) to allow (β) (*επαγγελματία, υπάλληλο*) to subsidize (γ) (*πρόγραμμα*) to allow

επίχριση ΟΥΣ ΘΗΛ (*τοίχου*) coating

επίχρισμα ΟΥΣ ΟΥΔ (α) (*τοίχου, κλιβάνου, οικοδομής*) coat (β) (= *ύλη επίχρισης: λαδιού, ασβέστη, χρώματος*) plaster (γ) (ΙΑΤΡ: *γλώσσας*) fur

επιχρίω Ρ Μ (*τοίχο, οικοδομή, μηχάνημα*) to coat

επίχρυσος ΕΠΙΘ (*ρολόι, καρφίτσα, κορνίζα*) gold–plated

επιχρυσώνω Ρ Μ (*κόσμημα, σερβίτσιο*) to gold–plate

επιχρύσωση ΟΥΣ ΘΗΛ (*κοσμήματος, σερβίτσιου, κορνίζας*) gold–plating

επιχρωμίωση ΟΥΣ ΘΗΛ (= *επικάλυψη επιφάνειας με στρώμα χρωμίου*) chrome–plating

επιχωματώνω Ρ Μ (*λακκούβα, δρόμο, οικόπεδο*) to fill with earth

επιχωμάτωση ΟΥΣ ΘΗΛ (*δρόμου, οικοπέδου, χώρου*) banking up

επιχώριος ΕΠΙΘ local

επιψήφιση ΟΥΣ ΘΗΛ (*επίσ.: = επικύρωση με ψήφο: νόμου, πρότασης, λύσης*) voting

εποικίζω Ρ Μ (*νησί, περιοχή, τόπο*) to settle

εποίκιση ΟΥΣ ΘΗΛ *βλ.* **εποικισμός**

εποικισμός ΟΥΣ ΑΡΣ (*τόπου, νησιού, κατάκτησης*) settlement

εποικοδόμημα ΟΥΣ ΟΥΔ superstructure

εποικοδόμηση ΟΥΣ ΘΗΛ construction

εποικοδομητικός ΕΠΙΘ (α) (*διάλογος, συνεργασία, πολιτική*) constructive (β) (*βιβλίο*) edifying

εποικοδομώ Ρ Μ (α) (= *διατυπώνω νέες σκέψεις, επιχειρήματα: άποψη, θέση, λύση*) to construct (β) (= *χτίζω πάνω σε προϋπάρχουσα οικοδομή: δωμάτιο, τμήμα*) to build

έποικος ΟΥΣ ΑΡΣ (= *άποικος: περιοχής, νησιού, πόλης*) settler

εποικώ Ρ ΑΜ (= *εγκαθίσταμαι σε ξένο τόπο*) to settle

έπομαι Ρ ΑΜ to follow
▷**έπεται ότι** it follows that

▷**έπεται να** it is logical to

επομένη ΟΥΣ ΘΗΛ (= *η αυριανή μέρα*) following

επόμενος ① ΕΠΙΘ (α) (= *ο μετέπειτα: μέρα*) following (β) (*παράγραφος*) following (γ) (*υπάλληλος, υποψήφιος*) next (δ) (*γενιά*) next

② ΟΥΣ ΑΡΣ next
▷**είναι επόμενο** it is natural

επομένως ΕΠΙΡΡ therefore

επονείδιστος ΕΠΙΘ (α) (*επία.: διάκριση*) humiliating (β) (*συμπεριφορά, διαγωγή*) ignominious

επονομάζω Ρ Μ (α) (*περιοχή, ποτάμι, πόλη*) to call (β) (*βασιλιά*) to call (γ) (*τέχνη, κίνημα, πολιτισμός*) to name (δ) (*ασθένεια, αρρώστια*) to call

εποποιία ΟΥΣ ΘΗΛ epopee

εποπτεία ΟΥΣ ΘΗΛ (α) (*υπουργού, κράτους, συμβούλου*) supervision (β) (*έργου, κατασκευής*) supervision (γ) (*υπαλλήλου, μισθωτού*) supervision (δ) (ΨΥΧΟΛ: = *αντίληψη με τις αισθήσεις*) detailed representation

εποπτεύω Ρ Μ to supervise

επόπτης ΟΥΣ ΑΡΣ supervisor
▸**επόπτης γραμμών** (ΑΘΛ) linesman

> *Προσοχή!: Ο πληθυντικός του* **linesman** *είναι* **linesmen**.

εποπτικός ΕΠΙΘ supervisory
▸**εποπτικό μέσο** teaching aid

επόπτρια ΟΥΣ ΘΗΛ *βλ.* **επόπτης**

έπος ΟΥΣ ΟΥΔ (ΛΟΓ: *Ομήρου, Ησιόδου*) epic
▷**Ομηρικό έπος** Homeric epic
▷**αμ' έπος, αμ' έργον** (= *μόλις το 'πε, το 'κανε*) no sooner said than done

επουλώνω Ρ Μ to heal

επούλωση ΟΥΣ ΘΗΛ healing

επουλωτικός ΕΠΙΘ healing

επουράνια ΟΥΣ ΟΥΔ ΠΛΗΘ (= *οι ουρανοί*) the heavens

επουράνιος ΕΠΙΘ celestial

επουσιώδης ΕΠΙΘ (= *με δευτερεύουσα σημασία: διαφορά*) insignificant · (*λεπτομέρεια*) unimportant · (*λάθος*) slight · (= : *εργασία, τμήμα*) unimportant

εποφθαλμιώ Ρ Μ (*θέση, δουλειά, δόξα*) to covet

εποχή ΟΥΣ ΘΗΛ (α) (= *χρονική περίοδος: ειρήνης, λιτότητας, δημοκρατίας*) period (β) (= *περίοδος του έτους: ξηρασίας, θερισμού, καλοκαιριού*) season (γ) (*του '60, Μακρονήσου, 2ου Παγκοσμίου Πολέμου*) period (δ) (ΑΡΧΑΙΟΛ/ΙΣΤ: *λίθου, χαλκού, σιδήρου*) age (ε) (ΓΕΩΛ: *παγετώνων*) age
▷**γεωλογική εποχή** (ΓΕΩΛ) geological age
▷**νεκρή εποχή** (ΕΜΠ) dead season
▷**χρυσή εποχή** golden era
▷**εποχή των ισχνών αγελάδων** dry season
▷**αφήνω εποχή** to make an epoch

▷**θέατρο εποχής** costume drama
▷**κουστούμι εποχής** period clothes
▷**ταινία εποχής** costume drama
▸**προϊστορική εποχή** (ΑΡΧΑΙΟΛ/ΙΣΤ) prehistoric period
▸**νεολιθική εποχή** (ΑΡΧΑΙΟΛ/ΙΣΤ) Neolithic period
▸**λίθινη εποχή** (ΑΡΧΑΙΟΛ/ΙΣΤ) Stone Age
▸**ορειχάλκινη εποχή** (ΑΡΧΑΙΟΛ/ΙΣΤ) Bronze Age
▸**γεωμετρική εποχή** (ΑΡΧΑΙΟΛ) geometric period
▸**βυζαντινή εποχή** (ΑΡΧΑΙΟΛ/ΙΣΤ) Byzantine era

εποχικός, εποχιακός ΕΠΙΘ seasonal

έποψη ΟΥΣ ΘΗΛ (α) (= *θέα από ορισμένο σημείο: τοπίου, περιοχής*) view (β) (*μτφ.: Κωνσταντίνου*) viewpoint

επτά ΑΡΙΘ ΑΠΟΛ ΑΚΛ seven
▷**τα επτά θανάσιμα αμαρτήματα** the seven deadly sins
▷**τα επτά θαύματα του κόσμου** the seven wonders of the world

επτάγωνο ΟΥΣ ΟΥΔ (ΓΕΩΜ) heptagon

επταετής ΕΠΙΘ (α) (= *που διαρκεί 7 χρόνια: πόλεμος, ανάπτυξη*) seven-year-long (β) (*για ηλικία: αδελφός, εταιρεία, επιχείρηση*) seven-year-old

επταήμερο ΟΥΣ ΟΥΔ (= *διάστημα επτά ημερών*) seven-day period

επταήμερος, -η, -ο ΕΠΙΘ (*διακοπές, άδεια, απεργία*) seven-day

επτακόσια ΑΡΙΘ ΑΠΟΛ ΑΚΛ seven hundred

επτακόσιοι ΑΡΙΘ ΑΠΟΛ ΠΛΗΘ seven hundred

επτακοσιοστός, -ή, -ό ΑΡΙΘ ΤΑΚΤ seven hundredth

επταμελής, -ής, -ές ΕΠΙΘ (*επιτροπή, συμβούλιο, οικογένεια*) with seven members

επτάμισι ΑΡΙΘ ΑΚΛ (α) (*κιλά*) seven and a half (β) (*για την ώρα*) half past seven

Επτάνησα ΟΥΣ ΟΥΔ ΠΛΗΘ, **Επτάνησος** ΟΥΣ ΘΗΛ (ΓΕΩΓΡ) Ionian Islands

επτανησιακός ΕΠΙΘ Ionian

> *Προσοχή!: Τα εθνικά επίθετα, όπως* **Ionian**, *γράφονται με κεφαλαίο το αρχικό γράμμα στα Αγγλικά.*

επταπλάσιος ΕΠΙΘ sevenfold

Επτάτευχος ΟΥΣ ΘΗΛ Heptateuch

επτάψυχος = **εφτάψυχος**

επωάζω Ρ Μ (α) (= *κλωσώ: αυγό*) to incubate (β) (*μτφ.: = εκκολάπτομαι*) to hatch

επώαση ΟΥΣ ΘΗΛ (α) (*αυγού*) incubation (β) (*ιού, ασθένειας*) hatching (γ) (*μτφ.: κινήματος*) hatching
▷**τεχνητή/φυσική επώαση** artificial/natural incubation

επωαστήριο ΟΥΣ ΟΥΔ incubator

επωδή ΟΥΣ ΘΗΛ (*επία.: = ξόρκι: κακού, συμφοράς*) incantation

επωδός ΟΥΣ ΘΗΛ refrain

επώδυνος ΕΠΙΘ painful

επωμίδα ΟΥΣ ΘΗΛ (ΣΤΡΑΤ: *στολής*) epaulet
επωμίζομαι Ρ Μ to shoulder
επωνυμία ΟΥΣ ΘΗΛ (α) (ΕΜΠ: *εταιρείας, επιχείρησης*) business name (β) (*κόμματος, σωματείου*) name (γ) (*έργου, πίνακα*) title
επώνυμο ΟΥΣ ΟΥΔ surname
επώνυμος ΕΠΙΘ (α) (*στέλεχος, καλλιτέχνιδα, δημιουργός*) eponymous (β) (*δημιουργία, έργο, προϊόν*) eponymous (γ) (= *που αναφέρει όνομα: αναφορά, καταγγελία*) under one's own name
επωφελής ΕΠΙΘ (*δαπάνη, όρος, συνεργασία*) profitable
έρανος ΟΥΣ ΑΡΣ fundraising
▷**κάνω έρανο** to raise money
▷**αντικαρκινικός έρανος** collection for cancer research
ερασιτέχνης ① ΕΠΙΘ amateur ② ΟΥΣ ΑΡΣ amateur
ερασιτεχνία ΟΥΣ ΘΗΛ (= *ερασιτεχνισμός*) amateurism
ερασιτεχνικός ΕΠΙΘ (α) (*δουλειά*) amateurish (β) (*άδεια*) amateurish (γ) (ΤΕΧΝ: *παράσταση, θίασος*) amateurish (δ) (*ραδιοσταθμός*) amateur (ε) (ΑΘΛ) amateur
ερασιτεχνισμός ΟΥΣ ΑΡΣ amateurism
εράσμιος ΕΠΙΘ lovely
εραστής ΟΥΣ ΑΡΣ lover
▷**είμαστε εραστές** to be lovers
▷**έχω εραστή** to have a lover
εργάζομαι Ρ ΑΜ to work
▷**εργάζομαι ως** to work as
εργαζόμενη ΟΥΣ ΘΗΛ (= *γυναίκα που ασκεί επάγγελμα*) employed person
εργαζόμενος ① ΟΥΣ ΑΡΣ employed person ② ΕΠΙΘ (= *αυτός που ασκεί επάγγελμα*) employed
▸**εργαζόμενη μητέρα** working mother
▸**εργαζόμενη γυναίκα** working woman
▸**εργαζόμενες τάξεις** working classes
εργαλείο ΟΥΣ ΟΥΔ tool · (*μτφ.*) tool
▷**ιατρικά εργαλεία** medical instruments
▷**ξυλουργικό εργαλείο** carpenter's tool
▷**μεταλλικό εργαλείο** metal tool
εργαλειοθήκη ΟΥΣ ΘΗΛ (= *θήκη για εργαλεία*) tool box
εργασία ΟΥΣ ΘΗΛ (α) (= *παραγωγή έργου*) work (β) (= *επάγγελμα*) occupation (γ) (ΕΚΠ: = *γραπτό*) work (δ) (= *επιστημονική μελέτη, δημοσίευση*) work
▷**χαρά και εργασία** (*ειρων.*) job satisfaction
▷**γραφείο ευρέσεως εργασίας** employment agency
▷**μονάδα εργασίας** work unit
▷**γεύμα εργασίας** business lunch
▷**καταμερισμός εργασίας** division of labour (*Βρετ.*) ή labor (*Αμερ.*)
▷**άδεια εργασίας** work permit
▷**μισθωτή/άμισθη εργασία** paid/unpaid work
▷**σύμβαση ή συμβόλαιο εργασίας** business

contract
▷**ομαδική εργασία** team work
▷**στάση εργασίας** to stop working
▷**ομάδα εργασίας** working team
▷**αγορά εργασίας** job market
▷**προσφορά εργασίας** job offer
▷**φόρτος εργασίας** workload
▷**διπλωματική εργασία** (ΕΚΠ) thesis

Προσοχή!: Ο πληθυντικός του **thesis** *είναι* **theses***.*

▸**εργασία κατ' αποκοπήν** contract work
▸**εργασίες** ΠΛΗΘ (= *οι συνεδριάσεις: επιτροπής, κοινοβουλίου, συνεδρίου*) proceedings
εργασιακός ΕΠΙΘ work
▸**εργασιακός ψυχολόγος** work psychologist
εργάσιμος ΕΠΙΘ (*ημέρα, ώρα, χρόνος*) working
εργασιοθεραπεία ΟΥΣ ΘΗΛ (ΨΥΧΟΛ) employment counselling (*Βρετ.*) ή counseling (*Αμερ.*)
εργαστήρι ΟΥΣ ΟΥΔ = **εργαστήριο**
εργαστηριακός ΕΠΙΘ laboratory
εργαστήριο ΟΥΣ ΟΥΔ (α) (*πανεπιστημίου, εταιρείας, επιχείρησης*) laboratory (β) (*ανθρωπολογίας, βιολογίας, τεχνολογίας*) laboratory (γ) (*συσκευασίας, κατασκευής, επιστήμης*) laboratory (δ) (*καλλιτέχνη, αλχημιστή*) studio, workshop
εργάτης ΟΥΣ ΑΡΣ (α) (*επάγγελμα*) worker (β) (*μτφ.*: = *υπηρέτης: τέχνης, επιστήμης, πνεύματος*) worker (γ) (ΤΕΧΝ: = *είδος βαρούλκου*) windlass
▷**ανειδίκευτος/ειδικευμένος εργάτης** non–specialized/specialized worker
▷**βιομηχανικός εργάτης** industrial worker
εργατικά ΟΥΣ ΟΥΔ ΠΛΗΘ (*η αμοιβή του εργάτη*) labour (*Βρετ.*) ή labor (*Αμερ.*) costs
εργατικός ① ΕΠΙΘ (α) (*σύλλογος, σωματείο, συνδικάτο*) working (β) (*ατύχημα, διεκδίκηση, απεργία*) industrial (γ) (*μαθητής, ηγέτης*) working ② ΟΥΣ ΑΡΣ (= *που ανήκει στο εργατικό κόμμα*) worker
▷**εργατικές κατοικίες** workers' houses *πληθ.*
▷**Εργατική Εστία** worker's home
▸**Εργατική Πρωτομαγιά** Labour Day (*Βρετ.*), Labor Day (*Αμερ.*)
▸**εργατικό κίνημα** labour (*Βρετ.*) ή labor (*Αμερ.*) movement
▸**εργατικά χέρια** manpower
▸**εργατική τάξη** working class
▸**εργατικό δίκαιο** (ΝΟΜ) employment law
▸**εργατικό δυναμικό** manpower
εργατικότητα ΟΥΣ ΘΗΛ (*ανθρώπου, ζώου*) diligence
εργατοϋπάλληλος ΟΥΣ ΑΡΣ blue–collar and white–collar workers
εργάτρια ΟΥΣ ΘΗΛ worker
εργένης ΟΥΣ ΑΡΣ (= *αυτός που ζει μόνος*) bachelor
έργο ΟΥΣ ΟΥΔ (α) (= *σύνολο προσπαθειών,*

εργασία) work **(β)** (*γλυπτικής, ζωγραφικής, λογοτεχνίας*) work **(γ)** (*ποιητή, συγγραφέα, επιστήμονα*) work **(δ)** (= *ταινία: τηλεόρασης, κινηματογράφου*) film **(ε)** (= *καθήκον ή αρμοδιότητα*) task **(στ)** (ΦΥΣ) work
▷**έργο τέχνης** work of art
▷**θεατρικό έργο** theatrical work
▷**δημόσια έργα** public work
▷**Υπουργείο Δημοσίων Έργων** ≈ Ministry of the Environment (*Βρετ.*), ≈ Environment and Natural Resources Division (*Αμερ.*)
▷**φιλανθρωπικά έργα** charity work
▷**καταναγκαστικά έργα** hard labour (*Βρετ.*), hard labor (*Αμερ.*)
▷**επί το έργον** to get down to work
▷**έργα και όχι λόγια** actions speak louder than words
▷**ευχής έργον** it is desirable
▷**έργα και ημέρες** history
▷**αμ' έπος αμ' έργον** (*προφορ.*) no sooner said than done
▸**έργα** ΠΛΗΘ (= *πράξεις που εκτιμώνται ηθικά*) deeds

εργοδηγός ΟΥΣ ΑΡΣ foreman

Προσοχή!: Ο πληθυντικός του **foreman** *είναι* **foremen**.

εργοδοσία ΟΥΣ ΘΗΛ **(α)** (= *ανάθεση έργου*) offer of a tender **(β)** (= *σύνολο εργοδοτών*) employers *πληθ.*

εργοδότης ΟΥΣ ΑΡΣ employer

εργολαβία ΟΥΣ ΘΗΛ **(α)** (*δίκης, έργου, κατασκευής*) contract work **(β)** (*μτφ.: προφορ.:* = *ερωτοτροπία*) love affair

εργολαβικός ΕΠΙΘ (= *που αναλαμβάνει εργολαβίες: εταιρία, σύμβαση*) contract

εργολάβος ΟΥΣ ΑΡΣ **(α)** (*επάγγελμα*) contractor **(β)** (ΜΑΓΕΙΡ) macaroon
▸**Εργολάβος Δημοσίων Έργων** Public Building Contractor
▸**εργολάβος οικοδομών** building contractor
▸**εργολάβος κηδειών** undertaker

εργολήπτης ΟΥΣ ΑΡΣ (= *εργολάβος*) contractor

εργολήπτρια ΟΥΣ ΘΗΛ contractor
▷**εργολήπτρια εταιρεία** contractor company · *βλ. κ.* **εργολήπτης**

εργοληψία ΟΥΣ ΘΗΛ contract work

εργόμετρο ΟΥΣ ΟΥΔ ergometer

εργονομία ΟΥΣ ΘΗΛ (= *μελέτη συνθηκών εργασίας*) ergonomics *εν.*

Προσοχή!: Αν και το **ergonomics** *φαίνεται ως τύπος πληθυντικού, είναι ουσιαστικό μόνο στον ενικό και συντάσσεται με ρήμα στον ενικό.*

εργοστασιάρχης ΟΥΣ ΑΡΣ (= *ιδιοκτήτης εργοστασίου*) factory owner

εργοστάσιο ΟΥΣ ΟΥΔ factory

εργοτάξιο ΟΥΣ ΟΥΔ place of work

εργόχειρο ΟΥΣ ΟΥΔ handiwork

έρεβος ΟΥΣ ΟΥΔ (*λογοτ.:* = *βαθύ σκοτάδι*)

darkness

ερεθίζω Ρ Μ **(α)** (*σκόνη, καπνός: επιδερμίδα, μάτια*) to irritate **(β)** (= *εκνευρίζω, εξάπτω*) to annoy **(γ)** (*μτφ.: περιέργεια, φαντασία*) to excite
▷**ερεθίζω σεξουαλικά** κπν to turn sb on (*ανεπ.*)

ερέθισμα ΟΥΣ ΟΥΔ irritant · (ΨΥΧΟΛ) incentive
▷**δίνω το ερέθισμα** to provide an incentive
▷**εξωτερικό ερέθισμα** external stimulus
▷**οπτικό ερέθισμα** optical stimulus

Προσοχή!: Ο πληθυντικός του **stimulus** *είναι* **stimuli**.

ερεθισμός ΟΥΣ ΑΡΣ **(α)** (*επιδερμίδας, ματιού*) irritation **(β)** (*σώματος*) excitement

ερεθιστικός ΕΠΙΘ **(α)** (*λόγια*) exciting **(β)** (*ουσία, φάρμακο*) stimulant

ερεθιστικότητα ΟΥΣ ΘΗΛ irritability

ερείπιο ΟΥΣ ΟΥΔ ruin · (*για πρόσ.: μτφ.*) wreck
▸**ερείπια** ΠΛΗΘ (*κάστρου, πόλης*) ruins

ερειπωμένος ΜΤΧ (*κάστρο, πόλη, σπίτι*) dilapidated

ερειπώνω Ρ Μ (*σπίτι, πόλη, χώρα*) to destroy

ερείπωση = **ερείπωμα**

έρεισμα ΟΥΣ ΟΥΔ **(α)** (= *στήριγμα στην άκρη δρόμου: δρόμου*) haunch **(β)** (*μτφ.*) support
▷**δίνω ή προσφέρω έρεισμα** to give ή offer support

Ερέτρια ΟΥΣ ΘΗΛ Eritrea

έρευνα ΟΥΣ ΘΗΛ (γεν εν **ερεύνης**) search **(α)** (*βιβλίων, αρχείων, πηγών*) search **(β)** (= *λεπτομερειακή μελέτη*) research
▷**επιστημονική έρευνα** scientific research
▷**εξονυχιστικές έρευνες** thorough search
▷**δειγματοληπτική έρευνα** sample survey
▷**σωματική έρευνα** body search
▷**εμπειρική έρευνα** empirical research
▷**Ινστιτούτο Γλωσσικών Ερευνών** Institute of Linguistic Research
▷**κάνω ή πραγματοποιώ έρευνα** to instigate research
▷**διεξάγω έρευνα ή έρευνες** to do research

ερευνητής ΟΥΣ ΑΡΣ researcher

ερευνητικός ΕΠΙΘ (*έργο, δραστηριότητα, ενδιαφέρον*) searching

ερευνήτρια ΟΥΣ ΘΗΛ *βλ.* **ερευνητής**

ερευνώ Ρ Μ **(α)** (= *ψάχνω: βιβλία, αρχεία, πηγές*) to search **(β)** (*αίτια, φαινόμενο, πρόβλημα*) to investigate **(γ)** (= *αναζητώ τη βαθύτερη υπόσταση*) to research
▷**ερευνώ εις ή σε βάθος** κτ to research sth in detail
▷**ερευνώ για** κτ to search for sth
▷**πίστευε και μη ερεύνα** to believe without searching

Ερεχθείο(ν) ΟΥΣ ΟΥΔ (ΑΡΧΑΙΟΛ) Erectheum

ερήμην ΕΠΙΡΡ (ΝΟΜ) by default
▷**ερήμην απόφαση** without one's knowledge

ερημητήριο ΟΥΣ ΟΥΔ hermitage

ερημιά ΟΥΣ ΘΗΛ **(α)** (= *έρημος τόπος*) deserted

land (β) (= μοναξιά) isolation
▷**στην ερημιά του θεού** (προφορ.) to live in the back of beyond
ερημικός ΕΠΙΘ (α) (= που βρίσκεται σε ερημιά: χωριό, τοποθεσία) isolated (β) (= ακατοίκητος, ασύχναστος: σπίτι, δρόμος, τοπίο) deserted (γ) (ζωή) solitary
ερημίτης ΟΥΣ ΑΡΣ hermit
ερημοδικία ΟΥΣ ΘΗΛ (ΝΟΜ) default
ερημοκλήσι ΟΥΣ ΟΥΔ country chapel
ερημόνησος ΟΥΣ ΘΗΛ desert island
έρημος ① ΟΥΣ ΘΗΛ desert
② ΕΠΙΘ (α) (= που ζει μόνος) alone (β) (= ασύχναστος, ακατοίκητος: δρόμος, νησί, τοπίο) desert (γ) (= απομονωμένος, ερημικός: τοποθεσία) deserted (δ) (μτφ.: = δύστυχος) wretched
▷**φωνή βοώντος εν τη ερήμω** a voice in the wilderness
▷**μόνος κι έρημος** lonely and miserable
ερημοσπίτης ΟΥΣ ΑΡΣ good–for–nothing

> *Προσοχή!: Ο πληθυντικός του* **good–for–nothing** *είναι* **good–for–nothings**.

▷**πολυτεχνίτης και ερημοσπίτης** Jack of all trades and master of none
ερημώνω ① Ρ Μ (πόλη, περιοχή, χώρα) to devastate
② Ρ ΑΜ to be desolate
ερήμωση ΟΥΣ ΘΗΛ devastation
ερίζω Ρ ΑΜ to quarrel
Ερινύς ΟΥΣ ΘΗΛ Fury
έριο(ν) ΟΥΣ ΟΥΔ wool
εριουργείο ΟΥΣ ΟΥΔ woollen mill (Βρετ.), woolen mill (Αμερ.)
εριουργία ΟΥΣ ΘΗΛ wool industry
έρις ΟΥΣ ΘΗΛ discord
▷**το μήλο της έριδος** the apple of discord
εριστικός ΕΠΙΘ (χαρακτήρας, διάθεση) quarrelsome
ερίφιο ΟΥΣ ΟΥΔ (ΖΩΟΛ) kid
έρμα ΟΥΣ ΟΥΔ (α) (= πρόσθετο βάρος πλοίου) ballast (β) (= ηθικές αρχές) principles πληθ.
έρμαιο ΟΥΣ ΟΥΔ prey
▷**αφήνω κπν έρμαιο** to leave sb adrift
ερμαφρόδιτος ΕΠΙΘ hermaphrodite
ερμηνεία ΟΥΣ ΘΗΛ (α) (γεγονότος, φαινομένου) interpretation (β) (απόφασης, συμπεριφοράς) reading (γ) (θεωρίας, νόμου) explanation (δ) (ονείρου) explanation (ε) (τραγουδιού) interpretation
ερμηνευτής ΟΥΣ ΑΡΣ (α) (θεωρίας, κειμένου, νόμου) exponent (β) (τραγουδιού, έργου, ρόλου) interpreter (γ) (ονείρου) interpreter
ερμηνευτικός ΕΠΙΘ (προσέγγιση, σχόλια, παρατηρήσεις) interpretative
▷**ερμηνευτικός κανόνας** (ΝΟΜ) interpretative rule
ερμηνεύτρια ΟΥΣ ΘΗΛ βλ. **ερμηνευτής**

ερμηνεύω Ρ Μ (α) (γεγονός, φαινόμενο) to interpret (β) (στάση, συμπεριφορά) to interpret (γ) (κείμενο, θεωρία, νόμο) to read (δ) (όνειρο) to interpret (ε) (= μεταφράζω: λέξη, φράση) to translate (στ) (= ρόλο, τραγούδι) to interpret
ερμητικά ΕΠΙΡΡ hermetically
▷**κλείνω κτ ή είμαι κλεισμένος ερμητικά** to seal sth ή to be hermetically sealed
έρμος = **έρημος**
ερπετό ΟΥΣ ΟΥΔ (ΖΩΟΛ) reptile
έρπης ΟΥΣ ΑΡΣ (ΙΑΤΡ) herpes
ερπύστρια ΟΥΣ ΘΗΛ caterpillar
έρπω Ρ ΑΜ to crawl
έρρινος = **ένρινος**
ερτζιανά ΟΥΣ ΟΥΔ ΠΛΗΘ (ΡΑΔΙΟΦΩΝΟ) Hertzian waves
ερτζιανός ΕΠΙΘ: **ερτζιανά κύματα** (ΦΥΣ) Hertzian waves
ερυθρά ΟΥΣ ΘΗΛ (ΙΑΤΡ) rubella
Ερυθρά Θάλασσα ΟΥΣ ΘΗΛ: **η Ερυθρά Θάλασσα** the Red Sea
ερυθριώ Ρ ΑΜ to blush
ερυθρόδερμη ΟΥΣ ΘΗΛ βλ. **ερυθρόδερμος**
ερυθρόδερμος ΟΥΣ ΑΡΣ Native American
ερυθρός ΕΠΙΘ (οίνος, ακτίνες) red
▷**ερυθρά αιμοσφαίρια** (ΒΙΟΛ) blood cells πληθ.
▸**Ερυθρός Στρατός** (ΙΣΤ) Red Cross
▸**Ερυθρά Ημισέληνος** (= η τούρκικη σημαία) Red Crescent
έρχομαι Ρ ΑΜ (α) (= φθάνω) to arrive (β) (μτφ.: βροχή, απάντηση, σειρά) to come (γ) (= επιστρέφω) to come back (δ) (= κατατάσσομαι σε ορισμένη σειρά) to come (ε) (ρούχο, δαχτυλίδι) to fit (στ) (= προέρχομαι) to come (ζ) (= προσέρχομαι) to come
▷**έρχομαι σε** (= πηγαίνω κάπου) to come to
▷**έρχομαι να** to come to
▷**έρχομαι προς** to come towards (Βρετ.) ή toward (Αμερ.)
▷**μου έρχεται η/μια ιδέα** the/an idea occurred to me
▷**μου έρχεται να** to feel like
▷**μου έρχεται στο μυαλό** ή **νου** to think
▷**έρχομαι και παρέρχομαι** to come and go
▷**έρχομαι σε επαφή** to contact
▷**έρχομαι στα χέρια (με κπν)** to come to blows (with sb)
▷**έρχομαι στα λόγια κποιου** to come around to sb's way of thinking
▷**έρχομαι στο φως** to reveal
▷**έρχομαι στο προσκήνιο** to come to the front
▷**έρχομαι στο κέφι** to be in high spirits
▷**έρχομαι στα πράγματα** ή **στην εξουσία** to come to power
▷**κτ μου έρχεται γάντι** sth fits me perfectly
▷**μου έρχονται δάκρυα στα μάτια** tears come to one's eyes
▷**έρχεται η καρδιά μου στη θέση της** to relax

▷**έρχομαι πάνω στην ώρα** to appear on time
▷**κτ πάει κι έρχεται** sth comes and goes
▷**όσα πάνε κι όσα έρθουν** whatever comes
and goes
▷**έρχομαι στον κόσμο** to be born
▷**όλα μου έρχονται δεξιά** ή **καλά** everything
turns out alright
▷**όλα μου έρχονται ανάποδα** ή **στραβά**
everything goes wrong for me
▷**έρχομαι αντιμέτωπος με κπν** to come up
against sb
▷**καλώς ήρθες/ήρθατε** welcome
▷**μου 'ρθε κεραμίδα** ή **κόλπος** ή **λιποθυμιά**
(*ανεπ/πρφ*) to be flabbergasted
▷**έρχομαι στον εαυτό μου** to come to one's
senses
▷**έρχομαι στα σύγκαλά μου** ή **στα λογικά μου**
(*προφορ.*) to come to one's senses

ερχόμενος ΜΤΧ coming

ερχομός ΟΥΣ ΑΡΣ (α) (*λογοτ.*) arrival (β) (*του παιδιού*)
coming (γ) (*νύχτας, άνοιξης*) coming

ερωδιός ΟΥΣ ΑΡΣ (ΖΩΟΛ) heron

ερωμένη ΟΥΣ ΘΗΛ lover · *βλ. κ.* **ερωμένος**

ερωμένος ΟΥΣ ΑΡΣ lover

έρως ΟΥΣ ΑΡΣ (α) (*λογοτ.*) love (β) (ΜΥΘ) Eros ·
βλ. κ. **έρωτας**

ερωταπόκριση ΟΥΣ ΘΗΛ dialogue (*Βρετ.*),
dialog (*Αμερ.*)

έρωτας ΟΥΣ ΑΡΣ love (α) (= *ερωτική σχέση*)
love affair (β) (*μτφ.*) love
▷**κάνω έρωτα με κπν** to make love to sb
▷**κεραυνοβόλος έρωτας** love at first sight
▷**εφηβικός έρωτας** puppy love
▷**πλατωνικός έρωτας** platonic love
▷**αγοραίος έρωτας** prostitution

ερωτευμένος ΜΤΧ in love
▷**είμαι (τρελά) ερωτευμένος με κπν** to be
infatuated with sb, to be nuts about sb
(*ανεπ.*)

ερωτεύομαι Ρ Μ to fall in love with ·
(= *αγαπώ κτ υπερβολικά*) to fall for

ερώτημα ΟΥΣ ΟΥΔ question
▷**θέτω το ερώτημα** to raise the question
▷**το ερώτημα είναι...** the question is... · *βλ. κ.*
ρώτημα

ερωτηματικό ΟΥΣ ΟΥΔ (ΓΛΩΣΣ) interrogation,
question mark
▷**προκύπτουν ερωτηματικά** questions come
up

ερωτηματικός ΕΠΙΘ (*βλέμμα, ύφος*) inquiring
► **ερωτηματικές προτάσεις** (ΓΛΩΣΣ)
interrogative sentences
► **πλάγιες ερωτηματικές προτάσεις** (ΓΛΩΣΣ)
indirect questions
► **ερωτηματικές αντωνυμίες** (ΓΛΩΣΣ)
interrogative pronouns

ερωτηματολόγιο ΟΥΣ ΟΥΔ questionnaire

ερώτηση ΟΥΣ ΘΗΛ question
▷**ρητορική ερώτηση** rhetorical question
▷**ανοικτή ερώτηση** open question
▷**αδιάκριτη ερώτηση** indiscreet question
▷**προσωπική ερώτηση** personal question

▷**κάνω μια ερώτηση** to formulate a question
▷**θέτω** ή **υποβάλλω μια ερώτηση** to ask a
question
▷**ευθείες ερωτήσεις** (ΓΛΩΣΣ) direct questions
▷**παραπειστική ερώτηση** trick question

ερωτιάρα ΟΥΣ ΘΗΛ *βλ.* **ερωτιάρης**

ερωτιάρης ΟΥΣ ΑΡΣ person who falls in love
easily

ερωτιάρικος ΕΠΙΘ loving

ερωτικός ΕΠΙΘ love
▷**ερωτική εξομολόγηση** declaration of love

ερωτισμός ΟΥΣ ΑΡΣ eroticism

ερωτογόνος ΕΠΙΘ, **ερωτογενής** ΕΠΙΘ
(*σημείο*) erogenous
► **ερωτογόνος ζώνη** erogenous zone

ερωτοδουλειά ΟΥΣ ΘΗΛ love affair

ερωτοτροπία ΟΥΣ ΘΗΛ flirt

ερωτοτροπώ Ρ ΑΜ to flirt

ερωτοχτυπημένος ΕΠΙΘ lovesick

ερωτύλος ΟΥΣ ΑΡΣ womanizer

ερωτώ Ρ Μ (*επσ*) to ask · *βλ. κ.* **ρωτώ**

εσαεί ΕΠΙΡΡ (*επίσ.*) forever

εσάρπα ΟΥΣ ΘΗΛ stole

εσάς ΑΝΤΩΝ you

εσείς ΑΝΤΩΝ you
▷**δεν φταίτε εσείς** it's not your fault

εσένα ΑΝΤΩΝ you
▷**μ' εσένα** with you
▷**εσένα σου αρέσει** you like it

Εσθονή ΟΥΣ ΘΗΛ *βλ.* **Εσθονός**

Εσθονία ΟΥΣ ΘΗΛ Estonia, Esthonia

εσθονικός, -ή, -ό ΕΠΙΘ Estonian, Esthonian

> *Προσοχή!: Τα εθνικά επίθετα, όπως*
> **Estonian/Esthonian,** *γράφονται με*
> *κεφαλαίο το αρχικό γράμμα στα*
> *Αγγλικά.*

► **Εσθονικά** ΟΥΣ ΟΥΔ ΠΛΗΘ Estonian, Esthonian

Εσθονός ΟΥΣ ΑΡΣ Estonian, Esthonian

εσκεμμένα ΕΠΙΡΡ deliberately

εσκεμμένος, -η, -ο ΜΤΧ (*πράξη*) calculated
▷**εσκεμμένο φάουλ** (ΑΘΛ) deliberate foul

εσοδεία = **σοδειά**

εσοδεύω Ρ Μ to harvest

έσοδο ΟΥΣ ΟΥΔ receipts *πληθ.*
▷**δημόσια έσοδα** state revenues
▷**ακαθάριστα έσοδα** gross income
▷**βιβλίο εσόδων** receipt book

εσοχή ΟΥΣ ΘΗΛ (*τοίχου, βράχου*) alcove

εσπέρα ΟΥΣ ΘΗΛ (*επσ*) evening

εσπεριδοειδή ΟΥΣ ΟΥΔ ΠΛΗΘ citrus trees

εσπερινός ① ΟΥΣ ΑΡΣ vespers
② ΕΠΙΘ (*περίπατος, προσευχή*) evening

εσπευσμένος ΕΠΙΘ (*ενέργειες*) hasty

Εσταυρωμένος ΟΥΣ ΑΡΣ (Jesus) Christ

εστεμμένος ΜΤΧ (*ηγεμόνας*) crowned

εστία ΟΥΣ ΘΗΛ (α) (= *τζάκι, παραγώνι*)
fireplace (β) (*διαφθοράς, πολιτισμού,
ανανέωσης*) centre (*Βρετ.*), center (*Αμερ.*)

(γ) (= *σπίτι*) house **(δ)** (*πόνου, μόλυνσης*) centre (*Βρετ.*), center (*Αμερ.*) **(ε)** (= *μάτια κουζίνας*) hotplate **(στ)** (ΑΘΛ) centre (*Βρετ.*), center (*Αμερ.*) **(ζ)** (ΓΕΩΜ) centre (*Βρετ.*), center (*Αμερ.*) **(η)** (*κατόπτρου*) centre (*Βρετ.*), center (*Αμερ.*) **(θ)** (*οπτικού ερεθίσματος*) centre (*Βρετ.*), center (*Αμερ.*)
▷**οικογενειακή εστία** family home
▷**φοιτητική εστία** halls of residence
▷**υπέρ βωμών και εστιών** for the sake of peace and family

εστιάζω Ρ Μ to focus

εστιακός ΕΠΙΘ focal

εστίαση ΟΥΣ ΘΗΛ focusing

εστιάτορας ΟΥΣ ΑΡΣ restaurateur

εστιατόριο ΟΥΣ ΟΥΔ restaurant

έστω Ρ ΠΡΟΣΤ let it be

εσύ ΑΝΤΩΝ ΠΡΟΣ, ΣΥ you

εσφαλμένος ΕΠΙΘ (*αντίληψη, υπολογισμός, συμπέρασμα*) mistaken

εσχατιά ΟΥΣ ΘΗΛ: **εσχατιά της γης** (*λογ*) the borders of the earth

εσχατολογία ΟΥΣ ΘΗΛ (ΘΡΗΣΚ) eschatology

εσχατολογικός ΕΠΙΘ eschatological

έσχατος ΕΠΙΘ **(α)** (*ημέρα*) latest · (*γήρας, πνοή*) extreme **(β)** (*στόχος, όριο*) furthest **(γ)** (ΦΙΛΟΣ) eschatological
▷**η εσχάτη των ποινών** (ΝΟΜ) capital punishment
▷**εσχάτη προδοσία** high treason
▷**μέχρις εσχάτων** to the end

εσχάτως ΕΠΙΡΡ (*επίσ.*) lately

έσω ΕΠΙΡΡ (*επίσ.*: = *μέσα*) in, within
▷**εκ των έσω** from inside
▷**έσω ους** (ΙΑΤΡ) the inner ear

εσώθεν ΕΠΙΡΡ (*επίσ.*) from within

εσώκλειστος ΕΠΙΘ (*επιταγή, έγγραφο*) enclosed

εσωκλείω Ρ Μ (*γραμματόσημο, επιταγή, έγγραφα*) to enclose

εσωκομματικός ΕΠΙΘ within the party

εσώρουχο ΟΥΣ ΟΥΔ (*γεν εν* **εσώρουχου**) underwear

εσωστρέφεια ΟΥΣ ΘΗΛ introversion

εσωστρεφής ΕΠΙΘ introvert

εσωτερικό ΟΥΣ ΟΥΔ interior
▷**Υπουργείο Εσωτερικών** Ministry of the Interior

εσωτερικός ① ΕΠΙΘ **(α)** (*εμπόριο, αγορά*) inside, internal **(β)** (*σκάλα*) inside **(γ)** (*ζωή, κόσμος*) inner
② ΟΥΣ ΑΡΣΘΗΛ enclosed
▷**εσωτερική γραμμή** ή **τηλέφωνο** extension
▷**εσωτερικός χώρος** internal space
►**εσωτερική πολιτική** domestic politics
►**εσωτερική αιμορραγία** internal bleeding

εσωτερικότητα ΟΥΣ ΟΥΣ inwardness

εσώτερος ΕΠΙΘ internal

εταζέρα ΟΥΣ ΘΗΛ shelving

εταίρα ΟΥΣ ΘΗΛ courtesan

εταιρεία ΟΥΣ ΘΗΛ company
▷**ασφαλιστική εταιρεία** insurance company
▷**ανώνυμη/ομόνυμη εταιρεία** joint–stock company
▷**ομόρρυθμη/ετερόρρυθμη εταιρεία** general/ limited partnership
▷**θυγατρική εταιρεία** subsidiary company
▷**Φιλική Εταιρεία** (ΙΣΤ) Society of Friends

εταιρικός ΕΠΙΘ (*κεφάλαιο, επιχείρηση*) company

εταίρος ΟΥΣ ΑΡΣ fellow
▷**ομόρρυθμος εταίρος** active partner
▷**ετερόρρυθμος εταίρος** sleeping partner (*Βρετ.*), silent partner (*Αμερ.*)

εταστικός ΕΠΙΘ (*βλέμμα*) state–controlled

ετερογενής ΕΠΙΘ heterogeneous

ετεροδημότης ΟΥΣ ΑΡΣ person from another area

ετεροδικία ΟΥΣ ΘΗΛ (ΝΟΜ) extraterritoriality

ετερόδοξος ΕΠΙΘ heterodox

ετεροθαλής ΕΠΙΘ (*αδερφός*) stepbrother · (*αδερφή*) stepsister

ετερόκλητος ΕΠΙΘ (= *ανομοιογενής*: *ομάδα, πλήθος*) motley

ετερόκλιτος ΕΠΙΘ (ΓΛΩΣΣ) *ουσιαστικά*) heteroclite

ετεροπροσωπία ΟΥΣ ΘΗΛ (ΓΛΩΣΣ) two–subject structure

ετερόρρυθμος ΕΠΙΘ (ΕΜΠ: *εταιρεία, εταίρος*) sleeping (*Βρετ.*), silent (*Αμερ.*)

έτερος ΕΠΙΘ (*θηλ* **ετέρα**) (*επίσ.*) other
▷**το έτερό μου ήμισυ** one's other half
▷**αφ' ετέρου (δε)** on the other hand
▷**έτερον εκάτερον** this is one thing and that is another

ετεροφυλόφιλος ΕΠΙΘ heterosexual

ετερόφωτος ΕΠΙΘ **(α)** (*πλανήτης*) with a reflected light **(β)** (*μτφ.*: *συγγραφέας, δημιουργός, προσωπικότητα*) with a borrowed light

ετεροχρονισμένος ΕΠΙΘ late

ετερώνυμος ΕΠΙΘ **(α)** (ΦΥΣ: *πόλος*) heteronymous **(β)** (ΜΑΘ: *κλάσματα*) dissimilar

ετήσιος ΕΠΙΘ annual

έτι ΕΠΙΡΡ (*επίσ.*) yet
▷**έτι μάλλον** ή **πλέον** (*επίσ.*) still more

ετικέτα ΟΥΣ ΘΗΛ (= *ευθυμοτυπία*) etiquette, label
▷**κολλώ** ή **βάζω ετικέτες** to label
▷**αυτοκόλλητη ετικέτα** adhesive label

ετοιμάζω Ρ Μ to prepare
▷**ετοιμάζω (μια) έκπληξη** to have a surprise in store
▷**ετοιμάζω τα πράγματά μου** to pack up one's things
▷**ετοιμάζω κτ** to make sth
▷**τι ετοιμάζεις;** what are you making?
►**ετοιμάζομαι** ΜΕΣΟΠΑΘ to get ready

ετοιμασία ΟΥΣ ΘΗΛ **(α)** (= *εκπόνηση*) working **(β)** (*ομάδας*) preparation
►**ετοιμασίες** ΠΛΗΘ preparations

▷**κάνω ετοιμασίες** to make preparations

ετοιματζίδικος ΕΠΙΘ (*προφορ.*) off–the–peg (*Βρετ.*), off–the–rack (*Αμερ.*)

ετοιμόγεννος ΕΠΙΘ (*γυναίκα, ζώο*) about to give birth

ετοιμοθάνατος ΕΠΙΘ dying

ετοιμόλογος ΕΠΙΘ witty

ετοιμοπαράδοτος ΕΠΙΘ (*διαμερίσματα, έπιπλα, εμπόρευμα*) ready for delivery

ετοιμοπόλεμος ΕΠΙΘ (*χώρα, στρατός*) ready for war

ετοιμόρροπος ΕΠΙΘ (*κτίριο, τοίχος*) dilapidated

έτοιμος ΕΠΙΘ prepared, ready
▷**τα βρίσκω (όλα) έτοιμα** to get (everything) prepared for oneself
▷**τα θέλω όλα έτοιμα** to want everything ready
▷**είμαι έτοιμος για όλα** to be ready for anything
▷**έτοιμα φαγητά** ready meals
▷**έτοιμα ενδύματα** off–the–peg (*Βρετ.*) clothes, off–the–rack (*Αμερ.*) clothes
▷**τρώω από τα έτοιμα** to spend one's savings
▷**έχω πάντα έτοιμο κτ** (*αρνητ.*) to always have sth ready
▸**έτοιμα χρήματα** money that somebody has not earned himself

ετοιμότητα ΟΥΣ ΘΗΛ preparedness
▷**είμαι ή βρίσκομαι σε (πλήρη) ετοιμότητα** to be totally prepared

έτος ΟΥΣ ΟΥΔ year
▷**ημερολογιακό έτος** calendar year
▷**διδακτικό έτος** teaching year
▷**τρέχον έτος** current year
▷**σχολικό έτος** school year
▷**ακαδημαϊκό έτος** academic year
▷**δίσεκτο έτος** leap year
▷**νέο έτος** new year
▷**έτος φωτός** (*ΦΥΣ*) light year
▷**σωτήριο έτος** (*ΘΡΗΣΚ*) the year of our Lord

ετούτος = **τούτος**

έτσι ΕΠΙΡΡ like this, in this way · (= *το ίδιο*) like
▷**όχι κι έτσι!** enough!
▷**έτσι δεν είναι;** isn't that right?
▷**ώστε έτσι;** is it?
▷**αφήνω κπν έτσι** (= *αφήνω κπν αβοήθητο*) to leave sb without any help or support
▷**έτσι κι αλλιώς** in any case
▷**έτσι ώστε** so as
▷**έτσι κι έτσι** (= *μέτρια*) so and so
▷**είτε έτσι είτε αλλιώς** one way or another
▷**έτσι και... if...
▷**έτσι μου'ρχεται να...** to have half a mind...
▷**έτσι το 'πα!** it's only a joke!
▷**μην κάνεις έτσι!** don't get worked up!
▷**δίνω κτ έτσι** (= *χωρίς χρήματα*) to give sth away for free
▷**έτσι σου είπανε!** is that what they told you?
▷**έτσι μπράβο!** that's the spirit!

ετυμηγορία ΟΥΣ ΘΗΛ verdict

ετυμολογία ΟΥΣ ΘΗΛ (*λέξης*) etymology

ετυμολογικός ① ΕΠΙΘ (*ανάλυση, προέλευση, λεξικό*) etymological
② ΟΥΣ ΟΥΔ (*ΓΛΩΣΣ*) etymology

ετυμολογώ Ρ Μ (*λέξεις*) to etymologize

ευ- ΠΡΘΜ easy, good

ευαγγελίζομαι Ρ Μ (*επία.: σωτηρία*) to bring good news

ευαγγελικός ΕΠΙΘ (*περικοπή, ρητό*) evangelic

ευαγγέλιο ΟΥΣ ΟΥΔ Gospel · (*μτφ.*) gospel
▷**άλλου ή αλλουνού παπά ευαγγέλιο** (*προφορ.*) another matter
▷**το κατά ... ευαγγέλιο** the Gospel according to...
▷**μα το (άγιο) ευαγγέλιο** to give one's word

Ευαγγελισμός ΟΥΣ ΑΡΣ (*ΘΡΗΣΚ: της Θεοτόκου*) Annunciation

Ευαγγελιστής ΟΥΣ ΑΡΣ (*ΘΡΗΣΚ*) evangelist

ευαγής ΕΠΙΘ: **ευαγές ίδρυμα** (= *φιλανθρωπικό ίδρυμα*) charitable

ευάερος ΕΠΙΘ (*διαμέρισμα, δωμάτιο*) airy

ευαισθησία ΟΥΣ ΘΗΛ sensitivity
▷**δεν έχω την ευαισθησία να** not to have the sensitivity to
▷**έχω (μια) ευαισθησία σε...** to be susceptible to...

ευαισθητοποιημένος ΜΤΧ sensitized

ευαισθητοποίηση ΟΥΣ ΘΗΛ sensitization

ευαισθητοποιώ Ρ Μ (*κυβερνήσεις, κοινό, μαθητές*) to render sensitive

ευαίσθητος ΕΠΙΘ sensitive
▷**είμαι ευαίσθητος σε κτ** to be sensitive about sth
▷**είναι το ευαίσθητο σημείο μου** to be a sore point

ευάλωτος ΕΠΙΘ sensitive

ευανάγνωστος ΕΠΙΘ (*γράμματα, γραφικός χαρακτήρας, κείμενο*) readable

ευαρέσκεια ΟΥΣ ΘΗΛ (*επία.: = ευχαρίστηση*) satisfaction

ευάρεστος ΕΠΙΘ pleasant

ευαρεστώ Ρ Μ (*επία.: γονέα, καθηγητή*) to please
▸**ευαρεστούμαι** ΜΕΣΟΠΑΘ to be pleased

Εύβοια ΟΥΣ ΘΗΛ (*ΓΕΩΓΡ*) Euboea

Ευβοϊκός ΕΠΙΘ (*κόλπος*) Euboean

Προσοχή!: Τα εθνικά επίθετα, όπως **Euboean,** *γράφονται με κεφαλαίο το αρχικό γράμμα στα Αγγλικά.*

εύγε ΕΠΙΦ well done!

ευγένεια ΟΥΣ ΘΗΛ politeness

ευγενής ① ΕΠΙΘ (α) (*άνθρωπος, νέος*) polite (β) (= *αριστοκράτης*) noble
② ΟΥΣ ΑΡΣ/ΘΗΛ aristocrat

ευγενικός ΕΠΙΘ polite (α) (*παρουσιαστικό, εμφάνιση*) delicate (β) (*καταγωγή*) noble

εύγευστος ΕΠΙΘ (*φαγητό, ποτό*) tasty

ευγηρία ΟΥΣ ΘΗΛ: **οίκος ευγηρίας** old people's

home
ευγλωττία ΟΥΣ ΘΗΛ eloquence
εύγλωττος ΕΠΙΘ (α) (*ομιλητής*) eloquent
(β) (*κείμενο*) meaningful
▸**εύγλωττη απόδειξη** a donation that speaks
volumes
ευγνωμονώ Ρ Μ to be grateful to
ευγνωμοσύνη ΟΥΣ ΘΗΛ gratefulness
▷**χρωστώ ευγνωμοσύνη σε κπν** to be grateful
to sb
ευγνώμων ΕΠΙΘ grateful
▷**είμαι ευγνώμων σε κπν** to be grateful to sb
▷**είμαι ευγνώμων** to be grateful
ευγονία ΟΥΣ ΘΗΛ eugenics *εν.*

> *Προσοχή!: Αν και το* **eugenics** *φαίνεται*
> *ως τύπος πληθυντικού, είναι ουσιαστικό*
> *μόνο στον ενικό και συντάσσεται με*
> *ρήμα στον ενικό.*

ευγονική = ευγονισμός
ευγονισμός ΟΥΣ ΑΡΣ (ΒΙΟΛ) fertilization
ευδαιμονία ΟΥΣ ΘΗΛ (α) (= *ευμάρεια*) bliss
(β) (= *ευτυχία*) happiness
ευδαιμονισμός ΟΥΣ ΑΡΣ (ΦΙΛΟΣ) eudemonism
ευδαιμονώ Ρ ΑΜ (*επίσ.*) to be fortunate
ευδαίμων ΕΠΙΘ (*επίσ.*: *χώρα, λαός, άνθρωπος*)
blissful
ευδιαθεσία ΟΥΣ ΘΗΛ (*επίσ.*) good temper
ευδιάθετος ΕΠΙΘ (= *κεφάτος*) cheerful
ευδιάκριτος ΕΠΙΘ (*γραμμή, όριο*) distinct
ευδιάλυτος ΕΠΙΘ (*απορρυπαντικό, χρώμα*)
soluble
εύδιος ΕΠΙΘ (*καιρός*) fair
ευδοκία ΟΥΣ ΘΗΛ good will
ευδόκιμα ΕΠΙΡΡ, **ευδοκίμως** successfully
ευδοκίμηση ΟΥΣ ΘΗΛ (α) (*υπόθεσης, αγωγής*)
progress (β) (*φυτού, καλλιέργειας*) prosperity
ευδόκιμος ΕΠΙΘ (α) (*δράση, διδασκαλία,*
διακονία) successful (β) (*υπηρεσία*)
honourable (*Βρετ.*), honorable (*Αμερ.*)
ευδοκιμώ Ρ ΑΜ (α) (*σχέδια, συναλλαγές,*
εμπόριο) to succeed (β) (= *αναπτύσσομαι:*
φυτό, καλλιέργεια) to grow, to prosper
ευδοκώ Ρ ΑΜ (α) (= *αποδέχομαι*) to deign
(β) (= *συγκατατίθεμαι*) to consent (γ) (*ειρ*)
to deign
ευειδής ΕΠΙΘ (*επίσ.*) good-looking
ευέλικτος ΕΠΙΘ (*διπλωμάτης, υπάλληλος,*
ομιλητής) flexible
εύελπις ΟΥΣ ΑΡΣ (ΣΤΡΑΤ) army cadet
▷**Σχολή Ευελπίδων** (ΣΤΡΑΤ) Army Cadet
School
ευελπιστώ Ρ ΑΜ to hope
ευέξαπτος ΕΠΙΘ quick-tempered
ευεξία ΟΥΣ ΘΗΛ well-being
▷**σωματική ευεξία** physical well-being
ευεπηρέαστος ΕΠΙΘ (*άνθρωπος,*
χαρακτήρας) easily influenced
ευεργεσία ΟΥΣ ΘΗΛ benefaction

ευεργέτημα ΟΥΣ ΟΥΔ benefaction · (ΝΟΜ:
απογραφής, απαλλαγής) benefit
ευεργέτης ΟΥΣ ΑΡΣ benefactor
▷**Εθνικός ευεργέτης** national benefactor
ευεργετικός ΕΠΙΘ beneficial
ευεργετώ Ρ Μ to benefit
ευερέθιστος ΕΠΙΘ irritable
ευζωία ΟΥΣ ΘΗΛ good living
εύζωνος ΟΥΣ ΑΡΣ (ΣΤΡΑΤ) lightly-armed Greek
soldier
ευήθεια ΟΥΣ ΘΗΛ (*επίσ.*: = *αφέλεια, ευπιστία*)
credulity
ευήθης ΕΠΙΘ (*επίσ.*: = *αφελής, εύπιστος,*
αγαθός) credulous
ευήκοος ΕΠΙΘ: **τείνω ευήκοον ους** to listen
sympathetically
ευήλιος ΕΠΙΘ (*δωμάτιο, σπίτι*) sunny
ευημερία ΟΥΣ ΘΗΛ prosperity
ευημερώ Ρ ΑΜ to prosper
εύηχος ΕΠΙΘ (*τραγούδι*) fine-sounding
ευθανασία ΟΥΣ ΘΗΛ (= *ανώδυνος θάνατος*)
euthanasia
ευθαρσής ΕΠΙΘ (*επίσ.*: *πολιτικός, ομιλητής,*
νέος) bold
ευθαρσώς ΕΠΙΡΡ (*επίσ.*) bravely
ευθεία ① ΟΥΣ ΘΗΛ straight
② ΕΠΙΡΡ straight
▷**τελική ευθεία** (ΑΘΛ) final straight
▷(**μπαίνω στην**) **τελική ευθεία** (to enter the)
final straight
▷**κατ' ευθείαν** (= *αμέσως*) immediately
▷**απ' ευθείας** straight from
εύθετος ΕΠΙΘ: **εν ευθέτω χρόνω** (*επίσ.*) in
due course
ευθέως ΕΠΙΡΡ frankly
εύθικτος ΕΠΙΘ touchy
ευθιξία ΟΥΣ ΘΗΛ touchiness
▷**έχω την ευθιξία να...** to have the sensitivity
to...
εύθραυστος, -η, -ο ΕΠΙΘ fragile
ευθυβολία ΟΥΣ ΘΗΛ (α) (= *εύστοχη βολή*)
accuracy (β) (*μτφ.*) marksmanship
ευθυγραμμίζω Ρ Μ to align
▸**ευθυγραμμίζομαι** ΜΕΣΟΠΑΘ to toe the line
ευθυγράμμιση ΟΥΣ ΘΗΛ alignment · (ΜΗΧ)
dressing
ευθύγραμμος ΕΠΙΘ (α) (*ράβδος, αγωγός,*
σωλήνας) straight (β) (*σχήματα*) rectilinear
▸**ευθύγραμμη** (**ομαλή**) **κίνηση** (ΦΥΣ) rectilinear
movement
ευθυγραμμώ Ρ Μ βλ. **ευθυγραμμίζω**
ευθυκρισία ΟΥΣ ΘΗΛ discrimination
ευθυμία ΟΥΣ ΘΗΛ cheerfulness
▷**γενική ευθυμία** general gaiety
▷**είμαι ή βρίσκομαι σε κατάσταση ευθυμίας**
to be cheerful
▷**έρχομαι σε ευθυμία** to get merry
ευθυμογράφημα ΟΥΣ ΟΥΔ humorous writing
ευθυμογράφος ΟΥΣ ΑΡΣ&ΘΗΛ humorous writer

εύθυμος ΕΠΙΘ cheerful
ευθυμώ Ρ ΑΜ to be merry
ευθύνη ΟΥΣ ΘΗΛ responsibility
▷**με δική μου ευθύνη** with my responsibility
▷**πολιτική ευθύνη** political responsibility
▷**αναλαμβάνω την ευθύνη** to take it upon oneself to do sth
▷**φέρω/δεν φέρω (καμιά) ευθύνη** to have responsibility/to have no responsibility
▷**ρίχνω ευθύνες σε κπν** to lay the blame on sb
▷**παίρνω όλη την ευθύνη πάνω μου** to take it upon oneself
▷**υπ' ευθύνη μου** when I'm responsible
▷**ο περί ευθύνης υπουργών νόμος** the relevant law
▷**έχω την ευθύνη κποιου** to be responsible for sb
ευθύνομαι Ρ ΑΜ to be responsible
ευθυνοφοβία ΟΥΣ ΘΗΛ fear of responsibility
ευθύς ① ΕΠΙΘ direct (α) (*συλλογισμός, απάντηση*) direct (β) (*γραμμή, δρόμος*) straight
② ΕΠΙΡΡ immediately
▷**ευθύς αμέσως** straight away
▷**ευθύς από την αρχή** right from the beginning
▷**ευθύς εξ αρχής** right from the beginning
▶**ευθύς λόγος** (ΓΛΩΣΣ) direct speech
ευθυτενής ΕΠΙΘ upright
ευθύτητα ΟΥΣ ΘΗΛ straightforwardness
ευκαιρία ΟΥΣ ΘΗΛ opportunity, chance
▷**σε κάθε ευκαιρία** at every opportunity
▷**επ' ευκαιρία** by the way
▷**με την ευκαιρία** by the way
▷**επί τη ευκαιρία** by the way
▷**ίσες ευκαιρίες** equal opportunities
▷**μου φεύγει η ευκαιρία** one's opportunity passes
▷**αρπάζω την ευκαιρία** to seize the opportunity
▷**σε πρώτη ευκαιρία** at the first opportunity
▷**δίνω ευκαιρία σε κπν** to give sb the opportunity
▷**χάνω την ευκαιρία** to miss the chance
▷**έχω ευκαιρία να κάνω κτ** to have the opportunity to do sth
▷**βρίσκω ευκαιρία να...** to get the opportunity to...
▷**δράττομαι της ευκαιρίας** (*επίσ.*) to seize the opportunity
▷**μου δίνεται η ευκαιρία** I've been given the opportunity
▷**χρυσή ευκαιρία** golden opportunity
▷**δεν χάνω ευκαιρία να...** not to miss the chance to...
εύκαιρος, -η, -ο ΕΠΙΘ available
ευκαιρώ Ρ ΑΜ to be free
ευκάλυπτος ΟΥΣ ΑΡΣ eucalyptus

Προσοχή!: Ο πληθυντικός του **eucalyptus** *είναι* **eucalyptuses** *ή* **eucalypti**.

εύκαμπτος, -η, -ο ΕΠΙΘ flexible · (*χαρακτήρας, απόψεις*) tractable
ευκαμψία ΟΥΣ ΘΗΛ flexibility
ευκατάστατος, -η, -ο ΕΠΙΘ well–off
ευκαταφρόνητος, -η, -ο ΕΠΙΘ negligible, insignificant
ευκινησία ΟΥΣ ΘΗΛ agility
ευκίνητος, -η, -ο ΕΠΙΘ (α) (*σώμα, δάχτυλα*) flexible (β) (*αίλουρος, ληστής, νεαρός*) lissom (γ) (*κατασκευή*) flexible (δ) (*επιχειρήσεις, γραμματεία*) agile
ευκλείδειος, -α ή -ος, -ο ΕΠΙΘ (*θεώρημα, σύστημα*) Euclidean
▶**ευκλείδειος γεωμετρία** Euclidean geometry
ευκοίλιος, -α, -ο ΕΠΙΘ (α) (*άνθρωπος*) lax (β) (*φάρμακο*) laxative (γ) (*φρούτο, τροφή*) laxative
ευκοιλιότητα ΟΥΣ ΘΗΛ (ΙΑΤΡ) diarrhoea (*Βρετ.*), diarrhea (*Αμερ.*)
ευκολία ΟΥΣ ΘΗΛ (= *χωρίς δυσκολία*) ease
▷**ευκολίες πληρωμής** payment options
▷**για ευκολία** for help
▷**για την ευκολία μου** for one's help
▶**ευκολίες** ΠΛΗΘ conveniences
ευκολονόητος, -η, -ο ΕΠΙΘ easily understood
ευκολόπιστος, -η, -ο ΕΠΙΘ credulous
εύκολος, -η, -ο ΕΠΙΘ easy
▷**η εύκολη λύση** the easy solution
▶**εύκολη ζωή** easy life
ευκολοχώνευτος, -η, -ο ΕΠΙΘ (*φαγητό*) easy to digest
ευκολύνω Ρ Μ to facilitate · (= *βοηθώ οικονομικά*) to lend
▶**ευκολύνομαι** ΜΕΣΟΠΑΘ to afford
εύκρατος, -η, -ο ΕΠΙΘ (*κλίμα, ζώνη*) mild
ευκρίνεια ΟΥΣ ΘΗΛ clearness, distinctness
▷**υψηλή ευκρίνεια** extreme distinctness
ευκρινής, -ής, -ές ΕΠΙΘ (*εικόνα, νόημα, περίγραμμα*) clear
ευκτική ΟΥΣ ΘΗΛ (ΓΛΩΣΣ) optative
ευλάβεια ΟΥΣ ΘΗΛ (α) (= *σεβασμός στα θεία*) devoutness (β) (= *σεβασμός προς τους άλλους*) piety
▷**θρησκευτική ευλάβεια** godliness
ευλαβής, -ής, -ές ΕΠΙΘ (*χριστιανός, πιστός*) devout
ευλαβικός, -ή, -ό ΕΠΙΘ (*προσευχή, βλέμμα*) devout
εύληπτος, -η, -ο ΕΠΙΘ (*μύθος, άποψη*) easy to understand
ευλογημένος, -η, -ο ΕΠΙΘ (*μέρα, χρόνια, γη*) blessed
▷**να'σαι ευλογημένος!** to be blessed!
ευλογητός, -ή, -ό ΕΠΙΘ: **ευλογητός ο Θεός!** God be praised!
ευλογιά ΟΥΣ ΘΗΛ (ΙΑΤΡ) smallpox
ευλογία ΟΥΣ ΘΗΛ blessing
▷**ευλογία Θεού** (= *αφθονία αγαθών*) God's blessing

▷**με την ευλογία μου** with my blessing

εύλογος, -η, -ο ΕΠΙΘ *(αντίδραση, ερώτημα, αιτία)* justifiable
▷**είναι εύλογο** it is reasonable

ευλογώ Ρ Μ **(α)** *(ώρα)* to thank **(β)** *(= δίνω την ευχή μου: γονείς: παιδιά)* to give one's blessing to **(γ)** *(ΘΡΗΣΚ: ιερέας: κόλλυβα, γάμο, νερό)* to bless

ευλυγισία ΟΥΣ ΘΗΛ **(α)** *(κορμιού, μέσης)* agility **(β)** *(= ευκαμψία)* flexibility

ευλύγιστος, -η, -ο ΕΠΙΘ **(α)** *(άνθρωπος, μέση, λαιμός)* lissom **(β)** *(βέργα, κλαδί)* flexible

ευμάρεια ΟΥΣ ΘΗΛ *(= αφθονία αγαθών)* prosperity
▷**οικονομική ευμάρεια** financial prosperity

ευμεγέθης, -ης, -ες ΕΠΙΘ sizeable

ευμένεια ΟΥΣ ΘΗΛ *(= φιλική διάθεση)* favour *(Βρετ.)*, favor *(Αμερ.)*

ευμενής, -ής, -ές ΕΠΙΘ favourable *(Βρετ.)*, favorable *(Αμερ.)*

Ευμενίδες ΟΥΣ ΘΗΛ ΠΛΗΘ (ΜΥΘΟΛ) Eumenides

ευμετάβλητος, -η, -ο ΕΠΙΘ **(α)** *(= άστατος: άνθρωπος)* mercurial **(β)** *(κατάσταση, τιμή, περιβάλλον)* changeable

ευμετάπειστος, -η, -ο ΕΠΙΘ *(= που εύκολα αλλάζει γνώμη)* easy to dissuade

ευνόητος, -η, -ο ΕΠΙΘ *(λόγος, αντίδραση, συνέπεια)* easy to understand

εύνοια ΟΥΣ ΘΗΛ *(υπουργού, διευθυντή)* favour *(Βρετ.)*, favor *(Αμερ.)*
▷**αποκτώ την εύνοια** to find favour *(Βρετ.)* ή favor *(Αμερ.)*
▷**χάνω την εύνοια** to lose favour *(Βρετ.)* ή favor *(Αμερ.)*
▷**ιδιαίτερη εύνοια** particular favour *(Βρετ.)* ή favor *(Αμερ.)*
▷**εύνοια της θείας πρόνοιας** grace of the divine Providence
▷**κερδίζω την εύνοια** to win favour *(Βρετ.)* ή favor *(Αμερ.)*

ευνοϊκός, -ή, -ό ΕΠΙΘ favourable *(Βρετ.)*, favorable *(Αμερ.)*

ευνοιοκρατία ΟΥΣ ΘΗΛ favouritism *(Βρετ.)*, favoritism *(Αμερ.)*

ευνομία ΟΥΣ ΘΗΛ rule of law

ευνομούμαι Ρ ΑΜ ΑΠΟΘ *(= κυβερνιέμαι από δίκαιους νόμους: πολιτεία, χώρα)* to be well-governed

ευνομούμενος, -η, -ο ΜΤΧ *(πολιτεία, χώρα)* to be well-governed

ευνοούμενος, -η, -ο ΕΠΙΘ *(υπουργού, βασιλιά, καθηγητή)* favourite *(Βρετ.)*, favorite *(Αμερ.)*
▷**είμαι ευνοούμενος της τύχης** to have luck on one's side

ευνουχίζω Ρ Μ *(άνδρα)* to castrate · *(ταύρο)* to neuter

ευνουχισμός ΟΥΣ ΑΡΣ castration

ευνούχος ΟΥΣ ΑΡΣ eunuch

ευνοώ Ρ Μ to favour *(Βρετ.)*, to favor *(Αμερ.)*

Εύξεινος Πόντος ΟΥΣ ΑΡΣ (ΓΕΩΓΡ) Euxinus Pontus

ευοδώνω Ρ Μ *(σχέδιο, στόχο, πρόγραμμα)* to advance
▸**ευοδώνομαι** ΜΕΣΟΠΑΘ *(προσπάθειες)* to promote

ευόδωση ΟΥΣ ΘΗΛ *(προσπαθειών, σχεδίου, διαπραγματεύσεων)* advancement

ευοίωνος, -η, -ο ΕΠΙΘ *(μέλλον, ενδείξεις)* auspicious

ευοσμία ΟΥΣ ΘΗΛ *(κήπου, λουλουδιών)* fragrance

εύοσμος, -η, -ο ΕΠΙΘ *(άνθη, λουλούδια)* fragrant

ευπάθεια ΟΥΣ ΘΗΛ sensitivity
▷**έχω ευπάθεια σε κτ** to be sensitive to sth

ευπαθής, -ής, -ές ΕΠΙΘ delicate

ευπαρουσίαστος, -η, -ο ΕΠΙΘ presentable

ευπατρίδης ΟΥΣ ΑΡΣ peer

ευπείθεια ΟΥΣ ΘΗΛ *(υπηρέτη, στρατιώτη)* docility

ευπειθής, -ής, -ές ΕΠΙΘ *(υπήκοος, υπηρέτης, στρατιώτης)* docile

εύπεπτος, -η, -ο ΕΠΙΘ *(τροφή)* easy to digest

ευπιστία ΟΥΣ ΘΗΛ *(για πρόσ.)* credulity

εύπιστος, -η, -ο ΕΠΙΘ *(για πρόσ.)* credulous

εύπλαστος, -η, -ο ΕΠΙΘ **(α)** *(ύλη)* plastic **(β)** *(χαρακτήρας, ψυχή)* malleable

ευπορία ΟΥΣ ΘΗΛ prosperity

εύπορος, -η, -ο ΕΠΙΘ *(οικογένεια, τάξη)* well-off

ευπορώ Ρ ΑΜ to prosper

ευπρέπεια ΟΥΣ ΘΗΛ **(α)** *(= προσεγμένη εξωτερική εμφάνιση)* decency **(β)** *(= καλοί τρόποι)* propriety

ευπρεπής, -ής, -ές ΕΠΙΘ **(α)** *(άνθρωπος)* decent **(β)** *(εμφάνιση, παρουσία, ενδυμασία)* decent **(γ)** *(συμπεριφορά)* proper

ευπρεπίζω Ρ Μ *(εμφάνιση)* to tidy up

ευπρεπισμός ΟΥΣ ΑΡΣ tidying up

ευπροσάρμοστος, -η, -ο ΕΠΙΘ adaptable

ευπρόσβλητος, -η, -ο ΕΠΙΘ vulnerable

ευπρόσδεκτος, -η, -ο ΕΠΙΘ welcome

ευπροσηγορία ΟΥΣ ΘΗΛ *(επίσ.)* affability

ευπροσήγορος, -η, -ο ΕΠΙΘ affable

ευπρόσιτος, -η, -ο ΕΠΙΘ *(πόλη, τόπος, άνθρωπος)* accessible

Ευρασία ΟΥΣ ΘΗΛ Eurasia

εύρεση ΟΥΣ ΘΗΛ finding
▷**γραφείο εύρεσης εργασίας** employment agency

ευρεσιτεχνία ΟΥΣ ΘΗΛ patent
▷**δίπλωμα ευρεσιτεχνίας** patent certificate

ευρετήριο ΟΥΣ ΟΥΔ catalogue *(Βρετ.)*, catalog *(Αμερ.)*

εύρετρα ΟΥΣ ΟΥΔ ΠΛΗΘ *(= τα χρήματα για τον ευρόντα ένα αντικείμενο)* reward (for the finder)

ευρέως ΕΠΙΡΡ widely

εύρηκα ΕΠΙΦΩΝ eureka!

εύρημα ουσ ουδ brainwave (Βρετ.), brainstorm (Αμερ.)

ευρίσκω ρ μ = **βρίσκω**

εύρος ουσ ουδ (γνώσεων, εφαρμογών) breadth

ευρυθμία ουσ θηλ rhythm

εύρυθμος, -η, -ο επιθ (λειτουργία) harmonious

ευρυμάθεια ουσ θηλ erudition

ευρύνω ρ μ (γνώσεις) to broaden

ευρύς, -εία, -ύ επιθ (α) (έννοια, ορισμός) broad (β) (απήχηση, εφαρμογές, απασχόληση) wide
▷ σε ευρεία κλίμακα on a wide scale
▸ ευρύ κοινό general public

ευρύστερνος, -η, -ο επιθ broad-chested

ευρύτητα ουσ θηλ (α) (χώρου, δωματίου) width (β) (= πλάτος) breadth (γ) (μτφ.: πνεύματος, αντιλήψεων) breadth

ευρυχωρία ουσ θηλ (δωματίου, χώρου) spaciousness

ευρύχωρος, -η, -ο επιθ (α) (αίθουσα, καμπίνα) spacious (β) (ρούχο) loose

ευρώ ουσ ουδ ακλ euro

ευρωβουλευτής ουσ αρσ Member of the European Parliament

ευρωβουλή ουσ θηλ European Parliament

ευρωκοινοβούλιο ουσ ουδ European Parliament

Ευρωπαία ουσ θηλ βλ. **Ευρωπαίος**

ευρωπαϊκός, -ή, -ό επιθ European

Προσοχή!: Τα εθνικά επίθετα, όπως **European**, *γράφονται με κεφαλαίο το αρχικό γράμμα στα Αγγλικά.*

Ευρωπαίος ουσ αρσ European

Ευρώπη ουσ θηλ Europe

ευρωστία ουσ θηλ (σώματος) robustness
▷ οικονομική ευρωστία economic robustness

εύρωστος, -η, -ο επιθ (α) (παιδί, ιδιοσυγκρασία) lusty (β) (οικονομία) robust

ευσέβεια ουσ θηλ (= σεβασμός στο θεό) devoutness

ευσεβής, -ής, -ές επιθ (χριστιανός, ιερέας) devout
▷ ευσεβής πόθος wishful thinking

εύσημο ουσ ουδ (= διακριτικό σήμα για καλή επίδοση) distinction of merit

ευσπλαχνία ουσ θηλ (ανθρώπου, Θεού) mercy

ευσπλαχνίζομαι ρ μ (φτωχό, άνθρωπο) to have compassion for

ευσπλαχνικός επιθ (ιερέας, άνθρωπος) compassionate

ευστάθεια ουσ θηλ (α) (= ισορροπία: πλοίου) balance (β) (= σταθερότητα: κοινότητας, οικονομίας) stability

ευσταθής επιθ (χαρακτήρας, προσωπικότητα) stable

ευσταθώ ρ αμ (γνώμη, επιχείρημα, εκδοχή) to be valid

ευσταλής επιθ (α) (= γεροδεμένος: στρατιώτης, φοιτητής) soldierly (β) (παράστημα) strapping

ευστοχία ουσ θηλ (α) (βολής) marksmanship (β) (μτφ.: επιχειρήματος, λόγων) accuracy

εύστοχος επιθ (α) (βολή, χτύπημα) well-aimed (β) (μτφ.: απάντηση, παρατήρηση) accurate

ευστοχώ ρ αμ (σκοπευτής, φαντάρος) to hit the target

ευστροφία ουσ θηλ (πνεύματος) versatility
▷ πνευματική ευστροφία mental versatility

εύστροφος επιθ versatile

ευσυγκίνητος επιθ (άνθρωπος, ψυχή) very touchy

ευσυνειδησία ουσ θηλ conscientiousness

ευσυνείδητος επιθ conscientious

ευσύνοπτος επιθ (τρόπος, μελέτη, πραγματεία) concise

εύσχημος επιθ (αναχώρηση, τρόπος, άρνηση) plausible

εύσωμος επιθ (άντρας, γυναίκα) stout

ευταξία ουσ θηλ (= τήρηση της τάξης) (good) order
▷ κοινωνική ευταξία social order

ευτέλεια ουσ θηλ (συμπεριφοράς, χαρακτήρα) meanness

ευτελής επιθ (α) (ύφασμα, αξία, ποσό) worthless (β) (μέσο, πράξη) mean

ευτελίζω ρ μ (συνάντηση, συζήτηση, απόφαση) to trivialize

ευτελισμός ουσ αρσ (γεγονότος, λέξης) trivialization

εύτηκτος επιθ (χημ) (μέταλλο) fusible

εύτολμος επιθ (= τολμηρός) courageous

ευτράπελος επιθ (α) (άνθρωπος, χαρακτήρας) humorous (β) (αστείο, ιστορία) funny

ευτραφής επιθ (= καλοθρεμμένος, παχουλός) portly

ευτρεπίζω ρ μ (σπίτι, μαλλιά, όψη) to tidy up

ευτύχημα ουσ ουδ: είναι ευτύχημα ότι ή που it's a good thing that

ευτυχής επιθ (α) (= ευχαριστημένος) happy (β) (= μακάριος) felicitous (γ) (= αυτός που φέρνει ευτυχία) happy (δ) (σκέψη, έμπνευση) happy

ευτυχία ουσ θηλ (α) (= καλή τύχη) happiness (β) (= ευημερία) felicity
▷ μεθώ από ευτυχία to be very happy
▷ υπέρτατη ευτυχία absolute happiness
▷ έχω την ευτυχία to be happy

ευτυχισμένος επιθ (άνθρωπος, οικογένεια) happy

ευτυχώ ρ αμ (α) (= ευημερώ) to prosper (β) (= καλή τύχη) to have good fortune

ευτυχώς επιρρ luckily

ευυπόληπτος επιθ (πολίτης, άνθρωπος) respectable

ευυποληψία ουΣ ΘΗΛ (*πολίτη*) good reputation

ευφάνταστος ΕΠΙΘ (α) (*άνθρωπος, ζωγράφος*) imaginative (β) (*μυθιστόρημα*) inventive

ευφημισμός ουΣ ΑΡΣ: **κατ'ευφημισμόν** euphemistically

εύφημος ΕΠΙΘ (*επίσ.: μνεία*) flattering

εύφλεκτος ΕΠΙΘ (α) (*υλικό, ύλη*) inflammable (β) (*περιοχή*) combustible

ευφορία ουΣ ΘΗΛ (α) (*γης, εδάφους*) fertility (β) (*μτφ.: ψυχής*) euphoria
▷**ψυχική ευφορία** psychological euphoria
▷**κατάσταση ευφορίας** state of euphoria
▷**αίσθημα ευφορίας** feeling of euphoria

εύφορος ΕΠΙΘ (*έδαφος, χωράφι, έκταση*) fertile

ευφράδεια ουΣ ΘΗΛ (*λόγου, ύφους*) fluency
▷**λεκτική ευφράδεια** fluency (in speaking)

ευφραδής ΕΠΙΘ fluent

ευφραίνω Ρ Μ (*μουσική, κρασί, καρποί: ψυχή, πνεύμα*) to delight

ευφραντικός ΕΠΙΘ (*αεράκι, ποτό*) delightful

ευφρόσυνος ΕΠΙΘ (*επίσ.: είδηση, ανακοίνωση*) glad

ευφυΐα ουΣ ΘΗΛ intelligence
▷**δείκτης ευφυΐας** intelligence quotient

ευφυολόγημα ουΣ ουΔ (= *έξυπνο αστείο ή πείραγμα*) joke

ευφυολόγος ουΣ ΑΡΣΘΗΛ (= *αυτός που λέει έξυπνα αστεία*) witty person

ευφυολογώ Ρ ΑΜ (= *λέω έξυπνα αστεία*) to be witty

ευφωνία ουΣ ΘΗΛ (= *καλή προφορά*) euphony
▷**χάριν ευφωνίας** (ΓΛΩΣΣ) for the sake of euphony

ευχαριστημένος ΜΤΧ (*για πρόσ.*) satisfied

ευχαριστήριος ΕΠΙΘ (*κάρτα, γράμμα, επιστολή, δώρο*) thank-you

ευχαρίστηση ουΣ ΘΗΛ pleasure
▷**ευχαρίστησίς μου** (*επίσ.*) it's my pleasure
▷**βρίσκω ευχαρίστηση σε κάτι** to find pleasure in sth
▷**αν έχετε την ευχαρίστηση** if you please

ευχαριστία ουΣ ΘΗΛ thanks
▷**θερμές ευχαριστίες** warm thanks
▷**Θεία Ευχαριστία** (ΘΡΗΣΚ) Holy Communion
▷**Ευχαριστίες** (ΘΡΗΣΚ) Thanksgiving

ευχάριστος ΕΠΙΘ (α) (*για πρόσ.*) pleasant (β) (*ταινία, βιβλίο, κείμενο*) enjoyable (γ) (*γεγονός, νέο, αποτέλεσμα*) happy

ευχαριστώ Ρ Μ (α) (= *ικανοποιώ*) to please (β) (= *ευγνωμονώ*) to thank
▷**ευχαριστώ!** thank you!

ευχαρίστως ΕΠΙΡΡ with pleasure

ευχέλαιο ουΣ ουΔ (ΘΡΗΣΚ) Holy Unction

ευχέρεια ουΣ ΘΗΛ (*έκφρασης, λόγου*) fluency
▷**οικονομική ευχέρεια** financial independence

ευχερής ΕΠΙΘ (= *εύκολος*) easy

ευχερώς ΕΠΙΡΡ easily

ευχετήριος ① ΕΠΙΘ (*κάρτα, επιστολή*) of good wishes
② ουΣ ουΔ good wishes *πληθ.*

ευχή ουΣ ΘΗΛ wish, blessing
▷**πήγαινε στην ευχή του Θεού** have a safe journey
▷**κάνω μια ευχή** to make a wish
▷**η ευχή μου έπιασε** one's wish came true
▷**να έχει κπς την ευχή μου** to give sb one's blessing
▷**κατ'ευχήν** to turn out well
▷**δίνω την ευχή μου** to make a wish
▷**θα ήταν ευχής έργο** it would be desirable
▷**να πάρει η ευχή** (*υβρ.*) damn! (*ανεπ.*)

ευχολόγιο ουΣ ουΔ (α) (ΘΡΗΣΚ) prayer book (β) (= *ευχή*) wish

εύχομαι Ρ Μ to wish for

εύχρηστος ΕΠΙΘ (α) (*λεξικό, εργαλείο*) handy (β) (= *αυτός που χρησιμοποιείται από πολλούς: λέξη*) in current use

εύχυμος ΕΠΙΘ (*καρπός, δέντρο*) juicy

ευψυχία ουΣ ΘΗΛ (*επίσ.: = γενναιότητα*) courage

εύψυχος ΕΠΙΘ (*επίσ.: = γενναίος*) brave, courageous

ευώδης ΕΠΙΘ (*επίσ.: = ευωδιαστός*) fragrant

ευωδιά ουΣ ΘΗΛ, **ευωδία** (*λουλουδιών, λιβαδιού*) smell · (*καφέ*) aroma

ευωδιάζω Ρ ΑΜ (*λουλούδια*) to smell pleasant

ευωδιαστός ΕΠΙΘ (*λιβάδι, λουλούδι*) fragrant

ευώνυμος ΕΠΙΘ (*επίσ.: = αριστερός*) left
▷**εξ ευωνύμων** (*επίσ.: = αριστερά*) from the left-hand side

ευωχία ουΣ ΘΗΛ (= *πλούσιο φαγοπότι*) feast

εφαλτήριο ουΣ ουΔ vaulting bar

εφάμιλλος ΕΠΙΘ (*για πρόσ.*) equal to, comparable

εφάπαξ ① ΕΠΙΡΡ once and for all
② ουΣ ουΔ lump sum

εφάπτομαι Ρ ΑΜ (*κατσαρόλα, μπρίκι*) to be adjoining

εφαπτομένη ουΣ ΘΗΛ (ΓΕΩΜ) tangent

εφαρμογή ① ουΣ ΘΗΛ (α) (*κατσαρόλας, ρούχου*) fitting (β) (= *πραγματοποίηση: προγραμμάτων, σχεδίου*) application (γ) (= *χρησιμοποίηση: μεθόδων*) application
② ουΣ ΠΛΗΘ (*θεωρίας*) application *εν.*
▷**βιομηχανικές εφαρμογές** industrial applications
▷**ιατρικές εφαρμογές** medical practices
▷**εμπορικές εφαρμογές** trade practices
▷**τεχνολογικές εφαρμογές** technological applications
▷**έχω εφαρμογή** to fit

εφαρμόζω ① Ρ Μ (α) (*πολιτική, δίκαιο, πρόγραμμα, σύστημα*) to put into practice (β) (*αντικείμενο*) to fit (γ) (*θεραπεία, μέθοδο*) to use
② Ρ ΑΜ (*σακάκι, κλειδί*) to fit

εφαρμόσιμος ΕΠΙΘ (*σχέδιο, πρόγραμμα,*

μέτρα, σύστημα) applicable

εφαρμοστής ΟΥΣ ΑΡΣ fitter

εφαρμοστός ΕΠΙΘ (*παντελόνι, φούστα*) skintight

εφέ ΟΥΣ ΟΥΔ ΑΚΛ (*για κινηματογράφο*) effect
▷**σκηνοθετικά/σκηνικά εφέ** stage effects
▷**φωτιστικά/ηχητικά εφέ** light/sound effects
▷**κάνω εφέ** (*προφορ.*) to have an effect
▷**για εφέ** (*προφορ.*) for effect

εφεδρεία ΟΥΣ ΘΗΛ reserve
▷**αξιωματικός εξ εφεδρείας** officer of the reserves

εφεδρικός ΕΠΙΘ (α) (*δυνάμεις, τροχός, λάστιχο*) reserve (β) (*παίκτης*) spare

έφεδρος ① ΕΠΙΘ (*αξιωματικός, στρατιώτης*) reserve
② ΟΥΣ ΑΡΣ reserve

εφεξής ΕΠΙΡΡ hereafter

έφεση ΟΥΣ ΘΗΛ appeal

εφέστιος ΕΠΙΘ: **θεός** (*κατά την αρχαιότητα*) household

εφετείο ΟΥΣ ΟΥΔ (ΝΟΜ) court of appeal

εφέτης ΟΥΣ ΑΡΣ (ΝΟΜ) appeal judge

εφετινός = **φετινός**

εφέτος = **φέτος**

εφεύρεση ΟΥΣ ΘΗΛ (*γραφής, ηλεκτρισμού*) invention

εφευρέτης ΟΥΣ ΑΡΣ inventor

εφευρετικός ΕΠΙΘ (*μυαλό, σκέψη*) inventive

εφευρετικότητα ΟΥΣ ΘΗΛ ingenuity

εφεύρημα ΟΥΣ ΟΥΔ figment

εφευρίσκω Ρ Μ to invent

εφήβαιο ΟΥΣ ΟΥΔ (ΒΙΟΛ) pubes *πληθ.*

εφηβεία ΟΥΣ ΘΗΛ puberty

εφηβικός ΕΠΙΘ (*ηλικία, σώμα*) adolescent
▷**εφηβική ηλικία** teenage

έφηβος ΟΥΣ ΑΡΣ teenager

εφημερεύω Ρ ΑΜ (α) (*γιατρός*) to be on call (β) (*νοσοκομείο*) to be open all hours (γ) (*εκπαιδευτικός*) to be on duty
▶**εφημερεύων γιατρός** doctor on call

εφημερίδα ΟΥΣ ΘΗΛ (ΤΥΠ) newspaper
▷**τοπική εφημερίδα** local newspaper
▷**εφημερίδα της κυβέρνησης** government newspaper
▷**κυριακάτικη εφημερίδα** Sunday paper
▷**απογευματινή εφημερίδα** evening paper
▷**καθημερινή εφημερίδα** daily paper
▷**πολιτική εφημερίδα** political paper
▷**εβδομαδιαία εφημερίδα** weekly paper
▷**αθλητική εφημερίδα** sports paper
▷**οικονομική εφημερίδα** financial paper
▷**σατιρική εφημερίδα** satirical paper

εφημεριδοπώλης ΟΥΣ ΑΡΣ newsagent

εφημέριος ΟΥΣ ΑΡΣ (*επία.: = ιερέας*) vicar

εφήμερος ΕΠΙΘ (*σχέση, ηδονή, ομορφιά*) ephemeral

εφησυχάζω Ρ ΑΜ (= *επαναπαύομαι*) to relax one's vigilance

εφησυχασμός ΟΥΣ ΑΡΣ (= *επανάπαυση*)

resting

εφιάλτης ΟΥΣ ΑΡΣ nightmare
▷**τρομερός εφιάλτης** scary nightmare
▷**ζω έναν εφιάλτη** to live a nightmare

εφιαλτικός ΕΠΙΘ (*όνειρο, σκηνή, σκέψη*) nightmarish

εφιδρώνω Ρ ΑΜ (= *ιδρώνω ελαφρά*) to sweat

εφίδρωση ΟΥΣ ΘΗΛ (= *ελαφρό ίδρωμα*) perspiration

εφικτός ΕΠΙΘ (*στόχος*) feasible
▷**είναι εφικτό** it is feasible

έφιππος ΕΠΙΘ (α) (*χωροφυλακή, συνοδεία, ακολουθία*) mounted (β) (*για πρόσ.*) on horseback

εφιστώ Ρ Μ (*αορ* **επέστησα**): **εφιστώ την προσοχή** to attract attention

εφοδιάζω Ρ Μ (*στρατό, κατάστημα, μαθητή*) to supply

εφοδιασμός ΟΥΣ ΑΡΣ (*στρατού, πλοίου, πρώτων υλών*) supply
▷**σταθμός εφοδιασμού** supply station

εφόδιο ΟΥΣ ΟΥΔ (α) (= *προμήθειες*) supply (β) (*μτφ.*) equipment *χωρίς πληθ.*
▷**κατάλληλα εφόδια** appropriate resources
▷**πνευματικά εφόδια** mental resources
▷**απαραίτητα εφόδια** necessary equipment

εφοδιοπομπή ΟΥΣ ΘΗΛ convoy

έφοδος ΟΥΣ ΑΡΣ (α) (= *επίθεση: στρατού, οχημάτων, αστυνομίας*) assault (β) (*μτφ.: καθηγητή*) round · (*ποδοσφαιριστή*) attack · (*στο ψυγείο, στα μαγαζιά*) attack
▷**κάνω έφοδο** to launch an attack
▷**τελική έφοδος** final attack

εφοπλιστής ΟΥΣ ΑΡΣ ship owner

εφορεία = **εφορία**

εφορευτικός ΕΠΙΘ: **εφορευτική επιτροπή** returning board

εφορία ΟΥΣ ΘΗΛ (α) revenue office (β) (= *το κτίριο όπου στεγάζεται η υπηρεσία*) tax office
▷**οικονομική εφορία** fiscal department
▷**αρμόδια εφορία** appropriate tax office

εφοριακός ΕΠΙΘ (*υπάλληλος*) who works for the tax office
▶**εφοριακός** ΟΥΣ ΑΡΣ·ΘΗΛ tax collector

εφόρμηση ΟΥΣ ΘΗΛ (*στρατού, αλεξιπτωτιστών*) assault

εφορμώ Ρ ΑΜ (*στρατός, τανκς, αεροπλάνο*) to carry out an assault

έφορος ΟΥΣ ΑΡΣ (α) (*βιβλιοθήκης*) chief librarian · (*μουσείου*) curator · (*υπηρεσίας*) director of taxes (β) (*διευθυντής*) director of taxes
▷**οικονομικός έφορος** financial inspector
▷**νομικός έφορος** legal inspector
▷**έφορος αρχαιοτήτων** curator of antiquities

εφόσον ΕΠΙΡΡ as long as

εφτά ΑΡΙΘ ΑΠΟΛ ΑΚΛ = **επτά**

εφτακόσια ΑΡΙΘ ΑΠΟΛ ΑΚΛ = **επτακόσια**

εφτακόσιοι ΑΡΙΘ ΑΠΟΛ ΠΛΗΘ = **επτακόσιοι**

εφτακοσιοστός, -ή, -ό ΑΡΙΘ ΤΑΚΤ =

επτακοσιοστός

εφταμηνίτικο ΟΥΣ ΟΥΔ premature

εφτάρι ΟΥΣ ΟΥΔ (παιγνιόχαρτο) seven

εφτάψυχος ΕΠΙΘ, **επτάψυχος** (α) (= που έχει εφτά ζωές) having nine lives (β) (μτφ.: = που δεν υποκύπτει εύκολα στον θάνατο) die–hard

εχέγγυος ΕΠΙΘ (= αξιόπιστος) reliable
▸ εχέγγυο ΟΥΣ ΟΥΔ guarantee

εχεμύθεια ΟΥΣ ΘΗΛ (= η ιδιότητα του εχέμυθου) discretion
▸ απόλυτη εχεμύθεια absolute discretion

εχέμυθος ΕΠΙΘ (= που δεν αποκαλύπτει μυστικά) discrete

εχέφρων ΕΠΙΘ (επίσ.: = μυαλωμένος) prudent

εχθές = **χθες**

έχθρα ΟΥΣ ΘΗΛ (= μίσος, εχθρότητα) hostility
▸ τρέφω έχθρα to hate
▸ θανάσιμη έχθρα deadly hostility

εχθρεύομαι Ρ Μ (α) (= διάκειμαι εχθρικά, μισώ: άνθρωπο, λαό) to hate (β) (= διάκειμαι εχθρικά, δυσπιστώ: θεσμό, σύστημα) to bear malice

εχθρικά ΕΠΙΡΡ (συμπεριφέρομαι, αντιμετωπίζω, κοιτάζω) with hostility
▸ διάκειμαι εχθρικά to move with hostility

εχθρικός, -ή, -ό ΕΠΙΘ (α) (= που ανήκει στον εχθρό: στράτευμα, πλοίο, δυνάμεις) enemy (β) (= που δηλώνει έχθρα: συμπεριφορά, βλέμμα, διάθεση) hostile (γ) (ακροατήριο, κοινό, συνάδελφος) hostile

εχθροπραξία ΟΥΣ ΘΗΛ hostility

εχθρός ΟΥΣ ΑΡΣ enemy
▸ κάνω εχθρούς to make enemies
▸ άσπονδος εχθρός implacable enemy

εχθρότητα ΟΥΣ ΘΗΛ βλ. **έχθρα**

έχιδνα ΟΥΣ ΘΗΛ (ερπετό) adder

εχινόκοκκος ΟΥΣ ΑΡΣ (για σκυλιά) echinococcus

┌─ ΛΕΞΗ-ΚΛΕΙΔΙ ─┐

έχω ① Ρ Μ (α) (= είμαι ιδιοκτήτης: σπίτι, αυτοκίνητο) to have · (εμπορικό, κομμωτήριο) to own ◻ έχω σπίτι και αυτοκίνητο I have a house and a car · το μαγαζί το έχει μια κυρία the shop is owned by a lady
▸ ό, τι έχω και δεν έχω all one's worldly goods
(β) (= κρατώ ή φέρω: στυλό, βιβλίο, όπλο) to hold ◻ είχε ένα πακέτο στα χέρια της she was holding a packet in her hands · είχε ένα μενταγιόν στο λαιμό she was wearing a medallion around her neck
(γ) (= κρατώ σε ορισμένη θέση) to hold, to have ◻ είχε τα χέρια του ψηλά he was holding his hands up, he had his hands up · είχε το κεφάλι κατεβασμένο her head was down, she was holding her head down
(δ) (για σχέσεις) to have ◻ έχω αδέλφια/ φίλους I have brothers/friends · έχετε παιδιά; do you have any children?
▸ τα έχω καλά με κπν to get on well with sb

▸ τα έχω με κπν (= έχω σχέση) to go out with sb, to have ή be in a relationship with sb · (= είμαι θυμωμένος) to be angry with sb ◻ τα έχει τρία χρόνια με τον Τάσο she's been going out with Tasos for three years · χρόνια τώρα τα 'χει με το γιο της she has been angry with her son for years
(ε) (για γνώρισμα, ιδιότητα: μνήμη, προφορά, γένια, μαλλιά) to have ◻ έχει εξαιρετική όραση she has excellent sight · ο αδελφός σου έχει γούστο! your brother is fun! · έχει μυωπία he's short-sighted (Βρετ.) ή near-sighted (Αμερ.)
(στ) (για συναισθήματα: ελπίδες, φόβους, αμφιβολίες) to have
(ζ) (= φέρω: γραμματόσημο, υπογραφή, όνομα) to have ◻ η αίτηση δεν έχει όνομα the application form doesn't have a name · ο φάκελλος πρέπει να έχει γραμματόσημο the envelope must have a stamp
(η) (= πάσχω: πνευμονία, πυρετό, βήχα) to have
▸ τι έχεις; what's wrong?
(θ) (= περιέχω: νερό, λάδι) to contain ◻ το γάλα έχει περισσότερα λιπαρά από το τυρί milk contains more fat than cheese, milk has more fat in it than cheese · η ταινία δεν έχει δράση there's no action in the film (Βρετ.) ή movie (Αμερ.) · πόσες μέρες έχει ο Μάιος; how many days are there in May?
(ι) (για χρονικό σημείο) to be
▸ ο μήνας έχει 12 it's the 12th
▸ πόσο έχει ο μήνας; what's the date today?
▸ έχουμε καλοκαίρι/χειμώνα it's summer/ winter
(ια) (= θεωρώ): έχω κπν σαν to treat sb like ◻ με είχε σαν γιο της she treated me like a son
▸ δεν το έχω σε τίποτα να to think nothing of
▸ έχω κπν για to think sb ◻ σε είχα για φίλο μου I thought you were my friend · τον έχουν για σπουδαίο they think he's important
▸ το έχω σε καλό/κακό να to consider something good/bad luck
(ιβ) : δεν έχω τι να κάνω to have nothing to do, not to know what to do ◻ δεν έχω τι να πω I don't have anything to say, I don't know what to say · δεν έχω πού να πάω I have nowhere to go
(ιγ) (= οφείλω): έχω να I have to ◻ έχω να διαβάσω I have to study
(ιδ) (= συνηθίζω) to be in the habit of ◻ το έχετε ακόμη αυτό το έθιμο; do you still have that custom?
(ιε) (ως περίφραση ρήματος)
▸ έχω γιορτή to celebrate
▸ έχω εμπιστοσύνη to trust
▸ έχω ευθύνη to be responsible
② Ρ ΑΜ (= αξίζω) to cost ◻ πόσο έχουν τα σταφύλια; how much do the grapes cost?
③ ΒΟΗΘ (για τον σχηματισμό χρόνων)
▸ έχουμε κουραστεί we are tired

▷**έχει πάει στον κινηματογράφο** he's gone to the cinema

▷**έχω φάει** I have eaten

▷**θα έχω τελειώσει** I will have *ή* be finished

▶**έχει** ΑΠΡΟΣ (= *υπάρχει*) there is ❑ *έχει χώρο γι' άλλους δύο;* is there any room for two more?

▷**έχει γάλα στο ψυγείο;** is there any milk in the fridge?

▷**έχει ήλιο/βροχή** it's sunny/raining

▷**έχει κρύο/ζέστη** it's cold/hot

▷**είχε δεν είχε** one way or the other

▷**έχουμε και λέμε** so

▷**ως έχει** as is

εψές (*λογοτ.*) ΕΠΙΡΡ = **χθες**

έψιλον ΟΥΣ ΟΥΔ ΑΚΛ epsilon, *fifth letter of the Greek alphabet*

Εωσφόρος ΟΥΣ ΑΡΣ Lucifer

E

Z ζ

Z, ζ zeta, *sixth letter of the Greek alphabet*
▷**ζ** 7
▷**,ζ** 7,000

ζαβλάκωμα ΟΥΣ ΟΥΔ daze

ζαβλακωμάρα ΟΥΣ ΘΗΛ = **ζαβλάκωμα**

ζαβλακωμένος, -η, -ο ΕΠΙΘ dazed · (*από διάβασμα*) punch–drunk

ζαβλακώνω Ρ Μ (α) (*τηλεόραση, ύπνος*) to leave in a daze (β) (*δουλειά, διάβασμα*) to make punch–drunk (γ) (*ποτό*) to go to one's head

ζαβολιά ΟΥΣ ΘΗΛ (α) (= *απάτη*) cheating εν. (β) (= *αταξία*) mischief
▷**κάνω ζαβολιές** (*σε παιχνίδι*) to cheat · (= *κάνω αταξίες*) to be up to mischief

ζαβολιάρης, -α, -ικο ΕΠΙΘ cheating

ζαβός, -ή, -ό ΕΠΙΘ (α) (*άνθρωπος, χαρακτήρας*) crabby (*ανεπ.*), crotchety (*ανεπ.*) · (*τύχη*) rotten (*ανεπ.*) (β) (= *ανάπηρος: σωματικά*) crippled · (*πνευματικά*) dumb (*ανεπ.*)

ζαβωμάρα ΟΥΣ ΘΗΛ (α) (= *δυστροπία*) bad mood ή temper (β) (= *αναπηρία: σωματική*) disability · (*πνευματική*) stupidity

Ζάγκρεμπ ΟΥΣ ΟΥΔ ΑΚΛ Zagreb

ζακέτα ΟΥΣ ΘΗΛ (*γενικότ.*) jacket
▸**μάλλινη ή πλεκτή ζακέτα** cardigan

Ζάκυνθος ΟΥΣ ΘΗΛ Zakynthos

ζαλάδα ΟΥΣ ΘΗΛ dizzy spell, dizziness *χωρίς πληθ.*
▷**νιώθω ή με πιάνει ζαλάδα** to feel dizzy
▷**υποφέρω από ζαλάδες** to have dizzy spells, to get dizzy
▸**ζαλάδες** ΠΛΗΘ (*μτφ.*) worries

ζάλη ΟΥΣ ΘΗΛ (α) (= *ζαλάδα*) dizzy spell, dizziness (β) (*μτφ.*) confusion
▷**φέρνω ζάλη σε κπν** to make sb dizzy · (*μτφ.*) to make sb's head spin

ζαλίζω Ρ Μ (α) (*ύψος, κρασί*) to make dizzy (β) (*θάλασσα, πλοίο*) to make seasick · (*αυτοκίνητο*) to make carsick · (*αεροπλάνο*) to make airsick (γ) (= *ενοχλώ*) to bother · (*φλυαρία, θόρυβος*) to drive crazy
▸**ζαλίζομαι** ΜΕΣΟΠΑΘ (α) (= *έχω ζάλη*) to feel dizzy (β) (*σε πλοίο*) to get seasick · (*σε αυτοκίνητο*) to get carsick · (*σε αεροπλάνο*) to get airsick (γ) (= *τα χάνω*) to be taken aback

ζάλισμα ΟΥΣ ΟΥΔ (α) (*από ύψος, κρασί*) dizziness · (*από φλυαρία, θόρυβο, έρωτα*) daze (β) (*από πλοίο, θάλασσα*) seasickness ·

(*από αυτοκίνητο*) carsickness · (*από αεροπλάνο*) airsickness

ζαλισμένος, -η, -ο ΕΠΙΘ (α) (*από ύψος*) dizzy, giddy · (*από ποτό*) light–headed, dizzy · (*από έρωτα*) light–headed, dazed · (*από φλυαρία, θόρυβο, δουλειά*) dazed (β) (*από πλοίο, θάλασσα*) seasick · (*από αυτοκίνητο*) carsick · (*από αεροπλάνο*) airsick

ζαμάνι ΟΥΣ ΟΥΔ: **χρόνια και ζαμάνια** for ages (*ανεπ.*), for donkey's years (*Βρετ.*) (*ανεπ.*)

ζαμπόν ΟΥΣ ΟΥΔ ΑΚΛ ham

ζαμπονοτυρόπιτα ΟΥΣ ΘΗΛ ham and cheese pie

ζάντα ΟΥΣ ΘΗΛ (wheel) rim
▸**ζάντες αλουμινίου** alloy wheels

ζαντολάστιχο ΟΥΣ ΟΥΔ wheel

ζάρα ΟΥΣ ΘΗΛ (α) (*υφάσματος*) crease (β) (*προσώπου, δέρματος*) wrinkle · (*ματιού*) crease, wrinkle

ζαργάνα ΟΥΣ ΘΗΛ (α) (*ψάρι*) garfish (β) (*για γυναίκα*) peach (*ανεπ.*)

ζαρζαβατικά ΟΥΣ ΟΥΔ ΠΛΗΘ vegetables

ζάρι ΟΥΣ ΟΥΔ dice

> *Προσοχή!: Ο πληθυντικός του* **dice** *είναι* **dice**.

▸**ζάρια** ΠΛΗΘ dice

ζαριά ΟΥΣ ΘΗΛ throw of the dice

ζαρκάδι ΟΥΣ ΟΥΔ roe deer

ζαρντινιέρα ΟΥΣ ΘΗΛ plant–pot holder · (*σε περβάζι*) window box

ζαρτιέρα ΟΥΣ ΘΗΛ suspenders (*Βρετ.*), garters (*Αμερ.*)

ζάρωμα ΟΥΣ ΟΥΔ (α) (*ρούχων*) crease (β) (*φρυδιών*) frown (γ) (*προσώπου, μετώπου*) wrinkles *πληθ.*

ζαρωματιά ΟΥΣ ΘΗΛ = **ζάρα**

ζαρώνω ① Ρ Μ (α) (*φούστα, πουκάμισο*) to crease, to crumple (β) (*πρόσωπο*) to screw up · (*χείλη*) to purse
② Ρ ΑΜ (α) (*πουκάμισο, παντελόνι, ύφασμα*) to crease (β) (*πρόσωπο, μέτωπο*) to wrinkle · (*χείλη*) to pucker (γ) (*άνθρωπος*) to crouch · (*από φόβο*) to cringe

ζαφειρένιος, -α, -ο ΕΠΙΘ (α) (*κολιέ, δαχτυλίδι*) sapphire (β) (*ουρανός, μάτια, θάλασσα*) sapphire(-blue)

ζαφείρι ΟΥΣ ΟΥΔ sapphire

ζαφορά ΟΥΣ ΘΗΛ (α) (ΒΟΤ) crocus (β) (ΜΑΓΕΙΡ)

saffron

ζαχαρένιος, -α, -ο ΕΠΙΘ *(κυριολ., μτφ.)* sweet
▶**ζαχαρένια** ΟΥΣ ΘΗΛ good mood

ζάχαρη ΟΥΣ ΘΗΛ sugar
▷**περνάω** *ή* **τα πάω ζάχαρη με κπν** to get on like a house on fire

ζαχαριέρα ΟΥΣ ΘΗΛ sugar bowl

ζαχαρίνη ΟΥΣ ΘΗΛ saccharin

ζάχαρο ΟΥΣ ΟΥΔ *(ανεπ.)* diabetes *εν.*

ζαχαροδιαβήτης ΟΥΣ ΑΡΣ (sugar) diabetes *εν.*

ζαχαροκάλαμο ΟΥΣ ΟΥΔ sugarcane

ζαχαροπλαστείο ΟΥΣ ΟΥΔ cake shop *(Βρετ.)*, confectioner's (shop) *(Αμερ.)*

ζαχαροπλάστης ΟΥΣ ΑΡΣ confectioner

ζαχαροπλαστική ΟΥΣ ΘΗΛ pastry–making, confectionery

ζαχαροπλάστρια, ζαχαροπλάστισσα ΟΥΣ ΘΗΛ = **ζαχαροπλάστης**

ζαχαροποιία ΟΥΣ ΘΗΛ sugar industry

ζαχαρότευτλο ΟΥΣ ΟΥΔ sugar beet

ζαχάρωμα ΟΥΣ ΟΥΔ **(α)** *(γλυκού: με ζάχαρη)* sprinkling with sugar· *(με σιρόπι)* coating in syrup **(β)** *(= εμφάνιση κρυστάλλων)* crystallization **(γ)** *(αργκ.)* chatting up *(ανεπ.)*
▶**ζαχαρώματα** ΠΛΗΘ *(αργκ.)* kissing and cuddling *εν.*

ζαχαρώνω ① Ρ Μ **(α)** *(γλυκό: με ζάχαρη)* to sprinkle with sugar· *(με σιρόπι)* to coat in syrup **(β)** *(αργκ.: = θέλω κτ πολύ)* to lust after· *(= φλερτάρω)* to chat up *(ανεπ.)*
② Ρ ΑΜ **(α)** *(γλυκό, μέλι, καρπούζι)* to crystallize **(β)** *(αργκ.)* to kiss and cuddle

ζαχαρωτό ΟΥΣ ΟΥΔ sweet *(Βρετ.)*, candy *(Αμερ.)*

ζέβρα ΟΥΣ ΘΗΛ zebra

ζέβρος ΟΥΣ ΑΡΣ *βλ.* **ζέβρα**

ζελατίνα ΟΥΣ ΘΗΛ *(για βιβλία)* plastic book cover· *(για περιτύλιγμα)* clingfilm *(Βρετ.)*, plastic wrap *(Αμερ.)*

ζελατίνη ΟΥΣ ΘΗΛ *(= προσθετικό τροφών)* gelatin(e)

ζελέ ΟΥΣ ΟΥΔ ΑΚΛ **(α)** *(γλυκό)* jelly *(Βρετ.)*, Jell-O ® *(Αμερ.)* **(β)** *(καλλυντικό)* gel

ζεματίζω Ρ Μ **(α)** *(ρούχα)* to soak in boiling water· *(χόρτα)* to blanch **(β)** *(μακαρόνια)* to pour hot butter/oil over **(γ)** *(χέρι, γλώσσα)* to burn, to scald **(δ)** *(μτφ.)* to hurt

ζεμάτισμα ΟΥΣ ΟΥΔ **(α)** *(ρούχων)* soaking in boiling water· *(χορταρικών)* blanching **(β)** *(μακαρονιών)* coating with hot butter/oil **(γ)** *(χεριού, γλώσσας)* burning, scalding **(δ)** *(μτφ.)* hurt

ζεματιστός, -ή, -ό ΕΠΙΘ *(καφές, γάλα, λάδι)* scalding hot· *(ψωμί)* piping hot

ζεματώ Ρ ΑΜ **(α)** *(σούπα, καφές, γάλα)* to be scalding hot· *(ψωμί)* to be piping hot **(β)** *(άνθρωπος)* to be burning up (with fever)

ζενίθ ΟΥΣ ΟΥΔ ΑΚΛ **(α)** (ΑΣΤΡΟΝ) zenith

(β) *(μτφ.)* peak

ζέπελιν ΟΥΣ ΟΥΔ ΑΚΛ zeppelin

ζερβός, -ή, -ό ΕΠΙΘ *(χέρι)* left· *(μέρος)* left–hand
▶**ζερβός** ΟΥΣ ΑΡΣ, **ζερβή** ΟΥΣ ΘΗΛ left–hander

ζερβοχέρης, -α, -ικο ΕΠΙΘ left–handed

ζέρσεϊ ΟΥΣ ΟΥΔ ΑΚΛ jersey

ζέση ΟΥΣ ΘΗΛ *(επίσ.)* **(α)** *(= βρασμός)* boiling **(β)** *(μτφ.: αγωνιστή, λόγου, ομιλίας)* zeal, fervour *(Βρετ.)*, fervor *(Αμερ.)*
▶**σημείο ζέσεως** boiling point

ζεστά ΕΠΙΡΡ hot
▷**παίρνω κτ ζεστά** to really take to sth

ζεσταίνω ① Ρ Μ **(α)** *(πόδια, χέρια)* to warm· *(άνθρωπο, μικρό)* to keep warm **(β)** *(παλτό, γάντια, καπέλο, ρούχα)* to keep warm· *(ποτό)* to warm up **(γ)** *(φασόλια, γάλα)* to heat up, to warm (up) **(δ)** *(μηχανή)* to warm up **(ε)** *(ατμόσφαιρα, συζήτηση)* to liven up· *(καρδιά, ψυχή)* to warm
② Ρ ΑΜ *(καιρός, ημέρα)* to warm up, to get warmer
▶**ζεσταίνομαι** ΜΕΣΟΠΑΘ **(α)** *(= αισθάνομαι ζέστη)* to feel hot· *(= θερμαίνομαι)* to warm oneself up **(β)** *(φαγητό)* to heat up, to warm (up)· *(αθλητής)* to warm up **(δ)** *(μηχανή)* to overheat **(ε)** *(μτφ.)* to feel better about things **(στ)** *(αγώνας, παιχνίδι)* to liven up

ζέσταμα ΟΥΣ ΟΥΔ **(α)** *(ανθρώπου, χεριών)* warming up· *(φαγητού)* heating up, warming (up) **(β)** *(γόνου, αυγού)* keeping warm **(γ)** *(αθλητή, χορευτή)* warming up

ζεστασιά ΟΥΣ ΘΗΛ **(α)** *(δωματίου, κρεβατιού)* warmth **(β)** *(οικογένειας, βλέμματος, σχέσης)* warmth· *(κοινού, ακροατηρίου)* warm reception

ζέστη ΟΥΣ ΘΗΛ heat
▷**κάνει** *ή* **έχει ζέστη** it's warm· *(πολλή)* it's hot
▷**(δεν μου κάνει) ούτε κρύο ούτε ζέστη** I couldn't care less
▶**ζέστες** ΠΛΗΘ hot days

ζεστός, -ή, -ό ΕΠΙΘ **(α)** *(καιρός, ημέρα, φαγητό, νερό, χώρα)* warm· *(πολύ)* hot· *(νερά, θάλασσα)* warm· *(μέτωπο)* hot· *(σπίτι, δωμάτιο)* warm, cosy *(Βρετ.)*, cozy *(Αμερ.)* **(β)** *(ρούχα, άνθρωπος, ατμόσφαιρα, χαμόγελο, χρώμα)* warm· *(μαγαζί)* welcoming
▷**ζεστό χρήμα** cash
▷**παίρνω κτ στα ζεστά** to really take to sth
▶**ζεστό** ΟΥΣ ΟΥΔ herbal tea, tisane

ζευγαράκι ΟΥΣ ΟΥΔ couple

ζευγάρι ΟΥΣ ΟΥΔ **(α)** *(για πράγματα)* pair **(β)** *(για πρόσωπα)* couple· *(μουσικών, τραγουδιστών, χορευτών)* duo **(γ)** *(για όργωμα)* team, yoke

Προσοχή!: Ο πληθυντικός του yoke *είναι* yoke.

▷**γίνομαι ζευγάρι** to get together, to become a couple

▸**νιόπαντρο ζευγάρι** newlyweds *πληθ.*, newly–married couple

ζευγάρωμα ΟΥΣ ΟΥΔ **(α)** *(για ζώα)* mating **(β)** *(για πράγματα)* pairing

ζευγαρώνω 1 Ρ ΑΜ **(α)** *(άνθρωποι)* to get together, to become a couple **(β)** *(ζώα)* to mate

2 Ρ Μ **(α)** *(ζώα, πουλιά)* to mate **(β)** *(αντικείμενα)* to match

ζευγαρωτός, -ή, -ό ΕΠΙΘ having a mate

▸**ζευγαρωτή ομοιοκαταληξία** (ΠΟΙΗΣ) rhyming couplet

ζευγίτης ΟΥΣ ΑΡΣ ploughman *(Βρετ.)*, plowman *(Αμερ.)*

Προσοχή!: Ο πληθυντικός του **ploughman/plowman** *είναι* **ploughmen/ plowmen.**

▸**ζευγίτες** ΠΛΗΘ (ΑΡΧ ΙΣΤ) *third class of citizen in ancient Athens*

ζευγολάτης ΟΥΣ ΑΡΣ *(παλαιότ.)* ploughman *(Βρετ.)*, plowman *(Αμερ.)*

ζεύγος ΟΥΣ ΟΥΔ *(επίσ.)* **(α)** *(για πρόσωπα: συζυγικό)* couple · *(επαγγελματικό)* (two–person) team **(β)** *(για ζώα, πράγματα)* pair

▸**ανά** *ή* **κατά ζεύγη** in pairs

ζευκτήρας ΟΥΣ ΑΡΣ *(επίσ.)* harness strap

ζευκτό(ν) ΟΥΣ ΟΥΔ (ΑΡΧΙΤ) truss

ζεύξη ΟΥΣ ΘΗΛ *(επίσ.)* **(α)** *(ποταμών)* bridging **(β)** (ΤΕΧΝΟΛ: *πομπών, δεκτών*) linking · *(τρένων, βαγονιών, οχημάτων)* coupling **(γ)** *(βοδιών)* yoking · *(αλόγων)* harnessing

ζεύξιμος, -η, -ο ΕΠΙΘ *(για ζώα)* draught *(Βρετ.)*, draft *(Αμερ.)*

Ζεύς ΟΥΣ ΑΡΣ Zeus

ζεύω Ρ Μ *(βόδια)* to yoke · *(άλογα)* to harness, to hitch up

▸**ζεύομαι στη δουλειά** to buckle down (to work)

▸**ζεύω κπν στη δουλειά** to make sb buckle down (to work)

ζέφυρος ΟΥΣ ΑΡΣ *(επίσ.)* west wind, zephyr

ζέχνω Ρ ΑΜ *(προφορ.)* to stink, to pong *(Βρετ.)* *(ανεπ.)*

▸**βρομάω και ζέχνω** to stink to high heaven, to reek

ζέψιμο ΟΥΣ ΟΥΔ *(βοδιών)* yoking · *(αλόγων)* harnessing

ζήλεια ΟΥΣ ΘΗΛ = **ζήλια**

ζηλεμένος, -η, -ο ΕΠΙΘ **(α)** *(δουλειά)* enviable **(β)** *(ομορφιά, μάτια)* dazzling

ζηλευτός, -ή, -ό ΕΠΙΘ *(θέση)* enviable · *(γάμος)* desirable

ζηλεύω 1 Ρ Μ **(α)** *(ευτυχία, πλούτη)* to envy, to begrudge · *(επιτυχημένο, νιάτα, τύχη)* to envy **(β)** *(σύζυγο, σύντροφο)* to be jealous of 2 Ρ ΑΜ *(άνθρωπος)* to be envious *ή* jealous

ζήλια ΟΥΣ ΘΗΛ **(α)** *(= φθόνος)* envy **(β)** *(= ζηλοτυπία)* jealousy

▸**αν ήτανε η ζήλια ψώρα, θα κόλλαγε** *ή* **θα**

ξυνότανε όλη η χώρα *(παροιμ.)* who wouldn't be jealous?

▸**με τρώει η ζήλια** *(φθόνος)* to be green with envy · *(ζηλοτυπία)* to be eaten up with jealousy

▸**ζήλιες** ΠΛΗΘ jealous scenes

ζηλιάρης, -α, -ικο ΕΠΙΘ **(α)** *(= ζηλόφθονος)* envious **(β)** *(= ζηλότυπος)* jealous, possessive

ζήλος ΟΥΣ ΑΡΣ *(επίσ.)* zeal, (great) enthusiasm

▸**δείχνω ζήλο για κτ** to show zeal *ή* great enthusiasm for sth

▸**υπερβάλλων** *ή* **υπερβολικός ζήλος** excessive zeal

ζηλοτυπία ΟΥΣ ΘΗΛ *(συζύγου, συντρόφου)* jealousy

▸**σκηνή ζηλοτυπίας** jealous scene

ζηλότυπος, -η, -ο ΕΠΙΘ jealous

ζηλοτυπώ Ρ ΑΜ to be jealous

ζηλοφθονία ΟΥΣ ΘΗΛ envy

ζηλόφθονος, -η, -ο ΕΠΙΘ envious

ζηλοφθονώ Ρ Μ to envy

ζημιά ΟΥΣ ΘΗΛ **(α)** *(= φθορά)* damage *εν.* **(β)** *(= τραύμα)* injury **(γ)** *(= αταξία)* mischief *εν.* **(δ)** *(= κόστος)* cost of the damage **(ε)** (ΟΙΚΟΝ) loss

▸**κάνω ζημιά** to do damage *ή* harm · *(υλική)* to do damage

▸**κάνω τη ζημιά σε κπν** *(μτφ.)* to harm sb

▸**παθαίνω (μεγάλη) ζημιά** *(γενικότ.)* to be (badly) damaged · *(= έχω απώλειες)* to suffer (big) losses · *(= τραυματίζομαι)* to be (badly) injured · *(= έχω πρόβλημα)* to be in (big) trouble

▸**πληρώνω τη ζημιά** to pay for the damage · *(μτφ.)* to pay for it

ζημία ΟΥΣ ΘΗΛ *(επίσ.)* **(α)** *(= φθορά)* damage **(β)** (ΟΙΚΟΝ) loss

▸**λειτουργώ με ζημία** to operate *ή* run at a loss

▸**υφίσταμαι ζημία** to make a loss

▸**προξενώ ζημία (σε)** *(γενικότ.)* to cause damage (to) · (ΟΙΚΟΝ) to cause losses (to)

ζημιάρης, -α, -ικο ΕΠΙΘ *(παιδί, γάτα)* mischievous

ζημιογόνος, -α *ή* **-ος, -ο** ΕΠΙΘ *(επίσ.)* lossmaking

ζημιώνω Ρ Μ **(α)** *(εταιρεία, επιχείρηση)* to cause losses to **(β)** *(= βλάπτω)* to damage

▸**ζημιώνομαι** ΜΕΣΟΠΑΘ **(α)** *(επιχείρηση, επιχειρηματίας)* to make a loss **(β)** *(άνθρωπος)* to be harmed

ζην ΟΥΣ ΟΥΔ ΑΚΛ: **τα προς το ζην** living

▸**το ευ ζην** *(ηθικό)* virtuous life · *(άνετο)* the good life

▸**το ζην επικινδύνως** living dangerously

ζήτα ΟΥΣ ΟΥΔ ΑΚΛ zeta, *sixth letter in the Greek alphabet*

▸**ομάδα «Ζήτα»** *rapid–reaction motorcycle police unit*

ζήτημα ΟΥΣ ΟΥΔ **(α)** *(= θέμα)* matter, question **(β)** *(= πρόβλημα)* problem

▸**γεννάται (το) ζήτημα** it is a question *ή*

matter of
▷**δεν τίθεται** *ή* **υφίσταται** *ή* **υπάρχει ζήτημα** there's no question of it
▷**δημιουργώ ζήτημα** to make a fuss
▷**έμεινε εκεί το ζήτημα** that was the end of the matter
▷**είναι ζήτημα** +*γεν.* it's a question *ή* matter of
▷**είναι ζήτημα αν** it's doubtful whether
▷**είναι ζήτημα κποιου** to be sb's own affair
▷**ζήτημα ζωής και θανάτου** a matter of life and death
▷**κάνω κτ ζήτημα** to make an issue of sth

ζήτηση ΟΥΣ ΘΗΛ **(α)** (= *αναζήτηση*) search **(β)** (*προϊόντων, μετοχών, εργατικού δυναμικού*) demand
▷**σε πρώτη ζήτηση** (*για χρέος ή δάνειο*) on demand · (*για αγαθό*) on request · (= *περιζήτητος*) in demand
▷**έχω (μεγάλη) ζήτηση** to be in (great) demand
▷**νόμος της προσφοράς και της ζήτησης** law of supply and demand

ζητιάνα ΟΥΣ ΘΗΛ *βλ.* **ζητιάνος**

ζητιανεύω ① Ρ ΑΜ (*άνθρωπος*) to beg ② Ρ Μ (*δουλειά, θέση*) to beg for
▷**ζητιανεύω για κτ** to beg for sth

ζητιανιά ΟΥΣ ΘΗΛ begging
▷**βγαίνω στη ζητιανιά** to be reduced to beggary

ζητιάνος ΟΥΣ ΑΡΣ beggar

ζητούμενο ΟΥΣ ΟΥΔ **(α)** (*πολιτικής, έρευνας, συζήτησης*) subject **(β)** (*χώρας, πολιτών*) need **(γ)** (= *ερώτημα*) question

ζητώ ① Ρ Μ **(α)** (*άνθρωπο, καταφύγιο, δουλειά*) to look for, to seek (*επίσ.*) · (*ευκαιρία, αφορμή*) to look for **(β)** (*φαγητό, χρήματα, γνώμη, συμβουλή*) to ask for · (*άδεια*) to ask (for) · (*χάρη*) to ask · (*έλεος*) to beg for **(γ)** (*δικαίωμα, αλήθεια, απάντηση, αποζημίωση*) to demand **(δ)** (*επιτυχία, πλούτη*) to be after, to seek (*επίσ.*) ② Ρ ΑΜ **(α)** (= *θέλω κτ χωρίς κόπο*) to take **(β)** (*παιδιά*) to have increasing needs **(γ)** (= *ζητιανεύω*) to cadge
▷**ζητώ από κπν να κάνει κτ** to ask sb to do sth
▷**ζητώ ευθύνες από κπν** to blame sb, to hold sb responsible
▷**ζητώ κπν σε γάμο** to propose to sb
▷**ζητώ κπν (στο τηλέφωνο)** to call for sb
▷**ζητώ κτ από κπν** to ask sb for sth
▷**ζητώ συγγνώμη** to apologize
▶**ζητούμαι, ζητιέμαι** ΜΕΣΟΠΑΘ to be in demand

ζήτω ΕΠΙΦΩΝ long live!
▶**ζήτω** ΟΥΣ ΟΥΔ ΑΚΛ cheer
▷**δεν κάνω ούτε για ζήτω** to be absolutely useless
▷**ζήτω που καήκαμε** to be up the creek (without a paddle) (*ανεπ.*)

ζητωκραυγάζω Ρ Μ/ΑΜ to cheer

ζητωκραυγή ΟΥΣ ΘΗΛ cheer

ζιβάγκο ΟΥΣ ΟΥΔ ΑΚΛ polo neck (*Βρετ.*), turtle

neck (*Αμερ.*)

ζιγκ-ζαγκ ΕΠΙΡΡ: **πάω ζιγκ-ζαγκ** to zigzag
▶**ζιγκ-ζαγκ** ΟΥΣ ΟΥΔ ΑΚΛ zigzag

ζιγκολό ΟΥΣ ΑΡΣ ΑΚΛ gigolo

ζιζάνιο ΟΥΣ ΟΥΔ **(α)** (*χόρτο*) weed **(β)** (= *ταραξίας*) pest (*ανεπ.*) **(γ)** (= *μικρόβιο*) cancer (*επίσ.*), canker (*επίσ.*)
▷**σπέρνω ζιζάνια** (*μτφ.*) to cause trouble

ζιζανιοκτόνο ΟΥΣ ΟΥΔ weedkiller, herbicide

ζιμπελίνα ΟΥΣ ΘΗΛ sable

ζίνια ΟΥΣ ΘΗΛ zinnia

ζίου-ζίτσου ΟΥΣ ΟΥΔ ΑΚΛ ju-jitsu

ζιπ ΟΥΣ ΟΥΔ ΑΚΛ (ΠΛΗΡΟΦ) **(α)** (*συσκευή*) zip drive **(β)** (*δισκέτα*) zip disk **(γ)** (*ως επίθετο*) zipped

ζιπουνάκι ΟΥΣ ΟΥΔ (*μωρού, παιδιού*) vest (*Βρετ.*), undershirt (*Αμερ.*)

ζιπούνι ΟΥΣ ΟΥΔ close-fitting waist-length jacket

ζόμπι ΟΥΣ ΟΥΔ ΑΚΛ **(α)** (*στο βουντού*) zombie **(β)** (= *εκκεντρικός άνθρωπος*) weirdo (*ανεπ.*) · (= *άσχημος ή γερασμένος άνθρωπος*) old buzzard (*ανεπ.*)

ζόρι ΟΥΣ ΟΥΔ (*ανεπ.*) **(α)** (= *βία*) force **(β)** (= *δυσκολία*) toughness
▷**κάνω κτ με το ζόρι** (*με τη βία*) to do sth against one's will · (*με δυσκολία*) to have a tough *ή* hard time doing sth
▷**με τα χίλια ζόρια** it was an uphill struggle
▷**μετά από πολύ ζόρι** after a lot of effort
▷**τραβάω ζόρι** to have a hard time (*ανεπ.*)

ζορίζω ① Ρ Μ (*ανεπ.*) **(α)** (*προσωπικό, παιδί*) to push **(β)** (*μηχανή*) to push · (*ψυγείο*) to overload **(γ)** (= *στριμώχνω*) to put on the spot ② Ρ ΑΜ (*κατάσταση*) to get tougher
▶**ζορίζομαι** ΜΕΣΟΠΑΘ to struggle
▷**μη ζορίζεσαι!** take it easy! · (*ειρων.*) drop it!

ζόρικα ΕΠΙΡΡ **(α)** (= *σκληρά*) roughly · (= *επιθετικά*) aggressively · (= *ατίθασα*) wildly **(β)** (= *δύσκολα*) with difficulty **(γ)** (*αργκ.*: = *πολύ καλά*) wicked (*χυδ.*)

ζόρικος, -η, -ο ΕΠΙΘ **(α)** (*παιδί, μαθητής*) wild · (= *σκληρός· διαπραγματευτής, αφεντικό, τύπος*) tough · (*πελάτης*) difficult, awkward · (= *επιθετικός*) aggressive **(β)** (*δουλειά, υπόθεση, μάθημα*) tough, hard **(γ)** (*αργκ.*: = *πολύ καλός*) wicked (*χυδ.*)
▷**κάνω τον ζόρικο σε κπν** to get tough with sb
▷**ζόρικο αντράκι** big man (*ανεπ.*)

ζόρισμα ΟΥΣ ΟΥΔ (*ανεπ.*) **(α)** (*μαθητή, παιδιού*) pushing **(β)** (*μηχανής, αυτοκινήτου, συσκευής*) pushing, overworking **(γ)** (= *δυσκολία*) difficulty

ζούγκλα ΟΥΣ ΘΗΛ **(α)** (*κυριολ.*) jungle **(β)** (= *επισφαλής χώρος*) jungle · (= *χαώδης κατάσταση*) chaos
▷**ο νόμος της ζούγκλας** the law of the jungle

ζούδι ΟΥΣ ΟΥΔ insect, bug (*κυρ. Αμερ.*) · (*μτφ.: για άνθρωπο*) half pint

ζουζούνι ΟΥΣ ΟΥΔ (*ανεπ.*) insect, bug (*κυρ.*

Αμερ.) · (*μτφ.*) live wire (*ανεπ.*), bundle of energy

ζουζουνίζω Ρ ΑΜ to buzz

ζούλα ΟΥΣ ΘΗΛ (*αργκ.*): **στη ζούλα** on the sly

ζούληγμα ΟΥΣ ΟΥΔ (*ανεπ.*: χεριού, δαχτύλου) crushing · (*σφραγίδας*) imprinting

ζουλώ Ρ Μ (*ανεπ.*: σπυρί, σωληνάριο) to squeeze · (*φρούτο*) to squash · (*μάγουλο*) to press

ζουμ ΟΥΣ ΟΥΔ ΑΚΛ (= *φακός*) zoom (lens)
▷**κάνω ζουμ (σε)** to zoom in (on)

ζουμάρω Ρ ΑΜ to zoom in (*σε* on)

ζουμερός, -ή, -ό ΕΠΙΘ (*ανεπ.*) (α) (*πορτοκάλι, ροδάκινο*) juicy, luscious (β) (*κείμενο, στήλη, λόγια, διήγηση*) gripping

ζουμί ΟΥΣ ΟΥΔ (α) (*φαγητού, φρούτου*) juice (β) (*υπόθεσης, κειμένου*) meat
▷**βράζω στο ζουμί μου** to stew in one's own juice
▷**με παίρνουν τα ζουμιά** to turn on the waterworks

ζουμπάς ΟΥΣ ΑΡΣ (α) (*εργαλείο*) punch (β) (*μειωτ.*) shorty (*ανεπ.*), titch (*Βρετ.*) (*ανεπ.*)

ζουμπούλι ΟΥΣ ΟΥΔ hyacinth

ζουπώ Ρ Μ (*ανεπ.*: φρούτο, δάχτυλο) to crush

ζουρλαίνω Ρ Μ (α) (*παιδιά, θόρυβος, φασαρία*) to drive mad (*ανεπ.*) ή crazy (*ανεπ.*) (β) (*άνδρας, γυναίκα*) to drive crazy (*ανεπ.*)
▸**ζουρλαίνομαι** ΜΕΣΟΠΑΘ to go crazy (*ανεπ.*), to go mad (*ανεπ.*)
▷**ζουρλαίνομαι με κπν/κτ** to be mad (*ανεπ.*) ή crazy (*ανεπ.*) about sb/sth

ζουρλαμάρα ΟΥΣ ΘΗΛ = **ζούρλια**

ζούρλια ΟΥΣ ΘΗΛ craziness
▸**ζούρλιες** ΠΛΗΘ mischief *εν.*

ζουρλομανδύας ΟΥΣ ΑΡΣ straitjacket
▷**μου φορούν ζουρλομανδύα** to put sb in a straitjacket
▷**μου χρειάζεται ζουρλομανδύας** to need locking up in the loony bin (*ανεπ.*)

ζουρλοπαντιέρα ΟΥΣ ΘΗΛ (α) (= *τρελός*) nutcase (*ανεπ.*) (β) (= *εκκεντρικός*) crank (*ανεπ.*), crackpot (*ανεπ.*)

ζουρλός, -ή, -ό ΕΠΙΘ (α) (= *τρελός*) crazy (*ανεπ.*), nuts (*ανεπ.*) (β) (= *πολύ ζωηρός*) hyper (*ανεπ.*)

ζοφερός, -ή, -ό ΕΠΙΘ (*επίσ.*) (α) (*σκοτάδι, νύχτα*) pitch-black (β) (*μέλλον, προοπτική, σκέψη*) bleak, gloomy

ζοχάδες ΟΥΣ ΘΗΛ ΠΛΗΘ (α) (= *αιμορροΐδες*) piles (β) (= *κακή διάθεση*) bad mood
▷**είμαι στις** ή **έχω τις ζοχάδες μου** to be in a (bad) mood

ζοχαδιάζω Ρ Μ: **ζοχαδιάζω κπν** to get sb's goat (*ανεπ.*), to put sb in a temper
▸**ζοχαδιάζομαι** ΜΕΣΟΠΑΘ to get into a bad temper

ζοχαδιακός, -ή, -ό ΕΠΙΘ suffering from piles · (*μτφ.*) moody, bad-tempered

ζοχός ΟΥΣ ΑΡΣ hogweed, cow parsley

ζυγαριά ΟΥΣ ΘΗΛ (α) (*όργανο*) scales *πληθ.*, pair of scales (β) (*μτφ.*) balance

ζύγι ΟΥΣ ΟΥΔ (α) (= *ζύγισμα*) weighing (β) (= *σταθμά*) weights *πληθ.*
▷**κλέβω στο ζύγι** to give short weight
▷**πουλάω με το ζύγι** to sell by weight

ζυγιάζω Ρ Μ (α) (*ανεπ.*: άνθρωπο, αντικείμενο) to weigh (β) (*λόγια*) to weigh · (*δεδομένα, κατάσταση*) to weigh up · (*άνθρωπο*) to size up

▸**ζυγιάζομαι, ζυγιέμαι** ΜΕΣΟΠΑΘ (*άνθρωπος*) to balance · (*ζώο*) to crouch · (*αρπακτικό*) to hover

ζύγιασμα ΟΥΣ ΟΥΔ (α) (*ανεπ.*: αντικειμένου) weighing (β) (*λόγων*) weighing · (*ανθρώπου*) sizing up (γ) (*ζώου*) crouching · (*αρπακτικού*) hovering

ζυγίζω ☐ Ρ Μ (α) (*σταφύλια, χρυσό*) to weigh (β) (*λόγια, κουβέντες*) to weigh · (*πράγματα*) to weigh up · (*άνθρωπο*) to size up (γ) (*στρατιώτες, μαθητές*) to line up ☐ Ρ ΑΜ (*άνθρωπος, ζώο, αντικείμενο*) to weigh
▷**ζυγίζω καλά** (*για ζυγαριά*) to be accurate
▷**ζυγίζω τα υπέρ και τα κατά** to weigh up the pros and the cons
▸**ζυγίζομαι** ΜΕΣΟΠΑΘ (*μαθητές, στρατιώτες*) to fall in rank

ζύγιση ΟΥΣ ΘΗΛ (α) (*ανθρώπου, αντικειμένου*) weighing (β) (*στρατιωτών*) falling in · (*μαθητών*) lining up

ζύγισμα ΟΥΣ ΟΥΔ (α) (*αντικειμένου*) weighing (β) (*λόγων*) weighing · (*ανθρώπου*) sizing up

ζυγιστής ΟΥΣ ΑΡΣ weigher (*customs officer*)

ζυγός[1] ΟΥΣ ΑΡΣ (*επίσ.*) (α) (= *ζυγαριά*) balance, scales *πληθ.* (β) (ΑΣΤΡΟΝ, ΑΣΤΡΟΛ) Libra (γ) (*στο αλέτρι*) yoke

> *Προσοχή!: Ο πληθυντικός του* **yoke** *είναι* **yoke**.

(δ) (= *σκλαβιά*) yoke (ε) (ΣΤΡΑΤ) rank
▷**εφ' ενός ζυγού** (ΣΤΡΑΤ) in single file
▷**τους ζυγούς λύσατε!** (ΣΤΡΑΤ) dismiss!
▸**ασύμμετροι ζυγοί** (ΑΘΛ) asymmetric bars *πληθ.*

ζυγός[2], **-ή, -ό** ΕΠΙΘ (α) (εξάτμιση, καρμπιρατέρ) twin (β) (*αριθμός*) even
▷**ζυγά-ζυγά** two by two, in pairs

ζυγοσταθμίζω Ρ Μ (*αυτοκίνητο, μηχανές εργοστασίου*) to balance · (*πλοίο*) to trim

ζυγοστάθμιση ΟΥΣ ΘΗΛ (*αυτοκινήτου, μηχανών εργοστασίου*) balance · (*πανιών, πλοίου*) trim

ζυγούρι ΟΥΣ ΟΥΔ two-year-old lamb

ζύγωμα ΟΥΣ ΟΥΔ (α) (*ανεπ.*) approach (β) (ΑΝΑΤ) zygomatic arch, zygoma

ζυγωματικός, -ή, -ό ΕΠΙΘ (ΑΝΑΤ) cheek, malar (*επιστ.*)
▸**ζυγωματικό** ΟΥΣ ΟΥΔ cheekbone, zygomatic bone (*επιστ.*)

ζυγώνω ⓵ Ρ ΑΜ **(α)** (*πλοίο, τρένο*) to approach, to come in · (*άνθρωπος*) to come over ή up, to come closer **(β)** (*μέρα, τέλος, γιορτή*) to draw near, to approach ⓶ Ρ Μ (*άνθρωπο, ζώο*) to approach, to get nearer to

ζυθεστιατόριο ΟΥΣ ΟΥΔ (*επίσ.*) restaurant (*where beer is served*)

ζυθοποιείο ΟΥΣ ΟΥΔ brewery

ζυθοποιός ΟΥΣ ΑΡΣΘΗΛ brewer

ζυθοπωλείο ΟΥΣ ΟΥΔ (*επίσ.*) beerhouse

ζύθος ΟΥΣ ΑΡΣ (*επίσ.*) beer

ζυμάρι ΟΥΣ ΟΥΔ **(α)** (*ψωμιού, γλυκού*) dough **(β)** (*μτφ.*) paste

ζυμαρικά ΟΥΣ ΟΥΔ ΠΛΗΘ pasta εν.

ζύμη ΟΥΣ ΘΗΛ **(α)** (= *ζυμάρι*) dough **(β)** (= *προζύμι*) yeast

ζύμωμα ΟΥΣ ΟΥΔ **(α)** (*ψωμιού, ύλης*) kneading **(β)** (*ανθρώπου*) moulding (*Βρετ.*), molding (*Αμερ.*)

ζυμώνω ⓵ Ρ Μ (*ψωμί*) to knead · (*πηλό, κερί*) to knead, to work ⓶ Ρ ΑΜ (= *ασχολούμαι με το ζύμωμα*) to knead dough
▷**όποιος βαριέται ή δεν θέλει να ζυμώσει, δέκα μέρες κοσκινίζει** (*παροιμία*) procrastination is the thief of time
▸**ζυμώνομαι** ΜΕΣΟΠΑΘ **(α)** (ΧΗΜ) to ferment **(β)** (*ζωή, παιδί, χαρακτήρας*) to be moulded (*Βρετ.*) ή molded (*Αμερ.*)

ζύμωση ΟΥΣ ΘΗΛ **(α)** (*ψωμιού*) kneading **(β)** (ΧΗΜ) fermentation **(γ)** (*παιδιού, χαρακτήρα*) moulding (*Βρετ.*), molding (*Αμερ.*)
▸**ζυμώσεις** ΠΛΗΘ (= *εσωτερικές διεργασίες*) internal activity · (*ιδεών, τέχνης*) development

ζυμωτήριο ΟΥΣ ΟΥΔ **(α)** (*μηχανή*) dough mixer **(β)** (= *τμήμα εργοστασίου*) kneading room

ζυμωτός, -ή, -ό ΕΠΙΘ **(α)** (*ψωμί*) home–made **(β)** (ΧΗΜ) fermented

Ζυρίχη ΟΥΣ ΘΗΛ Zurich

ζω ⓵ Ρ ΑΜ **(α)** (= *είμαι στη ζωή*) to live · (= *είμαι ακόμα ζωντανός*) to be alive **(β)** (*ανάμνηση, μορφή, σκηνές*) to live on **(γ)** (= *κατοικώ*) to live **(δ)** (= *συζώ*) to live (*με* with) **(ε)** (= *περνώ*) to live (*από, με* on) ⓶ Ρ Μ **(α)** (*ρόλο*) to live · (*πόλεμο, πείνα*) to live through · (*δύσκολες ώρες*) to go through · (*φρίκη, έρωτα, πόνο*) to experience **(β)** (*ζωή*) to lead **(γ)** (*ανεπ.: οικογένεια, αδέλφια*) to support, to keep
▷**ζω για κπν/κτ** to live for sb/sth
▷**ζω και βασιλεύω** to be alive and kicking
▷**ζω κπν από κοντά** to know sb well, to be close to sb
▷**ζω σαν βασιλιάς** to live like a king
▷**ζω στο παρελθόν** to live in the past
▷**κι έζησαν αυτοί καλά, κι εμείς καλύτερα** and they lived happily ever after
▷**να ζήσεις!** (*σε γενέθλια*) happy birthday! · (*σε ονομαστική εορτή*) happy name day!

▷**να ζήσετε!** (*σε νεονύμφους*) congratulations!
▷**να (σας) ζήσει!** (*σε βαφτίσια, γιορτή*) congratulations!
▷**πού ζεις;** (*για ξεπερασμένη συμπεριφορά*) what century do you live in? · (*για ανενημέρωτο άτομο*) where have you been?

ζωάκι ΟΥΣ ΟΥΔ **(α)** (= *μικρό ζώο*) little animal **(β)** (*παιχνίδι*) cuddly toy

ζωγραφιά ΟΥΣ ΘΗΛ (*γενικότ.*) picture · (= *πίνακας*) painting, picture
▷**είμαι μια ή σκέτη ή σωστή ζωγραφιά** (*για άνθρωπο*) to be very pretty · (*για τοπίο*) to be very picturesque

ζωγραφίζω ⓵ Ρ Μ **(α)** (*τοπίο, μοντέλο, προσωπογραφία*) to paint **(β)** (*τοίχο*) to draw a picture on · (*ναό*) to decorate with paintings **(γ)** (*κατάσταση*) to paint a picture of · (*χαρακτήρα*) to paint, to portray ⓶ Ρ ΑΜ **(α)** (*καλλιτέχνης, παιδί*) to paint **(β)** (*ανεπ.: αθλητής, ομάδα*) to be on spectacular form

ζωγραφική ΟΥΣ ΘΗΛ **(α)** (*τέχνη*) painting **(β)** (*πίνακα*) painting · (*ναού*) decorating with pictures **(γ)** (= *ύφος*) style of painting

ζωγραφικός, -ή, -ό ΕΠΙΘ **(α)** (*υλικό*) painting **(β)** (*ύφος, αναζήτηση*) pictorial

ζωγραφιστός, -ή, -ό ΕΠΙΘ **(α)** (= *διακοσμημένος*) decorated with pictures **(β)** (= *ζωγραφισμένος*) painted **(γ)** (*ομορφιά, κοπέλα*) stunning · (*πρόσωπο, χαμόγελο*) beautiful · (*τοπίο*) picturesque
▷**δεν θέλω να βλέπω κπν/κτ ούτε ζωγραφιστό** to never want to set eyes on sb/sth again

ζωγράφος ΟΥΣ ΑΡΣΘΗΛ painter

ζωδιακός, -ή, -ό ΕΠΙΘ (*σημείο*) of the zodiac · (*αστερισμός, ημερολόγιο*) zodiacal
▸**ζωδιακή ζώνη, ζωδιακός κύκλος** zodiac ring

ζώδιο ΟΥΣ ΟΥΔ (*αστερισμός*) zodiacal constellation · (*σύμβολο*) star sign, sign of the zodiac

ζωεμπόριο ΟΥΣ ΟΥΔ trade
▸**ζωεμπόριο προβάτων/αλόγων/βοδιών** sheep/horse/cattle trade

ζωέμπορος ΟΥΣ ΑΡΣ trader

ζωή ΟΥΣ ΘΗΛ **(α)** (*ανθρώπου, ζώων, φυτού*) life

Προσοχή!: Ο πληθυντικός του **life** *είναι* **lives**.

(β) (*ανθρώπου, κράτους, κυβέρνησης*) life, lifetime · (*πλανήτη, ζώων, φυτού*) lifespan · (*μηχανής*) lifespan, life **(γ)** (*για πόλη, πάρτι*) life **(δ)** (= *μέσα διαβίωσης*) living
▷**αυτά έχει η ζωή!** that's life!
▷**αυτό θα πει ζωή!, αυτή είναι ζωή!** that's really living!
▷**βλέπω τη ζωή ρόδινη** to see life through rose–coloured (*Βρετ.*) ή rose–colored (*Αμερ.*) glasses
▷**βρίσκομαι μεταξύ ζωής και θανάτου** to be at death's door

▷**δεν είναι ζωή αυτή!** that's no way to live!
▷**δεν έχω πολλή ζωή** (*για πρόσ.*) not to have long to live
▷**δίνω (ένα) τέλος στη ζωή μου** to end one's life
▷**δίνω ζωή σε κπν/κτ** to liven sb/sth up
▷**δίνω τη ζωή μου για κπν/κτ** to give ή lay down one's life for sb/sth
▷**δίνω τη ζωή μου σε κπν/κτ** to devote one's life to sb/sth
▷**είμαι όλο ή γεμάτος ζωή** to be full of life
▷**εν ζωή** (*επίσ.*) alive, living
▷**έτσι είναι η ζωή!** that's life!
▷**εφ' όρου ζωής** for life
▷**ζωή σε λόγου σας ή σε σας!** (*ευχή*) my condolences
▷**η άλλη ή μεταθανάτια ή μέλλουσα ζωή** the afterlife
▷**η ευκαιρία της ζωής μου** the chance of a lifetime
▷**η μεγάλη ζωή** the high life
▷**κάνω τη ζωή μου** to lead one's own life
▷**κάνω τη ζωή κπιου δύσκολη** to make life difficult for sb
▷**κάνω τη ζωή κπιου μαύρη ή μαρτύριο ή κόλαση** to make sb's life hell
▷**παίρνω ή αφαιρώ τη ζωή κπιου** (*ευφημ.*) to take sb's life
▷**πετυχαίνω στη ζωή (μου)** to succeed in life
▷**σκυλίσια ζωή** a dog's life
▷**στη ζωή μου!** (*ως όρκος*) I swear on my life!, cross my heart (and hope to die)!
▷**το κόστος ζωής** the cost of living
▷**φέρνω στη ζωή** to give birth to
▷**φεύγω από ή εγκαταλείπω τη ζωή** to pass away, to depart this life
▸**γλυκιά ζωή** life of luxury
▸**μέγιστη διάρκεια ζωής** lifespan
▸**μέσος όρος ζωής** average lifespan
▸**πιθανή διάρκεια ζωής** life expectancy

ζωηράδα ουσ θηλ = **ζωηρότητα**

ζωηρεύω ① ρ μ (*πάρτι, συζήτηση*) to liven up · (*κέφι*) to lift, to raise · (*χρώμα*) to brighten · (*ενδιαφέρον*) to arouse
② ρ αμ (α) (*άνθρωπος, φυτό*) to perk up · (*πάρτι, συζήτηση*) to liven up · (*ενδιαφέρον*) to increase · (*σφυγμός*) to quicken (β) (*παιδί*) to become unruly (γ) (*νεαρός, κοπέλα: ερωτικά*) to start taking an interest in the opposite sex

ζωηρός, -ή, -ό επιθ (α) (*άνθρωπος*) lively · (*βήμα*) brisk · (*κίνηση*) brisk, energetic · (*βλέμμα*) bright, sparkling (β) (*παιδί*) naughty (γ) (*νεαρός, κοπέλα: ερωτικά*) interested in the opposite sex (δ) (*ενδιαφέρον*) keen, lively · (*συζήτηση*) animated · (*χρώμα, φαντασία, περιγραφή, ανάμνηση*) vivid · (*φως*) bright · (*διαμαρτυρίες*) energetic (ε) (*φωνές, γέλια*) exuberant

ζωηρότητα ουσ θηλ (α) (*ανθρώπου*) liveliness · (*βήματος, κίνησης*) briskness · (*βλέμματος*) sparkle (β) (*παιδιού*) naughtiness (γ) (*για ερωτική διάθεση:*

νεαρού, κοπέλας) interest in the opposite sex (δ) (*ενδιαφέροντος*) keenness · (*συζήτησης*) animation · (*χρώματος, φαντασίας, περιγραφής, ανάμνησης*) vividness · (*φωτός*) brightness (ε) (*φωνής, γέλιου*) exuberance

ζωηρόχρωμος, -η, -ο επιθ (*ύφασμα, ρούχο*) brightly–coloured (*Βρετ.*), brightly–colored (*Αμερ.*)

ζωικός¹, -ή, -ό επιθ (*προϊόντα, βασίλειο, λίπη*) animal · (*παραγωγή*) livestock, animal

ζωικός², -ή, -ό επιθ (*οργανισμός*) living · (*δύναμη, ορμή, θερμότητα*) vital

ζωμός ουσ αρσ (*βοδινού, κότας, λαχανικών*) stock
▸**μέλας ζωμός** (ΑΡΧ ΙΣΤ) *an extract of pork boiled in blood, eaten in ancient Sparta*

ζωνάρι ουσ ουδ (*από ύφασμα*) sash · (*κάθε ζώνη*) belt
▷**έχω λυτό ή λύνω ή αμολάω το ζωνάρι μου για καβγά** to be spoiling for a fight
▷**σφίγγω το ζωνάρι** to tighten one's belt
▷**το ζωνάρι της καλογριάς** the Milky Way
▷**το ζωνάρι της Παναγιάς ή του ουρανού** rainbow

ζώνη ουσ θηλ (α) (*γενικότ.*) belt · (*από ύφασμα*) sash (β) (*καθίσματος*) seat belt (γ) (*στις πολεμικές τέχνες*) belt (δ) (ΙΑΤΡ) (support) belt (ε) (ΓΕΩΓΡ, ΑΣΤΡΟΝ, ΑΘΛ) zone (στ) (ΤΗΛΕΟΡ, ΡΑΔΙΟΦ) slot
▷**αυτό είναι χτύπημα κάτω από τη ζώνη** (*μτφ.*) that's below the belt
▷**χτύπημα κάτω από τη ζώνη** (*στην πυγμαχία*) blow below the belt
▸**ζώνη αγνότητας** chastity belt
▸**ζώνη αναπαραγωγής** breeding ground
▸**ζώνη ασφαλείας** safety belt, seat belt
▸**ζώνη βλάστησης** vegetation zone
▸**Ζώνη Ελευθέρων Συναλλαγών ή Ελευθέρου Εμπορίου** free–trade area
▸**ζώνη επιρροής** sphere of influence
▸**ζώνη επιχειρήσεων** (ΣΤΡΑΤ) war zone
▸**ζώνη πρασίνου** green belt
▸**ζώνη υψηλής ακροαματικότητας** (ΡΑΔΙΟΦ) prime time
▸**ζώνη υψηλής τηλεθέασης** (ΤΗΛΕΟΡ) prime time

ζωντάνεμα ουσ ουδ (α) (*νεκρού*) bringing back to life (β) (= *αναζωογόνηση: ανθρώπου*) reviving, waking up · (*φυτού*) reviving, perking up (γ) (= *ζωήρεμα: ανθρώπου*) perking up, livening up · (*κεφιού*) lifting (δ) (*αναμνήσεων*) bringing back, reviving (ε) (*ενδιαφέροντος*) arousal · (*συζήτησης*) livening up (στ) (*εθίμου, παράδοσης*) revival

ζωντανεύω ① ρ μ (α) (*νεκρό*) to bring back to life (β) (*άνθρωπο*) to revive, to wake up (γ) (*αναμνήσεις, μνήμες*) to bring back, to revive (δ) (*γιορτή, συγκέντρωση*) to liven up (ε) (*έθιμο, παράδοση*) to revive
② ρ αμ (α) (= *αναζωογονούμαι: άνθρωπος*) to perk up, to wake up · (*φυτό*) to revive, to perk up (β) (= *ζωηρεύω: άνθρωπος, συντροφιά*) to perk up, to liven up · (*κέφι*) to

lift (γ) (παιχνίδι, εμπόριο) to pick up
(δ) (ενδιαφέρον) to increase · (συζήτηση) to
liven up (ε) (όνειρο) to become reality
(στ) (έθιμο, παράδοση) to be revived

ζωντάνια ΟΥΣ ΘΗΛ (α) (ανθρώπου) liveliness,
vivacity (β) (περιγραφής) vividness

ζωντανό ΟΥΣ ΟΥΔ (α) (= υποζύγιο) beast of
burden · (= κατοικίδιο) domestic animal
(β) (υβρ.) jackass (ανεπ.)

ζωντανός, -ή, -ό ΕΠΙΘ (α) (= εν ζωή) alive,
living (β) (= ζωηρός) lively, vivacious
(γ) (χρώμα, ανάμνηση, αφήγηση) vivid ·
(ομιλία) evocative (δ) (μύθος, γλώσσα,
παράδοση) living (ε) (εκπομπή, μετάδοση,
σύνδεση) live

▸ ζωντανοί ΟΥΣ ΑΡΣ ΠΛΗΘ: **οι ζωντανοί** the living

ζωντόβολο ΟΥΣ ΑΡΣ (υβρ.) jackass (ανεπ.)

ζωντοχήρα ΟΥΣ ΘΗΛ divorcee

ζωντοχήρος ΟΥΣ ΑΡΣ divorcee

ζώνω Ρ Μ (α) (σπαθί) to buckle on · (μέση) to
put a belt around · (ρούχο) to belt (β) (μτφ.)
to surround
▸ **με ζώνουν τα φίδια** to get worried
▸ ζώνομαι ΜΕΣΟΠΑΘ (σπαθί, ξίφος) to buckle on ·
(πιστόλι) to stick in one's belt

ζώο ΟΥΣ ΟΥΔ (α) (= έμβιο ον) animal
(β) (επίσης **ζώον**: = βλάκας) ass (ανεπ.),
jackass (ανεπ.) · (= άξεστος) lout

ζωοβιολογία ΟΥΣ ΘΗΛ animal biology

ζωογόνηση ΟΥΣ ΘΗΛ (α) (= ζωντάνεμα)
reviving (β) (μτφ.) stimulus

Προσοχή!: Ο πληθυντικός του **stimulus**
είναι **stimuli**.

ζωογονητικός, -ή, -ό ΕΠΙΘ = **ζωογόνος**

ζωογόνος, -α ή -ος, -ο ΕΠΙΘ (α) (αέρας)
invigorating · (ήλιος) life-giving (β) (πηγή,
πίστη, μάθηση) fortifying

ζωογονώ Ρ Μ (α) (ήλιος) to give life to
(β) (άνθρωπο) to invigorate · (μυαλό) to
stimulate

ζωοδότης ΟΥΣ ΑΡΣ life–giver

ζωοδότρα ΟΥΣ ΘΗΛ βλ. **ζωοδότης**

ζωοδότρια ΟΥΣ ΘΗΛ βλ. **ζωοδότης**

ζωοκλέφτης ΟΥΣ ΑΡΣ rustler

ζωοκλοπή ΟΥΣ ΘΗΛ rustling

ζωοκτονία ΟΥΣ ΘΗΛ illegal killing of an animal

ζωοκτόνος ΟΥΣ ΑΡΣΘΗΛ person that kills an
animal illegally

ζωολάτρης ΟΥΣ ΑΡΣ zoolater

ζωολατρία ΟΥΣ ΘΗΛ zoolatry

ζωολάτρισσα ΟΥΣ ΘΗΛ βλ. **ζωολάτρης**

ζωολογία ΟΥΣ ΘΗΛ zoology

ζωολογικός, -ή, -ό ΕΠΙΘ zoological
▸ **ζωολογικός κήπος** zoo, zoological garden
▸ **ζωολογικό πάρκο** wildlife park

ζωολόγος ΟΥΣ ΑΡΣΘΗΛ zoologist

ζώον ΟΥΣ ΟΥΔ = **ζώο**

ζωοπανήγυρη ΟΥΣ ΘΗΛ animal fair · (για
άλογα) horse fair · (για βόδια) cattle fair

ζωοτοκία ΟΥΣ ΘΗΛ viviparity

ζωοτόκος, -ος, -ο ΕΠΙΘ viviparous

ζωοτροφείο ΟΥΣ ΟΥΔ (αγελάδων) cattle farm ·
(αλόγων) stud farm · (χοίρων) piggery ·
(προβάτων) sheep farm

ζωοτροφή ΟΥΣ ΘΗΛ animal fodder

ζωοτροφία ΟΥΣ ΘΗΛ animal husbandry

ζωοτρόφος ΟΥΣ ΑΡΣΘΗΛ (αγελάδων) cattle
farmer · (αλόγων) horse breeder, stud farmer ·
(χοίρων) pig farmer · (προβάτων) sheep
farmer

ζωούλα ΟΥΣ ΘΗΛ (α) (= παιδί) child · (για ζώο)
baby animal

Προσοχή!: Ο πληθυντικός του **child** *είναι*
children.

(β) (ειρων.) number one (ανεπ.)

ζωόφιλος, -η, -ο ΕΠΙΘ = **φιλόζωος**

ζωοφοβία ΟΥΣ ΘΗΛ zoophobia

ζωοφόρος ΟΥΣ ΘΗΛ = **ζωφόρος**

ζωροαστρισμός ΟΥΣ ΑΡΣ Zoroastrianism

ζωτικός, -ή, -ό ΕΠΙΘ (α) (όργανο, λειτουργία,
ενέργεια, σημείο) vital (β) (συμφέροντα,
ρόλος, θέμα) vital · (παράγοντας, ανάγκη)
vital, essential · (περιοχή, τομέας) of vital
importance

ζωτικότητα ΟΥΣ ΘΗΛ (α) (οργάνου,
λειτουργίας) vital nature (β) (ατομού, λαού)
vitality (γ) (συμφερόντων, ρόλον, χώρον)
vital importance

ζωύφιο ΟΥΣ ΟΥΔ insect, bug (κυρ. Αμερ.)

ζωφόρος ΟΥΣ ΘΗΛ frieze

ζωώδης, -ης, -ες ΕΠΙΘ (α) (δύναμη,
χαρακτηριστικά) animal (β) (συμπεριφορά)
bestial
▸ **ζωώδη ένστικτα** animal instincts

Η η

Η, η eta, *seventh letter of the Greek alphabet*
▷ **η´** 8
▷ **,η** 8,000

η ΑΡΘΡ ΟΡΙΣΤ *βλ.* **ο, η, το**

ή ΣΥΝΔ or
▷ **ή ο ένας ή ο άλλος, ή το ένα ή το άλλο** either one or the other

ήβη ΟΥΣ ΘΗΛ (α) (= *εφηβεία*) puberty
(β) (= *νιότη*) adolescence (γ) (ΑΝΑΤ) pubis

> *Προσοχή!: Ο πληθυντικός του* **pubis** *είναι* **pubes**.

ηβικός, -ή, -ό ΕΠΙΘ pubic
▸ **ηβικό οστό** pubis, pubic bone
▸ **ηβική χώρα** pubes *πληθ.*

ηγεμόνας ΟΥΣ ΑΡΣ (α) (*χώρας, λαού*) ruler
(β) (*μτφ.*) prince

ηγεμονεύω Ρ ΑΜ (α) (*οίκος, δυναστεία*) to reign, to rule (β) (*εταιρεία*) to be market leader

ηγεμονία ΟΥΣ ΘΗΛ (α) (*χώρας*) domination, hegemony (*επίσ.*) (β) (*θαλασσών, εμπορίου*) domination · (*νομίσματος*) supremacy
(γ) (= *χώρα ή περιοχή*) principality

ηγεμονικός, -ή, -ό ΕΠΙΘ (α) (*θρόνος*) royal · (*δύναμη*) sovereign (β) (*θέση, ρόλος*) dominant (γ) (*παράστημα, βήμα, ύφος*) regal
(δ) (*αμοιβή, δώρα*) princely · (*φιλοδοξία*) boundless

ηγεμονισμός ΟΥΣ ΑΡΣ domination

ηγεσία ΟΥΣ ΘΗΛ (α) (ΠΟΛΙΤ) leadership · (ΣΤΡΑΤ) command (β) (*κόμματος*) leadership · (*αγώνα*) leaders *πληθ.* · (*Ενόπλων Δυνάμεων*) commanders *πληθ.*
▷ **παραμένω στην ηγεσία** (ΠΟΛΙΤ) to remain in power · (ΣΤΡΑΤ) to remain in command
▷ **υπό την ηγεσία(ν) κποιου** (ΠΟΛΙΤ) under sb's leadership · (ΣΤΡΑΤ) under sb's command
▸ **αθλητική ηγεσία** sports officials
▸ **στρατιωτική ηγεσία** high command

ηγέτης ΟΥΣ ΑΡΣ (*χώρας, κόμματος, ομάδας*) leader · (*στρατεύματος*) commander, leader
▷ **είμαι γεννημένος ηγέτης** to be a born leader

ηγετικός, -ή, -ό ΕΠΙΘ (α) (*στέλεχος, ρόλος*) leading · (*θέση*) dominant, leading
(β) (*ικανότητες*) leadership

ηγήτορας, ηγήτωρ (*επίσ.*) ΟΥΣ ΑΡΣ (*έθνους*) leader · (*στρατού*) commander, leader

ηγούμαι ① Ρ ΑΜ ΑΠΟΘ to lead

② Ρ Μ (*στρατού*) to be in command of · (*επανάστασης*) to lead · (*κινήματος*) to lead, to be at the head of

ηγουμένη ΟΥΣ ΘΗΛ mother superior, abbess

ηγουμενικός, -ή, -ό ΕΠΙΘ (*ράβδος*) pastoral

ηγούμενος ΟΥΣ ΑΡΣ abbot

ήδη ΕΠΙΡΡ already

ηδονή ΟΥΣ ΘΗΛ pleasure
▷ **άγρια ηδονή** frenzy of lust

ηδονίζομαι ① Ρ ΑΜ to feel pleasure
② Ρ Μ (*μτφ.*) to take pleasure *ή* delight (*να* in)

ηδονικός, -ή, -ό ΕΠΙΘ sensual

ηδονισμός ΟΥΣ ΑΡΣ hedonism

ηδονιστής ΟΥΣ ΑΡΣ hedonist

ηδονιστικός, -ή, -ό ΕΠΙΘ (*αντίληψη, χαρακτήρας*) hedonistic · (*εμπειρία*) sensual

ηδονίστρια ΟΥΣ ΘΗΛ = **ηδονιστής**

ηδονοβλεψίας ΟΥΣ ΑΡΣ&ΘΗΛ (*επίσ.*) voyeur

ηδυπάθεια ΟΥΣ ΘΗΛ sensuality

ηδυπαθής, -ής, -ές ΕΠΙΘ sensual, voluptuous

ηδύποτο ΟΥΣ ΟΥΔ liqueur

ηθελημένα ΕΠΙΡΡ deliberately

ηθελημένος, -η, -ο ΕΠΙΘ (*πράξη*) deliberate, intentional · (*λάθος, παράλειψη*) deliberate

ηθική ΟΥΣ ΘΗΛ (α) (*επιστήμη*) ethics εν.

> *Προσοχή!: Αν και το* **ethics** *φαίνεται ως τύπος πληθυντικού, είναι μη αριθμήσιμο ουσιαστικό και συντάσσεται με ρήμα στον ενικό.*

(β) (= *ηθικές αρχές*) ethics *πληθ.* · (*ατόμου*) ethics *πληθ.*, principles *πληθ.*
▸ **αστική ηθική** civics εν.

> *Προσοχή!: Αν και το* **civics** *φαίνεται ως τύπος πληθυντικού, είναι μη αριθμήσιμο ουσιαστικό και συντάσσεται με ρήμα στον ενικό.*

▸ **ιατρική ηθική** medical ethics *πληθ.*

ηθικό ΟΥΣ ΟΥΔ (*λαού, στρατού, μαθητών*) morale
▷ **χάνω το ηθικό μου** to lose heart

ηθικολογία ΟΥΣ ΘΗΛ (*προφορική*) homily · (*γραπτή*) treatise on morality · (*ειρων.*) moralizing

ηθικολογικός, -ή, -ό ΕΠΙΘ moralistic

ηθικολόγος ΟΥΣ ΑΡΣΘΗΛ moralist

ηθικολογώ Ρ ΑΜ to moralize

ηθικοπλαστικός, -ή, -ό ΕΠΙΘ edifying, uplifiting · (ειρων.) moralizing

ηθικοποιώ Ρ Μ to edify, to improve the morals of

ηθικός, -ή, -ό ΕΠΙΘ (α) (αρχές, υποστήριξη, υποχρέωση) moral · (συμπεριφορά: για επαγγελματία) ethical (β) (ικανοποίηση) spiritual
► ηθικός αυτουργός accessory · (χιουμορ.) culprit
► ηθική βλάβη (ΝΟΜ) emotional ή mental distress
► ηθικό δίδαγμα moral
► ηθικός κώδικας (ΦΙΛΟΣ) moral code
► ηθικός νόμος moral code

ηθογραφία ΟΥΣ ΘΗΛ (ΛΟΓ) *description of the manners and customs of a particular time and place* · (ΤΕΧΝ) genre painting

ηθογραφικός, -ή, -ό ΕΠΙΘ (διήγημα) *describing the manners and customs of a particular time and place* · (πίνακας) genre

ηθογράφος ΟΥΣ ΑΡΣΘΗΛ (λογοτέχνης) *writer who depicts the manners and customs of a particular time and place* · (ζωγράφος) genre painter

ηθολογία ΟΥΣ ΘΗΛ (α) (ΒΙΟΛ, ΨΥΧΟΛ) ethology (β) (ΦΙΛΟΣ) treatise on manners

ηθολογικός, -ή, -ό ΕΠΙΘ ethological
► ηθολογική πραγματεία treatise on manners

ηθοπλαστικός, -ή, -ό ΕΠΙΘ uplifting

ηθοποιία ΟΥΣ ΘΗΛ (α) (τέχνη και επάγγελμα) acting (β) (μτφ.) play–acting

ηθοποιός ΟΥΣ ΑΡΣΘΗΛ (α) (επάγγελμα) actor/ actress (β) (μτφ.) play–actor (ανεπ.)

ήθος ΟΥΣ ΟΥΔ (α) (οργάνωσης, επανάστασης) ethos (β) (= ηθικό ανάστημα) morals πληθ., moral standards πληθ. (γ) (= χαρακτήρας) character
▷ αγωνιστικό ήθος fighting spirit
► ήθη ΠΛΗΘ morals
► ήθη και έθιμα manners and customs, mores (επίσ.)
► (Τμήμα) Ηθών vice squad
► χρηστά ήθη (ΝΟΜ) public decency

ηλεκτραγωγός, -ός, -ό ΕΠΙΘ: ηλεκτραγωγό σώμα electrical conductor

ηλεκτρίζω Ρ Μ (α) (ΦΥΣ) to electrify (β) (άνθρωπο) to electrocute (γ) (ατμόσφαιρα) to electrify · (ακροατήριο, κοινό) to thrill

ηλεκτρικός, -ή, -ό ΕΠΙΘ (συσκευή, γεννήτρια, κινητήρας, φως) electric · (είδη, αντίσταση, εγκατάσταση) electrical
▷ εργοστάσιο παραγωγής ηλεκτρικού ρεύματος power plant
► ηλεκτρική ενέργεια electric power
► ηλεκτρικός θερμοσίφωνας immersion heater
► ηλεκτρική καρέκλα electric chair

► ηλεκτρικός πίνακας fuse box
► ηλεκτρικό ρεύμα electric current
► ηλεκτρική σκούπα vacuum cleaner, Hoover ® (Βρετ.)
► ηλεκτρικά ΟΥΣ ΟΥΔ ΠΛΗΘ (ανεπ.) electrics εν.

> *Προσοχή!: Αν και το* **electrics** *φαίνεται ως τύπος πληθυντικού, είναι μη αριθμήσιμο ουσιαστικό και συντάσσεται με ρήμα στον ενικό.*

► ηλεκτρικό ΟΥΣ ΟΥΔ electricity · (= σύνδεση) electricity supply · (= λογαριασμός) electricity bill
► ηλεκτρικός ΟΥΣ ΑΡΣ (επίσης ηλεκτρικός σιδηρόδρομος) electric railway · (= σταθμός) station

ηλέκτριση ΟΥΣ ΘΗΛ electrification

ηλεκτρισμένος, -η, -ο ΕΠΙΘ (α) (σώμα) charged, electrified · (κατάσταση) electrified (β) (ατμόσφαιρα, κλίμα) electric

ηλεκτρισμός ΟΥΣ ΑΡΣ (α) (ΦΥΣ) electricity (β) (= παροχή ηλεκτρικού ρεύματος) electricity supply

ήλεκτρο ΟΥΣ ΟΥΔ amber

ηλεκτρόδιο ΟΥΣ ΟΥΔ electrode

ηλεκτροδότηση ΟΥΣ ΘΗΛ (α) (= σύνδεση) connection to the power supply (β) (= παροχή) power supply

ηλεκτροθεραπεία ΟΥΣ ΘΗΛ electrotherapy

ηλεκτροκαρδιογράφημα ΟΥΣ ΟΥΔ electrocardiogram, ECG

ηλεκτροκαρδιογράφος ΟΥΣ ΑΡΣ electrocardiograph

ηλεκτροκίνηση ΟΥΣ ΘΗΛ electrification

ηλεκτροκίνητος, -η, -ο ΕΠΙΘ (τρένο, λεωφορείο, αυτοκίνητο) electric

ηλεκτρολογία ΟΥΣ ΘΗΛ electricity (*science*)

ηλεκτρολογικός, -ή, -ό ΕΠΙΘ (είδη, υλικά, εγκατάσταση) electrical
► ηλεκτρολογικό εργαστήριο (τεχνίτη) electrician's workshop · (σχολής) electricity lab

ηλεκτρολόγος ΟΥΣ ΑΡΣΘΗΛ (α) (επιστήμονας) *physicist specializing in the study of electricity* (β) (τεχνίτης) electrician
► ηλεκτρολόγος μηχανικός electrical engineer
► ηλεκτρολόγος μηχανολόγος electrical and mechanical engineer

ηλεκτρόλυση ΟΥΣ ΘΗΛ electrolysis

ηλεκτρολύτης ΟΥΣ ΑΡΣ electrolyte

ηλεκτρομαγνήτης ΟΥΣ ΑΡΣ electromagnet

ηλεκτρομαγνητικός, -ή, -ό ΕΠΙΘ electromagnetic

ηλεκτρομαγνητισμός ΟΥΣ ΑΡΣ electromagnetism

ηλεκτρομηχανικός, -ή, -ό ΕΠΙΘ electromechanical
► ηλεκτρομηχανική ΟΥΣ ΘΗΛ electrical engineering
► ηλεκτρομηχανικός ΟΥΣ ΑΡΣΘΗΛ electrical engineer

Η

ηλεκτρονική ΟΥΣ ΘΗΛ electronics εν.

Προσοχή!: Αν και το **electronics** *φαίνεται ως τύπος πληθυντικού, είναι μη αριθμήσιμο ουσιαστικό και συντάσσεται με ρήμα στον ενικό.*

ηλεκτρονικός, -ή, -ό ΕΠΙΘ (α) (*σύστημα, ήχος*) electronic (β) (*στοιβάδα, δομή*) electron
► **ηλεκτρονικά** ΟΥΣ ΟΥΔ ΠΛΗΘ (α) (*επίσης* **ηλεκτρονικά παιχνίδια**) computer games (β) (*επιστήμη*) electronics εν. (γ) (*κατάστημα*) arcade, amusement arcade (*Βρετ.*)
► **ηλεκτρονικός** ΟΥΣ ΑΡΣ/ΘΗΛ electronics scientist
► **ηλεκτρονικές τραπεζικές συναλλαγές** online banking, e–banking
► **ηλεκτρονική δημοσιογραφία** electronic media
► **ηλεκτρονική εφημερίδα** online *ή* electronic newspaper
► **ηλεκτρονικό εμπόριο** e–commerce
► **ηλεκτρονικό κατάστημα** online store, e–shop (*Βρετ.*)
► **ηλεκτρονικό λεξικό** electronic dictionary
► **ηλεκτρονικό ταχυδρομείο** e–mail, electronic mail
► **ηλεκτρονικός υπολογιστής** computer

ηλεκτρόνιο ΟΥΣ ΟΥΔ electron
► **ηλεκτρόνιο σθένους** valence electron
► **θετικό/αρνητικό ηλεκτρόνιο** positron/ negatron

ηλεκτρονόμος ΟΥΣ ΑΡΣ (*επίσ.*) relay

ηλεκτροπαραγωγή ΟΥΣ ΘΗΛ electricity generation

ηλεκτροπληξία ΟΥΣ ΘΗΛ electric shock

ηλεκτροσκόπιο ΟΥΣ ΟΥΔ electroscope

ηλεκτροσόκ ΟΥΣ ΟΥΔ ΑΚΛ (α) (ΙΑΤΡ) electrotherapy (β) (*βασανιστήριο*) electric shock

ηλεκτροσπασμοθεραπεία ΟΥΣ ΘΗΛ (electro)shock therapy, electro–convulsive therapy

ηλεκτροστατική ΟΥΣ ΘΗΛ electrostatics εν.

Προσοχή!: Αν και το **electrostatics** *φαίνεται ως τύπος πληθυντικού, είναι μη αριθμήσιμο ουσιαστικό και συντάσσεται με ρήμα στον ενικό.*

ηλεκτροστατικός, -ή, -ό ΕΠΙΘ electrostatic
► **ηλεκτροστατικός φακός** electrostatic lens

ηλεκτροτεχνίτης ΟΥΣ ΑΡΣ electrician

ηλεκτροφόρος, -α *ή* **-ος, -ο** ΕΠΙΘ (*δίκτυο, σύρμα, καλώδιο*) live· (*γραμμές σιδηροδρόμου*) electrified, live
► **ηλεκτροφόρο χέλι** electric eel
► **ηλεκτροφόρος** ΟΥΣ ΟΥΔ electrophorous, electrophore

ηλεκτροφώτιση ΟΥΣ ΘΗΛ = **ηλεκτροφωτισμός**

ηλεκτροφωτισμός ΟΥΣ ΑΡΣ (*πόλης, χωριού*) electric lighting· (*δρόμων*) street lighting

ηλιακός, -ή, -ό ΕΠΙΘ (*ακτινοβολία, ενέργεια*) solar
► **οι ηλιακές ακτίνες** the sun's rays
► **ηλιακές κηλίδες** sun spots
► **ηλιακή ακτίνα** sunbeam
► **ηλιακή ατμόσφαιρα** solar atmosphere
► **ηλιακή πυξίδα** solar compass
► **ηλιακό ημερολόγιο** solar calendar
► **ηλιακό ρολόι** sundial
► **ηλιακό σύστημα** solar system
► **ηλιακό φως** sunlight
► **ηλιακός δίσκος** solar disc, sun's disc
► **ηλιακός συσσωρευτής** *ή* **συλλέκτης** solar panel
► **ηλιακός** ΟΥΣ ΑΡΣ (*επίσης* **ηλιακός θερμοσίφωνας**) solar heater

ηλίανθος ΟΥΣ ΑΡΣ sunflower

ηλίαση ΟΥΣ ΘΗΛ sunstroke

ηλιαχτίδα ΟΥΣ ΘΗΛ (*λογοτ.*) sunbeam

ηλίθιος, -α, -ο ① ΕΠΙΘ (α) (*άνθρωπος, απάντηση, χαμόγελο, βλέμμα*) stupid, idiotic (β) (*παπούτσια, ρούχα*) silly ② ΟΥΣ idiot

ηλιθιότητα ΟΥΣ ΘΗΛ (α) (= *βλακεία*) stupidity, idiocy (β) (= *ανοησία*) stupid thing
► **ηλιθιότητες** ΠΛΗΘ nonsense εν.

ηλικία ΟΥΣ ΘΗΛ (α) (*ανθρώπου, φυτού, πλανήτη*) age (β) (ΣΤΡΑΤ) class
▷ **είμαι (μιας) κάποιας ηλικίας** (*ευφημ.*) to be getting on in years
▷ **είμαι σε ηλικία γάμου** to be old enough to marry *ή* to get married
▷ **με την ηλικία** with age
▷ **(πάνω) στο άνθος της ηλικίας (κποιου)** in the prime of (sb's) life
▷ **το νεαρό της ηλικίας** youth
► **βρεφική** *ή* **νηπιακή ηλικία** infancy, babyhood
► **εφηβική ηλικία** teens *πληθ.*, adolescence
► **μέση ηλικία** (*ατόμου*) middle age· (*συνόλου*) average age
► **νόμιμη ηλικία** legal age
► **όριο ηλικίας** age limit
► **παιδική ηλικία** childhood
► **τρίτη ηλικία** old age
► **τρυφερή ηλικία** tender age

ηλικιωμένος, -η, -ο ΕΠΙΘ elderly
► **ηλικιωμένος** ΟΥΣ ΑΡΣ senior citizen, elderly *ή* old man
► **ηλικιωμένη** ΟΥΣ ΘΗΛ senior citizen, elderly *ή* old woman
► **οι ηλικιωμένοι** ΟΥΣ ΑΡΣ ΠΛΗΘ the elderly, senior citizens

ηλιοβασίλεμα ΟΥΣ ΟΥΔ sunset, sundown (*Αμερ.*)

ηλιοθεραπεία ΟΥΣ ΘΗΛ (α) (= *έκθεση στον ήλιο*) sunbathing (β) (ΙΑΤΡ) heliotherapy
▷ **κάνω ηλιοθεραπεία** to sunbathe

ηλιόκαμα ΟΥΣ ΟΥΔ (α) (= *λιοπύρι*) scorching heat (β) (= *μαύρισμα*) suntan

ηλιοκαμένος, -η, -ο ΕΠΙΘ (sun)tanned, brown

ηλιόλουστος, -η, -ο ΕΠΙΘ (*λογοτ.: μέρα,*

πρωινό) sunny · (*δωμάτιο, χώρα, παραλία*) sunny, sunlit

ήλιον, ήλιο ΟΥΣ ΟΥΔ helium

ηλιοροφή ΟΥΣ ΘΗΛ **(α)** (*σε όχημα*) sunroof **(β)** (*σε κτήριο*) skylight

ήλιος ΟΥΣ ΑΡΣ **(α)** (ΑΣΤΡΟΝ) sun **(β)** (ΒΟΤ) sunflower
▷ **δεν έχω στον ήλιο μοίρα** to be down on one's luck
▷ **έχει ήλιο** it's sunny
▷ **έχει ήλιο με δόντια!** it may look sunny, but it's freezing out there!
▷ **ηλίου φαεινότερον** (*επίσ.*) glaringly obvious
▷ **η χώρα του ανατέλλοντος ηλίου** the land of the rising sun
▷ **ουδέν κρυπτόν υπό τον ήλιον** (*επίσ.*) murder will out
▷ **σπίτι που δεν το βλέπει ο ήλιος, το βλέπει ο γιατρός** (*παροιμ.*) a house without sun is not healthy

ηλιοστάσιο ΟΥΣ ΟΥΔ solstice

ηλιοτροπία ΟΥΣ ΘΗΛ = **ηλιοτροπισμός**

ηλιοτρόπιο ΟΥΣ ΟΥΔ **(α)** (ΒΟΤ) heliotrope **(β)** (ΧΗΜ) litmus
▸ **δείκτης ηλιοτροπίου** litmus test

ηλιοτροπισμός ΟΥΣ ΑΡΣ, **ηλιοτροπία** ΟΥΣ ΘΗΛ heliotropism

ηλιοφάνεια ΟΥΣ ΘΗΛ **(α)** (*για καιρό*) sunshine **(β)** (= *διάρκεια ημέρας*) daylight

ηλιοφώτιστος, -η, -ο ΕΠΙΘ sunny

ηλιοψημένος, -η, -ο ΕΠΙΘ (*λογοτ.*) (sun)tanned

ήλος ΟΥΣ ΑΡΣ (ΙΑΤΡ) pin
▷ **θέτω** *ή* **βάζω το δάχτυλο εις τον τύπον των ήλων** (*επίσ.: για πρόσ.*) to take the bull by the horns · (*για αναφορά, μέτρα*) to tackle *ή* deal with an issue head on

Ηλύσια Πεδία ΟΥΣ ΟΥΔ ΠΛΗΘ: **τα Ηλύσια Πεδία** (ΜΥΘΟΛ) the Elysian Fields, Elysium · (*στο Παρίσι*) the Champs Élysées

ημεδαπός, -ή, -ό ΕΠΙΘ (*επίσ.: νόμος, εταιρεία*) national, domestic
▸ **ημεδαπή** ΟΥΣ ΘΗΛ homeland
▸ **ημεδαπός** ΟΥΣ ΑΡΣ, **ημεδαπή** ΟΥΣ ΘΗΛ national

ημείς ΠΡΟΣ. ΑΝΤΩΝ. = **εμείς**

ημέρα ΟΥΣ ΘΗΛ **(α)** (*εβδομάδας, μήνα*) day **(β)** (= *φως*) daylight **(γ)** (*ως επίρρημα*) early in the day
▷ **από τη μια μέρα στην άλλη** overnight
▷ **αποφράδα (η)μέρα** ill-fated day
▷ **άσπρη μέρα** good day
▷ **δεν είναι κάθε μέρα τ' Αϊ-Γιαννιού** (*παροιμ.*) it isn't Christmas every day
▷ **είμαι** *ή* **βρίσκομαι σε καλή/κακή (η)μέρα** to be on (good) form/not to be on form
▷ **είμαι** *ή* **βρίσκομαι στη μέρα μου** (*για αθλητές*) to be on form
▷ **είμαι στις μέρες μου** (*για γυναίκα*) to be due to give birth any day
▷ **είναι η μέρα μου** it's my lucky day · (*ειρων.*) it's not my day (today)
▷ **εντός των ημερών** (*επίσ.*) within days

▷ **επί των ημερών κποιου** (*επίσ.*) in sb's day
▷ **η καλή μέρα από το πρωί φαίνεται** (*παροιμ.*) if something starts well, it will finish well
▷ **η μέρα με τη νύχτα** like chalk and cheese
▷ **κάθε μέρα** every day
▷ **μέρα μεσημέρι** midday · (*μτφ.*) in broad daylight
▷ **μέρα με τη μέρα, ημέρα την ημέρα, από μέρα σε μέρα** day by day
▷ **μέρα-νύχτα** *ή* **νύχτα-μέρα** night and day
▷ **μέρα παρά μέρα** every other day
▷ **μια μέρα** one day
▷ **προ ημερών** (*επίσ.*) a few days ago
▷ **σώνονται οι μέρες του/της** his/her days are numbered
▷ **τη σήμερον ημέρα** (*προφορ.*) nowadays, these days
▷ **την κακή (και ψυχρή) σου μέρα!** (*υβρ.*) go jump off a cliff!
▷ **της ημέρας** of the day, today's
▷ **τρώω** *ή* **χάνω την (η)μέρα μου** to waste the day
▷ **φτιάχνω την (η)μέρα κποιου** to make sb's day
▸ **εργάσιμη ημέρα** working day
▸ **ημέρα λαϊκής** market day
▸ **ημέρα πληρωμών** pay day
▸ **ημέρα των Χριστουγέννων** Christmas Day
▸ **ημέρας** ΟΥΣ ΘΗΛ ΓΕΝ. fresh
▸ **ημέρες** ΠΛΗΘ days, times

ημερεύω ▯ Ρ Μ **(α)** (*τίγρη, λιοντάρι*) to tame · (*άλογο*) to break in · (*είδος ζώου*) to domesticate **(β)** (*άνθρωπο*) to calm down ▯ Ρ ΑΜ (*άνθρωπος*) to calm down · (*θυμός, οργή*) to die down · (*θάλασσα*) to grow calm

ημερήσιος, -α *ή* **-ία, -ο** ΕΠΙΘ daily
▷ **σε ημερήσια βάση** on a daily basis
▸ **ημερήσια διάταξη** *ή* **διάταξις** agenda
▸ **ημερήσια εκδρομή, ημερήσιο ταξίδι** day trip
▸ **ο ημερήσιος Τύπος** the daily papers ΠΛΗΘ., the dailies ΠΛΗΘ.

ημερίδα ΟΥΣ ΘΗΛ day
▸ **ημερίδα στίβου** one-day track and field event

ημεροδείκτης ΟΥΣ ΑΡΣ block calendar, tear-off calendar · (= *κάθε ημερολόγιο*) calendar

ημερολογιακός, -ή, -ό ΕΠΙΘ (*έτος, μήνας*) calendar

ημερολόγιο ΟΥΣ ΟΥΔ **(α)** (*γενικότ.*) calendar · (= *ημεροδείκτης*) block calendar **(β)** (*βιβλίο*) diary **(γ)** (*αεροπλάνου, πλοίου*) log, logbook
▷ **κρατώ ημερολόγιο** to keep a diary
▸ **γρηγοριανό/ιουλιανό ημερολόγιο** Gregorian/ Julian calendar
▸ **επιτραπέζιο ημερολόγιο** desk calendar
▸ **ημερολόγιο γραφείου** desk diary
▸ **ημερολόγιο τοίχου** wall calendar

ημερομηνία ΟΥΣ ΘΗΛ date
▷ **ορίζω ημερομηνία** to set a date
▸ **ημερομηνία γεννήσεως** date of birth
▸ **ημερομηνία έκδοσης** publication date
▸ **ημερομηνία θανάτου** date *ή* time of death

▸**ημερομηνία λήξεως** ή **λήξης** (τροφίμων)
best–before date · (διαβατηρίου) expiry date
ημερομίσθιος, -α, -ο ΕΠΙΘ (εργασία) day's
▸**ημερομίσθιος εργάτης** day labourer (Βρετ.)
ή laborer (Αμερ.)
▸**ημερομίσθιο** ΟΥΣ ΟΥΔ wage
ημερονύκτιο ΟΥΣ ΟΥΔ a day and a night
ήμερος, -η, -ο ΕΠΙΘ (α) (ζώο) tame (β) (φυτό,
χόρτα, τόπος) cultivated (γ) (άνθρωπος)
placid, gentle · (φωνή) gentle
ημέρωμα ΟΥΣ ΟΥΔ (α) (θηρίου) taming ·
(αλόγου) breaking in (β) (ανθρώπου)
calming down
ημερώνω ① Ρ Μ (α) (τίγρη, λιοντάρι) to tame ·
(άλογο) to break in · (είδος ζώου) to
domesticate (β) (φυτό) to cultivate (γ) (μτφ.)
to civilize
② Ρ ΑΜ (άνθρωπος) to calm down
ημέτερος, -έρα, -ερο ΕΠΙΘ (επίσ.) of ours
▸**ημέτεροι** ΟΥΣ ΑΡΣ ΠΛΗΘ (ειρων.) our own
ημιάγριος, -α, -ο ΕΠΙΘ semi–savage
ημιανάπαυση ΟΥΣ ΘΗΛ (παράγγελμα) at ease!
ημιαργία ΟΥΣ ΘΗΛ half day, half–day holiday
ημιαυτόματος, -η, -ο ΕΠΙΘ semi–automatic
ημίγυμνος, -η, -ο ΕΠΙΘ half–naked
ημιδιαφανής, -ής, -ές ΕΠΙΘ translucent,
sheer
ημίθεος ΟΥΣ ΑΡΣ (α) (ΜΥΘΟΛ) demigod
(β) (μτφ.) hero

> *Προσοχή!: Ο πληθυντικός του* **hero** *είναι*
> **heroes**.

ημικρανία ΟΥΣ ΘΗΛ migraine
ημικυκλικός, -ή, -ό ΕΠΙΘ semicircular
ημικύκλιο ΟΥΣ ΟΥΔ semicircle
ημιμάθεια ΟΥΣ ΘΗΛ superficial knowledge
▷**η ημιμάθεια είναι χειρότερη από την**
αμάθεια a little learning is a dangerous
thing
ημιμαθής, -ής, -ές ΕΠΙΘ semiliterate
▸**ημιμαθής** ΟΥΣ ΑΡΣ/ΘΗΛ semiliterate person
ημίμετρο ΟΥΣ ΟΥΔ half measure
ημίονος ΟΥΣ ΑΡΣ/ΘΗΛ (επίσ.) mule
ημιπερίοδος ΟΥΣ ΘΗΛ semicolon clause
ημιπληγία ΟΥΣ ΘΗΛ hemiplegia
ημιπληγικός, -ή, -ό ΕΠΙΘ hemiplegic
▸**ημιπληγικός** ΟΥΣ ΑΡΣ, **ημιπληγική** ΟΥΣ ΘΗΛ
hemiplegic
ημιπολύτιμος, -η, -ο ΕΠΙΘ (λίθος)
semiprecious
ημισέληνος ΟΥΣ ΘΗΛ (επίσ.)
(α) (= μισοφέγγαρο) half moon
(β) (σύμβολο) crescent
▸**Ερυθρά Ημισέληνος** Red Crescent
ήμισυς, ημίσεια, ήμισυ ΕΠΙΘ (επίσ.) half
▷**εξ ημισείας** half each
▸**ήμισυ** ΟΥΣ ΟΥΔ (α) (= μισό) half

> *Προσοχή!: Ο πληθυντικός του* **half** *είναι*
> **halves**.

(β) (ΜΟΥΣ) minim
▷**κατά το ήμισυ** half
▷**το έτερον ήμισυ** one's better half
ημισφαιρικός, -ή, -ό ΕΠΙΘ hemispherical
ημισφαίριο ΟΥΣ ΟΥΔ hemisphere
▸**αριστερό/δεξί ημισφαίριο** (ΑΝΑΤ) left/right
hemisphere
▸**βόρειο/νότιο ημισφαίριο** (ΓΕΩΓΡ) northern/
southern hemisphere
ημιτελής, -ής, -ές ΕΠΙΘ (επίσ.: διαμέρισμα,
κατασκευή) unfinished, half–finished ·
(προσπάθεια) half–hearted
ημιτελικός, -ή, -ό ΕΠΙΘ (ΑΘΛ) semifinal
▸**ημιτελικά** ΟΥΣ ΟΥΔ ΠΛΗΘ semifinals
▸**ημιτελικός** ΟΥΣ ΑΡΣ (= αγώνας) semifinal ·
(= φάση) semifinals πληθ.
ημιτόνιο ΟΥΣ ΟΥΔ semitone
ημίτονο, -η, -ο ΕΠΙΘ (α) (ΤΕΧΝ) halftone,
semitone (β) (ΜΟΥΣ) semitonic, semitone
▸**ημίτονο** ΟΥΣ ΟΥΔ (ΜΑΘ) sine
▸**ημίτονο γωνίας/τόξου** sine of an angle/an
arc
ημιφορτηγό ΟΥΣ ΟΥΔ van · (= αγροτικό)
pick–up (truck)
ημίφως ΟΥΣ ΟΥΔ (φυσικό) twilight, half light ·
(τεχνητό) half light
ημίχρονο, ημιχρόνιο ΟΥΣ ΟΥΔ half–time
ημίψηλο ΟΥΣ ΟΥΔ top hat
ημίωρος, -η, -ο ΕΠΙΘ (εκπομπή, καθυστέρηση,
διάλειμμα) half–hour
▸**ημίωρο** ΟΥΣ ΟΥΔ half an hour
ημιώροφος ΟΥΣ ΑΡΣ mezzanine
ηνίοχος ΟΥΣ ΑΡΣ (επίσ.) charioteer
Ηνωμένες Πολιτείες Αμερικής ΟΥΣ ΘΗΛ
ΠΛΗΘ: **οι Ηνωμένες Πολιτείες της Αμερικής**
the United States of America
Ηνωμένο Βασίλειο ΟΥΣ ΟΥΔ: **το Ηνωμένο**
Βασίλειο the United Kingdom
ηνωμένος, -η, -ο ΕΠΙΘ (επίσ.) united
▸**τα Ηνωμένα Έθνη** the United Nations
ήξεις αφήξεις ΕΠΙΘ ambiguous
Η.Π.Α. ΣΥΝΤΟΜ USA
ήπαρ ΟΥΣ ΟΥΔ liver
▷**μου κόπηκαν τα ήπατα** (ανεπ.) to be scared
stiff (ανεπ.)
ηπατικός, -ή, -ό ΕΠΙΘ (δυσλειτουργία,
εξέταση) liver, hepatic (επιστ.)
ηπατίτιδα ΟΥΣ ΘΗΛ hepatitis
Ήπειρος ΟΥΣ ΘΗΛ Epirus
▸**Βόρειος Ήπειρος** Northern Epirus
ήπειρος ΟΥΣ ΘΗΛ (α) (= στεριά) mainland
(β) (= γεωγραφική περιοχή) continent
▸**η γηραιά ήπειρος** Europe, the Old World
ηπειρωτικός, -ή, -ό ΕΠΙΘ continental
▸**ηπειρωτική Ελλάδα** mainland Greece
▸**ηπειρωτική Ευρώπη** continental Europe
▸**ηπειρωτικό κλίμα** continental climate
▸**ηπειρωτικός** ΟΥΣ ΑΡΣ ΠΛΗΘ mainlander
ήπιος, -α, -ο ΕΠΙΘ (α) (άνθρωπος,
χαρακτήρας) gentle (β) (καιρός, χειμώνας)

mild (γ) (αντίδραση, κριτική) mild · (στάση) mild, moderate · (τόνος) calm

▸**ήπιες μορφές ενέργειας** alternative forms of energy

▸**ήπιο κλίμα** mild climate · (μτφ.) calm atmosphere

▸**ήπιος τουρισμός** eco–tourism

ηπιότητα ΟΥΣ ΘΗΛ (α) (ανθρώπου, χαρακτήρα) gentleness · (κλίματος) mildness (β) (τόνου) calm · (αντίδρασης) mildness

ήρα ΟΥΣ ΘΗΛ darnel, tare

▹**χωρίζω την ήρα από το στάρι** to separate the wheat from the chaff

ηράκλειος, -α, -ο ΕΠΙΘ Herculean

▸**οι Ηράκλειες Στήλες** the Pillars of Hercules

ήρεμα ΕΠΙΡΡ (μιλώ) quietly · (κάθομαι) quietly, calmly · (πεθαίνω) peacefully

ηρεμία ΟΥΣ ΘΗΛ (α) (θάλασσας, φύσης) calm · (εξοχής, σπιτιού) peace and quiet · (κατάστασης, εκλογών) calm, peace (β) (έκφρασης, προσώπου, ψυχής) calmness, serenity

▹**επικρατεί ηρεμία** peace reigns

▹**ταράζω την ηρεμία κποιου** to upset sb's composure

▸**ολύμπια ηρεμία** Olympian calm

▸**ψυχική ηρεμία** peace of mind

ηρεμιστικός, -ή, -ό ΕΠΙΘ sedative

▸**ηρεμιστικό** ΟΥΣ ΟΥΔ sedative, tranquilliser (Βρετ.), tranquilizer (Αμερ.)

ήρεμος, -η, -ο ΕΠΙΘ (α) (άνθρωπος, τόνος, φωνή) calm · (βλέμμα) serene, calm (β) (ατμόσφαιρα, περιβάλλον) calm, peaceful · (πέλαγος, ποτάμι) calm · (περίοδος, εποχή) peaceful · (ζωή) peaceful, quiet (γ) (μουσική) sedate

ηρεμώ ① Ρ ΑΜ (α) (= ξεθυμαίνω) to calm down · (= χαλαρώνω) to unwind, to relax (β) (θάλασσα, νερά) to grow calm (γ) (ζωή, κατάσταση) to calm down, to settle down ② Ρ Μ (= ξεθυμαίνω) to calm (down) · (= χαλαρώνω) to relax, to help unwind

ήρωας ΟΥΣ ΑΡΣ hero

Προσοχή!: Ο πληθυντικός του hero *είναι* heroes.

ηρωίδα ΟΥΣ ΘΗΛ heroine

ηρωικός, -ή, -ό ΕΠΙΘ heroic

ηρωίνη ΟΥΣ ΘΗΛ heroin

ηρωινομανής ΟΥΣ ΑΡΣ&ΘΗΛ heroin addict

ηρωισμός ΟΥΣ ΑΡΣ heroism

▸**ηρωισμοί** ΠΛΗΘ (ειρων.) heroics

ηρώο(ν) ΟΥΣ ΟΥΔ (= μνημείο) war memorial · (= τάφος ήρωα) hero's tomb

ηρωοποιώ Ρ Μ to put on a pedestal, to idolise

Ησαΐας ΟΥΣ ΑΡΣ Isaiah

▹**χορεύω τον χορό του Ησαΐα** to get married, to tie the knot (ανεπ.)

ησυχάζω ① Ρ ΑΜ (α) (= ηρεμώ) to calm down · (= χαλαρώνω) to relax · (= κάνω ησυχία) to quieten down (Βρετ.), to quiet

down (Αμερ.) (β) (θάλασσα) to grow calm · (άνεμος) to die down, to subside (γ) (= αναπαύομαι) to rest, to lie down ② Ρ Μ to calm down

▹**ησυχάζει το πνεύμα μου** to feel at peace

ησυχαστήριο ΟΥΣ ΟΥΔ (κυριολ., μτφ.) retreat

ησυχία ΟΥΣ ΘΗΛ (α) (= γαλήνη) calm, stillness (β) (= ηρεμία) peace and quiet (γ) (= σιωπή) quiet

▹**αφήνω κπν/κτ σε ησυχία** to leave sb/sth alone

▹**δεν έχω ή βρίσκω ησυχία** to be unable to find peace

▹**δεν έχω ησυχία** to be always on the go · (παιδί) to never sit still

▹**δεν κάθομαι στιγμή σε ησυχία** to never sit still

▹**διαταράσσω την κοινή ησυχία** ≈ to disturb the peace

▹**κάνω κτ με όλη μου την ησυχία** ή **με την ησυχία μου** to take one's time doing sth

▹**τα λέω με την ησυχία μου** to have a quiet talk

▸**διατάραξη κοινής ησυχίας** ≈ breach of the peace

▸**ώρες κοινής ησυχίας** hours during which it is forbidden to make a lot of noise

ήσυχος, -η, -ο ΕΠΙΘ (α) (άνθρωπος, θάλασσα) calm · (ζωή, βραδιά) quiet · (μέρος) quiet, peaceful (β) (= σιωπηλός) quiet

▹**αφήνω κπν ήσυχο** to leave sb alone

▹**έχω ήσυχη τη συνείδησή μου** to have a clear conscience

▹**κάτσε ήσυχος!** (= μείνε ακίνητος) keep still! · (= σώπασε) be quiet!

▹**κλείνω τα μάτια μου ήσυχος** to die happy

▹**μένω** ή **μπορώ να είμαι ήσυχος** not to worry

ήτα ΟΥΣ ΟΥΔ ΑΚΛ eta, *seventh letter of the Greek alphabet*

ήττα ΟΥΣ ΘΗΛ defeat

▸**εκλογική ήττα** defeat at the polls

▸**συντριπτική ήττα** crushing defeat

ηττημένος, -η, -ο ΕΠΙΘ defeated

▸**ηττημένος** ΟΥΣ ΑΡΣ loser

▹**ουαί τοις ηττημένοις!** woe to the vanquished!, vae victis!

ηττοπάθεια ΟΥΣ ΘΗΛ defeatism

ηττοπαθής, -ής, -ές ΕΠΙΘ defeatist

ηττώμαι Ρ ΑΜ (πολιτικός, ομάδα, εχθρός) to be defeated, to be beaten

▹**ηττώμαι κατά κράτος** to be beaten hollow

ηφαιστειακός, -ή, -ό ΕΠΙΘ volcanic

ηφαίστειο ΟΥΣ ΟΥΔ volcano · (μτφ.) explosive situation

▹**γίνομαι ηφαίστειο από τον θυμό μου** to erupt ή explode with anger

ηφαιστειογενής, -ής, -ές ΕΠΙΘ volcanic

ηχείο ΟΥΣ ΟΥΔ (α) (συσκευή) (loud)speaker (β) (οργάνου) soundbox

ηχηρός, -ή, -ό ΕΠΙΘ (α) (γέλιο, φωνή) loud · (χαστούκι, κύμβαλο) loud, resonant

Η

(β) *(εκφράσεις, λόγια, αναγγελία)* high–flown, high–sounding
► **ηχηρό όνομα** big name
► **ηχηρό σύμφωνο** (ΓΛΩΣΣ) voiced consonant
ηχηρότητα ΟΥΣ ΘΗΛ loudness
ηχητικός, -ή, -ό ΕΠΙΘ *(σήμα, μόνωση)* sound
► **ηχητικά εφέ** sound effects
► **ηχητική βυθομέτρηση** echo sounding
► **ηχητικό κύμα** sound wave
► **ηχητική** ΟΥΣ ΘΗΛ acoustics *εν.*

> *Προσοχή!: Αν και το* **acoustics** *φαίνεται ως τύπος πληθυντικού, είναι μη αριθμήσιμο ουσιαστικό και συντάσσεται με ρήμα στον ενικό.*

ηχογράφηση ΟΥΣ ΘΗΛ recording
ηχογραφώ Ρ Μ *(δίσκο, τραγούδι)* to record
ηχολήπτης ΟΥΣ ΑΡΣ sound engineer
ηχολήπτρια ΟΥΣ ΘΗΛ *βλ.* **ηχολήπτης**
ηχοληψία ΟΥΣ ΘΗΛ sound recording

ηχόμετρο ΟΥΣ ΟΥΔ sound (level) meter
ηχομιμητικός, -ή, -ό ΕΠΙΘ (ΓΛΩΣΣ) onomatopoeic
► **ηχομιμητική** ΟΥΣ ΘΗΛ onomatopoeia
ηχομόνωση ΟΥΣ ΘΗΛ soundproofing
ηχομονωτικός, -ή, -ό ΕΠΙΘ **(α)** *(υλικό)* soundproof **(β)** *(ικανότητα)* soundproofing
ήχος ΟΥΣ ΑΡΣ sound
▷**μετά τον χαρακτηριστικό ήχο** *(σε τηλεφωνητή)* after the tone
► **ένταση του ήχου** volume
► **(υψηλή) πιστότητα ήχου** high–fidelity sound
► **χρώμα του ήχου** timbre, tone colour *(Βρετ.)* ή color *(Αμερ.)*
ηχώ ΟΥΣ ΘΗΛ *(κυριολ., μτφ.)* echo
ηχώ Ρ ΑΜ to sound
ηωζωικός, -ή, -ό ΕΠΙΘ Eozoic
Ηώκαινο ΟΥΣ ΟΥΔ Eocene
ηώς ΟΥΣ ΘΗΛ *(επίσ.)* dawn

Θ ϑ

Θ, ϑ theta, *eighth letter of the Greek alphabet*
▷**ϑ´** 9
▷**,ϑ** 9,000

ΛΕΞΗ-ΚΛΕΙΔΙ

ϑα ΜΟΡ (α) (*για τον σχηματισμό μελλοντικών χρόνων*) will □ *ϑα φύγω αύριο το πρωί* I'll leave tomorrow morning· *ϑα διαβάζω όλη μέρα αύριο για τις εξετάσεις* I'll be studying for my exams all day tomorrow· *ϑα έχω τελειώσει τη δουλειά μου μέχρι να επιστρέψεις* I'll have finished my work by the time you return
(β) (*δυνητικό*) would □ *ϑα σου το έλεγα, αν το ήξερα* I'd have told you if I knew· *ϑα είχα διαβάσει, αν είχα χρόνο* I'd have studied if I had the time· *ϑα ερχόμουν, αν δεν είχα δουλειά* I'd come if I wasn't busy
(γ) (*πιϑανολογικό*) must □ *ϑα καϑυστέρησαν κάπου* they must have been delayed somewhere
▸**ϑα** ΟΥΣ ΟΥΔ ΠΛΗΘ promises □ *δεν ϑέλω ϑα, ϑέλω έργα* I don't want promises, I want action

---

ϑάβω Ρ Μ (α) (*ϑησαυρό, κόκαλο, νεκρό*) to bury (β) (*σκάνδαλο, υπόϑεση*) to cover up (γ) (*ανεπ.: = χαντακώνω*) to ruin (δ) (*ανεπ.: = κακολογώ*) to run down (*ανεπ.*)
▸**ϑάβομαι** ΜΕΣΟΠΑΘ to stagnate

ϑαλαμάρχης ΟΥΣ ΑΡΣΘΗΛ *person responsible for keeping barracks or a hospital ward tidy*

ϑαλάμη ΟΥΣ ΘΗΛ (α) (*χταποδιού*) nest (β) (*όπλου*) chamber

ϑαλαμηγός ΟΥΣ ΘΗΛ yacht

ϑαλαμηπόλος ΟΥΣ ΑΡΣ (*ξενοδοχείου*) room attendant· (*πλοίου*) steward
▸**ϑαλαμηπόλος** ΟΥΣ ΘΗΛ (*ξενοδοχείου*) chambermaid· (*πλοίου*) stewardess

ϑαλάμι ΟΥΣ ΟΥΔ nest

ϑαλαμίσκος ΟΥΣ ΑΡΣ (*πλοίου, αεροπλάνου, διαστημοπλοίου*) cabin· (*ασανσέρ*) cage

ϑάλαμος ΟΥΣ ΑΡΣ (α) (*= δωμάτιο*) room (β) (*νοσοκομείου*) ward· (*στρατώνα*) barracks *εν. ή πληϑ.* (γ) (*πλοίου*) cabin
▸**ϑάλαμος αερίων** gas chamber
▸**ϑάλαμος δοκιμών** test chamber
▸**νεκρικός ϑάλαμος** burial chamber
▸**νυφικός ϑάλαμος** bridal suite
▸**σκοτεινός ϑάλαμος** (*φωτογραφικής μηχανής*) camera body· (*φωτογράφου,*

κινηματογραφιστή) darkroom
▸**τηλεφωνικός ϑάλαμος** (tele)phone booth
▸**ψυκτικός ϑάλαμος** freezer compartment (*Βρετ.*), deep–freeze compartment (*Αμερ.*)

ϑαλαμοφύλακας ΟΥΣ ΑΡΣ *person responsible for safety in a barracks or a hospital ward*

ϑάλασσα ΟΥΣ ΘΗΛ sea
▷*έχει ϑάλασσα* the sea is rough
▷*έχω φάει τη ϑάλασσα με το κουτάλι* to be an old sea dog
▷*οι επτά ϑάλασσες* the seven seas
▷*οργώνω τις ϑάλασσες* to ply the seas
▷*παλεύω με τη ϑάλασσα* (*για ναυαγό*) to be at the mercy of the sea· (*για ναυτικό, ψαρά*) to work at sea
▷*τα κάνω ϑάλασσα* to make a mess of things

ϑαλασσής, -ιά, -ί ΕΠΙΘ light–blue
▸**ϑαλασσί** ΟΥΣ ΟΥΔ light blue

ϑαλασσινά ΟΥΣ ΟΥΔ ΠΛΗΘ seafood *εν.*

ϑαλασσινός, -ή, -ό ΕΠΙΘ (*αέρας, νερό, ταξίδι*) sea· (*μπάνιο*) in the sea· (*εμπόριο*) at sea· (*ιστορία, ζωή*) marine
▸**ϑαλασσινός** ΟΥΣ ΑΡΣ, **ϑαλασσινή** ΟΥΣ ΘΗΛ (*= κάτοικος νησιού*) islander· (*= κάτοικος παραϑαλάσσιου μέρους*) resident of a seaside town or village· (*= ναυτικός*) sailor· (*= ψαράς*) fisherman

---
*Προσοχή!: Ο πληϑυντικός του **fisherman** είναι **fishermen**.*

ϑαλάσσιος, -α, -ο ΕΠΙΘ (*ελέφαντας, ανεμώνη, αρτηρίες, μεταφορά*) sea· (*περιβάλλον, πλούτος, πανίδα, έρευνα*) marine

ϑαλασσογραφία ΟΥΣ ΘΗΛ seascape

ϑαλασσοδαρμένος, -η, -ο ΕΠΙΘ (α) (*ακτή, βράχια*) pounded by the sea (β) (*άνϑρωπος*) weather–beaten

ϑαλασσοδέρνομαι Ρ ΜΕΣΟΠΑΘ (α) (*για ναυαγό, ναυτικό*) to be tossed about by the sea (β) (*μτφ.*) to struggle

ϑαλασσοκράτειρα ΟΥΣ ΘΗΛ sea power

ϑαλασσοκράτορας ΟΥΣ ΑΡΣ sea power

ϑαλασσοκρατορία ΟΥΣ ΘΗΛ naval supremacy

ϑαλασσόλυκος ΟΥΣ ΑΡΣ sea dog

ϑαλασσόνερο ΟΥΣ ΟΥΔ seawater

ϑαλασσοπνίγομαι Ρ ΑΜ ΑΠΟΘ
(α) (*= ϑαλασσοδέρνομαι*) to be half–drowned (β) (*μτφ.*) to struggle

ϑαλασσοπόρος ΟΥΣ ΑΡΣΘΗΛ (α) (*που*

Θαλασσοπούλι 292 Θαυματουργικός

ταξιδεύει στις θάλασσες) seafarer
(β) (= εξερευνητής) marine explorer
Θαλασσοπούλι ΟΥΣ ΟΥΔ sea bird
Θαλασσοταραχή ΟΥΣ ΘΗΛ rough sea
Θαλασσοφοβία ΟΥΣ ΘΗΛ fear of the sea
Θαλασσόχορτο ΟΥΣ ΟΥΔ (= αρμυρήθρα) samphire
Θαλασσώνω Ρ Μ: **τα θαλασσώνω** to mess things up
Θαλιδομίδη ΟΥΣ ΘΗΛ thalidomide
Θαλπωρή ΟΥΣ ΘΗΛ (α) (= ευχάριστη ζέστη) warmth, cosiness (Βρετ.), coziness (Αμερ.) (β) (μτφ.) loving atmosphere
▷**έχω ανάγκη από θαλπωρή** to need tender loving care
Θάμα ΟΥΣ ΟΥΔ = **θαύμα**
Θάμβος ΟΥΣ ΟΥΔ (α) (= ισχυρή λάμψη) dazzle (β) (= γόητρο) wonder
Θαμνοειδής, -ής, -ές ΕΠΙΘ βλ. **Θαμνώδης**
Θάμνος ΟΥΣ ΑΡΣ bush · (= χαμόδεντρο) shrub
Θαμνώδης, -ης, -ες ΕΠΙΘ (α) (επίσης **Θαμνοειδής**: φυτό) bushy (β) (έκταση, περιοχή) scrubby
Θαμπάδα ΟΥΣ ΘΗΛ (α) (γυαλιού) mistiness · (ασημικών) dullness (β) (για όραση) dimness
▷**πρωινή θαμπάδα** early morning haze
Θαμπός, -ή, -ό ΕΠΙΘ (α) (καθρέφτης: από πολυκαιρία) tarnished · (τζάμι, καθρέφτης: απο υδρατμούς) misted up ή over · (φως) dim · (ουρανός) dull (β) (φιγούρα, εικόνα) blurred (γ) (μαλλιά, χρώμα) dull (δ) (αναμνήσεις) dim
Θάμπος ΟΥΣ ΟΥΔ = **θάμβος**
Θαμποφέγγω Ρ ΑΜ to glimmer
Θάμπωμα ΟΥΣ ΟΥΔ (α) (καθρέφτη: από πολυκαιρία) tarnishing · (τζαμιών, καθρέφτη: από υδρατμούς) misting up ή over (β) (όρασης, ματιών) blurring (γ) (μαλλιών, χρώματος) dullness (δ) (= θαυμασμός) awe
Θαμπώνω ① Ρ Μ (α) (τζάμι) to mist (up ή over) (β) (ομορφιά, πλούτη) to dazzle ② Ρ ΑΜ (α) (καθρέφτης: από πολυκαιρία) to become tarnished · (καθρέφτης, τζάμια: απο υδρατμούς) to mist up ή over · (μαλλιά) to become dull (β) (μάτια) to blur
▷**το φως τής θάμπωσε τα μάτια** the light dazzled her, she was dazzled by the light
▷**τα δάκρυα τής θάμπωσαν τα μάτια** her eyes misted with tears ή misted over
Θαμώνας ΟΥΣ ΑΡΣ/ΘΗΛ (καφενείου, μπαρ) patron
Θανάσιμος, -η, -ο ΕΠΙΘ (α) (τραύμα, ενέδρα) fatal (β) (αμάρτημα) mortal · (σφάλμα) fatal (γ) (εχθρός, αντίπαλος) deadly · (κίνδυνος) mortal
Θανατάς ΟΥΣ ΑΡΣ: **είμαι του θανατά** to be at death's door
▷**πέφτω του θανατά** to be deeply depressed
Θανατηφόρος, -α, -ο ΕΠΙΘ (ατύχημα) fatal · (δηλητήριο, ιός, φάρμακο, επιδημία) deadly
Θανατικός, -ή, -ό ΕΠΙΘ (καταδίκη) death

▶**Θανατική ποινή** death penalty, capital punishment
▶**Θανατικό** ΟΥΣ ΟΥΔ (= πανούκλα) plague · (= σειρά θανάτων) series of deaths
Θάνατος ΟΥΣ ΑΡΣ (α) (γενικότ.) death (β) (= καταστροφή) disaster
▷**είμαι για θάνατο** to be dying
▷**μετά θάνατον** posthumously
▷**μετά θάνατον ζωή** life after death
▷**μέχρι θανάτου** to the death
▷**ο Θάνατός σου η ζωή μου** survival of the fittest
▶**"κίνδυνος-θάνατος"** "danger of death"
Θανατοφοβία ΟΥΣ ΘΗΛ fear of death
Θανατώνω Ρ Μ to kill
Θανάτωση ΟΥΣ ΘΗΛ killing · (καταδικασμένου) execution
Θανή ΟΥΣ ΘΗΛ (λογοτ.) death
Θαρραλέος, -α, -ο ΕΠΙΘ (άνθρωπος, απόφαση, στάση) brave
Θαρρετός, -ή, -ό ΕΠΙΘ (άνθρωπος, λόγια) bold
Θάρρος ΟΥΣ ΟΥΔ (α) (= τόλμη) courage (β) (= οικειότητα) boldness
▷**δίνω θάρρος σε κπν** to encourage sb
▷**Θάρρος!** be brave!
▷**παίρνω θάρρος** to take courage
▷**παραπαίρνω θάρρος** to take liberties
Θαρρώ Ρ Μ to think
Θαύμα ΟΥΣ ΟΥΔ (α) (= παράδοξο γεγονός) miracle (β) (ΘΡΗΣΚ) miracle (γ) (= επίτευγμα) wonder, marvel
▷**είναι θαύμα υπομονής/αντοχής** he is incredibly patient/has incredible stamina
▷**Θαύμα παράσταση/φαγητό** wonderful show/ food
▷**πράματα και θάματα** extraordinary things
▷**τα επτά θαύματα του κόσμου** the seven wonders of the world
▷**τα καταφέρνω θαύμα** to do marvellously (Βρετ.) ή marvelously (Αμερ.) well
▷**ως εκ θαύματος** (επίσ.) by some miracle
▶**παιδί-θαύμα** child prodigy
Θαυμάζω Ρ Μ (α) (= απολαμβάνω) to marvel at (β) (= εκτιμώ) to admire
Θαυμάσιος, -α, -ο ΕΠΙΘ wonderful, marvellous (Βρετ.), marvelous (Αμερ.)
Θαυμασμός ΟΥΣ ΑΡΣ (α) (= έντονη εντύπωση) wonder (β) (= εκτίμηση) admiration
Θαυμαστής ΟΥΣ ΑΡΣ (α) (τέχνης, πολιτισμού, έργου) admirer (β) (ηθοποιού, τραγουδιστή) fan
Θαυμαστικό ΟΥΣ ΟΥΔ exclamation mark (Βρετ.), exclamation point (Αμερ.)
Θαυμαστός, -ή, -ό ΕΠΙΘ wonderful, marvellous (Βρετ.), marvelous (Αμερ.)
▷**Μέγας είσαι Κύριε και θαυμαστά τα έργα Σου!** the Lord moves in mysterious ways!
Θαυμάστρια ΟΥΣ ΘΗΛ βλ. **Θαυμαστής**
Θαυματοποιός ΟΥΣ ΑΡΣ/ΘΗΛ (αρνητ.) trickster
Θαυματουργικός, -ή, -ό ΕΠΙΘ miraculous

Θαυματουργός, -ή, -ό ΕΠΙΘ *(εικόνα, φυλαχτό)* miraculous
▸**θαυματουργό φάρμακο** wonder drug

Θάψιμο ΟΥΣ ΟΥΔ (α) *(ανθρώπου, σκουπιδιών)* burial (β) *(= κακολογία)* running down
▹**πέφτει θάψιμο** there is a lot of backbiting going on
▹**ρίχνω θάψιμο** to bad–mouth *(ανεπ.)*

Θεά ΟΥΣ ΘΗΛ *(κυριολ.)* goddess · *(μτφ.)* beauty

Θέα ΟΥΣ ΘΗΛ (α) *(= άποψη)* view
(β) *(= κοίταγμα)* sight
▹**έχω θέα σε κτ** to have a view of sth, to look out over sth
▹**σε κοινή θέα** in full view of everyone, for all to see

Θέαμα ΟΥΣ ΟΥΔ (α) *(γενικότ.)* sight · *(για τοπίο, εικόνα)* scene (β) *(για τηλεόραση, θέατρο, κινηματογράφο)* show
▹**άνθρωπος του θεάματος** show–business personality
▹**γίνομαι θέαμα** to make a spectacle of oneself

Θεαματικός, -ή, -ό ΕΠΙΘ spectacular

Θεαματικότητα ΟΥΣ ΘΗΛ (α) *(εγχειρήματος)* spectacular sight (β) *(εκπομπής)* ratings *πληθ.*

Θεάνθρωπος ΟΥΣ ΑΡΣ Jesus Christ

Θεάρεστος, -η, -ο ΕΠΙΘ pious

Θέαση ΟΥΣ ΘΗΛ *(επίσ.)* (α) *(χώρου, ανθρώπου)* observation (β) *(εκπομπής, προγράμματος)* watching (γ) *(πραγματικότητας, ζωής, κόσμου)* view

Θεατής ΟΥΣ ΑΡΣ (α) *(αγώνα, παράστασης)* spectator · *(ταινίας)* viewer · *(φόνου, κλοπής)* witness (β) *(ζωής, πραγματικότητας)* observer · *(εξελίξεων)* onlooker

Θεατρικός, -ή, -ό ΕΠΙΘ (α) *(παράσταση, κοστούμι)* theatrical, stage · *(μονόλογος, τέχνη, σκηνή)* dramatic · *(κοινό)* theatre–going *(Βρετ.)*, theater–going *(Αμερ.)* (β) *(στάση, χειρονομία, ύφος)* dramatic
▸**θεατρικό έργο** ή **κείμενο** play
▸**θεατρικός συγγραφέας** playwright
▸**θεατρική σχολή** drama school

Θεατρίνα ΟΥΣ ΘΗΛ *βλ.* **θεατρίνος**

Θεατρινισμοί ΟΥΣ ΑΡΣ ΠΛΗΘ histrionics

Προσοχή!: Αν και το **histrionics** *φαίνεται ως τύπος πληθυντικού, είναι ουσιαστικό μόνο στον ενικό και συντάσσεται με ρήμα στον ενικό.*

Θεατρινίστικος, -η, -ο ΕΠΙΘ *(συμπεριφορά, καμώματα)* histrionic · *(χειρονομίες)* dramatic

Θεατρίνος ΟΥΣ ΑΡΣ (α) *(= ηθοποιός)* stage actor · (β) *(= υποκριτής)* showman

Προσοχή!: Ο πληθυντικός του **showman** *είναι* **showmen**.

Θέατρο ΟΥΣ ΟΥΔ (α) *(τέχνη, κτήριο, θεατρικός κόσμος)* theatre *(Βρετ.)*, theater *(Αμερ.)* (β) *(λογοτεχνικό είδος)* plays *πληθ.*, drama

(γ) *(= θεατές)* audience (δ) *(= επίκεντρο σημαντικού γεγονότος)* stage · *(πολεμικών επιχειρήσεων)* theatre *(Βρετ.)*, theater *(Αμερ.)*
▹**βγαίνω στο θέατρο** to go on the stage
▹**γίνομαι θέατρο** *(= ρεζιλεύομαι)* to make a spectacle of oneself
▹**είμαι στο θέατρο** to be on the stage
▹**παίζω θέατρο** to put on an act
▸**θέατρο σκιών** shadow theatre *(Βρετ.)* ή theater *(Αμερ.)*

Θεατρολογία ΟΥΣ ΘΗΛ drama studies *πληθ.*

Θεατρόφιλος, -η, -ο ΕΠΙΘ *(κοινό)* theatre–going *(Βρετ.)*, theater–going *(Αμερ.)*
▸**θεατρόφιλος** ΟΥΣ ΑΡΣ, **θεατρόφιλη** ΟΥΣ ΘΗΛ theatre–goer *(Βρετ.)*, theater–goer *(Αμερ.)*

Θεατρώνης ΟΥΣ ΑΡΣ producer

Θεια ΟΥΣ ΘΗΛ = **θεία¹**

Θεία¹ ΟΥΣ ΘΗΛ (α) *(= συγγενής)* aunt (β) *(ειρων.)* old girl *(ανεπ.)*

Θεία² ΟΥΣ ΟΥΔ ΠΛΗΘ: **τα θεία** all that is holy

Θειάφι ΟΥΣ ΟΥΔ sulphur *(Βρετ.)*, sulfur *(Αμερ.)*

Θειαφίζω Ρ Μ to treat with sulphur *(Βρετ.)* ή sulfur *(Αμερ.)*, to sulphurate

Θειάφισμα ΟΥΣ ΟΥΔ sulphur *(Βρετ.)* ή sulfur *(Αμερ.)* treatment, sulphuration

Θειικός, -ή, -ό ΕΠΙΘ sulphuric *(Βρετ.)*, sulfuric *(Αμερ.)*
▸**θειικό οξύ** sulphuric *(Βρετ.)* ή sulfuric *(Αμερ.)* acid
▸**θειικός χαλκός** copper sulphate

Θεϊκός, -ή, -ό ΕΠΙΘ (α) *(πρόνοια, δύναμη, παρέμβαση, αγάπη)* divine (β) *(ομορφιά, κορμί, φωνή, τραγούδι)* sublime

Θείο¹ ΟΥΣ ΟΥΔ *(ΧΗΜ)* sulphur *(Βρετ.)*, sulfur *(Αμερ.)*

Θείο² ΟΥΣ ΟΥΔ divinity

Θειος ΟΥΣ ΑΡΣ = **θείος¹**

Θείος¹ ΟΥΣ ΑΡΣ (α) *(= συγγενής)* uncle (β) *(ειρων.)* old boy *(ανεπ.)*

Θείος², -α, -ο ΕΠΙΘ (α) *(θέλημα, διδασκαλία, κήρυγμα)* divine (β) *(άνθρωπος, τόπος, μέρος)* holy (γ) *(φωνή, ομορφιά)* sublime
▸**Θεία Κοινωνία** Holy Communion
▸**Θεία Λειτουργία** service
▸**η θεία χάρη** ή **χάρις** the grace of God
▸**το Θείο(ν) βρέφος** the Holy Infant

Θειούχος, -α ή **-ος, -ο** ΕΠΙΘ sulphurous *(Βρετ.)*, sulfurous *(Αμερ.)*
▸**θειούχες ενώσεις** sulphides

Θείτσα ΟΥΣ ΘΗΛ (α) *(= θεία)* auntie *(ανεπ.)*, aunty *(ανεπ.)* (β) *(ειρων.)* old girl *(ανεπ.)*

Θειώδης, -ης, -ες ΕΠΙΘ sulphurous *(Βρετ.)*, sulfurous *(Αμερ.)*

Θέλγητρο ΟΥΣ ΟΥΔ *(γυναίκας)* charm · *(πόλης)* attraction · *(μουσικής, εξοχής)* appeal

Θέλγω Ρ Μ *(επίσ.: ομορφιά, γυναίκα)* to captivate · *(ιδέα)* to appeal to

Θέλημα ΟΥΣ ΟΥΔ will
▹**αφού αυτό είναι το θέλημά σου** if that is what you want
▹**με το θέλημα του Θεού** God willing

▷**γεννηθήτω το θέλημά Σου** Thy will be done

▸**θελήματα** ΠΛΗΘ errands

▷**παιδί για τα θελήματα** errand boy

θεληματικός, -ή, -ό ΕΠΙΘ **(α)** (*απόφαση, άρνηση, υποταγή*) voluntary **(β)** (*πιγούνι, βλέμμα*) determined

θεληματικότητα ΟΥΣ ΘΗΛ determination

θέληση ΟΥΣ ΘΗΛ **(α)** (= *επιθυμία*) wish, desire **(β)** (= *απαίτηση*) demand **(γ)** (= *επιμονή*) willpower

▷**ενάντια στη** *ή* **αντίθετα από τη θέληση μου, χωρίς** *ή* **δίχως** *ή* **παρά τη θέληση μου** against one's will

▷**με (λίγη) καλή θέληση** with (a little) goodwill

▷**με τη θέληση μου** of one's own free will

▷**χειρονομία καλής θέλησης** goodwill gesture, gesture of goodwill

θελκτικός, -ή, -ό ΕΠΙΘ (*γυναίκα*) charming · (*τρόποι, προσωπικότητα*) engaging

┌─ *ΛΕΞΗ-ΚΛΕΙΔΙ* ─────────────────┐

θέλω Ρ Μ **(α)** (= *επιθυμώ*) to want ❑ **θέλεις μια μπίρα** do you want/would you like a beer? · **δεν θέλω παστίτσιο** I don't want any lasagne · **την ήθελε πολύ την Άννα, αλλά εκείνη αδιαφορούσε** he wanted Anna very badly but she wasn't interested · **ήθελε να έρθει στη γιορτή, αλλά δεν μπόρεσε** he wanted to come to the party but he couldn't

▷**αν θέλετε** if you like

▷**δεν το ήθελα!** I didn't mean that!

▷**θα ήθελα (να)** (*για μεγάλη επιθυμία*) I'd love to · (*για ευγένεια*) I'd like to ❑ **θα ήθελα να έρθω, αλλά έχω δουλειά** I'd love to come but I'm busy · **θα ήθελα ένα ουίσκι** I would like a whisky

▷**θέλω να** to want to

▷**θέλεις να έρθεις με το δικό μας αυτοκίνητο;** do you want to come in our car?

▷**θέλω να πω** I mean

▷**θέλοντας και μη** like it or not ❑ **θέλοντας και μη έπιασε δουλειά** like it or not, he had to get a job

▷**θες, δε θες, θέλεις δε θέλεις** whether you like it or not

▷**τι ήθελα και** *ή* **να ...;** why on earth did I ...?

(β) (= *δέχομαι*) to want ❑ **δεν ήθελε να το συζητήσουμε** he didn't want to *ή* he wouldn't talk about it · **με τα πολλά θέλησε τελικά να παντρευτούμε** after a lot of discussion he finally agreed to us getting married · **της ζήτησαν να μείνει στην εταιρεία αλλά δεν ήθελε** they asked her to stay on but she wouldn't

(γ) (= *επιχειρώ*) to try ❑ **θέλησαν να τον ξεφορτωθούν** they tried to get rid of him · **ήθελε να τους εξαπατήσει** he wanted to deceive them

(δ) (= *απαιτώ*: *ενοίκια, χρήματα*) to ask for, to want · (*σεβασμό, ησυχία*) to demand · (*εκδίκηση, ικανοποίηση*) to seek ❑ **ήθελε τα**

μισά χρήματα μπροστά she asked for *ή* wanted half the money in advance · **πόσα χρήματα θέλεις γι' αυτό;** how much do you want for this?, what are you asking for this? · **η επιτυχία θέλει θυσίες** success requires sacrifices · **είναι σίγουρο ότι θα θελήσει εκδίκηση** he's sure to seek revenge

(ε) (= *ζητώ*) to look for ❑ **θέλω τον κύριο Κωστόπουλο** I'm looking for Mr. Kostopoulos · **σας θέλουν στο τηλέφωνο** there's someone for you on the phone · **ποιον θέλετε, παρακαλώ;** who do you want please? · **θέλω μια εξήγηση** I want an explanation

(στ) (= *περιμένω*) to expect ❑ **τι ήθελε, δηλαδή;** what did he expect? · **τι ήθελες να σου πει;** what did you expect her to tell you? · **τι θέλεις να κάνω;** what do you expect *ή* want me to do?

(ζ) (= *χρειάζομαι*: *ξύρισμα, κούρεμα, πότισμα*) to need ❑ **θες ξύρισμα!** you need a shave! · **το φυτό θέλει πότισμα** the plant needs watering

(η) (= *αξίζω*: *τιμωρία, μάθημα, ξύλο*) to need, to deserve ❑ **θες ένα μάθημα για να βάλεις μυαλό!** you need to be taught a lesson to make you see some sense! · **θέλουν τιμωρία γι' αυτό που έκαναν** they deserve to be punished for what they did

(θ) (*προφορ.: = οφείλω*) to owe ❑ **τι σου θέλω;** how much do I owe you?

(ι) (= *υπολείπομαι*), to need, to be short of ❑ **θέλω 1.500 ευρώ ακόμα** I still need 1, 500 euros · **θέλει τρία κιλά για γίνει ένας τόνος** it's three kilos short of a ton

(ια) (= *παρουσιάζω*): **οι φήμες τους θέλουν να χωρίζουν** rumour (*Βρετ.*) *ή* rumor (*Αμερ.*) has it that they're getting a divorce ❑ **οι εφημερίδες θέλουν τον υπουργό να παραιτείται** according to the papers, the minister is going to resign

▷**θες γιατί ... θες γιατί** either ... or ❑ **θες γιατί απογοητεύτηκε, θες γιατί κουράστηκε, τελικά παραιτήθηκε** either because she's disappointed or because she's tired, she finally resigned

(ιβ) (= *εννοώ*) to be on one's side ❑ **η τύχη δεν σε θέλει απόψε!** luck is not on your side tonight!

└─────────────────────────────┘

θέμα ΟΥΣ ΟΥΔ **(α)** (= *ζήτημα*) matter · (*ομιλίας, συζήτησης, μελέτης, έρευνας*) subject, topic · (*ημερησίας διάταξης*) item **(β)** (*εξετάσεων*) paper · (*έκθεσης*) subject **(γ)** (*αρχαίων ελληνικών*) passage (*for parsing or unseen translation*) **(δ)** (*διατριβής, εργασίας*) subject · (*διηγήματος, μυθιστορήματος, πίνακα*) theme, subject **(ε)** (ΓΛΩΣΣ) stem **(στ)** (ΜΟΥΣ) theme

▷**βγαίνω** *ή* **είμαι εκτός θέματος** to go off the subject

▷**δεν είναι δικό σου θέμα** it's none of your business, it's no concern of yours

▷**δημιουργώ θέμα** to make a fuss

▷**δεν υπάρχει** ή **δεν τίθεται θέμα** it's not an issue
▷**επί του θέματος** on the subject ή matter
▷**έρχομαι στο θέμα** to get to the point
▷**έρχομαι στο θέμα** +*γεν.* to move on to
▷**κάνω κτ θέμα** to make an issue of sth
▷**μένω στο θέμα** to keep ή stick to the point
▷**ποιο είναι το θέμα της διαφωνίας τους;** what have they fallen out over?
▷**το εν λόγω θέμα** the matter under discussion
▷**το θέμα είναι** the point is
▷**το (όλο) θέμα είναι ότι** the (whole) point is that
▷**φεύγω από το θέμα** to get off the subject
▸**θέμα αρχής** matter of principle
Θεματικός, -ή, -ό ΕΠΙΘ thematic
▸**θεματική** ΟΥΣ ΘΗΛ (*συνεδρίου, βιβλίου*) theme
θεματογραφία ΟΥΣ ΘΗΛ *book of selected passages from ancient Greek and Latin authors*
θεματολογία ΟΥΣ ΘΗΛ (α) (*συνεδρίου*) theme · (*συζήτησης*) subject (β) (*καλλιτέχνη, λογοτέχνη*) themes *πληθ.*, subjects *πληθ.* (γ) (*αρχαίων ελληνικών*) book of collected literary passages
θεματοφύλακας ΟΥΣ ΑΡΣΘΗΛ (α) (= *φύλακας*) guardian, custodian (β) (ΝΟΜ) trustee
θεμελιακός, -ή, -ό ΕΠΙΘ (α) (*κατασκευή*) foundation (β) (*αρχή, ανάγκη*) basic · (*αλλαγή, διαφορά*) fundamental
θεμέλιο ΟΥΣ ΟΥΔ (*κυριολ., μτφ.*) foundation
▷**βάζω** ή **θέτω τα θεμέλια** to lay the foundations
▷**ρίχνω τα θεμέλια** to lay the foundations
θεμέλιος, -α ή **-ος, -ο** ΕΠΙΘ: **θεμέλιος λίθος** (*κυριολ., μτφ.*) foundation stone
θεμελιώδης, -ης, -ες ΕΠΙΘ fundamental
θεμελιώνω Ρ Μ (α) (*ναό, κτήριο*) to lay the foundations of (β) (*επιστήμη, έρευνα, καθεστώς*) to found (γ) (*άποψη*) to back up
θεμελίωση ΟΥΣ ΘΗΛ (α) (*οικοδομήματος*) laying of the foundations (β) (*εταιρείας, οργανισμού*) founding (γ) (*κοσμοθεωρίας, αντίληψης*) foundation
θεμελιωτής ΟΥΣ ΑΡΣ founder
θεμελιώτρια ΟΥΣ ΘΗΛ *βλ.* **θεμελιωτής**
Θέμιδα ΟΥΣ ΘΗΛ = **Θέμις**
Θέμις ΟΥΣ ΘΗΛ (α) (ΜΥΘΟΛ) Themis (β) (= *δικαιοσύνη*) justice
▸**Θέμιδος Μέλαθρον** Supreme Court
▸**λειτουργοί της Θέμιδος** judges and lawyers
▸**ναός της Θέμιδος** court of law
θεμιτός, -ή, -ό ΕΠΙΘ (*σύμβαση*) legal · (*μίσθωμα, ανταγωνισμός*) fair · (*φιλοδοξία, σκοπός*) legitimate
▸**θεμιτό κέρδος** legitimate profit
θεόγυμνος, -η, -ο ΕΠΙΘ stark naked
θεοκατάρατος, -η, -ο ΕΠΙΘ damned
θεόκλειστος, -η, -ο ΕΠΙΘ locked up
θεόκουφος, -η, -ο ΕΠΙΘ stone deaf
θεοκρατία ΟΥΣ ΘΗΛ theocracy

θεοκρατικός, -ή, -ό ΕΠΙΘ theocratic
θεολογία ΟΥΣ ΘΗΛ theology
θεολογικός, -ή, -ό ΕΠΙΘ theological
θεολόγος ΟΥΣ ΑΡΣΘΗΛ (α) (*επιστήμονας*) theologian (β) (ΣΧΟΛ) RE teacher · (ΠΑΝΕΠ) theology professor
θεομηνία ΟΥΣ ΘΗΛ (= *κακοκαιρία*) freak weather conditions *πληθ.*
Θεομήτωρ ΟΥΣ ΘΗΛ Mother of God
θεομίσητος, -η, -ο ΕΠΙΘ hateful
θεόμορφος, -η, -ο ΕΠΙΘ godlike
θεομπαίχτης ΟΥΣ ΑΡΣ (α) (= *απατεώνας*) swindler (β) (= *ασεβής*) irreverent person
θεομπαίχτρα ΟΥΣ ΘΗΛ *βλ.* **θεομπαίχτης**
θεονήστικος, -η, -ο ΕΠΙΘ famished
▷**είμαι θεονήστικος από το πρωί** I haven't eaten a thing since this morning
θεοπάλαβος, -η, -ο ① ΕΠΙΘ raving mad ② ΟΥΣ lunatic
θεόπνευστος, -η, -ο ΕΠΙΘ inspired by God
θεοποίηση ΟΥΣ ΘΗΛ (*πολιτικού*) deification · (*ποδοσφαιριστή*) hero-worship · (*μηχανής, χρήματος, επιστήμης*) worship
θεοποιώ Ρ Μ (*ηγέτη*) to deify · (*καλλιτέχνη, αθλητή*) to hero-worship · (*χρήμα, επιστήμη*) to worship
θεόρατος, -η, -ο ΕΠΙΘ enormous
Θεός ΟΥΣ ΑΡΣ (α) (ΘΡΗΣΚ) god (β) (= *ίνδαλμα*) god · (*μτφ.: για άνδρα*) Greek god
▸**Θεός** ΟΥΣ ΑΡΣ: **ο Θεός** God
▷**άνθρωπος του Θεού** man of God
▷**από το στόμα σου και στου Θεού τ' αφτί!** may your wish come true!
▷**για το όνομα του** ή **προς Θεού, για τον Θεό** for God's sake
▷**δεν έχω τον Θεό μου** to be a law unto oneself
▷**έχει ο Θεός** God provides
▷**έχω κπν (σαν) Θεό μου** to worship sb
▷**Θεέ** ή **Θε μου!** my God!
▷**Θεός σχωρές' τον** God rest his soul
▷**Θεός φυλάξοι!** God forbid!
▷**ο Θεός να βάλει το χέρι του** ή **να κάνει το θαύμα του!, (και) ο Θεός βοηθός!** God help us!
▷**ο Θεός μαζί σου!** God bless!
▷**ποιος είδε τον Θεό και δεν (τον) φοβήθηκε** he/she exploded with anger
θεοσεβής, -ής, -ές ΕΠΙΘ pious
θεοσεβούμενος, -η, -ο ΕΠΙΘ = **θεοσεβής**
θεοσκόταδο ΟΥΣ ΟΥΔ pitch dark
θεοσκότεινος, -η, -ο ΕΠΙΘ pitch-dark
θεόσταλτος, -η, -ο ΕΠΙΘ heaven-sent
θεόστραβος, -η, -ο ΕΠΙΘ (α) (= *τελείως τυφλός*) as blind as a bat (β) (= *τελείως απρόσεκτος*) totally absent-minded, with one's head in the clouds (γ) (= *τελείως αγράμματος*) completely ignorant (δ) (= *τελείως στραβός*) completely crooked
θεότητα ΟΥΣ ΘΗΛ (α) (= *θεός*) deity (β) (= *η έννοια του θεού*) divinity

Θεοτόκος ΟΥΣ ΘΗΛ Virgin Mary

Θεότρελος, -η, -ο ΕΠΙΘ (α) (= *θεοπάλαβος*) crazy (β) (= *πολύ ζωηρός*) very naughty

Θεούλης ΟΥΣ ΑΡΣ (*υποκορ.*): **Θεούλη μου!** good Lord!

▷**ο καλός (ο) Θεούλης** the good Lord

Θεοφάνια, Θεοφάνεια ΟΥΣ ΟΥΔ ΠΛΗΘ Epiphany

Θεοφοβούμενος, -η, -ο ΕΠΙΘ god–fearing

Θεόφτωχος, -η, -ο ΕΠΙΘ extremely poor

Θεράπαινα ΟΥΣ ΘΗΛ *βλ.* **Θεράπων**

Θεραπεία ΟΥΣ ΘΗΛ (α) (*ασθενούς, ασθένειας*) treatment, therapy · (*για ψυχικές ασθένειες*) therapy (β) (*κακού, δεινών*) remedy

Θεραπεύσιμος, -η, -ο ΕΠΙΘ curable

Θεραπευτήριο ΟΥΣ ΟΥΔ hospital

Θεραπευτής ΟΥΣ ΑΡΣ (α) (*επιστήμονας*) therapist (β) (*εμπειρικός*) healer

Θεραπευτική ΟΥΣ ΘΗΛ therapeutics *εν.*

> *Προσοχή!: Αν και το* **therapeutics** *φαίνεται ως τύπος πληθυντικού, είναι ουσιαστικό μόνο στον ενικό και συντάσσεται με ρήμα στον ενικό.*

Θεραπευτικός, -ή, -ό ΕΠΙΘ therapeutic

Θεραπεύτρια ΟΥΣ ΘΗΛ *βλ.* **Θεραπευτής**

Θεραπεύω Ρ Μ (α) (*ασθενή, ασθένεια:* = *γιατρεύω*) to cure · (= *νοσηλεύω*) to treat · (*τραύματα*) to treat (β) (*ζημιά, κακό*) to remedy (γ) (*ανάγκες*) to satisfy (δ) (*γράμματα, επιστήμες, τέχνες*) to cultivate

Θεράπων ΟΥΣ ΑΡΣ (*επία.:* = *υπηρέτης*) servant

▸**Θεράπων ιατρός** attending physician · (*θεράπων των γραμμάτων*) man of letters · (*θεράπων των επιστημών*) scientist, man of science · (*θεράπων των τεχνών*) artist

Θέρετρο ΟΥΣ ΟΥΔ (α) (= *περιοχή*) resort (β) (= *εξοχικό σπίτι*) cottage

Θεριακλής ΟΥΣ ΑΡΣ addict · (*στο κάπνισμα*) chain–smoker

Θεριακλού ΟΥΣ ΘΗΛ *βλ.* **Θεριακλής**

Θεριεύω Ρ ΑΜ (α) (= *αγριεύω*) to go wild (β) (= *θυμώνω*) to get angry (γ) (= *δυναμώνω*) to grow stronger (δ) (*φυτό*) to flourish (ε) (*στοιχείο της φύσης*) to intensify

Θερίζω Ρ Μ (α) (*σιτάρι, καλαμπόκι*) to reap (β) (*πληθυσμό, ζώα, φυτά*) to decimate (γ) (= *βασανίζω*) to give terrible pain to · (= *προκαλώ διάρροια*) to give diarrhoea (*Βρετ.*) *ή* diarrhea (*Αμερ.*) to

▷**Θερίζω τους καρπούς των κόπων/των προσπαθειών μου** to reap the rewards of one's hard work/efforts

▷**ό, τι σπείρεις θα θερίσεις** (*παροιμ.*) you reap what you sow (*παροιμ.*)

Θερινός, -ή, -ό ΕΠΙΘ (*ωράριο, διακοπές, ρούχα, κατοικία*) summer · (*κινηματογράφος*) open–air

▸**Θερινή ώρα** summer time (*Βρετ.*), daylight saving time (*Αμερ.*)

Θεριό ΟΥΣ ΟΥΔ = **Θηρίο**

Θέρισμα ΟΥΣ ΟΥΔ = **Θερισμός**

Θερισμός ΟΥΣ ΑΡΣ (α) (= *συγκομιδή*) harvest, harvesting (β) (= *περίοδος*) harvest (time)

Θεριστής ΟΥΣ ΑΡΣ reaper

▸**Θεριστής** ΟΥΣ ΑΡΣ June

Θεριστικός, -ή, -ό ΕΠΙΘ harvesting

▸**Θεριστική μηχανή** harvester

▸**Θεριστικά** ΟΥΣ ΟΥΔ ΠΛΗΘ harvesting wages

Θερίστρια ΟΥΣ ΘΗΛ *βλ.* **Θεριστής**

Θερμαγωγός, -ός, -ό ΕΠΙΘ heat–conducting

Θερμαίνω Ρ Μ (α) (*σπίτι, δωμάτιο*) to heat · (*φαγητό*) to heat (up) (β) (*ηθικό*) to boost (γ) (*σχέση*) to make warmer · (*ενδιαφέρον*) to arouse

▷**Θερμαίνω την ψυχή κποιου** to give sb courage

Θέρμανση ΟΥΣ ΘΗΛ heating

▸**κεντρική Θέρμανση** central heating

Θερμαντικός, -ή, -ό ΕΠΙΘ (*ενέργεια, πηγή*) thermal · (*επιφάνεια*) heating

▸**Θερμαντική αλοιφή** Deep Heat rub ®, rubefacient (*επιστ.*)

▸**Θερμαντικό σώμα** radiator

▸**Θερμαντικό** ΟΥΣ ΟΥΔ hot drink

Θερμαστής ΟΥΣ ΑΡΣ stoker

Θερμάστρα ΟΥΣ ΘΗΛ (*πετρελαίου, γκαζιού*) heater

Θέρμη ΟΥΣ ΘΗΛ (α) (= *πυρετός*) fever (β) (= *ζέση*) zeal

▸**Θέρμες** ΠΛΗΘ (α) (= *ιαματικές πηγές*) thermal *ή* hot springs (β) (*ΑΡΧΑΙΟΛ*) baths

Θερμίδα ΟΥΣ ΘΗΛ calorie

Θερμιδομετρητής ΟΥΣ ΟΥΔ calorie counter

Θερμιδόμετρο ΟΥΣ ΟΥΔ calorimeter

Θερμικός, -ή, -ό ΕΠΙΘ (*μονάδα, διαστολή, ενέργεια*) thermal · (*μηχανή, κατεργασία*) heat

Θερμόαιμος, -η, -ο ΕΠΙΘ (α) (= *ενεργέθιστος*) hot–blooded (β) (*ΖΩΟΛ*) warm–blooded

Θερμοδυναμική ΟΥΣ ΘΗΛ thermodynamics *εν.*

> *Προσοχή!: Αν και το* **thermodynamics** *φαίνεται ως τύπος πληθυντικού, είναι ουσιαστικό μόνο στον ενικό και συντάσσεται με ρήμα στον ενικό.*

Θερμοδυναμικός, -ή, -ό ΕΠΙΘ thermodynamic

Θερμοηλεκτρικός, -ή, -ό ΕΠΙΘ thermoelectric

Θερμοθάλαμος ΟΥΣ ΑΡΣ warming oven

Θερμοκέφαλος, -η, -ο ΕΠΙΘ hot–headed

Θερμοκήπιο ΟΥΣ ΟΥΔ greenhouse

▷**το φαινόμενο του Θερμοκηπίου** the greenhouse effect

Θερμοκοιτίδα ΟΥΣ ΘΗΛ incubator

Θερμοκρασία ΟΥΣ ΘΗΛ temperature · (*για μαγείρεμα*) heat

▸**Θερμοκρασία δωματίου** room temperature

Θερμόλουτρο ΟΥΣ ΟΥΔ hot bath

Θερμομέτρηση ΟΥΣ ΘΗΛ: **η Θερμομέτρηση κποιου** taking sb's temperature

Θερμόμετρο ΟΥΣ ΟΥΔ thermometer · (μτφ.) barometer
▷**ανεβαίνει το θερμόμετρο** (μτφ.) tension is rising
▷**βάζω το θερμόμετρο** to take one's temperature

Θερμομετρώ Ρ Μ: **θερμομετρώ κπν** to take sb's temperature

Θερμομόνωση ΟΥΣ ΘΗΛ heat insulation

Θερμομονωτικός, -ή, -ό ΕΠΙΘ insulating

Θερμοπαρακαλώ Ρ Μ to implore

Θερμοπηγή ΟΥΣ ΘΗΛ thermal ή hot spring

Θερμοπίδακας ΟΥΣ ΑΡΣ geyser

Θερμοπληξία ΟΥΣ ΘΗΛ heatstroke

Θερμοπυρηνικός, -ή, -ό ΕΠΙΘ thermonuclear

Θερμός¹ ΟΥΣ ΟΥΔ ΑΚΛ Thermos ®, Thermos flask ® (Βρετ.), Thermos bottle ® (Αμερ.)

Θερμός², -ή, -ό ΕΠΙΘ (α) (κλίμα, χώρα, αέρας, λουτρό, ρούχο) warm (β) (υποδοχή, χαιρετισμός, ευχές, λαός) warm · (χειροκρότημα) heartfelt (γ) (ενδιαφέρον) keen · (συζήτηση) intense · (υποστηρικτής) ardent (δ) (γυναίκα, άνδρας) passionate
▷**εν θερμώ** in the heat of the moment
▸**θερμή πηγή** thermal ή hot spring

Θερμοσίφωνας ΟΥΣ ΑΡΣ immersion heater

Θερμοσίφωνο ΟΥΣ ΟΥΔ (προφορ.) = **θερμοσίφωνας**

Θερμοστάτης ΟΥΣ ΑΡΣ thermostat

Θερμότητα ΟΥΣ ΘΗΛ (α) (επίσης: ΦΥΣ) heat (β) (χαμόγελου, φωνής) warmth

Θερμοφόρα ΟΥΣ ΘΗΛ (με νερό) hot–water bottle · (με ρεύμα) electric warmer

Θέρος¹ ΟΥΣ ΑΡΣ (επίσ.) harvest

Θέρος² ΟΥΣ ΟΥΔ (επίσ.) summer

Θέση ΟΥΣ ΘΗΛ (α) (= μέρος: καναπέ, τραπεζιού, παιχνιδιών) place, position (β) (= θήκη: ντουλάπας) part (γ) (= κάθισμα) seat (δ) (σε εκδρομή, κρουαζιέρα) ticket (ε) (χώρας, πόλης, χωριού) position (στ) (στο Δημόσιο, σε εταιρεία, σε υπηρεσία) post, position (ζ) (= χώρος: σε αυτοκίνητο, ασανσέρ) room, space (η) (στην κοινωνία, σε βαθμολογία) position (θ) (μτφ.: για πρόσ.) position (ι) (= πρόταση) stand, position · (= άποψη) view (ια) (ΠΑΝΕΠ, ΦΙΛΟΣ) thesis

Προσοχή!: Ο πληθυντικός του **thesis** *είναι* **theses.**

(ιβ) (ΑΘΛ, ΣΤΡΑΤ) position
▷**(αν ήμουν) στη θέση σου** if I were you, in your place ή position
▷**βάζω κπν στη θέση του** to put sb in their place
▷**βάζω κτ στη θέση του** to put sth back where it belongs
▷**βάζω τα πράγματα στη θέση τους** to put ή set the record straight
▷**βάζω ή φέρνω κπν σε δύσκολη θέση** to put

sb in a difficult position
▷**βγάζω κπν/βγαίνω από τη δύσκολη θέση** to get sb off the hook/to get off the hook
▷**δεν έχω θέση μέσα σε κτ** to have no place in sth
▷**διαχωρίζω τη θέση μου** to hold a different view
▷**δίνω τη θέση μου σε κπν** to give sb one's seat
▷**δίνω τη θέση μου σε κτ** (μτφ.) to be replaced by sth
▷**είμαι ή βρίσκομαι ή έρχομαι σε δύσκολη θέση** to be in a difficult position
▷**είμαι σε θέση να κάνω κτ** to be in a position to do sth
▷**επιβαρύνω/βελτιώνω τη θέση μου** to make things worse/better for oneself
▷**έρχομαι/ μπαίνω στη θέση κποιου** to put oneself in sb's shoes
▷**κρατάω ή φυλάω τη θέση κποιου** to keep sb's place
▷**μείνε στη θέση σου!** stay where you are!
▷**ξέρω να κρατάω τη θέση μου** to know one's place
▷**παίρνω θέση** (= κάθομαι) to take a seat ή one's place · (= διατυπώνω άποψη) to take a stand
▷**παίρνω τη θέση κποιου** (= αντικαθιστώ κπν) to take sb's place · (= υποστηρίζω την άποψη κποιου) to take sb's side
▷**πρώτη/τουριστική θέση** first/tourist class
▷**στη θέση κποιου** in sb's place
▸**κοινωνική θέση** social class
▸**θέση μάχης** (κυριολ., μτφ.) action stations

Θεσιθήρας ΟΥΣ ΑΡΣ (αρνητ.) job seeker

Θεσιθηρία ΟΥΣ ΘΗΛ (αρνητ.) job chasing

Θεσμικός, -ή, -ό ΕΠΙΘ institutional

Θεσμοθέτης ΟΥΣ ΑΡΣ legislator

Θεσμοθέτηση ΟΥΣ ΘΗΛ legislation

Θεσμοθετώ ① Ρ Μ (νόμο, διατάξεις) to enact ② Ρ ΑΜ (πολιτικός, Βουλή) to legislate

Θεσμός ΟΥΣ ΑΡΣ (α) (= κανόνας) rule (β) (Συντάγματος, γάμου, οικογένειας) institution

Θεσμοφύλακας ΟΥΣ ΑΡΣ/ΘΗΛ guardian of the law

Θεσούλα ΟΥΣ ΘΗΛ (υποκορ.) niche · (μειωτ.) cushy job (ανεπ.)

Θεσπέσιος, -α, -ο ΕΠΙΘ sublime

Θεσπίζω Ρ Μ (νόμους, κανόνες) to institute

Θέσπιση ΟΥΣ ΘΗΛ institution

Θέσπισμα ΟΥΣ ΘΗΛ (α) (= νομοθέτημα) decree, statute (β) (συγκλήτου πανεπιστημίου) statute
▸**κλητήριο θέσπισμα** (ΝΟΜ) summons εν.

Θεσσαλία ΟΥΣ ΘΗΛ Thessaly

Θεσσαλικός, -ή, -ό ΕΠΙΘ Thessalian

Προσοχή!: Τα εθνικά επίθετα, όπως **Thessalian,** *γράφονται με κεφαλαίο το αρχικό γράμμα στα Αγγλικά.*

Θεσσαλονίκη ΟΥΣ ΘΗΛ Salonica
θετικός, -ή, -ό ΕΠΙΘ (α) (= *οριστικός*) definite
(β) (= *σταθερός*) reliable (γ) (= *πρακτικός*)
realistic, pragmatic (δ) (= *επιβεβαιωτικός*)
affirmative (ε) (= *ευνοϊκός*) positive
(στ) (ΜΑΘ, ΦΥΣ) positive
▷**είμαι θετικός για** ή **(απέναντι) σε κτ** to be
for sth
▶**θετικές επιστήμες** exact sciences
▶**θετική εικόνα** (ΦΩΤΟΓΡ) positive
▶**θετικό φορτίο** (ΦΥΣ) positive charge
▶**θετικός πόλος** (ΦΥΣ) positive pole
▶**θετικός** ΟΥΣ ΟΥΔ (*επίσης* **θετικό αποτέλεσμα**:
ΙΑΤΡ) positive result
▶**θετικός** ΟΥΣ ΑΡΣ (*επίσης* **θετικός βαθμός**:
ΓΛΩΣΣ) positive
θετικότητα ΟΥΣ ΘΗΛ (α) (= *οριστικότητα*)
definiteness (β) (= *σταθερότητα*) reliability
(γ) (*αντίληψης*) pragmatism
(δ) (*αποτελέσματος*) positive outcome ·
(*επιρροής, συμβολής*) positive effect
θετός, -ή, -ό ΕΠΙΘ (*παιδί*) adopted · (*γονείς*)
adoptive
▶**θετό δίκαιο** statute law
▶**θετός νόμος** statute
θέτω Ρ Μ (*επίσ.*) (α) (= *βάζω*) to put, to place
(β) (*ερώτημα, θέμα*) to raise · (*όρο*) to set
▷**θέτω κτ υπόψη κποιου** to bring sth to sb's
attention
▷**θέτω κτ σε εφαρμογή** to implement sth
▷**θέτω κτ σε κίνηση** to set sth in motion · *βλ.*
κ. **τίθεμαι**
θεωρείο ΟΥΣ ΟΥΔ (*θεάτρου*) box · (*Βουλής*)
gallery
θεώρημα ΟΥΣ ΟΥΔ theorem
▷**πυθαγόρειο θεώρημα** Pythagoras' theorem
θεωρημένος, -η, -ο ΕΠΙΘ (*διαβατήριο,*
βιβλιάριο, απόδειξη) stamped
θεώρηση ΟΥΣ ΘΗΛ (α) (*εργασίας, εντύπου*)
inspection (β) (*ζωής*) outlook · (*κόσμου*)
view (γ) (*διαβατηρίου*) visa · (*υπογραφής*)
attestation
θεωρητικός, -ή, -ό ΕΠΙΘ (α) (*θέμα, μάθημα,*
γνώση) theoretical (β) (*κέρδη, κατάσταση,*
συνθήκες) hypothetical (γ) (*για πρόσ.*)
idealistic
▶**θεωρητικές επιστήμες** pure sciences
▶**θεωρητικός** ΟΥΣ ΑΡΣ, **θεωρητική** ΟΥΣ ΘΗΛ
theoretician
θεωρία ΟΥΣ ΘΗΛ theory
▷**η θεωρία της σχετικότητας** the theory of
relativity
θεωρούμενος, -η, -ο ΕΠΙΘ (*αρχή, μυστήριο,*
ένοχος) alleged
θεωρώ Ρ Μ (α) (= *νομίζω, εξετάζω*) to
consider (β) (*διαβατήριο, απόδειξη,*
βιβλιάριο) to stamp · (*δίπλωμα, έγγραφο*) to
authenticate
▷**θεωρώ πως** ή **ότι** to think that
Θήβα ΟΥΣ ΘΗΛ Thebes
θηκάρι ΟΥΣ ΟΥΔ (*λογοτ.*: *σπαθιού, μαχαιριού*)
sheath

θήκη ΟΥΣ ΘΗΛ (α) (*γυαλιών, οργάνου*) case ·
(*κασέτας, πούρων*) box · (*όπλου*) holster ·
(*σπαθιού, μαχαιριού*) sheath (β) (= *κάλυμμα*
δοντιού) crown
θηλάζω ① Ρ Μ (*μωρό*) to breast–feed · (*μικρά*)
to suckle
② Ρ ΑΜ (α) (*μωρό, ζωάκια*) to suckle (β) (*για*
γυναίκα) to breast–feed
θήλασμα ΟΥΣ ΟΥΔ = **θηλασμός**
θηλασμός ΟΥΣ ΑΡΣ (*μωρού*) breast–feeding ·
(*νεογέννητου ζώου*) suckling
θηλαστικό ΟΥΣ ΟΥΔ mammal
θηλαστικός, -ή, -ό ΕΠΙΘ (*μηχάνημα, συσκευή*)
milking
▶**θηλαστικό ζώο** mammal
θήλαστρο ΟΥΣ ΟΥΔ (*επίσ.*) (α) (= *μπιμπερό*)
feeding bottle (β) (= *πιπίλα*) breast pump
θηλή ΟΥΣ ΘΗΛ nipple
θηλιά ΟΥΣ ΘΗΛ (α) (*κρεμάλας*) noose ·
(*σχοινιού*) noose, loop · (*κλειδιών*) ring
(β) (= *παγίδα πουλιών*) snare (γ) (*πλεχτού*)
stitch (δ) (*παντελονιού, μπλούζας*) eyelet
(ε) (*διχτυού*) mesh
▷**βάζω τη θηλιά στο λαιμό κποιου** to put a
noose around sb's neck
θήλυ ΟΥΣ ΟΥΔ (*επίσ.*) woman

> *Προσοχή!: Ο πληθυντικός του* **woman**
> *είναι* **women**.

θηλυκός, -ή, -ό ΕΠΙΘ (α) (*παιδί, ζώο*) female
(β) (*ντύσιμο, βλέμμα, τρόποι*) feminine
(γ) (ΓΛΩΣΣ) feminine (δ) (*πρίζα, κόπιτσα*)
female
▶**θηλυκό μυαλό** fertile mind
▶**θηλυκό** ΟΥΣ ΟΥΔ (*ειρων.*) woman
θηλυκότητα ΟΥΣ ΘΗΛ femininity
θηλυκώνω ① Ρ Μ (*κουμπί, φόρεμα*) to
fasten · (*κουμπιά*) to do up
② Ρ ΑΜ (*για προεξοχή*) to slot in
θηλυπρέπεια ΟΥΣ ΘΗΛ (α) (*που αρμόζει σε*
γυναίκα) femininity (β) (*μειωτ.*) effeminacy
θηλυπρεπής, -ής, -ές ΕΠΙΘ (α) (*τρόπος,*
συμπεριφορά, ντύσιμο, ύφος) feminine
(β) (*για άνδρα*) effeminate
θήλυς, -εια, -υ ΕΠΙΘ (*επίσ.*: *παιδί, τίγρη*)
female · (*ντύσιμο, βλέμμα*) feminine
▶**γυμνάσιο θηλέων** girls' school
θημωνιά ΟΥΣ ΘΗΛ stack
θήραμα ΟΥΣ ΟΥΔ quarry · (= *κυνήγι*) game
χωρίς πληθ.
θηρεύω ① Ρ Μ (*επίσ.*) (α) (*ζώα, πουλιά*) to
hunt (β) (*ηδονή, ψήφους*) to seek · (*θέση*) to
hunt for, to seek
② Ρ ΑΜ to hunt
θηρίο ΟΥΣ ΟΥΔ (α) (= *άγριο ζώο*) wild animal,
beast (*επίσ.*) (β) (= *μυθικό τέρας*) monster
(γ) (*για πρόσ.*) giant · (*για πράγμα*) whopper
(*ανεπ.*) (δ) (*προφορ.*: = *πανέξυπνος*) smart
aleck (*ανεπ.*)
▷**γίνομαι θηρίο (ανήμερο)** to go berserk
θηριοδαμαστής ΟΥΣ ΑΡΣ tamer

Θηριοδαμάστρια ΟΥΣ ΘΗΛ = **Θηριοδαμαστής**

Θηριοτροφείο ΟΥΣ ΟΥΔ (α) (κυριολ.) menagerie (β) (μτφ.) bedlam

Θηριώδης, -ης, -ες ΕΠΙΘ (α) (πόλεμος, χαρακτήρας) ferocious · (ένστικτο) bestial (β) (διάπλαση, άντρας) enormous

Θηριωδία ΟΥΣ ΘΗΛ ferocity · (= απάνθρωπη πράξη) atrocity

Θησαυρίζω ① Ρ Μ (α) (χρήματα, πλούτη) to amass (β) (λέξεις, φράσεις) to collect ② Ρ ΑΜ to make a fortune

Θησαυρός ΟΥΣ ΑΡΣ (α) (= πλούτος) treasure (β) (= αφθονία) wealth (γ) (για άνθρωπο) treasure (δ) (ΦΙΛΟΛ) thesaurus (ε) (ΑΡΧΑΙΟΛ) treasury
▷**άνθρακες ο θησαυρός** a wild goose chase
▷**θησαυρέ μου!** my darling!

Θησαυροφυλάκιο ΟΥΣ ΟΥΔ (α) (τράπεζας) vault (β) (στη Μ. Βρετανία) Treasury

Θήτα ΟΥΣ ΟΥΔ ΑΚΛ theta, *eighth letter of the Greek alphabet*

Θητεία ΟΥΣ ΘΗΛ (α) (ΣΤΡΑΤ) military service, national service (Βρετ.) (β) (Βουλής, υπουργού, βουλευτή) term of office (γ) (για ποδοσφαιριστή, καλλιτέχνη) career
▷**κάνω τη θητεία μου** to do (one's) military service

Θήτες ΟΥΣ ΑΡΣ ΠΛΗΘ (ΑΡΧ ΙΣΤ) thetes, *lowest class of freemen in ancient Athens*

Θητεύω Ρ ΑΜ to dedicate oneself (σε to)

Θιασάρχης ΟΥΣ ΑΡΣ&ΘΗΛ head of a theatre (Βρετ.) ή theater (Αμερ.) company

Θίασος ΟΥΣ ΑΡΣ theatre (Βρετ.) ή theater (Αμερ.) company, troupe

Θιασώτης ΟΥΣ ΑΡΣ advocate

Θιασώτρια ΟΥΣ ΘΗΛ = **θιασώτης**

Θίγω Ρ Μ (α) (συμφέροντα, πολίτευμα) to damage · (δικαιώματα) to erode (β) (αισθήματα, άνθρωπο) to hurt · (αξιοπρέπεια) to offend · (εγωισμό) to damage (γ) (θέμα, πρόβλημα) to touch on

Θλάση ΟΥΣ ΘΗΛ (ΙΑΤΡ) rupture

Θλιβερός, -ή, -ό ΕΠΙΘ (α) (χρόνια, τραγούδι, νέα) sad · (επεισόδια, εμπειρία) distressing (β) (άνθρωπος, χαρακτήρας, κόσμος) wretched · (κτήριο) dilapidated · (απομίμηση) pitiful · (γαλλικά) deplorable

Θλίβω Ρ Μ (α) (= λυπώ) to distress (β) (λαιμό) to squeeze · (χέρι, φρούτο) to crush · (μτφ.: χρέη) to burden
▷ **θλίβομαι** ΜΕΣΟΠΑΘ to be sad (για about) · (για τον χαμό κάποιου) to grieve (για for ή over)

Θλιμμένος, -η, -ο ΕΠΙΘ (χαμόγελο, τραγούδι, άνθρωπος) sad · (βλέμμα, έκφραση) sorrowful

Θλίψη ΟΥΣ ΘΗΛ sorrow, grief

Θνησιμότητα ΟΥΣ ΘΗΛ mortality

Θνητός, -ή, -ό ΕΠΙΘ mortal
▷ **θνητός** ΟΥΣ ΑΡΣ, **θνητή** ΟΥΣ ΘΗΛ mortal
▷**κοινός θνητός** ordinary mortal

Θολός, -ή, -ό ΕΠΙΘ (α) (νερό, κρασί) cloudy · (ατμόσφαιρα) hazy · (ποτάμι) muddy

(β) (ημέρα, πρωινό) hazy (γ) (μάτια, βλέμμα) blurred (δ) (σκέψεις, κατάσταση) confused · (ανάμνηση) vague

Θόλος ΟΥΣ ΑΡΣ (ΑΡΧΙΤ) dome
▷**ουράνιος θόλος** celestial sphere

Θολούρα ΟΥΣ ΘΗΛ (α) (ποταμού) muddiness · (νερών) cloudiness · (ατμόσφαιρας) haze · (ματιών) blurring (β) (απόψεων, κατάστασης) confusion · (από ποτό) muzziness

Θολώνω ① Ρ Μ (α) (νερό, κρασί) to make cloudy · (τζάμι) to mist (up ή over) · (μάτια) to blur (β) (κρίση, αντίληψη) to cloud · (μυαλό) to confuse
② Ρ ΑΜ (α) (νερό) to become cloudy · (τζάμι) to mist up ή over · (μάτια) to become blurred, to blur (β) (= συγχύζομαι) to see red
▷**θολώνει το μάτι μου** (= εξοργίζομαι) to see red
▷**θολώνει το μάτι μου για κτ** (= θέλω πάρα πολύ) to be dying for sth
▷**θόλωσε το μάτι του από την ομορφιά της** he was dazzled by her beauty
▷**θολώνω τα νερά** to cloud the issue, to muddy the waters
▷**θόλωσε ο νους ή το μυαλό της** she saw red

Θολωτός, -ή, -ό ΕΠΙΘ vaulted

Θόρυβος ΟΥΣ ΑΡΣ (α) (= φασαρία) noise (β) (μτφ.: = ντόρος) stir
▷**κάνω θόρυβο** to make a noise
▷**πολύς θόρυβος για το τίποτα** a lot of fuss about nothing

Θορυβώ ① Ρ Μ (= ανησυχώ) to alarm
② Ρ ΑΜ (α) (= κάνω θόρυβο) to make a noise (β) (μειωτ.: = δημιουργώ εντυπώσεις) to make a fuss
▷ **θορυβούμαι** ΜΕΣΟΠΑΘ to be alarmed

Θορυβώδης, -ης, -ες ΕΠΙΘ noisy

Θούριος ΟΥΣ ΑΡΣ battle song

Θράκα ΟΥΣ ΘΗΛ embers πληθ.

Θράκη ΟΥΣ ΘΗΛ Thrace

Θρακικός, -ή, -ό ΕΠΙΘ Thracian

Προσοχή!: Τα εθνικά επίθετα, όπως **Thracian**, *γράφονται με κεφαλαίο το αρχικό γράμμα στα Αγγλικά.*

Θρανίο ΟΥΣ ΟΥΔ desk

Θράσος ΟΥΣ ΟΥΔ audacity, cheek (ανεπ.)
▷**έχω το θράσος να κάνω κτ** to have the audacity ή cheek (ανεπ.) to do sth

Θρασύδειλος, -η, -ο ΕΠΙΘ: **είμαι θρασύδειλος** to be a bully

Θρασύς, -εία, -ύ ΕΠΙΘ impudent

Θρασύτητα ΟΥΣ ΘΗΛ audacity, cheek (ανεπ.)

Θραύση ΟΥΣ ΘΗΛ breaking
▷**κάνω θραύση** to wreak havoc · (μτφ.) to be a big hit

Θραύσμα ΟΥΣ ΟΥΔ (αγγείου, αγάλματος) fragment · (οβίδας) shrapnel

Θραυστήρας ΟΥΣ ΑΡΣ breaker

Θραύω Ρ Μ (επίσ.: = σπάζω) to break · (= κομματιάζω) to shatter

Θ

θρέμμα ουε ουδ **είμαι γέννημα (και) θρέμμα Κρητικός/Γάλλος** to be Cretan/French born and bred

θρεμμένος, -η, -ο ΕΠΙΘ
(α) (= *καλοθρεμμένος: για ζώα*) fattened up · (*για πρόσ.*) well–fed · (*χορτάρι*) flourishing
(β) (= *μεγαλωμένος*) raised

θρεπτικός, -ή, -ό ΕΠΙΘ (*τροφή*) nutritious, nourishing · (*αξία*) nutritional

θρεπτικότητα ουε ουδ nutritiousness

θρεφτάρι ουε ουδ (α) (*για ζώο*) fattened animal (β) (*για πρόσ.*) fatty (*ανεπ.*)

θρέφω ① Ρ Μ (α) (= *τρέφω*) to feed, to nourish (β) (= *συντηρώ: οικογένεια, παιδιά*) to feed (γ) (*ζώα*) to fatten up
② Ρ ΑΜ (*τραύμα, πληγή*) to heal over

θρηνητικός, -ή, -ό ΕΠΙΘ plaintive

θρηνολογώ ① Ρ Μ (*μοίρα, τύχη*) to bemoan
② Ρ ΑΜ to mourn

θρήνος ουε ΑΡΣ lament

θρηνώ ① Ρ Μ (*νεκρό*) to mourn
② Ρ ΑΜ to mourn

θρηνωδία ουε ΘΗΛ lament

θρησκεία ουε ΘΗΛ (*κυριολ., μτφ.*) religion

θρήσκευμα ουε ουδ denomination
▸ **Υπουργείο Εθνικής Παιδείας και Θρησκευμάτων** Ministry of Education and Religious Affairs

θρησκευόμενος, -η, -ο ΕΠΙΘ religious

θρησκευτικά ουε ουδ ΠΛΗΘ religious education *εν.*

θρησκευτικός, -ή, -ό ΕΠΙΘ religious

θρησκευτικότητα ουε ΘΗΛ piety

θρησκόληπτος, -η, -ο ΕΠΙΘ (*αρνητ.*) fanatical, overreligious

θρησκοληψία ουε ΘΗΛ religious mania

θρήσκος, -α, -ο ΕΠΙΘ devout

θριαμβευτής ουε ΑΡΣ triumphant winner

θριαμβευτικός, -ή, -ό ΕΠΙΘ triumphant

θριαμβεύτρια ουε ΘΗΛ *βλ.* **θριαμβευτής**

θριαμβεύω Ρ ΑΜ (α) (*στρατηγός, πολιτικός, διαγωνιζόμενος*) to triumph (β) (*ιδέες, πολιτική*) to prevail
▸ **θριαμβεύω σε κτ** to triumph in sth
▸ **θριαμβεύω στις εξετάσεις** to pass one's exams with flying colours (*Βρετ.*) *ή* colors (*Αμερ.*)

θριαμβικός, -ή, -ό ΕΠΙΘ triumphant · (*αψίδα*) triumphal

θριαμβολογία ουε ΘΗΛ crowing *χωρίς πληθ.*

θριαμβολογώ Ρ ΑΜ to crow (*για* about)

θρίαμβος ουε ΑΡΣ triumph
▸ **αψίδα του θριάμβου** triumphal arch

θρίλερ ουε ουδ ΑΚΛ (*κυριολ.*) thriller · (*μτφ.*) cliff–hanger

θροΐζω Ρ ΑΜ (*φύλλα*) to rustle

θρόισμα ουε ουδ rustle

θρόμβος ουε ΑΡΣ clot, thrombus (*επιστ.*)

θρόμβωση ουε ΘΗΛ thrombosis

θρονιάζω Ρ Μ (*ανεπ.*): **θρονιάζω κπν** to put sb on the throne
▸ **θρονιάζομαι** ΜΕΣΟΠΑΘ to settle down

θρόνος ουε ΑΡΣ throne
▸ **ανεβαίνω στον θρόνο** to ascend the throne

θρούμπη ουε ΘΗΛ = **θρούμπι**

θρούμπι ουε ουδ (ΒΟΤ) savory
▸ **δεν αφήνω θρούμπι** (*αργκ.*) to eat everything in sight
▸ **δεν μένει θρούμπι** (*αργκ.*) there isn't a crumb left

θρυλικός, -ή, -ό ΕΠΙΘ legendary

θρύλος ουε ΑΡΣ legend

θρυμματίζω Ρ Μ (*τζάμι*) to shatter, to smash · (*πάγο*) to crush · (*φρυγανιά*) to crumble · (*μτφ.*) to shatter
▸ **θρυμματίζομαι** ΜΕΣΟΠΑΘ to shatter

θρυμμάτισμα ουε ουδ (*τζαμιού*) shattering, smashing · (*πάγου*) crushing · (*φρυγανιάς*) crumbling · (*σχέσης*) disintegration · (*ηθικής*) shattering

θρυψαλιάζω Ρ Μ (*τζάμι, βάζο, ποτήρι*) to shatter, to smash · (*οστά*) to break

θρύψαλο ουε ουδ fragment
▸ **γίνομαι θρύψαλα** to be smashed to pieces *ή* smithereens · (*μτφ.*) to be shattered
▸ **κάνω κτ θρύψαλα** to smash sth to pieces *ή* smithereens

θυγατέρα ουε ΘΗΛ (*λογοτ.*) daughter

θυγατρικός, -ή, -ό ΕΠΙΘ subsidiary
▸ **θυγατρική εταιρεία** subsidiary (company)

θύελλα ουε ΘΗΛ (*κυριολ., μτφ.*) storm
▸ **δελτίο θυέλλης** storm warning

θυελλώδης, -ης, -ες ΕΠΙΘ
(α) (= *τρικυμιώδης*) stormy
(β) (*χειροκροτήματα*) thunderous (γ) (*εποχή, εκρήξεις, συνομιλία, ατμόσφαιρα*) stormy, tempestuous
▸ **θυελλώδης άνεμος** gale

θύλακας ουε ΑΡΣ (ΣΤΡΑΤ) pocket

θύμα ουε ουδ (α) (*ληστείας, ατυχήματος, πολέμου*) victim (β) (= *κορόιδο*) dupe
▸ **εξιλαστήριο θύμα** scapegoat
▸ **πέφτω θύμα+**γεν. to fall prey to

θυμάμαι ① Ρ Μ ΑΠΟΘ to remember
② Ρ ΑΜ to remember
▸ **αν θυμάμαι καλά** if (my) memory serves me correctly
▸ **απ' ό, τι** *ή* **απ' όσο θυμάμαι** as far as I can remember
▸ **απ' ό, τι θυμάμαι, όχι** not as far as I can remember
▸ **δεν θυμάμαι να έγινε κτ/να κάνω κτ** I don't remember sth happening/doing sth
▸ **θυμάμαι ότι** *ή* **πως έκανα κτ** to remember doing sth *ή* that one did sth
▸ **πού να θυμάμαι!** I can't remember!

θυμαράκια ουε ουδ ΠΛΗΘ: **είμαι** *ή* **πηγαίνω στα θυμαράκια** (*αργκ.*) to be pushing up the daisies (*ανεπ.*)

θυμάρι ουε ουδ thyme

θυμαρίσιος, -ια, -ιο ΕΠΙΘ: **θυμαρίσιο μέλι** thyme honey

θυμηδία ΟΥΣ ΟΥΔ hilarity

θύμηση ΟΥΣ ΟΥΔ (λογοτ.) memory

θυμητικό ΟΥΣ ΟΥΔ memory

θυμίαμα ΟΥΣ ΟΥΔ incense

θυμιατήρι ΟΥΣ ΟΥΔ = **θυμιατήριο**

θυμιατήριο ΟΥΣ ΟΥΔ (ΘΡΗΣΚ) censer, thurible · (στο σπίτι) incense burner

θυμιατίζω Ρ Μ (α) (εικόνες) to incense · (σπίτι) to burn incense in (β) (= κολακεύω) to flatter

θυμιατό ΟΥΣ ΟΥΔ (ΘΡΗΣΚ) censer, thurible · (στο σπίτι) incense burner

θυμίζω Ρ Μ: **θυμίζω κτ σε κπν** to remind sb of sth
  ▷**θυμίζω σε κπν να κάνει κτ** to remind sb to do sth
  ▷**κάτι μου θυμίζει αυτό το όνομα** that name rings a bell
  ▷**μου θυμίζει τον πατέρα μου** he reminds me of my father

θυμός ΟΥΣ ΑΡΣ anger
  ▷**δεν είχε ποτέ ξεσπάσματα θυμού** she never lost her temper
  ▷**έκρηξη θυμού** angry outburst

θυμοσοφία ΟΥΣ ΘΗΛ (α) (= λαϊκή σοφία) common sense (β) (= στωικότητα) stoicism

θυμόσοφος, -η, -ο ΕΠΙΘ (α) (= που φιλοσοφεί) wise (β) (= ψύχραιμος) calm

θυμούμαι Ρ Μ/ΑΜ ΑΠΟΘ = **θυμάμαι**

θυμώδης, -ης, -ες ΕΠΙΘ (επίσ.) irascible

θυμωμένος, -η, -ο ΕΠΙΘ angry
  ▷**είμαι θυμωμένος μαζί σου/του** I'm angry ή cross with you/him

θυμώνω ① Ρ Μ to make angry
  ② Ρ ΑΜ (= εκνευρίζομαι) to get angry · (= είμαι θυμωμένος) to be angry ή cross

θύρα ΟΥΣ ΘΗΛ (επίσ.) (α) (σπιτιού, ναού) door · (σταδίου) gate (β) (ΠΛΗΡΟΦ) port
  ▷**κεκλεισμένων των θυρών** (ΝΟΜ) in camera
  ▸**θύρα εισόδου/εξόδου** (ΠΛΗΡΟΦ) input/output port

θυρεοειδής, -ής, -ές ΕΠΙΘ ΑΡΣ: **θυρεοειδής αδένας** (ΑΝΑΤ) thyroid gland

θυρεοειδίτιδα ΟΥΣ ΘΗΛ thyroiditis

θυρεός ΟΥΣ ΑΡΣ coat of arms

θυρίδα ΟΥΣ ΘΗΛ (α) (= μικρή πόρτα) opening (β) (σε ταχυδρομείο, γραφείο) window · (σε κινηματογράφο, θέατρο) box office (γ) (επίσης **τραπεζική θυρίδα**) safe–deposit box
  ▸**ταχυδρομική θυρίδα** PO box
  ▸**θυρίδα εισερχομένων μηνυμάτων** (ΠΛΗΡΟΦ) inbox
  ▸**θυρίδα (πλαίσιο) διαλόγου** (ΠΛΗΡΟΦ) dialogue (Βρετ.) ή dialog (Αμερ.) box

θυροκόλληση ΟΥΣ ΘΗΛ (εγγράφου) posting

θυροκολλώ Ρ ΑΜ to post

θυροτηλεόραση ΟΥΣ ΘΗΛ CCTV entry–phone

θυροτηλέφωνο ΟΥΣ ΟΥΔ entry–phone

θυρωρείο ΟΥΣ ΟΥΔ (πολυκατοικίας) caretaker's lodge · (υπηρεσίας, εργοστασίου) porter's lodge

θυρωρός ΟΥΣ ΑΡΣ/ΘΗΛ (πολυκατοικίας) caretaker · (εταιρίας, εργοστασίου) porter · (κέντρου, ξενοδοχείου) doorman

> *Προσοχή!: Ο πληθυντικός του* **doorman** *είναι* **doormen***.*

θύσανος ΟΥΣ ΑΡΣ (επίσ.: = φούντα) tassel

θυσανωτός, -ή, -ό ΕΠΙΘ (επίσ.) tasselled (Βρετ.), tasseled (Αμερ.)

θυσία ΟΥΣ ΘΗΛ (κυριολ., μτφ.) sacrifice
  ▷**γίνομαι θυσία για κπν** to give sb one's all
  ▷**κάνω τη θυσία** to put up with it
  ▷**πάση θυσία** come what may
  ▷**προσφέρω/κάνω θυσία** to offer/to make a sacrifice

θυσιάζω Ρ Μ (κυριολ., μτφ.) to sacrifice
  ▷**θυσιάζω τη ζωή μου** to lay down one's life, to make the ultimate sacrifice
  ▷**θυσιάζω τον εαυτό μου** to sacrifice oneself
  ▸**θυσιάζομαι** ΜΕΣΟΠΑΘ (α) (= στερούμαι χάριν σκοπού) to make sacrifices (β) (= δίνω τη ζωή μου) to sacrifice oneself

θυσιαστήριο ΟΥΣ ΟΥΔ (α) (= βωμός) altar (β) (ΘΡΗΣΚ) high altar

θύτης ΟΥΣ ΑΡΣ (επίσ.) (α) (που τελεί θυσία) sacrificial priest (β) (που κάνει κακό) persecutor

θύτρια ΟΥΣ ΘΗΛ (επίσ.) βλ. **θύτης**

θώκος ΟΥΣ ΑΡΣ (επίσ.) (α) (= κάθισμα) chair (β) (μτφ.) seat

θωπεία ΟΥΣ ΘΗΛ (επίσ.) (α) (= χάδι) caress (β) (= κολακεία) flattery

θωπεύω Ρ Μ (επίσ.) (α) (= χαϊδεύω) to caress (β) (= κολακεύω) to flatter

θώρακας ΟΥΣ ΑΡΣ (α) (πολεμιστή) breastplate · (αλυσιδωτός) chain mail (β) (ΑΝΑΤ) thorax (γ) (πλοίου, οχήματος) armour (Βρετ.) ή armor (Αμερ.) plate

θωρακίζω Ρ Μ (α) (πλοίο, αυτοκίνητο) to equip with armour (Βρετ.) ή armor (Αμερ.) plate (β) (νησιά) to arm · (άμυνα) to build up
  ▸**θωρακίζομαι** ΜΕΣΟΠΑΘ to arm oneself

θωρακικός, -ή, -ό ΕΠΙΘ (κοιλότητα, νόσημα) thoracic (επιστ.), chest

θωράκιση ΟΥΣ ΘΗΛ (α) (άρματος, αυτοκινήτου) equipping with armour (Βρετ.) ή armor (Αμερ.) plate (β) (στρατού, νησιών, οργανισμού) arming · (άμυνας) building up

θωρακισμένος, -η, -ο ΕΠΙΘ (α) (όχημα, μονάδα, άρμα) armoured (Βρετ.), armored (Αμερ.) (β) (για αυτοκίνητο) well-armed (γ) (για στρατό) well-defended (γ) (με θάρρος, υπομονή) armed

θωρηκτό ΟΥΣ ΟΥΔ battleship

θωριά ΟΥΣ ΘΗΛ (λογοτ.) face
  ▷**χάνω τη θωριά μου** to go white ή pale

θωρώ Ρ Μ (λογοτ.) to see

I ι

I, ι iota, *ninth letter of the Greek alphabet*
▷**ι´** 10
▷**,ι** 10,000

ιαματικός, -ή, -ό ΕΠΙΘ *(πηγή)* mineral, thermal · *(ιδιότητα, νερό)* healing, curative
▸**ιαματικά λουτρά** spa

ιαμβικός, -ή, -ό ΕΠΙΘ *(στίχος, μέτρο)* iambic

ίαμβος ΟΥΣ ΑΡΣ iambus, iamb

Ιανουάριος ΟΥΣ ΑΡΣ January

Ιάπωνας ΟΥΣ ΑΡΣ Japanese
▸**οι Ιάπωνες** ΠΛΗΘ the Japanese, Japanese people

Ιαπωνία ΟΥΣ ΘΗΛ Japan

Ιαπωνίδα ΟΥΣ ΘΗΛ *βλ.* **Ιάπωνας**

ιαπωνικός, -ή, -ό ΕΠΙΘ Japanese

> *Προσοχή!: Τα εθνικά επίθετα, όπως* **Japanese**, *γράφονται με κεφαλαίο το αρχικό γράμμα στα Αγγλικά.*

▸**Ιαπωνικά** ΟΥΣ ΟΥΔ ΠΛΗΘ Japanese

ίαση ΟΥΣ ΘΗΛ *(επίσ.)* cure

ιάσιμος, -η, -ο ΕΠΙΘ *(επίσ.)* curable

ιατρείο ΟΥΣ ΟΥΔ surgery *(Βρετ.)*, office *(Αμερ.)* · *(= υγειονομικός σταθμός)* clinic
▷**έχω ιατρείο** to be on duty
▸**εξωτερικά ιατρεία** outpatient clinic *ή* department
▸**ιδιωτικό ιατρείο** private practice

ιατρική ΟΥΣ ΘΗΛ *(α) (επιστήμη, σπουδές)* medicine *(β) (σχολή)* medical school

ιατρικός, -ή, -ό ΕΠΙΘ medical
▸**ιατρικό συμβούλιο** *consultation between doctors*
▸**ιατρικό** ΟΥΣ ΟΥΔ *(επίσ.)* medicine

ιατροδικαστής ΟΥΣ ΑΡΣ/ΘΗΛ coroner *(Βρετ.)*, medical examiner *(Αμερ.)*

ιατροδικαστικός, -ή, -ό ΕΠΙΘ forensic
▸**ιατροδικαστική** ΟΥΣ ΘΗΛ forensics εν.

> *Προσοχή!: Αν και το* **forensics** *φαίνεται ως τύπος πληθυντικού, είναι μη αριθμήσιμο ουσιαστικό και συντάσσεται με ρήμα στον ενικό.*

ιατρός ΟΥΣ ΑΡΣ = **γιατρός**

ιαχή ΟΥΣ ΘΗΛ *(επίσ.: πολέμου)* cry · *(θριάμβου, ενθουσιασμού)* cheer

ιβηρικός, -ή, -ό ΕΠΙΘ Iberian

▸**η Ιβηρική Χερσόνησος** the Iberian Peninsula

> *Προσοχή!: Τα εθνικά επίθετα, όπως* **Iberian**, *γράφονται με κεφαλαίο το αρχικό γράμμα στα Αγγλικά.*

ιβίσκος ΟΥΣ ΑΡΣ hibiscus

ιγκόγκνιτο ΕΠΙΡΡ = **ινκόγκνιτο**

ιγμόρειο ΟΥΣ ΟΥΔ *(επίσης* **ιγμόρειο άντρο***)* sinus

ιγμορίτιδα ΟΥΣ ΘΗΛ sinusitis

ιδανικός, -ή, -ό ΕΠΙΘ ideal
▸**ιδανικό αέριο** *(ΧΗΜ)* ideal gas
▸**ιδανικό βάρος** ideal weight
▸**ιδανικό** ΟΥΣ ΟΥΔ ideal

ιδέα ΟΥΣ ΘΗΛ *(α) (γενικότ.)* idea *(β) (= γνώμη)* opinion, view *(γ) (δημοκρατίας, ελευθερίας)* notion, concept
▷**βάζω ιδέες σε κπν** to put ideas into sb's head, to give sb ideas
▷**βάζω κπν σε ιδέες** to give sb something to think about, to set sb thinking
▷**δεν έχω ιδέα** to have no idea
▷**δεν έχω την παραμικρή ιδέα** not to have the slightest *ή* least idea
▷**δίνω σε κπν μια ιδέα** to give sb an idea · *(= ένδειξη)* to give sb a clue
▷**έχω μεγάλη ιδέα για τον εαυτό μου, είμαι όλο ιδέα** to be full of oneself
▷**έχω την ιδέα ότι** to think *ή* have an idea that
▷**μου μπαίνει *ή* καρφώνεται *ή* έρχεται η ιδέα να κάνω κτ** to get it into one's head to do sth
▷**μου έρχεται *ή* κατεβαίνει μια ιδέα** to have an idea
▷**παίρνω μια ιδέα** to get an idea
▸**έμμονη ιδέα** fixed idea, idée fixe

ιδεαλισμός ΟΥΣ ΑΡΣ idealism

ιδεαλιστής ΟΥΣ ΑΡΣ idealist

ιδεαλιστικός, -ή, -ό ΕΠΙΘ idealistic

ιδεαλίστρια ΟΥΣ ΘΗΛ *βλ.* **ιδεαλιστής**

ιδεατός, -ή, -ό ΕΠΙΘ imaginary

ιδεόγραμμα ΟΥΣ ΟΥΔ ideogram, ideograph

ιδεογραφία ΟΥΣ ΘΗΛ ideography

ιδεογραφικός, -ή, -ό ΕΠΙΘ ideogrammic, ideographic

ιδεοληπτικός, -ή, -ό ΕΠΙΘ obsessive

ιδεοληψία ΟΥΣ ΘΗΛ obsession

ιδεολογία ΟΥΣ ΘΗΛ *(α) (γενικότ.)* ideology

(β) (= *ηθικές αρχές*) principles πληθ.

ιδεολογικός, -ή, -ό ΕΠΙΘ (*τοποθέτηση*) ideological · (*αντιπαράθεση, σύγκρουση*) of ideologies

ιδεολόγος ΟΥΣ ΑΡΣ&ΘΗΛ **(α)** (*κόμματος, κινήματος*) ideologue **(β)** (= *ιδεαλιστής*) idealist **(γ)** (*ειρων.*) dreamer

ιδεώδης, -ης, -ες ΕΠΙΘ (*σύντροφος, λύση*) ideal
► **ιδεώδες** ΟΥΣ ΟΥΔ ideal

ιδιαζόντως ΕΠΙΡΡ (*επίσ.*) highly

ιδιάζων, -ουσα, -ον ΕΠΙΘ (*επίσ.*) special

ιδιαίτερα ΟΥΣ ΘΗΛ = **ιδιαίτερος**

ιδιαίτερα ΕΠΙΡΡ **(α)** (*επικίνδυνος, δημιουργικός*) highly · (*έξυπνος*) exceptionally **(β)** (= *κυρίως*) especially, in particular

ιδιαίτερος, -η ή -έρα, -ο ΕΠΙΘ **(α)** (*χαρακτηριστικό, γνώρισμα, ενδιαφέρον, σημασία*) particular · (*προφορά*) peculiar · (*προσοχή*) special, particular · (*λόγος, μέρα*) special **(β)** (*συζήτηση*) private · (*πρόσκληση*) personal
► **ιδιαίτερα διαμερίσματα** private apartments
► **ιδιαίτερη πατρίδα** home town
► **ιδιαίτερα** ΟΥΣ ΟΥΔ ΠΛΗΘ private ή personal affairs
► **ιδιαίτερο** ΟΥΣ ΟΥΔ (*επίσης* **ιδιαίτερο μάθημα**) private lesson
▷ **κάνω ιδιαίτερα μαθήματα** (*για μαθητή*) to take ή have private lessons · (*για καθηγητή*) to give private lessons
► **ιδιαίτερος** ΟΥΣ ΑΡΣ (*επίσης* **ιδιαίτερος γραμματέας**), **ιδιαιτέρα** ΟΥΣ ΘΗΛ (*επίσης* **ιδιαίτερα γραμματέας**) personal assistant · (*πολιτικού*) private secretary

ιδιαιτερότητα ΟΥΣ ΘΗΛ (*ατόμου, προσωπικότητας*) idiosyncrasy · (*γλώσσας, περιοχής, δουλειάς*) peculiarity

ιδιαιτέρως ΕΠΙΡΡ **(α)** (= *κατ' ιδίαν*) in private **(β)** (= *κυρίως*) especially

ιδιόγραφος, -η, -ο ΕΠΙΘ (*επιστολή*) written in one's own hand
► **ιδιόγραφη διαθήκη** holograph will

ιδιοκατοίκηση ΟΥΣ ΘΗΛ (ΝΟΜ) owner–occupancy

ιδιοκτησία ΟΥΣ ΘΗΛ **(α)** (= *κυριότητα περιουσίας*) ownership **(β)** (= *περιουσία*) property
► **πνευματική ιδιοκτησία** intellectual property

ιδιοκτήτης ΟΥΣ ΑΡΣ owner, proprietor

ιδιόκτητος, -η, -ο ΕΠΙΘ (*διαμέρισμα, οικόπεδο*) privately owned

ιδιοκτήτρια ΟΥΣ ΘΗΛ βλ. **ιδιοκτήτης**

ιδιομορφία ΟΥΣ ΘΗΛ (*έργου, εποχής, καλλιτέχνη*) characteristic · (*επαγγέλματος*) particularity

ιδιόμορφος, -η, -ο ΕΠΙΘ (*χαρακτήρας, συνθήκες, ύφος, ανάγκη*) particular

ιδιοποίηση ΟΥΣ ΘΗΛ appropriation

ιδιοποιούμαι Ρ Μ **(α)** (*περιουσία, ακίνητο*) to

appropriate **(β)** (*θεωρία*) to appropriate · (*αντιλήψεις, αξίες*) to adopt

ιδιορρυθμία ΟΥΣ ΘΗΛ **(α)** (*δουλειάς, τόπου, γλώσσας*) particularity, peculiarity **(β)** (*χαρακτήρα, συμπεριφοράς, ανθρώπου*) idiosyncrasy, quirk

ιδιόρρυθμος, -η, -ο ΕΠΙΘ **(α)** (*σχέση, στοιχείο*) particular, peculiar **(β)** (*άτομο, συμπεριφορά*) eccentric · (*ντύσιμο*) odd

ίδιος¹, ιδία, ίδιο ΕΠΙΘ **(α)** (= *προσωπικός: συμφέρον, άποψη*) personal **(β)** (= *ιδιαίτερος*) unique
▷ **ιδίαις δαπάναις** at one's own expense
▷ **ιδία ευθύνη** at one's own risk
▷ **κατ' ιδίαν** in private
► **ίδιο(ν)** ΟΥΣ ΟΥΔ (= *ιδιαιτερότητα: για πρόσ.*) habit · (*για υλικό*) property

---

┌─ *ΛΕΞΗ-ΚΛΕΙΔΙ* ─────────────────────┐

ίδιος², -ια, -ιο ΕΠΙΘ *με άρθρο* **(α)** (= *ο αυτός*) the same □ **γεννηθήκαμε την ίδια μέρα** we were born on the same day · **έχουμε τα ίδια γούστα** we have the same tastes
▷ **γυρίζω στα ίδια** to go back to the same old thing
▷ **κάθε μέρα η ίδια ιστορία!** every day the same (old) story!
▷ **μία από τα ίδια** (*σε εστιατόριο, μπαρ*) the same again · (*ειρων.*) more of the same, the same old thing □ **τι ποτά να βάλω; – βάλε μας μία από τα ίδια!** what drinks would you like? – the same again, please!
▷ **τα ίδια** the same as always □ **πώς τα πας, Μαρία; – τα ίδια!** how are you Maria? – same as always!
▷ **τα ίδια και τα ίδια, τα ίδια Παντελάκη μου, τα ίδια Παντελή μου** the same old thing
▷ **το ίδιο** the same □ **το ίδιο ισχύει για όλη την τάξη** the same goes for the rest of the class too · **κρυώνω. – το ίδιο κι εγώ!** I'm cold. – me too! · **τα πήγες πολύ καλά κι εσείς, παιδιά, το ίδιο** you did very well and so did you, boys
▷ **το ίδιο είναι ή μου κάνει** it's all the same to me
(β) (*για έμφαση*) own · (*σε τηλεφωνική συνομιλία*) speaking □ **την είδα με τα ίδια μου τα μάτια** I saw her with my own eyes · **έκλεψε τον ίδιο του τον αδελφό** he stole from his own brother · **ποιος θα πάει; – εγώ ο ίδιος!** who's going? – I'll go myself! · **μόνο τον ίδιο σου τον εαυτό βλάπτεις** you're only harming yourself · **με υποδέχτηκε ο ίδιος** he received me in person · **θα ήθελα την κυρία Παπά. – η ίδια!** I'd like to speak to Mrs Papa. – speaking!
(γ) (= *όμοιος*) the same, identical · (= *ίσος*) equal, the same □ **αγόρασε ένα αυτοκίνητο ίδιο με το δικό σου** he bought a car the same as yours ή identical to yours · **είναι δίδυμες και φοράνε και ίδια ρούχα** they're twins and are wearing the same ή identical clothes · **έχουμε ίδιες πιθανότητες επιτυχίας** we have the same ή an equal chance of success

▷**είναι ίδια η μάνα της** she's just like her mother

▷**ίδιος και απαράλλαχτος ο ή η** (*για πρόσ.*) the spitting image of

▷**ίδιος και απαράλλαχτος με** (*για πράγματα*) exactly like, absolutely identical to

▷**οι ίδιοι και οι ίδιοι** the same old faces

ιδιοσυγκρασία ΟΥΣ ΘΗΛ (*ανθρώπου*) disposition · (*λαού*) character

ιδιοτέλεια ΟΥΣ ΘΗΛ self–interest

ιδιοτελής, -ής, -ές ΕΠΙΘ selfish

ιδιότητα ΟΥΣ ΘΗΛ (α) (*σώματος, υλικού*) property · (*ανθρώπου*) characteristic (β) (*βουλευτή, γιατρού*) status

▷**υπό την ιδιότητά μου ως** +γεν. (*επίσ.*) in one's capacity as

ιδιοτροπία ΟΥΣ ΘΗΛ (α) (*ανθρώπου*) eccentricity, idiosyncrasy · (*ντυσίματος, συμπεριφοράς*) eccentricity (β) (= *δυστροπία*) grumpiness, grouchiness (γ) (= *καπρίτσιο*) whim

▷**από (μια) ιδιοτροπία της τύχης** by a quirk ή twist of fate

ιδιότροπος, -η, -ο ΕΠΙΘ (α) (*άνθρωπος, συμπεριφορά*) eccentric, odd · (*ντύσιμο, χτένισμα*) odd (β) (= *δύστροπος*) bad–tempered, grumpy (γ) (= *καπριτσιόζος*) capricious

ιδιοτυπία ΟΥΣ ΘΗΛ singularity, particularity

ιδιότυπος, -η, -ο ΕΠΙΘ singular, particular

ιδιοφυής, -ής, -ές ΕΠΙΘ (*θεωρία, σχέδιο*) ingenious · (*ανθρωπος*) gifted

ιδιοφυΐα ΟΥΣ ΘΗΛ (α) (= *εξυπνάδα*) genius (β) (= *άτομο*) genius, prodigy

Προσοχή!: Ο πληθυντικός του **genius** *είναι* **geniuses** *ή* **genii**.

ιδιόχειρος, -η, -ο ΕΠΙΘ (*αφιέρωση, επιστολή*) written in one's own hand

▸**ιδιόχειρη παράδοση** personal delivery

ιδιοχρησία ΟΥΣ ΘΗΛ private use

ιδιόχρηστος, -η, -ο ΕΠΙΘ (*επίσ.: κατοικία*) owner–occupied · (*κατάστημα*) used by the owner

ιδίωμα ΟΥΣ ΟΥΔ (α) (ΓΛΩΣΣ) local dialect (β) (*για πρόσ.*: = *γνώρισμα*) characteristic · (= *συνήθεια*) habit (γ) (*για αντικείμενο*) property

ιδιωματικός, -ή, -ό ΕΠΙΘ (*έκφραση, λέξη*) idiomatic

▸**ιδιωματική γλώσσα** local dialect

ιδιωματισμός ΟΥΣ ΑΡΣ idiom

ιδίως ΕΠΙΡΡ especially

ιδιωτεύω Ρ ΑΜ (α) (= *αποσύρομαι*) to retire from public life (β) (= *αποτραβιέμαι*) to lead a private life (γ) (= *παραιτούμαι από το Δημόσιο*) to go into the private sector

ιδιώτης ΟΥΣ ΑΡΣ (α) (*γενικότ.*) private individual (β) (ΙΑΤΡ) mentally handicapped person

ιδιωτικοποίηση ΟΥΣ ΘΗΛ privatization

ιδιωτικοποιώ Ρ Μ to privatize

ιδιωτικός, -ή, -ό ΕΠΙΘ (α) (*εκπαίδευση, επιχείρηση, φορέας, ασφάλιση*) private · (*σταθμός, τηλεόραση*) independent (β) (*ζωή*) private · (*θέματα*) personal, private

▸**ιδιωτική πρωτοβουλία** private enterprise

▸**ο ιδιωτικός τομέας** the private sector

ιδού ΕΠΙΡΡ (*επίσ.*) here is

▷**ιδού η Ρόδος ιδού και το πήδημα** put your money where your mouth is (*ανεπ.*)

▷**ιδού πώς/τι/γιατί** this is how/what/why

ιδροκόπημα ΟΥΣ ΟΥΔ (α) (= *πολύ ίδρωμα*) heavy sweat (β) (= *μόχθος*) hard work

ιδροκοπώ Ρ ΑΜ (α) (= *ιδρώνω πολύ*) to sweat profusely, to be pouring with sweat (β) (= *μοχθώ*) to sweat blood (*ανεπ.*)

ίδρυμα ΟΥΣ ΟΥΔ (α) (= *οργανισμός*) institute (β) (= *ορφανοτροφείο*) institution, home

▷**κλείνω κπν σε ίδρυμα** (*ανεπ.*) to put sb in an institution, to lock sb away (*ανεπ.*)

ίδρυση ΟΥΣ ΘΗΛ (*οργανισμού, σχολής, συλλόγου*) foundation · (*εταιρείας*) creation

ιδρυτής ΟΥΣ ΑΡΣ founder

ιδρυτικός, -ή, -ό ΕΠΙΘ founding

▸**ιδρυτικό μέλος** founder member

ιδρύτρια ΟΥΣ ΘΗΛ *βλ.* **ιδρυτής**

ιδρύω Ρ Μ (*επιχείρηση, σταθμό*) to set up, to create · (*οργανισμό*) to found

ίδρωμα ΟΥΣ ΟΥΔ sweating

ιδρώνω Ρ ΑΜ (α) (*άνθρωπος, χέρια*) to sweat (β) (= *κοπιάζω*) to sweat (blood) (*ανεπ.*) (γ) (*δοχείο, στάμνα*) to sweat

▷**δεν ιδρώνει τ' αφτί μου** to be like water off a duck's back

▷**ιδρώνω να πείσω** ή **καταφέρω κπν να κάνει κτ** to try really hard to persuade sb to do sth

ιδρώτας ΟΥΣ ΑΡΣ sweat

▷**λούζομαι στον ιδρώτα** to be dripping with sweat

▷**με ιδρώτα και αίμα** with blood, sweat and tears

▷**με κόβει** ή **λούζει κρύος ιδρώτας** to break out ή come out in a cold sweat

ιδρωτίλα ΟΥΣ ΘΗΛ smell of sweat

ιεραποστολή ΟΥΣ ΘΗΛ mission

ιεραποστολικός, -ή, -ό ΕΠΙΘ (*έργο*) missionary

ιεραπόστολος ΟΥΣ ΑΡΣ missionary

ιεράρχης ΟΥΣ ΑΡΣ prelate, hierarch (*επίσ.*)

▷**οι τρεις Ιεράρχες** the Three Hierarchs, *Saint Basil, Saint Gregory and Saint John, founders of Christian Hellenism* · (*αργία*) *30 January observed as a public holiday*

ιεράρχηση ΟΥΣ ΘΗΛ (*αξιών*) scale · (*αναγκών, κριτηρίων, στόχων*) hierarchy

ιεραρχία ΟΥΣ ΘΗΛ (α) (*επίσης*: ΘΡΗΣΚ) hierarchy (β) (*αξιών*) scale · (*κριτηρίων*) hierarchy

▷**ανέρχομαι στην ιεραρχία** to get to the top of the scale ή ladder

ιεραρχικός, -ή, -ό ΕΠΙΘ hierarchical
ιεραρχώ ① Ρ Μ to rank
  ② Ρ ΑΜ to be a prelate
ιερατείο ΟΥΣ ΟΥΔ clergy
ιερατικός, -ή, -ό ΕΠΙΘ (άμφια) clerical
▶**ιερατική σχολή** seminary
ιερέας ΟΥΣ ΑΡΣ priest · (στον στρατό, σε πανεπιστήμιο) chaplain
ιέρεια ΟΥΣ ΘΗΛ (θρησκεία) priestess · (Τέχνης) high priestess
ιερεμιάδες ΟΥΣ ΘΗΛ ΠΛΗΘ moaning εν.
ιερό ΟΥΣ ΟΥΔ (α) (στην αρχαιότητα) shrine (β) (ΘΡΗΣΚ) sanctuary
ιερογλυφικός, -ή, -ό ΕΠΙΘ hieroglyphic
▶**ιερογλυφικά** ΟΥΣ ΟΥΔ ΠΛΗΘ (κυριολ., μτφ.) hieroglyphics
ιεροδιδασκαλείο ΟΥΣ ΟΥΔ seminary
ιεροδιδάσκαλος ΟΥΣ ΑΡΣ (ΣΧΟΛ) priest and teacher · (ΘΡΗΣΚ) *teacher of the holy scriptures*
ιερόδουλη, ιερόδουλος ΟΥΣ ΘΗΛ (επίσ.) prostitute
ιεροεξεταστής ΟΥΣ ΑΡΣ inquisitor
ιεροκήρυκας ΟΥΣ ΑΡΣ preacher
ιεροκρατία ΟΥΣ ΘΗΛ theocracy, hierocracy (επίσ.)
ιερολοχίτης ΟΥΣ ΑΡΣ (ΑΡΧ ΙΣΤ) member of the Sacred Band, *elite corps of 300 soldiers in the Theban army*
ιερομάρτυρας ΟΥΣ ΑΡΣ holy martyr, hieromartyr (επιστ.)
ιερομόναχος ΟΥΣ ΑΡΣ monastic priest, hieromonach (επιστ.)
ιεροπρεπής, -ής, -ές ΕΠΙΘ saintly
ιερός, -ή ή -ά, -ό ΕΠΙΘ (κανόνας, κειμήλιο, λείψανο) holy · (βιβλίο, άμφια, μορφή, τόπος) sacred, holy · (παράδοση, ναός, καθήκον, γη, μνήμη) sacred
▷**δεν έχω ούτε ιερό ούτε όσιο** *ή* **ιερό και όσιο** to hold nothing sacred
▷**έχω κτ ιερό και όσιο** to hold sth sacred *ή* dear
▷**(σου ορκίζομαι) σε ό, τι έχω ιερό** to swear on all that one holds sacred *ή* dear
▶**η Ιερά Εξέταση** the Inquisition
▶**η Ιερά** *ή* **Ιερή Συμμαχία** the Holy Alliance
▶**η Ιερά Σύνοδος** the Holy Synod
▶**ιερά** *ή* **ιερή νόσος** (ΙΑΤΡ) epilepsy
▶**ιερό οστό** *ή* **οστούν** (ΑΝΑΤ) sacrum
▶**Ιερός Λόχος** (ΑΡΧ ΙΣΤ) Sacred Band, *elite corps of 300 soldiers in the Theban army*
Ιεροσόλυμα ΟΥΣ ΟΥΔ ΠΛΗΘ Jerusalem
ιεροσυλία ΟΥΣ ΘΗΛ (α) (γενικότ.) sacrilege · (ναού, τάφου) desecration (β) (μτφ.) sacrilege
ιερόσυλος, -η, -ο ΕΠΙΘ sacrilegious
▶**ιερόσυλος** ΟΥΣ ΑΡΣ desecrator · (τάφου) raider
ιεροσύνη ΟΥΣ ΘΗΛ (α) (αξίωμα) priesthood (β) (= χειροτονία) ordination (γ) (= ιερείς) clergy, priesthood
ιεροτελεστία ΟΥΣ ΘΗΛ (α) (= τελετή) rite, ceremony (β) (μτφ.) ritual

ιερότητα ΟΥΣ ΘΗΛ (όρκου, παράδοσης, μυστηρίου) sanctity, sacredness · (ναού) sanctity, holiness
ιερουργώ Ρ Μ (επίσ.) to officiate
▷**ιερουργώ σε** (Θεία Λειτουργία, γάμο) to celebrate · (βάπτιση, κηδεία) to officiate at
Ιερουσαλήμ ΟΥΣ ΘΗΛ ΑΚΛ = **Ιεροσόλυμα**
ιεροψάλτης ΟΥΣ ΑΡΣ (εκκλησίας, ενορίας) cantor, precentor
ιερωμένος ΟΥΣ ΑΡΣ priest
ίζημα ΟΥΣ ΟΥΔ (α) (ΧΗΜ) sediment (β) (ΓΕΩΛ) deposit, sediment
ιζηματογένεση ΟΥΣ ΘΗΛ sedimentation
ιζηματογενής, -ής, -ές ΕΠΙΘ sedimentary
Ιησούς ΟΥΣ ΑΡΣ Jesus
▶**Ιησούς Χριστός** Jesus Christ
▷**Ιησούς Χριστός νικά!** for the love of Jesus!
▷**Ιησούς Χριστός νικά κι όλα τα κακά σκορπά!** may the Lord protect you!
▶**Ιησούς Χριστός** Jesus Christ
ιθαγένεια ΟΥΣ ΘΗΛ citizenship
ιθαγενής, -ής, -ές ΕΠΙΘ (πολιτισμός, πληθυσμός) indigenous · (ζώο, φυτό) native, indigenous · (της Αυστραλίας) Aboriginal

---

Προσοχή!: Τα εθνικά επίθετα, όπως **Aboriginal***, γράφονται με κεφαλαίο το αρχικό γράμμα στα Αγγλικά.*

▶**ιθαγενής** ΟΥΣ ΑΡΣ&ΘΗΛ (επίσης **ιθαγενής κάτοικος**) native · (της Αυστραλίας) Aborigine
Ιθάκη ΟΥΣ ΘΗΛ Ithaca
ιθύνων, -ουσα, -ον ΕΠΙΘ: **ιθύνων νους** brains εν. · (εγκληματικής επιχείρησης) mastermind
▷**ιθύνουσα τάξη** ruling *ή* governing class
▶**ιθύνοντες** ΟΥΣ ΑΡΣ ΠΛΗΘ (κράτους) leadership · (εταιρείας) management
ικανοποιημένος, -η, -ο ΕΠΙΘ (άνθρωπος) satisfied, pleased · (βλέμμα, πρόσωπο) contented
ικανοποίηση ΟΥΣ ΘΗΛ (α) (ανθρώπου) satisfaction (β) (αιτήματος, αναγκών) satisfaction · (φιλοδοξίας, επιθυμίας) fulfilment (Βρετ.), fulfillment (Αμερ.) (γ) (= επανόρθωση ζημίας) compensation
▷**γεμάτος ικανοποίηση** pleased
▷**ζητώ** *ή* **απαιτώ ικανοποίηση (από κπν/για κτ)** to demand satisfaction (from sb/for sth)
▷**παίρνω ικανοποίηση (από κπν/για κτ)** to get satisfaction (from sb/for sth)
ικανοποιητικός, -ή, -ό ΕΠΙΘ (αποτελέσματα, λύση, εξηγήσεις) satisfactory · (μισθός, στοιχεία) adequate
ικανοποιώ Ρ Μ (α) (άνθρωπο) to satisfy (β) (αίτημα, ανάγκες, απαιτήσεις) to meet, to satisfy · (γούστο) to cater for · (επιθυμία) to fulfil (Βρετ.), to fulfill (Αμερ.) (γ) (= επανορθώνω ζημία) to compensate
ικανός, -ή, -ό ΕΠΙΘ (α) (γενικότ.) capable, able · (επαγγελματίας, επιχειρηματίας) competent, capable · (τεχνίτης) skilled

(β) (μελέτη) competent · (οργάνωση) efficient (γ) (επίσ.: αριθμός, ποσότητα) sufficient (δ) (ΣΤΡΑΤ) fit
▷**είμαι ικανός για όλα** (αρνητ.) to be capable of anything · (για επιχειρηματία) to be unscrupulous
▷**είμαι ικανός να κάνω κτ** to be capable of doing sth, to be able to do sth · (= έχω τα προσόντα) to be qualified to do sth
▷**έχω κπν ικανό να κάνει κτ** to think sb is capable of doing sth
▸**ικανή συνθήκη** (επίσ.) sufficient grounds
ικανότητα ΟΥΣ ΘΗΛ (α) (= επιδεξιότητα) ability · (επαγγελματία) competence · (τεχνίτη) skill (β) (= προδιάθεση) ability, capacity (γ) (= δυνατότητα) power (δ) (ΣΤΡΑΤ) fitness (to serve)
▸**αποθηκευτική ικανότητα** storage capacity
▸**ικανότητες** ΟΥΣ ΘΗΛ ΠΛΗΘ abilities · (επαγγελματία) skills
▷**είναι πέραν των ικανοτήτων μου** to be beyond sb's abilities
ικεσία ΟΥΣ ΘΗΛ plea
ικετευτικός, -ή, -ό ΕΠΙΘ pleading
ικετεύω Ρ Μ (α) (Θεό) to supplicate (επίσ.) (β) (άνθρωπο) to beg, to implore (επίσ.)
ικέτης ΟΥΣ ΑΡΣ supplicant
ικέτιδα, ικέτισσα ΟΥΣ ΘΗΛ βλ. **ικέτης**
ικμάδα ΟΥΣ ΘΗΛ (α) (= υγρασία) moisture (β) (= ζωντάνια) vitality, vigour (Βρετ.), vigor (Αμερ.)
ικρίωμα ΟΥΣ ΟΥΔ (α) (= εξέδρα) scaffold, gallows εν. · (= ποινή) gallows εν.

Προσοχή! Αν και το **gallows** *φαίνεται ως τύπος πληθυντικού, είναι μη αριθμήσιμο ουσιαστικό και συντάσσεται με ρήμα στον ενικό.*

(β) (= σκαλωσιά) scaffolding
ίκτερος ΟΥΣ ΑΡΣ (ΙΑΤΡ) jaundice
ιλαρά ΟΥΣ ΘΗΛ measles εν.

Προσοχή! Αν και το **measles** *φαίνεται ως τύπος πληθυντικού, είναι μη αριθμήσιμο ουσιαστικό και συντάσσεται με ρήμα στον ενικό.*

▷**βγάζω την ιλαρά** (ανεπ.: = ζεσταίνομαι υπερβολικά) to be baking (ανεπ.) · (= ταλαιπωρούμαι υπερβολικά) to sweat blood (ανεπ.)
ιλαρός, -ή, -ό ΕΠΙΘ (επίσ.) (α) (άνθρωπος, ματιά, πρόσωπο) cheerful (β) (ανέκδοτο, θέαμα) hilarious
ιλαρότητα ΟΥΣ ΘΗΛ (επίσ.) (α) (ανθρώπου, προσώπου, βλέμματος) cheerfulness (β) (ανεκδότου, θεάματος) hilarity
ίλαρχος ΟΥΣ ΑΡΣ captain (in a tank regiment) · (παλαιότ.) cavalry captain
ίλη ΟΥΣ ΘΗΛ squadron
ιλιγγιώδης, -ης, -ες ΕΠΙΘ (α) (ύψος) dizzy, giddy (β) (φαντασία) vivid · (ανάπτυξη)

spectacular, dramatic (γ) (ντελκοτέ, μίνι) revealing
▷**ιλιγγιώδεις ρυθμοί** dizzy pace
▷**ιλιγγιώδες ποσό** vast amount (of money)
▷**ιλιγγιώδης ταχύτητα** breakneck speed
ίλιγγος ΟΥΣ ΑΡΣ vertigo, dizziness
▷**με πιάνει ή μου 'ρχεται ίλιγγος** to feel dizzy · (μτφ.) to be stunned
▷**παθαίνω ίλιγγο** to get vertigo, to feel dizzy ή giddy
Ιμαλάια ΟΥΣ ΟΥΔ ΠΛΗΘ: **τα Ιμαλάια** the Himalayas
ιμάμ μπαϊλντί ΟΥΣ ΟΥΔ ΑΚΛ baked aubergines with tomatoes, onions and garlic
ιμάντας ΟΥΣ ΑΡΣ (α) (= λουρί) strap (β) (ΜΗΧΑΝ) belt
▷**οι ιμάντες εξουσίας** the levers of power
ιμάτζ ΟΥΣ ΟΥΔ ΑΚΛ image
ιματιοθήκη ΟΥΣ ΘΗΛ (επίσ.) locker
ιματισμός ΟΥΣ ΑΡΣ (επίσ.) clothes πληθ., clothing · (ΣΤΡΑΤ) uniform
▸**προστατευτικός ιματισμός** protective clothing
ιμιτασιόν ΕΠΙΘ ΑΚΛ (κοσμήματα, βάζο, ρούχα) imitation, fake · (ανταλλακτικά) imitation
ιμπεριαλισμός ΟΥΣ ΑΡΣ imperialism
ιμπεριαλιστής ΟΥΣ ΑΡΣ imperialist
ιμπεριαλιστικός, -ή, -ό ΕΠΙΘ imperialist
ιμπεριαλίστρια ΟΥΣ ΘΗΛ βλ. **ιμπεριαλιστής**
ιμπρεσάριος ΟΥΣ ΑΡΣ impresario
ιμπρεσιονισμός ΟΥΣ ΑΡΣ Impressionism
ιμπρεσιονιστής ΟΥΣ ΑΡΣ Impressionist
ιμπρεσιονιστικός, -ή, -ό ΕΠΙΘ Impressionist
ιμπρεσιονίστρια ΟΥΣ ΘΗΛ βλ. **ιμπρεσιονιστής**
ίνα ΟΥΣ ΘΗΛ (επίσ.) fibre (Βρετ.), fiber (Αμερ.)
▸**γυάλινη ίνα, ίνα γυαλιού** glass fibre (Βρετ.) ή fiber (Αμερ.)
▸**οπτική ίνα** optical fibre (Βρετ.) ή fiber (Αμερ.)
▸**φυτικές ίνες** plant fibres (Βρετ.) ή fibers (Αμερ.)
ίνδαλμα ΟΥΣ ΟΥΔ (νεολαίας, οπαδού) idol
Ινδή ΟΥΣ ΘΗΛ βλ. **Ινδός**
Ινδία ΟΥΣ ΘΗΛ India
Ινδιάνα ΟΥΣ ΘΗΛ βλ. **Ινδιάνος**
ινδιάνικος, -η, -ο ΕΠΙΘ (American) Indian
▸**ινδιάνικα** ΟΥΣ ΟΥΔ ΠΛΗΘ Indian, Native American language
Ινδιάνος ΟΥΣ ΑΡΣ (American) Indian
ινδιάνος ΟΥΣ ΑΡΣ βλ. **γάλος**
Ινδικός ΟΥΣ ΑΡΣ (επίσης **ο Ινδικός Ωκεανός**) the Indian Ocean
ινδικός, -ή, -ό ΕΠΙΘ Indian

Προσοχή! Τα εθνικά επίθετα, όπως **Indian**, *γράφονται με κεφαλαίο το αρχικό γράμμα στα Αγγλικά.*

▸**ινδική κάνναβη ή κάνναβις** Indian hemp
▸**ινδικό χοιρίδιο** guinea pig

ινδοευρωπαϊκός, -ή, -ό ΕΠΙΘ Indo–European

Προσοχή!: Τα εθνικά επίθετα, όπως **Indo–European**, *γράφονται με κεφαλαίο το αρχικό γράμμα στα Αγγλικά.*

▶ η ινδοευρωπαϊκή γλώσσα Indo–European
Ινδονησία ΟΥΣ ΘΗΛ Indonesia
Ινδονήσια ΟΥΣ ΘΗΛ *βλ.* Ινδονήσιος
ινδονησιακός, -ή, -ό ΕΠΙΘ Indonesian

Προσοχή!: Τα εθνικά επίθετα, όπως **Indonesian**, *γράφονται με κεφαλαίο το αρχικό γράμμα στα Αγγλικά.*

▶ Ινδονησιακά ΟΥΣ ΟΥΔ ΠΛΗΘ Indonesian
Ινδονήσιος ΟΥΣ ΑΡΣ Indonesian
Ινδός ΟΥΣ ΑΡΣ Indian
ινδουισμός ΟΥΣ ΑΡΣ Hinduism
ινδουιστής ΟΥΣ ΑΡΣ Hindu
ινδουίστρια ΟΥΣ ΘΗΛ *βλ.* ινδουιστής
ινκόγκνιτο ΕΠΙΡΡ incognito
ινσουλίνη ΟΥΣ ΘΗΛ insulin
ινστιτούτο ΟΥΣ ΟΥΔ institute
▶ Ιδιωτικό Ινστιτούτο Επαγγελματικής Κατάρτισης *privately run college of further education*
▶ ινστιτούτο αισθητικής beauty salon, beauty parlour (*Βρετ.*) ή parlor (*Αμερ.*)
▶ Ινστιτούτο Επαγγελματικής Κατάρτισης college of further education
ιντερμέδιο, ιντερμέτζο ΟΥΣ ΟΥΔ intermezzo
Ιντερνέτ, Ίντερνετ ΟΥΣ ΟΥΔ ΑΚΛ (= *Διαδίκτυο*) Internet
Ιντερπόλ ΟΥΣ ΘΗΛ ΑΚΛ Interpol
ίντριγκα ΟΥΣ ΘΗΛ intrigue
ίντσα ΟΥΣ ΘΗΛ inch
ιξός ΟΥΣ ΑΡΣ (ΒΟΤ) mistletoe
ιοβόλος, -ος, -ο ΕΠΙΘ (*επίσ.*) (α) (για ζώα) venomous, poisonous (β) (*φραστική επίθεση, ανταλλαγή φράσεων*) venomous · (*κριτική*) stinging
ιόν ΟΥΣ ΟΥΔ ion
ίον ΟΥΣ ΟΥΔ (*επίσ.*) violet
ιονίζω Ρ Μ = ιοντίζω
ιονικός, -ή, -ό ΕΠΙΘ = ιοντικός
Ιόνιο ΟΥΣ ΟΥΔ (*επίσης* το Ιόνιο Πέλαγος) the Ionian Sea
ιόνιος, -ος ή -α, -ο ΕΠΙΘ Ionian

Προσοχή!: Τα εθνικά επίθετα, όπως **Ionian**, *γράφονται με κεφαλαίο το αρχικό γράμμα στα Αγγλικά.*

ιονισμός ΟΥΣ ΑΡΣ = ιοντισμός
ιονόσφαιρα ΟΥΣ ΘΗΛ = ιοντόσφαιρα
ιοντίζω Ρ Μ to ionize
ιοντικός, -ή, -ό ΕΠΙΘ ionizing
ιοντισμός ΟΥΣ ΑΡΣ ionization
ιοντόσφαιρα ΟΥΣ ΘΗΛ ionosphere
Ιορδάνη ΟΥΣ ΘΗΛ *βλ.* Ιορδάνης

Ιορδάνης ΟΥΣ ΑΡΣ: ο Ιορδάνης (ποταμός) the (River) Jordan
Ιορδανία ΟΥΣ ΘΗΛ Jordan
ιορδανικός, -ή, -ό ΕΠΙΘ Jordanian

Προσοχή!: Τα εθνικά επίθετα, όπως **Jordanian**, *γράφονται με κεφαλαίο το αρχικό γράμμα στα Αγγλικά.*

Ιορδανός ΟΥΣ ΑΡΣ Jordanian
Ίος ΟΥΣ ΘΗΛ Ios
ιός ΟΥΣ ΑΡΣ (ΒΙΟΛ, ΠΛΗΡΟΦ) virus
Ιουδαία ΟΥΣ ΘΗΛ *βλ.* Ιουδαίος
ιουδαϊκός, -ή, -ό ΕΠΙΘ Judaic, Jud(a)ean
Ιουδαίος ΟΥΣ ΑΡΣ Jew
▷ περιπλανώμενος Ιουδαίος the Wandering Jew
ιουδαϊσμός ΟΥΣ ΑΡΣ Judaism
Ιούλης ΟΥΣ ΑΡΣ = Ιούλιος
Ιούλιος ΟΥΣ ΑΡΣ July
Ιούνης ΟΥΣ ΑΡΣ = Ιούνιος
Ιούνιος ΟΥΣ ΑΡΣ June
ίππαρχος ΟΥΣ ΑΡΣ (*παλαιότ.*) cavalry commander · (ΑΡΧ ΙΣΤ) hipparch
ιππασία ΟΥΣ ΘΗΛ (α) (*γενικότ.*) (horse) riding (β) (ΑΘΛ) horse–riding competition · (*μετ' εμμέσου*) showjumping
▷ κάνω ιππασία to go (horse) riding · (*επαγγελματικά*) to be a professional rider
ιππέας ΟΥΣ ΑΡΣ (α) (*επίσ.*) rider (β) (ΣΤΡΑΤ) horseman, cavalry soldier

Προσοχή!: Ο πληθυντικός του **horseman** *είναι* **horsemen.**

▶ ιππείς ΠΛΗΘ (ΑΡΧ ΙΣΤ) knights, *citizens of the second class in ancient Athens*
ίππευση ΟΥΣ ΘΗΛ (*επίσ.*) (horse) riding
ιππευτικός, -ή, -ό ΕΠΙΘ (*τέχνη*) equestrian · (*ικανότητα*) riding
ιππεύτρια ΟΥΣ ΘΗΛ *βλ.* ιππέας
ιππεύω ① Ρ Μ (*επίσ.*) (α) (= *καβαλικεύω*) to get on, to mount (β) (= *πηγαίνω καβάλα*) to ride
② Ρ ΑΜ (α) (= *καβαλικεύω*) to get on, to mount (β) (= *πηγαίνω καβάλα*) to ride
ιππικός, -ή, -ό ΕΠΙΘ (*έκθεση*) horse
▶ ιππικοί αγώνες horse show
▶ ιππικός όμιλος riding club
▶ ιππική ΟΥΣ ΘΗΛ (*επίσ.*) (α) (*τέχνη*) horsemanship (β) (= *ιππικοί αγώνες*) horse show
▶ ιππικό ΟΥΣ ΟΥΔ cavalry
ιπποδρομία ΟΥΣ ΘΗΛ (horse) race
▶ άλογο ιπποδρομιών racehorse
ιπποδρομιακός, -ή, -ό ΕΠΙΘ (*κούρσα, αγώνας*) horse
▶ ιπποδρομιακός πράκτορας turf accountant
ιπποδρόμιο ΟΥΣ ΟΥΔ racecourse (*Βρετ.*), racetrack (*Αμερ.*)

ιππόδρομος ΟΥΣ ΑΡΣ (α) (= *ιπποδρόμιο*)
racecourse (*Βρετ.*), racetrack (*Αμερ.*)
(β) (= *στοιχήματα*) the horses
ιπποδύναμη ΟΥΣ ΘΗΛ horsepower
ιππόκαμπος ΟΥΣ ΑΡΣ (*ψάρι*) sea horse
ιπποκόμος ΟΥΣ ΑΡΣ groom
ιπποπόταμος ΟΥΣ ΑΡΣ (α) (ΖΩΟΛ)
hippopotamus, hippo

> *Προσοχή!: Ο πληθυντικός του*
> **hippopotamus** *είναι* **hippopotamuses** *ή*
> **hippopotami**.

(β) (*κοροϊδ.*) tub of lard (*ανεπ.*)
ίππος ΟΥΣ ΑΡΣ (*επίσ.*) (α) (ΖΩΟΛ) horse
(β) (*στο σκάκι*) knight (γ) (ΜΗΧΑΝ)
horsepower
▸**δούρειος ίππος** Trojan horse
▸**θαλάσσιος ίππος** walrus
▸**ίππος άλματος** (ΑΘΛ) vaulting horse
▸**πλάγιος ίππος** (ΑΘΛ) beam (*Βρετ.*), balance
beam (*Αμερ.*)
ιπποσύνη ΟΥΣ ΘΗΛ chivalry
▸**πλανόδια** *ή* **περιπλανώμενη ιπποσύνη** knight
errantry
ιππότης ΟΥΣ ΑΡΣ knight · (*μτφ.*) gentleman

> *Προσοχή!: Ο πληθυντικός του*
> **gentleman** *είναι* **gentlemen**.

▷**οι Ιππότες της Στρογγυλής Τραπέζης** the
Knights of the Round Table
▸**πλανόδιος** *ή* **περιπλανώμενος ιππότης**
knight errant
ιπποτικός, -ή, -ό ΕΠΙΘ (α) (*όρκος, ποίημα,
τάγμα*) chivalric (β) (*ευγένεια, συμπεριφορά*)
chivalrous · (*για άνδρα*) chivalrous,
gallant
▸**ιπποτικό μυθιστόρημα** (chivalric)
romance
ιπποτισμός ΟΥΣ ΑΡΣ chivalry · (*μτφ.*) chivalry,
gallantry
ιπποτροφία ΟΥΣ ΘΗΛ horse breeding
ιπποφορβείο ΟΥΣ ΟΥΔ stud farm
ιπτάμενος, -η, -ο ΕΠΙΘ flying
▸**ιπτάμενο δελφίνι** hydrofoil
▸**ιπτάμενο χαλί** flying carpet
▸**ιπτάμενος δίσκος** flying saucer
▸**ιπτάμενος συνοδός** air steward, flight
attendant
▸**ιπταμένη** ΟΥΣ ΘΗΛ air hostess, stewardess,
flight attendant
▸**ιπτάμενος** ΟΥΣ ΑΡΣ pilot
Ιράκ ΟΥΣ ΟΥΔ ΑΚΛ Iraq
Ιρακινή ΟΥΣ ΘΗΛ *βλ.* **Ιρακινός**
Ιρακινός ΟΥΣ ΑΡΣ Iraqi
ιρακινός, -ή, -ό ΕΠΙΘ Iraqi

> *Προσοχή!: Τα εθνικά επίθετα, όπως*
> **Iraqi**, *γράφονται με κεφαλαίο το αρχικό*
> *γράμμα στα Αγγλικά.*

Ιράν ΟΥΣ ΟΥΔ ΑΚΛ Iran

Ιρανή ΟΥΣ ΘΗΛ *βλ.* **Ιρανός**
ιρανικός, -ή, -ό ΕΠΙΘ Iranian

> *Προσοχή!: Τα εθνικά επίθετα, όπως*
> **Iranian**, *γράφονται με κεφαλαίο το*
> *αρχικό γράμμα στα Αγγλικά.*

Ιρανός ΟΥΣ ΑΡΣ Iranian
ίριδα ΟΥΣ ΘΗΛ (α) (ΜΕΤΕΩΡ) rainbow (β) (ΑΝΑΤ,
ΒΟΤ) iris
▷**χρώματα της ίριδας** *ή* **ίριδος** colours (*Βρετ.*)
ή colors (*Αμερ.*) of the spectrum
ιριδίζω Ρ ΑΜ to be iridescent
ιριδισμός ΟΥΣ ΑΡΣ iridescence
Ιρλανδέζα ΟΥΣ ΘΗΛ = **Ιρλανδή**
ιρλανδέζικος, -η *ή* **-ια, -ο** ΕΠΙΘ = **ιρλανδικός**
Ιρλανδέζος ΟΥΣ ΑΡΣ = **Ιρλανδός**
Ιρλανδή ΟΥΣ ΘΗΛ Irishwoman

> *Προσοχή!: Ο πληθυντικός του*
> **Irishwoman** *είναι* **Irishwomen**.

Ιρλανδία ΟΥΣ ΘΗΛ Ireland
ιρλανδικός, -ή, -ό ΕΠΙΘ Irish

> *Προσοχή!: Τα εθνικά επίθετα, όπως* **Irish**,
> *γράφονται με κεφαλαίο το αρχικό*
> *γράμμα στα Αγγλικά.*

▸**Ιρλανδικά, Ιρλανδέζικα** ΟΥΣ ΟΥΔ ΠΛΗΘ Irish
(Gaelic)
Ιρλανδός ΟΥΣ ΑΡΣ Irishman

> *Προσοχή!: Ο πληθυντικός του* **Irishman**
> *είναι* **Irishmen**.

▷**οι Ιρλανδοί** the Irish
ίσα[1] ΕΠΙΡΡ (α) (= *ισομερώς*) equally (β) (*επίσης*
ίσια: = *ευθεία*) straight on, straight ahead
(γ) (*επίσης* **ίσια**: = *όρθια*) straight (δ) (*επίσης*
ίσια: = *αμέσως*) straight (away)
▷**ίσα (για) να** just to
▷**ίσα** *ή* **ίσια πάνω** straight into, smack into
(*ανεπ.*)
▷**ίσα που** (= *μόλις που*) only just ·
(= *ελάχιστα*) hardly
▷**κτυπώ** *ή* **χτυπώ το παιχνίδι στα ίσα** *ή* **ίσια**
(*αργκ.*: ΑΘΛ) to take the game to one's
opponent
▷**πηγαίνω ίσα** *ή* **ίσια για την καταστροφή** to
be heading straight for disaster
▷**τα λέω σε κπν στα ίσα** *ή* **ίσια** to tell sb
straight out, to give it to sb straight
ίσα[2] ΕΠΙΦΩΝ (α) (*ως προτροπή*) come on!
(β) (*προφορ.*: *ως απειλή*) hang on!
ίσα-ίσα ΕΠΙΡΡ (α) (= *ακριβώς*) just · (*για
ποσότητα, μέγεθος*) just enough
(β) (= *τέλεια*) perfectly (γ) (= *απεναντίας*) on
the contrary
ίσαμε ΠΡΟΘ (*προφορ.*) (α) (= *έως*) till, until ·
(= *μέχρι*) by (β) (*για τόπο*) as far as, to
(γ) (*για ποσό*) about
ισάξιος, -α, -ο ΕΠΙΘ (α) (= *εφάμιλλος*) equal ·
(*αθλητές, αντίπαλοι*) evenly matched ·

(*μόρφωση, βραβεία*) same (β) (= *αντάξιος*) worthy

ισάριθμος, -η, -ο ΕΠΙΘ equal in number

ισημερία ΟΥΣ ΘΗΛ equinox

▶ **εαρινή/φθινοπωρινή ισημερία** vernal *ή* spring/autumnal equinox

Ισημερινός[1] ΟΥΣ ΑΡΣ equator

Ισημερινός[2] ΟΥΣ ΑΡΣ Ecuador

ισημερινός, -ή, -ό ΕΠΙΘ (α) (*χλωρίδα*) equatorial (β) (*έτος, ημέρα, σημείο*) equinoctial

▶ **ισημερινή εποχή** equinox

ισθμός ΟΥΣ ΑΡΣ isthmus

ίσια ΕΠΙΡΡ *βλ.* **ίσα**

ίσιος, -ια, -ιο ΕΠΙΘ (α) (*γραμμή, δρόμος*) straight (β) (*άνθρωπος, χαρακτήρας*) straightforward, direct

▷ **ο ίσιος δρόμος** the straight and narrow · *βλ. κ.* **ίσα, ίσος**

ίσιωμα ΟΥΣ ΟΥΔ (α) (= *επίπεδη έκταση γης*) plain (β) (= *δρόμος*) metalled (*Βρετ.*) *ή* metaled (*Αμερ.*) road

▷ **χαμός στο ίσιωμα** (*προφορ.*) absolute mayhem

ισιώνω Ρ Μ (*σίδερο, ξύλο, ρούχα*) to straighten

ίσκιος ΟΥΣ ΑΡΣ (α) (= *σκιασμένη επιφάνεια*) shadow (β) (= *σκιασμένος χώρος*) shade (γ) (*μτφ.*) shadow

ίσκιωμα ΟΥΣ ΟΥΔ shade

ισλαμικός, -ή, -ό ΕΠΙΘ Islamic

ισλαμισμός ΟΥΣ ΑΡΣ Islam

Ισλανδή ΟΥΣ ΘΗΛ *βλ.* **Ισλανδός**

Ισλανδία ΟΥΣ ΘΗΛ Iceland

ισλανδικός, -ή, -ό ΕΠΙΘ Icelandic

Προσοχή!: Τα εθνικά επίθετα, όπως **Icelandic**, *γράφονται με κεφαλαίο το αρχικό γράμμα στα Αγγλικά.*

▶ **Ισλανδικά** ΟΥΣ ΟΥΔ ΠΛΗΘ Icelandic

Ισλανδός ΟΥΣ ΑΡΣ Icelander

ίσο ΟΥΣ ΟΥΔ: **κρατάω το ίσο σε κπν** (*μτφ.*) to take sb's side

ισοβάθμιος, -α, -ο ΕΠΙΘ (*αξιωματικοί, στελέχη εταιρείας*) of equal rank · (*υπάλληλοι*) on the same grade

ισοβαθμώ Ρ ΑΜ (*φοιτητές*) to get the same grades *ή* marks (*Βρετ.*) (*με as*) · (*ομάδες, διαγωνιζόμενοι*) to tie (*με with*)

ισόβιος, -α, -ο ΕΠΙΘ (α) (*κάθειρξη, ποινή*) life · (*αποκλεισμός*) for life, lifetime (β) (*δημόσιος λειτουργός*) for life

▶ **ισόβια** ΟΥΣ ΟΥΔ ΠΛΗΘ (*επίσης* **ισόβια δεσμά**) life imprisonment

▷ **καταδικάζομαι σε ισόβια (δεσμά)** to be sentenced to life imprisonment, to get a life sentence

▷ **καταδικάζω κπν σε ισόβια (δεσμά)** to sentence sb to life imprisonment, to give sb life (*ανεπ.*)

ισοβιότητα ΟΥΣ ΘΗΛ (*δικαιώματος, δημοσίων λειτουργών*) life–time status

ισοβίτης ΟΥΣ ΑΡΣ lifer (*ανεπ.*)

ισοβίτισσα ΟΥΣ ΘΗΛ *βλ.* **ισοβίτης**

ισόγειος, -α, -ο ΕΠΙΘ (*κατάστημα, κατοικία*) on the ground floor (*Βρετ.*) *ή* first floor (*Αμερ.*)

▶ **ισόγειο** ΟΥΣ ΟΥΔ ground floor (*Βρετ.*), first floor (*Αμερ.*)

ισογώνιος, -α, -ο ΕΠΙΘ equiangular

ισοδυναμία ΟΥΣ ΘΗΛ equivalence

ισοδύναμος, -η, -ο ΕΠΙΘ (*νομίσματα, μεγέθη*) equivalent · (*ομάδες, αντίπαλοι*) evenly matched

ισοδυναμώ Ρ ΑΜ (α) (*νομίσματα*) to be equivalent (*με to*) · (*ομάδες, αντίπαλοι*) to be evenly matched (β) (ΦΙΛΟΣ, ΜΑΘ) to be equal (*με to*)

ισοζύγιο ΟΥΣ ΟΥΔ (ΟΙΚΟΝ) balance

▶ **εμπορικό ισοζύγιο** balance of trade, trade balance

▶ **ενεργητικό/παθητικό ισοζύγιο** (*χώρας*) favourable (*Βρετ.*) *ή* favorable (*Αμερ.*) / unfavourable (*Βρετ.*) *ή* unfavorable (*Αμερ.*) balance of trade · (*εταιρείας*) positive/ negative balance

▶ **ισοζύγιο εξωτερικών συναλλαγών** the external trade balance

▶ **ισοζύγιο πληρωμών** balance of payments

ισολογισμός ΟΥΣ ΑΡΣ (α) (= *ισοζύγιο*) balance · (*χώρας*) balance of payments (β) (= *λογιστικός πίνακας*) balance sheet

▶ **εθνικός ισολογισμός, ισολογισμός του κράτους** national balance sheet

ισομεγέθης, -ης, -ες ΕΠΙΘ (*ποσά*) equal · (*κτήρια*) of equal size

ισομέρεια ΟΥΣ ΘΗΛ (α) (= *ισότητα*) balance (β) (ΧΗΜ) isomerism

ισομερής, -ής, ές ΕΠΙΘ (α) (*ανάπτυξη*) balanced · (*κατανομή*) equal (β) (ΧΗΜ) isomeric

ίσον ΕΠΙΡΡ (ΜΑΘ) equals

▶ **ίσον** ΟΥΣ ΟΥΔ equals sign

ισονομία ΟΥΣ ΘΗΛ equality before the law

ισοπαλία ΟΥΣ ΘΗΛ tie, draw (*Βρετ.*) · (*στην αντισφαίριση*) deuce

ισόπαλος, -η, -ο ΕΠΙΘ (*αντίπαλοι*) level, equal

▷ **είμαι ισόπαλος** (*ομάδες*) to tie, to draw (*Βρετ.*) · (*αγώνας*) to be a tie *ή* a draw (*Βρετ.*)

▷ **έρχομαι** *ή* **αναδεικνύομαι ισόπαλος** (*ομάδες*) to tie, to draw (*Βρετ.*)

▷ **λήγω** *ή* **τελειώνω ισόπαλος** (*αγώνας*) to end in a tie *ή* draw (*Βρετ.*)

ισόπεδος, -η, -ο ΕΠΙΘ flat, level

▶ **ισόπεδη διάβαση** (*δρόμων*) intersection · (*δρόμου και σιδηροδρομικής γραμμής*) level crossing (*Βρετ.*), grade crossing (*Αμερ.*)

ισοπεδώνω Ρ Μ (α) (*κτίσμα*) to raze (to the ground) (β) (*επιφάνεια*) to level, to flatten (γ) (*αξίες, ιδανικά, παραδόσεις*) to destroy · (*μαθητές, φοιτητές*) to bring down to the same level

ισοπέδωση ΟΥΣ ΘΗΛ (α) (*κτίσματος*) razing (β) (*επιφάνειας*) flattening (γ) (*αξιών, ιδανικών*) destruction · (*ανθρώπων*) levelling (*Βρετ.*), leveling (*Αμερ.*)

ισόπλευρος, -η, -ο ΕΠΙΘ equilateral

ισοπολιτεία ΟΥΣ ΘΗΛ equality before the law

ισόποσος, -η, -ο ΕΠΙΘ equal

ισορροπημένος, -η, -ο ΕΠΙΘ (α) (*δίαιτα, γεύση*) balanced (β) (*πολιτική, ζωή, άτομο*) well-balanced

ισορροπία ΟΥΣ ΘΗΛ (α) (*γενικότ.*) balance · (ΦΥΣ) equilibrium (β) (*ψυχική*) equilibrium · (*κοινωνική*) stability
▷ **ισορροπία του τρόμου** balance of terror
▷ **σε λεπτή ισορροπία** (*μτφ.*) finely balanced
▷ **τηρώ ή κρατώ τις ισορροπίες (ανάμεσα σε)** to keep ή maintain a balance (between)
► **ευσταθής/ασταθής ισορροπία** stable/unstable equilibrium
► **ισορροπία δυνάμεων** balance of power

ισορροπιστής ΟΥΣ ΑΡΣ acrobat

ισορροπίστρια ΟΥΣ ΘΗΛ *βλ.* **ισορροπιστής**

ισόρροπος, -η, -ο ΕΠΙΘ (*ανάπτυξη, τροφή*) balanced
► **ισόρροπες δυνάμεις** (ΦΥΣ) forces in equilibrium

ισορροπώ ① Ρ Μ (*αντικείμενα*) to balance · (*συναισθήματα*) to control · (*οικονομικά, κατάσταση*) to sort out
② Ρ ΑΜ (*άνθρωπος*) to balance · (*μτφ.*) to strike a balance (*μεταξύ* between)

ίσος, -η, -ο ΕΠΙΘ (α) (*πολίτες, μερίδια, μεταχείριση*) equal (β) (*άνθρωπος*) straightforward (γ) (*λαϊκ.: δρόμος, τοίχος, ξύλο*) straight (δ) (*λαϊκ.: δάπεδο, κτήμα*) level, even
▷ **ανταποδίδω τα ίσα σε κπν** to get even with sb
▷ **εξ ίσου, εξίσου** equally
▷ **έρχομαι στα ίσα μου** (*λαϊκ.*) to come around
▷ **μιλώ σε κπν στα ίσα ή ίσια** to be straight with sb
▷ **πρώτος μεταξύ ίσων** first among equals
▷ **ρωτώ κπν στα ίσα ή ίσια** to ask sb straight out
▷ **σαν ίσος προς ίσον** as an equal
▷ **στα ίσα** equally
▷ **την πέφτω σε κπν στα ίσα ή ίσια** (*αργκ.*) to pounce on sb
► **ίσες ευκαιρίες** equal opportunities · *βλ. κ.* **ίσα, ίσος**

ισοσκελής, -ής, -ές ΕΠΙΘ (α) (ΓΕΩΜ) isosceles (β) (ΟΙΚΟΝ) balanced

ισοσκελίζω Ρ Μ (*προϋπολογισμό*) to balance

ισοσταθμίζω Ρ Μ (*επίσ.*) to offset, to counterbalance

ισοστάθμιση ΟΥΣ ΘΗΛ (*επίσ.*) counterbalance

ισοσύλλαβος, -η, -ο ΕΠΙΘ (α) (*στίχοι*) with the same number of syllables (β) (*λέξη*) parisyllabic
► **ισοσύλλαβα** ΟΥΣ ΟΥΔ ΠΛΗΘ (ΓΛΩΣΣ)

parisyllabics, parisyllabic nouns

ισότητα ΟΥΣ ΘΗΛ equality

ισοτιμία ΟΥΣ ΘΗΛ (α) (= *ισότητα*) equality · (*πτυχίων*) equivalence (β) (ΟΙΚΟΝ) parity (*με, ως προς* with)
▷ **διεθνής ισοτιμία** international parity
▷ **συναλλαγματική ισοτιμία** par (of exchange)
▷ **χρηματιστηριακή ισοτιμία** par (of exchange)

ισότιμος, -η, -ο ΕΠΙΘ (α) (*συνεργάτης*) equal · (*μέλος, σύμμαχος*) of equal standing (β) (*νομίσματα*) equivalent
▷ **είμαι ισότιμος με ή ως προς** (*χώρα*) to be on an equal footing with · (*νόμισμα*) to be equal in value to · (*δίπλωμα, πτυχίο*) to be equivalent to

ισότοπο ΟΥΣ ΟΥΔ isotope

ισοφαρίζω ① Ρ Μ (*έξοδα, ζημία*) to recoup, to recover
② Ρ ΑΜ (ΑΘΛ) to equalize

ισοφάριση ΟΥΣ ΘΗΛ (*εξόδων, ζημίας*) recouping
▷ **πετυχαίνω την ισοφάριση** (ΑΘΛ) to equalize
▷ **το γκολ της ισοφάρισης** (ΑΘΛ) the equalizer

ισοψηφία ΟΥΣ ΘΗΛ (*σε εκλογές*) equal number of votes · (*σε διαγωνισμό*) tie

ισοψηφώ Ρ ΑΜ (*υποψήφιοι*) to obtain an equal number of votes · (*διαγωνιζόμενοι*) to tie

Ισπανή ΟΥΣ ΘΗΛ *βλ.* **Ισπανός**

Ισπανία ΟΥΣ ΘΗΛ Spain

Ισπανίδα ΟΥΣ ΘΗΛ *βλ.* **Ισπανός**

ισπανικός, -ή, -ό ΕΠΙΘ Spanish

Προσοχή!: Τα εθνικά επίθετα, όπως **Spanish**, *γράφονται με κεφαλαίο το αρχικό γράμμα στα Αγγλικά.*

► **Ισπανικά** ΟΥΣ ΟΥΔ ΠΛΗΘ Spanish

Ισπανός ΟΥΣ ΑΡΣ Spaniard
► **οι Ισπανοί** ΠΛΗΘ the Spanish, Spanish people

Ισραήλ ΟΥΣ ΟΥΔ ΑΚΛ Israel

Ισραηλινή ΟΥΣ ΘΗΛ *βλ.* **Ισραηλινός**

ισραηλινός ΟΥΣ ΑΡΣ Israeli

ισραηλινός, -ή, -ό ΕΠΙΘ Israeli

Προσοχή!: Τα εθνικά επίθετα, όπως **Israeli**, *γράφονται με κεφαλαίο το αρχικό γράμμα στα Αγγλικά.*

Ισραηλίτης ΟΥΣ ΑΡΣ Israelite

Ισραηλίτισσα ΟΥΣ ΘΗΛ *βλ.* **Ισραηλίτης**

ιστίο ΟΥΣ ΟΥΔ (*επίσ.*) sail

ιστιοδρομία ΟΥΣ ΘΗΛ yacht race

ιστιοπλοΐα ΟΥΣ ΘΗΛ sailing · (ΑΘΛ) yacht racing

ιστιοπλοϊκός, -ή, -ό ΕΠΙΘ (*όμιλος, αγώνας*) yacht

ιστιοπλόος ΟΥΣ ΑΡΣ&ΘΗΛ yachtsman/woman

Προσοχή!: Ο πληθυντικός του **yachtsman/woman** *είναι* **yachtsmen/women.**

ιστιοφόρο ΟΥΣ ΟΥΔ yacht, sailing boat (*Βρετ.*), sailboat (*Αμερ.*)

ιστόγραμμα ΟΥΣ ΟΥΔ bar chart, histogram (*επιστ.*)

ιστοκαλλιέργεια ΟΥΣ ΘΗΛ tissue culture

ιστολογία ΟΥΣ ΘΗΛ histology

ιστολογικός, -ή, -ό ΕΠΙΘ histological

ιστορία ΟΥΣ ΘΗΛ (α) (*επιστήμη*) history (β) (*μάθημα*) history (lesson)· (*βιβλίο*) history book (γ) (= *αφήγηση*) story, tale (δ) (= *ερωτική περιπέτεια*) love affair, relationship· (*σύντομη*) fling (ε) (= *φίλος*) boyfriend· (= *φίλη*) girlfriend (στ) (= *υπόθεση*) business (ζ) (= *φασαρία*) fuss
▷**άνθρωπος με ιστορία** a man with a past
▷**γράφω** *ή* **αφήνω ιστορία** to make history
▷**ιστορίες για αγρίους** tall story, cock–and–bull story (*ανεπ.*)
▷**λέω την ιστορία της ζωής μου** (*ειρων.*) to tell one's life story
▷**παλιά ιστορία** ancient history
▷**περνώ** *ή* **μένω στην ιστορία (ως/για)** to go down in history (as/for)
▸**ιστορίες** ΟΥΣ ΘΗΛ ΠΛΗΘ trouble *εν.*, bother *εν.*
▷**ανοίγω ιστορίες με κπν** (*γενικότ.*) to have trouble with sb· (*με αρχές*) to get into trouble with sb

ιστορικός, -ή, -ό ΕΠΙΘ (α) (*μελέτη, γεγονός, ενδυμασία*) historical (β) (*έργο, νίκη*) historic
▸**ιστορικός υλισμός** historical materialism
▸**ιστορικοί χρόνοι** (ΓΛΩΣΣ) historic tenses
▸**ιστορικό** ΟΥΣ ΟΥΔ (*ασθένειας*) medical *ή* case history· (*γεγονότων*) record
▸**ιστορικός** ΟΥΣ ΑΡΣΘΗΛ (α) (*επιστήμονας*) historian (β) (ΣΧΟΛ) history teacher· (ΠΑΝΕΠ) history professor

ιστορικότητα ΟΥΣ ΘΗΛ historicity

ιστοριογραφία ΟΥΣ ΘΗΛ historiography

ιστοριογράφος ΟΥΣ ΑΡΣΘΗΛ historiographer· (*καταχρ.*: = *ιστορικός*) historian

ιστοριοδίφης ΟΥΣ ΑΡΣΘΗΛ history researcher

ιστορισμός ΟΥΣ ΑΡΣ historicism

ιστορώ Ρ Μ to tell of *ή* about

ιστός ΟΥΣ ΑΡΣ (α) (*πλοίου, κεραίας*) mast· (*σημαίας*) flagpole (β) (*αράχνης*) web (γ) (ΒΙΟΛ) tissue (δ) (*έργου*) structure· (*κοινωνίας*) fabric
▸**ο (Παγκόσμιος) Ιστός** (ΠΛΗΡΟΦ) the (World Wide) Web

ιστοσελίδα ΟΥΣ ΘΗΛ webpage

ισχιακός, -ή, -ό ΕΠΙΘ sciatic
▸**ισχιακό νεύρο** sciatic nerve

ισχιαλγία ΟΥΣ ΘΗΛ sciatica

ισχιαλγικός, -ή, -ό ΕΠΙΘ sciatic

ισχίο ΟΥΣ ΟΥΔ ischium

ισχνός, -ή, -ό ΕΠΙΘ (α) (*άνθρωπος*) skinny, thin· (*πρόσωπο*) gaunt (β) (*αμοιβή, ανάπτυξη*) meagre (*Βρετ.*), meager (*Αμερ.*)· (*κατάρτιση*) poor, scanty· (*δασοκάλυψη*)

sparse (γ) (*επιχειρήματα*) weak
▷**περίοδος (των) ισχνών αγελάδων** lean times

ισχνότητα ΟΥΣ ΘΗΛ (α) (*ανθρώπου*) skinniness, thinness· (*προσώπου*) gauntness (β) (*πόρων, αμοιβών*) meagreness (*Βρετ.*), meagerness (*Αμερ.*) (γ) (*επιχειρημάτων*) weakness

ισχυρίζομαι Ρ Μ (= *υποστηρίζω*) to maintain, to claim· (*για επιχειρήματα, θεωρία*) to contend, to argue

ισχυρισμός ΟΥΣ ΑΡΣ claim· (= *επιχείρημα*) contention

ισχυρογνωμοσύνη ΟΥΣ ΘΗΛ obstinacy

ισχυρογνώμων, -ων, -ον ΕΠΙΘ obstinate, pig–headed
▸**ισχυρογνώμονας** ΟΥΣ ΑΡΣΘΗΛ obstinate *ή* pig–headed person

ισχυροποίηση ΟΥΣ ΘΗΛ strengthening

ισχυροποιώ Ρ Μ to strengthen

ισχυρός, -ή, -ό ΕΠΙΘ (α) (*τάση, θέληση, δεσμός, προστασία*) strong· (*αντίσταση*) spirited, stiff· (*όπλο*) powerful· (*άμυνα*) robust, vigorous· (*στρατεύματα, κίνημα*) strong, powerful· (*απόδειξη, επιχείρημα*) strong, convincing (β) (*άνεμος*) strong· (*σεισμός, δόνηση*) powerful· (*πυρετός*) high (γ) (*βασίλειο, κράτος, πολιτικός*) powerful (δ) (*φάρμακο*) potent· (*οικονομική βοήθεια*) effective (ε) (*διαθήκη, γάμος*) valid
▷**το δίκαιο του ισχυροτέρου** might is right
▸**ισχυροί** ΟΥΣ ΑΡΣ ΠΛΗΘ (*Ευρώπης, Δύσης*) leaders
▷**οι ισχυροί της γης** *ή* **του κόσμου** the great and the good

ισχύς ΟΥΣ ΘΗΛ (α) (*χώρας, κράτους*) power (β) (*ανθρώπου, τηλεόρασης*) influence (γ) (*νομική*) validity· (*πρακτική*) force, effectiveness (δ) (ΦΥΣ) power
▷**είμαι** *ή* **βρίσκομαι σε** *ή* **εν ισχύ** to be in force *ή* in effect
▷**επίδειξη ισχύος** show of strength
▷**η ισχύς εν τη ενώσει** strength lies in unity
▷**θέση ισχύος** position of strength *ή* power
▷**θέτω κτ σε ισχύ** to put sth into effect
▷**μιλώ από θέσεως ισχύος** to speak with authority

ισχύω Ρ ΑΜ (α) (*διαβατήριο, συμβόλαιο, διαθήκη*) to be valid (β) (*νόμος, μέτρα*) to be in force *ή* effect· (= *τίθεμαι σε ισχύ*) to come into force *ή* effect (γ) (*λόγια, συμβουλή, νουθεσία*) to apply

ισχύων, -ουσα, -ον ΕΠΙΘ (*νομικά*) valid· (*πρακτικά*) in force, in effect
▸**ισχύοντα** ΟΥΣ ΟΥΔ ΠΛΗΘ regulations

ίσωμα ΟΥΣ ΟΥΔ = **ίσιωμα**

ισώνω Ρ Μ = **ισιώνω**

ίσως ΕΠΙΡΡ perhaps, maybe

Ιταλία ΟΥΣ ΘΗΛ Italy

Ιταλίδα ΟΥΣ ΘΗΛ *βλ.* **Ιταλός**

ιταλικός, -ή, -ό ΕΠΙΘ Italian

> *Προσοχή!: Τα εθνικά επίθετα, όπως* **Italian**, *γράφονται με κεφαλαίο το αρχικό γράμμα στα Αγγλικά.*

▸**Ιταλικά** ΟΥΣ ΟΥΔ ΠΛΗΘ Italian
Ιταλός ΟΥΣ ΑΡΣ Italian
▸**οι Ιταλοί** ΠΛΗΘ the Italians, Italian people
ιταμός, -ή, -ό ΕΠΙΘ *(επίσ.)* insolent, impudent
ιταμότητα ΟΥΣ ΘΗΛ *(επίσ.)* insolence, impudence
ιτιά ΟΥΣ ΘΗΛ willow (tree)
ιχθυοκαλλιέργεια ΟΥΣ ΘΗΛ fish farming, aquaculture
ιχθυολογία ΟΥΣ ΘΗΛ ichthyology
ιχθυολογικός, -ή, -ό ΕΠΙΘ ichthyological
ιχθυολόγος ΟΥΣ ΑΡΣ/ΘΗΛ ichthyologist
ιχθυοπαραγωγή ΟΥΣ ΘΗΛ *(χώρας)* fish production · *(ποταμού)* yield of fish · (= *ψάρεμα*) fishing · (= *εμπόριο*) fish trade
ιχθυοπαραγωγός, -ός, -ό ΕΠΙΘ fish–producing
▸**ιχθυοπαραγωγός** ΟΥΣ ΑΡΣ/ΘΗΛ (= *ψαράς*) fisherman · (= *παραγωγός*) fish farmer · (= *έμπορος*) fish trader

> *Προσοχή!: Ο πληθυντικός του* **fisherman** *είναι* **fishermen**.

ιχθυοπωλείο ΟΥΣ ΟΥΔ *(επίσ.)* fishmonger's (shop) *(Βρετ.)*, fish dealer's *(Αμερ.)*
ιχθυοπώλης ΟΥΣ ΑΡΣ *(επίσ.)* fishmonger *(Βρετ.)*, fish dealer *(Αμερ.)*
ιχθυόσκαλα ΟΥΣ ΘΗΛ fish market
ιχθυοτροφείο ΟΥΣ ΟΥΔ fish farm
ιχθυοτροφία ΟΥΣ ΘΗΛ fish farming, aquaculture
ιχθυοτρόφος ΟΥΣ ΑΡΣ/ΘΗΛ fish farmer
ιχθύς ΟΥΣ ΑΡΣ **(α)** *(επίσ.)* fish

> *Προσοχή!: Ο πληθυντικός του* **fish** *είναι* **fish** *ή* **fishes**.

(β) (ΑΣΤΡΟΝ, ΑΣΤΡΟΛ) Pisces
▷**τηρώ σιγή(ν) ιχθύος** *(επίσ.)* to maintain a deadly silence
ιχνηλατώ Ρ Μ *(κακοποιό, δραπέτη)* to track down · *(ζώο)* to track · *(μονοπάτι, δρόμο)* to follow · *(χαρακτηριστικά)* to detect
ιχνογράφημα ΟΥΣ ΟΥΔ (= *σχέδιο*) sketch ·

(= *ζωγραφιά*) drawing
ιχνογράφηση ΟΥΣ ΘΗΛ sketching
ιχνογραφία ΟΥΣ ΘΗΛ **(α)** (= *σκίτσο*) sketch · (= *ζωγραφιά*) drawing **(β)** (ΣΧΟΛ: *μάθημα*) drawing lesson · *(βιβλίο ή τετράδιο)* sketchbook
ιχνογραφικός, -ή, -ό ΕΠΙΘ pencil
ιχνογραφώ Ρ Μ to sketch · *(σκίτσο)* to draw, to make
ίχνος ΟΥΣ ΟΥΔ **(α)** *(ανθρώπου, ζώου)* trail, tracks *πληθ.* · *(ποδιού)* (foot)print **(β)** *(σε σώμα)* mark **(γ)** *(παρουσίας)* trace, sign · *(πολιτισμού)* vestige · *(λύπης)* tinge · *(υποψίας, αμφιβολίας)* trace · *(προφοράς, δυσαρέσκειας)* trace, hint
▷**ακολουθώ λάθος** *ή* **ψεύτικα ίχνη** to be on a false trail *ή* scent
▷**ανακαλύπτω κπν/κτ ακολουθώντας τα ίχνη** to track sb/sth down
▷**βαδίζω στα ίχνη κποιου** to follow in sb's footsteps
▷**είμαι** *ή* **βρίσκομαι επί τα** *ή* **στα ίχνη κποιου** to be on sb's trail
▷**κάνω κπν να χάσει τα ίχνη μου** to shake sb off
▷**(ξανα)βρίσκω τα ίχνη κποιου** to pick up sb's trail (again)
▷**σκεπάζω τα ίχνη μου** to cover one's tracks
▷**φέρω ίχνη** +γεν. to show signs of
▷**χάνω τα ίχνη κποιου** *(δραπέτη, κακοποιού)* to lose sb's trail · *(φίλου, γνωστού)* to lose track of sb
ιχνοστοιχείο ΟΥΣ ΟΥΔ trace element
ιψενικός, -ή, -ό ΕΠΙΘ: **ιψενικό τρίγωνο** eternal triangle
ιωβηλαίο ΟΥΣ ΟΥΔ jubilee
▸**ιωβηλαίο(ν) έτος** jubilee year
ιώδης, -ης, -ες ΕΠΙΘ *(επίσ.)* purple
▸**ιώδες** ΟΥΣ ΟΥΔ purple
ιώδιο ΟΥΣ ΟΥΔ **(α)** (ΧΗΜ, ΦΑΡΜ) iodine **(β)** (= *θαλασσινός αέρας*) ozone
▸**βάμμα ιωδίου** tincture of iodine
ιωδιούχος, -ος, -ο ΕΠΙΘ *(ουσία, αλάτι)* iodine
Ιωνία ΟΥΣ ΘΗΛ Ionia
ιωνικός, -ή, -ό ΕΠΙΘ Ionic
▸**ιωνική φιλοσοφία** Ionic school of philosophy
ίωση ΟΥΣ ΘΗΛ virus
ιώτα ΟΥΣ ΟΥΔ ΑΚΛ = **γιώτα**

K κ

K, κ kappa, *tenth letter of the Greek alphabet*
▷**κ΄** 20
▷**‚κ** 20,000

κ.¹ ΣΥΝΤΟΜ (= *κύριος*) Mr · (= *κυρία*) Mrs, Ms

κ.² ΣΥΝΤΟΜ = **και**

κ.ά. ΣΥΝΤΟΜ (= *και άλλοι*) et al.

κα (*επίσ.*) ΣΥΝΤΟΜ Mrs, Ms

κάβα ΟΥΣ ΘΗΛ (α) (= *κελάρι, συλλογή*) (wine) cellar (β) (= *κατάστημα οινοπνευματωδών*) off–licence (*Βρετ.*), package store (*Αμερ.*) (γ) (*σε τυχερά παιχνίδια*) kitty

καβάλα ΕΠΙΡΡ (α) (*πηγαίνω, μπαίνω*) on horseback (β) (*κάθομαι*) astride
▷**παίρνω κπν καβάλα** to give sb a piggyback

καβαλάρης ΟΥΣ ΑΡΣ rider

καβαλαρία ΟΥΣ ΘΗΛ mounted column
▷**πηγαίνω καβαλαρία** to go on horseback

καβαλάω Ρ Μ (α) (= *καβαλικεύω*) to mount, to get on (β) (*ποδήλατο, μηχανάκι*) to ride · (*φράχτη*) to sit astride (γ) (*οικ.*) to get the better of, to take for a ride

καβαλέτο ΟΥΣ ΟΥΔ easel

καβαλιέρος ΟΥΣ ΑΡΣ (α) (= *συνοδός*) escort (β) (*σε χορό*) partner

καβαλικεύω Ρ Μ (*άλογο, γάιδαρο*) to mount, to get on

κάβαλος ΟΥΣ ΑΡΣ crotch

καβαλώ Ρ Μ = **καβαλάω**

καβάτζα ΟΥΣ ΘΗΛ reserve

καβατζάρω Ρ Μ (α) (*πλοίο: ακρωτήρι, κάβο*) to round (β) (*για ηλικία*) to be over

καβγαδάκι ΟΥΣ ΟΥΔ tiff, scrap

καβγαδίζω Ρ ΑΜ to quarrel

καβγάς ΟΥΣ ΑΡΣ quarrel, row
▷**ζητάω αφορμή για καβγά** to pick a quarrel
▷**πάω γυρεύοντας για καβγά** to be looking for a fight

καβγατζής ΟΥΣ ΑΡΣ argumentative ή quarrelsome person

καβγατζού ΟΥΣ ΘΗΛ *βλ.* **καβγατζής**

κάβος¹ ΟΥΣ ΑΡΣ (= *ακρωτήριο*) cape

κάβος² ΟΥΣ ΑΡΣ (= *παλαμάρι*) cable, mooring line

καβούκι ΟΥΣ ΟΥΔ (= *όστρακο*) shell
▷**κλείνομαι στο καβούκι μου** to go ή retreat into one's shell

καβουράκι ΟΥΣ ΟΥΔ (α) (= *μικρός κάβουρας*) small crab (β) (*ανδρικό καπέλο*) porkpie hat

κάβουρας ΟΥΣ ΑΡΣ (α) (ΖΩΟΛ) crab (β) (*εργαλείο*) monkey wrench
▷**πάω σαν τον κάβουρα** (= *κινούμαι ή ενεργώ αργά*) to go at snail's pace

καβουρδίζω Ρ Μ = **καβουρντίζω**

καβουρδιστήρι ΟΥΣ ΟΥΔ = **καβουρντιστήρι**

καβούρι ΟΥΣ ΟΥΔ (= *κάβουρας*) crab

καβουρντίζω Ρ Μ (α) (*καφέ, στραγγάλια, αμύγδαλα*) to roast (β) (*κρεμμύδια*) to brown

καβούρντισμα ΟΥΣ ΟΥΔ (α) (*αμυγδάλων, καφέ*) roasting (β) (*κρεμμυδιών*) browning

καβουρντιστήρι ΟΥΣ ΟΥΔ (α) (*σκεύος*) roaster (β) (*κοροϊδ.: για όχημα*) wreck, old banger (*Βρετ.*) (*ανεπ.*) · (*για συσκευή, μηχάνημα*) pile of junk

καβουρντιστός, -ή, -ό ΕΠΙΘ roasting

καγιάκ ΟΥΣ ΟΥΔ ΑΚΛ kayak

καγιανάς ΟΥΣ ΑΡΣ fried egg and tomato

καγκελάριος ΟΥΣ ΑΡΣ chancellor

κάγκελο ΟΥΣ ΟΥΔ rail, bar
▷**μένω κάγκελο** (*αργκ.*) to be gobsmacked (*ανεπ.*)
▶**κάγκελα** ΠΛΗΘ railings

καγκελόπορτα ΟΥΣ ΘΗΛ wrought–iron gate

καγκελόφραχτος, -η, -ο ΕΠΙΘ (*κήπος, αυλή*) enclosed with railing

καγκελωτός, -ή, -ό ΕΠΙΘ with rails

καγκουρό ΟΥΣ ΟΥΔ ΑΚΛ kangaroo

καγχάζω Ρ ΑΜ to guffaw

καγχασμός ΟΥΣ ΑΡΣ guffaw

καδένα ΟΥΣ ΘΗΛ chain

κάδη ΟΥΣ ΘΗΛ (α) (*για πάτημα σταφυλιών*) tub (β) (*για χτύπημα γάλακτος*) churn (γ) (*για φύλαξη τυριού ή βουτύρου*) barrel

κάδος ΟΥΣ ΑΡΣ bin
▶**κάδος πλυντηρίου** drum (*of a washing machine*)

κάδρο ΟΥΣ ΟΥΔ (α) (= *κορνίζα*) frame (β) (= *πίνακας ή εικόνα*) picture

καδρόνι ΟΥΣ ΟΥΔ beam

Κ.Α.Ε. ΣΥΝΤΟΜ (= *Κατάστημα Αφορολογήτων Ειδών*) duty–free shop

καζάκα ΟΥΣ ΘΗΛ jacket

καζαμίας ΟΥΣ ΑΡΣ almanac

καζανάκι ΟΥΣ ΟΥΔ cistern
▷**τραβάω το καζανάκι** to pull the chain, to flush the toilet

καζάνι ΟΥΣ ΟΥΔ large cooking pot

▷**γίνεται το κεφάλι μου καζάνι** my head is spinning

▷**όλοι στο ίδιο καζάνι βράζουμε** we're all in the same boat

▷**καζάνι που βράζει** a time bomb

καζανόβας (*κοροϊδ.*) ΟΥΣ ΑΡΣ Casanova

καζίνο ΟΥΣ ΟΥΔ casino

κάζο ΟΥΣ ΟΥΔ ΑΚΛ mishap

καζούρα (*οικ.*) ΟΥΣ ΘΗΛ teasing

▷**κάνω καζούρα σε κπν** to tease sb

καημένος, -η, -ο ΕΠΙΘ poor

▷**καημένε!** you poor thing!

καημός ΟΥΣ ΑΡΣ (α) (= *λύπη*) sadness
(β) (= *πόθος*) greatest wish

▷**καημό το 'χω να κάνω κτ** my greatest wish is to do sth, I'd give anything to do sth

καθαγιάζω Ρ Μ to consecrate

καθαγιασμός ΟΥΣ ΑΡΣ: **καθαγιασμός των υδάτων** sanctification of the waters

καθαίρεση ΟΥΣ ΘΗΛ (*αστυνομικού*) dismissal · (*στρατιωτικού*) cashiering

καθαιρώ Ρ Μ (*αστυνομικό*) to dismiss · (*στρατιωτικό*) to cashier

καθαρεύουσα ΟΥΣ ΘΗΛ Katharev(o)usa, purist Greek

καθαρευουσιάνα ΟΥΣ ΘΗΛ *βλ.*
καθαρευουσιάνος

καθαρευουσιανισμός ΟΥΣ ΑΡΣ use of Katharev(o)usa

καθαρευουσιάνος ΟΥΣ ΑΡΣ purist, *person who advocates the use of Katharev(o)usa*

καθαρίζω 1 Ρ Μ (α) (*σπίτι, φακούς, δρόμο*) to clean (β) (*φακές*) to sort · (*ψάρια*) to scale · (*χορτάρια*) to wash (γ) (*μήλο, πορτοκάλι, πατάτες, κρεμμύδια*) to peel (δ) (*συρτάρια, γραφείο*) to clear out · (*μυαλό, σκέψη*) to clear (ε) (*οικ.*: = *σκοτώνω*) to bump off (*ανεπ.*), to kill (στ) (= *κερδίζω*) to clear, to net (ζ) (= *απαλλάσσω: περιοχή, κυκλώματα*) to clean up (η) (*ζήτημα, κατάσταση*) to clear up (θ) (*παιχνίδι*) to take control of 2 Ρ ΑΜ (α) (*παντελόνι, χαλί*) to be cleaned (β) (*ουρανός, μυαλό*) to clear · (*κατάσταση*) to clear up (γ) (*αργκ.*: = *ξεκαθαρίζω*) to sort things out

▷**καθαρίζω για πάρτη μου** (*αργκ.*) to sort one's own problems out

καθάριος, -ια, -ιο (*λογοτ.*) ΕΠΙΘ (α) (*ρούχα, σπιτικό*) clean (β) (*νερό, ουρανός*) clear (γ) (*κουβέντες, χαρακτήρας*) straight

καθαριότητα ΟΥΣ ΘΗΛ cleanliness, cleanness

καθάρισμα ΟΥΣ ΟΥΔ (*ρούχων, σπιτιού*) cleaning

καθαρισμός ΟΥΣ ΑΡΣ cleaning up

▸**σκόνη καθαρισμού** washing powder

▸**καθαρισμός προσώπου** facial

καθαριστήριο ΟΥΣ ΟΥΔ cleaner's

καθαριστής ΟΥΣ ΑΡΣ cleaner

καθαρίστρια ΟΥΣ ΘΗΛ *βλ.* **καθαριστής**

κάθαρμα (*υβρ.*) ΟΥΣ ΟΥΔ creep (*ανεπ.*)

καθαρόαιμος, -η, -ο ΕΠΙΘ (α) (*ζώο*)

thoroughbred, purebred (β) (*επιθετικός, κομουνιστής, δημοτικιστής*) full-blooded

καθαρογράφω Ρ Μ to write up, to write in neat handwriting

καθαρός, -ή, -ό ΕΠΙΘ (α) (*σεντόνι, δωμάτιο, ακτή, ατμόσφαιρα, αέρας, νερά*) clean · (*αναπνοή*) fresh (β) (*άνθρωπος, ζώο*) clean (γ) (*αλκοόλ, χρυσάφι, μετάξι, οινόπνευμα*) pure · (*πετρέλαιο*) refined · (*φυλή, έθνος*) pure–blooded (δ) (*ουρανός, ορίζοντας, βλέμμα*) clear (ε) (*χρώμα*) bright · (*προφορά*) distinct · (*περίγραμμα, άρθρωση, ήχος*) distinct, clear · (*εικόνα*) clear, sharp (στ) (*γράμματα*) clear (ζ) (*απάντηση, κουβέντες*) straight · (*υπαινιγμός*) clear (η) (*ειρωνεία, τέχνη*) pure · (*ανοησία, τρέλα*) pure, sheer · (*αντιγραφή*) blatant (θ) (*νίκη*) clear–cut (ι) (*συνείδηση*) clear · (*μητρώο, παιχνίδι*) clean · (*δουλειές*) honest (ια) (= *άσπιλος*) pure (ιβ) (*αργκ.: για ναρκομανείς*) clean

▷**είναι καθαρή ληστεία!** it's daylight robbery!

▷**έχω το μέτωπο ή κούτελο καθαρό** to have a clear conscience

▸**καθαρό βάρος** net weight

▸**Καθαρή ή Καθαρά Δευτέρα** first day of Lent, ≈ Ash Wednesday

▸**καθαρό εισόδημα** net income

καθαρότητα ΟΥΣ ΘΗΛ (α) (*ατμόσφαιρας*) cleanness · (*ορίζοντα*) clearness · (*μετάλλου*) purity (β) (*χρώματος, ιδεών, διατύπωσης, έκφρασης, βλέμματος*) clarity (γ) (*φυλής, έθνους*) purity

κάθαρση ΟΥΣ ΘΗΛ (α) (ΘΡΗΣΚ) expiation (β) (*δημόσιου βίου, κοινωνίας*) purging (γ) (ΨΥΧΟΛ, ΦΙΛΟΛ) catharsis

καθάρσιο ΟΥΣ ΟΥΔ laxative, purgative

καθαρτήριος, -α, -ο ΕΠΙΘ (α) (*θυσία, πυρ*) purifying (β) (*επίδραση*) cathartic

καθαρτικό ΟΥΣ ΟΥΔ laxative, purgative

καθαυτό ΕΠΙΡΡ real

καθαυτόν, καθ' εαυτόν, ήν, -ό ΑΝΤΩΝ: **αυτός καθαυτόν ο μαθητής** that particular student

▷**αυτό καθαυτό το πρόβλημα** that problem in itself

▷**αυτή καθαυτήν η συμπεριφορά** that kind of behaviour (*Βρετ.*) ή behavior (*Αμερ.*) in itself

καθαυτός, -ή, -ό ΑΝΤΩΝ *βλ.* **καθαυτόν**

‒‒‒‒ *ΛΕΞΗ-ΚΛΕΙΔΙ* ‒‒‒‒

κάθε ΑΝΤΩΝ ΑΚΛ (α) (= *καθένας*) each, every ❏ **κάθε άνθρωπος/ζώο/πράγμα** each ή every man/animal/thing · **για κάθε σωστή απάντηση παίρνετε δύο βαθμούς** for each ή every correct answer you get two points (β) (*για επανάληψη*) every ❏ **κάνω καθαρισμό στα δόντια μου κάθε έξι μήνες** I have my teeth cleaned every six months

▷**κάθε πότε;** how often? ❏ **κάθε πότε έχει λεωφορείο για το κέντρο;** how often is there a bus to the city centre (*Βρετ.*) ή center (*Αμερ.*)?

▷**κάθε που** (= *όποτε*) when, whenever ❑ **κάθε που βραδιάζει, τη σκέφτομαι πιο έντονα** when *ή* whenever evening comes I think of her more than ever
▷**κάθε τόσο** fairly often
▷**κάθε φορά** every time
(γ) (= *οποιοσδήποτε*) any
▷**με κάθε τίμημα** at any price
(δ) (*μειωτ.*) every ❑ **ο κάθε ανίκανος νομίζει πως είναι συγγραφέας!** any incompetent can think of himself as a writer!

καθέδρα (*επίσ.*) ΟΥΣ ΘΗΛ (= *έδρα επισκόπου*) cathedra (*επιστ.*), throne
▷**από καθέδρας** with authority, ex cathedra (*επίσ.*)

καθεδρικός, -ή, -ό ΕΠΙΘ: **καθεδρικός ναός** cathedral

κάθειρξη ΟΥΣ ΘΗΛ imprisonment
▸**ισόβια κάθειρξη** life imprisonment

καθείς ΑΝΤΩΝ = **καθένας**

καθέκαστα ΟΥΣ ΟΥΔ ΠΛΗΘ details, particulars

καθέλκυση ΟΥΣ ΘΗΛ launching

καθελκύω, καθέλκω Ρ Μ to launch

καθένας, -μία ή -μια, -ένα ΑΝΤΩΝ
(α) (= *ένας-ένας*) each (β) (= *οποιοσδήποτε*) anybody (γ) (*μειωτ.*: = *τυχαίος*) just anybody
▷**κέρδισαν από δύο χιλιάδες ο καθένας** they won two thousand each, they each won two thousand
▷**ο καθένας μας** each of us
▷**ο καθένας με τη σειρά του** each one in turn

καθεξής ΕΠΙΡΡ: **και ούτω καθεξής** and so on and so forth

καθεστηκυία τάξη ΟΥΣ ΘΗΛ: **η καθεστηκυία τάξη** the established order

καθεστώς ΟΥΣ ΟΥΔ (α) (= *πολίτευμα*) regime (β) (= *επικρατούσα κατάσταση*) established order (γ) (*ισοτιμίας, εκμετάλλευσης*) status quo
▷**το ισχύον καθεστώς** the current regime

καθεστωτικός, -ή, -ό ΕΠΙΘ (*ζήτημα*) government · (*ανατροπή*) of a regime
▸**καθεστωτικός** ΟΥΣ ΑΡΣ government supporter

καθετή ΟΥΣ ΘΗΛ fishing line

καθετήρας ΟΥΣ ΑΡΣ catheter

καθετί ΑΝΤΩΝ everything
▷**καθετί το ελληνικό** all things Greek

κάθετος, -η ή -ος, -ο ΕΠΙΘ (α) (*τοίχος, άξονας*) vertical · (*βράχος*) sheer (β) (*πλευρές, τομή*) vertical, perpendicular · (*δρόμος*) perpendicular (*σε* to) (γ) (*καταχρ.*: = *κατακόρυφος: αύξηση*) steep · (*πτώση*) sharp
▷**ο δρόμος που μένω είναι κάθετος στην Οδό Σταδίου** the road I live on is off Stadiou Street
▸**κάθετη εφόρμηση** (ΣΤΡΑΤ) nose dive
▸**κάθετη, κάθετος** ΟΥΣ ΘΗΛ (α) (ΓΕΩΜ) perpendicular (β) (ΤΥΠΟΓΡ) forward slash

καθηγεσία ΟΥΣ ΘΗΛ professorship

καθηγητής ΟΥΣ ΑΡΣ (α) (*γυμνασίου, λυκείου*) teacher, schoolteacher (β) (*Αγγλικών, Ελληνικών*) teacher · (*κατ' οίκον*) tutor (γ) (*πανεπιστημίου*) professor

καθηγητικός, -ή, -ό ΕΠΙΘ professorial

καθηγήτρια ΟΥΣ ΘΗΛ *βλ.* **καθηγητής**

καθήκον ΟΥΣ ΟΥΔ duty
▷**άνθρωπος του καθήκοντος** person with a sense of duty
▷**έχω καθήκον** *ή* **είναι καθήκον μου να κάνω κτ** it is one's duty to do sth
▷**θεωρώ κτ καθήκον μου** to see sth as one's duty
▷**κάνω** *ή* **εκπληρώνω** *ή* **εκτελώ το καθήκον μου** to do one's duty
▷**(κάνω κτ) από καθήκον** (to do sth) out of (a sense of) duty
▷**με καλεί το καθήκον** duty calls
▸**ηθικό καθήκον** moral obligation
▸**καθήκοντα** ΠΛΗΘ duties
▷**αναλαμβάνω τα καθήκοντά μου** to take up one's duties
▸**παράβαση καθήκοντος** breach of duty
▸**σύγκρουση καθηκόντων** conflict of duties

καθηλώνω Ρ Μ (*ασθενή, τραυματία*) to immobilize · (*μισθούς, τιμές*) to freeze · (*αεροσκάφος*) to ground · (*εχθρό*) to pin down · (*τηλεθεατές, ακροατές, κοινό*) to captivate
▷**καθηλώνω το βλέμμα μου πάνω σε κπν** to fix one's eyes on sb

καθήλωση ΟΥΣ ΘΗΛ (*σώματος, στρατευμάτων*) immobilization · (*τιμών, εξόδων, μισθών*) freezing · (*αεροσκάφους*) grounding

καθημερινά ΕΠΙΡΡ every day

καθημερινός, -ή, -ό ΕΠΙΘ daily
▷**η καθημερινή ζωή** everyday *ή* daily life
▸**καθημερινά** ΟΥΣ ΟΥΔ ΠΛΗΘ everyday clothes
▸**καθημερινή** ΟΥΣ ΘΗΛ workday, working day

καθημερινότητα ΟΥΣ ΘΗΛ everyday life

καθημερινώς ΕΠΙΡΡ = **καθημερινά**

καθημερνός, -ή, -ό ΕΠΙΘ = **καθημερινός**

καθησυχάζω Ρ Μ (α) (*επιβάτες, γονείς, κοινό*) to reassure · (*μωρό, παιδί*) to calm (β) (*φόβους, υποψίες*) to allay · (*αμφιβολίες*) to dispel

καθησυχαστικός, -ή, -ό ΕΠΙΘ reassuring

κάθιδρος, -η, -ο (*επίσ.*) ΕΠΙΘ bathed in sweat

καθιερωμένος, -η, -ο ΕΠΙΘ (α) (*θεσμός*) established · (*δικαίωμα*) institutional · (*εορτασμός*) official (β) (*συνήθεια, έθιμο*) established, traditional · (*πρότυπο, έκφραση, ερώτηση*) standard (γ) (*ηθοποιός, επιστήμονας*) recognized
▸**καθιερωμένα** ΟΥΣ ΟΥΔ ΠΛΗΘ: **ξεφεύγω από τα καθιερωμένα** to break with custom

καθιερώνω Ρ Μ (*γλώσσα, νόμο, συνήθεια, συγγραφέα*) to establish

καθιέρωση ΟΥΣ ΘΗΛ (α) (*δημοτικής, ασφάλισης εργαζομένων*) establishment (β) (*καλλιτέχνη, έργου*) recognition

καθίζηση ΟΥΣ ΘΗΛ (α) (*εδάφους, θεμελίων*)

subsidence (β) (ΧΗΜ) settling
(γ) (οικονομίας, ποσοστού ψηφοφόρων) slide
▷**παθαίνω καθίζηση** to subside
καθίζω ① P M (παιδί, μαθητή) to sit
② P AM (α) (δρόμος, έδαφος) to subside·
(αυτοκίνητο) to be weighed down (β) (πλοίο)
to run aground (γ) (ομάδα) to play less well
καθίκι ΟΥΣ ΟΥΔ (α) (ανεπ.: για ηλικιωμένους,
ασθενείς) bedpan · (για νήπια) potty
(β) (υβρ.) shit (χυδ.)
καθισιά ΟΥΣ ΘΗΛ: **στην καθισιά μου** in one
sitting
καθισιό (ανεπ.) ΟΥΣ ΟΥΔ lazing around, loafing
around
κάθισμα ΟΥΣ ΟΥΔ (α) (αυτοκινήτου, γηπέδου,
θεάτρου) seat (β) (= τρόπος που καθόμαστε)
way of sitting (γ) (εδάφους, θεμελίων)
subsidence (δ) (πλοίου) running aground
καθίσταμαι P AM βλ. **καθιστώ**
καθιστικός, -ή, -ό ΕΠΙΘ (επάγγελμα, παιχνίδι)
sedentary
▸**καθιστική διαμαρτυρία** sit–in
▸**καθιστικό** ΟΥΣ ΟΥΔ living room
καθιστός, -ή, -ό ΕΠΙΘ sitting
καθιστώ (επίσ.) P M (για πρόσ.) to appoint, to
make · (για συμφωνία, κατάσταση) to make,
to render
▷**καθιστώ κτ αδύνατο/αναγκαίο** to make sth
impossible/necessary
▷**καθιστώ κπν υπεύθυνο** to hold sb
responsible
▸**καθίσταμαι** ΜΕΣΟΠΑΘ to become, to be
▷**καθίσταμαι αδύνατος/αναγκαίος** to be
impossible/necessary
καθοδήγηση ΟΥΣ ΘΗΛ guidance
καθοδηγώ P M (α) (στρατιώτες) to lead
(β) (παιδιά, νέους) to guide · (σχέση) to
control · (κίνημα) to lead
καθοδικός, -ή, -ό ΕΠΙΘ (α) (πορεία, τάση)
downward (β) (ρεύμα: προς το κέντρο της
πόλης) to the centre (Βρετ.) ή center (Αμερ.)
of town · (προς τη θάλασσα) towards the sea
▸**καθοδική ακτίνα** cathode ray
κάθοδος ΟΥΣ ΘΗΛ (α) (επιβατών) descent ·
(φορτίου) unloading (β) (για οδό) road going
to the centre (Βρετ.) ή center (Αμερ.) of
town (γ) (Δωριέων, μυρίων) migration south
(δ) (= μετάβαση από την ενδοχώρα στα
παράλια) descent (ε) (ΦΥΣ) cathode
καθολίκευση ΟΥΣ ΘΗΛ generalization
καθολικεύω P M to generalize
καθολικισμός ΟΥΣ ΑΡΣ (ΘΡΗΣΚ) Catholicism
καθολικός, -ή, ή -ιά, -ό ΕΠΙΘ (α) (συμμετοχή,
ενδιαφέρον) general · (κίνημα, θεωρία)
all–embracing · (ισχύς, χαρακτηριστικά)
all–embracing (β) (ΘΡΗΣΚ) Catholic
▸**Καθολική Εκκλησία** Catholic Church
▸**καθολικός** ΟΥΣ ΑΡΣ, **καθολική** ΟΥΣ ΘΗΛ Catholic
▸**καθολικό** ΟΥΣ ΟΥΔ body of a church
καθολικότητα ΟΥΣ ΘΗΛ universality
καθόλου ΕΠΙΡΡ at all

▷**δεν έχω καθόλου χρήματα** I haven't got
any money at all
▷**δεν είμαι καθόλου κουρασμένος** I'm not at
all tired, I'm not in the least bit tired
▷**δεν θέλω καθόλου θόρυβους** I don't want
to hear a sound
▷**δεν διαβάζει/δουλεύει καθόλου** he doesn't
do any studying/work at all
▷**διάβασες καθόλου;** have you done any
studying?
κάθομαι P AM ΑΠΟΘ (α) (= είμαι καθιστός) to
be sitting (β) (= τοποθετούμαι σε κάθισμα) to
sit down (γ) (καταχρ.: = στέκομαι) to stand
(δ) (= κατοικώ) to live (ε) (= μένω άπρακτος)
to sit around (στ) (= αδρανώ) to do nothing,
to just sit there (ζ) (= παραμένω) to stay
(η) (σκόνη, φαγητό) to settle (θ) (μπουνιά)
to stick (ι) (= προσαράζω) to run aground ·
(= είμαι στα ύφαλα) to be weighed down
▷**κάθεται όλη μέρα και τον κοροϊδεύουν** he
just sits there and lets them tease him all
day
▷**μου κάθεται η δουλειά** (αργκ.) the job is
working out well for me
▷**έχει βάλει στο μάτι έναν τύπο, αλλά δεν
της κάθεται!** (αργκ.) she's got her eye on
this guy, but he's not biting! (ανεπ.)
▷**κάθομαι ήσυχα/καλά** to be quiet/good
▷**κάθομαι φρόνιμα** to behave oneself
▷**κάθεται και κλαίει όλη μέρα** she spends the
whole day crying, she cries all day long
▷**κάθομαι και κάνω κτ** to sit and do sth
▷**κάθομαι να κάνω κτ** to start doing ή to do
sth
▷**κάθομαι στα καρφιά** ή **σε αναμμένα
κάρβουνα** ή **στα αγκάθια** to be on
tenterhooks
▷**κάτσε λίγο να τα πούμε** stay and talk a
while
▷**κάτσε καλά!** be careful!
▷**κάτσε!** (= περίμενε) hold on!, wait a
minute!
καθομιλουμένη ΟΥΣ ΘΗΛ vernacular
καθορίζω P M (α) (ποινή) to specify · (στάση)
to define · (ποσό) to determine (β) (πορεία)
to set
καθορισμένος, -η, -ο ΕΠΙΘ (συνάντηση)
fixed · (στάση) defined · (ποινή) set ·
(ποσότητα) prescribed
▷**καθορισμένη ώρα** appointed time
καθορισμός ΟΥΣ ΑΡΣ (αμοιβής, αποζημίωσης,
στόχων, συνόρων, ποινής) determination ·
(ημερομηνίας) setting, fixing
καθοριστικός, -ή, -ό ΕΠΙΘ (παράγοντας,
ρόλος) decisive · (απόφαση) formative
καθόσον, καθ' όσον (επίσ.) ΣΥΝΔ
(α) (= επειδή) as, for (β) (= όσο) as far as
καθότι, καθ' ότι (επίσ.) ΣΥΝΔ because
καθούμενος, -η, -ο ΕΠΙΘ: **στα καλά
καθούμενα** for no reason
καθρέπτης ΟΥΣ ΑΡΣ = **καθρέφτης**
καθρεπτίζω P M = **καθρεφτίζω**

K

καθρέφτης ΟΥΣ ΑΡΣ **(α)** (= *κάτοπτρο*) mirror **(β)** (*κοινής γνώμης*) reflection
▷**κάνω τα παπούτσια μου/το πάτωμα καθρέφτη** to make one's shoes/the floor shine
▷**τα μάτια είναι ο καθρέφτης της ψυχής** the eyes are the window of the soul

καθρεφτίζω Ρ Μ (*κυριολ.*, *μτφ.*) to reflect
▸**καθρεφτίζομαι** ΜΕΣΟΠΑΘ (*κυριολ.*, *μτφ.*) to be reflected

καθρέφτισμα ΟΥΣ ΟΥΔ (*κυριολ.*, *μτφ.*) reflection

καθυβρίζω (*επίσ.*) Ρ Μ to revile

καθυπόταξη (*επίσ.*) ΟΥΣ ΘΗΛ subjugation

καθυποτάσσω (*επίσ.*) Ρ Μ to subjugate

καθυστερημένος, -η, -ο ΕΠΙΘ **(α)** (= *αργοπορημένος*) late **(β)** (= *υπανάπτυκτος*) backward **(γ)** (= *με ανεπαρκή νοητική ανάπτυξη*) backward

καθυστέρηση ΟΥΣ ΘΗΛ **(α)** (*απόφασης, πληρωμής*) delay **(β)** (*τρένου, πλοίου*) delay **(γ)** (*στο ποδόσφαιρο*) extra time *χωρίς πληθ.* (*Βρετ.*), injury time *χωρίς πληθ.* (*Βρετ.*), overtime *χωρίς πληθ.* (*Αμερ.*) **(δ)** (*ανάπτυξης, βιομηχανικού τομέα*) backwardness **(ε)** (= *ανεπαρκής νοητική ανάπτυξη*) backwardness
▷**δίχως ή χωρίς καθυστέρηση** without delay
▷**έχω καθυστέρηση** (*για γυναίκες*) my period is late
▷**κρατάω καθυστέρηση** to allot extra time (*Βρετ.*) *ή* overtime (*Αμερ.*)

καθυστερώ ① Ρ Μ **(α)** (*οδηγό, μαθητή, συνάδελφο*) to hold up, to delay **(β)** (*απόφαση, πληρωμή*) to delay · (*ενοίκιο, μισθούς*) to be late with ② Ρ ΑΜ **(α)** (= *αργοπορώ*) to be late **(β)** (*για ανάπτυξη οικονομίας, βιομηχανίας*) to lag behind

καθώς ΣΥΝΔ **(α)** (= *όπως*) as **(β)** (*για παραβολή*) as **(γ)** (*για εισαγωγή χρονικών προτάσεων:* +*παρατ.*) as, just as · (+*μέλλ.*) when **(δ)** (= *επειδή*) as, because
▷**καθώς έβγαινα απ' το σπίτι ...** (just) as I was going out of the house ...
▷**καθώς (θα) πηγαίνεις, κλείσε την πόρτα** close the door when you go

καθωσπρέπει ① ΕΠΙΡΡ properly ② ΕΠΙΘ ΑΚΛ (*άνθρωπος, οικογένεια*) decent · (*ειρων.*) prim and proper

καθωσπρεπισμός (*αρνητ.*) ΟΥΣ ΑΡΣ convention

┌─ *ΛΕΞΗ-ΚΛΕΙΔΙ* ─┐

και, κι ΣΥΝΔ **(α)** (*συμπλεκτικός*) and ❏ *ο Γιώργος και η Μαρία* Giorgos and Maria **(β)** (= *επίσης*) also, too ❏ *εκτός από Αγγλικά ξέρω και λίγα Γαλλικά* apart from English I also know a bit of French *ή* I know a bit of French too
(γ) (*για συμπέρασμα*) and ❏ *προσπάθησε εσύ και θα φτιάξουν τα πράγματα* just try, and things will look up · *μας έκανε και*

τσακωθήκαμε he made us fall out **(δ)** (= *ενώ*) while, and ❏ *αυτή δουλεύει σκληρά κι αυτός τεμπελιάζει* she works hard and *ή* while he lazes about · *θα το ξαναπώ, και αυτή τη φορά δεν θέλω διακοπές* I'll say it again, but this time I don't want any interruptions **(ε)** (*για έμφαση*) even ❏ *τι να γίνει! Θα το δεχτώ και αυτό!* what to do! I'll even put up with this! · *δεν είναι και τόσο άσχημα τα πράγματα!* things aren't that bad! · *τρέμει και τη γάτα!* he's even scared of the cat! · *είσαι και ο πρώτος!* you're the man! **(στ)** (= *όταν*) when ❏ *δεν είχα προλάβει να κατέβω τα σκαλιά και άκουσα το τηλέφωνο να χτυπάει* I had just come down the stairs when I heard the phone ring **(ζ)** (= *γιατί*) because ❏ *μην κάνεις τον έξυπνο και δεν σου πάει!* don't play smart because you're not! **(η)** (*για εισαγωγή τελικής πρότασης*) to ❏ *αρχίζω και καταλαβαίνω γιατί ...* I'm starting to understand why ... **(θ)** (*αντί του "ότι"*): **βλέπω και** I see that
▷**και ... και** both ... and ❏ *είναι και συνεπής και εργατικός* she's both consistent and hard-working · *και συνεπής είναι και δουλειά βγάζει* she's consistent, she's productive... · *και μιλάει και γράφει* he speaks as well as writes
▷**και να ... και να** (= *είτε ... είτε*) whether ... or ❏ *και να πάμε και να μην πάμε* whether we go or not
▷**και οι δύο** both ❏ *και οι δυο μας/τους* both of us/them
▷**και οι τρεις** all three ❏ *και οι τρεις μας/τους* all three of us/them
▷**ακόμη και αν** *ή* **να** even if ❏ *και να το ήξερα, δεν θα μπορούσα να κάνω τίποτα* even if I knew, I wouldn't have been able to do anything · *ό, τι κι αν της πεις, δεν θα έλθει* whatever you tell her, she won't come
▷**ε, και;** so what?
▷**λες** *ή* **θαρρείς και** as though
▷**σαν** *ή* **όπως και** (just) like ❏ *είναι πεισματάρης σαν και σένα* he's stubborn (just) like you

└────────────┘

Καιάδας ΟΥΣ ΑΡΣ (ΑΡΧ ΙΣΤ) Kaiadas gorge
▷**ρίχνω** κπν **στον Καιάδα** (*μτφ.*) to throw sb to the wolves

και αν, κι αν ΣΥΝΔ: **όποιος και αν** no matter who, whoever
▷**όσο και αν** no matter how much
▷**και αν προσπαθήσεις και αν δεν προσπαθήσεις** whether you try or not
▷**και ή κι αν ακόμη, ακόμη και ή κι αν** even if
▷**ό, τι και ή κι αν** no matter what, whatever

και ας, κι ας ΣΥΝΔ even if

καίγομαι Ρ ΑΜ *βλ.* **καίω**

καΐκι ΟΥΣ ΟΥΔ caique

καϊμάκι ΟΥΣ ΟΥΔ **(α)** (*γάλακτος*) cream **(β)** (*καφέ*) froth

K

►**παγωτό καϊμάκι** *ice–cream flavoured with Chios gum mastic*

και να ΣΥΝΔ: **όποιος και να** no matter who, whoever

▷**όσο και να** no matter how much

▷**ό, τι και να** no matter what, whatever

Καινοζωικός Αιώνας ΟΥΣ ΑΡΣ: **ο Καινοζωικός Αιώνας** the Cenozoic (era)

καινός, -ή, -ό (*επίσ.*) ΕΠΙΘ new

►**Καινή Διαθήκη** New Testament

καινοτομία ΟΥΣ ΘΗΛ innovation

καινοτόμος, -ος, -ο ΕΠΙΘ (*πολιτικός, ζωγράφος, μέθοδος*) innovative · (*ιδέα*) novel

►**καινοτόμος** ΟΥΣ ΑΡΣ&ΘΗΛ innovator

καινοτομώ Ρ ΑΜ to innovate

καινούργιος, καινούριος, -ια, -ιο ΕΠΙΘ new

▷**ευτυχισμένος ο καινούριος χρόνος!** Happy New Year!

▷**κάνω μια καινούρια αρχή στη ζωή μου** to make a fresh start in life, to start life afresh

καινοφανής, -ής, -ές ΕΠΙΘ (α) (= *πρωτοφανής*) new (β) (= *παράδοξος*) novel

καιρικός, -ή, -ό ΕΠΙΘ weather

καίριος, -α, -ο ΕΠΙΘ (α) (*επέμβαση, παρέμβαση*) timely (β) (*θέση, θέμα, ερώτημα*) key · (*σημασία, πρόβλημα*) crucial (γ) (*χτύπημα, πλήγμα, τραύμα*) fatal

►**καίριο σημείο** vital organ

καιρός ΟΥΣ ΑΡΣ (α) (= *μετεωρολογικές συνθήκες*) weather (β) (= *δελτίο καιρού*) weather report (γ) (*προφορ.*: = *κακοκαιρία*) bad weather (δ) (= *ευκαιρία*) time (ε) (= *χρόνος*) time (στ) (= *εποχή*) times πληθ. (ζ) (= *ορισμένο χρονικό διάστημα*) time · (*μεγάλο χρονικό διάστημα*) a long time (η) (= *διαθέσιμος χρόνος*) time

▷**από καιρό σε καιρό, κατά καιρούς** from time to time

▷**δεν έχω καιρό για χάσιμο** to have no time to lose

▷**δίνω σε κπν καιρό** to give sb time

▷**έχει ο καιρός γυρίσματα** (*παροιμ.*) life is full of surprises

▷**έχουμε καιρό (ακόμα)** we've got plenty of time

▷**έχω καιρό μπροστά μου** to have plenty of time

▷**είχαμε να μιλήσουμε καιρό** we hadn't spoken for a long time

▷**έχω καιρό που κάνω αυτή τη δουλειά** I've been doing this job for some time *ή* for quite a long time

▷**κάθε πράγμα στον καιρό του (κι ο κολιός τον Αύγουστο)** (*παροιμ.*) there's a time (and a place) for everything

▷**κάνει καλό/κακό καιρό** the weather is fine/bad

▷**με τον καιρό** in *ή* with time

▷**μένω εδώ/το ξέρω από καιρό** I've known/I've lived here for a long time

▷**μετακόμισα στο Παρίσι/έκλεισα θέση από καιρό** I moved to Paris/booked a seat a long time ago

▷**μια φορά κι έναν καιρό** once upon a time

▷**μου παίρνει καιρό να κάνω κτ** it takes time to do sth

▷**μου πήρε πολύ καιρό να τελειώσω τη δουλειά** it took me a long time to finish the work

▷**ο παλιός (καλός) καιρός** the good old days

▷**ο καιρός περνάει γρήγορα** time flies

▷**όσο περνάει ο καιρός** as time goes by

▷**περνώ τον καιρό μου (κάνοντας κτ)** to spend one's time (doing sth)

▷**πέρυσι τέτοιον καιρό** this time last year

▷**πολύ καιρό πριν** a long time ago

▷**τον κακό σου τον καιρό!** (*υβρ.*) a curse on you!

▷**χάνω τον καιρό μου** to waste one's time

▷**μη χάνεις καιρό** don't waste any time

▷**καιρού επιτρέποντος** weather permitting

►**καιροί** ΠΛΗΘ times

καιροσκοπισμός (*αρνητ.*) ΟΥΣ ΑΡΣ opportunism

καιροσκόπος (*αρνητ.*) ΟΥΣ ΑΡΣ&ΘΗΛ opportunist

καιροφυλακτώ Ρ ΑΜ (*εχθρός, αντίπαλος*) to bide one's time · (*κίνδυνος, συμφορά*) to lurk

καισαρική ΟΥΣ ΘΗΛ (*επίσης* **καισαρική τομή**) Caesarean (*Βρετ.*) *ή* Cesarian (*Αμερ.*)(section)

καίσιο ΟΥΣ ΟΥΔ caesium (*Βρετ.*), cesium (*Αμερ.*)

καίω 1 Ρ Μ (α) (*ξύλο, φωτογραφίες*) to burn · (*δάσος, σπίτι*) to burn down (β) (*ρεύμα, βενζίνη, πετρέλαιο*) to use · (*θερμίδες, λίπη*) to burn up (γ) (*πουκάμισο, παντελόνι, χαλί, μαλλιά*) to singe · (*φαγητό*) to burn · (*πάγος: ελιές, σπαρτά*) to damage (δ) (*μπαταρίες*) to use up (ε) (*βελόνα*) to sterilize (*in hot water or a flame*) (στ) (*έρευνα, πλάτη, χέρι, γλώσσα*) to burn · (*οινόπνευμα*) to sting · (*νεκρό*) to cremate (ζ) (= *προξενώ κακό*) to get into trouble

2 Ρ ΑΜ (α) (*φωτιά*) to burn (β) (*ήλιος, πιπεριές*) to be hot · (*τσάι, σούπα, φαγητό*) to be scalding (γ) (*μηχανή, καλοριφέρ, φως, λάμπα*) to be on · (*σόμπα, καντήλι*) to be lit, to burn (δ) (= *έχω πυρετό*) to be burning up (ε) (*λαιμός, χέρι*) to be sore · (*μάτια*) to sting, to smart (στ) (*έρευνα, αποκαλύψεις*) to be damaging

▷**δεν μου καίγεται καρφί, καρφί δεν μου καίγεται** (*ανεπ.*) I don't give a damn (*ανεπ.*)

▷**ένα θέμα** *ή* **πρόβλημα που καίει** a burning issue

▷**θα το κάψουμε** we'll paint the town red

▷**με καίνε τα λόγια του** the things he's saying are doing me a lot of damage

►**καίγομαι** ΜΕΣΟΠΑΘ (α) (*δάσος, σπίτι, κερί*) to burn up · (*ασφάλεια, λάμπα*) to blow (β) (*χέρι, γλώσσα, πλάτη*) to be burnt (γ) (= *καταστρέφομαι*) to be finished, to be done for (*ανεπ.*)

(δ) (= *επείγομαι*) to be in a hurry (ε) (*σε*

χαρτοπαίγνιο) to go bust
▷**καίγομαι από έρωτα/πόθο** to be burning with love/desire
▷**καίγομαι από περιέργεια** to be burning with curiosity
▷**καίγομαι για κπν** to be infatuated with sb
▷**καίγομαι για κτ** to really want sth

κακά, κάκα[1] ΟΥΣ ΠΛΗΘ (στη νηπιακή γλώσσα) poo (Βρετ.), poop (Αμερ.)

κακά[2] ΕΠΙΡΡ: (όλα πάνε) κακά ψυχρά κι ανάποδα everything's gone pear–shaped · βλ. κ. **κακός**

κακαβιά ΟΥΣ ΘΗΛ = **κακκαβιά**

κακάδι, κάκαδο ΟΥΣ ΟΥΔ **(α)** (πληγής, εξανθήματος) scab **(β)** (μύτης) dried mucus, bogey (ανεπ.)

> *Προσοχή!: Ο πληθυντικός του* **bogey** *είναι* **bogeys** *ή* **bogies**.

κακάο ΟΥΣ ΟΥΔ **(α)** (= σκόνη σπόρων κακαόδεντρου) cocoa **(β)** (= σπόροι κακαόδεντρου) cocoa beans πληθ. **(γ)** (= ρόφημα) chocolate **(δ)** (= κακαόδεντρο) cocoa tree

κακαόδεντρο ΟΥΣ ΟΥΔ cocoa tree

κακαρίζω Ρ ΑΜ **(α)** (κότα) to cluck **(β)** (μτφ.) to cackle

κακάρισμα ΟΥΣ ΟΥΔ **(α)** (κότας) clucking χωρίς πληθ. **(β)** (μτφ.) cackling χωρίς πληθ.

κακαρώνω (ανεπ.) Ρ ΑΜ: **τα κακαρώνω** to snuff it (ανεπ.), to kick the bucket (ανεπ.)

κακάσχημος, -η, -ο ΕΠΙΘ (as) ugly as sin

κακέκτυπος, -η, -ο ΕΠΙΘ (βιβλίο, έκδοση) full of misprints
▸ **κακέκτυπο** ΟΥΣ ΟΥΔ error stamp, rare stamp

κακεντρέχεια ΟΥΣ ΘΗΛ malice

κακεντρεχής, -ής, -ές ΕΠΙΘ malicious

κακήν κακώς ΕΠΙΡΡ roughly
▷**διώχνω κπν κακήν κακώς** to send sb away with a flea in their ear

κακία ΟΥΣ ΘΗΛ **(α)** (= μοχθηρία) malice, spite **(β)** (= κακεντρεχής λόγος) malicious ή spiteful words πληθ.
▷**κρατώ κακία σε κπν** to bear a grudge against sb

κακίζω Ρ Μ to blame

κάκιστα ΕΠΙΡΡ worst

κάκιστος, -η, -ο ΕΠΙΘ worst

κακιώνω (ανεπ.) ① Ρ ΑΜ **(α)** (= κρατώ κακία) to bear a grudge (με against) to be resentful (με of) **(β)** (= δυσαρεστούμαι) to get annoyed **(γ)** (= ψυχραίνομαι) to fall out ② Ρ Μ (= εκνευρίζω) to annoy, to get on the wrong side of

κακκαβιά ΟΥΣ ΘΗΛ (= είδος ψαρόσουπας) fish soup

κακό ΟΥΣ ΟΥΔ **(α)** (= στοιχείο αντίθετο στον ηθικό νόμο) evil **(β)** (= ζημιά) harm · (= δυσάρεστη κατάσταση) evil, ill **(γ)** (= συμφορά) trouble **(δ)** (= μειονέκτημα) bad point

▷**αν συμβεί κανένα κακό** if anything goes wrong, if there's any trouble
▷**ανάμεσα στα δύο κακά διάλεξα το μικρότερο** I chose the lesser of two evils
▷**βροχή και κακό** torrential rain
▷**είναι κακό να κάνεις κτ** it's not good to do sth
▷**ενός κακού μύρια έπονται** it's one thing after another
▷**όλο γκρίνια και κακό** non–stop complaints
▷**κάνω μεγάλο κακό** (κάπνισμα, ζήλια) to cause a lot of harm · (σεισμός) to cause a lot of damage
▷**κάνω μεγάλο κακό σε κπν** to do sb a lot of harm
▷**κάνει κακό να καπνίζεις/πίνεις τόσο πολύ** smoking/drinking so much is bad for you
▷**κιτρινίζω** ή **πρασινίζω από το κακό μου** to be absolutely livid · (λόγω ζήλιας) to be green with envy
▷**μου βγήκε σε κακό** it didn't do me any good, it turned out badly for me
▷**μου κάνει κακό να κάνω κτ** it doesn't do me any good to do sth
▷**παράγινε το κακό!** things have gone too far!
▷**πολύ κακό για το τίποτα** a lot of fuss about nothing
▷**σκάω από το κακό μου** to be bursting with anger
▷**το 'χω σε κακό να κάνω κτ** it's bad luck to do sth
▷**το κακό (με κπν/κτ) είναι ότι** the trouble (with sb/sth) is that
▷**του κάκου** in vain
▷**φασαρία και κακό** almighty fuss ή din

κακοαναθρεμμένος, -η, -ο ΕΠΙΘ ill-bred, ill-mannered

κακοβουλία ΟΥΣ ΘΗΛ **(α)** (ανθρώπου) ill will **(β)** (κριτικής, δημοσιευμάτων, ενεργειών) maliciousness

κακόβουλος, -η, -ο ΕΠΙΘ malicious

κακογλωσσιά ΟΥΣ ΘΗΛ gossiping χωρίς πληθ., backbiting χωρίς πληθ.

κακόγλωσσος, -η, -ο ΕΠΙΘ: **είμαι κακόγλωσσος** to be a gossip

κακόγουστος, -η, -ο ΕΠΙΘ (αστείο, ντύσιμο) tasteless, in bad taste · (άνθρωπος) vulgar

κακογραμμένος, -η, -ο ΕΠΙΘ badly written

κακοδαιμονία ΟΥΣ ΘΗΛ misfortune, bad luck

κακοδιαθεσία ΟΥΣ ΘΗΛ **(α)** (= κακοκεφιά) bad mood **(β)** (= αδιαθεσία) indisposition

κακοδιάθετος, -η, -ο ΕΠΙΘ **(α)** (= κακόκεφος) in a bad mood **(β)** (= αδιάθετος) unwell, off–colour (Βρετ.)

κακοδικία ΟΥΣ ΘΗΛ miscarriage of justice

κακοζωισμένος, -η, -ο ΕΠΙΘ: **είμαι κακοζωισμένος** to have had a hard life

κακοήθεια ΟΥΣ ΘΗΛ **(α)** (= αθλιότητα) wickedness **(β)** (= άθλια πράξη) malicious thing to do · (= άθλιος λόγος) malicious thing to say

K

κακοήθης, -ης, -ες ΕΠΙΘ (α) (*άνθρωπος, συμπεριφορά, σχόλια, συκοφαντία*) malicious (β) (*όγκος, πάθηση*) malignant

κακόηχος, -η, -ο ΕΠΙΘ (*μουσική, λέξη*) discordant

κακοκαιρία ΟΥΣ ΘΗΛ bad weather

κακοκαρδίζω ① Ρ Μ to upset ② Ρ ΑΜ to be upset

κακοκεφιά ΟΥΣ ΘΗΛ bad mood

κακόκεφος, -η, -ο ΕΠΙΘ moody, in a bad mood

κακολογία ΟΥΣ ΘΗΛ (α) (= *διαβολή*) backbiting *χωρίς πληθ.*, slander (β) (= *κατηγορία*) criticism

κακολογώ Ρ Μ (α) (= *διαβάλλω*) to speak ill of, to slander (β) (= *κατηγορώ*) to criticize

κακομαθαίνω ① Ρ Μ (*παιδί*) to spoil ② Ρ ΑΜ to be spoiled *ή* spoilt (*Βρετ.*)

κακομαθημένος, -η, -ο ΕΠΙΘ (α) (= *που έχει κακές συνήθειες*) spoiled, spoilt (*Βρετ.*) (β) (= *αγενής*) rude

κακομελετώ Ρ ΑΜ to be pessimistic

κακομεταχειρίζομαι Ρ Μ ΑΠΟΘ to mistreat

κακομεταχείριση ΟΥΣ ΘΗΛ ill-treatment

κακομιλώ Ρ Μ to speak rudely to

κακομοίρης, -α, -ικο (*ανεπ.*) ΕΠΙΘ (α) (= *καημένος*) poor (β) (*μειωτ.*: = *αξιολύπητος*) wretched
▷**γίνεται της κακομοίρας** (*ανεπ.*) it's chaos
▷**τον κακομοίρη!** the poor thing!
▷**τον κακομοίρη τον...!** poor old...!
▷**κακομοίρη μου!** (*απειλή*) watch out!

κακομοιριά ΟΥΣ ΘΗΛ (α) (= *δυστυχία*) misery (β) (= *πνευματική ή αισθητική αθλιότητα*) wretchedness
▷**τι κακομοιριά είναι αυτή** how mean can you get

κακομοιριασμένος, -η, -ο (*ανεπ.*) ΕΠΙΘ = **κακομοίρης**

κακόμοιρος, -η, -ο (*ανεπ.*) ΕΠΙΘ = **κακομοίρης**

κακομούτσουνος, -η, -ο (*ανεπ.*) ΕΠΙΘ ugly

κακοντυμένος, -η, -ο ΕΠΙΘ badly dressed

κακοπαθαίνω (*ανεπ.*) Ρ ΑΜ to suffer

κακοπέραση ΟΥΣ ΘΗΛ hardship

κακοπερνώ Ρ ΑΜ to have a hard life

κακοπιστία ΟΥΣ ΘΗΛ deceitfulness

κακόπιστος, -η, -ο ΕΠΙΘ deceitful

κακοπληρώνω ① Ρ Μ not to pay on time ② Ρ ΑΜ to be a bad payer

κακοπληρωτής ΟΥΣ ΑΡΣ bad payer

κακοπληρώτρια ΟΥΣ ΘΗΛ βλ. **κακοπληρωτής**

κακοποίηση ΟΥΣ ΘΗΛ (α) (*παιδιών*) abuse· (*κρατουμένων*) ill-treatment (β) (*βιασμός*: *γυναικών*) rape· (*ανηλίκων*) abuse (γ) (*λόγου, αλήθειας*) distortion

κακοποιός, -ός, -ό ΕΠΙΘ (*στοιχεία, δράση*) criminal
▸**κακοποιός** ΟΥΣ ΑΡΣ criminal

κακοποιώ Ρ Μ (α) (*αιχμαλώτους*) to assault

(β) (*γυναίκα*) to rape· (*ανήλικο*) to molest (γ) (*αλήθεια*) to distort· (*γλώσσα*) to abuse

κακοπροαίρετος, -η, -ο ΕΠΙΘ malicious

κακορίζικος, -η, -ο (*ανεπ.*) ΕΠΙΘ (α) (= *κακότυχος*) unlucky, unfortunate (β) (= *δύστροπος*) bad-tempered

κακός, -ή ή -ιά, -ό ΕΠΙΘ (α) (*παιδί, παρέα, συνήθειες, χαρακτήρας, επιδράσεις, νόμος*) bad (β) (*λέξεις*) dirty (γ) (*νέα, ειδήσεις, διάθεση, όνειρο, καιρός*) bad· (*σκέψεις*) unpleasant, dark· (*προαίσθημα*) bad, nasty· (*σχέσεις*) poor, bad (δ) (*πνεύματα*) evil (ε) (*άνθρωπο, κριτική*) malicious, nasty (στ) (*τύχη, μοίρα, μέρα, περίοδος, περίσταση, εικόνα, στιγμή*) bad· (*υγεία*) ill, poor· (*δίαιτα, διατροφή*) poor· (*γνώμη*) poor, low· (*χειρισμός*) clumsy· (*επιλογή, τακτική, πολιτική*) wrong (ζ) (*γιατρός, κυβερνήτης, γονείς, τεχνίτης*) bad (η) (*μνήμη, ποιότητα, δουλειά, παράσταση, απόδοση, συνθήκες*) bad, poor· (*ενημέρωση, λειτουργία, δίκτυο, κάλυψη*) poor· (*γράψιμο, ντύσιμο*) awful
▷**είμαι ή βρίσκομαι σε κακά χάλια** to be in a terrible state
▷**είμαι στις ή έχω τις κακές μου** to be in a bad mood
▷**έχω κακά ξεμπερδέματα (με κπν)** to be in serious trouble (with sb)
▷**το κακό μάτι** the evil eye
▷**κακές κουβέντες** bad language *εν.*
▷**παίρνω τον κακό δρόμο** to leave the straight and narrow
▷**κακός μπελάς (που με βρήκε)!** I'm in big trouble!
▷**κακοί τρόποι** rudeness *εν.*
▷**κακός, ψυχρός κι ανάποδος** absolutely awful
▷**οι κακές γλώσσες** the gossips
▸**κακός** ΟΥΣ ΑΡΣ baddie (*Βρετ.*), bad guy (*Αμερ.*)

κακοσμία ΟΥΣ ΘΗΛ bad smell· (*στόματος*) bad breath

κακοτεχνία ΟΥΣ ΘΗΛ poor workmanship *χωρίς πληθ.*

κακότεχνος, -η, -ο ΕΠΙΘ (α) (= *άτεχνος*) badly made (β) (= *ελαττωματικός*) faulty

κακότητα ΟΥΣ ΘΗΛ badness· (*ανθρώπου, χαρακτήρα*) wickedness· (*διατροφής*) inadequacy· (*υγείας*) poor state· (*προϊόντων, δουλειάς*) poor quality

κακοτοπιά ΟΥΣ ΘΗΛ (α) (= *δύσβατος τόπος*) difficult ground *χωρίς πληθ.* (β) (*μτφ.*) pitfall

κακοτράχαλος, -η, -ο ΕΠΙΘ (α) (*τόπος*) impassable, rough (β) (*για πρόσ.*) stroppy

κακότροπος, -η, -ο ΕΠΙΘ stroppy

κακοτυχία ΟΥΣ ΘΗΛ misfortune

κακότυχος, -η, -ο ΕΠΙΘ unlucky, unfortunate

κακοτυχώ Ρ ΑΜ to be unlucky, to be dogged by misfortune

κακούργα ΟΥΣ ΘΗΛ βλ. **κακούργος**

κακούργημα ΟΥΣ ΟΥΔ (α) (ΝΟΜ) felony (β) (*μτφ.*) crime

κακουργιοδικείο ΟΥΣ ΟΥΔ criminal court

κακούργος ΟΥΣ ΑΡΣ (α) (= *εγκληματίας*) criminal (β) (= *σκληρόκαρδος άνθρωπος*) heartless man

κακουχία ΟΥΣ ΘΗΛ hardship, privation

κακοφαίνομαι Ρ ΑΜ ΑΠΟΘ: **μου κακοφαίνεται** ΑΠΡΟΣ to be offended

κακόφημος, -η, -ο ΕΠΙΘ (*δρόμος, μαγαζί*) disreputable · (*συνοικία*) rough

κακοφορμίζω ① Ρ ΑΜ to become inflamed, to fester
② Ρ Μ (*τραύμα*) to inflame

κακοφτιαγμένος, -η, -ο ΕΠΙΘ (α) (= *ελαττωματικός*) badly made (β) (*για πρόσ.*) ugly

κακοφωνία ΟΥΣ ΘΗΛ (α) (*μελωδίας, ήχου*) cacophony (β) (*για πρόσ.*) terrible voice

κακόφωνος, -η, -ο ΕΠΙΘ (α) (*τραγούδι, νότα*) discordant (β) (*για πρόσ.*) who can't sing

κακοφωτισμένος, -η, -ο ΕΠΙΘ ill ή poorly lit

κακόψυχος, -η, -ο ΕΠΙΘ malicious

κάκτος ΟΥΣ ΑΡΣ cactus

κακώς ΕΠΙΡΡ mistakenly
▷**κακώς έκανα που σας μίλησα** I was wrong to talk to you
▷**κακώς έπραξες** you did wrong, you shouldn't have done that

κάκωση ΟΥΣ ΘΗΛ lesion

καλά ΕΠΙΡΡ (α) (= *σωστά: φέρομαι, παίζω, αρχίζω*) well · (*μιλώ*) clearly · (*λέω*) right · (*σκέφτομαι*) carefully (β) (= *φιλικά: μιλώ, υποδέχομαι*) nicely (γ) (*σε καλή κατάσταση: νιώθω, αισθάνομαι, στέκω*) well (δ) (= *εντελώς: χτίζω*) solidly · (*φράζω, βουλώνω*) thoroughly · (*καρφώνω*) properly (ε) (= *επαρκώς: γνωρίζω, διαβάζω, γράφω, θυμάμαι, τρώω, ανακινώ*) well · (*μαθαίνω*) properly · (*καταλαβαίνω*) really · (*ντύνομαι*) properly (στ) (= *αποτελεσματικά: συνεργάζομαι*) well · (*λειτουργώ, δουλεύω*) properly (ζ) (*συναινετικά*) all right, OK · (*απειλητικά*) right (η) (*προφορ.: για έκπληξη*) what? · (*για έμφαση*) my word
▷**απαντώ καλά** to give the right answer
▷**για (τα) καλά** good and proper
▷**γίνομαι καλά** to get well
▷**δεν αισθάνομαι και πολύ καλά** I don't feel very well
▷**δεν είσαι ή πας καλά** (*οικ.*) you must be mad
▷**είμαι καλά** to be well
▷**είστε καλά, κύριε;** are you all right, madam?
▷**είσαι ή πας καλά;** (*οικ.*) are you mad?
▷**και καλά** (*οικ.*) as if
▷**καλά εδώ είναι** it's nice here
▷**να είσαι ή να 'στε καλά!** (*προφορ.*) you're welcome!
▷**ναι καλά!** (*ειρων.*) yeah, right!
▷**όλα καλά;** is everything all right ή OK?
▷**όλα καλά** all's well
▷**πάει καλά** all right (then), OK
▷**πάλι καλά** at least

▷**περνώ καλά** to have a good ή nice time
▷**πηγαίνω καλά** (*μαθητής, ασθενής*) to be doing well
▷**καλά μου έλεγε** he was right to say that
▷**καλά να (τα) πάθεις!** it serves you right!
▷**καλά που ή και** it's a good thing that
▷**καλά-καλά** (*παίζω*) really well · (*κοιτάζω*) closely
▷**δεν είχε καλά-καλά βραδιάσει** it wasn't quite evening

καλάθι ΟΥΣ ΟΥΔ (*επίσης: ΑΘΛ*) basket
▷**καλάθι των αχρήστων** wastepaper basket, bin (*Βρετ.*)

καλαθιά ΟΥΣ ΘΗΛ basket

κάλαθος ΟΥΣ ΑΡΣ: **στον κάλαθο των αχρήστων** (*μτφ.*) on the rubbish heap

καλαθοσφαίριση (*επίσ.*) ΟΥΣ ΘΗΛ basketball

καλαθοσφαιριστής (*επίσ.*) ΟΥΣ ΑΡΣ basketball player

καλαθοσφαιρίστρια (*επίσ.*) ΟΥΣ ΘΗΛ βλ. **καλαθοσφαιριστής**

καλαισθησία ΟΥΣ ΘΗΛ good taste

καλαίσθητος, -η, -ο ΕΠΙΘ (α) (*άνθρωπος*) of good taste (β) (*διακόσμηση, εμφάνιση*) tasteful

καλακούω ① Ρ Μ to hear
② Ρ Μ to hear well
▷**δεν καλάκουσα τι είπες** I didn't hear what you said

καλαμάκι ΟΥΣ ΟΥΔ (α) (= *μικρό καλάμι*) small rod · (= *σουβλάκι*) skewer · (= *κρέας*) kebab (β) (*για ποτά, αναψυκτικά*) straw

καλαμαράκι ΟΥΣ ΟΥΔ squid *χωρίς πληθ.*
▶**καλαμαράκια τηγανητά** fried squid

καλαμάρι ΟΥΣ ΟΥΔ (α) (*κεφαλόποδο μαλάκιο*) squid *χωρίς πληθ.* (β) (*παλαιότ.: = μελανοδοχείο*) inkwell
▷**λέω κτ χαρτί και καλαμάρι** to spell sth out

καλαμένιος, -ια, -ιο ΕΠΙΘ (*φλογέρα*) reed · (*καλύβα*) grass

καλάμι ΟΥΣ ΟΥΔ (α) (*φυτό*) reed (β) (*για κατασκευές*) cane, reed (γ) (*ψαρέματος*) rod (δ) (*ανεπ.: = κόκαλο κνήμης*) shin
▷**καβαλάω το καλάμι** to put on airs (and graces)

καλαμιά ΟΥΣ ΘΗΛ (α) (= *καλάμι*) reed (β) (= *καλαμώνας*) reed bed
▷**σαν την καλαμιά στον κάμπο** completely alone

καλαμοπόδαρος, -η, -ο (*κοροϊδ.*) ΕΠΙΘ with skinny legs
▶**καλαμοπόδαρο** ΟΥΣ ΟΥΔ skinny leg

καλαμπόκαλευρο ΟΥΣ ΟΥΔ cornflour (*Βρετ.*), cornstarch (*Αμερ.*)

καλαμπόκι ΟΥΣ ΟΥΔ (α) (= *καλαμποκιά*) maize (*Βρετ.*), corn (*Αμερ.*) (β) (= *καρπός καλαμποκιάς*) sweet corn (γ) (= *καλαμποκάλευρο*) cornflour (*Βρετ.*), cornstarch (*Αμερ.*)

καλαμποκιά ΟΥΣ ΘΗΛ maize (*Βρετ.*), corn (*Αμερ.*)

καλαμπούρι (ανεπ.) ΟΥΣ ΟΥΔ joke
▷**κάνω καλαμπούρι σε** κπν to pull sb's leg
καλαμπουρίζω (ανεπ.) ρ ΑΜ (= λέω αστεία) to tell jokes
▷**το καλαμπουρίζω** to treat it as a joke
καλαμωτός, -ή, -ό ΕΠΙΘ (στέγη) thatched · (τέντα, σκηνή) wicker, reed · (φράχτης) wattle
►**καλαμωτή** ΟΥΣ ΘΗΛ (= καλαμένιο πλέγμα) wickerwork · (= καλαμένια σκεπή) thatch · (= καλαμένιος φράχτης) wattle fence
κάλαντα ΟΥΣ ΟΥΔ ΠΛΗΘ carols
▷**λέω τα κάλαντα** to sing carols
καλαρέσω ρ Μ (ειρων.) to really like
▷**δεν μου καλαρέσει** (αρνητ.) I don't like it
καλαφατίζω (ανεπ.) ρ Μ (α) (σκάφος, βαρέλι) to caulk (β) (χυδ., αργκ.: γυναίκα) to screw (χυδ.)
καλαφάτισμα (ανεπ.) ΟΥΣ ΟΥΔ (α) (πλοίου, βαρελιού) caulking (β) (χυδ., αργκ.) screwing (χυδ.)
καλέ (οικ.) ΕΠΙΦΩΝ (α) (προσφώνηση) hey (ανεπ.) (β) (για έκπληξη, απορία) hey (ανεπ.) · (για θαυμασμό) wow (ανεπ.)
▷**καλέ, τι μας λες!** (ειρων.) what on earth do you mean!
καλειδοσκόπιο ΟΥΣ ΟΥΔ kaleidoscope
καλέμι ΟΥΣ ΟΥΔ chisel
κάλεσμα ΟΥΣ ΟΥΔ (α) (= πρόσκληση) invitation (β) (= κλήση) call
καλεσμένος, -η, -ο ΕΠΙΘ invited
▷**το μεσημέρι είσαι καλεσμένη μου για φαγητό** I'll treat you to lunch
►**καλεσμένος** ΟΥΣ ΑΡΣ, **καλεσμένη** ΟΥΣ ΘΗΛ guest
▷**έχω καλεσμένους** to have guests
καλημέρα ΕΠΙΦΩΝ good morning
▷**καλημέρα σας!** good morning!
▷**με το "καλημέρα"** right from the start
►**καλημέρα** ΟΥΣ ΘΗΛ good morning
▷**κόβω την καλημέρα σε** κπν to cut sb dead
▷**λέω καλημέρα** to say good morning
καλημερίζω ρ Μ to say good morning to
καλημερούδια (οικ.) ΕΠΙΦΩΝ good afternoon
καληνύχτα ΕΠΙΦΩΝ goodnight
▷**καληνύχτα σας!** goodnight!
►**καληνύχτα** ΟΥΣ ΘΗΛ goodnight
▷**λέω καληνύχτα** to say goodnight
καληνυχτίζω ρ Μ to say goodnight to
καλησπέρα ΕΠΙΦΩΝ good evening
▷**καλησπέρα σας!** good evening!
►**καλησπέρα** ΟΥΣ ΘΗΛ good evening
▷**λέω καλησπέρα** to say good evening
καλησπερίζω ρ Μ to say good evening to
καλή ώρα ΕΠΙΦΩΝ: **καλή ώρα σαν** ή **όπως** just like
καλιακούδα ΟΥΣ ΘΗΛ jackdaw
καλικάντζαρος ΟΥΣ ΑΡΣ goblin, sprite
κάλιο ΟΥΣ ΟΥΔ potassium
Καλιφόρνια ΟΥΣ ΘΗΛ California
Καλκούτα ΟΥΣ ΘΗΛ Calcutta
καλλίγραμμος, -η, -ο ΕΠΙΘ shapely

καλλιγραφία ΟΥΣ ΘΗΛ calligraphy
καλλιγραφικός, -ή, -ό ΕΠΙΘ calligraphic
καλλιγράφος ΟΥΣ ΑΡΣΘΗΛ (α) (= που γράφει όμορφα) person with nice handwriting (β) (= που κατέχει την καλλιγραφία) calligrapher
καλλιέπεια ΟΥΣ ΘΗΛ eloquence
καλλιέργεια ΟΥΣ ΘΗΛ (α) (γης, χωραφιού) cultivation (β) (καπνού, ελιάς, μαργαριταριών) growing, cultivation (γ) (εντυπώσεων) cultivating · (ελπίδων, φόβου, έχθρας, φιλίας, ταλέντου) nurturing · (φωνής) training (δ) (γραμμάτων, τεχνών, γλώσσας, ποίησης) development (ε) (= μόρφωση) culture
►**καλλιέργειες** ΠΛΗΘ crops
καλλιεργημένος, -η, -ο ΕΠΙΘ (α) (εδάφη) cultivated · (περιοχή) farming (β) (για πρόσ.) cultured (γ) (περιβάλλον, γούστο) refined
καλλιεργήσιμος, -η, -ο ΕΠΙΘ arable
καλλιεργητής ΟΥΣ ΑΡΣ farmer
καλλιεργήτρια ΟΥΣ ΘΗΛ βλ. **καλλιεργητής**
καλλιεργώ ρ Μ (α) (γη, εκτάσεις) to farm (β) (ντομάτα, καρπούζι, λαχανικά) to grow (γ) (γνωριμία, φιλία, μίσος, φόβο) to nurture (δ) (γράμματα, τέχνες, επιστήμες) to develop (ε) (ταλέντο) to nurture · (φωνή) to train · (γούστο) to cultivate
καλλιλογία (επίσ.) ΟΥΣ ΘΗΛ eloquence
καλλιμάρμαρος, -η, -ο ΕΠΙΘ (μέγαρο, μνημείο) of fine marble
►**Καλλιμάρμαρο** ΟΥΣ ΟΥΔ Panathinaikon stadium, Kallimarmaro stadium
κάλλιο (ανεπ.) ΕΠΙΡΡ better, rather
▷**κάλλιο αργά παρά ποτέ** (παροιμ.) better late than never
▷**κάλλιο πέντε και στο χέρι, παρά δέκα και καρτέρει** (παροιμ.) a bird in the hand is worth two in the bush
κάλλιστα ΕΠΙΡΡ easily
καλλιστεία ΟΥΣ ΟΥΔ ΠΛΗΘ beauty contest
κάλλιστος, -ίστη, -ιστο (επίσ.) ΕΠΙΘ most beautiful
καλλιτέχνημα ΟΥΣ ΘΗΛ (κυριολ., μτφ.) work of art
καλλιτέχνης ΟΥΣ ΑΡΣ (κυριολ., μτφ.) artist
καλλιτεχνία ΟΥΣ ΘΗΛ arts ΠΛΗΘ
καλλιτέχνιδα ΟΥΣ ΘΗΛ βλ. **καλλιτέχνης**
καλλιτεχνικός, -ή, -ό ΕΠΙΘ (φύση) artistic · (γεγονός, εκδηλώσεις) art
▷**καλλιτεχνικός διευθυντής/σύμβουλος** artistic director/advisor
καλλιτέχνις (επίσ.) ΟΥΣ ΘΗΛ βλ. **καλλιτέχνης**
καλλίφωνος, -η, -ο ΕΠΙΘ with a beautiful voice
καλλονή ΟΥΣ ΘΗΛ beauty
κάλλος ΟΥΣ ΟΥΔ (επίσ.) beauty
▷**απείρου κάλλους** (ειρων.) mayhem
►**κάλλη** ΠΛΗΘ charms
▷**μπρος στα κάλλη τι 'ναι ο πόνος** (παροιμ.) no pain no gain, beauty comes at a price

καλλυντικός, -ή, -ό ΕΠΙΘ cosmetic
▷**καλλητικά προϊόντα** cosmetics
▸καλλυντικό ΟΥΣ ΟΥΔ cosmetic

καλλωπίζω Ρ Μ (*άνθρωπο, πρόσωπο*) to make more attractive · (*σπίτι, κήπο*) to do up
▸καλλωπίζομαι ΜΕΣΟΠΑΘ to do oneself up

καλλωπισμός ΟΥΣ ΑΡΣ (α) (*προσώπου, σώματος*) beauty treatment (β) (*πόλης*) face lift · (*σπιτιού*) doing up

καλλωπιστικός, -ή, -ό ΕΠΙΘ ornamental
▸**καλλωπιστικά φυτά** ornamental plants

κάλμα ΟΥΣ ΘΗΛ (*για θάλασσα*) calm

καλμάρω ①Ρ Μ (*νεύρα, πνεύματα*) to calm down
②Ρ ΑΜ (α) (*θυμός, οργή*) to wear off (β) (*άνεμος*) to drop · (*θάλασσα*) to become calm

καλντερίμι ΟΥΣ ΟΥΔ cobbles *πληθ.*

καλό ΟΥΣ ΟΥΔ (α) (= *αγαθό*) good (β) (= *ευεργεσία*) good deed (γ) (= *συμφέρον*) good (δ) (= *πλεονέκτημα*) good point (ε) (= *ωφέλεια*) good thing (στ) (= *αστείο*) good joke, good one (*ανεπ.*)
▷**για τα καλά** for good
▷**για καλό και για κακό, καλού κακού** for better or (for) worse
▷**είμαι στα** *ή* **με τα καλά μου** to be thinking straight
▷**θέλω το καλό** *κποιου* to want the best *ή* what is best for sb
▷**κάνω καλό σε** *κπν* to do sb good
▷**με το καλό** of one's own free will
▷**μου βγαίνει σε καλό** it's a good thing for me
▷**(μπα) σε καλό μου** for goodness sake
▷**παίρνω** *κπν* **με το καλό** to humour sb (*Βρετ.*), to humor sb (*Αμερ.*)
▷**στο καλό!** so long!
▷**στο καλό και να μας γράφεις!** (*ειρων.*) good riddance!
▷**το καλό είναι ότι** the good thing is that
▷**το καλό που σου θέλω** for your own good
▸καλά ΠΛΗΘ (α) (= *αγαθά*) goods (β) (*επίσης* **καλά ρούχα**) best clothes, Sunday best *εν.*

καλοαναθρεμμένος, -η, -ο ΕΠΙΘ well–brought–up

καλοβαλμένος ΕΠΙΘ (α) (= *τακτοποιημένος*: *βιτρίνα*) well set out · (*επίπλωση*) well laid out · (*δόντια*) even (β) (= *περιποιημένος*) well turned out

καλοβλέπω ①Ρ Μ (α) (= *βλέπω καθαρά*) to see clearly *ή* properly (β) (= *εννοώ*) to like
②Ρ ΑΜ to see well

καλόβολος, -η, -ο ΕΠΙΘ easy–going

καλογερεύω Ρ ΑΜ (α) (= *γίνομαι μοναχός*) to become a monk (β) (*μτφ.*) to become a recluse

καλογερικός, -ή, -ό ΕΠΙΘ (*ζωή*) monastic
▸καλογερική ΟΥΣ ΘΗΛ monasticism, life of a monk
▷**(είναι) βαριά η καλογερική** (*μτφ.*) it's a hard life

καλογερίστικος, -η, -ο (*αρνητ.*) ΕΠΙΘ (*ζωή, ρούχα*) monk's

καλόγερος, καλόγηρος ΟΥΣ ΑΡΣ (α) (= *μοναχός*) monk (β) (*κορούλ.*) monk (γ) (= *κρεμάστρα*) hat stand (*Βρετ.*), hat tree (*Αμερ.*) (δ) (*ανεπ.: απόστημα*) boil

καλόγνωμος, -η, -ο ΕΠΙΘ well–meaning

καλόγουστος, -η, -ο ΕΠΙΘ tasteful

καλογραμμένος, -η, -ο ΕΠΙΘ well–written

καλογριά ΟΥΣ ΘΗΛ = **καλόγρια**

καλόγρια ΟΥΣ ΘΗΛ (*επίσης* κορούλ.) nun

καλογυμνασμένος, -η, -ο ΕΠΙΘ (α) (*άνθρωπος*) well–built · (*αθλητής, ομάδα*) well–trained (β) (*μυς*) well–developed

καλογυρισμένος, -η, -ο ΕΠΙΘ (*ταινία*) well–made

καλοδέχομαι Ρ Μ ΑΠΟΘ (*καλεσμένους, ειδήσεις*) to welcome

καλοδεχούμενος, -η, -ο ΕΠΙΘ (*άνθρωπος, νέα, βοήθεια*) welcome

καλοδιάθετος, -η, -ο ΕΠΙΘ cheerful, in a good mood

καλοδιατηρημένος, -η, -ο ΕΠΙΘ (α) (*αυτοκίνητο, σπίτι*) well maintained, well looked after (β) (*για πρόσ.*) looking young for his/her age

καλοδιατυπωμένος, -η, -ο ΕΠΙΘ (*ερώτηση, απάντηση*) well phrased, well turned

καλοδουλεμένος, -η, -ο ΕΠΙΘ (α) (*γλυπτό, κόσμημα*) well–made (β) (*σώμα*) well–built · (*μυς*) well–developed

καλοεξετάζω Ρ Μ (*πράγματα*) to look closely at · (*πρόταση*) to examine closely

καλοζυγιάζω Ρ Μ = **καλοζυγίζω**

καλοζυγιασμένος, -η, -ο ΕΠΙΘ = **καλοζυγισμένος**

καλοζυγίζω Ρ Μ (α) (*τρόφιμα, φορτίο*) to weigh properly (β) (*λόγια, κουβέντες*) to weigh, to choose carefully

καλοζυγισμένος, -η, -ο ΕΠΙΘ (α) (*λέξεις, κουβέντες*) well–chosen (β) (*ύφος*) polished

καλοζώ Ρ ΑΜ to live well

καλοζωία ΟΥΣ ΘΗΛ good life

καλοζωισμένος, -η, -ο ΕΠΙΘ prosperous

καλοήθης, -ης, -ες ΕΠΙΘ (*όγκος*) benign

καλοθελητής (*αρνητ.*) ΟΥΣ ΑΡΣ well–wisher

καλοθελήτρα (*αρνητ.*) ΟΥΣ ΘΗΛ βλ. **καλοθελητής**

καλοθρεμμένος, -η, -ο ΕΠΙΘ well–fed

καλοκάγαθος, -η, -ο ΕΠΙΘ (*άνθρωπος*) good–natured, kindly · (*χαμόγελο, έκφραση, ύφος*) benevolent

καλοκάθομαι Ρ ΑΜ ΑΠΟΘ to settle down

καλοκαιράκι (*υποκορ.*) ΟΥΣ ΟΥΔ summer

καλοκαίρι ΟΥΣ ΟΥΔ summer
▷**ινδιάνικο καλοκαίρι** Indian summer

καλοκαιριά (*ανεπ.*) ΟΥΣ ΘΗΛ = **καλοκαιρία**

καλοκαιρία ΟΥΣ ΘΗΛ fine *ή* good weather
▷**έχει** *ή* **έχουμε καλοκαιρία** the weather's

K

fine

καλοκαιριάζω Ρ ΑΜ (ανεπ.) to spend the summer ▸**καλοκαιριάζει** ΑΠΡΟΣ the summer is here

καλοκαιριάτικα ΕΠΙΡΡ in the summer

καλοκαιριάτικος, -η, -ο ΕΠΙΘ = **καλοκαιρινός**

καλοκαιρινός, -ή, -ό ΕΠΙΘ (α) (διακοπές, ζέστη, ρούχα, κατοικία) summer (β) (μέρα, νύχτα) summer, summer's ▷**κάνω κτ καλοκαιρινό** (αργκ.) to turn sth upside down ▸**καλοκαιρινά** ΟΥΣ ΟΥΔ ΠΛΗΘ summer clothes

καλοκαρδίζω 1 Ρ Μ to cheer up 2 Ρ ΑΜ to be happy

καλόκαρδος, -η, -ο ΕΠΙΘ (άνθρωπος) kind–hearted · (χαμόγελο) good–natured

καλοκοιτάζω Ρ Μ (α) (= παρατηρώ) to look closely at (β) (= γλυκοκοιτάζω) to make eyes at

καλολογικός, -ή, -ό ΕΠΙΘ: **καλολογικά στοιχεία** figures of speech

καλομαθαίνω 1 Ρ Μ to spoil 2 Ρ ΑΜ to be spoiled ή spoilt (Βρετ.)

καλομαθημένος, -η, -ο ΕΠΙΘ (α) (= καλοαναθρεμμένος) well–brought–up (β) (αρνητ.) spoiled, spoilt (Βρετ.)

καλομελετημένος, -η, -ο ΕΠΙΘ (σχέδιο, λύση) well–thought–out

καλομελετώ Ρ Μ (σχέδιο, πρόταση) to examine closely ▷**καλομελέτα κι έρχεται!** think positive and things happen!

καλομεταχειρίζομαι Ρ Μ to treat well

καλομίλητος, -η, -ο ΕΠΙΘ well–spoken

καλομιλώ Ρ Μ to speak nicely to

καλομοίρης, -η, -ο (ανεπ.) ΕΠΙΘ = **καλόμοιρος**

καλόμοιρος, -η, -ο (ανεπ.) ΕΠΙΘ lucky

καλοντυμένος, -η, -ο ΕΠΙΘ well–dressed

καλοπερασάκιας (προφορ.) ΟΥΣ ΑΡΣ&ΘΗΛ easy life

καλοπέραση ΟΥΣ ΘΗΛ (α) (= καλοζωία) good life (β) (= ζωή με απολαύσεις) high life

καλοπερνώ Ρ ΑΜ (α) (= καλοζώ) to live well (β) (= διασκεδάζω) to have a good time

καλοπιάνω Ρ Μ to cajole, to coax

καλόπιασμα ΟΥΣ ΟΥΔ coaxing

καλόπιστος, -η, -ο ΕΠΙΘ (α) (κριτής, συζητητής) fair (β) (κριτική, έλεγχος) honest

καλοπληρώνω 1 Ρ Μ to pay well 2 Ρ ΑΜ to pay promptly

καλοπληρωτής ΟΥΣ ΑΡΣ prompt payer

καλοπληρώτρια ΟΥΣ ΘΗΛ βλ. **καλοπληρωτής**

καλοπροαίρετος, -η, -ο ΕΠΙΘ (θεατής, ακροατής) well–disposed · (κριτική, σχόλια) well–meaning

καλορίζικος, -η, -ο ΕΠΙΘ: **καλορίζικο το νέο σας σπίτι/αυτοκίνητο** all the best in your new house/with your new car ▷**εύχομαι ή λέω τα καλορίζικα σε κπν** to wish

sb all the best ▷**καλορίζικα!** congratulations!

καλοριφέρ ΟΥΣ ΟΥΔ ΑΚΛ (α) (= κεντρικό σύστημα θέρμανσης) central heating (β) (μεταλλικό σώμα θέρμανσης) radiator (γ) (συσκευή θερμάνσεως) heater (δ) (αυτοκινήτου) radiator

καλός, -ή, -ό ΕΠΙΘ (α) (= ηθικός: άνθρωπος, ψυχή) good · (= ευγενικός) kind · (= κόσμιος: τρόποι, διαγωγή) good, decent (β) (= εννοϊκός: νέα, ζαριά, προαίσθημα, αποτέλεσμα) good · (φάρμακο) good, effective (γ) (= ομαλός: διακοπές, γάμος) good, nice, pleasant · (γεράματα) pleasant (δ) (επιχειρηματίας, δάσκαλος, μαθητής, τεχνίτης, εργάτης) good (ε) (= κερδοφόρος: συμφωνία, εμπόρευμα) profitable (στ) (= σωστός: φαγητό, καφές, κρασί, δουλειά) good, nice (ζ) (= ικανοποιητικός: αμοιβή, κέρδος, συνθήκες) good (η) (= συμφέρων: τιμή, περίπτωση, επένδυση, πρόταση, ενέργεια) good (θ) (= χρήσιμος: λεξικό, πληροφορίες) good · (συμβουλή) good, sound (ι) (= ευχάριστος: γραμμή, παρουσιαστικό, χαρακτηριστικά) nice · (αναμνήσεις) good, pleasant (ια) (= επαινετικός: συστάσεις) good · (λόγια) kind (ιβ) (ταινία, βιβλίο, σχολείο, φίλοι, επιχείρημα, αστείο) good (ιγ) (= μεγάλος ή πολύς: δόση, κουταλιά, λεφτά) good · (μερίδα) big (ιδ) (= βολικός: παπούτσια, ρούχα) comfortable (ιε) (όνομα, εταιρεία, φήμη, οικογένεια) good (ιστ) (= επίσημος: κοστούμι, ρούχα) good (ιζ) (ΦΥΣ: αγωγός) good ▷**είμαι καλός με κπν** to be kind to sb ▷**είμαι καλός σε κτ** to be good at sth ▷**καλή χρονιά!** Happy New Year! ▷**καλά Χριστούγεννα!** Happy Christmas! ▷**καλό Πάσχα!** Happy Easter! ▷**καλό ταξίδι!** have a good journey!, safe journey! ▷**καλή διασκέδαση!** have fun! ▷**καλή ανάρρωση!** get well soon! ▷**καλή ιδέα!** what a good idea! ▷**παλιός καλός...** good old... ▷**καλό κι αυτό ή και τούτο!** that's a bit rich! ▷**καλή πράξη** good deed ▷**καλή τύχη** good luck ▸**καλή θέληση** goodwill ▸**καλός** ΟΥΣ ΑΡΣ (α) (= ηθικός άνθρωπος) goodie (Βρετ.), good guy (Αμερ.) (β) (= αγαπημένος) sweetheart ▸**καλή** ΟΥΣ ΘΗΛ (α) (= ηθικός άνθρωπος) goodie (Βρετ.), good guy (Αμερ.) (β) (= αγαπημένη) sweetheart (γ) (υφάσματος, ρούχου) right side ▷**πιάνω την καλή** to hit the jackpot ▷**τα λέω σε κπν απ' την καλή** to give sb a piece of one's mind

κάλος ΟΥΣ ΑΡΣ (α) (= ρόζος) corn (β) (μειωτ.) narrow–minded person ▷**πατώ τον κάλο κποιου, πατώ κπν στον κάλο** (= θίγω) to tread on sb's toes

καλοσκέφτομαι Ρ Μ ΑΠΟΘ to think about

▷**το καλοσκέφτηκε και το μετάνιωσε** he thought better of it

καλοστεκούμενος, -η, -ο ΕΠΙΘ (α) (= *καλοδιατηρημένος*) well–built (β) (= *εύπορος*) prosperous

καλοστημένος, -η, -ο ΕΠΙΘ (*παγίδα*) well–set · (*παράσταση*) well put together

καλοσυνάτος, -η, -ο ΕΠΙΘ (*άνθρωπος*) kind · (*χαμόγελο*) kindly

καλοσύνη ΟΥΣ ΘΗΛ kindness

▷**έχω την καλοσύνη να κάνω κτ** to be kind enough to do sth

▷**καλοσύνη σας που ή να μας βοηθήσατε** (*φιλοφρόνηση*) it's very kind of you to help us

καλοτάξιδος, -η, -ο ΕΠΙΘ (*για πλοίο*) solid, sturdy

▷**καλοτάξιδο!** (*για καινούργιο αυτοκίνητο*) enjoy your new car!

καλοτρώγω Ρ ΑΜ = **καλοτρώω**

καλοτρώω Ρ ΑΜ to eat well

καλοτυχία ΟΥΣ ΘΗΛ good luck, good fortune

καλοτυχίζω Ρ Μ (α) (= *εύχομαι καλή τύχη*) to wish sb good luck (β) (= *μακαρίζω*) to envy

καλότυχος, -η, -ο ΕΠΙΘ lucky

καλούδια (*ανεπ.*) ΟΥΣ ΟΥΔ ΠΛΗΘ goodies (*ανεπ.*)

καλούμπα ΟΥΣ ΘΗΛ kite string

καλούπι ΟΥΣ ΟΥΔ (α) (= *μήτρα*) mould (*Βρετ.*), mold (*Αμερ.*), cast (β) (*σε οικοδομή*) form (γ) (*μτφ.*) mould (*Βρετ.*), mold (*Αμερ.*)

▷**βάζω κπν/κτ σε καλούπια** to tar sb/sth with the same brush

▷**δεν μπαίνω σε καλούπια** not to fit into the traditional mould (*Βρετ.*) ή mold (*Αμερ.*)

καλούπωμα ΟΥΣ ΟΥΔ (α) (*προτομών, αγαλματιδίων*) casting (β) (*σκάλας, οικοδομής*) forming

καλουπώνω Ρ Μ (α) (*προτομές, αγαλματίδια*) to cast (β) (*οικοδομή, πεζοδρόμιο, σκάλα*) to case the concrete for

καλούτσικος, -η, -ο ΕΠΙΘ tolerable, passable

καλοφαγάς ΟΥΣ ΑΡΣ gourmet

καλοφαγία ΟΥΣ ΘΗΛ good eating

καλοφαγού ΟΥΣ ΘΗΛ βλ. **καλοφαγάς**

καλοφάγωτος, -ή, -ό ΕΠΙΘ: **καλοφάγωτο (να' ναι)!** (*για φαγητό*) enjoy your meal!

▷**(να' ναι) καλοφάγωτα!** (*για χρήματα*) enjoy spending the money!

καλοφαίνομαι Ρ ΑΜ ΑΠΟΘ to stand out, to be clearly seen

▸**καλοφαίνεται** ΑΠΡΟΣ: **δεν μου καλοφαίνεται κτ** I don't like sth

▷**δεν θα καλοφανεί να κάνω κτ** it won't make a good impression if I do sth

καλοφτιαγμένος, -η, -ο ΕΠΙΘ (α) (*καπέλο, έπιπλο, φαγητό*) well–made (β) (*άνθρωπος, σώμα*) shapely

καλοψημένος, -η, -ο ΕΠΙΘ (*ψάρι, φαγητό*) well–cooked · (*κρέας*) well–done · (*ψωμί*) well–baked

καλόψυχος, -η, -ο ΕΠΙΘ kind–hearted

καλπάζω Ρ ΑΜ (α) (*άλογο, ιππέας*) to canter · (*πιο γρήγορα*) to gallop (β) (*ανεργία*) to soar

▷**καλπάζων πληθωρισμός** galloping inflation

▷**καλπάζει η φαντασία σου** you're letting your imagination run away with you

καλπασμός ΟΥΣ ΑΡΣ canter, gallop

κάλπη ΟΥΣ ΘΗΛ ballot box

▸**κάλπες** ΠΛΗΘ polls

▷**άνοιξαν/έκλεισαν οι κάλπες** the polls have opened/closed

▷**προσέρχομαι στις κάλπες** to go to the polls

κάλπικος, -η, -ο ΕΠΙΘ (*νόμισμα*) counterfeit

καλσόν ΟΥΣ ΟΥΔ ΑΚΛ tights *πληθ.* (*Βρετ.*), pantyhose *χωρίς πληθ.* (*Αμερ.*)

κάλτσα ΟΥΣ ΘΗΛ sock

καλτσοδέτα ΟΥΣ ΘΗΛ garter

καλτσόν ΟΥΣ ΟΥΔ ΑΚΛ = **καλσόν**

καλύβα ΟΥΣ ΘΗΛ hut

κάλυκας ΟΥΣ ΑΡΣ (α) (*σφαίρας, οβίδας*) case (β) (*λουλουδιού*) calyx

κάλυμμα ΟΥΣ ΟΥΔ (*καναπέ, αυτοκινήτου*) cover · (*βιβλίου*) (dust) jacket

▷**κάλυμμα κρεβατιού** bedspread

▷**κάλυμμα (της) κεφαλής** headgear

καλυμμαύκι, καλυμμαύχι ΟΥΣ ΟΥΔ priest's hat

καλυμμένος, -η, -ο ΕΠΙΘ covered

▷**είμαι καλυμμένος από την άποψή σας** I share your views

▷**καλυμμένος από** (*για επιφάνειες*) covered in

▸**καλυμμένη επιταγή** good cheque (*Βρετ.*) ή check (*Αμερ.*)

καλύπτρα ΟΥΣ ΘΗΛ (α) (= *βέλο*) veil (β) (ΒΟΤ) root cap

καλύπτω Ρ Μ (α) (*πρόσωπο, φαγητό, έπιπλο*) to cover (β) (*ίχνη, παίκτη*) to cover · (*ατέλειες, υπόθεση, έγκλημα*) to cover up (γ) (*υπευθύνους, δράστες*) to conceal · (*συνάδελφο*) to cover for (δ) (*αφμα, επιφάνεια, έκταση*) to cover (ε) (*ανάγκες, όρο, απαίτηση*) to meet · (*διαμονή, διατροφή*) to cover · (*θέση*) to fill · (*κενό*) to fill in · (*έλλειψη*) to make up (στ) (*ασφαλισμένους*) to cover · (*έξοδα, δημόσιο έλλειμμα*) to cover, to meet (ζ) (*θόρυβο, φωνές, βουητό*) to drown out (η) (*περίοδο, θέμα, ζήτημα*) to deal with (θ) (*απόσταση, χιλιόμετρα*) to cover (ι) (*δημοσιογράφος, Μ.Μ.Ε.*: *γεγονός, αγώνα, ομιλία*) to cover (ια) (*ραδιοπομπός*: *πόλη, επικράτεια*) to be broadcast in · (*ραδιοσταθμός*: *πόλη, επικράτεια*) to broadcast in (ιβ) (*σε συζήτηση*: *συνομιλητή, συνάδελφο*) to reflect the views of (ιγ) (*επιταγή*) to cover (ιδ) (*συμπολεμιστή, πεζικό, νώτα*) to cover

καλύτερα ΕΠΙΡΡ better

καλυτέρευση ΟΥΣ ΘΗΛ improvement

καλυτερεύω ① Ρ Μ to improve ② Ρ ΑΜ (*καιρός*) to improve, to pick up · (*υγεία, διάθεση*) to improve · (*άρρωστος, ασθενής*) to get better

καλύτερος, -η, -ο ΕΠΙΘ better
▷ **(είμαι) ο καλύτερος** (to be) the best
▷ **είναι καλύτερο να κάνω κτ** it's better to do sth
▷ **ό, τι καλύτερο** the best
▷ **προς το καλύτερο** for the better
▷ **στην καλύτερη περίπτωση** at best
▷ **το καλύτερο δυνατό** the best possible

κάλυψη ΟΥΣ ΘΗΛ (α) (προσώπου, πληγής, δαπέδου, εδάφους) covering (β) (= κάλυμμα) cover (γ) (παρανομιών, ατασθαλιών) covering up (δ) (συναδέλφων, ανωτέρου) covering for (ε) (αναγκών, απαιτήσεων, αιτημάτων, στόχων) meeting · (έλλειψης) making up · (φαρμακευτικών προϊόντων) supply (στ) (ασθένειας, ατυχήματος, κλοπής, ζημιών) cover (ζ) (δαπανών, εξόδων, ελλειμμάτων) covering (η) (θέματος) dealing with (θ) (αγώνα, είδησης, γεγονότος) coverage (ι) (απόστασης) covering (ια) (θέσεων εργασίας) filling (ιβ) (επιταγής) covering (ιγ) (ΣΤΡΑΤ) cover

καλώ ① Ρ Μ (α) (= προσκαλώ) to invite (β) (= ζητώ επισήμως) to summon (γ) (= προτρέπω) to call on (δ) (γιατρό, υδραυλικό, ασθενοφόρο) to call · (ταξί) to hail (ε) (= τηλεφωνώ) to call · (αριθμό) to dial ② Ρ ΑΜ (τηλέφωνο) to ring
▷ **καλώ (κπν) σε βοήθεια** to call ή shout (to sb) for help
▷ **καλώ κπν στα όπλα** to call sb to arms
▷ **καλώ κπν στην τάξη** to call sb to order
▷ **τον κάλεσαν στο στρατό** he's been called up
▸ **καλούμαι** ΜΕΣΟΠΑΘ (= ονομάζομαι) to be called

καλωδιακός, -ή, -ό ΕΠΙΘ (σύνδεση) cable
▸ **καλωδιακό κανάλι** cable TV channel
▸ **καλωδιακή τηλεόραση** cable TV ή television

καλώδιο ΟΥΣ ΟΥΔ cable, wire

καλωδίωση ΟΥΣ ΘΗΛ wiring

καλώς (επίρ.) ΕΠΙΡΡ (α) (= σωστά, ευνοϊκά) well (β) (= εντάξει) all right, OK
▷ **έχει καλώς** (= εντάξει) all's well · (= δεκτόν) so be it, fair enough
▷ **καλώς ή κακώς** for better or (for) worse
▷ **καλώς όρισες ή ήρθες/ορίσατε ή ήρθατε!** welcome!
▷ **καλώς σας βρήκα/βρήκαμε!** it's good to see you!
▷ **καλώς τον/τα δέχτηκες!** I hope he's/they're well!
▷ **καλώς τον/τους!** welcome!

καλωσορίζω Ρ Μ to welcome
▷ **καλωσόρισες, καλωσορίσατε!** welcome!

καλωσόρισμα ΟΥΣ ΟΥΔ welcome

καμάκι ΟΥΣ ΟΥΔ (α) (αλιευτικό εργαλείο) harpoon (β) (οικ.: = φλερτ) flirting · (= αυτός που φλερτάρει) gigolo
▷ **κάνω καμάκι σε κπν** (οικ.) to pick sb up (ανεπ.)

καμακώνω Ρ Μ (α) (ψάρι, χταπόδι) to harpoon (β) (μτφ.) to pick up (ανεπ.)

καμάρα ΟΥΣ ΘΗΛ arch

κάμαρα ΟΥΣ ΘΗΛ (α) (= δωμάτιο) room (β) (= υπνοδωμάτιο) bedroom

καμάρι ΟΥΣ ΟΥΔ (α) (= υπερηφάνεια) pride (β) (= καύχημα) pride (and joy)
▷ **μιλώ με καμάρι** to boast
▷ **περπατώ με καμάρι** to swagger

καμαριέρα ΟΥΣ ΘΗΛ (chamber)maid

καμαριέρης ΟΥΣ ΑΡΣ valet

καμαρίνι ΟΥΣ ΟΥΔ (ηθοποιού) dressing room

καμαρότος ΟΥΣ ΑΡΣ steward

καμαρώνω ① Ρ Μ (γιό, κόρη) to be proud of · (περιουσία, αυτοκίνητο) to show off ② Ρ ΑΜ to be proud (για of)

καμαρωτός, -ή, -ό ΕΠΙΘ proud

καμβάς ΟΥΣ ΑΡΣ (α) (για κέντημα) canvas (β) (ιστορίας, υπόθεσης) outline

καμέλια ΟΥΣ ΘΗΛ camelia

κάμερα ΟΥΣ ΘΗΛ camera

κάμερα-μαν ΟΥΣ ΑΡΣ ΑΚΛ cameraman

Προσοχή!: Ο πληθυντικός του **cameraman** είναι **cameramen**.

καμήλα ΟΥΣ ΘΗΛ (α) (ΖΩΟΛ) camel (β) (μειωτ.) old cow (ανεπ.)

καμηλιέρης ΟΥΣ ΑΡΣ camel driver

καμηλιέρισσα ΟΥΣ ΘΗΛ βλ. **καμηλιέρης**

καμηλό ΟΥΣ ΟΥΔ ΑΚΛ camel hair
▷ **καμηλό παλτό/σακάκι** camel–hair coat/ jacket

καμηλοπάρδαλη ΟΥΣ ΘΗΛ (ΖΩΟΛ) giraffe

καμικάζι ΟΥΣ ΑΡΣ ΑΚΛ (κυριολ., μτφ.) kamikaze

καμινάδα ΟΥΣ ΘΗΛ chimney

καμινέτο ΟΥΣ ΟΥΔ blowlamp

καμίνι ΟΥΣ ΟΥΔ (α) (για μέταλλα) furnace · (για κεραμικά) kiln (β) (για ζεστό τόπο) furnace

καμιόνι ΟΥΣ ΟΥΔ lorry (Βρετ.), truck (Αμερ.)

καμουτσίκι ΟΥΣ ΟΥΔ whip

καμουφλάζ ΟΥΣ ΟΥΔ ΑΚΛ (κυριολ., μτφ.) camouflage

καμουφλάρω Ρ Μ (κυριολ., μτφ.) to camouflage

καμπάνα¹ ΟΥΣ ΘΗΛ (α) (εκκλησίας) bell (β) (αργκ.: = τιμωρία) punishment
▷ **για ποιον χτυπάει η καμπάνα;** (ειρων.) who is in trouble?
▷ **τρώω καμπάνα** to get punished
▸ **παντελόνι καμπάνα** flares πληθ.

καμπάνα² ΟΥΣ ΘΗΛ (= μπανγκαλόου) bungalow

καμπανάκι ΟΥΣ ΟΥΔ small bell
▷ **χτυπά το καμπανάκι** (μτφ.) alarm bells ring

καμπαναριό ΟΥΣ ΟΥΔ belfry, bell tower

καμπάνια ΟΥΣ ΘΗΛ campaign
▷ **κάνω (μια) καμπάνια** to conduct a campaign
▸ **διαφημιστική/προεκλογική καμπάνια** advertising/election campaign

καμπανιστός, -ή, -ό ΕΠΙΘ ringing

καμπανίτης ΟΥΣ ΑΡΣ Champagne
καμπανοκρουσία ΟΥΣ ΘΗΛ bell–ringing
καμπανούλα ΟΥΣ ΘΗΛ (α) (= *μικρή καμπάνα*) small bell (β) (ΒΟΤ) bluebell
καμπαρέ ΟΥΣ ΟΥΔ ΑΚΛ cabaret
καμπαρετζού (*μειωτ.*) ΟΥΣ ΘΗΛ showgirl
καμπαρντίνα ΟΥΣ ΘΗΛ gabardine
Καμπέρα ΟΥΣ ΘΗΛ Canberra
καμπή ΟΥΣ ΘΗΛ (α) (*δρόμου, ποταμού*) bend (β) (*μτφ.*) change
▷**βρίσκομαι σε καμπή** to be at a turning point
κάμπια ΟΥΣ ΘΗΛ caterpillar
καμπίνα ΟΥΣ ΘΗΛ (α) (*πλοίου, τρένου*) cabin (β) (*παραλίας*) beach hut · (*λουτρών*) cubicle
▷**καμπίνα πιλότου** flight deck
κάμπινγκ ΟΥΣ ΟΥΔ ΑΚΛ camping
καμπινέ ΟΥΣ ΟΥΔ ΑΚΛ = **καμπινές**
καμπινές (*ανεπ.*) ΟΥΣ ΑΡΣ toilet, bathroom (*Αμερ.*)
καμπίσιος, -ια, -ιο ΕΠΙΘ (*χωριό*) in the plains · (*άνθρωπος*) plain–dwelling
κάμπος ΟΥΣ ΑΡΣ (α) (= *πεδιάδα*) plain (β) (ΤΕΧΝ) background
κάμποσο ΕΠΙΡΡ quite a long way
κάμποσος, κάμποσος, -η, -ο (*ανεπ.*) ΕΠΙΘ (*μέρες, βδομάδες, βιβλία*) quite a few, several · (*χρήματα*) quite a lot
▷**κάνω τον καμπόσο** (*οικ.*) to put on airs (and graces)
καμπούρα ΟΥΣ ΘΗΛ (α) (*ανθρώπου*) hunchback (β) (*καμήλας*) hump (γ) (*μτφ.*) bulk
▷**τα φορτώνω** *ή* **ρίχνω στην καμπούρα κποιου** to put it all at sb's door
καμπούρης, -α, -ικο ΕΠΙΘ hunchbacked
▷**δεν σε είπαμε και καμπούρη!** (*οικ.*) there's nothing to get uptight about!
καμπουριάζω Ρ ΑΜ (α) (= *έχω καμπούρα*) to be hunchbacked (β) (= *λυγίζω την πλάτη*) to stoop
καμπουριασμένος, -η, -ο ΕΠΙΘ (*άνθρωπος*) hunchbacked · (*πλάτη*) hunched
καμπουρωτός, -ή, -ό ΕΠΙΘ (*μύτη, ράμφος*) hooked
κάμπριο, καμπριολέ ΟΥΣ ΟΥΔ ΑΚΛ convertible
κάμπτω Ρ Μ (α) (*σίδερο, βέργα*) to bend (β) (*γόνατα*) to bend (γ) (*αντίσταση, αδιαλλαξία*) to overcome · (*ηθικό*) to sap, to undermine
▷**κάμπτω τη μέση** to bend down
▸**κάμπτομαι** ΜΕΣΟΠΑΘ to give in
καμπύλη ΟΥΣ ΘΗΛ (α) (ΜΑΘ) curve (β) (*τιμών, εσόδων*) curve
▸**καμπύλες** ΠΛΗΘ (*για γυναίκα*) curves
καμπυλόγραμμος, -η, -ο ΕΠΙΘ (α) (*σχήμα, επιφάνεια*) curvilinear (β) (*κίνηση*) sweeping
καμπύλος, -η, -ο ΕΠΙΘ (*γραμμή*) curved
καμπυλότητα ΟΥΣ ΘΗΛ curvature
καμπυλώνω ① Ρ Μ (*ξύλο, σίδερο*) to bow

② Ρ ΑΜ (*επιφάνεια*) to curve
καμπυλωτός, -ή, -ό ΕΠΙΘ (*επιφάνεια*) curved · (*δρόμος*) winding
καμτσίκι ΟΥΣ ΟΥΔ = **καμουτσίκι**
κάμψη ΟΥΣ ΘΗΛ (α) (*μετάλλου, ξύλου, γονάτων, ποδιών, αγκώνα*) bending (β) (*τιμών*) fall · (*πληθωρισμού*) decline · (*εξαγωγών*) decline, fall · (*κακοκαιρίας*) let–up
▷**βρίσκομαι σε** *ή* **παρουσιάζω κάμψη** to be in decline, to be falling
▸**κάμψεις** ΠΛΗΘ press–ups (*Βρετ.*), push–ups (*Αμερ.*)
καμώματα (*ανεπ.*) ΟΥΣ ΟΥΔ ΠΛΗΘ (α) (= *πράξεις*) carryings–on, antics (β) (= *νάζια*) coquettish ways
καμώνομαι ① Ρ Μ ΑΠΟΘ to pretend
② Ρ ΑΜ to put on an act
▷**καμώνομαι τον αδιάφορο** to feign indifference, to pretend not to care
▷**καμώνομαι τον άρρωστο/τον κοιμισμένο** to pretend to be ill/asleep
καν ΕΠΙΡΡ even
▷**χωρίς καν να κάνω κτ** without even doing sth
▷**κι ούτε καν συγνώμη δεν ζήτησε!** and he didn't even apologize!
καναβάτσο ΟΥΣ ΟΥΔ (α) (*ύφασμα*) canvas (β) (= *δάπεδο ρινγκ*) canvas
κανάγιας (*υβρ.*) ΟΥΣ ΑΡΣ scoundrel
Καναδάς ΟΥΣ ΑΡΣ Canada
Καναδέζα ΟΥΣ ΘΗΛ *βλ.* **Καναδός**
καναδέζικος, -η, -ο ΕΠΙΘ = **καναδικός**
Καναδέζος ΟΥΣ ΑΡΣ = **Καναδός**
Καναδή ΟΥΣ ΘΗΛ *βλ.* **Καναδός**
καναδικός, -ή, -ό ΕΠΙΘ Canadian

> *Προσοχή!: Τα εθνικά επίθετα, όπως* **Canadian**, *γράφονται με κεφαλαίο το αρχικό γράμμα στα Αγγλικά.*

Καναδός ΟΥΣ ΑΡΣ Canadian
κανακάρης ΟΥΣ ΑΡΣ darling son
▷**ο κανακάρης του/της** the apple of his/her eye, his/her darling son
κανακάρισσα ΟΥΣ ΘΗΛ darling daughter
▷**η κανακάρισσα του/της** the apple of his/her eye, his/her darling daughter
κανάκεμα ΟΥΣ ΟΥΔ (α) (*παιδιών*) mollycoddling, pampering (β) (= *καλόπιασμα*) coaxing
κανακεύω Ρ Μ (α) (*παιδί, μωρό*) to mollycoddle, to pamper (β) (= *περιποιούμαι*) to cosset
κανάλι ΟΥΣ ΟΥΔ (α) (= *συχνότητα εκπομπής*) channel (β) (= *τηλεοπτικός σταθμός*) channel · (= *ραδιοφωνικός σταθμός*) station (γ) (ΠΛΗΡΟΦ) channel (δ) (*άρδευσης*) canal, channel (ε) (*Βενετίας, Μπέρμιγχαμ*) canal (στ) (= *τρόπος επικοινωνίας*) channel
▷**αλλάζω κανάλι** to turn over, to change channel

▷**παίζω με τα κανάλια** to channel–hop
(*Βρετ.*), to channel–surf (*Αμερ.*)
▸**το κανάλι τού Σουέζ** the Suez Canal
καναπεδάκι ΟΥΣ ΟΥΔ (α) (= *μικρός καναπές*)
small sofa (β) (*ορεκτικό*) canapé
καναπές ΟΥΣ ΑΡΣ sofa, settee
▸**καναπές κρεβάτι** sofa bed
καναρινής, -ιά, -ί ΕΠΙΘ (*φουλάρι, μπλουζάκι*)
bright yellow
▸**καναρινί** ΟΥΣ ΟΥΔ bright yellow
καναρίνι ΟΥΣ ΟΥΔ canary
κάνας, καμιά, κάνα (*προφορ.*) ΑΝΤΩΝ
(= *κανένας*) some · (*σε αρνητικές ή
ερωτηματικές προτάσεις*) any
▷**κάνα δυο άνθρωποι/μέρες** a couple of
people/days
▷**κάνα κιλό/μισάωρο** about a kilo/half an
hour
κανάτα ΟΥΣ ΘΗΛ jug, pitcher (*κυρ. Αμερ.*)
κανατάς ΟΥΣ ΑΡΣ potter
κανάτι ΟΥΣ ΟΥΔ jug

ΛΕΞΗ-ΚΛΕΙΔΙ

κανείς, καμία ή **-μιά, κανένα** ΑΝΤΩΝ ΑΟΡΙΣΤ
(α) (= *ούτε ένας: για πρόσ.*) nobody, no one
◻ **κανείς δεν τον ήξερε** nobody ή no one
knew him · **δεν έχω δει κανέναν** I haven't
seen anybody ή anyone, I've seen nobody ή
no one · **κανείς** ή **κανένας μας/σας/τους**
none of us/you/them · **δεν έχω πει σε καμιά
τους τίποτα** I haven't told any of them
anything · **δεν υπήρχε καμία αμφιβολία ότι...**
there wasn't any doubt ή there was no
doubt that... · **κανένα πρόβλημα!** no
problem! · **δεν υπάρχει καμία αθλήτρια σαν
αυτήν** there's no other athlete like her ·
κανείς μαθητής δεν πήγε για μάθημα none
of the students went to class · **ποιο βιβλίο
θες απ' αυτά; – Κανένα!** which of these
books do you want? – None of them! · **ποιο
θες απ' τα δύο; – Κανένα!** which of the two
do you want? – Neither of them!
(β) (= *κάποιος: για πρόσ.*) anybody, anyone
◻ **ήρθε κανένας;** has anybody ή anyone
come? · **γνωρίζετε καμιά απ' αυτές τις κυρίες;**
do you know any of those ladies? · **είναι
καμιά σας για να έρθει μαζί μου;** do any of
you want to come with me? · **βρήκατε καμιά
λύση;** have you found a solution? · **μήπως
είχε κανένα ατύχημα;** maybe there's been an
accident · **έχεις κανένα αίσθημα για μένα;**
have you got any feelings for me?, do you
feel anything for me? · **πάμε για κανένα ποτό**
let's go for a drink · **ας ακούσουμε κανένα
τραγούδι** let's listen to some music
(γ) (= *οποιοσδήποτε*) you, one (*επίσ.*) ◻ **όπως
θα περίμενε κανείς...** as you ή one (*επίσ.*)
would expect...
(δ) (= *περίπου*) about ◻ **καμιά τριανταριά
άτομα** about thirty people · **καμιά εικοσαριά
μέρες ταξίδι** about ή some twenty days'
journey
▷**δεν είναι και κανένας ωραίος!** (*μειωτ.*) he's

no beauty!
▷**θεωρεί ότι είναι κανένας σπουδαίος;**
(*μειωτ.*) who does he think he is?, he thinks
he really somebody
▷**με κανέναν τρόπο!** no way!
▷**καμιά φορά** sometimes

κανέλα ΟΥΣ ΘΗΛ cinnamon
κανελής, -ιά, -ί ΕΠΙΘ (*σκύλος*) tan
▸**κανελί** ΟΥΣ ΟΥΔ tan
κανελόνια ΟΥΣ ΟΥΔ ΠΛΗΘ cannelloni
κανένας, καμία ή **-μιά, κανένα** ΑΝΤΩΝ ΑΟΡΙΣΤ
= **κανείς**
κανιβαλισμός ΟΥΣ ΑΡΣ (α) (= *ανθρωποφαγία*)
cannibalism (β) (= *βαρβαρότητα*) barbarity
κανίβαλος ΟΥΣ ΑΡΣΘΗΛ (α) (= *ανθρωποφάγος*)
cannibal (β) (= *αγριάνθρωπος*) animal
κανίς ΟΥΣ ΑΚΛ poodle
κάνιστρο ΟΥΣ ΟΥΔ (α) (= *αβαθές πανέρι*)
basket (β) (= *μπιτόνι*) jerry can
κάνναβη ΟΥΣ ΘΗΛ hemp, cannabis
κανναβί ΟΥΣ ΟΥΔ (α) (= *κάνναβη*) hemp,
cannabis (β) (= *κλωστική ύλη*) hemp
κάνναβις (*επίσ.*) ΟΥΣ ΘΗΛ = **κάνναβη**
κανναβούρι ΟΥΣ ΟΥΔ hemp seed
κάννη ΟΥΣ ΘΗΛ barrel
κανό ΟΥΣ ΟΥΔ ΑΚΛ (α) (= *βάρκα*) canoe
(β) (*άθλημα*) canoeing
κανόνας ΟΥΣ ΑΡΣ (α) (= *υπόδειγμα*) model ·
(*ορθογραφικός, γραμματικός*) rule ·
(*μαθηματικός*) principle · (*φυσικός*) law
(β) (= *νόμος*) rule (γ) (= *χάρακας*) ruler
(δ) (ΘΡΗΣΚ, ΜΟΥΣ) canon
▷**γενικός κανόνας** general principle
▷**κατά κανόνα** as a rule
▷**τηρώ/παραβιάζω τους κανόνες** to obey/
break the rules
κανόνι ΟΥΣ ΟΥΔ cannon, gun
▷**είναι κανόνι** (*ανεπ.: μαθητής*) to be top of
the class · (*αυτοκίνητο*) to go like a bomb
(*ανεπ.*)
▷**ρίχνω** ή **βαράω κανόνι** (*ανεπ.*) to go bust
(*ανεπ.*) ή bankrupt
κανονιά ΟΥΣ ΘΗΛ gunfire *χωρίς πληθ.*
κανονίδι (*ανεπ.*) ΟΥΣ ΟΥΔ barrage
κανονιέρης ΟΥΣ ΑΡΣ (= *πυροβολητής*) gunner,
artilleryman

Προσοχή!: Ο πληθυντικός του
artilleryman *είναι* **artillerymen**.

κανονίζω Ρ Μ (α) (*ζωή*) to sort out · (*σχέσεις,
δικαιώματα*) to determine (β) (*κυκλοφορία*)
to regulate · (*έξοδα, συμπεριφορά*) to adjust
(γ) (*ταξίδι, πάρτι, εκδήλωση*) to organize, to
arrange (δ) (*γάμο*) to set a date for ·
(*ραντεβού*) to arrange (ε) (*υπόθεση,
πληρωμή, λογαριασμούς*) to settle
▷**θα σε κανονίσω!** (*οικ.*) I'll sort you out!, I'll
give you what for! (*ανεπ.*)
▷**τα κανονίζω με κπν** (= *λύνω τις διαφορές*) to
sort it out with sb · (= *σχεδιάζω*) to set it up

with sb
▷**κανονίστηκε!** that's settled!

κανονικά ΕΠΙΡΡ (α) *(πληρώνομαι, ενεργώ)* regularly (β) *(κομμάμαι, τρώω, κάθομαι, ταξιδεύω)* as normal, normally · *(παρκάρω)* legally · *(μιλώ)* properly (γ) *(αναπνέω)* properly · *(χτυπώ, αυξάνομαι)* regularly (δ) *(σχηματίζομαι)* regularly

κανονικός, -ή, -ό ΕΠΙΘ (α) *(άδεια, αποδοχές, αποζημίωση)* regular (β) *(διακοπή)* routine · *(δρομολόγιο)* regular (γ) *(άνθρωπος, ζωή)* normal · *(βάρος, ύψος, μήκος)* normal, usual (δ) *(θερμοκρασία, ρυθμός)* even · *(αναπνοή, σφυγμός)* regular · *(λειτουργία)* normal (ε) *(παρκάρισμα)* legal · *(προετοιμασία)* standard **(στ)** *(σχηματισμός)* regular

κανονικότητα ΟΥΣ ΘΗΛ regularity

κανονιοβολισμός ΟΥΣ ΑΡΣ (α) (= κανονιά) firing (β) (= κανονίδι) barrage

κανονιοφόρος ΟΥΣ ΘΗΛ gunboat

κανονισμός ΟΥΣ ΑΡΣ (α) *(νοσοκομείου, κυκλοφορίας, εργασίας, εταιρείας)* regulation · *(σχολείου, πολυκατοικίας)* rule · *(Βουλής)* ruling (β) (= βιβλίο κανόνων) regulations πληθ., rule book

κανονιστικός, -ή, -ό ΕΠΙΘ prescriptive

κάνουλα ΟΥΣ ΘΗΛ tap

καντάδα ΟΥΣ ΘΗΛ serenade
▷**κάνω καντάδα σε κπν** to serenade sb

κανταΐφι ΟΥΣ ΟΥΔ kataifi

καντάρι ΟΥΣ ΟΥΔ *(ζυγαριά)* steelyard, scales πληθ.

καντήλα *(ανεπ.)* ΟΥΣ ΘΗΛ (α) (= κρεμαστή λυχνία) hanging oil lamp (β) (= φουσκάλα δέρματος) blister

καντηλανάφτης ΟΥΣ ΑΡΣ sexton

καντηλανάφτισσα ΟΥΣ ΘΗΛ βλ. **καντηλανάφτης**

καντηλέρι ΟΥΣ ΟΥΔ (α) (= επιτραπέζια λυχνία) table lamp (β) (= κηροπήγιο) candlestick

καντήλι ΟΥΣ ΟΥΔ oil lamp *(devotional lamp)*
▷**κατεβάζω καντήλια** *(αργκ.)* to curse and swear, to curse ή swear like a trooper
▷**σβήνει το καντήλι μου** to pass away

καντίνα ΟΥΣ ΘΗΛ (α) (= κυλικείο) canteen, cafeteria (β) (= κινητό αναψυκτήριο) snack van · *(με σουβλάκια)* kebab van · *(με παγωτά)* ice–cream van

καντόνι ΟΥΣ ΟΥΔ (α) *(στη Γαλλία)* department (β) *(στην Ελβετία)* canton

καντούνι ΟΥΣ ΟΥΔ cobbled lane

καντράν ΟΥΣ ΟΥΔ ΑΚΛ *(ρολογιού, τηλεφώνου)* dial · *(αυτοκινήτου)* dashboard

┌─ *ΛΕΞΗ-ΚΛΕΙΔΙ* ─┐

κάνω ① Ρ Μ (α) (= πράττω) to do ❑ **τι μπορώ να κάνω για σας;** what can I do for you? · **δεν ξέρω τι να κάνω** I don't know what to do · **τι πρέπει να κάνω;** what do I have to do? · **δεν ήξερα τι έπρεπε να κάνω** I didn't know what to do

(β) (= φτιάχνω: καφέ, έπιπλο) to make
▷**ο Θεός έκανε τον κόσμο** God created the world

(γ) (= διαπράττω: φόνο, έγκλημα) to commit
(δ) (= διενεργώ: εκλογές, συγκέντρωση, συμβούλιο) to hold
▷**κάνω διαδήλωση** to hold a demonstration, to stage a demonstration

(ε) (ως περίφραση ρήματος) to make
▷**κάνω επίσκεψη** to make ή pay a visit
▷**κάνω περίπατο** to go for a walk
▷**κάνω προσπάθεια** to make an effort, to try
❑ **όσες προσπάθειες και αν κάνουμε … …** no matter how hard we try
▷**κάνω ταξίδι** to make a journey, to take a trip
▷**κάνω γυμναστική** to take exercise
▷**κάνω μάθημα/Αγγλικά** *(για μαθητή)* to have a lesson/to study English · *(για δάσκαλο)* to give a lesson/to teach English
▷**κάνω εντύπωση σε κπν** to make an impression on sb

(στ) : **κάνω παιδί** to give birth to
▷**κάνω αβγό** to lay (an egg)
▷**κάνω μήλα** to produce apples

(ζ) (= μεταποιώ): **έκανε το ισόγειο μαγαζί** he turned the ground floor into a shop
▷**έκανε τον λαγό στιφάδο** he made a stew with ή out of the hare

(η) (= διορίζω) to appoint ❑ **τον έκανε υπουργό εξωτερικών** she made ή appointed him minister of foreign affairs · **έκανε το γιο του δικηγόρο** he helped his son become a lawyer

(θ) (= υποκρίνομαι) to pretend
▷**κάνει τον άρρωστο/τον κουφό** he's pretending to be ill/deaf, he's feigning illness/deafness
▷**κάνω τον βλάκα** to act stupid
▷**κάνω πως ή ότι** to pretend ❑ **κάνει πως δεν με είδε** he's pretending he hasn't seen me

(ι) (= μένω σε έναν τόπο) to live ❑ **έκανε πολλά χρόνια στην Αφρική** he lived in Africa for many years

(ια) (= διατελώ) to be ❑ **έκανε δάσκαλος τρία χρόνια** he was a teacher for three years
▷**τα κάνω πάνω μου** *(ανεπ.)* to shit oneself (χυδ.) · *(μτφ.)* to be scared shitless (χυδ.)
▷**το κάνω με κπν** *(οικ.)* to have it off with sb *(ανεπ.)*
▷**την κάνω** *(οικ.)* to sneak off, to slip away
▷**κάνω κπν να κάνει κτ** to make sb do sth ❑ **θα τον κάνω να με θυμάται!** I'll make him remember me!
▷**κάνω να** (= επιχειρώ) to try
▷**κάνω λεφτά** to make money
▷**κάνω φίλους** to make friends
▷**κάνω καλό/κακό** to benefit/harm
▷**κάνω σαν τρελός/σαν παιδί** to behave ή act like a madman/a child
▷**κάνω φυλακή** to do time
▷**δεν κάνω χωρίς κπν/κτ** not to be able to do without sb/sth ❑ **ούτε δύο ώρες δεν κάνει χωρίς καφέ** he can't do without coffee even

for two hours
▷**κάνω τον δάσκαλο/τον βοηθό** to work as a teacher/as an assistant
▷**δεν κάνω με κπν** not to get on with sb
▷**έχω να κάνω με κπν/κτ** to deal with sb
▷**δεν έχει να κάνει τίποτα με σένα** this has nothing to do with you
▷**δεν μου κάνει η φούστα** the skirt doesn't fit me
▷**μας κάνει αυτό το εργαλείο** this tool is suitable
▷**πόσο κάνει;** how much does it cost?
▷**τι κάνεις;/κάνετε;** how are you?
▷**το ίδιο κάνει** it doesn't make any difference
▷**το ίδιο μου κάνει** it's all the same to me
2 ΑΠΡΟΣ: **δεν κάνει να** it's not good to, you shouldn't □ **δεν κάνει να καπνίζεις τόσο πολύ** it's not good to ή you shouldn't smoke so much
▷**κάνει καλό/κακό καιρό** the weather is good/bad
▷**κάνει κρύο/ζέστη** it's cold/hot

καουμπόης ΟΥΣ ΑΡΣ (στις ΗΠΑ) cowboy
κάου-μπόι ΟΥΣ ΑΡΣ ΑΚΛ = **καουμπόης**
καουμπόικος, -η, -ο ΕΠΙΘ (μπότες, καπέλο) cowboy
▸**καουμπόικο** ΟΥΣ ΟΥΔ western
καουμπόισσα ΟΥΣ ΘΗΛ cowgirl
καούρα ΟΥΣ ΘΗΛ heartburn
▷**(και) είχα μια καούρα!** (ειρων.) as if I could care!
καουτσούκ ΟΥΣ ΟΥΔ ΑΚΛ rubber
κάπα¹ ΟΥΣ ΟΥΔ ΑΚΛ kappa, *tenth letter of the Greek alphabet*
κάπα² ΟΥΣ ΘΗΛ (α) (βοσκού) cloak (β) (= μπέρτα) cape
καπάκι ΟΥΣ ΟΥΔ (κατσαρόλας, δοχείου) lid · (μπουκαλιού) top
▷**πάω/φεύγω (στο) καπάκι** (οικ.) to go/leave straight away
▷**φέρνω κπν καπάκι** (οικ.) to bring ή win sb around
καπακώνω Ρ Μ (α) (κατσαρόλα, σκεύος) to put the lid on, to cover (β) (= καλύπτω με το σώμα) to fall on top of (γ) (= καπελώνω) to get the better of
καπαμάς ΟΥΣ ΑΡΣ *lamb or veal cooked with tomatoes and spices*
κάπαρη ΟΥΣ ΘΗΛ = **κάππαρη**
καπαρντίνα ΟΥΣ ΘΗΛ = **καμπαρντίνα**
καπάρο (ανεπ.) ΟΥΣ ΟΥΔ deposit, down payment
▷**δίνω καπάρο** to pay a deposit ή down payment
καπαρώνω (ανεπ.) Ρ Μ (σπίτι, αυτοκίνητο, εμπόρευμα) to put down a deposit on, to make a down payment on
▷**είμαι καπαρωμένος** (= είμαι δεσμευμένος) to be attached
κάπατσος, -α, -ο (ανεπ.) ΕΠΙΘ smart, canny
καπατσοσύνη (ανεπ.) ΟΥΣ ΘΗΛ canniness

καπελαδούρα (ειρων.) ΟΥΣ ΘΗΛ large floppy hat
κάπελας ΟΥΣ ΑΡΣ taverna owner
καπελιέρα ΟΥΣ ΘΗΛ hatbox
καπέλο ΟΥΣ ΟΥΔ (α) (= κάλυμμα κεφαλής) hat (β) (= αθέμιτη αύξηση τιμής) overcharging
▷**βγάζω σε κπν το καπέλο** to take one's hat off to sb
καπέλωμα ΟΥΣ ΟΥΔ (α) (συζήτησης) monopolizing · (οργάνωσης) using (β) (φρούτων, λαχανικών) overpricing
καπελώνω Ρ Μ (α) (κυριολ.) to put a hat on (β) (συζήτηση) to monopolize · (οργάνωση) to use (γ) (τρόφιμα, καύσιμα) to overprice, to charge too much for
καπετάνιος ΟΥΣ ΑΡΣ (α) (= πλοίαρχος) captain (β) (ΙΣΤ) commander, chief
▷**ο καλός ο καπετάνιος στη φουρτούνα φαίνεται** (παροιμ.) a person shows his true colours in a crisis
καπετάνισσα ΟΥΣ ΘΗΛ (= κυβερνήτης πλοίου) captain
καπηλεία ΟΥΣ ΘΗΛ (α) (= αισχροκέρδεια) overpricing, overcharging (β) (μτφ.) exploitation
καπηλειό ΟΥΣ ΟΥΔ taverna (*that sells wine from the barrel*)
καπηλεύομαι Ρ Μ ΑΠΟΘ to exploit, to use
καπίστρι ΟΥΣ ΟΥΔ halter
καπιταλισμός ΟΥΣ ΑΡΣ capitalism
καπιταλιστής ΟΥΣ ΑΡΣ capitalist
καπιταλιστικός, -ή, -ό ΕΠΙΘ capitalist
καπιταλίστρια ΟΥΣ ΘΗΛ βλ. **καπιταλιστής**
καπνά ΟΥΣ ΟΥΔ ΠΛΗΘ (α) (= καπνός) tobacco εν. (β) (= καλλιέργειες καπνού) tobacco plantations · βλ. κ. **καπνός**
κάπνα ΟΥΣ ΘΗΛ (cloud of) smoke
καπναγωγός (επίσ.) ΟΥΣ ΑΡΣ chimney
καπνέμπορος ΟΥΣ ΑΡΣΘΗΛ tobacco merchant
καπνεργάτης ΟΥΣ ΑΡΣ worker in a tobacco factory
καπνεργάτρια ΟΥΣ ΘΗΛ βλ. **καπνεργάτης**
καπνιά ΟΥΣ ΘΗΛ (α) (φωτιάς, τζακιού, καμινάδας) soot (β) (= κάπνα) (cloud of) smoke
καπνίζω **1** Ρ Μ (α) (τσιγάρο, πίπα) to smoke (β) (κρέας, λουκάνικα, ψάρια) to smoke **2** Ρ ΑΜ (α) (= είμαι καπνιστής) to smoke, to be a smoker (β) (τζάκι, φωτιά) to smoke
▷**κάνω ό, τι μου καπνίσει** to do the first thing that comes into one's head
▷**μου κάπνισε να κάνω κτ** to suddenly get the urge to do sth
καπνίλα ΟΥΣ ΘΗΛ smell of smoke
κάπνισμα ΟΥΣ ΟΥΔ smoking
▷**"απαγορεύεται το κάπνισμα"** "no smoking"
καπνιστήριο ΟΥΣ ΟΥΔ smoking room
καπνιστής ΟΥΣ ΑΡΣ smoker
καπνιστός, -ή, -ό ΕΠΙΘ (κρέας, ρέγκα) smoked

▸ **καπνιστό** ΟΥΣ ΟΥΔ smoked meat

καπνίστρια ΟΥΣ ΘΗΛ *βλ.* **καπνιστής**

καπνοβιομηχανία ΟΥΣ ΘΗΛ (α) *(βιομηχανικός κλάδος)* tobacco industry (β) *(= εργοστάσιο καπνού)* tobacco factory

καπνοβιομήχανος ΟΥΣ ΑΡΣ tobacco producer

καπνογόνος, -ος, -ο ΕΠΙΘ *(μηχανή)* smoke
▸ **καπνογόνος φωτοβολίδα** flare
▸ **καπνογόνο** ΟΥΣ ΟΥΔ smoke bomb

καπνοδοχοκαθαριστής ΟΥΣ ΑΡΣ (chimney) sweep

καπνοδόχος ΟΥΣ ΘΗΛ chimney

καπνοκαλλιέργεια ΟΥΣ ΘΗΛ tobacco growing

καπνοπαραγωγή ΟΥΣ ΘΗΛ tobacco production

καπνοπαραγωγός, -ός, -ό ΕΠΙΘ *(χώρα, περιοχή)* tobacco–producing
▸ **καπνοπαραγωγός** ΟΥΣ ΑΡΣ&ΘΗΛ tobacco farmer

καπνοπωλείο ΟΥΣ ΟΥΔ tobacconist's, tobacconist

καπνοπώλης ΟΥΣ ΑΡΣ tobacconist

καπνοπώλισσα ΟΥΣ ΘΗΛ *βλ.* **καπνοπώλης**

καπνός ΟΥΣ ΑΡΣ (α) *(φωτιάς, τσιγάρου)* smoke (β) *(φυτό)* tobacco (γ) *(πίπας, πούρου)* tobacco
▷ **γίνομαι καπνός** to vanish into thin air
▷ **δεν υπάρχει καπνός χωρίς φωτιά, όπου υπάρχει καπνός, υπάρχει και φωτιά** *(παροιμ.)* there's no smoke without fire *(παροιμ.)*
▸ **προπέτασμα καπνού** smokescreen

καπνοσακούλα ΟΥΣ ΘΗΛ tobacco pouch

καπνούρα *(προφορ.)* ΟΥΣ ΘΗΛ fug, thick smoke

καπό ΟΥΣ ΟΥΔ ΑΚΛ bonnet *(Βρετ.)*, hood *(Αμερ.)*

| ΛΕΞΗ-ΚΛΕΙΔΙ |

κάποιος, -οια, -οιο ΑΝΤΩΝ (α) *(= ένας)* someone, somebody · *(αόριστα)* a, an □ *κάποιος σε πήρε τηλέφωνο* someone phoned you · *κάποιος φίλος/γνωστός* a friend/an acquaintance
(β) *(μετά από αόριστο άρθρο)* some □ *εκεί έμενε ένας κάποιος κύριος που κανείς δεν τον ήξερε* some gentleman lived there whom nobody knew
(γ) *(= σημαντικός)* someone, somebody □ *ήθελε να γίνει κάποιος* he wanted to become someone *ή* somebody
(δ) *(= λίγος: μόρφωση, γνώσεις)* some · *(χρήματα)* a little, a bit of □ *βγάζει κάποια χρήματα για να ζήσει άνετα* she makes a bit of *ή* a little money to live comfortably · *έχει κάποιο δίκιο*
▷ **κάποιοι** some □ *κάποιοι είχαν ήδη φύγει* some had already left

---

καπότα ΟΥΣ ΘΗΛ (α) *(χυδ.: = προφυλακτικό)* condom, rubber *(Αμερ.)* *(ανεπ.)*
(β) *(παλαιότ.: = κάπα)* cloak

κάποτε ΕΠΙΡΡ (α) *(στο παρελθόν)* once · *(στο μέλλον)* sometime (β) *(ως διαζευκτικό)*

sometimes
▷ **κάποτε-κάποτε** once in a while, every now and again

κάπου ΕΠΙΡΡ (α) *(= σε κάποιο μέρος)* somewhere (β) *(= περίπου)* some, about (γ) *(= σε κάποιον βαθμό)* somehow
▷ **το λέω κάπου** to tell somebody
▷ **κάπου τον ξέρω** I know him from somewhere
▷ **κάπου-κάπου** occasionally, sometimes

καπούλια *(ανεπ.)* ΟΥΣ ΟΥΔ ΠΛΗΘ (α) *(αλόγου, γαϊδάρου, μουλαριού)* rump *εν.* (β) *(= οπίσθια γυναίκας)* buttocks

καπουτσίνο ΟΥΣ ΑΡΣ&ΟΥΔ ΑΚΛ cappuccino

Καπουτσίνος ΟΥΣ ΑΡΣ *(ΘΡΗΣΚ)* Capuchin

κάππαρη ΟΥΣ ΘΗΛ caper

καπρίτσιο ΟΥΣ ΟΥΔ (α) *(ανθρώπου)* whim · *(έρωτα, τύχης)* vagary (β) *(ΜΟΥΣ)* capriccio
▷ **κάνω καπρίτσια** to play up
▷ **κάνω κτ από καπρίτσιο** to do sth on a whim
▷ **κάνω τα καπρίτσια κποιου** to indulge sb's every whim

καπριτσιόζος, -α, -ο *ή* **-ικο** ΕΠΙΘ capricious

κάπρος *(επία.)* ΟΥΣ ΑΡΣ boar

κάπως ΕΠΙΡΡ (α) *(= με κάποιον τρόπο)* somehow (β) *(= λίγο)* rather, a bit, a little (γ) *(= περίπου)* about
▷ **κάπως αλλιώς** somewhat differently
▷ **κάπως έτσι έγιναν τα πράγματα** that's about the size of it

κάρα *(επία.)* ΟΥΣ ΘΗΛ skull

καραβάνα ΟΥΣ ΘΗΛ mess tin
▷ **παλιά καραβάνα** *(= πολύπειρος άνθρωπος)* old hand

καραβανάς ΟΥΣ ΑΡΣ ranker

καραβάνι ΟΥΣ ΟΥΔ caravan *(Βρετ.)*, trailer *(Αμερ.)*

καραβέλα ΟΥΣ ΘΗΛ caravel, carvel, two– or three–masted sailing ship

καράβι ΟΥΣ ΟΥΔ (α) *(γενικότ.)* boat (β) *(= ιστιοφόρο πλοίο)* sailing ship

καραβίδα ΟΥΣ ΘΗΛ crayfish *(Βρετ.)*, crawfish *(Αμερ.)*

καραβοκύρης *(ανεπ.)* ΟΥΣ ΑΡΣ (α) *(= πλοιοκτήτης)* shipowner (β) *(= καπετάνιος)* captain

καραβοκύρισσα *(ανεπ.)* ΟΥΣ ΘΗΛ *βλ.* **καραβοκύρης**

καραβόπανο ΟΥΣ ΟΥΔ (α) *(= πανί ιστίων)* sailcloth, canvas (β) *(= ανθεκτικό πανί)* canvas

καραβόσκοινο ΟΥΣ ΟΥΔ rope

καραγκιόζης ΟΥΣ ΑΡΣ (α) *(= πρωταγωνιστής στο θέατρο σκιών)* ≈ Punch, *main character in Greek shadow theatre* · *(= θέατρο σκιών)* ≈ Punch and Judy show, *Greek shadow theatre* (β) *(μετωνυμ.)* buffoon, clown
▷ **κάνω τον καραγκιόζη** *(μειωτ.)* to act the fool

καραγκιοζιλίκια ΟΥΣ ΟΥΔ ΠΛΗΘ silly antics

Κ

καραγκιοζοπαίχτης ΟΥΣ ΑΡΣ puppeteer (*in shadow theatre*)

καραδοκώ Ρ ΑΜ to lurk, to lie in wait

καρακάξα ΟΥΣ ΘΗΛ (α) (= *κίσσα*) magpie (β) (*υβρ.: για γυναίκα*) old bag (*ανεπ.*)

καραμέλα ΟΥΣ ΘΗΛ (α) (*βουτύρου*) toffee, caramel · (*λεμονιού*) sweet (*Βρετ.*), candy (*Αμερ.*) · (*λαιμού*) pastille (β) (*σιρόπι*) caramel
▷ **γλυκός σαν καραμέλα** as sweet as honey
▷ **πιπιλίζω ή κάνω κτ καραμέλα** to come out with sth all the time (*ανεπ.*)

καραμελέ ΕΠΙΘ ΑΚΛ: **κρέμα καραμελέ** crème caramel

καραμούζα ΟΥΣ ΘΗΛ flute

καραμπίνα ΟΥΣ ΘΗΛ shotgun

καραμπινάτος, -η, -ο ΕΠΙΘ blatant

καραμπινιέρος ΟΥΣ ΑΡΣ carabiniere, *Italian policeman*

καραμπόλα ΟΥΣ ΘΗΛ (α) (*οχημάτων*) pile-up (β) (*στο μπιλιάρδο*) cannon, carom (*Αμερ.*)

καραντίνα ΟΥΣ ΘΗΛ quarantine
▷ **βάζω κπν σε καραντίνα** to put sb in quarantine
▷ **είμαι/μπαίνω σε καραντίνα** to be in/go into quarantine

καράτε ΟΥΣ ΟΥΔ ΑΚΛ karate

καράτι ΟΥΣ ΟΥΔ carat

καρατόμηση ΟΥΣ ΘΗΛ beheading

καρατομώ Ρ Μ to behead

καράφα ΟΥΣ ΘΗΛ carafe, decanter

καραφάκι ΟΥΣ ΟΥΔ small carafe

καράφλα ΟΥΣ ΘΗΛ = **φαλάκρα**

καραφλιάζω ① Ρ ΑΜ (α) (= *κάνω φαλάκρα*) to go bald (β) (*αργκ.*: = *μένω άναυδος*) to be struck dumb
② Ρ Μ (*αργκ.*) to leave speechless

καραφλός, -ή, -ό ΕΠΙΘ = **φαλακρός**

καρβέλι ΟΥΣ ΟΥΔ loaf

Προσοχή!: Ο πληθυντικός του **loaf** *είναι* **loaves**.

καρβουναποθήκη ΟΥΣ ΘΗΛ bunker, coal house

καρβουνιάζω ① Ρ Μ (*ξύλα*) to burn to cinders
② Ρ ΑΜ (*κρέας*) to be burnt to a cinder

καρβουνιάρης ΟΥΣ ΑΡΣ coal man

καρβουνιάρισσα ΟΥΣ ΘΗΛ *βλ.* **καρβουνιάρης**

καρβουνιασμένος, -η, -ο ΕΠΙΘ charred · (*κρέας*) burnt

κάρβουνο ΟΥΣ ΟΥΔ coal · (*ξύλου*) charcoal
▷ **γίνομαι κάρβουνο** to be burnt to a cinder

κάργα (*ανεπ.*) ΕΠΙΘ ΑΚΛ (*για αίθουσα, θέατρο*) jam-packed (*ανεπ.*) · (*για ντεπόζιτο, ποτήρι*) brimming over
▷ **τεντώνω τα σκοινιά κάργα** to pull the ropes taut

καργάρω (*ανεπ.*) Ρ Μ (α) (*ποτήρια*) to fill to the brim · (*βαλίτσες*) to fill to bursting

(β) (*σκοινί*) to pull tight

κάργας (*κοροϊδ.*) ΟΥΣ ΑΡΣ big man (*ανεπ.*)

κάργια (*ανεπ.*) ΟΥΣ ΘΗΛ (α) (= *καλιακούδα*) jackdaw (β) (*υβρ.: για γυναίκα*) vixen, shrew

κάρδαμο ΟΥΣ ΟΥΔ cress

καρδαμώνω (*ανεπ.*) ① Ρ ΑΜ to buck up (*ανεπ.*)
② Ρ Μ to buck up (*ανεπ.*)

καρδάρα ΟΥΣ ΘΗΛ pail

καρδάρι ΟΥΣ ΟΥΔ = **καρδάρα**

καρδερίνα ΟΥΣ ΘΗΛ goldfinch

καρδιά ΟΥΣ ΘΗΛ (α) (*μυϊκό όργανο*) heart (β) (*σχήμα*) heart (γ) (*μτφ.*: = *το συναισθηματικό κέντρο του ανθρώπου*) heart (δ) (= *κουράγιο*) courage, spirit (ε) (*πόλης, χωριού*) heart, centre (*Βρετ.*), center (*Αμερ.*) · (*καλοκαιριού, μήνα, νύχτας*) middle · (*χειμώνα*) depths *πληθ.* · (*προβλήματος*) heart (στ) (*μαρουλιού*) heart · (*καρπουζιού*) middle
▷ **βάστα καρδιά!** chin up!
▷ **δεν έχω καρδιά** to be heartless
▷ **δεν μου κάνει καρδιά να κάνω κτ** not to feel like doing sth
▷ **έχω ανοιχτή καρδιά** to be open-hearted
▷ **έχω κπν στην καρδιά μου** to be very fond of sb
▷ **έχω καλή/μεγάλη καρδιά** to be good-hearted/big-hearted
▷ **έχω χρυσή καρδιά** to have a heart of gold
▷ **καλή καρδιά** (*σε συγκατάβαση*) don't worry about it
▷ **κάνω καρδιά** to take heart
▷ **κάνω κτ με μισή καρδιά** to do sth half-heartedly
▷ **κάνω την καρδιά κποιου περιβόλι** (*ειρων.*) to break sb's heart
▷ **κλέβω ή καίω την καρδιά κποιου** to steal sb's heart
▷ **ματώνει η καρδιά μου** it breaks my heart
▷ **με βαριά καρδιά** with a heavy heart
▷ **με ελαφριά καρδιά, ελαφρά τη καρδία** (*επίσ.*) light-heartedly
▷ **με όλη μου την καρδιά** with all my heart
▷ **με τι καρδιά;** how on earth?
▷ **καρδιά μου!** my darling!
▶ **ανακοπή ή συγκοπή καρδιάς** heart failure
▶ **εγχείρηση ανοιχτής καρδιάς** open heart surgery

καρδιακός, -ή, -ό ΕΠΙΘ (*νόσημα, πάθηση*) heart
▶ **καρδιακή ανεπάρκεια** cardiac insufficiency
▶ **καρδιακή προσβολή** cardiac arrest
▶ **καρδιακός φίλος** bosom friend
▶ **καρδιακός** ΟΥΣ ΑΡΣ, **καρδιακή** ΟΥΣ ΘΗΛ heart patient

καρδινάλιος ΟΥΣ ΑΡΣ cardinal

καρδιογράφημα ΟΥΣ ΟΥΔ cardiogram

καρδιογράφος ΟΥΣ ΑΡΣ cardiograph

καρδιοκατακτητής ΟΥΣ ΑΡΣ heart-throb

καρδιολογία ΟΥΣ ΘΗΛ cardiology

καρδιολογικός, -ή, -ό ΕΠΙΘ cardiological

καρδιολόγος ΟΥΣ ΑΡΣ&ΘΗΛ heart specialist,

cardiologist

καρδιοπάθεια ΟΥΣ ΘΗΛ heart disease

καρδιοπαθής ΟΥΣ ΑΡΣ=ΘΗΛ heart patient

καρδιοχειρουργός ΟΥΣ ΑΡΣ=ΘΗΛ heart surgeon

καρδιοχτύπι ΟΥΣ ΟΥΔ (= *χτυποκάρδι*) heartbeat

▷**έχω καρδιοχτύπι** (= *άγχος*) to have one's heart in one's mouth

καρδιοχτυπώ Ρ ΑΜ to have one's heart in one's mouth

καρδούλα ΟΥΣ ΘΗΛ (α) (*χαϊδευτ.*) heart (β) (*σχήμα*) heart

▷**το λέει η καρδούλα μου** (*οικ.*) to have guts (*ανεπ.*)

▷**καρδούλα μου!** my sweetheart!, my darling!

καρέ ΟΥΣ ΟΥΔ ΑΚΛ (α) (*σε χαρτοπαίγνιο*: = *τέσσερεις παίκτες*) foursome · (= *τέσσερα όμοια φύλλα*) four of a kind (β) (= *κέντημα για τραπέζι*) embroidered tablecloth (γ) (= *ντεκολτέ*) low neckline (δ) (ΚΙΝΗΜ) still

▷**καρέ του άσου** four aces

▸**καρέ** ΠΛΗΘ (ΑΘΛ) goal area *ή* box

καρέκλα ΟΥΣ ΘΗΛ chair

καρεκλάκι ΟΥΣ ΟΥΔ stool

καρεκλοκένταυρος (*αρνητ.*) ΟΥΣ ΑΡΣ petty bureaucrat

καρεκλοπόδαρο ΟΥΣ ΟΥΔ chair leg

▷**ρίχνει καρεκλοπόδαρα** it's raining cats and dogs

καρέτα ΟΥΣ ΘΗΛ ΑΚΛ: **χελώνα καρέτα-καρέτα** loggerhead turtle

κάρι ΟΥΣ ΟΥΔ ΑΚΛ curry

καριέρα ΟΥΣ ΘΗΛ career

▷**κάνω καριέρα** to make a career

καρικατούρα ΟΥΣ ΘΗΛ cartoon

καρικώνω Ρ Μ to mend · (*μάλλινα*) to darn

καρίνα ΟΥΣ ΘΗΛ keel

καριόλα ΟΥΣ ΘΗΛ (α) (= *μεγάλο ξύλινο κρεβάτι*) large wooden bed (β) (*υβρ.: για γυναίκα*) slut

καριοφίλι ΟΥΣ ΟΥΔ (*παλαιότ.*) flintlock

καρκινικός, -ή, -ό ΕΠΙΘ (*κύτταρα, όγκος*) cancerous

▸**καρκινικός στίχος** palindrome

καρκινοβατώ Ρ ΑΜ to get nowhere

καρκινογόνος, -ος, -ο ΕΠΙΘ carcinogenic

καρκινοπαθής ΟΥΣ ΑΡΣ=ΘΗΛ cancer patient

καρκίνος ΟΥΣ ΑΡΣ (α) (ΙΑΤΡ) cancer (β) (ΖΩΟΛ) crab (γ) (ΑΣΤΡΟΝ, ΑΣΤΡΟΛ) Cancer

καρκινωματώδης, -ης, -ες ΕΠΙΘ (*κυριολ., μτφ.*) cancerous

καρμανιόλα ΟΥΣ ΘΗΛ (α) (= *λαιμητόμος*) guillotine (β) (*για δρόμο*) accident black spot

καρμίρης (*ανεπ.*) ΟΥΣ ΑΡΣ = **καρμοίρης**

καρμιριά (*ανεπ.*) ΟΥΣ ΘΗΛ = **καρμοιριά**

καρμοίρης (*ανεπ.*) ΟΥΣ ΑΡΣ stingy (*ανεπ.*), mean

καρμοιριά (*ανεπ.*) ΟΥΣ ΘΗΛ stinginess (*ανεπ.*)

καρμπιρατέρ ΟΥΣ ΟΥΔ ΑΚΛ carburettor (*Βρετ.*), carburetor (*Αμερ.*)

καρμπόν ΟΥΣ ΟΥΔ ΑΚΛ carbon paper

καρμπονάρα ΟΥΣ ΘΗΛ (α) (*σάλτσα*) carbonara sauce (β) (*μακαρονάδα*) carbonara

καρναβάλι ΟΥΣ ΟΥΔ carnival

καρνάβαλος ΟΥΣ ΑΡΣ (α) (= *κεντρική φιγούρα καρναβαλιού*) carnival king (β) (*μειωτ.*) buffoon, clown

καρνέ ΟΥΣ ΟΥΔ ΑΚΛ notebook

▸**καρνέ επιταγών** chequebook (*Βρετ.*), checkbook (*Αμερ.*)

Κάρντιφ ΟΥΣ ΟΥΔ ΑΚΛ Cardiff

καρό ΟΥΣ ΟΥΔ ΑΚΛ (α) (= *τετράγωνο*) check (β) (*στην τράπουλα*) diamond

▷**δέκα/ντάμα καρό** ten/queen of diamonds

▷**καρό φούστα/πουκάμισο** check skirt/shirt

κάρο ΟΥΣ ΟΥΔ (α) (*όχημα*) cart (β) (*προφορ.*: = *σαράβαλο: για αυτοκίνητο*) old crock (*ανεπ.*) · (*για αυτοκίνητο*) old banger (*ανεπ.*)

▷**ένα κάρο πράγματα/δουλειές** (*προφορ.*) loads (*ανεπ.*) of things/work

καρότο ΟΥΣ ΟΥΔ carrot

καρότσα ΟΥΣ ΘΗΛ (*φορτηγού*) back

καροτσάκι ΟΥΣ ΟΥΔ (α) (= *μικρό καρότσι*) barrow (β) (*μωρού*) pushchair (*Βρετ.*), (baby) stroller (*Αμερ.*) · (*νηπίου*) pram (*Βρετ.*), baby carriage (*Αμερ.*) (γ) (*αναπήρων*) wheelchair

καροτσέρης ΟΥΣ ΑΡΣ cart driver

καρότσι ΟΥΣ ΟΥΔ (α) (*γενικότ.*) (wheel)barrow, handcart (β) (*για αποσκευές, ψώνια*) trolley (γ) (*μωρού*) pushchair (*Βρετ.*), (baby) stroller (*Αμερ.*) · (*νηπίου*) pram (*Βρετ.*), baby carriage (*Αμερ.*) (δ) (*αναπήρων*) wheelchair

καροτσιέρης ΟΥΣ ΑΡΣ = **καροτσέρης**

καρούλι ΟΥΣ ΟΥΔ (α) (*κλωστής, σύρματος*) reel · (*ταινίας, φιλμ*) spool (β) (= *κασούρι*) thread

καρουλιάζω ① Ρ Μ (*νήμα, κλωστή*) to wind ② Ρ ΑΜ: **καρούλιασε το κεφάλι μου** (*προφορ.*) to have a bump on one's head

καρούμπαλο ΟΥΣ ΟΥΔ lump, bump

▷**το κεφάλι μου έκανε καρούμπαλο** I got a bump on my head

καρπαζιά (*ανεπ.*) ΟΥΣ ΘΗΛ slap

▷**ρίχνω καρπαζιά σε κπν** to give sb a slap, to slap sb

▷**τρώω καρπαζιά** to get slapped

καρπαζοεισπράκτορας (*οικ.*) ΟΥΣ ΑΡΣ fall guy (*ανεπ.*)

καρπαζώνω (*οικ.*) Ρ Μ to slap

Καρπάθια ΟΥΣ ΟΥΔ ΠΛΗΘ: **τα Καρπάθια Όρη** the Carpathian mountains, the Carpathians

καρπερός, -ή, -ό ΕΠΙΘ fertile

καρπίζω Ρ ΑΜ (*δέντρο*) to fruit

καρπός ΟΥΣ ΑΡΣ (α) (*φυτού*) fruit (β) (= *σπόρος σιτηρών*) grain (γ) (*μτφ.*) fruit (δ) (ΑΝΑΤ) wrist

▷**ο καρπός του έρωτά τους** the fruit of their love

καρπούζι ΟΥΣ ΟΥΔ watermelon

καρπουζιά ΟΥΣ ΘΗΛ watermelon plant

καρποφορία ΟΥΣ ΘΗΛ fruitfulness

καρποφόρος, -ος, -ο ΕΠΙΘ (α) (δέντρο) fruit (β) (συνεργασία, συζήτηση, έρευνα) fruitful

καρποφορώ Ρ ΑΜ (α) (= καρπίζω) to fruit (β) (= φέρνω αποτέλεσμα) to bear fruit

καρπώνομαι Ρ Μ ΑΠΟΘ (κέρδη, οφέλη) to reap

καρτ ΟΥΣ ΟΥΔ ΑΚΛ go–kart, go–cart

κάρτα ΟΥΣ ΘΗΛ (γενικότ.) card · (= ταχυδρομικό δελτάριο) (post)card · (επαγγελματία) business card · (καρτοτηλεφώνου) phonecard · (κινητού τηλεφώνου) top–up card
- ▸ **ευχετήρια κάρτα** greetings card
- ▸ **κάρτα βίντεο** (ΠΛΗΡΟΦ) video card
- ▸ **κάρτα εισόδου/εξόδου** entry/exit card
- ▸ **κάρτα ήχου** (ΠΛΗΡΟΦ) sound card
- ▸ **κάρτα μέλους** membership card
- ▸ **κάρτα νέων** young person's card
- ▸ **κίτρινη/κόκκινη κάρτα** (ΑΘΛ) yellow/red card
- ▸ **πιστωτική κάρτα** credit card
- ▸ **πράσινη κάρτα** green card
- ▸ **(χρονική) κάρτα απεριορίστων διαδρομών** travel card

καρτέλ ΟΥΣ ΟΥΔ ΑΚΛ cartel

καρτέλα ΟΥΣ ΘΗΛ (πελάτη) data card · (ασθενούς) chart

καρτελοθήκη ΟΥΣ ΘΗΛ card file

καρτέρι ΟΥΣ ΟΥΔ ΑΚΛ ambush
- ▹ **στήνω καρτέρι σε κπν** to ambush sb
- ▹ **φυλάω καρτέρι** to lie in wait

καρτερία ΟΥΣ ΘΗΛ forbearance

καρτερικός, -ή, -ό ΕΠΙΘ (χαμόγελο, στάση, άνθρωπος) forbearing, patient

καρτερικότητα ΟΥΣ ΘΗΛ forbearance

καρτερώ ① Ρ Μ (= αναμένω) to wait for ② Ρ ΑΜ (= υπομένω) to be patient

καρτοκινητό ΟΥΣ ΟΥΔ pay–as–you–go mobile phone

καρτοτηλέφωνο ΟΥΣ ΟΥΔ card phone

καρτούν ΟΥΣ ΟΥΔ ΑΚΛ cartoon

καρτ ποστάλ ΟΥΣ ΘΗΛ ΑΚΛ postcard

Καρυάτιδες ΟΥΣ ΘΗΛ ΠΛΗΘ caryatids

καρύδα ΟΥΣ ΘΗΛ (επίσης **ινδική καρύδα**) coconut

καρυδέλαιο ΟΥΣ ΟΥΔ walnut oil

καρυδένιος, -ια, -ιο ΕΠΙΘ (γραφείο, ντουλάπα) walnut

καρύδι ΟΥΣ ΟΥΔ (α) (= καρπός καρυδιάς) walnut (β) (ανεπ.) Adam's apple
- ▹ **κάθε καρυδιάς καρύδι** (μειωτ.) all kinds of people

καρυδιά ΟΥΣ ΘΗΛ (δέντρο) walnut tree

καρυδόπιτα ΟΥΣ ΘΗΛ walnut cake

καρυδότσουφλο ΟΥΣ ΟΥΔ (= τσόφλι καρυδιού) nutshell

καρυδώνω (ανεπ.) Ρ Μ to strangle, to throttle

καρύκευμα ΟΥΣ ΟΥΔ spice

καρυκεύω Ρ Μ to spice

καρυοθραύστης ΟΥΣ ΑΡΣ nutcrackers πληθ.

καρφί ΟΥΣ ΟΥΔ (α) (= πρόκα) nail (β) (ανεπ.: = προδότης) informer, grass (ανεπ.) (γ) (= έξυπνο και καυστικό σχόλιο) barb (δ) (στο βόλεϊ) spike · (στο τένις, πινγκ–πονγκ) smash
- ▸ **καρφιά** ΠΛΗΘ (παπουτσιών ποδοσφαιριστή) studs · (παπουτσιών σπρίντερ) spikes

καρφίτσα ΟΥΣ ΘΗΛ (α) (= μεταλλική βελόνα) pin (β) (κόσμημα) brooch
- ▹ **δεν πέφτει καρφίτσα** there isn't enough room to swing a cat
- ▸ **καρφίτσα ασφαλείας** safety pin

καρφιτσώνω Ρ Μ (α) (φωτογραφία, χαρτί) to pin (β) (δάχτυλο) to prick

κάρφωμα ΟΥΣ ΟΥΔ (α) (= στερέωση με καρφί) nailing (β) (= μήξιμο) piercing (γ) (στο μπάσκετ) dunk (δ) (βλέμματος, ματιάς, κάμερας) fixed stare (ε) (= κατάδοση) informing

καρφώνω Ρ Μ (α) (σανίδες, κάδρο) to nail (β) (μαχαίρι, σπαθί, ακόντιο) to plunge · (τυρί) to stab (γ) (= καταδίδω) to inform against (δ) (= κοιτάζω επίμονα) to stare at (ε) (στο μπάσκετ) to dunk · (στο βόλεϊ) to hit
- ▹ **μου την καρφώνει να κάνω κτ** (αργκ.) to get a sudden urge to do sth
- ▹ **καρφώνω το βλέμμα ή τα μάτια μου στο κενό/στον τοίχο** to stare into space/at the wall
- ▸ **καρφώνομαι** ΜΕΣΟΠΑΘ (ιδέα, εικόνα) to stick
- ▹ **μου καρφώνεται (να κάνω) κτ** to be obsessed with (doing) sth

καρφωτός, -ή, -ό ΕΠΙΘ (α) (καθρέφτης) nailed (β) (είδηση, πληροφορία) from an informer

καρχαρίας ΟΥΣ ΑΡΣ (κυριολ., μτφ.) shark

καρωτίδα ΟΥΣ ΘΗΛ carotid

κάσα ΟΥΣ ΘΗΛ (α) (= κασόνι) packing case (β) (= χρηματοκιβώτιο) safe (γ) (ανεπ.: = φέρετρο) coffin, wooden overcoat (ανεπ.) (δ) (στα τυχερά παιχνίδια) bank (ε) (πόρτας, παραθύρου) frame

κασάτο ΟΥΣ ΟΥΔ Neapolitan ice–cream

κασέ ΟΥΣ ΟΥΔ ΑΚΛ (α) (καλλιτέχνη, αθλητή) fee (β) (μτφ.) cachet
- ▹ **ανεβαίνει το κασέ μου** (μτφ.) he has gone up in the world

κασέλα ΟΥΣ ΘΗΛ chest

κασέρι ΟΥΣ ΟΥΔ kasseri cheese, *semi–hard yellow cheese made from sheep's and cow's milk*

κασερόπιτα ΟΥΣ ΘΗΛ kasseri cheese pie

κασετίνα ΟΥΣ ΘΗΛ cassette, tape

κασετίνα ΟΥΣ ΘΗΛ (α) (κοσμημάτων) jewellery (Βρετ.) ή jewelry (Αμερ.) box (β) (μαθητή) pencil case

κασετοθήκη ΟΥΣ ΘΗΛ (κάλυμμα) cassette case · (έπιπλο) cassette holder

κασετόφωνο ΟΥΣ ΟΥΔ cassette ή tape player

κάσκα ΟΥΣ ΘΗΛ helmet

κασκαντέρ ΟΥΣ ΑΡΣ&ΘΗΛ ΑΚΛ (άνδρας) stunt man · (γυναίκα) stunt woman

κασκέτο ΟΥΣ ΟΥΔ cap

κασκόλ ΟΥΣ ΟΥΔ ΑΚΛ scarf

Προσοχή!: Ο πληθυντικός του scarf *είναι* scarves.

κασμάς ΟΥΣ ΑΡΣ pickaxe (*Βρετ.*), pickax (*Αμερ.*)

κασμίρι ΟΥΣ ΟΥΔ cashmere

κασόνι ΟΥΣ ΟΥΔ packing case

Κασπία Θάλασσα ΟΥΣ ΘΗΛ: **η Κασπία Θάλασσα** the Caspian Sea

κασσίτερος ΟΥΣ ΑΡΣ tin

κασσιτερώνω Ρ Μ to tinplate

καστ ΟΥΣ ΟΥΔ ΑΚΛ cast

κάστα ΟΥΣ ΘΗΛ (*κυριολ., μτφ.*) caste

καστανάς ΟΥΣ ΑΡΣ roasted chestnut vendor

καστανιά ΟΥΣ ΘΗΛ (*δέντρο*) chestnut tree

καστανιέτες ΟΥΣ ΘΗΛ ΠΛΗΘ castanets

κάστανο ΟΥΣ ΟΥΔ chestnut

καστανός, -ή, -ό ΕΠΙΘ (*μαλλιά, μάτια*) brown, chestnut

καστανόχωμα ΟΥΣ ΟΥΔ leaf mould (*Βρετ.*) ή mold (*Αμερ.*)

κάστινγκ ΟΥΣ ΟΥΔ ΑΚΛ audition

κάστορας ΟΥΣ ΑΡΣ beaver

καστορέλαιο (*επίσ.*) ΟΥΣ ΟΥΔ castor oil

καστόρι ΟΥΣ ΟΥΔ (α) (= *δέρμα κάστορα*) beaver skin (β) (*για παπούτσια, γάντια*) suede

Καστοριά ΟΥΣ ΘΗΛ Castoria

καστόρινος, -η, -ο ΕΠΙΘ (*ζώνη, παπούτσια*) suede

κάστρο ΟΥΣ ΟΥΔ (α) (= *φρούριο*) castle (β) (= *τείχος*) city wall (γ) (*μτφ.*) bastion

---

ΛΕΞΗ-ΚΛΕΙΔΙ

κατά, κατ', καθ' ΠΡΟΘ (α) (*για κίνηση σε τόπο*) towards □ **πήγε κατά το βουνό** he went towards the mountain · **το δωμάτιό μου βλέπει κατά την ανατολή** my room faces east · **κατά πού πήγε;** which way did she go? (β) (*για τοπική προσέγγιση*) close to, near □ **μένει κατά τα Μέγαρα** she lives close to ή near Megara · **κατά 'κει/'δω** in that/this direction

▷ **κατά γης** (*στο έδαφος*) on the ground · (*στο πάτωμα*) on the floor

(γ) (*για μέρος που γίνεται κάτι*) along □ **έβαλαν πινακίδες κατά μήκος του δρόμου** they put signposts along the road

(δ) (*για χρόνο*) during □ **κατά τη διδασκαλία** ... during teaching time ... · **κατά την ώρα του μαθήματος** ... during the lesson ...

(ε) (*για χρονική προσέγγιση*) around □ **ήρθε κατά τα μεσάνυχτα** she came around midnight · **θα φύγει κατά τα Χριστούγεννα** he'll be leaving around Christmas

(στ) (*για τρόπο*) by □ **πέρασε τις εξετάσεις κατά τύχη** he passed his exams by a fluke (*ανεπ.*)

(ζ) +*γεν.* (= *εναντίον*) against □ **σφοδρές**

επιθέσεις κατά των εχθρικών στρατευμάτων vicious attacks on the enemy army · **οι μισοί ψήφισαν υπέρ και οι μισοί κατά** half voted for and half against

▷ **είμαι κατά κποιου** to be against sb/sth

(η) (*για αναφορά*) in □ **τα δύο κτήρια διαφέρουν καθ' ύψος** the two buildings are diferent in height

▷ **κατά τα άλλα** otherwise

(θ) (= *σύμφωνα με*) according to □ **κατά τους ειδικούς ...** according to the experts ...

▷ **κατά τη γνώμη μου** in my opinion

(ι) (*για επιμερισμό*) in □ **κατά ομάδες** in groups · **το κατά κεφαλή εισόδημα** the per capita income · **πληροφορίες θα πάρετε στις κατά τόπους νομαρχίες** you will get information from each local council

(ια) (*για κριτήριο επιμερισμού*) by, according to □ **χωριστήκαμε κατά ηλικία/φύλο** we were split according to age/sex

(ιβ) (*για ποσότητα διαφοράς*) by □ **το χρηματιστήριο ανέβηκε κατά δύο μονάδες** the stock market has gone up by two per cent

▷ **τα υπέρ και τα κατά** the pros and cons

▷ **το κατά πόσον** how much

κατάβαθα ΕΠΙΡΡ deep down · (*συγκινούμαι*) deeply

▷ **κατάβαθά μου** deep down inside

▶ **κατάβαθα** ΟΥΣ ΟΥΔ ΠΛΗΘ depths

καταβάλλω Ρ Μ (α) (= *νικώ*) to beat, to crush (β) (= *εξαντλώ*) to wear down (γ) (= *πληρώνω*) to pay

▷ **καταβάλλω προσπάθειες** to make great efforts

▷ **καταβάλλω κόπους** to go to a lot of trouble

▷ **καταβάλλω φροντίδες** to take great care

καταβαραθρώνω Ρ Μ to ruin

καταβαράθρωση ΟΥΣ ΘΗΛ ruin

κατάβαση ΟΥΣ ΘΗΛ descent

καταβεβλημένος, -η, -ο ΕΠΙΘ worn out

καταβόθρα ΟΥΣ ΘΗΛ (= *οχετός*) sewer

καταβολή ΟΥΣ ΘΗΛ (α) (*κόπων*) going to · (*προσπαθειών*) making (β) (= *εξάντληση*) exhaustion (γ) (*φόρου, δόσης, ενοικίου*) payment

▷ **από καταβολής κόσμου** since the dawn of time

▶ **καταβολές** ΠΛΗΘ nature *εν.*, personality *εν.*

κατάβρεγμα ΟΥΣ ΟΥΔ spraying

καταβρεχτήρι ΟΥΣ ΟΥΔ spray · (*για πότισμα*) watering can

καταβρέχω Ρ Μ (α) (*ρούχα*) to spray · (*αυλή*) to sprinkle (β) (*περαστικό*) to drench, to soak

καταβροχθίζω Ρ Μ (α) (*φαγητό, λεία, βιβλία*) to devour (β) (*περιουσία*) to squander

καταβρόχθιση ΟΥΣ ΘΗΛ (α) (*φαγητού, λείας*) devouring (β) (*περιουσίας*) squandering

καταβυθίζω Ρ Μ to sink

καταβύθιση ΟΥΣ ΘΗΛ sinking

καταγάλανος, -η, -ο ΕΠΙΘ deep blue
καταγγελία ΟΥΣ ΘΗΛ (α) (= *μήνυση*) charge
(β) (= *γνωστοποίηση παρανομίας*)
denunciation
καταγγέλλω Ρ Μ (α) (= *κάνω μήνυση*) to
charge (β) (= *γνωστοποιώ παρανομία*) to
denounce
καταγέλαστος, -η, -ο ΕΠΙΘ ridiculous
καταγής (*ανεπ.*) ΕΠΙΡΡ on the ground
▷**τον βρήκα πεσμένο καταγής** I found him
lying on the ground
καταγίνομαι Ρ Μ ΑΠΟΘ (= *ασχολούμαι*) to busy
oneself (*με* with)
▷**καταγίνομαι με οικοδομικές εργασίεςμε τις
τουριστικές επιχειρήσεις** to be in the
building/tourist trade
κάταγμα ΟΥΣ ΟΥΔ fracture
καταγοητεύω Ρ Μ to enchant
κατάγομαι Ρ ΑΜ ΑΠΟΘ: **κατάγομαι από** to come
from, to originate from
καταγραφή ΟΥΣ ΘΗΛ (α) (*εσόδων, εξόδων,
ακινήτων*) entry (β) (*αναγκών*) list·
(*γεγονότων*) record (γ) (*ήχου, συνέντευξης,
έντασης σεισμού*) recording
καταγράφω Ρ Μ (α) (*περιουσιακά στοιχεία*) to
record (β) (*προβλήματα, ανάγκες*) to list
(γ) (*σεισμική δόνηση, ήχο*) to record
καταγωγή ΟΥΣ ΘΗΛ (α) (= *γενιά*) descent
(β) (= *τόπος ή έθνος καταγωγής*) origins
πληθ.· (σκέψης, λέξης) origin
▷**είμαι Έλληνας/Βρετανός στην καταγωγή** to
come from Greece/Britain, to be of Greek/
British extraction
καταγώγιο (*μειωτ.*) ΟΥΣ ΟΥΔ dive (*ανεπ.*)
καταδεικνύω (*επίσ.*) Ρ Μ to clearly
demonstrate
κατάδειξη ΟΥΣ ΘΗΛ proof
καταδεκτικός, -ή, -ό ΕΠΙΘ (= *προσηνής*)
friendly· (= *συγκαταβατικός*) condescending
καταδέχομαι Ρ Μ ΑΠΟΘ (= *είμαι καταδεκτικός*)
to be friendly to· (= *είμαι συγκαταβατικός*)
to condescend to
▷**καταδέχομαι να κάνω κτ** to deign to do sth
καταδεχτικός, -ή, -ό ΕΠΙΘ = **καταδεκτικός**
κατάδηλος, -η, -ο (*επίσ.*) ΕΠΙΘ obvious
καταδίδω Ρ Μ to inform against, to report
καταδικάζω Ρ Μ (α) (*για δικαστήριο*) to
sentence (β) (= *κατακρίνω: επέμβαση*) to
censure· (*έργο*) to slate· (*άτομο*) to condemn
(γ) (*μτφ.: προσπάθεια, εγχείρημα*) to
condemn
καταδικαστικός, -ή, -ό ΕΠΙΘ (*σχόλια*)
damning
▸**καταδικαστική απόφαση** verdict of guilty
καταδίκη ΟΥΣ ΘΗΛ (α) (= *ποινή*) sentence
(β) (= *αποδοκιμασία*) censure
(γ) (= *μαρτύριο*) torment
κατάδικος ΟΥΣ ΑΡΣ&ΘΗΛ convict
καταδιωκτικό ΟΥΣ ΟΥΔ fighter plane
καταδιωκτικός, -ή, -ό ΕΠΙΘ (*αρχές*)

prosecuting
▸**καταδιωκτικό έργο** manhunt, pursuit
καταδιώκω Ρ Μ (α) (*κακοποιούς*) to look for·
(*εχθρό*) to hunt down (β) (= *κατατρέχω*) to
persecute (γ) (*φόβος, σκέψη*) to haunt
καταδίωξη ΟΥΣ ΘΗΛ (α) (*ληστών*) chase·
(*εχθρού*) pursuit (β) (*αίρεσης, εργαζομένων*)
persecution
▸**μανία καταδίωξης** persecution complex
κατάδοση ΟΥΣ ΘΗΛ informing
καταδότης ΟΥΣ ΑΡΣ informer
καταδότρια ΟΥΣ ΘΗΛ *βλ.* **καταδότης**
καταδρομέας ΟΥΣ ΑΡΣ commando

> *Προσοχή!: Ο πληθυντικός του*
> **commando** *είναι* **commandos.**

καταδρομή ΟΥΣ ΘΗΛ (ΣΤΡΑΤ) commando raid
▷**καταδρομή της τύχης** adversity
▸**δυνάμεις καταδρομών** commando forces
καταδρομικό ΟΥΣ ΟΥΔ battle cruiser
καταδυνάστευση ΟΥΣ ΘΗΛ oppression
καταδυναστεύω Ρ Μ to oppress
καταδύομαι Ρ ΑΜ ΑΠΟΘ (*υποβρύχιο*) to dive
κατάδυση ΟΥΣ ΘΗΛ (α) (*υποβρυχίου*) dive
(β) (ΑΘΛ) diving
καταζητούμενος, -η, -ο ΕΠΙΘ (*άνδρας*)
wanted
▸**καταζητούμενος** ΟΥΣ ΑΡΣ wanted man
καταζητώ Ρ Μ to search for
▷**καταζητείται για φόνο** he's wanted for
murder
κατάθεση ΟΥΣ ΘΗΛ (α) (*στεφάνου*) laying
(β) (*χρημάτων*) deposit (γ) (ΝΟΜ) testimony
(δ) (*προτάσεων*) submission· (*εγγράφων*)
registering· (*αίτησης*) putting in·
(*νομοσχεδίου*) tabling (ε) (*απόψεων,
σκέψεων*) presentation
▷**δίνω/παίρνω κατάθεση** to make/take a
statement
▷**έχω κατάθεση** to have an account
▷**κάνω κατάθεση** to make a deposit
▸**κατάθεση όπλων** surrender
καταθέτης ΟΥΣ ΑΡΣ depositor
καταθέτρια ΟΥΣ ΘΗΛ *βλ.* **καταθέτης**
καταθέτω Ρ Μ (α) (*στεφάνι*) to lay
(β) (*ένσταση, έφεση, δικαιολογητικά*) to
lodge (γ) (*χρήματα, ποσό*) to deposit
(δ) (= *δίνω κατάθεση*) to testify, to give
evidence (ε) (*πρόταση, ερώτηση*) to submit·
(*νομοσχέδιο*) to table· (*αίτηση*) to put in
(στ) (*άποψη, σκέψεις, εκτίμηση*) to present
▷**καταθέτω τα όπλα** to lay down one's arms·
(*μτφ.*) to throw in the towel
καταθλίβω Ρ Μ (α) (= *πικραίνω*) to depress
(β) (= *καταδυναστεύω*) to oppress
καταθλιπτικός, -ή, -ό ΕΠΙΘ (α) (*ψύχωση,
αντίδραση*) depressive (β) (*σπίτι,
ατμόσφαιρα*) depressing· (*ουρανός*) overcast
(γ) (*φόροι*) heavy
κατάθλιψη ΟΥΣ ΘΗΛ depression
▷**παθαίνω κατάθλιψη** to be depressed, to

suffer from depression
▷**πέφτω σε κατάθλιψη** to fall into a depression, to get depressed
καταθορυβώ Ρ Μ to alarm
καταιγίδα ΟΥΣ ΘΗΛ (α) (κυριολ.) (thunder)storm (β) (μτφ.) storm
καταιγισμός ΟΥΣ ΑΡΣ (α) (πυροβολισμών) barrage · (σφαιρών, λίθων) hail, volley · (βελών,) shower (β) (ερωτήσεων, παρατηρήσεων, ύβρεων) barrage
καταιγιστικός, -ή, -ό ΕΠΙΘ (ερωτήσεις) quick–fire
▷**καταιγιστικά πυρά** a hail ή volley of bullets
καταϊδρωμένος, -η, -ο ΕΠΙΘ bathed in sweat
▷**έρχομαι τελευταίος και καταϊδρωμένος** (για ομάδα) to come a very poor last
καταισχύνη (επίσ.) ΟΥΣ ΘΗΛ shame
καταΐφι ΟΥΣ ΟΥΔ = **κανταΐφι**
κατακαημένος, -η, -ο (ανεπ.) ΕΠΙΘ poor
κατακάθι ΟΥΣ ΟΥΔ (α) (καφέ) grounds πληθ., dregs πληθ. · (κρασιού) sediment (β) (υβρ.) dregs πληθ.
κατακάθομαι Ρ ΑΜ ΑΠΟΘ (α) (καφές, ζάχαρη) to settle (β) (έδαφος) to subside · (κτήριο) to sink
κατακαίω Ρ Μ (δάσος, σπίτι) to burn down, to burn to the ground
κατακαλόκαιρο ΟΥΣ ΟΥΔ middle ή height of the summer
κατάκαρδα ΕΠΙΡΡ (α) (= στο κέντρο της καρδιάς) right in the heart (β) (= πάρα πολύ) profoundly
▷**παίρνω κτ κατάκαρδα** to be deeply upset by sth
κατακεραυνώνω Ρ Μ (= αποστομώνω) to strike dumb · (= κατηγορώ έντονα) to condemn
κατακερματίζω Ρ Μ (χώρα) to break up · (παράταξη) to splinter
κατακερματισμός ΟΥΣ ΑΡΣ (χώρας) break–up · (παράταξης) splintering
κατακέφαλα (ανεπ.) ΕΠΙΡΡ (α) (βρίσκω, ρίχνω) on the head (β) (πέφτω) head first
▷**βρίσκω κπν κατακέφαλα** to hit sb on the head
κατακεφαλιά (ανεπ.) ΟΥΣ ΘΗΛ blow to the head
κατακίτρινος, -η, -ο ΕΠΙΘ (α) (μπλούζα, τοίχος) deep yellow (β) (για πρόσ.) deathly pale
κατακλέβω Ρ Μ (σπίτι) to strip bare
▷**κατακλέβω κπν** to rob sb blind
κατακλείδα ΟΥΣ ΘΗΛ conclusion
▷**εν κατακλείδι** (επίσ.) in conclusion
κατάκλειστος, -η, -ο ΕΠΙΘ (α) (σπίτι) locked up (β) (για πρόσ.) cut off, locked away
κατακλίνομαι (επίσ.) Ρ ΑΜ ΑΠΟΘ to lie down
κατάκλιση (επίσ.) ΟΥΣ ΘΗΛ lying down
κατακλύζω Ρ Μ (α) (δρόμους, περιοχή) to flood (β) (μτφ.) to inundate, to swamp

κατακλυσμιαίος, -α, -ο ΕΠΙΘ (βροχές, καταιγίδες) torrential
κατακλυσμός ΟΥΣ ΑΡΣ (α) (ΙΣΤ) flood (β) (= νεροποντή) deluge (γ) (διαμαρτυριών, γραμμάτων, μηνυμάτων) flood
▷**φέρνω τον κατακλυσμό** to spread doom and gloom
▷**ο κατακλυσμός του Νώε** the Flood · (μτφ.) deluge
▷**δεν ήρθε κι ο κατακλυσμός του Νώε!** it's not the end of the world!
κατάκοιτος, -η, -ο ΕΠΙΘ bedridden
κατακόκκινος, -η, -ο ΕΠΙΘ (χρώμα, φόρεμα, μήλο, χείλη) bright red · (μάτια) bloodshot
▷**γίνομαι κατακόκκινος από ντροπή** to blush ή go bright red
κατακόμβη ΟΥΣ ΘΗΛ (ΙΣΤ) catacomb
κατακομματιάζω Ρ Μ (α) (άνθρωπο, κρέας) to cut up · (χαρτί) to tear up · (βάζο) to shatter (β) (χώρα) to cut up · (κόμμα) to splinter
κατάκοπος, -η, -ο ΕΠΙΘ exhausted
κατακόρυφα ΕΠΙΡΡ (α) (πέφτω, ανεβαίνω, απογειώνομαι, κινούμαι) vertically (β) (μειώνομαι) sharply
▷**αυξάνομαι κατακόρυφα** to rocket, to soar
κατακόρυφος, -η, -ο ΕΠΙΘ (α) (πτώση, άνοδος, κίνηση) vertical (β) (αύξηση, μείωση) sharp
►**κατακόρυφο** ΟΥΣ ΟΥΔ: **φράνω στο κατακόρυφο** to reach a peak
►**κατακόρυφος** ΟΥΣ ΘΗΛ vertical (line)
κατακράτηση ΟΥΣ ΘΗΛ (α) (υπόπτου, μάρτυρα) illegal detention · (εγγράφων) withholding (β) (ούρων, υγρών) retention
κατακρατώ Ρ Μ (α) (ύποπτο, μάρτυρα) to detain illegally · (όμηρο) to hold · (έγγραφα) to withhold (β) (ούρα, υγρά) to retain
κατακραυγή ΟΥΣ ΘΗΛ (πλήθους, λαού, κοινής γνώμης) outcry
κατακρεούργηση ΟΥΣ ΘΗΛ (α) (ανθρώπου, σώματος) hacking to pieces (β) (ποιήματος, κειμένου) butchering
κατακρεουργώ Ρ Μ (α) (= κομματιάζω) to hack to pieces (β) (ποίημα, έργο, ρόλο) to butcher
κατακρημνίζω Ρ Μ (α) (= ρίχνω από ψηλά) to precipitate, to throw down (β) (κτήριο) to demolish · (αξίες, ιδέες) to overthrow
κατακρήμνιση ΟΥΣ ΘΗΛ (α) (= ρίξιμο από ψηλά) precipitation (β) (τοίχου) demolition · (οικονομίας, αγοράς) plummeting
κατακρίνω Ρ Μ to criticize
κατάκριση ΟΥΣ ΘΗΛ censure
κατακριτέος, -α, -ο ΕΠΙΘ reprehensible
κατάκτηση ΟΥΣ ΘΗΛ (α) (εξουσίας, πλούτου, γνώσης, γλώσσας) acquisition · (νίκης, χρυσού μεταλλίου, Παγκοσμίου Κυπέλλου) winning (β) (= επίτευγμα) achievement (γ) (χώρας, εδαφών) conquest (δ) (= ερωτική επιτυχία) conquest

Κ

κατακτήσεις ΠΛΗΘ (χώρας) colonies, possessions

κατακτητής ΟΥΣ ΑΡΣ (χώρας, εδαφών, αιθέρων) conqueror · (τροπαίου) winner
▷**κατακτητής γυναικών** lady–killer

κατακτητικός, -ή, -ό ΕΠΙΘ (α) (δυνάμεις, εξουσία, στρατεύματα) conquering (β) (σκοπός, βλέψεις, πολιτική, πόλεμος) expansionist

κατακτήτρια ΟΥΣ ΘΗΛ βλ. **κατακτητής**

κατακτώ Ρ Μ (α) (χρυσό μετάλλιο) to win · (ελευθερία) to gain, to win · (πλούτο) to acquire (β) (χώρα, εδάφη) to conquer (γ) (άνδρα, γυναίκα) to conquer

κατακυρώνω Ρ Μ (γκολ) to allow
▷**το αγαλματίδιο κατακυρώνεται στην κυρία για 5.000 ευρώ** the statuette goes to the lady for 5,000 euros

κατακύρωση ΟΥΣ ΘΗΛ (για δημοπρασία) adjudication

καταλαβαίνω Ρ Μ (α) (πρόταση, Αγγλικά, αστείο) to understand · (λάθος) to realize (β) (= αντιλαμβάνομαι με αισθήσεις) to realize (γ) (για πρόσ.: = νιώθω) to understand
▷**δίνω σε κπν να καταλάβει** (= εξηγώ) to get sb to understand · (= δίνω εντύπωση) to give sb to understand
▷**καλά το κατάλαβες!** you've got it!
▷**μαζί μιλάμε και χώρια καταλαβαινόμαστε ή καταλαβαίνουμε!** we just can't communicate!
▷**του δίνω και καταλαβαίνει** (= ξυλοφορτώνω) to beat sb to a pulp · (= καταναλώνω πολύ) not to hold back
▷**καταλαβαίνω από κτ** (= έχω γνώσεις) to know about sth · (= αντιλαμβάνομαι) to understand sth
▷**καταλαβαίνεις τίποτα από Αγγλικά;** do you know any English?
▷**καταλαβαίνεις τίποτα από υπολογιστές;** do you know anything about computers?
▷**καταλαβαίνω κπν** (= επικοινωνώ) to understand sb · (= αντιλαμβάνομαι) to see through sb
▷**καταλαβαινόμαστε** we understand each other
▷**κατάλαβες;** do you understand?

καταλαγιάζω ① Ρ Μ (δίψα) to quench · (θυμό) to calm
② Ρ ΑΜ (θύελλα, φουρτούνα, θόρυβος) to subside · (πόνος) to subside, to ease

καταλαμβάνω (επίσ.) Ρ Μ (α) (χώρα) to occupy · (κάστρο, πλοίο) to take, to seize · (αεροπλάνο) to hijack (β) (= κάνω κατάληψη: σπίτι) to squat · (σχολείο, γραφεία) to occupy (γ) (για εκτάσεις ή αντικείμενα: δέκα στρέμματα, όροφο, δωμάτιο) to take up, to occupy · (για βιβλίο, άρθρο: σελίδες) to comprise (δ) (θέση, κάθισμα) to take (ε) (εξουσία, αρχή) to seize
▷**με καταλαμβάνει τρόμος/πανικός** to be terror–stricken/panic–stricken

▷**με καταλαμβάνουν τύψεις** to be seized with remorse

καταλεπτώς (επίσ.) ΕΠΙΡΡ in great detail

κατάλευκος, -η, -ο ΕΠΙΘ (τοίχος, ύφασμα, χιόνι) pure white · (επιδερμίδα) snow white

καταλήγω Ρ ΑΜ (α) (δρόμος, ποταμός) to lead (σε to) · (επιστολή, κείμενο) to end (β) (= φτάνω σε συμπέρασμα: συμβούλιο) to conclude (γ) (για πρόσ.: = καταντώ) to end up (δ) (ΓΛΩΣΣ: ρήμα) to end (σε in)
▷**καταλήγω σε καβγά** to end up in an argument
▷**κατέληξε να γίνουν φίλοι** they ended up being friends
▷**καταλήγω σε απόφαση/συμφωνία** to reach a decision/an agreement
▷**καταλήγω σε διαζύγιο** to end in divorce
▷**καταλήγω στο συμπέρασμα ότι** to come to the conclusion that
▷**πού θέλεις να καταλήξεις;** what are you driving at?
▷**πού καταλήξατε τελικά;** what did you decide in the end?

καταληκτικός, -ή, -ό ΕΠΙΘ (ημερομηνία, ερώτημα, προσπάθεια) final

κατάληξη ΟΥΣ ΘΗΛ (α) (ομιλίας) conclusion · (βιβλίου) ending (β) (σύσκεψης, διαβουλεύσεων) outcome (γ) (ρήματος, επιθέτου) ending

καταληπτός, -ή, -ό ΕΠΙΘ (ερώτημα, θέμα, θεωρία, άποψη) comprehensible · (κατανόηση) clear

κατάληψη ΟΥΣ ΘΗΛ (α) (πόλης, οχυρού, εδαφών) capture (β) (εξουσίας) takeover (γ) (σχολής, εργοστασίου, οδού) occupation, takeover
▷**κάνω κατάληψη σε σχολείο/εργοστάσιο** to occupy ή take over a school/factory

καταληψίας ΟΥΣ ΑΡΣ/ΘΗΛ squatter

κατάλληλα ΕΠΙΡΡ = **καταλλήλως**

κατάλληλος, -η, -ο ΕΠΙΘ (ρούχα, ενδυμασία) suitable, appropriate · (άνθρωπος, άτομο, στιγμή) right · (μέτρα, ώρα, χρόνος, φάρμακα, βιβλία, θέαμα) appropriate, suitable
▷**είμαι κατάλληλος για κπν/κτ** to be suitable for sb/sth
▷**κατάλληλος για κατανάλωση** fit for consumption
▷**ο κατάλληλος άνθρωπος στην κατάλληλη θέση** the right man for the job

καταλληλότητα ΟΥΣ ΘΗΛ suitability

καταλλήλως ΕΠΙΡΡ (απαντώ, ενεργώ) appropriately

καταλογίζω Ρ Μ (ήττα, ατύχημα) to blame (σε on)
▷**καταλογίζω επιπολαιότητα σε κπν** to accuse sb of being flippant
▷**καταλογίζω μειονεκτήματα σε κπν** to find sb wanting
▷**καταλογίζω ευθύνες σε κπν** to hold sb responsible, to blame sb
▷**καταλογίζω πέναλτι εις βάρος κποιου**

(επίσ.) to award a penalty against sb
▷**τους καταλόγισαν τα έξοδα** (επίσ.) they were ordered to pay costs

καταλογισμός ΟΥΣ ΑΡΣ (α) (ευθυνών) imputing (β) (φόρων, δαπανών) charging (γ) (ποινής) passing · (πέναλτι) awarding

κατάλογος ΟΥΣ ΑΡΣ (α) (θυμάτων, αγνοουμένων) list · (βιβλίων) catalogue (Βρετ.), catalog (Αμερ.) (β) (= μενού) menu (γ) (μουσείου, πινακοθήκης, εκδοτικού οίκου) catalogue (Βρετ.), catalog (Αμερ.) (δ) (καθηγητή) register (ε) (ΠΛΗΡΟΦ) menu
▷**κατάλογος για ψώνια** shopping list
▸**εκλογικός κατάλογος** electoral roll
▸**κατάλογος κρασιών** wine list
▸**τηλεφωνικός κατάλογος** telephone directory

κατάλοιπο ΟΥΣ ΟΥΔ (α) (καύσης) residue · (ραδιενέργειας) fallout χωρίς πληθ. (β) (παραδόσεων) hangover · (ασθένειας, σκοταδισμού, εμπειριών) consequence · (προηγούμενης ζωής) echo

κατάλυμα ΟΥΣ ΟΥΔ lodging
▷**βρίσκω κατάλυμα** to find lodgings
▷**δίνω ή παρέχω κατάλυμα σε κπν** to put sb up

κατάλυση ΟΥΣ ΘΗΛ (α) (κράτους) overthrow · (δημοκρατίας, τάξης) breakdown · (ηθικής, τέχνης) decline (β) (ταξιδιωτών, εκδρομέων) lodging · (στρατιωτών) billeting, quartering (γ) (ΧΗΜ) catalysis

καταλύτης ΟΥΣ ΑΡΣ (α) (ΧΗΜ) catalyst (β) (μτφ.) catalyst (γ) (ΑΥΤΟΚΙΝ) catalytic converter

καταλυτικός, -ή, -ό ΕΠΙΘ (α) (ΧΗΜ) catalytic (β) (επίδραση, γεγονός, ρόλος) decisive · (συνέπειες) direct (γ) (αυτοκίνητο, μηχανή) with a catalytic converter

καταλύω ① Ρ Μ (α) (κράτος) to overthrow · (δημοκρατία, τάξη, φραγμούς) to break down (β) (ΧΗΜ) to catalyze ② Ρ ΑΜ (ταξιδιώτες, εκδρομείς) to stay · (στρατιώτες) to be quartered

καταμαράν ΟΥΣ ΟΥΔ ΑΚΛ (α) (για αθλητισμό, ψυχαγωγία) catamaran (β) (επιβατηγό σκάφος) catamaran ferry

καταμαρτυρώ Ρ Μ to accuse

κατάματα ΕΠΙΡΡ (= κατευθείαν στα μάτια) in the eyes
▷**κοιτάζω κπν κατάματα** to look sb in the eyes
▷**κοιτάζω κτ κατάματα** (μτφ.) to stare sth in the face

κατάμαυρος, -η, -ο ΕΠΙΘ (α) (μαλλιά, δέρμα) jet black · (σύννεφα) dark black · (αυτοκίνητο, ρούχα) deep black · (δόντια) blackened (β) (ψυχή, σκέψεις) dark

καταμερίζω Ρ Μ (α) (ευθύνες) to apportion · (έργο) to allot, to allocate (εισόδημα, χρόνο, ενέργειες) to share

καταμερισμός ΟΥΣ ΑΡΣ (ευθυνών) attachment · (αρμοδιοτήτων) allocation
▸**καταμερισμός εργασίας** division of labour

(Βρετ.) ή labor (Αμερ.)

καταμεσήμερο ΟΥΣ ΟΥΔ at noon ή midday
▷**μες στο καταμεσήμερο** in the middle of the day

καταμεσής ΕΠΙΡΡ right in the middle
▷**καταμεσής σε** right in the middle of

κατάμεστος, -η, -ο ΕΠΙΘ filled to capacity, packed

καταμέτρηση ΟΥΣ ΘΗΛ (α) (ψηφοδελτίων, εσόδων, δελτίων) count · (υλικού) inventory (β) (ρεύματος, νερού) meter reading

καταμετρώ Ρ Μ (α) (στοιχεία) to count · (εφόδια) to take an inventory of (β) (ρεύμα, νερό) to take a meter reading of

καταμηνύω (επίσ.) Ρ Μ to bring a charge against

κατά μόνας (επίσ.) ΕΠΙΡΡ (α) (= ιδιαιτέρως: συζητώ) in private · (ζω) apart (β) (= ένας-ένας: μελετώ, πηγαίνω) on one's own

κατάμονος, -η, -ο ΕΠΙΘ completely alone

κατάμουτρα (ανεπ.) ΕΠΙΡΡ (α) (= καταπρόσωπο) right in one's face (β) (= στα ίσα) face to face

καταναγκάζω Ρ Μ to force
▷**καταναγκάζω κπν να κάνει κτ** to force sb to do sth

καταναγκασμός ΟΥΣ ΑΡΣ coercion

καταναγκαστικός, -ή, -ό ΕΠΙΘ (α) (μέσα) coercive (β) (εργασία) forced · (εισφορά) compulsory
▷**καταναγκαστικά έργα** (κυριολ., μτφ.) forced labour (Βρετ.) ή labor (Αμερ.)

καταναλίσκω (επίσ.) Ρ Μ = **καταναλώνω**

καταναλώνω Ρ Μ (α) (ενέργεια, ηλεκτρικό) to consume, to use · (βενζίνη) to use · (θερμίδες) to burn · (τρόφιμα, νερό) to consume · (φάρμακα) to take (β) (χρόνο, χρήματα) to spend (γ) (βιβλία, ταινίες) to buy

κατανάλωση ΟΥΣ ΘΗΛ (α) (ηλεκτρισμού, καυσίμων, τροφίμων, υλικών) consumption · (θερμίδων) burning · (δυνάμεων) using · (φαρμάκων) taking (β) (χρόνου, διακοπών) spending (γ) (ηλεκτρικών συσκευών, υπηρεσιών) buying
▷**εγχώρια κατανάλωση** domestic consumption

καταναλωτής ΟΥΣ ΑΡΣ consumer

καταναλωτικός, -ή, -ό ΕΠΙΘ (προϊόν, συνήθεια, τάση) consumer
▸**καταναλωτικά αγαθά** consumer goods
▸**καταναλωτικό κοινό** consumers πληθ.
▸**καταναλωτική κοινωνία** consumer society

καταναλωτισμός ΟΥΣ ΑΡΣ consumerism

καταναλώτρια ΟΥΣ ΘΗΛ βλ. **καταναλωτής**

κατανέμω Ρ Μ (α) (χρέος, λεία) to divide, to split (β) (πιστώσεις, κεφάλαια) to distribute · (καθήκοντα, εργασία) to allocate

κατανεύω Ρ ΑΜ to nod one's approval

κατανικώ Ρ Μ (α) (εχθρό, αντίπαλο) to defeat, to beat (β) (φόβους, δειλία, δυσπιστία) to overcome

κατανόηση ΟΥΣ ΘΗΛ (α) (*μαθήματος, κειμένου, θέματος*) comprehension (β) (*κατάστασης*) understanding
▷**βρίσκω κατανόηση** to find sympathy
▷**έχω κατανόηση** to be understanding
▷**δείχνω κατανόηση** to show understanding

κατανοητός, -ή, -ό ΕΠΙΘ (α) (*κείμενο, γλώσσα, έννοια, διατύπωση*) intelligible, comprehensible (β) (*αντίδραση, δισταγμός, αμφιβολίες*) understandable
▷**γίνομαι κατανοητός** to make oneself understood
▷**κάνω κτ κατανοητό** to make sth clear

κατανομή ΟΥΣ ΘΗΛ (*κερδών, πλούτου, εργασίας*) distribution · (*ευθυνών, αρμοδιοτήτων*) allocation

κατανοώ Ρ Μ to understand

κατάντημα ΟΥΣ ΟΥΔ plight

κατάντια ΟΥΣ ΘΗΛ = **κατάντημα**

καταντικρύ, κατάντικρυ ΕΠΙΡΡ directly ή right opposite

καταντώ ① Ρ ΑΜ (α) (= *καταλήγω*) to end up (β) (= *ξεπέφτω*) to end up (γ) (= *γίνομαι*) to become
② Ρ Μ to make
▷**καταντώ κπν τρελό** to drive sb mad

κατανυκτικός, -ή, -ό ΕΠΙΘ devout

κατάνυξη ΟΥΣ ΘΗΛ devoutness

κατάξανθος, -η, -ο ΕΠΙΘ (*μαλλιά, κεφάλι, παιδί*) blond · (*στάχυα*) golden

καταξιωμένος, -η, -ο ΕΠΙΘ (*καλλιτέχνης, πολιτικός, έργο*) accomplished · (*επιχειρηματίας, ιστορικός*) prominent · (*προϊόν, επιχείρηση*) successful

καταξιώνω Ρ Μ (*αθλητή, τραγουδιστή*) to recognize
▸**καταξιώνομαι** ΜΕΣΟΠΑΘ (*επιστήμονας, πολιτικός*) to be successful

καταξίωση ΟΥΣ ΘΗΛ accomplishment, success

καταπακτή ΟΥΣ ΘΗΛ trap door

καταπάνω ΕΠΙΡΡ (*ορμώ, ρίχνω*) at · (*πέφτω*) on · (*έρχομαι*) at, towards

καταπάτηση ΟΥΣ ΘΗΛ (α) (*περιουσίας, δασικών εκτάσεων*) encroachment (β) (*ελευθερίας, δικαιωμάτων*) infringement · (*συμφωνίας, όρων συμβολαίου*) violation

καταπατητής ΟΥΣ ΑΡΣ trespasser

καταπατήτρια ΟΥΣ ΑΡΣ βλ. **καταπατητής**

καταπατώ Ρ Μ (α) (*οικόπεδο, καμένη περιοχή*) to encroach on (β) (*νόμους, ελευθερίες, δικαιώματα*) to infringe · (*συμφωνίες*) to violate · (*αξιοπρέπεια, ιδανικά*) to trample on (γ) (*όρκο, υπόσχεση*) to break

κατάπαυση ΟΥΣ ΘΗΛ (*εχθροπραξιών, πολέμου*) cessation
▷**κατάπαυση του πυρός** ceasefire

καταπέλτης ΟΥΣ ΑΡΣ (α) (ΑΡΧ ΙΣΤ, ΣΤΡΑΤ) catapult (*Βρετ.*), slingshot (*Αμερ.*) (β) (*μτφ.*) blow

καταπέτασμα ΟΥΣ ΟΥΔ curtain

▷**τρώω το καταπέτασμα** (*ανεπ.*) to stuff oneself

καταπέφτω (*ανεπ.*) Ρ ΑΜ = **καταπίπτω**

καταπιάνομαι Ρ Μ ΑΠΟΘ: **καταπιάνομαι με κτ** to turn one's hand to sth

καταπιέζω Ρ Μ (*παιδιά, σύζυγο*) to tyrannize · (*εργαζόμενους, λαό, μειονότητες, φτωχούς,*) to oppress · (*αισθήματα, επιθυμίες, σκέψεις*) to repress

καταπίεση ΟΥΣ ΘΗΛ (*παιδιών, συζύγου*) tyranny · (*υπαλλήλων, πολιτών, μειονοτήτων*) oppression · (*επιθυμιών, αισθημάτων*) repression

καταπιεστής ΟΥΣ ΑΡΣ oppressor

καταπιεστικός, -ή, -ό ΕΠΙΘ (α) (*νόμος, μέτρα, κοινωνία, αγάπη*) oppressive · (*συμπεριφορά*) tyrannical (β) (*για πρόσ.*) tyrannical

καταπιέστρια ΟΥΣ ΘΗΛ βλ. **καταπιεστής**

καταπίνω ① Ρ ΑΜ to swallow
② Ρ Μ (α) (*φαγητό, μπουκιά, σάλιο, χάπια*) to swallow (β) (*σκοτάδι, κύματα*) to swallow up, to engulf (γ) (*αρνητ.: ψέμα, ιστορία*) to swallow, to fall for (δ) (*προσβολές*) to swallow (ε) (*θυμό, δάκρυα, λυγμούς*) to swallow
▷**καταπίνω τη γλώσσα μου** not to say a word
▷**κατάπιες τη γλώσσα σου;** (*οικ.*) has the cat got your tongue?

καταπίπτω (*επίσ.*) Ρ ΑΜ (α) (*κατηγορία, ισχυρισμοί*) to collapse (β) (*αεροπλάνο*) to crash · (*κτήριο*) to collapse (γ) (*βροχή, άνεμος*) to let up, to ease (δ) (*για πρόσ.*) to deteriorate

καταπλακώνω Ρ Μ to crush

κατάπλασμα ΟΥΣ ΟΥΔ poultice

καταπλέω Ρ ΑΜ (*πλοίο*) to sail in

καταπληκτικός, -ή, -ό ΕΠΙΘ (*εμφάνιση, σπίτι, φόρεμα, φαγητό*) fantastic, amazing · (*εγχείρημα, λόγια, θεωρίες*) brilliant · (*ταλέντο*) extraordinary · (*άνθρωπος*) extraordinary, incredible

κατάπληκτος, -η, -ο ΕΠΙΘ amazed, astonished

κατάπληξη ΟΥΣ ΘΗΛ amazement, astonishment

καταπληξία ΟΥΣ ΘΗΛ shock

καταπλήσσω, καταπλήττω Ρ Μ to astound

κατάπλους (*επίσ.*) ΟΥΣ ΑΡΣ (= *άφιξη πλοίου*) arrival, putting into port

καταπνίγω Ρ Μ (*επανάσταση, εξέγερση*) to put down · (*κίνημα*) to suppress · (*παρορμήσεις, θυμό, αισθήματα*) to fight back, to suppress

κατάπνιξη ΟΥΣ ΘΗΛ suppression

κατά πόδας ΕΠΙΡΡ (α) (*ακολουθώ, παρακολουθώ*) at one's heels (β) (*εφαρμόζω, εκτελώ*) to the letter
▷**παίρνω κπν κατά πόδας** to chase after sb

καταπόδι (*ανεπ.*) ΕΠΙΡΡ = **κατά πόδας**

καταπολέμηση ΟΥΣ ΘΗΛ fighting, fight

καταπολεμώ Ρ Μ (*πληθωρισμό, φοροδιαφυγή,*

έγκλημα) to fight, to combat · (ασθένεια, πυρκαγιά) to fight · (ναρκωτικά) to fight against · (άγχος) to combat

καταπόνηση ΟΥΣ ΘΗΛ (α) (οργανισμού) exhaustion · (πνεύματος) strain · (μυών) fatigue (β) (μηχανής, αναρτήσεων) strain · (ελαστικών) wear

καταποντίζομαι Ρ ΑΜ ΑΠΟΘ (α) (= βυθίζομαι) to sink (β) (= καταστρέφομαι) to be dealt a severe blow

καταποντισμός ΟΥΣ ΑΡΣ (α) (= καταβύθιση) sinking, loss (β) (= αφανισμός) ruin

καταπονώ Ρ Μ (α) (σώμα, μυαλό, πνεύμα) to exhaust · (μυς) to strain (β) (μηχανή, αναρτήσεις) to put a strain on · (ελαστικά) to wear out

κατάποση ΟΥΣ ΘΗΛ swallowing

καταπράσινος, -η, -ο ΕΠΙΘ (πεδιάδα, λιβάδι) lush green

καταπράυνση ΟΥΣ ΘΗΛ (πόνου) relief · (θυμού) controlling

καταπραϋντικός, -ή, -ό ΕΠΙΘ (λόγια) soothing

▸ **καταπραϋντικά** ΟΥΣ ΟΥΔ ΠΛΗΘ painkillers

καταπραΰνω Ρ Μ (πόνο) to relieve, to ease · (θυμό) to control

καταπρόσωπο ΕΠΙΡΡ (α) (= κατάμουτρα) in the face (β) (= ενθέως) face to face

καταπτοημένος, -η, -ο ΕΠΙΘ (άνθρωπος) dispirited · (όψη) crestfallen · (ηθικό) low

καταπτοώ Ρ Μ to dismay

κατάπτυστος, -η, -ο ΕΠΙΘ contemptible

κατάπτωση ΟΥΣ ΘΗΛ (α) (= εξάντληση) exhaustion (β) (= κατάθλιψη) depression (γ) (= παρακμή) decline

καταπώς (προφορ.) ΕΠΙΡΡ the way
▸ **καταπώς φαίνεται, τελειώνουμε** it looks like we're going to finish

κατάρα ΟΥΣ ΘΗΛ (α) (= ανάθεμα) curse (β) (= δυστυχία) disaster, calamity
▸ **κατάρα!** damn! (ανεπ.)
▸ **σαν την άδικη κατάρα** like a lost soul

καταραμένος, -η, -ο ΕΠΙΘ
(α) (= αναθεματισμένος) cursed (β) (κλειδιά, ψυγείο) damned
▸ **καταραμένη η ώρα που...!** (προφορ.) curse the day that...!
▸ **καταραμένε!** (υβρ.) damn you! (ανεπ.)

κατάργηση ΟΥΣ ΘΗΛ (νόμου) abolition · (απόφασης) quashing · (διακρίσεων) end · (εξετάσεων, ελέγχων) invalidation

καταργώ Ρ Μ (νόμο) to abolish, to repeal · (απόφαση) to quash · (υπηρεσία) to end · (εξετάσεις) to invalidate · (τυπικότητες) to do away with

καταριέμαι Ρ Μ ΑΠΟΘ to curse
▸ **καταριέμαι την ώρα και τη στιγμή που...!** I curse the day when...!

καταρράκτης ΟΥΣ ΑΡΣ (α) (κυριολ.) waterfall (β) (μτφ.: ύβρεων, πληροφοριών) flood (γ) (ΙΑΤΡ) cataract

▸ **άνοιξαν οι καταρράκτες του ουρανού** the heavens opened
▸ **οι καταρράκτες του Νιαγάρα** Niagara Falls

καταρρακτώδης, -ης, -ες ΕΠΙΘ (βροχή) torrential, driving

καταρρακώνω Ρ Μ (α) (πανιά) to tear to shreds (β) (ηθικό, αξιοπρέπεια, κύρος) to destroy · (ελπίδες, οικονομία) to wreck

καταρράκωση ΟΥΣ ΘΗΛ (ηθικού, αξιοπρέπειας, κύρους) loss

καταρράχτης ΟΥΣ ΑΡΣ = **καταρράκτης**

κατάρρευση ΟΥΣ ΘΗΛ (α) (γέφυρας, σπιτιού) collapse (β) (= ψυχική εξάντληση) collapse, breakdown (γ) (οικονομίας, καθεστώτος, μετώπου, εμπορίου) collapse · (νόμου, μετώπου, εμπορίου) breakdown · (ελπίδων) end

καταρρέω Ρ ΑΜ (α) (σπίτι, γέφυρα) to collapse (β) (για πρόσ.: φυσικά) to collapse · (ψυχικά) to break down (γ) (καθεστώς, οικονομία) to collapse · (εταιρεία) to go under

καταρρίπτω Ρ Μ (α) (αεροπλάνο, ελικόπτερο) to shoot down (β) (επιχειρήματα, θεωρία) to shoot down (γ) (ρεκόρ) to break

κατάρριψη ΟΥΣ ΘΗΛ (α) (αεροσκάφους) shooting down (β) (επιχειρημάτων, άποψης, θεωρίας) shooting down (γ) (ρεκόρ) breaking

κατάρτι ΟΥΣ ΟΥΔ mast

καταρτίζω Ρ Μ (α) (σύμβαση, συμβόλαιο) to draw up · (χρονοδιάγραμμα, πρόγραμμα) to work out · (νομοσχέδιο) to draft (β) (εργαζομένους, υπαλλήλους) to train (γ) (καταχρ.: = συγκροτώ: επιτροπή, ομάδα) to form

κατάρτιση ΟΥΣ ΘΗΛ (α) (σύμβασης) drawing up · (νομοσχεδίου) drafting (β) (στελεχών, εργαζομένων) training (γ) (= σύνολο γνώσεων) training (δ) (καταχρ.: = συγκρότηση: επιτροπής, ομάδας) formation

καταρτισμένος, -η, -ο ΕΠΙΘ
(α) (επιστήμονας, επαγγελματίας) trained (β) (άνθρωπος) well–educated

κατάσαρκα ΕΠΙΡΡ (φορώ, βάζω) next to the skin

κατάσβεση ΟΥΣ ΘΗΛ (πυρκαγιάς) extinguishing, putting out

κατασβήνω Ρ Μ (πυρκαγιά) to extinguish, to put out

κατασιγάζω ① Ρ Μ (πάθος) to quell · (διαμαρτυρία, εσωτερικές φωνές) to silence ② Ρ ΑΜ (α) (θύελλα, άνεμος) to die down, to subside (β) (πάθος) to subside

κατασκευάζω Ρ Μ (α) (κτήριο, αεροσκάφος, λιμάνι, γέφυρα, δίκτυο) to build, to construct · (προϊόντα) to manufacture, to make (β) (αρνητ.: ιστορίες, κατηγορίες, σενάρια) to make up

κατασκεύασμα ΟΥΣ ΟΥΔ (α) (= δημιούργημα) construction · (φαντασίας) figment (β) (μειωτ.: = άτεχνο δημιούργημα) piece of junk

κατασκευαστής ΟΥΣ ΑΡΣ manufacturer

κατασκευάστρια ΟΥΣ ΘΗΛ manufacturer
▷**κατασκευάστρια εταιρεία/χώρα** manufacturing company/country

κατασκευή ΟΥΣ ΘΗΛ (α) (*πλοίου, δρόμου, σπιτιού, αεροσκάφους*) construction (β) (= *δημιουργία*) structure (γ) (*αντικειμένου*) design · (*σώματος*) physique (δ) (*κατηγορίας, ψευδών ειδήσεων*) fabrication
▷**υπό κατασκευή** under construction

κατασκηνώνω Ρ ΑΜ (α) (= *στήνω σκηνή*) to set up camp, to camp (β) (*μτφ.*) to make oneself at home

κατασκήνωση ΟΥΣ ΘΗΛ (α) (= *κάμπινγκ*) camping (β) (= *εγκαταστάσεις*) camp site · (= *κατασκηνωτές*) camp
▸**κατασκηνώσεις** ΠΛΗΘ (*Δήμου Αθηναίων*) camp εν.

κατασκηνωτής ΟΥΣ ΑΡΣ camper

κατασκηνώτρια ΟΥΣ ΘΗΛ βλ. **κατασκηνωτής**

κατασκοπεία ΟΥΣ ΘΗΛ = **κατασκοπία**

κατασκόπευση ΟΥΣ ΘΗΛ spying

κατασκοπευτικός, -ή, -ό ΕΠΙΘ (*αεροπλάνο, δορυφόρος*) spy · (*αποστολή, δράση*) espionage

κατασκοπεύω Ρ Μ (*κυριολ., μτφ.*) to spy on
▷**με κατασκοπεύεις;** (*μτφ.*) are you spying on me?

κατασκοπία ΟΥΣ ΘΗΛ (α) (= *κατασκόπευση*) spying, espionage (β) (*κρατική υπηρεσία*) secret service, espionage (γ) (*για ανταγωνιστές, εταιρείες*) espionage

κατάσκοπος ΟΥΣ ΑΡΣ/ΘΗΛ spy

κατασκότεινος, -η, -ο ΕΠΙΘ pitch-black

κατασπαράζω Ρ Μ (α) (= *ξεσκίζω*) to tear to pieces (β) (= *εξοντώνω*) to destroy

κατάσπαρτος, -η, -ο ΕΠΙΘ: **κατάσπαρτος με** (*έκταση, λιβάδι*) covered in · (*ουρανός*) studded with

κατασπατάληση ΟΥΣ ΘΗΛ (*χρημάτων, περιουσίας*) squandering · (*ενέργειας*) waste

κατασπαταλώ Ρ Μ (α) (*χρήματα, περιουσία*) to squander, to waste (β) (*ενέργεια, δύναμη*) to waste

κάτασπρος, -η, -ο ΕΠΙΘ (*σεντόνι, πουκάμισο*) pure white · (*επιδερμίδα*) snow white · (*δόντια*) sparkling white
▷**είμαι κάτασπρος από το φόβο (μου)** to be white with fear

καταστάλαγμα ΟΥΣ ΟΥΔ (α) (= *κατακάθι*) dregs πληθ. (β) (= *κατάληξη*) end

κατασταλαγμένος, -η, -ο ΕΠΙΘ (α) (*άτομο, νέος*) well–formed (β) (*ιδέες, σκέψη*) crystallized

κατασταλάζω Ρ Μ (= *κατακάθομαι*) to settle
▷**κατασταλάζω σε** (*απόφαση*) to come to · (*άποψη*) to form · (*χώρα*) to settle in

κατασταλτικός, -ή, -ό ΕΠΙΘ (*μέτρα, μέσα, μέθοδοι*) repressive (β) (*φάρμακο*) soothing

κατάσταση ΟΥΣ ΘΗΛ (α) (*τραυματία, ασθενούς*) condition · (*απελπισίας, ετοιμότητας*) state (β) (*χώρας, ατόμου*) situation (γ) (*εσόδων, εξόδων, κερδών, δαπανών, ζημιών*) record · (*μισθοδοσίας*) payroll (δ) (ΦΥΣ) state
▷**δεν είναι κατάσταση αυτή!, τι κατάσταση είναι αυτή;** this is a terrible state of affairs!
▷**είμαι σε καλή/κακή κατάσταση** to be in good/bad condition
▷**είμαι σε κατάσταση να κάνω κτ** to be in a position to do sth
▷**θέτω κπν σε κατάσταση διαθεσιμότητας** to suspend sb
▷**κάνω κατάσταση (με κπν)** (*αργκ.*) to score (with sb) (*ανεπ.*)
▷**κάνω κατάσταση σε κπν** (*αργκ.*) to introduce sb
▷**κατάσταση πολιορκίας** state of siege

καταστατικό ΟΥΣ ΟΥΔ (*εταιρείας*) articles πληθ. of association · (*οργανισμού, συλλόγου, σωματείου*) statutes πληθ.

καταστατικός, -ή, -ό ΕΠΙΘ (*διατάξεις, αρχές*) constitutional
▸**καταστατικός χάρτης** (*Ο.Η.Ε., Ε.Ε.*) charter · (*χώρας*) constitution

καταστέλλω Ρ Μ (*εξέγερση*) to quell, to put down · (*επανάσταση*) to put down · (*πάθη*) to subdue · (*ορμές, άγχος*) to suppress

κατάστηθα ΕΠΙΡΡ in the chest

κατάστημα ΟΥΣ ΟΥΔ (α) (= *μαγαζί*) shop, store (*κυρ. Αμερ.*) (β) (*τράπεζας, ταχυδρομείων*) office
▷**κεντρικό κατάστημα** head office

καταστηματάρχης ΟΥΣ ΑΡΣ shopkeeper (*Βρετ.*), store owner (*Αμερ.*)

καταστηματάρχισσα ΟΥΣ ΘΗΛ βλ. **καταστηματάρχης**

κατάστικτος, -η, -ο ΕΠΙΘ speckled

κατάστιχο ΟΥΣ ΟΥΔ (*παλαιότ.*) ledger

καταστολή ΟΥΣ ΘΗΛ suppression

καταστρατήγηση (*επίσ.*) ΟΥΣ ΘΗΛ contravention

καταστρατηγώ (*επίσ.*) Ρ Μ to contravene

καταστρεπτικός, -ή, -ό ΕΠΙΘ (*συνέπειες, επιπτώσεις, πολιτική, τακτική*) disastrous · (*σεισμός, πυρκαγιά, πόλεμος, επίδραση*) devastating

καταστρέφω Ρ Μ (α) (*πόλη, πολιτισμό, σπίτια, σοδειά*) to destroy · (*υγεία, μάτια*) to damage (β) (*υπόληψη, μέλλον, καριέρα*) to ruin (γ) (*επιχείρηση, οικονομία*) to wreck
▸**καταστρέφομαι** ΜΕΣΟΠΑΘ (= *χρεωκοπώ*) to be ruined

καταστροφέας ΟΥΣ ΑΡΣ/ΘΗΛ destroyer

καταστροφή ΟΥΣ ΘΗΛ (α) (*δάσους*) destruction · (*οικονομίας*) collapse (β) (= *συμφορά*) disaster
▷**είμαι η καταστροφή κποιου** to be sb's downfall *ή* undoing
▷**καταστροφή!** what a disaster!
▷**οικολογική καταστροφή** ecological disaster

‣καταστροφές ΠΛΗΘ damage εν.

καταστροφικός, -ή, -ό ΕΠΙΘ = **καταστρεπτικός**

κατάστρωμα ΟΥΣ ΟΥΔ (*πλοίου*) deck

καταστρώνω Ρ Μ (*σχέδιο, πρόγραμμα*) to formulate

κατάστρωση ΟΥΣ ΘΗΛ (*σχεδίου*) formulation

κατασυγκινώ Ρ Μ to move deeply

κατάσχεση ΟΥΣ ΘΗΛ confiscation, seizure

κατασχετήριο ΟΥΣ ΟΥΔ writ of seizure

κατάσχω Ρ Μ to confiscate, to seize

κατατακτήριος, -α, -ο ΕΠΙΘ (*διαγωνισμός*) qualifying

▷**κατατακτήριες εξετάσεις** assessment tests

κατάταξη ΟΥΣ ΘΗΛ (α) (*βιβλίων, εγγράφων*) classification · (*μαθητών, υπαλλήλων, εμπορευμάτων*) grading (β) (= *στράτευση*) enlistment (γ) (ΑΘΛ) rankings ΠΛΗΘ.

κατατάσσω Ρ Μ (α) (= *ταξινομώ: βιβλία, έγγραφα*) to classify · (*μαθητές, υπαλλήλους*) to grade (β) (= *συγκαταλέγω*) to rank

‣**κατατάσσομαι** ΜΕΣΟΠΑΘ (ΣΤΡΑΤ) to enlist · (ΑΘΛ) to be ranked

κατατεθειμένος, -η, -ο ΕΠΙΘ (α) (*ποσό*) deposited (β) (*πρόταση, ερώτηση*) submitted · (*νομοσχέδιο*) tabled (γ) (*στοιχεία, έγγραφο, έφεση*) submitted

κατατεθέν ΜΤΧ *βλ.* **σήμα**

κατατείνω (*επίσ.*) Ρ ΑΜ: **κατατείνω σε** (*προσπάθεια*) to be aimed at

κατατεμαχισμός ΟΥΣ ΑΡΣ division, splitting up

κατάτμηση ΟΥΣ ΘΗΛ division, splitting up

κατατομή ΟΥΣ ΘΗΛ (α) (= *προφίλ*) profile (β) (*κτηρίου, αεροσκάφους*) cross–section

κατατόπια ΟΥΣ ΟΥΔ ΠΛΗΘ: **ξέρω (καλά) τα κατατόπια** to know one's way around

κατατοπίζω Ρ Μ (= *πληροφορώ*) to brief, to fill in

κατατόπιση ΟΥΣ ΘΗΛ information

κατατοπισμένος, -η, -ο ΕΠΙΘ well–informed

κατατοπιστικός, -ή, -ό ΕΠΙΘ (*σημείωμα, εισήγηση*) explanatory · (*απάντηση, ανάλυση*) informative · (*χάρτης*) detailed · (*οδηγίες*) clear

κατατρεγμένος, -η, -ο ΕΠΙΘ tormented

κατατρεγμός ΟΥΣ ΑΡΣ persecution

κατατρέχω Ρ Μ to persecute

▷**με κατατρέχει η μοίρα/ατυχία** to be dogged by ill fate/bad luck

κατατρομάζω ① Ρ Μ to terrify ② Ρ ΑΜ to be terrified

κατατρομοκρατώ Ρ Μ to terrorize

‣**κατατρομοκρατούμαι** ΜΕΣΟΠΑΘ to be terrified

κατατροπώνω Ρ Μ (*εχθρό, στρατό*) to rout · (*ομάδα, αντιπάλους*) to thrash

κατατρόπωση ΟΥΣ ΘΗΛ crushing defeat

κατατρυπημένος, -η, -ο ΕΠΙΘ (α) (*τοίχος*) covered in holes · (*χαρτί*) perforated (β) (*χέρια, αστράγαλοι*) covered in cuts

▷**κατατρυπημένος από μαχαιριές** covered in stab wounds

▷**κατατρυπημένος από τα αγκάθια** covered in cuts from the thorns

κατατρύχω Ρ Μ to torment

‣**κατατρύχομαι** ΜΕΣΟΠΑΘ to be tormented

κατατρώγω, κατατρώω Ρ Μ (α) (*έπιπλο, ύφασμα*) to wear out (β) (*για έντομα*) to eat alive (γ) (= *βασανίζω*) to torment

▷**χτες το βράδυ με κατάφαγαν τα κουνούπια** I was eaten alive by mosquitoes last night

καταυλισμός ΟΥΣ ΑΡΣ (α) (= *κατασκήνωση*) camping (β) (*προσφύγων, σεισμοπλήκτων*) camp

καταφαίνομαι (*επίσ.*) Ρ ΑΜ ΑΠΟΘ to be clearly seen

▷**καταφαίνεται ότι** *ή* **πως** it is clear that

καταφανής, -ής, -ές (*επίσ.*) ΕΠΙΘ obvious, clear

καταφανώς (*επίσ.*) ΕΠΙΡΡ obviously, clearly

κατάφαση ΟΥΣ ΘΗΛ affirmation

καταφατικός, -ή, -ό ΕΠΙΘ (*απάντηση*) affirmative · (*στάση*) positive

‣**καταφατική πρόταση** affirmative clause

κατάφατσα (*οικ.*) ΕΠΙΡΡ (α) (*χτυπώ, βρίσκω*) in the face (β) (*λέω*) face to face

καταφέρνω Ρ Μ (α) (= *κατορθώνω: σπουδαία πράγματα*) to accomplish (β) (= *χειρίζομαι επιτυχώς*) to manage (γ) (= *πείθω*) to persuade, to convince · (*ερωτικά*) to win over (δ) (= *καταβάλλω*) to beat (ε) (*για φαγητό*) to manage to eat

▷**τα καταφέρνω** to manage

▷**τα καταφέρνω μια χαρά** to do well

▷**θα τα καταφέρεις** *ή* **θες βοήθεια;** can *ή* will you manage or do you need some help?

▷**καταφέρνω να κάνω κτ** to succeed in doing sth, to manage to do sth

καταφερτζής (*ανεπ.*) ΟΥΣ ΑΡΣ smooth operator (*ανεπ.*)

καταφερτζού (*ανεπ.*) ΟΥΣ ΘΗΛ *βλ.* **καταφερτζής**

καταφέρω Ρ Μ (*χτύπημα, γροθιά*) to land · (*πλήγμα*) to inflict

‣**καταφέρομαι** ΜΕΣΟΠΑΘ: **καταφέρομαι εναντίον** *ή* **κατά κποιου** to strike *ή* lash out at sb

καταφεύγω Ρ ΑΜ (α) (= *βρίσκω καταφύγιο*) to take refuge (β) (= *προσφεύγω*) to have recourse (*σε* to) (γ) (= *χρησιμοποιώ*) to resort (*σε* to)

καταφθάνω Ρ ΑΜ to turn up, to arrive

κατάφορτος, -η, -ο ΕΠΙΘ (*φορτηγό*) heavily loaded · (*καλάθι, δέντρο*) heavily laden

καταφρόνηση ΟΥΣ ΘΗΛ scorn, contempt

καταφρονητικός, -ή, -ό ΕΠΙΘ scornful, contemptuous

καταφρόνια (*ανεπ.*) ΟΥΣ ΘΗΛ = **καταφρόνηση**

καταφρονώ Ρ Μ (*άνθρωπο*) to be contemptuous of, to scorn · (*αγάπη*) to spurn · (*μοίρα*) to laugh at

καταφτάνω Ρ ΑΜ = **καταφθάνω**

καταφυγή ΟΥΣ ΘΗΛ (α) (= αναζήτηση *καταφυγίον*) seeking refuge (β) (= *καταφύγιο*) refuge

καταφύγιο ΟΥΣ ΟΥΔ (α) (= *τόπος προστασίας*) shelter · (*προσφύγων*) refuge (β) (= *υπόγειος χώρος*) bunker, shelter (γ) (*μτφ.*) refuge, haven
▸**αντιαεροπορικό καταφύγιο** air–raid shelter
▸**πυρηνικό καταφύγιο** nuclear bunker *ή* shelter

κατάφυτος, -η, -ο ΕΠΙΘ (*νησί, κάμπος, έκταση*) lush
▹**κατάφυτος από βαλανιδιές/αμπέλια** covered in oak trees/vineyards

κατάφωρος, -η, -ο ΕΠΙΘ blatant, flagrant

κατάφωτος, -η, -ο ΕΠΙΘ well lit

κατάχαμα (*ανεπ.*) ΕΠΙΡΡ (= *στο έδαφος*) on the ground · (*καταχρ.*: = *στο δάπεδο*) on the floor

καταχείμωνο ΟΥΣ ΟΥΔ midwinter

καταχθόνιος, -α, -ο ΕΠΙΘ (α) (= *υπόγειος*) underground (β) (*άνθρωπος, ενέργεια*) underhand · (*σχέδιο*) fiendish · (*κίνηση*) sly

καταχνιά ΟΥΣ ΘΗΛ mist, haze

καταχραστής ΟΥΣ ΑΡΣ (α) (*χρημάτων*) embezzler (β) (*φιλίας*) exploiter

καταχράστρια ΟΥΣ ΘΗΛ *βλ.* **καταχραστής**

καταχρεωμένος, -η, -ο ΕΠΙΘ deep in debt

κατάχρηση ΟΥΣ ΘΗΛ (α) (*αλκοόλ, φαρμάκων, καλοσύνης, φιλοξενίας*) abuse (β) (*δημοσίου χρήματος*) misappropriation, embezzlement
▹**κάνω κατάχρηση σε** (*καλοσύνη, φιλοξενία*) to abuse · (*υπομονή*) to try · (*ρεύμα*) to use too much
▸**κατάχρηση δικαιώματος** abuse of a right
▸**κατάχρηση εξουσίας** abuse of power
▸**καταχρήσεις** excess εν.

καταχρηστικά ΕΠΙΡΡ (α) (= *κάνοντας κατάχρηση*) excessively, to excess (β) (ΓΛΩΣΣ) wrongly, improperly

καταχρηστικός, -ή, -ό ΕΠΙΘ (*χρήση, άσκηση*) improper (*άξίωση*) excessive

καταχρηστικώς ΕΠΙΡΡ = **καταχρηστικά**

καταχρώμαι Ρ Μ ΑΠΟΘ (α) (*εμπιστοσύνη, εξουσία*) to abuse · (*φιλοξενία*) to take advantage of (β) (*χρήματα*) to embezzle

καταχωνιάζω Ρ Μ (α) (= *θάβω*) to bury (β) (*βιβλίο, χρήματα*) to hide away

καταχώρηση ΟΥΣ ΘΗΛ = **καταχώριση**

καταχωρίζω Ρ Μ (α) (*αποφάσεις, φράση, έξοδα*) to record (β) (*αγγελία*) to publish
▹**καταχωρίζω διαφήμιση σε εφημερίδα** to put an advertisement in the paper

καταχώριση ΟΥΣ ΘΗΛ (α) (*εξόδων, δαπανών*) recording, entry (β) (*αγγελίας*) publishing, listing
▹**κοίταξε στις καταχωρίσεις να δεις αν υπάρχει αυτό που θες** have a look in the paper to see if you can find what you want
▸**διαφημιστική καταχώρηση** advertisement

καταχωρώ Ρ Μ = **καταχωρίζω**

καταψηφίζω Ρ Μ to vote against

καταψήφιση ΟΥΣ ΘΗΛ voting against

καταψυγμένος, -η, -ο ΕΠΙΘ = **κατεψυγμένος**

καταψύκτης ΟΥΣ ΑΡΣ freezer (*Βρετ.*), deep freeze (*Βρετ.*), deep freezer (*Αμερ.*)

κατάψυξη ΟΥΣ ΘΗΛ (α) (*προϊόντων, φαγητών*) freezing (β) (*ψυγείου*) freezer (*Βρετ.*), deep freezer (*Αμερ.*) · (= *ειδικός θάλαμος*) freezer compartment

καταψύχω Ρ Μ to freeze

κατεβάζω Ρ Μ (α) (*κιβώτιο*) to get down · (*φορτίο, χέρι, πόδι*) to lower · (*καναπέ*) to pull out · (*φούστα, παντελόνι*) to pull down · (*γιακά, διακόπτη*) to put down · (*περσίδες, σημαία*) to lower · (*τέντα, κάδρο*) to take down (β) (*φωνή, τόνο, θερμοκρασία, βάρος*) to lower · (*τιμή, ενοίκιο*) to put down, to lower (γ) (*επιβάτη*) to drop (off) (δ) (*ιδέες*) to come up with (ε) (*ανεπ.*: *φαγητό, νερό*) to gulp down · (*ποτό*) to knock back (*ανεπ.*) (στ) (*επίπεδο, ποιότητα*) to lower, to bring down (ζ) (*για ποτάμι, χείμαρρο: νερό, λάσπη*) to bring down (η) (*ομάδα, αθλητή*) to put forward (θ) (*υποψηφίους, βουλευτές*) to put up, to field (ι) (*κυβέρνηση, πρόεδρο*) to remove (ια) (ΠΛΗΡΟΦ: *αρχείο, πληροφορίες*) to download (ιβ) (*θεατρικό έργο, παράσταση*) to take off (ιγ) (ΓΛΩΣΣ: *τόνο*) to shift
▹**κατεβάζω θεούς και δαίμονες** *ή* **αγίους** (*προφορ.*) to curse and swear
▹**κατεβάζω κπν ως το Κολωνάκι/μέχρι το σχολείο** to give sb a lift to Kolonaki/to school
▹**κατεβάζω τα μάτια** *ή* **το βλέμμα** *ή* **το κεφάλι** to look down, to lower one's eyes *ή* gaze
▹**κατεβάζω ταχύτητα** (= *ελαττώνω ταχύτητα*) to reduce speed, to slow down · (= *αλλάζω ταχύτητα*) to go down a gear
▹**κατεβάζω το ακουστικό** to hang up, to put the phone down
▹**κατεβάζω με δύναμη το ακουστικό** to slam the phone down
▹**κατέβασε τα πόδια σου από το γραφείο** get *ή* take your feet off the desk
▹**το βουνό κατεβάζει (κρύο)** a cold wind blows down off the mountain

κατεβαίνω ① Ρ Μ (α) (*σκάλες*) to go down, to descend (β) (*αργκ.*: *παραδάκι, χρήμα*) to hand over
② Ρ ΑΜ (α) (= *κατέρχομαι*) to come down (β) (*στο κέντρο, στην πόλη*) to go down (γ) (*από αυτοκίνητο*) to get out · (*από τρένο, πλοίο, άλογο*) to get off (δ) (*τιμές*) to come down, to fall (ε) (*ήλιος, νερό, στάθμη, θερμοκρασία*) to go down · (*πληθυσμός*) to fall · (*ομίχλη*) to come down, to descend (στ) (*ομάδα, αθλητής*) to play (ζ) (*κόμμα, υποψήφιος*) to stand (η) (*παράσταση, θεατρικό έργο*) to close
▹**λέω ό, τι μου κατέβει** to say the first thing that comes into one's head
▹**μου κατεβαίνει μια ιδέα** to get an idea
▹**κατεβαίνω σε απεργία** to go out on strike

κατεβασιά ΟΥΣ ΘΗΛ (α) (σε ποτάμι, χείμαρρο) torrent (β) (στο ποδόσφαιρο, μπάσκετ) moving forward

κατέβασμα ΟΥΣ ΟΥΔ (α) (κιβωτίου) getting down · (καναπέ) pulling out · (φορτίου, χεριού, σημαίας) lowering · (φούστας, παντελονιού) taking down · (γιακά) putting down · (τέντας) taking down · (διακόπτη) switching off (β) (φωνής, τόνου, θερμοκρασίας, χοληστερίνης) lowering · (τιμών, ενοικίου) putting down, lowering (γ) (επιβατών) dropping (off) (δ) (ανεπ.: φαγητού, νερού) gulping down · (ποτού) knocking back (ανεπ.) (ε) (επιπέδου, ποιότητας) lowering, bringing down (στ) (για ποτάμι, χείμαρρο: νερού, λάσπης) bringing down (ζ) (ομάδας, αθλητή) fielding (η) (ΠΛΗΡΟΦ: αρχείου, πληροφοριών) downloading (θ) (θεατρικού έργου, παράστασης) closure (ι) (ΓΛΩΣΣ: τόνου) shift

κατεβατό ΟΥΣ ΟΥΔ tome

κατεδαφίζω Ρ Μ (σπίτι, πολυκατοικία) to pull down, to demolish

κατεδάφιση ΟΥΣ ΘΗΛ (σπιτιού, τοίχου) demolition · (αξιών) tearing down

κατειλημμένος, -η, -ο ΕΠΙΘ (θέση, τουαλέτα) occupied · (τηλεφωνική γραμμή) engaged (Βρετ.), busy (Αμερ.)

κατενθουσιάζω Ρ Μ to fill with enthusiasm

κατεξοχήν, κατ' εξοχήν (επίσ.) ΕΠΙΡΡ primarily

κατεπειγόντως ΕΠΙΡΡ urgently

κατεπείγω Ρ ΑΜ (θέμα, πρόβλημα) to be urgent ή pressing · (έγγραφα) to need urgent attention
▸ **κατεπείγομαι** ΜΕΣΟΠΑΘ to be in a hurry

κατεπείγων, -ουσα, -ον ΕΠΙΘ (κλήση, γράμμα) urgent · (ζήτημα) pressing

κατεπεπάνω ΕΠΙΡΡ = **καταπάνω**

κατεργάζομαι Ρ Μ ΑΠΟΘ (χαλκό) to work · (λίθους) to polish · (βαμβάκι) to refine · (δέρματα) to tan

κατεργάρης, -α, -ικο ΕΠΙΘ crafty
▸ **κατεργάρης** ΟΥΣ ΑΡΣ, **κατεργάρα** ΟΥΣ ΘΗΛ crafty devil · (χαϊδευτ.) rascal
▸ **κάθε κατεργάρης στον πάγκο του** back to the grindstone
▸ **μεταξύ κατεργαραίων ειλικρίνεια** honour (Βρετ.) ή honor (Αμερ.) among thieves

κατεργαριά (ανεπ.) ΟΥΣ ΘΗΛ wiles πληθ.

κατεργασία ΟΥΣ ΘΗΛ working

κατεργάσιμος, -η, -ο ΕΠΙΘ workable

κάτεργο ΟΥΣ ΟΥΔ (παλαιότ.) galley
▸ **κάτεργα** ΠΛΗΘ hard labour εν. (Βρετ.) ή labor εν. (Αμερ.)

κατέρχομαι (επίσ.) ⚀ Ρ ΑΜ ΑΠΟΘ to come down
⚁ Ρ Μ (σκάλες) to come down
▸ **κατέρχομαι σε απεργία** to come out on strike
▸ **κατέρχομαι σε εκλογές** to stand in the elections

κατεστημένο ΟΥΣ ΟΥΔ establishment

κατεστραμμένος, -η, -ο ΕΠΙΘ (α) (πόλη) flattened · (σπίτι) demolished · (υγεία) damaged (β) (μέλλον, καριέρα, υπόληψη) ruined (γ) (οικονομία) ailing · (επιχείρηση) bankrupt

κατευθείαν, κατ' ευθείαν ΕΠΙΡΡ (α) (= ίσια) direct(ly) (β) (= αμέσως: ξεκινώ) straightaway (γ) (= απευθείας) directly
▸ **πάω κατευθείαν στο σπίτι** to go straight home

κατεύθυνση ΟΥΣ ΘΗΛ (α) (= φορά) direction (β) (δραστηριότητας, ενεργειών) area · (ερευνών) avenue (γ) (επιστήμης, ιατρικής, πολιτικής) aim

κατευθυντήριος, -α, -ο ΕΠΙΘ (σκέψεις, αρχές) guiding
▸ **κατευθυντήριες γραμμές** guidelines

κατευθύνω Ρ Μ (α) (αυτοκίνητο) to drive · (πλοίο) to steer · (αεροπλάνο) to fly · (στρατό, λαό) to lead (β) (άνθρωπο, εξελίξεις) to guide · (κράτος) to steer · (δράση, σκέψη, εκτέλεση) to direct
▸ **κατευθύνομαι** ΜΕΣΟΠΑΘ: **κατευθύνομαι προς** (άνθρωπος, στρατός) to head for · (πλοίο) to be bound for
▸ **κατευθύνομαι στο σπίτι** to head for home
▸ **κατευθύνομαι προς τα ανατολικά** to head east

κατευνάζω Ρ Μ (πόνο) to alleviate · (δίψα) to quench · (οργή) to placate · (φόβο) to allay · (άνθρωπο) to appease

κατευναστικός, -ή, -ό ΕΠΙΘ (δήλωση, χειρονομία, τακτική, ρόλος) placatory
▸ **κατευναστικό φάρμακο** painkiller

κατευοδώνω Ρ Μ: **κατευοδώνω κπν** (= εύχομαι καλό ταξίδι) to wish sb a nice trip · (= ξεπροβοδίζω) to see sb off

κατεχόμενος, -η, -ο ΕΠΙΘ (εδάφη, περιοχές) occupied
▸ **κατεχόμενα** ΟΥΣ ΟΥΔ ΠΛΗΘ occupied territories

κατέχω Ρ Μ (α) (περιουσία, μετοχές) to have, to own (β) (πόλη, χώρα, εδάφη) to occupy (γ) (θέση, αξίωμα) to hold (δ) (τέχνη, γλώσσα) to master
▸ **με κατέχει το άγχος/ο φόβος** to be consumed with anxiety/fear
▸ **με κατέχει μια ιδέα** to be obsessed with an idea

κατεψυγμένος, -η, -ο ΕΠΙΘ frozen

κατηγόρημα ΟΥΣ ΟΥΔ (ΓΛΩΣΣ) predicate

κατηγορηματικός, -ή, -ό ΕΠΙΘ (α) (απάντηση, τόνος, ύφος) categorical, forthright · (άρνηση) flat, outright · (διάψευση) vehement · (απόφαση, βεβαίωση) firm · (για πρόσ.) categorical (β) (ΓΛΩΣΣ) predicative

κατηγορητήριο ΟΥΣ ΟΥΔ (α) (ΝΟΜ) charge, indictment (Αμερ.) (β) (= σύνολο κατηγοριών) charges πληθ.

κατηγορία ΟΥΣ ΘΗΛ (α) (επίσης **κατηγόρια**:

χρηματισμού, δωροδοκίας) charge,
accusation (β) *(επίσης* **κατηγόρια**: = *επίκριση)*
accusation (γ) (ΝΟΜ) charge, indictment
(Αμερ.) (δ) *(εργαζομένων, υπαλλήλων)*
category · *(ανθρώπων)* class (ε) *(για
πράγματα)* grade · (ΑΘΛ) division
▷**πάντα πήγαινε σε μαγαζιά πρώτης
κατηγορίας** she always went to the best
shops

κατηγόρια *(ανεπ.)* ΟΥΣ ΘΗΛ *βλ.* **κατηγορία**

κατηγοριοποίηση ΟΥΣ ΘΗΛ categorization

κατηγοριοποιώ Ρ Μ to categorize

κατήγορος ΟΥΣ ΑΡΣΘΗΛ (α) (= *επικριτής)* critic
(β) (ΝΟΜ) plaintiff

κατηγορουμένη ΟΥΣ ΘΗΛ *βλ.*
κατηγορούμενος

κατηγορούμενο ΟΥΣ ΟΥΔ predicative

κατηγορούμενος ΟΥΣ ΑΡΣ (α) *(γενικότ.)*
accused (β) (= *εναγόμενος)* defendant

κατηγορώ Ρ Μ (α) *(αντίπαλο, εχθρό)* to
accuse · *(κοινωνία, τηλεόραση)* to blame
(β) (ΝΟΜ) to charge, to accuse

κατήφεια ΟΥΣ ΘΗΛ depression

κατηφής, -ής, -ές ΕΠΙΘ *(άνθρωπος, ύφος,
βλέμμα)* sullen

κατηφόρα ΟΥΣ ΘΗΛ (α) (= *κατωφέρεια)* slope
(β) (= *κατήφορος)* downhill slope (γ) *(μτφ.)*
dive

κατηφοριά ΟΥΣ ΘΗΛ = **κατηφόρα**

κατηφορίζω ① Ρ Μ *(σκάλα, πλαγιά, δρόμο)* to
go down
② Ρ ΑΜ *(δρόμος, μονοπάτι)* to go down

κατηφορικός, -ή, -ό ΕΠΙΘ *(δρόμος)* sloping

κατήφορος ΟΥΣ ΑΡΣ (α) (= *κατηφόρα)*
downhill slope (β) *(μτφ.)* decline
▷**παίρνω τον κατήφορο** *(μτφ.)* to go downhill

κατήχηση ΟΥΣ ΘΗΛ (α) catechism (β) *(αρνητ.:
= προσηλυτισμός)* indoctrination (γ) *(αρνητ.:
= κήρυγμα)* sermon

κατηχητικό ΟΥΣ ΟΥΔ *(επίσης* **κατηχητικό
σχολείο)** Sunday school

κατηχώ Ρ Μ (α) (= *μυώ σε δόγμα)* to initiate
(= *διδάσκω χριστιανικά δόγματα)* to teach
the catechism to (β) *(αρνητ.)* to preach at

━━ /ΛΕΞΗ-ΚΛΕΙΔΙ/ ━━━━━━━━━

ΚΑΤΙ ΑΝΤΩΝ ΑΟΡΙΣΤ ΑΚΛ (α) (= *κάποιο πράγμα)*
something ▢ **θες κάτι απ' την κουζίνα;** do
you want something from the kitchen? ·
περίμενε, θέλω να σου πω κάτι wait, I want
to tell you something
▷**κάτι σαν ...** something like ...
(β) : **κάτι τέτοιοι/τέτοιες** like that ▢ *κάτι
τέτοιοι άνδρες/τέτοιες γυναίκες* men/
women like that
▷**κάτι τέτοια** things like that, suchlike
▷**ή κάτι τέτοιο** or something
▷**κάτι τέτοιο** something like that
(γ) (= *λίγο)*: **και κάτι** just over, a bit over
▢ **είναι 30 και κάτι** he's just *ή* a bit over 30
▷**παρά κάτι** almost ▢ *η σανίδα ήταν δύο
μέτρα παρά κάτι* the plank was almost two

metres long
(δ) (= *κάποιος)* some ▢ **κάτι γνωστοί/παιδιά/
βιβλία** some friends/children/books
(ε) *(ειρων.: για πρόσ.)* really somebody,
something special · *(για πράγματα)*
something clever ▢ *νομίζει ότι είναι κάτι!* she
thinks she's something special *ή* really
somebody!· *νομίζεις πως κάτι κάνεις;* so,
you think you're doing something clever?
(στ) *(για θαυμασμό, απορία, έκπληξη)* such
▢ *κάτι χέρια/φαγητά* such big hands/such
wonderful food

━━━━━━━━━━━━━━━━━━━━

κατινιά *(ανεπ.)* ΟΥΣ ΘΗΛ bitchy *(ανεπ.)* remark

κατινίστικος, -η, -ο *(ανεπ.)* ΕΠΙΘ bitchy
(ανεπ.)

κατιόν ΟΥΣ ΟΥΔ cation

κατιούσα ΟΥΣ ΘΗΛ *(επίσ.)* descent
▷**παίρνω την κατιούσα** *(μτφ.)* to go downhill
▶**κατιούσα κλίμακα** descending scale

κατισχύω *(επίσ.)* ① Ρ ΑΜ to prevail
② Ρ Μ +*γεν.* to triumph over

κατοικημένος, -η, -ο ΕΠΙΘ *(σπίτι, περιοχή)*
inhabited

κατοίκηση ΟΥΣ ΘΗΛ habitation

κατοικήσιμος, -η, -ο ΕΠΙΘ *(σπίτι, περιοχή)*
habitable

κατοικία ΟΥΣ ΘΗΛ residence *(επίσ.)*, home
▶**εργατική κατοικία** workers' residence
▶**μόνιμη κατοικία** permanent residence
▶**τόπος κατοικίας** place of residence

κατοικίδιος, -α, -ο ΕΠΙΘ *(ζώο, πουλί)*
domestic

κάτοικος ΟΥΣ ΑΡΣΘΗΛ inhabitant

κατοικώ Ρ ΑΜ (α) (= *διαμένω)* to live, to
reside *(επίσ.)* (β) (= *μένω)* to live
▶**κατοικούμαι** ΜΕΣΟΠΑΘ *(σπίτι, περιοχή)* to be
inhabited

κατολίσθηση ΟΥΣ ΘΗΛ (ΓΕΩΛ) landslide

κατονομάζω Ρ Μ (α) *(υπερτυχερό)* to name ·
(δημιουργό, στοιχείο, αιτία, αντίδραση) to
mention (β) *(ένοχο, υπαίτιο, δράστη)* to
name

κατόπι ΕΠΙΡΡ: **παίρνω κπν στο κατόπι** to follow
sb

κατόπιν ΠΡΟΘ +*γεν.* (= *ύστερα)* after
▷**κατόπιν εντολής/εισηγήσεως κποιου** on sb's
instructions/recommendations
▷**κατόπιν εορτής** after the event

κατοπινός, -ή, -ό ΕΠΙΘ *(ημέρα)* following,
next · *(εξελίξεις)* ensuing

κατόπτευση ΟΥΣ ΘΗΛ (α) *(περιοχής)*
observation (β) (ΣΤΡΑΤ) reconnaissance

κατοπτεύω Ρ Μ (α) *(πεδιάδα, περιοχή)* to
observe (β) (ΣΤΡΑΤ) to reconnoitre *(Βρετ.)*, to
reconnoiter *(Αμερ.)*

κατοπτρίζω Ρ Μ (α) *(φως, τοπίο)* to reflect
(β) *(εξέλιξη, πορεία)* to show
▶**κατοπτρίζομαι** ΜΕΣΟΠΑΘ *(φως)* to be reflected ·
(πορεία) to be shown

κάτοπτρο ΟΥΣ ΟΥΔ (α) (ΦΥΣ) reflector

(β) (επία.: = καθρέφτης) mirror

κατόρθωμα ΟΥΣ ΟΥΔ (α) (= επίτευγμα) achievement, accomplishment (β) (= ανδραγάθημα) deed, feat (γ) (ειρων.) exploit

κατορθώνω Ρ Μ to achieve, to accomplish ▷**κατορθώνω να κάνω κτ** to manage to do sth, to succeed in doing sth

κατορθωτός, -ή, -ό ΕΠΙΘ (σκοπός, στόχος, σχέδιο) realistic

κατοστάρα ΟΥΣ ΘΗΛ (α) (ανεπ.: στο μπάσκετ) one hundred points (β) (δρομέας) 100 metres (Βρετ.) ή meters (Αμερ.) runner

κατοστάρης ΟΥΣ ΑΡΣ (δρομέας) 100 metres (Βρετ.) ή meters (Αμερ.) runner

κατοστάρι ΟΥΣ ΟΥΔ (ΑΘΛ) 100 metre (Βρετ.) ή meter (Αμερ.) race, 100 metres πληθ. (Βρετ.) ή meters πληθ. (Αμερ.)

κατοσταριά ΟΥΣ ΘΗΛ: **καμιά κατοσταριά** about a hundred, a hundred or so

κατούρημα (οικ.) ΟΥΣ ΟΥΔ pee (ανεπ.) ▷**με πιάνει κατούρημα** to need to have a pee (ανεπ.) ▷**πάω για κατούρημα** to go for a pee (ανεπ.) ή leak (ανεπ.)

κατουρλής (οικ.) ΟΥΣ ΑΡΣ (α) (= που κατουριέται πάνω του) person with incontinence (β) (= δειλός) wimp (ανεπ.)

κατουρλιό (οικ.) ΟΥΣ ΟΥΔ pee (ανεπ.) ▷**με πιάνει κατουρλιό** to need to have a pee (ανεπ.)

κατουρλού (οικ.) ΟΥΣ ΘΗΛ βλ. **κατουρλής**

κάτουρο (ανεπ.) ΟΥΣ ΟΥΔ (α) (= ούρα) pee (ανεπ.), piss (χυδ.) (β) (για ποτό) cat's pee (ανεπ.) ή piss (χυδ.)

κατουρώ (ανεπ.) ① Ρ ΑΜ to pee (ανεπ.), to piss (χυδ.) ② Ρ Μ (μαμά, μπαμπά) to pee on (ανεπ.) ▷**κατούρα τον!** (υβρ.) to hell with him! (ανεπ.), he can piss off! (Βρετ.) (χυδ.) ▸**κατουριέμαι** ΜΕΣΟΠΑΘ (α) (= τα κάνω πάνω μου) to wet oneself (β) (= επείγομαι για ούρηση) to need a pee (ανεπ.) ή the toilet ▷**φιλώ κατουρημένες ποδιές** to grovel, to kiss arse (Βρετ.) (χυδ.) ή ass (Αμερ.) (χυδ.) ▷**κατουριέμαι από τον φόβο μου** to nearly wet oneself (ανεπ.), to be scared stiff

κατοχή ΟΥΣ ΘΗΛ (α) (τίτλου, ναρκωτικών, όπλου, μπάλας) possession (β) (χώρας, περιοχής) occupation ▷**έχω κτ στην κατοχή μου** to have sth in one's possession ▸**Κατοχή** ΟΥΣ ΘΗΛ (ΙΣΤ): **η Κατοχή** the Occupation

κάτοχος ΟΥΣ ΑΡΣΘΗΛ (πτυχίου, τίτλου) holder · (περιουσίας) owner · (βραβείου, κυπέλλου) winner ▷**γίνομαι κάτοχος της μπάλας** to get possession of the ball ▷**είμαι κάτοχος ξένης γλώσσας** to be proficient in a foreign language ▸**κάτοχος θέσης** incumbent

▸**κάτοχος μετοχών** shareholder

κατοχυρώνω Ρ Μ (δικαίωμα, ελευθερία, θέση) to secure, to safeguard ▸**κατοχυρώνομαι** ΜΕΣΟΠΑΘ (έργο, βιβλίο) to be acknowledged

κατοχύρωση ΟΥΣ ΘΗΛ (δικαιώματος, ελευθερίας) safeguarding · (επαγγέλματος) security

κάτοψη ΟΥΣ ΘΗΛ (α) (= θέα από μακριά και ψηλά) aerial view (β) (ΑΡΧΙΤ) floor plan

κατρακύλα ΟΥΣ ΘΗΛ (α) (= κατρακύλισμα) tumble (β) (οικονομίας) slide · (ηθών) decline ▷**παίρνω την κατρακύλα** (μτφ.) to decline ▷**τρώω κατρακύλα** to take a tumble, to fall over

κατρακύλισμα ΟΥΣ ΟΥΔ (α) (βράχων, βαρελιών) fall · (παιδιού) tumble, fall (β) (οικονομίας) slide · (ηθών) decline · (δείκτη τιμών) fall

κατρακυλώ ① Ρ ΑΜ (α) (άνθρωπος, βράχος) to fall, to tumble (β) (οικονομία) to collapse · (ήθη) to decline · (δείκτης τιμών) to fall ② Ρ Μ (βαρέλι, μπάλα, πέτρες) to roll

κατράμι (ανεπ.) ΟΥΣ ΟΥΔ (= πίσσα) tar

κατραπακιά (ανεπ.) ΟΥΣ ΟΥΔ (α) (= κατακεφαλιά) clout (ανεπ.), blow (β) (= ηθικό πλήγμα) knock · (= υλικό πλήγμα) setback ▷**τρώω κατραπακιά** to get a clout around the ears (ανεπ.) · (μτφ.) to get knocked back

κατρουλής (οικ.) ΟΥΣ ΑΡΣ = **κατουρλής**

κατρουλιό (οικ.) ΟΥΣ ΟΥΔ = **κατουρλιό**

κατρουλού (οικ.) ΟΥΣ ΘΗΛ βλ. **κατουρλής**

κατσαβίδι ΟΥΣ ΟΥΔ screwdriver

κατσάβραχα (ανεπ.) ΟΥΣ ΟΥΔ ΠΛΗΘ (α) (= κακοτοπιά) crags (β) (μτφ.) backwoods

κατσάδα (ανεπ.) ΟΥΣ ΘΗΛ dressing–down (ανεπ.), telling–off ▷**πατάω ή ρίχνω κατσάδα σε κπν** to give sb a dressing–down ▷**τρώω κατσάδα** to get a real telling–off, to get a rocket (Βρετ.) (ανεπ.)

κατσαδιάζω (ανεπ.) Ρ Μ to tell off

κατσάδιασμα (ανεπ.) ΟΥΣ ΟΥΔ dressing–down (ανεπ.), telling–off

κατσαρίδα ΟΥΣ ΘΗΛ cockroach

κατσαριδάκι ΟΥΣ ΟΥΔ (α) (= μικρή κατσαρίδα) small cockroach, beetle (β) (τύπος αυτοκινήτου) beetle (Βρετ.), bug (Αμερ.)

κατσαριδοκτόνο ΟΥΣ ΟΥΔ insecticide for cockroaches ή roaches (Αμερ.)

κατσαρόλα ΟΥΣ ΘΗΛ (α) (μαγειρικό σκεύος) (sauce)pan (β) (= περιεχόμενο σκεύους) pan(ful)

κατσαρόλι ΟΥΣ ΟΥΔ (sauce)pan

κατσαρολικά ΟΥΣ ΟΥΔ ΠΛΗΘ pots and pans

κατσαρομάλλης, -α, -ικο ΕΠΙΘ curly–haired

κατσαρός, -ή, -ό ΕΠΙΘ curly

κατσαρώνω ① Ρ Μ to curl ② Ρ ΑΜ to be curly

κατσιάζω (ανεπ.) ① P M to wilt
② P AM to wilt

κατσίκα ΟΥΣ ΘΗΛ (α) (= γίδα) (nanny) goat (β) (υβρ.: για γυναίκα) cow (ανεπ.)

κατσικάκι ΟΥΣ ΟΥΔ (α) (= μικρό κατσίκι) kid (β) (φαγητό) goat's meat

κατσίκι ΟΥΣ ΟΥΔ (= γίδι) goat
▷**θα γελάσει και το παρδαλό κατσίκι** to be a laughing–stock

κατσικίσιος, -ια, -ιο ΕΠΙΘ (γάλα, κρέας) goat's
▸**κατσικίσιο δέρμα** kidskin

κατσικόδρομος (ανεπ.) ΟΥΣ ΑΡΣ goat track, rough mountain track

κατσικοκλέφτης ΟΥΣ ΑΡΣ (= ζωοκλέφτης) rustler

κατσικοπόδαρος, -η, -ο (ανεπ.) ΕΠΙΘ jinxed
▸**κατσικοπόδαρος** ΟΥΣ ΑΡΣ, **κατσικοπόδαρη** ΟΥΣ ΘΗΛ jinx

κατσούφης, -α ή **-ισσα, -ικο** ΕΠΙΘ sullen

κατσουφιάζω P AM to scowl

κατσουφιασμένος, -η, -ο ΕΠΙΘ sullen

κάτω ΕΠΙΡΡ (α) (= χάμω: κάθομαι, ρίχνω) down · (κοιμάμαι) on the floor (β) (σε χαμηλό ή χαμηλότερο επίπεδο: κοιτάζω) down (γ) (σε νότιο σημείο) down (δ) (= λιγότερο) under · (για θερμοκρασία) below
▷**από κάτω** down below
▷**από τη μέση και κάτω** from the waist down
▷**βάζω κπν κάτω** (= επιβάλλομαι) to get the better of sb · (= νικώ) to beat sb
▷**δεν το βάζω κάτω** not to give in ή up
▷**εκεί κάτω** down there
▷**έλα κάτω!** come down!
▷**κάτω από τα γόνατα** below the knee
▷**κάτω από το μηδέν** below zero
▷**κάτω από το παράθυρο** beneath the window
▷**κάτω από το τραπέζι/τα βιβλία** under the table/the books
▷**κάτω από τρία εκατομμύρια** less than three million
▷**με παίρνει από κάτω** to lose heart
▷**μένω (από) κάτω** (σε πολυκατοικία) to live downstairs ή on the floor below
▷**μπαμ και κάτω!** (προφορ.) just like that!
▷**ξαπλώνω κπν κάτω** to knock sb down ή to the ground
▷**ο από κάτω** (= ένοικος κάτω ορόφου) the person who lives on the floor below
▷**παιδιά κάτω των δέκα ετών** children under ten (years old), under–tens
▷**πέφτω κάτω** (= σωριάζομαι) to fall down · (= αρρωσταίνω) to fall ill
▷**πιο κάτω** (= πιο πέρα) a bit ή little further · (σε κείμενο ή διήγηση) below
▷**στο κάτω–κάτω (της γραφής)** after all, at the end of the day
▷**κάτω όροφος** floor below
▷**Κάτω...** (σε τοπωνύμια) Lower...
▷**κάτω...!** (για αποδοκιμασία) down with...!

κατώγειο ΟΥΣ ΟΥΔ cellar

κατώγι (ανεπ.) ΟΥΣ ΟΥΔ = **ανώγειο**

κάτωθι (επίσ.) ΕΠΙΡΡ below
▷**η κάτωθι ανακοίνωση/πληροφορία** the following statement/information
▷**ο κάτωθι υπογεγραμμένος** the undersigned
▷**τα κάτωθι** the following

κατώι (ανεπ.) ΟΥΣ ΟΥΔ = **κατώγειο**

κατωσάγονο ΟΥΣ ΟΥΔ lower jaw

κατωσέντονο ΟΥΣ ΟΥΔ bottom sheet

κατώτατος, -η ή **-άτη, -ο** ΕΠΙΘ (τιμή, όριο, επίπεδο) lowest · (υπάλληλος) junior

κατώτερος, -η ή **-έρα, -ο** ΕΠΙΘ (α) (σημείο, επίπεδο, στάθμη) lower (β) (υλικό, ποιότητα) inferior · (απόδοση, βαθμίδα, επίπεδο) lower · (ένστικτα, άνθρωπος, αντίπαλος) baser · (μοίρα) worse (γ) (υπάλληλος, αξιωματικός) junior (δ) (όντα, μορφές ζωής) lower
▸**κατώτερη** ή **κατωτέρα εκπαίδευση** primary education
▸**κατώτεροι** ΟΥΣ ΑΡΣ ΠΛΗΘ inferiors

κατωτερότητα ΟΥΣ ΘΗΛ (υλικού, ποιότητας, προϊόντων) inferiority
▸**αισθήματα κατωτερότητας** feelings of inferiority
▸**σύμπλεγμα κατωτερότητας** inferiority complex

κατωτέρω (επίσ.) ΕΠΙΡΡ below
▷**τα κατωτέρω** the following

κατωφέρεια ΟΥΣ ΘΗΛ downward slope

κατωφερής, -ής, -ές ΕΠΙΘ (έδαφος, οδός) sloping down

κατώφλι ΟΥΣ ΟΥΔ (α) (σπιτιού) doorstep, threshold (β) (αιώνα, περιόδου, γηρατειών) threshold

κάτωχρος, -η, -ο ΕΠΙΘ ashen

Κάτω Χώρες ΟΥΣ ΘΗΛ ΠΛΗΘ: **οι Κάτω Χώρες** the Netherlands · βλ. κ. **Ολλανδία**

καυγαδίζω P AM = **καβγαδίζω**

καυγάς ΟΥΣ ΑΡΣ = **καβγάς**

καύκαλο ΟΥΣ ΟΥΔ (α) (ζώου) skull (β) (χελώνας) shell

Καυκάσια ΟΥΣ ΘΗΛ βλ. **Καυκάσιος**

Καυκάσιος ΟΥΣ ΑΡΣ Caucasian

Καύκασος ΟΥΣ ΑΡΣ Caucasus

καύλα (χυδ.) ΟΥΣ ΘΗΛ (= στύση) hard–on (χυδ.), erection
▷**έχω καύλες** to have a hard–on (χυδ.), to be horny (ανεπ.)

καυλί (χυδ.) ΟΥΣ ΟΥΔ prick (χυδ.), knob (χυδ.)

καυλιάρης, -α, -ικο (χυδ.) ΕΠΙΘ horny (ανεπ.)

καυλόσπυρο (χυδ.) ΟΥΣ ΟΥΔ spot

καυλώνω (χυδ.) ① P AM (α) (= έχω στύση) to have a hard–on (χυδ.) (β) (= διεγείρομαι) to be horny (ανεπ.)
② P M (άνδρα, γυναίκα) to turn on (ανεπ.)

καϋμένος, -η, -ο ΕΠΙΘ = **καημένος**

καϋμός ΟΥΣ ΑΡΣ = **καημός**

καυσαέριο ΟΥΣ ΟΥΔ fumes ΠΛΗΘ

καύση ΟΥΣ ΘΗΛ (α) (ξύλου, άνθρακα) burning

(β) (ΧΗΜ) combustion
► **καύση νεκρών** cremation
καύσιμος, -η, -ο ΕΠΙΘ (*ύλη, αέριο*) combustible
► **καύσιμο** ΟΥΣ ΟΥΔ fuel
καυσόξυλο ΟΥΣ ΟΥΔ firewood *χωρίς πληθ.*
καυστήρας ΟΥΣ ΑΡΣ (α) (*κεντρικής θέρμανσης*) boiler · (*μηχανής*) combustion chamber (β) (ΙΑΤΡ) cauterizing iron
καυστικός, -ή, -ό ΕΠΙΘ (α) (*νάτριο, ποτάσα*) caustic (β) (*λόγια, κριτική, σχόλια*) scathing · (*χιούμορ*) caustic, scathing
καυστικότητα ΟΥΣ ΘΗΛ (α) (*οξέος, νατρίου*) causticity (β) (*λόγων, σχολίων, κριτικής*) scathing tone
καύσωνας ΟΥΣ ΑΡΣ heat wave
καυτερός, -ή, -ό ΕΠΙΘ (*σάλτσα, λουκάνικο*) spicy · (*πιπεριά*) hot
► **καυτερά** ΟΥΣ ΟΥΔ ΠΛΗΘ spicy food *εν.*
καυτηριάζω Ρ Μ (α) (ΙΑΤΡ) to cauterize (β) (*μτφ.*) to be scathing of
καυτηρίαση ΟΥΣ ΘΗΛ (α) (*πληγής*) cauterizing (β) (*πολιτικής, στάσης, συμπεριφοράς*) scathing criticism
καυτηριασμός ΟΥΣ ΑΡΣ = **καυτηρίαση**
καυτός, -ή, -ό ΕΠΙΘ (α) (*νερό*) boiling hot · (*σούπα, τσάι*) scalding (hot) · (*ήλιος, άμμος, αέρας*) scorching (hot), burning hot · (*σίδερο, κάρβουνα*) red hot · (*δάκρυα*) scalding (β) (*φιλί, βλέμμα*) passionate (γ) (*ερώτημα, προβλήματα*) burning · (*είδηση*) hot off the press (δ) (*φωτογραφίες, κορμιά*) provocative
καύτρα ΟΥΣ ΘΗΛ (*τσιγάρου*) burning end
καύχημα ΟΥΣ ΟΥΔ pride and joy
καύχηση, καυχησιά ΟΥΣ ΘΗΛ boasting *χωρίς πληθ.*
καυχησιάρης, -α, -ικο ΕΠΙΘ boastful
καυχησιολογία ΟΥΣ ΘΗΛ boastfulness
καυχιέμαι, καυχώμαι Ρ ΑΜ ΑΠΟΘ to boast (*για* about) to brag (*για* about)
καφάσι[1] ΟΥΣ ΟΥΔ (α) (= *τελάρο*) crate (β) (= *δικτυωτό πλέγμα*) lattice
καφάσι[2] (*ανεπ.*) ΟΥΣ ΟΥΔ skull
▷**μου φεύγει το καφάσι** (*οικ.*) to lose one's mind, to flip one's lid (*ανεπ.*)
καφασωτός, -ή, -ό ΕΠΙΘ (*παράθυρο, χώρισμα*) lattice
► **καφασωτό** ΟΥΣ ΟΥΔ lattice window
καφέ[1] ΟΥΣ ΟΥΔ ΑΚΛ café
καφέ[2] ΕΠΙΘ ΑΚΛ (*τσάντα*) brown
► **καφέ** ΟΥΣ ΟΥΔ brown
καφεΐνη ΟΥΣ ΘΗΛ caffeine
καφεκοπτείο ΟΥΣ ΟΥΔ coffee shop
καφεκόπτης ΟΥΣ ΑΡΣ coffee roaster
καφέ μπαρ ΟΥΣ ΟΥΔ ΑΚΛ café bar
καφενεδάκι ΟΥΣ ΟΥΔ *βλ.* **καφενείο**
καφενείο ΟΥΣ ΟΥΔ (α) = *καφέ*) café, coffee shop (β) (= *χώρος χωρίς τάξη*) madhouse (*ανεπ.*)

καφεόδεντρο ΟΥΣ ΟΥΔ coffee tree
καφεοφυτεία ΟΥΣ ΘΗΛ coffee plantation
καφεπώλης ΟΥΣ ΑΡΣ coffee-shop owner
καφεπώλισσα ΟΥΣ ΘΗΛ *βλ.* **καφεπώλης**
καφές ΟΥΣ ΑΡΣ coffee
► **ελληνικός/γαλλικός καφές** Greek/French coffee
► **καφές σκέτος** black coffee without sugar
► **καφές μέτριος/γλυκός** semi-sweet/sweet black coffee
► **καφές φίλτρου** filter coffee
► **κόκκοι καφέ** coffee beans
► **μύλος τού καφέ** coffee grinder
καφετερία ΟΥΣ ΘΗΛ = **καφετέρια**
καφετέρια ΟΥΣ ΘΗΛ coffee bar
καφετζής ΟΥΣ ΑΡΣ (= *ιδιοκτήτης καφενείου*) café owner · (= *υπάλληλος καφενείου*) waiter
καφετζού ΟΥΣ ΘΗΛ (α) (= *ιδιοκτήτρια καφενείου*) café owner · (= *υπάλληλος καφενείου*) waitress (β) (= *μάντισσα του καφέ*) fortune teller
καφετής, -ιά, -ί ΕΠΙΘ (*αρκουδάκι, γιλέκο*) brown
► **καφετί** ΟΥΣ ΟΥΔ brown
καφετιέρα ΟΥΣ ΘΗΛ (α) (*συσκευή*) coffee machine (β) (*σκεύος*) coffee pot
κάφρος (*αργητ.*) ΟΥΣ ΑΡΣ (= *άξεστος*) savage
καχεκτικός, -ή, -ό ΕΠΙΘ (*άνθρωπος*) frail · (*παιδί*) frail, sickly · (*δέντρο*) stunted · (*οικονομία*) ailing
καχεξία ΟΥΣ ΘΗΛ (α) (= *ασθενική κράση*) frailty (β) (*μτφ.*) slump
καχύποπτος, -η, -ο ΕΠΙΘ (*άνθρωπος*) suspicious, distrustful · (*ύφος, βλέμμα, στάση*) suspicious
▷**καχύποπτος απέναντι σε κπν/κτ** suspicious of sb/sth
καχυποψία ΟΥΣ ΘΗΛ suspicion
κάψα (*ανεπ.*) ΟΥΣ ΘΗΛ (α) (= *καύσωνας*) heat (β) (= *θέρμη*) fever (γ) (= *έντονη επιθυμία*) burning desire
καψαλίζω Ρ Μ (*ψωμί*) to toast · (*ρέγκα*) to grill · (*μαλλιά*) to singe
καψαλιστός, -ή, -ό ΕΠΙΘ (*ψωμί*) toasted · (*ρέγκα*) grilled
καψερός, -ή, -ό (*οικ.*) ΕΠΙΘ poor, wretched
κάψιμο ΟΥΣ ΟΥΔ (α) (= *καύση*) burning (β) (= *έγκαυμα*) burn (γ) (= *σημάδι εγκαύματος*) burn mark (δ) (= *καούρα*) heartburn (ε) (*στον λαιμό, λάρυγγα*) burning sensation
καψόνι ΟΥΣ ΟΥΔ = **καψώνι**
κάψουλα ΟΥΣ ΘΗΛ capsule
καψούλι ΟΥΣ ΟΥΔ (*βλήματος, παιδικού πιστολιού*) cap
καψούρα (*ανεπ.*) ΟΥΣ ΘΗΛ (α) (= *δυνατός έρωτας*) passionate love (β) (= *αντικείμενο έρωτα*) sweetheart, true love
▷**είναι καψούρα μαζί του** (*μειωτ.*) she's besotted with him.
▷**πέφτω στην καψούρα για κπν** to fall head

K

over heels in love with sb· βλ. κ. **καψούρης**

καψουρεύομαι (ανεπ.) Ρ Μ ΑΠΟΘ to fall head over heels in love with

καψούρης (ανεπ., μειωτ.) ΟΥΣ ΑΡΣ: **είναι καψούρης μαζί της** he's besotted with her

καψώνι ΟΥΣ ΟΥΔ (α) (στον στρατό) fatigue, fatigue duties πληθ. (β) (γενικότ.) dirty work χωρίς πληθ.
▷**κάνω καψόνι σε** κπν to give sb all the dirty work

κέδρινος, -η, -ο ΕΠΙΘ (έπιπλο) cedar

κέδρος ΟΥΣ ΑΡΣ cedar (tree)

ΚΕΪΚ ΟΥΣ ΟΥΔ ΑΚΛ cake

κείμαι (επίσ.) Ρ ΑΜ ΑΠΟΘ (πόλη, χωριό) to lie, to be located· (ακίνητο) to be located
▷**ενθάδε κείται** here lies

κειμενικός, -ή, -ό ΕΠΙΘ (ΦΙΛΟΛ, ΓΛΩΣΣ) textual
▸**αποστολή κειμενικού μηνύματος** text messaging
▸**κειμενικό μήνυμα** text message

κείμενο ΟΥΣ ΟΥΔ text

κείμενος, -η, -ο (επίσ.) ΕΠΙΘ (νόμοι, διατάξεις) in force
▷**τα κακώς κείμενα** the negative aspects

κειμήλιο ΟΥΣ ΟΥΔ (γενικότ.) souvenir· (οικογενειακό) heirloom· (ιστορικό, ιερό) relic

κείνος, -η, -ο ΑΝΤΩΝ = **εκείνος**

κείτομαι (επίσ.) Ρ ΑΜ ΑΠΟΘ (α) (περαστικός, παιδί, άνδρας) to be lying (down) (β) (χωριό, πόλη) to lie, to be located

κεκλιμένος, -η, -ο (επίσ.) ΕΠΙΘ (επιφάνεια, στέγη) sloping
▸**κεκλιμένο επίπεδο** inclined plane

κεκτημένος, -η, -ο ΕΠΙΘ (δικαιώματα) established
▷**κάνω κτ από κεκτημένη ταχύτητα** to do sth on the spur of the moment
▸**κεκτημένη ταχύτητα** momentum

κελάηδημα, κελάηδισμα ΟΥΣ ΟΥΔ = **κελάιδισμα**

κελαηδιστός, -ή, -ό ΕΠΙΘ = **κελαϊδιστός**

κελαηδώ Ρ ΑΜ = **κελαϊδώ**

κελάιδημα, κελάιδισμα ΟΥΣ ΟΥΔ singing, chirruping

κελαϊδιστός, -ή, -ό ΕΠΙΘ (φωνή, ομιλία) singsong

κελαϊδώ Ρ ΑΜ (α) (= τραγουδώ) to sing, to chirrup (β) (= φλυαρώ) to chatter (γ) (ειρων.: = αποκαλύπτω) to talk

κελάρι ΟΥΣ ΟΥΔ cellar

κελαρύζω Ρ ΑΜ (νερό) to gurgle· (ρυάκι) to babble

κελάρυσμα ΟΥΣ ΟΥΔ gurgling χωρίς πληθ., babbling χωρίς πληθ.

κελεπούρι (ανεπ.) ΟΥΣ ΟΥΔ (α) (= ευκαιρία) bargain (β) (για πρόσ.) gem· (ειρων.) joker (ανεπ.)

κελευστής ΟΥΣ ΑΡΣΘΗΛ petty officer

κέλητας ΟΥΣ ΑΡΣ (α) (= άλογο ιππασίας)

riding horse (β) (ΝΑΥΤ) skiff

κελί ΟΥΣ ΟΥΔ cell

κέλυφος ΟΥΣ ΟΥΔ (αβγού, σαλιγκαριού) shell

κενό ΟΥΣ ΟΥΔ (α) (= χάσμα) (empty) space, void· (στο στομάχι) emptiness (β) (γνώσεων, κατάθεσης, κειμένου) gap· (χρόνου) gap, lapse (γ) (υπηρεσίας) vacancy· (άμυνας) gap (δ) (ΦΥΣ) vacuum (ε) (= αίσθημα έλλειψης) void
▷**αφήνω κενό** to leave a space· (μτφ.) to leave a void
▷**πέφτω στο κενό** to fall through the air· (= αποτυγχάνω) to come to nothing
▷**συμπληρώνω τα κενά** to fill in the gaps
▷**συσκευάζομαι σε κενό αέρος** to be vacuum–packed
▸**κενή αέρος** (= διαφορά υψομετρικής πίεσης) air pocket
▸**συσκευασία κενού** vacuum packaging

κενοδοξία ΟΥΣ ΘΗΛ vanity

κενόδοξος, -η, -ο ΕΠΙΘ vain, shallow

κενός, -ή, -ό ΕΠΙΘ (α) (μπουκάλι, κιβώτιο) empty (β) (δωμάτιο ξενοδοχείου, αίθουσα) vacant· (ώρες) free (γ) (υποσχέσεις, λόγια) empty· (ελπίδες) vain· (άνθρωπος) vacuous
▸**κενή εστία** (στο ποδόσφαιρο) open goal
▸**κενή θέση** vacancy

κενοτάφιο ΟΥΣ ΟΥΔ cenotaph

κενότητα ΟΥΣ ΘΗΛ (α) (κιβωτίου, δοχείου) emptiness (β) (δωματίου, θέσης) vacancy (γ) (λόγων, υποσχέσεων) emptiness· (ανθρώπου) vacuity

κέντα ΟΥΣ ΘΗΛ ΑΚΛ (σε χαρτοπαιξία) run
▸**κέντα-χρώμα** running flush

κέντημα ΟΥΣ ΟΥΔ (α) (τέχνη) needlework (β) (= εργόχειρο) embroidery (γ) (μέλισσας) sting (αλόγου) kick (with spurs)

κεντήστρα ΟΥΣ ΘΗΛ seamstress

κεντητός, -ή, -ό ΕΠΙΘ (τραπεζομάντηλο, σεντόνι) embroidered

κεντίδι ΟΥΣ ΟΥΔ embroidery

κεντράδι ΟΥΣ ΟΥΔ graft

κεντράρω Ρ Μ to centre (Βρετ.), to center (Αμερ.)

κεντρί ΟΥΣ ΟΥΔ (α) (εντόμου) sting (β) (= καρφί) barb

κεντρίζω Ρ Μ (α) (μελισσοκόμο, παιδί) to sting (β) (ενδιαφέρον, περιέργεια) to arouse· (προσοχή) to catch· (φιλοδοξία) to stir (γ) (δέντρο) to graft

κεντρικά ΕΠΙΡΡ (βρίσκομαι) in the centre (Βρετ.) ή center (Αμερ.)· (πηγαίνω) to the centre (Βρετ.) ή center (Αμερ.)

κεντρικός, -ή, -ό ΕΠΙΘ (α) (Ασία, Ευρώπη, οροσειρά) central (β) (κατάστημα, πλατεία) main (γ) (ιδέα, νόημα) main· (ρόλος) central, pivotal (δ) (κεραία) main (ε) (διεύθυνση, εξουσία) central
▸**κεντρικός αγωγός** mains πληθ.
▸**κεντρικό δελτίο ειδήσεων** main news πληθ.
▸**κεντρικός δρόμος** main road, high (Βρετ.) ή

main (*Αμερ.*) street
▸ **κεντρική θέρμανση** central heating
▸ **κεντρικά** ΟΥΣ ΟΥΔ ΠΛΗΘ head office *εν.*

κέντρισμα ΟΥΣ ΟΥΔ (α) (*εντόμου*) sting
(β) (*ενδιαφέροντος, περιέργειας*) arousing ·
(*φιλοδοξίας*) stirring · (*ζήλιας*) stab
(γ) (*δέντρου*) grafting

κέντρο ΟΥΣ ΟΥΔ (α) (*Γης*) centre (*Βρετ.*),
center (*Αμερ.*) · (*δωματίου, πλατείας*) middle,
centre (*Βρετ.*), center (*Αμερ.*)
(β) (*ενδιαφέροντος*) focus

> *Προσοχή!: Ο πληθυντικός του* focus *είναι*
> foci.

(γ) (*πόλης, εξουσίας*) centre (*Βρετ.*), center
(*Αμερ.*) · (*εταιρείας*) head office ·
(*οργανισμού*) central office (δ) (*διασκέδασης*)
club (ε) (*εκπαίδευσης, έρευνας, δοκιμών,*
αδυνατίσματος) centre (*Βρετ.*), center (*Αμερ.*)
(στ) (*εμπορίου, πολιτισμού*) hub (ζ) (ΜΑΘ:
κύκλου, σφαίρας) centre (*Βρετ.*), center
(*Αμερ.*) (η) (ΑΘΛ: *γηπέδου*) centre (*Βρετ.*),
center (*Αμερ.*) · (*ομάδας*) midfield
(θ) (ΦΥΣΙΟΛ) centre (*Βρετ.*), center (*Αμερ.*)
▸ **εμπορικό κέντρο** shopping centre (*Βρετ.*) ή
center (*Αμερ.*)
▸ **κέντρο βάρους** (ΦΥΣ) centre (*Βρετ.*) ή center
(*Αμερ.*) of gravity · (*μτφ.*) focal point
▸ **Κέντρο Εκπαίδευσης Νεοσυλλέκτων** basic
training camp
▸ **Κέντρο** ΟΥΣ ΟΥΔ (ΠΟΛΙΤ): **το Κέντρο** the centre
(*Βρετ.*), the center (*Αμερ.*)

κεντρομόλος, -ος, -ο ΕΠΙΘ (*δύναμη,*
επιτάχυνση) centripetal

κέντρωμα ΟΥΣ ΟΥΔ (α) (*δέντρου*) grafting
(β) (*μέλισσας*) sting

κεντρώνω Ρ Μ (α) (*δέντρο*) to graft (β) (*για*
μέλισσα) to sting

κεντρώος, -α, -ο ΕΠΙΘ (α) (*Αφρική, Αμερική*)
central (β) (ΠΟΛΙΤ) centrist

κεντώ Ρ Μ (α) (*τραπεζομάντηλο, σχέδια*) to
embroider (β) (*για μέλισσα*) to sting
(γ) (*άλογο: με σπιρούνια*) to kick, to spur on
(δ) (*ενδιαφέρον, περιέργεια*) to arouse ·
(*φαντασία*) to stir, to stimulate (ε) (*αργκ.:*
παίκτης, σεφ, τεχνίτης) to excel oneself

κενώνω Ρ Μ (α) (*θέση, χώρο*) to vacate ·
(*μυαλό*) to empty (β) (= *αφοδεύω*) to
evacuate

κένωση ΟΥΣ ΘΗΛ (α) (*θέσης*) vacancy ·
(*μυαλού*) emptying (β) (= *αφόδευση*)
evacuation

κεραία ΟΥΣ ΘΗΛ (α) (*ραδιοφώνου, τηλεόρασης*)
aerial (*Βρετ.*), antenna (*Αμερ.*)

> *Προσοχή!: Ο πληθυντικός του* antenna
> *είναι* antennae *ή* antennas.

(β) (*εντόμου*) antenna, feeler

κεραμεικός, -ή, -ό ΕΠΙΘ = **κεραμικός**

κεραμευτική ΟΥΣ ΘΗΛ ceramics *εν.*

κεραμίδα ΟΥΣ ΘΗΛ tile

▸**μου ήρθε κεραμίδα** (*ανεπ.*) it came as a
bombshell

κεραμιδής, -ιά, -ί ΕΠΙΘ ΑΚΛ terracotta · (*γάτος*)
tortoise–shell
▸ **κεραμιδί** ΟΥΣ ΟΥΔ terracotta

κεραμίδι ΟΥΣ ΟΥΔ (α) (= *πλάκα για κάλυψη*
στέγης) tile (β) (= *στέγη*) roof
▸**ένα κεραμίδι πάνω απ' το κεφάλι μου** a roof
over one's head

κεραμικός, -ή, -ό ΕΠΙΘ (*σκεύη*) ceramic
▸ **κεραμικός τροχός** potter's wheel
▸ **κεραμικά** ΟΥΣ ΟΥΔ ΠΛΗΘ ceramics *πληθ.*,
pottery *εν.*
▸ **κεραμική** ΟΥΣ ΘΗΛ (*τέχνη*) ceramics *εν.*

κεραμοποιείο ΟΥΣ ΟΥΔ ceramic works

κεραμοποιός ΟΥΣ ΑΡΣ/ΘΗΛ potter

κεραμωτός, -ή, -ό ΕΠΙΘ (*οροφή, σπίτι*) tiled
▸ **κεραμωτή** ΟΥΣ ΘΗΛ tiled roof

κέρας (*επίσ.*) ΟΥΣ ΟΥΔ (α) (= *κέρατο*) horn
(β) (*στην αρχαιότητα: μουσικό όργανο*) horn
(γ) (*παράταξης*) flank
▸**κέρας της Αμάλθειας** horn of plenty,
cornucopia
▸ **κυνηγετικό κέρας** hunting horn

κερασάκι ΟΥΣ ΟΥΔ (= *μικρό κεράσι*) small
cherry
▸**το κερασάκι στην τούρτα** the icing on the
cake

κεράσι ΟΥΣ ΟΥΔ cherry

κερασιά ΟΥΣ ΘΗΛ cherry tree

κέρασμα ΟΥΣ ΟΥΔ (α) (*καλεσμένων, φίλων*)
treat (β) (= *ό, τι προσφέρεται*) round
▸**για το κέρασμα** as a treat
▸**είναι κέρασμα του καταστήματος** it's on
the house
▸**το κέρασμα είναι δικό μου!** it's my treat!

κερασφόρος, -ος, -ο ΕΠΙΘ (*ζώο*) horned

κερατάς (*υβρ.*) ΟΥΣ ΑΡΣ (α) (= *απατημένος*
σύζυγος) cuckold, deceived husband
(β) (*προσφώνηση ή χαρακτηρισμός*) bastard
(*Βρετ.*) (*χυδ.*), son of a bitch (*Αμερ.*) (*χυδ.*)

κερατένιος, -ια, -ιο ΕΠΙΘ (α) (*ανεπ.:*
αγαλματίδιο) made of horn (β) (*οικ.:*
ασκήσεις, πρόβλημα) tough

κερατίνη ΟΥΣ ΘΗΛ keratin

κεράτινος, -η, -ο ΕΠΙΘ (*μάσκα, ομοίωμα*)
made of horn

κέρατο ΟΥΣ ΟΥΔ (α) (*ταύρου, ρινόκερου*) horn ·
(*ελαφιού*) antler (β) (*οικ.: για πρόβλημα,*
άσκηση) poser (*ανεπ.*) · (*για πρόσ.*) pain in
the neck (*ανεπ.*) (γ) (= *κεράτωμα*) cheating
(*ανεπ.*), cuckolding
▸**κέρατο βερνικωμένο** (*για πρόσ.*) tough
customer
▸**πιάνω τον ταύρο από τα κέρατα** to take the
bull by the horns
▸**φοράω ή βάζω κέρατα σε κπν, ρίχνω**
κέρατο σε κπν (*οικ.*) to cheat on sb (*ανεπ.*)

κερατοειδής, -ής, -ές ΕΠΙΘ (*προεξοχή,*
απόφυση) horn–like
▸ **κερατοειδής χιτώνας** cornea

κεράτωμα (οικ.) ΟΥΣ ΟΥΔ cheating (ανεπ.), cuckolding

κερατώνω (οικ.) Ρ Μ to cheat on (ανεπ.)

κεραυνοβόλος, -ος ή -α, -ο ΕΠΙΘ (α) (αντίδραση, ενέργεια, χτύπημα) lightning (β) (ασθένεια) acute (γ) (βλέμμα) fierce
▷**κεραυνοβόλος έρωτας** love at first sight

κεραυνοβολώ Ρ Μ (α) (= πλήττω με κεραυνό) to strike · (= πλήττω με ηλεκτρικό ρεύμα) to give a shock to (β) (= αφήνω άναυδο) to strike dumb, to stun

κεραυνόπληκτος, -η, -ο ΕΠΙΘ (κυριολ., μτφ.) thunderstruck

κεραυνός ΟΥΣ ΑΡΣ (ΜΕΤΕΩΡ) thunderbolt
▷**έπεσε κεραυνός στο δέντρο** the tree was struck by lightning
▷**κεραυνός εν αιθρία** (επίσ.) a bolt from the blue

Κέρβερος ΟΥΣ ΑΡΣ (α) (ΜΥΘΟΛ) Cerberus (β) (μετωνυμ.) tartar

κερδίζω ① Ρ Μ (α) (δόξα, φήμη) to win · (αναγνώριση) to gain, to win (β) (χρήματα) to earn (γ) (λαχείο, πέναλτι, φάουλ) to win (δ) (αγώνα, δίκη, εκλογές) to win (ε) (εμπιστοσύνη, εκτίμηση, φιλία) to earn (στ) (οπαδούς, κοινό) to gain · (άνθρωπο) to win over
② Ρ ΑΜ (α) (= ωφελούμαι) to benefit (β) (= νικώ) to win (γ) (= κάνω καλή εντύπωση) to look good
▷**κερδίζω έδαφος** (κυριολ., μτφ.) to gain ground
▷**κερδίζω την καρδιά κποιου** to win sb's heart
▷**κερδίζω το ψωμί μου** ή **τα προς το ζην** to earn one's ή a living

κερδισμένος, -η, -ο ΕΠΙΘ: **βγαίνω κερδισμένος από κτ** (= ωφελούμαι) to gain from sth, to do well out of sth
▷**είμαι ο κερδισμένος της υπόθεσης** to be the one that stands to gain

κέρδος ΟΥΣ ΟΥΔ (α) (= όφελος) profit · (λαχείου) winnings πληθ. (β) (μτφ.) benefit, advantage
▷**βγάζω κέρδος** to make a profit
▷**έχω** ή **παρουσιάζω κέρδος** to show a profit
▸**καθαρό/μικτό κέρδος** net/gross profit

κερδοσκοπία ΟΥΣ ΘΗΛ speculation

κερδοσκοπικός, -ή, -ό ΕΠΙΘ (επιχείρηση, εταιρεία, οργανισμός) profit–making · (επένδυση, πίεση, χαρακτήρας) speculative

κερδοσκόπος ΟΥΣ ΑΡΣ≠ΘΗΛ speculator

κερδοσκοπώ Ρ ΑΜ to speculate

κερδοφόρος, -α ή **-ος** ΕΠΙΘ (επιχείρηση, εταιρεία) profitable

κερένιος, -ια, -ιο ΕΠΙΘ = **κέρινος**

κερήθρα ΟΥΣ ΘΗΛ = **κηρήθρα**

κερί ΟΥΣ ΟΥΔ (α) (μελισσών) wax (β) (= λαμπάδα) candle (γ) (= έκκριμα αφτιού) earwax (δ) (για αποτρίχωση) wax
▷**είμαι κίτρινος** ή **άσπρος σαν το κερί** to be as white as a sheet

▷**λιώνω σαν το κερί** (οικ.) to waste away

κέρινος, -η, -ο ΕΠΙΘ (α) (κούκλα, ομοίωμα) wax (β) (πρόσωπο) ashen

κερκίδα ΟΥΣ ΘΗΛ (α) (σταδίου) stand · (θεάτρου) tier (β) (= θεατές) crowd (γ) (ΑΝΑΤ) radius

> *Προσοχή!:* Ο πληθυντικός του **radius** είναι **radii**.

Κέρκυρα ΟΥΣ ΘΗΛ (α) (νησί) Corfu (β) (πόλη) Corfu (town), Kerkyra

κέρμα ΟΥΣ ΟΥΔ coin

κερματοδέκτης ΟΥΣ ΑΡΣ coin slot
▷**τηλεφώνο με κερματοδέκτη** pay phone, coin–operated phone

κερνώ Ρ Μ (α) (επισκέπτες, καλεσμένους) to offer (β) (παρέα, φίλους) to treat
▷**Γιάννης κερνάει, Γιάννης πίνει** ≈ I'm alright Jack

κερομπογιά ΟΥΣ ΘΗΛ = **κηρομπογιά**

κεροσβήστης ΟΥΣ ΑΡΣ = **κηροσβέστης**

κεροστάτης ΟΥΣ ΑΡΣ = **κηροστάτης**

κέρσορας ΟΥΣ ΑΡΣ (ΠΛΗΡΟΦ) cursor

κερώνω ① Ρ Μ (κλωστή, πάτωμα) to wax ② Ρ ΑΜ (= χλομιάζω) to go pale ή white

κεσεδάκι ΟΥΣ ΟΥΔ (για γιούρτι, κρέμα, ρυζόγαλο) pot

κεσές ΟΥΣ ΑΡΣ (πήλινο δοχείο) bowl

κέτερινγκ ΟΥΣ ΟΥΔ ΑΚΛ catering

κέτσαπ ΟΥΣ ΟΥΔ ΑΚΛ ketchup (Βρετ.), catsup (Αμερ.)

κεφάλα (ανεπ.) ΟΥΣ ΘΗΛ big head

κεφαλαιαγορά ΟΥΣ ΘΗΛ (ΟΙΚΟΝ) money market

κεφαλαίο ΟΥΣ ΟΥΔ capital (letter)
▷**με κεφαλαία** in block capitals, in capital letters

κεφάλαιο ΟΥΣ ΟΥΔ (α) (καταστηματάρχη, ιδιώτη, επιχείρησης) capital (β) (= κεφαλαιοκράτες) capitalists πληθ. (γ) (βιβλίου) chapter (δ) (ιστορίας) chapter

κεφαλαιοκράτης ΟΥΣ ΑΡΣ capitalist

κεφαλαιοκρατία ΟΥΣ ΘΗΛ (α) (= καπιταλιστικό σύστημα) capitalism (β) (= κεφαλαιοκράτες) capitalists πληθ.

κεφαλαιοκρατικός, -ή, -ό ΕΠΙΘ capitalist

κεφαλαιοποίηση ΟΥΣ ΘΗΛ (κερδών) capitalization

κεφαλαιοποιώ Ρ Μ (κέρδη) to capitalize

κεφαλαιούχος ΟΥΣ ΑΡΣ≠ΘΗΛ financier

κεφαλαιώδης, -ης, -ες ΕΠΙΘ fundamental
▷**κεφαλαιώδους σημασίας** of the utmost importance

κεφαλαλγία (επίσ.) ΟΥΣ ΘΗΛ headache

κεφαλάρι ΟΥΣ ΟΥΔ (α) (= πηγή νερού) spring (β) (κρεβατιού) headboard

κεφάλας ΟΥΣ ΑΡΣ (α) (= κεφάλι) person with a big head (β) (υβρ.) blockhead (ανεπ.)

κεφαλή ΟΥΣ ΘΗΛ (α) (= κεφάλι) head

(β) (= ηγέτης) head **(γ)** (τραπεζιού, φάλαγγας) head · (πυραύλου) warhead **(δ)** (βίντεο, κασετοφώνου) head
▷**κατά κεφαλήν εισόδημα** per capita income

κεφάλι ΟΥΣ ΟΥΔ **(α)** (ανθρώπου, ζώου) head **(β)** (καρφίτσας, καρφιού) head · (για τυρί) ball · (για σκόρδο) bulb **(γ)** (οικ.: πέους) head, tip **(δ)** (για κοπάδι) head πληθ.
▷**βάζω στοίχημα το κεφάλι μου** (οικ.) to bet one's life on it
▷**βγάζω κτ απ' το κεφάλι μου** to make sth up
▷**γυρίζει το κεφάλι μου** my head's spinning
▷**δεν σηκώνω κεφάλι** (= εργάζομαι συνεχώς) to never stop · (= δεν ορθοποδώ) to be unable to make ends meet
▷**είμαι γερό κεφάλι** to be brainy
▷**έχω το κεφάλι μου ήσυχο** to have peace of mind
▷**κακό του κεφαλιού του!** on his own head be it!
▷**κάνω του κεφαλιού μου** to have one's own way, to do just as one likes
▷**κάνω κεφάλι** (αργκ.: από ποτό, ναρκωτικά) my head's spinning
▷**κατεβάζει το κεφάλι μου** to be inventive
▷**κερδίζω μ' ένα κεφάλι διαφορά** (σε αγώνα δρόμου) to win by a head
▷**κρατώ το κεφάλι (μου) ψηλά** to hold one's head up high
▷**(με) πονάει το κεφάλι μου** to have a headache
▷**παίρνω το κεφάλι κποιου** (= ζαλίζω) to make sb's head spin · (= αποκεφαλίζω) to cut off sb's head
▷**παίρνω κεφάλι** (σε αγώνα δρόμου, ιπποδρομία) to take the lead
▷**πέφτουν κεφάλια** (μτφ.) heads will roll
▷**σηκώνω κεφάλι** (= επαναστατώ) to rise up · (= ορθοποδώ) to recover
▷**σηκώνω κεφάλι σε κπν** to stand up to sb
▷**(το) τρώω το κεφάλι μου** to come a cropper
▷**το ψάρι βρομάει απ' το κεφάλι** (παροιμ.) a fish always stinks from the head downwards (παροιμ.)

κεφαλιά ΟΥΣ ΘΗΛ **(α)** (στο ποδόσφαιρο) header **(β)** (= κουτουλιά) head butt
▷**κάνω (μια) κεφαλιά** (παίκτης) to head the ball
▷**ρίχνω κεφαλιά σε κπν** to head–butt sb

Κεφαλληνία ΟΥΣ ΘΗΛ = **Κεφαλλονιά**

Κεφαλλονιά ΟΥΣ ΘΗΛ Cephalonia

κεφαλόδεσμος (επίσ.) ΟΥΣ ΑΡΣ headband

κεφαλόπονος ΟΥΣ ΑΡΣ headache

κεφαλόπουλο ΟΥΣ ΟΥΔ small mullet

κέφαλος ΟΥΣ ΑΡΣ grey (Βρετ.) ή gray (Αμερ.) mullet

κεφαλόσκαλο ΟΥΣ ΟΥΔ top step

κεφαλοτύρι ΟΥΣ ΟΥΔ kefalotiri, *hard cheese made from sheep's milk*

κεφαλοχώρι ΟΥΣ ΟΥΔ important village, ≈ market town

κεφάτος, -η, -ο ΕΠΙΘ **(α)** (για πρόσ.) cheerful,

jovial **(β)** (φωνή) cheerful · (ιστορία, τραγούδι) jolly · (πείραγμα) playful

κέφι ΟΥΣ ΟΥΔ (= ενδιαθεσία) good mood, high spirits πληθ. · (= διάθεση) good humour (Βρετ.) ή humor (Αμερ.)
▷**είμαι/δεν είμαι στα κέφια μου, έχω/δεν έχω κέφια** to be in a good/bad mood
▷**έρχομαι στο κέφι** to liven up
▷**έχω κέφι για κτ** to feel like (doing) sth
▷**κάνω τα κέφια κποιου** to indulge sb
▷**κάνω το κέφι μου** to do just as one pleases
▷**κάνω κέφι κπν** (οικ.) to like sb
▷**πώς πάνε τα κέφια;** (οικ.) how are you?, how goes it? (ανεπ.)
▷**φτιάχνω το κέφι κποιου** to cheer sb up
▷**χαλάω το κέφι κποιου** to bring sb down

κεφτές ΟΥΣ ΑΡΣ meatball

κεχρί ΟΥΣ ΟΥΔ **(α)** (φυτό) millet **(β)** (καρπός) millet (seed)

κεχριμπαρένιος, -ια, -ιο ΕΠΙΘ (κομπολόι, χάντρα, ρετσίνα, σταφύλια) amber

κεχριμπάρι ΟΥΣ ΟΥΔ **(α)** (= ήλεκτρο) amber **(β)** (για κρασί) nectar

κηδεία ΟΥΣ ΘΗΛ **(α)** (= εκφορά) funeral **(β)** (= νεκρική πομπή) funeral procession

κηδεμόνας ΟΥΣ ΑΡΣ/ΘΗΛ **(α)** (ανηλίκου) guardian · (περιουσίας) trustee **(β)** (αρνητ.) watchdog

κηδεμονεύω Ρ Μ **(α)** (ανήλικο) to be guardian to **(β)** (αρνητ.) to influence

κηδεμονία ΟΥΣ ΘΗΛ (ανηλίκου) guardianship, ward · (περιουσίας) trusteeship
▷**τίθεμαι υπό κηδεμονία** to be made a ward of court

κηδεμονικός, -ή, -ό ΕΠΙΘ (ρόλος) of guardian · (υποχρεώσεις) of a guardian

κηδεύω Ρ Μ to bury

κήλη ΟΥΣ ΘΗΛ hernia

κηλίδα ΟΥΣ ΘΗΛ **(α)** (χρώματος) spot · (αίματος) stain · (μελανιού) stain, blot **(β)** (ANAT) blemish **(γ)** (μτφ.) stain
▷**κηλίδα πετρελαίου** oil slick

κηλιδώνω Ρ Μ **(α)** (= λεκιάζω) to stain **(β)** (τιμή, όνομα) to blacken

κηπάκι ΟΥΣ ΟΥΔ small garden

κηπάριο ΟΥΣ ΟΥΔ = **κηπάκι**

κηπευτικός, -ή, -ό ΕΠΙΘ (καλλιέργειες, προϊόντα) horticultural
▸**κηπευτικά** ΟΥΣ ΟΥΔ ΠΛΗΘ garden produce εν.
▸**κηπευτική** ΟΥΣ ΘΗΛ gardening

κήπος ΟΥΣ ΑΡΣ garden
▸**εθνικός κήπος** park

κηπουρικός, -ή, -ό ΕΠΙΘ (εργαλεία, εξοπλισμός) gardening
▸**κηπουρική** ΟΥΣ ΘΗΛ gardening

κηπουρός ΟΥΣ ΑΡΣ/ΘΗΛ gardener

κηρήθρα ΟΥΣ ΘΗΛ honeycomb

κηροζίνη ΟΥΣ ΘΗΛ paraffin (Βρετ.), kerosene (κυρ. Αμερ.)

κηρομπογιά ΟΥΣ ΘΗΛ wax crayon

κηροπήγιο ΟΥΣ ΟΥΔ candlestick

κηροπλάστης ΟΥΣ ΑΡΣ chandler

κηροπλαστική ΟΥΣ ΘΗΛ chandlery

κηροπλάστρια ΟΥΣ ΘΗΛ *βλ.* **κηροπλάστης**

κηροποιός ΟΥΣ ΑΡΣ chandler

κηροσβέστης ΟΥΣ ΑΡΣ candle snuffer

κηροστάτης ΟΥΣ ΑΡΣ candlestick

κήρυγμα ΟΥΣ ΟΥΔ (α) (ΘΡΗΣΚ) sermon (β) (= *διδασκαλία*) call (γ) (*αρνητ.*) lecture
▷**κάνω κήρυγμα σε κπν** (*αρνητ.*) to lecture sb

κήρυκας ΟΥΣ ΑΡΣ (α) (ΘΡΗΣΚ) preacher (β) (*αδελφοσύνης, ιδεών*) advocate, champion · (*μίσους*) messenger (γ) (= *διαλαλητής*) town crier

κήρυξη ΟΥΣ ΘΗΛ declaration

κηρύσσω, κηρύττω ① Ρ Μ (α) (*Ευαγγέλιο, ιδέες*) to preach (β) (*πόλεμο, πτώχευση, έναρξη εργασιών*) to declare · (*απεργία*) to call
② Ρ ΑΜ to preach a sermon
▷**κηρυγμένος εχθρός** sworn enemy
▷**κηρύσσω κπν αθώο** to find sb innocent
▷**κηρύσσω σε κπν τον πόλεμο** (*μτφ.*) to have it in for sb

κήτος ΟΥΣ ΟΥΔ (α) (= *μεγάλο υδρόβιο θηλαστικό*) cetacean (β) (*μειωτ.*) fat slob (*ανεπ.*)

κηφήνας ΟΥΣ ΑΡΣ (α) (= *αρσενική μέλισσα*) drone (β) (*μειωτ.*) freeloader

ΚΙ ΣΥΝΔ = **και**

κιάλια ΟΥΣ ΟΥΔ ΠΛΗΘ binoculars

κίβδηλος, -η, -ο (*επίσ.*) ΕΠΙΘ (α) (*χρυσάφι, νόμισμα*) counterfeit (β) (*έρωτας, αισθήματα*) fake · (*άνθρωπος, χαρακτήρας*) false

κιβούρι (*λογοτ.*) ΟΥΣ ΟΥΔ (α) (= *φέρετρο*) coffin (β) (= *μνήμα*) grave

κιβώτιο ΟΥΣ ΟΥΔ box · (*από ξύλο*) crate
▶ **κιβώτιο ταχυτήτων** gearbox, transmission

κιβωτός ΟΥΣ ΘΗΛ (*τέχνης, γλώσσας, παραδόσεων*) preserver
▶ **Κιβωτός της Διαθήκης** Ark of the Covenant
▶ **Κιβωτός του Νώε** Noah's Ark

κιγκλίδωμα ΟΥΣ ΟΥΔ (*σκάλας, σταδίου*) railings πληθ. · (*τζακιού*) fireguard

Κίεβο ΟΥΣ ΟΥΔ Kiev

κιθάρα ΟΥΣ ΘΗΛ guitar
▷**μαθαίνω κιθάρα** to learn to play the guitar
▷**παίζω κιθάρα** to play the guitar

κιθαρίστας ΟΥΣ ΑΡΣ guitarist

κιθαριστής ΟΥΣ ΑΡΣ = **κιθαρίστας**

κιθαρίστρια ΟΥΣ ΘΗΛ *βλ.* **κιθαρίστας**

κικιρίκου ΟΥΣ ΟΥΔ ΑΚΛ cock-a-doodle-doo

κικ μπόξινγκ ΟΥΣ ΟΥΔ ΑΚΛ (ΑΘΛ) kick boxing

κιλίμι ΟΥΣ ΟΥΔ kilim

κιλό ΟΥΣ ΟΥΔ kilo, kilogram(me)
▷**αγοράζω/πουλάω κτ με το κιλό** to buy/sell sth by the kilo
▷**βρίσκω κπν στα κιλά μου** to pick on sb one's own size
▷**δεν είναι για τα κιλά σου!** he doesn't hold a candle to you!

▷**δίνω υποσχέσεις με το κιλό** to be full of promises
▷**έχω παραπάνω ή περιττά κιλά** to be overweight
▷**παίρνω/χάνω κιλά** to put on/lose weight

κιλοβάτ ΟΥΣ ΟΥΔ ΑΚΛ kilowatt

κιλομπάιτ ΟΥΣ ΟΥΔ ΑΚΛ (ΠΛΗΡΟΦ) kilobyte

κιλότα (*οικ.*) ΟΥΣ ΘΗΛ (*γυναικείο εσώρουχο*) pants πληθ. (*Βρετ.*), panties πληθ. (*Αμερ.*)

κιλοτάκι (*υποκορ., οικ.*) ΟΥΣ ΘΗΛ briefs πληθ.

κιλότο ΟΥΣ ΟΥΔ rump

κιλοχέρτς ΟΥΣ ΟΥΔ ΑΚΛ (ΦΥΣ, ΠΛΗΡΟΦ) kilohertz

κιλτ ΟΥΣ ΟΥΔ ΑΚΛ kilt

κιμάς ΟΥΣ ΑΡΣ mince(meat) (*Βρετ.*), ground beef (*Αμερ.*)
▷**κάνω κπν κιμά** (*ανεπ.*) to make mincemeat of sb

κιμονό ΟΥΣ ΟΥΔ ΑΚΛ kimono

κιμωλία ΟΥΣ ΘΗΛ chalk

Κίνα ΟΥΣ ΘΗΛ China

κίναιδος (*μειωτ.*) ΟΥΣ ΑΡΣ passive homosexual

κινδυνεύω ① Ρ ΑΜ (*χώρα, πόλη, υγεία*) to be threatened, to be at risk · (*εταιρεία*) to be at risk · (*εργάτης, ασθενείς*) to be in danger
② Ρ Μ (*ριψοκινδυνεύω*) to risk
▷**κινδυνεύω να κάνω κτ** to be in danger of doing sth

κινδυνολογία (*αρνητ.*) ΟΥΣ ΘΗΛ scaremongering χωρίς πληθ.

κίνδυνος ΟΥΣ ΑΡΣ (α) (*πολέμου, πνιγμού, ηλεκτροπληξίας*) danger, risk · (*καταστροφής, αποτυχίας, επεισοδίων*) risk (β) (*ναρκωτικών*) danger · (*διαδρομής*) hazard · (*θάλασσας*) peril (γ) (= *ρίσκο*) risk
▷**βάζω ή θέτω κπν σε κίνδυνο** to put sb in danger
▷**διατρέχω κίνδυνο** to be in danger · (*υγεία*) to be at risk
▷**εκπέμπω σήμα κινδύνου** (ΝΑΥΤ) to send out a distress signal · (*μτφ.*) to ring alarm bells
▷**κίνδυνος για την υγεία** health hazard
▷**με κίνδυνο της ζωής της** at the risk of her own life
▶ **έξοδος κινδύνου** emergency exit
▶ **προσοχή κίνδυνος!** danger, beware!

Κινέζα ΟΥΣ ΘΗΛ *βλ.* **Κινέζος**

κινεζικός, -ή, -ό ΕΠΙΘ Chinese
▶ **Κινεζικά, Κινέζικα** ΟΥΣ ΟΥΔ ΠΛΗΘ Chinese *εν.*
▷**αυτά μου φαίνονται Κινέζικα!** it's all Greek to me!
▶ **κινέζικο** ΟΥΣ ΟΥΔ (*εστιατόριο*) Chinese restaurant · (*φαγητό*) Chinese food

κινέζικος, -η, -ο ΕΠΙΘ = **κινεζικός**

Κινέζος ΟΥΣ ΑΡΣ Chinese
▷**οι Κινέζοι** the Chinese

κίνημα ΟΥΣ ΟΥΔ (α) (*συνταγματαρχών*) coup (β) (*ειρήνης, ισότητας, αφοπλισμού*) movement (γ) (*υπερρεαλισμού, Διαφωτισμού*) movement

κινηματογράφηση ΟΥΣ ΘΗΛ filming

κινηματογραφία ΟΥΣ ΘΗΛ (= *τέχνη κινηματογράφου*) cinematography

κινηματογραφικός, -ή, -ό ΕΠΙΘ (α) (*εικόνα, λέσχη, παραγωγή, διασκευή*) film, movie (*κυρ. Αμερ.*) (β) (*μτφ.: ταχύτητα*) lightning

▸**κινηματογραφικός αστέρας** film ή movie (*κυρ. Αμερ.*) star

▸**κινηματογραφική ταινία** film, movie (*κυρ. Αμερ.*)

κινηματογραφιστής ΟΥΣ ΑΡΣ (α) (= *που τραβά πλάνα*) cameraman

> *Προσοχή!: Ο πληθυντικός του* **cameraman** *είναι* **cameramen.**

(β) (= *που γυρίζει ταινία*) film-maker

κινηματογραφίστρια ΟΥΣ ΘΗΛ *βλ.* **κινηματογραφιστής**

κινηματογράφος ΟΥΣ ΑΡΣ (α) (= *σινεμά*) cinema (*κυρ. Βρετ.*), movies (*Αμερ.*) (β) (= *κινηματοθέατρο*) cinema (*κυρ. Βρετ.*), movie theater (*κυρ. Αμερ.*)

κινηματογραφόφιλη ΟΥΣ ΘΗΛ *βλ.* **κινηματογραφόφιλος**

κινηματογραφόφιλος ΟΥΣ ΑΡΣ cinema-goer (*Βρετ.*), film-goer (*Βρετ.*), moviegoer (*Αμερ.*)

κινηματογραφώ ① P M (*ταινία*) to shoot, to make · (*σκηνές*) to shoot, to film ② P AM to film

κινηματοθέατρο ΟΥΣ ΟΥΔ cinema-cum-theatre (*Βρετ.*), theater (*Αμερ.*)

κίνηση ΟΥΣ ΘΗΛ (α) (*σώματος, αυτοκινήτου, μπάλας, αέρα, Γης, άστρων*) movement · (*νερού, αίματος*) flow (β) (*κεφαλιού*) nod · (*κορμού, ανθρώπου*) gesture (γ) (*ματιών*) blink (δ) (*τουριστών, εκδρομέων, ταξιδιωτών*) traffic (ε) (*προϊόντων, αγαθών, αεροδρομίου*) traffic (στ) (= *κυκλοφορία οχημάτων*) traffic · (= *κυκλοφορία πεζών*) bustle (ζ) (= *σύνολο δραστηριοτήτων*) activity · (*ιδεών*) exchange (η) (= *εξελίξεις*) news *πληθ.* (θ) (= *χειρισμός*) move (ι) (= *κινητικότητα*) activity, bustle (ια) (*οικολόγων, δημοκρατών*) movement (ιβ) (*αγοράς, χρηματιστηρίου*) trade, activity · (*βιβλίου, εφημερίδας*) circulation (ιγ) (*στο σκάκι*) move (ιδ) (*κεφαλαίων, μετοχών*) movement · (*ταμείου, λογαριασμού*) transaction

▷**βρίσκομαι** ή **είμαι σε κίνηση** to be moving, to be in motion (*επίσ.*)

▷**ελευθερία** ή **άνεση κινήσεων** freedom of movement

▷**κάνω κίνηση μέχρι μισό μέτρο** to move half a metre (*Βρετ.*) ή meter (*Αμερ.*)

▷**κάνω μια κίνηση καλής θελήσεως** to make a gesture of goodwill

▷**κάνω την πρώτη κίνηση** to make the first move, to take the first step

▷**μην κάνεις απότομες κινήσεις** don't make any sudden moves

▸**κίνηση στους τέσσερεις τροχούς** four-wheel drive

▸**μπροστινή κίνηση** front-wheel drive

▸**κινήσεις** ΠΛΗΘ movements

κινητήρας ΟΥΣ ΑΡΣ engine

▸**δίχρονος/τετράχρονος κινητήρας** two-stroke/four-stroke engine

▸**κινητήρας εσωτερικής καύσης** internal combustion engine

κινητήριος, -α, -ο ΕΠΙΘ (*ιμάντας, άξονας*) driving

κινητικός, -ή, -ό ΕΠΙΘ (α) (*ενέργεια*) kinetic · (*νευρώνας, διαταραχή, ίνα*) motor (β) (*τύπος*) active

▸**κινητική** ΟΥΣ ΘΗΛ (ΦΥΣ) kinetics *εν.*

> *Προσοχή!: Αν και το* **kinetics** *φαίνεται ως τύπος πληθυντικού, είναι ουσιαστικό μόνο στον ενικό και συντάσσεται με ρήμα στον ενικό.*

κινητικότητα ΟΥΣ ΘΗΛ (α) (*αρθρώσεων*) mobility (β) (= *δραστηριοποίηση*) mobilization

κινητό ΟΥΣ ΟΥΔ (*επίσης* **κινητό τηλέφωνο**) mobile (phone)

κινητοποίηση ΟΥΣ ΘΗΛ mobilization *χωρίς πληθ.*

▸**κινητοποιήσεις** ΠΛΗΘ action *εν.*

κινητοποιώ P M (*λαό, αστυνομία, στρατό*) to mobilize

κινητός, -ή, -ό ΕΠΙΘ (α) (*γέφυρα*) movable · (*σκάλα*) moving (β) (*καντίνα, συνεργείο τηλεόρασης*) mobile

▸**κινητή εορτή** movable feast

▸**κινητή περιουσία** personal ή movable property

▸**κινητή τηλεφωνία** mobile telephony

κίνητρο ΟΥΣ ΟΥΔ (α) (*μελέτης*) motivation · (*φόνου*) motive (β) (*εργαζομένων, εταιρείας*) incentive

κινίνο ΟΥΣ ΟΥΔ (ΦΑΡΜ) quinine

▷**κινίνο είναι ο καφές** the coffee's really bitter

κινούμενος, -η, -ο ΕΠΙΘ (*στόχος*) moving · (*αυτοκίνητο*) in motion

▸**κινούμενη άμμος** quicksand

▸**κινούμενα σχέδια** (*τέχνη*) animation · (= *καρτούν*) animated cartoon

κινώ ① P M (α) (*πόδια, χέρια, ποντίκι*) to move (β) (*μηχανή*) to start (γ) (*περιέργεια, ενδιαφέρον*) to arouse (δ) (*διαδικασία, έρευνα, αγωγή*) to start (ε) (*πιόνι, στρατεύματα*) to move ② P AM (*λογοτ.: = ξεκινώ*) to set off ή out

▸**κινώ ένα θέμα** to raise an issue

▸**κινούμαι** ΜΕΣΟΠΑΘ (α) (*άρρωστος, άλογο*) to move (β) (*ταξιδιώτες, αεροσκάφος*) to travel · (*στρατός*) to move (γ) (*Γη, Ήλιος, ηλεκτρόνια*) to move (δ) (*επιχειρηματίας, κυβέρνηση, διπλωματία, στασιαστές*) to act (ε) (*μετοχές, δείκτης τιμών, πληθωρισμός*) to fluctuate · (*εφημερίδες, Τύπος*) to waver

▷**κινούμαι εναντίον** to rebel against

▷**κινούμαι με βενζίνη** to run on petrol

(Βρετ.) ή gas (Αμερ.)
▷**κινούμαι με μικρή/μεγάλη ταχύτητα** to go ή travel at low/high speed
κιόλας ΕΠΙΡΡ (α) (= ήδη) already
(β) (= επιπλέον) as well, on top
▷**γι' αυτό κιόλας...** that's why...
▷**αύριο κιόλας** tomorrow
▷**όχι μόνο..., κιόλας...** not only..., but also...
▷**αλλά τι να 'κανε κιόλας;** but what else could he do?
▷**τώρα κιόλας** right now, right away
κίονας ΟΥΣ ΑΡΣ pillar
κιονόκρανο ΟΥΣ ΟΥΔ capital
κιονοστοιχία ΟΥΣ ΘΗΛ colonnade
κιόσκι ΟΥΣ ΟΥΔ (= περίπτερο) kiosk
κιούπι ΟΥΣ ΟΥΔ (προφορ.) jar
κίρρωση ΟΥΣ ΘΗΛ: **κίρρωση του ήπατος** cirrhosis of the liver
κιρσός ΟΥΣ ΑΡΣ varicose vein
κισμέτ ΟΥΣ ΟΥΔ ΑΚΛ kismet
κίσσα ΟΥΣ ΘΗΛ magpie
κισσός ΟΥΣ ΑΡΣ ivy
κιτριά ΟΥΣ ΘΗΛ citrus tree
κιτρικός, -ή, -ό ΕΠΙΘ: **κιτρικό οξύ** citric acid
κιτρινιάρης, -α, -ικο (αρνητ.) ΕΠΙΘ (α) (δόντια) yellow · (πρόσωπο) sallow (β) (για πρόσ.) pasty, pale
κιτρινίζω ① Ρ ΑΜ (α) (φύλλα, δάχτυλα, χαρτιά) to go ή turn yellow (β) (για πρόσ.) to go pale
② Ρ Μ (α) (δάχτυλα) to turn yellow · (ρούχα) to dye yellow · (ήλιος) to turn yellow (β) (αργκ.: ποδοσφαιριστή) to show the yellow card to
κιτρινίλα ΟΥΣ ΘΗΛ (α) (= κίτρινος λεκές) yellow stain (β) (= χλομάδα) pallor
κιτρινισμός ΟΥΣ ΑΡΣ (Τύπου, εφημερίδας) sensationalism
κίτρινος, -η, -ο ΕΠΙΘ (α) (φούστα, φύλλα, λουλούδι) yellow (β) (για πρόσ.) pale
► **κίτρινη φυλή** Asians πληθ.
► **κίτρινος πυρετός** yellow fever
► **κίτρινος Τύπος** gutter press, scandal sheets πληθ.
► **κίτρινο** ΟΥΣ ΟΥΔ yellow
κιτρινωπός, -ή, -ό ΕΠΙΘ (α) (τοίχος) yellowish (β) (όψη) pale
κίτρο ΟΥΣ ΟΥΔ citron
κιχ (οικ.) ΟΥΣ ΟΥΔ ΑΚΛ: **δεν βγάζω κιχ** not to make a sound
κλαβιέ ΟΥΣ ΟΥΔ ΑΚΛ keyboard
κλαγγή ΟΥΣ ΘΗΛ clash
κλάδεμα ΟΥΣ ΟΥΔ (α) (ελιάς, αμπελιού) pruning (β) (στο ποδόσφαιρο) hard tackle
κλαδευτήρα ΟΥΣ ΘΗΛ pruning hook
κλαδευτήρι ΟΥΣ ΟΥΔ pruning shears πληθ.
κλαδεύω Ρ Μ (α) (δέντρο, αμπέλι) to prune · (λουλούδι) to cut back (β) (στο ποδόσφαιρο) to tackle hard
κλαδί ΟΥΣ ΟΥΔ branch

κλάδος ΟΥΣ ΑΡΣ (α) (επίσ.: = κλαδί) branch (β) (βιομηχανίας) branch · (γλωσσολογίας) discipline (γ) (= συγκεκριμένη επαγγελματική ομάδα) profession
κλαίουσα ΟΥΣ ΘΗΛ (επίσης **κλαίουσα ιτιά**) weeping willow
κλαίω ① Ρ ΑΜ to cry
② Ρ Μ (παιδί, λεφτά, νιάτα) to mourn
▷**κλαίω με λυγμούς** to sob
► **κλαίγομαι** ΜΕΣΟΠΑΘ (μειωτ.) to complain, to whine
κλακέτα ΟΥΣ ΘΗΛ (ΚΙΝΗΜ) clapperboard
► **κλακέτες** ΠΛΗΘ (μεταλλικά πλακίδια παπουτσιών) taps · (χορός) tap-dance εν.
κλάμα ΟΥΣ ΟΥΔ crying χωρίς πληθ., tears πληθ.
▷**βάζω τα κλάματα, με πιάνουν ή παίρνουν τα κλάματα** to start crying
▷**το σπίτι τους είναι για κλάματα** their house is in a terrible state
▷**η κατάστασή μας είναι για κλάματα** we're in a dire situation
κλαμένος, -η, -ο ΕΠΙΘ (πρόσωπο) tear-streaked · (για πρόσ.) tearful, crying
κλαμπ ΟΥΣ ΟΥΔ ΑΚΛ (α) (= κέντρο) club, nightclub (β) (οπαδών ομάδας) fan club (γ) (κορόιδ.: παντρεμένων, μπακουρκών) club
κλάμπινγκ ΟΥΣ ΟΥΔ ΑΚΛ clubbing
κλαμπ σάντουιτς ΟΥΣ ΟΥΔ ΑΚΛ club sandwich
κλανιά (οικ.) ΟΥΣ ΘΗΛ fart (ανεπ.)
κλάνω (οικ.) ① Ρ ΑΜ to fart (ανεπ.)
② Ρ Μ (= περιφρονώ ή αδιαφορώ) not to give a damn about (ανεπ.)
▷**κλάνω μαλλί ή πατάτες ή μέντες** to be scared witless ή shitless (χυδ.)
κλάπα ΟΥΣ ΘΗΛ (α) (= έλασμα σύνδεσης σανίδων) bracket (β) (= μεντεσές) hinge (γ) (= παρωπίδα) blinker
κλάρα ΟΥΣ ΘΗΛ (α) (= μεγάλο κλαρί) branch (β) (σε πηλήκιο) insignia (γ) (για ύφασμα) flowery material
κλαρί ΟΥΣ ΟΥΔ twig, stick
▷**βγαίνω στο κλαρί** (για γυναίκα) to go on the streets
κλαρινετίστας ΟΥΣ ΑΡΣ clarinet player
κλαρινέτο ΟΥΣ ΟΥΔ clarinet
κλαρίνο ΟΥΣ ΟΥΔ clarinet
▷**στέκομαι κλαρίνο** to stand to attention
κλαρωτός, -ή, -ό ΕΠΙΘ (ύφασμα, φούστα) flowery
κλάση ΟΥΣ ΘΗΛ class
κλασικιστής ΟΥΣ ΑΡΣ classicist
κλασικίστρια ΟΥΣ ΘΗΛ βλ. **κλασικιστής**
κλασικός, -ή, -ό ΕΠΙΘ (α) (συγγραφέας, βιβλίο, ρεπερτόριο) classical · (αυτοκίνητο) classic (β) (συνθέτης, μουσικός, πιανίστας) classical (γ) (αρχιτεκτονική, περίοδος) classical (δ) (επιχείρημα, απάντηση) classic, stock (ε) (τεμπέλης, ψεύτης) complete, out-and-out (στ) (παράδειγμα, ευκαιρία) classic (ζ) (ντύσιμο, γραμμή, στυλ, διακόσμηση, επίπλωση) classic, classical

(η) (μέθοδος διδασκαλίας) traditional
►**κλασικά εικονογραφημένα** classic comics
►**κλασική εποχή** classical age
►**κλασικές σπουδές** classical studies
►**κλασικοί** ΟΥΣ ΑΡΣ ΠΛΗΘ classics
κλάσιμο (οικ.) ΟΥΣ ΟΥΔ (= κλανιά) fart (ανεπ.)
▷**έχω κπν στο κλάσιμο** not to give a damn about sb (ανεπ.)
κλάσμα ΟΥΣ ΟΥΔ fraction
κλασματικός, -ή, -ό ΕΠΙΘ fractional
►**κλασματική απόσταξη** fractional distillation
κλασσικιστής ΟΥΣ ΑΡΣ = **κλασικιστής**
κλασσικίστρια ΟΥΣ ΘΗΛ βλ. **κλασικιστής**
κλασσικός, -ή, -ό ΕΠΙΘ = **κλασικός**
κλατάρω Ρ ΑΜ (α) (λάστιχο) to burst (β) (τραπέζι) to give way (γ) (για πρόσ.) to be worn out
κλάψα (αρνητ.) ΟΥΣ ΘΗΛ (= κλάμα) whining χωρίς πληθ.
►**κλάψες** ΠΛΗΘ whining εν.
κλαψιάρης, -α, -ικο ΕΠΙΘ: **είμαι κλαψιάρης** (= κλαίω εύκολα) to be a crybaby · (= παραπονιέμαι) to be always whining
κλαψιάρικος, -η, -ικο ΕΠΙΘ (ύφος, φωνή) whining · (τραγούδι) maudlin
κλάψιμο ΟΥΣ ΟΥΔ (α) (= κλάμα) crying (β) (μειωτ.: = κλάψα) whining
κλαψουρίζω Ρ ΑΜ (α) (= μυξοκλαίω) to snivel (β) (= μεμψιμοιρώ) to whine
κλαψούρισμα ΟΥΣ ΟΥΔ (α) (= το να μυξοκλαίει κανείς) snivelling (Βρετ.), sniveling (Αμερ.) (β) (= μεμψιμοιρία) whining
κλέβω 1 Ρ Μ (α) (λεφτά, πορτοφόλι, αυτοκίνητο) to steal · (κατάστημα, σπίτι) to burgle (Βρετ.), to burglarize (Αμερ.) · (περαστικό) to rob (β) (εφορία, εργαζόμενο) to cheat (γ) (ιδέα, εφεύρεση) to steal (δ) (παιδί) to kidnap · (γυναίκα) to elope with, to run away with (ε) (στο ποδόσφαιρο, μπάσκετ: μπάλα) to steal
2 Ρ ΑΜ (α) (= είμαι κλέφτης) to steal (β) (στα χαρτιά) to cheat
▷**κλέφτηκαν** (ερωτευμένοι) they eloped, they ran away together
κλείδα ΟΥΣ ΘΗΛ (ΑΝΑΤ) collar bone
κλειδαμπαρώνω Ρ Μ to lock and bolt
►**κλειδαμπαρώνομαι** ΜΕΣΟΠΑΘ to lock oneself away
κλειδαράς ΟΥΣ ΑΡΣ locksmith
κλειδαριά ΟΥΣ ΘΗΛ lock
►**ηλεκτρονική κλειδαριά** electronic lock
►**κλειδαριά ασφαλείας** safety lock
κλειδαρότρυπα ΟΥΣ ΘΗΛ keyhole
κλειδί ΟΥΣ ΟΥΔ (α) (πόρτας, γραφείου, αυτοκινήτου) key (β) (εργαλείο) spanner (Βρετ.), wrench (Αμερ.) (γ) (ΜΟΥΣ) key (δ) (κιθάρας, μπουζουκιού) peg (ε) (υπόθεσης, ευτυχίας, μυστηρίου) key (στ) (κονσέρβας) key
►**άνθρωπος-κλειδί** key figure
►**θέση-κλειδί** key position

►**κλειδί του σολ/φα/ντο** treble/bass/alto clef
►**λέξη-κλειδί** key word
κλειδοθήκη ΟΥΣ ΘΗΛ key ring
κλειδούχος ΟΥΣ ΑΡΣ&ΘΗΛ (α) (= φύλακας) guard (β) (σιδηροδρομικός υπάλληλος) signalman

Προσοχή!: Ο πληθυντικός του **signalman** *είναι* **signalmen**.

κλείδωμα ΟΥΣ ΟΥΔ (α) (πόρτας, αυτοκινήτου) locking · (σπιτιού) locking up (β) (αρχείων, φακέλων) locking away (γ) (παιδιών) locking away
κλειδωνιά ΟΥΣ ΘΗΛ = **κλειδαριά**
κλειδώνω 1 Ρ Μ (α) (πόρτα, χρηματοκιβώτιο, υπολογιστή, τιμόνι) to lock · (σπίτι) to lock up (β) (αρχείο, φακέλους) to lock away (γ) (άνθρωπο, παιδιά) to lock away
2 Ρ ΑΜ (πόρτα, αυτοκίνητο) to lock
►**κλειδώνομαι** ΜΕΣΟΠΑΘ to lock oneself away
κλείδωση ΟΥΣ ΘΗΛ joint · (χεριού) wrist · (ποδιού) ankle
κλείνω 1 Ρ Μ (α) (πόρτα, συρτάρι, στόμα, μάτια, παραθυρόφυλλα) to close, to shut · (φάκελο) to seal (β) (βάζο, κατσαρόλα) to cover (γ) (= γεμίζω: τρύπα) to fill (in) (δ) (βιβλίο, περιοδικό) to close · (εφημερίδα, χάρτη) to fold up (ε) (παντελόνι, σακάκι) to do up (στ) (ασθενή, τραυματία) to sew up (ζ) (σύνορα, δρόμο) to close (off) (η) (επιχείρηση, εταιρεία) to close down, to shut down · (κατάστημα: οριστικά) to close down · (προσωρινά) to close, to shut (θ) (βρύση, τηλεόραση) to turn off · (φως) to turn off, to switch off (ι) (για οχήματα) to obstruct (ια) (τραπέζι, δωμάτιο, θέση) to book, to reserve (ιβ) (= κανονίζω: αγώνα) to arrange (ιγ) (υπόθεση) to close · (θέμα) to put an end to (ιδ) (συμφωνία, δουλειά) to finalize (ιε) (διάλεξη, ομιλία, συζήτηση) to end (ιστ) (για ηλικία) to reach
2 Ρ ΑΜ (α) (πόρτα, παντζούρι, συρτάρι) to close (β) (σακάκι, φούστα) to do up (γ) (πληγή, τραύμα) to close (δ) (οθόνη, τηλεόραση) to go off (ε) (υπόθεση) to be closed · (στ) (συμφωνία) to be finalized (ζ) (σχολεία) to close · (μαγαζιά) to close, to shut · (= πτωχεύω: επιχείρηση, εταιρεία) to fold (η) (πτήση, ξενοδοχείο, θέατρο) to be fully booked (θ) (κέντρο πόλης, δρόμοι) to be closed off (ι) (ταινία, βιβλίο) to end (ια) (δεκαετία, φάση) to end, to come to a close (ιβ) (σε χαρτοπαίγνιο) to be out (ιγ) (λουλούδια) to close
▷**κλείνω ένα μπουκάλι με πώμα/φελλό** to put a lid on/cork in a bottle
▷**κλείνω κπν στο δωμάτιό του** to confine sb to their room
▷**κλείνω κπν σ' ένα στενό πέρασμα** to trap sb in a narrow passageway
▷**κλείνει η φωνή μου** to be unable to speak, to lose one's voice
▷**κλείνω ραντεβού** to arrange to meet

▷**κλείνω το μάτι (σε κπν)** to wink (at sb)
▷**κλείνω το τηλέφωνο** to hang up
▷**κλείσ' το!** shut up!
▸**κλείνομαι** ΜΕΣΟΠΑΘ **(α)** (= δεν βγαίνω) to lock oneself away **(β)** (ΑΘΛ) to play defensively **(γ)** (πόλη, χωριό) to be hemmed in, to be closed off
▷**κλείνομαι στον εαυτό μου** to be withdrawn

κλείσιμο ΟΥΣ ΟΥΔ **(α)** (πόρτας, συρταριού, παραθύρων) closing, shutting · (τηλεόρασης) turning off · (υπολογιστή) shutting down · (προγράμματος, εφαρμογών) ending **(β)** (συνόρων, δρόμων) closure **(γ)** (σε σπίτι, ίδρυμα) confinement **(δ)** (σχολείων, εμπορικών) closing · (εργοστασίου, εταιρείας: λόγω πτώχευσης) closure **(ε)** (συμφωνίας) finalizing **(στ)** (δωματίου, θέσης) booking, reservation **(ζ)** (υπόθεσης) conclusion · (λογαριασμού) settling **(η)** (διάλεξης, ομιλίας, συζήτησης) end **(θ)** (πληγής, τραύματος) healing
▸**κλείσιμο ματιού** wink

κλεισούρα ΟΥΣ ΘΗΛ **(α)** (= στενή διάβαση) defile, pass **(β)** (= παραμονή σε κλειστό χώρο) confinement **(γ)** (= μυρωδιά κλειστού χώρου) stuffiness

κλειστός, -ή, -ό ΕΠΙΘ **(α)** (σπίτι) shut ή closed up · (ντουλάπα, σεντούκι, δωμάτιο) closed **(β)** (πόρτα, παράθυρο, τσάντα) closed, shut · (κουρτίνα) drawn · (φερμουάρ) done up **(γ)** (μπλούζα, φόρεμα) with a high neckline **(δ)** (φάκελος) sealed · (μπουκάλι) closed **(ε)** (οδός, σύνορα, πορθμός, πλατεία) closed **(στ)** (βλέφαρα, μάτια) closed **(ζ)** (υπολογιστής, τηλεόραση) off · (εργοστάσιο, κατάστημα, σχολή) closed **(η)** (γυμναστήριο) covered, indoor **(θ)** (λέσχη, σωματείο) private **(ι)** (αριθμός υποψηφίων, φοιτητών) fixed **(ια)** (αρραβώνας, γάμος, γιορτή) private **(ιβ)** (τύπος, άνθρωπος) withdrawn, uncommunicative **(ιγ)** (κοινωνία, αγορά, οικονομία) closed
▸**κλειστό κύκλωμα** closed circuit
▸**κλειστή στροφή** hidden bend, tight corner

κλειστοφοβία ΟΥΣ ΘΗΛ claustrophobia
κλειστοφοβικός, -ή, -ό ΕΠΙΘ claustrophobic
κλείστρο ΟΥΣ ΟΥΔ **(α)** (όπλου) bolt **(β)** (φωτογραφικής μηχανής) shutter
κλειτορίδα ΟΥΣ ΘΗΛ clitoris
κλεπταποδόχος ΟΥΣ ΑΡΣ/ΘΗΛ receiver
κλεπτομανής, -ής, -ές ΕΠΙΘ kleptomaniac
κλεπτομανία ΟΥΣ ΘΗΛ kleptomania
κλεφτά ΕΠΙΡΡ (κοιτάζω) furtively · (περπατώ, μπαίνω) stealthily
▷**διαβάζω κτ κλεφτά** to glance through sth, to skim (through) sth
κλέφτης ΟΥΣ ΑΡΣ thief

Προσοχή!: Ο πληθυντικός του **thief** είναι **thieves.**

▷**το σκάω ή φεύγω σαν κλέφτης** to sneak

away ή off
▷**κλέφτες κι αστυνόμοι** (παιδικό παιχνίδι) cops and robbers (ανεπ.)
κλέφτικο ΟΥΣ ΟΥΔ kleftiko, *spiced meat baked in tin foil*
κλεφτοπόλεμος ΟΥΣ ΑΡΣ guerrilla warfare
κλεφτός, -ή, -ό ΕΠΙΘ (ματιά) furtive · (φιλί) stolen
κλεφτοφάναρο ΟΥΣ ΟΥΔ torch (Βρετ.), flashlight (Αμερ.)
κλέφτρα ΟΥΣ ΘΗΛ βλ. **κλέφτης**
κλεφτρόνι (ανεπ.) ΟΥΣ ΟΥΔ petty thief
κλεψιά ΟΥΣ ΘΗΛ theft
κλεψιμαίικος, -η ή -ια, -ο (ανεπ.) ΕΠΙΘ (κόσμημα, αυτοκίνητο) stolen
▸**κλεψιμαίικα** ΟΥΣ ΟΥΔ ΠΛΗΘ stolen goods
κλέψιμο ΟΥΣ ΟΥΔ **(α)** (= κλοπή) theft **(β)** (στο ποδόσφαιρο, μπάσκετ: μπάλας) stealing
κλεψιτυπία ΟΥΣ ΘΗΛ piracy
κλεψίτυπος, -η, -ο ΕΠΙΘ pirated
κλεψύδρα ΟΥΣ ΘΗΛ hourglass
κλήμα ΟΥΣ ΟΥΔ **(α)** (= κληματόβεργα) vine **(β)** (= αμπέλι) (grape)vine
κληματαριά ΟΥΣ ΘΗΛ **(α)** (= αναρριχώμενο αμπέλι) climbing vine **(β)** (κατασκευή στήριξης) arbour (Βρετ.), arbor (Αμερ.)
κληματόβεργα ΟΥΣ ΘΗΛ vine
κληματόφυλλο ΟΥΣ ΟΥΔ vine leaf
κληρικός ΟΥΣ ΑΡΣ clergyman

Προσοχή!: Ο πληθυντικός του **clergyman** είναι **clergymen.**

κληροδοσία ΟΥΣ ΘΗΛ bequest
κληροδότημα ΟΥΣ ΟΥΔ bequest, legacy
▷**εθνικό κληροδότημα** national heritage
κληροδοτώ Ρ Μ **(α)** (= δίνω κληροδότημα) to leave, to bequeath **(β)** (= αφήνω πνευματική παρακαταθήκη) to pass on ή down
κληροδόχος ΟΥΣ ΑΡΣ legatee
κληρονομιά ΟΥΣ ΘΗΛ **(α)** (πατέρα, μητέρας) inheritance **(β)** (εθνική, πολιτιστική, ιστορική) heritage
▷**αποκτώ κτ με κληρονομιά** to inherit sth
▸**φόρος κληρονομίας** inheritance tax
κληρονομικός, -ή, -ό ΕΠΙΘ hereditary
▸**Κληρονομικό Δίκαιο** inheritance law
▸**κληρονομικά** ΟΥΣ ΟΥΔ ΠΛΗΘ inheritance εν.
κληρονομικότητα ΟΥΣ ΘΗΛ heredity
κληρονόμος ΟΥΣ ΑΡΣ/ΘΗΛ (πατέρα, παράδοσης) heir
▷**αφήνω ή ορίζω κπν κληρονόμο μου** to name sb as one's heir
▸**νόμιμος κληρονόμος** legal heir
κληρονομώ Ρ Μ to inherit
κλήρος ΟΥΣ ΑΡΣ **(α)** (= λαχνός) lot **(β)** (= κλήρωση) drawing lots **(γ)** (ΘΡΗΣΚ) clergy
▷**μου πέφτει ο κλήρος** to win the draw
▷**ρίχνω (τον) κλήρο** to draw lots

κληρώνω Ρ Μ (α) (*δικαστές*) to choose by lot (β) (*δώρα, αυτοκίνητο*) to put in a draw
▸**κληρώνει** ΤΡΙΤΟΠΡΟΣ (*λαχείο*) to be drawn
▸**κληρώνομαι** ΜΕΣΟΠΛΘ (α) (*λαχνός*) to be drawn · (*αριθμός*) to come up (β) (*ομάδες*) to be drawn

κλήρωση ΟΥΣ ΘΗΛ (α) (*ενόρκων, ομάδων*) selection (β) (*λαχείου, δώρων*) draw

κληρωτίδα ΟΥΣ ΘΗΛ (α) (= *δοχείο για λαχνούς*) draw box (β) (= *περιστρεφόμενος κάδος*) lottery wheel (γ) (= *κλήρωση*) lottery draw

κληρωτός, -ή, -ό ΕΠΙΘ (α) (= *στρατεύσιμος*) conscript (β) (*δικαστές*) chosen by lot

κλήση ΟΥΣ ΘΗΛ (α) (*στρατευσίμου*) call–up · (*μάρτυρα, κατηγορουμένου*) summons *εν.*, subpoena · (*για τροχαία παράβαση*) ticket (β) (*τηλεφωνική*) call

κλήτευση ΟΥΣ ΘΗΛ summons *εν.*, subpoena

κλητεύω Ρ Μ to summons, to subpoena

κλητήρας ΟΥΣ ΑΡΣ∕ΘΗΛ errand boy
▸**δικαστικός κλητήρας** bailiff, process–server

κλητική ΟΥΣ ΘΗΛ vocative

κλίβανος ΟΥΣ ΑΡΣ (α) (*επία.*: = *φούρνος*: *αρτοποιίας, οικιακός*) oven · (*βιομηχανικός*) furnace (β) (*νοσοκομείου*) sterilizer

κλικ ΟΥΣ ΟΥΔ ΑΚΛ click

κλίκα ΟΥΣ ΟΥΔ (*αρνητ.*) clique

κλίμα ΟΥΣ ΟΥΔ (α) (ΜΕΤΕΩΡ) climate (β) (*ανησυχίας, οικογένειας*) atmosphere · (*πολιτικό, οικονομικό*) climate · (*συζήτησης*) tone
▹**δεν με σηκώνει το κλίμα** (= *είναι ανθυγιεινό*) the climate doesn't suit me · (*μτφ.*) I can't stand the atmosphere
▹**μπαίνω στο κλίμα** to acclimatize

κλίμακα ΟΥΣ ΘΗΛ (α) (*χάρακα, θερμομέτρου*) scale (β) (*φορολογίας, βαθμολογίας*) scale (γ) (*συναισθημάτων, δράσης, αναφοράς*) range · (*κοινωνικής*) ladder (δ) (*σχεδίου, χάρτη*) scale (ε) (ΜΟΥΣ) scale (στ) (ΑΡΧΙΤ) staircase
▸**κλίμακα Ρίχτερ** Richter scale

κλιμάκιο ΟΥΣ ΟΥΔ (α) (*δημοσιοϋπαλληλικής ιεραρχίας*) scale (β) (*υπουργείου*) echelon
▸**μισθολογικό κλιμάκιο** salary scale

κλιμακοστάσιο ΟΥΣ ΟΥΔ stairwell

κλιμακτήριος ΟΥΣ ΘΗΛ menopause

κλιμακώνω Ρ Μ (α) (*ιδέες*) to order (β) (*ένταση*) to increase, to cause to escalate · (*κινητοποιήσεις*) to step up

κλιμάκωση ΟΥΣ ΘΗΛ (α) (*ερωτήσεων*) order · (*χώρου*) division (β) (*έντασης, συγκρούσεων, επιθέσεων*) escalation

κλιμακωτά ΕΠΙΡΡ (*αναπτύσσομαι*) in stages

κλιμακωτός, -ή, -ό ΕΠΙΘ (α) (*χωράφι*) terraced (β) (*ανάπτυξη, αυξήσεις*) gradual
▹**κλιμακωτά επίπεδα** tiers

κλιματίζομαι Ρ ΑΜ ΑΠΟΘ: **κλιματίζεται** ΤΡΙΤΟΠΡΟΣ (*δωμάτιο, χώρος*) to be air–conditioned

κλιματιζόμενος, -η, -ο ΕΠΙΘ (*δωμάτιο, χώρος*) air–conditioned

κλιματικός, -ή, -ό ΕΠΙΘ (*συνθήκες, μεταβολές*) climatic

κλιματισμός ΟΥΣ ΑΡΣ air–conditioning

κλιματιστικός, -ή, -ό ΕΠΙΘ (*μηχάνημα*) air–conditioning
▸**κλιματιστική εγκατάσταση** air–conditioning
▸**κλιματιστικό** ΟΥΣ ΟΥΔ air–conditioner

κλιματολογικός, -ή, -ό ΕΠΙΘ (*συνθήκες, έρευνες*) climatic

κλινάμαξα ΟΥΣ ΘΗΛ sleeping car, sleeper (*Βρετ.*)

κλίνη (*επία.*) ΟΥΣ ΘΗΛ bed

κλινήρης, -ης, -ες (*επία.*) ΕΠΙΘ bedridden

κλινική ΟΥΣ ΘΗΛ (α) (*νοσοκομείου*) department, clinic (β) (*καταχρ.*: = *νοσοκομείο*) hospital
▸**χειρουργική κλινική** surgical department

κλινικός, -ή, -ό ΕΠΙΘ (*εξέταση, πείραμα, διάγνωση*) clinical

κλινοσκέπασμα ΟΥΣ ΟΥΔ bedclothes *πληθ.*

κλίνω ① Ρ Μ (α) (*κεφάλι*) to incline, to bow · (*σώμα*) to bend (β) (*ρήμα*) to conjugate · (*ουσιαστικό*) to decline
② Ρ ΑΜ (α) (= *γέρνω*) to lean, to incline (β) (= *ρέπω*) to tend, to incline
▹**κλίνατ' επί δεξιά/επ' αριστερά!** (*παράγγελμα*) turn to the right/left! · (ΣΤΡΑΤ) right/left turn!

ΚΛΙΠ¹ ΟΥΣ ΟΥΔ ΑΚΛ = **βιντεοκλίπ**

ΚΛΙΠ² ΟΥΣ ΟΥΔ ΑΚΛ (*για χαρτιά*) paperclip

κλισέ ΟΥΣ ΟΥΔ ΑΚΛ (α) (= *πολυχρησιμοποιημένη έκφραση*) cliché (β) (= *στερεότυπο*) stereotype

κλίση ΟΥΣ ΘΗΛ (α) (*κεφαλιού*) inclination · (*σώματος*) bending · (*πλοίου*) listing · (*δρόμου, εδάφους, επιπέδου*) slope (β) (= *ροπή*) aptitude (γ) (ΓΛΩΣΣ: *ουσιαστικού*) declension · (*ρήματος*) conjugation
▹**έχω κλίση προς** *ή* **σε κτ** to have an aptitude for sth

κλιτικός, -ή, -ό ΕΠΙΘ inflected

κλιτός, -ή, -ό ΕΠΙΘ inflectional

κλοιός ΟΥΣ ΑΡΣ (*αστυνομίας*) cordon

κλονίζω Ρ Μ (α) (*σπίτι, γη*) to shake (β) (*μτφ.*: = *ταράζω*) to shake up (γ) (*υγεία, γάμο*) to weaken · (*εμπιστοσύνη, πίστη*) to shake · (*νεύρα*) to unsettle

κλονισμός ΟΥΣ ΑΡΣ (*υγείας, γάμου, σχέσης, εμπιστοσύνης*) breakdown · (*οικονομίας*) damage
▹**νευρικός κλονισμός** nervous breakdown

κλόουν ΟΥΣ ΑΡΣ ΑΚΛ clown

κλοπή ΟΥΣ ΘΗΛ (α) (*χρημάτων, κοσμημάτων*) theft (β) (*μτφ.*: *νίκης*) stealing

κλοπιμαίος, -α, -ο ΕΠΙΘ stolen
▸**κλοπιμαία** ΟΥΣ ΟΥΔ ΠΛΗΘ stolen goods

κλοτσηδόν ΕΠΙΡΡ roughly
▹**διώχνω κπν κλοτσηδόν** to kick sb out

κλοτσιά ΟΥΣ ΘΗΛ kick
▹**πετάω** *ή* **διώχνω κπν έξω με τις κλοτσιές** to

kick sb out
▷ **τρώω κλοτσιά** to get ή be kicked
κλότσος ΟΥΣ ΑΡΣ hard kick
▷ **δίνω κλότσο σε κπν** to kick sb hard
▷ **είμαι ή με έχουν του κλότσου και του μπάτσου** to be a doormat
κλοτσώ ⊡ Ρ Μ (α) *(μπάλα, πέτρα, άνθρωπο)* to kick (β) *(ευκαιρία)* to pass up, to let slip · *(τύχη)* to turn one's back on ⊡ Ρ ΑΜ (α) *(άνθρωπος, άλογο)* to kick (out) (β) (= *αντιδρώ)* to jib (γ) *(μωρό)* to kick (δ) *(δίκαννο, καραμπίνα)* to recoil
κλου ΟΥΣ ΟΥΔ ΑΚΛ: **το κλου της βραδιάς** the highlight of the evening
κλούβα ΟΥΣ ΘΗΛ (α) (= *μεγάλο κλουβί)* cage (β) *(αστυνομίας)* police van *(Βρετ.)*, patrol wagon *(Αμερ.)*
κλουβί ΟΥΣ ΟΥΔ (α) *(παπαγάλου, λιονταριού)* cage · *(κουνελιού)* hutch · *(κοτόπουλων)* coop (β) *(μτφ.)* rabbit hutch
κλουβιάζω Ρ ΑΜ (α) *(αβγό)* to go off (β) (= *αποβλακώνομαι)* to become addled
κλούβιος, -ια, -ιο ΕΠΙΘ (α) *(αβγό)* rotten (β) *(μυαλό)* addled
κ.λπ. ΣΥΝΤΟΜ etc.
κλυδωνίζομαι Ρ ΑΜ ΑΠΟΘ (α) *(πλοίο)* to roll (β) *(οικογένεια, οικονομία)* to reel
κλυδωνισμός ΟΥΣ ΑΡΣ (α) *(πλοίου)* rolling (β) *(οικογένειας, οικονομίας)* blow
κλύσμα ΟΥΣ ΟΥΔ enema
▷ **κάνω κλύσμα σε κπν** to give sb an enema
κλωβός *(επίσ.)* ΟΥΣ ΑΡΣ (= *κλουβί)* cage · *(για κουνέλια)* hutch
κλώθω Ρ Μ *(μαλλί, βαμβάκι)* to spin
κλωνάρι ΟΥΣ ΟΥΔ sprig
κλωνοποίηση ΟΥΣ ΘΗΛ cloning
κλωνοποιώ Ρ Μ to clone
κλώνος ΟΥΣ ΑΡΣ (α) (= *κλαδί)* branch (β) *(ΒΙΟΛ)* clone
κλώσα ΟΥΣ ΘΗΛ = **κλώσσα**
κλωσόπουλο ΟΥΣ ΟΥΔ = **κλωσσόπουλο**
κλώσσα ΟΥΣ ΘΗΛ (α) (= *κότα που κλωσσά)* broody hen (β) *(υβρ.: για γυναίκα)* windbag *(ανεπ.)*
κλωσσόπουλο ΟΥΣ ΟΥΔ chick
κλωσσώ Ρ Μ *(κότα, πουλί)* to brood
κλωστή ΟΥΣ ΘΗΛ thread
▷ **κρέμομαι από μια κλωστή** to be hanging by a thread
κλωστήριο ΟΥΣ ΟΥΔ spinning mill
κλωστικός, -ή, -ό ΕΠΙΘ *(μηχανή)* spinning
κλωστοβιομηχανία ΟΥΣ ΘΗΛ textile industry
κλωστοϋφαντουργείο ΟΥΣ ΟΥΔ textile mill ή factory
κλωστοϋφαντουργία ΟΥΣ ΘΗΛ (α) *(βιομηχανικός μονάδα)* textile mill ή factory (β) *(βιομηχανικός κλάδος)* textile industry
κλωσώ Ρ Μ = **κλωσσώ**
κλωτσηδόν ΕΠΙΡΡ = **κλοτσηδόν**

κλωτσιά ΟΥΣ ΘΗΛ = **κλοτσιά**
κλωτσώ Ρ Μ/ΑΜ = **κλοτσώ**
κνήμη ΟΥΣ ΘΗΛ (α) (= *γάμπα)* leg (β) *(οστό γάμπας)* tibia

> *Προσοχή!:* Ο πληθυντικός του **tibia** είναι **tibias** ή **tibiae**.

κνησμός ΟΥΣ ΑΡΣ itch
κνίσα ΟΥΣ ΘΗΛ aroma *(of roasting meat)*
Κνωσός, Κνωσσός ΟΥΣ ΘΗΛ Knossos
κοάζω Ρ ΑΜ *(βάτραχος)* to croak
κοάλα ΟΥΣ ΟΥΔ ΑΚΛ koala
κοάξ-κοάξ ΟΥΣ ΟΥΔ ΑΚΛ croak
κόασμα ΟΥΣ ΟΥΔ croak, croaking *χωρίς πληθ.*
κοβάλτιο ΟΥΣ ΟΥΔ cobalt
κόβω ⊡ Ρ Μ (α) *(σκοινί, καλώδιο, τυρί, κρέας)* to cut · *(δεσμά)* to sever, to cut · *(ψητό)* to carve · *(ντομάτα, ψωμί)* to cut, to slice (β) *(άρθρο εφημερίδας)* to cut out · *(κλαδί απ' το δέντρο)* to cut off · *(κεφάλι, μύτη, αφτιά)* to cut off, to chop off (γ) *(λουλούδια, μήλα)* to pick · *(σελίδες από το τετράδιο)* to tear out (δ) (= *λογοκρίνω: τολμηρές σκηνές, τμήμα βιβλίου)* to cut, to edit out (ε) *(δέντρα)* to cut ή chop down · *(ξύλα)* to chop (up) *(στ)* *(δάχτυλο, χέρι, πρόσωπο)* to cut (ζ) *(τιμή)* to knock down · *(δέκα ευρώ)* to knock off (η) (= *μειώνω διάρκεια: ταινία)* to cut · *(ομιλία)* to cut short · *(ϑ)* (= *μειώνω σε μήκος: μαλλιά)* to cut · *(ελαφρά)* to trim · *(νύχια)* to cut, to clip · *(γένια, φαβορίτες)* to trim · *(γρασίδι)* to cut *(ι)* (= *ξυρίζω: μουστάκι, μούσι)* to shave off *(ια)* (= *χωρίζω: πόλη, πλατεία, πεδιάδα)* to divide, to split *(ιβ)* *(νόμισμα)* to mint, to strike *(ιγ)* (= *πληρώνω: μισθό, επίδομα)* to pay, to give *(ιδ)* *(εισιτήριο: θεατής)* to get, to buy · *(κινηματογράφος, ταινία)* to sell · *(απόδειξη)* to give, to issue *(ιε)* *(συνεδρίαση, τηλεφώνημα)* to cut short, to break off · *(συζήτηση, ομιλητή, συνομιλητή)* to interrupt *(ιστ)* *(θέα)* to block · *(ήλιο)* to block out · *(κυκλοφορία)* to stop *(ιζ)* *(μαθητή, φοιτητές, εξεταζόμενο)* to fail *(ιη)* *(τσιγάρο, ποτό, χαρτιά)* to give up, to quit *(ανεπ.)* *(ιϑ)* (= *περικόπτω: συντάξεις, επίδομα, μισθό)* to cut · *(δαπάνες)* to cut back, to cut down on *(κ)* *(νερό, ρεύμα)* to cut off *(κα)* *(τιμόνι)* to turn, to spin *(κβ)* *(καφέ, πιπέρι)* to grind · *(κιμά)* to mince *(Βρετ.)*, to grind *(Αμερ.)* *(κγ)* *(ΑΘΛ: μπάλα, επιθετικό)* to block *(κδ)* *(προφορ.: = χτυπώ: πεζό, γάτα, σκύλο)* to hit *(κε)* *(για παπούτσια)* to pinch *(κστ)* *(προφορ.: = καταλαβαίνω)* to suss out *(ανεπ.)* ⊡ Ρ ΑΜ (α) *(στα χαρτιά)* to cut (β) *(σούπα, γάλα, μαγιονέζα)* to go off (γ) *(μαχαίρι, ξυράφι)* to be sharp (δ) *(αέρας)* to drop · *(βροχή)* to stop · *(κύμα)* to be calm (ε) *(ανεπ.: πρόσωπο, μούρη)* to look worse · *(χρώμα)* to fade
▷ **θα σου κόψω τα χέρια ή πόδια!** *(ως απειλή)*

σε παιδί) I'll wring your neck!
▷**κόβω δρόμο** to take a shortcut
▷**κόβω το δρόμο σε κπν** to cut sb off
▷**κόβω κάθε επαφή ή σχέση με κπν** to break off all contact with sb
▷**κόβω κίνηση** (αργκ.) to check it out
▷**κόβω κτ στη μέση/στα δύο** to cut sth in half/in two
▷**κόβω λάσπη** (αργκ.) to leg it (ανεπ.)
▷**κόβω την ανάσα κποιου** (τοπίο, ομορφιά) to take sb's breath away · (θρίλερ, τρομακτική σκηνή, θέαμα) to make sb's heart miss a beat
▷**κόβω το αίμα κποιου** to scare sb stiff
▷**κόβω το κεφάλι μου** (μτφ.) I'll bet my life on it
▷**κόβει το μάτι μου** (οικ.) not to miss a trick (ανεπ.)
▷**κόβω το σχολείο** to drop out of school
▷**κόβω ταχύτητα** to slow down, to reduce speed
▷**κόψε τον λαιμό σου, να κόψεις τον λαιμό σου!** (οικ.) that's your problem!
▷**κόβω χαστούκια σε κπν** (οικ.) to slap sb
▷**κοφ' το!, κόψ' το!** (οικ.) cut it out! (ανεπ.)
▷**με κόβει (για κπν/κτ)** to be interested (in sb/ sth)
▷**με κόβει η κοιλιά μου** (οικ.) to have diarrhoea (Βρετ.) ή diarrhea (Αμερ.) ή the runs (ανεπ.)
▷**με κόβει η πείνα** (οικ.) to be starving (ανεπ.) ή famished (ανεπ.)
▷**με κόβει το κρύο** (οικ.) to be freezing (ανεπ.)
▷**το κόβω με τα πόδια** (προφορ.) to go on foot
▷**τόσο σου/του κόβει!** (ειρων.) what can you expect?
▸**κόβομαι** ΜΕΣΟΠΑΘ (α) (φοιτητής, εξεταζόμενος) to fail (β) (τηλεφωνική γραμμή, σύνδεση) to be cut, to go dead (γ) (κρέας, βούτυρο) to cut
▷**κόβομαι από την πολλή δουλειά** to be overworked
▷**κόβομαι από το πολύ περπάτημα** to be worn out from walking
▷**μου κόβεται η ανάσα** to be out of breath
▷**μου κόβεται η μιλιά** to lose one's voice
▷**μου κόβεται η όρεξη** to lose one's appetite
▷**μου κόπηκαν τα γόνατα** my legs went from under me
▷**μου κόβονται τα χέρια** my arms are aching

Κογκρέσο ΟΥΣ ΟΥΔ = **Κονγκρέσο**

κόγχη ΟΥΣ ΘΗΛ (α) (ΑΝΑΤ) socket (β) (επίσης **κόχη**: = κοίλωμα τοίχου) niche, recess

κόθορνος ΟΥΣ ΑΡΣ (στο αρχαίο θέατρο) buskin, cothurnus

κοιλάδα ΟΥΣ ΘΗΛ valley

κοιλαράς, -ού, -άδικο (μειωτ.) ΕΠΙΘ potbellied
▸**κοιλαράς** ΟΥΣ ΑΡΣ potbellied man

κοιλιά ΟΥΣ ΘΗΛ (α) (ανθρώπου) abdomen, belly (β) (= στομάχι) stomach (γ) (ψαριών, ζώων) belly, underside · (= έντερα: ψαριών)

guts πληθ. · (ζώων) offal (δ) (= κοίλωμα: σκοινιού) slack · (παράταξης) bulge (ε) (αεροσκάφους) belly
▷**έχω κοιλιά** (= είμαι παχύς) to have a paunch · (για έγκυο) to be big
▷**κάνω κοιλιά** (= παχαίνω) to put on weight · (= χαλαρώνω) to slacken off

κοιλία ΟΥΣ ΘΗΛ (καρδιάς, εγκεφάλου) ventricle

κοιλιακός[1], -ή, -ό ΕΠΙΘ (χώρα, μύες) abdominal
▸**κοιλιακοί** ΟΥΣ ΑΡΣ ΠΛΗΘ (= κοιλιακοί μύες) abdominals, abs (ανεπ.) · (= ασκήσεις γυμναστικής) abdominal exercises, abs (ανεπ.)

κοιλιακός[2], -ή, -ό ΕΠΙΘ (αορτή) ventricular

κοιλιόδουλος, -η, -ο ΕΠΙΘ greedy

κοιλιόπονος ΟΥΣ ΑΡΣ stomachache

κοιλοπονώ Ρ ΑΜ (α) (γενικότ.) to have stomachache (β) (έγκυος) to be in labour (Βρετ.) ή labor (Αμερ.)

κοίλος, -η, -ο ΕΠΙΘ (α) (κάτοπτρο) concave (β) (έδαφος) hollow
▸**κοίλο(ν)** ΟΥΣ ΟΥΔ auditorium

κοιλότητα ΟΥΣ ΘΗΛ (εδάφους, γης) hollow

κοίλωμα ΟΥΣ ΟΥΔ (εδάφους, επιφάνειας) hollow

κοιμάμαι Ρ ΑΜ ΑΠΟΘ (α) (= βρίσκομαι σε κατάσταση ύπνου) to be asleep, to sleep (β) (= αδρανώ) to do nothing
▷**κοιμάμαι με κπν** (= κάνω έρωτα) to sleep with sb
▷**κοιμάμαι σαν αρνάκι** to sleep like a baby
▷**κοιμάμαι τον ύπνο του δικαίου** (= κοιμάμαι ήρεμα) to sleep soundly · (= είμαι αφελής) to be naive

κοίμηση ΟΥΣ ΘΗΛ: **Κοίμηση της Θεοτόκου** Assumption

κοιμητήρι ΟΥΣ ΟΥΔ = **κοιμητήριο**

κοιμητήριο ΟΥΣ ΟΥΔ graveyard, cemetery

κοιμίζω Ρ Μ (μωρό) to send to sleep

κοιμισμένος, -η, -ο ΕΠΙΘ (= οκνηρός) dozy · (αισθήσεις) dormant

κοινά ΟΥΣ ΘΗΛ public affairs πληθ.

κοινό ΟΥΣ ΟΥΔ (α) (γενικότ.) public (β) (τραγουδιστή) fans πληθ.
▷**δεν έχω κανένα ή τίποτε κοινό με κπν** to have nothing in common with sb
▸**ευρύ κοινό** general public

κοινοβιακός, -ή, -ό ΕΠΙΘ (πνεύμα, ζωή) communal

κοινόβιο ΟΥΣ ΟΥΔ (α) (ΘΡΗΣΚ) monasticism (β) (= κοινή συμβίωση) commune

κοινοβουλευτικός, -ή, -ό ΕΠΙΘ parliamentary

κοινοβουλευτισμός ΟΥΣ ΑΡΣ parliamentary system

κοινοβούλιο ΟΥΣ ΟΥΔ parliament

κοινοκτημοσύνη ΟΥΣ ΘΗΛ joint ownership

κοινολόγηση (επίσ.) ΟΥΣ ΘΗΛ disclosure

κοινολογώ (επίσ.) Ρ Μ to disclose

κοινοποίηση ΟΥΣ ΘΗΛ (α) (απόφασης, διαταγής, διάταξης) announcement (β) (καταγγελίας) serving

κοινοποιώ Ρ Μ (α) (νομοσχέδιο) to announce (β) (καταγγελία, διορισμό, απόλυση) to serve

κοινοπολιτεία ΟΥΣ ΘΗΛ: **η Κοινοπολιτεία** the Commonwealth

κοινοπραξία ΟΥΣ ΘΗΛ consortium

Προσοχή!: Ο πληθυντικός του **consortium** *είναι* **consortiums** *ή* **consortia**.

κοινός, -ή, -ό ΕΠΙΘ (α) (καλό) common · (φίλος) mutual · (λογαριασμός) joint · (μπάνιο, κουζίνα, κήπο, αυλή, αγαθά) shared (β) (αντίληψη, στοιχεία, συμφέροντα, όφελος) common · (ιδέες, απόψεις) similar (γ) (όνομα, έκφραση) common · (ύφασμα) ordinary · (άνθρωπος) common, ordinary · (αναγνώστης) average · (μέτρο) usual (δ) (απόφαση, προσπάθεια, συμφωνία, πολιτική) joint · (μέτωπο) united · (δράση) joint, united
▷**διαζύγιο κοινή συναινέσει** amicable divorce
▷**κάνω κτ από κοινού** to do sth jointly
▷**κοινή γνώμη** public opinion
▷**κοινή γυναίκα** prostitute
▷**κοινό μυστικό** open secret
▸ **Κοινή** ΟΥΣ ΘΗΛ (ΓΛΩΣΣ) vernacular
▸ **Κοινή Ελληνιστική** ή **Αλεξανδρινή** Koine
▸ **Κοινή Νεοελληνική** Modern Greek

κοινοτάρχης ΟΥΣ ΑΡΣ.ΘΗΛ head of a village

κοινότητα ΟΥΣ ΘΗΛ (α) (Ελλήνων, Ινδών, Βρετανών) community (β) (ΔΙΟΙΚ) commune · (στην Αγγλία) parish · (στη Σκωτία, Ουαλία) community
▸**θεραπευτική κοινότητα** help group
▸**Κοινότητα** ΟΥΣ ΘΗΛ: **η Κοινότητα** the European Union

κοινοτικός, -ή, -ό ΕΠΙΘ (α) (πνεύμα, δεσμοί, μηχανισμός) community · (δρόμος, βιβλιοθήκη) communal (β) (κονδύλια, εταίρος, επίτροπος) European · (παίκτης) European

Προσοχή!: Τα εθνικά επίθετα, όπως **European**, *γράφονται με κεφαλαίο το αρχικό γράμμα στα Αγγλικά.*

κοινοτοπία ΟΥΣ ΘΗΛ commonplace, platitude

κοινόχρηστος, -η, -ο ΕΠΙΘ (χώρος) communal
▸**κοινόχρηστα** ΟΥΣ ΟΥΔ ΠΛΗΘ communal charges

κοινωνία ΟΥΣ ΘΗΛ (α) (γενικότ.) society (β) (μελισσών) swarm · (μυρμηγκιών) colony (γ) (επίσ.: βίου, δικαιώματος) community
▷**έρχομαι εις γάμου κοινωνία** (επίσ.) to be joined in holy matrimony
▷**βγαίνω στην κοινωνία** to go out into the world
▷**η Κοινωνία των Εθνών** the League of Nations
▷**η κοινωνία τού θεάματος** the world of show business

▷**η υψηλή κοινωνία** high society
▷**καταναλωτική κοινωνία** consumer society
▷**κοινωνία της αφθονίας** affluent society
▷**κοινωνία των πολιτών** civil society
▷**ταξική/αταξική κοινωνία** class/classless society
▸**Θεία κοινωνία** Holy Communion
▸**κλειστή κοινωνία** closed community
▸**τοπική κοινωνία** local community

κοινωνικοποίηση ΟΥΣ ΘΗΛ (ΚΟΙΝΩΝ) socialization

κοινωνικός, -ή, -ό ΕΠΙΘ (α) (οργάνωση, φαινόμενα, επιστήμες) social (β) (ζωή, σχέσεις, ευημερία, κρίση) social · (δράση, προσφορά) community (γ) (ιεραρχία, στρώματα, ομάδες) social (δ) (ον, ζώο, έντομα) social, gregarious (ε) (εκδηλώσεις, συναναστροφές) social (στ) (για πρόσ.) sociable (ζ) (ταινία, σίριαλ) dealing with social issues
▸**κοινωνική ασφάλιση** social security
▸**κοινωνικός λειτουργός** social worker
▸**κοινωνική πολιτική** social policy
▸**κοινωνική τάξη** social class
▸**κοινωνικές υποχρεώσεις** social obligations
▸ κοινωνικά ΟΥΣ ΟΥΔ ΠΛΗΘ society column εν.

κοινωνικότητα ΟΥΣ ΘΗΛ (α) (= τάση συναναστροφής) sociability (β) (= καλοί τρόποι) good manners πληθ.

κοινωνιολογία ΟΥΣ ΘΗΛ sociology

κοινωνιολογικός, -ή, -ό ΕΠΙΘ sociological

κοινωνιολόγος ΟΥΣ ΑΡΣ.ΘΗΛ sociologist

κοινωνώ ⬛1 Ρ Μ (= μεταλαβαίνω) to receive ή take communion
⬛2 Ρ Μ (για ιερέα) to administer ή give communion

κοινωφελής, -ής, -ές ΕΠΙΘ (ίδρυμα) welfare · (δράση, έργο) for public benefit

κοίταγμα ΟΥΣ ΟΥΔ (α) (= βλέμμα) look, glance (β) (= το να κοιτάζει κανείς) looking (γ) (= φροντίδα: παιδιών, γονιών, σπιτιού, κήπου) looking after · (μέλλοντος) anticipation (δ) (εγγράφων, θέματος, ασθενούς, τραύματος) examination

κοιτάζω ⬛1 Ρ Μ (α) (= βλέπω) to look at (β) (= φροντίζω: παιδιά, γονείς, σπίτι, κήπο, συμφέρον) to look after · (μέλλον) to look to (γ) (= ελέγχω: έγγραφα) to look over ή at · (θέμα) to look into (δ) (ασθενή, τραύμα, τραυματία) to examine
⬛2 Ρ ΑΜ (α) (= βλέπω) to look (β) (= χαζεύω) to stare
▷**για κοίτα!, (για) κοίτα να δεις!** you'll never guess!
▷**κοιτάζω κπν** to look at sb
▷**κοιτάζω κπν αφ' υψηλού** to look down on sb
▷**κοιτάζω κπν με ανοιχτό το στόμα** to gape at sb, to stare open-mouthed at sb
▷**κοιτάζω κπν στα μάτια** ή **κατάματα** to look sb in the eyes
▷**κοίτα** ή **κοίταξε να δεις** (στην αρχή λόγου) well

▷**κοίτα να μην αργήσεις!** don't be late!
▷**κοιτάζω τη δουλειά μου** to mind one's own business
▶ **κοιτάζομαι** ΜΕΣΟΠΑΘ (α) (= *παρατηρώ τον εαυτό μου*) to look at oneself (β) (= *κάνω εξετάσεις*) to have a check–up
▷**δεν πας να σε κοιτάξει κανένας γιατρός;, δεν πας να κοιταχτείς;** (*υβρ.*) you need your head examined!

κοίτασμα ΟΥΣ ΟΥΔ (*πετρελαίου, χρυσού*) deposit

κοίτη ΟΥΣ ΘΗΛ (*ποταμού, χειμάρρου*) bed

κοιτίδα ΟΥΣ ΘΗΛ cradle

ΚΟΙΤΩ Ρ Μ = **κοιτάζω**

κοιτώνας ΟΥΣ ΑΡΣ (= *υπνοδωμάτιο*) bedroom · (*σχολείου*) dormitory

Κ.Ο.Κ. ΣΥΝΤΟΜ (= *Κώδικας Οδικής Κυκλοφορίας*) Highway Code (*Βρετ.*)

ΚΟΚ ΟΥΣ ΟΥΔ ΑΚΛ (*γλυκό*) chocolate doughnut (*Βρετ.*) ή donut (*Αμερ.*)

κόκα ΟΥΣ ΘΗΛ (α) (*φυτό*) coca · (= *κοκαΐνη*) cocaine, coke (*ανεπ.*) (β) (*αναψυκτικό*) Coke ®

κοκαΐνη ΟΥΣ ΘΗΛ cocaine

κόκα-κόλα ΟΥΣ ΘΗΛ (*αναψυκτικό*) Coca–Cola ®

κοκαλάκι ΟΥΣ ΟΥΔ = **κοκκαλάκι**

κοκαλένιος, -ια, -ιο ΕΠΙΘ = **κοκκάλινος**

κοκαλιάρης, -α, -ικο (*μειωτ.*) ΕΠΙΘ = **κοκκαλιάρης**

κοκάλινος, -η, -ο ΕΠΙΘ = **κοκκάλινος**

κόκαλο ΟΥΣ ΟΥΔ = **κόκκαλο**

κοκαλώνω Ρ ΑΜ = **κοκκαλώνω**

κοκέτα ΟΥΣ ΘΗΛ coquette

κοκίτης ΟΥΣ ΑΡΣ = **κοκκύτης**

κοκκαλάκι ΟΥΣ ΟΥΔ (α) (= *μικρό κόκκαλο*) small bone (β) (*για τα μαλλιά*) hair slide

κοκκαλένιος, -ια, -ιο ΕΠΙΘ = **κοκκάλινος**

κοκκαλιάρης, -α, -ικο (*μειωτ.*) ΕΠΙΘ bony, skinny

κοκκάλινος, -η, -ο ΕΠΙΘ (*χτένα, βραχιόλι*) made of bone

κόκκαλο ΟΥΣ ΟΥΔ bone
▷**αφήνω τα κόκκαλά μου** (*ανεπ.*) to die
▷**είμαι βρεγμένος ως το κόκκαλο** to be soaked to the skin
▷**είμαι γερό κόκκαλο** (*μτφ.*) to be a hardy soul, to be a tough nut
▷**μένω κόκκαλο** (*οικ.*) to be dumbstruck ή gobsmacked (*ανεπ.*)
▷**ως το κόκκαλο** (= *φανατικός*) to the core

κοκκαλώνω ① Ρ ΑΜ (*από φόβο*) to be rooted to the spot, to freeze · (*από κρύο*) to be numb
② Ρ Μ (*αυτοκίνητο, μηχανή*) to stop

κοκκάρι ΟΥΣ ΟΥΔ onion set

κοκκινέλι ΟΥΣ ΟΥΔ red wine

κοκκινίζω ① Ρ ΑΜ (α) (*πρόσωπο*) to go red, to flush · (*μάτια*) to go red, to be bloodshot · (*από ντροπή*) to blush (β) (*ντομάτες*) to be ripe
② Ρ Μ (α) (*μάγουλο*) to redden, to make red (β) (*διαγώνισμα, γραπτό*) to cover in red pen (γ) (*στο ποδόσφαιρο: παίκτη*) to show the red card to

κοκκινίλα ΟΥΣ ΘΗΛ red mark ή spot
▶ **κοκκινίλες** ΠΛΗΘ red spots, rash *εν.*

κοκκινιστός, -ή, -ό ΕΠΙΘ (*κρέας, κοτόπουλο*) in tomato sauce
▶ **κοκκινιστό** ΟΥΣ ΟΥΔ meat in tomato sauce

κοκκινογούλι ΟΥΣ ΟΥΔ beetroot (*Βρετ.*), beet (*Αμερ.*)

κοκκινολαίμης ΟΥΣ ΑΡΣ robin

κοκκινομάλλης, -α, -ικο ΕΠΙΘ (*παιδί*) redheaded, red–haired
▶ **κοκκινομάλλης** ΟΥΣ ΑΡΣ, **κοκκινομάλλα** ΟΥΣ ΘΗΛ redhead

κόκκινος, -η, -ο ΕΠΙΘ (α) (*φόρεμα, γραβάτα, αυτοκίνητο*) red (β) (ΠΟΛΙΤ) Red
▷**γίνομαι κόκκινος απ' τον θυμό μου** to go red with anger
▷**είμαι το κόκκινο πανί (για κπν)** to be like a red rag to sb
▶ **κόκκινο** ΟΥΣ ΟΥΔ red
▷**χτυπάω κόκκινο** (*τηλεθέαση*) to reach a peak · (*μηχανή*) to go flat out

Κοκκινοσκουφίτσα ΟΥΣ ΘΗΛ (*στα παραμύθια*) Little Red Riding Hood

κοκκινόχωμα ΟΥΣ ΟΥΔ red clay

κοκκινωπός, -ή, -ό ΕΠΙΘ reddish, ruddy

κόκκος ΟΥΣ ΑΡΣ (α) (*σιταριού, κριθαριού*) grain (β) (*άμμου*) grain · (*σκόνης*) speck (γ) (*αλήθειας, λογικής*) grain

κόκκυγας ΟΥΣ ΑΡΣ coccyx

> *Προσοχή!: Ο πληθυντικός του* coccyx *είναι* coccyxes *ή* coccyges.

κοκκύτης ΟΥΣ ΑΡΣ whooping cough

κόκορας ΟΥΣ ΑΡΣ (α) (= *πετεινός*) cock (*Βρετ.*), rooster (*Αμερ.*) (β) (*όπλου*) hammer
▷**έχω κοκόρου γνώση** to have nothing between the ears
▷**κάνω τον κόκορα** to be all bluff and bluster
▷**όπου λαλούν πολλοί, κόκοροι αργεί να ξημερώσει** (*παροιμ.*) too many cooks spoil the broth (*παροιμ.*)
▷**τα φορτώνω στον κόκορα** to throw in the towel

κοκορέτσι ΟΥΣ ΟΥΔ *spit–roasted lamb's offal*

κοκορεύομαι Ρ Μ ΑΠΟΘ (= *κάνω το σπουδαίο*) to brag, to show off

κοκορίκου ΟΥΣ ΟΥΔ ΑΚΛ = **κικιρίκου**

κοκορομαχία ΟΥΣ ΘΗΛ (α) (= *αγώνας μεταξύ πετεινών*) cock fight (β) (*μτφ.*) scuffle

κοκορόμυαλος, -η, -ο (*μειωτ.*) ΕΠΙΘ birdbrained

κοκοφοίνικας ΟΥΣ ΑΡΣ coconut palm, coco palm

ΚΟΚΤΈΙΛ ΟΥΣ ΟΥΔ ΑΚΛ (α) (*ποτό*) cocktail (β) (*ήχων, εικόνων*) blend · (*φαρμάκων*) cocktail

►**κοκτέιλ-πάρτι** cocktail party

κοκωβιός ΟΥΣ ΑΡΣ gudgeon

κολάζω Ρ Μ (= *σκανδαλίζω*) to tempt
►**κολάζομαι** ΜΕΣΟΠΑΘ (= *σκανδαλίζομαι*) to be tempted

κολάι ΟΥΣ ΟΥΔ ΑΚΛ: **παίρνω το κολάι** to get the hang of it

κόλακας ΟΥΣ ΑΡΣ flatterer

κολακεία ΟΥΣ ΘΗΛ flattery *χωρίς πληθ.*

κολακευμένος, -η, -ο ΕΠΙΘ flattered

κολακευτικός, -ή, -ό ΕΠΙΘ (*λόγια, σχόλιο, φωτογραφία, ρούχα*) flattering
▷**είναι κολακευτικό να** it's a compliment when

κολακεύω Ρ Μ (α) (= *καλοπιάνω*) to flatter (β) (= *ικανοποιώ*) to please (γ) (= *ομορφαίνω: φωτογραφία, φόρεμα*) to flatter
►**κολακεύομαι** ΜΕΣΟΠΑΘ to be pleased, to feel flattered

κολάν ΟΥΣ ΟΥΔ ΑΚΛ (α) (*ποδηλασίας, χορού*) leggings *πληθ.* (β) (= *καλσόν*) tights *πληθ.* (*Βρετ.*), pantyhose *χωρίς πληθ.* (*Αμερ.*)
►**κολάν παντελόνι** skintight trousers (*Βρετ.*) ή pants (*Αμερ.*)

κολαούζος ΟΥΣ ΑΡΣ: **χωριό που φαίνεται κολαούζο δεν θέλει** (*παροιμ.*) there's no need to point out the obvious

κολάρο ΟΥΣ ΟΥΔ (*πουκαμίσου, σκύλου*) collar

κόλαση ΟΥΣ ΘΗΛ (α) (ΘΡΗΣΚ) hell (β) (*εξορίας, φυλακών*) purgatory (γ) (*πολέμου, ναρκωτικών*) hell (δ) (*αργκ.:* = *χαμός*) mayhem

κολασμένος, -η, -ο ΕΠΙΘ damned

κολατσίζω Ρ ΑΜ to have a mid–morning snack

κολατσιό ΟΥΣ ΟΥΔ mid–morning snack

κολεγιακός, -ή, -ό ΕΠΙΘ (*μόρφωση*) college
►**κολεγιακό ίδρυμα** college
►**κολεγιακή μπλούζα** sweatshirt

κολέγιο ΟΥΣ ΟΥΔ (α) (*ίδρυμα δευτεροβάθμιας εκπαίδευσης*) private school, public school (*Βρετ.*) (β) (*ίδρυμα τριτοβάθμιας εκπαίδευσης*) college

κολεγιόπαιδο ΟΥΣ ΟΥΔ (α) (= *σπουδαστής κολεγίου*) private ή public (*Βρετ.*) schoolboy (β) (*μτφ.*) college boy, preppy (*κυρ. Αμερ.*)

κόλεϊ ΟΥΣ ΟΥΔ ΑΚΛ collie

κολεόπτερο ΟΥΣ ΟΥΔ coleopteran (*επιστ.*), beetle

κολιέ ΟΥΣ ΟΥΔ ΑΚΛ necklace

κολικός ΟΥΣ ΑΡΣ colic

κολιός ΟΥΣ ΑΡΣ = **κολιοός**

κόλλα ΟΥΣ ΘΗΛ (α) (= *κάθε ουσία που κολλά*) glue (β) (= *φύλλο χαρτιού*) sheet of paper (γ) (*ρούχων*) starch

κολλαγόνο ΟΥΣ ΟΥΔ collagen

κολλάρισμα ΟΥΣ ΟΥΔ (*υφάσματος, ρούχου*) starching

κολλαριστός, -ή, -ό ΕΠΙΘ (α) (*γιακάς, πουκάμισο*) starched (β) (*για πρόσ.*)

impeccably dressed (γ) (*χαρτονόμισμα*) crisp

κόλλημα ΟΥΣ ΟΥΔ (α) (= *συγκόλληση*) glu(e)ing (β) (= *φλερτάρισμα*) pestering
▷**έχω κόλλημα με κπν** (*οικ., αργκ.*) to keep pestering sb
▷**έχω κόλλημα με κτ** (*οικ., αργκ.*) to be single–minded about sth

κολλημένος, -η, -ο ΕΠΙΘ (α) (*χαρτιά*) glued together (β) (*οικ., αργκ.*) single–minded

κολλητήρι ΟΥΣ ΟΥΔ (α) (= *εργαλείο συγκολλήσεων*) soldering iron (β) (= *φορτικό πρόσωπο*) limpet, leech

κολλητικός, -ή, -ό ΕΠΙΘ (α) (*ταινία, ουσία*) adhesive, sticky (β) (*αρρώστια*) contagious, infectious

κολλητός, -ή, -ό ΕΠΙΘ (α) (= *κολλημένος*) glued down (β) (*σπίτια*) adjacent (γ) (*παντελόνι, φούστα*) tight, figure–hugging
►**κολλητός** ΟΥΣ ΑΡΣ, **κολλητή** ΟΥΣ ΘΗΛ (*οικ.*) bosom buddy

κολλητσίδα, κολλιτσίδα ΟΥΣ ΑΡΣ (α) (ΒΟΤ) bur(r) (β) (*μτφ.*) limpet, leech

κόλλυβα ΟΥΣ ΟΥΔ ΠΛΗΘ boiled wheat with nuts, raisins and spices, decorated with sugar, offered to mourners at memorial services

κολλύριο ΟΥΣ ΟΥΔ eye drops *πληθ.*

κολλώ ① Ρ Μ (α) (*γραμματόσημο*) to stick (*σε* on)· (*αφίσες*) to put up · (*κομμάτια, βάζο*) to glue together, to stick together (β) (*αρρώστια, μικρόβιο*) to catch, to pick up · (*πάθος, όνομα, παρατσούκλι*) to give (γ) (*σώμα, χείλη*) to press (δ) (= *προσθέτω*) to add (ε) (= *ενοχλώ*) to bother, to get at (*ανεπ.*)
② Ρ ΑΜ (α) (= *μπλοκάρω*) to be stumped ή stuck (β) (*πάτωμα, τραπέζι*) to be sticky (γ) (*φαγητό, κατσαρόλα, τηγάνι*) to stick (δ) (*ταξιδιώτες, ομάδα*) to be stuck · (*διαπραγματεύσεις*) to be deadlocked (ε) (*φρένο*) to jam · (*παράθυρο, πόρτα*) to be stuck · (*υπολογιστής*) to freeze · (*μυαλό*) to go blank (στ) (*για οχήματα*) to bump into each other (ζ) (*πουκάμισο, μαλλιά*) to stick (η) (*στοιχεία, πληροφορίες*) to tally, to add up (θ) (= *δένομαι*) to get on (*με* with)
▷**αυτό τώρα πού κολλάει;** (*οικ.*) what's that got to do with anything?
▷**δεν κολλάει** (*για πρόσ.*) he doesn't fit in · (= *δεν βγαίνει νόημα*) it doesn't add up
▷**έχω γρίπη και δεν θέλω να σε κολλήσω** I've got flu and don't want to give it to you
▷**κόλλα το!** put it there!
▷**κολλώ σε κπν** (*σε παρέα*) to hang around sb, to follow sb around · (*σε βουλευτή*) to press sb · (*σε άνδρα, γυναίκα*) to come on to sb · (= *ενοχλώ*) to bother sb
▷**κολλώ σε λεπτομέρειες** to get bogged down in detail
▷**κολλώ στην τηλεόραση** to be glued to the television
▷**κολλώ το χασμουρητό σε κπν** to make sb yawn

▷**μου κολλάει (η ιδέα) να κάνω κτ** to be obsessed with (the idea of) doing sth
▷**μου κολλάει να της το αγοράσω** she's been pestering me to buy it for her
κολλώδης, -ης, -ες ΕΠΙΘ (ουσία) adhesive, sticky
κολοβός, -ή, -ό ΕΠΙΘ (σκύλος) with a cropped tail
▷**φίδι κολοβό** (μτφ.) snake in the grass
κολοιός ΟΥΣ ΑΡΣ mackerel
κολοκύθα ΟΥΣ ΘΗΛ (α) (= μεγάλο κολοκύθι) pumpkin (β) (= νεροκολοκύθα) gourd
κολοκυθάκι ΟΥΣ ΟΥΔ courgette (Βρετ.), zucchini (Αμερ.)· βλ. κ. **κολοκύθι**
κολοκύθι ΟΥΣ ΟΥΔ marrow (Βρετ.), squash (Αμερ.)
▷**κολοκύθια** ή **κολοκυθάκια γεμιστά** stuffed marrow (Βρετ.) ή squash (Αμερ.)
κολοκυθιά ΟΥΣ ΘΗΛ (α) (ΒΟΤ: που κάνει κολοκύθες) pumpkin plant· που κάνει κολοκυθάκια) courgette (Βρετ.) ή zucchini (Αμερ.) plant (β) (παιχνίδι) question and answer game
κολοκυθοκεφτές ΟΥΣ ΑΡΣ marrow (Βρετ.) ή squash (Αμερ.) patty
κολοκυθοκορφάδες ΟΥΣ ΘΗΛ ΠΛΗΘ pumpkin flowers and shoots
κολοκυθόπιτα ΟΥΣ ΘΗΛ pumpkin pie
κολομπαράς (αργκ.) ΟΥΣ ΑΡΣ bugger (χυδ.)
κολομπίνα ΟΥΣ ΘΗΛ Columbine
κόλον ΟΥΣ ΟΥΔ colon
κολόνα ΟΥΣ ΘΗΛ (α) (ναών, σπιτιού) column, pillar (β) (φωτισμού) pillar· (πάγου) tower
κολόνια ΟΥΣ ΘΗΛ cologne
Κολοσσαίο ΟΥΣ ΟΥΔ Colosseum
κολοσσιαίος, -α, -ο ΕΠΙΘ (κτήριο, ναός, ποσό, επίτευγμα, σφάλμα) colossal
κολοσσός ΟΥΣ ΑΡΣ (α) (= τεράστιος ανδριάντας) colossus

> *Προσοχή!: Ο πληθυντικός του* **colossus** *είναι* **colossi** *ή* **colossuses**.

(β) (βιομηχανίας, οικονομίας) giant (γ) (ποδοσφαίρου) giant
▷**κολοσσός γνώσεων** colossus of knowledge
κόλουρος, -η, -ο ΕΠΙΘ (α) (σκύλος) with a cropped tail· (γάτα) bobtail (β) (κώνος, πυραμίδα) truncated
κολοφώνας ΟΥΣ ΑΡΣ (α) (δόξας, ακμής, καριέρας) peak (β) (ΑΡΧΙΤ) rooftree, ridgepole
κολπατζής ΟΥΣ ΑΡΣ trickster· (= απατεώνας) confidence trickster, con man (ανεπ.)

> *Προσοχή!: Ο πληθυντικός του* **con man** *είναι* **con men**.

κολπατζού ΟΥΣ ΘΗΛ βλ. **κολπατζής**
κολπίσκος ΟΥΣ ΑΡΣ bay, inlet
κολπίτιδα ΟΥΣ ΘΗΛ vaginitis

ΚΟΛΠΟ ΟΥΣ ΟΥΔ (α) (= τέχνασμα) trick (β) (= κομπίνα) scheme· (= απάτη) confidence trick, con trick (ανεπ.)
▷**βρόμικα κόλπα** dirty tricks
▷**διαφημιστικό κόλπο** advertising gimmick
▷**είμαι στο κόλπο** to be in on it
▷**ταχυδακτυλουργικό κόλπο** conjuring trick
▶**κόλπα** ΠΛΗΘ: **ξέρω τα κόλπα τού επαγγέλματος** to know the ropes
▷**τα κόλπα της δουλειάς** the tricks of the trade
κόλπος¹ ΟΥΣ ΑΡΣ (α) (ΓΕΩΓΡ) gulf (β) (ΑΝΑΤ) vagina
▶**το ρεύμα του Κόλπου** the Gulf Stream
▶**κόλποι** ΠΛΗΘ (= περιβάλλον) εν.
κόλπος² ΟΥΣ ΑΡΣ (= αποπληξία) stroke
▷**μου 'ρχεται κόλπος** (μτφ.) to have a fit
κολυμβήθρα ΟΥΣ ΘΗΛ (ΘΡΗΣΚ) font
κολύμβηση ΟΥΣ ΘΗΛ swimming
κολυμβητήριο ΟΥΣ ΟΥΔ swimming pool
κολυμβητής ΟΥΣ ΑΡΣ swimmer
▶**χειμερινός κολυμβητής** winter swimmer
κολυμβητικός, -ή, -ό ΕΠΙΘ (αγώνες, όμιλος) swimming
κολυμβήτρια ΟΥΣ ΘΗΛ βλ. **κολυμβητής**
κολυμπήθρα ΟΥΣ ΘΗΛ = **κολυμβήθρα**
κολύμπι ΟΥΣ ΟΥΔ swimming
▷**πηγαίνω για κολύμπι** to go for a swim
κολυμπώ Ρ ΑΜ to swim
▷**κολυμπαέι στο λάδι** it's swimming in oil
▷**κολυμπώ στον ιδρώτα** to be bathed in sweat
κολώνα ΟΥΣ ΘΗΛ = **κολόνα**
κολώνια ΟΥΣ ΘΗΛ = **κολόνια**
κομάντο ΟΥΣ ΑΡΣ ΑΚΛ (ΣΤΡΑΤ) commando

> *Προσοχή!: Ο πληθυντικός του* **commando** *είναι* **commandos**.

κομβόι ΟΥΣ ΟΥΔ ΑΚΛ = **κονβόι**
κόμβος ΟΥΣ ΑΡΣ (α) (συγκοινωνίας) junction, interchange (β) (ΝΑΥΤ) knot (γ) (εμπορίου, πολιτισμού) hub
κόμη (επίσ.) ΟΥΣ ΘΗΛ hair
κόμης ΟΥΣ ΑΡΣ count· (στη Μεγάλη Βρετανία) earl
κομητεία ΟΥΣ ΘΗΛ (= περιοχή δικαιοδοσίας) county
κομήτης ΟΥΣ ΑΡΣ comet
κομίζω Ρ Μ (επίσ.) to bring
κόμικς, κόμιξ ΟΥΣ ΟΥΔ ΠΛΗΘ ΑΚΛ comic
κομισάριος ΟΥΣ ΑΡΣ commissioner
κόμισσα ΟΥΣ ΘΗΛ countess
κόμιστρο ΟΥΣ ΟΥΔ (ταξί) fare
κόμμα ΟΥΣ ΟΥΔ (α) (ΠΟΛΙΤ) party (β) (ΓΛΩΣΣ) comma (γ) (ΜΑΘ) point
▷**κάνω κόμμα (εναντίον κποιου)** to gang up (on sb)
κομμάρα ΟΥΣ ΘΗΛ fatigue
κομμάτι ΟΥΣ ΟΥΔ (α) (χρυσού, χαρτιού) piece·

(*τυριού, πίτας*) piece, bit · (*ζωής, κοινωνίας*) part (β) (= *θραύσμα*) piece, bit (γ) (= *εμπόρευμα*) item, product (δ) (ΜΟΥΣ) piece (of music) · (*σε σιντί*) track (ε) (*στο σκάκι*: = αξιωματικός) bishop· (= *πύργος*) castle, rook · (= *ίππος*) knight (στ) (*ανεπ*.: = *κόμματος*) babe (*ανεπ*.)
▷**γίνομαι (χίλια) κομμάτια** (*βάζο*) to smash to pieces · (*για πρόσ*.) to bend over backwards
▷**ησυχάζω κόμματι** (*ανεπ*.) to calm down a bit
▷**κάθομαι κόμματι** (*ανεπ*.) to sit down for a bit
▷**είναι κομμάτι πικρός ο καφές** (*ανεπ*.) the coffee's a bit bitter
▷**κομμάτια να γίνει** (*οικ*.: = *δεν πειράζει*) to hell with it (*ανεπ*.) · (= *δεν με νοιάζει*) I don't give a damn (*ανεπ*.)
▷**χίλια δολλάρια το κομμάτι** a thousand dollars each ή a piece

κομματιάζω Ρ Μ (*κρέας*) to cut up · (*χαρτί*) to tear up, to tear to pieces · (*παράταξη*) to break up · (*μηρό*) to shatter

κομμάτιασμα ΟΥΣ ΟΥΔ (*χαρτιού*) tearing up · (*παράταξης*) breaking up · (*μηρού*) shattering

κομματικός, -ή, -ό ΕΠΙΘ (*οργάνωση, στέλεχος, εισφορά*) party

κόμματος (*ανεπ*.) ΟΥΣ ΑΡΣ babe (*ανεπ*.)

κομμένος, -η, -ο ΕΠΙΘ (α) (*σκοινί, καλώδιο, τυρί*) cut · (*ντομάτα, ψωμί, κρέας*) sliced, cut · (*δεσμά*) severed (β) (*άρθρο εφημερίδας*) cut out · (*κεφάλι, μύτη, αφτιά*) severed (γ) (*λουλούδια, μήλα*) picked (δ) (*τολμηρές σκηνές, τμήμα βιβλίου*) edited out (ε) (*δέντρα*) felled · (*ξύλα*) chopped (στ) (*δάχτυλο, χέρι, πρόσωπο*) cut (ζ) (= *μειωμένης διάρκειας: ταινία, ομιλία*) cut short (η) (*μαλλιά, γρασίδι*) cut · (*νύχια*) clipped · (*γένια, φαβορίτες*) trimmed (ϑ) (*μουστάκια, μονάι*) shaved off (ι) (= *εγκεκριμένος: μισθός, επίδομα*) given (ια) (*κυκλοφορία*) at a standstill (ιβ) (*μαθητές, φοιτητές*) failed (ιγ) (*ταχύτητα, επίδομα, δαπάνες*) reduced (ιδ) (*για νερό, ρεύμα*) cut off (ιε) (*καφές, πιπέρι*) ground · (*κιμάς*) minced (Βρετ.), ground (Αμερ.) (ιστ) (*σούπα, μαγιονέζα*) spoiled · (*γάλα*) sour (ιζ) (*ανεπ*.: *για πρόσ*.) haggard
▷**κομμένος στα δύο** split in two
▷**είναι κομμένος και ραμμένος στα μέτρα κποιου** to be tailor-made for sb
▷**με κομμένη την ανάσα** with bated breath
▷**τα κομμένα εισιτήρια ήταν πολλά** a lot of tickets were sold, they sold a lot of tickets
▷**να κρατάτε τις κομμένες αποδείξεις** keep your receipts

κόμμι ΟΥΣ ΟΥΔ gum
▸**αραβικό κόμμι** gum arabic

κομμούνι (*υβρ*.) ΟΥΣ ΟΥΔ = **κομούνι**

κομμουνισμός ΟΥΣ ΑΡΣ = **κομουνισμός**

κομμουνιστής ΟΥΣ ΑΡΣ = **κομουνιστής**

κομμουνιστικός, -ή, -ό ΕΠΙΘ =

κομουνιστικός

κομμουνίστρια ΟΥΣ ΘΗΛ *βλ*. **κομουνιστής**

κόμμωση ΟΥΣ ΘΗΛ (α) (= *χτένισμα*) hairstyle (β) (= *κουπ*) hairstyle, haircut

κομμωτήριο ΟΥΣ ΟΥΔ hairdresser's, hairdressing salon

κομμωτής ΟΥΣ ΑΡΣ hairdresser

κομμώτρια ΟΥΣ ΘΗΛ *βλ*. **κομμωτής**

κομό ΟΥΣ ΟΥΔ ΑΚΛ chest of drawers

κομοδίνο ΟΥΣ ΟΥΔ bedside table

κομούνι (*υβρ*.) ΟΥΣ ΟΥΔ commie (*ανεπ*.)

κομουνισμός ΟΥΣ ΑΡΣ communism

κομουνιστής ΟΥΣ ΑΡΣ communist

κομουνιστικός, -ή, -ό ΕΠΙΘ (*νεολαία*) communist
▷**το Κομουνιστικό Κόμμα** the Communist Party

κομουνίστρια ΟΥΣ ΘΗΛ *βλ*. **κομουνιστής**

κομπάζω Ρ ΑΜ to boast ή brag (*για* about)

κομπανία ΟΥΣ ΘΗΛ (α) (= *ομάδα οργανοπαιχτών*) group (β) (= *παρέα*) company

κομπάρσος ΟΥΣ ΑΡΣ (*θεάτρου*) supernumerary, actor with a walk-on part · (*κινηματογράφου*) extra
▷**είμαι κομπάρσος** (*μτφ*.) to play second fiddle

κομπασμός ΟΥΣ ΑΡΣ boasting *χωρίς πληθ*., bragging *χωρίς πληθ*.

κομπιάζω Ρ ΑΜ (α) (= *δυσκολεύομαι στην ομιλία*) to falter (β) (= *δυσκολεύομαι να καταπιώ*) to gag
▷**έφαγα μια μπουκιά ψωμί και κόμπιασα** I took a bite of bread and it got stuck in my throat

κόμπιασμα ΟΥΣ ΟΥΔ (= *δυσκολία στην ομιλία*) faltering

κομπίνα ΟΥΣ ΘΗΛ (α) (= *απάτη*) fiddle, racket (β) (= *πονηριά*) scheme (γ) (*στο μπάσκετ, ποδόσφαιρο*) feint, fake
▷**κάνω κομπίνα** to be on the fiddle
▷**σκαρώνω κομπίνα** to devise a scheme

κομπιναδόρος ΟΥΣ ΑΡΣ racketeer, swindler

κομπινεζόν ΟΥΣ ΟΥΔ ΑΚΛ slip

κομπιούτερ ΟΥΣ ΟΥΔ ΑΚΛ (= *υπολογιστής*) computer

κομπιουτεράκι ΟΥΣ ΟΥΔ ΑΚΛ calculator

κομπιουτεράς (*αργκ*.) ΟΥΣ ΑΡΣ: **είμαι κομπιουτεράς** to be into computers (*ανεπ*.)

κομπλάρισμα (*ανεπ*.) ΟΥΣ ΟΥΔ embarrassment

κομπλάρω (*ανεπ*.) ⓵ Ρ ΑΜ (α) (= *σαστίζω*) to be embarrassed (β) (*υπολογιστής*) to freeze ⓶ Ρ Μ to embarrass

κομπλέ ΕΠΙΘ ΑΚΛ (α) (= *πλήρης*) full (β) (= *ολοκληρωμένος*) finished

κόμπλεξ ΟΥΣ ΟΥΔ ΑΚΛ complex

κομπλεξικός, -ή, -ό ΕΠΙΘ (*για πρόσ*.) full of hang-ups, hung-up (*ανεπ*.)

κομπλιμέντο ΟΥΣ ΟΥΔ compliment
▷**κάνω κομπλιμέντο σε κπν** to pay sb a

compliment

κομπογιαννίτης ΟΥΣ ΑΡΣ **(α)** (= *ψευτογιατρός*) quack **(β)** (= *απατεώνας*) swindler, con man

Προσοχή!: Ο πληθυντικός του **con man** *είναι* **con men.**

κομπογιαννίτισσα ΟΥΣ ΘΗΛ *βλ.* **κομπογιαννίτης**

κομπόδεμα ΟΥΣ ΟΥΔ nest egg

κομπολόι ΟΥΣ ΟΥΔ string of beads

κομπορρημοσύνη (*επίσ.*) ΟΥΣ ΘΗΛ boasting *χωρίς πληθ.*

κομπορρήμων, -ων, -ον (*επίσ.*) ΕΠΙΘ boastful

κόμπος ΟΥΣ ΑΡΣ **(α)** (*σχοινιού, γραβάτας*) knot **(β)** (*χεριών*) knuckle **(γ)** (*στον λαιμό*) lump ▷**δένω/λύνω έναν κόμπο** to tie/untie a knot

κομποσκοίνι ΟΥΣ ΟΥΔ (*μοναχού*) rosary

κομπόστα ΟΥΣ ΘΗΛ stewed fruit, compote

κόμπρα ΟΥΣ ΘΗΛ cobra

κομπρέσα ΟΥΣ ΘΗΛ compress

κομπρεσέρ ΟΥΣ ΟΥΔ ΑΚΛ pneumatic drill

κομφετί ΟΥΣ ΟΥΔ ΑΚΛ confetti

κομφόρ ΟΥΣ ΟΥΔ ΠΛΗΘ ΑΚΛ comforts, amenities · (*για αυτοκίνητο*) accessories

κομψά ΕΠΙΡΡ **(α)** (*ντύνομαι*) smartly **(β)** (*εκφράζομαι, μιλώ*) elegantly

κομψευόμενος, -η, -ο (*ειρων.*) ΕΠΙΘ (*νεαρός*) foppish · (*γυναίκα*) clothes conscious

κομψός, -ή, -ό ΕΠΙΘ **(α)** (*για πρόσ.*) smart, chic **(β)** (*ντύσιμο, ρούχο*) stylish, chic · (*μοντέλο, εμφάνιση, τρόποι*) elegant · (*σώμα, χειρονομία*) graceful · (*βιβλίο, σπίτι*) smart **(γ)** (*έκφραση*) elegant **(δ)** (*αφήγηση*) eloquent

κομψοτέχνημα ΟΥΣ ΟΥΔ work of art

κομψότητα ΟΥΣ ΘΗΛ **(α)** (*ρούχων, ντυσίματος, συμπεριφοράς, σπιτιού*) elegance **(β)** (*διατύπωσης*) eloquence

κονβόι ΟΥΣ ΟΥΔ ΑΚΛ convoy

Κονγκρέσο ΟΥΣ ΟΥΔ Congress

κονδύλι ΟΥΣ ΟΥΔ allocation

κόνδυλος ΟΥΣ ΑΡΣ (ΒΟΤ) tuber

κονδυλοφόρος ΟΥΣ ΑΡΣ (*παλαιότ.*) quill

κονιάκ ΟΥΣ ΟΥΔ ΑΚΛ brandy, cognac

κονίαμα (*επίσ.*) ΟΥΣ ΟΥΔ **(α)** (= *λάσπη*) mortar **(β)** (= *σοβάς*) plaster

κονίδα, κόνιδα ΟΥΣ ΘΗΛ nit

κονικλοτροφείο (*επίσ.*) ΟΥΣ ΟΥΔ rabbit farm

κονικλοτροφία (*επίσ.*) ΟΥΣ ΘΗΛ rabbit breeding

κονιορτοποίηση (*επίσ.*) ΟΥΣ ΘΗΛ **(α)** (*καρπών, μαρμάρου*) pulverization, crushing **(β)** (*αντιπάλου, στρατού*) crushing

κονιορτοποιώ (*επίσ.*) Ρ Μ **(α)** (*καρπούς, μάρμαρο*) to pulverize, to crush **(β)** (*εχθρό, αντίπαλο*) to crush

κονιορτός (*επίσ.*) ΟΥΣ ΑΡΣ (= *σκόνη*) cloud of dust

κονκάρδα ΟΥΣ ΘΗΛ rosette

κονόμα (*ανεπ.*) ΟΥΣ ΘΗΛ moneymaking

κονομάω (*ανεπ.*) Ρ Μ (= *πλουτίζω*) to make · (= *εξασφαλίζω*) to get the money for, to afford ▷**τα κονομάω** to be raking it in (*ανεπ.*)

κονομημένος, -η, -ο (*ανεπ.*) ΕΠΙΘ well-off, loaded (*ανεπ.*)

κονσέρβα ΟΥΣ ΘΗΛ (*κρέατος, αρακά*) can, tin (*Βρετ.*) ▷**σε κονσέρβα** canned, tinned (*Βρετ.*) ▷**προγράμματα κονσέρβες** pre-recorded programmes (*Βρετ.*) *ή* programs (*Αμερ.*)

κονσερβοκούτι ΟΥΣ ΟΥΔ tin, can

κονσερβοποιημένος, -η, -ο ΕΠΙΘ canned, tinned (*Βρετ.*)

κονσερβοποίηση ΟΥΣ ΘΗΛ (*λαχανικών, κρέατος*) canning

κονσερβοποιία ΟΥΣ ΘΗΛ canning factory

κονσερβοποιώ Ρ Μ to can

κονσέρτο ΟΥΣ ΟΥΔ = **κοντσέρτο**

κονσόλα ΟΥΣ ΘΗΛ **(α)** (ΤΕΧΝΟΛ) console **(β)** (*έπιπλο*) console table

κονσομασιόν ΟΥΣ ΘΗΛ ΑΚΛ: **κάνω κονσομασιόν** to work as a bar girl (*encouraging customers to buy drinks*)

κονσομέ ΟΥΣ ΟΥΔ ΑΚΛ consommé

κοντά ΕΠΙΡΡ **(α)** (= *σε μικρή απόσταση*) near, close **(β)** (= *μαζί* +*μου/σου/του/της/μας/σας/ τους*) with **(γ)** (*σχεδόν: για χρόνο*) nearly, almost · (*για ποσότητα*) about, almost ▷**αισθάνομαι κοντά σε** κπν to feel close to sb ▷**από κοντά** (*γνωρίζω, βλέπω*) close up · (*εξετάζω*) closely · (*ζω*) at first hand · (*ακολουθώ*) close behind ▷**βρίσκομαι κοντά στην αλήθεια/στη λύση** to be close to the truth/to finding a solution ▷**εδώ κοντά** somewhere near here *ή* nearby ▷**κάθομαι κοντά σε** κπν to sit next to sb, to sit close by sb ▷**κατοικώ κοντά σε** κπν/κτ to live close to *ή* near sb/sth ▷**κοντά σε** (= *εκτός από*) on top of ▷**παίρνω** κπν **από κοντά** to keep a close watch on sb ▷**τα λέω με** κπν **από κοντά** to talk to sb face to face ▷**τώρα κοντά** soon ▷**κοντά στα άλλα** on top of everything else ▷**κοντά-κοντά** very close together ▷**φτάνω κοντά** to draw near

κονταίνω ① Ρ Μ (*παντελόνι, κουρτίνες*) to shorten, to take up ② Ρ ΑΜ (*μπλουζάκι*) to be shorter

κοντάκι ΟΥΣ ΟΥΔ butt

κοντάκιο ΟΥΣ ΟΥΔ **(α)** (= *κοντάκι*) butt **(β)** (ΘΡΗΣΚ) hymn

κοντανασαίνω Ρ ΑΜ to gasp for breath

κοντάρι ΟΥΣ ΟΥΔ **(α)** (*γενικότ.*) pole · (*σημαίας*) flagpole **(β)** (= *δόρυ*) spear **(γ)** (*ακοντισμού*) javelin · (*επί κοντώ*) pole

κονταρομαχία ΟΥΣ ΘΗΛ joust

κονταροχτύπημα ΟΥΣ ΟΥΔ joust

κοντέινερ ΟΥΣ ΟΥΔ ΑΚΛ container

κόντεμα ΟΥΣ ΟΥΔ shortening

κοντέρ ΟΥΣ ΟΥΔ ΑΚΛ mileometer

κοντεύω ☐ Ρ Μ *(Χριστούγεννα, Πάσχα)* to draw near
☐ Ρ Μ *(για ηλικία)* to be getting on for
▷**κοντεύω σε** *(χωριό, πόλη)* to approach, to draw near
▷**κοντεύω τα τριάντα** to be getting on for thirty
▷**θα πρέπει να κοντεύει εννιά** it must be nearly nine (o'clock)
▷**κοντεύουν πέντε χρόνια από τότε που...** it's been nearly five years since...
▷**κοντεύω να κάνω κτ** to nearly ή almost do sth

κοντινός, -ή, -ό ΕΠΙΘ (α) *(χωριό, ταβέρνα, περιοχή)* neighbouring *(Βρετ.)*, neighboring *(Αμερ.)*, nearby (β) *(δρόμος, μονοπάτι)* short · *(παλιά, σουτ, πάσα* (γ) *(μέλλον, στόχος)* immediate (δ) *(συγγενής, φίλος, συνεργάτης)* close
▶**κοντινό πλάνο** close-up

κοντοζυγώνω Ρ ΑΜ to approach

κοντολογίς *(ανεπ.)* ΕΠΙΡΡ briefly

κοντομάνικος, -η, -ο ΕΠΙΘ *(μπλούζα, πουκάμισο)* short-sleeved
▶**κοντομάνικο** ΟΥΣ ΟΥΔ *(πουκάμισο)* short-sleeved shirt · *(μπλουζάκι)* short-sleeved top

κοντοπίθαρος, -η, -ο *(κοροϊδ.)* ΕΠΙΘ runt *(ανεπ.)*

κοντός¹ *(επίσ.)* ΟΥΣ ΑΡΣ (α) *(γενικότ.)* pole (β) *(δόρατος)* shaft (γ) *(ΑΘΛ)* pole

κοντός², -ή, -ό ΕΠΙΘ *(άνθρωπος, πόδι, σχοινί, φούστα)* short
▷**έλεγε ο καθένας το μακρύ και το κοντό του** everyone was talking but no one was listening
▷**μου έρχεται κοντό** it's too short for me
▷**κοντός ψαλμός αλληλούια** we'll soon find out

κοντοσούβλι ΟΥΣ ΟΥΔ (α) *(= μικρή σούβλα)* small skewer (β) *(φαγητό)* pork kebab

κοντοστέκομαι Ρ ΑΜ to hesitate

κοντοστέκω Ρ ΑΜ = **κοντοστέκομαι**

κοντοστούπης *(μειωτ.)* ΟΥΣ ΑΡΣ midget *(ανεπ.)*

κοντόφθαλμος, -η, -ο ΕΠΙΘ (α) *(= που έχει μυωπία)* short-sighted *(Βρετ.)*, near-sighted *(Αμερ.)* (β) *(αρνητ.)* short-sighted

κοντοχωριανός ΟΥΣ ΑΡΣ person from a neighbouring *(Βρετ.)* ή neighboring *(Αμερ.)* village

κόντρα¹ ΕΠΙΡΡ *(= αντίθετα)* against
▷**όλα μου έρχονται κόντρα!** nothing goes right for me!
▷**πηγαίνω κόντρα σε κπν/κτ** to oppose sb/sth
▶**κόντρα ξύρισμα** close ή smooth shave

▶**κόντρα φιλέτο** rump steak

κόντρα² ΟΥΣ ΘΗΛ (α) *(= σύγκρουση)* clash (β) *(= αντίθετο ξύρισμα)* close ή smooth shave (γ) *(= παράνομος αγώνας ταχύτητας)* illegal car race (δ) *(στο ποδόσφαιρο: σε επιθετικό)* tackle · *(στο τείχος)* deflection
▷**έχω κόντρα με κπν** to be in conflict with sb

κοντραμπάσο ΟΥΣ ΟΥΔ double bass

κοντραπλακέ ΟΥΣ ΟΥΔ ΑΚΛ plywood

κοντράρω ☐ Ρ Μ/ΑΜ (α) *(= εναντιώνομαι)* to oppose (β) *(στο ποδόσφαιρο)* to tackle
☐ Ρ ΑΜ *(= αλλάζω κατεύθυνση: μπάλα)* to deflect *(σε off)*

κοντρόλ ΟΥΣ ΟΥΔ ΑΚΛ (α) *(τηλεόρασης, βίντεο)* remote control (β) *(ΑΘΛ)* ball control
▷**κάνω κακό κοντρόλ** to lose control of the ball
▷**κάνω καλό κοντρόλ** to control the ball
▶**ντόπινγκ κοντρόλ** dope test

κοντρολάρω Ρ Μ *(αυτοκίνητο, μπάλα)* to control

κοντσέρτο ΟΥΣ ΟΥΔ (α) *(= συναυλία)* concert (β) *(= μουσικό είδος)* concerto

κοντυλοφόρος ΟΥΣ ΑΡΣ = **κονδυλοφόρος**

κονφετί ΟΥΣ ΟΥΔ ΑΚΛ = **κομφετί**

κόουτς ΟΥΣ ΑΡΣ ΑΚΛ coach

κοπάδι ΟΥΣ ΟΥΔ (α) *(προβάτων)* flock · *(βοδιών)* herd · *(ψαριών)* shoal, school (β) *(παιδιών)* crowd

κοπάζω Ρ ΑΜ *(θύελλα, άνεμος, θόρυβος)* to die down · *(βροχή)* to ease off · *(σκάνδαλο)* to die down, to blow over · *(θυμός)* to subside, to fade

κοπάνα *(ανεπ.)* ΟΥΣ ΘΗΛ *(από μάθημα)* truancy, skiving *(Βρετ.)* *(ανεπ.)*, playing hooky *(Αμερ.)* *(ανεπ.)* · *(από δουλειά)* skiving *(Βρετ.)* *(ανεπ.)*, swinging the lead *(Αμερ.)* *(ανεπ.)*
▷**κάνω κοπάνα** *(μαθητής)* to play truant, to skive *(Βρετ.)* *(ανεπ.)*, to play hooky *(Αμερ.)* *(ανεπ.)* · *(υπάλληλος)* to skive *(Βρετ.)* *(ανεπ.)*, to swing the lead *(Αμερ.)* *(ανεπ.)*

κοπανατζής *(ανεπ.)* ΟΥΣ ΑΡΣ *(για μαθητή)* truant, skiver *(Βρετ.)* *(ανεπ.)* · *(για υπάλληλο)* shirker, skiver *(Βρετ.)* *(ανεπ.)*

κοπανατζού *(ανεπ.)* ΟΥΣ ΘΗΛ ΒΛ. **κοπανατζής**

κοπανίζω Ρ Μ *(σκόρδα)* to pound · *(αμύγδαλα, σιτάρι)* to grind

κοπάνισμα ΟΥΣ ΟΥΔ *(σκόρδου)* pounding · *(πιπεριού)* grinding

κοπανιστός, -ή, -ό ΕΠΙΘ *(σκόρδο)* pulped · *(πιπέρι)* ground
▷**αέρας κοπανιστός** *(ανεπ.)* hot air *(ανεπ.)*

κόπανος ΟΥΣ ΑΡΣ (α) *(παλαιότ.)* paddle *(for beating clothes)* (β) *(= γουδοχέρι)* pestle (γ) *(= υποκόπανος)* butt (δ) *(υβρ.)* numbskull *(ανεπ.)*

κοπανώ *(ανεπ.)* Ρ Μ (α) *(= χτυπώ με κόπανο)* to pound (β) *(= χτυπώ)* to hit · *(με γροθιά)* to punch (γ) *(= βάζω μεγάλο πρόστιμο)* to hit hard · *(= χρεώνω ακριβά)* to rob blind

(δ) (*πιπέρι, καφέ*) to grind
(ε) (= *επαναλαμβάνω διαρκώς*) to go on about
▷**τα κοπανάω** to get drunk
▷**την κοπανάω** (= *φεύγω κρυφά*) to sneak off· (= *φεύγω*) to leave

Κοπεγχάγη ΟΥΣ ΘΗΛ Copenhagen

κοπέλα ΟΥΣ ΘΗΛ **(α)** (= *νεαρή γυναίκα*) girl **(β)** (= *ερωμένη*) girlfriend

κοπελάρα ΟΥΣ ΘΗΛ big girl

κοπελιά ΟΥΣ ΘΗΛ (= *κοπέλα*) girl
▷**κοπελιά!** miss!

κοπή ΟΥΣ ΘΗΛ **(α)** (*επίσ.: μαλλιών, γλυκού*) cutting· (*δέντρων*) felling **(β)** (*νομίσματος*) minting

κόπια ΟΥΣ ΘΗΛ **(α)** (*επιστολής, βιβλίου*) copy· (*πίνακα*) copy, reproduction **(β)** (= *φωτοτυπία*) photocopy **(γ)** (*ταινίας, εκπομπής*) recording

κοπιάζω Ρ ΑΜ **(α)** (= *μοχθώ*) to work hard, to go to a lot of trouble **(β)** (= *επισκέπτομαι*) to drop by
▷**για κόπιασε!** (*απειλητικά*) just you try!

κοπιαστικός, -ή, -ό ΕΠΙΘ (*δουλειά, εργασία, ταξίδι*) tiring, arduous· (*μελέτη*) painstaking· (*πορεία*) uphill· (*προσπάθεια*) hard

κοπίδι ΟΥΣ ΟΥΔ **(α)** (= *σμίλη*) chisel **(β)** (*υποδηματοποιού*) knife

> *Προσοχή!: Ο πληθυντικός του* **knife** *είναι* **knives**.

κοπιράιτ ΟΥΣ ΟΥΔ ΑΚΛ copyright

κόπιτσα ΟΥΣ ΘΗΛ hook and eye, fastener

κοπιώδης, -ης, -ες (*επίσ.*) ΕΠΙΘ (*έργο, εργασία*) arduous· (*έρευνα, προσπάθεια*) laborious

κοπλιμέντο ΟΥΣ ΟΥΔ = **κομπλιμέντο**

κόπος ΟΥΣ ΑΡΣ **(α)** (= *κούραση*) effort **(β)** (= *μόχθος*) hard work *χωρίς πληθ.* **(γ)** (= *αμοιβή*) wages *πληθ.*, pay *χωρίς πληθ.*
▷**ας μην σας βάλω σε κόπο!** I don't want to trouble you!
▷**δε θα ήθελα να σας βάλω σε κόπο** I don't want to put you to any trouble
▷**για τον κόπο σου** for your pains
▷**κάνω τον** *ή* **μπαίνω στον κόπο να κάνω κτ** to bother to do sth, to go to the trouble of doing sth
▷**με κόπο** with difficulty
▷**χαμένος** *ή* **μάταιος** *ή* **άδικος κόπος** in vain, to no avail

κόπρανα ΟΥΣ ΟΥΔ ΠΛΗΘ faeces (*Βρετ.*), feces (*Αμερ.*)

κοπριά ΟΥΣ ΘΗΛ **(α)** (= *κόπρος*) manure, dung **(β)** (= *λίπασμα*) fertilizer

κοπρίζω [1] Ρ Μ (= *λιπαίνω*) to fertilize [2] Ρ ΑΜ (= *αφοδεύω*) to defecate

κοπρίτης (*αρνητ.*) ΟΥΣ ΑΡΣ **(α)** (= *τεμπέλης*) layabout **(β)** (= *κοπρόσκυλο*) stray (dog)

κοπρίτισσα (*αρνητ.*) ΟΥΣ ΘΗΛ *βλ.* **κοπρίτης**

κόπρος[1] (*επίσ.*) ΟΥΣ ΘΗΛ **(α)** (= *κόπρανα*)

faeces (*Βρετ.*), feces (*Αμερ.*) **(β)** (= *κοπριά*) manure **(γ)** (*μτφ.*: = *βρομιά*) dirt
▷**κόπρος του Αυγείου** *ή* **Αυγεία** (*μτφ.*) sleaze

κόπρος[2] (*αρνητ.*) ΟΥΣ ΑΡΣ (= *κοπρόσκυλο*) stray (dog)

κοπροσκυλάω (*αρνητ.*) Ρ ΑΜ = **κοπροσκυλιάζω**

κοπροσκυλιάζω (*αρνητ.*) Ρ ΑΜ to loaf about (*Βρετ.*) *ή* around

κοπρόσκυλο (*αρνητ.*) ΟΥΣ ΟΥΔ **(α)** (= *κοπρίτης*) stray (dog) **(β)** (*υβρ.*) layabout

κοπτήρας ΟΥΣ ΑΡΣ **(α)** (*γενικότ.*) knife **(β)** (= *χαρτοκόπτης*) paper knife **(γ)** (ΑΝΑΤ) incisor

κόπτης ΟΥΣ ΑΡΣ **(α)** (*επίσ.: υφασμάτων, δερμάτων*) cutter **(β)** (*για σύρματα*) wire cutters *πληθ.*

κοπτικός, -ή, -ό ΕΠΙΘ (*εργαλείο, μηχανή*) cutting
▸**κοπτική** ΟΥΣ ΘΗΛ cutting

κόπωση ΟΥΣ ΘΗΛ tiredness
▷**κόπωση μετάλλου** metal fatigue
▷**ψυχική κόπωση** mental strain

κόρα ΟΥΣ ΘΗΛ **(α)** (*ψωμιού*) crust **(β)** (*πληγής, τραύματος*) scab

κόρακας ΟΥΣ ΑΡΣ crow
▷**κόρακας κοράκου μάτι δε βγάζει** (*παροιμ.*) birds of a feather flock together (*παροιμ.*)
▷**άντε** *ή* **άι στον κόρακα!** (*υβρ.*) go to hell! (*ανεπ.*)

κοράκι ΟΥΣ ΟΥΔ **(α)** (= *κόρακας*) crow **(β)** (*μειωτ.*: = *νεκροθάφτης*) grave-digger

κορακιάζω (*ανεπ.*) Ρ ΑΜ to be gasping (for a drink) (*ανεπ.*), to be dying of thirst (*ανεπ.*)

κορακίσιος, -ια, -ιο ΕΠΙΘ (*μαλλιά*) jet-black

κορακίστικα ΟΥΣ ΟΥΔ ΠΛΗΘ **(α)** (= *συνθηματική γλώσσα*) secret language *εν.*, ≈ back slang *εν.* **(β)** (= *λόγια δυσνόητα*) gibberish *εν.*

κορακοζώητος, -η, -ο (*ανεπ.*) ΕΠΙΘ as old as the hills, ancient

κοράλλι ΟΥΣ ΟΥΔ coral

κοραλλιογενής, -ής, -ές ΕΠΙΘ (*βράχος*) coral
▸**κοραλλιογενής νήσος** coral island
▸**κοραλλιογενής ύφαλος** coral reef

Κοράνι, Κοράνιο ΟΥΣ ΟΥΔ Koran

κορβέτα ΟΥΣ ΘΗΛ corvette

κορδέλα ΟΥΣ ΘΗΛ **(α)** (*για μαλλιά, περιτύλιξη*) ribbon **(β)** (*για μέτρηση*) tape measure **(γ)** (= *πριονοκορδέλα*) bandsaw

κορδόνι ΟΥΣ ΟΥΔ **(α)** (*κουδουνιού, κουρτίνας*) cord **(β)** (*παπουτσιών*) lace

κόρδωμα ΟΥΣ ΟΥΔ boasting

κορδώνομαι Ρ ΑΜ ΑΠΟΘ **(α)** (= *περπατώ καμαρωτά*) to swagger, to strut **(β)** (= *υπερηφανεύομαι*) to boast

κορδωτός, -ή, -ό ΕΠΙΘ **(α)** (= *καμαρωτός*) swaggering, strutting **(β)** (= *υπερήφανος*) full of oneself

Κορέα ΟΥΣ ΘΗΛ Korea

▷**Βόρεια/Νότια Κορέα** North/South Korea

κορεννύω (επίσ.) Ρ Μ (α) (πείνα) to satisfy (β) (πόθο, περιέργεια) to satisfy · (εκδίκηση) to wreak (γ) (επάγγελμα) to fill · (αγορά) to flood

κορεσμένος, -η, -ο (επίσ.) ΕΠΙΘ full · (επάγγελμα, σχολικές τάξεις) overcrowded
▷**είμαι κορεσμένος από κτ** (αγορά) to be glutted with sth · (κοινό) to be inundated with sth
▸**κορεσμένο διάλυμα** (ΧΗΜ) saturated solution

κορεσμός ΟΥΣ ΑΡΣ (πείνας, πάθους) satisfaction · (αγοράς) saturation · (επαγγέλματος) overcrowding

κόρη ΟΥΣ ΘΗΛ (α) (= θυγατέρα) daughter (β) (= κοπέλα) girl (γ) (ΑΝΑΤ) pupil (δ) (ΑΡΧΑΙΟΛ) kore, *ancient Greek statue of a young woman*
▷**φυλάω κτ ως κόρην οφθαλμού** to guard sth with one's life

Κορινθιακός ΟΥΣ ΑΡΣ (επίσης **Κορινθιακός Κόλπος**) Gulf of Corinth

κορινθιακός, -ή, -ό ΕΠΙΘ (προϊόντα, έθιμο) Corinthian

Προσοχή!: Τα εθνικά επίθετα, όπως **Corinthian**, *γράφονται με κεφαλαίο το αρχικό γράμμα στα Αγγλικά.*

▸**κορινθιακός ρυθμός** Corinthian order

Κόρινθος ΟΥΣ ΘΗΛ Corinth

κοριός ΟΥΣ ΑΡΣ (α) (έντομο) (bed)bug (β) (συσκευή υποκλοπής) bug
▷**κάνω τον ψόφιο κοριό** to play possum

κοριτσάκι ΟΥΣ ΟΥΔ (α) (= μικρό κορίτσι) little girl (β) (= μωρό) baby girl
▷**κοριτσάκι μου!** (χαϊδευτ.) my dear! · (για ερωτευμένους) baby!

κορίτσι ΟΥΣ ΟΥΔ (α) (= κοπέλα) girl (β) (= κόρη) daughter (γ) (= φιλενάδα) girlfriend

κοριτσίστικος, -η, -ο ΕΠΙΘ girlish

κορμάκι ΟΥΣ ΟΥΔ (α) (χαϊδευτ.: = κορμί) body (β) (γυναικείο ένδυμα) leotard

κορμί ΟΥΣ ΟΥΔ body

κορμός ΟΥΣ ΑΡΣ (α) (δέντρου) trunk (β) (ανθρώπου) torso (γ) (φάλαγγας, στρατεύματος, ομάδας) body (δ) (γλυκό) chocolate crunch

κορμοστασιά ΟΥΣ ΘΗΛ build

κόρνα ΟΥΣ ΟΥΔ (αυτοκινήτου) horn

κορνάρισμα ΟΥΣ ΟΥΔ hooting χωρίς πληθ.

κορνάρω Ρ ΑΜ to hoot

κορνέ ΟΥΣ ΟΥΔ ΑΚΛ (γλύκισμα) cream horn

κόρνερ ΟΥΣ ΟΥΔ ΑΚΛ (στο ποδόσφαιρο) corner (kick)

κορνέτα ΟΥΣ ΘΗΛ (ΜΟΥΣ) cornet

κορνέτο ΟΥΣ ΟΥΔ = **κορνέτα**

κορνίζα ΟΥΣ ΘΗΛ (α) (= κάδρο) frame (β) (ΑΡΧΙΤ) moulding (Βρετ.), molding (Αμερ.)

κορνιζάρω Ρ Μ (φωτογραφία, πτυχίο) to frame

κορν-μπίφ ΟΥΣ ΟΥΔ ΑΚΛ corned beef

κόρνο ΟΥΣ ΟΥΔ horn

Κορνουάλη ΟΥΣ ΘΗΛ Cornwall

κορν-φλέικς ΟΥΣ ΟΥΔ ΠΛΗΘ ΑΚΛ cornflakes

κοροϊδευτικός, -ή, -ό ΕΠΙΘ mocking

κοροϊδεύω Ρ Μ (α) (= εμπαίζω) to laugh at, to make fun of (β) (= κάνω γκριμάτσες) to take off (γ) (= ξεγελώ) to cheat, to con

κοροϊδία ΟΥΣ ΘΗΛ (α) (= εμπαιγμός) mockery χωρίς πληθ. (β) (= εξαπάτηση) con (ανεπ.), deception

κοροϊδίστικα (ανεπ.) ΕΠΙΡΡ for no reason

κορόιδο (μειωτ.) ΟΥΣ ΟΥΔ (α) (= περίγελος) laughing stock (β) (= αφελής) dupe, sucker
▷**κάνω το κορόιδο** (οικ.) to pretend not to know what's going on
▷**πιάνω κπν κορόιδο** to take sb for a ride

κορομηλιά ΟΥΣ ΘΗΛ plum tree

κορόμηλο ΟΥΣ ΟΥΔ plum
▷**(τρέχει) το δάκρυ κορόμηλο** there were floods of tears

κορόνα ΟΥΣ ΘΗΛ = **κορώνα**

κόρος[1] ΟΥΣ ΑΡΣ (= κορεσμός) satiation
▷**κατά κόρον** to excess, excessively

κόρπους ΟΥΣ ΟΥΔ ΑΚΛ corpus

Προσοχή!: Ο πληθυντικός του **corpus** *είναι* **corpuses** *ή* **corpora.**

κορσάζ ΟΥΣ ΟΥΔ ΑΚΛ bodice

κορσές ΟΥΣ ΑΡΣ corset
▷**γίνομαι στενός κορσές σε κπν** (οικ.) to pester sb

Κορσική ΟΥΣ ΘΗΛ Corsica

κορτάρω Ρ Μ to be interested in, to flirt with

κόρτε ΟΥΣ ΟΥΔ ΑΚΛ flirtation
▷**κάνω κόρτε (σε κπν)** to flirt (with sb)

κορτιζόνη ΟΥΣ ΘΗΛ cortisone

κορυδαλλός ΟΥΣ ΑΡΣ (sky)lark

κορυφαίος, -α, -ο ΕΠΙΘ (παίκτης, αρχιτέκτονας, επιχειρηματίας, εταιρεία) leading, top · (έργο) outstanding · (διοργάνωση, αγώνας) top-level · (εκδήλωση) perfect · (στιγμές) crowning
▸**κορυφαίος** ΟΥΣ ΑΡΣ (στο αρχαίο δράμα) coryphaeus, chorus leader

Προσοχή!: Ο πληθυντικός του **coryphaeus** *είναι* **coryphaei.**

κορυφή ΟΥΣ ΘΗΛ (α) (επίσης **κορφή**: βουνού) summit (β) (επίσης **κορφή**: κεφαλιού) crown · (δέντρου, σκάλας, ναού) top · (κύματος) crest (γ) (ΓΕΩΜ: πυραμίδας, κώνου, γωνίας) vertex, apex

Προσοχή!: Ο πληθυντικός του **vertex** *είναι* **vertices.** *Ο πληθυντικός του* **apex** *είναι* **apexes** *ή* **apices.**

(δ) (*κόμματος, ιεραρχίας*) top
(ε) (*βαθμολογίας*) top · (*επιτυχίας, σταδιοδρομίας*) peak
▷**είμαι κορυφή στο είδος μου** to be the best there is
▷**σε επίπεδο κορυφής** at the highest levels
κορυφογραμμή ΟΥΣ ΘΗΛ ridge
κορύφωμα ΟΥΣ ΟΥΔ (*αγωνίας, απελπισίας*) height · (*γιορτής*) highlight · (*επιτυχίας, κρίσης*) peak
κορυφώνω Ρ Μ (*αγωνία, ένταση*) to heighten
▸**κορυφώνομαι** ΜΕΣΟΠΑΘ (α) (= *φθάνω στο ζενίθ: περιέργεια, κρίση, ενδιαφέρον, ανταγωνισμός*) to reach a peak (β) (= *φθάνω στο πιο σημαντικό σημείο: εκδηλώσεις, κινητοποιήσεις*) to culminate
κορύφωση ΟΥΣ ΘΗΛ (α) (*έντασης, πάθους*) climax · (*κρίσης, φήμης*) peak (β) (*εκδηλώσεων*) culmination · (*πλοκής έργου*) climax
κορφή ΟΥΣ ΘΗΛ (*φυτού*) top · *βλ. κ.* **κορυφή**
κορφοβούνι (*λογοτ.*) ΟΥΣ ΟΥΔ mountain peak
κορφολόγημα ΟΥΣ ΟΥΔ topping
κορφολογώ Ρ Μ to top
κόρφος ΟΥΣ ΑΡΣ chest
▷**ζεσταίνω ή έχω φίδι στον κόρφο μου** (*μτφ.*) to nurse a viper in one's bosom
κορώνα ΟΥΣ ΘΗΛ (α) (= *στέμμα*) crown (β) (= *εθνόσημο*) crown (γ) (*νόμισμα: Δανίας*) krone · (*Σουηδίας*) krona (δ) (*δοντιού*) crown
▷**την έχω κορώνα στο κεφάλι μου** I'd do anything for her
κορωνίδα ΟΥΣ ΘΗΛ (α) (*κτηρίου*) cornice, top (β) (*στέγης*) eaves ΠΛΗΘ. (γ) (*ιεραρχίας*) top (δ) (*τεχνολογίας*) height · (*δημιουργίας*) crown
κορώνω 1 Ρ ΑΜ (= *καίω*) to burn 2 Ρ Μ (= *εξάπτω*) to excite
▷**ανάβω και κορώνω** (*μτφ.*) to flare up
κος (*επίσ.*) ΣΥΝΤΟΜ Mr
κοσκινάκι ΟΥΣ ΟΥΔ small sieve
κοσκινίζω Ρ Μ (α) (*σιτάρι, αλεύρι, κριθάρι*) to sieve (β) (*φορολογικές δηλώσεις, στοιχεία*) to sift through
κοσκίνισμα ΟΥΣ ΟΥΔ (α) (*αλευριού, σιταριού*) sieving (β) (*αποδείξεων, στοιχείων*) scrutiny
κόσκινο ΟΥΣ ΟΥΔ sieve
▷**κάνω κπν/κτ κόσκινο** to riddle sb/sth with bullets
▷**περνώ κπν από (ψιλό) κόσκινο** to give sb a thorough check
▷**περνώ κτ από (ψιλό) κόσκινο** to go through sth with a fine-tooth comb
κοσμαγάπητος, -η, -ο ΕΠΙΘ popular
κοσμάκης ΟΥΣ ΑΡΣ: **ο κοσμάκης** the common people
▷**κόσμος και κοσμάκης** every man and his dog
κόσμημα ΟΥΣ ΟΥΔ (α) (= *μπιζού*) jewel, jewellery *χωρίς πληθ.* (*Βρετ.*), jewelry *χωρίς*

πληθ. (*Αμερ.*) **(β)** (= *στολίδι*) ornament (γ) (*μτφ.*) pride
κοσμηματοθήκη ΟΥΣ ΘΗΛ jewel box *ή* case
κοσμηματοποιός ΟΥΣ ΑΡΣ/ΘΗΛ jeweller (*Βρετ.*), jeweler (*Αμερ.*)
κοσμηματοπωλείο ΟΥΣ ΟΥΔ jeweller's (shop) (*Βρετ.*), jeweler's (*Αμερ.*)
κοσμηματοπώλης ΟΥΣ ΑΡΣ jeweller (*Βρετ.*), jeweler (*Αμερ.*)
κοσμηματοπώλισσα ΟΥΣ ΘΗΛ *βλ.* **κοσμηματοπώλης**
κοσμητεία ΟΥΣ ΘΗΛ deanship
κοσμητικός, -ή, -ό ΕΠΙΘ (*στοιχεία*) decorative, ornamental
▸**κοσμητικό επίθετο** (*ευφημ.*) colourful (*Βρετ.*) *ή* colorful (*Αμερ.*) language
▸**κοσμητική** ΟΥΣ ΘΗΛ beauty treatments *πληθ.*
κοσμήτορας, κοσμήτωρ ΟΥΣ ΑΡΣ/ΘΗΛ (ΠΑΝΕΠ) dean
κοσμικός, -ή, -ό ΕΠΙΘ (α) (*εξουσία, τέχνη, βίος*) secular (β) (*γάμος, συγκέντρωση, στήλες εφημερίδων, ζωή*) society · (*κέντρο, ταβέρνα*) fashionable (γ) (*κυρία, κύριος*) sociable (δ) (*διάστημα, σκόνη, κενό*) cosmic
▸**κοσμική ακτινοβολία** cosmic radiation
▸**κοσμική κίνηση** social life
▸**κοσμικός κύκλος** social circle
▸**κοσμικός τύπος** socialite
κοσμικότητα ΟΥΣ ΘΗΛ sociability
κόσμιος, -α ή -ία, -ο ΕΠΙΘ (*συμπεριφορά, τρόποι*) decent, proper · (*εμφάνιση, νέος, νέα*) decent
κοσμογυρισμένος, -η, -ο ΕΠΙΘ well–travelled (*Βρετ.*), well–traveled (*Αμερ.*)
▸**κοσμογυρισμένος** ΟΥΣ ΑΡΣ, **κοσμογυρισμένη** ΟΥΣ ΘΗΛ globetrotter
κοσμοδρόμιο ΟΥΣ ΟΥΔ launch site
κοσμοθεωρία ΟΥΣ ΘΗΛ world view
κοσμοϊστορικός, -ή, -ό ΕΠΙΘ (*γεγονός, αλλαγή, σημασία*) world–shaking
κοσμοκράτειρα ΟΥΣ ΘΗΛ *βλ.* **κοσμοκράτορας**
κοσμοκράτορας ΟΥΣ ΑΡΣ (*για πρόσ.*) world ruler · (*για κράτος*) world power
κοσμοκρατορία ΟΥΣ ΘΗΛ world domination
κοσμοναύτης ΟΥΣ ΑΡΣ astronaut
κοσμοξακουσμένος, -η, -ο ΕΠΙΘ world–famous
κοσμοπλημμύρα ΟΥΣ ΘΗΛ vast crowd
κοσμοπολίτης ΟΥΣ ΑΡΣ (α) (= *κοσμογυρισμένος*) globetrotter (β) (= *οπαδός διεθνισμού*) citizen of the world
κοσμοπολίτικος, -η, -ο ΕΠΙΘ cosmopolitan
κοσμοπολιτισμός ΟΥΣ ΑΡΣ cosmopolitanism
κοσμοπολίτισσα ΟΥΣ ΘΗΛ *βλ.* **κοσμοπολίτης**
κόσμος ΟΥΣ ΑΡΣ (α) (= *υφήλιος*) world (β) (= *σύμπαν*) cosmos (γ) (= *ανθρωπότητα*) world (δ) (= *κοινωνικός περίγυρος*) people *πληθ.* (ε) (= *εγκόσμια*) world (στ) (*παιδιού, ιδεών*) world (ζ) (= *πολιτικής, τηλεόρασης,*

τέχνης) world (η) (= πλήθος) people πληθ. ·
(= επισκέπτες) guests πληθ. (ϑ) (= πελάτες)
customers πληθ.
▷ **για τίποτα στον κόσμο** for all the world
▷ **έρχομαι στον κόσμο** to be born, to come
into the world
▷ **έχει κόσμο** it's busy
▷ **ζω ή είμαι στον κόσμο του** to be in a world
of one's own
▷ **κατά κόσμον** also known as
▷ **ο καλός κόσμος** high society, the smart set
▷ **ο κάτω κόσμος** the dead
▷ **ο κόσμος τού θεάματος** the world of show
business
▷ **ο πάνω κόσμος** the living
▷ **όλος ο κόσμος** everybody, everyone
▷ **στέλνω κπν στον άλλο κόσμο** to finish sb
off
▷ **πάρε ή περάστε ή τρέξε κόσμε!** (προτροπή
πωλητή) come and buy!
▷ **ταξιδεύω σ' όλο τον κόσμο** to travel (all
over) the world
▷ **(τι) μικρός που είναι ο κόσμος!** what a
small world!
▷ **του κόσμου τα χρήματα** no end of money
▷ **του κόσμου οι ευθύνες/τις ανοησίες** all
sorts of responsibilities/stupid things
▷ **φέρνω στον κόσμο** to bring into the world
κοσμοσυρροή ΟΥΣ ΘΗΛ vast crowd
κοσμοχαλασιά ΟΥΣ ΘΗΛ
(α) (= πανζουρλισμός) uproar
(β) (= θεομηνία) severe weather
κοσμοχαλασμός ΟΥΣ ΑΡΣ = **κοσμοχαλασιά**
κοσμώ Ρ Μ (α) (= στολίζω) to adorn, to
decorate (β) (= τιμώ) to be a credit to
κοστίζω ① Ρ Μ to cost
② Ρ ΑΜ (μεγάλη ζωή, ελευθερία, δημοκρατία)
to come at a price · (ταξίδια) to be expensive
▷ **του κόστισε τη ζωή του** it cost him his life
▷ **κοστίζω ακριβά** to cost a lot, to be
expensive
▷ **κοστίζω φθηνά** not to cost much, to be
cheap
▷ **του κόστισε πολύ ο θάνατος του πατέρα
του** her father's death was a real blow to her
κοστολόγηση ΟΥΣ ΘΗΛ (προϊόντος,
εμπορεύματος) costing
κοστολόγιο ΟΥΣ ΟΥΔ (προϊόντων) price list
κοστολογώ Ρ Μ (προϊόν, έργο) to cost
κόστος ΟΥΣ ΑΡΣ (α) (= αξία) cost
(β) (κατασκευής, μεταφοράς) costs πληθ.
(γ) (ρύπανσης, πυρκαγιών) cost · (επιλογών)
consequences πληθ.
▷ **πολιτικό κόστος** political cost
▷ **σε τιμή κόστους** at cost price
▸ **κόστος εργασιών** labour (Βρετ.) ή labor
(Αμερ.) costs πληθ.
▸ **κόστος συντήρησης** running costs πληθ.
κοστούμι ΟΥΣ ΟΥΔ suit
▷ **κόβω κοστούμι σε κπν** (μτφ.) to charge sb
an arm and a leg
▸ **κοστούμια** ΠΛΗΘ (θεάτρου, ταινίας) costumes
κότα ΟΥΣ ΘΗΛ (α) (πτηνό) hen (β) (μειωτ.: =

φοβητσιάρης) chicken (ανεπ.) (γ) (υβρ.: για
γυναίκα) featherbrain (ανεπ.)
▷ **κοιμάμαι με τις κότες** to have an early
night
▷ **να φάν' κι οι κότες** more than enough
▷ **(περνώ) ζωή και κότα** (to live) a happy life
κότερο ΟΥΣ ΟΥΔ yacht
κοτέτσι ΟΥΣ ΟΥΔ coop · (μτφ.) rabbit hutch
κοτζάμ, κοτζάμου (ανεπ.) ΕΠΙΘ ΑΚΛ fully
grown
▷ **κοτζάμ άντρας** a grown man
κότινος ΟΥΣ ΑΡΣ (ΑΡΧ ΙΣΤ) olive crown
κοτλέ ΟΥΣ ΟΥΔ ΑΚΛ corduroy, cord
▷ **κοτλέ σακάκι** corduroy ή cord jacket
▷ **κοτλέ παντελόνι** corduroys πληθ., corduroy
ή cord trousers πληθ. (Βρετ.) ή pants πληθ.
(Αμερ.)
κοτολέτα ΟΥΣ ΘΗΛ cutlet
κοτόπιτα ΟΥΣ ΘΗΛ chicken pie
κοτόπουλο ΟΥΣ ΟΥΔ chicken
▷ **κοτόπουλο ψητό** roast chicken
▷ **μαδάω κπν σαν κοτόπουλο** (σε
χαρτοπαίγνιο) to fleece sb (ανεπ.)
▷ **σαν κοτόπουλο** (μτφ.) dizzy
κοτόσουπα ΟΥΣ ΘΗΛ chicken soup
κοτρόνα ΟΥΣ ΘΗΛ = **κοτρώνα**
κοτρόνι ΟΥΣ ΟΥΔ = **κοτρώνα**
κοτρώνα ΟΥΣ ΘΗΛ boulder
κοτρώνι ΟΥΣ ΟΥΔ = **κοτρώνα**
κοτσαδόρος ΟΥΣ ΑΡΣ pintle hook
κοτσάνα (οικ.) Ρ Μ stupid remark
▷ **συνέχεια κοτσάνες λέει** he talks such
rubbish
κοτσάνι ΟΥΣ ΟΥΔ (λουλουδιού) stem, stalk
▷ **την περνάω κοτσάνι** (ανεπ.) to be having a
great time
κοτσάρω (ανεπ.) Ρ Μ (α) (τροχόσπιτο) to
hook up (β) (καρφίτσα) to put on · (φράση)
to throw in (γ) (= δίνω) to give
κότσι ΟΥΣ ΟΥΔ (ανεπ.: = αστράγαλος) ankle
(bone)
▸ **κότσια** ΠΛΗΘ guts
κοτσίδα ΟΥΣ ΘΗΛ plait
κοτσιλιά ΟΥΣ ΘΗΛ = **κουτσουλιά**
κοτσονάτος, -η, -ο (οικ.) ΕΠΙΘ sprightly
κότσος ΟΥΣ ΑΡΣ bun
▷ **δένω/κάνω τα μαλλιά μου κότσο** to put
one's hair in a bun, to put one's hair up
▷ **με πιάνουν κότσο, πιάνομαι κότσος** (οικ.) to
get taken for a ride (ανεπ.)
κότσυφας ΟΥΣ ΑΡΣ blackbird
κοτσύφι ΟΥΣ ΟΥΔ = **κότσυφας**
κοτώ (οικ.) Ρ Μ to dare
κουβαλητής ΟΥΣ ΑΡΣ (α) (= μεταφορέας)
carrier (β) (μτφ.) good provider
κουβαλήτρα, κουβαλήτρια ΟΥΣ ΘΗΛ βλ.
κουβαλητής
κουβαλώ Ρ Μ (α) (ψώνια, ρούχα) to carry ·
(για ποτάμι: κλαδιά, λάσπη) to carry along ·
(β) (παρέα, φίλους, γνωστούς) to bring

▸**κουβαλιέμαι** ΜΕΣΟΠΑΘ to turn up uninvited

κουβάρι ΟΥΣ ΟΥΔ (α) *(για πλέξιμο)* ball of wool · *(για σκέψεις)* confusion (β) *(για ρούχα)* heap

▹**κάνω κτ μαλλιά κουβάρια** to turn sth upside–down

κουβαριάζω Ρ Μ *(νήμα, σπάγκο)* to wind into a ball

▸**κουβαριάζομαι** ΜΕΣΟΠΑΘ to be doubled up

κουβαρίστρα ΟΥΣ ΘΗΛ bobbin

κουβαρντάς *(ανεπ.)* ΟΥΣ ΑΡΣ generous man

κουβαρντού *(ανεπ.)* ΟΥΣ ΘΗΛ generous woman

κουβάς ΟΥΣ ΑΡΣ bucket

κουβέντα *(ανεπ.)* ΟΥΣ ΘΗΛ (α) *(= συζήτηση)* conversation, chat (β) *(= λόγος)* word

▹**αλλάζω (την) κουβέντα** to change the subject

▹**ανοίγω** *ή* **πιάνω (την) κουβέντα (με κπν για κτ)** to start talking (to sb about sth)

▹**δεν ακούω κουβέντα (γι' αυτό το θέμα)** I don't want to hear a word (about it)

▹**δεν έχω όρεξη για κουβέντες** I don't feel like talking

▹**δεν σηκώνει κουβέντα** *(= δεν ανέχομαι παρατηρήσεις)* he won't take no for an answer · *(= είμαι απόλυτος)* he won't be told

▹**(και) μια και το 'φερε η κουβέντα** by the way

▹**μη σου φύγει** *ή* **μην κάνεις κουβέντα!** don't breathe a word!

▹**ούτε κουβέντα!** no way!

▹**κουβέντα να γίνεται** it's all talk

κουβεντιάζω *(ανεπ.)* ① Ρ ΑΜ to talk, to chat ② Ρ Μ (α) *(= διαπραγματεύομαι)* to discuss, to talk about (β) *(= κουτσομπολεύω)* to talk about

▹**το** *ή* **τα κουβεντιάζω** to talk about it

▹**κουβεντιάζω με κπν** to talk to sb

κουβεντολόι ΟΥΣ ΟΥΔ long chat

κουβέρ ΟΥΣ ΟΥΔ ΑΚΛ (α) *(= ό, τι σερβίρεται επιπλέον)* cover (β) *(= χρέωση εξυπηρέτησης)* cover charge

κουβερνάντα ΟΥΣ ΘΗΛ = **γκουβερνάντα**

κουβέρτα ΟΥΣ ΘΗΛ blanket

κουβερτούρα ΟΥΣ ΘΗΛ *(= είδος σοκολάτας)* cooking chocolate

κουβούκλιο ΟΥΣ ΟΥΔ (α) *(επιταφίου)* baldachin, canopy (β) *(φρουρού)* cabin

κουδούνι ΟΥΣ ΟΥΔ bell

▹**γίνομαι κουδούνι** *(οικ.: από ποτό)* to get as drunk as a skunk

▹**κρεμάω σε κπν κουδούνια** *(= κουτσομπολεύω)* to spread gossip about sb

κουδουνίζω Ρ ΑΜ *(τηλέφωνα)* to ring · *(κλειδιά, βραχιόλια)* to jangle · *(νομίσματα)* to clink, to jingle

▹**κουδουνίζουν τ' αφτιά μου** my ears are ringing

▹**κουδουνίζει το κεφάλι μου** my head is buzzing

κουδούνισμα ΟΥΣ ΟΥΔ *(τηλεφώνου)* ring,

ringing *χωρίς πληθ.* · *(κλειδιών, βραχιολιών)* jangle · *(νομισμάτων)* clink, jingle

κουδουνιστός, -ή, -ό ΕΠΙΘ *(ήχος)* ringing

κουδουνίστρα ΟΥΣ ΘΗΛ rattle

κουζίνα ΟΥΣ ΘΗΛ (α) *(σπιτιού, καταστήματος)* kitchen (β) *(ηλεκτρική συσκευή)* cooker (γ) *(= τρόπος μαγειρέματος)* cooking, cuisine

κουζινικά ΟΥΣ ΟΥΔ ΠΛΗΘ kitchen utensils

κουίζ ΟΥΣ ΟΥΔ ΑΚΛ (α) *(= αίνιγμα)* puzzle (β) *(διαγωνισμός)* quiz

κουίντέτο ΟΥΣ ΟΥΔ quintet

κουκέτα ΟΥΣ ΘΗΛ *(πλοίου)* berth · *(τρένου)* bunk

ΚΟΥΚΊ ΟΥΣ ΟΥΔ = **κουκκί**

κουκιά ΟΥΣ ΘΗΛ = **κουκκιά**

κουκκί ΟΥΣ ΟΥΔ broad bean

κουκκιά ΟΥΣ ΘΗΛ broad bean plant

κουκκίδα ΟΥΣ ΘΗΛ (α) *(= στίγμα)* dot (β) *(= τελεία)* full stop *(Βρετ.)*, period *(Αμερ.)*

κούκκος ΟΥΣ ΑΡΣ (α) (ΖΩΟΛ) cuckoo (β) *(= άνθρωπος που μένει μόνος του)* bachelor

▹**ένας κούκκος δεν φέρνει την άνοιξη** *(παροιμ.)* one person can't do it alone

▹**μου κόστισε ο κούκκος αηδόνι** it cost me an arm and a leg

▹**τρεις κι ο κούκκος** a handful of people, very few

κούκλα ΟΥΣ ΘΗΛ (α) *(παιδιού)* doll (β) *(= καλλονή)* beauty, doll *(Αμερ.)* *(ανεπ.)* (γ) *(μοδίστρας, βιτρίνας)* dummy (δ) *(για πλέξιμο)* skein

κουκλί ΟΥΣ ΟΥΔ (α) *(= μικρή κούκλα)* doll (β) *(μτφ.)* beauty

κουκλίστικος, -η, -ο ΕΠΙΘ (α) *(ρούχα)* doll's (β) *(διαμέρισμα)* cute (γ) *(πρόσωπο, χείλη)* beautiful

▸**κουκλίστικο σπίτι** doll's house *(Βρετ.)*, dollhouse *(Αμερ.)*

κουκλίτσα ΟΥΣ ΘΗΛ (α) *(= μικρή κούκλα)* doll (β) *(= όμορφο κοριτσάκι)* cute little girl

κουκλοθέατρο ΟΥΣ ΟΥΔ (α) *(= θέατρο με μαριονέτες)* puppet theatre *(Βρετ.)* *ή* theater *(Αμερ.)* (β) *(= παράσταση)* puppet show

κούκλος ΟΥΣ ΑΡΣ (α) *(παιχνίδι)* male doll (β) *(= παίδαρος)* handsome young man

κουκλόσπιτο ΟΥΣ ΟΥΔ doll's house *(Βρετ.)*, dollhouse *(Αμερ.)*

Κου-Κλουξ-Κλαν ΟΥΣ ΘΗΛ ΑΚΛ Ku Klux Klan

κούκος ΟΥΣ ΑΡΣ = **κούκκος**

κούκου ΕΠΙΦΩΝ *(ήχος κούκκου)* cuckoo

▸**ρολόι κούκου** cuckoo clock

κουκουβάγια ΟΥΣ ΘΗΛ owl

κουκούλα ΟΥΣ ΘΗΛ (α) *(παλτού, μπουφάν)* hood (β) *(αυτοκινήτου)* cover

κουκούλι ΟΥΣ ΟΥΔ cocoon

κουκουλοφόρος ΟΥΣ ΑΡΣΘΗΛ hooded man

κουκούλωμα ΟΥΣ ΟΥΔ (α) *(επίπλων)* cover (β) *(υπόθεσης, εγκλήματος)* cover–up

κουκουλώνω Ρ Μ (α) *(= σκεπάζω)* to cover

Κ

(β) (= *συγκαλύπτω*) to cover up
▷**τα κουκουλώνω** to hush it up
κουκουνάρα ΟΥΣ ΘΗΛ cone
▷**άρες μάρες κουκουνάρες** (*κοροϊδ.*) piffle
(*ανεπ.*), gibberish
κουκουνάρι ΟΥΣ ΟΥΔ **(α)** (*πεύκου, ελάτου*)
cone **(β)** (*για γέμιση*) pine nut *ή* kernel
κουκουναριά ΟΥΣ ΘΗΛ pine (tree)
κουκούτσι ΟΥΣ ΟΥΔ **(α)** (*κερασιού*) stone ·
(*σταφυλιού*) pip **(β)** (*μτφ.*) grain
▷**δεν έχει κουκούτσι μυαλό** he hasn't got a
grain of sense
κουλ (*αργκ.*) ΕΠΙΘ ΑΚΛ cool
κουλάδι (*αργκ., αρνητ.*) ΟΥΣ ΟΥΔ *βλ.* **κουλό**
κουλαίνω Ρ Μ: **κουλαίνω κπν** (*κυριολ.*) to cut
sb's hand(s) off
▸**κουλαίνομαι** ΜΕΣΟΠΑΘ (*μτφ.*) to be all fingers
and thumbs
κουλαμάρα (*μτφ.: αρνητ.*) ΟΥΣ ΘΗΛ:
κουλαμάρα έχεις; what a butterfingers!
(*ανεπ.*)
κουλάρω (*αργκ.*) Ρ ΑΜ to chill out (*ανεπ.*)
κουλό (*αργκ., αρνητ.*) ΟΥΣ ΟΥΔ **(α)** (*επίσης*
κουλάδι: = *χέρι*) hand, paw (*ανεπ.*)
(β) (= *χαζομάρα*) dumb remark (*ανεπ.*)
κουλός, -ή, -ό ΕΠΙΘ **(α)** (= *που του λείπει ένα
χέρι: από το μπράτσο*) one-armed · (*από τον
καρπό*) one-handed · (= *που του λείπουν τα
δύο χέρια: από το μπράτσο*) armless · (*από
τον καρπό*) handless **(β)** (*μτφ.*) all fingers
and thumbs
κουλουβάχατα (*ανεπ.*) ΕΠΙΡΡ: **γίνομαι
κουλουβάχατα** to be in a real mess (*ανεπ.*)
▷**τα κάνω κουλουβάχατα** to make a real mess
of things (*ανεπ.*)
Κούλουμα ΟΥΣ ΟΥΔ ΠΛΗΘ *traditional celebration
on the first day of Lent*
κουλούρα ΟΥΣ ΘΗΛ **(α)** (= *ψωμί*) roll
(β) (*κοροϊδ.:* = *μηδέν*) zero

> *Προσοχή!: Ο πληθυντικός του* **zero** *είναι*
> **zeros** *ή* **zeroes.**

▷**βάζω** *ή* **φοράω την κουλούρα** to get
married, to tie the knot
κουλουράς ΟΥΣ ΑΡΣ roll seller
Κούλουρη ΟΥΣ ΘΗΛ: **πήγε η καρδιά** *ή* **η ψυχή
μου στην Κούλουρη** to be petrified
κουλούρι ΟΥΣ ΟΥΔ **(α)** (= *αρτοσκεύασμα*) *bread
roll with sesame seeds*, ≈ pretzel
(β) (*βούτημα*) biscuit (*Βρετ.*), cookie
(*Αμερ.*) **(γ)** (*κοροϊδ.:* = *μηδέν*) zero
κουλουριάζομαι Ρ ΑΜ to curl up · (*φίδι*) to
coil up
κουλουρού ΟΥΣ ΘΗΛ *βλ.* **κουλουράς**
κουλοχέρης ΟΥΣ ΑΡΣ **(α)** (*μειωτ.:* = *που του
λείπει ένα χέρι: από το μπράτσο*) one-armed
man · (*από το καρπό*) one-handed man ·
(= *που του λείπουν τα δύο χέρια: από το
μπράτσο*) armless man · (*από το καρπό*)
handless man **(β)** (*τυχερό παιχνίδι*)
one-armed bandit, fruit machine

κουλτούρα ΟΥΣ ΘΗΛ culture
▷**άνθρωποι με κουλτούρα** cultured people
κουλτουριάρα (*μειωτ.*) ΟΥΣ ΘΗΛ *βλ.*
κουλτουριάρης
κουλτουριάρης (*μειωτ.*) ΟΥΣ ΑΡΣ
pseudo–intellectual, culture vulture (*ανεπ.*)
κουλτουριάρικος, -η, -ο (*μειωτ.*) ΕΠΙΘ
(*ταινία*) arty · (*τραγούδι*) deep and
meaningful
κουμαντάρω (*ανεπ.*) [1] Ρ Μ (*αυτοκίνητο, γιο,
κόρη, ομάδα*) to control
[2] Ρ ΑΜ (= *διοικώ*) to give the orders
κουμάντο (*ανεπ.*) ΟΥΣ ΟΥΔ: **κάνω κουμάντο** to
be the boss
▷**κάνω κουμάντο σε κπν** to boss sb around,
to give sb orders
▷**κάνω το κουμάντο μου** to make provisions
for the future
κουμαριά ΟΥΣ ΘΗΛ arbutus
κούμαρο ΟΥΣ ΟΥΔ arbutus berry
κουμάσι (*μειωτ.*) ΟΥΣ ΟΥΔ good–for–nothing,
low life

> *Προσοχή!: Ο πληθυντικός του*
> **good-for-nothing** *είναι*
> **good-for-nothings.**

κουμκάν ΟΥΣ ΟΥΔ ΑΚΛ rummy
κουμπάρα ΟΥΣ ΘΗΛ (*σε γάμο*) chief bridesmaid
(*Βρετ.*), maid of honour (*Αμερ.*) · (*σε
βαφτίσια*) godmother
▷**παίζουμε τις κουμπάρες** (*μτφ.*) to fool
around
κουμπαράς ΟΥΣ ΑΡΣ piggy bank
κουμπάρος ΟΥΣ ΑΡΣ (*σε γάμο*) best man · (*σε
βάπτιση*) godfather
κουμπί ΟΥΣ ΟΥΔ **(α)** (*ρούχου*) button
(β) (*ασανσέρ, τηλεκοντρόλ*) button · (*στέρεο*)
control
▷**βρίσκω το κουμπί κποιου** to find sb's weak
point
κουμπότρυπα ΟΥΣ ΘΗΛ buttonhole
κουμπούρα ΟΥΣ ΘΗΛ (*παλαιότ.*) pistol
κουμπούρας (*μειωτ.*) ΟΥΣ ΑΡΣ (*για μαθητή*)
dunce
κουμπούρι ΟΥΣ ΟΥΔ = **κουμπούρα**
κουμπουριά ΟΥΣ ΘΗΛ shot
κούμπωμα ΟΥΣ ΟΥΔ **(α)** (*πουκαμίσου, παλτού*)
buttoning (up), doing up · (*κολιέ, τσάντας*)
fastening **(β)** (= *δισταγμός*) reticence
κουμπώνω Ρ Μ (*κουμπί*) to do up · (*σακάκι,
μπουφάν*) to button (up), to do up ·
(*πορτοφόλι, τσάντα*) to close · (*κολιέ*) to
fasten, to do up
▸**κουμπώνομαι** ΜΕΣΟΠΑΘ **(α)** (= *κλείνω τα ρούχα
μου με κουμπιά*) to button up **(β)** (= *είμαι
διστακτικός*) to be stand-offish
κουνάβι ΟΥΣ ΟΥΔ ferret
κουνάμενος, -η, -ο (*κοροϊδ.*) ΕΠΙΘ:
κουνάμενος-λυγάμενος *ή* **σεινάμενος** (= *που
λιχνίζεται πολύ*) wiggling one's hips ·

(= *ανεπηρέαστος*) bright and breezy

κουνγκ-φού ΟΥΣ ΟΥΔ ΑΚΛ kung fu

κουνέλα ΟΥΣ ΘΗΛ **(α)** (= *θηλυκό κουνέλι*) doe **(β)** (*κοροϊδ.: για γυναίκα*) baby factory (*ανεπ.*)

κουνέλι ΟΥΣ ΟΥΔ rabbit

κούνελος ΟΥΣ ΑΡΣ buck (rabbit)

κουνενές (*μειωτ.*) ΟΥΣ ΑΡΣ (= *ανόητος*) ninny (*ανεπ.*)

κούνημα ΟΥΣ ΟΥΔ **(α)** (*πλοίον, βάρκας*) rocking *χωρίς πληθ.* · (*κεφαλιού*) nod · (*μαντηλιού*) wave **(β)** (*γυναίκας, άνδρα*) wiggle (of the hips)

κουνημένος, -η, -ο ΕΠΙΘ (*γάλα, κόκα-κόλα*) shaken up · (*φωτογραφία*) blurred

κούνια ΟΥΣ ΘΗΛ **(α)** (= *λίκνο*) cradle, cot (*Βρετ.*), crib (*Αμερ.*) **(β)** (= *αιώρα*) swing
▷**είναι ψεύτρα από κούνια** (*ανεπ.*) she's a born liar
▷**κάνω κούνια** to swing to and fro
▷**κούνια που σε κούναγε!** (*οικ.*) you've got another thing coming!
► **κούνιες** ΠΛΗΘ swings

κουνιάδα ΟΥΣ ΘΗΛ sister–in–law

> *Προσοχή!: Ο πληθυντικός του* **sister–in–law** *είναι* **sisters–in–law**.

κουνιάδος ΟΥΣ ΑΡΣ brother–in–law

> *Προσοχή!: Ο πληθυντικός του* **brother–in–law** *είναι* **brothers–in–law**.

κουνιστός, -ή, -ό ΕΠΙΘ **(α)** (*περπάτημα, κίνηση*) swaying **(β)** (*μειωτ.: για άνδρα*) effeminate
► **κουνιστή πολυθρόνα** rocking chair

κουνίστρα (*μειωτ.*) ΟΥΣ ΘΗΛ (= *γυναίκα που προκαλεί*) brazen hussy, floozy (*ανεπ.*)

κουνούπι ΟΥΣ ΟΥΔ mosquito

> *Προσοχή!: Ο πληθυντικός του* **mosquito** *είναι* **mosquitoes**.

▷**με τρώνε τα κουνούπια** to be bitten by mosquitoes

κουνουπίδι ΟΥΣ ΟΥΔ cauliflower
▷**γίνομαι κουνουπίδι** (*οικ.*) to get as drunk as skunk

κουνουπιέρα ΟΥΣ ΘΗΛ mosquito net

κουντεπιέ ΟΥΣ ΟΥΔ ΑΚΛ (*ποδιού, παπουτσιού*) instep

κουνώ 1 Ρ Μ **(α)** (*δάχτυλο*) to move · (*απειλητικά*) to shake · (*κεφάλι*) to shake · (*καταφατικά*) to nod · (*χέρια*) to wave · (*ώμους*) to shrug · (*σώμα*) to sway · (*ουρά*) to wag **(β)** (*μωρό*) to rock (*γ*) (*για σεισμό*) to shake (*δ*) (*τραπέζι, γραφείο, βαλίτσα*) to move · (*για στέλεχος, υπάλληλο*) to move, to shift
2 Ρ ΑΜ (*πλοίο, βάρκα*) to roll, to rock from side to side
► **κουνιέμαι** ΜΕΣΟΠΑΘ **(α)** (= *μετακινούμαι*) to

move **(β)** (= *κάνω γρήγορα*) to hurry up, to get a move on (*γ*) (= *δραστηριοποιούμαι*) to stir oneself
▷**κουνήσου από τη θέση σου!** (*οικ.*) ≈ touch wood! (*Βρετ.*), ≈ knock on wood! (*Αμερ.*)
▷**κουνιέμαι σε κπν** (*αργκ.*) to lord it over sb

κουπ ΟΥΣ ΘΗΛ ΑΚΛ (*μαλλιών*) haircut

κούπα ΟΥΣ ΘΗΛ **(α)** (= *μεγάλο φλιτζάνι*) mug **(β)** (*στην τράπουλα*) heart (*γ*) (*αργκ.: ΑΘΛ*) cup
▷**ντάμα κούπα/δύο κούπα** the queen/two of hearts
▷**την κάνω από κούπες** (*οικ.*) to be up the creek (*ανεπ.*)

κουπαστή ΟΥΣ ΘΗΛ **(α)** (*πλοίου*) rail **(β)** (*σκάλας, μπαλκονιού*) handrail

κουπέ ΟΥΣ ΟΥΔ ΑΚΛ (ΑΥΤΟΚΙΝ) coupé

κουπί ΟΥΣ ΟΥΔ oar · (*για κανό*) paddle

κουπόνι ΟΥΣ ΟΥΔ **(α)** (*εφημερίδας, περιοδικού*) coupon **(β)** (*έκπτωσης*) voucher · (*δωρεάν παροχής*) token (*γ*) (*εράνου*) receipt (*for a donation*)

κουρά (*επίσ.*) ΟΥΣ ΘΗΛ (= *κούρεμα*) haircut

κούρα ΟΥΣ ΘΗΛ (= *θεραπεία*) treatment

κουράγιο ΟΥΣ ΟΥΔ courage
▷**δεν έχω το κουράγιο να κάνω κτ** not to have the heart to do sth, not to feel up to doing sth
▷**δίνω κουράγιο σε κπν** to give sb a boost
▷**κάνω κουράγιο** to bear up, to keep one's chin up
▷**κουράγιο!** chin up!
▷**παίρνω κουράγιο** to pluck up courage
▷**χάνω το κουράγιο μου** to lose one's nerve

κουράδα (*χυδ.*) ΟΥΣ ΘΗΛ turd (*χυδ.*)

κουραδόμαγκας (*υβρ.*) ΟΥΣ ΑΡΣ gutless wonder (*ανεπ.*)

κουράδι (*χυδ.*) ΟΥΣ ΟΥΔ = **κουράδα**

κουραδόμαγκας (*υβρ.*) ΟΥΣ ΑΡΣ blowhard (*ανεπ.*)

κουράδω (*υβρ.*) ΟΥΣ ΘΗΛ βλ. **κουράδας**

κουράζω Ρ Μ **(α)** (= *καταπονώ*) to tire out **(β)** (= *ενοχλώ*) to annoy
▷**μ' έχει κουράσει πολύ αυτή η κατάσταση** I'm fed up with (*ανεπ.*) ή tired of this situation
► **κουράζομαι** ΜΕΣΟΠΑΘ to tire ή wear oneself out · (= *είμαι κουρασμένος*) to be tired, to be worn out · (*μάτια*) to be tired
▷**κουράζομαι να κάνω κτ** to be tired of doing sth

κουραμπιές ΟΥΣ ΑΡΣ **(α)** (*γλύκισμα*) *sugar–coated almond butter biscuits, traditionally eaten at Christmas* **(β)** (*μειωτ.*) wimp (*ανεπ.*)

κουράρω Ρ Μ (*ασθενή*) to treat

κούραση ΟΥΣ ΘΗΛ tiredness
▷**είμαι πτώμα απ' την κούραση** to be dead tired

κουρασμένος, -η, -ο ΕΠΙΘ **(α)** (= *καταπονημένος*) tired, worn out

K

(β) (= *ενοχλημένος*) weary, fed up (*ανεπ.*)

κουραστικός, -ή, -ό ΕΠΙΘ **(α)** (*δουλειά, ημέρα, ανηφόρα*) tiring · (*έργο*) heavy–going, boring · (*μονόλογος*) tiresome, boring **(β)** (*για πρόσ.*) tiresome, boring

κουραφέξαλα (*ανεπ.*) ΟΥΣ ΟΥΔ ΠΛΗΘ nonsense εν.

Κούρδη ΟΥΣ ΘΗΛ *βλ.* **Κούρδος**

κουρδίζω Ρ Μ **(α)** (*ρολόι, παιχνίδι*) to wind up **(β)** (*κιθάρα, πιάνο, βιολί*) to tune **(γ)** (*φίλο, γνωστό*) to irritate, to wind up (*ανεπ.*)

κούρδισμα ΟΥΣ ΟΥΔ **(α)** (*ρολογιού, παιχνιδιού*) winding up **(β)** (*μπουζουκιού, πιάνου*) tuning

κουρδιστήρι ΟΥΣ ΟΥΔ (*ρολογιού*) winder · (*μουσικών οργάνων*) tuning instrument

κουρδιστός, -ή, -ό ΕΠΙΘ (*ρολόι*) wind–up · (*παιχνίδι*) wind–up, clockwork

Κούρδος ΟΥΣ ΑΡΣ Kurd

κουρέας ΟΥΣ ΑΡΣ barber

κουρείο ΟΥΣ ΟΥΔ barber shop

κουρελής (*μειωτ.*) ΟΥΣ ΑΡΣ tramp

κουρέλι ΟΥΣ ΟΥΔ **(α)** (= *ράκος*) rag **(β)** (*μειωτ.*: = *παλιόρουχο*) old rag
▷**είμαι ή γίνομαι κουρέλι** (*μτφ.*) to be a wreck
▷**ντυμένος στα κουρέλια** dressed in rags

κουρελιάζω Ρ Μ **(α)** (*ρούχο, πανί*) to tear to rags **(β)** (*νεύρα*) to tear to shreds

κουρελιάρα (*μειωτ.*) ΟΥΣ ΘΗΛ *βλ.* **κουρελιάρης**

κουρελιάρης (*μειωτ.*) ΟΥΣ ΑΡΣ tramp

κουρελιάρικος, -η, -ο (*μειωτ.*) ΕΠΙΘ (*ρούχα*) shabby

κουρελού ΟΥΣ ΘΗΛ **(α)** (*μειωτ.*) tramp **(β)** (= *πρόχειρο χαλί*) patchwork rug

κουρελόχαρτο ΟΥΣ ΟΥΔ (*για πτυχία*) useless piece of paper

κούρεμα ΟΥΣ ΟΥΔ **(α)** (*μαλλιών*) haircut · (*τριχώματος*) shearing · (*γκαζόν*) mowing · (*γρασιδιού*) cutting **(β)** (= *στυλ*) haircut

κουρεύω Ρ Μ **(α)** (*για ζώα*) to shear **(β)** (*για γρασίδι*) to cut · (*για φυτά*) to cut back
▷**άι να κουρεύεσαι!** (*υβρ.*) go to hell! (*ανεπ.*)
▷**άσ' τον ή δεν πάει να κουρεύεται!** (*οικ.*) to hell with him! (*ανεπ.*)
▷**κουρεύω** κπν to cut sb's hair

κουρκούτι ΟΥΣ ΟΥΔ batter
▷**γίνομαι κουρκούτι, έχω μυαλό κουρκούτι** (*προφορ.*) my head's spinning

κουρκουτιάζω Ρ ΑΜ (*γέρος*) to go soft in the head
▷**δεν μπορώ να σ' ακούω άλλο, κουρκούτιασε το μυαλό μου** I can't listen to you any more, my head's spinning

κούρνια ΟΥΣ ΘΗΛ perch

κουρνιάζω Ρ ΑΜ **(α)** (*κότες, περιστέρια*) to roost **(β)** (*μτφ.*) to nestle

κουρνιαχτός ΟΥΣ ΑΡΣ cloud of dust

κουρντίζω Ρ Μ = **κουρδίζω**

κούρντισμα ΟΥΣ ΟΥΔ = **κούρδισμα**

κούρος ΟΥΣ ΑΡΣ kouros, *ancient Greek statue of*

a young man

κουρούνα ΟΥΣ ΘΗΛ crow

κούρσα ΟΥΣ ΘΗΛ **(α)** (= *αγώνας ταχύτητας*) race **(β)** (*μτφ.*: = *ανταγωνισμός*) race **(γ)** (*για ταξί*) fare
▷**άλογο κούρσας** racehorse
▷**κούρσα εξοπλισμών** arms race

κουρσάρικο ΟΥΣ ΟΥΔ pirate ship

κουρσάρος ΟΥΣ ΑΡΣ pirate, corsair

κουρσεύω Ρ Μ to plunder

κουρτίνα ΟΥΣ ΘΗΛ curtain

κουρτινάκι ΟΥΣ ΟΥΔ small curtain

κουρτινόξυλο ΟΥΣ ΟΥΔ pelmet (*Βρετ.*), valance (*Αμερ.*)

κουσκούς¹ ΟΥΣ ΟΥΔ ΑΚΛ (= *κουτσομπολιό*) gossip

κουσκούς² ΟΥΣ ΟΥΔ ΑΚΛ (*φαγητό*) couscous

κουσούρι (*ανεπ.*) ΟΥΣ ΟΥΔ **(α)** (= *μειονέκτημα*) fault **(β)** (= *αναπηρία*) disability

κουστουμαρίζομαι Ρ ΑΜ ΑΠΟΘ to get dressed up, to put on a suit and tie

κουστούμι ΟΥΣ ΟΥΔ = **κοστούμι**

κουστουμιά (*οικ.*) ΟΥΣ ΘΗΛ smart suit

κουστωδία ΟΥΣ ΘΗΛ escort

κούτα ΟΥΣ ΘΗΛ (= *μεγάλο κουτί*) box · (*τσιγάρων*) carton

κουτάβι ΟΥΣ ΟΥΔ **(α)** (*σκύλου*) pup, puppy · (*λύκου, αλεπούς*) cub **(β)** (*μειωτ.*: *για πρόσ.*) dimwit (*ανεπ.*)

κουτάλα ΟΥΣ ΘΗΛ (*για ανακάτεμα ή σερβίρισμα*) ladle

κουταλάκι ΟΥΣ ΟΥΔ (*γλυκού*) teaspoon

κουτάλι ΟΥΣ ΟΥΔ spoon
▷**τρώω κτ με το κουτάλι** (*προφορ.*: = *μαθαίνω καλά*) to know sth like the back of one's hand · (= *μπουχτίζω*) to be fed up to the back teeth with sth

κουταλιά ΟΥΣ ΘΗΛ spoonful
▷**πνίγομαι σε μια κουταλιά νερό** (*παροιμ.*) to make a mountain out of a molehill

κουταμάρα ΟΥΣ ΘΗΛ **(α)** (= *βλακεία*) stupidity **(β)** (= *ανόητη κουβέντα*) stupid remark · (= *ανόητη πράξη*) stupid thing to do
▷**είναι κουταμάρα να κάνω κτ** it's stupid to do sth
▷**έκανα την κουταμάρα να τον πιστέψω** I was stupid enough to believe him
▷**κάνω καμιά κουταμάρα** to do something stupid
▷**κουταμάρες!** nonsense!
▷**λέω κουταμάρες** to say stupid things, to talk nonsense

κούτελο (*ανεπ.*) ΟΥΣ ΟΥΔ forehead

κουτεντές (*κοροϊδ.*) ΟΥΣ ΑΡΣ idiot

κουτεπιέ ΟΥΣ ΟΥΔ ΑΚΛ = **κουντεπιέ**

κουτί ΟΥΣ ΟΥΔ (*γενικότ.*) box · (*τσιγάρων, ρυζιού*) packet · (*γάλακτος*) carton · (*μπίρας, κόκα-κόλας*) can
▷**μου έρχεται ή πέφτει κουτί** (*οικ.*: *για ρούχα*) it fits me like a glove · (*για*

κατάσταση) it suits me down to the ground
▷**του κουτιού** (αυτοκίνητο, κοστούμι, ρολόι)
brand new
κουτοπονηριά (αρνητ.) ΟΥΣ ΘΗΛ
(α) (= πονηριά κουτού) slyness **(β)** (= πράξη
κουτοπόνηρου) little game
κουτοπόνηρος, -η, -ο (αρνητ.) ΕΠΙΘ **(α)** (για
πρόσ.) sly **(β)** (τρόποι, σχέδιο) cunning
κουτορνίθι (μειωτ.) ΟΥΣ ΟΥΔ simpleton
κουτός, -ή, -ό ΕΠΙΘ **(α)** (= βλάκας) stupid
(β) (= αφελής) foolish, naive **(γ)** (ερώτηση,
άποψη, λάθος) silly
κουτούκι ΟΥΣ ΟΥΔ basement taverna
κουτουλιά (ανεπ.) ΟΥΣ ΟΥΔ head butt
κουτουλώ (ανεπ.) ① Ρ Μ (= ρίχνω κουτουλιά)
to head–butt · (για ζώα) to butt
② Ρ ΑΜ: **κουτουλώ από νύστα** to keep
nodding off
▷**κουτουλώ στην πόρτα** to bang one's head
on the door
▷**κουτούλησαν** they banged their heads
together
κουτουπιέ ΟΥΣ ΟΥΔ ΑΚΛ **(α)** (= κουντεπιέ)
instep **(β)** (στο ποδόσφαιρο) instep drive
κουτουπώνω Ρ Μ **(α)** (= είμαι επιθετικός) to
lay one's hands on **(β)** (= κάνω έρωτα) to
screw (χυδ.)
κουτουράδα (ανεπ.) ΟΥΣ ΘΗΛ thoughtlessness
χωρίς πληθ.
▷**κάνω κουτουράδα** to do something stupid
κουτουρού (ανεπ.) ΕΠΙΡΡ: **στα κουτουρού**
(ενεργώ, αγοράζω) on the spur of the
moment, on impulse · (λέω) off the top of
one's head · (πυροβολώ) at random
κουτόχορτο ΟΥΣ ΟΥΔ: **τρώω κουτόχορτο** to be
stupid
κούτρα (ανεπ.) ΟΥΣ ΘΗΛ (= κεφάλι) head
κουτρουβάλα (οικ.) ΟΥΣ ΘΗΛ tumble, fall
κουτρουβαλώ (οικ.) ① Ρ Μ: **κουτρουβαλώ**
κπν to send sb flying
② Ρ ΑΜ to fall, to tumble
κουτσαίνω ① Ρ Μ: **κουτσαίνω κπν** (= αφήνω
κουτσό) to leave sb crippled · (= τραυματίζω)
to make sb limp
② Ρ ΑΜ to limp
κούτσα-κούτσα (ανεπ.) ΕΠΙΡΡ **(α)** (βαδίζω)
with a limp **(β)** (= με δυσκολία) with a lot of
effort
▷**πηγαίνω κούτσα-κούτσα μέχρι το σπίτι** to
limp home
κουτσά-στραβά (ανεπ.) ΕΠΙΡΡ (βολεύομαι)
somehow or other
▷**ζω κουτσά-στραβά** to get by
▷**μιλώ τρεις γλώσσες κουτσά-στραβά** to get
by in three languages
κουτσοβολεύω (ανεπ.) Ρ Μ: **τα**
κουτσοβολεύω to muddle along, to get by
κουτσοκαταφέρνω (ανεπ.) Ρ Μ: **τα**
κουτσοκαταφέρνω (να κάνω κτ) to just about
manage (to do sth)
κουτσομπόλα ΟΥΣ ΘΗΛ βλ. **κουτσομπόλης**

κουτσομπολεύω Ρ Μ to gossip about
κουτσομπόλης ΟΥΣ ΑΡΣ gossip
κουτσομπολιό ΟΥΣ ΟΥΔ gossip χωρίς πληθ.
▷**κάνω κουτσομπολιό** to gossip
κουτσός, -ή, -ό ΕΠΙΘ **(α)** (= χωλός) lame
(β) (καρέκλα, τραπέζι) rickety **(γ)** (= ελλιπής)
incomplete
▷**κι η κουτσή Μαρία** (ανεπ.) every Tom, Dick
and Harry
▷**κουτσός απ' το ένα πόδι** lame in one leg
► **κουτσό** ΟΥΣ ΟΥΔ (παιδικό παιχνίδι) hopscotch
► **κουτσός** ΟΥΣ ΑΡΣ, **κουτσή** ΟΥΣ ΘΗΛ person with
a limp
κουτσούβελο (κοροϊδ.) ΟΥΣ ΟΥΔ kid (ανεπ.)
κουτσουλιά ΟΥΣ ΘΗΛ droppings πληθ.
κουτσουλώ Ρ ΑΜ to leave droppings
κουτσουρεύω (ανεπ.) Ρ Μ **(α)** (δέντρο) to cut
right back **(β)** (μισθούς, μεροκάματα,
κείμενο, άρθρο) to cut · (υπάλληλο) to exploit
κούτσουρο ΟΥΣ ΟΥΔ **(α)** (= κορμός) (tree)
stump **(β)** (= καυσόξυλο) log
(γ) (= αμόρφωτος) dunce **(δ)** (= μοναχικός
άνθρωπος) loner
κουτσοφλέβαρος (ανεπ.) ΟΥΣ ΑΡΣ February
κουφαίνω Ρ Μ **(α)** (κυριολ.) to make deaf, to
deafen **(β)** (γειτονιά, κατοίκους) to deafen
(γ) (αργκ.: = καταπλήσσω) to stun, to knock
for six (ανεπ.)
► **κουφαίνομαι** ΜΕΣΟΠΑΘ to go deaf
▷**κουφάθηκα!** (αργκ.) I was gobsmacked!
(ανεπ.)
κουφάλα ΟΥΣ ΘΗΛ **(α)** (δέντρου) hollow
(β) (δοντιού) cavity **(γ)** (υβρ.: για γυναίκα)
slut (χυδ.) **(δ)** (χυδ.: για άνδρα) clever son of
a bitch (χυδ.)
κουφαμάρα (ανεπ.) ΟΥΣ ΘΗΛ deafness
κουφάρι (ανεπ.) ΟΥΣ ΟΥΔ (ανθρώπου) corpse ·
(ζώου) carcass
κουφέτο ΟΥΣ ΟΥΔ (για γάμους και βαφτίσια)
sugared almond
κούφιος, -ια, -ιο ΕΠΙΘ **(α)** (τοίχος, κολοκύθες)
hollow **(β)** (καρύδια, κάστανα) rotten ·
(δόντι) decayed **(γ)** (για πρόσ.) shallow
(δ) (ήχος) hollow **(ε)** (λόγια, υποσχέσεις)
empty · (ελπίδες) false
▷**κούφια η ώρα** ≈ touch wood (Βρετ.),
≈ knock on wood (Αμερ.)
► **κούφια** ΟΥΣ ΘΗΛ (χυδ.) smelly fart (χυδ.)
κουφόβραση ΟΥΣ ΘΗΛ sultriness
▷**έχει κουφόβραση σήμερα** it's very close
today, it's sultry ή muggy today
κουφός, -ή, -ό ΕΠΙΘ deaf
▷**στου κουφού την πόρτα όσο θέλεις βρόντα**
(παροιμ.) it fell on deaf ears, there's none so
deaf as those who will not hear (παροιμ.)
► **κουφό** ΟΥΣ ΟΥΔ (αργκ.) crazy talk χωρίς πληθ.
(ανεπ.)
κούφωμα ΟΥΣ ΟΥΔ (= πλαίσιο) frame
κόφα ΟΥΣ ΘΗΛ pannier
κοφίνι ΟΥΣ ΟΥΔ wicker basket, pannier
κοφτά ΕΠΙΡΡ **(α)** (μιλώ, απαντώ, ρωτώ)

K

brusquely (β) (κοιτάζω) fleetingly

κοφτερός, -ή, -ό ΕΠΙΘ (α) (δόντια, πέτρες, μαχαίρι) sharp (β) (μυαλό, νους) keen, sharp · (σκέψη) astute

κόφτης ΟΥΣ ΑΡΣ (α) (υφασμάτων, δερμάτων) cutter (β) (για σύρματα) wire cutters πληθ. (γ) (στο ποδόσφαιρο) stopper

κοφτός, -ή, -ό ΕΠΙΘ (α) (μακαρονάκι) cut up · (βράχος) (β) (κουταλιά) level (γ) (κίνηση) abrupt · (ματιά) swift (δ) (απάντηση, κουβέντες) abrupt, brusque

κόχη ΟΥΣ ΘΗΛ βλ. **κόγχη**

κοχλάζω Ρ ΑΜ (α) (νερό) to boil, to bubble (β) (από θυμό) to fume, to seethe · (αίμα) to boil

κοχλαστός, -ή, -ό ΕΠΙΘ (νερό) boiling

κοχλίας ΟΥΣ ΑΡΣ (α) (επίσ.: = σαλιγκάρι) snail (β) (ΑΝΑΤ) cochlea (γ) (ΜΗΧΑΝ: = βίδα) screw

κοχύλι ΟΥΣ ΟΥΔ (α) (θαλάσσιο μαλάκιο) conch (β) (= κέλυφος) seashell

κόψη ΟΥΣ ΘΗΛ (μαχαιριού) (cutting) edge
▷**στην κόψη του ξυραφιού** on a razor's edge

κοψιά (ανεπ.) ΟΥΣ ΘΗΛ (α) (= κόψιμο) cut (β) (= χαρακτηριστικά) appearance

κοψίδι ΟΥΣ ΟΥΔ cut of roast meat

κόψιμο ΟΥΣ ΟΥΔ (α) (τυριού) cutting · (κρέατος) carving · (τούρτας, ψωμιού) cutting, slicing · (υφάσματος, χαρτιού) cutting (β) (μαλλιών) cutting · (νυχιών) cutting, clipping · (κλαδιού δέντρου) cutting off · (λουλουδιών, αχλαδιών) picking (γ) (μισθών, αμοιβών, εξόδων) cut (δ) (για μπλούζα) cut · (για αυτοκίνητο) design (ε) (= τραύμα) cut (στ) (τσιγάρου, ποτού) giving up, quitting (ανεπ.) (ζ) (στα χαρτιά) cut (η) (σε εξετάσεις, διαγωνισμό) failing (θ) (μπάλας, επιθετικού) block (ι) (γάλακτος, μαγιονέζας) going off
▷**με πιάνει κόψιμο** (οικ.) to get the runs (ανεπ.)

κοψομεσιάζω (ανεπ.) Ρ Μ to wear out
▸κοψομεσιάζομαι ΜΕΣΟΠΑΘ to be worn out

κοψοχολιάζω ① Ρ Μ: **κοψοχολιάζω κπν** to scare sb to death, to give sb the fright of their life
② Ρ ΑΜ to get the fright of one's life

κοψοχρονιά ΕΠΙΡΡ: **αγοράζω κτ κοψοχρονιά** to buy sth for next to nothing
▷**πουλώ κτ κοψοχρονιά** to sell sth at a loss

κραγιόν ΟΥΣ ΟΥΔ ΑΚΛ (α) (καλλυντικό) lipstick (β) (επίσης **κραγιόνι**: = κηρομπογιά) crayon

κραγιόνι ΟΥΣ ΟΥΔ βλ. **κραγιόν**

κραγμένος, -η, -ο (μειωτ.) ΕΠΙΘ (για ομοφυλόφιλο άνδρα) camp

κραδαίνω Ρ Μ (σπαθί, ξύλο, χαρτί) to brandish

κραδασμός ΟΥΣ ΑΡΣ (α) (γης) tremor · (αυτοκινήτου) jolt (β) (μτφ.) shock wave

κράζω ① Ρ Μ (αρχκ.: = αποδοκιμάζω: εφημερίδες) to slate (θεατές) to boo
② Ρ ΑΜ (α) (κόρακας) to caw · (πετεινός) to

crow · (πουλιά) to squawk (β) (για πρόσ.) to yell

κραιπάλη ΟΥΣ ΘΗΛ (= ασωτία) debauchery

κρακ¹ ΟΥΣ ΟΥΔ ΑΚΛ (= ήχος σπασίματος) crack

κρακ² ΟΥΣ ΟΥΔ ΑΚΛ (ναρκωτικό) crack (cocaine)

κράκερ ΟΥΣ ΟΥΔ ΑΚΛ cracker

κράμα ΟΥΣ ΟΥΔ (α) (= μείγμα) mixture (β) (ΧΗΜ) alloy

κράμπα ΟΥΣ ΘΗΛ cramp
▷**παθαίνω ή με πιάνει κράμπα** to get cramp

κραμπολάχανο ΟΥΣ ΟΥΔ (= μάπα) cabbage · (με κατσαρά φύλλα) savoy

κρανίο ΟΥΣ ΟΥΔ (α) (ΑΝΑΤ) cranium

> *Προσοχή!: Ο πληθυντικός του* **cranium** *είναι* **craniums** *ή* **crania**.

(β) (= κεφάλι) head (γ) (= νεκροκεφαλή) skull

κράνος ΟΥΣ ΟΥΔ helmet

κράξιμο ΟΥΣ ΟΥΔ (α) (κόρακα) cawing · (πετεινού) crow, crowing (β) (αργκ.: = αποδοκιμασία: από εφημερίδες) slating · (από θεατές) booing

κρασάτος, -η, -ο ΕΠΙΘ (χταπόδι, κουνέλι, κόκορας) cooked in wine

κράση ΟΥΣ ΘΗΛ (α) (= ιδιοσυγκρασία) constitution (β) (μετάλλων) mixture

κρασί ΟΥΣ ΟΥΔ wine

κρασοκανάτα ΟΥΣ ΘΗΛ (α) (= κανάτα κρασιού) wine jug (β) (κοροϊδ.) big wine drinker

κρασοκατάνυξη (κοροϊδ.) ΟΥΣ ΘΗΛ booze-up (ανεπ.)

κράσπεδο ΟΥΣ ΟΥΔ (α) (πεζοδρομίου) kerb (Βρετ.), curb (Αμερ.) (β) (υφάσματος, ρούχου) hem

κραταιός, -ή ή -ά, -ό ΕΠΙΘ (ηγέτης, βασίλειο) powerful · (αυτοκρατορία) mighty · (εχθρός) formidable · (οικονομία, θέληση) strong

κράτημα ΟΥΣ ΟΥΔ (α) (σπαθιού, μολυβιού) grip · (μωρού, χεριού) holding (β) (= χερούλι: σκάλας) handrail · (λεωφορείου) handle (γ) (ισορροπίας) keeping, maintaining (δ) (αυτοκινήτου) grip (ε) (λογιστικών βιβλίων) keeping · (παιδιού) looking after

κρατήρας ΟΥΣ ΑΡΣ (α) (ηφαιστείου, Σελήνης, Γης) crater (β) (ΑΡΧΑΙΟΛ) crater, *large open bowl used for mixing wine and water*

κράτηση ΟΥΣ ΘΗΛ (α) (δωματίου, θέσεων, τραπεζιού) reservation, booking (β) (ούρων, υγρών) retention (γ) (ΝΟΜ) custody, detention
▷**κάνω κράτηση** (σε αεροπλάνο) to make a reservation · (σε εστιατόριο) to make a reservation, to book ή reserve a table
▸κρατήσεις ΠΛΗΘ deductions

κρατητήριο ΟΥΣ ΟΥΔ jail · (σε στρατόπεδο) detention cell · (σε στρατιωτικό νοσοκομείο) detention ward

κρατίδιο ΟΥΣ ΟΥΔ small state

κρατικοποίηση ΟΥΣ ΘΗΛ nationalization

κρατικοποιώ Ρ Μ to nationalize

κρατικός, -ή, -ό ΕΠΙΘ (*υπάλληλος, υπηρεσία, ελλείμματα, ταμείο, δαπάνες*) government, state · (*έλεγχος, παρέμβαση, επιχορήγηση*) state · (*τηλεόραση, τράπεζα, θέατρο*) state–owned · (*δάνειο*) government, state–funded · (*διαγωνισμός, προϋπολογισμός, ασφάλεια*) national · (*έργα*) public

κράτος ΟΥΣ ΟΥΔ state
▷**κράτος εν κράτει** state within a state
▷**κράτος-μέλος της Ε.Ε.** EU member state
▷**υπό το κράτος της μέθης** (*επίσ.*) under the influence of alcohol
▷**υπό το κράτος της οργής** (*επίσ.*) in a fit of rage
▷**υπό το κράτος του φόβου** (*επίσ.*) in the grip of fear

κρατουμένη ΟΥΣ ΘΗΛ *βλ.* **κρατούμενος**

κρατούμενο ΟΥΣ ΟΥΔ (ΜΑΘ) amount carried forward
▷**επτά το κτρατούμενο** seven carried forward

κρατούμενος ΟΥΣ ΑΡΣ detainee

κρατούντες (*επίσ.*) ΟΥΣ ΑΡΣ ΠΛΗΘ: **οι κρατούντες** the powers that be, the people in power

κρατώ ⓵ Ρ Μ (α) (*μπαστούνι, λουλούδι, τιμόνι, χέρι*) to hold (β) (= *στηρίζω: βάρος*) to hold (γ) (= *έχω αγκαλιά: παιδί, φιλενάδα*) to hold (δ) (= *συγκρατώ: σε καβγά*) to hold back, to restrain · (*για φράγμα: νερά*) to hold back · (*για σφουγγάρι: νερό*) to retain (ε) (= *έχω μαζί μου: χρήματα, αναπτήρα*) to have (on one) (στ) (= *θέτω υπό κράτηση: υπόπτους*) to hold, to detain (ζ) (= *φυλάω: λεφτά, κρασί, φαγητό*) to save, to put aside (η) (= *διατηρώ σε κατάσταση*) to keep (θ) (*αξιοπρέπεια, ποσοστά*) to keep · (*προσχήματα*) to keep up · (*επιφυλάξεις*) to have (ι) (= *διατηρώ στη μνήμη*) to remember (ια) (*θέση, κάθισμα*) to save, to keep · (*στρατιωτικές θέσεις*) to hold (ιβ) (*μυστικό, υπόσχεση, όρκο*) to keep (ιγ) (*παραδόσεις, ήθη και έθιμα*) to keep up, to preserve · (*πατρώνυμο*) to take, to keep (ιδ) (*οικογένεια, ομάδα*) to hold together (ιε) (*γέλια*) to suppress · (*θυμό, οργή, αγανάκτηση*) to control (ιστ) (= *σημειώνω: τηλέφωνο, στοιχεία*) to write down, to take down (ιζ) (*ημερολόγιο, πρακτικά*) to keep · (*απουσίες*) to mark down (ιη) (*μαγαζί, νοικοκυριό*) to run · (*ταμείο*) to manage (ιθ) (= *φροντίζω: παιδιά, μωρό*) to look after, to babysit (κ) (*δωμάτιο, τραπέζι, θέση*) to book, to reserve (κα) (= *αφαιρώ ή κρύβω: αλληλογραφία*) to keep hold of · (*στοιχεία, πληροφορίες*) to keep back (κβ) (= *κατέχω: πόλη, περιοχή*) to hold
⓶ Ρ ΑΜ (α) (*ρούχα, γάλα, μηχανή*) to last (β) (= *αντέχω: μάνα, πατέρας*) to keep going (γ) (*συζήτηση, ταινία, κρίση*) to last (δ) (*καιρός*) to hold, to last (ε) (= *αντιστέκομαι: εχθρός, οχυρό, πόλη*) to

hold out
▷**δεν με κρατούν τα πόδια μου** my legs won't carry me
▷**ή ελπίδα τον κρατούσε** hope kept him going
▷**η ταινία/το βιβλίο σου κρατάει το ενδιαφέρον** it's a gripping film/book
▷**κάνω κράτει (σε κάτι)** to go easy (on sth)
▷**κράτα/κρατείστε τα ρέστα!** keep the change!
▷**κρατάς καθόλου λεφτά;** have you got any money on you?
▷**κρατώ από** (= *κατάγομαι*) to come from
▷**κρατώ κπν (στο χέρι)** to have sb (where one wants them)
▷**κρατώ κπν σε αγωνία** to keep sb in suspense
▷**κρατώ κπν ως όμηρο** to hold sb hostage
▷**κρατώ κτ αναμμένο/ζεστό** to keep sth on/ warm
▷**κρατώ κτ σε καλή κατάσταση** to keep sth in good condition
▷**κρατώ ή τηρώ τις αποστάσεις** to keep one's distance
▷**κρατώ την πρώτη θέση** to be in the lead ή in first place
▷**κρατώ το παιδί** (= *δεν κάνω έκτρωση*) to keep the baby · (= *προσέχω*) to babysit
▷**κρατώ το σώμα/το σπίτι μου καθαρό** to keep oneself/the house clean
▷**μου κρατάς τη σειρά;** can you save ή keep my place for me?
▷**ο χορός καλά κρατεί** nothing has changed, it's the same old story
▷**το κρατώ σε κπν** to be annoyed with sb
▸**κρατιέμαι** ΜΕΣΟΠΑΘ (α) (= *στηρίζομαι*) to hold on (*από* to) (β) (= *συγκρατούμαι*) to contain oneself
▷**κρατιέμαι καλά** (*οικονομικά, κοινωνικά*) to have done well for oneself · (*σωματικά*) to be in a good shape

κραυγάζω Ρ ΑΜ to cry out, to yell

κραυγαλέος, -α, -ο ΕΠΙΘ (*αδικία*) glaring · (*ψέμα*) blatant · (*απάτη*) obvious

κραυγή ΟΥΣ ΘΗΛ (*γενικότ.*) cry · (*βοήθειας*) call, cry · (*αγωνίας*) scream · (*αποδοκιμασίας*) shout, hoot

κράχτης ΟΥΣ ΑΡΣ (α) (= *διαλαλητής*) town crier (β) (*για θέαμα, παράσταση*) attraction · (*για κυνήγι*) decoy (γ) (*αργητ.: μαγαζιού*) tout

κρέας ΟΥΣ ΟΥΔ (α) (= *σάρκα*) flesh (β) (*για βρώση*) meat (γ) (*μειωτ.: για πρόσ.*) fat lump (*ανεπ.*)

κρεαταγορά ΟΥΣ ΘΗΛ (α) (= *τόπος αγοραπωλησίας κρεάτων*) meat market (β) (= *κρεοπωλείο*) butcher's

κρεατοελιά ΟΥΣ ΘΗΛ mole

κρεατομηχανή ΟΥΣ ΘΗΛ mincer (*Βρετ.*), grinder (*Αμερ.*)

κρεατόμυγα ΟΥΣ ΘΗΛ bluebottle

κρεατόπιτα ΟΥΣ ΘΗΛ meat pie

κρεατόσουπα ΟΥΣ ΘΗΛ broth

κρεατοφαγία ΟΥΣ ΘΗΛ carnivorousness

κρεατοφάγος, -ος, -ο ΕΠΙΘ carnivorous, meat–eating

▸**κρεατοφάγος** ΟΥΣ ΑΡΣ&ΘΗΛ carnivore

κρεβάτι ΟΥΣ ΟΥΔ bed

▷**(είμαι/μένω) στο κρεβάτι** (to be/stay) in bed

▷**κάνω καλό/κακό κρεβάτι** to be good/bad in bed

▷**πάω στο κρεβάτι με κπν** to go to bed with sb

▷**πέφτω στο κρεβάτι** (= πέφτω για ύπνο) to go to bed

▷**ρίχνω κπν στο κρεβάτι** (για αρρώστια) to keep sb in bed · (για πρόσ.) to get sb into bed

κρεβατίνα ΟΥΣ ΘΗΛ (α) (= πλαίσιο κληματαριάς) arbour (Βρετ.), arbor (Αμερ.) (β) (= κληματαριά) grapevine

κρεβατοκάμαρα ΟΥΣ ΘΗΛ bedroom

κρεβατομουρμούρα ΟΥΣ ΘΗΛ nagging

κρεβατώνω Ρ Μ (για αρρώστια) to confine to bed

▸**κρεβατώνομαι** ΜΕΣΟΠΑΘ to be bedridden

κρεμ ΕΠΙΘ ΑΚΛ (φούστα) cream(–coloured) (Βρετ.), cream(–colored) (Αμερ.)

▸**κρεμ** ΟΥΣ ΟΥΔ cream

κρέμα ΟΥΣ ΘΗΛ cream

▸**αντηλιακή κρέμα** sun cream

▸**κρέμα βανίλιας** vanilla cream

▸**κρέμα γάλακτος** cream

▸**κρέμα ενυδατική** moisturizing cream, moisturizer

▸**κρέμα μους** mousse

▸**κρέμα προσώπου** face cream

▸**κρέμα ξυρίσματος** shaving cream

κρεμάλα ΟΥΣ ΘΗΛ (α) (= αγχόνη) gallows (β) (= κρέμασμα) hanging (γ) (παιχνίδι) hangman

> *Προσοχή!: Ο πληθυντικός του* hangman *είναι* **hangmen**.

(δ) (κοροϊδ.: = γάμος) noose (ανεπ.)

κρεμανταλάς (κοροϊδ.) ΟΥΣ ΑΡΣ gangling youth

κρεμανταλού (κοροϊδ.) ΟΥΣ ΘΗΛ βλ. **κρεμανταλάς**

κρέμασμα ΟΥΣ ΟΥΔ (α) (φώτων, φαναριών) hanging · (σκουλαρικιού) putting on (β) (= απαγχονισμός) hanging

▷**θέλει κρέμασμα!** (οικ.) they should hang him ή string him up!

κρεμασμένος, -η, -ο ΕΠΙΘ (α) (πανό, ετικέτες) suspended, hung up (β) (για πρόσ.) hanged

κρεμαστάρι (ανεπ.) ΟΥΣ ΟΥΔ (α) (= κρεμάστρα) hanger (β) (μειωτ.: = πεσμένο στήθος) sagging breasts πληθ.

▷**όσα δεν φτάνει η αλεπού, τα κάνει κρεμαστάρια** (παροιμ.) it's sour grapes

κρεμαστός, -ή, -ό ΕΠΙΘ (α) (σκουλαρίκια) dangling · (ράφια) suspended · (καθρέφτης) hanging (β) (λάμπα, φως) overhead

▸**κρεμαστή γέφυρα** suspension bridge

▸**κρεμαστοί κήποι** hanging gardens

▸**κρεμαστή τσάντα** shoulder bag

κρεμάστρα ΟΥΣ ΘΗΛ (α) (= κρεμαστάρι) (coat) hanger (β) (= καλόγερος) stand · (τοίχου) pegs πληθ.

κρεματόριο ΟΥΣ ΟΥΔ crematorium

> *Προσοχή!: Ο πληθυντικός του* crematorium *είναι* **crematoriums** *ή* **crematoria**.

κρεμμύδι ΟΥΣ ΟΥΔ onion

▷**είμαι ντυμένος ή ντύνομαι σαν (το) κρεμμύδι** (οικ.) to have many layers of clothes on

κρεμμυδόσουπα ΟΥΣ ΘΗΛ onion soup

κρέμομαι Ρ ΑΜ to hang

▷**κρέμομαι από κπν** (μτφ.) to depend on sb

▷**κρέμομαι από τα χείλη ή το στόμα κποιου** to hang on sb's every word

▷**κρέμομαι πάνω από το κεφάλι κποιου** (κίνδυνος) to hang over sb

κρεμώ ① Ρ Μ (α) (ρούχα) to hang (up) · (για στέγνωμα) to hang out · (παλτό, πίνακα, φωτιστικό, στολίδια) to hang · (σκουλαρίκια, κοσμήματα) to put on (β) (χέρια, πόδια, κεφάλι) to hang · (γλώσσα) to loll (γ) (κατάδικο) to hang
② Ρ ΑΜ (α) (ανεπ.: στήθος, λαιμός, μπράτσο) to sag (β) (ανεπ.: σακάκι, τραπεζομάντηλο) to hang down

▷**κρεμώ τα παπούτσια/τα γάντια μου** to hang up one's own boots/gloves

▸**κρεμιέμαι** ΜΕΣΟΠΑΘ (α) (= πιάνομαι) to hang on (από to) (β) (πολυέλαιος, φωτιστικό) to hang (από from) (γ) (= απαγχονίζομαι) to hang oneself (δ) (κοροϊδ.: = παντρεύομαι) to get hitched (ανεπ.)

▷**κρεμιέμαι έξω από παράθυρο** to lean out of the window

κρεμώδης, -ης, -ες ΕΠΙΘ (ουσία) creamy · (σαπούνι) liquid

κρεοπωλείο ΟΥΣ ΟΥΔ butcher's

κρεοπώλης ΟΥΣ ΑΡΣ butcher

κρεοπώλισσα ΟΥΣ ΘΗΛ βλ. **κρεοπώλης**

κρεοφαγία ΟΥΣ ΘΗΛ = **κρεατοφαγία**

κρεοφάγος, -ος, -ο ΕΠΙΘ = **κρεατοφάγος**

κρέπα ΟΥΣ ΘΗΛ pancake

κρεπερί ΟΥΣ ΘΗΛ ΑΚΛ pancake house

κρεσέντο ΟΥΣ ΟΥΔ ΑΚΛ (α) (ΜΟΥΣ) crescendo (β) (μτφ.) climax

κρετίνος ΟΥΣ ΑΡΣ&ΘΗΛ (α) (ΙΑΤΡ) cretin (β) (υβρ.) idiot, cretin (ανεπ.)

κρετόν ΟΥΣ ΟΥΔ ΑΚΛ cretonne

κρήνη ΟΥΣ ΘΗΛ (α) (= φυσική πηγή) spring (β) (= βρύση) fountain

κρηπίδωμα ΟΥΣ ΟΥΔ (α) (= υπόβαθρο) base (β) (σιδηροδρομικού σταθμού) platform · (λιμανιού) quay

κρησάρα ΟΥΣ ΘΗΛ fine sieve

κρησφύγετο ΟΥΣ ΟΥΔ hideout

Κρήτη ΟΥΣ ΘΗΛ Crete
Κρητικιά ΟΥΣ ΘΗΛ *βλ.* **Κρητικός**
Κρητικό ΟΥΣ ΟΥΔ (*επίσης* **το Κρητικό Πέλαγος**)
the Cretan Sea
Κρητικός ΟΥΣ ΑΡΣ Cretan
κρητικός, -ή *ή* **-ιά, -ό** ΕΠΙΘ Cretan

Προσοχή!: Τα εθνικά επίθετα, όπως
Cretan, *γράφονται με κεφαλαίο το*
αρχικό γράμμα στα Αγγλικά.

κριάρι ΟΥΣ ΟΥΔ (α) (= *κριός*) ram (β) (*προφορ.*:
ΑΣΤΡΟΛ) Aries
κριθαράκι ΟΥΣ ΟΥΔ (α) orzo pasta, *rice–shaped*
pasta (β) (ΙΑΤΡ) sty(e)
κριθαρένιος, -ια, -ιο ΕΠΙΘ (*ψωμί, αλεύρι*)
barley
κριθάρι ΟΥΣ ΟΥΔ barley
κριθαρόψωμο ΟΥΣ ΟΥΔ barley bread
κρίθινος, -η, -ο ΕΠΙΘ = **κριθαρένιος**
κρίκος ΟΥΣ ΑΡΣ (α) (*αλυσίδας, κλειδιών*) ring·
(= *σκουλαρίκι*) earring (β) (*μτφ.*) link
▸ **συνδετικός κρίκος** connecting link
▸ **κρίκοι** ΠΛΗΘ (ΑΘΛ) rings
κρίμα ΟΥΣ ΟΥΔ (= *αμαρτία*) sin
▷ **είναι κρίμα (να κάνω κτ)** it's a shame *ή* pity
(to do sth)
▷ **τι κρίμα!** what a shame!, what a pity!
▷ **το κρίμα στον λαιμό σου!** shame on you!
▷ **κρίμα!** what a shame!, what a pity!
κρίνο ΟΥΣ ΟΥΔ = **κρίνος**
κρίνος ΟΥΣ ΑΡΣ lily
κρίνω ① Ρ Μ (α) (= *θεωρώ*) to judge
(β) (= *ασκώ κριτική*) to judge (γ) (*για*
δικαστήριο: = *εκδίδω απόφαση*) to judge
(δ) (= *καθορίζω: αγώνα*) to decide
(ε) (= *αξιολογώ*) to assess
② Ρ ΑΜ (= *σχολιάζω αρνητικά*) to pass
judgment
▷ **εγώ θα το κρίνω αυτό!** I'll be the judge of
that!
▷ **κρίνω κπν αθώο/ένοχο** to find sb innocent/
guilty
▷ **κρίνω κπν/κτ ως** to find sb/sth to be
▷ **τίποτε δεν έχει κριθεί ακόμη** nothing has
been decided yet
▷ **το αποτέλεσμα κρίθηκε ήδη απ' την αρχή**
the outcome had been decided from the
start
κριός (*επίσ.*) ΟΥΣ ΑΡΣ (α) (= *κριάρι*) ram
(β) (ΑΣΤΡΟΝ, ΑΣΤΡΟΛ) Aries
▸ **πολιορκητικός κριός** battering ram
κρίση ΟΥΣ ΘΗΛ (α) (= *κριτική ικανότητα*)
judgment (β) (= *άποψη*) opinion, judgment
(γ) (= *αξιολόγηση*) assessment (δ) (*για*
δικαστήριο: = *απόφαση*) verdict
(ε) (= *δοκιμασία*) crisis

Προσοχή!: Ο πληθυντικός του **crisis** *είναι*
crises.

(στ) (ΙΑΤΡ) attack (ζ) (ΘΡΗΣΚ) judgment
▷ **ερώτηση κρίσεως** question that requires
thought
▷ **η κρίση τής μέσης ηλικίας** a mid–life crisis
▷ **παθαίνω κρίση ειλικρίνειας** (*ειρων.*) to be
sincere for a change
▸ **επιληπτική κρίση** epileptic fit
▸ **κρίση ταυτότητας** identity crisis
▸ **νευρική κρίση** fit of hysterics· (*μτφ.*) angry
outburst
▸ **υστερική κρίση** fit of hysterics
▸ **ψυχολογική κρίση** nervous breakdown
▸ **κρίσεις** ΠΛΗΘ (ΣΤΡΑΤ) selection board
κρίσιμος, -η, -ο ΕΠΙΘ (α) (*περίοδος, στιγμή*)
critical· (*απαντήσεις, συνάντηση, έγγραφα*)
crucial (β) (*κατάσταση*) critical
▷ **είμαι** *ή* **βρίσκομαι σε κρίσιμο σημείο** to
have reached crisis point
κρισιμότητα ΟΥΣ ΘΗΛ (α) (*κατάστασης,*
προβλήματος, περιστάσεων) seriousness
(β) (*διάσκεψης*) significance
κρις-κραφτ ΟΥΣ ΟΥΔ ΑΚΛ speedboat
κριτήριο ΟΥΣ ΟΥΔ criterion

Προσοχή!: Ο πληθυντικός του **criterion**
είναι **criteria.**

κριτής ΟΥΣ ΑΡΣ judge
κριτικάρω (*αργητ.*) Ρ Μ to criticize
κριτική ΟΥΣ ΘΗΛ (α) (= *σχολιασμός*) judgment
(β) (= *αξιολόγηση: θεάτρου,*
κινηματογράφου) criticism (γ) (= *σε*
εφημερίδα: βιβλίου, παράστασης, ταινίας)
review (δ) (*αρνητ.*) criticism
▷ **ασκώ** *ή* **κάνω κριτική (σε κπν)** to criticize
(sb)
κριτικός, -ή, -ό ΕΠΙΘ (*ανάλυση, διάθεση,*
πνεύμα) critical
▷ **κριτική επιτροπή** panel of judges
▸ **κριτικός** ΟΥΣ ΑΡΣ·ΘΗΛ critic
▸ **κριτικός θεάτρου/κινηματογράφου/**
λογοτεχνίας drama/film/literary critic
Κροάτης ΟΥΣ ΑΡΣ Croatian, Croat
Κροατία ΟΥΣ ΘΗΛ Croatia
κροατικός, -ή, -ό ΕΠΙΘ (*ομάδα, νόμισμα*)
Croatian

Προσοχή!: Τα εθνικά επίθετα, όπως
Croatian, *γράφονται με κεφαλαίο το*
αρχικό γράμμα στα Αγγλικά.

▸ **Κροατικά, Κροάτικα** ΟΥΣ ΟΥΔ ΠΛΗΘ Croatian *εν.*
κροάτικος, -η, -ο ΕΠΙΘ = **κροατικός**
Κροάτισσα ΟΥΣ ΘΗΛ *βλ.* **Κροάτης**
κροίσος (*μετωνυμ.*) ΟΥΣ ΑΡΣ Croesus
κροκάδι ΟΥΣ ΟΥΔ yolk
κροκέτα ΟΥΣ ΘΗΛ rissole
κροκοδείλιος, -ια, -ιο ΕΠΙΘ = **κροκοδίλιος**
κροκόδειλος ΟΥΣ ΑΡΣ = **κροκόδιλος**
κροκοδίλιος, -ια, -ιο ΕΠΙΘ crocodile
▸ **κροκοδίλια δάκρυα** crocodile tears
κροκόδιλος ΟΥΣ ΑΡΣ crocodile
κροκός ΟΥΣ ΑΡΣ *βλ.* **κρόκος**
κρόκος ΟΥΣ ΑΡΣ (α) (*επίσης* **κροκός**: *αβγού*)

K

yolk (β) (ΒΟΤ) crocus (γ) (= ζαφορά) saffron

Κρόνος ΟΥΣ ΑΡΣ (α) (ΜΥΘΟΛ) Cronus, Cronos (β) (ΑΣΤΡΟΝ) Saturn

κρόουλ ΟΥΣ ΟΥΔ ΑΚΛ crawl

κρόσσι ΟΥΣ ΟΥΔ (πολυθρόνας, τραπεζομάντηλου) tassel

κροταλίας ΟΥΣ ΑΡΣ rattlesnake

κροταλίζω ① Ρ Μ (βότσαλα) to rattle · (κλειδιά) to jangle · (δάχτυλα) to crack ② Ρ ΑΜ (δόντια) to chatter · (νομίσματα) to jangle · (τενεκεδένιο κουτί) to clatter

κρόταφος ΟΥΣ ΑΡΣ (ΑΝΑΤ) temple

κροτίδα ΟΥΣ ΘΗΛ banger (Βρετ.), firecracker (Αμερ.)

κρότος ΟΥΣ ΑΡΣ (α) (πυροτεχνήματος, πιστολιού, εξάτμισης) bang · (κανονιού) boom · (βροντής) crash, crack (β) (καταχρ.: = σύντομος δυνατός ήχος) bang · (μεταλλικός) clang · (ξύλων που καίγονταν) crackle

κροτώ ① Ρ ΑΜ to rattle ② Ρ Μ (λύρα, κουδούνια) to sound · (κύμβαλα) to bang

κρουαζιέρα ΟΥΣ ΘΗΛ cruise

κρουαζιερόπλοιο ΟΥΣ ΟΥΔ cruise ship

κρουασάν ΟΥΣ ΟΥΔ ΑΚΛ croissant

κρουνός ΟΥΣ ΑΡΣ (= βρύση) tap
▷ **άνοιξαν οι κρουνοί του ουρανού** the heavens opened

κρουπιέρης ΟΥΣ ΑΡΣ croupier

κρουπιέρισσα ΟΥΣ ΑΡΣ βλ. **κρουπιέρης**

κρούση ΟΥΣ ΘΗΛ (α) (γενικότ.) impact (β) (ΦΥΣ) impact (γ) (κιθάρας, μπουζουκιού) plucking
▷ **κάνω κρούση ή κρούσεις** to put out feelers
▷ **κάνω κρούση ή κρούσεις σε κπν για κτ** to sound sb out about sth
▶ **δοκιμασία κρούσεως** crash test
▶ **δύναμη κρούσεως** (ΣΤΡΑΤ) strike force

κρούσμα ΟΥΣ ΟΥΔ (είτζ, χολέρας, κλοπών, λιποταξίας) case

κρούστα ΟΥΣ ΘΗΛ (γάλατος, κρέμας) skin · (πάγου, τυριού) crust · (πληγής) scab

κρουστός, -ή, -ό ΕΠΙΘ (α) (ύφασμα) closely woven (β) (σταφύλι) full
▶ **κρουστά** ΟΥΣ ΟΥΔ ΠΛΗΘ (επίσης **κρουστά όργανα**) percussion instruments, percussion εν.

κρούω (επίσ.) Ρ Μ (α) (πόρτα) to bang on · (κέλυφος) to crack (β) (κιθάρα) to play

κρύα ΕΠΙΡΡ (μιλώ, χαιρετώ) coldly

κρυάδα ΟΥΣ ΘΗΛ (νερού) coldness
▶ **κρυάδες** ΠΛΗΘ (α) (= ρίγη) cold shivers (β) (κοροϊδ.: = κρύα αστεία) bad jokes

κρύβω Ρ Μ (α) (χρήματα, δραπέτη, φακέλους, πρόσωπο) to hide · (μάτια) to cover · (ήλιο) to blot out · (θέα) to block (β) (συναίσθημα, επιθυμία, αλήθεια) to hide (γ) (κίνδυνο, έκπληξη, μυστικό) to hold · (δύναμη, θάρρος) to have
▷ **δεν κρύβω την ανησυχία/την ικανοποίηση μου για κτ** not to hide one's concern about/

one's satisfaction with sth
▶ **κρύβομαι** ΜΕΣΟΠΑΘ (α) (δραπέτες, παιδιά) to hide (β) (= δεν εκδηλώνομαι) to hide things
▷ **ας μην κρυβόμαστε!** let's be honest!
▷ **κανείς δεν ξέρει τι κρύβεται πίσω από...** (μτφ.) nobody knows what lies behind...
▷ **μου κρύβεται** he's hiding something from me
▷ **κρύβομαι πίσω από το δάχτυλό μου** to deny the obvious
▷ **τι κρύβεσαι;** what are you hiding?

κρύο ΟΥΣ ΟΥΔ cold
▷ **έχει ή κάνει κρύο** it's cold
▷ **αφήνω κπν στα κρύα του λουτρού** to leave sb in the lurch
▷ **μένω στα κρύα του λουτρού** to be left out in the cold

κρυολόγημα ΟΥΣ ΟΥΔ cold

κρυολογώ Ρ ΑΜ to catch a cold

κρυόμπλαστος, κρυόμπλαστρος, -η, -ο (αρνητ.) ΕΠΙΘ cold

κρυοπάγημα ΟΥΣ ΟΥΔ frostbite

κρύος, -α, -ο ΕΠΙΘ (α) (νερό, αέρας, καιρός, χειμώνας, σούπα, μπίρα, χέρια) cold · (κρασί) chilled (β) (για πρόσ., συμπεριφορά) cold · (υποδοχή) cool, cold (γ) (αστείο, ανέκδοτα) bad (δ) (αθλητής, μηχανή) cold
▷ **με κρύα καρδιά** half-heartedly
▶ **κρύο πιάτο** cold dishes πληθ.

κρύπτη ΟΥΣ ΘΗΛ (α) (= κρυψώνας) hideout (β) (ΑΡΧΑΙΟΛ) crypt

κρυπτογράφηση ΟΥΣ ΘΗΛ encryption

κρυπτογραφικός, -ή, -ό ΕΠΙΘ encrypted

κρυπτογραφώ Ρ Μ (μήνυμα, επιστολή) to encode, to write in code

κρυσταλλικός, -ή, -ό ΕΠΙΘ (άλατα) crystallized · (δομή, μορφή) crystalline

κρυστάλλινος, -η, -ό ΕΠΙΘ (α) (ποτήρι) crystal · (βάζο, σκεύος) crystal, cut–glass (β) (νερό, φωνή) crystal clear

κρύσταλλο ΟΥΣ ΟΥΔ (α) (= επεξεργασμένο διαφανές γυαλί) crystal (β) (= κρυστάλλινο σκεύος) crystal χωρίς πληθ. (γ) (= διαυγής πάγος) ice
▷ **το νερό είναι κρύσταλλο** the water is ice cold

κρύσταλλος ΟΥΣ ΑΡΣ (ΧΗΜ) crystal
▶ **οθόνη υγρών κρυστάλλων** liquid crystal display

κρυσταλλώνω ① Ρ ΑΜ (χημική ένωση) to crystallize (β) (= παγώνω από το κρύο) to freeze ② Ρ Μ to crystallize

κρυφά ΕΠΙΡΡ secretly · (καπνίζω) on the sly · (κινούμαι) stealthily
▷ **κάνω κτ κρυφά από κπν** unbeknown to sb
▷ **μπήκε (στα) κρυφά στο δωμάτιο** he sneaked ή crept into the room

κρυφακούω ① Ρ Μ (συζήτηση) to eavesdrop on ② Ρ ΑΜ to eavesdrop

κρυφογελώ ρ αμ to snigger
κρυφοκοιτάζω ⬛1 ρ αμ to peep
⬛2 ρ μ (*καλεσμένους, περαστικούς*) to steal glances at
κρυφομιλώ ρ αμ to whisper
κρυφός, -ή, -ό επιθ (*συνάντηση, πόρτα, έρωτας, πόθος*) secret · (*ματιά*) surreptitious
▷**έχω** ή **κρατάω κτ κρυφό** to keep sth secret
▸**κρυφό σχολειό** *place where Greek children were taught by priests and monks during the Turkish occupation*
κρυφτό ους ουδ hide–and–seek (*Βρετ.*), hide–and–go–seek (*Αμερ.*)
κρυψίνους, -ους, -ουν (*επίσ.*) επιθ (α) (= *που δεν αποκαλύπτεται*) secretive (β) (= *ανειλικρινής*) deceitful
▸**κρυψίνους** ους αρσ&θηλ hypocrite
κρυψώνα ους θηλ = **κρυψώνας**
κρυψώνας ους αρσ hiding place
κρύωμα ους ουδ cold
κρυώνω ⬛1 ρ αμ (α) (*άνθρωπος, χέρια, πόδια*) to be cold (β) (*σούπα, καφές: όταν δεν είναι πιά ζεστό*) to go cold · (*όταν είναι πολύ ζεστό*) to cool down · (*καιρός*) to turn cold, to get colder (γ) (= *κρυολογώ*) to catch a cold (δ) (*δεσμός, φιλία*) to cool
⬛2 ρ μ (*αναψυκτικό, μπίρα, φαγητό*) to chill
κρώζω (*επίσ.*) ρ αμ (*κόρακας*) to caw · (*γλάρος*) to squawk · (*κουκουβάγια*) to hoot
Κ.Τ.Ε.Λ. συντομ (= *Κοινό Ταμείο Εισπράξεων Λεωφορείων*) long–distance coach service
Κ.Τ.Ε.Ο. συντομ (= *Κέντρο Τεχνικού Ελέγχου Οχημάτων*) ≈ MOT test centre (*Βρετ.*), inspection center (*Αμερ.*)
κτερίσματα ους ουδ πληθ funerary possessions ή gifts
κτήμα ους ουδ (α) (= *ιδιόκτητο αγρόκτημα*) land *χωρίς πληθ.*, piece of land, property (β) (= *ιδιοκτησία*) property, possession
▸**κτήματα** πληθ (farm)land *εν.*
κτηματίας ους αρσ landowner
κτηματικός, -ή, -ό επιθ (*εταιρεία*) property, real estate
▷**κτηματική περιουσία** landed property, real estate
κτηματογράφηση ους θηλ (*ακίνητης περιουσίας*) registration
κτηματολόγιο ους ουδ land registry
κτηματομεσίτης ους αρσ estate agent (*Βρετ.*), realtor (*Αμερ.*)
κτηματομεσίτρια ους θηλ βλ. **κτηματομεσίτης**
κτηνιατρείο ους ουδ veterinary clinic
κτηνιατρική ους θηλ veterinary science
κτηνιατρικός, -ή, -ό επιθ veterinary
κτηνίατρος ους αρσ&θηλ vet (*Βρετ.*), veterinary surgeon (*Βρετ.*) (*επίσ.*), veterinarian (*Αμερ.*)
κτηνοβασία ους θηλ bestiality
κτήνος ους ουδ (α) (*επίσ.: = ζώο*) animal (β) (*υβρ.*) brute, animal (γ) (*αργκ.: = πολύ*

γυμνασμένος) powerhouse (*ανεπ.*)
κτηνοτροφία ους θηλ stock farming
κτηνοτρόφος ους αρσ&θηλ stock farmer
κτηνώδης, -ης, -ες επιθ (α) (*πρόσωπο*) brutish · (*άνθρωπος*) brutal (β) (*ένστικτα*) bestial
κτηνωδία ους θηλ brutal act, brutality
κτηριακός, -ή, -ό επιθ (*εγκαταστάσεις, εξοπλισμός*) building, construction
κτήριο ους ουδ building
κτήση ους θηλ possession
κτητικός, -ή, -ό επιθ (*επίσης* ΓΛΩΣΣ) possessive
κτήτορας (*επίσ.*) ους αρσ owner
κτίζω ρ μ = **χτίζω**
κτιριακός, -ή, -ό επιθ = **κτηριακός**
κτίριο ους ουδ = **κτήριο**
κτίση ους θηλ (α) (= *χτίσιμο*) building (β) (= *δημιούργημα*) creation
κτίσιμο ους ουδ = **χτίσιμο**
κτίσμα ους ουδ (α) (= *οικοδόμημα*) building (β) (= *δημιούργημα*) creation
κτίστης ους αρσ = **χτίστης**
κ.τ.λ. συντομ etc.
κτύπημα ους ουδ = **χτύπημα**
κτύπος ους αρσ = **χτύπος**
κτυπώ ρ μ/αμ = **χτυπώ**
κύαμος ους αρσ (α) (= *κουκκιά*) broad bean plant (β) (= *κουκκί*) broad bean
Κυανή Ακτή ους θηλ: **η Κυανή Ακτή** the (French) Riviera
κυάνιο ους ουδ cyanide
κυανόλευκος, -η, -ο επιθ blue and white
▸**κυανόλευκη** ους θηλ: **η κυανόλευκη** the Greek flag
κυανός, -ή, -ό επιθ blue
κυβερνείο ους ουδ government house
κυβέρνηση ους θηλ government
▷**σχηματίζω κυβέρνηση** to form a government
κυβερνήτης ους αρσ&θηλ (α) (*χώρας*) leader, ruler (β) (*πλοίου, αεροσκάφους*) captain
κυβερνητική ους θηλ cybernetics *εν.*

> *Προσοχή!: Αν και το* **cybernetics** *φαίνεται ως τύπος πληθυντικού, είναι ουσιαστικό μόνο στον ενικό και συντάσσεται με ρήμα στον ενικό.*

κυβερνητικός, -ή, -ό επιθ (α) (*μέτρα, τακτική*) government (β) (*Τύπος, βουλευτής*) pro–government
▸**κυβερνητικός εκπρόσωπος** government spokesperson
κυβερνοναύτης ους αρσ cybernaut
κυβερνοπάνκ ους ουδ ακλ cyberpunk
κυβερνοπειρατεία ους θηλ = **δικτυοπειρατεία**
κυβερνοπειρατής ους αρσ = **δικτυοπειρατής**

κυβερνοχώρος ΟΥΣ ΑΡΣ cyberspace

κυβερνώ Ρ Μ (α) (χώρα, κράτος) to rule, to govern (β) (πλοίο, αεροσκάφος) to captain (γ) (ζωή, σχέση) to rule

κυβικός, -ή, -ό ΕΠΙΘ (α) (σχήμα) cube (β) (ΜΑΘ) cubic

▶**κυβικό εκατοστό** cubic centimetre (Βρετ.) ή centimeter (Αμερ.)

▶**κυβικό μέτρο** cubic metre (Βρετ.) ή meter (Αμερ.)

κυβισμός ΟΥΣ ΑΡΣ (ΜΗΧΑΝ) cubic capacity

κύβος ΟΥΣ ΑΡΣ (ΓΕΩΜ) cube
▷**ο κύβος ερρίφθη** the die is cast
▷**υψώνω στον κύβο** (ΜΑΘ) to raise to the power of three, to cube

▶**κύβος ζάχαρης** sugar lump

κυδώνι ΟΥΣ ΟΥΔ (= καρπός κυδωνιάς) quince
▷**γλυκό κυδώνι** quince jelly

κυδωνιά ΟΥΣ ΘΗΛ quince tree

κύηση ΟΥΣ ΘΗΛ gestation

κυκεώνας (επίσ.) ΟΥΣ ΑΡΣ hotch–potch (κυρ. Βρετ.), hodgepodge (κυρ. Αμερ.), confusion

Κυκλάδες ΟΥΣ ΘΗΛ ΠΛΗΘ Cyclades

κυκλαδικός, -ή, -ό ΕΠΙΘ (τέχνη, αρχιτεκτονική) Cycladic

Προσοχή!: Τα εθνικά επίθετα, όπως **Cycladic**, *γράφονται με κεφαλαίο το αρχικό γράμμα στα Αγγλικά.*

▶**κυκλαδικός πολιτισμός** Cycladic civilization

κυκλαδίτικος, -η, -ο ΕΠΙΘ = **κυκλαδικός**

κυκλάμινο ΟΥΣ ΟΥΔ cyclamen

κυκλικός, -ή, -ό ΕΠΙΘ (τροχιά, χορός) circular · (δίσκος) circular, round

κυκλοθυμία ΟΥΣ ΘΗΛ cyclothymia (επιστ.), violent mood swings πληθ.

κυκλοθυμικός, -ή, -ό ΕΠΙΘ (α) (ΨΥΧΟΛ: συμπτώματα, εκδήλωση) cyclothymic (επιστ.) (β) (για πρόσ.) moody

κύκλος ΟΥΣ ΑΡΣ (α) (ΓΕΩΜ) circle (β) (σπουδών) course (γ) (ζωής, εποχών) cycle (δ) (γυναίκας) period, cycle (ε) (= δημοσιογράφων, οικογένειας) circle · (πρωθυπουργού) inner circle (στ) (διαλέξεων, διαπραγματεύσεων, εκδηλώσεων) series

---

Προσοχή!: Ο πληθυντικός του **series** *είναι* **series**.

(ζ) (δραστηριοτήτων, ενδιαφερόντων) range (η) (ποιητών, υπερρεαλιστών, ρομαντικών) school
▷**διαγράφω κύκλους στον αέρα** (αεροπλάνο) to circle in the sky
▷**η ιστορία κάνει κύκλους** history is repeating itself
▷**ο κύκλος της μόδας** the fashion set ή crowd
▷**ο κύκλος της υψηλής κοινωνίας** high society
▷**ο κύκλος των γιατρών/δικηγόρων** medical/ legal circles

κυκλοφορία ΟΥΣ ΘΗΛ (α) (αυτοκινήτων, αεροπλάνων, πλοίων, πεζών) traffic (β) (= διάδοση: δίσκου) release · (= πώληση) sales πληθ. · (λαθραίων τσιγάρων) traffic · (περιοδικού, εφημερίδας) circulation (γ) (αίματος) circulation (δ) (εμπορευμάτων) trade (ε) (φήμης, μυστικού, προπαγάνδας, ψευδών ειδήσεων) spreading (στ) (κεφαλαίων, χρήματος) circulation
▷**αποσύρω κτ από την κυκλοφορία** to take sth out of circulation
▷**βρίσκομαι ή είμαι σε κυκλοφορία** (νόμισμα) to be in circulation · (προϊόν, φάρμακο) to be on the market · (βιβλίο, δίσκος) to be out · (φήμες) to go around
▷**τίθεμαι σε κυκλοφορία** (νόμισμα) to be put into circulation · (προϊόν) to be launched · (φάρμακο) to be made available · (βιβλίο, δίσκος) to come out · (φήμες) to be put about
▷**ο δίσκος του έχει μικρή/μεγάλη κυκλοφορία** his single isn't/is selling well

κυκλοφοριακός, -ή, -ό ΕΠΙΘ (πρόβλημα, συμφόρηση) traffic · (κόμβος) road

κυκλοφορικός, -ή, -ό ΕΠΙΘ (προβλήματα, διαταραχές) circulatory

▶**κυκλοφορικό σύστημα** (ΑΝΑΤ) circulatory system

κυκλοφορώ 1 Ρ Μ (α) (χαρτονόμισμα, ομόλογα) to put into circulation, to issue (β) (δίσκο) to release, to bring out · (λαθραία τσιγάρα) to traffic in (γ) (βιβλίο, μεταφράσεις) to publish, to bring out (δ) (οικ.: φίλο, φιλοξενουμένους) to take (ε) (οικ.: αυτοκίνητο) to drive around in 2 Ρ ΑΜ (α) (αυτοκίνητα, πεζοί, λεωφορεία) to move (β) (= γυρίζω) to go around (γ) (φήμες) to go around, to circulate · (ανέκδοτο) to go around · (είδηση, νέα, πληροφορίες) to go by ή get around (δ) (χαρτονόμισμα, γραμματόσημο) to be in circulation (ε) (φάρμακο) to be available on the market (στ) (εφημερίδες) to be on sale · (μελέτη) to be published (ζ) (ίωση) to go around
▷**δεν κυκλοφοράει κανείς** there's no one around
▷**κυκλοφορώ με κπν** (αρνητ.) to hang out with sb

κύκλωμα ΟΥΣ ΟΥΔ (α) (ΦΥΣ) circuit (β) (αρνητ.: για επαγγελματικό χώρο) circle · (διακίνησης ναρκωτικών) ring, network

κυκλώνας ΟΥΣ ΑΡΣ cyclone

κυκλώνω Ρ Μ (α) (περιοχή, εχθρικές δυνάμεις) to surround, to encircle (β) (σωστή απάντηση) to circle

κυκλώπειος, -α, -ο ΕΠΙΘ Cyclopean · (μτφ.) gigantic

▶**κυκλώπεια τείχη** (ΑΡΧΙΤ) Cyclopean walls

κυκλωτικός, -ή, -ό ΕΠΙΘ: **κυκλωτική κίνηση, κυκλωτικός ελιγμός** pincer movement

κύκνειος, -α, -ο ΕΠΙΘ: **κύκνειο άσμα** swan song

κύκνος ΟΥΣ ΑΡΣ swan

κυλικείο ΟΥΣ ΟΥΔ (εταιρείας) canteen, cafeteria · (σταθμού, πλοίου, τρένου) buffet bar

κυλινδρικός, -ή, -ό ΕΠΙΘ (σωλήνας, σώμα) cylindrical

κύλινδρος ΟΥΣ ΑΡΣ (α) (ΓΕΩΜ) cylinder (β) (ΜΗΧΑΝ) cylinder (γ) (χαρτιού, χαλιού) roll

κυλινδρώνω Ρ Μ (α) (οδόστρωμα) to roll (β) (χαλί) to roll up

κυλιόμενος, -η, -ο ΕΠΙΘ (α) (διάδρομος) moving (β) (απεργίες) rolling
▸ **κυλιόμενη σκάλα** escalator

κύλισμα ΟΥΣ ΟΥΔ (α) (πέτρας) rolling (down) (β) (ποταμού, χρόνου) flow

κυλότα (οικ.) ΟΥΣ ΘΗΛ = **κιλότα**

κυλώ 1 Ρ Μ (πέτρα, βράχο) to roll 2 Ρ ΑΜ (α) (νόμισμα, ρόδα, μπάλα) to roll along (β) (νερά, ποτάμι, αίμα) to flow · (ιδρώτας, δάκρυ) to run (γ) (ζωή, χρόνια, ώρες) to go by (δ) (συζήτηση) to go on
▷ **αφήνω τα πράγματα να κυλήσουν μόνα τους** to let things take care of themselves
▷ **τα δάκρυα κυλούσαν στο μάγουλό του** the tears ran down his cheeks
▸ **κυλιέμαι** ΜΕΣΟΠΑΘ (α) (= περιστρέφω το σώμα μου) to roll · (από πόνο) to writhe (β) (αρνητ.: στην αμαρτία, στον βούρκο) to wallow (γ) (= σέρνομαι: κουρτίνες, παλτό) to drag on the ground
▷ **κυλιέμαι στο πάτωμα/στη λάσπη** to roll on the floor/in the mud

κύμα ΟΥΣ ΟΥΔ (α) (θάλασσας, λίμνης, ποταμού) wave (β) (λαού, προσφύγων, αεροπλάνων) wave · (λάβας) stream (γ) (κακοκαιρίας, απεργιών, διαμαρτυριών) spate · (ενθουσιασμού, πανικού) wave, surge · (οργής) surge · (μεταναστών, μετανάστευσης) influx (δ) (ΦΥΣ) wave
▷ **κατά κύματα** in waves
▸ **μήκος κύματος** (ΦΥΣ) wavelength · (= συχνότητα) frequency
▸ **κύμα εγκληματικότητας** crime wave
▸ **κύμα καύσωνα** ή **ζέστης** heat wave

κυμαίνομαι Ρ ΑΜ ΑΠΟΘ (θερμοκρασία, τιμές, ρύπανση) to fluctuate · (απόψεις) to vary

κυμαινόμενος, -η, -ο ΕΠΙΘ (επιτόκιο) floating

κύμανση ΟΥΣ ΘΗΛ (θερμοκρασίας) fluctuation · (απόψεων) variation

κυματίζω 1 Ρ Μ (μαντήλι) to wave · (φούστα) to flap 2 Ρ ΑΜ (σημαία) to fly · (μαλλιά) to wave

κυματισμός ΟΥΣ ΑΡΣ (σημαίας) flying · (μαντηλιού) waving · (φούστας) flapping · (μαλλιών, θάλασσας) waves πληθ. · (φωνής) cadence

κυματιστός, -ή, -ό ΕΠΙΘ (α) (γραμμή, μαλλιά) wavy · (γενειάδα) curly · (επιφάνεια) undulating (β) (φωνή) singsong · (περπατησιά) rolling

κυματοειδής, -ής, -ές ΕΠΙΘ (γραμμή) wavy ·

(λοφοσειρά, κίνηση) undulating

κυματοθραύστης ΟΥΣ ΑΡΣ breakwater

κυματώδης, -ης, -ες ΕΠΙΘ (θάλασσα) rough

κύμβαλο ΟΥΣ ΟΥΔ cymbals πληθ.

κύμινο ΟΥΣ ΟΥΔ cumin
▷ **ώσπου ή μέχρι να πεις κύμινο** before you could say Jack Robinson

κυνηγετικός, -ή, -ό ΕΠΙΘ (όπλο, σκύλος, γεράκι) hunting · (άδεια, περίοδος) hunting, shooting

κυνήγημα ΟΥΣ ΟΥΔ (α) (= καταδίωξη: ελαφιού, λαγού) hunt · (δράστη) (man)hunt, chase (β) (πλούτου, δόξας) pursuit · (πελατείας) search · (υπόθεσης) pursuing

κυνηγητό ΟΥΣ ΟΥΔ (α) (δράστη) (man)hunt, chase · (ελαφιού, λαγού) chase (β) (= αναζήτηση) searching (γ) (παιδικό παιχνίδι) tag

κυνήγι ΟΥΣ ΟΥΔ (α) (ζώων) hunting · (πουλιών) shooting (β) (= θήραμα) game (γ) (συμμορίας, δράστη) chase (δ) (δόξας, επιτυχίας, πλούτου) pursuit
▷ **παίρνω κπν στο κυνήγι** to chase after sb

κυνηγός ΟΥΣ ΑΡΣΘΗΛ (α) (ζώων, πουλιών) hunter (β) (για σκύλο) hunting dog (γ) (πλούτου, τύχης) hunter · (ευτυχίας) seeker (δ) (στο ποδόσφαιρο) striker
▸ **κυνηγός κεφαλών** head-hunter
▸ **κυνηγός ταλέντων** talent scout

κυνηγώ 1 Ρ ΑΜ to go hunting 2 Ρ Μ (α) (λαγούς) to hunt · (πέρδικες) to shoot (β) (= καταδιώκω: θήραμα) to hunt down, to track (γ) (δραπέτη,) to chase · (φονιά, κακοποιό) to hunt down (δ) (= διώχνω βίαια) to chase away (ε) (= κατατρέχω: τύψεις) to haunt (στ) (= νοιάζομαι: δουλειά) to be interested in (ζ) (πλούτο, δόξα, ευτυχία, όνειρο) to pursue · (υποψήφιο σύζυγο) to look for (η) (= πιέζω: γιο, μαθητή) to keep on at · (εκδότη, βουλευτή) to hound (θ) (γυναίκες, άνδρες) to chase after
▷ **τον κυνηγάει η ατυχία** he's dogged by misfortune

κυνικός, -ή, -ό ΕΠΙΘ (απάντηση, συμπεριφορά, άνθρωπος) cynical
▸ **Κυνικοί** ΟΥΣ ΑΡΣ ΠΛΗΘ (ΦΙΛΟΣ): **οι Κυνικοί** the Cynics

κυνικότητα ΟΥΣ ΘΗΛ cynicism

κυνισμός ΟΥΣ ΑΡΣ (α) (= κυνικότητα) cynicism (β) (ΦΙΛΟΣ) Cynicism

κυνόδοντας ΟΥΣ ΑΡΣ canine

κυνοδρομία ΟΥΣ ΘΗΛ dog race

κυοφορία ΟΥΣ ΘΗΛ gestation

κυοφορώ Ρ ΑΜ to be pregnant
▸ **κυοφορούμαι** ΜΕΣΟΠΑΘ (εξελίξεις, αλλαγές) to be in the air

κυπαρισσένιος, -ια, -ιο ΕΠΙΘ (α) (ταβάνι, πάτωμα) cypress (β) (κορμί, ανάστημα) willowy

κυπαρίσσι ΟΥΣ ΟΥΔ (α) (ΒΟΤ) cypress

(β) (= *κυπαρισσόξυλο*) cypress (wood)
▷**έχει κορμί κυπαρίσσι** she has a willowy figure
▷**πηγαίνω στα κυπαρίσσια** (*ευφημ.*) to be pushing up the daisies (*ανεπ.*)
Κυπαρισσία ΟΥΣ ΘΗΛ Kyparissia
κυπαρισσόξυλο ΟΥΣ ΟΥΔ cypress (wood)
κυπαρισσώνας ΟΥΣ ΑΡΣ cypress forest
κυπελλάκι ΟΥΣ ΟΥΔ (α) (= *μικρό κύπελλο*) small cup (β) (*παγωτό*) scoop (of ice cream)
κύπελλο ΟΥΣ ΟΥΔ (α) (= *κούπα*) cup · (*από μέταλλο*) goblet (β) (= *βραβείο*) cup
κυπελλούχος ΟΥΣ ΑΡΣ&ΘΗΛ cup winner
Κύπρια ΟΥΣ ΘΗΛ *βλ.* **Κύπριος**
Κυπριακό ΟΥΣ ΟΥΔ the Cyprus Question
κυπριακός, -ή, -ό ΕΠΙΘ (*δημοκρατία, λαός*) Cypriot

> *Προσοχή!: Τα εθνικά επίθετα, όπως* **Cypriot**, *γράφονται με κεφαλαίο το αρχικό γράμμα στα Αγγλικά.*

▸ **Κυπριακά** ΟΥΣ ΟΥΔ ΠΛΗΘ Cypriot *εν.*
κυπρίνος ΟΥΣ ΑΡΣ carp
Κύπριος ΟΥΣ ΑΡΣ Cypriot
Κύπρος ΟΥΣ ΘΗΛ Cyprus
κυρά (*ανεπ.*) ΟΥΣ ΘΗΛ (α) (= *σύζυγος*) wife, missus (*ανεπ.*)

> *Προσοχή!: Ο πληθυντικός του* **wife** *είναι* **wives**.

(β) (= *οικοδέσποινα*) mistress
▷**κυρά μου!** (*μειωτ.*) hey, lady!
κυράτσα (*ανεπ., μειωτ.*) ΟΥΣ ΘΗΛ
(α) (= *γυναικούλα*) pretentious woman
(β) (= *κουτσομπόλα*) gossip
κύρης (*ανεπ.*) ΟΥΣ ΑΡΣ (*σπιτιού*) master
κυρία ΟΥΣ ΘΗΛ (α) (= *γυναίκα*) lady ·
(*προσφώνηση και ιδιότητα*) madam · (*πριν από όνομα*) Mrs (β) (= *αξιοπρεπής γυναίκα*) lady (γ) (= *σύζυγος*) wife (δ) (*προσφώνηση από μαθητές*) Miss
▷**η κυρία πρόεδρος** the president · (*ως προσφώνηση*) Madam President
▷**η κυρία του σπιτιού** the lady of the house
▷**πείτε στην κυρία να περιμένει** tell the lady to wait
▷**κυρία μου!** madam!
κυριακάτικα ΕΠΙΡΡ on a Sunday
κυριακάτικος, -η, -ο ΕΠΙΘ (*εφημερίδα, αγώνας*) Sunday · (*πρωινό*) Sunday morning
▸ **κυριακάτικα** ΟΥΣ ΟΥΔ ΠΛΗΘ Sunday best *εν.*
Κυριακή ΟΥΣ ΘΗΛ (*ημέρα*) Sunday
κυριαρχία ΟΥΣ ΘΗΛ (α) (= *εξουσία*) rule
(β) (= *απόλυτη επιβολή*) domination
(γ) (ΝΟΜ: *κράτους*) sovereignty
▷**τελώ υπό ξένη κυριαρχία** to be under foreign rule
▸ **εθνική κυριαρχία** national sovereignty
▸ **λαϊκή κυριαρχία** rule by the people
κυριαρχικός, -ή, -ό ΕΠΙΘ (*δικαιώματα*)

sovereign
κυρίαρχος, -η, -ο ΕΠΙΘ (α) (*αντίληψη, τάση, συναίσθημα*) prevailing (β) (*ρόλος*) dominant, key · (*παράγων, θέμα*) key
(γ) (*λαός, κράτος, δύναμη*) sovereign
▸ **κυρίαρχος** ΟΥΣ ΑΡΣ, **κυρίαρχη** ΟΥΣ ΘΗΛ ruler
κυριαρχώ Ρ ΑΜ (α) (= *εξουσιάζω: σε χώρα, περιοχή*) to rule (β) (= *επικρατώ: θέμα, αντίληψη, χρώμα*) to predominate, to be predominant
▷**κυριαρχώ σε** (= *εξουσιάζω: χώρα, περιοχή*) to rule · (= *επικρατώ*) to dominate · (*συναισθήματα*) to overcome
κυριεύω Ρ Μ (*κράτος*) to conquer · (*πόλη, φρούριο*) to take
▷**με κυριεύει θυμός/αγωνία/η επιθυμία** to be consumed with anger/anxiety/desire
▷**με κυριεύει μια ιδέα** to be obsessed with an idea
▷**με κυριεύει ταραχή/ανησυχία** to be terribly upset/worried
▷**με κυριεύει φόβος/πανικός** to be seized *ή* overcome with fear/panic
▷**με κυριεύει απελπισία** to be in the depths of despair
κυριλέ (*ανεπ.*) ΕΠΙΘ ΑΚΛ (*ντύσιμο, εμφάνιση*) smart · (*συμπεριφορά*) gentlemanly · (*μαγαζί*) chic
▷**ντύνομαι κυριλέ** to dress smartly
κυριολεκτικά ΕΠΙΡΡ literally
κυριολεκτικός, -ή, -ό ΕΠΙΘ (*σημασία, νόημα*) literal
κυριολεκτώ Ρ ΑΜ to be precise
κυριολεξία ΟΥΣ ΘΗΛ (α) (= *ακριβολογία*) precision (β) (= *βασική σημασία*) literal meaning · (= *ακριβής σημασία*) strict meaning
▷**κατά κυριολεξία** literally
▷**στην κυριολεξία** quite literally
κύριος[1], **-α** *ή* **-ία, -ο** ΕΠΙΘ (*θέμα, πηγή, ομιλητής, καθήκον, παράγοντας, διαφορά, είδος*) main, principal · (*νόημα, αντικείμενο, απασχόληση, ρόλος, οδός*) main · (*αντίπαλος, αιτία,*) main, chief · (*ύποπτος*) prime
▷**είμαι κύριος περιουσίας/φυτειών** to own a fortune/plantations
▷**είμαι κύριος της τύχης μου/της καταστάσεως** to be master of one's fate/the situation
▷**είμαι κύριος του εαυτού μου** (= *είμαι ανεξάρτητος*) to be one's own man *ή* master · (= *ελέγχω τον εαυτό μου*) to be in control of oneself
▷**είμαι κύριος των αποφάσεών μου** to make one's own decisions
▷**κατά κύριο λόγο** primarily
▷**πρώτον και κύριον** first and foremost
▷**κύριο άρθρο** (*σε εφημερίδα*) lead story · (*σε περιοδικό*) main feature
▸ **κυρία είσοδος** main entrance
▸ **κύριο όνομα** proper noun
▸ **κύριο πιάτο** main course
▸ **κύρια πρόταση** main clause

κύριος[2] ΟΥΣ ΑΡΣ (α) (= άντρας) gentleman · (προσφώνηση) sir · (πριν από όνομα) Mr (β) (προσφώνηση από μαθητές) Sir (γ) (= αξιοπρεπής άνθρωπος) gentleman

> *Προσοχή!: Ο πληθυντικός του* gentleman *είναι* gentlemen.

> ▷**ο κύριος πρόεδρος** the president · (ως προσφώνηση) Mr President
> ► **Κύριος** ΟΥΣ ΑΡΣ Lord
> ▷ **Θεέ και Κύριε!** good lord!
> ▷ **Κύριε ελέησον!** (για έκπληξη) my God!

κυριότητα ΟΥΣ ΘΗΛ (ακινήτου) ownership
> ▷**τίτλος κυριότητας** title deed

κυρίως ΕΠΙΡΡ (α) (= κατεξοχήν) mainly, mostly (β) (= ιδίως) especially

κύρος ΟΥΣ ΑΡΣ (α) (εταιρείας, πανεπιστημίων, θεσμού) prestige · (προέδρου) weight (β) (συμβολαίου, εγγράφου) validity

κυρτός, -ή, -ό ΕΠΙΘ (α) (τοίχος, γραμμή, επιφάνεια) curved · (μύτη) hooked (β) (φακός, κάτοπτρο) convex (γ) (γέροντας, μεσήλικας) stooped · (ώμοι) bowed
> ► **κυρτά γράμματα** italics

κυρτώνω ① Ρ Μ (ξύλο, βέργα) to bend ② Ρ ΑΜ (ώμοι) to bow

κύρτωση ΟΥΣ ΘΗΛ (α) (βέργας) bending (β) (ώμων) bowing

κυρώνω Ρ Μ (αντίγραφο) to authenticate · (σύμβαση) to ratify

κύρωση ΟΥΣ ΘΗΛ (εγγράφου) authentication · (συμβάσεως) ratification
> ► **κυρώσεις** ΠΛΗΘ (α) (= ποινή) penalties (β) (εναντίον χώρας) sanctions

κύστη ΟΥΣ ΘΗΛ (α) (ΑΝΑΤ) sac · (ουροδόχος) bladder (β) (ΙΑΤΡ) cyst

κυστίτιδα ΟΥΣ ΘΗΛ cystitis

κυτίο ΟΥΣ ΟΥΔ: **κυτίο παραπόνων** complaints box

κύτος (επίσ.) ΟΥΣ ΟΥΔ (πλοίου) hold

κυτταρικός, -ή, -ό ΕΠΙΘ (ιστός, μεμβράνη) cellular · (διαίρεση) cell

κυτταρίνη ΟΥΣ ΘΗΛ cellulose

κυτταρίτιδα ΟΥΣ ΘΗΛ cellulite

κύτταρο ΟΥΣ ΟΥΔ (α) (ΒΙΟΛ) cell (β) (= φωτοκύτταρο) photoelectric cell (γ) (μτφ.) unit

κυτταρογένεση ΟΥΣ ΘΗΛ cell generation

κύφωση ΟΥΣ ΘΗΛ kyphosis (επιστ.), hunchback

κυψέλη ΟΥΣ ΘΗΛ (μελισσών) (bee)hive
> ▷**κυψέλη εργασίας** a hive of activity

κυψελίδα ΟΥΣ ΘΗΛ (α) (πνευμόνων) alveolus (β) (αφτιού) (ear)wax

κωβιός ΟΥΣ ΑΡΣ gudgeon

κώδικας ΟΥΣ ΑΡΣ code
> ► **κώδικας ΆΣΚΙ** (ΠΛΗΡΟΦ) ASCII Code
> ► **Κώδικας Οδικής Κυκλοφορίας** Highway Code (Βρετ.)
> ► **οικογενειακός κώδικας** family law

> ► **ποινικός κώδικας** penal code

κωδίκελλος, κωδίκελος ΟΥΣ ΑΡΣ (ΝΟΜ) codicil

κωδικοποίηση ΟΥΣ ΘΗΛ codification · (ΤΕΧΝΟΛ) encoding

κωδικοποιητής ΟΥΣ ΑΡΣ (ΤΕΧΝΟΛ) encoder

κωδικοποιώ Ρ Μ (α) (νόμους, κανόνες) to codify (β) (μήνυμα, πληροφορία) to encode

κωδικός, -ή, -ό ΕΠΙΘ (γράμμα) encoded, in code · (όνομα, αριθμός) code
> ► **κωδικός** ΟΥΣ ΑΡΣ (επίσης **κωδικός αριθμός**) (α) (χώρας, περιοχής, πόλης) code (β) (ΠΛΗΡΟΦ) code (number)

κώδων (επίσ.) ΟΥΣ ΑΡΣ bell
> ▷**κρούω τον κώδωνα του κινδύνου** to sound the alarm · βλ. κ. κουδούνι

κωδωνοκρουσία ΟΥΣ ΘΗΛ bell–ringing

κωδωνοστάσιο ΟΥΣ ΟΥΔ bell tower

κωθώνι (μειωτ.) ΟΥΣ ΟΥΔ idiot

κωλάντερο (χυδ.) ΟΥΣ ΟΥΔ rectum

> *Προσοχή!: Ο πληθυντικός του* rectum *είναι* rectums *ή* recta.

κωλαράς (χυδ.) ΟΥΣ ΑΡΣ fat arse (Βρετ.) (χυδ.), fat ass (Αμερ.) (χυδ.)

κωλαρού (χυδ.) ΟΥΣ ΘΗΛ βλ. **κωλαράς**

κωλί (χυδ.) ΟΥΣ ΟΥΔ arse (Βρετ.) (χυδ.), ass (Αμερ.) (χυδ.)

κωλιά (προφορ.) ΟΥΣ ΘΗΛ (σε αυτοκίνητο) sudden brake · (σε μηχανή) wheelie

κωλικός ΟΥΣ ΑΡΣ = **κολικός**

κωλοβαράω (χυδ.) Ρ ΑΜ to sit around on one's arse (Βρετ.) (χυδ.), ή ass (Αμερ.) (χυδ.)

κωλοβάρεμα (χυδ.) ΟΥΣ ΟΥΔ sitting on one's arse (Βρετ.) (χυδ.), ή ass (Αμερ.) (χυδ.)

κωλόγερος (υβρ.) ΟΥΣ ΑΡΣ (α) (= αντιπαθητικός ηλικιωμένος) nasty old man (β) (= ανήθικος ηλικιωμένος) dirty old man

κωλογλείφτης (χυδ.) ΟΥΣ ΑΡΣ arse–licker (Βρετ.) (χυδ.), ass–kisser (Αμερ.) (χυδ.)

κωλογλείφτρα (χυδ.) ΟΥΣ ΘΗΛ βλ. **κωλογλείφτης**

κωλογλείφω (χυδ.) Ρ Μ to lick sb's arse (Βρετ.) (χυδ.), to kiss sb's ass (Αμερ.) (χυδ.)

κωλόγρια (υβρ.) ΟΥΣ ΘΗΛ (α) (= αντιπαθητική ηλικιωμένη) old bag (ανεπ.) (β) (= ανήθικη ηλικιωμένη) dirty old woman

κωλοδάχτυλο (χυδ.) ΟΥΣ ΟΥΔ the finger (ανεπ.), the bird (Αμερ.) (ανεπ.)

κωλομάγουλο (χυδ.) ΟΥΣ ΟΥΔ cheek

κωλομέρι (χυδ.) ΟΥΣ ΟΥΔ buttock

κωλομπαράς (αργκ.) ΟΥΣ ΑΡΣ = **κολομπαράς**

κωλόπαιδο (υβρ.) ΟΥΣ ΟΥΔ (α) (= πολύ ενοχλητικός νεαρός) little bastard (χυδ.) (β) (= ανήθικο άτομο) bastard (χυδ.), son of a bitch (χυδ.)

κωλοπετσωμένος, -η, -ο (ανεπ.) ΕΠΙΘ cunning

K

κώλος (χυδ.) ΟΥΣ ΑΡΣ **(α)** (= *πρωκτός*) arsehole (*Βρετ.*) (χυδ.), asshole (*Αμερ.*) (χυδ.) **(β)** (= *πισινός*) arse (*Βρετ.*) (χυδ.), ass (*Αμερ.*) (χυδ.), butt (*Αμερ.*) (ανεπ.) **(γ)** (*παντελονιού, φούστας*) bottom

▷ **είναι κώλος και βρακί** they're as thick as thieves

▷ **γίνομαι κώλος** to get really filthy

▷ **γίνομαι κώλος με κπν** to have a big bust–up with sb (ανεπ.)

▷ **μου βγαίνει ο κώλος** to work one's arse (*Βρετ.*) (χυδ.) *ή* ass (*Αμερ.*) (χυδ.) off

▷ **στρώνω κώλο (να διαβάσω)** to get down to doing some studying

▷ **τα θέλει ο κώλος του** he's asking for it (ανεπ.)

▷ **του κώλου** crap (χυδ.)

κωλοτούμπα ΟΥΣ ΘΗΛ somersault

▷ **κάνω κωλοτούμπα** to fall arse (*Βρετ.*) *ή* ass (*Αμερ.*) over tit (χυδ.)

κωλοτρυπίδα (χυδ.) ΟΥΣ ΘΗΛ arsehole (*Βρετ.*) (χυδ.), asshole (*Αμερ.*) (χυδ.)

κωλότσεπη (ανεπ.) ΟΥΣ ΘΗΛ back *ή* hip pocket

κωλοφαρδία (ανεπ.) ΟΥΣ ΘΗΛ amazing luck

κωλόφαρδος, -η, -ο (ανεπ.) ΕΠΙΘ damn lucky (ανεπ.)

κωλοφωτιά (ανεπ.) ΟΥΣ ΘΗΛ firefly

κωλοχανείο (χυδ.) ΟΥΣ ΟΥΔ dump (ανεπ.)

κωλόχαρτο (χυδ.) ΟΥΣ ΟΥΔ **(α)** (= *χαρτί υγείας*) toilet paper **(β)** (= *έγγραφο χωρίς αξία*) piece of shit (χυδ.)

κώλυμα ΟΥΣ ΟΥΔ obstacle

κωλυσιεργία ΟΥΣ ΘΗΛ obstruction

κωλυσιεργώ Ρ ΑΜ to cause an obstruction

κωλύω Ρ Μ (επίσ.: = *εμποδίζω*) to hinder, to hamper

▸ **κωλύομαι** ΜΕΣΟΠΑΘ to be unable to act

κωλώνω (οικ.) Ρ ΑΜ to balk

κώμα ΟΥΣ ΟΥΔ coma

▷ **πέφτω/βυθίζομαι/βρίσκομαι σε κώμα** to fall into/sink into/be in a coma

κωματώδης, -ης, -ες ΕΠΙΘ (*κατάσταση*) comatose

κώμη (επίσ.) ΟΥΣ ΘΗΛ market town

κωμικός, -ή, -ό ΕΠΙΘ **(α)** (*ηθοποιός, ταλέντο,*

ρόλος) comic **(β)** (*γκριμάτσα, κατάσταση, ταινία*) funny **(γ)** (*αρνητ.*: *διακωλογία, επιχείρημα, ισχυρισμός*) ridiculous · (*δημοσίευμα*) laughable

▸ **κωμικός** ΟΥΣ ΑΡΣΘΗΛ (*ηθοποιός*) comic actor/ actress · (= *γελωτοποιός*) comedian

▸ **κωμικό** ΟΥΣ ΟΥΔ: **το κωμικό της υπόθεσης είναι ότι...** the funny thing is that...

κωμικοτραγικός, -ή, -ό ΕΠΙΘ (*κατάσταση, ιστορία, σκηνή*) tragicomic

κωμόπολη ΟΥΣ ΘΗΛ market town

κωμωδία ΟΥΣ ΘΗΛ **(α)** (ΤΕΧΝ) comedy **(β)** (*μτφ.*: *για κατάσταση ή γεγονός*) farce

▷ **παίζω κωμωδία** to put on an act

κωμωδιογράφος ΟΥΣ ΑΡΣΘΗΛ comedy writer

κώνειο ΟΥΣ ΟΥΔ (= *φυτό και δηλητήριο*) hemlock

κωνικός, -ή, -ό ΕΠΙΘ conical

κώνος ΟΥΣ ΑΡΣ cone

κωνοφόρο ΟΥΣ ΟΥΔ conifer

κωνσταντινάτο ΟΥΣ ΟΥΔ gold coin

Κωνσταντινούπολη ΟΥΣ ΘΗΛ Istanbul

κωπηλασία ΟΥΣ ΘΗΛ rowing

κωπηλάτης ΟΥΣ ΑΡΣ **(α)** (= *χειριστής κουπιών*) oarsman

> *Προσοχή!: Ο πληθυντικός του* **oarsman** *είναι* **oarsmen**.

(β) (*αθλητής*) rower

κωπηλατικός, -ή, -ό ΕΠΙΘ (*αγώνες, όμιλος*) rowing

κωπηλάτισσα ΟΥΣ ΘΗΛ *βλ.* **κωπηλάτης**

κωπηλατώ Ρ ΑΜ to row

κωσταντινάτο ΟΥΣ ΟΥΔ = **κωνσταντινάτο**

κωφαλαλία ΟΥΣ ΘΗΛ deaf–muteness

κωφάλαλος, -η, -ο ΕΠΙΘ deaf–mute

κωφεύω Ρ ΑΜ (= *είμαι κουφός*) to be deaf

▷ **κωφεύω σε κτ** (*εκκλήσεις, διαμαρτυρίες, διαταγές*) to turn a deaf ear to sth, to be deaf to sth

κωφός, -ή, -ό ΕΠΙΘ = **κουφός**

κώφωση ΟΥΣ ΘΗΛ (ΙΑΤΡ) deafness

Λ λ

Λ, λ lamda, *eleventh letter of the Greek alphabet*
▷**λ´** 30
▷**͵λ** 30,000
λα ΟΥΣ ΟΥΔ ΑΚΛ A
λάβα ΟΥΣ ΘΗΛ lava
λαβαίνω Ρ Μ = **λαμβάνω**
λάβαρο ΟΥΣ ΟΥΔ (= *σημαία*) standard
λαβή ΟΥΣ ΘΗΛ (α) (*δοχείου, τσεκουριού, μπαστουνιού, μαχαιριού*) handle · (*όπλου*) stock · (*πιστολιού*) grip · (*σπαθιού*) hilt · (*αλετριού*) ploughstaff (*Βρετ.*), plowstaff (*Αμερ.*) (β) (ΑΘΛ) hold, lock
▷**δίνω λαβή για κτ** to give rise to *ή* cause for sth
λαβίδα ΟΥΣ ΘΗΛ (= *τσιμπίδα*) clip · (*χειρουργική*) forceps *πληθ.*, clamp · (*για τα κάρβουνα, για τον πάγο*) tongs *πληθ.* · (*για τα γραμματόσημα*) tweezers *πληθ.*
λάβρα ΟΥΣ ΘΗΛ sweltering heat
λαβράκι ΟΥΣ ΟΥΔ sea bass
▷**βγάζω λαβράκι** (*για δημοσιογράφο*) to get a scoop
λαβύρινθος ΟΥΣ ΑΡΣ (α) (ΜΥΘΟΛ) labyrinth (β) (*για κτήριο, χώρο*) maze, warren · (*γραφειοκρατίας*) maze · (*για υπόθεση*) tangled affair · (*σκέψεων, ονείρου*) intricacy (γ) (ΑΝΑΤ) cochlea
λαβωματιά ΟΥΣ ΘΗΛ wound
λαβωμένος, -η, -ο ΕΠΙΘ wounded
λαβώνω Ρ Μ to wound
λαγάνα ΟΥΣ ΘΗΛ sesame flatbread (*eaten traditionally on Good Friday*)
λαγήνι ΟΥΣ ΟΥΔ pitcher, jug
λαγκάδι ΟΥΣ ΟΥΔ, **λαγκαδιά** ΟΥΣ ΘΗΛ gorge, ravine
λαγνεία ΟΥΣ ΘΗΛ lust
λάγνος, -α, -ο ΕΠΙΘ (α) (*για άντρα*) lecherous · (*για γυναίκα*) lascivious (β) (*μάτια, φιλί, σκέψη*) lustful
λαγοκοιμάμαι Ρ ΑΜ ΑΠΟΘ to doze
λαγός ΟΥΣ ΑΡΣ hare
▷**βγάζω λαγό** to make a breakthrough
▷**γίνομαι λαγός** to take to one's heels, to hare off (*ανεπ.*)
▸**λαγός στυφάδο** jugged hare
λαγουδάκι ΟΥΣ ΟΥΔ (*υποκορ.*) leveret
λαγουδέρα ΟΥΣ ΘΗΛ tiller
λαγούμι ΟΥΣ ΟΥΔ (*ορυχείου*) tunnel · (*για αποχέτευση*) sewer

λαγούτο ΟΥΣ ΟΥΔ = **λαούτο**
λαγωνικό ΟΥΣ ΟΥΔ (α) (= *κυνηγετικός σκύλος*) tracker dog (β) (*για αστυνομικό*) sleuth (*ανεπ.*), bloodhound (*ανεπ.*)
λαδάς ΟΥΣ ΑΡΣ (= *λαδέμπορος*) oil merchant · (= *ελαιοπαραγωγός*) oil producer
λαδέμπορος ΟΥΣ ΑΡΣ oil merchant
λαδερό ΟΥΣ ΟΥΔ (α) (*επιτραπέζιο*) cruet (*of olive oil*) (β) (= *λαδωτήρι*) oilcan
λαδερός, -ή, -ό ΕΠΙΘ (= *ελαιώδης*) oily
▸**λαδερά** ΟΥΣ ΟΥΔ ΠΛΗΘ oily foods
λαδής, -ιά, -ί ΕΠΙΘ olive–coloured (*Βρετ.*), olive–colored (*Αμερ.*)
▸**λαδί** ΟΥΣ ΟΥΔ olive (green)
λάδι ΟΥΣ ΟΥΔ (α) (*ελιάς*) olive oil (β) (*ως λιπαντικό, αντηλιακό*) oil (γ) (ΤΕΧΝ) oil painting
▷**βάζω λάδι σε κπν** (= *αλείφω με αντηλιακό*) to rub oil on sb · (= *βαπτίζω*) to be godfather to sb
▷**βγάζω το λάδι κποιου** (*ανεπ.*) to put sb through it (*ανεπ.*)
▷**βγαίνω λάδι** to clear one's name
▷**η θάλασσα είναι λάδι** the sea is dead calm *ή* like a millpond
▷**μου βγαίνει το λάδι** to have a hard time
▷**ρίχνω λάδι στη φωτιά** (*μτφ.*) to stir things up
▸**λάδι μαυρίσματος** suntan oil
▸**λάδι μηχανής** engine *ή* motor oil
λαδιά ΟΥΣ ΘΗΛ (α) (= *κηλίδα*) oil stain (β) (*ανεπ.*: = *εξαπάτηση*) dirty trick (γ) (*προφορ.*: = *παραγωγή λαδιού*) olive crop
λαδικό ΟΥΣ ΟΥΔ (α) (*επιτραπέζιο*) cruet (*of olive oil*) (β) (= *λαδωτήρι*) oilcan
λαδίλα ΟΥΣ ΘΗΛ (= *μυρωδιά*) smell of oil · (= *γεύση*) taste of oil
λαδόκολλα ΟΥΣ ΘΗΛ greaseproof paper
λαδολέμονο ΟΥΣ ΟΥΔ oil and lemon sauce
λαδομπογιά ΟΥΣ ΘΗΛ oil paint
λαδόξιδο ΟΥΣ ΟΥΔ vinaigrette
λαδορίγανη ΟΥΣ ΘΗΛ oil and oregano sauce
λαδοτύρι ΟΥΣ ΟΥΔ *type of full-fat cheese made especially in the Greek islands*
λαδόχαρτο ΟΥΣ ΟΥΔ greaseproof paper
λαδόψωμο ΟΥΣ ΟΥΔ olive–oil bread
λάδωμα ΟΥΣ ΟΥΔ (α) (*ταψιού*) oiling · (*κλειδαριάς, μηχανής*) oiling, lubricating (β) (*ποδιάς, ρούχου*) staining (γ) (*μτφ.*: =

δωροδοκία) bribery

λαδώνω ① ρ μ (α) (ταψί) to oil · (φύλλο μαγειρικής) to coat in oil (β) (φόρεμα, τραπεζομάντιλο) to stain with oil (γ) (μηχανή, μεντεσέ, κλειδαριά) to oil, to lubricate (δ) (= δωροδοκώ) to bribe (ε) (μωρό) to dab holy oil on · (= είμαι νονός) to be godfather to ② ρ αμ (μαλλιά) to become greasy

λαδωτήρι ουσ ουδ oilcan

λαζάνια ουσ ουδ πληθ lasagne εν.

λαθεύω ρ αμ to be wrong

λάθος ουσ ουδ (α) (= σφάλμα) mistake, error (β) (μαθ) error (γ) (καταχρ.: = λανθασμένος) wrong
▷ **αν δεν κάνω λάθος** if I'm not mistaken
▷ **είναι λάθος να κάνω κτ** it's wrong ή a mistake to do sth
▷ **είναι λάθος σου να πας** it's wrong of you to go
▷ **έχω λάθος** to be wrong ή mistaken
▷ **κάνω λάθος** to make a mistake
▷ **κατά λάθος** by mistake
▷ **λάθος!** wrong! · (σε τηλεφωνική συνδιάλεξη) wrong number!
▷ **πρόκειται για λάθος πρόσωπο** it's a case of mistaken identity
▸ **ορθογραφικό λάθος** spelling mistake

λαθραίος, -αία, -αίο επιθ (α) (εισαγωγή, ψάρεμα, ανασκαφή, μετανάστευση) illegal (β) (τσιγάρα, ποτά) contraband, smuggled · (όπλα) smuggled
▸ **λαθραίο κυνήγι** poaching
▸ **λαθραία** ουσ ουδ πληθ contraband εν.

λαθραλιεία ουσ θηλ illegal fishing

λαθραναγνώστης ουσ αρσ person who surreptitiously reads somebody else's paper or book, shoulder surfer (ανεπ.)

λαθραναγνώστρια ουσ θηλ βλ. **λαθραναγνώστης**

λαθρεμπόριο ουσ ουδ, **λαθρεμπορία** ουσ θηλ (επίσ.: ναρκωτικών, ζώων, τσιγάρων, ποτών) smuggling · (όπλων) gunrunning

λαθρέμπορος ουσ αρσ (ναρκωτικών, τσιγάρων, ποτών) smuggler · (όπλων) gunrunner

λαθρεπιβάτης ουσ αρσ stowaway

λαθρεπιβάτισσα ουσ θηλ βλ. **λαθρεπιβάτης**

λαθροθηρία ουσ θηλ (επίσ.) poaching

λαθρομετανάστευση ουσ θηλ illegal immigration

λαθρομετανάστης ουσ αρσ illegal immigrant

λαθρομετανάστρια ουσ θηλ βλ. **λαθρομετανάστης**

λάιβ επιθ ακλ live

λαΐδη ουσ θηλ lady

λαϊκός, -ή, -ό επιθ (α) (κίνημα, εξέγερση, αίτημα, φρόνημα, δυσαρέσκεια) popular · (παράδοση, έθιμα, χοροί, θέατρο) folk (β) (τάξεις) working, lower · (γειτονιά, βάση, άνθρωπος) working–class (γ) (= που δεν έχει

ιδιαίτερη μόρφωση: άνθρωπος, τύπος) common, vulgar (δ) (στρατός, επανάσταση) people's (ε) (μειωτ.: ντύσιμο) cheap, vulgar · (τηλεοπτικές σειρές, αναγνώσματα) vulgar
▸ **λαϊκή γλώσσα** vernacular
▸ **λαϊκή τέχνη** Greek folk art
▸ **λαϊκή μουσική** folk music
▸ **λαϊκό τραγούδι** folksong
▸ **λαϊκά** ουσ ουδ πληθ folk music εν., folksongs
▸ **λαϊκή** ουσ θηλ (επίσης **λαϊκή αγορά**) street market
▸ **λαϊκός** ουσ αρσ layman

> *Προσοχή!: Ο πληθυντικός του* **layman** *είναι* **laymen**.

λαϊκούρα ουσ θηλ (μειωτ.: για πρόσ.) boor, bumpkin

λαίλαπα ουσ θηλ (επίσ.) (α) squall · (= καταιγίδα) storm · (= τυφώνας) tornado

> *Προσοχή!: Ο πληθυντικός του* **tornado** *είναι* **tornadoes**.

(β) (μτφ.: πολέμου) scourge

λαιμά ουσ ουδ πληθ throat εν.
▷ **έχω ή πονάνε τα λαιμά μου** to have a sore throat · βλ. κ. **λαιμός**

λαίμαργα επιρρ greedily

λαιμαργία ουσ θηλ (α) (για φαγητό) greed, gluttony (β) (μτφ.: για χρήμα) greed · (για φήμη, δόξα, εξουσία) hunger

λαίμαργος, -η, -ο επιθ (α) (= αχόρταγος) greedy, gluttonous (β) (μτφ.: για χρήμα) greedy · (για δόξα, εξουσία, κακές ειδήσεις) hungry

λαιμητόμος ουσ αρσ (παλαιότ.) guillotine

λαιμόκοψη ουσ θηλ (φορέματος, μπλούζας) neckline fitting closely around the neck · (πουλόβερ) turtleneck (Βρετ.), mock turtleneck (Αμερ.)

λαιμός ουσ αρσ (α) (ανατ) neck · (= εσωτερικό μέρος) throat (β) (φορέματος) neck(line) · (πουκάμισου, μπλούζας) collar (γ) (μπουκαλιού, ανθοδοχείου) neck
▷ **βάζω το μαχαίρι στον λαιμό κποιου** to put a knife to sb's throat
▷ **βγάζω τον λαιμό μου να φωνάζω** to shout oneself hoarse
▷ **είμαι (πνιγμένος ή βουτηγμένος) ως τον λαιμό σε/από κτ** to be up to one's neck in sth
▷ **κλείνει ο λαιμός μου** to lose one's voice
▷ **με φέρνει κπς ως τον λαιμό** to have had it up to here with sb
▷ **μου κάθεται στον λαιμό** (ανεπ.: για πρόσ.) he gets on my nerves · (για κατάσταση) it sticks in my throat
▷ **παίρνω κπν στον λαιμό μου** to take responsibility for sb

λάιτ επιθ ακλ light, lite

λάιφ-στάιλ ουσ ουδ ακλ lifestyle

λακ ουσ θηλ ακλ hairspray

λακέρδα ΟΥΣ ΘΗΛ salted tuna

λακές ΟΥΣ ΑΡΣ (α) (= *υπηρέτης*) footman

> *Προσοχή!: Ο πληθυντικός του* **footman** *είναι* **footmen**.

(β) (*μτφ.*) lackey

λακίζω, λακάω Ρ ΑΜ (= *το βάζω στα πόδια*) to leg it (*ανεπ.*), to take to one's heels

λακκάκι ΟΥΣ ΟΥΔ dimple

λάκκος ΟΥΣ ΑΡΣ (α) (= *λακκούβα*) hole · (*στο δρόμο*) pothole (β) (*αργνητ.*: = *τάφος*) grave
> **όποιος σκάβει τον λάκκο του άλλου, πέφτει ο ίδιος μέσα** (*παροιμ.*) ≈ to be hoist by one's own petard
> **σκάβω τον λάκκο κποιου** to stab sb in the back, to do the dirty on sb (*ανεπ.*)

λακκούβα ΟΥΣ ΘΗΛ pothole · (*με νερό*) puddle

λακτίζω Ρ Μ (*επίσ.*) to kick

λάκτισμα ΟΥΣ ΟΥΔ (*επίσ.*) kick
▸ **εναρκτήριο λάκτισμα** kick–off

λακωνίζω Ρ ΑΜ: **το λακωνίζειν εστί φιλοσοφείν** brevity is the soul of wit

λακωνικός, -ή, -ό ΕΠΙΘ (α) (*πόλεμοι, έθιμα*) Laconian (β) (*δήλωση, ύφος, ρήση, πρόσωπο*) terse, laconic

λακωνικότητα ΟΥΣ ΘΗΛ terseness

λακωνισμός ΟΥΣ ΑΡΣ pithy saying

λαλαγγίτα, λαλαγγίδα ΟΥΣ ΘΗΛ pancake

λάλημα ΟΥΣ ΟΥΔ (α) (*πουλιού*) singing · (*κόκορα*) crow · (*φλογέρας*) melody (β) (*ανεπ.*: = *τρέλα*) craziness, madness

λαλιά ΟΥΣ ΘΗΛ (α) (*ανεπ.*: για *πρόσ.*) voice, speech (β) (*για πουλιά*) singing, (bird)song
> **μου κόβεται η λαλιά** to be struck dumb, to be left speechless

λαλίστατος, -η, -ο ΕΠΙΘ talkative, garrulous

λαλώ Ρ ΑΜ (α) (*άνθρωπος*) to speak, to talk (β) (*πετεινός*) to crow · (*πουλί*) to sing · (*μουσικό όργανο*) to play · (*ανεπ.*: από *χαρά*) to go mad
> **λαλώ από την κούραση** I'm dead on my feet
> **λαλώ από τη ζέστη** the heat is driving me crazy
> **λαλώ από το ποτό** the drink has gone to his head

λάμα¹ ΟΥΣ ΘΗΛ (α) (= *μεταλλικό έλασμα*) thin steel plate (β) (= *λεπίδα*) blade

λάμα² ΟΥΣ ΟΥΔ ΑΚΛ llama

λαμαρίνα ΟΥΣ ΘΗΛ (α) (*αυτοκινήτου*) bodywork (β) (*φούρνου*) large baking tin

λαμβάνω Ρ Μ (*επίσ.*) (α) (*επίδομα, δώρο, γράμμα, μήνυμα*) to get, to receive · (*ειδήσεις, νέα*) to get · (*διαταγή*) to receive (β) (*απόφαση*) to take, to make · (*πρόνοια*) to make (γ) (= *προσλαμβάνω: διαστάσεις*) to reach, to take on · (*μορφή*) to take on
> **λάβετε θέσεις!** (*σε αγώνες*) on your marks!
> **λαμβάνω απρόσμενη τροπή** to take an unexpected turn
> **λαμβάνω γνώση** to find out

> **λαμβάνω δυσάρεστη τροπή** to turn nasty
> **λαμβάνω μέρος (σε κτ)** (*σε εκλογές*) to stand (*Βρετ.*) ή run (*Αμερ.*) (in sth), to take part (in sth) · (*σε διαγωνισμό, αγώνες*) to compete (in sth)
> **λαμβάνω μέτρα** to take steps
> **λαμβάνω την τιμή (να κάνω)** to have the honour (*Βρετ.*) ή honor (*Αμερ.*) (of doing)
> **λαμβάνω το θάρρος να** may I be so bold as to
> **λαμβάνω τον λόγο** to speak, to take the floor
> **λαμβάνω υπ' όψιν** ή **υπόψη (μου)** to take into account ή consideration
> **λαμβάνω χώρα** to take place

λάμδα, λάμβδα ΟΥΣ ΟΥΔ ΑΚΛ lamda, *eleventh letter of the Greek alphabet*

λαμέ ΟΥΣ ΟΥΔ ΑΚΛ lamé

λάμια ΟΥΣ ΘΗΛ (α) (ΜΥΘΟΛ) ghoul (β) (*μτφ.*: για *γυναίκα*) shrew

λαμόγιο ΟΥΣ ΟΥΔ (*αργνητ., ανεπ.*) cheat
> **την κάνω λαμόγια** to do a vanishing trick

λάμπα ΟΥΣ ΘΗΛ lamp · (= *γλόμπος*) bulb
> **με το φως της λάμπας** by lamplight
▸ **λάμπα δαπέδου** floor lamp
▸ **λάμπα θυέλλης** hurricane lamp, storm lantern
▸ **λάμπα πετρελαίου** paraffin lamp

λαμπάδα ΟΥΣ ΘΗΛ candle
> **είμαι λαμπάδα** to have an upright posture

λαμπαδηδρομία ΟΥΣ ΘΗΛ Olympic torch relay

λαμπαδηφορία ΟΥΣ ΘΗΛ torchlight procession

λαμπαδιάζω Ρ ΑΜ to go up in ή burst into flames

λαμπάκι ΟΥΣ ΟΥΔ (= *μικρή λάμπα*) (warning) light
> **μου ανάβουν τα λαμπάκια** (*αργκ.*) to lose it (*ανεπ.*), to lose one's rag (*Βρετ.*) (*ανεπ.*)

λαμπατέρ ΟΥΣ ΟΥΔ ΑΚΛ standard lamp

λαμπερός, -ή, -ό ΕΠΙΘ (*χρυσάφι, μάτια, πρόσωπο, βλέμμα*) shining · (*φως*) brilliant, bright

λαμπίκο ΕΠΙΡΡ (*ανεπ.*) spotlessly clean

λαμπιόνι ΟΥΣ ΟΥΔ lamp

λαμπόγυαλο ΟΥΣ ΟΥΔ lamp chimney
> **τα κάνω λαμπόγυαλο** to turn everything upside down

λαμποκοπώ Ρ ΑΜ (α) (*ήλιος, αστέρι, θάλασσα*) to sparkle, to glisten · (*χρυσάφι, ασήμι, μαργαριτάρι*) to glitter, to glint · (*πρόσωπο*) to glow · (*μάτια*) to gleam (β) (*σπίτι, μπουγάδα*) to be spotlessly clean

Λαμπρή ΟΥΣ ΘΗΛ Easter

λαμπριάτικος, -η, -ο ΕΠΙΘ (*ρούχα, γλέντι*) Easter

λαμπρός, -ή, -ό ΕΠΙΘ (α) (*ήλιος*) bright (β) (*μτφ.*: *βλέμμα, μάτια*) bright, shining (γ) (*μτφ.*: *επιστήμονας, μαθητής*) brilliant · (*νίκη*) dazzling · (*πολιτισμός, φήμη*) glorious (δ) (*μτφ.*: = *επίσημος*: *δεξίωση, τελετή, γιορτή*) resplendent, sumptuous

Λ

λαμπρότητα ΟΥΣ ΘΗΛ (α) (φωτός, χρυσού, αστεριού) brightness (β) (μτφ.: τελετής, γιορτής, ανακτόρων) grandeur

λαμπρύνω Ρ Μ (α) (δωμάτιο, χώρο) to light up (β) (μτφ.: εκδήλωση, γιορτή) to grace with one's presence · (όνομα) to bring honour (Βρετ.) ή honor (Αμερ.) to

λαμπτήρας ΟΥΣ ΑΡΣ electric lamp

λαμπυρίζω Ρ ΑΜ (ήλιος, δάκρυ) to shimmer · (αστέρι, μάτια) to twinkle · (πρόσωπο) to glow

λάμπω Ρ ΑΜ (α) (κυριολ., μτφ.) to shine, to be aglow (β) (σπίτι, δωμάτιο) to be spotlessly clean (γ) (επιστήμονας, καλλιτέχνης, πόλη) to excel
▷**λάμπω από καθαριότητα** to be spotlessly clean
▷**λάμπω από χαρά** ή **ευτυχία** to be radiant with joy
▷**ό, τι λάμπει δεν είναι χρυσός** all that glitters is not gold (παροιμ.)

λάμψη ΟΥΣ ΘΗΛ (α) (φωτιάς) shine · (εκτυφλωτική) glare · (απαλή) glow (β) (πετραδιού, βλέμματος) sparkle (γ) (= αστραπή) flash of lightning (δ) (μτφ.: χαράς) beam · (προσωπικότητας: ελπίδας) ray · (νίκης, πολιτισμού, ομορφιάς) splendour (Βρετ.), splendor (Αμερ.), glamour (Βρετ.), glamor (Αμερ.)
▷**λάμψη των αστεριών** starlight
▷**λαμψη του ήλιου** sunlight
▷**λαμψη του φεγγαριού** moonlight

λανθάνω Ρ ΑΜ (επίσ.) to be latent ή underlying

λανθάνων, -ουσα, -ον ΕΠΙΘ latent, underlying

λανθασμένος, -η, -ο ΕΠΙΘ wrong · (κινήσεις) false · (πολιτική) misguided

λανσάρω Ρ Μ (α) (προϊόν) to launch (β) (μόδα, καινοτομία) to start

λάντζα ΟΥΣ ΘΗΛ dishwashing

λάξευση ΟΥΣ ΘΗΛ (ξύλου) carving · (μαρμάρου) chiselling (Βρετ.), chiseling (Αμερ.)

λαξευτός, -ή, -ό ΕΠΙΘ (κυριολ., μτφ.) sculptured

λαξεύω Ρ Μ (α) (μάρμαρο) to sculpt · (ξύλο) to carve (β) (μτφ.: ύφος, λόγο) to polish

λαογραφία ΟΥΣ ΘΗΛ folklore

λαογραφικός, -ή, -ό ΕΠΙΘ folk

λαογράφος ΟΥΣ ΑΡΣ/ΘΗΛ folklorist

λαοθάλασσα ΟΥΣ ΘΗΛ vast crowd

λαοκρατία ΟΥΣ ΘΗΛ government by the people

λαοκρατικός, -ή, -ό ΕΠΙΘ (καθεστώς, δημοκρατία) people's, popular

λαοπλάνος ΟΥΣ ΑΡΣ demagogue (Βρετ.), demagog (Αμερ.)

λαοπρόβλητος, -η, -ο ΕΠΙΘ elected (by the people)

λαός ΟΥΣ ΑΡΣ (α) (= πολίτες) people (β) (= πληθυσμός) population (γ) (= λαϊκές

τάξεις) populace (δ) (= κόσμος) crowd (ε) (καταχρ.: = έθνος) people, race

λάου-λάου ΕΠΙΡΡ (= σιγά-σιγά) slowly
▷**το πάω λάου-λάου το πράγμα** ή **θέμα** to take things calmly

λαούτο ΟΥΣ ΟΥΔ lute

λαοφιλής, -ής, -ές ΕΠΙΘ popular

λαπάς ΟΥΣ ΑΡΣ (α) boiled rice (β) (υβρ.) wet blanket (ανεπ.)

Λάπωνας ΟΥΣ ΑΡΣ Lapp

Λαπωνία ΟΥΣ ΘΗΛ Lapland

λαρδί ΟΥΣ ΟΥΔ lard

λάρυγγας ΟΥΣ ΑΡΣ larynx

λαρύγγι ΟΥΣ ΟΥΔ (α) (ανεπ.: = λάρυγγας) throat (β) (μτφ.: = φωνή, τραγουδιστής) voice
▷**βρέχω** ή **δροσίζω το λαρύγγι μου** to wet one's whistle (ανεπ.)
▷**μου βγαίνει το λαρύγγι** to shout one's head off
▷**ξεραίνεται το λαρύγγι μου** my throat's dry
▷**στρίβω το λαρύγγι κποιου** to wring sb's neck

λαρυγγίτιδα ΟΥΣ ΘΗΛ laryngitis

λαρυγγολόγος ΟΥΣ ΑΡΣ/ΘΗΛ throat specialist

λάσκα ΕΠΙΡΡ loosely

λασκάρω ① Ρ Μ (βίδα, ελατήριο, ιμάντα) to loosen · (πανιά) to slacken
② Ρ ΑΜ (α) (δουλειά) to let up · (φόρτος) to ease (up) (β) (άνθρωπος) to relax
▷**λασκάρει η βίδα μου** to have a screw loose

λάσκος, -α, -ο ΕΠΙΘ slack
▷**αφήνω κτ λάσκο** ή **λάσκα** to let sth go slack
▷**αφήνω κπν λάσκο** ή **λάσκα** to ease up on sb

λάσο ΟΥΣ ΟΥΔ lasso

> *Προσοχή!: Ο πληθυντικός του* **lasso** *είναι* **lassos** *ή* **lassoes**.

λασπερός, -ή, -ό ΕΠΙΘ (δρόμος, χωράφι) muddy

λάσπη ΟΥΣ ΘΗΛ (α) (γενικότ.) mud (β) (= χαρμάνι) mortar (γ) (= ίζημα: ποταμού, λίμνης) silt · (βαρελιού) dregs πληθ. (δ) (για μακαρόνια, ρύζι, ψωμί) mush (ε) (μτφ.: = κατάπτωση) depression

λασπόλουτρο ΟΥΣ ΟΥΔ mud bath

λασπόνερο ΟΥΣ ΟΥΔ sludge, muddy water

λασπότοπος ΟΥΣ ΑΡΣ mud flat

λασπώδης, -ης, -ες ΕΠΙΘ (α) (τόπος, έδαφη) muddy (β) (άμμος, ζύμη) slimy

λασπωμένος, -η, -ο ΕΠΙΘ (α) (γήπεδο, παπούτσια, δρόμος, άνθρωπος) muddy (β) (μακαρόνια, ρύζι, φαγητό) soggy

λασπώνω ① Ρ Μ (ρούχα, παπούτσια) to get muddy
② Ρ ΑΜ (για φαγητό) to go soggy

λασπωτήρας ΟΥΣ ΑΡΣ mudguard (Βρετ.), splashguard (Αμερ.)

λαστιχάκι ΟΥΣ ΟΥΔ (α) (στα υδραυλικά) washer (β) (για μαλλιά, συγκράτηση αντικειμένων) elastic band

λαστιχένιος, -ια, -ιο ΕΠΙΘ (α) (*βάρκα, τόπι*) rubber (β) (*μτφ.: σώμα, κορμί, μέση*) supple

λάστιχο ΟΥΣ ΟΥΔ (α) (= *καουτσούκ*) rubber (β) (*αυτοκινήτου, ποδηλάτου*) tyre (*Βρετ.*), tire (*Αμερ.*) (γ) (*νερού, βενζίνης*) hose (δ) (*ρούχου, σεντονιού, κουρτίνας*) elasticated band
▷**με πιάνει** *ή* **μένω από** *ή* **παθαίνω λάστιχο** to have a flat tyre (*Βρετ.*) *ή* tire (*Αμερ.*) *ή* a puncture

λατέρνα ΟΥΣ ΘΗΛ barrel organ

Λατινικά ΟΥΣ ΟΥΔ ΠΛΗΘ (α) (*γλώσσα*) Latin (β) (*μάθημα*) Latin (lesson)

λατινικός, -ή, -ό ΕΠΙΘ (*ορολογία, γλώσσα*) Latin
▸**Λατινική Αμερική** Latin America
▸**λατινικός αριθμός** Roman numeral
▸**Λατινικά** ΟΥΣ ΟΥΔ ΠΛΗΘ, **Λατινική** ΟΥΣ ΘΗΛ Latin

λατομείο ΟΥΣ ΟΥΔ quarry

λατομία ΟΥΣ ΘΗΛ quarrying

λατόμος ΟΥΣ ΑΡΣ quarryman

Προσοχή!: Ο πληθυντικός του **quarryman** *είναι* **quarrymen.**

λατομώ Ρ ΑΜ to quarry

λάτρα ΟΥΣ ΘΗΛ cleaning, tidying up
▷**η λάτρα του σπιτιού** housework

λατρεία ΟΥΣ ΘΗΛ (α) (ΘΡΗΣΚ) worship (β) (*μτφ.*) adoration
▷**έχω λατρεία σε** κπν/κτ to adore sb/sth
▷**λατρεία μου!** my darling!

λατρευτικός, -ή, -ό ΕΠΙΘ (*τελετές, εκδηλώσεις, εικόνες*) devotional

λατρευτός, -ή, -ό ΕΠΙΘ (*παιδί, γονείς*) beloved

λατρεύω Ρ Μ (α) (ΘΡΗΣΚ) to worship (β) (*χρήμα, δόξα, δημοσιότητα, άνδρα, γυναίκα*) to adore · (*τραγουδιστή*) to worship, to love

λάτρης ΟΥΣ ΑΡΣ (α) (= *πιστός*) worshipper (β) (*μτφ.: ομορφιάς, μουσικής, γραμμάτων*) lover
▸**λάτρης του αθλητισμού** sports enthusiast

λάτρισσα ΟΥΣ ΘΗΛ *βλ.* **λάτρης**

λαυράκι ΟΥΣ ΟΥΔ = **λαβράκι**

λαφυραγώγηση, λαφυραγωγία ΟΥΣ ΘΗΛ looting, plundering

λαφυραγωγώ Ρ Μ to loot, to plunder

λάφυρο ΟΥΣ ΟΥΔ loot *χωρίς πληθ.*, booty *χωρίς πληθ.*

λαχαίνω Ρ Μ (*δυσκολίες, προβλήματα*) to come across
▷**άμα λάχει** if it turns out that way
▷**όπου λάχει** wherever
▷**όπως λάχει** somehow

λαχαναγορά ΟΥΣ ΘΗΛ vegetable market

λαχανάκι ΟΥΣ ΟΥΔ (*υποκορ.*) baby vegetable
▸**λαχανάκια Βρυξελλών** Brussels sprouts

λαχανής, -ιά, -ί ΕΠΙΘ (*πουκάμισο, φούστα*) light–green

λαχανί ΟΥΣ ΟΥΔ light green

λαχανιάζω Ρ ΑΜ to pant, to be out of breath

λαχάνιασμα ΟΥΣ ΟΥΔ (puffing and) panting, breathlessness

λαχανιασμένος, -η, -ο ΕΠΙΘ breathless

λαχανικό ΟΥΣ ΟΥΔ vegetable

λάχανο ΟΥΣ ΟΥΔ cabbage
▷**σιγά** *ή* **σπουδαία τα λάχανα!** (*ειρων.*) big deal!
▷**τρώω** κπν **λάχανο** (*αργκ.*) to kill sb, to do sb in (*ανεπ.*)

λαχανόκηπος ΟΥΣ ΑΡΣ vegetable *ή* kitchen (*Βρετ.*) garden

λαχανοντολμάδες ΟΥΣ ΑΡΣ ΠΛΗΘ stuffed cabbage leaves

λαχανόπιτα ΟΥΣ ΘΗΛ vegetable pie

λαχανόρυζο ΟΥΣ ΟΥΔ *dish made of rice and cabbage*

λαχείο ΟΥΣ ΟΥΔ (α) (= *τυχερό παιχνίδι*) lottery (β) (= *λαχνός*) lottery ticket (γ) (= *χρηματικό ποσό*) (lottery) prize (δ) (= *τυχαίο ευνοϊκό γεγονός*) godsend
▷**κερδίζω το λαχείο** to win the lottery
▷**την κάνω λαχείο** to hit the jackpot
▸**Εθνικό Λαχείο** National Lottery (*drawn once a fortnight*)
▸**Λαϊκό Λαχείο** National Lottery (*drawn once a week*)

λαχειοπώλης ΟΥΣ ΑΡΣ lottery–ticket seller

λαχειοπώλισσα ΟΥΣ ΘΗΛ *βλ.* **λαχειοπώλης**

λαχειοφόρος, -ος, -ο ΕΠΙΘ lottery
▸**λαχειοφόρος** ΟΥΣ ΘΗΛ (*επίσης* **λαχειοφόρος αγορά**) raffle

λαχνός ΟΥΣ ΑΡΣ (α) (= *κλήρος λαχείου*) lottery ticket (β) (= *αριθμός*) winning number · (= *κέρδος*) (lottery) prize

λαχτάρα ΟΥΣ ΘΗΛ (α) (= *πόθος*) longing (β) (= *ανυπομονησία*) longing · (= *δυνατή συγκίνηση*) scare (γ) (= *μεγάλος φόβος*) fright
▷**περιμένω με λαχτάρα (για)** κπν/κτ to wait impatiently for sb/sth

λαχταρίζω Ρ Μ/ΑΜ = **λαχταρώ**

λαχτάρισμα ΟΥΣ ΟΥΔ fright

λαχταριστός, -ή, -ό ΕΠΙΘ (*φαγητό, γλυκό*) tempting · (*άνδρας, γυναίκα*) desirable

λαχταρώ ① Ρ Μ (α) (= *ποθώ*) to lust after, to desire · (= *επιθυμώ πολύ*) to yearn for (β) (= *φοβίζω*) to scare, to give a fright ② Ρ ΑΜ (= *τρομάζω*) to get a fright
▷**λαχταρώ να κάνω** κτ to yearn to do sth

λέαινα ΟΥΣ ΘΗΛ (*επίσ.*) lioness

λεβάντα ΟΥΣ ΘΗΛ lavender

λεβάντες ΟΥΣ ΑΡΣ east wind, Levanter

λεβέντης ΟΥΣ ΑΡΣ (= *παλικάρι*) dashing young man

λεβεντιά ΟΥΣ ΘΗΛ (α) (= *παλικαριά*) bravery · (= *αρρενωπό παράστημα*) manliness (β) (= *λεβέντης*) dashing young man

λεβέντικος, -η, -ο ΕΠΙΘ (*κορμοστασιά*) powerful, strapping

▸**λεβέντικα τραγούδια** *songs praising the bravery of an individual or group of people*

λεβέντισσα ΟΥΣ ΘΗΛ *βλ.* **λεβέντης**

λεβεντόπαιδο ΟΥΣ ΟΥΔ dashing young man

λέβητας ΟΥΣ ΑΡΣ boiler

λεβητοστάσιο ΟΥΣ ΟΥΔ boiler room

λεβιές ΟΥΣ ΑΡΣ lever

▸**λεβιές ταχυτήτων** gear lever *ή* stick (*Βρετ.*), gearshift (*Αμερ.*)

λεγάμενος, -η, -ο ΕΠΙΘ (*ειρων*.: = *αυτός που αποφεύγουμε να ονομάσουμε*) you–know–who, thingummy

▸**λεγάμενος** ΟΥΣ ΑΡΣ, **λεγάμενη** ΟΥΣ ΘΗΛ lover

λέγειν ΟΥΣ ΟΥΔ ΑΚΛ (*επία*.: = *ευφράδεια*) eloquence

▸**έχω λέγειν** to have a way with words
▸**τρόπος του λέγειν** so to speak

λεγεώνα ΟΥΣ ΘΗΛ legion

λεγεωνάριος ΟΥΣ ΑΡΣ legionnaire

λεγόμενος, -η, -ο ΕΠΙΘ so–called

▸**λεγόμενα, λεχθέντα** ΟΥΣ ΟΥΔ ΠΛΗΘ: **τα λεγόμενα κποιου** what sb says
▸**κατά τα λεγόμενά σας** according to you, from what you say

λέγω Ρ Μ (α) (*καλημέρα, καληνύχτα*) to say (β) (*ιστορία, ανέκδοτο, αλήθεια*) to tell (γ) (= *συζητώ*) to talk about (δ) (= *ισχυρίζομαι*) to say (ε) (= *απαγέλλω: ποίημα, μάθημα*) to recite (στ) (= *σημαίνω*) to mean (ζ) (= *μνημονεύω: για κείμενο, νόμο*) to say (*για συγγραφέα*) to mention, to say (η) (= *αξίζω: για ταινία, βιβλίο*) to be good (θ) (= *ρωτώ*) to ask (ι) (= *απαντώ*) to say (ια) (= *υποδεικνύω*) to show (ιβ) (= *παρακαλώ*) to ask (ιγ) (= *αποκαλώ*) to call (ιδ) (*για ρολόι*: = *δείχνω την ώρα*) to say

▸**ας πούμε** (= *ας υποθέσουμε*) let's say · (= *για παράδειγμα*) for example
▸**αυτός ο πίνακας λες και είναι ζωντανός** that painting looks as if it is alive
▸**δεν λέει να σταματήσει η βροχή** it doesn't look like the rain is going to stop
▸**δεν μου λέει τίποτε** it doesn't ring a bell
▸**δεν ξέρω τι να πω!** I don't know what to say!
▸**είπες τίποτα;** did you say anything?
▸**εσύ τι λες;** what do you think?
▸**η τηλεόραση/το ραδιόφωνο είπε ότι** it said on the TV/radio that
▸**θα τα πούμε!** (*αποχαιρετισμός*) see you later!
▸**θέλω να πω ότι ...** I mean to say that ...
▸**λένε πως** *ή* **ότι ...** they *ή* people say that ...
▸**λες/λέτε να ...;** (*για έντονη απορία*) do you (really) think (that) ...?
▸**λέω κτ για κπν/κτ** (= *νομίζω*) to think sth about sb/sth
▸**λέω για κτ** (= *αναφέρομαι*) to talk about sth
▸**λέω να κάνω κτ** to be thinking of doing sth
▸**λέω σε κπν κτ/να κάνει κτ** to tell sb sth/to do sth
▸**λέει τίποτα αυτή η ταινία;** is the film any good?

▸**με λένε Γιώργο** my name is Giorgos, I'm called Giorgos
▸**μου είπαν να μη φύγω** I was told not to leave
▸**ο ... πώς τον είπαμε;** (*οικ.*) whatshisname? (*προφορ.*)
▸**όπως λένε** as they say
▸**πώς είπατε;** I beg your pardon?
▸**σου λέει τίποτε;** does it remind you of anything?, does it ring a bell?
▸**τα λέμε!** (*οικ.*) see you!
▸**τι είπες;** what did you say?
▸**τι θα πει αυτό;** what does that mean?
▸**τι θα έλεγες/λες για κανένα ποτό/σινεμά;** how would you like a drink/going to see a film?, do you fancy a drink/going to see a film? (*Β*)
▸**τι λένε σήμερα οι εφημερίδες;** what do the papers say today?
▸**τι λες!** (*για έκπληξη*) really? · (*ειρων*.) oh, really?, is that so?
▸**του είπα ότι ...** I told him that ...
▸**λέγομαι** ΜΕΣΟΠΑΘ my name is, I'm called
▸**αυτό** *ή* **το σωστό να λέγεται!** you can say that again!
▸**λέγεται** *ή* **λέγονται ότι ...** rumour (*Β*) *ή* rumor () has it that ..., they say that ...
▸**πώς λέγεστε;** what's your name?, what are you called?
▸**το πόσο μου λείπεις, δεν λέγεται!** I miss you more than words can say!

λεζάντα ΟΥΣ ΘΗΛ caption

λεηλασία, λεηλάτηση ΟΥΣ ΘΗΛ (α) (*γενικότ*.) looting · (*για στρατό*) pillaging (β) (*μτφ*.: *δημοσίου χρήματος, δημοσίων ταμείων*) plundering (γ) (*μτφ*.: = *συγγραφέων*) plagiarizing

λεηλατώ Ρ Μ (α) (*αναρχικοί*) to loot · (*στρατιώτες*) to pillage (β) (*κλέφτης, ληστής*) to burgle (γ) (*μτφ*.: *φύση, φυσικές πηγές*) to plunder (δ) (*μτφ*.: *συγγραφείς*) to plagiarize

λεία ΟΥΣ ΘΗΛ (α) (= *λάφυρα*) booty *χωρίς πληθ*. (β) (= *προϊόν κλοπής* *ή* *ληστείας*) loot *χωρίς πληθ*. (γ) (= *θήραμα*) prey

▸**εύκολη λεία** easy prey

λειαίνω Ρ Μ to smooth

λείανση ΟΥΣ ΘΗΛ smoothing

λέιζερ ΟΥΣ ΟΥΔ ΑΚΛ laser

λείος, -α, -ο ΕΠΙΘ (= *ομαλός στην αφή*) smooth · (= *γυαλιστερός*) sleek

λείπω Ρ ΑΜ (α) (= *απουσιάζω*) not to be there · (*για μαθητή, φοιτητή*) to be absent · (*σε δουλειά, διακοπές*) to be away (β) (*για πράγματα*) to be missing

▸**αυτά να σου λείπουν!** forget about it!
▸**αυτό μας έλειπε (τώρα)!** that's all we needed!
▸**δεν λείπουν ποτέ οι καβγάδες από το σπίτι** there are always arguments at home
▸**δεν μας λείπει τίποτε** we don't want for anything
▸**λείπω για δουλειές** to be away on business
▸**λίγο έλειψε να με απολύσουν** they nearly *ή*

almost fired me
▷**μου λείπει κπς** (= *νοσταλγώ*) to miss sb
▷**μου λείπει κτ** (= *επιθυμώ*) to miss sth ·
(= *υπολείπομαι*) to need sth, to be short of
sth

λειρί ΟΥΣ ΟΥΔ (*κόκορα*) comb · (*πτηνών*) crest

λειτούργημα ΟΥΣ ΟΥΔ (α) (= *δημόσια
κοινωφελής υπηρεσία*) public service
(β) (= *υπηρεσία λειτουργού του δημοσίου*)
functions *πληθ.*, duties *πληθ.*

λειτουργία ΟΥΣ ΘΗΛ (α) (= *μηχανής, συσκευής*)
operation, running (β) (*υπηρεσίας,
επιχείρησης, θεσμού, κράτους*) running
(γ) (= *τρόπος κίνησης: μηχανής*) start ·
(*συστήματος*) bringing into operation
(δ) (*καρδιάς, πνευμόνων*) function
(ε) (= *σκοπός, προορισμός: εργαλείου,
κατασκευής, συλλόγου, οργανισμού*) function
(στ) (ΘΡΗΣΚ: *επίσης* **Θεία Λειτουργία**) service
▷**εκτός λειτουργίας** out of order
▷**θέτω σε λειτουργία** (*μηχανή*) to start (up) ·
(*σύστημα*) to bring into operation

λειτουργικός, -ή, -ό ΕΠΙΘ (α) (*ανάγκες,
προβλήματα*) operational · (*κέρδη*) operating ·
(*δαπάνες, κόστος επιχείρησης*) running,
operating (β) (*χώρος, δωμάτιο, σπίτι, έπιπλο*)
functional, utilitarian (γ) (= *σχετικός με
ψυχοσωματικές λειτουργίες: διαταραχή,
ανάγκη*) functional · (*ανάγκη*) bodily
▸**λειτουργικό σύστημα** (ΠΛΗΡΟΦ) operating
system

λειτουργικότητα ΟΥΣ ΘΗΛ (*μηχανής,
συστήματος, γλώσσας*) efficiency · (ΑΡΧΙΤ)
functionalism

λειτουργός ΟΥΣ ΑΡΣΘΗΛ (= *δημόσιος
υπάλληλος*) public official
▸**δικαστικός λειτουργός** judge
▸**εκπαιδευτικός λειτουργός** teacher
▸**κοινωνικός λειτουργός** social worker

λειτουργώ Ρ ΑΜ (α) (*μηχανή, συσκευή,
ασανσέρ, καλοριφέρ*) to work (β) (= *υπηρετώ
τον σκοπό μου: υπηρεσία, ίδρυμα, τμήμα*) to
work (γ) (*εστιατόριο, κινηματογράφος,
κατάστημα*) to be open (δ) (*για άνθρωπο*: =
ενεργώ ή αντιδρώ σε ερέθισμα) to act ·
(= *ενεργώ φυσιολογικά*) to function
(ε) (*εγκέφαλος, καρδιά*) to function
(στ) (*ιερέας*) to officiate
▷**δεν λειτουργεί** (*σε επιγραφές*) out of order
▷**λειτουργώ καλά** (*μηχανή, υπηρεσία*) to be
running smoothly · (*σύστημα*) to work well
▷**λειτουργώ ως** to act as
▷**λειτουργώ αποτρεπτικά** to act as a
deterrent
▷**λειτουργώ θετικά** to have a positive effect
▸**λειτουργούμαι, λειτουργιέμαι** ΜΕΣΟΠΑΘ
(= *εκκλησιάζομαι*) to go to church/Mass

λειχήνα ΟΥΣ ΘΗΛ (α) (= *μύκητας*) lichen
(β) (ΙΑΤΡ) herpes

λειχήνας ΟΥΣ ΑΡΣ = **λειχήνα**

λειχούδης, -α, -ικο ΕΠΙΘ greedy

λειχουδιά ΟΥΣ ΘΗΛ delicacy

λείψανο ΟΥΣ ΟΥΔ (α) (= *σορός*) corpse,
remains *πληθ.* (β) (= *πολιτισμών*) relic ·
(= *αρχαίου ναού*) remains *πληθ.* (γ) (*μτφ.*: =
ισχνός) skeleton (δ) (= *σώμα αγίου*) relic

λειψός, -ή, -ό ΕΠΙΘ (α) (*γνώσεις*) scanty,
poor · (*μερίδα*) tiny · (*βάρος*) short
(β) (*σωματικά*) underdeveloped ·
(*πνευματικά*) feeble–minded

λειψυδρία ΟΥΣ ΘΗΛ water shortage, drought

λειώνω Ρ Μ/ΑΜ = **λιώνω**

λεκάνη ΟΥΣ ΘΗΛ (α) (*σκεύος*) bowl
(β) (*αποχωρητηρίου*) bowl (γ) (= *πεδιάδα*)
basin (δ) (ΑΝΑΤ) pelvis

λεκανοπέδιο ΟΥΣ ΟΥΔ basin
▸**Λεκανοπέδιο** ΟΥΣ ΟΥΔ Attic basin

λεκές ΟΥΣ ΑΡΣ stain

λεκιάζω 1 Ρ Μ (α) (*παντελόνι, πουκάμισο*) to
stain (β) (*μτφ.*: *τιμή, υπόληψη*) to tarnish, to
stain (*επίσ.*)
2 Ρ ΑΜ (α) (*ρούχο*) to be stained (β) (*υγρό,
κρασί*) to (leave a) stain (γ) (*για υφάσματα*)
to stain

λεκιθίνη ΟΥΣ ΘΗΛ lecithin

λέκιθος ΟΥΣ ΘΗΛ yolk

λεκτικός, -ή, -ό ΕΠΙΘ (ΓΛΩΣΣ: *σφάλμα,
στοιχεία, επικοινωνία*) verbal · (*επιλογή*) of
words
▸**λεκτική διατύπωση** wording, phrasing
▸**λεκτικά ρήματα** speech verbs

λέκτορας ΟΥΣ ΑΡΣ lecturer

λελέκι ΟΥΣ ΟΥΔ, **λέλεκας** ΟΥΣ ΑΡΣ
(α) (= *πελαργός*) stork (β) (*μτφ.*) beanpole
(*ανεπ.*), lanky person

λέμβος ΟΥΣ ΘΗΛ (*επίσ.*: ΝΑΥΤ) boat
▸**σωσίβια ή ναυαγοσωστική λέμβος** (*κυριολ.*)
lifeboat · (*μτφ.*) lifeline

λεμονάδα ΟΥΣ ΘΗΛ lemonade

λεμονής, -ιά, -ί ΕΠΙΘ lemon–yellow
▸**λεμονί** ΟΥΣ ΟΥΔ lemon yellow

λεμόνι ΟΥΣ ΟΥΔ lemon

λεμονιά ΟΥΣ ΘΗΛ lemon tree

λεμονίτα ΟΥΣ ΘΗΛ lemonade

λεμονοδάσος, λεμονόδασος ΟΥΣ ΟΥΔ
lemon grove

λεμονόκουπα ΟΥΣ ΟΥΔ lemon rind
▷**παίρνω κπν με τις λεμονόκουπες** to boo sb
▷**στύβω κπν σαν λεμονόκουπα, πετάω κπν
σαν στυμμένη λεμονόκουπα** to drop sb cold

λεμονοστύφτης, λεμονοστίφτης ΟΥΣ ΑΡΣ
lemon squeezer

λεμονόφλουδα ΟΥΣ ΘΗΛ lemon peel

λεμφαδένας ΟΥΣ ΑΡΣ lymph gland

λεμφοκύτταρο ΟΥΣ ΟΥΔ lymph cell

λέξη ΟΥΣ ΘΗΛ word
▷**δεν βγάζω λέξη** (= *σιωπώ*) not to say *ή*
breathe a word · (*για κείμενο*) I can't
understand a word
▷**δεν του παίρνεις λέξη** (*απ' το στόμα*) you
can't get a word out of him
▷**κατά λέξη** *ή* **λέξιν, επί λέξει** word for word

Λ

▷**λέξη προς λέξη** (αντιγράφω) word for word · (διηγούμαι) in detail
▷**με δυο λέξεις** in a few words
▷**με μια λέξη** in a word
▷**μην πεις ή βγάλεις λέξη!** don't say ή breathe a word!
►**λέξη-κλειδί** keyword

λεξιθήρας ΟΥΣ ΑΡΣ (επίσ.) **(α)** (= αυτός που συλλέγει εξεζητημένες λέξεις) phrasemonger **(β)** (= αυτός που ψάχνει νέες λέξεις και φράσεις) coiner of words

λεξικό ΟΥΣ ΟΥΔ **(α)** (βιβλίο) dictionary **(β)** (ΓΛΩΣΣ) lexicon

λεξικογραφία ΟΥΣ ΘΗΛ (ΓΛΩΣΣ) lexicography

λεξικογράφος ΟΥΣ ΑΡΣΘΗΛ lexicographer

λεξικός, -ή, -ό ΕΠΙΘ (πίνακας, μονάδα) lexical · (αλεξία, τύφλωση) word

λεξιλογικός, -ή, -ό ΕΠΙΘ (πλούτος) in vocabulary · (γνώση) of vocabulary

λεξιλόγιο ΟΥΣ ΟΥΔ **(α)** (γλώσσας) vocabulary **(β)** (επιστήμης, επιστημονικού κλάδου) terminology **(γ)** (= γλωσσάριο) glossary

λεξιπενία ΟΥΣ ΘΗΛ poor vocabulary

λεονταρισμός ΟΥΣ ΑΡΣ (ειρων.) bluster

λέοντας ΟΥΣ ΑΡΣ = **λέων**

λεόντειος, -α ή -ος, -ο ΕΠΙΘ (επίσ.: χαίτη) lion's, leonine · (θάρρος) of a lion

λεοντή ΟΥΣ ΘΗΛ lion's hide

λεοντόκαρδος, -η, -ο ΕΠΙΘ lion-hearted

λεοπάρδαλη ΟΥΣ ΘΗΛ, **λεόπαρδος** ΟΥΣ ΑΡΣ leopard

λέπι ΟΥΣ ΟΥΔ **(α)** (ψαριού, ερπετού) scale **(β)** (ΙΑΤΡ) scale, flake

λεπίδα ΟΥΣ ΘΗΛ **(α)** (μαχαιριού, σπαθιού, ξυραφιού) blade **(β)** (= ξυραφάκι) razor blade
►**λεπίδα ξυρίσματος** razor blade

λεπιδόπτερο ΟΥΣ ΟΥΔ lepidopteran (επιστ.), butterfly/moth

λέπρα ΟΥΣ ΘΗΛ leprosy

λεπρή ΟΥΣ ΘΗΛ βλ. **λεπρός**

λεπρός ΟΥΣ ΑΡΣ leper

λεπτά ΟΥΣ ΟΥΔ ΠΛΗΘ = **λεφτά**

λεπταίνω 1 Ρ ΑΜ **(α)** (για πρόσ.) to lose weight **(β)** (για πράγματα) to get thinner 2 Ρ Μ (επιφάνεια αντικειμένου) to rub down · (φαβορίτες, μούσι) to thin out
▷**λεπταίνω κπν** to make sb look slimmer

λεπτεπίλεπτος, -η, -ο ΕΠΙΘ delicate

λεπτό ΟΥΣ ΟΥΔ **(α)** (= υποδιαίρεση ώρας) minute **(β)** (= υποδιαίρεση ευρώ) cent · (παλαιότ.) lepton
▷**από λεπτό σε λεπτό** any minute now
▷**(για) ένα λεπτό** (for) a minute ή moment
▷**ενός λεπτού σιγή** a minute's silence
▷**λεπτό προς λεπτό** moment by moment
▷**μισό λεπτό!** (ως παράκληση να μας περιμένουν) wait a moment!, hang on a minute! (ανεπ.)
▷**μισό λεπτό να σκεφτώ** let me think (for) a moment
▷**σε ένα ή μισό λεπτό** in next to no time

▷**στο λεπτό** (= αμέσως) in a jiffy ή minute
▷**χωρίς να χάσω λεπτό** without wasting any time

λεπτοδείκτης ΟΥΣ ΑΡΣ minute hand

λεπτοδουλεμένος, -η, -ο ΕΠΙΘ (έπιπλο, κέντημα, κόσμημα) delicate

λεπτοκαμωμένος, -η, -ο ΕΠΙΘ delicate

λεπτολόγος, -ος, -ο ΕΠΙΘ **(α)** (για πρόσ.) fastidious **(β)** (ανάλυση, έρευνα) detailed · (εξέταση) minute

λεπτολογώ Ρ Μ to scrutinize

λεπτομέρεια ΟΥΣ ΘΗΛ detail
▷**με κάθε λεπτομέρεια** in detail
►**λεπτομέρειες** ΠΛΗΘ (υπόθεσης, θέματος) details
▷**κολλάω σε λεπτομέρειες** to get bogged down in details
▷**μπαίνω σε λεπτομέρειες** to go into detail(s)

λεπτομερειακός, -ή, -ό ΕΠΙΘ **(α)** (= διεξοδικός: έλεγχος) minute · (περιγραφή) detailed **(β)** (= επουσιώδης: θέμα) minor

λεπτομερής, -ής, -ές ΕΠΙΘ (έλεγχος, εξέταση) minute · (καθορισμός) precise · (περιγραφή, ανάλυση) detailed

λεπτός, -ή, -ό ΕΠΙΘ **(α)** (άνθρωπος, μέση) slim · (λαιμός, δάχτυλα) slender **(β)** (= λεπτεπίλεπτος) delicate **(γ)** (μτφ.: άνθρωπος, τρόποι συμπεριφοράς) refined · (αίσθηση, ειρωνεία, χιούμορ) subtle · (πνεύμα) keen **(δ)** (για φωνή, ήχο) sweet **(ε)** (για υφάσματα) flimsy **(στ)** (άρωμα) delicate **(ζ)** (χαρτί, φλοιός, στρώμα) thin **(η)** (ζάχαρη, σκόνη, άμμος) fine **(θ)** (ζωμός, σούπα, σάλτσα) runny, thin **(ι)** (έδαφος, χώμα) thin **(ια)** (μτφ.: διάκριση, απόχρωση, ανάλυση) subtle **(ιβ)** (μτφ.: θέμα, υπόθεση) delicate **(ιγ)** (όργανα, μηχανισμοί) sensitive · (γεύση, όσφρηση) keen **(ιδ)** (μύτη μολυβιού) sharp **(ιε)** (μτφ.: ισορροπία) fine
▷**η θέση μου είναι λεπτή** to be (skating) on thin ice
►**λεπτά αισθήματα** sensitivity εν.
►**λεπτό γούστο** refined tastes πληθ.

λεπτόσωμος, -η, -ο ΕΠΙΘ slim

λεπτότητα ΟΥΣ ΘΗΛ **(α)** (= ισχνότητα) slenderness · (δέρματος) thinness **(β)** (μτφ.) sensitivity

λέπτυνση ΟΥΣ ΘΗΛ (αντικειμένου) thinning down

λεπτύνω Ρ Μ/ΑΜ (επίσ.) = **λεπταίνω**

λέρα ΟΥΣ ΘΗΛ (ανεπ.) **(α)** (= βρομιά) dirt **(β)** (αρνητ.: = παλιάνθρωπος) scum (ανεπ.)
▷**είναι όλο λέρα** it's/he's all dirty

Λερναία Ύδρα ΟΥΣ ΘΗΛ (ΜΥΘΟΛ) Hydra

λερωμένος, -η, -ο ΕΠΙΘ **(α)** (ρούχα, πρόσωπο, τοίχος) dirty **(β)** (μτφ.: όνομα, τιμή, υπόληψη) tarnished
▷**έχω λερωμένη την φωλιά μου** to have something to hide

λερώνω 1 Ρ Μ **(α)** (χέρια, πρόσωπο) to get dirty, to dirty · (ρούχα) to get dirty, to stain

(β) (μτφ.: όνομα, τιμή, υπόληψη) to blacken
2 Ρ ΑΜ (ρούχο, ύφασμα) to stain, to get dirty·
(σοκολάτα) to (leave a) stain
▷**λερώνει!** wet paint!
▸**λερώνομαι** ΜΕΣΟΠΑΘ (για μωρό ή ηλικιωμένο)
to soil oneself

λεσβία ΟΥΣ ΘΗΛ lesbian
λεσβιακός, -ή, -ό ΕΠΙΘ (α) (διάλεκτος,
ποίηση) Lesbian (β) (έρωτας, τάση, συνήθεια)
lesbian
λεσβιασμός ΟΥΣ ΑΡΣ lesbianism
Λέσβος ΟΥΣ ΘΗΛ Lesbos
λέσχη ΟΥΣ ΘΗΛ (α) (= κλαμπ) club
(β) (= κέντρο χαρτοπαιξίας) gambling house
▸**λέσχη αξιωματικών** officers' club
▸**φοιτητική λέσχη** students' union
Λετονή ΟΥΣ ΘΗΛ βλ. **Λετονός**
Λετονία ΟΥΣ ΘΗΛ Latvia
λετονικός, -ή, -ό ΕΠΙΘ Latvian
▸**Λετονικά** ΟΥΣ ΟΥΔ ΠΛΗΘ Latvian, Lettish
Λετονός ΟΥΣ ΑΡΣ Latvian
λέτσος ΟΥΣ ΑΡΣ (ανεπ.) (α) (= ατημέλητος) slob
(ανεπ.), scruff (Βρετ.) (ανεπ.) (β) (μτφ.: =
άξεστος) lout · (= ρεμάλι) good-for-nothing

Προσοχή!: Ο πληθυντικός του
good-for-nothing *είναι*
good-for-nothings.

Λεττονή ΟΥΣ ΘΗΛ βλ. **Λετονός**
Λεττονία ΟΥΣ ΘΗΛ = **Λετονία**
λεττονικός, -ή, -ό ΕΠΙΘ = **λετονικός**
Λεττονός ΟΥΣ ΑΡΣ = **Λετονός**
λεύγα ΟΥΣ ΘΗΛ league
λεύκα ΟΥΣ ΘΗΛ poplar
Λευκάδα ΟΥΣ ΘΗΛ Leukas, Levkás
λευκαίνω **1** Ρ Μ (α) (δόντια) to whiten
(β) (ρούχα) to clean
2 Ρ ΑΜ (γένια, μαλλιά) to go ή turn white
λεύκανση ΟΥΣ ΘΗΛ (α) (δοντιών) whitening
(β) (ρούχων) cleaning (γ) (βαμβακιού, λινού,
μεταξιού, μαλλιού) bleaching
λευκαντικός, -ή, -ό ΕΠΙΘ (ουσία, προϊόν)
bleaching
▸**λευκαντικό** ΟΥΣ ΟΥΔ bleach, whitener
λεύκη ΟΥΣ ΘΗΛ = **λεύκα**
λευκοκύτταρο ΟΥΣ ΟΥΔ white blood cell,
leucocyte (επιστ.)
λευκοπλάστης ΟΥΣ ΑΡΣ sticking plaster
(Βρετ.), Band-Aid ®
λευκός, -ή, -ό ΕΠΙΘ (α) (= άσπρος) white
(β) (σελίδα, χαρτί) blank (γ) (μτφ.: παρελθόν,
ποινικό μητρώο) clean (δ) (φυλή, δέρμα,
μειοψηφία) white
▸**λευκή κόλλα** (σε εξετάσεις) blank paper
(handed in at the end of an exam)
▸**λευκή σημαία** white flag
▸**λευκή ψήφος** blank vote
▸**λευκό κρασί** ή **οίνος** white wine
▸**λευκό αιμοσφαίριο** white blood cell
▸**λευκός νάνος** white dwarf

▸**ο Λευκός Οίκος** the White House
▸**λευκά** ΟΥΣ ΟΥΔ ΠΛΗΘ (= ασπρόρουχα) whites
▸**λευκό** ΟΥΣ ΟΥΔ (α) (χρώμα) white (β) (= λευκό
ψηφοδέλτιο) blank vote
▸**λευκοί** ΟΥΣ ΑΡΣ ΠΛΗΘ whites
λευκοσίδηρος ΟΥΣ ΑΡΣ tin
λευκότητα ΟΥΣ ΘΗΛ (α) (δέρματος, χιονιού)
whiteness (β) (μτφ.: ψυχής) purity
λευκόχρυσος ΟΥΣ ΑΡΣ platinum
λεύκωμα ΟΥΣ ΟΥΔ (α) (αναμνήσεων,
φωτογραφιών, γραμματοσήμων) album
(β) (= ασπράδι αβγού) white (γ) (ΙΑΤΡ)
leucoma (δ) (πρωτεΐνη) albumen
Λευκωσία ΟΥΣ ΘΗΛ Nicosia
λευτεριά ΟΥΣ ΘΗΛ = **ελευθερία**
λευχαιμία ΟΥΣ ΘΗΛ leukaemia (Βρετ.),
leukemia (Αμερ.)
λεφτά ΟΥΣ ΟΥΔ ΠΛΗΘ money εν.
▷**κάνω λεφτά** to make a lot of money
▷**λεφτά με ουρά** ή **με το τσουβάλι** ή **με τη
σέσουλα** loads ή bags of money
▷**πεταμένα λεφτά** money down the drain, a
waste of money
▷**πετάω** ή **σκορπίζω λεφτά στον αέρα** to
spend money like water, to throw one's
money around
▷**πιάνουν τόπο τα λεφτά μου** to get one's
money's worth
▷**τρελά λεφτά** big ή serious money
▷**(τώρα) τα πιάσαμε τα λεφτά μας!** now we're
for it!
λεφτάς ΟΥΣ ΑΡΣ (ανεπ.) rolling in money
(ανεπ.), rolling in it (ανεπ.)
λεφτού ΟΥΣ ΘΗΛ (ανεπ.) βλ. **λεφτάς**
λεχρίτης ΟΥΣ ΑΡΣ (υβρ.) scum (ανεπ.)
λεχρίτισσα ΟΥΣ ΘΗΛ (υβρ.) βλ. **λεχρίτης**
λεχώνα ΟΥΣ ΘΗΛ woman in confinement
λέω Ρ Μ/ΑΜ = **λέγω**
λέων ΟΥΣ ΑΡΣ (επίσ.) lion
▷**η μερίδα του λέοντος** the lion's share
▸**θαλάσσιος λέων** sea lion
λεωφορειατζής ΟΥΣ ΑΡΣ (προφορ.) bus driver
λεωφορειατζού ΟΥΣ ΘΗΛ (προφορ.) βλ.
λεωφορειατζής
λεωφορείο ΟΥΣ ΟΥΔ (αστικό) bus ·
(υπεραστικό) coach (Βρετ.), bus (Αμερ.)
▸**ηλεκτροκίνητο λεωφορείο** tram (Βρετ.),
streetcar (Αμερ.)
λεωφορειόδρομος ΟΥΣ ΑΡΣ bus lane
λεωφορειούχος ΟΥΣ ΑΡΣ/ΘΗΛ bus owner
λεωφόρος ΟΥΣ ΘΗΛ avenue
ληγμένος, -η, -ο ΕΠΙΘ (γάλα, χυμός,
κονσέρβα) past its sell-by date
λήγουσα ΟΥΣ ΘΗΛ last syllable
λήγω Ρ ΑΜ (α) (προθεσμία) to expire ·
(διαβατήριο, δίπλωμα) to expire, to run out ·
(συζήτηση, απεργία, αγώνας) to end
(β) (ρήματα, ονόματα) to end
▷**έληξε το θέμα** ή **η υπόθεση** the subject is
closed, that's the end of the matter

Λ

λήθαργος ΟΥΣ ΑΡΣ (α) (ΙΑΤΡ) lethargy
(β) (μτφ.: κυβέρνησης, αρμοδίων) apathy,
inaction · (ομάδας) apathy

λήθη ΟΥΣ ΘΗΛ oblivion

λημέρι ΟΥΣ ΟΥΔ (α) (= φωλιά ζώ́ου) den, lair
(β) (= καταφύγιο) hideout
► λημέρια ΠΛΗΘ (ανεπ.) haunts

λήμμα ΟΥΣ ΟΥΔ entry

λημματολόγιο ΟΥΣ ΟΥΔ word count

ληνός ΟΥΣ ΑΡΣ winepress

λήξη ΟΥΣ ΘΗΛ (α) (= τέλος: περιόδου, έτους,
συνεδρίου, διαπραγματεύσεων) end, close ·
(συζήτησης, αγώνα, θητείας, πολέμου) end
(β) (διαβατηρίου, διπλώματος, ισχύος,
συμβάσεως) expiry · (γραμματίου) maturity

ληξιαρχείο ΟΥΣ ΟΥΔ registry office

ληξιαρχικός, -ή, -ό ΕΠΙΘ: **ληξιαρχικό βιβλίο**
register (of births, deaths and marriages)
► **ληξιαρχική πράξη** (για γέννηση) birth
certificate · (για γάμο) marriage certificate ·
(για θάνατο) death certificate

ληξίαρχος ΟΥΣ ΑΡΣ registrar

ληξιπρόθεσμος, -η, -ο ΕΠΙΘ (δάνειο, χρέος,
οφειλή) due · (γραμμάτιο) mature

λήπτης ΟΥΣ ΑΡΣ (επίσ.) recipient · (επιταγής)
payee · (επιστολής) addressee

λήπτρια ΟΥΣ ΘΗΛ (επίσ.) βλ. **λήπτης**

λησμονιά ΟΥΣ ΘΗΛ (λογοτ.) oblivion

λησμονώ Ρ Μ (α) (λογοτ.: = ξεχνώ) to forget
(β) (= αμελώ: καθήκον, υποχρέωση) to
neglect · (χρέος) to forget to pay
► λησμονιέμαι ΜΕΣΟΠΑΘ to be forgotten

ληστεία ΟΥΣ ΘΗΛ (α) (= κλοπή με χρήση βίας)
robbery, hold–up (β) (μτφ.) daylight robbery
(ανεπ.)
► **ένοπλη ληστεία** armed robbery

ληστεύω Ρ Μ (α) (= κλέβω με βία: άνθρωπο)
to rob, to mug · (τράπεζα, χρηματαποστολή)
to rob, to hold up · (σπίτι, κατάστημα) to
burgle (Βρετ.), to burglarize (Αμερ.)
(β) (μτφ.) to overcharge, to rip off (ανεπ.)

ληστής ΟΥΣ ΑΡΣ/ΘΗΛ (α) (= αυτός που κάνει
ληστεία) robber (β) (παλαιότ.) bandit
(γ) (μτφ.) crook (ανεπ.)
▷ **οι ληστές του τραπεζιού** the bank robbers

ληστρικός, -ή, -ό ΕΠΙΘ (α) (επίθεση,
επιδρομή) with intent to rob (β) (μτφ.:
φόρος) crippling · (εκμετάλλευση) ruthless
► **ληστρική διάρρηξη** burglary, break–in

λήψη ΟΥΣ ΘΗΛ (επίσ.) (α) (διαταγής, επιταγής,
χρημάτων, δανείου) receipt, receiving ·
(βοήθειας, αίματος) receiving · (μέτρων,
πρωτοβουλίας) taking (β) (φαρμάκου) use,
taking · (τροφής) consumption, intake
(γ) (για κεραία) reception (δ) (φωτογραφίας,
ακινογραφίας) taking
▷ **η λήψη αποφάσεων** decision–making

λιάζω Ρ Μ (ανεπ.) to dry in the sun
► λιάζομαι ΜΕΣΟΠΑΘ (α) (για πρόσ.) to sun
oneself, to bask in the sun (β) (για χώρο,
τόπο) to get the sun

λιακάδα ΟΥΣ ΘΗΛ sunshine
▷ **έχει λιακάδα** it's a sunny day

λιακωτό ΟΥΣ ΟΥΔ (α) (= μπαλκόνι που
λιάζεται) sunny balcony (β) (= ταράτσα)
sunny terrace (γ) (= μπαλκόνι κλειστό με
τζάμια) balcony enclosed in glass

λίαν ΕΠΙΡΡ (επίσ.: = πολύ) very
▷ **λίαν καλώς** ≈ B plus
▷ **λίαν συντόμως** in the very near future

λιανίζω Ρ Μ (α) (κρέας) to dice, to cut up ·
(ξύλα) to chop (up) (β) (μτφ.: = κατασφάζω)
to hack to pieces (γ) (μτφ.: = χτυπώ πολύ) to
beat up
▷ **λιανίζω κπν στο ξύλο** to beat sb black and
blue

λιανικός, -ή, -ό ΕΠΙΘ retail

λιανός, -ή, -ό ΕΠΙΘ (ξύλο) thin · (δάχτυλο)
slender
► λιανά ΟΥΣ ΟΥΔ ΠΛΗΘ small change
▷ **κάνω κτ λιανά (σε κπν)** to explain sth in
detail (to sb)
▷ **κάνω λιανά** to get some change

λιβάδι ΟΥΣ ΟΥΔ meadow

Λιβανέζα ΟΥΣ ΘΗΛ βλ. **Λιβανέζος**

Λιβανέζος ΟΥΣ ΑΡΣ Lebanese

λιβάνι ΟΥΣ ΟΥΔ incense
▷ **κερί και λιβάνι!** (υβρ.) change the record!

λιβανίζω ① Ρ Μ (α) (= θυμιατίζω) to burn
incense for (β) (μειωτ.: = γλείφω) to toady to,
to fawn upon (γ) (μτφ.: φαγητό) to play
with · (αναφορά) to put off
② Ρ ΑΜ (= θυμιατίζω) to burn incense
▷ **λιβανίζω κπν** (μτφ.) to bend sb's ear

λιβάνισμα ΟΥΣ ΟΥΔ (α) (= θυμιάτισμα) burning
incense (β) (μειωτ.: = ευτελής κολακεία)
toadying, fawning (γ) (μτφ.: = διαρκής
ενόχληση από φλυαρία) ear–bashing
(δ) (μτφ.: φαγητού) playing · (αναφοράς,
έκθεσης) putting off

λιβανιστήρι ΟΥΣ ΟΥΔ incense burner, censer
▷ **αρχίζω (πάλι) το λιβανιστήρι** to be (back) on
one's hobby–horse

Λιβανέζα ΟΥΣ ΘΗΛ βλ. **Λιβανέζος**

λιβανέζικος, -η, -ο ΕΠΙΘ Lebanese

> *Προσοχή!: Τα εθνικά επίθετα, όπως*
> **Lebanese**, *γράφονται με κεφαλαίο το*
> *αρχικό γράμμα στα Αγγλικά.*

Λιβανέζος ΟΥΣ ΑΡΣ Lebanese

Λίβανος ΟΥΣ ΑΡΣ Lebanon

λίβας ΟΥΣ ΑΡΣ (επίσ.) south–west wind

λιβελογράφημα ΟΥΣ ΟΥΔ libel

λίβελος ΟΥΣ ΑΡΣ libel

λίβρα ΟΥΣ ΘΗΛ pound (weight)

Λίβυα ΟΥΣ ΘΗΛ βλ. **Λίβυος**

Λιβύη ΟΥΣ ΘΗΛ Libya

λιβυκός, -ή, -ό ΕΠΙΘ Libyan

> *Προσοχή!: Τα εθνικά επίθετα, όπως*
> **Libyan**, *γράφονται με κεφαλαίο το*
> *αρχικό γράμμα στα Αγγλικά.*

Λ

Λίβυος ΟΥΣ ΑΡΣ Libyan

λιγάκι ΕΠΙΡΡ (*υποκορ.*) *βλ.* **λίγο**

λίγδα ΟΥΣ ΘΗΛ (= *λεκές από λίπος*) grease stain · (= *λιπαρή βρομιά*) grease

λιγδιάζω ① Ρ Μ (*ρούχο*) to get grease stains on · (*νεροχύτη*) to coat in grease
② Ρ ΑΜ (*ρούχο*) to be grease-stained · (*νεροχύτης*) to be coated in grease · (*γένια, μαλλιά*) to be greasy

λιγδιάρης, -α, -ικο, λιγδιάρικος, -η, -ο ΕΠΙΘ filthy

λιγδώνω Ρ Μ = **λιγδιάζω**

λιγνίτης ΟΥΣ ΑΡΣ lignite

λιγνιτωρυχείο ΟΥΣ ΟΥΔ lignite mine

λιγνιτωρύχος ΟΥΣ ΑΡΣ lignite miner

λιγνός, -ή, -ό ΕΠΙΘ (α) (*άνθρωπος*) slim
(β) (*χέρι, πόδι*) thin

─── *ΛΕΞΗ-ΚΛΕΙΔΙ* ───

λίγο ΕΠΙΡΡ (α) (= *σε μικρή ποσότητα, ένταση, βαθμό*) a little, a bit □ **λίγο αργά** a little late, a bit late · **τρώω λίγο** I eat little · **πρέπει να κάνουμε ένα ταξιδάκι να ξεσκάσουμε λίγο** we should go on a trip to enjoy ourselves a bit
(β) (= *όχι πολλή ώρα*): **για λίγο** for a while
(γ) (= *για μια στιγμή*) for a moment □ **πάρε λίγο τα χέρια σου απ' το τραπέζι** take your hands off the table for a moment · **σηκώνεσαι λίγο;** can you get up a second?
(δ) (= *παρακαλώ*) please □ **έρχεσαι λίγο;** can you come here please? · **μου δίνεις λίγο το ποτό μου;** pass me my drink please
▷ **κάθε λίγο και λιγάκι** every so often
▷ **λίγο-λίγο** (= *βαθμιαία*) gradually · (= *σε μικρές ποσότητες*) a bit at a time □ **καλυτερεύει λίγο-λίγο ο καιρός** the weather is gradually improving · **να τρως λίγο-λίγο** eat little by little
▷ **λίγο-πολύ, ούτε λίγο ούτε πολύ** more or less
▷ **να σας δω λίγο;** can I see you for a minute?
▷ **σε λίγο** in a little while, shortly □ **σε λίγο άρχισαν να καταφθάνουν οι καλεσμένοι** in a little while the guests started arriving

─────────

λιγόημερος, -η, -ο ΕΠΙΘ = **ολιγοήμερος**

λιγοθυμιά ΟΥΣ ΘΗΛ = **λιποθυμία**

λιγοθυμώ Ρ ΑΜ = **λιποθυμώ**

λιγόλογος, -η, -ο ΕΠΙΘ = **ολιγόλογος**

λιγομίλητος, -η, -ο ΕΠΙΘ taciturn

─── *ΛΕΞΗ-ΚΛΕΙΔΙ* ───

λίγος, -η, -ο ΕΠΙΘ (α) (*σε μικρή ποσότητα*) a little, a bit of □ **λίγο νερό/ζάχαρη/χαρά** a bit of *ή* a little water/sugar/joy · **λίγα χρήματα/Αγγλικά** a little money/English · **μου δίνετε λίγο νερό;** could you give me some water please?
(β) (*σε μικρό αριθμό*) a few □ **λίγους μήνες αργότερα** a few months later · **λίγοι άνθρωποι/βιβλία/λεπτά** few people/books/

minutes
(γ) (= *σύντομος*) some □ **δώσε μου λίγο καιρό και θα βρω χρήματα** give me some time and I will find the money
(δ) (*μειωτ.: για πρόσ.: = ανάξιος*) not good enough □ **αποδείχθηκε λίγος για μια τέτοια προσπάθεια** he wasn't up to such an effort · **καλός είναι ο Κώστας αλλά λίγος για σένα** Kostas is ok but not good enough for you
▷ **δεν είναι και λίγο να** it's no small matter to ...
▷ **λίγα-λίγα** in dribs and drabs □ **μου έδινε τα χρήματα που του είχα δανείσει λίγα-λίγα** he returned the money I lent him in dribs and drabs
▷ **λίγοι-λίγοι** in ones and twos

─────────

λιγοστεύω ① Ρ Μ (*έξοδα*) to cut down on, to reduce · (*ποσότητα*) to reduce, to decrease
② Ρ ΑΜ (*άγχος*) to lessen · (*ταξιδιώτες, θέσεις*) to decrease · (*τροφές*) to be in short supply · (*προμήθειες*) to get smaller · (*φως*) to fail · (*ζωή*) to get shorter

λιγοστός, -ή, -ό ΕΠΙΘ meagre (*Βρετ.*), meager (*Αμερ.*)

λιγότερο ΕΠΙΡΡ less
▷ **λιγότερο ή περισσότερο** more or less
▷ **όλο και λιγότερο** less and less
▷ **όχι λιγότερο από** no less than
▷ **το λιγότερο** at least
▷ **αυτό είναι το λιγότερο που θα μπορούσα να κάνω** it's the least I could do

λιγότερος, -η, -ο ΕΠΙΘ (*με μη αριθμητά ουσιαστικά*) less · (*με αριθμητά ουσιαστικά*) fewer

λιγούρα ΟΥΣ ΘΗΛ (α) (= *ενόχληση λόγω πείνας*) faintness (*from hunger*) (β) (= *αναγούλα*) nausea (γ) (*μτφ.: = λαχτάρα*) craving

λιγουρεύομαι ① Ρ Μ ΑΠΟΘ (α) (*φαγητό, φρούτο*) to crave (β) (*μτφ.: αυτοκίνητο*) to hanker after · (*γυναίκα, άντρα*) to lust after
② Ρ ΑΜ (= *έχω αναγούλα*) to feel nauseous · (= *έχω ζαλάδα*) to feel faint (with hunger)

λιγούρης, -ισσα *ή* **-α, -ικο** (*μειωτ.*) ΕΠΙΘ (α) (= *πειναλέος*) greedy (β) (= *που ποθεί πολύ*) wolfish

λιγούρι (*μειωτ.*) ΟΥΣ ΟΥΔ (α) (= *πεινάλας*) greedy person (β) (= *που ποθεί πολύ*) wolf

┌─────────────────────────────┐
Προσοχή!: Ο πληθυντικός του **wolf** είναι **wolves**.
└─────────────────────────────┘

λιγοψυχία ΟΥΣ ΘΗΛ = **ολιγοψυχία**

λιγόψυχος, -η, -ο ΕΠΙΘ = **ολιγόψυχος**

λιγοψυχώ Ρ ΑΜ = **ολιγοψυχώ**

λίγωμα ΟΥΣ ΟΥΔ (α) (= *αναγούλα*) nausea (β) (*από φαγητό*) sickly feeling (γ) (= *λιγούρα*) faintness
▷ **έχω ή νιώθω ένα λίγωμα** (= *έχω αναγούλα*) to feel nauseous · (= *έχω λιγούρα*) to feel faint

λιγωμάρα ΟΥΣ ΘΗΛ = **λίγωμα**

λιγωμένος, -η, -ο ΕΠΙΘ (α) (= *ξελιγωμένος*)

Λ

faint (β) (*μτφ*.: *βλέμμα*) ogling

λιγώνω ① Ρ Μ: **λιγώνω κπν** (= *προκαλώ τάση προς έμετο*) to make sb feel sick *ή* nauseous· (= *προκαλώ τάση προς ζάλη*) to make sb feel dizzy
② Ρ ΑΜ (= *ξελιγώνομαι*) to feel faint with hunger· (= *αισθάνομαι κορεσμό*) to feel sick *ή* nauseous
►**λιγώνομαι** ΜΕΣΟΠΛΘ (α) (= *ξελιγώνομαι*) to feel faint with hunger (β) (= *έχω τάση προς έμετο*) to feel sick *ή* nauseous· (= *έχω τάση προς λιποθυμία*) to feel faint (γ) (= *αισθάνομαι κορεσμό*) to feel full
▷**λιγώνομαι στα γέλια** to be helpless with laughter

λιθαράκι ΟΥΣ ΟΥΔ pebble
▷**βάζω (κι εγώ) το λιθαράκι μου** to do one's bit

λιθάρι ΟΥΣ ΟΥΔ (α) (= *μικρή πέτρα*) pebble (β) (= *πέτρα*) rock, stone

λίθινος, -η, -ο ΕΠΙΘ stone
►**η λίθινη εποχή** the Stone Age

λίθιο ΟΥΣ ΟΥΔ lithium

λιθοβολισμός ΟΥΣ ΑΡΣ, **λιθοβόλημα** ΟΥΣ ΟΥΔ stoning

λιθοβολώ Ρ Μ (α) (= *πετροβολώ*) to throw stones at (β) (= *θανατώνω*) to stone

λιθογραφία ΟΥΣ ΘΗΛ (*τέχνη*) lithography· (*εικόνα*) lithograph

λιθογράφος ΟΥΣ ΑΡΣ&ΘΗΛ lithographer

λιθόκτιστος, -η, -ο ΕΠΙΘ stone

λίθος ΟΥΣ ΑΡΣ&ΘΗΛ (*επίσ*.) (α) (= *πέτρα*) stone (β) (ΙΑΤΡ) gallstone, calculus (*επιστ*.)
►**η εποχή του λίθου** the Stone Age
►**θεμέλιος λίθος** foundation stone
►**φιλοσοφική λίθος** philosopher's stone

λιθοστρώνω Ρ Μ to cobble

λιθόστρωτος, -η, -ο ΕΠΙΘ cobbled
►**λιθόστρωτο** ΟΥΣ ΟΥΔ cobbles *πληθ*.

λιθόσφαιρα ΟΥΣ ΘΗΛ lithosphere

Λιθουανή ΟΥΣ ΘΗΛ *βλ*. **Λιθουανός**

Λιθουανία ΟΥΣ ΘΗΛ Lithuania

λιθουανικός, -ή, -ό ΕΠΙΘ Lithuanian

Προσοχή!: Τα εθνικά επίθετα, όπως **Lithuanian**, *γράφονται με κεφαλαίο το αρχικό γράμμα στα Αγγλικά.*

►**Λιθουανικά** ΟΥΣ ΟΥΔ ΠΛΗΘ Lithuanian

Λιθουανός ΟΥΣ ΑΡΣ Lithuanian

λιθόχτιστος, -η, -ο ΕΠΙΘ (*ανεπ*.) = **λιθόκτιστος**

λιθρίνι ΟΥΣ ΟΥΔ = **λυθρίνι**

λικέρ ΟΥΣ ΟΥΔ ΑΚΛ liqueur

λικνίζω Ρ Μ (*μωρό, βάρκα*) to rock
►**λικνίζομαι** ΜΕΣΟΠΛΘ (α) (= *κουνώ το σώμα μου*) to sway (β) (*σε καρέκλα*) to rock

λίκνισμα ΟΥΣ ΟΥΔ (*βάρκας, μωρού, καρέκλας*) rocking· (*κορμιού*) swaying

λίκνο ΟΥΣ ΟΥΔ cradle

λίκρα ΟΥΣ ΘΗΛ Lycra ®

λιλά ① ΕΠΙΘ ΑΚΛ lilac
② ΟΥΣ ΟΥΔ lilac

λιλιπούτειος, -α, -ο ΕΠΙΘ tiny

λίμα ΟΥΣ ΘΗΛ (α) (*εργαλείο*) file, rasp (β) (*νυχιών*) nail file, emery board

λιμάνι ΟΥΣ ΟΥΔ (*φυσικό*) harbour (*Βρετ*.), harbor (*Αμερ*.)· (*τεχνητό*) port, harbour (*Βρετ*.), harbor (*Αμερ*.)· (= *πόλη με λιμάνι*) port· (*μτφ*.) haven
►**λιμάνι σωτηρίας** safe haven, sanctuary

λιμάρισμα ΟΥΣ ΟΥΔ filing

λιμάρω Ρ Μ (*κάγκελο*) to file, to rasp· (*νύχι*) to file

λιμασμένος, -η, -ο ΕΠΙΘ famished, starving

λιμεναρχείο ΟΥΣ ΟΥΔ (α) (*δημόσια υπηρεσία*) port authority (β) (*κτήριο*) harbour master's (*Βρετ*.) *ή* harbormaster's (*Αμερ*.) office

λιμενάρχης ΟΥΣ ΑΡΣ harbour master (*Βρετ*.), harbormaster (*Αμερ*.)

λιμένας ΟΥΣ ΑΡΣ (*επίσ*.) = **λιμάνι**

λιμενεργάτης ΟΥΣ ΑΡΣ docker (*Βρετ*.), longshoreman (*Αμερ*.)

Προσοχή!: Ο πληθυντικός του **longshoreman** *είναι* **longshoremen**.

λιμενεργάτρια ΟΥΣ ΘΗΛ *βλ*. **λιμενεργάτης**

λιμενικός, -ή, -ό ΕΠΙΘ (*αρχές, έργα, ταμείο*) harbour (*Βρετ*.), harbor (*Αμερ*.)
►**Λιμενικό** ΟΥΣ ΟΥΔ (*επίσης* **Λιμενικό Σώμα**) Harbour (*Βρετ*.) *ή* Harbor (*Αμερ*.) Police, Port Police
►**Λιμενικός** ΟΥΣ ΑΡΣ (α) (= *στέλεχος Λιμενικού*) harbour (*Βρετ*.) *ή* harbor (*Αμερ*.) official (β) (= *υπάλληλος Υπουργείου Ναυτιλίας*) employee in the merchant navy (*Βρετ*.) *ή* marine (*Αμερ*.)

λιμενοβραχίονας ΟΥΣ ΑΡΣ breakwater

λιμενοφύλακας ΟΥΣ ΑΡΣ&ΘΗΛ harbour (*Βρετ*.) *ή* harbor (*Αμερ*.) guard

λιμήν ΟΥΣ ΑΡΣ (*επίσ*.) = **λιμάνι**

λιμνάζω Ρ ΑΜ (α) (*για νερά*) to stagnate, to become stagnant (β) (*μτφ*.: *για πρόσωπο, υπόθεση*) to stagnate
▷**λιμνάζοντα ύδατα** stagnant waters

λίμνη ΟΥΣ ΘΗΛ lake· (*μτφ*.: *αίματος*) pool· (*δακρύων*) flood

λιμνίσιος, -α, -ο ΕΠΙΘ (*ψάρι, χελώνα, χλωρίδα*) lake· (*οικισμός*) lakeside

λιμνοθάλασσα ΟΥΣ ΘΗΛ lagoon

λιμοκοντόρος ΟΥΣ ΑΡΣ (*κοροϊδ*.) Flash Harry

λιμοκτονία ΟΥΣ ΘΗΛ (α) (= *θάνατος από πείνα*) starvation (β) (= *στέρηση τροφής*) famine

λιμοκτονώ Ρ ΑΜ to starve

λιμός ΟΥΣ ΑΡΣ famine, starvation

λιμουζίνα ΟΥΣ ΘΗΛ limousine

λίμπερο ΟΥΣ ΑΡΣ ΑΚΛ (ΑΘΛ) sweeper, libero

λίμπρα ΟΥΣ ΘΗΛ = **λίβρα**

λινάρι ΟΥΣ ΟΥΔ flax

λινάτσα ΟΥΣ ΘΗΛ hessian, sacking
λινομέταξος, -η, -ο ΕΠΙΘ silk and linen
λινός, -ή, -ό ΕΠΙΘ (ύφασμα, παντελόνι, πουκάμισο) linen
▸ λινό ΟΥΣ ΟΥΔ linen
λιντσάρισμα ΟΥΣ ΟΥΔ lynching
λιντσάρω Ρ Μ to lynch
λιόδεντρο ΟΥΣ ΟΥΔ = ελαιόδεντρο
λιοντάρι ΟΥΣ ΟΥΔ lion
λιονταρίνα ΟΥΣ ΘΗΛ lioness
λιοπύρι ΟΥΣ ΟΥΔ sweltering heat
λιοτρίβι, λιοτριβειό ΟΥΣ ΟΥΔ = ελαιοτριβείο
λιπαίνω Ρ Μ (α) (μηχανή, βίδες, γρανάζια) to lubricate, to oil (β) (χωράφι, δέντρα, λουλούδια) to fertilize
λίπανση ΟΥΣ ΘΗΛ (α) (μηχανής, εξαρτημάτων, γραναζιών, βιδών) lubrication (β) (χωραφιού, δέντρων, λουλουδιών) fertilization
λιπαντήρας ΟΥΣ ΑΡΣ lubricator, oilcan
λιπαντικός, -ή, -ό ΕΠΙΘ (ουσία, ύλη, λάδι) lubricating
▸ λιπαντικό ΟΥΣ ΟΥΔ lubricant
λιπαρός, -ή, -ό ΕΠΙΘ (α) (επιδερμίδα) oily · (μαλλιά) greasy (β) (τροφή) fatty
▸ λιπαρά οξέα fatty acids
▸ λιπαρά ΟΥΣ ΟΥΔ ΠΛΗΘ fats
λίπασμα ΟΥΣ ΟΥΔ fertilizer
λιποαναρρόφηση ΟΥΣ ΘΗΛ liposuction
λιποθυμία, λιποθυμιά ΟΥΣ ΟΥΔ blackout, faint
▹ μου έρχεται λιποθυμία to feel faint
λιπόθυμος, -η, -ο ΕΠΙΘ feeling faint
▹ πέφτω λιπόθυμος to (fall in a) faint
λιποθυμώ Ρ ΑΜ to faint
λίπος ΟΥΣ ΟΥΔ fat
▸ μαγειρικό λίπος cooking fat
λιπόσαρκος, -η, -ο ΕΠΙΘ gaunt, skinny
λιποτάκτης ΟΥΣ ΑΡΣ deserter
λιποτακτώ, λιποταχτώ Ρ ΑΜ (στρατιώτης) to desert
λιποταξία ΟΥΣ ΘΗΛ desertion
λιποψυχία ΟΥΣ ΘΗΛ lack of courage, faint-heartedness
λιπόψυχος, -η, -ο ΕΠΙΘ (άνθρωπος) faint-hearted · (φωνή, συμπεριφορά, στάση) timorous
λιποψυχώ Ρ ΑΜ to lose one's nerve
λιπώδης, -ης, -ες ΕΠΙΘ (στρώμα, ιστός, μυελός) fatty
λίπωμα ΟΥΣ ΟΥΔ lipoma
λίρα ΟΥΣ ΘΗΛ pound · (Αγγλίας) pound (sterling)
▹ λίρα εκατό worth his/her/its weight in gold
▹ το μυαλό σου και μια λίρα (κοροϊδ.) you've got another think coming
λιρέτα ΟΥΣ ΘΗΛ (παλαιότ.) lira
Λισαβόνα ΟΥΣ ΘΗΛ Lisbon
λίστα ΟΥΣ ΘΗΛ (α) (πραγμάτων, καλεσμένων,

υπόπτων) list (β) (ΠΟΛΙΤ) list of candidates
▸ λίστα γάμου wedding list
λιτανεία ΟΥΣ ΘΗΛ litany
λιτοδίαιτος, -η, -ο ΕΠΙΘ abstemious
λιτός, -ή, -ό ΕΠΙΘ (α) (γεύμα, σπιτικό, ζωή) frugal (β) (ομορφιά, σύνθεση) austere · (διατύπωση, φράση) terse · (επίπλωση) spartan · (σκηνικό, ένδυμα, ύφος) plain
λιτότητα ΟΥΣ ΘΗΛ (α) (γεύματος) frugality (β) (ύφους) plainness (γ) (ΠΟΛΙΤ, ΟΙΚΟΝ) austerity
λίτρο ΟΥΣ ΟΥΔ litre (Βρετ.), liter (Αμερ.)
λίφτινγκ ΟΥΣ ΟΥΔ ΑΚΛ facelift
λιχούδης, -α, -ικο ΕΠΙΘ = λειχούδης
λιχουδιά ΟΥΣ ΘΗΛ = λειχουδιά
λιώμα ΕΠΙΡΡ: γίνομαι λιώμα (ντομάτες, πατάτες) to turn to mush
▹ γίνομαι ή είμαι λιώμα (προφορ.: = είμαι μεθυσμένος) to be as drunk as a skunk (ανεπ.), to be legless (Βρετ.) (ανεπ.)
▹ κάνω κπν λιώμα (ανεπ.: = στενοχωρώ πολύ) to crush sb
▹ κάνω κπν λιώμα στο ξύλο to beat sb to a pulp
▹ κάνω κτ λιώμα to crush sth
λιώνω [1] Ρ Μ (α) (πάγο, χιόνι, βούτυρο) to melt (β) (ασπιρίνη, χάπι) to dissolve (γ) (πατάτες) to mash · (σταφύλια) to crush (δ) (μτφ.: ανταγωνιστή, αντίπαλο, εχθρό) to crush (ε) (παπούτσια, ρούχα) to wear out (στ) (έντομο) to crush (ζ) (μτφ.: αρρώστια, πόθος, έρωτας) to wear down
[2] Ρ ΑΜ (α) (κερί, βούτυρο) to melt · (χιόνι, πάγος) to thaw (out), to melt (β) (ζάχαρη) to dissolve (γ) (παπούτσια, ρούχα, γιακάς, λάστιχα) to be worn out (δ) (στο βράσιμο: κρέας) to be tender · (καρότα) to be mushy (ε) (μτφ.: από αρρώστια, λύπη, στενοχώρια) to waste away · (από διάβασμα, κούραση) to be worn out · (από έρωτα) to pine (στ) (νεκρός, φύλλα) to decay (ζ) (από ζέστη) to melt
▹ λιώνω στη φυλακή to languish in prison
λοβός ΟΥΣ ΑΡΣ lobe
λοβοτομή ΟΥΣ ΘΗΛ lobotomy
λογαριάζω [1] Ρ ΑΜ (= μετρώ) to count
[2] Ρ Μ (α) (= κρίνω) to reckon · (= υπολογίζω: έξοδα) to work out, to calculate (β) (= συνυπολογίζω) to count (γ) (= λαμβάνω υπόψη μου) to take into account (δ) (= δεν αγνοώ: άνθρωπο) to show consideration for · (κοινή γνώμη, βαρύτητα) to consider (ε) (= θεωρώ) to consider
▹ λογαριάζω να κάνω κτ (= σχεδιάζω) to plan ή intend to do sth
▹ λογαριάζω σε κπν/κτ to count on sb/sth
▹ λογαριάζω χωρίς τον ξενοδόχο to count one's chickens before they hatch
▸ λογαριάζομαι ΜΕΣΟΠΑΘ (α) (= αναμετριέμαι) to get even (β) (= θεωρούμαι) to think of ή consider oneself
λογαριασμός ΟΥΣ ΑΡΣ (α) (δαπανών, εξόδων)

invoice (β) (ηλεκτρικού, νερού) bill · (εστιατορίου) bill (Βρετ.), check (Αμερ.) (γ) (= υπολογισμός) calculation (δ) (σε τράπεζα, ταμιευτήριο) account
▷**βάζω ή φέρνω σε λογαριασμό** (δωμάτιο, γραφείο) to tidy up · (ζωή, πράγματα) to sort out
▷**για λογαριασμό κποιου** on behalf of sb
▷**δίνω λογαριασμό σε κπν** to be answerable to sb
▷**δουλεύω για δικό μου λογαριασμό** to work for oneself
▷**(δεν) είναι δικός μου λογαριασμός** that's (none of) my business
▷**κάνω λογαριασμό** to run up a big bill
▷**μπαίνω σε λογαριασμό** (= μπαίνω σε τάξη) to be straightened up · (= συμμορφώνομαι) to comply
▷**ξεκαθάρισμα λογαριασμών** settling of scores
▷**οι καλοί λογαριασμοί κάνουν τους καλούς φίλους** (παροιμ.) short reckonings make long friends (παροιμ.)
▷**χάνω τον λογαριασμό** to lose count
▶**τραπεζικός λογαριασμός** bank account

λογαριϑμικός, -ή, -ό ΕΠΙΘ logarithmic
▶**λογαριϑμικός πίνακας** log table

λογάριϑμος ΟΥΣ ΑΡΣ logarithm, log

λογάς ΟΥΣ ΑΡΣ (οικ.) (α) (= φλύαρος) chatterbox (ανεπ.) (β) (= που δεν τηρεί τις υποσχέσεις του) person who is all talk

λόγγος ΟΥΣ ΑΡΣ scrub, thicket

λογής ΟΥΣ ΕΛΛΕΙΠΤ. kind, sort
▷**κάθε λογής άνθρωποι/βιβλία** all kinds ή sorts of people/books
▷**λογής-λογής, λογιών-λογιών** all kinds ή sorts of
▷**τι λογής άνθρωπος είναι;** what kind of person is he?

λόγια ΟΥΣ ΟΥΔ ΠΛΗΘ (α) (= κουβέντες) words (β) (= στίχοι) lyrics (γ) (μειωτ.: = κενές κουβέντες) talk εν.
▷**βάζω λόγια σε κπν για κπν** to turn sb against sb
▷**δεν βρίσκω ή έχω λόγια να σε ευχαριστήσω** I can't thank you enough
▷**δεν παίρνω από λόγια** not to listen to reason
▷**είμαι όλο λόγια** to be all talk
▷**μασάω τα λόγια μου** to mumble
▷**μ' άλλα λόγια** in other words
▷**με δυο λόγια** in a word
▷**κρύβε λόγια** don't give too much away
▷**λόγια του αέρα** empty talk, hot air (ανεπ.)
▷**μένω στα λόγια** not to get off the drawing board
▷**μιλώ με επαινετικά λόγια για κπν/κτ** to speak of sb/sth in glowing terms
▷**στα λόγια** in theory

λογίζομαι Ρ ΑΜ ΑΠΟΘ to be considered

λογικά¹ (ανεπ.) ΟΥΣ ΟΥΔ ΠΛΗΘ mind εν.
▷**έρχομαι στα λογικά μου** to come to one's senses

▷**χάνω τα λογικά μου** to lose one's mind

λογικά² ΕΠΙΡΡ (α) (σκέφτομαι) logically · (μιλώ) sensibly · (ενεργώ) rationally (β) (= κατά λογική συνέπεια) logically · (= εφόσον όλα πάνε καλά) all going well

λογικεύομαι Ρ ΑΜ ΑΠΟΘ to come to one's senses, to see reason

λογική ΟΥΣ ΘΗΛ (α) (= ορϑή σκέψη) reason (β) (= τρόπος σκέψης: ατόμου) logic, reasoning (γ) (= νοοτροπία: λαού) mentality (δ) (= φιλοσοφία: παιγνιδιού, αϑλήματος) spirit · (απόφασης, πολιτικής, νομοσχεδίου) rationale
▶**Λογική** ΟΥΣ ΘΗΛ (ΦΙΛΟΣ) logic
▷**κοινή λογική** common sense
▷**με ή υπό την ίδια λογική** by the same token
▷**τετράγωνη λογική** implacable logic
▷**ψυχρή λογική** cold logic

λογικό ΟΥΣ ΟΥΔ (α) (= λογική) reason (β) (ανεπ.: = μυαλό) mind

λογικός, -ή, -ό ΕΠΙΘ (α) (= που έχει λογική: ον) rational (β) (= σώφρων: άτομο) sensible (γ) (= μετημένος: πελάτης, άνθρωπος) reasonable (δ) (απόφαση, κίνηση, πρόταση, απάντηση, στάση) sensible (ε) (επακόλουϑο) logical (στ) (τιμές, ποσό, όρια) reasonable
▷**δεν είναι λογικό** it doesn't make sense
▷**είναι λογικό να** it's only natural that
▶**λογικός** ΟΥΣ ΑΡΣ, **λογική** ΟΥΣ ΘΗΛ sane person

λογικότητα ΟΥΣ ΘΗΛ rationality

λόγιος, -ια, -ιο ΕΠΙΘ learned
▶**λόγιος** ΟΥΣ ΑΡΣ scholar, learned man

λογισμικό ΟΥΣ ΟΥΔ software χωρίς πληϑ.

λογισμός ΟΥΣ ΑΡΣ (λογοτ.) thoughts πληϑ.

λογιστήριο ΟΥΣ ΟΥΔ accounts (department)
▶**Γενικό Λογιστήριο του Κράτους** National Audit Office

λογιστής ΟΥΣ ΑΡΣ accountant

λογιστική ΟΥΣ ΘΗΛ accounting, book–keeping

λογιστικός, -ή, -ό ΕΠΙΘ (λάϑος, διαφορά) accounting
▶**λογιστικά βιβλία** account books, accounts
▶**λογιστικός έλεγχος** audit
▶**λογιστικά** ΟΥΣ ΟΥΔ ΠΛΗΘ accounting εν.

λογίστρια ΟΥΣ ΘΗΛ βλ. **λογιστής**

λόγκος ΟΥΣ ΑΡΣ = **λόγγος**

λογοδιάρροια ΟΥΣ ΘΗΛ incessant talk, verbal diarrhoea (Βρετ.) ή diarrhea (Αμερ.)

λογοδίνομαι Ρ ΑΜ ΑΠΟΘ to be informally engaged

λογοδοσμένος, -η, -ο ΕΠΙΘ informally engaged

λογοδοτώ Ρ ΑΜ to answer for oneself
▷**λογοδοτώ (σε κπν) για κτ** to be answerable (to sb) for sth

λογοκλοπή, λογοκλοπία ΟΥΣ ΘΗΛ plagiarism

λογοκρίνω Ρ Μ to censor

λογοκρισία ΟΥΣ ΘΗΛ censorship

λογομαχία ΟΥΣ ΘΗΛ quarrel

λογομαχώ Ρ ΑΜ to quarrel

λογοπαίγνιο ΟΥΣ ΟΥΔ pun, play on words

λόγος ΟΥΣ ΑΡΣ (α) (= γλωσσική επικοινωνία) speech (β) (= χρήση της γλώσσας: για επικοινωνία) speech · (σε συγκεκριμένο χώρο) language (γ) (= γλώσσα) language (δ) (= ομιλία) speech (ε) (= κουβέντα) word (στ) (= διάλεξη) speech (ζ) (= αιτία) reason (η) (ΜΑΘ) ratio (θ) (ΦΙΛΟΣ) logos
▷**για του λόγου το αληθές** to prove it
▷**γίνεται λόγος για κτ** there is talk about sth
▷**δεν μου πέφτει λόγος** to have no say in the matter
▷**δίνω λόγο** (= υπόσχομαι) to give one's word · (= λογοδίνομαι) to be informally engaged · (= λογοδοτώ) to pay
▷**δίνω τον λόγο (της τιμής) μου, δίνω τον λόγο της ανδρικής μου τιμής** to give one's word (of honour (Βρετ.) ή honor (Αμερ.))
▷**έχω λόγο για κτ** to have one's say about sth
▷**έχω τον λόγο** to speak, to have the floor
▷**έχω τον λόγο ή τους λόγους μου** to have one's reasons
▷**έχω τον πρώτο λόγο** to have the upper hand
▷**ζητώ τον λόγο από κπν** (= ζητώ από κπν να εξηγηθεί) to ask sb to explain himself/ herself · (= ζητώ να μιλήσω) to ask sb for permission to speak
▷**κάνω λόγο για κτ** to mention sth
▷**κατά πρώτο λόγο** in the first place
▷**κατά μείζονα ή κύριο λόγο** for the most part
▷**λόγο στον λόγο** in the course of conversation
▷**λόγος ύπαρξης** raison d'être
▷**λόγου χάρη ή χάριν** for instance
▷**ο εν λόγω** in question
▷**ο λόγος μου περνά ή έχει πέραση** my word counts
▷**ο λόγος το λέει** so to speak
▷**ούτε λόγος (να γίνεται)** no question about it
▷**που λέει ο λόγος** (= για παράδειγμα, υποθετικά) say · (= για κτ που δεν λέγεται κυριολεκτικά) so to speak
▷**υπάρχει ή συντρέχει λόγος** there's a reason
▷**χωρίς λόγο** for no reason
▸**πεζός λόγος, ποιητικός ή έμμετρος λόγος** verse
▸ **Λόγος** ΟΥΣ ΑΡΣ (ΘΡΗΣΚ) Word

λογοτέχνημα ΟΥΣ ΟΥΔ (work of) literature

λογοτέχνης ΟΥΣ ΑΡΣ writer (of fiction or poetry)

λογοτεχνία ΟΥΣ ΘΗΛ literature

λογοτέχνιδα ΟΥΣ ΘΗΛ βλ. **λογοτέχνης**

λογοτεχνικός, -ή, -ό ΕΠΙΘ (κείμενο, κριτική, αξία, γλώσσα, ύφος) literary
▸**λογοτεχνικό βιβλίο ή έργο** literary fiction χωρίς πληθ.

λογότυπος ΟΥΣ ΑΡΣ, **λογότυπο** ΟΥΣ ΟΥΔ logo

λογού ΟΥΣ ΘΗΛ (οικ.) chatterbox (ανεπ.)

λογοφέρνω Ρ ΑΜ to argue

λογύδριο ΟΥΣ ΟΥΔ short speech

λογχοειδής, -ής, -ές ΕΠΙΘ (φύλλα) tapering

λόγχη ΟΥΣ ΘΗΛ (α) (ιππέα) lance · (στρατιώτη) spear (β) (όπλου) bayonet
▷**εφ' όπλου λόγχη** (παράγγελμα) fix bayonets!

λογχίζω Ρ Μ to spear

λόγω ΠΡΟΘ (επίσ.) because of

λοιδορία ΟΥΣ ΘΗΛ (επίσ.) taunt

λοιδορώ Ρ Μ (επίσ.) to taunt

λοιμοκαθαρτήριο ΟΥΣ ΟΥΔ quarantine

λοιμός ΟΥΣ ΑΡΣ (α) (= επιδημική νόσος) epidemic (β) (στην αρχαιότητα: = πανούκλα) plague

λοιμώδης, -ης, -ες ΕΠΙΘ (νόσος) infectious

λοίμωξη ΟΥΣ ΘΗΛ infection

λοιπόν, το λοιπόν ΣΥΝΔ (α) (= επομένως) so (β) (για δήλωση απόφασης) right (γ) (για εισαγωγή θέματος ή μετάβαση σε άλλο θέμα) so, right (then) (δ) (ως κατακλείδα) then (ε) (= για έκφραση απορίας) then (στ) (για ενίσχυση προτροπής) then (ζ) (στην αρχή λόγου: για σκέψη, αμηχανία, προτροπή) well
▷**άντε λοιπόν!** come on then!
▷**και λοιπόν;** so what?
▷**καλά, λοιπόν!** right then!
▷**λοιπόν;** well then?

λοιπός, -ή, -ό ΕΠΙΘ (επίσ.: = υπόλοιπος) remaining
▷**και λοιπά, και τα λοιπά** etcetera
▷**κατά τα λοιπά** as to the rest
▷**ο λοιπός στρατός** the rest of the army
▷**οι λοιποί επιβάτες** the rest of the passengers
▷**οι λοιποί συγγενείς** (σε κηδεία) the close relatives

λοίσθιος, -ια, -ιο ΕΠΙΘ (επίσ.): **πνέω τα λοίσθια** to breathe one's last · (μτφ.) to be in its death throes

λόμπι ΟΥΣ ΟΥΔ ΑΚΛ lobby

Λονδίνο ΟΥΣ ΟΥΔ London

Λονδρέζα ΟΥΣ ΘΗΛ βλ. **Λονδρέζος**

Λονδρέζος ΟΥΣ ΑΡΣ Londoner

λοξά ΕΠΙΡΡ (προχωρώ, κατευθύνομαι, πέφτω) sideways · (φορώ, βάζω, τοποθετώ) askew
▷**κοιτάζω κπν λοξά** to give sb a sidelong glance

λόξα ΟΥΣ ΘΗΛ foible
▷**έχω λόξα με κτ** to have a thing about sth

λόξιγκας ΟΥΣ ΑΡΣ = **λόξυγγας**

λοξοδρόμημα ΟΥΣ ΟΥΔ = **λοξοδρόμηση**

λοξοδρόμηση ΟΥΣ ΘΗΛ (α) (= πλάγια πορεία) swerve (β) (μτφ.: = παρέκκλιση) deviation · (ηθική) lapse

λοξοδρομώ Ρ ΑΜ (α) (= παίρνω λοξή πορεία) to swerve (β) (μτφ.: = παρεκκλίνω: από αρχικό σχέδιο) to deviate · (ηθικά) to lapse

λοξοκοιτάζω Ρ Μ (α) (= κοιτάζω λοξά) to look sidelong at (β) (= στραβοκοιτάζω) to scowl at, to glower at

λοξός, -ή, -ό ΕΠΙΘ (α) (γραμμή, πορεία, κατεύθυνση) oblique, slanting (β) (μτφ.: για άνθρωπο) eccentric (γ) (βλέμμα, ματιά) sidelong

λόξυγγας ΟΥΣ ΑΡΣ hiccup
▷**έχω** ή **παθαίνω λόξυγγα, με πιάνει λόξυγγας** to have (the) hiccups

λόρδα ΟΥΣ ΘΗΛ: **με κόβει η λόρδα** to be starving (ανεπ.) ή famished (ανεπ.)

λόρδος ΟΥΣ ΑΡΣ lord
▷**περπατώ** ή **πηγαίνω σαν λόρδος** to swagger

λόρδωση ΟΥΣ ΘΗΛ hollow–back, lordosis (επιστ.)

λοσιόν ΟΥΣ ΘΗΛ ΑΚΛ lotion

λοστός ΟΥΣ ΑΡΣ, **λοστάρι** ΟΥΣ ΟΥΔ crowbar, jemmy (Βρετ.), jimmy (Αμερ.)

λοστρόμος ΟΥΣ ΑΡΣ boatswain

λοταρία ΟΥΣ ΘΗΛ raffle

Λόττο, λόττο ΟΥΣ ΟΥΔ ΑΚΛ lottery

λούζω Ρ Μ (α) (μαλλιά, κεφάλι) to wash, to shampoo (β) (= καταβρέχω: με σαμπάνια) to spray· (βροχή, υδρατμοί) to drench (γ) (ήλιος: δωμάτιο, χώρο) to flood with light· (φως) to flood
▷**λούζω** κπν **με βρισιές** ή **πατόκορφα** to shower abuse on sb
▸**λούζομαι** ΜΕΣΟΠΑΘ to wash one's hair
▷**λούζομαι στο φως** to be bathed in light
▷**τα λούζομαι** to pay for it

λουκ ΟΥΣ ΟΥΔ ΑΚΛ look

λουκάνικο ΟΥΣ ΟΥΔ sausage
▸**λουκάνικο Φρανκφούρτης** frankfurter

λουκανικόπιτα ΟΥΣ ΘΗΛ sausage pie, sausage roll (Βρετ.)

λουκέτο ΟΥΣ ΟΥΔ padlock
▷**βάζω** ή **μπαίνει λουκέτο** (μτφ.: σε επιχείρηση) to shut up shop· (στο στόμα μου) to clam up
▷**κλειδώνω** κτ **με λουκέτο** to padlock sth

λούκι ΟΥΣ ΟΥΔ drainpipe
▷**μπαίνω στο λούκι** (προφορ.) to play the game (ανεπ.)
▷**τραβάω (μεγάλο) λούκι** (αργκ.) to go through hell (ανεπ.)

λουκούλλειος, -εια, -ειο ΕΠΙΘ: **λουκούλλειο γεύμα** gargantuan feast

λουκουμάς ΟΥΣ ΑΡΣ deep–fried dough ball served with honey and cinnamon, ≈ doughnut (Βρετ.), ≈ donut (Αμερ.)

λουκούμι ΟΥΣ ΟΥΔ (α) (γλύκισμα) Turkish delight (β) (ως επίθετο: = εύγευστος) delicious
▷**μου ήρθε λουκούμι** to come as a boon

λουλουδάτος, -η, -ο ΕΠΙΘ (ύφασμα, φόρεμα) flowery, floral

λουλουδένιος, -ια, -ιο ΕΠΙΘ (γιρλάντα, στεφάνι) of flowers· (σχέδιο) floral

λουλούδι ΟΥΣ ΟΥΔ flower

λουλουδιστός, λουλουδιαστός, -ή, -ό, λουλουδιασμένος, -η, -ο ΕΠΙΘ (κάμπος, αυλή) full of flowers

λούμπα ΟΥΣ ΘΗΛ muddy ditch
▷**πέφτω στη λούμπα** to fall for a trick, to take the bait

λουμπάγκο ΟΥΣ ΟΥΔ ΑΚΛ lumbago

λούνα παρκ ΟΥΣ ΟΥΔ ΑΚΛ amusement park

λουξ ΕΠΙΘ ΑΚΛ de luxe

Λουξεμβούργο ΟΥΣ ΟΥΔ Luxembourg

λουόμενος ΟΥΣ ΑΡΣ swimmer

λουράκι ΟΥΣ ΟΥΔ (ρολογιού) watchstrap· (παπουτσιού) strap

λουρί ΟΥΣ ΟΥΔ (βαλίτσας, τσάντας) strap· (αλόγου) rein· (σκύλου) lead (Βρετ.), leash (Αμερ.)· (μηχανής) belt
▷**σφίγγω τα λουριά σε** κπν to keep a tight rein on sb

λουρίδα ΟΥΣ ΘΗΛ (α) (επίσης **λωρίδα**: = από δέρμα, ύφασμα, χαρτί) strip (β) (= παντελονιού, φορέματος) belt (γ) (επίσης **λωρίδα**: γης) strip

λούσιμο ΟΥΣ ΟΥΔ wash

λουστράρισμα ΟΥΣ ΟΥΔ (επίπλων, παπουτσιών) polishing

λουστράρω Ρ Μ (παπούτσι, έπιπλο) to polish

λουστρίνι ΟΥΣ ΟΥΔ patent leather
▸**λουστρίνια** ΠΛΗΘ patent leather shoes

λούστρο ΟΥΣ ΟΥΔ (α) (= βερνίκι) varnish (β) (= γυαλάδα) polish

λουτρό ΟΥΣ ΟΥΔ (α) (= μπάνιο) bath (β) (= τουαλέτα) bathroom
▷**κάνω ένα λουτρό, παίρνω το λουτρό μου** to have ή take a bath
▷**λουτρό αίματος** blood bath
▸**λουτρά** ΠΛΗΘ (α) (επίσης **δημόσια λουτρά**) public baths (β) (= ιαματικές πηγές) spa εν.

λουτροθεραπεία ΟΥΣ ΘΗΛ spa therapy

λουτρόπολη ΟΥΣ ΘΗΛ spa (town)

λούτσα ΟΥΣ ΘΗΛ puddle
▷**γίνομαι λούτσα** to get drenched
▷**κάνω** κπν **λούτσα** to drench sb

λούφα (ανεπ.) ΟΥΣ ΘΗΛ (= αποφυγή κόπου) slacking off
▷**κάνω** κτ **στη λούφα** to do sth on the sly (ανεπ.)
▷**το ρίχνω στη λούφα** to slack off (ανεπ.)

λουφαδόρος ΟΥΣ ΑΡΣ slacker (ανεπ.)

λουφάζω Ρ ΑΜ (α) (= ζαρώνω) to lie low· (από φόβο) to cringe, to cower (β) (μτφ.: = σωπαίνω) to keep mum

λουφάρω Ρ ΑΜ to slack off, to shirk

λουφατζής ΟΥΣ ΑΡΣ = **λουφαδόρος**

λοφίο ΟΥΣ ΟΥΔ (α) (πτηνού) crest (β) (παλαιότ.) plume

λοφίσκος ΟΥΣ ΑΡΣ hillock

λόφος ΟΥΣ ΑΡΣ hill

λοχαγός ΟΥΣ ΑΡΣ captain

λοχίας ΟΥΣ ΑΡΣ sergeant

λόχμη ΟΥΣ ΘΗΛ thicket

λόχος ΟΥΣ ΑΡΣ (ΣΤΡΑΤ) company

λυγαριά, λυγιά ΟΥΣ ΘΗΛ osier

λυγερός, -ή, -ό ΕΠΙΘ (α) (σώμα, κορμοστασιά) supple (β) (για πρόσ.) willowy

λυγίζω ① Ρ Μ **(α)** (μέση, γόνατο, κλαδί, σίδερο) to bend **(β)** (μτφ.: για πρόσ.) to wear down
② Ρ ΑΜ **(α)** (γόνατα) to buckle · (χέρι) to flex · (βέργα, κλαδί) to bend, to bow **(β)** (μτφ.: = υποκύπτω) to yield **(γ)** (μτφ.: = χάνω το θάρρος μου) to give up
▷**τον είχαν λυγίσει τα γηρατιά** he was bowed with age

λύγισμα ΟΥΣ ΟΥΔ **(α)** (κορμιού, γονάτων, σίδερου, καλαμών) bending · (από κούραση, φόβο) buckling **(β)** (εχθρού) yielding **(γ)** (μτφ.) giving up

λυγιστός, -ή, -ό ΕΠΙΘ **(α)** (= εύκαμπτος) supple **(β)** (= λυγισμένος) bent · (κλαδί) bowed
▷**κουνιστός και λυγιστός** (= ναζιάρης) swaying one's hips · (= σαν να μην έγινε τίποτε) bright and breezy

λυγμός ΟΥΣ ΑΡΣ sob
▷**κλαίω με λυγμούς** to sob

λυγώ ① Ρ Μ **(α)** (= λυγίζω) to bend **(β)** (με χάρη: κορμί, μέση) to sway
② Ρ ΑΜ (= κάμπτομαι) to bend
▸**λυγιέμαι** ΜΕΣΟΠΑΘ to sway

λυθρίνι ΟΥΣ ΟΥΔ red sea bream, pandora

λύκαινα ΟΥΣ ΘΗΛ she-wolf

λυκάνθρωπος ΟΥΣ ΑΡΣ werewolf

> *Προσοχή!: Ο πληθυντικός του* **werewolf** *είναι* **werewolves.**

λυκαυγές ΟΥΣ ΟΥΔ dawn

λυκειάρχης ΟΥΣ ΑΡΣ&ΘΗΛ head teacher (Βρετ.), principal (Αμερ.)

λυκειάρχισσα ΟΥΣ ΘΗΛ βλ. **λυκειάρχης**

λύκειο ΟΥΣ ΟΥΔ ≈ secondary school (Βρετ.), ≈ high school (Αμερ.) (for 15 to 18 year olds)

λυκόπουλο ΟΥΣ ΟΥΔ **(α)** (= νεογνό λύκου) wolf cub **(β)** (= μικρός πρόσκοπος) cub (scout)

λύκος ΟΥΣ ΑΡΣ **(α)** (ζώο) wolf

> *Προσοχή!: Ο πληθυντικός του* **wolf** *είναι* **wolves.**

(β) (= λυκόσκυλο) Alsatian (Βρετ.), German shepherd (Αμερ.)
▷**βάζω τον λύκο να φυλάει τα πρόβατα** to set a fox to mind the geese
▷**τρώω σαν λύκος** to wolf it down (ανεπ.)

λυκόσκυλο ΟΥΣ ΟΥΔ Alsatian (Βρετ.), German shepherd (Αμερ.)

λυκοφιλία ΟΥΣ ΘΗΛ (αρνητ.) show of friendship

λυκόφως ΟΥΣ ΟΥΔ twilight

λυμαίνομαι Ρ Μ ΑΠΟΘ (επίσ.) to plunder

λύματα ΟΥΣ ΟΥΔ ΠΛΗΘ effluents

λυντσάρισμα ΟΥΣ ΟΥΔ = **λιντσάρισμα**

λυντσάρω Ρ Μ = **λιντσάρω**

λύνω Ρ Μ **(α)** (γραβάτα) to undo · (ζώνη) to undo, to unbuckle · (παπούτσια, κορδόνια, κόμπο) to untie, to undo · (μαλλιά) to let down **(β)** (βάρκα) to untie · (σκύλο, βάρκα) to let loose, to let off the lead (Βρετ.) · ή leash (Αμερ.) · (άλογο) to let loose · (χειρόφρενο) to release **(γ)** (μηχανή, όπλο) to strip (down), to dismantle · (ρολόι) to take apart ή to pieces · (σκηνή) to take down **(δ)** (απορία) to answer · (εξίσωση, πρόβλημα, αίνιγμα) to solve · (μυστήριο) to solve, to clear up · (παρεξήγηση, διαφωνία) to clear up · (διαφορές) to resolve **(ε)** (συγκέντρωση, απεργία) to bring to an end · (πολιορκία) to raise **(στ)** (γλώσσα) to loosen · (πόδια) to loosen up **(ζ)** (μτφ.: μάγια, σιωπή) to break
▷**λύνω και δένω** to hold the reins, to call the shots (ανεπ.)
▷**λύνω τα χέρια κποιου** to give sb more freedom
▸**λύνομαι** ΜΕΣΟΠΑΘ **(α)** (ζώο, άνθρωπος) to break loose **(β)** (πρόβλημα, ζήτημα) to have a solution
▷**λύνονται τα γόνατά μου** to go weak at the knees

λυόμενος, -η, -ο ΕΠΙΘ (έπιπλο) flat-pack · (κρεβάτι) foldaway · (κατασκευή, σπίτι) prefabricated
▸**λυόμενο** ΟΥΣ ΟΥΔ prefab

λυπάμαι Ρ Μ/ΑΜ βλ. **λυπώ**

λύπη ΟΥΣ ΘΗΛ **(α)** (= ψυχικός πόνος) sorrow, sadness **(β)** (= οίκτος) pity · (= συμπόνια) compassion

λυπημένος, -η, -ο ΕΠΙΘ **(α)** (μάτια, βλέμμα) sad, sorrowful **(β)** (= στενοχωρημένος) sad

λυπηρός, -ή, -ό ΕΠΙΘ (επίσ.: γεγονός) regrettable · (σκηνή) distressing

λύπηση ΟΥΣ ΘΗΛ (= οίκτος) pity · (= συμπόνια) compassion

λυπητερός, -ή, -ό ΕΠΙΘ (τραγούδι, ιστορία) sad · (φωνή) sad, sorrowful

▸**λυπητερή** ΟΥΣ ΘΗΛ (αργκ.) bill (Βρετ.), check (Αμερ.)

λυπούμαι Ρ Μ/ΑΜ βλ. **λυπώ**

λυπώ Ρ Μ to sadden, to make sad
▸**λυπάμαι, λυπούμαι** ① Ρ ΜΕΣΟΠΑΘ **(α)** (= συμπονώ) to feel sorry for **(β)** (= αισθάνομαι οίκτο) to take pity on **(γ)** (= υπολογίζω: νιάτα, ζωή, κόπους) to value **(δ)** (= τσιγγουνεύομαι: λεφτά) to be mean with · (λάδι, τυρί) to skimp on
② Ρ ΑΜ ΜΕΣΟΠΑΘ to be sorry
▷**λυπάμαι για κτ** to be sorry about sth
▷**λυπάμαι για την ενόχληση** I'm sorry to bother you
▷**λυπάμαι που** to be sorry that
▷**τον λυπήθηκε η καρδιά** ή **η ψυχή μου** my heart went out to him

λύρα ΟΥΣ ΘΗΛ lyre

λυράρης ΟΥΣ ΑΡΣ lyre player

λυρικός, -ή, -ό ΕΠΙΘ (ποίημα, ποιητής, στίχος) lyric · (περιγραφή, ύφος) lyrical
▸**Λυρική Σκηνή** Athens opera house
▸**λυρική ποίηση** lyric poetry
▸**λυρικό θέατρο** opera

Λ

λυρισμός ΟΥΣ ΑΡΣ lyricism

λύση ΟΥΣ ΘΗΛ (α) (εξίσωσης, άσκησης) solution, answer · (απορίας) answer · (αινίγματος, μυστηρίου) solving (β) (όπλου) stripping, dismantling · (ρολογιού) dismantling (γ) (διαφοράς, απεργίας) settlement · (προβλήματος) solution · (κρίσης) resolution · (παρεξήγησης) clearing up · (γάμου) annulment · (σύμβασης) termination · (πολιορκίας) raising
‣ λύση ανάγκης Hobson's choice

λύσιμο ΟΥΣ ΟΥΔ (α) (σχοινιών, κάβων) untying · (κορδονιών) untying, undoing · (κοτσίδας) undoing (β) (άσκησης) solution

λύσσα ΟΥΣ ΘΗΛ (α) (ασθένεια) rabies εν.

> *Προσοχή!: Αν και το* rabies *φαίνεται ως τύπος πληθυντικού, είναι ουσιαστικό μόνο στον ενικό και συντάσσεται με ρήμα στον ενικό.*

(β) (= τρέλα) fury (γ) (= μεγάλη οργή) rage, fury (δ) (= μανία) passion (με, για for)
▷ είναι λύσσα (για φαγητά) it's too salty
▷ με λύσσα furiously
▷ με πιάνει λύσσα to fly into a rage

λυσσαλέος, -έα, -έο ΕΠΙΘ (μάχες) furious, fierce · (αντίσταση) fierce · (φανατισμός) rabid

λυσσομανώ Ρ ΑΜ to rage

λυσσώ Ρ ΑΜ (α) (για ζώα) to have rabies, to be rabid (β) (μτφ.: = μαίνομαι) to be furious (γ) (αέρας, θάλασσα) to rage
▷ λυσσώ για κτ to be mad about sth
▷ λυσσώ να κάνω κτ to be desperate to do sth
▷ λυσσώ στη δίψα/πείνα to be dying of thirst/hunger

λυτός, -ή, -ό ΕΠΙΘ (ζώο, μαλλιά) loose · (παντελόνι, παπούτσι) undone

λύτρα ΟΥΣ ΟΥΔ ΠΛΗΘ ransom εν.

λυτρωμός ΟΥΣ ΑΡΣ release, deliverance

λυτρώνω Ρ Μ (= απαλλάσσω: από δεινά) to release · (από βάρος) to relieve · (από πάθος) to liberate
▸ λυτρώνομαι ΜΕΣΟΠΑΘ to be relieved

λύτρωση ΟΥΣ ΘΗΛ release, deliverance · (ΘΡΗΣΚ) redemption

λυτρωτής ΟΥΣ ΑΡΣ redeemer

λυχνάρι ΟΥΣ ΟΥΔ oil lamp

λυχνία ΟΥΣ ΘΗΛ (α) (= λάμπα) lamp · (= γλόμπος) bulb (β) (ραδιοφώνου) valve · (τηλεόρασης) tube

λύω Ρ Μ (επίσ.: όρκο) to take back · (σύμβαση, συμφωνία) to cancel
▷ λύεται η συνεδρίαση (στο δικαστήριο) the court is adjourned · (γενικότ.) the meeting is adjourned · βλ. κ. λύνω

λωλός, -ή, -ό ΕΠΙΘ mad

λωποδυσία ΟΥΣ ΘΗΛ petty theft, pilfering

λωποδύτης ΟΥΣ ΑΡΣ petty thief

> *Προσοχή!: Ο πληθυντικός του* thief *είναι* thieves.

λωποδύτισσα, λωποδύτρια ΟΥΣ ΘΗΛ βλ. λωποδύτης

λωρίδα ΟΥΣ ΟΥΔ (γης) strip
‣ λωρίδα κυκλοφορίας lane · βλ. κ. λουρίδα

λώρος ΟΥΣ ΑΡΣ: ομφάλιος λώρος (κυριολ., μτφ.) umbilical cord

λωτός ΟΥΣ ΑΡΣ lotus

M μ

M, μ mu, *12th letter of the Greek alphabet*
▷**μ′** 40
▷**͵μ** 40,000

μα¹ ΣΥΝΔ (α) (= αλλά) but (β) (για υπερβολή)
even (γ) (για αλλαγή συζήτησης) but
▷**δεν σε ξέρω, μα και δεν θέλω να σε ξέρω!** I
don't know you and I don't want to know
you either!
▷**μα...** well...
▷**μα ούτε** not even
▷**μα πού πήγε επιτέλους;** where on earth has
he gone?
▷**μα τι κάνεις εκεί;** what on earth are you
doing?
μα² ΜΟΡ +*αιτ.:* **μα τον Θεό!** by God!
▷**μα την αλήθεια!** honestly!

μαβής, -ιά, -ί ΕΠΙΘ mauve
▸**μαβί** ΟΥΣ ΟΥΔ mauve

μαγαζάτορας ΟΥΣ ΑΡΣ shopkeeper (*Βρετ.*),
store owner (*Αμερ.*)

μαγαζί ΟΥΣ ΟΥΔ (α) (= κατάστημα) shop (*κυρ.*
Βρετ.), store (*κυρ. Αμερ.*) (β) (= νυχτερινό
κέντρο) night club· (= μπαρ) bar
▸**μαγαζιά** ΠΛΗΘ: **τα μαγαζιά** (= η αγορά) the
shops
▷**τα μαγαζιά σου είναι ανοιχτά** (κοροϊδ.) your
fly is open

μαγαρίζω ⟨1⟩ Ρ Μ (σπίτι, πάτωμα, καναπέ) to
dirty, to get dirty
⟨2⟩ Ρ ΑΜ (σκύλος, γάτα) to make a mess
▷**μαγαρίζεις το στόμα σου μ' αυτά που λες!**
don't use language like that, it's not nice!

μαγγάνι ΟΥΣ ΟΥΔ *βλ.* **μάγγανο**

μαγγάνιο ΟΥΣ ΟΥΔ (ΧΗΜ) manganese

μάγγανο ΟΥΣ ΟΥΔ (πηγαδιού) winch

μαγγανοπήγαδο ΟΥΣ ΟΥΔ (α) (= πηγάδι με
μάγγανο) draw–well (β) (= άχαρη ρουτίνα)
grind, drudgery

μάγγωμα ΟΥΣ ΟΥΔ (α) (δαχτύλων) catching
(β) (= δυνατό πιάσιμο) grip (γ) (πόρτας,
παραθύρου) jamming

μαγγώνω ⟨1⟩ Ρ Μ (α) (δάχτυλο) to catch
(β) (= πιάνω δυνατά) to grab
⟨2⟩ Ρ ΑΜ (πόρτα, παράθυρο) to jam, to be
stuck

μαγεία ΟΥΣ ΘΗΛ (α) (= μάγια) magic,
witchcraft (β) (φεγγαριού) beauty· (φύσης)
wonder· (μουσικής, στιγμής) magic
▷**ως δια μαγείας** (επίσ.) as if by magic
▸**μαύρη/λευκή μαγεία** black/white magic

μάγειρας ΟΥΣ ΑΡΣ (α) (γενικότ.) cook
(β) (εστιατορίου) chef

μαγειρείο ΟΥΣ ΟΥΔ (= κουζίνα) kitchen
▸**μαγειρεία** ΠΛΗΘ (στρατοπέδου) cookhouse
εν.· (νοσοκομείου) kitchen εν.

μαγείρεμα ΟΥΣ ΟΥΔ (α) (κρέατος, λαχανικών)
cooking (β) (αρνητ.) scheme, plot

μαγειρευτός, -ή, -ό ΕΠΙΘ cooked
▸**μαγειρευτά** ΟΥΣ ΟΥΔ ΠΛΗΘ ready meals

μαγειρεύω ⟨1⟩ Ρ Μ (α) (κρέας, ψάρια,
λαχανικά) to cook (β) (αρνητ.) to plot, to
scheme
⟨2⟩ Ρ ΑΜ to cook
▷**τι μαγειρεύεις πάλι;** what are you up to?

μαγειρική ΟΥΣ ΘΗΛ cookery, cooking
▸**οδηγός μαγειρικής** cookbook, cookery book
(*Βρετ.*)

μαγειρικός, -ή, -ό ΕΠΙΘ (σκεύος, αλάτι)
cooking· (τέχνη) culinary

μαγείρισσα ΟΥΣ ΘΗΛ *βλ.* **μάγειρας**

μαγειρίτσα ΟΥΣ ΘΗΛ *traditional soup made from
tripe eaten on Easter night*

μάγειρος ΟΥΣ ΑΡΣ = **μάγειρας**

μαγεμένος, -η, -ο ΕΠΙΘ (κυριολ., μτφ.)
enchanted

μαγευτικός, -ή, -ό ΕΠΙΘ (εικόνα, ομορφιά)
captivating· (μουσική) entrancing· (ταξίδι)
fascinating· (στιγμή) magical· (ηλιοβασίλεμα)
spectacular

μαγεύτρα (λογοτ.) ΟΥΣ ΘΗΛ enchantress

μαγεύω Ρ Μ (α) (= κάνω μάγια) to cast ή put
a spell on, to bewitch (β) (ακροατήριο,
κοινό) to captivate, to enchant · (νου) to
bewitch (καρδιά) to captivate

μαγιά ΟΥΣ ΘΗΛ (α) (γενικότ.) ferment ·
(= προζύμι) yeast (β) (μτφ.) nest egg
▸**μαγιά μπίρας** brewer's yeast

μάγια ΟΥΣ ΟΥΔ ΠΛΗΘ spell εν.
▷**κάνω ή ρίχνω μάγια σε κπν** to put ή cast a
spell on sb
▷**λύνω τα μάγια** to break a spell
▷**πιστεύω στα μάγια** to believe in magic ή
witchcraft

μαγιάτικο ΟΥΣ ΟΥΔ tunny

μαγιάτικος, -η, -ο ΕΠΙΘ (στεφάνι, νύχτα) May

μαγικός, -ή, -ό ΕΠΙΘ (α) (καθρέφτης, χαλί,
δαχτυλίδι, φίλτρο) magic (β) (κόλπα) magic
(γ) (βραδιά, πόλη) magical
▸**μαγικά** ΟΥΣ ΟΥΔ ΠΛΗΘ (α) (= τεχνάσματα:

M

μάγου, ταχυδακτυλουργού) magic *εν.* ·
(= *λόγια)* magic words
(β) (= *ταχυδακτυλουργίες)* magic tricks
(γ) *(για παίκτη)* magic *εν.*

μαγιό ΟΥΣ ΟΥΔ ΑΚΛ *(γυναικείο)* swimsuit,
swimming costume *(Βρετ.)* · *(ανδρικό)*
swimming trunks *πληθ.*
▸**ολόσωμο μαγιό** one-piece swimsuit

μαγιονέζα ΟΥΣ ΘΗΛ mayonnaise

μάγισσα ΟΥΣ ΘΗΛ (α) *(παραμυθιού)* witch
(β) (= *γόησσα)* enchantress
▸**κυνήγι μαγισσών** *(αρνητ.)* witch-hunt

μαγκαζίνο ΟΥΣ ΟΥΔ ΑΚΛ magazine (programme
(Βρετ.) ή program *(Αμερ.))*
▸**τηλεοπτικό μαγκαζίνο** TV magazine
(programme *(Βρετ.)* ή program *(Αμερ.))*

μαγκάλι ΟΥΣ ΟΥΔ brazier

μαγκάνι ΟΥΣ ΟΥΔ *βλ.* **μάγγανο**

μάγκανο ΟΥΣ ΟΥΔ = **μάγγανο**

μαγκανοπήγαδο ΟΥΣ ΟΥΔ = **μαγγανοπήγαδο**

μάγκας ΟΥΣ ΑΡΣ (α) *(αρνητ.: = νταής)* thug,
bully (β) (= *ικανός)* smart guy *(ανεπ.)* ·
(= *θαρραλέος)* tough guy *(ανεπ.)*
▸**είσαι μάγκας!** *(οικ.)* you're all right! *(ανεπ.)*
▸**μάγκα!** *(οικ.)* man! *(ανεπ.)*
▸**μάγκες!** *(οικ.)* guys! *(ανεπ.)*

μαγκιά ΟΥΣ ΘΗΛ (α) *(αρνητ.)* bullying *χωρίς
πληθ.,* thuggery *χωρίς πληθ.*
(β) (= *επιδεξιότητα)* cunning
(γ) (= *κατόρθωμα)* big deal *(ανεπ.)*

μάγκικος, -η, -ο ΕΠΙΘ *(λόγια)* rough · *(φωνή)*
gruff
▸**έχει μάγκικη συμπεριφορά** he's got attitude
(ανεπ.)
▸**μάγκικο περπάτημα** strut

μαγκιόρα ΟΥΣ ΘΗΛ *βλ.* **μαγκιόρος**

μαγκιόρος ΟΥΣ ΑΡΣ smooth operator *(ανεπ.)*

μάγκισσα ΟΥΣ ΘΗΛ *βλ.* **μάγκας**

μαγκούρα ΟΥΣ ΘΗΛ stick

μαγκούφης, -α ή **-ισσα, -ικο** ΕΠΙΘ all alone

μαγκουφιά ΟΥΣ ΘΗΛ loneliness

μάγκωμα ΟΥΣ ΟΥΔ = **μάγγωμα**

μαγκώνω Ρ Μ = **μαγγώνω**

μάγμα ΟΥΣ ΟΥΔ magma

μαγνήσιο ΟΥΣ ΟΥΔ (ΧΗΜ) magnesium

μαγνήτης ΟΥΣ ΑΡΣ *(κυριολ., μτφ.)* magnet

μαγνητίζω Ρ Μ (α) *(σώμα, ράβδο)* to
magnetize (β) *(μτφ.)* to mesmerize
▸**βλέμμα** ή **ματιά που μαγνητίζει**
mesmerizing gaze ή eyes

μαγνητικός, -ή, -ό ΕΠΙΘ (α) *(κύκλωμα, πόλος,
βελόνα)* magnetic (β) *(βλέμμα)* mesmerizing
▸**μαγνητικό πεδίο** magnetic field
▸**μαγνητική ταινία** magnetic tape

μαγνητισμός ΟΥΣ ΑΡΣ (α) (ΦΥΣ) magnetism
(β) *(μτφ.)* magnetism, charisma
▸**γήινος μαγνητισμός** terrestrial magnetism

μαγνητοηλεκτρικός, -ή, -ό ΕΠΙΘ
magnetoelectric

μαγνητοσκοπημένος, -η, -ο ΕΠΙΘ

(pre-)recorded

μαγνητοσκόπηση ΟΥΣ ΘΗΛ recording
▸**δείχνω/παρακολουθώ αγώνα σε
μαγνητοσκόπηση** to show/to watch a
recording of a match

μαγνητοσκοπώ Ρ Μ *(εκδήλωση, συναυλία,
αγώνα)* to record, to tape

μαγνητοταινία ΟΥΣ ΘΗΛ magnetic tape

μαγνητοφωνημένος, -η, -ο ΕΠΙΘ recorded,
taped

μαγνητοφώνηση ΟΥΣ ΘΗΛ tape recording

μαγνητόφωνο ΟΥΣ ΟΥΔ tape recorder, cassette
recorder

μαγνητοφωνώ Ρ Μ *(φωνή, ομιλία, εκπομπή)*
to record, to tape

μάγος ΟΥΣ ΑΡΣ (α) *(παραμυθιού)* wizard
(β) *(φυλής)* witch doctor
(γ) (= *ταχυδακτυλουργός)* magician
▸**είναι μάγος της διπλωματίας** he's a past
master at diplomacy
▸**μάγος της μπάλας** top football player
▸**οι τρεις Μάγοι** the Three Wise Men, the
Three Magi

μαγουλάδες ΟΥΣ ΘΗΛ ΠΛΗΘ mumps *εν.*

> *Προσοχή!: Αν και το* **mumps** *φαίνεται ως
> τύπος πληθυντικού, είναι μη αριθμήσιμο
> ουσιαστικό και συντάσσεται με ρήμα
> στον ενικό.*

μάγουλο ΟΥΣ ΟΥΔ (α) *(ανθρώπου)* cheek
(β) *(πλοίου)* bow

Μάγχη ΟΥΣ ΘΗΛ: **το Στενό της Μάγχης** the
English Channel

μαδέρι ΟΥΣ ΟΥΔ *(για στρώσιμο πατωμάτων)*
joist, plank · *(για ικριώματα)* plank

μάδημα ΟΥΣ ΟΥΔ (α) (= *τριχόπτωση: κεφαλιού,
γενειάδας)* hair loss · *(εσκεμμένο)* removal of
the hair (β) *(φτερών)* plucking · *(μαργαρίτας)*
removal of the petals

Μαδρίτη ΟΥΣ ΘΗΛ Madrid

μαδώ ① Ρ Μ (α) *(μαλλιά)* to pull out ·
(πούπουλα) to pluck, to pull out · *(φύλλα)* to
pull off (β) *(κότα)* to pluck · *(μαργαρίτα)* to
pull the petals off (γ) (= *εκμεταλλεύομαι
οικονομικά)* to clean out
② Ρ ΑΜ *(για πρόσ.)* to lose one's hair ·
(σκύλος) to moult *(Βρετ.)*, to molt *(Αμερ.)* ·
(φυτό) to shed its leaves · *(λουλούδι)* to shed
its petals · *(πουλόβερ)* to be worn

μαεστρία ΟΥΣ ΘΗΛ mastery, great skill

μαέστρος ΟΥΣ ΑΡΣ (α) (= *διευθυντής
ορχήστρας)* conductor (β) (= *οργανοπαίκτης)*
maestro
▸**είμαι μαέστρος σε κτ, είμαι μαέστρος** +*γεν.*
(μτφ.) to be a past master at sth

μάζα ΟΥΣ ΘΗΛ (α) *(αέρα, άμμου)* mass (β) (ΦΥΣ)
mass (γ) *(για αυτοκίνητο)* hunk of metal ·
(για φαγητό) gooey mess *(ανεπ.)*
▸**οι λαϊκές μάζες** the masses
▸**μάζες** ΠΛΗΘ: **οι μάζες** the masses

μάζεμα ΟΥΣ ΟΥΔ (α) *(μήλων, φρούτων)*

picking · (καλαμποκιού) gathering · (ρούχων) getting in · (πληροφοριών, στοιχείων) gathering · (γραμματοσήμων) collecting · (σπασμένων κομματιών) picking up · (χυμένων νερών) wiping up · (πελατείας) attracting (β) (για φιλανθρωπία, εκδρομή) collection (γ) (= αποταμίευση) saving (δ) (βρομιάς, σκόνης) build–up (ε) (δωματίου, σπιτιού) tidying up (στ) (= σήκωμα: βιβλίου, κερμάτων) picking up (ζ) (φούστας, παντελονιού, πανιών) taking in · (τέντας) taking down (η) (από το πλύσιμο: ρούχων) shrinking

μαζεμένος, -η, -ο ΕΠΙΘ (α) (πλήθος) assembled, gathered (β) (άτομο) withdrawn, self-effacing · (ζωή) secluded

μαζεύω 1 P M (α) (σοδειά) to get in, to harvest, to gather · (ελιές, φρούτα, λουλούδια) to pick · (χόρτα) to pull up · (ξύλα) to gather · (σπασμένα κομμάτια) to pick up · (νερά) to wipe up · (γραμματόσημα, νομίσματα, υπογραφές) to collect · (πελατεία) to attract, to get · (στοιχεία, πληροφορίες) to gather (β) (για φιλανθρωπίες) to collect · (για εκδρομή: χρήματα) to raise (γ) (= αποταμιεύω) to save (δ) (σκόνη, βρομιά) to attract (ε) (δωμάτιο, σπίτι) to tidy up · (πιάτα) to put away · (τραπέζι) to clear (στ) (= ανασηκώνω: κέρματα, καρφίτσες, βιβλίο) to pick up (ζ) (ορφανό, άστεγο) to take in (η) (φουστάνι, παντελόνι) to take up · (δίχτυα, πανιά) to take in · (πόδια) to draw in (θ) (παιδί) to control
2 P AM (μπλούζα, φούστα, λινά) to shrink
▷μαζεύω τα μαλλιά to put one's hair up
▷τα μαζεύω και φεύγω to pack up and go
▷μαζεύω κπν στο σπίτι to pick sb up at home
▷μαζεύω τη γλώσσα μου ή τα λόγια μου to hold one's tongue
▸μαζεύομαι ΜΕΣΟΠΑΘ (α) (κόσμος, πλήθος) to gather · (δουλειά) to build up (β) (= γίνομαι συνεσταλμένος) to settle down · (από φόβο) to cringe, to cower (γ) (= επιστρέφω) to get back (δ) (= περιορίζω έξοδα) to start saving

μαζί ΕΠΙΡΡ (α) (πηγαίνω, φεύγω, γυρίζω, μένω) together (β) (= συγχρόνως) at the same time

μαζικός, -ή, -ό ΕΠΙΘ (α) (διαδήλωση, απεργία, μετανάστευση) mass (β) (επενδύσεις) massive, large–scale · (παραγγελίες) bulk
▸μαζική παραγωγή mass production

μαζούτ ΟΥΣ ΟΥΔ ΑΚΛ crude oil

μαζοχισμός ΟΥΣ ΑΡΣ (κυριολ., μτφ.) masochism

μαζοχιστής ΟΥΣ ΑΡΣ (κυριολ., μτφ.) masochist

μαζοχίστρια ΟΥΣ ΘΗΛ βλ. μαζοχιστής

μάζωμα ΟΥΣ ΟΥΔ = μάζεμα

μαζώνω P M/AM = μαζεύω

μάζωξη ΟΥΣ ΘΗΛ (εργατών, φοιτητών) meeting · (παρέας, συντροφιάς) gathering

Μάης ΟΥΣ ΑΡΣ (α) (= Μάιος) May (β) (= στεφάνι πρωτομαγιάς) May crown
▸Μάης του '68 (ΙΣΤ) May 1968

μαθαίνω 1 P M (α) (Αγγλικά, μάθημα) to learn (β) (= διδάσκω) to teach (γ) (= απομνημονεύω) to learn (δ) (= εμπεδώνω) to revise (ε) (νέα) to hear · (καθέκαστα, αλήθεια) to find out (στ) (= γνωρίζω τον χαρακτήρα) to get to know
2 P AM (α) (= αποκτώ γνώσεις) to learn (β) (= πληροφορούμαι) to hear
▷μαθαίνω κτ απ' έξω to learn sth by heart
▷μαθαίνω κολύμπι/οδήγηση/τένις to learn how to swim/to drive/to play tennis
▷μαθαίνω να κάνω κτ to learn how to do sth · (= συνηθίζω) to get used to doing sth
▷μαθαίνω σε κπν κτ to teach sb sth
▷(τώρα) θα σε μάθω εγώ! I'll teach you a lesson!
▷τώρα θα τους μάθουμε; we know what they're like
▷τα έμαθες για τον άντρα της; have you heard about her husband?

μαθεύομαι P AM ΑΠΟΘ (είδηση, γεγονός) to become known · (ιστορία) to come out
▸μαθεύτηκε ΑΠΡΟΣ: μαθεύτηκε πως it's said that

μάθημα ΟΥΣ ΟΥΔ (α) (= γνώση) lesson (β) (= διδασκαλία) class (γ) (ΣΧΟΛ, ΠΑΝΕΠ) subject (δ) (= ενότητα για μελέτη) homework χωρίς πληθ.
▷αργώ στο μάθημα to be late for class
▷αυτό να σου γίνει μάθημα! let that be a lesson to you!
▷διακόπτω το μάθημα (καθηγητής) to interrupt the lesson · (μαθητής) to give up a subject
▷παρακολουθώ το μάθημα to attend class
▷μου γίνεται μάθημα to learn one's lesson
▷παίρνω ένα καλό μάθημα to really learn one's lesson
▷το πάθημα γίνεται μάθημα you learn by your mistakes
▸βασικό μάθημα core subject
▸μάθημα υποχρεωτικό/επιλογής compulsory/ optional subject
▸μαθήματα δι' αλληλογραφίας correspondence course εν.
▸μαθήματα ΠΛΗΘ lessons

μαθηματικά ΟΥΣ ΟΥΔ ΠΛΗΘ mathematics εν., maths εν. (Βρετ.), math (Αμερ.)

Προσοχή!: Αν και το **mathematics/maths** φαίνεται ως τύπος πληθυντικού, είναι ουσιαστικό μόνο στον ενικό και συντάσσεται με ρήμα στον ενικό.

μαθηματικός, -ή, -ό ΕΠΙΘ mathematical
▸μαθηματικός ΟΥΣ ΑΡΣ&ΘΗΛ (α) (επιστήμονας) mathematician (β) (καθηγητής) maths (Βρετ.) ή math (Αμερ.) teacher

μαθημένος, -η, -ο ΕΠΙΘ: είμαι μαθημένος σε κτ to be used to sth

μάθηση ΟΥΣ ΘΗΛ learning
▸εμπειρική μάθηση learning through experience

M

μαθητεία ΟΥΣ ΘΗΛ apprenticeship

μαθητευόμενος, -η, -ο ΕΠΙΘ (α) (τεχνίτης) apprentice, trainee (β) (οδηγός) learner
► μαθητευόμενος ΟΥΣ ΑΡΣ, μαθητευόμενη ΟΥΣ ΘΗΛ apprentice, trainee

μαθητεύω ① Ρ ΑΜ to be apprenticed (κόντα σε to)
② Ρ Μ to teach

μαθητής ΟΥΣ ΑΡΣ (α) (Δημοτικού) pupil, student (β) (καλλιτέχνη, σκηνοθέτη) pupil (γ) (Σωκράτη, Ιησού) disciple

μαθητικός, -ή, -ό ΕΠΙΘ (χρόνια, σάκα) school

μαθητιώσα νεολαία (επίσ.) ΟΥΣ ΘΗΛ schoolchildren πληθ.

μαθητόκοσμος ΟΥΣ ΑΡΣ schoolchildren πληθ.

μαθητολόγιο ΟΥΣ ΟΥΔ class register, school register

μαθητούδι ΟΥΣ ΟΥΔ schoolchild

Προσοχή!: Ο πληθυντικός του **schoolchild** *είναι* **schoolchildren**.

μαθήτρια ΟΥΣ ΘΗΛ βλ. **μαθητής**

Μαθουσάλας ΟΥΣ ΑΡΣ Methuselah

μαία ΟΥΣ ΘΗΛ midwife

Προσοχή!: Ο πληθυντικός του **midwife** *είναι* **midwives**.

μαιευτήρας ΟΥΣ ΑΡΣ obstetrician

μαιευτήριο ΟΥΣ ΟΥΔ maternity hospital

μαιευτική ΟΥΣ ΘΗΛ (α) (ΙΑΤΡ) obstetrics εν.

Προσοχή!: Αν και το **obstetrics** *φαίνεται ως τύπος πληθυντικού, είναι ουσιαστικό μόνο στον ενικό και συντάσσεται με ρήμα στον ενικό.*

(β) (ΦΙΛΟΣ) maieutic method

μαιευτικός, -ή, -ό ΕΠΙΘ (κλινική) maternity · (εργαλεία) obstetric
► μαιευτική μέθοδος (ΦΙΛΟΣ) maieutic method

μαϊμού ΟΥΣ ΘΗΛ (κυριολ., μτφ.) monkey
▷ ρούχα/ανταλλακτικά-μαϊμού (αργκ.) fake clothes/spare parts

μαϊμουδίζω (αρνητ.) ① Ρ ΑΜ to copy
② Ρ Μ (τρόπο ζωής, συμπεριφορά) to ape, to mimic

μαϊμούδισμα (αρνητ.) ΟΥΣ ΟΥΔ aping, mimicry

μαϊμουδίστικος, -η, -ο ΕΠΙΘ (φέρσιμο, κινήσεις) monkey–like

μάινα ΕΠΙΡΡ: **μάινα τα πανιά!** lower the sails!, strike the sails!

Μαινάδα ΟΥΣ ΘΗΛ (α) (ΜΥΘΟΛ) Maenad (β) (μετωνυμ.) madwoman

Προσοχή!: Ο πληθυντικός του **madwoman** *είναι* **madwomen**.

μαϊνάρω ① Ρ Μ (σκοινί) to slacken · (πανιά) to strike, to lower
② Ρ ΑΜ (καιρός, θάλασσα) to become calm · (θύελλα) to abate

μαίνομαι Ρ ΑΜ ΑΠΟΘ (καταιγίδα, θύελλα, άνεμος, πόλεμος) to rage
▷ μαίνομαι εναντίον κποιου to rage about sb

μαινόμενος, -η, -ο ΕΠΙΘ raging
▷ μαινόμενος ταύρος enraged bull

μαϊντανός ΟΥΣ ΑΡΣ (α) parsley (β) (ειρων.) familiar face

Μάιος ΟΥΣ ΑΡΣ May

μαϊστράλι ΟΥΣ ΟΥΔ breeze

μαΐστρος ΟΥΣ ΑΡΣ northwest wind

μακάβριος, -α, -ο ΕΠΙΘ (τελετή, αστείο, χιούμορ) macabre · (θέαμα, λεπτομέρειες) gruesome, grisly · (γέλιο) ghoulish

μακάρι ΜΟΡ (α) (= είθε) if only, I wish (β) (= ακόμα και αν) even if
▷ μακάρι να 'ξερα! I wish I knew!

μακάρια ΕΠΙΡΡ = μακαρίως

μακαρίζω Ρ Μ to envy
▷ μηδένα προ του τέλους μακάριζε call no man happy until he dies

μακάριος, -α, -ο ΕΠΙΘ (α) (= ευτυχισμένος) happy (β) (= γαλήνιος) blissful
▷ μακάριοι οι πτωχοί τω πνεύματι blessed are the poor in spirit

Μακαριότατος ΟΥΣ ΑΡΣ His/Your Beatitude, His/Your Grace

μακαριότητα ΟΥΣ ΘΗΛ (α) (= ευτυχία) happiness (β) (= ηρεμία) blissfulness

μακαρίτης (ευφημ.) ΟΥΣ ΑΡΣ: ο μακαρίτης the deceased
▷ ο μακαρίτης ο πατέρας μου my late father

μακαρίτισσα (ευφημ.) ΟΥΣ ΘΗΛ βλ. μακαρίτης

μακαρίως (επίσ.) ΕΠΙΡΡ (αναπαύομαι, κοιμάμαι) peacefully

μακαρονάδα ΟΥΣ ΘΗΛ spaghetti εν.

μακαρονάς ΟΥΣ ΑΡΣ spaghetti fan (ανεπ.)

μακαρόνια ΟΥΣ ΟΥΔ ΠΛΗΘ spaghetti εν.

μακαρονού ΟΥΣ ΘΗΛ βλ. μακαρονάς

Μακεδόνας ΟΥΣ ΑΡΣ (α) (= κάτοικος Μακεδονίας) Macedonian (β) (καταχρ.: = κάτοικος Π.Γ.Δ.Μ.) Macedonian

Μακεδονία ΟΥΣ ΘΗΛ (α) (= ελληνικό γεωγραφικό διαμέρισμα) Macedonia (β) (καταχρ.) (Former Yugoslav Republic of) Macedonia

μακεδονικός, -ή, -ό ΕΠΙΘ Macedonian

Προσοχή!: Τα εθνικά επίθετα, όπως **Macedonian,** *γράφονται με κεφαλαίο το αρχικό γράμμα στα Αγγλικά.*

Μακεδόνισσα ΟΥΣ ΘΗΛ βλ. Μακεδόνας

Μακεδονίτης ΟΥΣ ΑΡΣ = Μακεδόνας

μακεδονίτικος, -η, -ο ΕΠΙΘ = μακεδονικός

Μακεδονίτισσα ΟΥΣ ΘΗΛ βλ. Μακεδόνας

μακελάρης ΟΥΣ ΑΡΣ = μακελλάρης

μακελάρισσα ΟΥΣ ΘΗΛ βλ. μακελλάρης

μακελειό ΟΥΣ ΟΥΔ = μακελλειό

μακελλάρης ΟΥΣ ΑΡΣ (α) (= σφαγέας) slaughterer (β) (μτφ.) murderer μακελλάρισσα ΟΥΣ ΘΗΛ βλ. **μακελλάρης**

μακελλειό ΟΥΣ ΟΥΔ (α) (= σφαγή) massacre, slaughter (β) (= αναστάτωση) mayhem

μακέτα ΟΥΣ ΘΗΛ (α) (κτηρίου, χώρου) model (β) (ΤΥΠΟΓΡ) mock–up

μακετίστας ΟΥΣ ΑΡΣ modeller (Βρετ.), modeler (Αμερ.)

μακετίστρια ΟΥΣ ΘΗΛ βλ. **μακετίστας**

μακιαβελισμός ΟΥΣ ΑΡΣ (ΠΟΛΙΤ) Machiavellianism

μακιγιέζ ΟΥΣ ΘΗΛ ΑΚΛ βλ. **μακιγιέρ**

μακιγιέρ ΟΥΣ ΑΡΣ ΑΚΛ make–up artist

μακιγιάζ ΟΥΣ ΟΥΔ ΑΚΛ make–up

μακιγιάρισμα ΟΥΣ ΟΥΔ making–up

μακιγιάρω Ρ Μ (μάτια, πρόσωπο) to put make–up on, to make up
▸ μακιγιάρομαι ΜΕΣΟΠΑΘ to be made–up

μακιγιέζ ΟΥΣ ΘΗΛ ΑΚΛ βλ. **μακιγιέρ**

μακιγιέρ ΟΥΣ ΑΡΣ ΑΚΛ = **μακιγιέρ**

μακραίνω ① Ρ Μ (α) (φούστα, κουρτίνες) to lengthen, to let down (β) (περιγραφή, συζήτηση, ομιλία) to draw out · (ζωή) to lengthen
② Ρ ΑΜ (α) (μαλλιά, γένια) to grow · (σκιά) to get longer (β) (διάλεξη, συζήτηση, διήγηση) to drag on (γ) (πλοίο) to draw away

μάκρεμα ΟΥΣ ΟΥΔ (α) (μαλλιών) growing · (ρούχου) lengthening (β) (συζήτησης, περιγραφής) drawing out (γ) (πλοίου) drawing away

μακρηγορία (επίσ.) ΟΥΣ ΘΗΛ verbosity χωρίς πληθ.

μακρηγορώ (επίσ.) Ρ ΑΜ to speak at great length

μακριά ΕΠΙΡΡ (α) (= σε μεγάλη απόσταση) far away, a long way away (β) (για δήλωση απόστασης) far (γ) (για χρονική απόσταση: στο μέλλον) a long way off · (στο παρελθόν) a long time ago
▷ από μακριά from afar, from far away
▷ βλέπω μακριά to be far–sighted
▷ βρίσκομαι ή είμαι (πολύ) μακριά to be far away, to be a long way away
▷ είναι ένα μίλι μακριά it's a mile away
▷ κρατώ κπν μακριά to keep sb at a distance
▷ πόσο μακριά είναι από δω; how far is it from here?
▷ μακριά! (προσταγή) keep away!
▷ μακριά από τέτοιους ανθρώπους! keep away from those people!
▷ πέρα μακριά far away, in the distance

μακρινάρι (ανεπ.) ΟΥΣ ΟΥΔ (α) (= με μεγάλο μήκος) long thing · (για λέξη) mouthful (ανεπ.) (β) (για λόγο) long–winded speech · (για κείμενο) long–winded text

μακρινός, -ή, -ό ΕΠΙΘ (α) (χώρα, πόλη) distant, faraway · (χωριό) remote · (ταξίδι, εκδρομή) long · (κίνδυνος, απειλή) distant (β) (περίοδος, εποχή) far–off · (παρελθόν) distant, remote (γ) (συγγενής) distant

μακρόβιος, -α, -ο ΕΠΙΘ long–lived

μακροβιότητα ΟΥΣ ΘΗΛ longevity, long life

μακροβούτι ΟΥΣ ΘΗΛ (= βουτιά) dive
▷ κάνω μακροβούτι to dive into the water

μακροζωία ΟΥΣ ΘΗΛ longevity

μακροημέρευση (επίσ.) ΟΥΣ ΘΗΛ long life, longevity

μακροημερεύω (επίσ.) Ρ ΑΜ to live a long life

μακρόθεν (επίσ.) ΕΠΙΡΡ: **εκ του μακρόθεν** from a distance

μακροθυμία ΟΥΣ ΘΗΛ (α) (= ανεκτικότητα) forbearance, tolerance (β) (= ανεξικακία) forgiveness

μακρόθυμος, -η, -ο ΕΠΙΘ (α) (= ανεκτικός) forbearing, tolerant (β) (= ανεξίκακος) forgiving

μακροθυμώ Ρ ΑΜ (α) (= είμαι ανεκτικός) to be forbearing ή tolerant (β) (= είμαι ανεξίκακος) to be forgiving

μακροκάνης, -α, -ικο (προφορ.) ΕΠΙΘ long–legged

μακρόκοσμος ΟΥΣ ΑΡΣ macrocosm

μακρολαίμης, -α, -ικο (ανεπ.) ΕΠΙΘ long–necked

μακρολογία ΟΥΣ ΘΗΛ verbosity

μακρολογώ Ρ ΑΜ to speak at great length

μακροοικονομία ΟΥΣ ΘΗΛ macroeconomics εν.

*Προσοχή!: Αν και το **macroeconomics** φαίνεται ως τύπος πληθυντικού, είναι ουσιαστικό μόνο στον ενικό και συντάσσεται με ρήμα στον ενικό.*

μακροοικονομικός, -ή, -ό ΕΠΙΘ macroeconomic

μακρόπνοος, -η, -ο ΕΠΙΘ (σχέδια) long–term · (προσπάθεια) sustained

μακροπόδαρος, -η, -ο (ανεπ.) ΕΠΙΘ = **μακρυπόδαρος**

μακροπρόθεσμος, -η, -ο ΕΠΙΘ (συνέπειες, αποτελέσματα) long–term · (στόχος) long–range, long–term

μακρός, -ά, -ό (επίσ.) ΕΠΙΘ (α) (μαλλιά, φούστα) long (β) (πορεία, αναμονή, συζήτηση) long, lengthy (γ) (φωνήεν, συλλαβή) long
▷ δια μακρών at length
▷ επί μακρόν for a long time

μάκρος ΟΥΣ ΟΥΔ (α) (δωματίου, δρόμου, ρούχου) length (β) (= επιμήκυνση) lengthening (γ) (διήγησης, ομιλίας, συζήτησης) length
▷ τραβώ ή πάω σε μάκρος to drag on, to go on too long

μακροσκελής, -ής, -ές ΕΠΙΘ (επιστολή, άρθρο) long · (διήγηση) long–winded

μακρόστενος, -η, -ο ΕΠΙΘ oblong

μακρόσυρτος, -η, -ο ΕΠΙΘ (α) (τραγούδι) slow (β) (διήγηση, ανάλυση) long–drawn-out

μακρουλός, -ή, -ό ΕΠΙΘ elongated

μακροχρόνιος, -α, -ο ΕΠΙΘ (α) (*σχέση, αρρώστια, μελέτη, διαπραγματεύσεις*) long–standing (β) (*συνέπεια, αποτέλεσμα, κέρδος*) long–lasting

μακρόχρονος, -η, -ο ΕΠΙΘ (α) (*πρόβλημα, αρρώστια*) long–standing (*χρήση*) long–term (β) (*συλλαβή, φωνήεν*) long

μακρυλαίμης, -α, -ικο (*ανεπ.*) ΕΠΙΘ = **μακρολαίμης**

μακρύνω (*επίσ.*) Ρ Μ/ΑΜ = **μακραίνω**

μακρυπόδαρος, -η, -ο (*ανεπ.*) ΕΠΙΘ long–legged

μακρύς, -ιά, -ύ ΕΠΙΘ (*δρόμος, φούστα, μαλλιά, λόγος, χειμώνας*) long

μαλαγάνα ΟΥΣ ΘΗΛ smooth talker

μαλαγάνας ΟΥΣ ΑΡΣ = **μαλαγάνα**

μαλαγανιά ΟΥΣ ΘΗΛ smooth talk *χωρίς πληθ.*

μαλάζω Ρ Μ (α) (*πηλό, κερί*) to knead (β) (= *κάνω μαλάξεις*) to massage

μαλάκας (*χυδ.*) ΟΥΣ ΑΡΣ&ΘΗΛ (α) (= *αυνανιστής*) wanker (*χυδ.*) (β) (*υβρ.*) wanker (*χυδ.*), prick (*χυδ.*), jerk (*ανεπ.*) (γ) (= *κορόιδο*) idiot, stupid sod (*χυδ.*) (δ) (*οικ.: προσφώνηση*) you idiot (*ανεπ.*), you twit (*Βρετ.*) (*ανεπ.*)

μαλακία (*χυδ.*) ΟΥΣ ΘΗΛ (α) (= *αυνανισμός*) masturbation, wanking (*χυδ.*) (β) (*υβρ.*) bullshit (*χυδ.*)
▷**κάνω μαλακίες** to fuck around (*χυδ.*), to fool around
▷**κόβω τις μαλακίες** to stop fooling *ή* fucking (*χυδ.*) around
▷**τραβάω** *ή* **βαράω μαλακία** to jerk off (*χυδ.*), to wank (*χυδ.*)

μαλακίζομαι (*χυδ.*) Ρ ΑΜ ΑΠΟΘ (α) (= *αυνανίζομαι*) to jerk off (*χυδ.*), to wank (*χυδ.*) (β) (*υβρ.: = κάνω ανοησίες*) to fuck around (*χυδ.*), to fool around · (= *λέω ανοησίες*) to bullshit (*χυδ.*), to talk rot (*ανεπ.*) (γ) (= *σπαταλώ τον χρόνο μου*) to waste one's time

μαλάκιο ΟΥΣ ΟΥΔ mollusc

μαλακισμένος, -η, -ο (*χυδ.*) ΕΠΙΘ (α) (*κυριολ.*) wanking (*χυδ.*) (β) (*υβρ.*) fucking stupid (*χυδ.*) (γ) (*γενικότ.*) damn(ed) (*ανεπ.*), bloody (*Βρετ.*) (*ανεπ.*)

μαλακός, -ή -ιά, -ό ΕΠΙΘ (α) (*έδαφος, ψωμί, στρώμα, κουβέρτα*) soft (β) (= *ήπιος: άνθρωπος*) gentle, mild–mannered · (*φωνή, λόγος, συμπεριφορά*) gentle (γ) (= *υποχωρητικός: άνθρωπος*) soft (δ) (*νερό*) soft
▷**με το μαλακό** gently
▸**μαλακά ναρκωτικά** soft drugs
▸**μαλακά** ΟΥΣ ΟΥΔ ΠΛΗΘ (= *οπίσθια*) bottom *εν.*
▷**πέφτω στα μαλακά** to fall on one's feet

μαλακόστρακο ΟΥΣ ΟΥΔ crustacean

μαλακούτσικος, -η, -ο (*προφορ.*) ΕΠΙΘ softish

μαλακτική ΟΥΣ ΘΗΛ (*επίσης* **μαλακτική κρέμα**) conditioner

μαλακτικό ΟΥΣ ΟΥΔ (α) (*ρούχων*) fabric softener (β) (*μαλλιών*) conditioner

μαλακτικός, -ή, -ό (*ουσία*) softening
▸**μαλακτικό φάρμακο** demulcent

μαλάκυνση ΟΥΣ ΘΗΛ (*επίσ.: = μαλάκωμα*) softening
▷ο **άνθρωπος έχει μαλάκυνση του εγκεφάλου!** (*κοροϊδ.*) the man's gone soft in the head!
▸**μαλάκυνση εγκεφάλου** (ΙΑΤΡ) softening of the brain

μαλάκωμα ΟΥΣ ΟΥΔ (α) (*δέρματος, χεριών, ρούχων, παξιμαδιού*) softening (β) (*βήχα, λαιμού*) soothing (γ) (*θυμού, οργής*) placating · (*καιρού*) improvement

μαλακώνω ① Ρ Μ (α) (*χώμα, χέρια, ρούχα*) to soften (β) (*λαιμό, βήχα, πόνο*) to relieve, to soothe
② Ρ ΑΜ (α) (*κρέας*) to become tender · (*παξιμάδι, ρούχα*) to become soft (β) (*άνθρωπος, φωνή, έκφραση, βλέμμα, στάση*) to soften · (*θυμός, οργή*) to die down · (*κρύο, καιρός*) to ease off

μάλαμα ΟΥΣ ΟΥΔ (α) gold (β) (*μτφ.*) person with a heart of gold
▷**έχω καρδιά μάλαμα** to have a heart of gold
▷**είναι παιδί μάλαμα** he has a heart of gold

μαλαματένιος, -ια, -ιο ΕΠΙΘ (α) (*σκεύος, δίσκος, θρόνος*) gold (β) (*καρδιά*) of gold

μάλαξη ΟΥΣ ΘΗΛ massage
▷**κάνω μαλάξεις σε κπν/κτ** to massage sb/sth

μαλάσσω (*επίσ.*) Ρ Μ = **μαλάζω**

μαλαχίτης ΟΥΣ ΑΡΣ malachite

μάλη (*επίσ.*) ΟΥΣ ΘΗΛ: **υπό μάλης** under one's arm

μαλθακός, -ή, -ό (*μειωτ.*) ΕΠΙΘ (*άνθρωπος*) flabby · (*ζωή*) soft

μαλθακότητα ΟΥΣ ΘΗΛ (*ανθρώπου*) flabbiness · (*ζωής*) softness

μάλιστα ΕΠΙΡΡ (α) (= *βεβαίως*) yes, of course (β) (= *για κατανόηση*) right (γ) (= *επιπλέον*) even (δ) (*για επιδοκιμασία*) of course
▷**και μάλιστα** (= *ιδίως*) especially · (= *και επιπλέον*) and... at that
▷**μάλιστα κύριε λοχαγέ!** yes sir!
▷**τώρα μάλιστα!** (*για επιδοκιμασία*) that's it! · (*για αμηχανία*) now you've done it!

μαλλί ΟΥΣ ΟΥΔ (α) (*προβάτου*) wool (β) (*φυτών*) hair · (*καλαμποκιού*) beard (γ) (*πτηνών*) down (δ) (*ανεπ.: = μαλλιά*) hair
▷**γίνομαι μαλλιά-κουβάρια** to have a big fight
▷**πιάνομαι μαλλί με μαλλί με κπν** (*ανεπ.*) to come to blows with sb
▷**μαλλί της γριάς** candyfloss (*Βρετ.*), cotton candy (*Αμερ.*)

μαλλιά ΟΥΣ ΟΥΔ ΠΛΗΘ hair *εν.*
▷**αρπάζω μια ευκαιρία από τα μαλλιά** to jump at an opportunity *ή* chance
▷**πληρώνω/χρωστάω τα μαλλιά της κεφαλής μου** to pay/to owe a small fortune
▷**τραβάω τα μαλλιά μου** to tear one's hair out

▸**ίσια/σγουρά μαλλιά** straight/curly hair

▸**πυκνά/αραιά μαλλιά** thick/thin hair

μαλλιάζω Ρ ΑΜ: **μάλλιασε η γλώσσα μου** to be tired of repeating oneself

μαλλιαρός, -ή, -ό ΕΠΙΘ (*σκύλος*) hairy, shaggy · (*γάτα*) long–haired

▸**μαλλιαρή** ΟΥΣ ΘΗΛ (*μειωτ.*) vernacular

μαλλιάς (*μειωτ.*) ΟΥΣ ΑΡΣ long–haired lout (*ανεπ.*)

μάλλινος, -η, -ο ΕΠΙΘ (*ρούχο, ύφασμα, κουβέρτα*) woollen (*Βρετ.*), woolen (*Αμερ.*)

▸**μάλλινα** ΟΥΣ ΟΥΔ ΠΛΗΘ woollens (*Βρετ.*), woolens (*Αμερ.*)

μαλλιοκέφαλα ΟΥΣ ΟΥΔ ΠΛΗΘ: **βγάζω τα μαλλιοκέφαλά μου** to make a fortune

▷**πληρώνω τα μαλλιοκέφαλά μου** to pay a small fortune

▷**χρωστάω τα μαλλιοκέφαλά μου** to be up to one's ears *ή* eyes in debt

μαλλιοτράβηγμα ΟΥΣ ΟΥΔ fight

μαλλιοτραβιέμαι Ρ ΑΜ ΑΠΟΘ to fight

μαλλοβάμβακος, -η, -ο ΕΠΙΘ made of wool and cotton

μαλλομέταξος, -η, -ο ΕΠΙΘ made of wool and silk

μάλλον ΕΠΙΡΡ (α) (= *πιθανόν*) probably, possibly (β) (*για μετριασμό*) a bit (γ) (= *περισσότερο*) more

▷**ή μάλλον** or rather

▷**κατά το μάλλον ή ήττον** (*επίσ.*) more or less

▷**πόσω μάλλον** let alone

▷**πρέπει μάλλον να κάνω κτ** I had better do sth

Μάλτα ΟΥΣ ΘΗΛ Malta

μάλωμα ΟΥΣ ΟΥΔ (α) (= *επίπληξη*) scolding, telling–off (*ανεπ.*) (β) (= *καυγάς*) argument, fight (γ) (= *διακοπή σχέσεων*) falling out

μαλωμένος, -η, -ο ΕΠΙΘ: **είμαι μαλωμένος με κπν** to have fallen out with sb

▷**είναι μαλωμένοι εδώ και καιρό** they haven't been speaking (to each other) for a long time

μαλώνω ① Ρ Μ (= *επιπλήττω*) to tell off ② Ρ ΑΜ (α) (= *καβγαδίζω*) to argue, to quarrel (β) (= *διακόπτω σχέσεις*) to fall out

μαμά ΟΥΣ ΘΗΛ mum (*Βρετ.*), mom (*Αμερ.*)

μαμή ΟΥΣ ΘΗΛ midwife

> *Προσοχή!: Ο πληθυντικός του* **midwife** *είναι* **midwives**.

μάμμη (*προφορ.*) ΟΥΣ ΘΗΛ grandma (*ανεπ.*), granny (*ανεπ.*)

μαμμόθρεφτος, -η, -ο (*μειωτ.*) ΕΠΙΘ pampered

▸**μαμμόθρεφτο** ΟΥΣ ΟΥΔ mummy's (*Βρετ.*) *ή* mommy's (*Αμερ.*) boy

μαμούθ ΟΥΣ ΟΥΔ ΑΚΛ mammoth

▷**πόλη μαμούθ** sprawling city

▷**έργο μαμούθ** mammoth construction

μαμούνι ΟΥΣ ΟΥΔ bug

μάνα ΟΥΣ ΘΗΛ (α) (*ανεπ.*) mum (*Βρετ.*), mom

(*Αμερ.*), mother (β) (*στα χαρτιά*) bank · (*στο τάβλι*) ace–point checker

▷**είμαι μάνα σε κτ** to be a past master at sth

▷**κατά μάνα κατά κύρη** like mother like daughter, like father like son

▷**χάνει η μάνα το παιδί και το παιδί τη μάνα** you could easily get lost in the crowd

μανάβης ΟΥΣ ΑΡΣ greengrocer (*Βρετ.*), produce dealer (*Αμερ.*)

μαναβική ΟΥΣ ΘΗΛ greengrocery (*Βρετ.*), produce store (*Αμερ.*)

μανάβικο ΟΥΣ ΟΥΔ greengrocer's (shop) (*Βρετ.*), produce store (*Αμερ.*)

μανάβισσα ΟΥΣ ΘΗΛ *βλ.* **μανάβης**

μανάρι ΟΥΣ ΟΥΔ fattened lamb

μάνγκο ΟΥΣ ΟΥΔ ΑΚΛ mango

μανδαρίνος ΟΥΣ ΑΡΣ (*κυριολ., μτφ.*) mandarin

μανδραγόρας ΟΥΣ ΑΡΣ mandrake

μανδύας ΟΥΣ ΑΡΣ (α) (*παλαιότ.*) cloak (β) (*επισκόπου*) mantle (γ) (ΓΕΩΛ) mantle

μανεκέν ΟΥΣ ΟΥΔ ΑΚΛ (fashion) model · (*μτφ.*) model

μανέστρα ΟΥΣ ΘΗΛ noodles ΠΛΗΘ.

μανία ΟΥΣ ΘΗΛ (α) (ΙΑΤΡ) mania (β) (*φυγής, καταστροφής*) obsession (γ) (= *πάθος*) passion

▷**έχω μανία με κτ** to be mad *ή* crazy (*ανεπ.*) about sth

▷**είμαι πυρ και μανία** to be in a rage *ή* fury

▷**μετά μανίας** passionately

μανιάζω Ρ ΑΜ (α) (*άνθρωπος*) to blow up (*ανεπ.*), to be furious (β) (*θάλασσα, αέρας*) to rage

μανιακός, -ή, -ό ΕΠΙΘ (α) (*δολοφόνος, εγκληματίας*) crazed (β) (= *παθιασμένος*) passionate

▸**είμαι μανιακός με κτ** to be mad about sth

▸**μανιακός** ΟΥΣ ΑΡΣ, **μανιακή** ΟΥΣ ΘΗΛ maniac

▷**οι μανιακοί του ποδοσφαίρου** football fanatics

μανιασμένος, -η, -ο ΕΠΙΘ (α) (*άνθρωπος*) furious, in a rage *ή* fury (β) (*θύελλα*) raging · (*θάλασσα*) wild

μανιβέλα ΟΥΣ ΘΗΛ crank, starting handle

μάνικα ΟΥΣ ΘΗΛ hose

μανικετόκουμπο ΟΥΣ ΟΥΔ cufflink

μανίκι ΟΥΣ ΟΥΔ (*πουκάμισου, ζακέτας*) sleeve

▷**είναι μανίκι** (*αργκ.*) it's a bugger (*χυδ.*)

▷**έχω έναν άσο (κρυμμένο) στο μανίκι** to have an ace up one's sleeve

▷**μαζεύω τα μανίκια** to roll up one's sleeves

▷**σηκώνω τα μανίκια** to roll up one's sleeves

μανικιούρ ΟΥΣ ΟΥΔ ΑΚΛ manicure

μανικιουρίστα ΟΥΣ ΘΗΛ manicurist

Μανίλα ΟΥΣ ΘΗΛ Manila

μανιοκαταθλιπτικός, -ή, -ό ΕΠΙΘ (*ψύχωση, άτομο*) manic–depressive

μανιοκατάθλιψη ΟΥΣ ΘΗΛ manic depression

M

μανιτάρι ΟΥΣ ΟΥΔ mushroom
▷**ξεφυτρώνω σαν μανιτάρι** to spring up like mushrooms
►**πυρηνικό μανιτάρι** mushroom cloud
μανιφέστο ΟΥΣ ΟΥΔ manifesto

Προσοχή!: Ο πληθυντικός του **manifesto** *είναι* **manifestos** *ή* **manifestoes**.

μανιώδης, -ης, -ες ΕΠΙΘ (α) *(παίκτης, καπνιστής)* compulsive · *(συλλέκτης)* fanatical (β) (= *τρελός*) mad, manic
μάννα[1] ΟΥΣ ΘΗΛ = **μάνα**
μάννα[2] ΟΥΣ ΟΥΔ ΑΚΛ manna
▷**μάννα εξ ουρανού** manna from heaven
μανό ΟΥΣ ΟΥΔ ΑΚΛ nail polish
μανόλια ΟΥΣ ΘΗΛ magnolia
μανόμετρο ΟΥΣ ΟΥΔ manometer, pressure gauge
μανουάλι ΟΥΣ ΟΥΔ candelabrum

Προσοχή!: Ο πληθυντικός του **candelabrum** *είναι* **candelabra**.

μανούβρα ΟΥΣ ΘΗΛ *(πλοίου, φορτηγού)* manoeuvre *(Βρετ.)*, maneuver *(Αμερ.)*
▷**κάνω μανούβρες** to manoeuvre *(Βρετ.)*, to maneuver *(Αμερ.)*
μανουβράρισμα ΟΥΣ ΟΥΔ manoeuvring *(Βρετ.)*, maneuvring *(Αμερ.)*
μανουβράρω[1] Ρ Μ *(φορτηγό, πλοίο)* to manoeuvre *(Βρετ.)*, to maneuver *(Αμερ.)* [2] Ρ ΑΜ to manoeuvre *(Βρετ.)*, to maneuver *(Αμερ.)*
μανούλα *(χαϊδευτ.)* ΟΥΣ ΘΗΛ mummy *(Βρετ.)* *(ανεπ.)*, mommy *(Αμερ.)* *(ανεπ.)*
▷**είμαι μανούλα σε κτ** *(προφορ.)* to be a past master at sth
μανούλι *(οικ.)* ΟΥΣ ΟΥΔ *(για γυναίκα)* babe *(ανεπ.)* · *(για άνδρα)* hunk *(ανεπ.)*
μανούρι ΟΥΣ ΟΥΔ cream cheese
μανουσάκι ΟΥΣ ΟΥΔ daffodil, narcissus

Προσοχή!: Ο πληθυντικός του **narcissus** *είναι* **narcissi**.

μανταλάκι ΟΥΣ ΟΥΔ clothes peg *(Βρετ.)*, clothes pin *(Αμερ.)*
μάνταλο ΟΥΣ ΟΥΔ *(ξύλινο)* latch · *(μεταλλικό)* bolt
μαντάλωμα ΟΥΣ ΟΥΔ bolting
μανταλώνω Ρ Μ *(πόρτα, παράθυρο)* to bolt
μαντάρα *(ανεπ.)* ΕΠΙΡΡ mess
▷**γίναμε μαντάρα** we were in a mess
▷**τα κάνω μαντάρα** to make a mess of things, to mess up *(ανεπ.)*
μανταρίνι ΟΥΣ ΟΥΔ tangerine, mandarin orange
μανταρινιά ΟΥΣ ΘΗΛ tangerine tree
μαντάρισμα ΟΥΣ ΟΥΔ mending · *(κάλτσας)* darning
μαντάρω Ρ Μ to mend · *(κάλτσα)* to darn

μαντάτο ΟΥΣ ΟΥΔ news *εν.*

Προσοχή!: Αν και το **news** *φαίνεται ως τύπος πληθυντικού, είναι ουσιαστικό μόνο στον ενικό και συντάσσεται με ρήμα στον ενικό.*

▷**προλαβαίνω τα μαντάτα σε κπν** to tell sb the news
μαντατοφόρος ΟΥΣ ΑΡΣ/ΘΗΛ messenger
μαντεία ΟΥΣ ΘΗΛ (α) (= *πρόγνωση*) fortune-telling (β) (= *χρησμός*) prediction
μαντείο ΟΥΣ ΟΥΔ *(στην αρχαιότητα)* oracle
μαντεμένιος, -ια, -ο ΕΠΙΘ *(τραπέζι)* cast–iron
μαντέμι ΟΥΣ ΟΥΔ cast iron
μαντεύω [1] Ρ Μ (α) (= *προφητεύω*) to prophesy, to foretell (β) (= *εικάζω*) to guess [2] Ρ ΑΜ to guess
μαντζουράνα ΟΥΣ ΘΗΛ = **ματζουράνα**
μαντήλα ΟΥΣ ΘΗΛ headscarf

Προσοχή!: Ο πληθυντικός του **headscarf** *είναι* **headscarves**.

μαντηλάκι ΟΥΣ ΟΥΔ *(για τη μύτη)* handkerchief, hankie *(ανεπ.)*
μαντήλι ΟΥΣ ΟΥΔ (α) *(για τη μύτη, το πρόσωπο)* handkerchief (β) (= *φουλάρι*) scarf

Προσοχή!: Ο πληθυντικός του **scarf** *είναι* **scarves**.

μάντης ΟΥΣ ΑΡΣ (α) *(στην αρχαιότητα)* oracle (β) (= *προφήτης*) fortune–teller
▷**μάντης κακών ειδήσεων** prophet of doom, doomster
μαντικός, -ή, -ό ΕΠΙΘ prophetic
►**μαντική** ΟΥΣ ΘΗΛ prophecy
μαντίλα ΟΥΣ ΘΗΛ = **μαντήλα**
μαντιλάκι ΟΥΣ ΟΥΔ = **μαντηλάκι**
μαντίλι ΟΥΣ ΟΥΔ = **μαντήλι**
μαντινάδα ΟΥΣ ΘΗΛ Cretan folk song
μάντισσα ΟΥΣ ΘΗΛ *βλ.* **μάντης**
μαντολάτο ΟΥΣ ΟΥΔ nougat, almond cake
μαντολινάτα ΟΥΣ ΘΗΛ (α) (= *ορχήστρα με μαντολίνα*) mandolin orchestra (β) *(μουσικό κομμάτι)* mandolin music
μαντολίνο ΟΥΣ ΟΥΔ mandolin
μάντρα ΟΥΣ ΘΗΛ (α) (= *τοίχος περίφραξης*) wall (β) *(υλικών, αυτοκινήτων)* yard (γ) (= *στάνη*) stockyard, pen
μαντράχαλος *(ειρων.)* ΟΥΣ ΑΡΣ big brute
μαντρί ΟΥΣ ΟΥΔ fold, pen
μαντρόσκυλο *(ανεπ.)* ΟΥΣ ΟΥΔ (α) (= *τσοπανόσκυλο*) sheepdog (β) (= *μεγάλος σκύλος*) fierce dog · (= *άγριος ή δύστροπος άνθρωπος*) brute
μάντρωμα ΟΥΣ ΘΗΛ rounding up
μαντρώνω *(ανεπ.)* Ρ Μ (α) *(πρόβατα)* to pen in, to round up (β) *(άνθρωπο)* to shut up
μάξι ΕΠΙΘ ΑΚΛ *(φούστα, φόρεμα)* long
►**μάξι** ΟΥΣ ΟΥΔ long skirt

μαξιλάρα ΟΥΣ ΘΗΛ (*καναπέ*) cushion
μαξιλαράκι ΟΥΣ ΟΥΔ small cushion
μαξιλάρι ΟΥΣ ΟΥΔ (**α**) (= *προσκέφαλο*) pillow (**β**) (*καναπέ, πολυθρόνας*) cushion
μαξιλαροθήκη ΟΥΣ ΘΗΛ pillowcase
μαξιλαροπόλεμος ΟΥΣ ΑΡΣ pillow fight
μαόνι ΟΥΣ ΟΥΔ mahogany
μαούνα ΟΥΣ ΘΗΛ barge
μαουνιέρης ΟΥΣ ΑΡΣ bargee
μάπα ΟΥΣ ΘΗΛ (**α**) (= *λάχανο*) cabbage (**β**) (*οικ.*: = *πρόσωπο*) face, mug (*ανεπ.*) (**γ**) (*οικ.*: *για έργο*) flop
▷**τρώω κπν/κτ στη μάπα** to have sb/sth in one's face
μάπας (*οικ.*) ΟΥΣ ΑΡΣ idiot
μάρα (*ανεπ.*) ΟΥΣ ΘΗΛ: **η σάρα και η μάρα (και το κακό συναπάντημα)** the riff-raff
▷**άρες-μάρες κουκουνάρες** nonsense, rubbish (*ανεπ.*)
μαραγκιάζω ① P ΑΜ (*για φρούτα, φυτά*) to become wizened ② P Μ to shrivel, to dry up
μαραγκός ΟΥΣ ΑΡΣ carpenter
μαράζι ΟΥΣ ΟΥΔ heartache
▷**με τρώει το μαράζι** to have a broken heart
μαράζωμα ΟΥΣ ΟΥΔ pining, languishing
μαραζώνω ① P ΑΜ to pine away, to languish ② P Μ to weigh down
μάραθο ΟΥΣ ΟΥΔ fennel
μάραθος ΟΥΣ ΑΡΣ = **μάραθο**
μαραθώνιος, -ια, -ιο ΕΠΙΘ (**α**) (*πεδιάδα*) of Marathon (**β**) (*σύσκεψη, διαπραγματεύσεις*) marathon
▸**μαραθώνιος** ΟΥΣ ΑΡΣ (ΑΘΛ: *επίσης* **μαραθώνιος δρόμος**) marathon (race)
▷**μαραθώνιος προσπαθειών** marathon efforts
μαραθωνοδρόμος ΟΥΣ ΑΡΣ·ΘΗΛ marathon runner
μαραίνω P Μ (**α**) (*φυτό*) to wither, to shrivel (**β**) (*νιάτα, ομορφιά*) to eat away at
▸**μαραίνομαι** ΜΕΣΟΠΑΘ (**α**) (*ομορφιά*) to fade· (*καρδιά*) to break (**β**) (*για πρόσ.*) to waste away
μαρασμός ΟΥΣ ΑΡΣ (**α**) (*φυτού, φύσης*) withering· (*ομορφιάς, νεότητας*) fading· (*σώματος*) withering (**β**) (*σωματικών ή ψυχικών δυνάμεων*) wasting away (**γ**) (*χώρας, οικονομίας, παιδείας, θεάτρου*) decline
μαραφέτι (*ανεπ.*) ΟΥΣ ΟΥΔ (**α**) (*γενικότ.*) contraption (**β**) (*μικρό εργαλείο ή εξάρτημα*) gadget
μαργαρίνη ΟΥΣ ΘΗΛ margarine
μαργαρίτα ΟΥΣ ΘΗΛ daisy
μαργαριταρένιος, -ια, -ιο ΕΠΙΘ (**α**) (*κολιέ, δαχτυλίδι*) pearl (**β**) (*δόντια*) pearly
μαργαριτάρι ΟΥΣ ΟΥΔ (**α**) (*πολύτιμος λίθος*) pearl (**β**) (*ειρων.*: = *γλωσσικό σφάλμα*) howler (*ανεπ.*)
▸**μαργαριτάρια** ΠΛΗΘ (= *μαργαριταρένια*

κοσμήματα) pearls
μαρέγκα ΟΥΣ ΘΗΛ meringue
μαρίδα ΟΥΣ ΘΗΛ (**α**) (*ψάρι*) whitebait

> *Προσοχή!: Ο πληθυντικός του* **whitebait** *είναι* **whitebait**.

(**β**) (*κοροϊδ.*: = *πλήθος μικρών παιδιών*) kids *πληθ.*
μαρίνα ΟΥΣ ΘΗΛ marina
μαρινάρω P Μ to marinate
μαρινάτος, -η, -ο ΕΠΙΘ marinated
μαριονέτα ΟΥΣ ΘΗΛ (**α**) (= *κούκλα*) puppet, marionette (**β**) (*μειωτ.*) puppet
μαριχουάνα ΟΥΣ ΘΗΛ marijuana
μάρκα ΟΥΣ ΘΗΛ (**α**) (*τσιγάρων, καλλυντικών, προϊόντων*) brand· (*αυτοκινήτου*) make (**β**) (= *σήμα εταιρείας*) logo, trademark (**γ**) (*σε παιχνίδι*) counter· (*σε καζίνο, λέσχη*) chip
▷**είναι (μεγάλη) μάρκα** (*οικ.*) he's/she's a sly one (*ανεπ.*)
▷**μάρκα μ' έκαψες** (*οικ.*: = *κακό προϊόν*) a pile of junk (*ανεπ.*)· (= *αναξιόπιστος*) a snake in the grass (*ανεπ.*)
μαρκαδόρος ΟΥΣ ΑΡΣ (**α**) (*γραφής*) felt-tip pen (**β**) (*σε καζίνο, λέσχη*) croupier
▸**φωσφορούχος μαρκαδόρος** marker pen
μαρκαλίζω P Μ = **μαρκαλώ**
μαρκαλώ P Μ (*για ζώα*) to mate
μαρκάρισμα ΟΥΣ ΟΥΔ (**α**) (*προϊόντος*) branding (**β**) (*αλόγου, βοδιού, οικόπεδο*) branding· (**γ**) (ΑΘΛ) marking (**δ**) (*ανθρώπου*) spotting· (*λέξης, παραγράφου*) marking
μαρκάρω P Μ (**α**) (*προϊόν*) to brand (**β**) (*κοπάδι, οικόπεδο*) to brand (**γ**) (ΑΘΛ) to mark (**δ**) (*άνθρωπο*) to spot, to pick out· (*παράγραφο, λάθη, ρήματα*) to mark
μάρκετινγκ ΟΥΣ ΟΥΔ ΑΚΛ marketing
μαρκησία ΟΥΣ ΘΗΛ marchioness
μαρκήσιος ΟΥΣ ΑΡΣ marquis· (*στη Μ. Βρετανία*) marquess
μαρκίζα ΟΥΣ ΘΗΛ eaves *πληθ.*
μάρκο ΟΥΣ ΟΥΔ (*παλαιότ.*) mark
μαρκούτσι ΟΥΣ ΟΥΔ (= *η δερμάτινη σύριγγα του ναργιλέ*) pipe (*of a nargileh*) (**β**) (= *μακρόστενο αντικείμενο*) long object (**γ**) (*χυδ.*: = *πέος*) prick (*χυδ.*)
μαρμάγκα ΟΥΣ ΘΗΛ poisonous spider
▷**με τρώει η μαρμάγκα** (*για απειλή*) to be for it (*ανεπ.*)· (= *εξαφανίζομαι*) to disappear into thin air
μαρμαράδικο ΟΥΣ ΟΥΔ marble workshop
μαρμαράς (*ανεπ.*) ΟΥΣ ΑΡΣ (**α**) (= *μαρμαρογλύπτης*) marble cutter (**β**) (= *τεχνίτης που τοποθετεί μάρμαρα*) marble mason
μαρμαρένιος, -ια, -ιο ΕΠΙΘ = **μαρμάρινος**
μαρμάρινος, -η, -ο ΕΠΙΘ marble
μάρμαρο ΟΥΣ ΟΥΔ marble
▷**έχω καρδιά μάρμαρο** to have a heart of

M

stone
▷**έχω στήθος μάρμαρο** to be stout–hearted
▸**μάρμαρα** ΠΛΗΘ (= *μαρμάρινη κατασκευή*)
marbles
μαρμαρογλύπτης ΟΥΣ ΑΡΣ marble cutter
μαρμαρογλύπτρια ΟΥΣ ΘΗΛ *βλ.*
μαρμαρογλύπτης
μαρμαροκολόνα ΟΥΣ ΘΗΛ marble column
μαρμαρόσκονη ΟΥΣ ΘΗΛ powdered marble
μαρμαρόστρωτος, -η, -ο ΕΠΙΘ (*δάπεδο,
βεράντα*) paved with marble
μαρμαρώνω ① Ρ Μ (*λογοτ.: βασιλοπούλα,
καράβι*) to turn to stone
② Ρ ΑΜ to be rooted to the spot, to freeze
μαρμελάδα ΟΥΣ ΘΗΛ jam (*Βρετ.*), jelly
(*Αμερ.*)· (*από εσπεριδοειδή*) marmalade
μαρξισμός ΟΥΣ ΑΡΣ Marxism
μαρξιστής ΟΥΣ ΑΡΣ Marxist
μαρξιστικός, -ή, -ό ΕΠΙΘ Marxist
μαρξίστρια ΟΥΣ ΘΗΛ *βλ.* **μαρξιστής**
Μαροκινή ΟΥΣ ΘΗΛ *βλ.* **Μαροκινός**
Μαροκινός ΟΥΣ ΑΡΣ Moroccan
μαροκινός, -ή, -ό ΕΠΙΘ Moroccan

> *Προσοχή!: Τα εθνικά επίθετα, όπως*
> **Moroccan**, *γράφονται με κεφαλαίο το*
> *αρχικό γράμμα στα Αγγλικά.*

Μ

Μαρόκο ΟΥΣ ΟΥΔ Morocco
μαρούλι ΟΥΣ ΟΥΔ lettuce
μαρουλοσαλάτα ΟΥΣ ΘΗΛ lettuce salad
μαρουλόφυλλο ΟΥΣ ΟΥΔ lettuce leaf
▷**πετάω** *ή* **ξοδεύω τα λεφτά σαν
μαρουλόφυλλα** (*προφορ.*) to spend money
like water
μαρς ΕΠΙΦΩΝ (ΣΤΡΑΤ) march!
μαρσάρω Ρ ΑΜ to rev (up), to race the engine
μάρσιπος ΟΥΣ ΑΡΣ = **μάρσιππος**
μάρσιππος ΟΥΣ ΑΡΣ (α) (ΖΩΟΛ) pouch
(β) (= *θήκη για μωρό*) baby sling, baby
carrier
μαρσιποφόρος, -α, -ο ΕΠΙΘ =
μαρσιπποφόρος
μαρσιπποφόρος, -α, -ο ΕΠΙΘ marsupial
▸**μαρσιπποφόρο** ΟΥΣ ΟΥΔ marsupial
Μάρτης ΟΥΣ ΑΡΣ (= *Μάρτιος*) March
μαρτιάτικος, -η, -ο ΕΠΙΘ (*καιρός, ημέρα*)
March
Μάρτιος ΟΥΣ ΑΡΣ March
μάρτυρας ΟΥΣ ΑΡΣΘΗΛ (α) (*γεγονότος, τελετής,
σκηνής*) witness· (*αρχιτεκτονικών
επιδράσεων*) testimony (β) (ΝΟΜ) witness
(γ) (ΘΡΗΣΚ) martyr (δ) (*επανάστασης,
ελευθερίας, δημοκρατίας*) martyr
(ε) (= *ήρωας*) martyr
▷**παρίσταμαι ως μάρτυρας** to be a witness
▷**μάρτυς μου ο Θεός** as God is my witness
▸**αυτόπτης μάρτυρας** eyewitness
▸**μάρτυρας κατηγορίας/υπεράσπισης** witness
for the prosecution/for the defence (*Βρετ.*) *ή*

defense (*Αμερ.*), prosecution/defence (*Βρετ.*)
ή defense (*Αμερ.*) witness
μαρτυρία ΟΥΣ ΘΗΛ (α) (*μαρτύρων, πολιτών*)
testimony (β) (*εποχής, περιόδου,
αρχαιότητας*) testimony· (*πηγών, αρχείων*)
evidence *χωρίς πληθ.*· (*συγχρόνων*) account
▷**αποτελώ μαρτυρία για κτ** to bear witness to
sth
▷**επικαλούμαι τη μαρτυρία κποιου** to call on
sb as a witness
▸**γραπτή/προφορική μαρτυρία** (ΝΟΜ) written/
verbal *ή* oral testimony· (ΙΣΤ) written/spoken
record
▸**ένορκη μαρτυρία** sworn testimony
▸**προσωπική μαρτυρία** personal testimony
μαρτυριάρης, -α *ή* **-ισσα, -ικο** ΕΠΙΘ: **είμαι
μαρτυριάρης** to be a sneak *ή* a telltale
μαρτυρικό ΟΥΣ ΟΥΔ (*σε βάπτιση*) *a small cross
or icon given by the godparent to pin on the
garment of all those attending a baptism*
μαρτυρικός, -ή, -ό ΕΠΙΘ (α) (*χώρα, λαός*)
suffering· (*τέλος, ζωή*) martyr's· (*γάμος*)
unhappy (β) (ΘΡΗΣΚ) of a martyr
▸**μαρτυρική κατάθεση** *ή* **απόδειξη** evidence
χωρίς πληθ.
μαρτύριο ΟΥΣ ΟΥΔ (α) (= *βασανιστήριο*)
torment, torture (β) (ΘΡΗΣΚ) martyrdom
▷**κάνω τη ζωή μαρτύριο σε κπν** to make sb's
life a misery
▷**τραβάω μαρτύρια** to go through hell
μαρτυρώ ① Ρ Μ (α) (= *επιβεβαιώνω: διαφορά,
επίδραση*) to reveal, to attest to· (*ταραχή*) to
bear witness to, to show· (*καταγωγή*) to
reveal· (*στοιχεία*) to prove (β) (= *φανερώνω:
χαρακτήρα, άνθρωπο, ενοχή, πρόθεση*) to
reveal (γ) (*συνάδελφο*) to inform against·
(*συμμαθητή*) to tell on· (*μυστικό, νέο*) to give
away, to reveal· (*συνένοχο, δίκτυο*) to inform
against, to give away (δ) (= *καταθέτω:
έγκλημα, γεγονός*) to testify to· (*αίτιους*) to
testify against, to give evidence against
② Ρ ΑΜ (α) (= *υποφέρω: άνθρωπος, ζώο*) to
go through hell (β) (ΘΡΗΣΚ) to be martyred
▷**μαρτυρώ ότι** *ή* **πως** to show *ή* reveal that
▷**μαρτυρώ που** to reveal where
▸**μαρτυρείται, μαρτυρούνται** ΤΡΙΤΟΠΡΟΣ to be
proved
μάρτυς (*επίσ.*) ΟΥΣ ΑΡΣΘΗΛ = **μάρτυρας**
μας ΑΝΤΩΝ (α) (*προσωπική*) us (β) (*για κτήση*)
our
▷**μας είπαν** they told us
▷**το παιδί μας** our child
μάσα (*οικ.*) ΟΥΣ ΘΗΛ grub *χωρίς πληθ.*
μασάζ ΟΥΣ ΟΥΔ ΑΚΛ massage
μασέλα (*ανεπ.*) ΟΥΣ ΘΗΛ (α) (= *γνάθος*)
jawbone, jaw (β) (= *οδοντοστοιχία*) teeth
πληθ. (γ) (= *τεχνητή οδοντοστοιχία*) dentures
πληθ., false teeth *πληθ.*
μάσημα ΟΥΣ ΟΥΔ chewing, mastication (*επίσ.*)
μασιά ΟΥΣ ΘΗΛ tongs *πληθ.*
μασίφ ΕΠΙΘ ΑΚΛ (*σίδερο, πόρτα*) solid
μάσκα ΟΥΣ ΘΗΛ (α) (*γενικότ.*) mask

(β) (= *κοσμητικό προϊόν*) face mask
(γ) (*αυτοκινήτου*) grille, radiator grill
(δ) (= *πλευρά πλώρης*) bow
▸**μάσκα οξυγόνου/καταδύσεων** oxygen/diving mask
μάσκαρα ΟΥΣ ΘΗΛ mascara
μασκαραλίκι (*οικ.*) ΟΥΣ ΟΥΔ (= *γελοία πράξη*) larking about *χωρίς πληθ.* (*ανεπ.*), antics *πληθ.* · (= *άτιμη πράξη*) mean trick (*ανεπ.*)
μασκαράς ΟΥΣ ΑΡΣ (α) (*σε χορό, καρναβάλι*) masked person (β) (*οικ.*: = *απατεώνας*) crook (*ανεπ.*)
μασκαράτα ΟΥΣ ΘΗΛ masquerade
μασκάρεμα ΟΥΣ ΟΥΔ masquerading, disguise
μασκαρεύω Ρ Μ (*παιδί*) to disguise, to dress up
▸**μασκαρεύομαι** ΜΕΣΟΠΑΘ to dress up, to disguise oneself
▷**μασκαρεύομαι ινδιάνος** to dress up as an Indian
▷**μασκαρεμένος σε αρκούδα** disguised as a bear
μασκαριλίκι (*οικ.*) ΟΥΣ ΟΥΔ = **μασκαραλίκι**
μασκότ ΟΥΣ ΘΗΛ ΑΚΛ mascot
μασκοφόρος ΟΥΣ ΑΡΣ⊕ΘΗΛ masked person
▸**μασκοφόρος ληστής** masked robber
μασονία ΟΥΣ ΘΗΛ Freemasonry, Masonry
μασονισμός ΟΥΣ ΑΡΣ *βλ.* **μασονία**
μασόνος ΟΥΣ ΑΡΣ Mason, Freemason
μασούλημα (*ανεπ.*) ΟΥΣ ΟΥΔ chewing
μασουλώ (*ανεπ.*) Ρ Μ to chew
μασούρι ΟΥΣ ΟΥΔ (α) (= *καρούλι*) bobbin (β) (= *κουβαρίστρα*) reel (γ) (*χαρτονομισμάτων*) wad, roll · (*κερμάτων*) packet
Μασσαλία ΟΥΣ ΘΗΛ Marseilles
Μασσαλιώτιδα ΟΥΣ ΘΗΛ: **η Μασσαλιώτιδα** the Marseillaise
μαστάρι ΟΥΣ ΟΥΔ (*επίσης κοροϊδ.*) udder
μαστεκτομή ΟΥΣ ΘΗΛ mastectomy
μάστερ ΟΥΣ ΟΥΔ ΑΚΛ master's (degree)
▷**κάνω μάστερ** to do a master's
μάστιγα ΟΥΣ ΘΗΛ plague, scourge
μαστίγιο ΟΥΣ ΟΥΔ whip
μαστίγωμα ΟΥΣ ΟΥΔ (α) (*ανθρώπου, ζώου*) whipping (β) (*από βροχή, αέρα*) lashing
μαστιγώνω Ρ Μ (α) (*άνθρωπο, ζώο*) to whip (β) (*για βροχή, άνεμο*) to lash
μαστίγωση ΟΥΣ ΘΗΛ (α) (*ανθρώπου*) whipping (β) (*παλαιότ.: ποινή*) flogging
μαστίζω Ρ Μ to plague
μαστίτιδα ΟΥΣ ΘΗΛ mastitis
μαστίχα ΟΥΣ ΘΗΛ (α) (= *έκκριμα μαστιχόδεντρου*) mastic (β) (= *τσίχλα*) (chewing) gum (γ) (*ποτό*) mastic (δ) (*γλυκό*) mastic–flavoured (*Βρετ.*) *ή* mastic–flavored (*Αμερ.*) sweet
μαστιχιά ΟΥΣ ΘΗΛ = **μαστιχόδεντρο**
μαστιχόδεντρο ΟΥΣ ΟΥΔ mastic tree

μαστόδοντο ΟΥΣ ΟΥΔ (ΖΩΟΛ) mastodon
μάστορας ΟΥΣ ΑΡΣ (α) (= *τεχνίτης*) qualified workman · (= *δεξιοτέχνης*) craftsman

Προσοχή!: *Ο πληθυντικός του* **workman** *είναι* **workmen**. *Ο πληθυντικός του* **craftsman** *είναι* **craftsmen**.

(β) (= *οικοδόμος*) builder (γ) (= *αρχιτεχνίτης*) foreman

Προσοχή!: *Ο πληθυντικός του* **foreman** *είναι* **foremen**.

▷**βρίσκω τον μάστορά μου** to meet one's match
▷**είμαι μάστορας σε κτ** to be a past master at sth
μαστόρεμα ΟΥΣ ΟΥΔ (*από πρακτικό τεχνίτη*) building work · (*από ερασιτέχνη*) odd jobs *πληθ.* (*around the house*)
μαστορεύω ① Ρ Μ (*μηχανή, ρολόι*) to tinker with
② Ρ ΑΜ to do odd jobs
μαστοριά ΟΥΣ ΘΗΛ craftsmanship
μαστόρισσα ΟΥΣ ΘΗΛ *βλ.* **μάστορας**
μαστορόπουλο ΟΥΣ ΟΥΔ apprentice
μαστός (*επίσ.*) ΟΥΣ ΑΡΣ (α) (ΑΝΑΤ) breast (β) (ΖΩΟΛ) udder
μαστούρα (*αργκ.*) ΟΥΣ ΘΗΛ (α) (= *φτιάξιμο*) high (*ανεπ.*) (β) (= *χρήστης ναρκωτικών*) druggie (*ανεπ.*)
μαστούρης (*αργκ.*) ΟΥΣ ΑΡΣ (α) (= *χρήστης ναρκωτικών*) druggie (*ανεπ.*) (β) (= *υπό την επήρεια ναρκωτικών*) person on a high (*ανεπ.*)
μαστούρισσα (*αργκ.*) ΟΥΣ ΘΗΛ = **μαστούρης**
μαστουρωμένος, -η, -ο (*αργκ.*) ΕΠΙΘ high (*ανεπ.*), stoned (*ανεπ.*)
μαστουρώνω Ρ ΑΜ to be high (*ανεπ.*) *ή* stoned (*ανεπ.*)
μαστοφόρο ΟΥΣ ΟΥΔ (ΖΩΟΛ) mammal
μαστροπεία (*επίσ.*) ΟΥΣ ΘΗΛ procuring
μαστροπός (*επίσ.*) ΟΥΣ ΑΡΣ⊕ΘΗΛ procurer, pimp
μαστροχαλαστής (*κοροϊδ.*) ΟΥΣ ΑΡΣ bungler
μασχάλη ΟΥΣ ΘΗΛ (α) (*ανθρώπου*) armpit (β) (*φορέματος, πουκαμίσου*) armhole (γ) (*ζώου*) axial (δ) (*φυτού*) axil
μασώ Ρ Μ (α) (*τροφή*) to chew, to masticate (*επίσ.*) (β) (*τσίχλα, στυλό, μολύβι*) to chew (γ) (*κασέτα, κλωστή*) to chew up (δ) (*οικ.*: *χρήματα, περιουσία*) to get through, to squander (ε) (*αργκ.* = *ξεγελιέμαι*) to fall for, to swallow (*ανεπ.*) · (= *δειλιάζω*) to be afraid of
▷**μασάω τα λόγια μου, τα μασάω** to mumble
ματ[1] ΕΠΙΘ ΑΚΛ (*για χρώμα, χαρτί*) matt
ματ[2] ΟΥΣ ΟΥΔ ΑΚΛ (*στο σκάκι*) checkmate
▷**κάνω κίνηση ματ σε κπν** (*μτφ.*) to have sb on the run
▷**κάνω ματ σε κπν** to checkmate sb, to put sb in checkmate · (*μτφ.*) to have sb on the run

M

► **ρουά-ματ** checkmate

μάταια ΕΠΙΡΡ in vain

ματαιοδοξία ΟΥΣ ΘΗΛ vanity

ματαιόδοξος, -η, -ο ΕΠΙΘ vain

ματαιοδοξώ Ρ ΑΜ to be vain

ματαιολογώ Ρ ΑΜ to prattle on

ματαιοπονία ΟΥΣ ΘΗΛ waste of effort

ματαιοπονώ Ρ ΑΜ to be wasting one's time

μάταιος, -α ή -η, -ο ΕΠΙΘ (ελπίδες) vain · (προσπάθειες) vain, futile
▷ **επί ματαίω** (επίσ.) in vain, to no avail
▷ **είναι μάταιο να κάνω κτ** it's pointless doing sth, there's no point in doing sth
▷ **μάταιος κόπος** a waste of effort, wasted effort
► **μάταιος κόσμος** vain world

ματαιότητα ΟΥΣ ΘΗΛ (προσπάθειες, έργου) futility
▷ **ματαιότης ματαιοτήτων (τα πάντα ματαιότης)** vanity, vanity, all is vanity

ματαιοφροσύνη ΟΥΣ ΘΗΛ vanity

ματαιώνω Ρ Μ (πτήση, ταξίδι) to cancel · (συναυλία) to cancel, to call off · (απεργία) to call off · (σχέδια) to thwart

ματαίως ΕΠΙΡΡ = **μάταια**

ματαίωση ΟΥΣ ΘΗΛ (εκδρομής, συναυλίας) cancellation · (σχεδίων) thwarting

ματζόρε ΟΥΣ ΟΥΔ ΑΚΛ major

ματζούνι ΟΥΣ ΟΥΔ (α) (= φάρμακο) medicine (β) (γενικότ.) tisane, herbal tea

ματζουράνα ΟΥΣ ΘΗΛ marjoram

μάτην (επίσ.) ΕΠΙΡΡ: **εις μάτην** in vain, to no avail

μάτι ΟΥΣ ΟΥΔ (α) (= οφθαλμός) eye (β) (= όραση) eyesight (γ) (= βασκανία) evil eye (δ) (φυτού) bud (ε) (κουζίνας) hotplate, ring · (πόρτας) peephole, spyhole
▷ **βάζω κπν/κτ στο μάτι** (= επιθυμώ) to have one's eyes on sb/sth · (= βάζω στόχο) to have sb/sth in one's sights
▷ **βγάζω τα μάτια μου** to have tired eyes
▷ **βγάζω τα μάτια μου (με κπν)** (= καβγαδίζω) to argue (with sb) · (ανεπ.: = συννουσιάζομαι) to have it off (with sb) (ανεπ.)
▷ **βγάζω τα μάτια μου μόνος μου** to shoot oneself in the foot
▷ **βλέπω ή κοιτώ κπν με μισό μάτι** to look askance at sb
▷ **βλέπω κπν/κτ με άλλο μάτι** to see sb/sth in a different light
▷ **βλέπω κπν/κτ με καλό/κακό μάτι** to look/ not to look favourably (Βρετ.) ή favorably (Αμερ.) on sb/sth
▷ **βλέπω κτ με καθαρό μάτι** to see sth clearly
▷ **βλέπω κτ με τα μάτια μου ή με τα ίδια μου τα μάτια** to see sth with one's own eyes
▷ **για τα μάτια (του κόσμου)** to keep up appearances
▷ **δεν έχω μάτια να τον δω** I can't face him
▷ **δεν θέλω να την ξαναδώ στα μάτια μου** I never want to set eyes on her again

▷ **δεν κλείνω μάτι** not to sleep a wink
▷ **δεν μου γεμίζει το μάτι** I don't like the look of him
▷ **δεν χορταίνει το μάτι μου να σε βλέπω** I can't get enough of you
▷ **έχω κπν σαν τα μάτια μου** to take very good care of sb
▷ **κάνω τα στραβά μάτια, κλείνω τα μάτια** to look the other way
▷ **κάνω τα στραβά μάτια ή κλείνω τα μάτια σε κτ** to turn a blind eye to sth
▷ **κλείνουν τα μάτια μου** my eyes are closing
▷ **κλείνω τα μάτια μου** (= πεθαίνω) to pass away
▷ **κλείνω το μάτι σε κπν** to wink at sb
▷ **μαύρα μάτια κάναμε να σε δούμε** we haven't seen you for ages
▷ **με κλειστά μάτια** (= απερίσκεπτα) without looking · (= με εμπιστοσύνη) on trust
▷ **με το μάτι** roughly
▷ **μπαίνω στο μάτι κποιου** to make sb jealous
▷ **μπροστά στα μάτια μου** right in front of my eyes, before my very eyes
▷ **παίζει το μάτι μου** (προφορ.) to have a roving eye
▷ **παίρνω ή κόβει κπν/κτ το μάτι μου** to catch a glimpse of sb/sth
▷ **παίρνω κπν από ή με καλό/κακό μάτι** to have a good/bad impression of sb
▷ **παίρνω ή κάνω μάτι** (ανεπ.) to peek, to peep
▷ **ρίχνω στάχτη στα μάτια κποιου** to pull the wool over sb's eyes
▷ **στο μάτι του κυκλώνα** in the eye of the storm
▷ **το αυτοκίνητο/πορτοφόλι και τα μάτια σου** take good care of the car/your wallet
▷ **τρώω κπν/κτ με τα μάτια** to devour sb/sth with one's eyes
▷ **χάνω κπν/κτ από τα μάτια μου** to lose sight of sb/sth
▷ **μάτια μου!** darling!
▷ **μάτια που δεν βλέπονται, γρήγορα λησμονιούνται** (παροιμ.) out of sight out of mind (παροιμ.)
► **αυγά μάτια** fried eggs

ματιά ΟΥΣ ΘΗΛ (α) (= βλέμμα) look (β) (= γρήγορο κοίταγμα) glance (γ) (= οπτική γωνία) view
▷ **με μια ματιά** at a glance
▷ **με την πρώτη ματιά** at first glance
▷ **ρίχνω μια ματιά (σε κπν/κτ)** to have a look (at sb/sth)

ματιάζω Ρ Μ to give the evil eye

ματιασμα ΟΥΣ ΟΥΔ evil eye

ματογυάλια ΟΥΣ ΟΥΔ ΠΛΗΘ glasses

ματόκλαδα (λογοτ.) ΟΥΣ ΟΥΔ ΠΛΗΘ eyelashes, lashes

ματοτσίνορα ΟΥΣ ΟΥΔ = **ματόκλαδα**

ματόφυλλο (λογοτ.) ΟΥΣ ΟΥΔ eyelid

ματς ΟΥΣ ΟΥΔ ΑΚΛ match

ματσάκι¹ (υποκορ.) ΟΥΣ ΟΥΔ (λουλούδια, σέλινα) bunch

ματσάκι² (υποκορ.) ΟΥΣ ΟΥΔ knockabout

ματσό (*ανεπ.*) ΟΥΣ ΑΡΣΘΗΛ ΑΚΛ: **είμαι ματσό** to be filthy rich (*ανεπ.*)

μάτσο ΟΥΣ ΟΥΔ (α) (*λουλούδια, ρίγανη*) bunch (β) (*γράμματα*) pile · (*χαρτονομίσματα*) wad
▷**ένα μάτσο ψέματα** (*ανεπ.*) a pack of lies
▷**μάτσο τα φράγκα** (*ανεπ.*) loads of money

ματσούκα ΟΥΣ ΘΗΛ = **ματσούκι**

ματσούκι ΟΥΣ ΟΥΔ cudgel

ματσώνομαι Ρ ΑΜ ΑΠΟΘ to make a packet (*ανεπ.*)

μάτωμα ΟΥΣ ΟΥΔ bleeding

ματωμένος, -η, -ο ΕΠΙΘ (*ρούχα, σπαθί, χώμα*) bloodstained, bloody · (*διαδήλωση*) bloody

ματώνω ① Ρ Μ (*δάχτυλο, γόνατο*) to cut
② Ρ ΑΜ to bleed
▷**ματώνω την καρδιά κποιου** to make sb's heart bleed

μαυραγορίτης (*αρνητ.*) ΟΥΣ ΑΡΣ black marketeer

μαυραγορίτισσα (*αρνητ.*) ΟΥΣ ΘΗΛ *βλ.*
μαυραγορίτης

μαυράδι ΟΥΣ ΟΥΔ black spot

Μαύρη Θάλασσα ΟΥΣ ΘΗΛ: **η Μαύρη Θάλασσα** the Black Sea

μαυριδερός, -ή, -ό ΕΠΙΘ (*δέρμα*) dark, swarthy

μαυρίζω ① Ρ Μ (α) (*ουρανό*) to make dark (β) (*για πρόσ.*) to tan (γ) (*κόμμα*) to vote against · (*υποψήφιο*) to blackball
② Ρ ΑΜ (α) (*άνθρωπος*) to go brown, to tan (β) (*ουρανός*) to grow dark · (*τοίχος, κτήριο*) to become black (γ) (*χέρια*) to get dirty (δ) (= *δεν φαίνομαι καθαρά*) to appear faintly (ε) (*καρδιά*) to grow heavy
▷**μαυρίζω κπν στο ξύλο** to beat sb black and blue
▷**μου μαυρίζει την καρδιά** *ή* **την ψυχή** it breaks my heart
▷**μαυρίζει το μάτι μου από την πείνα** to be starving
▷**μαυρίζω το μάτι κποιου** to give sb a black eye

μαυρίλα ΟΥΣ ΘΗΛ (α) (*νύχτας, ουρανού*) blackness, darkness · (*καπνού*) fug (β) (= *μαύρο σημάδι: από χτύπημα*) bruise · (*από μουντζούρα*) stain (γ) (= *δυστυχία*) gloom

μαύρισμα ΟΥΣ ΘΗΛ (α) (*τοίχου, σκευών*) blackening (β) (*από ήλιο*) (sun)tan

μαυρισμένος, -η, -ο ΕΠΙΘ (α) (*ουρανός*) overcast, black (β) (*από τον ήλιο*) brown, tanned (γ) (*μάτια*) black (δ) (*τζάκι*) sooty · (*σπίτι*) dingy

μαυροδάφνη ΟΥΣ ΘΗΛ *red table wine from Achaia*

μαυρομάλλης, -α, -ικο ΕΠΙΘ black-haired
▸**μαυρομάλλης** ΟΥΣ ΑΡΣ, **μαυρομάλλα** ΟΥΣ ΘΗΛ person with black hair

μαυρομάτης, -α, -ικο ΕΠΙΘ with black eyes
▸**μαυρομάτικα φασόλια** black-eyed beans

μαυροντυμένος, -η, -ο ΕΠΙΘ dressed in black

μαυροπίνακας ΟΥΣ ΑΡΣ blackboard (*Βρετ.*), chalkboard (*Αμερ.*)

μαύρος, -η, -ο ΕΠΙΘ (α) (*μαλλιά, φούστα*) black (β) (*μουσική*) black (γ) (= *μαυρισμένος*) brown, tanned (δ) (*καπνός, ουρανός*) black · (*σύννεφα*) black, dark (ε) (*δόντι*) decayed (στ) (ΤΥΠΟΓΡ) bold (ζ) (*ζωή, χρόνια*) gloomy · (*μέρες*) dark (η) (*σκέψεις*) dark, gloomy · (*μαντάτα*) grim · (*απελπισία*) black · (*πείνα*) desperate (θ) (*διακοπές*) miserable · (*ταξίδι*) terrible (ι) (*ψυχή, καρδιά*) evil (ια) (= *δυστυχισμένος: γονείς*) poor
▷**ένα μαυρό μάτι** a black eye
▷**ρίχνω μαύρη πέτρα πίσω μου** to leave for good
▷**τα βάφω μαύρα, τα βλέπω (όλα) μαύρα** to be pessimistic
▷**μαύρο φίδι που σ' έφαγε!** (*απειλή*) God help you!
▷**μαύρος κι άραχνος** *ή* **άραχλος** doom and gloom
▸**μαύρη αγορά** black market
▸**μαύρη ήπειρος** Africa
▸**μαύρο κουτί** (ΤΕΧΝΟΛ) black box
▸**μαύρη κωμωδία** black comedy
▸**μαύρη λίστα** blacklist
▸**μαύρη μπίρα** stout
▸**μαύρο πρόβατο** (*μτφ.*) black sheep
▸**μαύρη τρύπα** (*κυριολ., μτφ.*) black hole
▸**μαύρη χήρα** (ΖΩΟΛ) black widow
▸**μαύρο χιούμορ** black humour (*Βρετ.*) *ή* humor (*Αμερ.*)
▸**μαύρο ψωμί** brown bread
▸**μαύρα** ΟΥΣ ΟΥΔ ΠΛΗΘ black *εν.*
▸**μαύρο** ΟΥΣ ΟΥΔ (*χρώμα*) black
▸**μαύρο** ΟΥΣ ΟΥΔ, **μαύρη** ΟΥΣ ΘΗΛ (*αργκ.*) hash (*ανεπ.*)
▸**μαύρος** ΟΥΣ ΑΡΣ, **μαύρη** ΟΥΣ ΘΗΛ (= *Αφρικανός*) black person

μαυροτσούκαλο ΟΥΣ ΟΥΔ (α) (= *μαυρισμένη χύτρα*) black pot (β) (*κοροϊδ.*) black person

μαυροφόρα ΟΥΣ ΘΗΛ woman in mourning

μαυροφορώ Ρ ΑΜ to be in mourning, to be dressed in black

μαυσωλείο ΟΥΣ ΟΥΔ mausoleum

μαφία ΟΥΣ ΘΗΛ (α) (*εγκληματική οργάνωση*) mafia (β) (= *κύκλωμα*) mafia (γ) (*μτφ.*) smart customer

μαφιόζος ΟΥΣ ΑΡΣ mafioso, mobster

> *Προσοχή!: Ο πληθυντικός του **mafioso** είναι **mafiosos** ή **mafiosi**.*

μαχαίρι ΟΥΣ ΟΥΔ knife

> *Προσοχή!: Ο πληθυντικός του **knife** είναι **knives**.*

▷**είμαι** *ή* **βρίσκομαι στα μαχαίρια με κπν** to be at loggerheads *ή* at daggers drawn with sb
▷**κόβω κτ (με το) μαχαίρι** to cut sth dead
▷**το μαχαίρι φτάνει ως το** *ή* **στο κόκκαλο** the truth will out

▷**τραβάω μαχαίρι** to fly off the handle

μαχαιριά ΟΥΣ ΘΗΛ (α) (= *χτύπημα με μαχαίρι*) stab (β) (= *τραύμα*) knife wound

μαχαιροβγάλτης ΟΥΣ ΑΡΣ knife murderer

μαχαιροπίρουνο ΟΥΣ ΟΥΔ knife and fork
▸**μαχαιροπίρουνα** ΠΛΗΘ cutlery εν.

μαχαίρωμα ΟΥΣ ΟΥΔ stabbing, knifing

μαχαιρώνω Ρ Μ (*άνθρωπο*) to stab, to knife
▸**μαχαιρώνομαι** ΜΕΣΟΠΑΘ to have a knife fight

μαχαραγιάς ΟΥΣ ΑΡΣ (α) (*κυριολ.*) maharajah (β) (*μτφ.*) king

μαχαρανή ΟΥΣ ΘΗΛ maharanee

μάχη ΟΥΣ ΘΗΛ (α) (= *ένοπλη σύγκρουση*) battle, fight (β) (*μτφ.*) fight, struggle
▷**δίνω μάχη για κτ** to put up a fight for sth
▷**η μάχη κατά της φτώχιας/ανεργίας** the fight against poverty/unemployment
▷**η μάχη της επιβίωσης** the fight ή struggle for survival
▷**κερδίζω/χάνω τη μάχη** to win/lose the battle

μαχητής ΟΥΣ ΑΡΣ (α) (= *πολεμιστής*) combatant, soldier (β) (*ελευθερίας, δημοκρατίας, προόδου*) fighter

μαχητικός, -ή, -ό ΕΠΙΘ (α) (*αεροσκάφος*) fighter · (*ικανότητα*) fighting (β) (*μέλος*) active (γ) (*αθλητής, πολιτικός*) with fighting spirit · (*διάθεση, πνεύμα*) fighting, combative
▸**μαχητικό** ΟΥΣ ΟΥΔ fighter plane

μαχητικότητα ΟΥΣ ΘΗΛ (α) (*στρατού, αεροπορίας, αεροσκαφών*) combat readiness (β) (*πολίτη, εφημερίδας, συλλόγου*) fighting spirit

μαχήτρια ΟΥΣ ΘΗΛ βλ. **μαχητής**

μάχιμος, -η, -ο ΕΠΙΘ (α) (*στράτευμα*) ready for battle (β) (*πολίτης*) fit for military service · (*αξιωματικός*) combatant (γ) (*δημοσιογράφος, πολιτικός*) combative

μάχομαι ① Ρ Μ ΑΠΟΘ to fight against ② Ρ ΑΜ to fight

───────────────

ΛΕΞΗ-ΚΛΕΙΔΙ

με¹, μ' ΠΡΟΘ +αιτ. (α) (*για συνοδία ή συντροφιά, συνύπαρξη*) with □ **ο υπουργός είχε εγκάρδια συζήτηση με τον γενικό διευθυντή** the Minister had a warm discussion with the general manager · **σιγά-σιγά έγινε ένα με μένα** gradually he became one with me
(β) (*για τρόπο*) by □ **πουλάει με το κιλό** she sells by the kilo · **μας βοήθησαν με ευχαρίστηση** they helped us with pleasure
(γ) (*για μέσο μεταφοράς*) by · (*για όργανο*) with □ **ο πρόεδρος ήρθε με αεροπλάνο** the president came by plane · **με το λεωφορείο/ το τρένο** by bus/train · **με τι θα πάμε; – με τα πόδια!** how are we going? – on foot! · **τον χτύπησε με το ρόπαλο** he hit him with the bat
(δ) (*για σχέση, αναφορά*) about □ **είναι με το μπάσκετ** she's crazy about basketball · **μ' αυτό που λέγαμε χθες ...** about what we

were talking about yesterday ...
(ε) (*για ομοιότητα, ισότητα, συμφωνία, επικοινωνία*): **μοιάζω με κπν** to look like sb
▷**είμαι ίδιος με κπν/κτ** to be the same as sb/ sth
▷**συμφωνώ/διαφωνώ με κπν** to agree/disagree with sb
(στ) (*για συνθήκες*) with □ **πού πας με τέτοιο καιρό;** where are you going in such weather?· **δεν μπορώ να διαβάζω με τόσο θόρυβο** I can't study with so much noise
(ζ) (*για αιτία*) by □ **στενοχωρήθηκε με την αρρώστια του πατέρα της** she was upset by her father's illness
(η) (*για ιδιότητα, περιεχόμενο*) with □ **ένα αυτοκίνητο με ωραίο χρώμα** a car with a nice colour (*Βρετ.*) ή color (*Αμερ.*) · **ένα μπουκάλι με νερό** a bottle of water · **είδα έναν τύπο με μαύρα** I saw a guy in black
(θ) (*για όριο χρονικού διαστήματος*) from ... to □ **θα σταματήσουμε με τη δύση του ηλίου** we'll stop at sunset · **έχω μια συνάντηση εννέα με δέκα** I've a meeting from nine to ten
(ι) (*για αντάλλαγμα*) for □ **άλλαξα τα ευρώ με λίρες** I exchanged my euros for pounds · **πουλά με κέρδος** she sells at a profit
▷**με το αζήμιωτο** for a consideration
(ια) (*για αντίθεση, εναντίωση*) despite □ **με τόσα προβλήματα, δεν εγκατέλειψε την προσπάθεια** despite her having so many problems, she didn't give up the attempt
▷**με αποτέλεσμα να** with the result that
▷**με βάση** according to □ **με βάση τη νέα συμφωνία** according to the new agreement
▷**με σκοπό** ή **στόχο να** with the aim of

───────────────

με² ΑΝΤΩΝ me

μεγαβάτ ΟΥΣ ΟΥΔ ΑΚΛ megawatt

μεγαθήριο ΟΥΣ ΟΥΔ (α) (= *γιγαντιαίο κατασκεύασμα*) monstrosity (β) (*για εταιρεία, επιχείρηση*) giant (γ) (ΖΩΟΛ) megathere

μέγαιρα (*μετα).νυμ.*) ΟΥΣ ΘΗΛ shrew, hag

μεγάκυκλος ΟΥΣ ΑΡΣ (ΦΥΣ, ΠΛΗΡΟΦ) megahertz

μεγαλείο ΟΥΣ ΟΥΔ grandeur
▸**μεγαλεία** ΠΛΗΘ splendour εν. (*Βρετ.*), splendor εν. (*Αμερ.*)

μεγαλειοτάτη ΟΥΣ ΘΗΛ Her Majesty

μεγαλειότατος ΟΥΣ ΑΡΣ His Majesty

μεγαλειότης ΟΥΣ ΘΗΛ = **μεγαλειότητα**

μεγαλειότητα ΟΥΣ ΘΗΛ majesty
▷**η Αυτού/Αυτής Μεγαλειότης** His/Her Majesty

μεγαλειώδης, -ης, -ες ΕΠΙΘ (*εκδήλωση, τέχνη, παράσταση*) magnificent · (*τοπίο*) grandiose

μεγαλέμπορος ΟΥΣ ΑΡΣ ΘΗΛ wholesaler

μεγαλεπήβολος, -η, -ο ΕΠΙΘ (*σχέδιο, στόχος*) grandiose

Μεγάλη Βρετανία ΟΥΣ ΘΗΛ (α) (*νησί*) Great

Britain (β) *(καταχρ.: = Ηνωμένο Βασίλειο)* United Kingdom

μεγαληγορία *(επίσ.)* ΟΥΣ ΘΗΛ bombast, grandiloquence

μεγαλιθικός, -ή, -ό ΕΠΙΘ *(ΑΡΧΑΙΟΛ)* megalithic

μεγαλοβδομάδα ΟΥΣ ΘΗΛ Holy Week

μεγαλοβδόμαδο ΟΥΣ ΟΥΔ = **μεγαλοβδομάδα**

Μεγαλοδύναμος ΟΥΣ ΑΡΣ: **ο Μεγαλοδύναμος** the Almighty

▷ **ο Μεγαλοδύναμος Θεός** Almighty God

μεγαλόκαρδος, -η, -ο ΕΠΙΘ big-hearted

μεγαλοκαρχαρίας *(αρνητ.)* ΟΥΣ ΑΡΣ shark *(ανεπ.)*

μεγαλοκτηματίας ΟΥΣ ΑΡΣ landowner

μεγαλομανής, -ής, -ές ΕΠΙΘ megalomaniac

▸ **μεγαλομανής** ΟΥΣ ΑΡΣ⊕ΘΗΛ megalomaniac

μεγαλομανία ΟΥΣ ΘΗΛ megalomania

μεγαλοπιάνομαι *(αρνητ.)* Ρ ΑΜ ΑΠΟΘ *(α)* *(= είμαι φαντασμένος)* to give oneself airs, to put on airs *(β)* *(= είμαι μεγαλομανής)* to be a megalomaniac

μεγαλόπνευστος, -η, -ο ΕΠΙΘ *(άνθρωπος, έργο)* inspired

μεγαλόπνοος, -η, -ο ΕΠΙΘ *(έργο, σχέδια)* grandiose · *(ποιητής)* inspirational

μεγαλοποιώ Ρ Μ to exaggerate

μεγαλόπολη ΟΥΣ ΘΗΛ = **μεγαλούπολη**

μεγαλοπράγμων, -ων, -ον *(επίσ.)* ΕΠΙΘ ambitious

μεγαλοπρέπεια ΟΥΣ ΘΗΛ splendour *(Βρετ.)*, splendor *(Αμερ.)*

▷ **με βασιλική μεγαλοπρέπεια** with great pomp and ceremony

μεγαλοπρεπής, -ής, -ές ΕΠΙΘ *(ανάκτορα, τελετή, μνημείο, ήλιος)* magnificent, majestic · *(τοπίο)* magnificent, grandiose · *(διαδρομή)* splendid · *(παράστημα)* majestic · *(εορτασμός)* lavish, sumptuous

μεγαλόπρεπος, -η, -ο ΕΠΙΘ = **μεγαλοπρεπής**

μεγάλος, -η, -ο ΕΠΙΘ *(α)* *(σπίτι, οικογένεια, εταιρεία, μισθός)* big, large · *(βαθμός)* high · *(απόσταση)* great · *(ταχύτητα)* high, great · *(λεξιλόγιο, αριθμός)* large *(β)* *(βουνό)* high · *(δέντρο, παιδί)* tall *(γ)* *(αναστάτωση, ενδιαφέρον, χαρά, λύπη, πείνα, έρωτας)* great · *(πειρασμός)* great, big · *(καβγάς, σεισμός)* big · *(πίεση, υπέρταση)* high *(δ)* *(ημέρα, διαδρομή)* big *(ε)* *(= ώριμος)* adult, grown-up · *(= γέρος)* old · *(αδελφός, αδελφή)* older, big · *(κόρη, γιος)* eldest *(στ)* *(επιστήμονας, εξερευνητής, καλλιτέχνης)* great · *(καπνιστής)* heavy · *(ψεύτης)* big *(ζ)* *(τέχνη, ποίηση)* great *(η)* *(αλήθειες, όνομα, στιγμή, τιμή, κατόρθωμα)* great *(θ)* *(άνδρες, γυναίκες, πολιτικός)* great

▷ **έχω μεγάλο στόμα** to be cheeky *(Βρετ.)*, to act fresh *(Αμερ.)*

▷ **κάνει μεγάλο κρύο/μεγάλη ζέστη** it's very cold/hot

▷ **τα μεγάλα πνεύματα συναντώνται** great

minds think alike

▷ **μεγάλε!** *(οικ.: για επιδοκιμασία)* my friend! · *(για να απευθυνθούμε σε άγνωστο)* excuse me! · *(φιλική προσφώνηση)* mate! *(ανεπ.)*

▸ **Μεγάλες Δυνάμεις** Great Powers

▸ **μεγάλο κεφάλι** *(= ευφυΐα)* genius · *(= ιθύνων)* mastermind, brains *(ανεπ.)*

Προσοχή!: Ο πληθυντικός του **genius** *είναι* **geniuses** *ή* **genii**.

▸ **μεγάλοι** ΟΥΣ ΑΡΣ ΠΛΗΘ *(α)* *(= ηγέτες ισχυρών κρατών)* world leaders *(β)* *(= ενήλικες)* grown-ups, adults

μεγαλοστομία ΟΥΣ ΘΗΛ grandiloquence

μεγαλόστομος, -η, -ο ΕΠΙΘ *(ποιητής, πολιτικός)* grandiloquent · *(ρήσεις, υποσχέσεις)* high-sounding

μεγαλόσχημος, -η, -ο ΕΠΙΘ *(ειρων.: υπάλληλοι)* in high places · *(λόγια, ιδέες)* grandiose

μεγαλόσωμος, -η, -ο ΕΠΙΘ big

μεγαλούπολη ΟΥΣ ΘΗΛ major city, urban sprawl

μεγαλούργημα ΟΥΣ ΟΥΔ *(επιστήμης)* great achievement · *(τεχνολογίας)* feat

μεγαλουργώ Ρ ΑΜ to achieve great things

μεγαλούτσικος, -η ή -ια, -ο ΕΠΙΘ *(α)* *(σπίτι, χώρος, μισθός)* fairly ή quite big, biggish *(β)* *(βουνό)* fairly ή quite high · *(δέντρο, παιδί)* tallish, quite tall *(γ)* *(ημέρα, διαδρομή)* fairly ή quite big *(δ)* *(σε ηλικία)* oldish

μεγαλοφυής, -ής, -ές ΕΠΙΘ *(επιστήμονας)* brilliant · *(ιδέα, επινόηση)* ingenious · *(έργο)* of genius

μεγαλοφυΐα ΟΥΣ ΘΗΛ genius

μεγαλόφωνα, μεγαλοφώνως ΕΠΙΡΡ aloud

Μεγαλόχαρη ΟΥΣ ΘΗΛ: **η Μεγαλόχαρη** the Blessed Virgin

μεγαλοψυχία ΟΥΣ ΘΗΛ magnanimity, generosity

μεγαλόψυχος, -η, -ο ΕΠΙΘ magnanimous, generous

μεγαλύτερος, -η, -ο ΕΠΙΘ *(α)* *(σπίτι, οικογένεια, μισθός, εταιρεία, χώρος)* bigger, larger · *(βαθμός)* greater, larger · *(ταχύτητα)* higher · *(απόσταση)* greater · *(αριθμός, λεξιλόγιο)* larger, higher *(β)* *(βουνό)* higher · *(δέντρο, παιδί)* taller *(γ)* *(αναστάτωση, ενδιαφέρον, χαρά, λύπη, πειρασμός)* greater · *(πίεση)* greater · *(υπέρταση)* higher *(δ)* *(ημέρα, διαδρομή)* bigger *(ε)* *(αδελφός, αδελφή)* older, elder *(στ)* *(επιστήμονας, εξερευνητής, καλλιτέχνης)* greater *(ζ)* *(όνομα, κατόρθωμα)* bigger, greater

▷ **είναι μεγαλύτερός μου κατά έξι χρόνια** he's six years older than me

▷ **έχει μεγαλύτερο κρύο/μεγαλύτερη ζέστη** it's even colder/hotter

▷ **ο Όλυμπος είναι το μεγαλύτερο βουνό της Ελλάδας** Mount Olympus is the highest mountain in Greece

M

μεγάλωμα ογς ογΔ (α) (= ανατροφή: παιδιού) raising · (φυτού) growing (β) (= αύξηση ηλικίας) ageing, getting older (γ) (επιχείρησης) expansion

μεγαλώνω 1 Ρ Μ (α) (δωμάτιο, σπίτι) to enlarge · (περιουσία) to increase (β) (παιδί) to bring up, to raise 2 Ρ ΑΜ (α) (παιδί, άνθρωπος) to grow up (β) (μαλλιά) to grow, to get longer · (σοδειά, λουλούδι) to grow · (πόλη) to develop, to expand · (ανησυχία, φιλοδοξίες) to grow · (ημέρα) to get longer · (κρύο) to become more intense · (θόρυβος) to get louder, to grow
▷**αυτά τα ρούχα σε μεγαλώνουν** those clothes make you look older

μεγαμπάιτ ογς ογΔ ΑΚΛ (ΠΛΗΡΟΦ) = μεγαψηφιολέξη

μέγαρο ογς ογΔ mansion
▸**Προεδρικό Μέγαρο** Presidential Palace
▸**Μέγαρο Μαξίμου** Maximos Mansion
▸**μέγαρο μουσικής** concert hall

μέγας, -άλη, -α ΕΠΙΘ (α) (επίσ.: ζήτημα, σφάλμα) great · (πλήθος) large (β) (= τιμητικός χαρακτηρισμός) great
▸**ο Μέγας Αλέξανδρος** Alexander the Great

μεγάφωνο ογς ογΔ loudspeaker

μεγαχέρτζ ογς ογΔ ΑΚΛ (ΦΥΣ, ΠΛΗΡΟΦ) = μεγάκυκλος

μεγαχέρτς ογς ογΔ ΑΚΛ (ΦΥΣ, ΠΛΗΡΟΦ) = μεγάκυκλος

μεγαψηφιολέξη ογς ΘΗΛ (ΠΛΗΡΟΦ) megabyte

μέγεθος ογς ογΔ (α) (ρούχων, παπουτσιού, κτηρίου, επιχείρησης, στρατού) size · (χωραφιού, οικοπέδου) area (β) (ΜΑΘ) measurement (γ) (προβλήματος, φιλοδοξιών) extent, size · (γνώσεων, ομορφιάς, κινδύνου) extent
▷**είναι η δεύτερη σε μέγεθος τράπεζα της χώρας** it's the second largest bank in the country
▷**κατά μέγεθος** by size
▷**μεγάλου μεγέθους** large, big
▷**μικρού μεγέθους** small
▷**πρώτου μεγέθους** (μτφ.) top
▷**σε φυσικό μέγεθος** life-size
▷**το δάνειο είναι μεγέθους τριών εκατομμυρίων ευρώ** the loan is in the order of three million euros

μεγέθυνση ογς ΘΗΛ (α) (οδού) widening · (κεφαλαίου, προβλήματος) growth (β) (ΦΩΤΟΓΡ) enlargement
▷**κάνω μεγέθυνση μιας φωτογραφίας** to make an enlargement of a photo

μεγεθυντικός, -ή, -ό ΕΠΙΘ (α) (= που μεγεθύνει) magnifying (β) (ΓΛΩΣΣ) augmentative
▸**μεγεθυντικός φακός** magnifying glass

μεγεθύνω Ρ Μ (φωτογραφία, φωτοτυπία) to enlarge · (διαφορές, πρόβλημα) to magnify

μεγιστάνας ογς ΑΡΣ magnate, tycoon

μεγιστοποίηση ογς ΘΗΛ maximization

μεγιστοποιώ Ρ Μ to maximize

μέγιστος, -η, ή -ίστη, ο(ν) ΕΠΙΘ (α) (= τιμή) highest · (= σημασία) greatest (β) (ταχύτητα, όριο) maximum
▸**μέγιστος κοινός διαιρέτης** highest common denominator
▸**μέγιστο(ν)** ογς ογΔ (α) (ΜΑΘ) maximum

> *Προσοχή!: Ο πληθυντικός του* **maximum** *είναι* **maximums** *ή* **maxima**.

(β) (γενικότ.: ισχύος, απόδοσης) peak
▷**συμβάλλω τα μέγιστα σε κτ** to contribute the most to sth

μεδούλι (ανεπ.) ογς ογΔ marrow
▷**ρουφάω το μεδούλι κποιου** to bleed sb dry

μέδουσα ογς ΘΗΛ (ΖΩΟΛ) jellyfish

> *Προσοχή!: Ο πληθυντικός του* **jellyfish** *είναι* **jellyfish**.

▸**Μέδουσα** ογς ΘΗΛ (ΜΥΘΟΛ) Medusa

μεζεδάκι (υποκορ.) ογς ογΔ snack

μεζεδοπωλείο ογς ογΔ taverna that serves drinks and snacks

μεζές ογς ΑΡΣ snack
▷**ούζο με μεζέ** ouzo served with appetizers

μεζονέτα ογς ΘΗΛ maisonette

μεζούρα ογς ΘΗΛ (α) (ράφτη) tape measure (β) (ποτού) measure

μεθάνιο ογς ογΔ methane

μεθαυριανός, -ή, -ό ΕΠΙΘ (γάμος, αναχώρηση) the day after tomorrow

μεθαύριο ΕΠΙΡΡ the day after tomorrow
▷**αύριο-μεθαύριο** in a day or two

μεθεόρτια ογς ογΔ ΠΛΗΘ (α) (= συνέχεια εορτασμού) events following a celebration (β) (= αρνητικά επακόλουθα) hangover εν.

μέθη (επίσ.) ογς ΘΗΛ (α) (= μεθύσι) drunkenness, intoxication (β) (έρωτα, νίκης, επιτυχίας) intoxication

μεθόδευση ογς ΘΗΛ method · (αρνητ.) underhand approach

μεθοδεύω Ρ Μ to plan carefully · (αρνητ.) to connive at

μεθοδικός, -ή, -ό ΕΠΙΘ (α) (τρόπος, εργασία, προσέγγιση) methodical · (εξέταση, ανάλυση) systematic (β) (ταξινόμηση) systematic (γ) (φοιτητής, ερευνήτρια) methodical

μεθοδικότητα ογς ΘΗΛ method
▷**κάνω κτ με μεθοδικότητα** to do sth methodically

μεθοδολογία ογς ΘΗΛ methodology

μεθοδολογικός, -ή, -ό ΕΠΙΘ methodological

μέθοδος ογς ΘΗΛ (α) (= μεθοδολογία) method (β) (= τρόπος) method (γ) (= μέσο) methods πληθ.
▷**απλή μέθοδος των τριών** rule of three
▸**μέθοδος διδασκαλίας** teaching method

μεθοκόπημα ογς ογΔ spree, drinking binge

μεθοκοπώ Ρ ΑΜ to get drunk, to go on a drinking binge

μεθοριακός, -ή, -ό ΕΠΙΘ (*χωριό, σταθμός, φυλάκιο*) frontier, border

μεθόριος, -α *ή* **-ος, -ο** ΕΠΙΘ (*ποταμός*) on the border *ή* frontier

‣**μεθόρια** *ή* **μεθόριος γραμμή** borderline

‣**μεθόριος** ΟΥΣ ΘΗΛ frontier, border

μεθύσι ΟΥΣ ΟΥΔ **(α)** (= *μέθη*) drunkenness **(β)** (*νίκης, έρωτα*) intoxication

▷**στουπί** *ή* **σκνίπα** *ή* **τύφλα στο μεθύσι** (as) drunk as a skunk *ή* lord, blind drunk

μεθυσμένος, -η, -ο ΕΠΙΘ (*κυριολ., μτφ.*) drunk

μέθυσος ΟΥΣ ΑΡΣ drunkard, drunk

μεθύστακας (*ανεπ.*) ΟΥΣ ΑΡΣ alky (*ανεπ.*), wino (*ανεπ.*)

μεθυστικός, -ή, -ό ΕΠΙΘ (*άρωμα*) heady, intoxicating · (*μελωδία*) captivating

μεθώ 1 Ρ ΑΜ **(α)** (= *μεθοκοπώ*) to get drunk, to become intoxicated **(β)** (= *ενθουσιάζομαι*) to be intoxicated · (*με λόγια*) to be drunk 2 Ρ Μ **(α)** (*φίλο*) to get drunk **(β)** (= *προκαλώ ευφορία*) to intoxicate

μείγμα ΟΥΣ ΟΥΔ **(α)** (= *κράμα*) mixture **(β)** (ΧΗΜ) compound **(γ)** (*μτφ.*) mixture

μειδίαμα (*επίσ.*) ΟΥΣ ΘΗΛ smile

μειδιώ (*επίσ., ειρων.*) Ρ ΑΜ to smile, to smirk

μείζων, -ων, -ον ΕΠΙΘ (*επίσ.*: *πρόβλημα, ζήτημα*) major

▷**κατά μείζονα λόγο** all the more so

‣**μείζων κλίμακα** (ΜΟΥΣ) major scale

‣**μείζων συγχορδία** (ΜΟΥΣ) major chord

μέικ-απ ΟΥΣ ΟΥΔ ΑΚΛ make-up

▷**βάζω** *ή* **κάνω μέικ-απ** to put on one's make-up

μεικτός, -ή, -ό ΕΠΙΘ = **μικτός**

μειλίχιος, -ια, -ιο (*επίσ.*) ΕΠΙΘ (*έκφραση, χαμόγελο*) sweet · (*τρόπος*) mild · (*ομιλία*) gentle

μείξη ΟΥΣ ΘΗΛ **(α)** (*υλικών*) mix, mixture · (*μουσικής*) mix **(β)** (ΚΙΝΗΜ) mixing

μειξοπαρθένα (*ειρων.*) ΟΥΣ ΘΗΛ prim woman

μειοδότης ΟΥΣ ΑΡΣ lowest bidder

μειοδοτικός, -ή, -ό ΕΠΙΘ · **μειοδοτικός διαγωνισμός** Dutch auction

μειοδότρια ΟΥΣ ΘΗΛ *βλ.* **μειοδότης**

μειοδοτώ Ρ ΑΜ to put in the lowest bid

μείον ΕΠΙΡΡ (ΜΑΘ) minus

▷**το ταμείο είναι μείον** (*κοροϊδ.*) to be in the red

‣**μείον** ΟΥΣ ΟΥΔ disadvantage

μειονέκτημα ΟΥΣ ΘΗΛ (*σχεδίου, πρότασης*) disadvantage, drawback · (*ανθρώπου*) defect, imperfection

μειονεκτικός, -ή, -ό ΕΠΙΘ disadvantageous

μειονεκτικότητα ΟΥΣ ΘΗΛ inferiority

μειονεκτώ Ρ ΑΜ (*υποψήφιος*) to be at a disadvantage · (*προϊόν*) to be inferior

μειονεξία ΟΥΣ ΘΗΛ inferiority

μειονότητα ΟΥΣ ΘΗΛ minority

‣**εθνική μειονότητα** ethnic minority

μειονοτικός, -ή, -ό ΕΠΙΘ (*σχολεία, πολιτική*) minority

μειοψηφία ΟΥΣ ΘΗΛ minority

μειοψηφώ Ρ ΑΜ (*πρόταση*) to be voted down · (*κυβέρνηση, υποψήφιος*) to get a minority vote

μειωμένος, -η, -ο ΕΠΙΘ **(α)** (*τιμές, ταχύτητα*) reduced, lower · (*ορατότητα*) reduced · (*έξοδα*) lower · (*διαφορά*) smaller · (*πόνος, λύπη*) diminished **(β)** (*άνθρωπος, κύρος*) diminished · (*αξιοπρέπεια*) fallen

μειώνω Ρ Μ **(α)** (*τιμές, αριθμό εργαζομένων*) to cut, to reduce · (*έξοδα*) to cut back *ή* down on · (*ταχύτητα, χοληστερίνη*) to reduce, to lower · (*διαφορά, ορατότητα, ποινή*) to reduce · (*ένταση ήχου*) to lower · (*ικανότητα*) to diminish, to reduce · (*αποτελεσματικότητα*) to decrease **(β)** (*άτομο, κύρος*) to diminish · (*αξιοπρέπεια*) to take away

▷**μειώνω το φαγητό** to eat less

μείωση ΟΥΣ ΘΗΛ **(α)** (*γεννήσεων, ταχύτητας, έντασης ήχου, χοληστερίνης*) decrease · (*τιμών, θέσεων εργασίας*) cut, reduction · (*εξόδων*) cutback · (*αρτηριακής πίεσης*) lowering **(β)** (*προσωπικότητας*) humiliation · (*κύρους*) decline · (*αξιοπρέπειας*) taint

μειωτέος ΟΥΣ ΑΡΣ (ΜΑΘ) minuend

μειωτικός, -ή, -ό ΕΠΙΘ **(α)** (*συντελεστής*) reducing **(β)** (*λόγια*) disparaging, derogatory · (*συμπεριφορά*) embarrassing

Μέκκα ΟΥΣ ΘΗΛ Mecca

μελαγχολία ΟΥΣ ΘΗΛ melancholy, gloom

▷**με πιάνει μελαγχολία** to feel depressed *ή* down

▷**πέφτω σε (βαθιά) μελαγχολία** to fall into a (deep) depression

μελαγχολικός, -ή, -ό ΕΠΙΘ **(α)** (*καιρός*) gloomy, dismal · (*τραγούδι*) melancholy **(β)** (*για πρόσ.*) gloomy, depressed · (*φωνή*) glum · (*ατμόσφαιρα, σπίτι*) gloomy

μελαγχολώ 1 Ρ ΑΜ to be depressed *ή* down 2 Ρ Μ to depress, to get down

μέλαθρον (*επίσ.*) ΟΥΣ ΟΥΔ mansion

μελαμψός, -ή, -ό ΕΠΙΘ dark, swarthy

μελάνη (*επίσ.*) ΟΥΣ ΘΗΛ (*επίσης* ΖΩΟΛ) ink

‣**σινική μελάνη** Indian ink, India ink (*Αμερ.*) · *βλ. κ.* **μελάνι**

μελάνι ΟΥΣ ΟΥΔ (*επίσης* ΖΩΟΛ) ink

▷**χύθηκε (πολύ) μελάνι για κπν/κτ** a lot of ink has been spilt over sb/sth

‣**τυπογραφικό μελάνι** printing ink

μελανιά ΟΥΣ ΘΗΛ **(α)** (= *λεκές*) (ink) blot **(β)** (= *μελάνιασμα*) bruise

μελανιάζω 1 Ρ Μ (= *μαυρίζω*) to bruise 2 Ρ ΑΜ (*από κρύο*) to turn blue

▷**μελανιάσανε τα χέρια μου από το κρύο** my hands are blue with cold

▷**μελανιάζω το μάτι κποιου** to give sb a black eye

μελάνιασμα ΟΥΣ ΟΥΔ **(α)** (*από ξύλο*) bruise

(β) (*από κρύο*) turning blue

μελανίνη ΟΥΣ ΘΗΛ melanin

μελανοδοχείο ΟΥΣ ΟΥΔ ink bottle

μελανόμορφος, -η, -ο ΕΠΙΘ (*αγγεία, παραστάσεις*) black–figured

μελανός, -ή, -ό ΕΠΙΘ **(α)** (*χείλη*) blue **(β)** (*στιγμές*) black

▸**μελανό σημείο** black spot

μελανούρι ΟΥΣ ΟΥΔ **(α)** (*ψάρι*) saddled bream **(β)** (*οικ.*) beautiful brunette

μελάσα ΟΥΣ ΘΗΛ molasses *πληθ.*

μελάτος, -η, -ο ΕΠΙΘ: **αβγό μελάτο** soft–boiled egg

μελαχρινός, -ή, -ό ΕΠΙΘ dark–skinned

▸**μελαχρινός** ΟΥΣ ΑΡΣ, **μελαχρινή** ΟΥΣ ΘΗΛ person with dark skin

μελαψός, -ή, -ό ΕΠΙΘ = **μελαμψός**

μελένιος, -ια, -ιο ΕΠΙΘ **(α)** (*μάτια, μαλλιά*) honey–coloured (*Βρετ.*), honey–colored (*Αμερ.*) **(β)** (*λουκουμάδες, τηγανίτες*) made with honey **(γ)** (*χείλη, στόμα*) sweet as honey

μελέτη ΟΥΣ ΘΗΛ **(α)** (*φαινομένου, θεάτρου, ιστορίας*) study **(β)** (*= πόρισμα έρευνας*) findings *πληθ.* **(γ)** (*= διάβασμα*) study, homework **(δ)** (*= σχεδιασμός και προγραμματισμός*) study

▹**προς μελέτη(ν)** for perusal

▹**υπό μελέτη(ν)** under investigation

▸**γραφείο μελετών** research consultancy

μελέτημα ΟΥΣ ΟΥΔ essay

μελετηρός, -ή, -ό ΕΠΙΘ studious, hardworking

μελετητήριο ΟΥΣ ΟΥΔ study

μελετητής ΟΥΣ ΑΡΣ student

μελετήτρια ΟΥΣ ΘΗΛ *βλ.* **μελετητής**

μελετώ ① Ρ Μ **(α)** (*πρόβλημα, πρόταση, συμπεριφορά, φαινόμενο*) to study **(β)** (*μάθημα*) to study · (*κιθάρα, πιάνο*) to practise (*Βρετ.*), to practice (*Αμερ.*) **(γ)** (*= αναφέρομαι*) to talk about · (*= μνημονεύω*) to think about ② Ρ ΑΜ to study

▹**μελετώ να κάνω κτ** to be planning to do sth

μέλημα ΟΥΣ ΟΥΔ concern

μελής, -ιά, -ί ΕΠΙΘ (*μάτια*) honey–coloured (*Βρετ.*), honey–colored (*Αμερ.*)

▸**μελί** ΟΥΣ ΟΥΔ honey

μέλι ΟΥΣ ΟΥΔ honey

▹**τα πάω μέλι-γάλα με κπν** to be as thick as thieves with sb

μελίγγι ΟΥΣ ΟΥΔ = **μηνίγγι**

μελίγκρα ΟΥΣ ΘΗΛ greenfly

μέλισσα ΟΥΣ ΘΗΛ bee

μελίσσι ΟΥΣ ΟΥΔ **(α)** (*= σμάρι*) bee colony, swarm of bees **(β)** (*= κυψέλη*) (bee)hive

▸**μελίσσια** ΠΛΗΘ apiary *εν.*

μελισσοκομείο ΟΥΣ ΟΥΔ apiary

μελισσοκομία ΟΥΣ ΘΗΛ beekeeping, apiculture

(*επιστ.*)

μελισσοκόμος ΟΥΣ ΑΡΣΘΗΛ beekeeper, apiarist (*επιστ.*)

μελισσοτρόφος ΟΥΣ ΑΡΣΘΗΛ beekeeper, apiarist (*επιστ.*)

μελισσουργός ΟΥΣ ΑΡΣΘΗΛ **(α)** (*= μελισσοκόμος*) beekeeper, apiarist (*επιστ.*) **(β)** (*= μελισσοφάγος*) bee–eater

μελισσοφάγος ΟΥΣ ΑΡΣ (ΖΩΟΛ) bee–eater

μελισσώνας ΟΥΣ ΑΡΣ apiary

μελιστάλαχτος, -η, -ο ΕΠΙΘ (*λόγια*) honeyed · (*συμπεριφορά*) silken

μελιτζάνα ΟΥΣ ΘΗΛ aubergine (*Βρετ.*), eggplant (*Αμερ.*)

μελιτζανής, -ιά, -ί ΕΠΙΘ (*φόρεμα, μαντήλι*) deep purple

▸**μελιτζανί** ΟΥΣ ΟΥΔ deep purple

μελιτζανοσαλάτα ΟΥΣ ΘΗΛ aubergine (*Βρετ.*) ή eggplant (*Αμερ.*) purée

μελιχρός, -ή, -ό (*λογοτ.*) ΕΠΙΘ honey–coloured (*Βρετ.*), honey–colored (*Αμερ.*)

μελλοθάνατος, -η, -ο ΕΠΙΘ (*ασθενής*) dying

▸**μελλοθάνατος** ΟΥΣ ΑΡΣ, **μελλοθάνατη** ΟΥΣ ΘΗΛ condemned man/woman

μέλλον ΟΥΣ ΟΥΔ future

▹**άνθρωπος/δουλειά με μέλλον** man/job with prospects

▹**έχω μέλλον** to have a future

▹**στο μέλλον** in the future

▹**το εγγύς μέλλον** the near future

μέλλοντας ΟΥΣ ΑΡΣ future

▸**εξακολουθητικός μέλλοντας** future continuous

▸**στιγμιαίος μέλλοντας** simple future

▸**συντελεσμένος μέλλοντας** future perfect

μελλοντικός, -ή, -ό ΕΠΙΘ (*σχέδια, προοπτικές, ανάγκες, ανάπτυξη*) future

μελλόνυμφος ΟΥΣ ΑΡΣΘΗΛ groom/bride-to-be

μελλούμενα ΟΥΣ ΟΥΔ ΠΛΗΘ future *εν.*

μέλλω Ρ ΑΜ: **μέλλω να κάνω κτ** to be going to do sth, to intend to do sth

▹**δεν έμελλε να γυρίσει** he wasn't to return

▹**έμελλε να κάνω κτ** to be bound ή destined to do sth

▹**τι μου 'μελλε να πάθω!** what's to become of me!

▸**μέλλει** ΑΠΡΟΣ: **τι μέλλει γενέσθαι** what is going to happen

μέλλων, -ουσα, -ον (*επίσ.*) ΕΠΙΘ future

▸**μέλλουσα νύφη** bride-to-be

μελό ΟΥΣ ΟΥΔ ΑΚΛ melodrama

▹**άσε ή μην αρχίζεις το μελό!** don't be melodramatic!

μελόδραμα ΟΥΣ ΟΥΔ **(α)** (*έργο*) drama **(β)** (*μτφ.*) melodrama

▹**αρχίζω το μελόδραμα** (*μειωτ.*) to become melodramatic

▹**μην κάνεις το δράμα μελόδραμα** don't make a mountain out of a molehill

▸**λυρικό μελόδραμα** opera

μελοδραματικός, -ή, -ό ΕΠΙΘ (α) (θίασος, παράσταση, καλλιτέχνης) dramatic (β) (μειωτ.: τόνος, φωνή, ομιλία, ιστορία) melodramatic

μελοδραματισμός (μειωτ.) ΟΥΣ ΑΡΣ melodramatics πληθ.

μελομακάρονο ΟΥΣ ΟΥΔ honey cake

μελοποίηση ΟΥΣ ΘΗΛ setting to music

μελοποιώ Ρ Μ to set to music

μέλος ΟΥΣ ΟΥΔ (α) (οργανισμού, ομάδας, οικογένειας) member (β) (ανθρώπου, ζώου) limb
▸ **ενεργό μέλος** active member
▸ **πλήρες μέλος** full member
▸ **τακτικό μέλος** permanent member

μελτέμι (ανεπ.) ΟΥΣ ΟΥΔ Etesian wind, meltemi

μέλω Ρ Μ: **με μέλει** ΑΠΡΟΣ to care, to mind
▷ **δεν με μέλει** I don't care, I don't mind
▷ **να μην σε μέλει!** never you mind!

μελωδία ΟΥΣ ΘΗΛ (α) (= διαδοχή φθόγγων) melody (β) (τραγουδιού) tune (γ) (Χριστουγέννων) carol

μελωδικός, -ή, -ό ΕΠΙΘ (τραγούδι) tuneful· (ήχος, φωνή) melodious

μελωδός (επίσ.) ΟΥΣ ΑΡΣ/ΘΗΛ (α) (= τραγουδιστής) singer (β) (= μουσικοσυνθέτης) composer

μέλωμα ΟΥΣ ΟΥΔ (λουκουμά, δίπλας) dipping in honey

μελώνω ① Ρ Μ (λουκουμά, δίπλα, μελομακάρονο) to dip in honey ② Ρ ΑΜ (φασολάδα) to thicken

μεμβράνη ΟΥΣ ΘΗΛ membrane

μεμιάς ΕΠΙΡΡ (α) (= με μία φορά) in one go (β) (= αμέσως) immediately

μεμονωμένος, -η, -ο ΕΠΙΘ (α) (εκδρομείς, προσπάθεια) individual (β) (πρόβλημα, γεγονός, περίπτωση) isolated

μέμφομαι (επίσ.) Ρ Μ ΑΠΟΘ to accuse

μεμψιμοιρία (επίσ., αρνητ.) ΟΥΣ ΘΗΛ self-pity

μεμψίμοιρος, -η, -ο (επίσ., αρνητ.) ΕΠΙΘ self-pitying

μεμψιμοιρώ (επίσ., αρνητ.) Ρ ΑΜ to be full of self-pity

μεν ΣΥΝΔ: **και οι μεν και οι δε, οι μεν και οι δε** both of them
▷ **ο μεν ένας είναι ειλικρινής, ο δε άλλος είναι ψεύτης** one is sincere, the other is a liar

μενεξεδένιος, -ια, -ιο ΕΠΙΘ (α) (λογοτ.: δειλινό) purple (β) (στεφάνι, μπουκέτο) of violets

μενεξεδής, μενεξελής, -ιά, -ί ΕΠΙΘ (λογοτ.: μάτια) violet
▸ **μενεξεδί, μενεξελί** ΟΥΣ ΟΥΔ (χρώμα) violet

μενεξές ΟΥΣ ΑΡΣ (ΒΟΤ) violet

μένος (επίσ.) ΟΥΣ ΟΥΔ fury, rage
▷ **πνέω μένεα (εναντίον κποιου)** to be livid (with sb)

μενού ΟΥΣ ΟΥΔ ΑΚΛ menu

μέντα ΟΥΣ ΘΗΛ (α) (φυτό) mint (β) (ηδύποτο) mint-flavoured (Βρετ.) ή mint-flavored (Αμερ.) drink· (γλυκό) mint

μενταγιόν ΟΥΣ ΟΥΔ ΑΚΛ locket

μεντεσές ΟΥΣ ΑΡΣ hinge

μένω Ρ ΑΜ (α) (= κατοικώ) to live (με, σε with, in)· (ως φιλοξενούμενος) to stay (β) (= παραμένω) to stay (γ) (= αντικαθιστώ) to stand in (για for) (δ) (= σταματώ) to leave off, to stop (ε) (= καταλήγω) to be left, to end up (στ) (= περισσεύω) to be left (ζ) (= απομένω: κήρια) to be left standing (η) (= διασώζομαι) to survive (θ) (= κληρονομώ) to be left
▷ **δεν μένω πια εδώ** I don't live here any more
▷ **δεν μένει τίποτα** there's nothing left
▷ **δεν μου μένει χρόνος** I haven't got any time left
▷ **εδώ θα μείνω!** I'm staying (right) here!
▷ **έμεινα!** (οικ.) I was flabbergasted ή gobsmacked! (Βρετ.) (ανεπ.)
▷ **θα μείνει/έμεινε λεκές** it'll leave/it has left a stain
▷ **μένω ανάπηρος/χήρα** to be left disabled/a widow
▷ **μένω ανύπαντρος** to stay ή remain single
▷ **μένω ζωντανός** to survive, to come out alive
▷ **μένω από κτ** to run out of sth
▷ **μένω από λάστιχο** to get a flat tyre (Βρετ.) ή flat tire (Αμερ.)
▷ **μένω έγκυος** to get pregnant
▷ **μένω έκπληκτος/ικανοποιημένος** to be surprised/satisfied
▷ **μένω με την απορία** to be left puzzled
▷ **μένω με την εντύπωση ότι** to be left with the impression that
▷ **μένω με την ικανοποίηση** to be satisfied
▷ **μένω με το παράπονο** to feel let down
▷ **μένω μόνος** to be left on one's own
▷ **μένω νηστικός** to go hungry
▷ **μένω ορφανός** to be orphaned
▷ **μένω με το στόμα ανοιχτό** to be open-mouthed
▷ **μένω μόνος μου** to live alone
▷ **μένω πίσω** (= δεν ακολουθώ) to lag behind, to fall behind· (= μειονεκτώ) to fall behind
▷ **μένω σ' ένα φίλο μου/σε ξενοδοχείο** to stay with a friend/at a hotel
▷ **μένω στάσιμος** (υπάλληλος) not to be promoted· (θέμα) to remain unresolved
▷ **μένω στα κρύα του λουτρού** to be let down
▷ **μένω στα χέρια κποιου** (= πεθαίνω) to drop dead· (= χαλώ) to come away in one's hand
▷ **μένω (στην ίδια τάξη)** to repeat a year
▷ **μένω στην ιστορία** to go down in history
▷ **μένω στη μέση** (πρόσωπο) not to finish· (δουλειά) to be half-finished
▷ **μένω στον τόπο** (= πεθαίνω ακαριαία) to drop dead· (προφορ.: = μένω στην ίδια τάξη) to repeat a year
▷ **μένω στους πέντε δρόμους** to be left

M

without a roof over one's head
▷**μένω ως έχω** to stay as one is
▷**μου μένει η φοβία/ρετσινιά** the fear/the insult remains with me
▷**μου μένει το όνομα** the name has stuck
▷**να μένει!** (*προφορ.: για διακοπή συνομιλίας*) that's enough! · (*για απόρριψη*) no way!
▸ μένει ΤΡΙΤΟΠΡΟΣ: **το μόνο που μένει να κάνουμε είναι να...** the only thing that remains to be done is to ...
▷**μένει μόνο να συμφωνηθεί η αμοιβή** it only remains for us to agree on the salary
▷**δεν της μένει τίποτα άλλο, παρά να πουλήσει το σπίτι** there's nothing left for her to do but sell the house
▷**δεν μένει τίποτε άλλο παρά να...** there's nothing else for it but to...

Μεξικάνα ΟΥΣ ΘΗΛ *βλ.* **Μεξικανός**
Μεξικανή ΟΥΣ ΘΗΛ *βλ.* **Μεξικανός**
μεξικανικός, -ή, -ό ΕΠΙΘ Mexican
μεξικάνικος, -η, -ο ΕΠΙΘ = **μεξικανικός**
Μεξικανός ΟΥΣ ΑΡΣ Mexican
Μεξικάνος ΟΥΣ ΑΡΣ = **Μεξικανός**
Μεξικό ΟΥΣ ΟΥΔ Mexico
μέρα ΟΥΣ ΘΗΛ = **ημέρα**
μεράκι ΟΥΣ ΟΥΔ ΑΚΛ (α) (= *πάθος*) desire (β) (= *καημός*) regret
μερακλής ΟΥΣ ΑΡΣ (= *που του αρέσουν τα ωραία*) enthusiast, connoisseur
μερακλού ΟΥΣ ΘΗΛ *βλ.* **μερακλής**
μερακλώνω ① Ρ Μ (*φίλο, παρέα*) to cheer up ② Ρ ΑΜ to cheer up
▸ μερακλώνομαι ΜΕΣΟΠΑΘ to cheer up
μεραρχία ΟΥΣ ΘΗΛ division
μέραρχος ΟΥΣ ΑΡΣ division commander
μερδικό ΟΥΣ ΟΥΔ = **μερτικό**
μερεμέτι ΟΥΣ ΟΥΔ mending *χωρίς πληθ.*, small repair
μερεμετίζω Ρ Μ (*σκεπή, παπούτσια*) to repair, to mend
μερεμέτισμα ΟΥΣ ΟΥΔ repair
μεριά ΟΥΣ ΘΗΛ (α) (*ανεπ.*) place, spot (β) (*δρόμου*) side · (*πόλης*) part (γ) (*ρούχου, νφάσματος*) side
▷**από τη μεριά μου** on my part
▷**από τη μια μεριά... από την άλλη μεριά...** on one hand... on the other hand...
▷**σε καλή μεριά!** spend it well!
μεριάζω ① Ρ Μ (*κλαδιά, εμπόδιο*) to push aside ② Ρ ΑΜ to step aside
μερίδα ΟΥΣ ΘΗΛ (*πληθυσμού*) section · (*τύπου*) part · (*φαγητού, εστιατορίου*) portion, helping
▷**μισή μερίδα** (*κοροϊδ.*) half pint (*ανεπ.*)
μερίδιο ΟΥΣ ΟΥΔ share
μερίζω (*επίσ.*) Ρ Μ to share out
μερικός, -ή, -ό ΕΠΙΘ (*αναπηρία, έκλειψη ηλίου, καταστροφή*) partial · (*απασχόληση*) part–time
▸ μερικοί, -ές, -ά ΠΛΗΘ some

▷**θα λείψω για μερικές μέρες** I'll be away for a few days
▷**μερικοί-μερικοί** (*ειρων.*) some *ή* certain people
μέριμνα ΟΥΣ ΘΗΛ care
▸ **γονική μέριμνα** parental care
μεριμνώ ① Ρ ΑΜ: **μεριμνώ για** to take care of ② Ρ Μ: **μεριμνώ να** to see to it that
▷**μεριμνώ ώστε** to see to it that
μέρισμα ΟΥΣ ΟΥΔ (α) (*επίσ.:* = *μερίδιο*) share (β) (ΟΙΚΟΝ) dividend
μερισμός (*επίσ.*) ΟΥΣ ΑΡΣ (*εργασίας*) division · (*δαπανών, εξόδων*) allocation
μερμήγκι ΟΥΣ ΟΥΔ = **μυρμήγκι**
μερμηγκότρυπα ΟΥΣ ΘΗΛ = **μυρμηγκότρυπα**
μεροδούλι ΟΥΣ ΟΥΔ (α) (= *μεροκάματο*) a day's work (β) (= *ημερομίσθιο*) a day's wages *πληθ.*
▷**(ζω) μεροδούλι-μεροφάι** to live from hand to mouth
μεροκαματιάρα ΟΥΣ ΘΗΛ *βλ.* **μεροκαματιάρης**
μεροκαματιάρης ΟΥΣ ΑΡΣ day–labourer (*Βρετ.*), day–laborer (*Αμερ.*)
μεροκάματο ΟΥΣ ΟΥΔ (α) (= *δουλειά μιας ημέρας*) a day's work (β) (= *ημερομίσθιο*) a day's wages *πληθ.*
μεροληπτικός, -ή, -ό ΕΠΙΘ (α) (*καθηγητής, δικαστής*) biased, partial (β) (*κριτήριο, αντιμετώπιση*) discriminatory · (*απόφαση*) biased
μεροληπτώ Ρ ΑΜ (*διαιτητής, καθηγητής, δικαστής*) to be biased
▷**μεροληπτώ κατά κποιου** to discriminate against sb
▷**μεροληπτώ υπέρ κποιου** to favour (*Βρετ.*) *ή* favor (*Αμερ.*) sb
μεροληψία ΟΥΣ ΘΗΛ bias
μερόνυχτο ΟΥΣ ΟΥΔ = **ημερονύκτιο**
μέρος ΟΥΣ ΟΥΔ (α) (*βιβλίου, σύνθεσης, σελίδας, σώματος*) part · (*χρημάτων, μισθού, περιουσίας, κληρονομιάς*) part, portion (β) (*σύμβασης, συμφωνίας, δίκης*) party (γ) (= *τόπος*) place (δ) (*ευφημ.*) toilet
▷**από ποιό μέρος είστε;** where are you from?
▷**αφήνω κτ κατά μέρος** to put sth aside
▷**είμαι με το μέρος κποιου** to be on sb's side
▷**εκ μέρους κποιου** on behalf of sb
▷**εν μέρει** in part, partly
▷**επί μέρους** in parts
▷**έχω κτ κατά μέρος** to have sth put aside
▷**έχω κπν με το μέρος μου** to have sb on one's side
▷**κατά ένα μέρος** partly
▷**παίρνω κπν κατά μέρος** to take sb aside
▷**παίρνω το μέρος κποιου, πηγαίνω με το μέρος κποιου** to take sb's side
▷**στα μέρη μας** in our part of the world, down our way
▷**τι μέρος του λόγου είναι;** (*προφορ.*) what's he like?
▸ **μέρος του λόγου** part of speech
μεροφάι ΟΥΣ ΟΥΔ lunch · *βλ.* **μεροδούλι**

μερτικό ΟΥΣ ΟΥΔ cut (ανεπ.), share
μέσα, μέσ', μες ΕΠΙΡΡ (α) (= στο εσωτερικό) in (β) (= εντός) in, into (γ) (= ανάμεσα) in (among) (δ) (για χρονική διάρκεια η στιγμή) in
▷**βαθιά μέσα μου** deep down inside
▷**βάζω** ή **κλείνω** κπν **μέσα** to put sb in prison, to put sb inside (ανεπ.)
▷**βγάζω** κτ **μέσα από** κτ to take sth out of sth
▷**βλέπω** κπν/κτ **μέσα από** κτ to look at sb/sth through sth
▷**για κοίτα πιο μέσα και θα το βρεις** look right inside and you'll find it
▷**γυρίζω** κτ **το μέσα έξω** to turn sth inside out
▷**διαβάζω/λέω από μέσα μου** to read/say to oneself
▷**είμαι μέσα** to be in prison, to be inside (ανεπ.)
▷**(είμαι) μέσα!** (οικ.) I'm in!
▷**είμαι μέσα σ' όλα** to be into everything
▷**είμαι μέσα στη φτώχεια** to live in poverty
▷**είμαι στα μέσα και στα έξω** to know all the right people
▷**η μέσα πλευρά** the inside
▷**κρατάω** ή **φυλάω** κτ **μέσα μου** to keep sth inside
▷**μένω μέσα** to stay in, to stay at home
▷**μέσα σε** in
▷**μες στα δέντρα** in amongst the trees
▷**μες στη φύση** in the countryside
▷**μην πας πολύ μέσα, δεν ξέρεις καλό κολύμπι!** don't go in too deep ή don't go too far out, you're not a strong swimmer!
▷**μιλάω** ή **λέω** κτ **μέσ' από τα δόντια μου** to mumble sth
▷**μπαίνω μέσα** to be out of pocket
▷**μπαίνω μέσα σε** (αυτοκίνητο) to get into · (τρένο, αεροπλάνο, πλοίο) to get onto · (δωμάτιο) to go into
▷**περνώ μέσα από** κτ to go through sth
▷**πέφτω μέσα** to get it right
▷**μέσα είσαι!** (οικ.) you're dead right! (ανεπ.), you're spot on! (ανεπ.)
▷**μέσα-έξω** in and out
μεσάζων ΟΥΣ ΑΡΣ middleman

> *Προσοχή!: Ο πληθυντικός του* **middleman** *είναι* **middlemen.**

μεσαίος, -α, -ο ΕΠΙΘ (α) (δάχτυλο, πάτωμα, επίπεδο) middle (β) (ανάστημα, μέγεθος, εισόδημα) average · (αδελφός, στρώματα) middle
▸ **μεσαία τάξη** (ΚΟΙΝΩΝ) middle class
▸ **μεσαία** ΟΥΣ ΟΥΔ ΠΛΗΘ (επίσης **μεσαία κύματα**) medium wave εν.
Μεσαίωνας ΟΥΣ ΑΡΣ: **ο Μεσαίωνας** (επίσης κυριολ., μτφ.) the Middle Ages
μεσαιωνικός, -ή, -ό ΕΠΙΘ (α) (ιστορία, εποχή) medieval (β) (μειωτ.: αντιλήψεις) antiquated, old-fashioned · (συνθήκες) medieval
μεσαιωνισμός (αρνητ.) ΟΥΣ ΑΡΣ medievalism
μεσαιωνοδίφης ΟΥΣ ΑΡΣ medievalist

μεσανατολικό ΟΥΣ ΟΥΔ: **το μεσανατολικό (ζήτημα)** the Middle–East question · (μτφ.) the world's problems
μεσάνυχτα ΟΥΣ ΟΥΔ ΠΛΗΘ midnight
▷**έχω (μαύρα** ή **βαθιά) μεσάνυχτα** to be (completely) ignorant
▷**μέσα στ' άγρια μεσάνυχτα** in the middle of the night
μέση ΟΥΣ ΘΗΛ (α) (δρόμου, χωραφιού, χωριού) middle (β) (ταξιδιού, εκδήλωσης, νύχτας) middle (γ) (ανθρώπου) waist (δ) (ρούχου) waistband
▷**αφήνω** κτ **στη μέση** to leave sth unfinished
▷**βγάζω** κπν/κτ **από τη μέση** (= παραμερίζω) to push sb/sth aside · (= σκοτώνω) to do away with sb/sth
▷**βγαίνω στη μέση** to crop up
▷**κόβω** κπν **στη μέση** (μτφ.) to interrupt sb
▷**με πονάει η μέση μου** my back's aching
▷**μπαίνω στη μέση** (= είμαι εμπόδιο) to get in the way · (= παρεμβαίνω) to butt in, to interrupt
▷**μπήκαν στη μέση να τους χωρίσουν** they came between them and separated them
▷**χωρίζω τα μαλλιά μου στη μέση** to part one's hair in the middle
▷**μέσες-άκρες** bits and pieces
▷**παρατάω** κπν **στη μέση** to leave sb in the lurch
μεσήλικη ΟΥΣ ΘΗΛ middle–aged woman
μεσήλικος ΟΥΣ ΑΡΣ middle–aged man
μεσημβρία (επίσ.) ΟΥΣ ΘΗΛ (α) (= μεσημέρι) noon (β) (= Νότος) south
▷**μετά μεσημβρίαν** post meridiem, pm
▷**προ μεσημβρίας** ante meridiem, am
μεσημβρινός, -ή, -ό ΕΠΙΘ (α) (πρόγραμμα) midday (β) (παράθυρο, διαμέρισμα) south–facing
▸ **μεσημβρινή ώρα** midday
▸ μεσημβρινός ΟΥΣ ΑΡΣ meridian
μεσημέρι ΟΥΣ ΟΥΔ midday, noon
▷**μας πήρε το μεσημέρι** it's almost midday ή noon
μεσημεριάζω Ρ ΑΜ: **μεσημέριασα** it's almost midday ή noon
▸ μεσημεριάζει ΑΠΡΟΣ it's almost midday ή noon
μεσημεριανό ΟΥΣ ΟΥΔ lunch
μεσημεριανός, -ή, -ό ΕΠΙΘ (ήλιος, μπάνιο) midday, noon
▸ **μεσημεριανός ύπνος** siesta
▸ **μεσημεριανό φαγητό** lunch
μεσημεριάτικα ΕΠΙΡΡ in the middle of the day
μεσημεριάτικος, -η, -ο ΕΠΙΘ = **μεσημεριανός**
μεσιανός, -ή, -ό ΕΠΙΘ middle
μεσίστιος, -ια, -ιο ΕΠΙΘ (σημαία, λάβαρο) at half–mast
μεσιτεία ΟΥΣ ΘΗΛ (α) (= μεσολάβηση) mediation (β) (= αμοιβή μεσίτη) brokerage, broker's fee
μεσίτευση ΟΥΣ ΘΗΛ (α) (= μεσολάβηση)

mediation (β) (= *ενέργεια εκ μέρους τρίτου*) intervention, intercession

μεσιτεύω Ρ ΑΜ (= *μεσολαβώ*) to mediate
▷**μεσιτεύω για λογαριασμό κπιουυ** (= *εκτελώ μεσιτεία*) to act on sb's behalf

μεσίτης ΟΥΣ ΑΡΣ (*για ασφάλειες, επενδύσεις*) broker · (= *κτηματομεσίτης*) estate agent (*Βρετ.*), realtor (*Αμερ.*)

μεσιτικός, -ή, -ό ΕΠΙΘ: **μεσιτική εταιρεία**
▶**μεσιτικό γραφείο** broker's · (*για αγοραπωλησία ιδιοκτησίας*) estate agency (*Βρετ.*), realtor (*Αμερ.*)
▶**μεσιτικά** ΟΥΣ ΟΥΔ ΠΛΗΘ broker's fee εν., brokerage εν.

μεσίτρια ΟΥΣ ΘΗΛ *βλ.* **μεσίτης**

μέσο ΟΥΣ ΟΥΔ (α) (*δωματίου, δρόμου, κύκλου*) middle (β) (*αγώνα, καλοκαιριού*) middle (γ) (*διαφήμισης*) medium · (*προπαγάνδας*) vehicle · (*πίεσης, διασκέδασης, ελέγχου*) means *πληθ.* · (*προσέγγισης*) manner

---

Προσοχή!: Ο πληθυντικός του **medium** *είναι* **media** *ή* **mediums.**

▷**από τα μέσα** (*για θέμα, πληροφορία*) from a good source
▷**από τα/στα μέσα Ιουνίου/Ιανουαρίου** from/ in mid–June/mid–January
▷**βάζω** *ή* **επιστρατεύω τα μεγάλα μέσα** to go to great lengths
▷**εν (τω) μέσω** +*γεν.* (*επίσ.*) in the middle of
▷**έχω (γερό) μέσο(ν), έχω τα μέσα** to have friends in high places
▷**έχω τα μέσα** (= *έχω πόρους*) to have the means
▷**με κάθε μέσο** by hook or by crook
▷**ο σκοπός αγιάζει τα μέσα** the end justifies the means
▷**στα μέσα** +*γεν.* in the middle of
▶**μεταφορικό μέσο** means of transport
▶**Μέσα Μαζικής Ενημέρωσης** mass media
▶**μέσο μαζικής μεταφοράς** public transport

μεσόγεια ΟΥΣ ΟΥΔ ΠΛΗΘ interior εν.

μεσογειακός, -ή, -ό ΕΠΙΘ Mediterranean

Μεσόγειος ΟΥΣ ΘΗΛ (*επίσης* **η Μεσόγειος Θάλασσα**) the Mediterranean Sea

μεσοεπιθετικός, -ή, -ό ΕΠΙΘ (*παίκτης*) midfield
▶**μεσοεπιθετικός** ΟΥΣ ΑΡΣ midfielder

Μεσοζωικός Αιώνας ΟΥΣ ΑΡΣ: **ο Μεσοζωικός Αιώνας** the Mesozoic (era)

μεσοκαλόκαιρο ΟΥΣ ΟΥΔ midsummer

μεσόκοπος, -η, -ο ΕΠΙΘ middle–aged

μεσολαβή ΟΥΣ ΘΗΛ (α) (*στη γυμναστική*) hands on hips stance (β) (*στην πάλη*) waist hold

μεσολάβηση ΟΥΣ ΘΗΛ (α) (*φίλου, υπουργού, οργανισμού*) mediation (β) (*καταχρ.: = παρέλευση χρόνου*) lapse
▷**με τη μεσολάβηση ενός έτους** after one year

μεσολαβητής ΟΥΣ ΑΡΣ mediator

μεσολαβητικός, -ή, -ό ΕΠΙΘ mediatory

μεσολαβήτρια ΟΥΣ ΘΗΛ = **μεσολαβητής**

μεσολαβώ Ρ ΑΜ (α) (= *παρεμβαίνω*) to intervene, to intercede (β) (= *μεσιτεύω*) to mediate (γ) (*καταχρ.: διάστημα, χρόνος*) to elapse, to go by · (*απόσταση*) to lie between (δ) (= *λαμβάνω χώρα*) to happen
▷**μεσολαβώ ανάμεσα σε** *ή* **μεταξύ** to come between

μεσολιθικός, -ή, -ό ΕΠΙΘ Mesolithic

Μεσολόγγι ΟΥΣ ΟΥΔ Missolonghi

μέσον ΟΥΣ ΟΥΔ = **μέσο**

μεσονύκτιο (*επίσ.*) ΟΥΣ ΟΥΔ = **μεσάνυχτα**

μεσοπαθητικός, -ή, -ό ΕΠΙΘ (ΓΛΩΣΣ) middle passive

μεσοπέλαγα ΕΠΙΡΡ out at sea, in the open sea

Μεσοπόλεμος ΟΥΣ ΑΡΣ interwar period

μεσόπορτα ΟΥΣ ΘΗΛ communicating door

Μεσοποταμία ΟΥΣ ΘΗΛ Mesopotamia

μεσοπρόθεσμος, -η, -ο ΕΠΙΘ medium–term

μέσος, -η, -ο ΕΠΙΘ (α) (*ηλικία, απόσταση*) middle (β) (*για μέσο όρο: θερμοκρασία, βελγνεκές*) average, mean (γ) (*πολίτης, τηλεθεατής*) average (δ) (*ύψος*) average, medium · (*μόρφωση*) average · (*λύση*) compromise
▶**οι Μέσοι Χρόνοι** (ΙΣΤ) the Middle Ages
▶**η Μέση Ανατολή** the Middle East
▶**μέση διάθεση** middle voice
▶**μέση εκπαίδευση** secondary education
▶**μέση οδός** middle way
▶**μέσος όρος** average · (ΜΑΘ) mean
▶**μέσο ρήμα** middle voice verb · (*καταχρ.: = ρήμα παθητικής φωνής*) passive verb
▶**μέσος** ΟΥΣ ΑΡΣ (α) (*χεριού*) middle finger · (*ποδιού*) middle toe (β) (*στο ποδόσφαιρο*) midfielder

μεσοτοιχία ΟΥΣ ΘΗΛ partition

μεσότοιχος ΟΥΣ ΑΡΣ (α) (= *εσωτερικός κοινός τοίχος*) party wall (β) (= *μεσοτοιχία*) partition

μεσούρανα ΕΠΙΡΡ high in the sky, overhead

μεσουράνηση ΟΥΣ ΘΗΛ (α) (*ουράνιου σώματος*) zenith (β) (*παίκτη, ηθοποιού*) peak

μεσουρανώ Ρ ΑΜ (α) (*Ήλιος*) to be at its zenith (β) (*παίκτης, ηθοποιός*) to be at one's peak

μεσοφόρι ΟΥΣ ΟΥΔ petticoat, underskirt

μεσόφωνος ΟΥΣ ΘΗΛ mezzo–soprano

μεσοχείμωνο ΟΥΣ ΟΥΔ midwinter

Μεσσίας ΟΥΣ ΑΡΣ Messiah

μεστός, -ή, -ό ΕΠΙΡΡ (α) (= *πλήρης*: +*γεν.*) full of (β) (*για καρπούς*) ripe (γ) (*δέρμα*) tough · (*κορμί*) firm (δ) (= *ώριμος*) mature

μεστότητα ΟΥΣ ΘΗΛ (α) (*λόγων*) weight (β) (*καρπών*) ripeness (γ) (*δέρματος*) toughness · (*κορμιού*) firmness (δ) (*ανθρώπου*) maturity

μεστώμα ΟΥΣ ΟΥΔ ripening

μεστώνω ① Ρ ΑΜ (α) (*καρπός*) to ripen (β) (*άνθρωπος*) to mature

2 Ρ Μ (*άνθρωπο*) to mature

μέσω ΠΡΟΘ +*γεν.* (α) (= *μέσα από*) via, through (β) (*για τρόπο*) through

μετά¹, μετ', μεθ ΠΡΟΘ (α) +*αιτ.* after (β) (*επίσ.*) +*γεν.* with
▷**μετά από** after
▷**μετά βίας** with great difficulty, barely

μετά² ΕΠΙΡΡ (α) (= *ύστερα*) after, afterwards (β) (= *αργότερα*) later
▷**μετά από δω που θα πας;** where will you go next?
▷**το μετά** what happens next

μεταβαίνω (*επίσ.*) Ρ Μ: **μεταβαίνω σε** (= *πηγαίνω*) to go to · (= *περνώ*) to turn to
▷**μεταβαίνω από... σε...** to go from... to...

μεταβάλλω Ρ Μ (*ήθη, συμπεριφορά, συνθήκες*) to change
▷**μεταβάλλομαι σε κτ** to turn into sth, to be transformed into sth

μετάβαση ΟΥΣ ΘΗΛ (α) (= *μετακίνηση*) trip, journey (β) (= *πέρασμα*) transition

μεταβατικός, -ή, -ό ΕΠΙΘ (*περίοδος, στάδιο*) transitional, interim
▸**μεταβατικό ρήμα** transitive verb

μεταβιβάζω Ρ Μ (α) (*φάρμακα, τρόφιμα*) to transport (β) (*μήνυμα, χαιρετισμούς, αίτημα*) to pass on · (*παραδόσεις*) to hand down (γ) (*δικαιώματα, περιουσία*) to transfer · (*αρμοδιότητα*) to devolve

μεταβίβαση ΟΥΣ ΘΗΛ (α) (*αιτήματος, χαιρετισμών*) passing on · (*παραδόσεων*) handing down (β) (*δικαιώματος, περιουσίας*) transfer · (*αρμοδιότητας*) devolution
▸**μεταβίβαση εξουσίας** devolution (of power)

μεταβιβάσιμος, -η, -ο ΕΠΙΘ (*κεφάλαια, δικαιώματα*) transferable

μεταβλητός, -ή, -ό ΕΠΙΘ (*σημείο, μήκος, άνεμοι*) variable · (*χαρακτήρα*) changeable
▸**μεταβλητή** ΟΥΣ ΘΗΛ (ΜΑΘ) variable

μεταβλητότητα ΟΥΣ ΘΗΛ (α) (*διευθύνσεων, ανέμων*) variability · (*χαρακτήρα*) changeability

μεταβολή ΟΥΣ ΘΗΛ (α) (*καιρού, θερμοκρασίας*) change (β) (*παράγγελμα*) about turn!, about face!
▷**έκανα μεταβολή και έφυγα** I turned around and left
▷**κάνω μεταβολή** to turn around, to turn on one's heel
▷**προκαλώ μεταβολές** to bring about changes

μεταβολισμός ΟΥΣ ΑΡΣ metabolism

μεταβυζαντινός, -ή, -ό ΕΠΙΘ (*εποχή, τέχνη*) post–Byzantine

μεταγγίζω Ρ Μ (α) (ΙΑΤΡ) to transfuse (β) (*ιδέες*) to instil

μετάγγιση ΟΥΣ ΘΗΛ (*υγρού*) decanting
▸**μετάγγιση αίματος** blood transfusion

μεταγενέστερος, -η, -ο ΕΠΙΘ (*χρόνος*) later · (*μύθος, νόμος*) subsequent

▸**μεταγενέστεροι** ΟΥΣ ΑΡΣ ΠΛΗΘ posterity *εν.*

μεταγλωττίζω Ρ Μ (α) (*εκπομπή*) to dub (β) (*κείμενο*) to translate

μεταγλώττιση ΟΥΣ ΘΗΛ (α) (*εκπομπής*) dubbing (β) (*κειμένου*) translation

μεταγλωττισμός ΟΥΣ ΑΡΣ = **μεταγλώττιση**

μεταγραφή ΟΥΣ ΘΗΛ (α) (*ξένων ονομάτων*) transliteration (β) (ΜΟΥΣ) arrangement (γ) (*τίτλου, ακινήτου*) registration (δ) (*παίκτη, επαγγελματία*) transfer (ε) (*ταινίας*) recording
▸**φωνητική μεταγραφή** (ΓΛΩΣΣ) phonetic transcription

μεταγραφικός, -ή, -ό ΕΠΙΘ (*για αθλητή*) transferable
▸**μεταγραφική περίοδος** transfer period

μεταγράφω Ρ Μ (α) (= *ξαναγράφω*) to write out (β) (*προφορικό υλικό*) to transcribe (γ) (*στο φωνητικό αλφάβητο*) to transcribe (δ) (= *διασκευάζω μουσικό έργο*) to transcribe, to arrange (ε) (ΝΟΜ) to register
▸**μεταγράφομαι** ΜΕΣΟΠΑΘ (*αθλητής*) to be transferred

μεταγωγή ΟΥΣ ΘΗΛ (α) (*ανθρώπων, εμπορευμάτων*) transport (β) (*κρατουμένων*) deportation

μεταγωγικός, -ή, -ό ΕΠΙΘ (*σώμα, αεροσκάφος*) transport
▸**μεταγωγικό** ΟΥΣ ΟΥΔ vehicle

μεταδίδω Ρ Μ (α) (*ενθουσιασμό*) to communicate, to pass on · (*γνώσεις*) to pass on, to transmit · (*ενδιαφέρον*) to convey · (*κέφι*) to spread · (*ήχο*) to transmit (β) (*μόλυνση*) to spread, to pass on (γ) (*ειδήσεις, πληροφορίες*) to broadcast (δ) (*εικόνες, αγώνα, συναυλία*) to broadcast, to show
▸**μεταδίδομαι** ΜΕΣΟΠΑΘ (*επιδημία, πυρκαγιά*) to spread

μετάδοση ΟΥΣ ΘΗΛ (α) (*ενθουσιασμού*) communication (β) (*γνώσεων, άγχους*) transmission (β) (*ειδήσεων, αγώνα, συναυλίας*) broadcast (γ) (*ασθένειας, ιού*) transmission (δ) (*κίνησης, ηλεκτρικού ρεύματος*) transmission
▷**απ' ευθείας** *ή* **ζωντανή μετάδοση** live broadcast
▷**μαγνητοσκοπημένη μετάδοση** recording

μεταδότης ΟΥΣ ΑΡΣ transmitter

μεταδοτικός, -ή, -ό ΕΠΙΘ (*ασθένεια*) contagious, infectious (β) (*για ενθουσιασμό, χασμουρητό*) catching (γ) (*δάσκαλος, καθηγητής*) with good communication skills

μεταδοτικότητα ΟΥΣ ΘΗΛ (α) (*αρρώστιας*) infectiousness, contagiousness (β) (*για εκπαιδευτικό*) good communication skills *πληθ.*

μεταθανάτιος, -ια, -ιο ΕΠΙΘ posthumous

μετάθεση ΟΥΣ ΘΗΛ (α) (*υπαλλήλου, στρατιωτικού*) transfer (β) (*ημερομηνίας, ταξιδιού*) postponement (γ) (*φθόγγου*)

M

metathesis

> *Προσοχή!: Ο πληθυντικός του* **metathesis** *είναι* **metatheses**.

(δ) (ΨΥΧΟΛ) transfer
▸**μετάθεση ευθυνών** scapegoating, passing the buck

μεταθέτω Ρ Μ (α) (*ευθύνες*) to shift· (*συναισθήματα*) to transfer (β) (*υπάλληλο, στρατιωτικό*) to transfer (γ) (*ημερομηνία, ταξίδι*) to postpone, to put forward

μεταίχμιο ΟΥΣ ΟΥΔ borderline

μετακαλώ (*επίσ.*) Ρ Μ to invite

μετακίνηση ΟΥΣ ΘΗΛ (α) (*επίπλου, μηχανήματος*) moving· (*υπαλλήλου, πληθυσμών*) transfer· (*γήινων πλακών*) shifting· (*αερίων μαζών*) movement (β) (*εκδρομέων*) transport

μετακινώ Ρ Μ (*συσκευές, έπιπλα*) to move· (*λαό, υπάλληλο*) to transfer
▸**μετακινούμαι** ΜΕΣΟΠΑΘ (*εκδρομείς*) to travel

μετακλασικός, -ή, -ό ΕΠΙΘ post-classical

μετάκληση (*επίσ.*) ΟΥΣ ΘΗΛ (α) (= *πρόσκληση*) invitation (β) (= *ανάκληση*) recall

μετακομιδή ΟΥΣ ΘΗΛ (= *μεταφορά λειψάνων*) *transport of holy relics from one place to another*

μετακομίζω 1 Ρ ΑΜ to move
2 Ρ Μ (*έπιπλα*) to move
▸**μετακομίζω από μια πόλη/ένα σπίτι** to move away from a town/out of a house
▸**μετακομίζω σε άλλη χώρα/σε καινουργιο σπίτι** to move to another country/into a new house

μετακόμιση ΟΥΣ ΘΗΛ (α) (= *μεταφορά νοικοκυριού*) removal (β) (*αλλαγή κατοικίας*) move

μεταλαβαίνω 1 Ρ ΑΜ to receive communion
2 Ρ Μ (*πιστό*) to give communion to

μεταλαμβάνω (*επίσ.*) Ρ Μ/ΑΜ = **μεταλαβαίνω**

μεταλαμπάδευση ΟΥΣ ΘΗΛ spread

μεταλαμπαδεύω Ρ Μ to spread

μετάληψη ΟΥΣ ΘΗΛ: **Θεία** *ή* **Αγία μετάληψη** Holy Communion, Eucharist

μεταλλαγή ΟΥΣ ΘΗΛ (α) (*κοινωνίας, πολιτεύματος*) transformation (β) (ΒΙΟΛ) mutation

μεταλλαγμένος, -η, -ο ΕΠΙΘ (*οργανισμός, γονίδια*) mutated

μεταλλάζω Ρ Μ = **μεταλλάσσω**

μετάλλαξη ΟΥΣ ΘΗΛ (ΒΙΟΛ) mutation

μεταλλάσσω Ρ Μ (α) (*κύτταρο*) to mutate, to cause to mutate (β) (*δομές, οργάνωση*) to transform
▸**μεταλλάσσομαι** ΜΕΣΟΠΑΘ (ΒΙΟΛ) to mutate

μεταλλείο ΟΥΣ ΟΥΔ mine

μεταλλειολογία ΟΥΣ ΘΗΛ mineralogy

μεταλλειολόγος ΟΥΣ ΑΡΣ&ΘΗΛ mineralogist

μετάλλευμα ΟΥΣ ΟΥΔ ore, mineral

μεταλλευτικός, -ή, -ό ΕΠΙΘ mineral

μεταλλικός, -ή, -ό ΕΠΙΘ (α) (*τραπέζι, καρέκλα, έλασμα*) metal (β) (*νερό, πηγές*) mineral (γ) (*ήχος, φωνή*) ringing· (*χρώμα*) metallic (δ) (ΧΗΜ: *δεσμός*) metallic

μετάλλιο ΟΥΣ ΟΥΔ (*αθλητή, στρατιώτη*) medal
▸**απονέμω μετάλλιο** to award a medal
▸**χρυσό/αργυρό/χάλκινο μετάλλιο** gold/silver/bronze medal

μέταλλο ΟΥΣ ΟΥΔ (ΧΗΜ) metal

μεταλλοτεχνία ΟΥΣ ΘΗΛ metalwork

μεταλλουργείο ΟΥΣ ΟΥΔ metal works εν.

> *Προσοχή!: Αν και το* **metal works** *φαίνεται ως τύπος πληθυντικού, είναι ουσιαστικό μόνο στον ενικό και συντάσσεται με ρήμα στον ενικό.*

μεταλλουργία ΟΥΣ ΘΗΛ (α) (*επιστήμη*) metallurgy (β) (*βιομηχανικός κλάδος*) metallurgical industry

μεταλλουργικός, -ή, -ό ΕΠΙΘ metallurgical

μεταλλουργός ΟΥΣ ΑΡΣ (α) (*εργάτης*) metal worker (β) (*επιστήμονας*) metallurgist

μεταλλωρυχείο ΟΥΣ ΟΥΔ βλ. **μεταλλείο**

μεταλλωρύχος ΟΥΣ ΑΡΣ miner

μεταμέλεια ΟΥΣ ΘΗΛ remorse

μεταμελούμαι Ρ ΑΜ ΑΠΟΘ to be full of remorse
▸**μεταμελούμαι για κτ** to regret sth

μεταμεσημβρινός, -ή, -ό (*επίσ.*) ΕΠΙΘ afternoon

μεταμεσονύκτιος, -α, -ο ΕΠΙΘ (*εκπομπή, παράσταση*) late–night

μεταμορφώνω Ρ Μ to transform
▸**μεταμορφώνω κπν/κτ σε κτ** to turn sb/sth into sth

μεταμόρφωση ΟΥΣ ΘΗΛ (α) (*χαρακτήρα, όψης*) transformation (β) (ΒΙΟΛ) metamorphosis

> *Προσοχή!: Ο πληθυντικός του* **metamorphosis** *είναι* **metamorphoses**.

▸**η Μεταμόρφωση του Σωτήρος** the Transfiguration

μεταμορφωτής ΟΥΣ ΑΡΣ transformer

μεταμορφωτικός, -ή, -ό ΕΠΙΘ transforming

μεταμόσχευση ΟΥΣ ΘΗΛ (α) (*ήπατος, καρδιάς, νεφρού*) transplant (β) (ΒΟΤ) graft

μεταμοσχεύω Ρ Μ (α) (*νεφρό, καρδιά*) to transplant (β) (ΒΟΤ) to graft

μεταμφιέζω Ρ Μ (*παιδιά*) to disguise, to dress up
▸**μεταμφιέζομαι** ΜΕΣΟΠΑΘ to disguise oneself *ή* dress up (*σε* as)

μεταμφίεση ΟΥΣ ΘΗΛ disguise

μεταμφιεσμένος, -η, -ο ΕΠΙΘ disguised, in disguise
▸**είμαι μεταμφιεσμένος σε** to be disguised *ή* dressed up as
▸**χορός μεταμφιεσμένων** masked ball

μετανάστευση ΟΥΣ ΘΗΛ (α) (*πληθυσμού,*

λαού: επίσης **εσωτερική μετανάστευση**)
immigration · (*επίσης* **εξωτερική**
μετανάστευση) emigration (β) (*πουλιών,*
ψαριών) migration

μεταναστευτικός, -ή, -ό ΕΠΙΘ (α) (*πολιτική*)
immigration · (*ρεύμα*) of immigrants
(β) (*πουλιά*) migratory

μεταναστεύω Ρ ΑΜ (α) (*άνθρωποι*) to
emigrate (β) (*χελιδόνια*) to migrate
▷**μεταναστεύω σε** to immigrate to

μετανάστης ΟΥΣ ΑΡΣ immigrant

μετανάστρια ΟΥΣ ΘΗΛ *βλ.* **μετανάστης**

μετανιωμένος, -η, -ο ΕΠΙΘ **είμαι**
μετανιωμένος για κτ (= *έχω αλλάξει γνώμη*)
to have changed one's mind about sth ·
(= *έχω μετανοήσει*) to be sorry about sth, to
regret sth

μετανιώνω Ρ ΑΜ (α) (= *αλλάζω γνώμη*) to
change one's mind (β) (= *μεταμελούμαι*) to
be sorry, to have regrets
▷**μετανιώνω για κτ** to regret sth
▷**το μετανιώνω** to regret it

μετάνοια ΟΥΣ ΘΗΛ (α) (= *μεταμέλεια*) remorse
(β) (= *παράκληση*) genuflection

μετανοώ Ρ Μ to regret

μεταξένιος, -ια, -ιο ΕΠΙΘ (α) (*ύφασμα,*
κλωστή) silk (β) (*μαλλιά*) silky

μετάξι ΟΥΣ ΟΥΔ silk
▷**μαλλιά-μετάξι** silky hair
▸ **μετάξια** ΠΛΗΘ silks

μεταξοβιομηχανία ΟΥΣ ΘΗΛ silk industry

μεταξόνιο ΟΥΣ ΟΥΔ (*αυτοκινήτου*) wheelbase

μεταξοπαραγωγή ΟΥΣ ΘΗΛ silk production

μεταξοπαραγωγός ΟΥΣ ΑΡΣ≈ΘΗΛ silk–grower

μεταξοσκώληκας ΟΥΣ ΑΡΣ silkworm

μεταξουργείο ΟΥΣ ΟΥΔ silk mill

μεταξουργία ΟΥΣ ΘΗΛ silk industry

μεταξουργός ΟΥΣ ΑΡΣ≈ΘΗΛ silk–grower

μεταξύ ΠΡΟΘ (α) (*για τόπο, χρόνο, μέγεθος,*
τιμή) +γεν. between (β) (*για συμπερίληψη σε*
ομάδα ή σύνολο) +γεν. among, amongst
(γ) (*για διαφορά*) +γεν. between
▷**αυτό να μείνει μεταξύ μας** that's between
you and me
▷**βρείτε τα μεταξύ σας** sort it out between
yourselves
▷**εν τω μεταξύ, στο μεταξύ** (= *ενώ γίνεται*
κάτι) in the meantime, meanwhile ·
(= *ωστόσο*) while
▷**κάτι μεταξύ των δύο** something in between
▷**μεταξύ άλλων** among other things
▷**πολλοί μεταξύ των καθηγητών** many of the
teachers
▷**τσακώνονται μεταξύ τους κάθε μέρα** they
insult each other every day

μεταξωτός, -ή, -ό ΕΠΙΘ (*ύφασμα*) silk
▸ **μεταξωτό** ΟΥΣ ΟΥΔ silk

μεταπείθω Ρ Μ to dissuade
▷**μεταπείθω κπν να κάνει κτ** to persuade sb
to do sth
▷**τον μετέπεισα κι έμεινε** I persuaded him to

stay

μεταπήδηση ΟΥΣ ΘΗΛ (*παίκτη*) changeover ·
(*υπουργού*) going over

μεταπηδώ Ρ ΑΜ (*υπάλληλος, εργαζόμενος*) to
move · (*υπουργός*) to change camps
▷**μεταπηδώ σε** (*υπάλληλος*) to move to ·
(*υπουργός*) to go over to

μεταπλάθω Ρ Μ (*χαρακτήρα,*
πραγματικότητα) to change · (*μύθο*) to
transform

μεταποίηση ΟΥΣ ΘΗΛ (α) (*φορέματος*)
alteration (β) (*αγαθών, ύλης*) processing

μεταποιώ Ρ Μ (α) (*ρούχο*) to alter (β) (*ύλη*) to
process

μεταπολεμικός, -ή, -ό ΕΠΙΘ (*χρόνια,*
κυβέρνηση, εξελίξεις) postwar

μεταπολίτευση ΟΥΣ ΘΗΛ change of political
climate

μεταπτυχιακός, -ή, -ό ΕΠΙΘ (*σπουδές,*
πρόγραμμα) postgraduate
▸ **μεταπτυχιακά** ΟΥΣ ΟΥΔ ΠΛΗΘ postgraduate
studies
▸ **μεταπτυχιακός** ΟΥΣ ΑΡΣ, **μεταπτυχιακή** ΟΥΣ ΘΗΛ
postgraduate student, postgrad (*ανεπ.*)

μετάπτωση ΟΥΣ ΘΗΛ (*καιρού, θερμοκρασίας,*
ζωής) sudden change · (*διάθεσης*) swing

μεταπωλώ Ρ Μ to resell

μεταρρυθμίζω Ρ Μ (*εκπαίδευση, σύστημα*) to
reform · (*επίπλωση*) to rearrange

μεταρρύθμιση ΟΥΣ ΘΗΛ reform
▷**η Μεταρρύθμιση** (ΘΡΗΣΚ) the Reformation

μεταρρυθμιστής ΟΥΣ ΑΡΣ (α) (*γενικότ.*)
reformer (β) (ΘΡΗΣΚ) reformist

μεταρρυθμιστικός, -ή, -ό ΕΠΙΘ (*μέτρα,*
πολιτική, νόμος) reform · (*προσπάθεια*) at
reform

μεταρρυθμίστρια ΟΥΣ ΘΗΛ *βλ.*
μεταρρυθμιστής

μετασκευή ΟΥΣ ΘΗΛ (*πλοίου*) refit · (*κτήριο*)
change

μετάσταση ΟΥΣ ΘΗΛ metastasis

Προσοχή!: Ο πληθυντικός του **metastasis**
είναι **metastases.**

μεταστρέφω Ρ Μ (*αντιλήψεις, συμπεριφορά,*
κοινή γνώμη) to change
▷**μεταστρέφω κπν από την απόφασή του** to
make sb change their mind, to bring sb
around
▸ **μεταστρέφομαι** ΜΕΣΟΠΑΘ (*κλίμα, συνθήκες*) to
change
▷**μεταστρέφομαι σε οπαδό ή υποστηρικτή**
κποιου to become a follower of sb

μεταστροφή ΟΥΣ ΘΗΛ (*κοινής γνώμης*) swing,
shift

μετασχηματίζω Ρ Μ to change, to transform

μετασχηματισμός ΟΥΣ ΑΡΣ change,
transformation

μετασχηματιστής ΟΥΣ ΑΡΣ transformer

μετασχολικός, -ή, -ό ΕΠΙΘ (*ηλικία, περίοδος*)

post–school

μετάταξη ΟΥΣ ΘΗΛ (*αξιωματικού, στρατιώτη, προσωπικού*) transfer

μετατάσσω Ρ Μ (*αξιωματικό, στρατιώτη, υπάλληλο*) to transfer

μετατοπίζω Ρ Μ (α) (*φορτίο*) to move, to shift · (*πληθυσμό*) to displace (β) (*ευθύνες, φταίξιμο*) to shift (γ) (*ενδιαφέρον*) to shift · (*προσοχή*) to distract
▷**μετατοπίζω το κέντρο βάρους** (*μτφ.*) to shift the focus

μετατόπιση ΟΥΣ ΘΗΛ (α) (*φορτίου, επίπλου*) moving, shifting · (*πληθυσμού*) displacement · (*σπονδύλου*) dislocation (β) (*ευθυνών*) shifting · (*ψηφοφόρων*) turning

μετατρέπω Ρ Μ (α) (*σπίτι, χώρο*) to convert · (*άνθρωπο*) to change (β) (*ευρώ, δολάρια*) to change, to convert (γ) (*ποινή*) to commute, to reduce
▷**μετατρέπω κτ σε κτ** to turn sth into sth
▷**μετατρέπομαι σε** to be turned into

μετατρέψιμος, -η, -ο ΕΠΙΘ (*ποινή*) commutable · (*νόμισμα*) convertible

μετατροπή ΟΥΣ ΘΗΛ (α) (*σπιτιού*) alteration · (*σοφίτας, αποθήκης*) conversion · (*σύστασης, συστήματος*) transformation (β) (*νομίσματος*) conversion
▷**μετατροπή ποινής** (ΝΟΜ) sentence reduction, commutation

μετατρόχιο ΟΥΣ ΟΥΔ wheelbase

μεταφέρω Ρ Μ (α) (*επιβάτες*) to transport, to take · (*εμπορεύματα*) to transport · (*έδρα επιχείρησης*) to transfer, to move · (*εκλογικά δικαιώματα*) to transfer (β) (*χρήματα, ποσό*) to transfer (γ) (*ξένο συγγραφέα, κείμενο*) to translate (δ) (*έργο*) to adapt (ε) (*για μουσική, ποίηση*) to transpose (στ) (*μήνυμα, χαιρετισμό*) to send
▷**μεταφέρω κπν στο νοσοκομείο** to take sb to hospital · (*επειγόντως*) to rush sb to hospital
▷**μεταφέρω ένα έργο στην τηλεόραση** to adapt a book for television

μεταφορά ΟΥΣ ΘΗΛ (α) (*ασθενούς, επιβατών, προϊόντων, εμπορευμάτων*) transportation, carriage · (*αποβλήτων*) disposal · (*εκλογικών δικαιωμάτων, έδρας επιχείρησης, γνώσεων, δεδομένων*) transfer (β) (*χρημάτων, ποσού*) transfer (γ) (*κειμένου*) translation (δ) (*μυθιστορήματος*) adaptation (ε) (*σχήμα λόγου*) metaphor (στ) (ΜΟΥΣ) transposition
▸**μεταφορές** ΠΛΗΘ transport *εν.*

μεταφορέας ΟΥΣ ΑΡΣ (α) (*πρόσωπο ή οργανισμός*) carrier (β) (*όργανο*) conveyor

μεταφορικός, -ή, -ό ΕΠΙΘ (α) (*έξοδα, γραφείο*) transport (β) (ΦΙΛΟΛ) figurative, metaphorical
▸**μεταφορικά μέσα** means of transport
▸**μεταφορικά** ΟΥΣ ΟΥΔ ΠΛΗΘ transport costs

μεταφορτώνω Ρ Μ (*εμπορεύματα*) to transship

μεταφόρτωση ΟΥΣ ΘΗΛ (*πετρελαίου,*

προϊόντων) transshipment

μεταφράζω Ρ Μ (*κείμενο, συγγραφέα*) to translate
▸**μεταφράζεται, μεταφράζονται** ΤΡΙΤΟΠΡΟΣ (= *σημαίνει*) to mean

μετάφραση ΟΥΣ ΘΗΛ translation
▸**νεοελληνική μετάφραση** modern Greek translation
▸**μεταφράσεις** ΠΛΗΘ (= *σχολικό βοήθημα*) translations (*of ancient Greek and Latin texts*)

μεταφραστής ΟΥΣ ΑΡΣ (α) (*επίσης* **μεταφράστρια**: *κλασικών έργων, κειμένων*) translator (β) (*επίσης* **μεταφράστρια**: = *διερμηνέας*) interpreter (γ) (ΠΛΗΡΟΦ) translator

μεταφραστικός, -ή, -ό ΕΠΙΘ (*δυσκολίες, λάθη, τμήμα*)
▸**μεταφραστικό δάνειο** loan translation, calque
▸**μεταφραστικά** ΟΥΣ ΟΥΔ ΠΛΗΘ translation fees

μεταφράστρια ΟΥΣ ΘΗΛ *βλ.* **μεταφραστής**

μεταφυσική ΟΥΣ ΘΗΛ metaphysics *εν.*

> *Προσοχή!: Αν και το* **metaphysics** *φαίνεται ως τύπος πληθυντικού, είναι ουσιαστικό μόνο στον ενικό και συντάσσεται με ρήμα στον ενικό.*

μεταφυσικός, -ή, -ό ΕΠΙΘ metaphysical

μεταφύτευση ΟΥΣ ΘΗΛ (α) (*φυτού: σε γλάστρα*) repotting · (*σε καινούργιο χώμα*) planting (β) (*ιδεών*) transplantation

μεταφυτεύω Ρ Μ (α) (*λουλούδι: σε γλάστρα*) to repot (*σε καινούργιο χώμα*) to plant out (β) (*θεσμούς, ιδέες*) to transplant

μεταχειρίζομαι Ρ Μ ΑΠΟΘ (α) (*λέξεις, βία, επιρροή*) to use (β) (*με συγκεκριμένο τρόπο*) to treat
▷**μεταχειρίζομαι κπν καλά/άσχημα/σκληρά** to treat sb well/badly/harshly
▷**μεταχειρίζομαι κπν σαν σκουπίδι** to treat sb like dirt

μεταχείριση ΟΥΣ ΘΗΛ (*λέξεων*) use · (*ατόμου*) treatment

μεταχειρισμένος, -η, -ο ΕΠΙΘ (*αυτοκίνητο*) second–hand, used · (*ρούχο, υπολογιστής*) second–hand

μετεγγραφή ΟΥΣ ΘΗΛ transfer

μετεγγράφω Ρ Μ to transfer

μετεκλογικός, -ή, -ό ΕΠΙΘ post–election

μετεκπαίδευση ΟΥΣ ΘΗΛ postgraduate studies *πληθ.* · (*υπαλλήλου*) training

μετεκπαιδεύω Ρ Μ to train

μετεμψυχώνομαι Ρ ΑΜ to be reincarnated

μετεμψύχωση ΟΥΣ ΘΗΛ reincarnation

μετενσάρκωση ΟΥΣ ΘΗΛ = **μετεμψύχωση**

μετεξέλιξη ΟΥΣ ΘΗΛ evolution

μετεξεταστέος, -α, -ο ΕΠΙΘ (*για μαθητή*) failed
▸**μετεξεταστέος** ΟΥΣ ΑΡΣ, **μετεξεταστέα** ΟΥΣ ΘΗΛ failed candidate

M

μετέπειτα ΕΠΙΡΡ afterwards, then
▷**οι μετέπειτα χρόνοι** the subsequent ή
ensuing years
▷**οι μετέπειτα συνέπειες** the consequences·
(*μέθης*) the aftereffects
▷**η μετέπειτα εξέλιξή του** his later
development
▸**μετέπειτα** ΟΥΣ ΑΡΣ ΠΛΗΘ posterity εν.

μετέχω Ρ ΑΜ to take part ή participate (*σε* in)
Μετέωρα ΟΥΣ ΟΥΔ ΠΛΗΘ Meteora
μετεωρίζομαι Ρ ΑΜ (*αερόστατο*) to hang in
mid–air, to hover· (*σταφύλια*) to hang down
μετεώριση ΟΥΣ ΘΗΛ = **μετεωρισμός**
μετεωρισμός ΟΥΣ ΑΡΣ levitating
μετεωρίτης ΟΥΣ ΑΡΣ meteorite
▸**βροχή μετεωριτών** meteorite shower
μετεωρολογία ΟΥΣ ΘΗΛ meteorology
μετεωρολογικός, -ή, -ό ΕΠΙΘ (*παρατήρηση,
όργανο*) meteorological· (*πρόβλεψη*) weather
▸**μετεωρολογικό δελτίο** weather forecast
▸**μετεωρολογικός σταθμός** weather station
μετεωρολόγος ΟΥΣ ΑΡΣ&ΘΗΛ meteorologist
μετέωρος, -η, -ο ΕΠΙΘ (α) (*βήμα, χέρι,
χαρταετός*) in the air· (*φράση, ερωτήσεις,
απαντήσεις*) left hanging (β) (= *αβέβαιος*) in
the air (γ) (= *αναποφάσιστος*) undecided
▷**βρίσκομαι μετέωρος μεταξύ ουρανού και
γης** to find oneself hanging in mid–air
μετεωροσκοπείο ΟΥΣ ΟΥΔ weather station
μετονομάζω Ρ Μ to rename, to change the
name of
μετονομασία ΟΥΣ ΘΗΛ renaming
μετόπη ΟΥΣ ΘΗΛ (ΑΡΧΙΤ, ΑΡΧΑΙΟΛ) metope
μετόπισθεν ΟΥΣ ΟΥΔ ΠΛΗΘ ΑΚΛ (α) (*υπηρεσίες*)
support services (β) (= *νώτα*) rear εν.
(γ) (*περιοχή και πληθυσμός*) area and
population behind the front lines
μετουσιώνομαι Ρ ΑΜ (α) (*δομή κοινωνίας*) to
be transformed (β) (*πίκρα, επιθυμία, θάρρος*)
to translate (γ) (ΘΡΗΣΚ) to transubstantiate
μετουσίωση ΟΥΣ ΘΗΛ (α) (*θεσμών, ρόλων,
δομών*) transformation (β) (ΘΡΗΣΚ)
transubstantiation
μετοχή ΟΥΣ ΘΗΛ (α) (ΟΙΚΟΝ) share (β) (ΓΛΩΣΣ)
participle
▷**ανεβαίνουν/πέφτουν οι μετοχές μου** (*μτφ.*)
to gain ή grow in/to lose popularity
▸**μετοχή ενεργητικού/παθητικού ενεστώτα**
active/passive present participle
▸**μετοχή παθητικού παρακειμένου** passive
past participle
μετοχικός, -ή, -ό ΕΠΙΘ (α) (*επίσ.:* ταμείο)
joint (β) (*εταιρεία*) stock· (*κεφάλαιο*) share
μέτοχος, -ος, -ο (*επίσ.*) ΕΠΙΘ participating
▸**μέτοχος** ΟΥΣ ΑΡΣ&ΘΗΛ (ΟΙΚΟΝ) shareholder
(*Βρετ.*), stockholder (*Αμερ.*)
μετρ ΟΥΣ ΑΡΣ ΑΚΛ master
▷**μετρ της κομμωτικής/μόδας** top hairstylist/
designer
▷**μετρ της μαγειρικής** master chef
μέτρημα ΟΥΣ ΟΥΔ = **μέτρηση**

μετρημένος, -η, -ο ΕΠΙΘ (α) (*ψήφοι, βιβλία*)
counted (β) (*μέρες, ώρες*) numbered
(γ) (*έξοδα, δαπάνες*) moderate, modest
(δ) (*άνθρωπος*) sensible, moderate·
(*δηλώσεις, κουβέντα*) measured· (*κίνηση*)
careful
▷**μετρημένα λόγια** measured words
▷**μετρημένα τα λόγια σου!** watch what
you're saying!, think before you speak!
μέτρηση ΟΥΣ ΘΗΛ (*θερμοκρασίας, μήκους,
βάθους, επίδοσης, χρόνου*) measurement·
(*πόντων, χρημάτων*) counting· (*για ρούχο*)
measurement
▸**μονάδα μέτρησης** unit of measurement
μετρητά ΟΥΣ ΟΥΔ ΠΛΗΘ (= *ρευστό χρήμα*) cash
εν.· (= *μέρος περιουσίας*) money εν.
▷**παίρνω κτ τοις μετρητοίς** (*μτφ.*) to take sth
seriously, to take sth to heart
▷**τοις μετρητοίς** in cash
μετρητής ΟΥΣ ΑΡΣ (*τηλεφώνου*) counter·
(*νερού, ηλεκτρικού ρεύματος*) meter·
▸**χιλιομετρικός μετρητής** milometer
μετριάζω Ρ Μ (α) (*κέρδη*) to cut· (*ποινή*) to
reduce· (*άγχος*) to ease· (*χαρά*) to temper·
(*πόνο*) to ease, to relieve· (*ταχύτητα*) to slow
down, to moderate· (*κάπνισμα*) to cut down
on (β) (*ύφος, αντιδράσεις*) to tone down·
(*εντυπώσεις*) to soften
μετρίαση ΟΥΣ ΘΗΛ = **μετριασμός**
μετριασμός ΟΥΣ ΑΡΣ (α) (*κερδών*) slackening
off· (*ποινής*) reduction· (*καπνίσματος*)
cutting down· (*ταχύτητας*) reduction,
slowing down· (*ζήλου*) moderation
(β) (*επιθετικής διάθεσης*) toning down·
(*εντυπώσεων*) softening
μετρική ΟΥΣ ΘΗΛ prosody
μετρικός, -ή, -ό ΕΠΙΘ (α) (*σύστημα*) metric
(β) (*κανόνας*) metrical
▸**μετρικός πόδας** ή **πους** metrical foot
μετριοπάθεια ΟΥΣ ΘΗΛ moderation
μετριοπαθής, -ής, -ές ΕΠΙΘ (α) (*πολιτικός*)
moderate (β) (*στάση, πολιτική, άποψη*)
moderate· (*αντίδραση*) reasonable
μέτριος, -α, -ο ΕΠΙΘ (α) (*δυσκολία,
θερμοκρασία*) average· (*ανάστημα*) medium·
(*άνεμος*) moderate· (*δόνηση*) mild
(β) (*αρνητ.: επίδοση, ποιότητα, μαθητής*)
mediocre· (*εμφάνιση*) indifferent (γ) (*για
καφέ*) with a little sugar (δ) (*υπολογισμός*)
modest
μετριότητα ΟΥΣ ΘΗΛ (α) (*θερμοκρασίας*)
mildness (β) (*αρνητ.: = μικρή αξία*)
mediocrity
μετριόφρονας ΟΥΣ ΑΡΣ&ΘΗΛ modest
μετριοφροσύνη ΟΥΣ ΘΗΛ modesty
μετριόφρων, -ων, -ον ΕΠΙΘ modest
μετρό ΟΥΣ ΟΥΔ underground (*Βρετ.*), subway
(*Αμερ.*)
μέτρο ΟΥΣ ΟΥΔ (α) (= *μονάδα μετρήσεως*)
measurement (β) (= *μονάδα μετρήσεως
μήκους*) metre (*Βρετ.*), meter (*Αμερ.*)
(γ) (= *μετροταινία*) tape measure

Μ

(δ) (= *κριτήριο αξιολόγησης*) measure
(ε) (= *αποφυγή υπερβολής*) moderation
(στ) (= *ρυθμός στίχου*) meter · (= *μετρικός πόδας*) foot

> *Προσοχή!: Ο πληθυντικός του* **foot** *είναι* **feet**.

(ζ) (ΜΟΥΣ) bar
▷ **(αγοράζω/πουλώ κτ) με το μέτρο** (to buy/sell sth) by the metre (*Βρετ.*) *ή* meter (*Αμερ.*)
▷ **με μέτρο** in moderation
▷ **μέτρον άριστον** moderation in all things
▷ **ξεπερνώ κάθε μέτρο** (*για συμπεριφορά, χαρακτήρα*) to be beyond the pale · (*για πόνο*) to be unbearable
▷ **στο μέτρο που** insofar as
▷ **στο μέτρο τού δυνατού** to the best of one's ability
▷ **υπερβαίνει το μέτρο των δυνατοτήτων μου** it's beyond my capabilities
▷ **χάνω την αίσθηση του μέτρου** to lose all sense of proportion
▸ **μέτρα** ΠΛΗΘ (α) (= *μέτρηση*) measurements (β) (*κυβέρνησης*) measures
▷ **είναι στα μέτρα μου** to suit oneself
▷ **λαμβάνω** *ή* **παίρνω τα μέτρα μου** to take measures
▷ **μέτρα και σταθμά** weights and measures
▷ **παίρνω τα μέτρα κποιου** to take sb's measurements

μετροπόντικας ΟΥΣ ΑΡΣ tunnel–boring machine

μετροταινία ΟΥΣ ΘΗΛ tape measure

μετρώ ① Ρ Μ (α) (*ύψος, μήκος, όγκο, έκταση, νοημοσύνη*) to measure · (*πίεση, θερμοκρασία*) to take (β) (*χρήματα, ρέστα*) to count · (*σφυγμούς*) to take
(γ) (= *συμπεριλαμβάνω*) to count, to include
(δ) (*γκολ, καλάθι*) to allow (ε) (= *αναμετρώ*) to measure up (στ) (*δυνάμεις, δυνατότητες*) to estimate (ζ) (*κοροϊδ.: σκαλιά*) to fall down
② Ρ ΑΜ (α) (= *αριθμώ*) to count (β) (*γκολ, καλάθι*) to be allowed (γ) (= *αξίζω*) to count, to matter
▷ **μετράω ώρες** *ή* **μέρες** (= *πεθαίνω*) my days are numbered · (*για υπηρεσία ή θητεία*) to be counting the days
▸ **μετριέμαι** ΜΕΣΟΠΑΘ (α) (= *συγκρίνομαι*) to compare (β) (= *αξιολογούμαι*) to be estimated (γ) (= *αναμετριέμαι*) to take on

μετωνυμία ΟΥΣ ΘΗΛ metonymy

μετωπικός, -ή, -ό ΕΠΙΘ (α) (*λοβός, χώρα*) frontal (β) (*επίθεση*) frontal · (*σύγκρουση*) head–on
▸ **μετωπική** ΟΥΣ ΘΗΛ head–on collision

μέτωπο ΟΥΣ ΟΥΔ (α) (ΑΝΑΤ) forehead
(β) (ΣΤΡΑΤ: = *πρώτη γραμμή παράταξης*) front line · (= *ζώνη μαχών*) front (γ) (ΜΕΤΕΩΡ) front
▷ **ανοίγω μέτωπο με** κπν to start fighting with sb
▷ **κατά μέτωπον επίθεση** frontal attack
▷ **το μέτωπο κατά του έιτζ/των ναρκωτικών** the fight against AIDS/drugs

μέχρι, μέχρις ΠΡΟΘ (*όριο τοπικό*) (up) to · (*όριο χρονικό*) until · (*για προθεσμία*) by · (*όριο ποσοτικό ή αριθμητικό*) up to
▷ **έλα μέχρι εδώ** come here
▷ **έφτασε μέχρι την Αυστραλία** she got to *ή* reached Australia
▷ **θα σε πάω μέχρι την πόρτα** I'll see you to the door
▷ **μέχρι θανάτου** *ή* **εσχάτων** to the the death
▷ **μέχρι και** (= *ως και*) even · (= *ακόμη και: για τόπο*) up to · (*για χρόνο*) until
▷ **μέχρι να** until, till · (*για προθεσμία*) by the time
▷ **μέχρι να φτάσουμε, θα έχει νυχτώσει** by the time we get there, it'll be dark
▷ **μέχρι που** (= *ώσπου*) until · (*για έμφαση*) even
▷ **μέχρι τέλους** to the end
▷ **μέχρις ενός βαθμού** to an extent
▷ **μέχρις ενός σημείου** up to a point
▷ **μέχρις ώρας** (up) until now, up to now
▷ **περίμενε μέχρι να τελειώσω** wait until *ή* till I have finished
▷ **τα νερά ήρθαν** *ή* **έφτασαν μέχρι εδώ** the water came up to here
▷ **τρώω μέχρι σκασμού** to eat to bursting point

ΛΕΞΗ-ΚΛΕΙΔΙ

μη, μην ΜΟΡ (α) (*για απαγόρευση, συμβουλή, κατάρα*) do not, not ❏ **μη φωνάζετε!** don't shout! · **μη σε ξαναδώ εδώ μέσα, γιατί χάθηκες!** don't let me see you in here again because I'll kill you! · **μας ζήτησε να μη φύγουμε** he asked us not to leave · **μη λες πολλά, γιατί θα σου βγει σε κακό** don't say a lot because it will be to your disadvantage
▷ **μη σώσεις και μη φτάσεις!** damn you!
(β) : **να μη** if not ❏ **να μην της το πω, θα είναι σφάλμα** if I don't tell her, it'll be a mistake
(γ) : **(για) να μη** so that ... not ❏ **βγάλε έξω τα σκουπίδια για να μη μυρίσει η κουζίνα** take the rubbish (*Βρετ.*) *ή* garbage (*Αμερ.*) out so that the kitchen doesn't smell
(δ) (= *μήπως*) in case ❏ **ανησυχούσε μην τον ανακαλύψουν** he was worried in case they found him · **φοβάμαι μη μας άκουσαν** I'm afraid they may have heard us, I'm afraid in case they've heard us
(ε) (*για απορία*) by some chance ❏ **μην τυχόν νομίζεις ότι θέλουμε να σου κάνουμε κακό;** do you perhaps think that we want to harm you?
(στ) (*δηλώνει αντίστροφη έννοια*) non ❏ **εταιρεία μη κερδοσκοπικού χαρακτήρα** a non–profit–making company
▷ **αν μη τι άλλο** if nothing else, to say the least
▷ **μη!** don't!

μηδαμινός, -ή, -ό ΕΠΙΘ (*αποτέλεσμα, σημασία, ποσό*) insignificant · (*πράγμα*) trivial

μηδαμινότητα ΟΥΣ ΘΗΛ insignificance

μηδέν ΟΥΣ ΟΥΔ (α) (= *ανυπαρξία*) nothing
(β) (ΜΑΘ) zero, nought (*Βρετ.*) (γ) (*σε
θερμόμετρο*) zero (δ) (ΑΘΛ) nil (*Βρετ.*), zero
(*Αμερ.*) (ε) (*σε μάθημα*) zero

> *Προσοχή!: Ο πληθυντικός του* zero *είναι*
> zeros *ή* zeroes.

▷**αποτέλεσμα/πράξη μηδέν** no result/action
▷**μηδέν εις το πηλίκον** (*μτφ.*) nothing to
write home about

μηδενίζω Ρ Μ (α) (*έσοδα*) to cancel out
(β) (*γραπτό, μαθητή*) to give no marks to

μηδενικό ΟΥΣ ΟΥΔ (*αριθμός*) zero, nought
(*Βρετ.*)· (*για μάθημα*) zero· (*για πρόσ.*)
nobody, nonentity

μηδένιση ΟΥΣ ΘΗΛ (α) (*εσόδων*) cancelling
(*Βρετ.*) ή canceling (*Αμερ.*) out (β) (*γραπτού,
μαθητή*) allocation of no marks

μηδενισμός ΟΥΣ ΑΡΣ (α) (ΜΑΘ) cancelling
(*Βρετ.*) ή canceling (*Αμερ.*) out
(β) (= *μηδένιση: εσόδων*) cancelling (*Βρετ.*) ή
canceling (*Αμερ.*) out· (*γραπτού, μαθητή*)
allocation of no marks (γ) (ΦΙΛΟΣ, ΚΟΙΝΩΝ)
nihilism

μηδενιστής ΟΥΣ ΑΡΣ nihilist

μηδενιστικός, -ή, -ό ΕΠΙΘ (*τάση, αντίληψη*)
nihilistic

μηδενίστρια ΟΥΣ ΘΗΛ *βλ.* **μηδενιστής**

μήκος ΟΥΣ ΑΡΣ length
▷**βρίσκομαι στο ίδιο μήκος κύματος με** κπν
to be on the same wavelength as sb
▷**κατά μήκος** along
▷**κατά μήκος και κατά πλάτος** lengthwise
and breadthwise· (*μτφ.*) all over
▷**το μήκος τού δρόμου είναι δυο χιλιόμετρα**
the road is two kilometres (*Βρετ.*) ή
kilometers (*Αμερ.*) long

μηλιά ΟΥΣ ΘΗΛ apple tree
▷**το μήλο κάτω απ' τη μηλιά θα πέσει**
(*παροιμ.*) children follow in their parents'
footsteps

μηλίγγι ΟΥΣ ΟΥΔ = **μηνίγγι**

μηλίτης ΟΥΣ ΑΡΣ cider

μήλο ΟΥΣ ΟΥΔ (α) (*καρπός*) apple
(β) (*προσώπου*) cheekbone
▷**μήλο του Αδάμ** Adam's apple
▷**το μήλον της Έριδος** a bone of contention

μηλόπιτα ΟΥΣ ΘΗΛ apple pie

μη με λησμόνει ΟΥΣ ΟΥΔ ΑΚΛ forget–me–not

μη μου άπτου ΟΥΣ ΟΥΔ ΑΚΛ (*φυτό*)
touch–me–not
▷**είμαι μη μου άπτου** to be very delicate

μήνας ΟΥΣ ΑΡΣ month
▷**βρέφος έξι μηνών** six–month–old baby
▷**βρίσκω τον μήνα που τρέφει τους έντεκα**
to strike gold
▷**είμαι στον μήνα μου** (*για εγκύους*) to be in
the last month of pregnancy
▷**εννιά έχει ο μήνας, (κι) ο μήνας έχει εννιά**

he/she couldn't care less
▷**μήνας μπαίνει, μήνας βγαίνει** month in,
month out
▸**μήνας του μέλιτος** honeymoon

μηνιαίος, -α, -ο ΕΠΙΘ monthly

μηνιάτικο ΟΥΣ ΟΥΔ (α) (= *μηνιαίος μισθός*)
monthly salary (β) (= *ενοίκιο μήνα*) month's
rent

μηνίγγι ΟΥΣ ΟΥΔ temple

μηνιγγίτιδα ΟΥΣ ΘΗΛ meningitis

μήνις (*επίσ.*) ΟΥΣ ΘΗΛ: **προκαλώ την μήνιν**
κποιου to incur sb's wrath (*επίσ.*)

μηνίσκος ΟΥΣ ΑΡΣ (ΑΝΑΤ) meniscus

> *Προσοχή!: Ο πληθυντικός του* meniscus
> *είναι* menisci.

▷**παθαίνω μηνίσκο** to have knee trouble

μήνυμα ΟΥΣ ΟΥΔ (α) (*σε τηλεφωνητή,
υπολογιστή*) message (β) (*ειρήνης, κόμματος,
βιβλίου, ταινίας*) message (γ) (*καιρών*) sign
(δ) (*για μέσα ενημέρωσης*) news εν.

> *Προσοχή!: Αν και το* news *φαίνεται ως
> τύπος πληθυντικού, είναι ουσιαστικό
> μόνο στον ενικό και συντάσσεται με
> ρήμα στον ενικό.*

μήνυση ΟΥΣ ΘΗΛ lawsuit, suit

μηνυτής ΟΥΣ ΑΡΣ (ΝΟΜ) prosecutor

μηνύτρια ΟΥΣ ΘΗΛ *βλ.* **μηνυτής**

μηνύω Ρ Μ to prosecute

μηνώ Ρ Μ to send word

μήπως ΣΥΝΔ (= *μην*) by any chance
▷**μήπως ακούς και κανέναν;** do you ever
listen to anyone?
▷**μήπως είδες το βιβλίο μου;** have you seen
my book by any chance?
▷**μήπως χάθηκαν;** maybe they got lost
▷**ρώτησέ τους μήπως θέλουν νερό** ask them
if they want some water
▷**φοβάμαι μήπως αποτύχω** I'm afraid I might
fail

μηριαίος, -α, -ο ΕΠΙΘ (*οστούν, μύες*) thigh

μηρός ΟΥΣ ΑΡΣ (ΑΝΑΤ) thigh · (ΖΩΟΛ) haunch

μηρυκάζω Ρ Μ (α) (*τροφή*) to chew
(β) (*αρνητ.: λόγια, απόψεις*) to regurgitate

μηρυκασμός ΟΥΣ ΑΡΣ (α) (ΖΩΟΛ) rumination
(β) (*αρνητ.: λόγων, απόψεων*) regurgitation

μηρυκαστικός, -ή, -ό ΕΠΙΘ (*ζώο*) ruminant
▸**μηρυκαστικό** ΟΥΣ ΟΥΔ ruminant

μητέρα ΟΥΣ ΘΗΛ (α) (*ανθρώπου, ζώου*)
mother (β) (*δημοκρατίας, πολιτισμού, τέχνης*)
cradle (γ) (*γεγονότος, κατάστασης*) cause
▸**γιορτή της μητέρας** Mother's Day
▸**θετή μητέρα** adoptive mother
▸**φυσική μητέρα** birth mother, natural
mother
▸**μητέρα-γη** mother earth
▸**μητέρα-πατρίδα** homeland, mother country
▸**μητέρα-φύση** Mother Nature

μήτηρ (*επίσ.*) ΟΥΣ ΘΗΛ mother · *βλ. κ.* **μητέρα**

M

μήτρα ουσ θηλ **(α)** (ΑΝΑΤ, ΖΩΟΛ) uterus, womb **(β)** (= καλούπι) mould (Βρετ.), mold (Αμερ.), matrix

> *Προσοχή!: Ο πληθυντικός του* **matrix** *είναι* **matrices** *ή* **matrixes.**

(γ) (ιδεών, πολιτισμού) origins πληθ.

μητριά ουσ θηλ **(α)** (= μη φυσική μητέρα) stepmother **(β)** (= άστοργη μητέρα) bad mother

μητριαρχία ουσ θηλ matriarchy

μητριαρχικός, -ή, -ό επιθ matriarchal

μητρικός¹, -ή, -ό επιθ **(α)** (ένστικτο) maternal · (αγάπη, αγκαλιά) motherly · (χάδια, γάλα) mother's · (μορφή) mother **(β)** (συμπεριφορά) maternal
► **μητρική γλώσσα** (ΓΛΩΣΣ) mother tongue
► **μητρική εταιρεία** (ΟΙΚΟΝ) parent company
► **μητρική κάρτα** (ΠΛΗΡΟΦ) motherboard

μητρικός², -ή, -ό επιθ (κόλπος) uterine · (νόσημα) of the uterus ή womb
► **μητρικά** ουσ ουδ πληθ diseases of the uterus ή womb

μητριός ουσ αρσ = **πατριός**

μητροκτονία ουσ θηλ matricide

μητροκτόνος ουσ αρσθηλ matricide

μητρομανής ουσ θηλ nymphomaniac

μητρομανία ουσ θηλ nymphomania

μητρόπολη ουσ θηλ **(α)** (= χώρα με αποικίες) metropolis **(β)** (ΑΡΧ ΙΣΤ) metropolis **(γ)** (= μεγαλούπολη) capital **(δ)** (τεχνών, πολιτισμού, οικονομίας) capital
► **Μητρόπολη** ουσ θηλ **(α)** (= καθεδρικός ναός) cathedral **(β)** (= έδρα μητροπολίτη) metropolis, see · (= κατοικία μητροπολίτη) palace **(γ)** (= περιοχή δικαιοδοσίας μητροπολίτη) diocese

μητροπολίτης ουσ αρσ metropolitan bishop

μητροπολιτικός, -ή, -ό επιθ metropolitan
► **μητροπολιτικός ναός** cathedral
► **μητροπολιτικός σιδηρόδρομος** (επίσ.) underground (Βρετ.), subway (Αμερ.)

μητρότητα ουσ θηλ **(α)** (γυναίκας) maternity, motherhood **(β)** (= μητρική συμπεριφορά) motherliness

μητρυιά ουσ θηλ = **μητριά**

μητρωνυμικός, -ή, -ό επιθ (επώνυμο) from the mother's side

μητρώο ουσ ουδ record
► **αριθμός φορολογικού μητρώου** tax reference number
► **ποινικό μητρώο** criminal record
► **φορολογικό μητρώο** tax register

μηχανάκι ουσ ουδ **(α)** (= μοτοσυκλέτα μικρού κυβισμού) scooter **(β)** (= μαραφέτι) gadget

μηχανεύομαι ρ μ αποθ (τρόπο, σχέδιο, τέχνασμα) to devise, to come up with

μηχανή ουσ θηλ **(α)** (γενικότ.) machine **(β)** (= κινητήρας) engine, motor **(γ)** (= μοτοσυκλέτα) motorbike, motorcycle **(δ)** (βαγόνι τρένου) engine, locomotive

> **από μηχανής θεός** deus ex machina · (μτφ.) a miracle
> **χτυπάω κτ στη μηχανή** to type sth
► **κρατική μηχανή** government ή state machine
► **πολεμική μηχανή** war machine
► **πολιορκητική μηχανή** siege engine
► **υπολογιστική μηχανή** calculator
► **φωτογραφική μηχανή** camera
► **μηχανή αναζήτησης** (ΠΛΗΡΟΦ) search engine
► **μηχανή λήψεως** camera

μηχάνημα ουσ ουδ machine, piece of machinery
► **γεωργικό μηχάνημα** agricultural ή farm machinery
► **ιατρικό/οδοντιατρικό μηχάνημα** medical/dental equipment

μηχανικά επιρρ **(α)** (μεταφέρω, καθαρίζω, παράγω) automatically **(β)** (μτφ.: κινούμαι, ενεργώ, συμπεριφέρομαι) automatically, instinctively · (απαντώ, μιλώ, δουλεύω) without thinking · (κοιτάζω) absent–mindedly

μηχανικά ουσ θηλ mechanics εν.

> *Προσοχή!: Αν και το* **mechanics** *φαίνεται ως τύπος πληθυντικού, είναι ουσιαστικό μόνο στον ενικό και συντάσσεται με ρήμα στον ενικό.*

Μηχανικό ουσ ουδ (ΣΤΡΑΤ) Engineers, Royal Engineers (Βρετ.)

μηχανικός¹ ουσ αρσθηλ **(α)** (επάγγελμα) engineer · (αυτοκινήτων) mechanic **(β)** (ΝΑΥΤ) engineer
► **μηχανικός ηχοληψίας** sound engineer
► **πολιτικός μηχανικός** civil engineer

μηχανικός², -ή, -ό επιθ **(α)** (σύστημα, δύναμη, ιδιότητα, ενέργεια) mechanical **(β)** (παραγωγή, εγκατάσταση) machine · (αντλία) mechanical **(γ)** (λειτουργία) mechanical · (μετάφραση) machine **(δ)** (κίνηση, απάντηση) mechanical · (βλέμμα) absent–minded
► **μηχανική βλάβη** engine trouble
► **μηχανική γραφομηχανή** manual typewriter
► **μηχανικός εξοπλισμός** machinery
► **μηχανική υποστήριξη** life–support machine

μηχανισμός ουσ αρσ **(α)** (ρολογιού, μετακίνησης, έλξης) mechanism **(β)** (γλώσσας) mechanics πληθ. · (υποσυνείδητου, μυαλού) workings πληθ. **(γ)** (διοίκησης, πολιτικής, αγοράς, ελέγχου) mechanism
► **εκρηκτικός μηχανισμός** explosive device
► **κομματικός μηχανισμός** party machine
► **κρατικός μηχανισμός** government ή state machine

μηχανογραφικός, -ή, -ό επιθ (κέντρο, έλεγχος, υπηρεσία) computer
► **μηχανογραφική οργάνωση** computerization

μηχανοδηγός ουσ αρσ engine driver

μηχανοκίνητος, -η, -ο επιθ motorized

μηχανολογία ΟΥΣ ΘΗΛ mechanical engineering

μηχανολογικός, -ή, -ό ΕΠΙΘ mechanical

μηχανολόγος ΟΥΣ ΑΡΣ/ΘΗΛ mechanical engineer

▶ **μηχανολόγος μηχανικός** mechanical engineer

μηχανοποίηση ΟΥΣ ΘΗΛ (α) (*παραγωγής, εργασίας*) mechanization (β) (*ανθρώπου, ζωής*) making robotic

μηχανοποιώ Ρ Μ (α) (*εργασία, παραγωγή, βιοτεχνία*) to mechanize (β) (*ζωή*) to make robotic

μηχανοργάνωση ΟΥΣ ΘΗΛ computerization

μηχανορραφία ΟΥΣ ΘΗΛ machination, scheming *χωρίς πληθ.*

μηχανορράφος ΟΥΣ ΑΡΣ/ΘΗΛ schemer

μηχανορραφώ Ρ ΑΜ to plot, to scheme

μηχανοστάσιο ΟΥΣ ΟΥΔ (α) (*ανελκυστήρα, κλιματισμού*) engine room (β) (*λεωφορείων, τρένων*) shed

μηχανοτεχνίτης ΟΥΣ ΑΡΣ machinist

μηχανουργείο ΟΥΣ ΟΥΔ machine shop

μηχανουργός ΟΥΣ ΑΡΣ/ΘΗΛ (α) (*κατασκευής και επιδιόρθωσης μηχανών*) machinist (β) (*χειρισμού μηχανών*) machine operator

μι¹ ΟΥΣ ΟΥΔ ΑΚΛ mu, *twelfth letter of the Greek alphabet*

μι² ΟΥΣ ΟΥΔ ΑΚΛ (ΜΟΥΣ) mi

μία, μια ΑΝΤΩΝ *βλ.* **ένας**

μιαίνω Ρ Μ (α) (*χέρια*) to stain (β) (*τιμή, αρχές*) to sully (γ) (*ναό, τάφο*) to desecrate

μιάμιση ΕΠΙΘ *βλ.* **ενάμισης**

μίανση ΟΥΣ ΘΗΛ (α) (*τιμής, αρχών*) sullying (β) (*ναού, τάφου*) desecration

μιαρός, -ή, -ό ΕΠΙΘ (α) (= *βέβηλος*) impure (β) (= *ανήθικος*) immoral

μίασμα ΟΥΣ ΟΥΔ taint

μιγαδικός αριθμός ΟΥΣ ΑΡΣ (ΜΑΘ) complex number

μιγάς ΟΥΣ ΑΡΣ/ΘΗΛ person of mixed blood

μίγδην (*επίσ.*) ΕΠΙΡΡ: **φύρδην μίγδην** topsy-turvy (*ανεπ.*), in a mess

μίγμα ΟΥΣ ΟΥΔ = **μείγμα**

μίζα ΟΥΣ ΘΗΛ (α) (*αυτοκινήτου, μηχανής*) ignition, starter (β) (*αρνητ.: εταιρείας, πολιτικού*) payoff (γ) (*στη χαρτοπαιξία: παίκτη*) ante, stake
▷ **παίρνω μίζα** (*αρνητ.*) to get a payoff

μιζαδόρος (*αρνητ.*) ΟΥΣ ΑΡΣ person receiving a payoff

μιζέρια ΟΥΣ ΘΗΛ (α) (= *μεγάλη φτώχεια*) extreme poverty, destitution (β) (= *κακομοιριά*) misery · (= *γκρίνια*) peevishness (γ) (= *τσιγγουνιά*) meanness

μίζερος, -η, -ο ΕΠΙΘ (α) (= *άθλιος*) wretched (β) (= *κακόμοιρος*) miserable · (= *γκρινιάρης*) peevish (γ) (= *τσιγγούνης*) mean, miserly

μικραίνω ① Ρ Μ (*ρούχο, απόσταση*) to shorten · (*εικόνα*) to make smaller · (*μτφ.*) to diminish
② Ρ ΑΜ (*διαφορά, κόσμος*) to get smaller · (*μάτια*) to narrow · (*μέρες*) to get shorter, to draw in · (*σημασία*) to decline
▷ **μικραίνω κπν** (*χτένισμα, ντύσιμο, βάψιμο*) to make sb look younger

Μικρασία ΟΥΣ ΘΗΛ = **Μικρά Ασία**

Μικρά Ασία ΟΥΣ ΘΗΛ Asia Minor

μικρασιατικός, -ή, -ό ΕΠΙΘ of Asia Minor

μικράτα ΟΥΣ ΟΥΔ ΠΛΗΘ childhood *εν.*

μικρέμπορος ΟΥΣ ΑΡΣ (α) (= *που έχει μικρή επιχείρηση*) owner of a small business (β) (= *ψιλικατζής*) shopkeeper (*Βρετ.*), store owner (*Αμερ.*)

μικροαστή ΟΥΣ ΘΗΛ *βλ.* **μικροαστός**

μικροαστικός, -ή, -ό ΕΠΙΘ lower middle-class
▶ **μικροαστική τάξη** lower middle class

μικροαστός ΟΥΣ ΑΡΣ (α) (= *μέλος μικροαστικής τάξης*) member of the lower middle class (β) (*μειωτ.*) petit bourgeois

μικροβιακός, -ή, -ό ΕΠΙΘ (*καλλιέργεια*) microbial · (*αλλοίωση, λοίμωξη*) bacterial

μικρόβιο ΟΥΣ ΟΥΔ (α) (*φυματίωσης, πανούκλας, σύφιλης*) microbe, germ · (*επίσης* **μτφ.**) bug (β) (*οικ.*: = *μικρόσωμο άτομο*) shrimp (*ανεπ.*)

μικροβιολογία ΟΥΣ ΘΗΛ microbiology

μικροβιολογικός, -ή, -ό ΕΠΙΘ microbiological

μικροβιολόγος ΟΥΣ ΑΡΣ/ΘΗΛ microbiologist

μικρογραφία ΟΥΣ ΘΗΛ (α) (*ζωγραφικό έργο, τέχνη*) miniature (β) (*πόλης*) model · (*κοινωνίας*) microcosm

μικρογραφικός, -ή, -ό ΕΠΙΘ miniature

μικροδείχνω Ρ ΑΜ to look younger

μικροδιαφορά ΟΥΣ ΘΗΛ (α) (= *ασήμαντη διαφορά*) small difference (β) (= *ευτελής αντιδικία*) quarrel

μικροενόχληση ΟΥΣ ΘΗΛ petty problem

μικροέξοδα ΟΥΣ ΟΥΔ ΠΛΗΘ day-to-day expenses

μικροεπεξεργαστής ΟΥΣ ΑΡΣ (ΠΛΗΡΟΦ) microprocessor

μικροηλεκτρονική ΟΥΣ ΘΗΛ microelectronics *εν.*

> *Προσοχή!: Αν και το* **microelectronics** *φαίνεται ως τύπος πληθυντικού, είναι ουσιαστικά μόνο στον ενικό και συντάσσεται με ρήμα στον ενικό.*

μικροκαβγαδάκι ΟΥΣ ΟΥΔ tiff

μικροκαμωμένος, -η, -ο ΕΠΙΘ (α) (*άνθρωπος*) slight, slightly-built (β) (*σώμα, χέρι*) small

μικρόκοσμος ΟΥΣ ΑΡΣ (α) (= *μικρογραφία κόσμου*) microcosm (β) (ΦΙΛΟΣ) microcosm (γ) (= *σύνολο μικρών παιδιών*) small children *πληθ.*

μικροκύματα ΟΥΣ ΟΥΔ ΠΛΗΘ microwaves

M

μικρολεπτομέρεια ΟΥΣ ΘΗΛ small detail

μικρομεσαίος, -α, -ο ΕΠΙΘ (*επιχείρηση*) medium–sized

▸**μικρομεσαίοι** ΟΥΣ ΑΡΣ ΠΛΗΘ medium–sized companies

μικροοικονομία ΟΥΣ ΘΗΛ microeconomics *εν.*

> *Προσοχή!: Αν και το* **microeconomics** *φαίνεται ως τύπος πληθυντικού, είναι ουσιαστικό μόνο στον ενικό και συντάσσεται με ρήμα στον ενικό.*

μικροοικονομικός, -ή, -ό ΕΠΙΘ (*ανάλυση*) microeconomic

μικροπαντρεμένος, -η, -ο ΕΠΙΘ who married young

μικροπράγματα ΟΥΣ ΟΥΔ ΠΛΗΘ (α) (= *αντικείμενα μικρής αξίας*) odds and ends (β) (= *ασήμαντα ζητήματα*) trifles

μικροπρέπεια ΟΥΣ ΘΗΛ (α) (*ατόμου*) pettiness (β) (*πράξη*) petty act

μικροπρεπής, -ής, -ές ΕΠΙΘ petty

μικροπωλητής ΟΥΣ ΑΡΣ street vendor

μικροπωλήτρια ΟΥΣ ΘΗΛ *βλ.* **μικροπωλητής**

μικρός, -ή, -ό ΕΠΙΘ (α) (*σπίτι, πόλη, αυτοκίνητο, τραπέζι, νούμερο*) small · (*απόσταση*) short, small · (*δείκτης*) little (β) (*σε ηλικία*) young · (*παιδί, σκύλος*) small, young · (*αδελφός, αδελφή*) younger · (*ζώα*) baby (γ) (*καθυστέρηση, διάλειμμα, διακοπή*) short, small (δ) (*δόση, μερίδα*) small (ε) (*ποσό*) small · (*κέρδη*) low, small · (*αποζημίωση*) little (στ) (*ακροατήριο, κοινό*) small (ζ) (*πόνος, λεπτομέρεια*) small · (*λάθος*) small, little · (*διαφορά*) slight · (*ταχύτητα*) low · (*χαρά*) little (η) (*γράμμα*) small, lower case

> ⊳**ή μικρός-μικρός παντρέψου ή μικρός καλογερέψου** (*παροιμ.*) marry young or die young

▸**μικρές αγγελίες** small ads, classified advertisements

▸**μικρό** ΟΥΣ ΟΥΔ (*ανθρώπου*) child · (*ζώου*) baby · (*αρκούδας, λύκου, λιονταριού*) cub · (*σκύλου*) puppy · (*γάτας*) kitten · (*πάπιας*) duckling · (*αλόγου*) foal · (*προβάτου*) lamb · (*αγελάδας*) calf

> *Προσοχή!: Ο πληθυντικός του* **child** *είναι* **children***. Ο πληθυντικός του* **calf** *είναι* **calves***.*

⊳**από μικρό κι από τρελό μαθαίνεις την αλήθεια** (*παροιμ.*) out of the mouths of babes (*παροιμ.*)

▸**μικρός** ΟΥΣ ΑΡΣ (α) (= *νεαρός*) boy (β) (= *σερβιτόρος*) waiter (γ) (= *βοηθός*) errand boy

▸**μικροί** ΟΥΣ ΑΡΣ ΠΛΗΘ (α) (= *παιδιά*) children (β) (= *αδύνατοι*) little people

⊳**μικροί και μεγάλοι** young and old

μικροσκοπικός, -ή, -ό ΕΠΙΘ (*εξέταση*) using a microscope (β) (*γράμματα*) microscopic · (*σώμα, ρούχο*) tiny

μικροσκόπιο ΟΥΣ ΟΥΔ microscope

▸**ηλεκτρονικό μικροσκόπιο** electron microscope

μικρόσωμος, -ή, -ό ΕΠΙΘ small

μικροτεχνία ΟΥΣ ΘΗΛ miniature

μικροτεχνίτης ΟΥΣ ΑΡΣ miniaturist

μικροτεχνίτρα ΟΥΣ ΘΗΛ *βλ.* **μικροτεχνίτης**

μικρότητα ΟΥΣ ΘΗΛ (α) (= *μικροπρέπεια*) pettiness (β) (= *μικροπρεπής πράξη*) petty act

μικρούλης, -α, -ι (*υποκορ.*) ΕΠΙΘ (*παιδί, γάτα, ποτήρι*) little

μικρούτσικος, -η, *ή* -ια, ικο (*υποκορ.*) ΕΠΙΘ (*παιδί, τσάντα*) little

μικρόφωνο ΟΥΣ ΟΥΔ microphone

μικροχαρά ΟΥΣ ΘΗΛ small pleasure

μικροψυχία ΟΥΣ ΘΗΛ (α) (= *έλλειψη ανωτερότητας*) pettiness (β) (= *δειλία*) faintheartedness

μικρόψυχος, -η, -ο ΕΠΙΘ (α) (= *ποταπός*) small–minded (β) (= *δειλός*) fainthearted

μικρύνω (*επίσ.*) Ρ Μ = **μικραίνω**

μικτός, -ή, -ό ΕΠΙΘ (α) (*αποτελέσματα, λουτρά, παιχνίδια*) mixed (β) (*κέρδη, βάρος*) gross

▸**μικτός αριθμός** composite number

▸**μικτός γάμος** mixed marriage

▸**μικτό σχολείο** co–educational school, co–ed

Μιλάνο ΟΥΣ ΟΥΔ Milan

μίλημα (*λογοτ.*) ΟΥΣ ΟΥΔ speech

μιλημένος, -η, -ο ΕΠΙΘ: **είμαι μιλημένος** to have been brought onside

⊳**τα 'χω μιλημένα (με κπν)** to have come to an understanding (with sb)

Μίλητος ΟΥΣ ΘΗΛ Miletus

μίλι ΟΥΣ ΟΥΔ mile

▸**ναυτικό μίλι** nautical mile

μιλιά (*ανεπ.*) ΟΥΣ ΘΗΛ speech

⊳**δεν βγάζω μιλιά** not to say a word

⊳**δεν θέλω μιλιά!** don't say a word!

⊳**χάνω τη μιλιά μου** (*μτφ.*) to be struck dumb, to be left speechless

⊳**μιλιά!** (*προφορ.*) shut up! (*ανεπ.*)

μιλιγκράμ ΟΥΣ ΟΥΔ ΑΚΛ = **χιλιοστόγραμμο**

μιλιμέτρ ΟΥΣ ΟΥΔ ΑΚΛ = **χιλιοστόμετρο**

μιλιμετρέ ΕΠΙΘ ΑΚΛ (*χαρτί*) squared

μιλιταρισμός ΟΥΣ ΑΡΣ militarism

μιλιταριστής ΟΥΣ ΑΡΣ militarist

μιλιταρίστρια ΟΥΣ ΘΗΛ *βλ.* **μιλιταριστής**

μιλώ ⬛1 Ρ Μ (α) (= *απευθύνω λόγο*) to speak to, to talk to (β) (= *προσπαθώ να πείσω*) to speak to, to talk to (γ) (*γλώσσα, διάλεκτο*) to speak

⬛2 Ρ ΑΜ (α) (*γενικότ.*) to talk *ή* speak (*για, σε about, to*) (β) (= *έχω τον λόγο*) to speak (γ) (= *εκφράζω δυσαρέσκεια*) to speak out, to say something (δ) (= *συζητώ, φλυαρώ*) to talk (ε) (*πράξεις, μάτια, σώμα*) to speak

⊳**άκου *ή* κοίτα ποιος μιλάει!** (*ειρων.*) look who's talking!

▷**μη μιλήσεις πουθενά** don't mention it to anyone
▷**μιλάμε για πολύ φάση χθες στο πάρτι!** it was great fun at the party yesterday!
▷**μιλώ για** κπν/κτ to talk about sb/sth · (*βιβλίο, ταινία*) to be about sb/sth
▷**μιλάω έξω από τα δόντια** to be outspoken, not to mince one's words
▷**μιλάω έξω από τα δόντια σε** κπν to talk to sb straight
▷**μιλώ με επιχειρήματα** to put forward arguments
▷**μιλώ με** κπν to talk to sb, to speak with sb
▷**μιλώ σε** κπν to speak to sb
▷**μιλάω στην καρδιά/ψυχή κποιου** to touch sb's heart/soul
▷**μιλώ υπέρ/κατά κποιου** to speak for/against sb
▷**πρέπει να μιλήσουμε** we need to talk
▷**το πράγμα μιλάει (από) μόνο του** it speaks for itself
▸**μιλιέμαι** ΜΕΣΟΠΑΘ (*γλώσσα*) to be spoken
▷**δεν μιλιέμαι** to refuse to speak
▷**δεν μιλιέμαι με** κπν not to be on speaking terms with sb

μίμηση ΟΥΣ ΘΗΛ (α) (*προτύπου*) imitation (β) (*κινήσεων, τρόπων, συμπεριφοράς*) mimicry (γ) (*πολιτικών*) impersonation
μιμητής ΟΥΣ ΑΡΣ imitator
μιμητικός, -ή, -ό ΕΠΙΘ imitative
▸**μιμητική** ΟΥΣ ΘΗΛ mimicry
μιμητισμός ΟΥΣ ΑΡΣ (αρνητ.: = *μίμηση*) mimicry
μιμική ΟΥΣ ΘΗΛ mimicry
μιμήτρια ΟΥΣ ΘΗΛ = **μιμητής**
μιμόδραμα ΟΥΣ ΟΥΔ mime show
μίμος ΟΥΣ ΑΡΣ (α) (= *ικανός να μιμείται άλλους*) mimic (β) (*ηθοποιός*) mime (artist) (γ) (= *παντομίμα*) mime
μιμούμαι Ρ Μ ΑΠΟΘ (α) (*συμπεριφορά, τρόπους*) to mimic (β) (*πρότυπο*) to imitate, to copy
μιναρές ΟΥΣ ΑΡΣ minaret
μίνι ΕΠΙΘ ΑΚΛ mini
▸**μίνι λεωφορείο** minibus
▸**μίνι** ΟΥΣ ΟΥΔ miniskirt
μινιατούρα ΟΥΣ ΘΗΛ miniature
μίνιο ΟΥΣ ΟΥΔ (α) (ΧΗΜ) red lead, minium (β) (= *αντισκωριακή βαφή*) anti–rust primer
μινόρε ΟΥΣ ΟΥΔ ΑΚΛ minor
μίντια ΟΥΣ ΟΥΔ ΠΛΗΘ ΑΚΛ media
μινωικός, -ή, -ό ΕΠΙΘ Minoan

Προσοχή!: Τα εθνικά επίθετα, όπως **Minoan**, *γράφονται με κεφαλαίο το αρχικό γράμμα στα Αγγλικά.*

▸**μινωικός πολιτισμός** Minoan civilization
μιξάζ ΟΥΣ ΟΥΔ ΑΚΛ (sound) mixing
μιξάρω Ρ Μ to mix
μίξερ ΟΥΣ ΟΥΔ ΑΚΛ (sound) mixer
μίξη ΟΥΣ ΘΗΛ = **μείξη**

μιξοπαρθένα (*ειρων.*) ΟΥΣ ΘΗΛ = **μειξοπαρθένα**
μιούζικαλ ΟΥΣ ΟΥΔ ΑΚΛ musical
μισαλλοδοξία ΟΥΣ ΘΗΛ intolerance, bigotry
μισαλλόδοξος, -η, -ο ΕΠΙΘ intolerant, bigoted
μισανθρωπία ΟΥΣ ΘΗΛ misanthropy
μισάνθρωπος ΟΥΣ ΑΡΣ misanthrope
μισάνοιχτος, -η, -ο ΕΠΙΘ (*πόρτα*) ajar · (*χείλη, συρτάρι, μάτια*) half–open
μισάωρο ΟΥΣ ΟΥΔ half an hour
μισεμός (*λογοτ.*) ΟΥΣ ΑΡΣ emigration
μισεύω (*λογοτ.*) Ρ ΑΜ to emigrate
μισητός, -ή, -ό ΕΠΙΘ hateful, odious
μίσθιο (*επίσ.*) ΟΥΣ ΟΥΔ rented property · (= *ενοίκιο*) rent
μισθοδοσία ΟΥΣ ΘΗΛ (α) (= *καταβολή μισθού*) payment of wages (β) (= *μηνιαίες αποδοχές*) pay, salary, wage
▸**ημέρα μισθοδοσίας** payday
μισθοδοτικός, -ή, -ό ΕΠΙΘ (*κατάσταση, λογαριασμός*) salary
μισθοδοτώ Ρ Μ to pay
μισθολόγιο ΟΥΣ ΟΥΔ salary scale
μισθός ΟΥΣ ΑΡΣ (*υπαλλήλου*) salary, pay · (*εργάτη*) wage, pay
▸**βασικός ή κατώτατος μισθός** basic pay ή wage
▸**πρώτος μισθός** starting salary
μισθοσυντήρητος, -η, -ο ΕΠΙΘ wage–earning
μισθοφορικός, -ή, -ό ΕΠΙΘ mercenary
μισθοφόρος ΟΥΣ ΑΡΣ mercenary
μίσθωμα (*επίσ.*) ΟΥΣ ΟΥΔ rental
μισθώνω (*επίσ.*) Ρ Μ (α) (*όχημα*) to hire, to rent · (*διαμέρισμα, κτήριο*) to rent (β) (*εργάτη*) to hire, to take on
μίσθωση ΟΥΣ ΘΗΛ (ΝΟΜ) lease
μισθωτήριο ΟΥΣ ΟΥΔ (ΝΟΜ) lease
μισθωτής ΟΥΣ ΑΡΣ (ΝΟΜ) (α) (*κτηρίου*) lessee, leaseholder · (*διαμερίσματος*) tenant · (*οχήματος*) hirer, renter (β) (*εργατών*) employer
μισθωτικός, -ή, -ό ΕΠΙΘ (ΝΟΜ: αξία) lease
▸**μισθωτική σύμβαση** tenancy agreement
μισθωτός, -ή, -ό ΕΠΙΘ (*εργάτης*) paid · (*υπάλληλος*) salaried
▸**μισθωτοί** ΟΥΣ ΑΡΣ ΠΛΗΘ wage earners
μισθώτρια ΟΥΣ ΘΗΛ (ΝΟΜ) *βλ.* **μισθωτής**
μισό ΟΥΣ ΟΥΔ half

Προσοχή!: Ο πληθυντικός του **half** *είναι* **halves**.

▷**μειώνω** κτ **στο μισό** to halve sth
▷**μισό-μισό, μισά-μισά** fifty–fifty
μισογεμάτος, -η, -ο ΕΠΙΘ half–full
μισογύνης ΟΥΣ ΑΡΣ misogynist
μισογυνισμός ΟΥΣ ΑΡΣ misogyny
μισόκλειστος, -η, -ο ΕΠΙΘ half–closed

M

μισόλογα ΟΥΣ ΟΥΔ ΠΛΗΘ mumblings

μισός, -ή, -ό ΕΠΙΘ half
▷**αφήνω κτ μισό** to leave sth half–finished
▷**ένας βλάκας και μισός** (υβρ.) a complete idiot
▷**κάνω μισές δουλειές** to do things by halves
▷**μένω μισός** (οικ.) to lose a lot of weight
▷**ο μισός πληθυσμός** half the population
▷**στα μισά του δρόμου/της προσπάθειας** halfway along the road/through the attempt
▸**μισή ώρα** half an hour

μίσος ΟΥΣ ΟΥΔ hate, hatred
▷**τρέφω μίσος εναντίον κποιου** to be filled with hate ή hatred for sb

μισοσκόταδο ΟΥΣ ΟΥΔ half–light

μισοτελειωμένος, -η, -ο ΕΠΙΘ (δουλειά) half–finished · (γράμμα) half–written · (τσιγάρο) half–smoked

μισοτιμής ΕΠΙΡΡ (α) (= στη μισή τιμή) at half–price (β) (= πολύ φθηνά) at a very low price
▷**δίνονται μισοτιμής** they're practically giving them away

μισοφέγγαρο ΟΥΣ ΟΥΔ (α) (= ημισέληνος) half–moon (β) (= μουσουλμανικό σύμβολο) crescent

μίσχος ΟΥΣ ΑΡΣ stalk, stem

μισώ Ρ Μ to hate

μίτινγκ ΟΥΣ ΟΥΔ ΑΚΛ meeting

μίτρα ΟΥΣ ΘΗΛ mitre (Βρετ.), miter (Αμερ.)

μνεία ΟΥΣ ΘΗΛ reference, mention

μνήμα ΟΥΣ ΟΥΔ tomb, grave

μνημειακός, -ή, -ό ΕΠΙΘ (τέχνη, γλυπτική) monumental

μνημείο ΟΥΣ ΟΥΔ (α) (πεσόντων, Άγνωστου Στρατιώτη) memorial, monument (β) (Ακρόπολης, Παρθενώνα) monument (γ) (λόγου) record

μνημειώδης, -ης, -ες ΕΠΙΘ (α) (άγαλμα, γλυπτά) monumental (β) (παράσταση) spectacular (γ) (νίκη, ανακάλυψη) historic

μνήμη ΟΥΣ ΘΗΛ (επίσης ΠΛΗΡΟΦ) memory
▷**από μνήμης** from memory
▷**εις μνήμην** +γεν. in memory of
▷**μνήμη ελεφάντα** a memory like an elephant
▷**φέρνω κτ στη μνήμη μου** to remember sth, to call sth to mind
▸**μνήμη μόνο αναγνώσιμη** (ΠΛΗΡΟΦ) read only memory, ROM
▸**μνήμη τυχαίας προσπέλασης** (ΠΛΗΡΟΦ) random access memory, RAM
▸**μνήμες** ΠΛΗΘ memories

μνημόνευση ΟΥΣ ΘΗΛ (α) (ανθρώπου) mention (β) (ΘΡΗΣΚ) commemoration

μνημονεύω Ρ Μ (α) (συντελεστές, συνεργάτες) to mention, to cite (β) (ΘΡΗΣΚ) to commemorate

μνημονικό ΟΥΣ ΟΥΔ memory
▷**έχω καλό/κακό μνημονικό** to have a good/bad memory

μνημονικός, -ή, -ό ΕΠΙΘ: **μνημονική ικανότητα** power of recall

μνημόνιο (επίσ.) ΟΥΣ ΟΥΔ memorandum, memo

> *Προσοχή!: Ο πληθυντικός του* **memorandum** *είναι* **memoranda**.

μνημόσυνο ΟΥΣ ΟΥΔ (α) (νεκρού) memorial service (β) (φιλολόγου, λογοτέχνη) commemoration

μνήσθητί μου Κύριε ΕΠΙΦΩΝ good lord!

μνησικακία ΟΥΣ ΘΗΛ rancour (Βρετ.), rancor (Αμερ.)

μνησίκακος, -η, -ο ΕΠΙΘ resentful, spiteful

μνήστευση (επίσ.) ΟΥΣ ΘΗΛ betrothal

μνηστεύω (επίσ.) Ρ Μ to betroth
▸**μνηστεύομαι** ΜΕΣΟΠΑΘ to get engaged

μνηστή (επίσ.) ΟΥΣ ΘΗΛ fiancée

μνηστήρας ΟΥΣ ΑΡΣ (α) (επίσ.) fiancé (β) (εξουσίας) pretender

μοβ ΕΠΙΘ ΑΚΛ mauve
▸**μοβ** ΟΥΣ ΟΥΔ mauve

μογγολισμός ΟΥΣ ΑΡΣ (ΙΑΤΡ) Down's syndrome (Βρετ.), Down syndrome (Αμερ.)

μόδα ΟΥΣ ΘΗΛ fashion
▷**ακολουθώ τη μόδα** to follow (the) fashion
▷**γίνομαι/είμαι της μόδας** to come into/be in fashion, to become/be fashionable
▷**η τελευταία λέξη της μόδας** the latest fashion, the height of fashion
▷**είναι μόδα να κάνω κτ** it is fashionable to do sth
▸**ανδρική/γυναικεία/παιδική μόδα** men's/women's/children's fashion
▸**επίδειξη μόδας** fashion show
▸**οίκος μόδας** fashion house
▸**σχεδιαστής μόδας** fashion designer

μοδάτος, -η, -ο (οικ.) ΕΠΙΘ trendy, fashionable

μοδίστρα ΟΥΣ ΘΗΛ dressmaker, seamstress

μοδιστράδικο ΟΥΣ ΟΥΔ dressmaker's

Μοζαμβίκη ΟΥΣ ΘΗΛ Mozambique

μοιάζω Ρ ΑΜ (α) (= φέρνω) to look alike (β) (= φαίνομαι) to look
▷**δεν σου έμοιασα** (μειωτ.) I'm not like you
▷**μοιάζω μεγαλύτερος** to look older
▷**μοιάζει να** it looks like
▷**μοιάζουν σαν δύο σταγόνες νερό** they're like two peas in a pod
▷**μοιάζω σε** ή **με κπν** to look like sb
▷**μοιάζω** +γεν. to be like
▷**σε όλα μοιάζει του πατέρα της** she's just like her father
▷**σου μοιάζω για χαζός;** do I look like I'm stupid?

μοίρα ΟΥΣ ΘΗΛ (α) (= πεπρωμένο) destiny, fate (β) (οικονομίας, θεάτρου, παιδείας) fate (γ) (ΓΕΩΜ) degree (δ) (στόλου, αεροσκαφών) squadron (Βρετ.), group (Αμερ.) · (πυροβολικού) unit
▷**βρίσκομαι σε ίδια μοίρα** to share the same

fate

▷**βρίσκομαι σε καλύτερη/χειρότερη μοίρα** to be better/worse off

▷**κάνω στροφή 180 μοιρών** to change completely · *(για πολιτική, στρατηγική)* to do a U–turn

▷**κλαίω τη μοίρα μου** *(οικ.)* to feel sorry for oneself

▷**το 'χει η μοίρα μου να κάνω κτ** to be destined to do sth

μοιράζω $\boxed{1}$ Ρ Μ (α) (= *διαιρώ: χρήματα, χρόνο*) to divide · *(ψωμί, φαγητό)* to share out (β) (= *διανέμω: περιουσία*) to distribute · *(βοήθεια)* to give · *(παιχνίδια, βραβεία)* to hand out (γ) *(κομπλιμέντα, συμβουλές, υποσχέσεις)* to dish out $\boxed{2}$ Ρ ΑΜ *(στα χαρτιά)* to deal

▷**μοιράζω κτ στη μέση** to split sth down the middle, to divide sth in two

▷**μοιράζω χειραψίες/φιλιά/χαμόγελα** to shake hands with/kiss/smile at everyone

▷**μοιράζω τη διαφορά** to split the difference

▸**μοιράζομαι** ΜΕΣΟΠΛΘ (α) *(σπίτι, κέρδη, ευθύνη)* to share · *(έξοδα)* to split (β) *(σκέψεις, συναισθήματα)* to share (γ) (= *διχάζομαι*) to be torn *(ανάμεσα σε between)*

μοιραίος, -α, -ο ΕΠΙΘ
(α) (= *προκαθορισμένος*) inevitable
(β) *(λάθος, χρονιά, έκβαση)* fatal

▸**μοιραία γυναίκα** femme fatale

▸**μοιραίο** ΟΥΣ ΟΥΔ death

μοιρασιά ΟΥΣ ΘΗΛ division

μοίρασμα ΟΥΣ ΟΥΔ = **μοιρασιά**

μοιρογνωμόνιο ΟΥΣ ΟΥΔ protractor

μοιροκρατία ΟΥΣ ΘΗΛ fatalism

μοιρολάτρης ΟΥΣ ΑΡΣ fatalist

μοιρολατρία ΟΥΣ ΘΗΛ fatalism

μοιρολατρικός, -ή, -ό ΕΠΙΘ fatalistic

μοιρολάτρισσα ΟΥΣ ΘΗΛ *βλ.* **μοιρολάτρης**

μοιρολόγι ΟΥΣ ΟΥΔ (α) (= *θρηνητικό τραγούδι*) dirge, lament (β) *(μειωτ.)* moaning *χωρίς πληθ.*

μοιρολογίστρα ΟΥΣ ΘΗΛ hired mourner

μοιρολογώ $\boxed{1}$ Ρ Μ *(μακαρίτη)* to mourn $\boxed{2}$ Ρ ΑΜ (α) (= *θρηνώ*) to lament (β) *(οικ.)* to moan

μοιρολόι ΟΥΣ ΟΥΔ *βλ.* **μοιρολόγι**

μοιχαλίδα ΟΥΣ ΘΗΛ adulteress

μοιχεία ΟΥΣ ΘΗΛ adultery

μοιχεύω Ρ ΑΜ to commit adultery

μοιχός ΟΥΣ ΑΡΣ adulterer

μόκα ΟΥΣ ΘΗΛ mocha

μοκασίνι ΟΥΣ ΟΥΔ moccasin

μοκέτα ΟΥΣ ΘΗΛ (fitted) carpet

μόκο *(οικ.)* ΕΠΙΦΩΝ shut up! *(ανεπ.)*

▷**κάνω μόκο** to shut up *(ανεπ.)*

μολαταύτα *(επίσ.)* ΕΠΙΡΡ nevertheless, nonetheless

μόλις¹ ΕΠΙΡΡ just

▷**η ελληνική ομάδα ήρθε μόλις έβδομη** the Greek team just made seventh place

▷**μόλις ήρθε/τηλεφώνησε** he has just come back/phoned

▷**μόλις και μετά βίας, μόλις που** barely, only just

▷**μόλις και μετά βίας κατόρθωσα να τον πείσω** I only just managed to persuade him

▷**μόλις που κρατιόταν στα πόδια του** he could barely stand up

μόλις² ΣΥΝΔ as soon as

μολονότι ΣΥΝΔ even though

μόλος ΟΥΣ ΑΡΣ jetty

μολοσσός ΟΥΣ ΑΡΣ mastiff

μολόχα ΟΥΣ ΘΗΛ (marsh) mallow

μολύβδινος, -η, -ο ΕΠΙΘ = **μολυβένιος**

μόλυβδος ΟΥΣ ΑΡΣ lead

μολυβδουργείο ΟΥΣ ΟΥΔ lead works *εν.*

μολυβδούχος, -ος, -ο ΕΠΙΘ lead–based

μολύβδωση ΟΥΣ ΘΗΛ lead–plating

μολυβένιος, -ια, -ιο ΕΠΙΘ lead

μολυβής, -ιά, -ί ΕΠΙΘ *(σύννεφα, ουρανός)* leaden

▸**μολυβί** ΟΥΣ ΟΥΔ dark grey *(Βρετ.)* ή gray *(Αμερ.)*

μολύβι ΟΥΣ ΟΥΔ (α) *(για γραφή)* pencil (β) *(ματιών)* eyeliner · *(χειλιών)* lip pencil (γ) (= *μόλυβδος*) lead (δ) (= *σφαίρα*) lead *χωρίς πληθ. (ανεπ.)*

μολυβιά ΟΥΣ ΘΗΛ pencil mark

μόλυνση ΟΥΣ ΘΗΛ (α) *(πληγής)* infection (β) *(ατμόσφαιρας, θάλασσας, περιβάλλοντος)* pollution

μολυντήρι ΟΥΣ ΟΥΔ slowworm

μολύνω Ρ Μ (α) *(περιβάλλον, θάλασσα, ατμόσφαιρα)* to pollute (β) (ΙΑΤΡ) to infect (γ) *(μτφ.)* to corrupt

μολυσματικός, -ή, -ό ΕΠΙΘ infectious, contagious

μομφή *(επίσ.)* ΟΥΣ ΘΗΛ (α) (= *επίπληξη*) rebuke, reproach (β) (= *κατηγορία*) censure

▸**πρόταση μομφής** motion of censure

μονάδα ΟΥΣ ΘΗΛ (α) *(γενικότ.:* ΣΤΡΑΤ, ΜΑΘ) unit (β) *(σε εκλογές)* point (γ) *(στο σχολείο)* lowest grade, ≈ E

▷**Κεντρική Μονάδα Επεξεργασίας** (ΠΛΗΡΟΦ) central processing unit, CPU

▸**νομισματική μονάδα** monetary unit

▸**Μονάδες Αποκατάστασεως της Τάξεως** riot police *χωρίς πληθ.*

μοναδικός, -ή, -ό ΕΠΙΘ (α) *(έννοια, στενοχώρια, πρόβλημα)* unique, sole (β) *(χαρακτηριστικά, ευκαιρία, εμπειρία, επίτευγμα)* unique · *(τύχη)* exceptional, rare

▷**ήταν ο μοναδικός άνθρωπος που με βοήθησε** he was the one and only person to help me

μοναδικότητα ΟΥΣ ΘΗΛ uniqueness

μονάζω Ρ ΑΜ (α) (= *ασκητεύω*) to be a monk (β) *(μτφ.)* to be a recluse

Μονακό ΟΥΣ ΟΥΔ ΑΚΛ Monaco

μονάκριβος, -η, -ο ΕΠΙΘ (*κόρη, γιος*) one and only

μοναξιά ΟΥΣ ΘΗΛ solitude, loneliness
▷**νιώθω μοναξιά** to feel lonely

μονάρχης ΟΥΣ ΑΡΣ monarch, sovereign

μοναρχία ΟΥΣ ΘΗΛ monarchy
▸**συνταγματική μοναρχία** constitutional monarchy

μοναστήρι ΟΥΣ ΟΥΔ (*ανδρών*) monastery· (*γυναικών*) convent, nunnery

μοναστηριακός, -ή, -ό ΕΠΙΘ (*περιουσία*) of a monastery

μοναστικός, -ή, -ό ΕΠΙΘ (*βίος*) monastic

μοναχά ΕΠΙΡΡ = **μονάχα**

μοναχά ΕΠΙΡΡ only

μοναχή ΟΥΣ ΘΗΛ nun

μοναχικός, -ή, -ό ΕΠΙΘ (α) (*για πρόσ.*) lonely (β) (*σπίτι*) isolated· (*πορεία, περίπατος, ταξίδι*) solitary (γ) (*τάγμα, σχήμα, βίος*) monastic

Μόναχο ΟΥΣ ΟΥΔ Munich

μοναχογιός ΟΥΣ ΑΡΣ only son

μοναχοκόρη ΟΥΣ ΘΗΛ only daughter

μοναχοπαίδι ΟΥΣ ΟΥΔ only child

μοναχός¹, -ή, -ό ΕΠΙΘ (α) (*για πρόσ.*) alone (β) (= *που δρα ανεξάρτητα*) by oneself, alone
▷**σκυλί μονάχο** lone wolf
▷**σύρτο μονάχο** live wire

μοναχός² ΟΥΣ ΑΡΣ monk

μονάχος, -η, -ο ΕΠΙΘ = **μοναχός¹**

μονή (*επίσ.*) ΟΥΣ ΘΗΛ (*ανδρών*) monastery· (*γυναικών*) convent, nunnery

μονιάζω Ρ Μ/ΑΜ = **μονοιάζω**

μόνιμα ΕΠΙΡΡ permanently

μονιμοποίηση ΟΥΣ ΘΗΛ (*υπαλλήλου*) making permanent

μονιμοποιώ Ρ Μ (*υπάλληλο*) to make permanent, to give a permanent contract to

μόνιμος, -η, -ο ΕΠΙΘ (α) (*δουλειά, κατοικία, προβλήματα, δυσκολίες*) permanent· (*πελατεία*) regular (β) (*υπάλληλος, προσωπικό*) permanent

μονιμότητα ΟΥΣ ΘΗΛ (α) (*σχέσης, δεσμού, συνεργασίας*) permanence (β) (*δημοσίων υπαλλήλων*) job security

μόνιππο ΟΥΣ ΟΥΔ carriage

μόνιτορ ΟΥΣ ΟΥΔ ΑΚΛ monitor

μόνο ΕΠΙΡΡ only
▷**απλώς** *ή* **απλά και μόνο** quite simply
▷**εγώ και μόνο φταίω** I alone am to blame
▷**έτσι, και μόνο έτσι** that's the only way
▷**και μόνο** only
▷**και μόνο που σκέφτομαι ότι** the mere thought that
▷**και μόνο στη σκέψη της...** the mere thought of her...
▷**και όχι μόνο** and that's not all
▷**όχι μόνο..., αλλά και** not only..., but also
▷**μόνο και μόνο** only
▷**μόνο (που)** only

μονογαμία ΟΥΣ ΘΗΛ monogamy

μονογαμικός, -ή, -ό ΕΠΙΘ monogamous

μονογενής, -ής, -ές ΕΠΙΘ only

μονόγραμμα ΟΥΣ ΟΥΔ monogram

μονογραφή ΟΥΣ ΘΗΛ initials *πληθ.*

μονογράφηση ΟΥΣ ΘΗΛ (α) (*εγγράφου*) initialling (*Βρετ.*), initialing (*Αμερ.*) (β) (*γραπτού*) invalidation of an exam paper

μονογραφία ΟΥΣ ΘΗΛ monograph

μονογράφω Ρ Μ (*έγγραφο*) to initial· (*γραπτό*) to invalidate

μονοδιάστατος, -η, -ο ΕΠΙΘ (*επίσης* **κυριολ.**, **μτφ.**) one-dimensional

μονόδρομος ΟΥΣ ΑΡΣ (α) (*επίσης* **κυριολ.**) one-way street (β) (*μτφ.*) only solution

μονοετής, -ής, -ές ΕΠΙΘ one-year

μονόζυγο ΟΥΣ ΟΥΔ horizontal bar
▷**κάνω μονόζυγο** to do exercises on the horizontal bar

μονοήμερος, -η, -ο ΕΠΙΘ one-day
▸**μονοήμερη εκδρομή** day trip

μονοθεϊσμός ΟΥΣ ΑΡΣ monotheism

μονοθεϊστής ΟΥΣ ΑΡΣ monotheist

μονοθεϊστικός, -ή, -ό ΕΠΙΘ monotheistic

μονοθεΐστρια ΟΥΣ ΘΗΛ = **μονοθεϊστής**

μονοθέσιος, -α, -ο ΕΠΙΘ (*αεροπλάνο*) single-seater

μονοιάζω ① Ρ Μ to reconcile
② Ρ ΑΜ to make up

μόνοιασμα ΟΥΣ ΟΥΔ reconciliation

μονοκατοικία ΟΥΣ ΘΗΛ detached house (*Βρετ.*), self-contained house (*Αμερ.*)

μονοκινητήριο ΟΥΣ ΟΥΔ single-engined aircraft

> *Προσοχή!: Ο πληθυντικός του* **aircraft** *είναι* **aircraft**.

μονόκλ ΟΥΣ ΟΥΔ ΑΚΛ monocle

μονόκλινο ΟΥΣ ΟΥΔ single room

μονοκομματικός, -ή, -ό ΕΠΙΘ one-party

μονοκόμματος, -η, -ο ΕΠΙΘ (α) (*ύφασμα, φόρεμα*) in one piece· (*μαγιό*) one-piece (β) (*για πρόσ.*) single-minded (γ) (*βάδισμα*) stiff
▸**μονοκόμματο** ΟΥΣ ΟΥΔ (*επίσης* **μονοκόμματο σουτ**: *στο ποδόσφαιρο*) first-time volley

μονοκονδυλιά ΟΥΣ ΘΗΛ = **μονοκοντυλιά**

μονοκοντυλιά ΟΥΣ ΘΗΛ single stroke
▷**σβήνω κτ με μια μονοκοντυλιά** to wipe sth out in a single stroke

μονοκοπανιά (*ανεπ.*) ΕΠΙΡΡ in one go

μονοκοτυλήδονος, -η, -ο ΕΠΙΘ (*φυτά*) monocotyledonous

μονοκούκι ΕΠΙΡΡ: **ψηφίζω κπν μονοκούκι** to vote overwhelmingly for sb

μονοκύτταρος, -η, -ο ΕΠΙΘ (*οργανισμός*) single-cell

μονολεκτικός, -ή, -ό ΕΠΙΘ (*απάντηση*) monosyllabic, one-word

μονόλογος ΟΥΣ ΑΡΣ (α) (= *το να μιλά κανείς στον εαυτό του*) monologue (*Βρετ.*), monolog (*Αμερ.*) (β) (= *μακρά ομιλία*) soliloquy (γ) (*θεατρικού έργου*) monologue (*Βρετ.*), monolog (*Αμερ.*)

μονολογώ Ρ ΑΜ to talk to oneself

μονομαχία ΟΥΣ ΘΗΛ (α) (*γενικότ.*) duel · (*στον αέρα*) dogfight · (*ιπποτών*) joust (β) (*μτφ.*) duel, battle
▷**καλώ κπν σε μονομαχία** to challenge sb to a duel

μονομάχος ΟΥΣ ΑΡΣ (α) (= *που συμμετέχει σε μονομαχία*) duellist (*Βρετ.*), duelist (*Αμερ.*) (β) (*στην αρχαία Ρώμη*) gladiator (γ) (*στην πολιτική, στον αθλητισμό*) contestant

μονομαχώ Ρ ΑΜ (α) (*πολεμιστές*) to duel · (*ιππότες*) to joust (β) (*πολιτικοί, ομάδες*) to fight it out (γ) (*στην αρχαία Ρώμη*) to fight in the arena

μονομέρεια ΟΥΣ ΘΗΛ one–sidedness

μονομερής, -ής, -ές ΕΠΙΘ (α) (*συνθήκη, υποχώρηση*) unilateral · (*εξέταση*) partial (β) (*άποψη, πληροφόρηση, άνθρωπος*) one–sided

μονομιάς ΕΠΙΡΡ (α) (*μονοκοπανιά*) in one go (β) (= *αμέσως*) at once, immediately (γ) (= *ξαφνικά*) all of a sudden

μονόμπαντα ΕΠΙΡΡ lopsided
▷**γέρνω μονόμπαντα** (*βάρκα*) to list · (*άτομο*) to lean to one side

μονοξείδιο ΟΥΣ ΟΥΔ = **μονοξίδιο**

μονοξίδιο ΟΥΣ ΟΥΔ monoxide

μονόξυλο ΟΥΣ ΟΥΔ dugout (canoe)

μονόπαντα ΕΠΙΡΡ = **μονόμπαντα**

μονοπάτι ΟΥΣ ΟΥΔ (*κυριολ., μτφ.*) path
▷**το καλό το παλικάρι ξέρει κι άλλο μονοπάτι** (*παροιμ.*) there's more than one way to skin a cat

μονόπετο ΟΥΣ ΟΥΔ (*σακάκι*) single–breasted

μονόπετρο ΟΥΣ ΟΥΔ solitaire ring

μονοπλάνο ΟΥΣ ΟΥΔ monoplane

μονόπλευρος, -η, -ο ΕΠΙΘ one–sided

μονόπρακτο ΟΥΣ ΟΥΔ one–act play

μονοπώληση ΟΥΣ ΘΗΛ monopolization

μονοπωλιακός, -ή, -ό ΕΠΙΘ monopolistic

μονοπώλιο ΟΥΣ ΟΥΔ monopoly
▷**έχω το μονοπώλιο σε κτ** to have a monopoly on sth

μονοπωλώ Ρ Μ (*προϊόν, πολιτική, συζήτηση*) to monopolize
▷**μονοπωλώ το ενδιαφέρον κποιου** to monopolize sb ή sb's attention

μονορούφι ΕΠΙΡΡ in one go ή gulp

μονός, -ή, -ό ΕΠΙΘ (α) (*κρεβάτι, κλωστή*) single (β) (*αριθμός*) odd
▶**μονά ή ζυγά** ≈ heads or tails

μόνος, -η, -ο ΕΠΙΘ (α) (= *χωρίς τη βοήθεια άλλου*) by oneself, on one's own (β) (= *μοναχός*) alone (γ) (*έννοια, φορά, όρος*) only

▷**από μόνος μου** by oneself · (*θέλω*) of one's own free will, of one's own accord
▷**ζω μόνος** to live alone, to live by oneself
▷**μόνος κι έρημος** all alone, all by oneself

μονοσήμαντος, -η, -ο ΕΠΙΘ (*λέξη, έννοια*) with a single meaning

μονόσημος, -η, -ο ΕΠΙΘ (*λέξη*) with a single meaning

μονόστηλο ΟΥΣ ΟΥΔ (*εφημερίδας*) single column

μονόστιχος, -η, -ο ΕΠΙΘ with one verse

μονοσύλλαβος, -η, -ο ΕΠΙΘ monosyllabic

μονοτάξιος, -η, -ο ΕΠΙΘ (*σχολείο*) with a single class
▶**μονοτάξιο δημοτικό σχολείο** *primary school with one teacher*

μονοτονία ΟΥΣ ΘΗΛ monotony
▷**σπάω τη μονοτονία** to break the monotony

μονοτονικό ΟΥΣ ΟΥΔ (*επίσης* **μονοτονικό σύστημα**) monotonic ή single–accent system

μονότονος, -η, -ο ΕΠΙΘ (α) (*τραγούδι, ρυθμός*) monotonous (β) (*αφήγηση*) flat · (*φωνή, ήχος*) monotonous · (*άνθρωπος*) dull, boring

μονοφασικός, -ή, -ό ΕΠΙΘ (*ρεύμα*) single–phase

μονόφθαλμος, -η, -ο ΕΠΙΘ blind in one eye

μονοφωνία ΟΥΣ ΘΗΛ (α) (*μουσικό σύστημα*) monophony (β) (*τραγούδι ή μελωδία*) monody

μονοφωνικός, -ή, -ό ΕΠΙΘ (*τραγούδι*) monophonic
▶**μονοφωνικό ηχητικό σύστημα** mono

μονόχνοτος, -η, -ο ΕΠΙΘ unsociable

μονόχορδος, -η, -ο ΕΠΙΘ one–stringed

μονοχρωμία ΟΥΣ ΘΗΛ monochrome

μονόχρωμος, -η, -ο ΕΠΙΘ (*επιφάνεια, οθόνη*) monochrome · (*ρούχα*) plain

μονοψήφιος, -α, -ο ΕΠΙΘ with one digit

μοντάζ ΟΥΣ ΟΥΔ ΑΚΛ (α) (ΚΙΝΗΜ) editing (β) (ΦΩΤΟΓΡ) montage

μοντάρισμα ΟΥΣ ΟΥΔ (α) (*μηχανής, οργάνου*) assembly (β) (*ταινίας*) editing

μοντάρω Ρ Μ (α) (*μηχανή*) to assemble (β) (*ταινία*) to edit

μοντελάκι ΟΥΣ ΘΗΛ (*για ρούχα*) trendy outfit · (*για τσάντα*) fashion accessory · (*για παπούτσια*) trendy shoes *πληθ.*

μόντελινγκ ΟΥΣ ΟΥΔ ΑΚΛ modelling (*Βρετ.*), modeling (*Αμερ.*)

μοντελισμός ΟΥΣ ΑΡΣ model–making

μοντέλο ΟΥΣ ΟΥΔ model

μόντεμ ΟΥΣ ΟΥΔ ΑΚΛ (ΠΛΗΡΟΦ) modem

μοντέρνος, -α, -ο ΕΠΙΘ (α) (*αντίληψη, χορός, αρχιτεκτονική, τεχνική*) modern, contemporary (β) (*άνθρωπος, γυναίκα, διανοητής*) modern, progressive (γ) (*ντύσιμο, διακόσμηση, ρούχα*) trendy
▶**μοντέρνα τέχνη** modern art

μονωδία ΟΥΣ ΘΗΛ solo

μονώνω P M to insulate

μονώροφος, -η, -ο ΕΠΙΘ single–storey (*Βρετ.*), single–story (*Αμερ.*)

μόνωση ΟΥΣ ΘΗΛ insulation
▷**ηχητική μόνωση** soundproofing
▷**θερμική μόνωση** heat insulation

μονωτικός, -ή, -ό ΕΠΙΘ (*υλικά, ταινία*) insulating

μορατόριουμ ΟΥΣ ΟΥΔ ΑΚΛ moratorium

> *Προσοχή!: Ο πληθυντικός του* moratorium *είναι* moratoriums *ή* moratoria.

μοριακός, -ή, -ό ΕΠΙΘ molecular
▸**μοριακό βάρος** molecular weight
▸**μοριακή βιολογία** molecular biology

Μοριάς ΟΥΣ ΑΡΣ **ο Μοριάς** the Peloponnese

μόριο ΟΥΣ ΟΥΔ (α) (ΧΗΜ) molecule (β) (*επίσ.*: = *πολύ μικρό τμήμα*) speck (γ) (ΓΛΩΣΣ) particle
▸**ανδρικό μόριο** male member
▸**γυναικείο μόριο** pudenda *πληθ.*

μορς ΕΠΙΘ ΑΚΛ **κώδικας μορς** Morse code
▷**σήμα μορς** Morse code signal

μορταδέλα ΟΥΣ ΘΗΛ mortadella

μόρτης ΟΥΣ ΑΡΣ good–for–nothing

> *Προσοχή!: Ο πληθυντικός του* good–for–nothing *είναι* good–for–nothings.

M

μόρτικος, -η, -ο ΕΠΙΘ thuggish

μόρτισσα ΟΥΣ ΘΗΛ *βλ.* **μόρτης**

μορφάζω P ΑΜ to grimace

μορφασμός ΟΥΣ ΑΡΣ grimace

Μορφέας ΟΥΣ ΑΡΣ (ΜΥΘΟΛ) Morpheus
▷**παραδίδομαι στην αγκαλιά του Μορφέα** to fall asleep

μορφή ΟΥΣ ΘΗΛ (α) (= *σχήμα*) form, shape (β) (= *όψη*) aspect · (= *πρόσωπο*) face (γ) (= *φυσιογνωμία*) figure (δ) (= *σύνολο χαρακτηριστικών πράγματος*) form (ε) (= *φάση*) phase (στ) (= *τύπος*) form (ζ) (= *σχέδιο*) figure
▷**υπό μορφήν** +γεν. (*επίσ.*) in the form of

μόρφημα ΟΥΣ ΟΥΔ morpheme

μορφίνη ΟΥΣ ΘΗΛ morphine

μορφολογία ΟΥΣ ΘΗΛ morphology

μορφολογικός, -ή, -ό ΕΠΙΘ morphological

μορφονιά (*οικ.*) ΟΥΣ ΘΗΛ *βλ.* **ομορφονιός**

μορφονιός (*οικ.*) ΟΥΣ ΑΡΣ = **ομορφονιός**

μορφώνω P M (*παιδιά, νεολαία*) to educate
▸**μορφώνομαι** ΜΕΣΟΠΑΘ to get an education

μόρφωση ΟΥΣ ΘΗΛ education

μορφωτικός, -ή, -ό ΕΠΙΘ (*επίπεδο*) of education · (*διαδικασία*) educational
▸**μορφωτικός σύμβουλος ή ακόλουθος** cultural attaché

μόστρα (*αργκ.*) ΟΥΣ ΘΗΛ (α) (= *επίδειξη*) showing off (β) (= *πρόσωπο*) face, mug (*χυδ.*)

▷**για (τη) μόστρα** for show
▷**πουλάω μόστρα** to show off

Μόσχα ΟΥΣ ΘΗΛ Moscow

μοσχάρι ΟΥΣ ΟΥΔ (α) (ΖΩΟΛ) calf

> *Προσοχή!: Ο πληθυντικός του* calf *είναι* calves.

(β) (*υβρ.*) dunce, idiot
▸**μοσχάρι ψητό** roast veal

μοσχαρίσιος, -α, -ο ΕΠΙΘ (*κρέας, μπριζόλες*) veal

μοσχάτο ΟΥΣ ΟΥΔ muscat(el)

μόσχευμα ΟΥΣ ΟΥΔ (α) (ΒΟΤ) graft (β) (ΙΑΤΡ) transplant

μοσχοβολιά ΟΥΣ ΘΗΛ fragrance, aroma

μοσχοβολώ P ΑΜ to be fragrant
▷**μοσχοβολάει ο τόπος** it smells nice in here
▷**μοσχοβολάει (ο τόπος) γιασεμί/κανέλλα** it smells of jasmine/cinnamon

μοσχοκάρυδο ΟΥΣ ΟΥΔ nutmeg

μοσχολίβανο ΟΥΣ ΟΥΔ frankincense

μοσχομπίζελο ΟΥΣ ΟΥΔ sweet pea

μοσχομυρίζω P ΑΜ to be fragrant

μοσχοπουλώ P M to sell for a good *ή* high price

μόσχος[1] (*επίσ.*) ΟΥΣ ΑΡΣ calf
▷**ο μόσχος ο σιτευτός** the fatted calf

μόσχος[2] ΟΥΣ ΑΡΣ musk

μοσχοσάπουνο ΟΥΣ ΟΥΔ perfumed soap

μοτίβο ΟΥΣ ΟΥΔ (α) (*τέχνης, αρχιτεκτονικής*) motif (β) (ΜΟΥΣ) theme
▷**ξανάρχομαι στο ίδιο μοτίβο** to return to the same theme

μοτοκρός, μότο-κρός ΟΥΣ ΟΥΔ ΑΚΛ motocross, scrambling

μοτοποδήλατο ΟΥΣ ΟΥΔ moped

μοτοσικλέτα ΟΥΣ ΘΗΛ = **μοτοσυκλέτα**

μοτοσικλετισμός ΟΥΣ ΑΡΣ = **μοτοσυκλετισμός**

μοτοσικλετιστής ΟΥΣ ΑΡΣ = **μοτοσυκλετιστής**

μοτοσικλετίστρια ΟΥΣ ΑΡΣ *βλ.* **μοτοσυκλετιστής**

μοτοσυκλέτα ΟΥΣ ΘΗΛ motorcycle, motorbike

μοτοσυκλετισμός ΟΥΣ ΑΡΣ motorcycle racing

μοτοσυκλετιστής ΟΥΣ ΑΡΣ motorcyclist

μοτοσυκλετίστρια ΟΥΣ ΘΗΛ *βλ.* **μοτοσυκλετιστής**

μου ΑΝΤΩΝ (α) (*προσωπική*) me (β) (*για κτήση*) my
▷**αυτό είναι δικό μου** it's mine
▸**μου είπαν** they told me
▷**το παιδί μου** my child

μουγγαίνομαι P ΑΜ ΑΠΟΘ to be struck dumb

μουγγαμάρα (*οικ.*) ΟΥΣ ΘΗΛ dead silence

μουγγός, -η, -ό ΕΠΙΘ (α) (= *βουβός*) dumb, mute (β) (= *αμίλητος*) dumbstruck

μουγγρί ΟΥΣ ΟΥΔ conger eel

μουκανίζω P ΑΜ (*αγελάδα*) to moo, to low

μουγκάνισμα ΟΥΣ ΟΥΔ mooing *χωρίς πληθ.*

μουγκός, -ή, -ό ΕΠΙΘ = **μουγγός**

μουγκρητό ΟΥΣ ΟΥΔ **(α)** (βοδιού) bellowing χωρίς πληθ. **(β)** (τίγρης, λιονταριού) roar **(γ)** (ανθρώπου) groan **(δ)** (θάλασσας, χειμάρρου) roar

μουγκρίζω Ρ ΑΜ **(α)** (βόδι, αγελάδα) to bellow **(β)** (λιοντάρι, τίγρη) to roar **(γ)** (άνθρωπος) to groan **(δ)** (θάλασσα, ποταμός, μηχανή) to roar

μούγκρισμα ΟΥΣ ΟΥΔ = **μουγκρητό**

μουδιάζω 1 Ρ ΑΜ (κυριολ., μτφ.) to go numb 2 Ρ Μ (πόδια, χέρια) to make numb
▷**μουδιάζω ολόκληρος** to paralyze

μούδιασμα ΟΥΣ ΟΥΔ (κυριολ., μτφ.) numbness

μουδιασμένος, -η, -ο ΕΠΙΘ (κυριολ., μτφ.) numb

μούλα (υβρ.) ΟΥΣ ΘΗΛ βλ. **μούλος**

μουλάρα ΟΥΣ ΘΗΛ (υβρ.: για γυναίκα) old bag (χυδ.)

μουλάρι ΟΥΣ ΟΥΔ **(α)** (= ημίονος) mule **(β)** (υβρ.) lout

μουλαρώνω (οικ.) Ρ ΑΜ to dig one's heels in

μουλιάζω 1 Ρ Μ (ρούχα) to soak 2 Ρ ΑΜ (πουκάμισο) to soak · (άνθρωπος) to get soaked

μούλικο (υβρ.) ΟΥΣ ΟΥΔ bastard (χυδ.), illegitimate child

μούλος (υβρ.) ΟΥΣ ΑΡΣ bastard (χυδ.), illegitimate child

μουλλωχτός, μουλωχτός, -ή, -ό (οικ.) ΕΠΙΘ sneaky (ανεπ.)
▷**πλησιάζω κπν στα μουλλωχτά ή μουλωχτά** to sneak up on sb

μούμια ΟΥΣ ΘΗΛ **(α)** (ανθρώπου, ζώου) mummy **(β)** (μειωτ.) shrivelled–up (Βρετ.) ή shriveled–up (Αμερ.) person

μουνί (χυδ.) ΟΥΣ ΘΗΛ **(α)** (= αιδοίο) cunt (χυδ.), fanny (Βρετ.) (ανεπ.) **(β)** (υβρ.) cunt (χυδ.) **(γ)** (= σέξι γυναίκα) bit of ass (χυδ.)

μουνουχίζω Ρ Μ to castrate

μουνούχος ΟΥΣ ΑΡΣ eunuch

μούντζα ΟΥΣ ΘΗΛ contemptuous and insulting gesture made with the open palm

μουντζαλιά (ανεπ.) ΟΥΣ ΘΗΛ smudge, blot

μουντζαλιάζω (ανεπ.) Ρ Μ = **μουντζαλώνω**

μουντζαλώνω (ανεπ.) Ρ Μ to smudge

μουντζούρα ΟΥΣ ΘΗΛ (από μελάνι) stain · (από καπνιά) smudge

μουντζούρης, -α, -ικο ΕΠΙΘ grimy
▶**μουντζούρης** ΟΥΣ ΑΡΣ (κοροϊδ.: παλαιότ.) steam train

μουντζούρωμα ΟΥΣ ΟΥΔ **(α)** (ρούχων) dirtying, staining · (χεριών) dirtying **(β)** (σελίδας, βιβλίου) smudging

μουντζουρώνω Ρ Μ **(α)** (ρούχα) to get dirty, to stain · (πρόσωπο) to get dirty **(β)** (τετράδιο, χαρτί) to smudge
▶**μουντζουρώνομαι** ΜΕΣΟΠΑΘ to get dirty

μουντζώνω Ρ Μ to show contempt for (using an open palm gesture)

▷**μας έχουν μουντζώσει** (οικ.) they've dropped us

μουντιάλ ΟΥΣ ΟΥΔ ΑΚΛ: **το μουντιάλ** the World Cup

μουντομπάσκετ ΟΥΣ ΟΥΔ ΑΚΛ: **το μουντομπάσκετ** the Basketball World Cup

μουντός, -ή, -ό ΕΠΙΘ (ουρανός) grey (Βρετ.), gray (Αμερ.) · (καιρός, χρώμα) dull, dreary · (διάθεση, πρόσωπο) grim

μουράγιο ΟΥΣ ΟΥΔ jetty

μούργα ΟΥΣ ΘΗΛ dregs πληθ.

μούργος (οικ.) ΟΥΣ ΑΡΣ **(α)** (= σκουρόχρωμος σκύλος) sheepdog **(β)** (μτφ.) lout

μούρη (οικ.) ΟΥΣ ΘΗΛ **(α)** (ανθρώπου) face · (ζώου) snout **(β)** (αυτοκινήτου) nose
▷**είμαι μούρη** to be a sly fox
▷**πέφτει η μούρη μου** to eat humble pie
▷**πουλάω μούρη** to strut around, to put on airs

μουριά ΟΥΣ ΘΗΛ mulberry tree

μουρλαίνω (οικ.) Ρ Μ to drive crazy (ανεπ.) ή mad
▶**μουρλαίνομαι** ΜΕΣΟΠΑΘ to go crazy (ανεπ.) ή mad

μούρλια (οικ.) ΟΥΣ ΘΗΛ **(α)** (= τρέλα) madness, craziness (ανεπ.) **(β)** (= ενθουσιασμός) fun
▷**(τα) περνάω μούρλια** to have a great time, to have a whale of a time (ανεπ.)
▷**φαγητό/συνολάκι μούρλια!** great food/ outfit!

μουρλός, -ή, -ό (οικ.) ΕΠΙΘ crazy (ανεπ.), mad
▷**είμαι μουρλός με κπν/κτ** to be mad about sb/sth (ανεπ.)
▶**μουρλός** ΟΥΣ ΑΡΣ, **μουρλή** ΟΥΣ ΘΗΛ nutter (ανεπ.)

μουρμούρα ΟΥΣ ΘΗΛ **(α)** (= μουρμουρητό) murmuring **(β)** (= γκρίνια) moaning χωρίς πληθ.

μουρμουράω Ρ ΑΜ = **μουρμουρίζω**

μουρμουρητό ΟΥΣ ΟΥΔ **(α)** (= χαμηλόφωνη ομιλία) murmuring **(β)** (= ψίθυρος) murmur **(γ)** (= γκρίνια) moaning χωρίς πληθ.

μουρμουρίζω 1 Ρ Μ to murmur 2 Ρ ΑΜ **(α)** (= ψιθυρίζω) to murmur **(β)** (= γκρινιάζω) to moan

μουρμούρισμα ΟΥΣ ΟΥΔ = **μουρμουρητό**

μουρμουριστός, -ή, -ό ΕΠΙΘ (τραγούδι) quiet · (ομιλία) whispered

μουρντάρης (οικ.) ΟΥΣ ΑΡΣ womanizer

μούρο ΟΥΣ ΟΥΔ mulberry

μουρούνα ΟΥΣ ΘΗΛ cod

μουρουνέλαιο ΟΥΣ ΟΥΔ cod–liver oil

μουρουνόλαδο ΟΥΣ ΟΥΔ = **μουρουνέλαιο**

μουρταδέλα ΟΥΣ ΘΗΛ = **μορταδέλα**

μούσα ΟΥΣ ΘΗΛ **(α)** (ΜΥΘΟΛ) Muse **(β)** (= γυναίκα που εμπνέει) muse **(γ)** (= ποίηση) poetry
▶**Μούσες** ΠΛΗΘ = καλές τέχνες) fine arts

μουσακάς ΟΥΣ ΑΡΣ moussaka

μουσαμαδένιος, -ια, -ιο ΕΠΙΘ (κάλυμμα)

tarpaulin

μουσαμάς ΟΥΣ ΑΡΣ (α) (*φορτηγού*) tarpaulin · (*δαπέδου*) linoleum (β) (*στη ζωγραφική*) canvas (γ) (= *αδιάβροχο*) oilskin

μουσάτος ΟΥΣ ΑΡΣ bearded man

μουσαφίρης ΟΥΣ ΑΡΣ guest, visitor

μουσαφίρισσα ΟΥΣ ΘΗΛ *βλ.* **μουσαφίρης**

μουσείο ΟΥΣ ΟΥΔ (α) (= *χώρος φύλαξης και έκθεσης*) museum (β) (*μειωτ.: για πρόσ.*) geriatric

μουσελίνα ΟΥΣ ΘΗΛ muslin

μούσι ΟΥΣ ΟΥΔ (α) (= *γένι*) beard (β) (*οικ.:* = *ψέμα*) lie, tall story
▷**αφήνω μούσι** to grow a beard

μουσική ΟΥΣ ΘΗΛ (α) (*γενικότ.*) music (β) (ΣΧΟΛ) music (lesson)
▷**γράφω/παίζω μουσική** to write/to play music
▸**κλασική μουσική** classical music
▸**μουσική δωματίου** chamber music
▸**χορευτική μουσική** dance music

μουσικοδιδάσκαλος ΟΥΣ ΑΡΣ music teacher

μουσικοκριτικός ΟΥΣ ΑΡΣΘΗΛ music critic

μουσικός, -ή, -ό ΕΠΙΘ musical
▸**μουσική παράδοση** musical tradition
▸**μουσική υπόκρουση** musical accompaniment
▸μουσικός ΟΥΣ ΑΡΣΘΗΛ
(α) (= *μουσικοδιδάσκαλος*) music teacher
(β) (= *μουσικοσυνθέτης*) composer
(γ) (= *εκτελεστής μουσικών έργων*) musician

μουσικοσυνθέτης ΟΥΣ ΑΡΣ (= *συνθέτης*) composer

μουσικοσυνθέτρια ΟΥΣ ΘΗΛ *βλ.* **μουσικοσυνθέτης**

μουσικότητα ΟΥΣ ΘΗΛ musicality

μουσικόφιλος, -η, -ο ΕΠΙΘ (*κοινό*) music-loving
▸**μουσικόφιλοι** ΟΥΣ ΑΡΣ ΠΛΗΘ music lovers

μουσίτσα ΟΥΣ ΘΗΛ (*χαϊδευτ.: για γυναίκα*) minx

μούσκεμα ΟΥΣ ΟΥΔ (*ψωμιού, ρούχων*) soaking
▷**είμαι μούσκεμα** to be soaking *ή* dripping wet
▷**είμαι μούσκεμα στον ιδρώτα/από τα δάκρυα** to be bathed in sweat/in floods of tears
▷**γίνομαι μούσκεμα** to get soaked
▷**τα κάνω μούσκεμα** (*μτφ.*) to make a mess of things, to mess things up

μουσκέτο ΟΥΣ ΟΥΔ musket

μουσκεύω ① Ρ Μ (*παξιμάδι, ρούχα*) to soak ② Ρ ΑΜ to get soaked
▷**τα μουσκεύω** (*μτφ.*) to make a mess of things, to mess things up

μουσκίδι (*οικ.*) ΕΠΙΡΡ: **είμαι/γίνομαι μουσκίδι** to be/get soaked through

μουσμουλιά ΟΥΣ ΘΗΛ loquat tree

μούσμουλο ΟΥΣ ΟΥΔ loquat

μουσούδι ΟΥΣ ΟΥΔ (α) (*ανεπ.: ζώου*) snout, muzzle (β) (*οικ.: ανθρώπου*) face, mug (*ανεπ.*)

μουσουλμάνα ΟΥΣ ΘΗΛ *βλ.* **μουσουλμάνος**

μουσουλμανικός, -ή, -ό ΕΠΙΘ Muslim

μουσουλμάνος ΟΥΣ ΑΡΣ Muslim

μουσουργός ΟΥΣ ΑΡΣΘΗΛ composer

μουσσώνας ΟΥΣ ΑΡΣ = **μουσώνας**

μουστακαλής ΟΥΣ ΑΡΣ moustachioed (*Βρετ.*) *ή* mustachioed (*Αμερ.*) man

μουστάκι ΟΥΣ ΟΥΔ moustache (*Βρετ.*), mustache (*Αμερ.*)
▷**γελάω και τα μουστάκια μου** to grin like a Cheshire cat, to grin from ear to ear
▷**γελάω κάτω από τα μουστάκια μου** to laugh up one's sleeve
▸**μουστάκια** ΠΛΗΘ (*γάτας*) whiskers

μουσταλευριά ΟΥΣ ΘΗΛ must jelly

μουστάρδα ΟΥΣ ΘΗΛ mustard
▸**αέριο της μουστάρδας** mustard gas

μουσταρδής, -ιά, -ί ΕΠΙΘ mustard–yellow
▸**μουσταρδί** ΟΥΣ ΟΥΔ mustard yellow

μουστοκούλουρο ΟΥΣ ΟΥΔ must roll, must cake

μούστος ΟΥΣ ΑΡΣ must

μουσώνας ΟΥΣ ΑΡΣ monsoon

μούτζα ΟΥΣ ΘΗΛ = **μούντζα**

μουτράκι (*χαϊδευτ.*) ΟΥΣ ΟΥΔ little face

μούτρο (*οικ.*) ΟΥΣ ΟΥΔ (α) (= *πρόσωπο*) face (β) (*αργνητ.*) crook
▷**πετάω κτ στα μούτρα κποιου** to throw sth in sb's face
▷**πέφτω με τα μούτρα σε κτ** to get stuck into sth
▷**σπάω τα μούτρα κποιου** to punch sb in the face
▷**τρώω** *ή* **σπάω τα μούτρα μου** (= *τραυματίζομαι*) to fall flat on one's face · (= *αποτυγχάνω*) to come a cropper (*ανεπ.*)
▸**μούτρα** ΠΛΗΘ (= *έκφραση*) face εν.
▷**δεν είναι** *ή* **κάνει για τα μούτρα σου** he's/she's too good for you
▷**δεν έχω μούτρα να κάνω κτ** I can't face doing sth
▷**έχω τα μούτρα να κάνω κτ** to have the nerve to do sth
▷**κατεβάζω** *ή* **κρεμάω τα μούτρα** to have a long face
▷**κρατάω μούτρα σε κπν** to sulk with sb
▷**με τι μούτρα θα τον πλησιάζω;** how will I have the nerve to face him?
▷**ρίχνω τα μούτρα μου** to eat humble pie

μουτρωμένος, -η, -ο (*οικ.*) ΕΠΙΘ sullen
▷**γιατί είσαι έτσι μουτρωμένη;** why the long face?

μουτρώνω (*οικ.*) Ρ ΑΜ to sulk, to have a long face

μούτσος ΟΥΣ ΑΡΣ deckhand

μουτσούνα ΟΥΣ ΘΗΛ (α) (= *μάσκα*) mask (β) (= *σκυθρωπό πρόσωπο*) gloomy face

μούχλα ΟΥΣ ΘΗΛ (α) (*σε τροφές*) mould (*Βρετ.*), mold (*Αμερ.*) · (*σε επιφάνειες*) mould (*Βρετ.*), mold (*Αμερ.*), mildew (β) (= *αδράνεια*) vegetating

μουχλιάζω Ρ ΑΜ **(α)** *(φρούτα, ψωμί)* to go mouldy *(Βρετ.) ή* moldy *(Αμερ.)·* *(τοίχος)* to be covered in mould *(Βρετ.) ή* mold *(Αμερ.) ή* mildew **(β)** *(= αδρανώ)* to vegetate

μουχλιασμένος, -η, -ο ΕΠΙΘ **(α)** *(ψωμί)* mouldy *(Βρετ.)*, moldy *(Αμερ.)·* *(τοίχος)* covered in mould *(Βρετ.) ή* mold *(Αμερ.)*, mildewed **(β)** *(ιδέες)* fusty

μοχέρ ΟΥΣ ΟΥΔ ΑΚΛ mohair
▷**μοχέρ πουλόβερ** mohair jumper

μοχθηρία ΟΥΣ ΘΗΛ malice, spitefulness

μοχθηρός, -ή, -ό ΕΠΙΘ *(άνθρωπος, ύφος, ματιά)* malicious, spiteful

μόχθος ΟΥΣ ΑΡΣ labour *(Βρετ.)*, labor *(Αμερ.)*, toil

μοχθώ Ρ ΑΜ to labour *(Βρετ.)*, to labor *(Αμερ.)*, to work hard

μοχλός ΟΥΣ ΑΡΣ *(επίσης* **κυριολ., μτφ.**) lever
▸**κινητήριος μοχλός** *(μτφ.)* prime mover, driving force
▸**μοχλός ταχυτήτων** gear stick *(Βρετ.)*, gearshift *(Αμερ.)*
▸**μοχλός χειρισμού** joystick
▸**μοχλός πιέσεως** *(μτφ.)* means of pressure

μπαγαμπόντης *(οικ.)* ΟΥΣ ΑΡΣ = **μπαγαπόντης**

μπαγαμπόντισσα *(οικ.)* ΟΥΣ ΘΗΛ *βλ.* **μπαγαπόντης**

μπαγαπόντης *(οικ.)* ΟΥΣ ΑΡΣ *(= κατεργάρης)* crook

μπαγαπόντισσα *(οικ.)* ΟΥΣ ΘΗΛ *βλ.* **μπαγαπόντης**

μπαγάσας *(οικ.)* ΟΥΣ ΑΡΣ **(α)** *(= απατεώνας)* crook **(β)** *(= επιτήδειος)* crafty devil *(ανεπ.)*

μπαγιατεύω Ρ ΑΜ **(α)** *(τρόφιμα)* to go stale **(β)** *(αστείο)* to wear thin, to become stale· *(είδηση)* to become old news

μπαγιάτικος, -η, -ο ΕΠΙΘ **(α)** *(= ψωμί)* stale· *(= φρούτα)* dried–up **(β)** *(αστείο)* stale· *(νέο)* old

μπαγιατίλα *(οικ.)* ΟΥΣ ΘΗΛ staleness

μπαγκάζια ΟΥΣ ΟΥΔ ΠΛΗΘ **παίρνω τα μπαγκάζια μου (και φεύγω)** to pack one's bags (and go)

μπαγκατέλα ΟΥΣ ΘΗΛ **(α)** *(= ευτελές πράγμα)* piece of junk, junk *χωρίς πληθ.* **(β)** *(υβρ.: για γυναίκα)* old bag *(ανεπ.)*

μπαγλαμάς ΟΥΣ ΑΡΣ **(α)** (ΜΟΥΣ) *small stringed instrument resembling the bouzouki* **(β)** *(αργκ.)* small fry

μπαγλαρώνω Ρ Μ to nab *(ανεπ.)*

μπάζα¹ *(οικ.)* ΟΥΣ ΘΗΛ haul
▷**δεν πιάνω μπάζα μπροστά σε κπν/κτ** not to be a patch on sb/sth
▷**κάνω (γερή) μπάζα** to make a packet *(ανεπ.)*

μπάζα² ΟΥΣ ΟΥΔ ΠΛΗΘ rubble *εν.*
▷**(είμαι) για τα μπάζα** *(οικ.)* (to be) a pile of junk *(ανεπ.)*

μπάζω ① Ρ Μ **(α)** *(άνθρωπο)* to let in· *(αντικείμενο)* to put in **(β)** *(= κατατοπίζω)* to brief, to put in the picture
② Ρ ΑΜ **(α)** *(ρούχα, ύφασμα)* to shrink **(β)** *(άμυνα)* to be weak **(γ)** *(επιχειρήματα)* to

be full of holes· *(σύστημα)* to crumble
▷**η πόρτα/το παράθυρο μπάζει αέρα** there's a draught *(Βρετ.) ή* draft *(Αμερ.)* coming from the door/window
▷**το σπίτι μπάζει από παντού** the house is very draughty *(Βρετ.) ή* drafty *(Αμερ.)*
▷**μπάζω κπν στο νόημα** to make sb understand
▷**μπάζω νερά** *(για πλοίο, βάρκα)* to ship water· *(για στέγη)* to leak
▸**μπάζει** ΑΠΡΟΣ there's a draught *(Βρετ.) ή* draft *(Αμερ.)*

μπάζωμα ΟΥΣ ΟΥΔ filling with rubble

μπαζώνω Ρ Μ to fill with rubble

μπαινοβγαίνω Ρ ΑΜ **(α)** *(= μπαίνω και βγαίνω)* to come in and out, to go in and out **(β)** *(= συχνάζω)* to be in and out *(σε* of)

μπαίνω Ρ ΑΜ **(α)** *(= εισέρχομαι: σε σπίτι, γραφείο)* to go in, to come in, to enter· *(σε μπάνιο)* to get in **(β)** *(άμμος, σκόνη)* to get in· *(γκολ, καλάθι)* to go in **(γ)** *(σε χώρα. λιμάνι, στην πόλη)* to enter **(δ)** *(= επιβιβάζομαι: σε αυτοκίνητο, βάρκα)* to get in· *(σε αεροπλάνο, τρένο, λεωφορείο)* to get on **(ε)** *(αέρας, φως)* to come in **(στ)** *(= μαζεύω: ύφασμα, ρούχο)* to shrink **(ζ)** *(= χωρώ: τραπέζι, γραφείο)* to go in, to fit· *(παντελόνι, φούστα)* to fit **(η)** *(= τοποθετούμαι: πίνακας, φωτιστικό)* to go **(θ)** *(= τακτοποιούμαι: αρχείο, βιβλία, ρούχα)* to go **(ι)** *(= σημειώνομαι: τόνος, κόμμα, απόστροφος)* to go **(ια)** *(= συμμετέχω: σε συζήτηση)* to join in **(ιβ)** *(= εντάσσομαι: σε πανεπιστήμιο, στο Δημόσιο)* to get in **(ιγ)** *(= εισάγομαι: σε νοσοκομείο)* to be admitted *(σε* to) **(ιδ)** *(= ορίζομαι: συνέταιρος, μάρτυρας)* to become **(ιε)** *(= εισέρχομαι: στο διαδίκτυο)* to log on **(ιστ)** *(για εποχές, μήνες)* to come, to arrive
▷**την μπαίνω κποιου** *ή* **σε κπν** *(αργκ.)* to provoke sb
▷**μου μπαίνει κτ στον νου** *ή* **στο μυαλό** *ή* **στο κεφάλι** to get sth into one's head
▷**μου μπήκε ένα αγκάθι στο δάχτυλο** I've got a thorn in my finger
▷**μπαίνω σε νέα εποχή/άλλη φάση** to enter a new era/a different phase
▷**μπαίνω στα τριάντα/στα σαράντα** to be coming up to *ή* pushing *(ανεπ.)* thirty/forty
▷**μπαίνω στη μάχη του πρωταθλήματος** to go in for the championship
▷**μπαίνω στον πόλεμο** to enter *ή* join the war
▷**μπαίνω φυλακή** to go to prison
▷**μπήκα!** *(αργκ.)* I get it!

μπάιτ ΟΥΣ ΟΥΔ ΑΚΛ (ΠΛΗΡΟΦ) byte

μπακ ΟΥΣ ΑΡΣ/ΟΥΔ ΑΚΛ *(στο ποδόσφαιρο)* back

μπάκα ΟΥΣ ΘΗΛ belly
▷**κάνω μπάκα** to have a bit of a belly *(ανεπ.)*, to have a paunch

μπακάλης ΟΥΣ ΑΡΣ grocer

μπακαλιάρος ΟΥΣ ΑΡΣ cod, hake
▸**μπακαλιάρος σκορδαλιά** purée of cod, potatoes and garlic

M

μπακάλικο ΟΥΣ ΟΥΔ grocer's (shop) (*Βρετ.*), grocery store (*Αμερ.*)

μπακάλισσα ΟΥΣ ΘΗΛ *βλ.* **μπακάλης**

μπακατέλα ΟΥΣ ΘΗΛ = **μπαγκατέλα**

μπακλαβάς ΟΥΣ ΑΡΣ baklava

μπακούρι (*οικ.*) ΟΥΣ ΟΥΔ bachelor

μπάλα ΟΥΣ ΘΗΛ (α) (*γενικοτ.*) ball · (*χώματος*) clod, lump (β) (= *ποδόσφαιρο*) football (γ) (*άχυρο, βαμβάκι*) bale
▷ **παίζω μπάλα** to play ball
▷ **μπάλα κανονιού** cannonball
▸ **μπάλα ποδοσφαίρου** football
▸ **μπάλα τένις/μπιλιάρδου** tennis/billiard ball
▸ **μπάλα χιονιού** snowball

μπαλάκι ΟΥΣ ΟΥΔ (*τένις, πινγκ-πονγκ*) ball
▷ **γίνομαι μπαλάκι** to be shuttled back and forth
▷ **κάνω κπν μπαλάκι** to send sb back and forth
▷ **πετάω σε κπν το μπαλάκι** to put the ball in sb's court

μπαλαλάικα ΟΥΣ ΘΗΛ balalaika

μπαλαμούτι ΟΥΣ ΟΥΔ (*χυδ.*) touching up
▷ **αρχίζω το μπαλαμούτι (με κπν)** to start coming on (to sb)

μπαλαμουτιάζω Ρ Μ (*χυδ.*) to touch up (*ανεπ.*)

μπαλάντα ΟΥΣ ΘΗΛ (ΜΟΥΣ) ballad

μπαλαντέζα ΟΥΣ ΟΥΔ extension cable *ή* lead

μπαλαντέρ ΟΥΣ ΑΡΣΟΥΔ ΑΚΛ (α) (*στα χαρτιά*) joker (β) (*στο ποδόσφαιρο*) all-rounder (*Βρετ.*), multi-talent (*Αμερ.*)

μπαλαρίνα ΟΥΣ ΘΗΛ ballerina, ballet dancer

μπαλένα ΟΥΣ ΘΗΛ whale

μπαλέτο ΟΥΣ ΟΥΔ ballet
▸ **βραδιά μπαλέτου** evening at the ballet
▸ **κλασικό μπαλέτο** classical ballet

μπαλιά ΟΥΣ ΘΗΛ shot · (*στο ποδόσφαιρο, ράγκμπι*) kick
▷ **ρίχνω (μια) μπαλιά** to kick the ball
▸ **μπαλιά-τρύπα** through pass *ή* ball

μπαλκόνι ΟΥΣ ΟΥΔ balcony
▸ **μπαλκόνια** ΠΛΗΘ big breasts

μπαλκονόπορτα ΟΥΣ ΘΗΛ French window (*Βρετ.*), French door (*Αμερ.*)

μπαλόνι ΟΥΣ ΟΥΔ balloon

μπάλος ΟΥΣ ΑΡΣ island folk dance

μπάλσαμο ΟΥΣ ΟΥΔ = **βάλσαμο**

μπαλτάς ΟΥΣ ΑΡΣ axe (*Βρετ.*), ax (*Αμερ.*)

μπάλωμα ΟΥΣ ΟΥΔ (α) (*ρούχου*) patch (β) (*διχτυών*) mending (γ) (*σε αυτοκίνητο, τοίχο*) repair

μπαλώνω Ρ Μ (α) (*παντελόνι*) to patch · (*κάλτσες*) to darn (β) (*δίχτυα*) to mend (γ) (*τοίχο*) to fill the cracks in (δ) (*γκάφα*) to cover up
▷ **μπαλώνω την κατάσταση, τα μπαλώνω** to patch things up

μπαμ (*προφορ.*) ΟΥΣ ΟΥΔ ΑΚΛ (α) (= *δυνατός κρότος*) bang (β) (= *αμέσως*) hey presto
▷ **κάνω μπαμ** (*έργο, ταινία, δίσκος*) to be a big hit · (*γυναίκα, άντρας*) to be a knockout (*ανεπ.*) · (*λάθος*) to stand out like a sore thumb
▷ **το μεγάλο μπαμ** the boom

μπάμια ΟΥΣ ΘΗΛ okra
▸ **μπάμιες** ΠΛΗΘ baked okra

μπαμπάκι ΟΥΣ ΘΗΛ = **βαμβάκι**

μπαμπακόσπορος ΟΥΣ ΑΡΣ = **βαμβακόσπορος**

μπαμπαλής ΟΥΣ ΑΡΣ = **γερομπαμπαλής**

μπαμπάς ΟΥΣ ΑΡΣ dad

μπαμπέσα ΟΥΣ ΘΗΛ *βλ.* **μπαμπέσης**

μπαμπέσης ΟΥΣ ΑΡΣ double-crosser

μπαμπεσιά ΟΥΣ ΘΗΛ double-crossing

μπαμπέσικα ΕΠΙΡΡ treacherously

μπαμπόγερος ΟΥΣ ΑΡΣ (*μειωτ.*) old crock (*ανεπ.*)

μπαμπόγρια ΟΥΣ ΘΗΛ *βλ.* **μπαμπόγερος**

μπαμπού ΟΥΣ ΟΥΔ ΑΚΛ bamboo
▷ **έπιπλα μπαμπού** bamboo furniture

μπαμπουΐνος ΟΥΣ ΑΡΣ baboon

μπαμπούλας ΟΥΣ ΑΡΣ bogeyman

> *Προσοχή!: Ο πληθυντικός του* **bogeyman** *είναι* **bogeymen**.

μπανάλ ΕΠΙΘ ΑΚΛ old-fashioned

μπανάνα ΟΥΣ ΘΗΛ (α) (*καρπός*) banana (β) (*τσαντάκι*) bum bag (*Βρετ.*), fanny pack (*Αμερ.*) (γ) (*θαλάσσια ψυχαγωγία*) banana, water sled

μπανανιά ΟΥΣ ΘΗΛ banana tree

μπανανόφλουδα ΟΥΣ ΘΗΛ banana skin (*Βρετ.*), banana peel (*Αμερ.*)
▷ **πατάω τη μπανανόφλουδα** (*μτφ.*) to slip on a banana skin (*Βρετ.*) *ή* peel (*Αμερ.*)
▷ **ρίχνω τη μπανανόφλουδα σε κπν** (*μτφ.*) to set a trap for sb

μπανέλα ΟΥΣ ΘΗΛ = **μπαλένα**

μπανιαρίζω, μπανιάρω Ρ Μ to bath (*Βρετ.*), to bathe (*Αμερ.*), to give a bath to

μπανιέρα ΟΥΣ ΘΗΛ bath (*Βρετ.*), bathtub (*Αμερ.*)
▸ **κλασική μπανιέρα** classic clawfoot bathtub

μπανίζω (= *οικ.*) Ρ Μ (α) (= *κοιτάζω: κοπέλα*) to eye up (*ανεπ.*) (β) (= *διακρίνω από μακριά*) to spot, to see

μπάνιο ΟΥΣ ΟΥΔ (α) (= *πλύσιμο*) bath (β) (*δωμάτιο*) bathroom (γ) (= *μπανιέρα*) bath (*Βρετ.*), bathtub (*Αμερ.*) (δ) (= *κολύμπι*) swim
▷ **κάνω μπάνιο** to have a bath, to take a bath (*Αμερ.*) · (*στη θάλασσα*) to go for a swim
▷ **μπαίνω στο μπάνιο** (= *πλένομαι*) to have a wash · (= *κάνω την ανάγκη μου*) to go to the toilet (*Βρετ.*) *ή* bathroom (*Αμερ.*)
▷ **πάω για μπάνιο (στη θάλασσα)** to go for a swim
▸ **μπάνια** ΠΛΗΘ spa baths

μπανιστήρι ΟΥΣ ΟΥΔ voyeurism
▷ **κάνω μπανιστήρι (σε κπν)** to peep (at sb)

μπανιστηρτζής ΟΥΣ ΑΡΣ voyeur, Peeping Tom

μπάντα ΟΥΣ ΘΗΛ (α) (= *πλάι, πλευρά*) side (β) (= *φιλαρμονική*) band (γ) (= *ζώνη συχνοτήτων*) band
▷**βάζω κτ στη μπάντα** (*λεφτά*) to put sth aside *ή* by
▷**κάθομαι στη μπάντα** to keep out of it
▷**κάνω κπν στη μπάντα** to sideline sb

μπαντάνα ΟΥΣ ΘΗΛ bandanna

μπαξές (*προφορ.*) ΟΥΣ ΑΡΣ garden
▷**απ' όλα έχει ο μπαξές, όλα τα 'χει ο μπαξές** you're spoilt for choice

μπαούλο ΟΥΣ ΟΥΔ chest, trunk

μπαρ ΟΥΣ ΟΥΔ ΑΚΛ bar

μπάρα ΟΥΣ ΘΗΛ (α) (= *αμπάρα*) bolt (β) (= *πάγκος μπαρ*) bar (γ) (*στην άρση βαρών*) dumbbell (δ) (= *διαχωριστική γραμμή*) bar

μπαράζ ΟΥΣ ΟΥΔ ΑΚΛ (*διαμαρτυριών, δηλώσεων, επιθέσεων*) barrage
▸**αγώνας μπαράζ** play-off

μπαργούμαν ΟΥΣ ΘΗΛ ΑΚΛ bartender, barmaid (*Βρετ.*)

μπαρκάρω Ρ ΑΜ (α) (= *ναυτολογούμαι*) to join (β) (= *επιβιβάζομαι*) to embark, to go aboard *ή* on board

μπάρμαν ΟΥΣ ΑΡΣ ΑΚΛ bartender, barman (*Βρετ.*)

Προσοχή!: Ο πληθυντικός του **barman** *είναι* **barmen.**

μπάρμπας ΟΥΣ ΑΡΣ uncle

μπαρμπούνι ΟΥΣ ΟΥΔ red mullet

μπαρμπούτι ΟΥΣ ΟΥΔ craps *εν.*

μπαρόβια (*αρνητ.*) ΟΥΣ ΘΗΛ barfly (*ανεπ.*)

μπαρόβιος (*αρνητ.*) ΟΥΣ ΑΡΣ barfly (*ανεπ.*)

μπαρότσαρκα ΟΥΣ ΘΗΛ bar-hopping, pub crawl (*Βρετ.*)

μπαρούτη ΟΥΣ ΘΗΛ = **μπαρούτι**

μπαρούτι ΟΥΣ ΟΥΔ gunpowder
▷**γίνομαι μπαρούτι** to blow one's top, to hit the roof
▷**μυρίζει** *ή* **βρομάει μπαρούτι** I can smell trouble

μπαρούφα (*οικ., μειωτ.*) ΟΥΣ ΟΥΔ nonsense *χωρίς πληθ.*

μπασαβιόλα ΟΥΣ ΘΗΛ double bass

μπάσιμο ΟΥΣ ΟΥΔ (α) (= *είσοδος*) going in, entrance (β) (*στο μπάσκετ*) throw · (*στο ποδόσφαιρο*) shot

μπάσκετ, μπάσκετ-μπολ ΟΥΣ ΟΥΔ ΑΚΛ = **καλαθοσφαίρηση**

μπασκέτα ΟΥΣ ΘΗΛ basket (*in basketball*)

μπασκετμπολίστας ΟΥΣ ΑΡΣ = **καλαθοσφαιριστής**

μπασκετμπολίστρια ΟΥΣ ΘΗΛ *βλ.* **καλαθοσφαιριστής**

μπασμένος, -η, -ο ΕΠΙΘ (*μειωτ., υβρ.*) squirt (*ανεπ.*)
▷**είμαι μπασμένος σε κτ** to be in on sth

μπάσο ΟΥΣ ΟΥΔ (α) (= *κοντραμπάσο*) double bass · (= *ηλεκτρικό μπάσο*) bass (guitar) (β) (*φωνής*) bass
▸**μπάσα** ΠΛΗΘ bass *εν.*

μπάσος, -α, -ο ΕΠΙΘ bass
▸**μπάσος** ΟΥΣ ΑΡΣ bass

μπασταρδεύω ① Ρ Μ (α) (*ράτσα σκυλιών*) to crossbreed, to cross · (*ποικιλία λουλουδιών*) to cross (β) (*προϊόν*) to change for the worse (γ) (*μουσική*) to bastardize
② Ρ ΑΜ (*σκύλος*) to be a mongrel

μπάσταρδη (*μειωτ.*) ΟΥΣ ΘΗΛ *βλ.* **μπάσταρδος**

μπάσταρδος (*μειωτ.*) ΟΥΣ ΟΥΔ (α) (= *νόθο παιδί*) bastard (*χυδ.*) (β) (= *τετραπέρατος*) clever bastard (*χυδ.*)

μπαστούνι ΟΥΣ ΟΥΔ (α) (= *μαγκούρα*) walking stick, cane (β) (*στην τράπουλα*) spade (γ) (*γκολφ*) club
▷**τα βρίσκω μπαστούνια** to come unstuck

μπαταρία ΟΥΣ ΘΗΛ (*αυτοκινήτου, ραδιοφώνου, κινητού τηλεφώνου*) battery
▷**γεμίζω τις μπαταρίες μου** to recharge one's batteries

μπατάρω ① Ρ Μ to capsize
② Ρ ΑΜ to capsize

μπατζάκι ΟΥΣ ΟΥΔ (α) (*γενικότ.*) trouser leg (*Βρετ.*), pant leg (*Αμερ.*) (β) (= *ρεβέρ*) turn-up (*Βρετ.*), cuff (*Αμερ.*)

μπατζανάκαινα ΟΥΣ ΘΗΛ = **μπατζανάκισσα**

μπατζανάκης ΟΥΣ ΑΡΣ brother-in-law

Προσοχή!: Ο πληθυντικός του **brother-in-law** *είναι* **brothers-in-law.**

μπατζανάκισσα ΟΥΣ ΘΗΛ sister-in-law

Προσοχή!: Ο πληθυντικός του **sister-in-law** *είναι* **sisters-in-law.**

μπάτης ΟΥΣ ΑΡΣ sea breeze

μπατίρης ΟΥΣ ΑΡΣ: **είμαι μπατίρης** to be stony *ή* flat broke (*ανεπ.*)

μπατιρίζω Ρ ΑΜ to go bust (*ανεπ.*) *ή* bankrupt

μπατίρισσα ΟΥΣ ΘΗΛ *βλ.* **μπατίρης**

μπάτσα ΟΥΣ ΘΗΛ = **μπάτσος**[1]

μπατσαρία (*μειωτ.*) ΟΥΣ ΘΗΛ cops *πληθ.* (*ανεπ.*), pigs *πληθ.* (*Βρετ.*) (*ανεπ.*)

μπατσίζω Ρ Μ to slap

μπατσίνα (*μειωτ.*) ΟΥΣ ΘΗΛ *βλ.* **μπάτσος**[2]

μπάτσος[1] ΟΥΣ ΑΡΣ slap

μπάτσος[2] (*μειωτ.*) ΟΥΣ ΑΡΣ cop (*ανεπ.*)

μπαφιάζω ① Ρ ΑΜ to have had enough
② Ρ Μ to wear out

μπάχαλο (*ανεπ.*) ΟΥΣ ΟΥΔ chaos, mayhem

μπαχάρι ΟΥΣ ΟΥΔ *βλ.* **μπαχαρικό**

μπαχαρικό ΟΥΣ ΟΥΔ spice

μπεζ ΕΠΙΘ ΑΚΛ beige
▸**μπεζ** ΟΥΣ ΟΥΔ beige

μπέιζμπολ ΟΥΣ ΟΥΔ ΑΚΛ baseball

M

μπέικον ΟΥΣ ΟΥΔ ΑΚΛ bacon

μπεϊμπιντόλ, μπέιμπι-ντολ ΟΥΣ ΟΥΔ ΑΚΛ baby–doll nightdress

μπεϊμπισίτερ, μπέιμπι-σίτερ ΟΥΣ ΘΗΛ ΑΚΛ babysitter

μπεκάτσα ΟΥΣ ΘΗΛ woodcock

μπεκρής ΟΥΣ ΑΡΣ drunk, drunkard

μπεκροκανάτα (*κοροϊδ.*) ΟΥΣ ΘΗΛ drunk

μπεκρού ΟΥΣ ΘΗΛ *βλ.* **μπεκρής**

μπεκροπίνω (*μειωτ.*) Ρ ΑΜ = **μπεκρουλιάζω**

μπεκρουλιάζω (*μειωτ.*) Ρ ΑΜ to get drunk

μπεκρούλιακας (*μειωτ.*) ΟΥΣ ΑΡΣ drunk, drunkard

μπελάς ΟΥΣ ΑΡΣ (α) (= *ενοχλητική κατάσταση*) trouble (β) (*για πρόσ.*) nuisance
▷ **βάζω κπν σε μπελά** *ή* **μπελάδες** to get sb into trouble
▷ **βρίσκω τον μπελά μου** to pay for one's trouble
▷ **μπαίνω σε μπελά** *ή* **μπελάδες** to get into trouble

μπέμπα ΟΥΣ ΘΗΛ (α) (= *θηλυκό μωρό*) baby girl (β) (*χαϊδευτ.: για γυναίκα*) baby

μπεμπέ ΕΠΙΘ ΑΚΛ (*ύφος*) babyish
▸ **είδη μπεμπέ** baby things
▸ **ρούχα μπεμπέ** baby clothes, babywear

μπεμπέκα (*χαϊδευτ.*) ΟΥΣ ΘΗΛ baby

μπέμπελη ΟΥΣ ΘΗΛ: **βγάζω τη μπέμπελη** to be boiling (*ανεπ.*) *ή* roasting (*ανεπ.*)

μπέμπης ΟΥΣ ΑΡΣ (α) (= *αρσενικό μωρό*) baby boy (β) (*χαϊδευτ.: = μικρό αγόρι*) little boy (γ) (*μειωτ.*) crybaby (*ανεπ.*)

μπέρδεμα ΟΥΣ ΟΥΔ (α) (*σκοινιών, μαλλιών*) tangle (β) (= *σύγχυση*) mix–up, confusion
▸ **μπερδέματα** ΠΛΗΘ trouble *εν.*

μπερδεμένος, -η, -ο ΕΠΙΘ (α) (*μαλλιά, κλωστές, σχοινιά*) tangled (β) (*σημειώσεις, βιβλία, χαρτιά*) muddled up, mixed up (γ) (*υπόθεση, ορισμός*) muddled, confused· (*δουλειά*) tricky (δ) (= *συγχυσμένος*) confused
▷ **είμαι μπερδεμένος με κτ** to be in trouble with sth

μπερδεύω Ρ Μ (α) (*σχοινιά, καλώδια*) to tangle (up) (β) (*χαρτιά, σημειώσεις*) to mix up, to muddle up (γ) (*χρώματα, μπογιές*) to mix (δ) (*υπόθεση, ζήτημα*) to confuse (ε) (*όνομα, λέξεις*) to mix up (στ) (= *προκαλώ σύγχυση*) to confuse (ζ) (= *μπλέκω*) to mix up (*σε in*)
▷ **μπερδεύω τα λόγια μου** to get one's words mixed up
▸ **μπερδεύομαι** ΜΕΣΟΠΑΘ (α) (*πόδι*) to get caught (β) (= *εμπλέκομαι*) to get involved
▷ **μπερδεύομαι σε κτ** (= *εμπλέκομαι*) to get mixed up in sth
▷ **μπερδεύομαι στα πόδια κποιου** to get under sb's feet· (*μτφ.*) to get in sb's way

μπερδεψοδουλειά ΟΥΣ ΘΗΛ tricky business χωρίς πληθ. (*ανεπ.*)

μπερές ΟΥΣ ΑΡΣ beret

μπερέ ΟΥΣ ΟΥΔ ΑΚΛ = **μπερές**

μπερμπάντης ΟΥΣ ΑΡΣ womanizer

μπέρτα ΟΥΣ ΘΗΛ cape, cloak

μπέσα ΟΥΣ ΘΗΛ honour (*Βρετ.*), honor (*Αμερ.*)
▷ **δεν έχει μπέσα** he can't be trusted
▷ **έχω μπέσα** to be on the level (*ανεπ.*)
▷ **μπέσα για μπέσα** my word of honour (*Βρετ.*) *ή* honor (*Αμερ.*)

μπεσαμέλ ΟΥΣ ΘΗΛ ΑΚΛ bechamel (sauce)

μπεστ-σέλερ ΟΥΣ ΟΥΔ ΑΚΛ bestseller

μπετατζής ΟΥΣ ΑΡΣ bricklayer

μπετό ΟΥΣ ΟΥΔ concrete
▸ **μπετά** ΠΛΗΘ concrete
▷ **είμαι (ακόμη) στα μπετά** to be unfinished
▷ **ρίχνω μπετά** to lay the concrete

μπετόν ΟΥΣ ΟΥΔ ΑΚΛ concrete
▸ **μπετόν αρμέ** reinforced concrete· *βλ. κ.* **μπετό**

μπετονιέρα ΟΥΣ ΘΗΛ concrete mixer

μπήγω Ρ Μ (*καρφί*) to hammer in· (*πάσσαλο, μαχαίρι*) to stick in
▷ **μπήγω τα γέλια/τα κλάματα** (*οικ.*) to burst out laughing/crying, to burst into laughter/ tears
▷ **μπήγω τις φωνές (σε κπν)** (*οικ.*) to shout (at sb), to holler (at sb) (*ανεπ.*)

μπήξιμο ΟΥΣ ΟΥΔ (*πινέζας*) hammering in· (*πασσάλου, μαχαιριού*) sticking in

μπηχτή (*αργκ.*) ΟΥΣ ΘΗΛ (α) (= *ύπουλο χτύπημα*) jab (β) (= *κακόβουλος υπαινιγμός*) dig, gibe
▷ **πετάω** *ή* **ρίχνω μπηχτές** to make digs *ή* gibes

μπιγκουτί ΟΥΣ ΟΥΔ ΑΚΛ = **μπικουτί**

μπιέλα ΟΥΣ ΘΗΛ ΑΚΛ piston rod, connecting rod
▷ **βαράω** *ή* **χτυπάω μπιέλα** *ή* **μπιέλες** (*οικ.*) to flip one's lid (*ανεπ.*)

μπιζέλι ΟΥΣ ΟΥΔ (*καρπός*) pea

μπιζελιά ΟΥΣ ΘΗΛ pea plant

μπιζού ΟΥΣ ΟΥΔ ΑΚΛ jewellery (*Βρετ.*), jewelry (*Αμερ.*)

μπιζουτιέρα ΟΥΣ ΘΗΛ jewel case

μπικίνι ΟΥΣ ΟΥΔ ΑΚΛ bikini

μπικουτί ΟΥΣ ΟΥΔ ΑΚΛ curler

μπίλια ΟΥΣ ΘΗΛ (α) (= *βόλος*) stud (β) (= *μπάλα μπιλιάρδου*) billiard ball
▷ **γίνομαι μπίλιες (με κπν)** (*αργκ.*) to have a big falling out (with sb)

μπιλιαρδάδικο ΟΥΣ ΟΥΔ billiard hall

μπιλιάρδο ΟΥΣ ΟΥΔ (*αμερικανικό*) pool· (*γαλλικό*) billiards *εν.*

> *Προσοχή!:* Αν και το **billiards** φαίνεται ως τύπος πληθυντικού, είναι ουσιαστικό μόνο στον ενικό και συντάσσεται με ρήμα στον ενικό.

μπιλιέτο ΟΥΣ ΟΥΔ (*σε ανθοδέσμη, δώρο*) card

μπιμπελό ΟΥΣ ΟΥΔ ΑΚΛ (α) (*διακοσμητικό στοιχείο*) ornament (β) (*για πρόσ.*) cutie

(ανεπ.)

μπιμπερό ΟΥΣ ΟΥΔ ΑΚΛ baby's bottle, feeding bottle

μπιμπίκι ΟΥΣ ΟΥΔ spot, pimple

μπινελίκι ΟΥΣ ΟΥΔ (α) (= βρισιά) swearing *χωρίς πληθ.* (β) (= μεζές) snack
▷**αρχίζω κπν στα μπινελίκια, ρίχνω μπινελίκια σε κπν** to start swearing at sb

μπινές (χυδ.) ΟΥΣ ΑΡΣ (υβρ.) queer, bender (χυδ.)

μπινιά (χυδ.) ΟΥΣ ΘΗΛ dirty trick

μπιντές ΟΥΣ ΑΡΣ bidet

μπίρα ΟΥΣ ΘΗΛ (γενικότ.) beer · (ξανθή) lager · (μαύρη) stout

μπιραρία ΟΥΣ ΘΗΛ pub (Βρετ.), bar

μπισκότο ΟΥΣ ΟΥΔ biscuit (Βρετ.), cookie (Αμερ.)
▷**μπισκότα γεμιστά** cream biscuits (Βρετ.) ή cookies (Αμερ.)

μπιτ[1] ΟΥΣ ΟΥΔ ΑΚΛ (ΜΟΥΣ) beat

μπιτ[2] ΟΥΣ ΟΥΔ ΑΚΛ (ΠΛΗΡΟΦ) byte

μπιτς-βόλεϊ ΟΥΣ ΟΥΔ ΑΚΛ beach volleyball

μπιτόνι ΟΥΣ ΟΥΔ can

μπιφτέκι ΟΥΣ ΟΥΔ (βοδινό) beefburger · (χοιρινό) hamburger

μπιχλιμπίδι (ανεπ.) ΟΥΣ ΟΥΔ (α) (= κόσμημα μικρής αξίας) trinket (β) (= διακοσμητικό μικροαντικείμενο) bauble (γ) (= μικρό κι ασήμαντο αντικείμενο) knick–knack

μπλακάουτ, μπλακ-άουτ ΟΥΣ ΟΥΔ ΑΚΛ blackout
▷**έπαθα μπλακάουτ** (αργκ.) my mind went blank

μπλακτζάκ, μπλακ-τζάκ ΟΥΣ ΟΥΔ ΑΚΛ blackjack

μπλακ-χιούμορ ΟΥΣ ΟΥΔ ΑΚΛ black humour (Βρετ.), black humor (Αμερ.)

μπλαμπλά, μπλα-μπλά (ανεπ.) ΟΥΣ ΟΥΔ ΑΚΛ (α) (= φλυαρία) talk, chatter (β) (= λέγειν) gift of the gab
▷**έχω μπλαμπλά** to have the gift of the gab

μπλάνκο ΟΥΣ ΟΥΔ ΑΚΛ liquid paper

μπλε ΕΠΙΘ ΑΚΛ blue
▸ **μπλέ** ΟΥΣ ΟΥΔ blue

μπλέκω [1] Ρ Μ (α) (σκοινιά, κορδόνια) to tangle (up) (β) (κατάσταση, υπόθεση, θέμα) to confuse (γ) (= προκαλώ σύγχυση) to confuse
[2] Ρ ΑΜ (α) (= παρασύρομαι) to get involved (β) (= καθυστερώ) to get held up
▷**μπλέκω κπν σε κτ** to get sb mixed up in sth
▷**μπλέκω με κπν** (= παρασύρομαι) to get mixed up with sb · (= ταλαιπωρούμαι) to have trouble with sb · (μειωτ.: για δεσμό) to get involved with sb
▷**μπλέκω με την αστυνομία** to get into trouble with the police
▷**τα μπλέκω (με κπν)** to get involved (with sb)
▸ **μπλέκομαι** ΜΕΣΟΠΑΘ (α) (γραμμές τηλεφώνου) to be crossed · (πόδι) to get caught

(β) (= αναμειγνύομαι) to get involved (με with) (γ) (= έχω δεσμό) to be involved (με with)
▷**μπλέκομαι στα πόδια κποιου** to get under sb's feet · (επίσης **μτφ.**) to get in sb's way

μπλέντερ ΟΥΣ ΟΥΔ ΑΚΛ blender

μπλέξιμο ΟΥΣ ΟΥΔ (α) (σκοινιών, καλωδίων) tangle (β) (= σύγχυση) confusion, mess (γ) (= ανάμειξη) involvement
▸ **μπλεξίματα** ΠΛΗΘ: **έχω μπλεξίματα με κπν/κτ** to be in trouble with sb/sth

μπλοκ ΟΥΣ ΟΥΔ ΑΚΛ (α) (επιταγών) book · (ζωγραφικής) pad (β) (στο βόλεϊ) block · (στο μπάσκετ) blocked shot
▸ **μπλοκ σημειώσεων** notepad, notebook

μπλοκάρισμα ΟΥΣ ΟΥΔ (α) (δρόμου) traffic jam · (= μπλόκο) roadblock (β) (νου) blank · (φωνής) loss

μπλοκάρω [1] Ρ ΑΜ (α) (δρόμος) to be blocked (β) (μυαλό) to go blank
[2] Ρ Μ to block

μπλόκο ΟΥΣ ΟΥΔ roadblock

μπλουζ ΟΥΣ ΟΥΔ ΑΚΛ (α) (= μουσική και τραγούδι) blues *πληθ.* (β) (= αργός χορός) slow

μπλούζα ΟΥΣ ΘΗΛ top

μπλόφα ΟΥΣ ΘΗΛ bluff
▷**κάνω μπλόφα** to bluff

μπλοφάρω Ρ ΑΜ to bluff

μπλοφατζής ΟΥΣ ΑΡΣ bluffer

μπλοφατζού ΟΥΣ ΘΗΛ *βλ.* **μπλοφατζής**

μπογαλάκι ΟΥΣ ΟΥΔ: **μαζεύω ή παίρνω τα μπογαλάκια μου** to pack one's bags

μπογιά ΟΥΣ ΘΗΛ (α) (για τοίχο) paint · (για μαλλιά) dye · (για παπούτσια) polish (β) (= χρωματιστό μολύβι) crayon
▷**περνάει η μπογιά μου** not to have lost one's looks
▸ **ξύλινες μπογιές** coloured (Βρετ.) ή colored (Αμερ.) pencils

μπογιαντίζω Ρ Μ = **μπογιατίζω**

μπογιάντισμα ΟΥΣ ΟΥΔ = **μπογιάτισμα**

μπόγιας ΟΥΣ ΑΡΣ dog–catcher

μπογιατζής ΟΥΣ ΑΡΣ painter

μπογιατίζω Ρ Μ to paint

μπογιάτισμα ΟΥΣ ΟΥΔ painting

μπόγος ΟΥΣ ΑΡΣ (α) (= δέμα ρούχων) bundle (β) (μειωτ.) fat lump (ανεπ.)

μποέμικος, -η, -ο ΕΠΙΘ (ζωή, στυλ) bohemian

μπόι ΟΥΣ ΟΥΔ (ανεπ.: = ύψος) height
▷**δεν ντρέπεσαι ή κρίμα το μπόι σου!** you should be ashamed of yourself at your age!
▷**έχω δύο μέτρο μπόι** to be two metres (Βρετ.) ή meters (Αμερ.) tall
▷**παίρνω ή πετάω μπόι** to grow
▷**πρώτο μπόι** (ειρων.) shorty (ανεπ.)

μποϊκοτάζ ΟΥΣ ΟΥΔ ΑΚΛ boycott
▷**κάνω μποϊκοτάζ σε κτ** to boycott sth

μποϊκοτάρω Ρ Μ to boycott

μπολ ΟΥΣ ΟΥΔ ΑΚΛ bowl

M

μπόλικος, -η, -ο ΕΠΙΘ (α) (*φαγητό, χρήματα, ώρα*) plenty of (β) (*για ρούχα*) loose · (*μανίκι*) wide

μπόμπα ΟΥΣ ΘΗΛ (α) (= *βόμβα*) bomb (β) (*αργκ.*: = *νοθευμένο ποτό*) rotgut (*ανεπ.*) (γ) (= *έδεσμα*) club sandwich

μπόμπιρας ΟΥΣ ΑΡΣ little boy

μπομπονιέρα ΟΥΣ ΘΗΛ sugared almond (*offered to guests at weddings and christenings*)

μπομπότα ΟΥΣ ΘΗΛ corn bread

μπονναμάς ΟΥΣ ΑΡΣ (α) (= *πρωτοχρονιάτικο δώρο*) New Year's gift (β) (*γενικότ.*) gift
▷**χριστουγεννιάτικος/πρωτοχρονιάτικος μπονναμάς** New Year's/Christmas gift

μποντιμπιλντεράς ΟΥΣ ΑΡΣ bodybuilder · (*μτφ.*) muscleman

> *Προσοχή!: Ο πληθυντικός του* **muscleman** *είναι* **musclemen**.

μπόντι-μπίλντινγκ ΟΥΣ ΟΥΔ ΑΚΛ bodybuilding

μποξ ΟΥΣ ΟΥΔ ΑΚΛ boxing
▸**αγώνας μποξ** boxing match

μποξέρ ΟΥΣ ΑΡΣ ΑΚΛ = **πυγμάχος**

μποξεράκι ΟΥΣ ΑΡΣ boxer shorts *πληθ.*

μπόουλινγκ ΟΥΣ ΑΡΣ ΑΚΛ bowling

μπόρα ΟΥΣ ΘΗΛ (α) (= *ξαφνική και ραγδαία βροχή*) shower (β) (= *καταιγίδα*) storm (γ) (= *παροδική συμφορά*) setback
▷**με παίρνει κι εμένα η μπόρα** to get caught in the crossfire
▷**μπόρα είναι, θα περάσει** it's only a temporary setback

μπορντέλο ΟΥΣ ΟΥΔ = **μπουρδέλο**

μπορντό ΕΠΙΘ ΑΚΛ burgundy
▸**μπορντό** ΟΥΣ ΟΥΔ burgundy

μπορντούρα ΟΥΣ ΘΗΛ (α) (= *άκρη υφάσματος ή φορέματος*) edge (β) (= *δαντελένιο στόλισμα*) edging *χωρίς πληθ.*, trimming *χωρίς πληθ.*

> *ΛΕΞΗ-ΚΛΕΙΔΙ*

μπορώ Ρ Μ +να (α) (= *έχω τη δυνατότητα*) to be able to · ❏**θα σε συναντήσω μόλις μπορέσω** I will meet you as soon as I can *ή* I'm able to · **δε μπορώ να κουνηθώ με σπασμένο το πόδι μου** I can't move with my broken leg
(β) (= *έχω την ικανότητα*) to be able to · ❏**μπορούν να μιλήσουν Ελληνικά;** can they speak Greek?
(γ) (= *μου είναι εύκολο*) to be able to · (*για ευγένεια*) may · ❏**δεν μπόρεσε να τελειώσει τον λόγο** he couldn't *ή* wasn't able to finish the speech · **παρά τον τραυματισμό της, μπόρεσε να συνεχίσει ως το τέρμα** despite her injury, she managed to continue to the end
▷**μπορώ να πάω έξω;** may I go outside?
▷**θα μπορούσα να είχα ...** I could've ...
▷**θα μπορούσα να είχα ...;** could I have ...?
(δ) (= *αντέχω: αρνητικό*): **δεν μπορώ τις φωνές** I can't stand the shouting ❏**μπορείς**

και διαβάζεις με τόση ζέστη; can you manage to read in such heat?
(ε) +*αντων.*: **θα κάνω ό, τι μπορώ** I'll do what I can
▷**όλα τα μπορεί αυτή!** she can do anything! Ρ ΑΜ: **μπορείς αύριο;** can you make it tomorrow?
▷**δεν μπορώ** (= *είμαι άρρωστος*) I don't feel well
▷**μπορώ;** may I?
▸**μπορεί** ΑΠΡΟΣ (α) (= *ενδέχεται*) may ❏**μπορεί να βρέξει** it may rain · **μπορεί να μην τον δω** I may not see him · **μπορεί και να πάμε τελικά** we may go after all (β) (= *ίσως*) maybe, perhaps **θα φύγεις αύριο; μπορεί!** are you leaving tomorrow? perhaps *ή* maybe · **θα έρθεις μαζί μου αύριο; δεν ξέρω, μπορεί** will you come with me tomorrow? I don't know, maybe
▷**δεν μπορεί!** it's not possible!, it's impossible! ❏**δεν μπορεί! αυτός πρέπει να ήταν!** it's not possible! it must have been him!
▷**δεν μπορεί να** it can't be ❏**δεν μπορεί να το έκανε αυτός** it can't be him

μποστάνι ΟΥΣ ΟΥΔ (*ανεπ.*) vegetable garden

μπότα ΟΥΣ ΘΗΛ boot

μποτίλια ΟΥΣ ΘΗΛ bottle

μποτιλιάρισμα ΟΥΣ ΟΥΔ bottleneck, traffic jam

μποτίνι ΟΥΣ ΟΥΔ ankle boot

μπουάτ ΟΥΣ ΘΗΛ ΑΚΛ (night)club

μπουγάδα ΟΥΣ ΘΗΛ washing
▷**βάζω/κάνω μπουγάδα** to do the washing

μπουγαρίνι ΟΥΣ ΟΥΔ jasmine

μπουγάτσα ΟΥΣ ΘΗΛ (*γλυκιά*) cream–filled pastry · (*αλμυρή*) cheese pie

μπουγέλο ΟΥΣ ΟΥΔ (= *κουβάς*) bucket
▷**παίζω μπουγέλο** to have a water fight

μπουγελώνω Ρ Μ to soak, to drench

μπουγέλωμα ΟΥΣ ΟΥΔ soaking, drenching

μπούγιο (*προφορ.*) ΟΥΣ ΟΥΔ ΑΚΛ (= *μεγάλος όγκος*) bulk
▸**κάνω μπούγιο** to go into a huddle

μπουγιουρντί ΟΥΣ ΟΥΔ (α) (*για μετάθεση, απόλυση*) notice (β) (*για λογαριασμό*) bill

μπουζί ΟΥΣ ΟΥΔ spark plug

μπούζι ΕΠΙΘ ΑΚΛ ice–cold

μπουζούκι ΟΥΣ ΟΥΔ (*όργανο*) bouzouki
▸**μπουζούκια** ΠΛΗΘ bouzouki club *εν.*

μπουζουξής ΟΥΣ ΑΡΣ bouzouki player

μπουζουξίδικο (*μειωτ.*) ΟΥΣ ΟΥΔ bouzouki club

μπουζουριάζω Ρ Μ to lock up (*ανεπ.*)

μπούκα ΟΥΣ ΘΗΛ (*λιμανιού*) mouth, entrance · (*υπονόμου*) mouth
▷**έχω κπν στη μπούκα (του κανονιού)** to have sb in one's sights

μπουκάλα ΟΥΣ ΘΗΛ (α) (= *μεγάλο μπουκάλι*) big bottle (β) (*οξυγόνου, γκαζιού*) bottle (γ) (*νεανικό παιχνίδι*) spinning the bottle

▷**μένω μπουκάλα** to end up alone

μπουκάλι ΟΥΣ ΟΥΔ bottle

μπουκαμβίλια ΟΥΣ ΘΗΛ = **βουκαμβίλια**

μπουκαπόρτα (ΝΑΥΤ) ΟΥΣ ΘΗΛ (α) (= *καταπακτή*) trapdoor (β) (ΝΑΥΤ) hatch(way)

μπουκάρω Ρ ΑΜ (*αργκ.*) to burst in

μπουκέτο ΟΥΣ ΟΥΔ (α) (= *ανθοδέσμη*) bouquet (β) (*αργκ.*) punch

μπουκιά ΟΥΣ ΘΗΛ mouthful, bite
▷**δεν βάζω μπουκιά στο στόμα μου** not to eat a thing
▷**είναι μπουκιά και συχώριο!** (*οικ.*) he's/she's good enough to eat
▷**μεγάλη μπουκιά να φας, μεγάλη κουβέντα να μην πεις** (*παροιμ.*) never say never
▷**μια μπουκιά άνθρωπος** a tiny person

μπούκλα ΟΥΣ ΘΗΛ curl, lock

μπούκωμα ΟΥΣ ΘΗΛ (α) (*στόματος*) stuffing (β) (*εξάτμισης*) blocking (γ) (*μηχανής*) stalling (δ) (*για μύτη*) blocked nose

μπουκώνω ① Ρ Μ (α) (*παιδί*) to stuff · (*γουλιά*) to take (β) (= *μπουχτίζω*) to fill up ② Ρ ΑΜ (α) (= *χορταίνω*) to be full (β) (*εξάτμιση, αντλία*) to be blocked (γ) (*μηχανή*) to stall (δ) (*μύτη*) to be blocked (up)
▷**μπουκώνω κπν** (*οικ.*) to grease sb's palm

μπουλντόζα ΟΥΣ ΘΗΛ bulldozer

μπουλόνι ΟΥΣ ΟΥΔ bolt

μπουλούκι ΟΥΣ ΟΥΔ mob

μπουλούκα (*χαϊδευτ.*) ΟΥΣ ΘΗΛ βλ. **μπουλούκος**

μπουλούκος (*χαϊδευτ.*) ΟΥΣ ΑΡΣ chubby chops (*ανεπ.*)

μπούμερανγκ ΟΥΣ ΟΥΔ ΑΚΛ boomerang

μπουμπούκι ΟΥΣ ΟΥΔ bud
▷**παιδί μπουμπούκι** (*ειρων.*) a wolf in sheep's clothing

μπουμπουκιάζω Ρ ΑΜ to bud, to come into bud

μπουμπούνας (*υβρ.*) ΟΥΣ ΑΡΣ&ΘΗΛ dope (*ανεπ.*), blockhead (*ανεπ.*)

μπουμπουνητό ΟΥΣ ΟΥΔ (α) (= *βροντή*) roll of thunder (β) (= *συνεχείς βροντές*) rumble of thunder

μπουμπουνιέρα ΟΥΣ ΘΗΛ = **μπομπονιέρα**

μπουμπουνίζω Ρ Μ: **τη μπουμπουνίζω κποιου** (*οικ.*) to shoot sb
▸**μπουμπουνίζει** ΑΠΡΟΣ it's thundering

μπουμπούνισμα ΟΥΣ ΟΥΔ (α) (= *βροντή*) roll of thunder (β) (= *συνεχείς βροντές*) rumble of thunder

μπουμπουνοκέφαλος, -η, -ο (*υβρ.*) ΕΠΙΘ dumb (*ανεπ.*)

μπουναμάς ΟΥΣ ΑΡΣ = **μποναμάς**

μπουνάτσα ΟΥΣ ΘΗΛ dead calm

μπουνιά ΟΥΣ ΘΗΛ (α) (= *γροθιά*) fist (β) (= *χτύπημα με γροθιά*) punch
▷**δίνω ή ρίχνω μπουνιά σε κπν** to punch sb
▷**τρώω μπουνιά** to get punched

μπούνια (*προφορ.*) ΟΥΣ ΟΥΔ ΠΛΗΘ: **είμαι ερωτευμένος μέχρι ή ως τα μπούνια** to be head over heels in love
▷**είμαι χρεωμένος μέχρι ή ως τα μπούνια** to be up to one's eyes ή ears in debt (*ανεπ.*)

μπουνταλάς ΟΥΣ ΑΡΣ (α) (= *ανόητος*) dope (*ανεπ.*) (β) (= *αδέξιος*) clumsy oaf

μπουνταλού ΟΥΣ ΘΗΛ βλ. **μπουνταλάς**

μπουντρούμι ΟΥΣ ΟΥΔ dungeon

μπούρδα ΟΥΣ ΘΗΛ nonsense *χωρίς πληθ.*, hot air *χωρίς πληθ.* (*ανεπ.*)

μπούρδας (*υβρ.*) ΟΥΣ ΑΡΣ big mouth (*ανεπ.*)

μπουρδέλο (*χυδ.*) ΟΥΣ ΟΥΔ (α) (= *πορνείο*) brothel, whorehouse (*ανεπ.*) (β) (*μτφ.: για χώρο*) mess · (*για κατάσταση*) chaos

μπουρδουκλώνω Ρ Μ (*λόγια*) to muddle up
▸**μπουρδουκλώνομαι** ΜΕΣΟΠΑΘ to trip (up)

μπουρέκι ΟΥΣ ΟΥΔ (α) (*γλύκισμα*) cream pastry (β) (*φαγητό*) pasty (*Βρετ.*), patty (*Αμερ.*)

μπουρί ΟΥΣ ΟΥΔ flue

μπουρίνι ΟΥΣ ΟΥΔ squall
▷**με πιάνουν τα μπουρίνια μου** to fly into a rage

μπουρλότο ΟΥΣ ΟΥΔ setting on fire
▷**βάζω μπουρλότο σε κπν/κτ** to set sb/sth on fire · (*μτφ.*) to aggravate sb/sth
▷**γίνομαι μπουρλότο** to fly into a rage

μπουρμπουλήθρα ΟΥΣ ΘΗΛ bubble

μπουρ-μπουρ, μπούρου-μπούρου (*οικ.*) ΟΥΣ ΟΥΔ ΑΚΛ chattering, gassing *χωρίς πληθ.* (*ανεπ.*)

μπουρνούζι ΟΥΣ ΟΥΔ bathrobe

μπουρτζόβλαχος (*μειωτ.*) ΟΥΣ ΑΡΣ yokel, clodhopper (*ανεπ.*)

μπούσουλας ΟΥΣ ΑΡΣ: **χάνω τον μπούσουλα** (*μτφ.*) to be all at sea

μπουσουλώ Ρ ΑΜ to crawl

μπουστάκι ΟΥΣ ΟΥΔ bodice

μπούστο ΟΥΣ ΟΥΔ (*για γυναίκα*) bust

μπούστος ΟΥΣ ΑΡΣ = **μπούστο**

μπούτι (*ανεπ.*) ΟΥΣ ΟΥΔ (α) (*ανθρώπου*) thigh · (*ζώου*) haunch (β) (*κοτόπουλου*) leg, drumstick
▷**μπλέξαμε τα μπούτια μας** we got our wires crossed

μπουτίκ ΟΥΣ ΘΗΛ ΑΚΛ boutique

μπουφάν ΟΥΣ ΟΥΔ ΑΚΛ (*αντιανεμικό*) jacket · (*αδιάβροχο*) anorak

μπουφές ΟΥΣ ΑΡΣ (α) (*έπιπλο*) sideboard (β) (*δεξίωσης*) buffet

μπούφος ΟΥΣ ΑΡΣ (α) (*πουλί*) horned owl (β) (*υβρ.*) idiot

μπουχός ΟΥΣ ΑΡΣ dust cloud
▷**γίνομαι μπουχός** to skedaddle (*ανεπ.*), to make oneself scarce

μπουχτίζω ① Ρ ΑΜ (α) (= *χορταίνω*) to be full (β) (= *αγανακτώ*) to be fed up ② Ρ Μ to be fed up with, to be sick and tired of

M

μποφόρ ΟΥΣ ΟΥΔ ΑΚΛ Beaufort scale

μπόχα ΟΥΣ ΘΗΛ stench

μπράβο ΕΠΙΦΩΝ (= εύγε) well done!, bravo!
▷**μπράβο σου!** (ειρων.) good for you!
▸ μπράβο ΟΥΣ ΟΥΔ praise

μπράβος ΟΥΣ ΑΡΣ (α) (= σωματοφύλακας)
minder (β) (= ταραχοποιός) henchman, thug

> *Προσοχή!: Ο πληθυντικός του* **henchman**
> *είναι* **henchmen**.

Μπραζίλια ΟΥΣ ΘΗΛ Brasilia

Μπράιγ ΟΥΣ ΟΥΔ ΑΚΛ (επίσης **σύστημα Μπράιγ**)
Braille

μπράντι ΟΥΣ ΟΥΔ ΑΚΛ brandy

μπρασελέ ΟΥΣ ΟΥΔ ΑΚΛ watchstrap

μπρατσάκι ΟΥΣ ΟΥΔ (α) (= μικρό μπράτσο) arm
(β) (= μικρό σωσίβιο) armband

μπράτσο ΟΥΣ ΟΥΔ (α) (= βραχίονας) arm
(β) (πολυθρόνας) arm (γ) (κιθάρας,
μπουζουκιού) neck
▸ μπράτσα ΠΛΗΘ: **έχω μπράτσα** to have strong
arms

μπρελόκ ΟΥΣ ΟΥΔ ΑΚΛ key ring

μπρετέλα ΟΥΣ ΘΗΛ shoulder strap

μπριάμ ΟΥΣ ΟΥΔ ΑΚΛ baked vegetables and
potatoes

μπριγιάν ΟΥΣ ΟΥΔ ΑΚΛ brilliant, brilliant–cut
diamond

μπριγιαντίνη ΟΥΣ ΘΗΛ brilliantine, hair oil

μπρίζα (προφορ.) ΟΥΣ ΘΗΛ = **πρίζα**

μπριζόλα ΟΥΣ ΘΗΛ cutlet
▸ **χοιρινή/μοσχαρίσια μπριζόλα** pork/veal
cutlet

μπρίκι¹ ΟΥΣ ΟΥΔ coffeepot
▷**μπρίκια κολλάμε;** (οικ.) you/we weren't
born yesterday

μπρίκι² ΟΥΣ ΟΥΔ (ΝΑΥΤ) brig

μπρίο ΟΥΣ ΟΥΔ ΑΚΛ vivacity

μπρόκολο ΟΥΣ ΟΥΔ broccoli χωρίς πληθ.

μπρος (προφορ.) ΕΠΙΡΡ = **εμπρός**

μπροστινός, -ή, -ό ΕΠΙΘ (δόντια, πόδια,
θέσεις) front
▸ μπροστινός ΟΥΣ ΑΡΣ, μπροστινή ΟΥΣ ΘΗΛ person
in front

μπρούμυτα ΕΠΙΡΡ prone, on one's stomach

μπρούντζινος, -η, -ο ΕΠΙΘ bronze

μπρούντζος ΟΥΣ ΑΡΣ bronze

μπρούσκος, -α, -ο ΕΠΙΘ (κρασί) dry

μπύρα ΟΥΣ ΘΗΛ = **μπίρα**

μπυραρία ΟΥΣ ΘΗΛ = **μπιραρία**

μυαλό ΟΥΣ ΟΥΔ (α) (ανθρώπου, ζώου) brain
(β) (οστών) marrow (γ) (= νους) mind
(δ) (= εξυπνάδα) sense, intelligence (ε) (για
πρόσ.) head
▷**αλλάζω μυαλά** to change one's way of
thinking
▷**αλλάζω μυαλά σε κπν** to bring sb around,
to make sb change their mind
▷**βάζω το μυαλό μου να δουλέψει** to use

one's brains
▷**βάζω μυαλό** to see sense
▷**βάζω μυαλό σε κπν** to knock some sense
into sb
▷**έχω στο μυαλό μου κτ** to have sth in mind
▷**έχω στο μυαλό μου να κάνω κτ** to intend to
do sth
▷**βγάζω απ' το μυαλό μου κτ** (= επινοώ) to
make ή dream sth up · (= αποβάλλω) to put
sth out of one's mind
▷**δεν έχω μυαλό για κτ** my mind's not on
sth
▷**είναι γερό μυαλό στα μαθηματικά** he has a
good head for maths
▷**(είναι) μεγάλο ή δυνατό μυαλό** (to have) a
great mind
▷**έχω πρακτικό μυαλό** to have a good head
on one's shoulders
▷**έχω τετράγωνο μυαλό** to have a brilliant
mind
▷**έχω τα μυαλά μου πάνω απ' το κεφάλι μου**
to be harebrained
▷**κάποια σκέψη μου περνάει από το μυαλό** I
just thought of something, a thought just
crossed my mind
▷**κόβει το μυαλό μου** to have a sharp mind
▷**μου έρχεται στο μυαλό κπς/κτ** to think of
sb/sth, sb/sth comes to mind
▷**παίρνουν τα μυαλά μου αέρα** to get above
oneself
▷**παίρνω το μυαλό ή μυαλά κποιου**
(= ξελογιάζω) to turn sb's head ·
(= επηρεάζω) to brainwash sb
▷**πηγαίνει το μυαλό μου σε κτ** (= σκέπτομαι ή
θυμάμαι) to think of sth · (= υποψιάζομαι) to
suspect sth
▷**πού έχεις το μυαλό σου;** watch what you're
doing!
▷**πού τρέχει το μυαλό σου;** what are you
thinking about?
▷**τινάζω τα μυαλά κποιου/μου στον αέρα** to
blow sb's/one's brains out
▷**χάνω το μυαλό μου** (= τρελαίνομαι) to lose
one's mind · (= ξεμυαλίζομαι) to lose one's
head

μυαλωμένος, -η, -ο ΕΠΙΘ sensible

μύγα ΟΥΣ ΘΗΛ fly
▷**βαράω μύγες** (= τεμπελιάζω) to loaf
around · (= δεν έχω πελατεία) to get no
custom
▷**μύγα σε τσίμπησε;** (οικ.) what's eating you?
(ανεπ.)
▷**ξεχωρίζω ή είμαι σαν τη μύγα μες το γάλα**
to stand out like a sore thumb

μυγάκι ΟΥΣ ΟΥΔ (α) (= μικρή μύγα) small fly
(β) (γενικότ.) bug

μυγδαλιά ΟΥΣ ΘΗΛ = **αμυγδαλιά**

μύγδαλο ΟΥΣ ΟΥΔ = **αμύγδαλο**

μυγιάγγιχτος, -η, -ο ΕΠΙΘ sensitive

μυγιάζομαι Ρ ΑΜ ΑΠΟΘ (ζώο) to be covered in
flies
▷**όποιος έχει τη μύγα μυγιάζεται** (παροιμ.) if
the cap fits, wear it

μυγοσκοτώστρα ΟΥΣ ΘΗΛ fly swat ή swatter

μύδι ΟΥΣ ΟΥΔ mussel

μύδρος ΟΥΣ ΑΡΣ **(α)** (ΓΕΩΛ) bomb (επιστ.), volcanic rock **(β)** (μτφ.)
▷**εξαπολύω** ή **εκτοξεύω μύδρους κατά** ή **εναντίον κποιου** to give sb a tongue–lashing, to berate sb

μυελός ΟΥΣ ΑΡΣ (οστών) marrow · βλ. κ. **νωτιαίος**

μυζήθρα ΟΥΣ ΘΗΛ soft cheese

μυημένος, -η, -ο ΕΠΙΘ initiated (σε in)

μύηση ΟΥΣ ΘΗΛ initiation

μύθευμα ΟΥΣ ΟΥΔ fabrication

μυθικός, -ή, -ό ΕΠΙΘ **(α)** (ιστορίες, αφήγηση) mythological **(β)** (πρόσωπο) imaginary, fictitious · (αναφορά) fictitious **(γ)** (ποσά, πλούτη) fabulous

μυθιστόρημα ΟΥΣ ΟΥΔ novel

μυθιστορηματικός, -ή, -ό ΕΠΙΘ **(α)** (ήρωας) of a novel **(β)** (περιπέτεια, ζωή) adventurous

μυθιστορία ΟΥΣ ΘΗΛ novel

μυθιστοριογραφία ΟΥΣ ΘΗΛ novel writing

μυθιστοριογράφος ΟΥΣ ΑΡΣ&ΘΗΛ novelist

μυθολογία ΟΥΣ ΘΗΛ mythology

μυθολογικός, -ή, -ό ΕΠΙΘ (ήρωας) mythological

μυθομανής, -ής, -ές ΕΠΙΘ: **είμαι μυθομανής** to be a compulsive liar

μυθομανία ΟΥΣ ΘΗΛ compulsive lying

μυθοπλασία ΟΥΣ ΘΗΛ = **μυθοπλαστία**

μυθοπλαστία ΟΥΣ ΘΗΛ **(α)** (= επινόηση μύθων) myth–making **(β)** (= κατασκευή ψευδών) fabrication

μύθος ΟΥΣ ΑΡΣ **(α)** (= τμήμα μυθικής παράδοσης) myth **(β)** (= αλληγορική αφήγηση) fable **(γ)** (= πλάσμα φαντασίας) fiction **(δ)** (= υπόθεση) plot, storyline **(ε)** (= θρύλος) legend

μυθώδης, -ης, -ες (επίσ.) ΕΠΙΘ **(α)** (διήγηση) fictitious **(β)** (θησαυρός, ποσά) fabulous

μυϊκός, -ή, -ό ΕΠΙΘ muscular

μυκηναϊκός, -ή, -ό ΕΠΙΘ Mycenaean

Μυκήνες ΟΥΣ ΘΗΛ ΠΛΗΘ Mycenae

μύκητας ΟΥΣ ΑΡΣ fungus

Προσοχή!: Ο πληθυντικός του **fungus** *είναι* **fungi**.

μυκητίαση ΟΥΣ ΘΗΛ fungal infection, thrush · (στο πόδι) athlete's foot

Μύκονος ΟΥΣ ΘΗΛ Mykonos

μυλόπετρα ΟΥΣ ΘΗΛ millstone

μύλος ΟΥΣ ΑΡΣ **(α)** (= μηχάνημα αλέσεως σιτηρών) mill · (λατομείου) grinder **(β)** (= χώρος άλεσης σιτηρών) mill **(γ)** (πιστολιού) chamber
▸**μύλος του καφέ** coffee grinder
▸**μύλος πιπεριού** pepper mill ή grinder

μυλωνάς ΟΥΣ ΑΡΣ (= ιδιοκτήτης αλευρόμυλου) mill owner · (= εργάτης αλευρόμυλου) miller

μυλωνού ΟΥΣ ΘΗΛ βλ. **μυλωνάς**

μύξα ΟΥΣ ΘΗΛ (μύτης) mucus, snot (ανεπ.)

μυξιάρης, -α, -ικο ΕΠΙΘ **(α)** (= που βγάζει μύξες) with a runny nose **(β)** (μειωτ.) repulsive
▸**μυξιάρικο** ΟΥΣ ΟΥΔ brat

μυξοκλαίω Ρ ΑΜ **(α)** (= κλαίω ρουφώντας τις μύξες) to snivel, to sniffle **(β)** (= υποκρίνομαι ότι κλαίω) to pretend to cry

μύραινα ΟΥΣ ΘΗΛ moray eel

μυριάδα ΟΥΣ ΘΗΛ myriad
▸**μυριάδες** ΠΛΗΘ myriad εν.

μυρίζω ① Ρ Μ (λουλούδι, φαγητό) to smell, to sniff · (άρωμα) to smell ② Ρ ΑΜ to smell
▷**κάτι μου μυρίζει άσχημα** something smells bad
▷**κάτι άσχημο** ή **ύποπτο μου μυρίζει σ' αυτήν την υπόθεση** there's something fishy about this
▷**μου μύρισε το φαγητό απ' την πόρτα** I could smell the food from the door
▷**μυρίζω τα νύχια μου** (οικ.) to see the future
▸**μυρίζει** ΑΠΡΟΣ it smells
▸**μυρίζομαι** ΜΕΣΟΠΑΘ to sense

μύριοι, -ες, -α ΕΠΙΘ ΠΛΗΘ **(α)** (επίσ.: = δέκα χιλιάδες) ten thousand **(β)** (= αμέτρητοι) countless
▷**(τα) μύρια όσα, χίλια μύρια** countless

μυρμήγκι ΟΥΣ ΟΥΔ ant

μυρμηγκιάζω Ρ ΑΜ **(α)** (σπίτι) to be full of ants · (πατώματα) to be covered in ants **(β)** (= μουδιάζω) to have pins and needles

μυρμηγκοφωλιά ΟΥΣ ΘΗΛ ants' nest

μύρο ΟΥΣ ΟΥΔ (= αρωματικό έλαιο) aromatic oil
▸**άγιο μύρο** chrism (επιστ.), holy oil

μυρουδιά ΟΥΣ ΘΗΛ = **μυρωδιά**

μυρσίνη (λογοτ.) ΟΥΣ ΘΗΛ = **μυρτιά**

μυρτιά ΟΥΣ ΘΗΛ myrtle

μύρτο ΟΥΣ ΟΥΔ **(α)** (= καρπός μυρτιάς) myrtle berry **(β)** (= κλαδί μυρτιάς) myrtle branch

μυρωδάτος, -η, -ο ΕΠΙΘ (λουλούδι) fragrant · (σαπούνι) scented, perfumed

μυρωδιά ΟΥΣ ΘΗΛ **(α)** (= κάθε οσμή) smell, odour (Βρετ.), odor (Αμερ.) **(β)** (λουλουδιών) scent · (θάλασσας, φαγητού) smell
▷**παίρνω κπν μυρωδιά** to be wise to sb
▷**παίρνω κτ μυρωδιά** to notice sth, to get wind of sth

μυρωδικό ΟΥΣ ΟΥΔ flavouring (Βρετ.), flavoring (Αμερ.) · (= μπαχαρικό) spice · (= βότανο) herb

μυς ΟΥΣ ΑΡΣ muscle
▸**βραχιόνιοι/κοιλιακοί μύες** arm/abdominal muscles

μυσταγωγία ΟΥΣ ΘΗΛ **(α)** (= μύηση) initiation **(β)** (μτφ.: για βιβλίο) uplifting book · (για θέαμα) uplifting show · (για μουσική) uplifting music

μυσταγωγικός, -ή, -ό ΕΠΙΘ (τελετή) initiation

μυστηριακός, -ή, -ό ΕΠΙΘ **(α)** (ατμόσφαιρα)

M

mystical· (*τελετή*) mystic, occult **(β)** (*νύχτα, έθιμα*) mysterious

μυστήριο ΟΥΣ ΟΥΔ **(α)** (*στην αρχαιότητα*) mysteries *πληθ.* **(β)** (*γάμου, βάπτισης*) sacrament **(γ)** (*ζωής, δημιουργίας, φόνου*) mystery
▷**πέπλο μυστηρίου** veil of mystery
▸**ταινία μυστηρίου** thriller

μυστήριος, -α, -ο ΕΠΙΘ **(α)** (*απόφαση, ενέργεια*) mysterious· (*άνθρωπος*) enigmatic **(β)** (= *παράξενος: τύπος, χαρακτήρας*) strange
▷**είναι μυστήριο** it's a mystery
▷**μυστήριο (πράγμα)!** that's strange!

μυστηριώδης, -ης, -ες ΕΠΙΘ **(α)** (*έγκλημα, θάνατος, συνθήκες, ασθένεια*) mysterious· (*υπόθεση*) puzzling **(β)** (*κραυγές, ουρλιαχτά*) unearthly· (*σπίτι*) eerie

μύστης (*επίσ.*) ΟΥΣ ΑΡΣ initiate

μυστικισμός ΟΥΣ ΑΡΣ **(α)** (ΦΙΛΟΣ, ΘΡΗΣΚ) mysticism **(β)** (= *τάση προς το μυστηριώδες*) mysticism **(γ)** (*καταχρ.*: = *μυστικότητα*) secrecy

μυστικιστής ΟΥΣ ΟΥΔ ΑΡΣ mystic
μυστικιστικός, -ή, -ό ΕΠΙΘ mystic
μυστικίστρια ΟΥΣ ΘΗΛ *βλ.* **μυστικιστής**

μυστικό ΟΥΣ ΟΥΔ **(α)** (*γενικότ.*) secret **(β)** (*καταχρ.*: = *μυστήριο*) mystery
▷**έχω μυστικά από κπν** to keep secrets from sb
▷**κοινό μυστικό** open secret, common knowledge
▷**κρατώ (ένα) μυστικό** to keep a secret
▷**παίρνω το μυστικό μαζί μου** to take a secret to one's grave
▷**τα μυστικά τής δουλειάς** the tricks of the trade
▷**το μυστικό της επιτυχίας/νεότητας** the secret of success/youth
▷**φανερώνω ή αποκαλύπτω ένα μυστικό** to reveal a secret

μυστικοπάθεια ΟΥΣ ΘΗΛ **(α)** (= *τάση απόκρυψης*) secretiveness **(β)** (= *τάση μυστικισμού*) mysticism

μυστικοπαθής, -ής, -ές ΕΠΙΘ **(α)** (= *που κρατά μυστικά*) secretive **(β)** (= *που έχει τάση μυστικισμού*) mystic

μυστικός, -ή, -ό ΕΠΙΘ (*συνεννόηση, διαπραγματεύσεις, κρύπτη*) secret· (*συνάντηση*) secret, clandestine
▷**κρατώ κτ μυστικό** to keep sth a secret
▸**ο Μυστικός Δείπνος** (ΘΡΗΣΚ) the Last Supper
▸**μυστική αστυνομία** secret police
▸**μυστική υπηρεσία** secret service
▸**μυστικός** ΟΥΣ ΑΡΣ (*επίσης* **μυστικός αστυνομικός**) secret policeman

Προσοχή!: Ο πληθυντικός του policeman *είναι* **policemen.**

μυστικοσυμβούλιο ΟΥΣ ΟΥΔ advisory committee
μυστικοσύμβουλος ΟΥΣ ΑΡΣΘΗΛ adviser

μυστικότητα ΟΥΣ ΘΗΛ **(α)** (*ανάκρισης, ερευνών*) secrecy **(β)** (= *εχεμύθεια*) discretion

μυστρί ΟΥΣ ΟΥΔ trowel

μυταράς ΟΥΣ ΑΡΣ person with a big nose

μυταρού ΟΥΣ ΘΗΛ *βλ.* **μυταράς**

μυτερός, -ή, -ό ΕΠΙΘ (*μαχαίρι, μολύβι, ράμφος, νύχι*) sharp· (*γένια*) pointed· (*βράχος*) jagged

μυτζήθρα ΟΥΣ ΘΗΛ = **μυζήθρα**

μύτη ΟΥΣ ΘΗΛ **(α)** (ΑΝΑΤ) nose **(β)** (*βελόνας, μαχαιριού, καρφίτσας*) point· (*μολυβιού*) tip· (*πένας*) nib· (*παπουτσιού*) toe **(γ)** (*λιμανιού*) point· (*αεροσκάφους, πλοίου*) nose **(δ)** (= *όσφρηση*) nose, sense of smell **(ε)** (= *διαίσθηση*) intuition
▷**ανοίγει ή ματώνει ή λύνεται η μύτη μου** my nose is bleeding
▷**δεν βλέπω (ούτε) τη μύτη μου** I can't see my hand in front of my face
▷**δεν βλέπω πέρα από τη μύτη μου** (*κυριολ., μτφ.*) not to see beyond the end of one's nose
▷**έχω μεγάλη ή ψηλή μύτη** to be stuck-up (*ανεπ.*) ή snooty
▷**κάτω από τη μύτη μου** right under one's nose
▷**τραβάω ή σέρνω κπν από τη μύτη** to lead sb by the nose
▷**μου σπάει τη μύτη** it's making my mouth water
▷**να μου τρυπήσεις τη μύτη!** (*για έμφαση*) I'll eat my hat!
▷**περπατώ στις μύτες (των ποδιών)** to walk on tiptoe(s), to tiptoe
▷**πιάνω τη μύτη μου** (= *κλείνω τη μύτη μου*) to hold one's nose
▷**ρουφώ τη μύτη μου** to sniff
▷**σηκώνω μύτη** to turn into a snob, to become stuck-up (*ανεπ.*)
▷**σκάω μύτη** (*αργκ.*) to show one's face, to turn up
▷**τρέχει η μύτη μου** my nose is running, I've got a runny nose
▷**φυσώ τη μύτη μου** to blow one's nose
▷**χώνω τη μύτη μου παντού** to poke ή stick one's nose into everything (*ανεπ.*)

Μυτιλήνη ΟΥΣ ΘΗΛ **(α)** (= *πρωτεύουσα Λέσβου*) Mytilene **(β)** (= *Λέσβος*) Lesbos

μύχιος, -α, -ο (*επίσ.*) ΕΠΙΘ innermost, inmost
▷**τα μύχια της ψυχής** the depths of the soul

μυώ Ρ Μ (*σε θρησκεία, οργάνωση, τέχνη, στον έρωτα*) to initiate

μυώδης, -ης, -ες ΕΠΙΘ muscular, brawny

μύωπας ΟΥΣ ΑΡΣΘΗΛ (*κυριολ., μτφ.*) short-sighted person (*Βρετ.*), near-sighted person (*Αμερ.*)

μυωπία ΟΥΣ ΘΗΛ (*κυριολ., μτφ.*) short-sightedness (*Βρετ.*), near-sightedness (*Αμερ.*)

μυωπικός, -ή, -ό ΕΠΙΘ (*κυριολ., μτφ.*) short-sighted (*Βρετ.*), near-sighted (*Αμερ.*)

μύωψ (*επίσ.*) ΟΥΣ ΑΡΣΘΗΛ = **μύωπας**

μωαμεθανή ΟΥΣ ΘΗΛ *βλ.* **μωαμεθανός**

μωαμεθανικός, -ή, -ό ΕΠΙΘ Muslim

μωαμεθανισμός ΟΥΣ ΑΡΣ Islam

μωαμεθανός ΟΥΣ ΑΡΣ Muslim

μωβ ΕΠΙΘ ΑΚΛ = **μοβ**

μώλος ΟΥΣ ΑΡΣ = **μόλος**

μώλωπας ΟΥΣ ΑΡΣ bruise, contusion (*επιστ.*)

μωλωπίζω Ρ Μ to bruise

μωλωπισμός ΟΥΣ ΑΡΣ = **μώλωπας**

μωρέ (*οικ.*) ΕΠΙΦΩΝ hey (*ανεπ.*)

▷**μωρ' αυτή δεν παίζεται!** she's unbeatable!

μωρή (*υβρ.*) ΕΠΙΦΩΝ hey (*ανεπ.*)

▷**σκάσε, μωρή!** shut up woman! (*ανεπ.*)

μωρία (*επίσ.*) ΟΥΣ ΘΗΛ stupidity

μωρό ΟΥΣ ΟΥΔ (α) (= *βρέφος*) baby
(β) (= *αφελής*) baby, innocent (γ) (*για άνδρα*) hunk (*ανεπ.*)· (*για γυναίκα*) babe (*ανεπ.*)

▷**μωρό μου!** (*οικ.*) baby! (*ανεπ.*)

μωρός, -ή, -ό (*επίσ.*) ΕΠΙΘ foolish, idiotic

μωρουδιακά ΟΥΣ ΟΥΔ ΠΛΗΘ layette *εν.*

μωσαϊκό ΟΥΣ ΟΥΔ (α) (= *δάπεδο ή τοιχογραφία*) mosaic (β) (*μτφ.*) medley

M

N ν

N, ν ni, *13th letter of the Greek alphabet*
▷ **ν'** 50
▷ **,ν** 50,000
N. ΣΥΝΤΟΜ S
NA. ΣΥΝΤΟΜ SE

ΛΕΞΗ-ΚΛΕΙΔΙ

να ① ΣΥΝΔ (α) *(σε συμπληρωματικές προτάσεις)* to □ *θέλω να κοιμηθώ* I want to sleep · *τους άκουσα να μιλούν* I heard them talking · *την περιμένω να μου πει* I'm waiting for her to tell me · *ελπίζω να έρθεις* I hope you can come
(β) : *να μη* not to □ *της ζήτησα να μην παραιτηθεί* I asked her not to resign · *θέλω να μην κλαις!* I don't want you to cry!
(γ) *(ευχή, κατάρα)* to wish · *(για όρκο)* to swear · *(για ερώτηση ή απορία)* shall I □ *να την έβλεπα μια τελευταία φορά!* I wish I could see her one last time! · *να έρθετε! please come!* · *να φύγετε τώρα! leave now! · *να μη σε ξαναδώ μπροστά μου!* don't let me see you again in front of me! · *να φύγω ή να μείνω;* shall I leave or stay?· *να βγω έξω για λίγο;* can ή may I go out for a minute?
(δ) : *το να κάνω κτ* doing sth □ *το να κλαις δεν σε βοηθά σε τίποτα* crying won't help you at all
▷ *... τού να είναι ... ...* of being ... □ *η αίσθηση τού να είναι κανείς ισχυρός* the feeling of being powerful
(ε) *(με αναφορ. και ερωτ. αντων.)* who · *(με επίρρημα)* when, how □ *ποιος να το φανταζόταν!* who could've imagined that! · *τι να κάνω;* what shall I do? · *δεν ξέρω κανένα να μιλά τόσο όμορφα όσο αυτός* I don't know anyone who speaks as beautifully as he does · *πότε να πήγαινα;* when should I go? · *πώς να ξέρει ότι ...;* how was he to know that ...?
(στ) *(για τρόπο)* how □ *θα μάθει να φέρεται* he'll learn how to behave
(ζ) *(τελικός, αιτιολογικός, συμπερασματικός)* to □ *βγήκα να περπατήσω* I went out to walk · *ήταν λάθος να της φερθείς έτσι* it wrong to treat her like that · *δεν είσαι παιδί να φέρεσαι έτσι!* you're not a child to behave like that!
(η) *(υποθετικός)* if □ *να τον ήξερα, θα του μιλούσα* if I knew him, I'd talk to him
(θ) *(χρονικός)* when □ *να τελειώσω τη δουλειά και μετά πάμε διακοπές* when I finish the job, we'll go on a holiday
(ι) *(εναντιωματικός)* even if □ *εγώ δεν πάω, τιμωρία να με βάλεις!* I'm not going even if you punish me!
(ια) *(ειδικός)* that □ *θαρρώ να τον είδα χθες στο δρόμο* I think (that) I saw him yesterday in the street · *μου φαίνεται να σ' έχω ξαναδεί* I think I've seen you before
▷ *αντί να* instead of □ *αντί να διαβάσει, βγήκε έξω* instead of studying, he went out
▷ *μέχρι να* until, till, by the time □ *περιμέναμε μέχρι να φύγουν όλοι* we were waiting until ή till everyone was gone · *μέχρι να φτάσουμε, είχαν φύγει όλοι* by the time we got there, everyone had gone
▷ *όπου να 'ναι* any time now
▷ *σαν να* as if, as though □ *κοντοστάθηκε στην έξοδο, σαν να ξέχασε κάτι να της πει* he paused at the exit as though he'd forgotten to tell her something
▷ *χωρίς ή δίχως να* without □ *δεν έκανε τίποτα χωρίς να τη ρωτήσει* he wouldn't do anything without asking her
▷ *μόνο να (μη)* if, if only □ *θα τα καταφέρουμε, μόνο να μην είμαστε άτυχοι* we'll do it if we're not unlucky · *μόνο να μου το 'χες πει νωρίτερα* if only you had told me earlier
② ΜΟΡ *(με αιτιατική αντωνυμίας ή ονομαστική ουσιαστικού)* there, here □ *να τος ο Γιώργος έρχεται!* here's Giorgos coming! · *να τη, εκεί πέρα!* there she is, overthere! · *να το αυτοκίνητο που σου 'λεγα* that's the car I was telling you about · *να τα βιβλία που μου έδωσες* here's the books you gave me · *να 'μαι κι εγώ!* here I am! · *να τι/να γιατί/να που* this is what/that is why/you see · *να τι θα κάνω* this is what I'll do · *να που δεν ήθελε να σε προσβάλλει* you see, he didn't want to insult you
▷ *να!* here! □ *να! πάρε το ποτό σου* here! take your drink
▷ *να τα μας!* what do you know! □ *να τα μας! το περίμενες κάτι τέτοιο;* what do you know! did you expect anything like that?

Ναβαρίνο ΟΥΣ ΟΥΔ Pylos
▷ *η ναυμαχία του Ναυαρίνου* the battle of Navarino

Ναζαρέτ ΟΥΣ ΘΗΛ ΑΚΛ Nazareth

νάζι ΟΥΣ ΟΥΔ coquetry
▷ *κάνω νάζια* to switch on the charm

▷**είμαι όλο νάζι** ή **νάζια** to be a charmer
ναζιάρα ΟΥΣ ΘΗΛ βλ. **ναζιάρης**
ναζιάρης ΟΥΣ ΑΡΣ charmer
ναζιάρικος, -η, -ο ΕΠΙΘ (*συμπεριφορά, τρόπος, κοπέλα, βλέμμα*) coquettish · (*παιδί, φωνή*) wheedling, cajoling
ναζισμός ΟΥΣ ΑΡΣ Nazism
ναζιστικός, -ή, -ό ΕΠΙΘ Nazi
ναι ΕΠΙΡΡ yes
▷**λέω το ναι** to say yes, to consent
νάιλον ΟΥΣ ΟΥΔ ΑΚΛ naylon
νάμα ΟΥΣ ΟΥΔ (*επίσ.*) (α) (= *πηγαίο νερό*) spring water (β) (ΘΡΗΣΚ) communion wine
νάνι ΟΥΣ ΟΥΔ ΑΚΛ (*χαϊδευτ.*) sleep
▷**κάνω νάνι** to go to sleep
νανισμός ΟΥΣ ΑΡΣ dwarfism
νάνος ΟΥΣ ΑΡΣ (α) (*κυριολ.*) dwarf

Προσοχή! Ο πληθυντικός του **dwarf** *είναι* **dwarves**.

(β) (*μτφ.: = ασήμαντος*) small fry χωρίς πληθ.
νανουρίζω Ρ Μ (α) (*μωρό*) to sing to sleep (β) (*μτφ.*) to lull
νανούρισμα ΟΥΣ ΟΥΔ lullaby
νανουριστικός, -ή, -ό ΕΠΙΘ (*ρυθμός, φωνή*) soothing
▸**νανουριστικός σκοπός** lullaby
Νάξος ΟΥΣ ΘΗΛ Naxos
ναός ΟΥΣ ΑΡΣ (α) (= *εκκλησία*) church (β) (*μουσουλμανικός*) mosque · (*ιουδαϊκός*) synagogue, temple (*Αμερ.*) · (*ινδουιστικός, ειδωλολατρικός*) temple (γ) (= *άδυτο*) temple (δ) (*μτφ.: τέχνης*) temple
▷**ναός της Αφροδίτης** brothel
▷**ναός της επιστήμης** university
▷**ναός της Θέμιδος** court of law
▷**ναός του ποδοσφαίρου** Wembley stadium
ναπολεόντειος, -α, -ο ΕΠΙΘ Napoleonic
Νάπολη ΟΥΣ ΘΗΛ Naples
Ναπολιτάνα ΟΥΣ ΘΗΛ βλ. **Ναπολιτάνος**
ναπολιτάνικος, -η, -ο ΕΠΙΘ Neapolitan

Προσοχή! Τα εθνικά επίθετα, όπως **Neapolitan**, *γράφονται με κεφαλαίο το αρχικό γράμμα στα Αγγλικά.*

Ναπολιτάνος ΟΥΣ ΑΡΣ Neapolitan
ναργιλές ΟΥΣ ΑΡΣ narghile, hookah
νάρθηκας ΟΥΣ ΑΡΣ (α) (ΙΑΤΡ: *από γύψο*) cast · (*από ξύλο, μέταλλο*) splint (β) (ΑΡΧΙΤ) narthex
ναρκαλιεία ΟΥΣ ΘΗΛ minesweeping
ναρκαλιευτικό ΟΥΣ ΟΥΔ minesweeper
νάρκη ΟΥΣ ΘΗΛ (α) (= *αποχαύνωση*) torpor · (= *μούδιασμα*) numbness (β) (= *υπηλία*) drowsiness, lethargy (γ) (*μτφ.: = αποβλάκωση*) stupor (δ) (ΣΤΡΑΤ) mine
▷**πέφτω σε νάρκη** to feel drowsy ή lethargic
▸**θερινή νάρκη** (ΒΙΟΛ) aestivation (*Βρετ.*), estivation (*Αμερ.*)

▸**χειμερία νάρκη** (ΒΙΟΛ) hibernation
ναρκισσεύομαι Ρ ΑΜ ΑΠΟΘ (*επίσ.*) to be conceited ή full of oneself
ναρκισσισμός ΟΥΣ ΑΡΣ narcissism
νάρκισσος ΟΥΣ ΑΡΣ (α) (ΒΟΤ) narcissus

Προσοχή! Ο πληθυντικός του **narcissus** *είναι* **narcissi**.

(β) (*μτφ.*) narcissist
ναρκοθέτηση ΟΥΣ ΘΗΛ (α) (= *τοποθέτηση ναρκών*) minelaying (β) (*μτφ.: = υπονόμευση*) undermining
ναρκοθετώ Ρ Μ (α) (*περιοχή, λιμάνι, οικόπεδο*) to lay mines in, to mine (β) (*μτφ.: έργο, προσπάθεια*) to undermine
ναρκομανής ΟΥΣ ΑΡΣΘΗΛ drug addict
ναρκοπέδιο ΟΥΣ ΟΥΔ minefield
ναρκοσυλλέκτης ΟΥΣ ΑΡΣ minesweeper
ναρκώνω Ρ Μ (α) (ΙΑΤΡ) to anaesthetize (*Βρετ.*), to anesthetize (*Αμερ.*) (β) (= *κοιμίζω*) to make drowsy ή lethargic (γ) (*μτφ.: = αποχαυνώνω*) to dull
νάρκωση ΟΥΣ ΘΗΛ (α) (ΙΑΤΡ) anaesthesia (*Βρετ.*), anesthesia (*Αμερ.*) (β) (= *αναισθησία*) torpor (γ) (*μτφ.: πνεύματος, αισθήσεων*) dulling
ναρκωτικός, -ή, -ό ΕΠΙΘ (*ουσία, επίδραση*) narcotic
▸**ναρκωτικό** ΟΥΣ ΟΥΔ (α) (= *τοξική ουσία*) drug (β) (= *αναλγητικό*) painkiller
▷**παίρνω ναρκωτικά** to take drugs
▸**ήπια** ή **μαλακά ναρκωτικά** soft drugs
▷**σκληρά ναρκωτικά** hard drugs
νατουραλισμός ΟΥΣ ΑΡΣ naturalism
νατουραλιστής ΟΥΣ ΑΡΣ naturalist
νατουραλιστικός, -ή, -ό ΕΠΙΘ naturalistic
νατουραλίστρια ΟΥΣ ΘΗΛ βλ. **νατουραλιστής**
νάτριο ΟΥΣ ΟΥΔ sodium
ναυάγιο ΟΥΣ ΟΥΔ (α) (ΝΑΥΤ) (ship)wreck (β) (*μτφ.: διαπραγματεύσεων, συνομιλιών, συμφωνίας*) breakdown · (*επιχείρησης*) bankruptcy (γ) (*μειωτ.: για άνθρωπο*) down–and–out
ναυαγός ΟΥΣ ΑΡΣΘΗΛ (α) (*πλοίου*) shipwrecked person · (*σε ερημονήσι*) castaway (β) (*μτφ.*) down–and–out
ναυαγοσώστης ΟΥΣ ΑΡΣ (α) (*σε παραλία, πισίνα*) lifeguard (β) (= *μέλος αποστολής διάσωσης: ναυαγών*) lifeboatman · (*πλοίων*) salvager

Προσοχή! Ο πληθυντικός του **lifeboatman** *είναι* **lifeboatmen**.

ναυαγοσωστικό ΟΥΣ ΟΥΔ (*για ναυαγούς*) lifeboat · (*για πλοία*) salvage vessel
ναυαγοσώστρια ΟΥΣ ΘΗΛ βλ. **ναυαγοσώστης**
ναυαγώ Ρ ΑΜ (α) (*πλοίο*) to be wrecked (β) (*μτφ.: άνθρωπος*) to be ruined · (*εταιρεία*) to go under · (*σχέδια*) to fall through · (*διαπραγματεύσεις*) to break down · (*ελπίδες*)

to be dashed · (*όνειρα*) to come to nothing

ναυαρχείο ΟΥΣ ΟΥΔ admiralty

ναυαρχία ΟΥΣ ΘΗΛ (α) (*αξίωμα*) admiralty (β) (= *θητεία*) admiralship

ναυαρχίδα ΟΥΣ ΘΗΛ (*κυριολ., μτφ.*) flagship

ναύαρχος ΟΥΣ ΑΡΣ admiral

ναύκληρος ΟΥΣ ΑΡΣ boatswain, bosun

ναύλο ΟΥΣ ΟΥΔ = **ναύλος**

ναυλομεσίτης ΟΥΣ ΑΡΣ shipping agent

ναύλος ΟΥΣ ΑΡΣ (α) (= *αντίτιμο μεταφοράς: ανθρώπων*) fare · (*φορτίου*) freight (β) (= *μίσθωση πλοίου*) charter

▸ **ναύλα** ΟΥΣ ΟΥΔ ΠΛΗΘ (*ανθρώπων*) fare · (*φορτίου*) freight

ναυλοχώ Ρ ΑΜ (*επίσ.*) to lie at anchor

ναυλώνω Ρ Μ to charter

ναυλωτής ΟΥΣ ΑΡΣ charterer

ναυμαχία ΟΥΣ ΘΗΛ naval battle

Ναύπακτος ΟΥΣ ΘΗΛ Nafpaktos

ναυπηγείο ΟΥΣ ΟΥΔ shipyard, dockyard

ναυπήγηση ΟΥΣ ΘΗΛ shipbuilding

ναυπηγικός, -ή, -ό ΕΠΙΘ shipbuilding

▸ **ναυπηγική** ΟΥΣ ΘΗΛ shipbuilding

ναυπηγός ΟΥΣ ΑΡΣ&ΘΗΛ shipbuilder, naval architect

ναυπηγώ Ρ Μ to build, to construct

Ναύπλιο ΟΥΣ ΟΥΔ Nafplion

ναυσιπλοΐα ΟΥΣ ΘΗΛ navigation, shipping

ναύσταθμος ΟΥΣ ΑΡΣ naval dockyard, navy yard (*Αμερ.*)

ναυτασφάλεια, ναυτασφάλιση ΟΥΣ ΘΗΛ marine insurance

ναυτεργάτης ΟΥΣ ΑΡΣ dock worker, docker (*Βρετ.*), longshoreman (*Αμερ.*)

ναύτης ΟΥΣ ΑΡΣ (= *ναυτικός*) sailor · (*μη βαθμοφόρος*) ordinary seaman, rating (*Βρετ.*)

ναυτία ΟΥΣ ΘΗΛ (α) (= *παθολογική κατάσταση*) nausea · (*στη θάλασσα*) seasickness (β) (*μτφ.*: = *αηδία*) disgust

ναυτικό ΟΥΣ ΟΥΔ navy

▷ **αξιωματικός του ναυτικού** naval officer

▷ **κατατάσσομαι στο ναυτικό** to join the navy

▷ **υπηρετώ στο ναυτικό** to serve in the navy

▸ **Εμπορικό Ναυτικό** merchant navy (*Βρετ.*), merchant marine (*Αμερ.*)

▸ **Πολεμικό Ναυτικό** Navy

ναυτικός[1] ΟΥΣ ΑΡΣ sailor, seaman

> *Προσοχή!: Ο πληθυντικός του* **seaman** *είναι* **seamen**.

ναυτικός[2], -ή, -ό ΕΠΙΘ (*στολή, νοσοκομείο, σχολή, δύναμη*) naval · (*χάρτης*) nautical, sea · (*μίλι*) nautical · (*ιστορία, νομοθεσία, κανονισμός, μουσείο*) maritime · (*ατύχημα*) at sea · (*έθνος, λαός*) seafaring · (*καπέλο*) sailor's

▸ **ναυτικά αθλήματα** water sports

▸ **Ναυτικό Απομαχικό Ταμείο** naval veterans' fund

▸ **ναυτική βάση** naval base

▸ **ναυτικό δίκαιο** maritime law

▸ **Ναυτική Εβδομάδα** *week–long summer festival of events in honour of the navy*

▸ **ναυτικό ημερολόγιο** ship's log

▸ **ναυτικός πράκτορας** shipping agent

▸ **ναυτική πυξίδα** mariner's compass

▸ **ναυτική τέχνη** seamanship

▸ **Ναυτική Τράπεζα** shipping bank

▸ **ναυτικό** ΟΥΣ ΟΥΔ ΠΛΗΘ (α) (= *στολή ναύτη*) sailor's uniform ΕΝ. (β) (= *ναυτικές υποθέσεις*) shipping ΕΝ.

▸ **ναυτικός** ΟΥΣ ΑΡΣ&ΘΗΛ sailor, seaman

ναυτιλία ΟΥΣ ΘΗΛ (α) (*επίσης* **εμπορική ναυτιλία**) merchant navy (*Βρετ.*). ή marine (*Αμερ.*) (β) (= *ναυσιπλοΐα*) navigation

▸ **Υπουργείο Εμπορικής Ναυτιλίας** Greek ministry of the merchant navy

ναυτιλιακά ΟΥΣ ΟΥΔ ΠΛΗΘ shipping ΕΝ.

ναυτιλιακός, -ή, -ό ΕΠΙΘ shipping

ναυτιλλόμενος ΟΥΣ ΑΡΣ seafarer

▷ **οδηγίες προς ναυτιλλομένους** navigation instructions

ναυτίλος ΟΥΣ ΑΡΣ (α) (= *ναυτικός*) sailor, seaman (β) (= *υπεύθυνος ναυσιπλοΐας*) navigator

ναυτοδικείο ΟΥΣ ΟΥΔ admiralty court

ναυτοδίκης ΟΥΣ ΑΡΣ judge (*in admiralty court*)

ναυτολόγηση ΟΥΣ ΘΗΛ recruitment (*of a sailor*)

ναυτολόγιο ΟΥΣ ΟΥΔ muster roll

ναυτολογώ Ρ Μ to recruit, to enlist

ναυτόπαιδο ΟΥΣ ΟΥΔ deckhand

ναυτόπαις ΟΥΣ ΑΡΣ (*επίσ.*) βλ. **ναυτόπαιδο**

ναυτόπουλο ΟΥΣ ΟΥΔ (*χαϊδευτ.*) cabin boy, ship's boy

ναυτοπρόσκοπος ΟΥΣ ΑΡΣ&ΘΗΛ Sea Scout

ναυτοφυλακή ΟΥΣ ΘΗΛ naval prison

ναφθαλίνη ΟΥΣ ΘΗΛ (ΧΗΜ) naphthalene · (*για ρούχα*) mothballs ΠΛΗΘ.

ΝΔ. ΣΥΝΤΟΜ SW

Νέα Ζηλανδία ΟΥΣ ΘΗΛ New Zealand

Νεοζηλανδή ΟΥΣ ΘΗΛ βλ. **Νεοζηλανδός**

νεοζηλανδέζικος, -η, -ο ΕΠΙΘ = **νεοζηλανδικός**

νεοζηλανδικός, -ή, -ό ΕΠΙΘ (*προφορά, αρνί*) New Zealand

Νεοζηλανδός ΟΥΣ ΑΡΣ New Zealander

> *Προσοχή!: Τα εθνικά επίθετα, όπως* **New Zealander**, *γράφονται με κεφαλαίο το αρχικό γράμμα στα Αγγλικά.*

νεανίας ΟΥΣ ΑΡΣ (*επίσ.*) youngster, young man

νεάνιδα ΟΥΣ ΘΗΛ (*επίσ.*) youngster, young girl

νεανικός, -ή, -ό ΕΠΙΘ (α) (*ντύσιμο, ενθουσιασμός, εμφάνιση*) youthful · (*έρωτας, καρδιά*) young · (*ανησυχίες, σκέψη*) juvenile · (*έργο*) early · (*βιβλίο, σίριαλ*) for young people (β) (*ταμπεραμέντο*) youthful

▷ **στα νεανικά μου χρόνια** in my youth

▶**νεανική ηλικία** young age, youth

νεανικότητα ΟΥΣ ΘΗΛ (*προσώπου, μυαλού, καρδιάς*) youthfulness

νεανίσκη ΟΥΣ ΘΗΛ (*υποκορ.*) youngster

νεανίσκος ΟΥΣ ΑΡΣ (*υποκορ.*) youngster, young lad

Νεάπολη ΟΥΣ ΘΗΛ Naples

νεαρός, -ή, -ό ΕΠΙΘ (α) (*γυναίκα, παιδί, ζευγάρι, ομάδα*) young (β) (*βλαστάρια*) new · (*ζώο*) baby
▷**το νεαρόν της ηλικίας του** his young age

▶**νεαρή ηλικία** young age, youth

▶**νεαρός** ΟΥΣ ΑΡΣ youth, young man

▶**νεαρή** ΟΥΣ ΘΗΛ young woman

Νέα Υόρκη ΟΥΣ ΘΗΛ New York

νέγρα ΟΥΣ ΘΗΛ black woman

νέγρικος, -η, -ο ΕΠΙΘ black

νεγροειδής, -ής, -ές ΕΠΙΘ (*χαρακτηριστικά*) negroid

νέγρος ΟΥΣ ΑΡΣ black man

Νείλος ΟΥΣ ΑΡΣ Nile
▷**το Δέλτα του Νείλου** the Nile delta

νέκρα ΟΥΣ ΘΗΛ (α) (= *η ιδιότητα του νεκρού*) deadness (β) (*μτφ.: αγοράς, εμπορίου*) stagnation (γ) (*μτφ.: = απόλυτη σιγή*) dead silence

νεκρανασταίνω Ρ Μ (= *ανασταίνω*) to resurrect, to raise from the dead · (*μτφ.*) to resuscitate

νεκρανάσταση ΟΥΣ ΘΗΛ (α) (= *ανάσταση*) resurrection (β) (*μτφ.*) revival

νεκρικός, -ή, -ό ΕΠΙΘ (α) (= *επικήδειος λόγος*) funeral *ή* funerary (*επία.*) speech (β) (= *γραπτό κείμενο προς τιμή νεκρού*) obituary

νεκρόπολη ΟΥΣ ΘΗΛ (ΑΡΧΑΙΟΛ) necropolis

νεκροπομπός ΟΥΣ ΑΡΣ (α) (= *που μεταφέρει τους νεκρούς*) pallbearer (β) (= *εργολάβος κηδειών*) undertaker

νεκροπούλι ΟΥΣ ΟΥΔ nocturnal bird

νεκρός ΟΥΣ ΑΡΣ (α) (*άνθρωπος, φύλλα, γλώσσα*) dead (β) (*τηλέφωνο, αγορά*) dead · (*θεωρία, ιδέα*) defunct · (*δρόμος*) empty
▷**νεκρή περίοδος** dead season
▷**νεκρή ώρα** the middle of the night
▷**νεκρός χρόνος** (*σε αθλήματα*) timeout
▷**πέφτω νεκρός** to die · (*ξαφνικά*) to drop dead

▶**η Νεκρά Θάλασσα** the Dead Sea

▶**νεκρό σημείο** (ΑΥΤΟΚΙΝ) neutral

▶**νεκρή φύση** still life

Προσοχή!: Ο πληθυντικός του **still life** *είναι* **still lifes**.

▶**νεκρά** ΟΥΣ ΘΗΛ, **νεκρό** ΟΥΣ ΟΥΔ (ΑΥΤΟΚΙΝ) neutral
▷**βάζω νεκρά** *ή* **την ταχύτητα στο νεκρό** to go into neutral

▶**νεκρός** ΟΥΣ ΑΡΣ dead man

▶**νεκρή** ΟΥΣ ΘΗΛ dead woman

▶**νεκροί** ΟΥΣ ΑΡΣ ΠΛΗΘ: **οι νεκροί** the dead

νεκροστολίζω Ρ Μ to lay out

νεκρόσυλος ΟΥΣ ΑΡΣ grave robber

νεκροταφείο ΟΥΣ ΟΥΔ (α) (*πόλης*) cemetery · (*εκκλησίας*) graveyard (β) (*μτφ.*) graveyard
▷**νεκροταφείο είναι εδώ μέσα** it's dead in here

▶**νεκροταφείο αυτοκινήτων** scrap yard

νεκροτομείο ΟΥΣ ΟΥΔ morgue, mortuary

νεκροφάνεια ΟΥΣ ΘΗΛ apparent death

νεκροφιλία ΟΥΣ ΘΗΛ necrophilia

νεκροφιλώ Ρ Μ to kiss (*a dead person*)
▷**να με νεκροφιλήσεις** (*σε όρκο*) cross my heart (and hope to die)

νεκροφοβία ΟΥΣ ΘΗΛ necrophobia

νεκροφόρα ΟΥΣ ΘΗΛ hearse

νεκροφυλακείο, νεκροφυλάκειο ΟΥΣ ΟΥΔ morgue, mortuary

νεκροψία ΟΥΣ ΘΗΛ autopsy, postmortem

νεκρώνω ① Ρ Μ (α) (= *θανατώνω*) to kill (β) (= *αναισθητοποιώ*) to deaden, to numb (γ) (*εμπόριο, συναλλαγές*) to kill off · (*πάθη*) to subdue
② Ρ ΑΜ (α) (*εγκέφαλος, πνεύμονας*) to die (β) (*εμπόριο*) to come to a standstill · (*αγορά, κέντρο πόλης, πόλη*) to be dead · (*δρόμοι*) to be empty *ή* deserted (γ) (= *χλομιάζω*) to go *ή* turn deathly pale

νέκρωση ΟΥΣ ΘΗΛ (α) (*οργανισμού*) death (β) (*μτφ.: εμπορίου, συναλλαγών*) stagnation
▶**νέκρωση τού εγκεφάλου** brain death

νεκρώσιμος, -η, -ο ΕΠΙΘ funeral
▶**νεκρώσιμη ακολουθία** funeral *ή* burial service

▶**νεκρώσιμο** ΟΥΣ ΟΥΔ funeral *ή* death notice

νέκταρ ΟΥΣ ΟΥΔ (*κυριολ., μτφ.*) nectar

νεκταρίνι ΟΥΣ ΟΥΔ nectarine

Νέμεση, Νέμεσις ΟΥΣ ΘΗΛ (α) (ΜΥΘΟΛ) Nemesis (β) (= *θεία δίκη*) nemesis, divine vengeance

νέμω Ρ Μ (= *μοιράζω*) to distribute
▶**νέμομαι** ΜΕΣΟΠΑΘ (ΝΟΜ) to enjoy, to own

νέο ΟΥΣ ΟΥΔ (= *είδηση*) piece of news, news *εν.*

Προσοχή!: Αν και το **news** *φαίνεται ως τύπος πληθυντικού, είναι ουσιαστικό μόνο στον ενικό και συντάσσεται με ρήμα στον ενικό.*

▶**νέα** ΠΛΗΘ news *εν.*
▷**τι (άλλα) νέα;** what's new?

▷**έχω νέα κποιου** ή **από κπν** to hear from sb, to have news from sb
▷**μάθατε τα νέα;** have you heard the news?
▷**περιμένω νέα τους** I'm expecting to hear from them

νεογέννητος, -η, -ο ΟΥΣ ΟΥΔ (*παιδί, ζώο*) newborn · (*μτφ.: κράτος, οργανισμός*) newly established
▸**νεογέννητο** ΟΥΣ ΟΥΔ newborn (baby)

νεογνό ΟΥΣ ΟΥΔ (*μωρό*) newborn baby · (*ζώο*) baby animal

νεοδιόριστος, -η, -ο ΕΠΙΘ (*υπάλληλος, καθηγητής*) newly appointed

νεοελληνικός, -ή, -ό ΕΠΙΘ modern Greek
▸**Νεοελληνικός Διαφωτισμός** Modern Greek Enlightenment
▸**Νεοελληνικά** ΟΥΣ ΟΥΔ ΠΛΗΘ, **Νεοελληνική** ΟΥΣ ΘΗΛ Modern Greek

νεοκλασικός, -ή, -ό ΕΠΙΘ (*αρχιτεκτονική, τέχνη*) neoclassical
▸**νεοκλασικό** ΟΥΣ ΟΥΔ neoclassical building

νεολαία ΟΥΣ ΘΗΛ: **η νεολαία** young people *πληθ.*, the young *πληθ.*
▸**εργαζόμενη νεολαία** young people in work
▸**μαθητική νεολαία** schoolchildren, young people at school
▸**σπουδάζουσα** ή **φοιτητική νεολαία** university students, young people at university

νεολαίος ΟΥΣ ΑΡΣ (α) (= *νεαρός*) young person (β) (= *μέλος πολιτικής νεολαίας*) young activist

νεολιθικός, -ή, -ό ΕΠΙΘ Neolithic
▸**νεολιθική εποχή** Neolithic (age ή period)

νεολογισμός ΟΥΣ ΑΡΣ neologism

νεομάρτυρας ΟΥΣ ΑΡΣϗΘΗΛ *Christian martyr that refused to convert to Islam during the Turkish occupation*

νεόνυμφος, -η, -ο ΕΠΙΘ newlywed
▸**νεόνυμφοι** ΟΥΣ ΑΡΣ ΠΛΗΘ newlyweds

νεοπλατωνικός, -ή, -ό ΕΠΙΘ Neo–Platonic
▸**νεοπλατωνικός** ΟΥΣ ΑΡΣ, **νεοπλατωνική** ΟΥΣ ΘΗΛ Neo–Platonist

νεοπλατωνισμός ΟΥΣ ΑΡΣ Neo–Platonism

νεόπλουτος, -η, -ο ΕΠΙΘ (*άνθρωπος, χώρα*) newly rich
▸**νεόπλουτοι** ΟΥΣ ΑΡΣ ΠΛΗΘ nouveaux riches

νέος, -α, -ο ΕΠΙΘ (α) (*παιδί, γυναίκα*) young (β) (*Έλληνας, ελληνισμός*) modern (γ) (*εφεύρεση, μοντέλο, ιδέες, ήθη, μέθοδοι*) new · (*βιβλίο, δίσκος*) new, latest (δ) (*υπάλληλος, πρόεδρος, δάσκαλος*) new
▷**είμαι νέος σε κτ** to be new to sth
▷**είμαι νέος στην καρδιά** to be young at heart
▷**εκ νέου** again
▸**Νέα Ελληνικά** Modern Greek
▸**Νέος Κόσμος** New World
▸**νέο κύμα** (ΤΕΧΝ) New Wave
▸**νέος** ΟΥΣ ΑΡΣ young man, boy
▸**νέα** ΟΥΣ ΘΗΛ young woman, girl
▸**νέοι** ΟΥΣ ΑΡΣ ΠΛΗΘ: **οι νέοι** the young, young

people

νεοσσός ΟΥΣ ΑΡΣ (α) (= *κλωσσόπουλο*) nestling (β) (= *νεογέννητο βρέφος*) newborn baby

νεοσύλλεκτη ΟΥΣ ΘΗΛ *βλ.* **νεοσύλλεκτος**

νεοσύλλεκτος ΟΥΣ ΑΡΣ recruit

νεοσύστατος, -η, -ο ΕΠΙΘ newly established

νεότευκτος, -η, -ο ΕΠΙΘ (*επίσ.*) newly built

νεότητα ΟΥΣ ΘΗΛ youth
▸**κέντρο νεότητας** youth club

νεοφερμένος, νεόφερτος, -η, -ο ΕΠΙΘ (*ιδέες*) new, fresh
▸**νεοφερμένος** ΟΥΣ ΑΡΣ, **νεοφερμένη** ΟΥΣ ΘΗΛ newcomer

νεοφώτιστος, -η, -ο ΕΠΙΘ (α) (ΘΡΗΣΚ) newly baptized (β) (*μτφ.: σοσιαλιστής*) newly converted

νεραγκούλα ΟΥΣ ΑΡΣ buttercup

νεράιδα ΟΥΣ ΘΗΛ (α) (*στα παραμύθια*) fairy (β) (*μτφ.: = πολύ όμορφη γυναίκα*) beauty

νεραϊδένιος, -α, -ο ΕΠΙΘ fairy

νεραϊδοπαρμένος, -η, -ο ΕΠΙΘ bewitched

νεράντζι ΟΥΣ ΟΥΔ Seville ή bitter orange

νεραντζιά ΟΥΣ ΘΗΛ Seville ή bitter orange (tree)

νερό ΟΥΣ ΟΥΔ (α) (= *ύδωρ*) water (β) (= *βροχή*) rain
▷**ανοίγω/κλείνω το νερό** to turn the tap on/off
▷**βάζω το νερό στ' αυλάκι** to set the wheels in motion, to get things under way
▷**βάζω νερό στο κρασί μου** (*μτφ.*) to back down, to compromise
▷**δεν δίνει του αγγέλου του νερό** he'd sell his own grandmother
▷**είμαι** ή **βρίσκομαι έξω από τα νερά μου** to be like a fish out of water
▷**θολώνω τα νερά** to muddy the waters
▷**λέω** ή **ξέρω το μάθημα νερό** to have learnt the lesson by heart
▷**λέω το νερό νεράκι** to go thirsty
▷**(μες) στο νερό** easily
▷**κάνω μια τρύπα στο νερό** to flog a dead horse
▷**κάνω νερά** (*για σκάφος*) to leak, to ship water · (*για τηλεόραση*) to have a bad reception · (*για πρόσωπο*) to blow hot and cold
▷**μπήκε το νερό στ' αυλάκι** things have settled down
▷**πίνω νερό στο όνομα κποιου** to hold sb in high regard, to think highly of sb
▷**σαν τα κρύα (τα) νερά** fresh as the morning dew
▷**σηκώνει νερό** it's open to question
▷**φέρνω κπν στα** ή **με τα νερά μου** to bring sb around
▷**χάνω τα νερά μου** to be like a fish out of water
▸**εμφιαλωμένο νερό** bottled water
▸**μεταλλικό νερό** mineral water
▸**νερό της βρύσης** tap water

▶**πόσιμο νερό** drinking water
▶**νερά** ΠΛΗΘ **(α)** (*ξύλου, μαρμάρου*) marbling *εν.* (β) (ΝΑΥΤ) waters
νερόβρασμα ΟΥΣ ΟΥΔ boiled food
▶**νεροβράσματα** ΠΛΗΘ (*μτφ.*) nonsense *εν.*
νερόβραστος, -η, -ο ΕΠΙΘ **(α)** (*χόρτα, φακές*) boiled (in water)· (*μτφ.*) tasteless (β) (*αστείο*) lame
νεροζούμι ΟΥΣ ΟΥΔ (*φαγητό*) insipid *ή* tasteless food· (*ρόφημα*) dishwater
νεροκανάτα ΟΥΣ ΘΗΛ water jug (*Βρετ.*) *ή* pitcher (*Αμερ.*)
νεροκάρδαμο ΟΥΣ ΟΥΔ watercress
νεροκολοκύθα ΟΥΣ ΘΗΛ gourd
νεροκολόκυθο, νεροκολοκύθι ΟΥΣ ΟΥΔ = **νεροκολοκύθα**
νεροκουβαλητής ΟΥΣ ΑΡΣ **(α)** (= *νερουλάς*) water bearer *ή* carrier (β) (*μτφ.*) puppet, cat's paw
νεροκουβαλήτρα, νεροκουβαλήτρια ΟΥΣ ΘΗΛ *βλ.* **νεροκουβαλητής**
νερομάνα ΟΥΣ ΘΗΛ wellspring, fountainhead
νερομπογιά ΟΥΣ ΘΗΛ watercolour (*Βρετ.*), watercolor (*Αμερ.*)
νερόμυλος ΟΥΣ ΑΡΣ water mill
νερόπλυμα ΟΥΣ ΟΥΔ **(α)** (*κυριολ.*) dishwater (β) (*μτφ.*: *φαγητό*) insipid *ή* tasteless food· (*ρόφημα*) dishwater
νεροποντή ΟΥΣ ΘΗΛ downpour
νεροπότηρο ΟΥΣ ΟΥΔ water glass
νεροπούλι ΟΥΣ ΟΥΔ water bird· (*για πάπιες, χήνες, κύκνους*) waterfowl *χωρίς πληθ.*
νεροσυρμή ΟΥΣ ΘΗΛ gully
νεροσωλήνας ΟΥΣ ΑΡΣ = **υδροσωλήνας**
νερουλάς ΟΥΣ ΑΡΣ water seller
νερουλιάζω ① Ρ ΑΜ **(α)** (*σταφύλια, ντομάτες*) to become watery *ή* soft (β) (*μτφ.*: *μάγουλα*) to grow flabby (γ) (*μτφ.*: *μυαλό*) to go soft ② Ρ Μ (*φαγητό*) to drown, to add too much water to
νερουλός, -ή, -ό ΕΠΙΘ watery
νεροφίδα ΟΥΣ ΘΗΛ water snake
νεροχελώνα ΟΥΣ ΘΗΛ turtle
νεροχύτης ΟΥΣ ΑΡΣ (kitchen) sink
νερώνω Ρ Μ (*κρασί, ποτό*) to put water in, to water down· (*χρώμα*) to dilute
▷**νερώνω το κρασί μου** (*μτφ.*) to back down, to compromise
νετάρω ① Ρ Μ **(α)** (*δουλειά*) to finish off (β) (*λεφτά, λάδι*) to use up· (*προμήθειες*) to polish off (*ανεπ.*) (γ) (ΚΙΝΗΜ. ΦΩΤΟΓΡ) to focus ② Ρ ΑΜ **(α)** (= *είμαι πτώμα*) to have had it (*ανεπ.*) (β) (*στα χαρτιά*) to be cleaned out (*ανεπ.*)
νέτος, -η, -ο ΕΠΙΘ (*βάρος, κέρδος*) net
▷**μένω νέτος** (*αργκ.*: = *άφραγκος*) to be flat *ή* stony broke (*ανεπ.*)· (= *μόνος*) to be left all alone
▷**μιλάω** *ή* **τα λέω νέτα-σκέτα** to be upfront

νετρόνιο ΟΥΣ ΟΥΔ neutron
νεύμα ΟΥΣ ΟΥΔ (*κεφαλιού*) nod· (*ματιών*) wink· (*χεριού*) wave
νευράκια ΟΥΣ ΟΥΔ ΠΛΗΘ: **νευράκια, νευράκια;** temper, temper!
▷**με πιάνουν τα νευράκια μου** to get into a temper· *βλ.* **νεύρο**
νευραλγία ΟΥΣ ΘΗΛ neuralgia
νευραλγικός, -ή, -ό ΕΠΙΘ **(α)** (ΙΑΤΡ) neuralgic (β) (*μτφ.*: *τομέας οικονομίας, θέσεις*) key· (*σημείο*) weak
νευρασθένεια ΟΥΣ ΘΗΛ depression
νευρασθενής ΟΥΣ ΑΡΣΘΗΛ depressive
νευρασθενικός, -ή, -ό ΕΠΙΘ depressive
▶**νευρασθενικός** ΟΥΣ ΑΡΣ, **νευρασθενική** ΟΥΣ ΘΗΛ moody *ή* temperamental person
νευριάζω ① Ρ Μ: **νευριάζω κπν** (= *εκνευρίζω*) to get on sb's nerves, to irritate sb· (= *εξοργίζω*) to make sb angry ② Ρ ΑΜ (= *εκνευρίζομαι*) to get irritated· (= *εξοργίζομαι*) to lose one's temper
νευριασμένος, -η, -ο ΕΠΙΘ (= *εκνευρισμένος*) irritated· (= *θυμωμένος*) angry
νευρικός, -ή, -ό ΕΠΙΘ **(α)** (*απόληξη, ίνα, ιστός*) nerve· (*πόνος, νόσος*) nervous (β) (*άτομο*) nervous, nervy (*Βρετ.*)· (*αντιδράσεις, οδήγηση*) nervous (γ) (*κινήσεις, γέλιο*) nervous
▶**νευρική ανορεξία** anorexia nervosa
▶**νευρικό σύστημα** nervous system
▶**νευρικός κλονισμός** nervous breakdown
νευρικότητα ΟΥΣ ΘΗΛ nervousness
νεύρο ΟΥΣ ΟΥΔ **(α)** (ΑΝΑΤ, ΒΙΟΛ) nerve (β) (= *χορδή*) string (γ) (*μτφ.*: *φύλλων, μαρμάρου*) vein (δ) (*μτφ.*: = *δυναμισμός*) go (*Βρετ.*), get-up-and-go (*ανεπ.*)· (*άρθρου*) punch
▷**έχω νεύρο (μέσα μου)** to be full of go (*Βρετ.*) *ή* get-up-and-go (*ανεπ.*)
▶**νεύρα** ΠΛΗΘ nerves
▷**ατσάλινα νεύρα** nerves of steel
▷**γερά νεύρα** strong nerves
▷**έχω** *ή* **με πιάνουν τα νεύρα μου, είμαι όλο νεύρα** to be in a temper
▷**μου δίνει** *ή* **χτυπάει στα νεύρα** he/it gets on my nerves
▷**σπάω τα νεύρα κποιου** to unnerve sb, to put sb on edge
▷**τα νεύρα μου έγιναν κουρέλια** to be a bundle *ή* bag of nerves
νευροκαβαλίκεμα ΟΥΣ ΟΥΔ (*ανεπ.*) sprain· (*στον λαιμό*) crick
νευρολογία ΟΥΣ ΘΗΛ neurology
νευρολογικός, -ή, -ό ΕΠΙΘ neurological
νευρολόγος ΟΥΣ ΑΡΣΘΗΛ neurologist
νευροπάθεια ΟΥΣ ΘΗΛ nervous disorder, neuropathy (*επιστ.*)
νευροπαθής, -ής, -ές ΕΠΙΘ suffering from a nervous disorder, neuropathic (*επιστ.*)
νευρόσπασμα ΟΥΣ ΟΥΔ = **νευρόσπαστο**
νευρόσπαστο ΟΥΣ ΟΥΔ (= *μόνιμα*)

N

εκνευρισμένος) highly–strung person
νευροχειρουργική ΟΥΣ ΘΗΛ neurosurgery
νευροχειρουργός ΟΥΣ ΑΡΣΘΗΛ neurosurgeon
νευρώδης, -ης, -ες ΕΠΙΘ (α) (*ιστός*)·
(*κρέας*) stringy (β) (= *μυώδης*) sinewy
(γ) (*μτφ.*: *ύφος, σκηνοθεσία*) forceful·
(*γράψιμο*) punchy· (*πολιτισμός, τέχνη*)
spirited, vigorous
νεύρωση ΟΥΣ ΘΗΛ (α) (ΙΑΤΡ) neurosis

> *Προσοχή!: Ο πληθυντικός του* **neurosis**
> *είναι* **neuroses.**

(β) (ΒΟΤ) veins *πληθ.*
νευρωτικός, -ή, -ό ΕΠΙΘ neurotic
νευτώνειος, -α, -ο ΕΠΙΘ (*μηχανική*)
Newtonian· (*θεωρία*) Newton's
νεύω Ρ ΑΜ (*με το κεφάλι*) to nod· (*με τα*
μάτια) to wink· (*με το χέρι*) to beckon
νεφέλη ΟΥΣ ΘΗΛ (*λογοτ.*) cloud
νεφελώδης, -ης, -ες ΕΠΙΘ (α) (*καιρός,*
ουρανός) cloudy, overcast (β) (*μτφ.*:
υποσχέσεις, σκέψεις) vague· (*κατάσταση,*
υπόθεση) hazy, unclear
νεφέλωμα ΟΥΣ ΟΥΔ (α) (ΑΣΤΡΟΝ) nebula

> *Προσοχή!: Ο πληθυντικός του* **nebula**
> *είναι* **nebulae.**

(β) (*μτφ.*: = *οτιδήποτε ασαφές*)
mumbo–jumbo *χωρίς πληθ.*
νέφος ΟΥΣ ΟΥΔ (α) (*κυριολ., μτφ.*) cloud
(β) (= *συγκέντρωση ρύπων*) smog
νεφοσκεπής, -ής, -ές ΕΠΙΘ (*επίσ.*: *ουρανός,*
πόλη) overcast, cloudy
νεφραλγία ΟΥΣ ΘΗΛ kidney pain, nephralgia
(*επιστ.*)
νεφραμιά ΟΥΣ ΘΗΛ kidneys *πληθ.*
νεφρικός, -ή, -ό ΕΠΙΘ (*ανεπάρκεια*) kidney,
renal
νεφρίτης ΟΥΣ ΑΡΣ jade, nephrite
νεφρίτιδα ΟΥΣ ΘΗΛ nephritis, Bright's disease
νεφρό ΟΥΣ ΟΥΔ kidney
▷ **έχω τα νεφρά μου** to have kidney trouble
▷ **μου κόπηκαν ή έπεσαν τα νεφρά** to be
worn out
▸ **τεχνητό νεφρό** kidney machine, artificial
kidney
νεφρολιθίαση ΟΥΣ ΘΗΛ kidney stones *πληθ.*
νεφρολογία ΟΥΣ ΘΗΛ nephrology
νεφρολόγος ΟΥΣ ΑΡΣΘΗΛ kidney specialist
νεφροπάθεια ΟΥΣ ΘΗΛ kidney disease
νεφρός ΟΥΣ ΑΡΣ (*επίσ.*) = **νεφρό**
νέφτι ΟΥΣ ΟΥΔ (*ανεπ.*) turpentine, white spirit
▷ **μου βάλανε νέφτι** to have ants in one's
pants (*ανεπ.*)
νεφώδης, -ης, -ες ΕΠΙΘ overcast, cloudy
νέφωση ΟΥΣ ΘΗΛ cloud cover *χωρίς πληθ.*
νεωκόρος ΟΥΣ ΑΡΣΘΗΛ sexton, verger
νεωστί ΕΠΙΡΡ (*επίσ.*) recently, lately
νεωτερίζω Ρ ΑΜ to keep up–to–date

νεωτερισμός ΟΥΣ ΑΡΣ (α) (= *καινοτομία*)
innovation (β) (= *μόδα*) latest fashion
νεωτεριστής ΟΥΣ ΑΡΣ innovator
νεωτεριστικός, -ή, -ό ΕΠΙΘ modern
νεωτερίστρια ΟΥΣ ΘΗΛ *βλ.* **νεωτεριστής**
νηκτικός, -ή, -ό ΕΠΙΘ aquatic
▸ **νηκτικά** ΟΥΣ ΟΥΔ ΠΛΗΘ aquatic birds
νήμα ΟΥΣ ΟΥΔ (α) (= *κλωστή*) thread· (*μάλλινο*)
yarn (β) (*μτφ.*: *ιδεών, λόγου*) thread·
(*σκέψεων*) train (γ) (ΒΟΤ) filament
▷ **κινώ τα νήματα** (= *ελέγχω*) to pull the
strings
▷ **νήμα της αράχνης** spider's web
▷ **κόβω το νήμα της ζωής κποιου** to end sb's
life
▷ **το νήμα των συλλογισμών μου** one's train
of thought
▸ **βαμβακερό νήμα** cotton thread
▸ **νήμα τερματισμού** finishing tape
▸ **νήμα της στάθμης** plumb line
▸ **οδοντιατρικό νήμα** dental floss
νηματοειδής, -ής, -ές ΕΠΙΘ thread–like
νηματοποίηση ΟΥΣ ΘΗΛ spinning
νηματουργείο ΟΥΣ ΟΥΔ spinning mill
νηματουργία ΟΥΣ ΘΗΛ spinning
νηματουργός ΟΥΣ ΑΡΣ spinner
νηματώδης, -ης, -ες ΕΠΙΘ (*κρόσσι*) of
threads
νηνεμία ΟΥΣ ΘΗΛ calm
νηολόγηση ΟΥΣ ΘΗΛ registration
νηολόγιο ΟΥΣ ΟΥΔ shipping register
νηολογώ Ρ Μ to register
νηοπομπή ΟΥΣ ΘΗΛ convoy (*of ships*)
νηοψία ΟΥΣ ΘΗΛ inspection (*of a ship*)
νηπιαγωγείο ΟΥΣ ΟΥΔ kindergarten, nursery
school
νηπιαγωγός ΟΥΣ ΑΡΣΘΗΛ kindergarten *ή*
nursery school teacher
νηπιακός, -ή, -ό ΕΠΙΘ (α) (*σταθμός*) infant
(β) (*μτφ.*: για *ανάπτυξη, βιομηχανία*) in its
infancy
▸ **νηπιακή ηλικία** infancy
νήπιο ΟΥΣ ΟΥΔ infant, baby
νηπιοκόμος ΟΥΣ ΑΡΣΘΗΛ child minder (*Βρετ.*),
babysitter (*Αμερ.*)
νηπιώδης, -ης, -ες ΕΠΙΘ (α) (= *νηπιακός*)
infant, infantile (β) (= *παιδαριώδης*)
childish, infantile (γ) (*μτφ.*: = *εμβρυακός:*
ανάπτυξη) early
Νηρηίδα ΟΥΣ ΘΗΛ Nereid, sea nymph
νησάκι ΟΥΣ ΟΥΔ islet
νησί ΟΥΣ ΟΥΔ island
νησίδα ΟΥΣ ΘΗΛ (α) (= *νησάκι*) islet· (*μτφ.*)
island (β) (*επίσης* **διαχωριστική νησίδα**)
traffic island
νησιώτης ΟΥΣ ΑΡΣ islander
νησιωτικός, νησιώτικος, -ή, -ό ΕΠΙΘ (*κρασί,*
χορός, τραγούδι, σύμπλεγμα) island
▷ **ο νησιωτικός χώρος** the islands
▸ **νησιώτικα** ΟΥΣ ΟΥΔ ΠΛΗΘ island songs

νησιώτισσα ΟΥΣ ΘΗΛ βλ. **νησιώτης**

νήσος ΟΥΣ ΘΗΛ (επίσ.) island
▸**οι βρετανικές νήσοι** the British Isles

νήσσα ΟΥΣ ΘΗΛ (επίσ.) βλ. **πάπια**

νηστεία ΟΥΣ ΘΗΛ fast

νηστεύω Ρ ΑΜ (ΘΡΗΣΚ) to fast
▷**νηστεύω από κτ** to abstain from sth

νηστικός, ή, ό ΕΠΙΘ (= που δεν έχει φάει)
hungry
▷**νηστικό αρκούδι δεν χορεύει** (παροιμ.) you
can't work on an empty stomach

νηστίσιμος, -η, -ο ΕΠΙΘ lenten

νηφάλια ΕΠΙΡΡ (συμπεριφέρομαι, μιλώ,
αντιμετωπίζω) calmly, sedately

νηφάλιος, -α, -ο ΕΠΙΘ (α) (λαός, άνθρωπος)
calm (β) (κρίση, εκτίμηση, υπολογισμός,
ύφος) sober · (δικαστής, κριτικός, νους)
astute · (απόφαση) sound (γ) (= ξεμέθυστος)
sober

νηφαλιότητα ΟΥΣ ΘΗΛ (= ηρεμία) calmness,
poise · (= πνευματική διαύγεια: νου, κρίσεως,
πνεύματος) astuteness · (= απουσία μέθης)
sobriety
▷**φέρομαι με νηφαλιότητα** to be poised

νι ΟΥΣ ΟΥΔ ΑΚΛ ni, *13th letter of the Greek
alphabet*

νιαουρίζω Ρ ΑΜ (α) (γάτα) to miaow, to
meow (β) (μτφ.) to whine

νιαούρισμα ΟΥΣ ΟΥΔ (α) (γάτας) miaowing
χωρίς πληθ., mewing χωρίς πληθ. (β) (μτφ.: =
κλαψούρισμα) whining χωρίς πληθ.

νιάτα ΟΥΣ ΟΥΔ ΠΛΗΘ (α) (= νεότητα) youth εν.
(β) (= νεολαία) young people
▷**να 'χα τα νιάτα σου** if only I was as young
as you
▷**να χαρείς τα νιάτα σου** (ευχή) all the best
to you · (παράκληση) for goodness sake
▷**στα νιάτα μου** in one's youth
▸**στρατευμένα νιάτα** young soldiers
▸**φοιτητικά νιάτα** young students

νίβω Ρ Μ to wash
▷**τό 'να χέρι νίβει τ' άλλο (και τα δυο το
πρόσωπο)** (παροιμ.) you scratch my back and
I'll scratch yours

Νιγηρία ΟΥΣ ΘΗΛ Nigeria

Νίκαια ΟΥΣ ΘΗΛ (α) (στη Μ. Ασία) Nicaea
(β) (στη Γαλλία) Nice

νικέλινος, -η, -ο ΕΠΙΘ nickel

νικέλιο ΟΥΣ ΟΥΔ nickel

νικέλωμα ΟΥΣ ΟΥΔ nickel–plating

νικελώνω Ρ Μ to nickel–plate

νίκη ΟΥΣ ΘΗΛ (α) (στρατού, πολιτικού) victory
(β) (αθλητή, ομάδας) win, victory
▷**διεκδικώ τη νίκη** to claim victory
▷**εκλογική νίκη** election victory
▷**θριαμβευτική νίκη** triumphant victory ·
(στις εκλογές) landslide victory
▷**οδηγώ (κπν) σε ή στη νίκη** to lead (sb) to
victory
▷**παίρνω τη νίκη** to win
▷**περίλαμπρη νίκη** glorious victory

▸**Άπτερος Νίκη** Wingless Victory
▸**πύρρειος νίκη** Pyrrhic ή hollow victory

νικητήριος, -ια, -ιο ΕΠΙΘ (κραυγή, παιάνας)
victory · (τέρμα, γκολ) winning
▸**νικητήρια** ΟΥΣ ΟΥΔ ΠΛΗΘ victory songs

νικητής ΟΥΣ ΑΡΣ (μάχης, πολέμου) victor ·
(αγώνων, διαγωνισμού, εκλογών) winner
▷**αναδεικνύομαι νικητής** to emerge as the
winner
▷**ανακηρύσσομαι νικητής** to be proclaimed
winner
▷**βγαίνω νικητής** to come out on top
▷**ο μεγάλος νικητής** (του Λόττο) the big
winner · (παιχνιδιού, των εκλογών) the clear
winner

νικήτρια ΟΥΣ ΘΗΛ winner
▸**νικήτρια στήλη** winning numbers · βλ. κ.
νικητής

νικηφόρος, -ος ή -α, -ο ΕΠΙΘ (εκστρατεία)
victorious · (παιχνίδι, στρατηγική) winning

νικοτίνη ΟΥΣ ΘΗΛ nicotine

νικώ Ρ Μ (α) (αντίπαλο, εχθρό, ομάδα) to beat,
to defeat · (= υπερισχύω) to prevail over
(β) (φόβο, δυσκολίες, εμπόδια, αρρώστια) to
overcome · (πάθη, ορμές) to resist
▷**νικώ κπν κατά κράτος** to beat sb hollow
▷**νικώ στα σημεία** to win on points
▷**ο τολμών νικά** he who dares wins

νίλα ΟΥΣ ΘΗΛ (ανεπ.: = πανωλεθρία) calamity ·
(για ομάδα) beating (ανεπ.), crushing defeat ·
(= χοντρό αστείο) practical joke
▷**κάνω νίλα σε κπν** to play a trick on sb
▷**παθαίνω νίλα** to take a beating (ανεπ.)

νινί ΟΥΣ ΟΥΔ ΑΚΛ (χαϊδευτ.) (α) (= μωρό) baby
(β) (= κούκλα) doll

νιόβγαλτος, -η, -ο ΕΠΙΘ (λογοτ.) novice

νιόγαμπρος ΟΥΣ ΑΡΣ newly married man

νιονιό ΟΥΣ ΟΥΔ ΑΚΛ brains πληθ.

νιόπαντρος, -η, -ο ΕΠΙΘ newlywed
▸**νιόπαντροι** ΟΥΣ ΑΡΣ ΠΛΗΘ newlyweds

νιότη ΟΥΣ ΘΗΛ (λογοτ.) (α) (= νιάτα) youth
(β) (= νεολαία) young people πληθ.
▸**πρώτη νιότη** first flush of youth

νιόφερτος, -η, -ο ΕΠΙΘ = **νεοφερμένος**

νιπτήρας ΟΥΣ ΑΡΣ (wash)basin (Βρετ.),
washbowl (Αμερ.)

νίπτω (επίσ.) Ρ Μ (= νίβω) to wash
▷**νίπτω τας χείρας μου** I wash my hands of
it

νιρβάνα ΟΥΣ ΘΗΛ ΑΚΛ nirvana

νισάφι ΟΥΣ ΟΥΔ ΑΚΛ mercy, pity
▷**νισάφι (πια)!** that's enough!

νιτρικός, -ή, -ό ΕΠΙΘ nitric

νίτρο ΟΥΣ ΟΥΔ saltpetre (Βρετ.), saltpeter
(Αμερ.), nitre (Βρετ.), niter (Αμερ.)

νιτρογλυκερίνη ΟΥΣ ΘΗΛ nitroglycerine

νιφάδα ΟΥΣ ΘΗΛ (α) (χιονιού) snowflake
(β) (μτφ.) flake
▸**νιφάδες καλαμποκιού** cornflakes

νίψιμο ΟΥΣ ΟΥΔ washing

νιώθω Ρ Μ (α) (κρύο, πόνο, τύψεις, ευθύνη,

χαρά) to feel · (*κίνδυνο*) to sense · (*αλήθεια, νόημα*) to be aware of (β) (= *αντιλαμβάνομαι*) to realize · (= *καταλαβαίνω*) to understand · (= *συμπονώ*) to feel for
▷**νιώθω άλλος άνθρωπος** to feel like a new man/woman
▷**δεν νιώθω από κτ** not to know anything about sth
▷**νιώθω από κτ** to know about sth
▷**νιώθω εκτός εαυτού** to be beside oneself
▷**νιώθω ένα βάρος** to feel a weight on one's shoulders
▷**νιώθω κτ βαρύ/στενό** to find sth heavy/tight
▷**νιώθω σαν χαμένος/ξένος** to feel lost/like a stranger
▷**νιώθω την ανάγκη να κάνω κτ** to feel the need to do sth
▷**νιώθω ότι κάτι καίγεται** I can smell something burning

νοβοκαΐνη ΟΥΣ ΘΗΛ Novocaine ®

Νοέμβρης ΟΥΣ ΑΡΣ = **Νοέμβριος**

Νοέμβριος ΟΥΣ ΑΡΣ November

νοερά ΕΠΙΡΡ (*βλέπω*) in one's mind's eye · (*ακούω*) in one's head

νοερός, -ή, -ό ΕΠΙΘ (α) (*εικόνα, υπολογισμός, προσευχή*) mental (β) (= *φανταστικός*: *ταξίδι*) imaginary

νοερώς ΕΠΙΡΡ = **νοερά**

νόημα ΟΥΣ ΟΥΔ (α) (*κειμένου, φράσης, λόγων*) meaning (β) (*πράξης*) point · (*στάσης, άποψης*) significance (γ) (= *νεύμα*) sign · (*με το κεφάλι*) nod · (*με τα χέρια*) signal, sign · (*με τα μάτια*) wink
▷**βγάζω νόημα (από κτ)** to make sense of sth
▷**δεν έχει νόημα να κάνω κτ** there's no point in doing sth
▷**κάνω νόημα σε κπν** to give sb a sign · (*με το κεφάλι*) to nod to sb · (*με τα χέρια*) to beckon to sb · (*με τα μάτια*) to wink at sb
▷**κοιτάζω κπν με νόημα** to give sb a meaningful look
▷**μπαίνω στο νόημα** to get the drift
▷**χάνω κάθε νόημα** to lose all meaning
▷**χωρίς νόημα** meaningless, without meaning
▸**γλώσσα των νοημάτων** sign language

νοηματικός, -ή-ό ΕΠΙΘ (*συνοχή κειμένου, κενό*) (*διαφορά*) in meaning
▸**νοηματική γλώσσα** sign language

νοημοσύνη ΟΥΣ ΘΗΛ (α) (= *ευφυΐα*) intelligence (β) (= *μυαλό*) mind
▷**προσβάλλω τη νοημοσύνη κποιου** to insult sb's intelligence
▸**τεχνητή νοημοσύνη** artificial intelligence

νοήμων, -ων, -ον ΕΠΙΘ intelligent

νόηση ΟΥΣ ΘΗΛ intellect

νοητικός, -ή, -ό ΕΠΙΘ (*διαταραχές, λειτουργίες*) mental · (*τεστ*) intelligence
▷**ο άνθρωπος είναι ζώον νοητικό** man is a thinking animal

νοητός, -ή, -ό ΕΠΙΘ (α) (= *κατανοητός*)

understood (β) (= *ιδεατός*) imaginary

νοθεία ΟΥΣ ΘΗΛ (α) (*ποτού, τροφής, καυσίμων*) adulteration (β) (*εκλογών*) rigging

νοθευμένος, -η, -ο ΕΠΙΘ (*τρόφιμα, ποτά, καύσιμα*) adulterated, impure · (*έγγραφο*) forged

νόθευση ΟΥΣ ΘΗΛ (α) (*οίνου, γάλακτος, φέτας*) adulteration, doctoring · (*εγγράφου, νομίσματος*) forging · (*εκλογικού αποτελέσματος*) rigging (β) (*αλήθειας, μορφής*) distortion · (*νίκης, θεσμού*) undermining · (*πολιτεύματος, ιδανικού*) corruption

νοθεύω Ρ Μ (α) (*τρόφιμα, ποτά*) to adulterate, to doctor · (*καύσιμα, χρυσό*) to adulterate · (*νόμισμα, έγγραφο*) to forge · (*εκλογικό αποτέλεσμα*) to rig, to fix (β) (*αλήθεια, νόημα*) to twist, to distort · (*μορφή, εντύπωση*) to distort · (*νίκη, θεσμός*) to undermine · (*πολίτευμα, αξίες, ιδανικά*) to corrupt

νόθος, -ος ή -α, -ο ΕΠΙΘ (α) (*παιδί*) illegitimate (β) (*εκλογές*) rigged · (*κείμενο, έργο τέχνης*) spurious · (*έγγραφο*) forged · (*εταιρεία, επιχείρηση*) bogus
▸**νόθο κλάσμα** improper fraction

νοιάζω Ρ ΑΜ: **με νοιάζει** ΤΡΙΤΟΠΡΟΣ (= *με πειράζει*) to mind · (= *με ενδιαφέρει*) to care
▷**δεν με νοιάζει!** (= *δεν με πειράζει*) I don't mind! · (= *δεν με ενδιαφέρει*) I don't care!
▷**δεν με νοιάζει καθόλου!** (= *δεν με πειράζει*) I really don't mind!, I don't mind at all! · (= *δεν με ενδιαφέρει*) I couldn't care less!
▷**(κι εμένα) τι με νοιάζει;** what do I care?
▷**μη σε νοιάζει (γι' αυτό)!** don't worry (about it)!
▷**να μη σε νοιάζει!** never you mind!
▷**τίποτα δεν με νοιάζει!** I couldn't care less!

νοιάζομαι ① Ρ ΑΜ ΑΠΟΘ (= *ανησυχώ*) to be concerned
② Ρ Μ (α) (= *ενδιαφέρομαι*) to care about (β) (= *φροντίζω*) to look after
▷**νοιάζομαι για κπν/κτ** (= *με απασχολεί*) to care about sb/sth

νοικάρης ΟΥΣ ΑΡΣ (*ανεπ.*: *σπιτιού, δωματίου*) lodger

νοικάρισσα ΟΥΣ ΘΗΛ *βλ.* **νοικάρης**

νοίκι ΟΥΣ ΟΥΔ (*ανεπ.*) rent
▷**(μένω ή είμαι) στο νοίκι** (to be) paying rent

νοικιάζω Ρ Μ *βλ.* **ενοικιάζω**

νοικοκυρά ΟΥΣ ΘΗΛ (α) (= *οικοδέσποινα*) lady of the house (β) (= *που ασχολείται με το νοικοκυριό*) housewife (γ) (= *ικανή στα οικιακά*) good housewife

> *Προσοχή!: Ο πληθυντικός του* **housewife** *είναι* **housewives**.

νοικοκύρεμα ΟΥΣ ΟΥΔ tidying up

νοικοκυρεμένος, -η, -ο ΕΠΙΘ (*άνθρωπος, χώρος*) tidy

νοικοκυρεύω Ρ Μ (α) (*χώρο*) to tidy up

(β) (*παιδιά*) to provide for
▶**νοικοκυρεύομαι** ΜΕΣΟΠΑΘ
(α) (= *αποκαθίσταμαι*) to settle down
(β) (= *μαζεύομαι*) to be more careful with money

νοικοκύρης ΟΥΣ ΑΡΣ (α) (= *οικοδεσπότης*) head of the household
(β) (= *οικογενειάρχης*) head of the family
(γ) (= *ιδιοκτήτης*) landlord
(δ) (= *αυτεξούσιος*) one's own master
(ε) (= *καλός διαχειριστής*) thrifty man ·
(= *τακτικός*) tidy man (στ) (= *άτομο που διαθέτει περιουσία*) wealthy man
▷**είμαι νοικοκύρης του εαυτού μου** to be one's own master

νοικοκυριό ΟΥΣ ΟΥΔ (α) (= *οικιακός εξοπλισμός*) household goods *πληθ.*
(β) (= *σπίτι*) household
▷**κρατώ το νοικοκυριό** to keep house, to do the housekeeping
▷**φτιάχνω το νοικοκυριό μου** to set up house

νοικοκυρόπαιδο ΟΥΣ ΟΥΔ
(α) (= *πλουσιόπαιδο*) boy from a wealthy family (β) (= *τακτικός*) tidy boy

νοικοκυρόσπιτο ΟΥΣ ΟΥΔ
(α) (= *πλουσιόσπιτο*) wealthy household
(β) (= *νοικοκυρεμένο*) well–kept house

νοικοκυροσύνη ΟΥΣ ΘΗΛ tidiness

νοιώθω Ρ Μ = **νιώθω**

νομάδας ΟΥΣ ΑΡΣ = **νομάς**

νομαδικός, -ή, -ό ΕΠΙΘ nomadic

νομάρχης ΟΥΣ ΑΡΣ/ΘΗΛ prefect, nomarch

νομαρχία ΟΥΣ ΘΗΛ (α) (= *διοικητική περιφέρεια*) prefecture, nomarchy
(β) (*κτήριο*) prefecture

νομαρχιακός, -ή, -ό ΕΠΙΘ of the prefecture

νομάς ΟΥΣ ΑΡΣ nomad
▶**νομάδες** ΠΛΗΘ nomads

νομίατρος ΟΥΣ ΑΡΣ/ΘΗΛ chief medical officer (*of a prefecture*)

νομίζω Ρ Μ to think
▷**δεν (το) νομίζω** I don't think so
▷**έτσι νομίζω** I think so
▷**νομίζω ότι** *ή* **πως** to think (that)
▷**όπως νομίζεις** as you please
▷**τον νόμιζα για φίλο μου** I thought he was my friend

νομικά, νομικώς ΕΠΙΡΡ legally

νομική ΟΥΣ ΘΗΛ law
▶**Νομική** ΟΥΣ ΘΗΛ Faculty of Law, Law School

νομικός, -ή, -ό ΕΠΙΘ (α) (*υπηρεσίες, συμβουλή*) legal (β) (*σχολή, περιοδικό*) law·
(*σφάλμα, όρος*) legal · (*λεξιλόγιο*) legal, of law
▶**νομικό πρόσωπο** legal entity
▶**νομικός σύμβουλος** legal adviser
▶**νομικά** ΟΥΣ ΟΥΔ ΠΛΗΘ law *εν.*
▶**νομικός** ΟΥΣ ΑΡΣ/ΘΗΛ lawyer

νομιμοποίηση ΟΥΣ ΘΗΛ (*τέκνων, γάμο*) legitimization · (*αυθαιρέτου*) legalization ·
(*πληρεξουσίου, διαδίκου*) authorization

νομιμοποιώ Ρ Μ (*αυθαίρετο, κτίσμα,*

εκτρώσεις) to legalize · (*τέκνον, συζύγου, γάμου*) to legitimize · (*δικηγόρο, διάδικο, πληρεξούσιο*) to authorize · (*βία, κτηνωδία, πράξη*) to justify

νόμιμος, -η, -ο ΕΠΙΘ (α) (*κέρδος, τόκος, διαδικασία, όροι, εκπρόσωπος*) legal ·
(*κληρονόμος*) rightful · (*ωράριο*) statutory
(β) (*τέκνο*) legitimate
▶**νόμιμη άμυνα** self–defence (*Βρετ.*),
self–defense (*Αμερ.*)

νομιμότητα ΟΥΣ ΘΗΛ (α) (*πράξης, έργου*) legality (β) (= *νόμιμο καθεστώς*) law and order
▷**διεθνής νομιμότητα** international law

νομιμοφανής, -ής, -ές ΕΠΙΘ spurious

νομιμόφρονας ΟΥΣ ΑΡΣ/ΘΗΛ = **νομιμόφρων**

νομιμοφροσύνη ΟΥΣ ΘΗΛ compliance with the law

νομιμόφρων, -ων, -ον ΕΠΙΘ (*πολίτης, υπήκοος*) law–abiding

νόμισμα ΟΥΣ ΟΥΔ (α) (*χώρας*) currency
(β) (= *κέρμα*) coin
▷**η άλλη όψη του νομίσματος** the other side of the coin
▷**κόβω νόμισμα** to coin money
▷**πληρώνω κπν με το ίδιο νόμισμα** to pay sb back in the same coin

νομισματικός, -ή, -ό ΕΠΙΘ (*ενοποίηση, μονάδα*) monetary
▶**Διεθνές Νομισματικό Ταμείο** International Monetary Fund, IMF
▶**Ευρωπαϊκή Νομισματική Μονάδα** European monetary unit
▶**νομισματική πολιτική** monetary policy
▶**νομισματικό σύστημα** monetary system
▶**νομισματική** ΟΥΣ ΘΗΛ (ΑΡΧΑΙΟΛ) numismatics *εν.*

Προσοχή!: Αν και το **numismatics** *φαίνεται ως τύπος πληθυντικού, είναι ουσιαστικό μόνο στον ενικό και συντάσσεται με ρήμα στον ενικό.*

νομισματοκοπείο ΟΥΣ ΟΥΔ mint

νομισματολογία ΟΥΣ ΘΗΛ numismatics *εν.*

νομοθεσία ΟΥΣ ΘΗΛ legislation
▶**ισχύουσα νομοθεσία** current legislation
▶**ποινική νομοθεσία** penal law

νομοθέτημα ΟΥΣ ΟΥΔ statute, law

νομοθέτης ΟΥΣ ΑΡΣ legislator

νομοθετικός, -ή, -ό ΕΠΙΘ legislative
▶**νομοθετικό διάταγμα** statute
▶**νομοθετική εξουσία** legislature
▶**νομοθετικό σώμα** legislative body

νομοθέτις ΟΥΣ ΘΗΛ *βλ.* **νομοθέτης**

νομοθετώ 1 Ρ ΑΜ (*βουλή, νομοθέτης*) to legislate
2 Ρ Μ (*σειρά μέτρων*) to enact

νομομάθεια ΟΥΣ ΘΗΛ proficiency in the law

νομομαθής, -ής, -ές ΕΠΙΘ conversant with the law

νομομηχανικός ΟΥΣ ΑΡΣ/ΘΗΛ civil engineer (*in*

a prefecture)

νομός ουσ αρσ prefecture · *(στην Ιρλανδία, Μ. Βρετανία, Η.Π.Α.)* county

νόμος ουσ αρσ **(α)** (= *γραπτός κανόνας Δικαίου*) law **(β)** (= *Δίκαιο*) law **(γ)** (= *κανόνας*) rule · *(συμπεριφοράς)* code **(δ)** *(φυσικής, χημείας)* law · *(φωνολογίας, φωνητικής)* rule
▷ **άγραφος νόμος** unwritten law
▷ **επιβάλλω τον νόμο** to enforce the law
▷ **εφαρμόζω τον νόμο** to uphold the law
▷ **καταλύθηκε ο νόμος** law and order has broken down
▷ **ο λόγος του είναι νόμος** his word is law
▷ **παραβαίνω τον νόμο** to break the law
▷ **περνώ νόμο** to pass a law
▷ **σύμφωνα με τον νόμο** in accordance with the law, by law
▷ **τηρώ τον νόμο** to obey the law
▷ **ψηφίζω νόμο** to pass a law
▶ **εκλογικός νόμος** election law
▶ **θείος νόμος** divine law
▶ **ισχύων νόμος** law in force
▶ **νόμος της βαρύτητας** law of gravity
▶ **στρατιωτικός νόμος** martial law
▶ **φυσικός νόμος** law of nature

νομοσχέδιο ουσ ουδ bill
▷ **καταθέτω νομοσχέδιο** to submit a bill
▷ **ψηφίζω νομοσχέδιο** to pass a bill
▶ **εκπαιδευτικό νομοσχέδιο** education bill
▶ **κατάρτιση νομοσχεδίου** drafting of a bill
▶ **φορολογικό νομοσχέδιο** tax bill

νομοταγής, -ής, -ές επιθ law–abiding

νομοτέλεια ουσ θηλ determinism

νομοτελειακός, -ή, -ό επιθ determinist

νόμπελ, νομπέλ ουσ ουδ ακλ Nobel prize

νονά ουσ θηλ godmother

νονός ουσ αρσ godfather

νοοτροπία ουσ θηλ mentality

Νορβηγή ουσ θηλ *βλ.* **Νορβηγός**

Νορβηγία ουσ θηλ Norway

Νορβηγίδα ουσ θηλ *βλ.* **Νορβηγός**

νορβηγικός, -ή, -ό επιθ Norwegian
▶ **Νορβηγικά** ουσ ουδ πληθ Norwegian

Νορβηγός ουσ αρσ Norwegian

νόρμα ουσ θηλ norm

Νορμανδία ουσ θηλ Normandy

νοσηλεία ουσ θηλ (hospital) treatment

νοσηλευτήριο ουσ ουδ hospital · *(ιδιωτικό)* clinic

νοσηλευτής ουσ αρσ nurse

νοσηλευτικός, -ή, -ό επιθ *(κλινική, μονάδα, προσωπικό)* nursing
▶ **νοσηλευτική** ουσ θηλ **(α)** *(επάγγελμα)* nursing **(β)** *(σχολή)* school of nursing

νοσηλεύτρια ουσ θηλ *βλ.* **νοσηλευτής**

νοσηλεύω ρ μ (= *περιθάλπω*) to treat, to give treatment to
▶ **νοσηλεύομαι** μεσοπαθ to be treated

νοσήλια ουσ ουδ πληθ hospital expenses

νόσημα ουσ ουδ *(επίσ.)* disease

νοσηρός, -ή, -ό επιθ **(α)** *(περιβάλλον, κλίμα)* unhealthy **(β)** *(μτφ.: κατάσταση, ιδιότητα)* unwholesome · *(φαντασία, συναίσθημα)* morbid

νοσηρότητα ουσ θηλ **(α)** *(κυριολ.)* unhealthiness **(β)** *(μτφ.)* corruption

νοσοκόμα ουσ θηλ nurse
▶ **αποκλειστική νοσοκόμα** private nurse

νοσοκομειακό ουσ ουδ ambulance

νοσοκομειακός, -ή, -ό επιθ *(γιατρός, περίθαλψη, έξοδα)* hospital
▶ **νοσοκομειακό αυτοκίνητο** ambulance
▶ **νοσοκομειακό αεροπλάνο** air ambulance

νοσοκομείο ουσ ουδ hospital
▷ **βάζω κπν στο νοσοκομείο** to hospitalize sb, to send sb to hospital *(Βρετ.) ή* to the hospital *(Αμερ.)*
▷ **διακομίζω** *ή* **μεταφέρω κπν σε νοσοκομείο** to take sb to hospital *(Βρετ.) ή* to the hospital *(Αμερ.)*
▶ **κρατικό νοσοκομείο** public hospital
▶ **στρατιωτικό νοσοκομείο** military *ή* army hospital

νοσοκόμος ουσ αρσ (male) nurse

νόσος ουσ θηλ *(επίσ.)* disease
▶ **επιδημική νόσος** epidemic
▶ **επάρατη νόσος** cancer
▶ **νόσος των δυτών** the bends *εν.*, decompression sickness
▶ **νόσος των τρελών αγελάδων** mad cow disease

νοσταλγία ουσ θηλ **(α)** *(για την πατρίδα)* homesickness **(β)** *(για το παρελθόν)* nostalgia

νοσταλγικά επιρρ nostalgically

νοσταλγικός, -ή, -ό επιθ nostalgic

νοσταλγός ουσ αρσ&θηλ **(α)** *(της πατρίδας)* homesick person **(β)** *(για το παρελθόν)* nostalgic person

νοσταλγώ ρ μ *(άνθρωπο, χώρο)* to miss · *(κατάσταση, αντικείμενο)* to long for, to be nostalgic for
▷ **νοσταλγώ την πατρίδα** *ή* **το σπίτι** to be *ή* feel homesick

νοστιμάδα ουσ θηλ **(α)** (= *νοστιμιά*) flavour *(Βρετ.)*, flavor *(Αμερ.)* **(β)** *(μτφ.)* charm

νοστιμεύω ① ρ μ **(α)** *(φαγητό)* to flavour *(Βρετ.)*, to flavor *(Αμερ.)* **(β)** *(μτφ.: = ομορφαίνω)* to make more attractive · *(ζωή)* to add spice to
② ρ αμ **(α)** *(φαγητό)* to taste better, to have more flavour *(Βρετ.) ή* flavor *(Αμερ.)* **(β)** *(μτφ.: = ομορφαίνω)* to become prettier *ή* more attractive
▶ **νοστιμεύομαι** μεσοπαθ (= *λαχταρώ: γλυκά*) to crave · *(γυναίκα, άντρα)* to have one's eye on

νοστιμιά ουσ θηλ **(α)** *(φαγητού)* flavour *(Βρετ.)*, flavor *(Αμερ.)* **(β)** *(μτφ.: = γοητεία)* charm
▶ **νοστιμιές** ουσ θηλ πληθ delicacies

νοστιμίζω ρ μ = **νοστιμεύω**

νόστιμος, -η, -ο ΕΠΙΘ (α) (τροφή) tasty
(β) (μτφ.: άντρας, γυναίκα) good–looking,
attractive (γ) (μτφ.: ανέκδοτο, αστείο) good

νοστιμούλης, -α, -ικο ΕΠΙΘ (υποκορ.)
(α) (φαγητό) tasty (β) (μτφ.) cute

νόστος ΟΥΣ ΑΡΣ (επίσ.) repatriation

νοσώ Ρ ΑΜ (επίσ.) (α) (άνθρωπος) to be ill
(β) (μτφ.: σύστημα, υπηρεσία, κράτος) to be
stricken, to founder

νότα ΟΥΣ ΘΗΛ (ΜΟΥΣ μτφ.) note
▷**νότα αισιοδοξίας** note of optimism,
optimistic note

Νότια Αμερική ΟΥΣ ΘΗΛ South America

Νότια Αφρική ΟΥΣ ΘΗΛ South Africa

νοτιάς ΟΥΣ ΑΡΣ (α) (άνεμος) south wind
(β) (= θερμός και υγρός καιρός) hot and
humid weather (γ) (= νότος) south

νοτίζω ① Ρ Μ (= υγραίνω) to dampen, to
make damp
② Ρ ΑΜ (= υγραίνομαι) to get damp

νοτιοανατολικά ΕΠΙΡΡ (πηγαίνω, κοιτάζω)
south–east · (βρίσκομαι) in the south–west

νοτιοανατολικός, -ή, -ό ΕΠΙΘ
(α) (παράθυρο, δωμάτιο) south–east facing
(β) (άνεμος) south–east

νοτιοδυτικά ΕΠΙΡΡ (πηγαίνω, κοιτάζω)
south–west · (βρίσκομαι) in the south–west

νοτιοδυτικός, -ή, -ό ΕΠΙΘ (α) (παράθυρο,
πρόσοψη) south–west facing (β) (άνεμος)
south–west

νότιος, -ια, -ιο ΕΠΙΘ (α) (πολιτεία, τομέας,
ημισφαίριο) southern · (μέτωπο, δωμάτιο,
παράθυρο) south–facing (β) (άνεμος) south ·
(ρεύμα) southerly (γ) (για πρόα.) from the
south

Νότιος Παγωμένος Ωκεανός ΟΥΣ ΑΡΣ: **ο
Νότιος Παγωμένος Ωκεανός** the Antarctic
Ocean

Νότιος Πόλος ΟΥΣ ΑΡΣ: **ο Νότιος Πόλος** the
South Pole

νότισμα ΟΥΣ ΟΥΔ dampening

νότος ΟΥΣ ΑΡΣ (α) (σημείο του ορίζοντα) south
(β) (χώρας, επαρχίας) south (γ) (επίσ.: =
όστρια) south wind
▸ **Νότος** ΟΥΣ ΑΡΣ South

νουβέλα ΟΥΣ ΘΗΛ novella

νουθεσία ΟΥΣ ΘΗΛ admonition

νουθετώ Ρ Μ to admonish

νούμερο ΟΥΣ ΟΥΔ (α) (= αριθμός) number
(β) (για ρούχα, παπούτσια) size (γ) (σε
τσίρκο, θέατρο) act · (σατιρικό) sketch, skit ·
(χορευτικό) routine (δ) (μειωτ.: =
καραγκιόζης) fool
▷**γίνομαι νούμερο** to make a fool of oneself

νουνά ΟΥΣ ΘΗΛ = **νονά**

νουνεχής, -ής, -ές ΕΠΙΘ (επίσ.) judicious

νουνός ΟΥΣ ΑΡΣ = **νονός**

νους ΟΥΣ ΑΡΣ (α) (= διάνοια) mind
(β) (= εξυπνάδα) common sense
(γ) (εταιρείας) brains εν. · (σπείρας) brains

εν., mastermind (δ) (= φαντασία)
imagination
▷**το βάζει ο νους μου** to imagine
▷**δεν το χωράει ο νους μου** I can't believe it,
I can't take it in
▷**(έχε) τον νου σου!** be careful!
▷**έχω κατά νου να κάνω κτ** to be thinking of
doing sth
▷**έχω κτ στο νου μου** to have sth on one's
mind
▷**έχω τον νου μου σε** (μωρό, φαγητό) to keep
an eye on · (δουλειά) to keep thinking about
▷**κοντά στον νου κι η γνώση** (παροιμ.) that
goes without saying
▷**μεγάλος ή μέγας νους** a great mind
▷**ο νους μου πάει στο κακό** to think the
worst
▷**ο νους μου τρέχει σε κτ** to be thinking
about sth
▷**πού τρέχει ή γυρίζει ο νους σου;** what are
you thinking about?
▸ **κοινός νους** common sense

νούφαρο ΟΥΣ ΟΥΔ water lily

νοώ Ρ Μ (= καταλαβαίνω) to understand
▷**δεν νοείται** it's unthinkable
▷**ο νοών νοείτω** a word to the wise (is
enough) (παροιμ.)

νταβαντούρι ΟΥΣ ΟΥΔ (α) (= θόρυβος) racket,
din (β) (= καβγάς) row

νταβάς¹ ΟΥΣ ΑΡΣ pan

νταβάς² ΟΥΣ ΑΡΣ βλ. **νταβατζής**

νταβατζής ΟΥΣ ΑΡΣ pimp

νταγλαράς ΟΥΣ ΑΡΣ gawk

νταηλίκι ΟΥΣ ΟΥΔ (μειωτ.) = **νταϊλίκι**

νταής ΟΥΣ ΑΡΣ (μειωτ.) bully

νταϊλίκι ΟΥΣ ΟΥΔ (μειωτ.) bravado, bluster

ντάλα ΕΠΙΡΡ (ανεπ.): **ντάλα μεσημέρι** in broad
daylight

νταλαβέρι (οικ.) ΟΥΣ ΟΥΔ = **νταραβέρι**

νταλαβερίζομαι (οικ.) Ρ ΑΜ = **νταραβερίζομαι**

ντάλια ΟΥΣ ΘΗΛ dahlia

νταλίκα ΟΥΣ ΘΗΛ articulated lorry (Βρετ.),
juggernaut (Βρετ.), trailer truck (Αμερ.)

ντάμα ΟΥΣ ΘΗΛ (α) (= παρτενέρ) partner
(β) (επιτραπέζιο παιχνίδι) draughts (Βρετ.),
checkers (Αμερ.) (γ) (στην τράπουλα) queen

νταμάρι ΟΥΣ ΟΥΔ quarry

νταμιτζάνα ΟΥΣ ΘΗΛ demijohn

νταμπλ ΟΥΣ ΑΚΛ (ΑΘΛ) double

νταντά ΟΥΣ ΘΗΛ nanny

ντάντεμα ΟΥΣ ΟΥΔ (α) (μωρού) nursing
(β) (άντρα, γυναίκας) pampering

νταντεύω Ρ Μ (α) (μωρό) to nurse (β) (άντρα,
γυναίκα) to pamper

νταούλι ΟΥΣ ΟΥΔ small drum

νταραβέρι (οικ.) ΟΥΣ ΟΥΔ (α) (= δοσοληψία)
deal (β) (= συναναστροφή) dealings πληθ.

νταραβερίζομαι (οικ.) Ρ ΑΜ
(= συναλλάσσομαι) to do business (με with)
▷**νταραβερίζομαι με κπν** (= τα έχω) to be

N

going out with sb
νταρντάνα ΟΥΣ ΘΗΛ tall beautiful woman
ντεκολτέ ΟΥΣ ΟΥΔ ΑΚΛ low neckline
ντελάλης ΟΥΣ ΑΡΣ *(παλαιότ.)* town crier
ντελαπάρισμα *(ανεπ.)* ΟΥΣ ΟΥΔ = **ντεραπάρισμα**
ντελαπάρω *(ανεπ.)* Ρ ΑΜ = **ντεραπάρω**
ντελικάτος, -η, -ο ΕΠΙΘ (α) *(άνθος, δέρμα, πορσελάνη)* delicate (β) *(γυναίκα)* dainty· *(νεαρός)* delicate (γ) *(μτφ.: υγεία)* delicate, frail· *(στομάχι)* delicate
ντεμοντέ ΕΠΙΘ ΑΚΛ *(ντύσιμο, φόρεμα, συμπεριφορά)* old–fashioned· *(ιδέες, αντιλήψεις)* old–fashioned, outmoded
ντεμπούτο ΟΥΣ ΟΥΔ ΑΚΛ debut
ντεμπραγιάζ ΟΥΣ ΟΥΔ ΑΚΛ clutch
ντεπόζιτο ΟΥΣ ΟΥΔ tank
ντεραπάρισμα *(ανεπ.)* ΟΥΣ ΟΥΔ *(για αυτοκίνητα)* somersault
ντεραπάρω *(ανεπ.)* Ρ ΑΜ to turn over
ντέρμπι ΟΥΣ ΟΥΔ ΑΚΛ (ΑΘΛ) derby
ντίβα ΟΥΣ ΘΗΛ diva
ντιβάνι ΟΥΣ ΟΥΔ divan
ντιβανοκασέλα ΟΥΣ ΘΗΛ ottoman
ντι-βι-ντί ΟΥΣ ΟΥΔ ΑΚΛ (α) *(δίσκος)* DVD (β) *(συσκευή)* DVD player
ντιζάιν ΟΥΣ ΟΥΔ ΑΚΛ design
▷**έπιπλο/καρέκλα/τραπέζι ντιζάιν** designer furniture/chair/table
ντίζελ ΟΥΣ ΟΥΔ ΑΚΛ diesel
ντίσκο, ντισκοτέκ ΟΥΣ ΘΗΛ ΑΚΛ (α) (ΜΟΥΣ) disco music (β) *(κέντρο διασκέδασης)* disco, night club
ντι-τζέι ΟΥΣ ΑΡΣ ΑΚΛ DJ, deejay
ντο ΟΥΣ ΟΥΔ ΑΚΛ C
ντοκιμαντέρ ΟΥΣ ΟΥΔ ΑΚΛ documentary
ντοκουμέντο ΟΥΣ ΟΥΔ document
ντολμάδες ΟΥΣ ΑΡΣ ΠΛΗΘ stuffed vine leaves
ντομάτα ΟΥΣ ΘΗΛ tomato

Προσοχή!: Ο πληθυντικός του **tomato** *είναι* **tomatoes.**

ντοματιά ΟΥΣ ΘΗΛ tomato plant
ντοματόζουμο ΟΥΣ ΟΥΔ tomato juice
ντοματοσαλάτα ΟΥΣ ΘΗΛ tomato salad
ντόμινο ΟΥΣ ΟΥΔ *(παιχνίδι)* dominoes εν.

Προσοχή!: Αν και το **dominoes** *φαίνεται ως τύπος πληθυντικού, είναι ουσιαστικό μόνο στον ενικό και συντάσσεται με ρήμα στον ενικό.*

▷**θεωρία τού ντόμινο** domino theory
▷**φαινόμενο (τού) ντόμινο** domino effect
ντόμπρος, -α, -ο ΕΠΙΘ (α) *(= ειλικρινής)* frank (β) *(= ευθύς)* outspoken
ντομπροσύνη ΟΥΣ ΘΗΛ (α) *(= ειλικρίνεια)* frankness (β) *(= ευθύτητα)* outspokenness
ντοπάρισμα ΟΥΣ ΟΥΔ doping

ντοπάρω Ρ Μ *(αθλητή)* to dope
ντόπιος, -α, -ο ΕΠΙΘ local
▸**ντόπιος** ΟΥΣ ΑΡΣ, **ντόπια** ΟΥΣ ΘΗΛ locals
ντόρος ΟΥΣ ΑΡΣ commotion
▷**κάνω ντόρο** to cause a sensation ή stir
ντόρτια ΟΥΣ ΟΥΔ ΠΛΗΘ double four (*in backgammon*)
ντουβάρι ΟΥΣ ΟΥΔ (α) *(= τοίχος)* wall (β) *(μειωτ.: = στουρνάρι)* dunce, blockhead *(ανεπ.)*
ντουέτο ΟΥΣ ΟΥΔ ΑΚΛ (α) (ΜΟΥΣ) duet (β) *(= ζευγάρι)* duo
ντουζ ΟΥΣ ΟΥΔ ΑΚΛ = **ντους**
ντουζιέρα ΟΥΣ ΘΗΛ = **ντουσιέρα**
ντουζίνα ΟΥΣ ΘΗΛ dozen
▷**μισή ντουζίνα** half a dozen
ντουλάπα ΟΥΣ ΘΗΛ wardrobe
▸**εντοιχισμένη ντουλάπα** built–in wardrobe
▸**μεταλλική ντουλάπα** metal cabinet
ντουλάπι ΟΥΣ ΟΥΔ *(για ρούχα)* wardrobe· *(για σκεύη)* cupboard (*Βρετ.*), closet (*Αμερ.*)· *(του μπάνιου)* cabinet
ντουμάνι ΟΥΣ ΟΥΔ ΑΚΛ thick smoke
ντουμανιάζω Ⅰ Ρ ΑΜ *(χώρος, δωμάτιο)* to be thick with smoke
Ⅱ Ρ Μ *(άνθρωπο)* to blow smoke over· *(δωμάτιο)* to fill with smoke
ντουμπλάρισμα ΟΥΣ ΟΥΔ (α) *(ρούχου)* lining (β) *(φωνής)* dubbing· *(ηθοποιού)* substitution
ντουμπλάρω Ρ Μ (α) *(ένδυμα)* to line (β) *(φωνή)* to dub· *(ηθοποιό)* to stand in for
ντούρος, -α, -ο ΕΠΙΘ (α) *(για πρόσ.)* upright, erect (β) *(για υλικά)* tough
ντους ΟΥΣ ΟΥΔ ΑΚΛ shower
▷**κάνω ντους** to have ή take a shower
ντουσιέρα ΟΥΣ ΘΗΛ shower
ντρέπομαι Ⅰ Ρ Μ ΑΠΟΘ *(πατέρα, καθηγητή, θεία)* to respect
Ⅱ Ρ ΑΜ ΑΠΟΘ *(= αισθάνομαι ντροπή)* to be ashamed *(για* of)
▷**ντρέπομαι για λογαριασμό κποιου** to be ashamed of sb
▷**ντρέπομαι να κάνω κτ** to feel awkward about doing sth
▷**ντρέπεται να μιλήσει μπροστά σε ξένους** he's shy with strangers
▷**δεν ντρέπεσαι να μιλάς έτσι;** you should be ashamed of yourself, speaking like that!
▷**σα(ν) δεν ντρέπεσai!** you should be ashamed of yourself!
ντρίμπλα ΟΥΣ ΘΗΛ *(στο ποδόσφαιρο)* dribble
ντριμπλαδόρος ΟΥΣ ΑΡΣ dribbler
ντριμπλάρω Ρ Μ *(στο ποδόσφαιρο)* to dribble
ντροπαλά ΕΠΙΡΡ shyly
ντροπαλός, ή, -ό ΕΠΙΘ shy
ντροπή ΟΥΣ ΘΗΛ (α) *(= αιδώς)* shame· *(= έλλειψη θάρρους)* shyness (β) *(= αίσχος)* disgrace (γ) *(= τσίπα)* shame (δ) *(= ταπείνωση)* humiliation
▷**δεν είναι ντροπή!** it's nothing to be

ashamed of!
▷**ντροπή σου!** shame on you!
ντροπιάζω Ρ Μ (α) (= *εξευτελίζω*) to humiliate (β) (= *εκθέτω*) to disgrace
▸**ντροπιάζομαι** ΜΕΣΟΠΑΘ to be disgraced
ντροπιάρης, -α, -ικο ΕΠΙΘ = **ντροπαλός**
ντρόπιασμα ΟΥΣ ΟΥΔ (= *ταπείνωση*) humiliation · (= *εξευτελισμός*) disgrace
ντροπιασμένος, -η, -ο ΕΠΙΘ (*όνομα, τιμή, οικογένεια*) disgraced · (*παιδί*) ashamed
ντύνω Ρ Μ (α) (*παιδί, μωρό, κούκλα*) to dress (β) (*πολυθρόνες*) to upholster · (*τοίχο, βιβλίο*) to cover (γ) (*οικογένεια, παιδιά*) to clothe (δ) (*ηθοποιό, τραγουδιστή*) to design clothes for
▸**ντύνομαι** ΜΕΣΟΠΑΘ (α) (= *φορώ ρούχα*) to dress (β) (= *μασκαρεύομαι*) to dress up, to wear a disguise
▷**ντύνομαι ελαφριά/βαριά** to dress in light/warm clothing
▷**ντύνομαι καλά** (= *φορώ καλά ρούχα*) to dress up · (= *φορώ ζεστά ρούχα*) to wrap up warm, to dress warmly
▷**ντύνομαι σαν κρεμμύδι** to wear lots of clothes
▷**ντύνομαι στο Παρίσι/στο Μιλάνο** to buy one's clothes from Paris/Milan
▷**ντύνομαι στ' άσπρα** (*για νύφη*) to dress in white
▷**ντύνομαι στα μαύρα** (*για πένθος*) to wear black
▷**ντύνομαι στην πένα, ντύνομαι στην τρίχα** to be dressed (up) to the nines (*ανεπ.*)
ντύσιμο ΟΥΣ ΟΥΔ (α) (*παιδιού, κούκλας*) outfit, clothes *πληθ.* · (*εργάτη*) clothes *πληθ.* (β) (*πολυθρόνας*) upholstery · (*βιβλίου*) cover
▷**βραδινό ντύσιμο** nightwear *χωρίς πληθ.*
▷**καλό ντύσιμο** best clothes *πληθ.*
νύκτα ΟΥΣ ΘΗΛ (*επίσ.*) = **νύχτα**
νυκτερινός, -ή, -ό ΕΠΙΘ = **νυχτερινός**
νυκτόβιος, -α, -ο ΕΠΙΘ (*επίσης* **νυχτόβιος**: ΖΩΟΛ) nocturnal
νύμφη ΟΥΣ ΘΗΛ (α) (*επίσ.*: = *νύφη*) bride (β) (ΖΩΟΛ) pupa · (*πεταλούδας*) chrysalis

Προσοχή!: Ο πληθυντικός του **pupa** *είναι* **pupae**. *Ο πληθυντικός του* **chrysalis** *είναι* **chrysalises**.

(γ) (ΜΥΘΟΛ) nymph
νυμφίος ΟΥΣ ΑΡΣ (*επίσ.*) (α) (= *γαμπρός*) (bride)groom (β) (ΘΡΗΣΚ) Christ
νυμφομανής ΟΥΣ ΘΗΛ nymphomaniac
νυμφομανία ΟΥΣ ΘΗΛ nymphomania
νυμφώνας ΟΥΣ ΑΡΣ (*επίσ.*) bridal chamber
νυν (*επίσ.*) ΕΠΙΡΡ currently
▷**ο νυν κάτοχος** the present incumbent
▷**ο νυν υπουργός** the incumbent minister
νύξη ΟΥΣ ΘΗΛ (α) (= *περιορισμένη αναφορά*) mention · (= *έμμεση αναφορά*) allusion, hint (β) (= *κέντημα*) prick
Νυρεμβέργη ΟΥΣ ΘΗΛ Nuremberg

νύστα ΟΥΣ ΘΗΛ sleepiness, drowsiness
▷**έχω νύστα, με πιάνει νύστα** to be *ή* feel sleepy
νυστάζω ① Ρ ΑΜ to be *ή* feel sleepy, to be tired
② Ρ Μ: **νυστάζω κπν** to send sb to sleep
νυστέρι ΟΥΣ ΟΥΔ scalpel
νύφη ΟΥΣ ΘΗΛ (α) (= *αυτή που παντρεύεται*) bride (β) (*βαθμός συγγενείας*) daughter-in-law

Προσοχή!: Ο πληθυντικός του **daughter-in-law** *είναι* **daughters-in-law**.

▷**πληρώνω τη νύφη** to foot the bill
νυφιάτικα ΟΥΣ ΟΥΔ ΠΛΗΘ wedding dress
νυφικός, -ή, -ό ΕΠΙΘ bridal
▸**νυφικό** ΟΥΣ ΟΥΔ wedding dress
νυφίτσα ΟΥΣ ΘΗΛ weasel
νυφοπάζαρο ΟΥΣ ΟΥΔ (*ειρων.*) *place where young people gather to look for prospective husbands and wives*
νυχάκι ΟΥΣ ΟΥΔ (*υποκορ.*) (α) (= *μικρό νύχι*) little fingernail (β) (= *είδος ρυζιού*) long-grain rice *χωρίς πληθ.*
νυχθημερόν ΕΠΙΡΡ (*επίσ.*) night and day
νύχι ΟΥΣ ΟΥΔ (α) (*χεριού*) (finger)nail · (*ποδιού*) (toe)nail (β) (*ζώου, πουλιού*) claw
▷**απ' την κορ(υ)φή ως τα νύχια** from top to toe
▷**γλυτώνω από τα νύχια κποιου** to escape from sb's clutches
▷**παλεύω *ή* πολεμάω με νύχια και με δόντια** to fight tooth and nail
▷**(περπατώ) στα νύχια των ποδιών** (to walk) on tiptoe
▷**πέφτω στα νύχια κποιου** to fall into sb's clutches
▷**ξύνω τα νύχια μου (για καβγά)** to be spoiling for a fight
▷**τρώω τα νύχια μου** to bite one's nails
νυχιά ΟΥΣ ΘΗΛ scratch
νυχοκόπτης ΟΥΣ ΑΡΣ nail clippers *πληθ.*
νύχτα ΟΥΣ ΘΗΛ night
▷**δουλεύω νύχτα** to work nights
▷**έρωτες της μιας νύχτας** one-night stands
▷**η πρώτη νύχτα του γάμου** the wedding night
▷**μένω για τη νύχτα** to stay the night
▷**μέσα σε μια νύχτα** overnight
▷**μέσ' στην άγρια νύχτα** in the dead of the night
▷**μέσα στη νύχτα** in the night
▷**ξεκινώ/περπατώ νύχτα** to set out/to walk at night
▷**όλη νύχτα** all night
▷**όλη τη νύχτα** all night long
▷**περνώ μαύρη νύχτα** to have a bad night
▷**πέφτει η νύχτα** it's getting dark, night is falling
▷**ταξιδεύω νύχτα** to travel by night
▷**(της) μιας νύχτας** (*ελπίδες, χαρά*) short-lived

N

νυχτερίδα ΟΥΣ ΘΗΛ bat
▷**έχω το κοκαλάκι της νυχτερίδας** to have the devil's own luck

νυχτερινός, -ή, -ό ΕΠΙΘ (*κέντρο, βάρδια, έξοδος, πτήση, σχολείο*) night

νυχτιά ΟΥΣ ΘΗΛ (*λογοτ.*) night

νυχτιάτικα ΕΠΙΡΡ (*έρχομαι, πηγαίνω*) in the night

νυχτικιά ΟΥΣ ΘΗΛ = **νυχτικό**

νυχτικό ΟΥΣ ΟΥΔ nightdress (*Βρετ.*), nightgown (*Αμερ.*), nightie (*ανεπ.*)

νυχτόβιος, -α, -ο ΕΠΙΘ nocturnal · *βλ. κ.* **νυκτόβιος**

νυχτολούλουδο ΟΥΣ ΟΥΔ night flower

νυχτοπερπάτημα ΟΥΣ ΟΥΔ midnight walk
▷**νυχτοπερπατήματα** ΠΛΗΘ (*αρνητ.*) night–time carousing *χωρίς πληθ.*

νυχτοπερπατώ Ρ ΑΜ to walk at night

νυχτοπούλι ΟΥΣ ΟΥΔ (α) (ΖΩΟΛ) night bird (β) (*μτφ.: για πρόσ.*) night owl (*ανεπ.*)

νυχτοφύλακας ΟΥΣ ΑΡΣ night watchman

Προσοχή!: Ο πληθυντικός του **night watchman** *είναι* **night watchmen**.

νυχτοφυλακή ΟΥΣ ΘΗΛ night watch

νυχτωμένος, -η, -ο ΕΠΙΘ (= *που αγνοεί την πραγματικότητα*) naive, unrealistic
▷**είμαι βαθιά ή μακριά νυχτωμένος** to have one's head in the clouds

νυχτώνω Ρ ΑΜ (= *με βρίσκει η νύχτα*) to be overtaken by the night
▷**νυχτώνει** ΑΠΡΟΣ it's getting dark, night is falling

▷**νυχτών|ομαι** ΜΕΣΟΠΑΘ to be overtaken by the night

νωθρός, -ή, -ό ΕΠΙΘ (= *οκνός*) indolent · (*κίνηση, περπάτημα*) sluggish

νωθρότητα ΟΥΣ ΘΗΛ (*ανθρώπου, χαρακτήρα*) indolence · (*κινήσεων*) sluggishness

νωπογραφία ΟΥΣ ΘΗΛ fresco

Προσοχή!: Ο πληθυντικός του **fresco** *είναι* **frescos** *ή* **frescoes**.

νωπός, -ή, -ό ΕΠΙΘ (α) (*φρούτα, λαχανικά, λουλούδια, αναμνήσεις, μνήμη*) fresh (β) (*για χώμα*) freshly dug (γ) (*ρούχα, ύφασμα, σεντόνι*) damp

νωρίς ΕΠΙΡΡ early, too soon
▷**από νωρίς** from early on
▷**νωρίς το πρωί** early in the morning
▷**πιο νωρίς** earlier
▷**πολύ νωρίς** very early · (= *πρόωρα*) too soon

νώτα ΟΥΣ ΟΥΔ ΠΛΗΘ (α) (= *πλάτη*) back εν. (β) (ΣΤΡΑΤ) rear εν.
▷**καλύπτω τα νώτα μου** to cover oneself
▷**στρέφω τα νώτα σε** κπν to turn one's back on sb

νωτιαίος, -α, -ο ΕΠΙΘ (*νεύρα*) spinal
▷**νωτιαίος μυελός** spinal cord

νωχέλεια (*επίσ.*) ΟΥΣ ΘΗΛ (*για συμπεριφορά*) indolence · (*για κινήσεις*) sluggishness

νωχελικά ΕΠΙΡΡ (*συμπεριφέρομαι*) indolently · (*κινούμαι*) sluggishly

νωχελικός, -ή, -ό ΕΠΙΘ (*συμπεριφορά*) indolent · (*κίνηση*) sluggish

Ξ ξ

Ξ, ξ xi, *14th letter of the Greek alphabet*
▷ **ξ΄** 60
▷ **,ξ** 60,000

ξαγκιστρώνω Ρ Μ (α) (*ψάρι*) to unhook (β) (*άγκυρα*) to weigh

ξαγναντεύω Ρ Μ to see in the distance, to make out

ξάγναντο ΟΥΣ ΟΥΔ vantage point

ξαγρυπνώ Ρ ΑΜ to have a sleepless night, to stay up

ξαδέλφη ΟΥΣ ΘΗΛ cousin

ξαδέλφι ΟΥΣ ΟΥΔ cousin

ξάδελφος ΟΥΣ ΑΡΣ cousin

ξαδέρφη ΟΥΣ ΘΗΛ = **ξαδέλφη**

ξαδέρφι ΟΥΣ ΟΥΔ = **ξαδέλφι**

ξάδερφος ΟΥΣ ΑΡΣ = **ξάδελφος**

ξακουσμένος, -η, -ο ΕΠΙΘ famous, well–known
▷ **είμαι ξακουσμένος για κτ** to be famous ή renowned for sth

ξακουστός, -ή, -ό ΕΠΙΘ = **ξακουσμένος**

ξακρίζω Ρ Μ (α) (= *κόβω τις άκρες*) to trim (β) (= *ξεμοναχιάζω*) to take aside

ξαλάφρωμα ΟΥΣ ΟΥΔ relief
▷ **πέφτει ξαλάφρωμα** (*ανεπ.*) there are pickpockets about

ξαλαφρώνω ① Ρ ΑΜ (α) (*για πρόσ.*) to feel relieved (β) (*κεφάλι, στομάχι*) to feel better (γ) (= *κάνω την ανάγκη μου*) to relieve oneself
② Ρ Μ (α) (= *ξεκουράζω*) to relieve (*από* of) (β) (*πορτοφόλι*) to steal · (*τσέπη*) to empty
▷ **ξαλάφρωσε η ψυχή μου** I felt relieved
▷ **ξαλάφρωσε ο νους μου** it was a load off my mind

ξαλμυρίζω Ρ Μ = **ξαρμυρίζω**

ξαμολώ Ρ Μ (*ανεπ.*) to let loose, to unleash
▶ **ξαμολιέμαι** ΜΕΣΟΠΑΘ to rush

ξαμπαρώνω Ρ Μ to unbolt

ξανά ΕΠΙΡΡ again
▷ **βάζω κτ ξανά στη θέση του** to put sth back in its place
▷ **ξανά και ξανά** again and again

ξανα-, ξαν- ΠΡΟΘΗΜ (*για επανάληψη*) again, re– · (*για επιστροφή σε προηγούμενη κατάσταση, θέση, χρονικό σημείο*) back

ξαναβάζω Ρ Μ to put back
▷ **ξαναβάζω μπρος** to restart · *βλ. κ.* **βάζω, ξανα-**

ξαναβάφω Ρ Μ to repaint, to paint again · *βλ. κ.* **βάφω, ξανα-**

ξαναβγάζω Ρ Μ to take out again · *βλ. κ.* **βγάζω, ξανα-**

ξαναβγαίνω Ρ ΑΜ to come ή go out again · *βλ. κ.* **βγαίνω, ξανα-**

ξαναβλέπω ① Ρ Μ to see again
② Ρ ΑΜ to get one's sight back, to see again · *βλ. κ.* **βλέπω, ξανα-**

ξαναβρίσκω Ρ Μ (α) (*τσάντα, γυαλιά*) to find again (β) (*λογικό, ισορροπία*) to recover, to regain · (*δύναμη*) to get back, to recover
▶ **ξαναβρίσκομαι** ΜΕΣΟΠΑΘ: **ξαναβρίσκομαι με κπν** to meet sb again · *βλ. κ.* **βρίσκω, ξανα-**

ξανάβω Ρ ΑΜ (*ανεπ.*) (α) (*από τρέξιμο*) to be flushed (β) (= *ερεθίζομαι*) to be turned on (*ανεπ.*) (γ) (= *εξοργίζομαι*) to flare up

ξαναγεμίζω ① Ρ Μ to fill again
② Ρ ΑΜ to be full again · *βλ. κ.* **γεμίζω, ξανα-**

ξαναγεννώ Ρ Μ (*μωρό, ζώο*) to have another · (*αβγά*) to lay another
▶ **ξαναγεννιέμαι** ΜΕΣΟΠΑΘ (α) (= *γεννιέμαι πάλι*) to be reborn · (*αναμνήσεις, μνήμες*) to be revived (β) (= *αναζωογονούμαι*) to be reborn · *βλ. κ.* **γεννώ, ξανα-**

ξαναγίνομαι Ρ ΑΜ ΑΠΟΘ
(α) (= *επαναλαμβάνομαι*) to happen again
(β) (= *ξαναφτιάχνομαι*) to be repaired
(γ) (= *γίνομαι όπως πρώτα*) to be the same again
▷ **δεν ξαναγίνε!** it's a first!, it's never been seen before!
▷ **να μην ξαναγίνει!** don't let it happen again!
▷ **ξαναγίνομαι παιδί** to be like a child again
▷ **ξαναγίνομαι χαρούμενος/σκυθρωπός** to be happy/sulky again · *βλ. κ.* **γίνομαι, ξανα-**

ξαναγράφω ① Ρ Μ (*βιβλίο*) to rewrite · (*εργασία*) to do again
② Ρ ΑΜ (α) (*συγγραφέας, αρθρογράφος*) to write again (β) (*μαθητής, φοιτητής*) to resit (*Βρετ.*) ή retake (*Αμερ.*) an exam · *βλ. κ.* **γράφω, ξανα-**

ξαναγυρίζω ① Ρ ΑΜ (= *επιστρέφω*) to come back again · (= *περιστρέφομαι*) to turn around · (*χρόνος, καιρός*) to return
② Ρ Μ (α) (*κλειδί, διακόπτη, ρόδα*) to turn again (β) (*σκηνές, ταινία*) to reshoot, to shoot again
▷ **δεν ξαναγυρίζω πια** ή **ποτέ** to never come back
▷ **ξαναγυρίζω κπν/κτ** to bring ή take sb/sth

back
▷**ξαναγυρίζω σε κπν/κτ** to go back to sb/sth·
βλ. κ. **γυρίζω, ξανα-**
ξαναγυρνώ Ρ Μ/ΑΜ = **ξαναγυρίζω**
ξαναδείχνω Ρ Μ to show again· *βλ. κ.* **δείχνω,
ξανα-**
ξαναδένω ① Ρ Μ (*σχοινί*) to tie again·
(*άνθρωπο, ζώο*) to tie up again
② Ρ ΑΜ (*για πλοίο*) to return to port· *βλ. κ.*
δένω, ξανα-
ξαναδημοσιεύω Ρ Μ to publish again, to
republish· *βλ. κ.* **δημοσιεύω, ξανα-**
ξαναδιαβάζω ① Ρ Μ to reread, to read again
② Ρ ΑΜ (*για εξετάσεις*) to revise· *βλ. κ.*
διαβάζω, ξανα-
ξαναδίνω Ρ Μ (α) (*αλάτι, φακό, βιβλίο*) to
give back (β) (*μάθημα*) to do again·
(*εξετάσεις*) to resit (*Βρετ.*), to retake (*Αμερ.*)·
βλ. κ. **δίνω, ξανα-**
ξαναδοκιμάζω ① Ρ Μ (α) (*φρένα*) to try
again· (*παίκτη, υπάλληλο*) to try out again
(β) (*φαγητό*) to try again· (*ρούχα,
παπούτσια*) to try on again
② Ρ ΑΜ to try again· *βλ. κ.* **δοκιμάζω, ξανα-**
ξαναδουλεύω ① Ρ ΑΜ to work again
② Ρ Μ (*κείμενο, λόγο*) to rework· (*εργασία*) to
do again· *βλ. κ.* **δουλεύω, ξανα-**
ξαναζεσταίνω ① Ρ Μ (α) (*φαγητό*) to reheat,
to heat up again (β) (*σχέση, δεσμό*) to revive
② Ρ ΑΜ (*καιρός*) to warm up again, to get
warmer again· *βλ. κ.* **ζεσταίνω, ξανα-**
ξαναζητώ ① Ρ Μ (*πληροφορίες*) to ask for
more· (*δουλειά*) to ask for another· (*φίλο*) to
look for another
② Ρ ΑΜ to be hard up· *βλ. κ.* **ζητώ, ξανα-**
ξαναζώ ① Ρ ΑΜ to live again
② Ρ Μ (*ζωή*) to live again· (*στιγμές, γεγονότα,
αναμνήσεις*) to relive· *βλ. κ.* **ζω, ξανα-**
ξαναζωντανεύω ① Ρ ΑΜ (α) (= *ανασταίνομαι*)
to come alive again· (*περασμένα, σκηνές,
μνήμες*) to come back to life
(β) (= *αναζωογονούμαι*) to be revived
② Ρ Μ (α) (= *ανασταίνω*) to revive
(β) (*παρελθόν, γεγονότα*) to bring back· *βλ.
κ.* **ζωντανεύω, ξανα-**
ξαναθυμάμαι ① Ρ Μ ΑΠΟΘ to remember
② Ρ ΑΜ ΑΠΟΘ to get one's memory back· *βλ. κ.*
θυμάμαι, ξανα-
ξαναθυμίζω Ρ Μ to remind again· *βλ. κ.*
θυμίζω, ξανα-
ξανακάνω Ρ Μ (α) (*εργόχειρα*) to make again
(β) (*καθήκον, χρέος*) to do again
▷**δεν ξανακάνουν τέτοια έπιπλα πια!** they
don't make furniture like that any more!
▷**δεν (θα) το ξανακάνω** I won't do it again·
βλ. κ. **κάνω, ξανα-**
ξανακλείνω ① Ρ Μ (α) (*πόρτα, παράθυρο,
ψυγείο*) to close (again), to shut (again)
(β) (*μπουκάλι, σκεύος*) to put the top back
on (γ) (*υπολογιστή, τηλεόραση*) to switch off
again
② Ρ ΑΜ (α) (*συρτάρι, ντουλάπα*) to close ή

shut again (β) (*πληγή, τραύμα*) to heal
again· *βλ. κ.* **κλείνω, ξανα-**
ξανακοιμάμαι Ρ ΑΜ ΑΠΟΘ to go back to sleep·
βλ. κ. **κοιμάμαι, ξανα-**
ξανακοιτάζω Ρ Μ (α) (*άνθρωπο, τοπίο*) to see
again (β) (*εργασία, κείμενο*) to look over
▷**κοιτάζω και ξανακοιτάζω** to stare and stare
▷**ξανακοιτάζω πίσω μου** to look back· *βλ. κ.*
κοιτάζω, ξανα-
ξανακούω ① Ρ Μ to hear again
② Ρ ΑΜ to get one's hearing back, to hear
again
▸**ξανακούγομαι** ΜΕΣΟΠΑΘ (α) (*φωνή, θόρυβος,
ήχος*) to be heard again (β) (= *ξαναδίνω
σημεία ζωής*) to be heard of again
▷**πού ξανακούστηκε!** whoever heard of such
a thing!· *βλ. κ.* **ακούω, ξανα-**
ξανακτίζω Ρ Μ = **ξαναχτίζω**
ξανακτυπώ Ρ Μ/ΑΜ = **ξαναχτυπώ**
ξανακυκλοφορώ ① Ρ Μ (α) (*πλαστά
χρήματα*) to pass on (β) (*δίσκο, σιντί*) to
re-release
② Ρ ΑΜ (*οχήματα*) to be on the road again·
βλ. κ. **κυκλοφορώ, ξανα-**
ξανακυλώ ① Ρ Μ (*μπάλα, βαρέλι, λάστιχο*) to
roll again
② Ρ ΑΜ (α) (*βράχια, δάκρυα, σταγόνες*) to fall
again· (*νερά*) to flow again
(β) (= *υποτροπιάζω*) to relapse
▸**ξανακυλιέμαι** ΜΕΣΟΠΑΘ (*στις λάσπες, στο
χώμα*) to get muddy again· *βλ. κ.* **κυλώ,
ξανα-**
ξαναλέγω Ρ Μ to say again
▷**λέω και ξαναλέω** to say again and again, to
keep saying
▷**μην το ξαναπείς** don't say that again
▷**τα ξαναλέμε** we'll talk about it another
time· (*αποχαιρετισμός*) see you!· *βλ. κ.* **λέγω,
ξανα-**
ξαναλέω Ρ Μ = **ξαναλέγω**
ξαναλογαριάζω ① Ρ Μ to work out again
② Ρ ΑΜ: **ξαναλογαριάζω σε κπν** to count on
sb again
▸**ξαναλογαριάζομαι** ΜΕΣΟΠΑΘ to settle a score·
βλ. κ. **λογαριάζω, ξανα-**
ξαναμετρώ ① Ρ Μ (α) (*μήκος, ύψος, πίεση*) to
measure again (β) (*χρήματα, πιάτα*) to
re-count, to count again
② Ρ ΑΜ to count
▸**ξαναμετριέμαι** ΜΕΣΟΠΑΘ to compete again· *βλ.
κ.* **μετρώ, ξανα-**
ξαναμιλώ ① Ρ Μ to speak to again
② Ρ ΑΜ to speak again
▷**ξαναμιλώ σε κπν** to talk ή speak to sb again
▸**ξαναμιλιέμαι** ΜΕΣΟΠΑΘ (α) (*για πρόσ.*) to speak
to each other again (β) (*για γλώσσα*) to be
spoken again· *βλ. κ.* **μιλώ, ξανα-**
ξάναμμα ΟΥΣ ΟΥΔ (*ανεπ.*) (α) (= *κοκκίνισμα*)
flush (β) (= *διέγερση*) excitement
ξαναμμένος, -η, -ο ΕΠΙΘ (*ανεπ.*)
(α) (*πρόσωπο*) flushed (β) (*σεξουαλικά*)
turned on (*ανεπ.*), excited

ξαναμοιράζω ① P M (*μερίδια*) to divide again · (*φαγητό*) to serve again ② P AM to deal again, to redeal ▸ **ξαναμοιράζομαι** ΜΕΣΟΠΑΘ (*σπίτι, έξοδα*) to share · *βλ. κ.* **μοιράζω, ξανα-**

ξαναμπαίνω P AM (*στο σπίτι*) to get back · (*στο αυτοκίνητο*) to get back in · *βλ. κ.* **μπαίνω, ξανα-**

ξανανεβαίνω ① P M (*σκάλες, λόφο*) to go back up, to go up again ② P AM: **ξανανεβαίνω σε** (*βουνό, δέντρο*) to go back up · (*αεροπλάνο, πλοίο*) to get back in *ή* on · (*λεωφορείο*) to get back on · *βλ. κ.* **ανεβαίνω, ξανα-**

ξανάνιωμα ΟΥΣ ΟΥΔ rejuvenation

ξανανιώνω ① P M to give a new lease of life to ② P AM to have a new lease of life, to be rejuvenated

ξανανοίγω ① P M to open again ② P AM to open again ▸ **ξανανοίγομαι** ΜΕΣΟΠΑΘ (α) (= *σπαταλώ*) to go out on a limb (β) (*για πλοία*) to set sail again · *βλ. κ.* **ανοίγω, ξανα-**

ξαναπαθαίνω P M (*ατύχημα, συμφορά*) to have another · (*ζημιά*) to suffer more ▸ **δεν την ξαναπαθαίνω** (*ανεπ.*) I won't be had again (*ανεπ.*) ▸ **την ξανάπαθα** (*ανεπ.*) I've been had again (*ανεπ.*) · *βλ. κ.* **παθαίνω, ξανα-**

ξαναπαίρνω P M (α) (= *παίρνω πάλι*) to take again · (*μωρό, βάζο*) to pick up again (β) (= *παίρνω πίσω*) to get back (γ) (= *τηλεφωνώ πάλι*) to call back · *βλ. κ.* **παίρνω, ξανα-**

ξαναπαντρεμένος, -η, -ο ΕΠΙΘ remarried · *βλ. κ.* **παντρεμένος, -η, -ο, ξανα-**

ξαναπαντρεύομαι P AM to get married again

ξαναπατώ ① P M (*καρφί*) to tread on again · (*λάσπες*) to tread in again · (*σταφύλια*) to tread again ② P AM (α) (= *βάζω το πέλμα πάλι*) to step one's foot again (β) (*τραπέζι, καρέκλα*) to be stable again ▸ **δεν ξαναπατώ (το πόδι μου) εκεί** I'll never set foot there again · *βλ. κ.* **πατώ, ξανα-**

ξαναπάω P M/AM = **ξαναπηγαίνω**

ξαναπερνώ ① P AM to pass by again ② P M (*δρόμο, ποτάμι*) to cross (over) again · (*εμπόδιο*) to get over again · *βλ. κ.* **περνώ, ξανα-**

ξαναπέφτω P AM to fall again · *βλ. κ.* **πέφτω, ξανα-**

ξαναπηγαίνω ① P M: **ξαναπηγαίνω κπν** to take sb back ② P AM: **ξαναπηγαίνω σε** to go back to · *βλ. κ.* **πηγαίνω, ξανα-**

ξαναπιάνω ① P M (*μπάλα*) to catch again · (*στυλό*) to pick up again · (*δραπέτη*) to recapture ② P AM (*βροχή, αέρας*) to start again ▸ **ξαναπιάνω κτ στα χέρια μου** (*κέντημα, πιάνο*) to take sth up again · (*βιβλίο*) to start reading sth again ▸ **ορκίζομαι να μην ξαναπιάσω κτ στα χέρια μου** to swear never to touch sth again · *βλ. κ.* **πιάνω, ξανα-**

ξαναπίνω ① P M to drink again ② P AM to drink again · *βλ. κ.* **πίνω, ξανα-**

ξαναπληρώνω ① P M/AM (*εισιτήριο*) to buy another · (*λογαριασμό*) to pay again ② P AM to pay again · *βλ. κ.* **πληρώνω, ξανα-**

ξαναπουλώ ① P M to resell ② P AM to sell again ▸ **ξαναπουλιέμαι** ΜΕΣΟΠΑΘ (*σπίτι, οικόπεδο*) to be resold · *βλ. κ.* **πουλώ, ξανα-**

ξαναπροσπαθώ ① P AM to try again ② P M: **ξαναπροσπαθώ να κάνω κτ** to try to do sth again · *βλ. κ.* **προσπαθώ, ξανα-**

ξαναρίχνω ① P M (*πέτρα*) to throw another · (*κλοτσιά*) to give another ② P AM to fire again ▸ **ξαναρίχνω τα χαρτιά** to have one's cards read again ▸ **τα ξαναρίχνω σε κπν** (*αργκ.*) to make a pass at sb (*ανεπ.*) ▸ **ξαναρίχνει** ΑΠΡΟΣ it's raining again ▸ **ξαναρίχνομαι** ΜΕΣΟΠΑΘ: **ξαναρίχνομαι σε κπν** (= *επιτίθεμαι πάλι*) to come at sb again · (= *παρενοχλώ σεξουαλικά πάλι*) to make another pass at sb · *βλ. κ.* **ρίχνω, ξανα-**

ξαναρχίζω ① P M (*παιχνίδι, δουλειά, ζωή*) to start *ή* begin again ② P AM to start all over again · *βλ. κ.* **αρχίζω, ξανα-** ▸ **ξαναρχίζω ένα καβγά** to start arguing again

ξανάρχομαι P AM ΑΠΟΘ to come back again · *βλ. κ.* **έρχομαι, ξανα-**

ξαναρωτώ ① P M to ask again ② P AM to ask again ▸ **ρωτώ και ξαναρωτώ** to ask again and again · *βλ. κ.* **ρωτώ, ξανα-**

ξανασαίνω P AM (α) (= *παίρνω αναπνοή*) to breathe in (β) (= *ανακουφίζομαι*) to breathe again

ξανασηκώνω P M to raise again, to lift again ▸ **ξανασηκώνομαι** ΜΕΣΟΠΑΘ to stand up again · *βλ. κ.* **σηκώνω, ξανα-**

ξανασκέπτομαι, ξανασκέφτομαι ① P M ΑΠΟΘ to reconsider ② P AM ΑΠΟΘ to think again, to reconsider ▸ **θα το ξανασκεφτώ** I'll think it over · *βλ. κ.* **σκέπτομαι, ξανα-**

ξανασμίγω ① P AM to get together again ② P M to bring back together, to reunite · *βλ. κ.* **σμίγω, ξανα-**

ξαναστέλνω P M to send again · *βλ. κ.* **στέλνω, ξανα-**

ξαναστρώνω ① P M (*κρεβάτι*) to make again · (*χαλιά*) to spread again ② P AM to settle down again ▸ **ξαναστρώνομαι** ΜΕΣΟΠΑΘ (α) (= *κάθομαι πάλι*) to stretch out again, to lie down again (β) (*μαθητής, φοιτητής*) to buckle down

again, to get down to work again · βλ. κ.
στρώνω, ξανα-

ξανασυναντώ Ρ Μ (α) (φίλο, γνωστό) to meet
again (β) (δυσκολίες, εμπόδια) to meet with
more
▸ **ξανασυναντιέμαι, ξανασυναντώμαι** ΜΕΣΟΠΑΘ
to meet again
▹ **θα ήθελα να ξανασυναντηθούμε** I'd like to
see you again · βλ. κ. **συναντώ, ξανα-**

ξανασυνδέω Ρ Μ to reconnect
▸ **ξανασυνδέομαι** ΜΕΣΟΠΑΘ to get back together
▹ **ξανασυνδέομαι στο ίντερνετ** to reconnect
to the Internet · βλ. κ. **συνδέω, ξανα-**

ξανατρέχω 1 Ρ ΑΜ to run again
2 Ρ Μ (πρόγραμμα) to run again · (κασέτα,
ντι-βι-ντί) to play again
▹ **ξανατρέχω κπν στο νοσοκομείο** to rush sb
back to hospital (Βρετ.) ή to the hospital
(Αμερ.)
▹ **ξανατρέχω στο δικηγόρο/στο γιατρό** to go
back and see the lawyer/the doctor again ·
βλ. κ. **τρέχω, ξανα-**

ξανατρώγω Ρ Μ/ΑΜ = **ξανατρώω**

ξανατρώω 1 Ρ Μ to eat again
2 Ρ ΑΜ to eat again
▸ **ξανατρώγομαι** ΜΕΣΟΠΑΘ to argue again · βλ. κ.
τρώω, ξανα-

ξαναφαίνομαι Ρ ΑΜ ΑΠΟΘ (στεριά) to
reappear · (ήλιος, άνθρωπος) to come out
again · (άνθρωπος) to come back again, to
reappear · βλ. κ. **φαίνομαι, ξανα-**

ξαναφεύγω Ρ ΑΜ to leave again · βλ. κ.
φεύγω, ξανα-

ξαναφιλώ Ρ Μ to kiss again
▸ **ξαναφιλιέμαι** ΜΕΣΟΠΑΘ: **ξαναφιλιέμαι με κπν** to
kiss sb again · βλ. κ. **φιλώ, ξανα-**

ξαναφορτώνω 1 Ρ Μ (α) (πράγματα) to load
again (β) (ΠΛΗΡΟΦ) to reload
2 Ρ ΑΜ to reload
▸ **ξαναφορτώνομαι** ΜΕΣΟΠΑΘ (πράγματα,
υποχρεώσεις) to take on again · (συνέπειες) to
suffer again · βλ. κ. **φορτώνω, ξανα-**

ξαναφορώ Ρ Μ to put on again, to wear
again · βλ. κ. **φορώ, ξανα-**

ξαναφτιάχνω 1 Ρ Μ (προϊόν) to make again ·
(σπίτι) to do up · (τραπέζι) to lay again ·
(μαλλιά) to tidy, to do again · (κρεβάτι) to
make · (υπολογιστή) to mend
2 Ρ ΑΜ (καιρός, κατάσταση, πράγματα) to get
better, to look up
▹ **τα ξαναφτιάχνω με κπν** (= συμφιλιώνομαι
πάλι) to make up with sb · (= συνδέομαι πάλι)
to get back together with sb
▸ **ξαναφτιάχνομαι** ΜΕΣΟΠΑΘ
(α) (= αποκαθίσταμαι πάλι) to get back on
one's feet (β) (τηλεόραση, υπολογιστής) to be
mended ή repaired · βλ. κ. **φτιάχνω, ξανα-**

ξαναχτίζω Ρ Μ to rebuild · βλ. κ. **χτίζω, ξανα-**

ξαναχτυπώ 1 Ρ ΑΜ (α) (αθλητής, παιδί) to be
hurt again (β) (καρδιά) to beat again ·
(εγκέλαδος) to strike again
2 Ρ Μ (χέρι) to hurt again · (αντίπαλο,

πρόσωπο) to hit again · βλ. κ. **χτυπώ, ξανα-**

ξανθαίνω 1 Ρ Μ (μαλλιά) to dye blonde
2 Ρ ΑΜ (άντρας) to go blond · (γυναίκα) to go
blonde

ξανθογένης ΟΥΣ ΑΡΣ man with a blond beard

ξανθοκόκκινος, -η, -ο ΕΠΙΘ strawberry
blond(e)

ξανθομάλλης, -α, -ικο ΕΠΙΘ blond(e),
fair–haired
▸ **ξανθομάλλης** ΟΥΣ ΑΡΣ blond
▸ **ξανθομάλλα** ΟΥΣ ΘΗΛ blonde

ξανθός, -ή ή -ιά, -ό ΕΠΙΘ (α) (μαλλιά, γένια)
blond(e), fair (β) (κορίτσι) blonde · (νεαρός)
blond (γ) (στάχυ) golden
▸ **ξανθιά μπίρα** lager
▸ **ξανθό** ΟΥΣ ΟΥΔ golden brown
▸ **ξανθός** ΟΥΣ ΑΡΣ blond
▸ **ξανθή** ΟΥΣ ΘΗΛ blonde

ξανθοτρίχης ΟΥΣ ΑΡΣ (κοροϊδ.) blondie

ξανθούλα ΟΥΣ ΘΗΛ fair–haired girl

ξανθούλης ΟΥΣ ΑΡΣ fair–haired boy

ξάνοιγμα ΟΥΣ ΟΥΔ (α) (καιρού) break
(β) (διάθεσης, καρδιάς) opening up
(γ) (= ξέφωτο) clearing (δ) (για επιχείρηση)
risk (ε) (= σπατάλη) spending spree

ξανοίγω 1 Ρ Μ (χρώμα, μαλλιά) to make
lighter
2 Ρ ΑΜ (καιρός) to clear up
▸ **ξανοίγομαι** ΜΕΣΟΠΑΘ (α) (= εκμυστηρεύομαι)
to open up (β) (για επιχειρηματία) to
overstretch oneself (γ) (= ξοδεύω πολλά) to
overspend
▹ **ξανοίγομαι στα βαθιά** ή **στο πέλαγος** ή **στη**
θάλασσα to go out to sea

ξάπλα ΟΥΣ ΘΗΛ (ανεπ.) (α) (= ξάπλωμα) loafing
around χωρίς πληθ. (β) (ως επίρρημα) lying
down

ξάπλωμα ΟΥΣ ΟΥΔ lying down

ξαπλώνω 1 Ρ Μ (α) (τραυματία, μωρό) to lay
down (β) (= πυροβολώ) to bring down ·
(= χτυπώ) to knock down
2 Ρ ΑΜ to lie down

ξαπλώστρα ΟΥΣ ΘΗΛ deckchair

ξαπλωτός, -ή, -ό ΕΠΙΘ stretched out

ξαποσταίνω Ρ ΑΜ to have a rest

ξαποστέλνω Ρ Μ (ανεπ.) (α) (= στέλνω
μακριά) to send off (β) (= διώχνω) to bundle
off

ξαραχνιάζω Ρ Μ to clear the cobwebs from

ξαράχνιασμα ΟΥΣ ΟΥΔ clearing away cobwebs

ξαρμυρίζω Ρ Μ (ελιές, βακαλάο) to soak the
salt out of

ξάρτια ΟΥΣ ΟΥΔ ΠΛΗΘ rigging

ξασπρίζω 1 Ρ Μ (ανεπ.) to bleach
2 Ρ ΑΜ to fade

ξάστερα ΕΠΙΡΡ clearly
▹ **μίλα καθαρά και ξάστερα** don't beat about
the bush
▹ **τα λέω σε κπν καθαρά και ξάστερα** to tell
sb straight out

ξαστεριά ΟΥΣ ΘΗΛ clear night sky

ξάστερος, -η, -ο ΕΠΙΘ (α) (*ουρανός, νύχτα*) starry (β) (*νερό*) clear (γ) (*κουβέντες, λόγια*) straight

ξαστερώνω Ρ ΑΜ (α) (*ουρανός*) to clear up (β) (*νους, μυαλό*) to clear

ξαφνιάζω Ρ Μ (= *προκαλώ έκπληξη*) to surprise · (= *αιφνιδιάζω*) to take by surprise · (= *φοβίζω*) to startle
▷ **με ξάφνιασες!** you startled me!
► **ξαφνιάζομαι** ΜΕΣΟΠΑΘ to be surprised, to be taken aback · (*από θόρυβο*) to jump

ξάφνιασμα ΟΥΣ ΟΥΔ surprise

ξαφνικά ΕΠΙΡΡ suddenly

ξαφνικός, -ή, -ό ΕΠΙΘ sudden
► **ξαφνικό** ΟΥΣ ΟΥΔ bolt from the blue

ξαφρίζω Ρ Μ (α) (*γάλα, βούτυρο*) to skim (β) (*πορτοφόλι, κοσμήματα*) to pinch

ξέβαθος, -η, -ο ΕΠΙΘ shallow

ξεβάφω ① Ρ Μ to discolour (*Βρετ.*), to discolor (*Αμερ.*)
② Ρ ΑΜ to fade
▷ **ξεβάφω στο πλύσιμο** to run in the wash
► **ξεβάφομαι** ΜΕΣΟΠΑΘ to take off ή remove one's make–up

ξεβγάζω Ρ Μ (α) (*ρούχα, πιάτα*) to rinse (β) (*καλεσμένους*) to see out (γ) (*κοπέλα, νεαρό*) to lead astray
▷ **ξεβγάζω κπν μέχρι έξω** to see sb to the door, to see sb out

ξέβγαλμα ΟΥΣ ΟΥΔ (α) (= *ξέπλυμα*) rinse (β) (= *ξεπροβόδισμα*) send–off

ξεβίδωμα ΟΥΣ ΟΥΔ (α) (*βίδας*) unscrewing · (*ραφιού, καθρέφτη*) taking down (β) (*ανεπ.*) exhaustion

ξεβιδωμένος, -η, -ο ΕΠΙΘ (α) (*βίδα*) unscrewed · (*καπάκι*) not screwed on (β) (*πόμολο, χερούλι*) loose · (*ράφι*) not screwed in (γ) (*ανεπ.*: = *κουρασμένος*) washed out (*ανεπ.*), dead beat (*ανεπ.*) (δ) (*ανεπ.*: = *που κινείται ασυντόνιστα*) disjointed

ξεβιδώνω Ρ Μ (α) (*βίδα, καπάκι*) to unscrew (β) (*ράφι, καθρέφτη*) to take down (γ) (*ανεπ.*) to wear out

ξεβοτανίζω Ρ Μ to weed

ξεβούλωμα Ρ Μ (α) (*μπουκαλιού, βαρελιού*) uncorking (β) (*νιπτήρα, λεκάνη*) unblocking

ξεβουλώνω Ρ Μ (α) (*μπουκάλι, βαρέλι*) to uncork (β) (*νιπτήρα, λεκάνη*) to unblock

ξεβράζω Ρ Μ to wash up

ξεβράκωμα ΟΥΣ ΟΥΔ (*ανεπ.*) (α) (= *ξεγύμνωμα*) stripping, debagging (*Βρετ.*) (*ανεπ.*) (β) (= *γελοιοποίηση*) humiliation

ξεβρακώνω Ρ Μ (*ανεπ.*): **ξεβρακώνω κπν** (= *γδύνω*) to take sb's trousers (*Βρετ.*) ή pants (*Αμερ.*) down, to debag sb (*Βρετ.*) (*ανεπ.*) · (= *γελοιοποιώ*) to show sb up
► **ξεβρακώνομαι** ΜΕΣΟΠΑΘ to be shown up

ξεβράκωτος, -η, -ο ΕΠΙΘ (*ανεπ.*) (α) (*παιδί*) without pants (*Βρετ.*) ή underpants (*Αμερ.*) on · (*χωρίς παντελόνι*) without trousers (*Βρετ.*) ή pants (*Αμερ.*) on (β) (= *πάμφτωχος*) penniless
▷ **πιάνω κπν ξεβράκωτο** to catch sb with their pants down

ξεβρομίζω ① Ρ Μ to clean
② Ρ ΑΜ to get clean

ξεγαντζώνω Ρ Μ to unhook
▷ **ξεγαντζώνω κπν από κπν/κτ** to turn sb away from sb/sth

ξεγελώ Ρ Μ to fool, to deceive
▷ **ξεγελώ την πείνα μου** to stay one's hunger
► **ξεγελιέμαι** ΜΕΣΟΠΑΘ to be taken in

ξεγεννώ ① Ρ Μ to deliver
② Ρ ΑΜ to give birth

ξεγίνομαι Ρ ΑΜ ΑΠΟΘ to be undone

ξεγλιστρώ Ρ ΑΜ (*χέλι, ψάρι*) to wriggle away · (*κλέφτης*) to slip away
▷ **ξεγλιστρώ από μια δύσκολη κατάσταση** to wriggle out of a difficult situation

ξεγνοιάζω Ρ ΑΜ = **ξενοιάζω**

ξεγνοιασιά ΟΥΣ ΘΗΛ = **ξενοιασιά**

ξέγνοιαστος, -η, -ο ΕΠΙΘ = **ξένοιαστος**

ξεγοφιάζω Ρ Μ: **ξεγοφιάζω κπν** (*μτφ.*) to walk sb's legs off, to wear sb out
► **ξεγοφιάζομαι** ΜΕΣΟΠΑΘ to be dead beat (*ανεπ.*)
▷ **ξεγοφιάζομαι στον χορό** to dance till one drops (*ανεπ.*)
▷ **ξεγοφιάζομαι στη δουλειά** to be worn out from work

ξεγράφω Ρ Μ (α) (*λέξεις*) to cross out · (*χρέος*) to write off · (*παρελθόν*) to put behind one (β) (*φίλο*) to give up on, to turn one's back on (γ) (= *ξεχνώ*) to forget (δ) (*άρρωστο*) to give up on (ε) (*κασέτα*) to record over

ξεγύμνωμα ΟΥΣ ΟΥΔ (α) (= *γδύσιμο*) stripping (β) (*σπιτιού, μουσείου, καταστήματος*) stripping bare (γ) (= *αποκάλυψη*) exposure

ξεγυμνώνω Ρ Μ (α) (*σώμα, γυναίκα*) to strip · (*στήθος*) to bare (β) (*σπίτι, ναό, μουσείο*) to strip bare (γ) (= *αποκαλύπτω*) to expose

ξεγυρισμένος, -η, -ο ΕΠΙΘ (*βρίσιμο, λογαριασμός, γλέντι, κούπα*) big · (*χαστούκι*) resounding · (*απάντηση*) snappy, clever

ξεδιάλεγμα ΟΥΣ ΟΥΔ picking out

ξεδιαλέγω Ρ Μ (*φρούτα, χαρτιά*) to pick out

ξεδιαλύνω Ρ Μ (*υπόθεση, μυστήριο, αίνιγμα*) to solve · (*όνειρο*) to explain

ξεδιαντροπιά ΟΥΣ ΘΗΛ (*ανεπ.*) shamelessness

ξεδιάντροπος, -η, -ο ΕΠΙΘ (*ανεπ.*: *άνθρωπος*) shameless · (*ψέμα, ψεύτης*) barefaced

ξεδίνω Ρ ΑΜ (*ανεπ.*) to let off steam (*ανεπ.*)

ξεδίπλωμα ΟΥΣ ΟΥΔ (α) (*ρούχου, πετσέτας, σεντονιού*) unfolding · (*σημαίας*) unfurling (β) (*αρετών, ταλέντου*) revealing

ξεδιπλώνω Ρ Μ (α) (*χαρτί, εφημερίδα*) to unfold · (*σημαία*) to unfurl (β) (*ταλέντο, αρετές*) to reveal

ξεδίψασμα ΟΥΣ ΟΥΔ quenching one's thirst

ξεδιψώ ① Ρ ΑΜ to quench one's thirst
② Ρ Μ: **ξεδιψώ κπν** to quench sb's thirst

ξεδοντιάζω P M: **ξεδοντιάζω κπν** (= βγάζω τα δόντια του) to pull sb's teeth out · (= σπάζω τα δόντια του) to knock sb's teeth out
► ξεδοντιάζομαι ΜΕΣΟΠΑΘ to lose one's teeth

ξεδοντιάρης, -α, -ικο ΕΠΙΘ toothless

ξεζεύω P M (άλογα) to unharness · (βόδια) to unyoke

ξεζουμίζω P M (α) (λεμόνι, πορτοκάλι) to squeeze (β) (βιβλίο) to devour
► **ξεζουμίζω κπν** (οικονομικά) to bleed sb dry · (σωματικά) to drain sb

ξεζούμισμα ΟΥΣ ΟΥΔ (α) (φρούτον) squeezing (β) (οικονομικό) bleeding dry · (σωματικό) draining

ξεζώνω P M to unbelt
► ξεζώνομαι ΜΕΣΟΠΑΘ (σπαθί) to unbuckle · (όπλο) to take off

ξεθάβω P M (α) (νεκρό) to dig up · (θησαυρό, άγαλμα) to dig up, to unearth (β) (παρελθόν, ανάμνηση, σκάνδαλο) to dig up

ξεθάρρεμα ΟΥΣ ΟΥΔ (α) (= θάρρος) taking heart (β) (= αυθάδεια) impertinence

ξεθαρρεύω P AM (α) (= παίρνω θάρρος) to take heart (β) (= αποθρασύνομαι) to become impertinent

ξεθεμελιώνω P M (α) (κτήριο) to raze to the ground, to level (β) (οικογένεια, θεσμό) to wipe out

ξεθέωμα ΟΥΣ ΟΥΔ (ανεπ.) slog (ανεπ.)

ξεθεωμένος, -η, -ο ΕΠΙΘ (ανεπ.) worn out, knackered (Βρετ.) (ανεπ.)

ξεθεώνω P M to wear out
► ξεθεώνομαι ΜΕΣΟΠΑΘ to wear oneself out

ξεθεωτικός, -ή, -ό ΕΠΙΘ exhausting

ξεθηλυκώνω P M to unbutton

ξεθολώνω ① P M to clear
② P AM (α) (νερό) to clear (β) (άνθρωπο) to clear one's head · (μυαλό, μνήμη) to clear

ξεθυμαίνω P AM (α) (άρωμα) to evaporate · (αέριο) to leak (β) (αναψυκτικά, μπίρα) to go flat · (κολόνια) to go off (γ) (καιρός) to settle · (θύελλα) to die down, to blow over · (αγάπη) to fade · (αντίδραση) to fizzle out (δ) (άνθρωπος) to let off steam (ανεπ.)
► **ξεθυμαίνω πάνω σε κπν** to take it out on sb, to vent one's anger on sb

ξεθυμώνω P AM to calm down

ξεθωριάζω ① P M (ύφασμα, ρούχο) to fade
② P AM (α) (χρώμα, φωτογραφία, μπλούζα) to fade (β) (ανάμνηση) to fade · (ενδιαφέρον) to wane

ξεθώριασμα ΟΥΣ ΟΥΔ fading

ξεθωριασμένος, -η, -ο ΕΠΙΘ (α) (χρώμα) dingy · (ύφασμα, ρούχο, φωτογραφία) faded (β) (ανάμνηση) dim

ξεϊδρώνω P AM to cool off

ξεκαβαλικεύω P AM to dismount, to get off

ξεκαθαρίζω ① P M (υπόθεση, θέμα) to clear up
② P AM (ουρανός) to clear · (καιρός) to clear up · (πράγματα, ζήτημα, κατάσταση) to become clear
► **ξεκαθαρίζω σε κπν ότι** to make it clear to sb that
► **ξεκαθαρίζω τη θέση/στάση μου (πάνω) σε ένα θέμα** to make oneself clear on a subject

ξεκαθάρισμα ΟΥΣ ΟΥΔ (καιρού, υπόθεσης, κατάστασης) clearing up · (ουρανού) clearing

ξεκάθαρος, -η, -ο ΕΠΙΘ (απάντηση) clear, crystal clear · (θέση) clear–cut · (λόγια) plain

ξεκαλοκαιριάζω P AM to spend the summer
► ξεκαλοκαιριάζει ΑΠΡΟΣ it's the end of summer

ξεκαλουπώνω P M to take out of the mould (Βρετ.) ή mold (Αμερ.)

ξεκαλτσώνω P M: **ξεκαλτσώνω κπν** to take sb's socks off

ξεκάλτσωτος, -η, -ο ΕΠΙΘ barefoot, barefooted

ξεκάνω P M (ανεπ.) (α) (= εξοντώνω) to kill, to bump off (ανεπ.) (β) (= ξεθεώνω) to wear out

ξεκαπακώνω P M: **ξεκαπακώνω κτ** to take the lid off sth

ξεκαρδίζομαι P AM ΑΠΟΘ: **ξεκαρδίζομαι στα γέλια** to be helpless with laughter, to fall about laughing

ξεκαρδιστικός, -ή, -ό ΕΠΙΘ hilarious

ξεκαρφιτσώνω P M to unpin

ξεκαρφώνω P M to unnail

ξεκάρφωτος, -η, -ο ΕΠΙΘ (α) (σανίδα) loose, not nailed down (β) (= ασύνδετος: κουβέντα, συζήτηση) irrelevant · (= ασυνάρτητος) incoherent (γ) (για πρόσ.) out of place

ξεκατινιάζω P M (παιδί, εργάτη) to wear out
► ξεκατινιάζομαι ΜΕΣΟΠΑΘ to gossip, to bitch (ανεπ.)

ξεκίνημα ΟΥΣ ΟΥΔ (α) (παιχνιδιού) start · (καριέρας, επιχείρησης) outset (β) (ταξιδιού, πορείας, εκδρομής) start · (για το σπίτι, τη δουλειά) leaving, setting off
► **καινούριο** ή **νέο ξεκίνημα** fresh start, new departure

ξεκινώ ① P AM (α) (για ταξίδι, δουλειά) to set off · (για σταδιοδρομία) to start out (β) (όχημα, πλοίο) to pull away · (αεροπλάνο) to start up (γ) (δρόμος, επιχείρηση, κουβέντα, καβγάς) to start
② P M to start
► **ξεκινώ απ' το μηδέν** ή **τίποτα** to start from nothing/nowhere
► **ξεκινώ απ' το πουθενά** to come from nowhere
► **ξεκινώ καλά/άσχημα** to set off on the right/wrong foot, to start well/badly
► **ξεκινώ να κάνω κτ** to start doing sth ή to do sth
► **ξεκινώ ως δημοσιογράφος/φωτογράφος** to start out as a journalist/photographer

ξεκλέβω P M: **ξεκλέβω λίγη ώρα** ή **λίγο χρόνο** to find some time

ξεκλειδώνω P M to unlock

ξεκλείδωτος, -η, -ο ΕΠΙΘ unlocked

ξεκληρίζω ρ μ to wipe out
▸**ξεκληρίζομαι** ΜΕΣΟΠΑΘ to die out

ξεκλήρισμα ΟΥΣ ΟΥΔ (*έθνους, φυλής*) extermination, wiping out · (*οικογένειας*) dying out

ξεκόβω ⓵ ρ μ: **ξεκόβω κπν από κτ** to cut sb off from sth
⓶ ρ ΑΜ (*πρόβατο, μοσχάρι*) to stray
▹**ξεκόβω από κπν** to become cut off from sb
▹**ξεκόβω από ναρκωτικά** to come off drugs
▹**το ξεκόβω σε κπν** to tell sb straight

ξεκοιλιάζω ρ μ (α) (*ψάρι, ζώο*) to gut
(β) (*άνθρωπο*) to disembowel
▸**ξεκοιλιάζομαι** ΜΕΣΟΠΑΘ to gorge oneself

ξεκοκαλίζω ρ μ (α) (*ψάρι, κρέας*) to bone
(β) (= *τρώω μέχρι τέλους*) to pick clean
(γ) (*χρήματα, περιουσία*) to squander
(δ) (*βιβλίο, εφημερίδα*) to devour

ξεκοκάλισμα ΟΥΣ ΟΥΔ (α) (*ψαριού, κρέατος*) boning (β) (*φαγητού*) picking clean
(γ) (*περιουσίας, κληρονομιάς*) squandering
(δ) (*βιβλίου, εφημερίδας*) devouring

ξεκολλώ ⓵ ρ μ (α) (*γραμματόσημο, αυτοκόλλητο*) to peel off (β) (*χέρια*) to take off
⓶ ρ ΑΜ (α) (*σφράγισμα, χερούλι*) to come off · (*βιβλίο*) to come apart (β) (*από τόπο, το διάβασμα, το σπίτι*) to tear oneself away (*από* from) (γ) (= *φεύγω*) to go
▹**δεν ξεκολούσε το βλέμμα ή τα μάτια του από πάνω της** he couldn't take his eyes off her
▹**ξεκόλλα!** (*από το ίδιο θέμα*) change the record!, don't go on about it! · (*από την ίδια άποψη*) think again!
▹**ξεκολλώ κπν από τις κακές παρέες** to keep sb away from bad company
▹**ξεκολλώ κπν από τα ναρκωτικά** to get sb off drugs
▹**ξεκολλώ το μυαλό μου από κτ** to get sth out of one's mind

ξεκομμένος, -η, -ο ΕΠΙΘ (α) (*περιοχή, κάτοικοι, νέοι*) cut off (β) (*τιμές*) fixed · (*πολιτική, θέση*) firm
▹**ξεκομμένος απ' τον κόσμο** cut off from the rest of the world

ξεκουλουριάζω ρ μ to uncoil
▸**ξεκουλουριάζομαι** ΜΕΣΟΠΑΘ to uncoil

ξεκουμπίδια ΟΥΣ ΟΥΔ ΠΛΗΘ: **στα ξεκουμπίδια!** (*υβρ.*) clear off! (*ανεπ.*), buzz off! (*Βρετ.*) (*ανεπ.*)

ξεκουμπίζομαι ρ ΑΜ ΑΠΟΘ (*προφορ.*) to push off (*ανεπ.*)
▹**ξεκουμπίσου (αμέσως από δω)!** get out of here!

ξεκουμπώνω ρ μ (*παντελόνι, μπλούζα*) to unbutton · (*κουμπί*) to undo
▸**ξεκουμπώνομαι** ΜΕΣΟΠΑΘ (*παντελόνι, πουκάμισο, κουμπιά*) to come undone · (*άνθρωπος*) to undo one's buttons

ξεκούμπωτος, -η, -ο ΕΠΙΘ without buttons

ξεκουράζω ρ μ (*σώμα, μάτια, πόδια*) to rest ·

(*μυαλό*) to relax
▹**ξεκουράζω ένα ζώο** to let an animal rest
▹**ξεκουράζω κπν** (*σωματικά*) to give sb a rest · (*πνευματικά*) to relax sb
▸**ξεκουράζομαι** ΜΕΣΟΠΑΘ (*σωματικά*) to rest · (*πνευματικά*) to relax

ξεκούραση ΟΥΣ ΘΗΛ (*σωματική*) rest · (*ψυχική*) relaxation
▹**ημέρα ξεκούρασης** a day relaxing
▹**καλή ξεκούραση!** enjoy the break!
▹**πέντε λεπτά ξεκούραση** five–minute break

ξεκούραστος, -η, -ο ΕΠΙΘ (α) (*σωματικά*) rested · (*πνευματικά*) relaxed · (*μυαλό*) refreshed (β) (*δουλειά, ζωή*) easy · (*κρεβάτι*) comfortable · (*περιβάλλον*) relaxing · (*ύπνος*) refreshing
▹**είμαι ξεκούραστος** (= *δεν κοπίασα*) to have had it easy

ξεκουρδίζω, ξεκουρντίζω ρ μ (*ρολόι*) to run down · (*κιθάρα, πιάνο*) to put out of tune
▸**ξεκουρδίζομαι** ΜΕΣΟΠΑΘ (*όργανο*) to be out of tune · (*ρολόι*) to stop · (= *κουράζομαι πολύ*) to wear oneself out

ξεκούρδιστος, ξεκούρντιστος, -η, -ο ΕΠΙΘ (*ρολόι*) run down · (*πιάνο, κιθάρα*) out of tune

ξεκούτης, -α, -ικο ΕΠΙΘ senile
▹**γέρο-ξεκούτης** a senile old fool

ξεκουτιαίνω ⓵ ρ μ (*τηλεόραση, ομιλητής*) to stupefy
⓶ ρ ΑΜ (*γέρος*) to go senile
▸**ξεκουτιαίνομαι** ΜΕΣΟΠΑΘ (*από γηρατειά*) to go senile · (*από καταχρήσεις*) to be addled ή befuddled

ξεκουφαίνω ρ μ to deafen

ξεκρέμαστος, -η, -ο ΕΠΙΘ (α) (*κουρτίνα, κάδρο*) not hung · (*ρούχο*) not hung up
(β) (*κουβέντα, ιδέες*) incoherent
(γ) (*οικονομικά*) without means · (*ηθικά*) without support
▹**αφήνω κπν ξεκρέμαστο** to leave sb in the lurch

ξεκωλώνω ρ μ (α) (*δέντρο, ρίζα*) to uproot
(β) (*αργκ.: = κουράζω υπερβολικά*) to do in (*ανεπ.*)
▸**ξεκωλώνομαι** ΜΕΣΟΠΑΘ (*αργκ.*) to be done in (*ανεπ.*), to be buggered (*Βρετ.*) (*χυδ.*)
▹**ξεκωλώνω κπν στη δουλειά** to work sb till they drop

ξελαρυγγιάζομαι ρ ΑΜ ΑΠΟΘ to shout oneself hoarse

ξελασκάρω ⓵ ρ μ (*βίδα, σχοινί, χορδή*) to loosen
⓶ ρ ΑΜ (α) (*βίδα*) to work loose · (*χορδή*) to be slack (β) (*ανεπ.: μαθητής, εργαζόμενος*) to have some free time · (*μυαλό*) to be refreshed

ξελασπώνω ⓵ ρ μ (α) (*παπούτσια, ρούχα*) to clean the mud off (β) (*κατηγορούμενο, γιο*) to bail out
⓶ ρ ΑΜ (*από δυσάρεστη κατάσταση*) to get out of trouble · (*από χρέος*) to get out of debt

ξελέω Ρ ΑΜ to take back what one has said
▷**λέω και ξελέω, είπα-ξείπα** I take back what I said

ξελιγώνω Ρ Μ: **ξελιγώνω κπν** (= *προκαλώ λιγούρα*) to make sb's mouth water · (= *κουράζω πολύ*) to wear sb out
▸**ξελιγώνομαι** ΜΕΣΟΠΑΘ (α) (= *με πιάνει λιγούρα*) my mouth is watering (β) (= *έχω ερωτική επιθυμία*) to melt with desire
▷**είμαι ξελιγωμένος στην πείνα** to be famished
▷**ξελιγώνομαι στα γέλια** to laugh one's head off

ξελογιάζω Ρ Μ to seduce

ξελόγιασμα ΟΥΣ ΘΗΛ seduction

ξελογιαστής ΟΥΣ ΑΡΣ seducer

ξελογιάστρα ΟΥΣ ΘΗΛ seductress

ξεμαθαίνω Ρ Μ to forget
▷**ξεμαθαίνω σε κτ** to forget about sth

ξεμακραίνω ① Ρ ΑΜ (α) (*τρένο, πλοίο*) to pull ή move away · (*σταθμός, ακτή, κίνδυνος*) to recede · (*εικόνα*) to fade (β) (*φίλος, παρέα*) to drift away (*από* from) · (*στρατός*) to retreat
② Ρ Μ: **ξεμακραίνω κπν από τις κακές παρέες** to keep sb away from bad company
▷**ξεμακραίνω κπν από τα ναρκωτικά** to get sb off drugs

ξεμαλλιάζω Ρ Μ: **ξεμαλλιάζω κπν** (= *βγάζω τα μαλλιά*) to pull sb's hair out · (= *αναμαλλιάζω*) to ruffle sb's hair

ξεμαλλιάρης, -α, -ικο ΕΠΙΘ dishevelled (*Βρετ.*), disheveled (*Αμερ.*)

ξεμανίκωτος, -η, -ο ΕΠΙΘ (α) (*πουκάμισο, μπλούζα*) sleeveless (β) (*εργάτης, γυναίκα*) with bare arms

ξεμαντάλωμα ΟΥΣ ΟΥΔ unbolting

ξεμανταλώνω Ρ Μ to unbolt

ξεματιάζω Ρ Μ to protect from the evil eye

ξεμέθυστος, -η, -ο ΕΠΙΘ sober

ξεμεθώ Ρ ΑΜ to sober up

ξεμένω Ρ ΑΜ (α) (= *απομένω: για πρόσ.*) to stay behind · (*στην ερημιά*) to be stranded · (*ποτά, φαγητό, γλυκό*) to be left over (β) (= *μένω πίσω*) to get left behind
▷**ξεμένω από κτ** to run out of sth

ξεμοναχιάζω Ρ Μ: **ξεμοναχιάζω κπν** to get sb on their own · (= *παίρνω παράμερα*) to take sb aside

ξεμονάχιασμα ΟΥΣ ΟΥΔ taking aside

ξεμουδιάζω Ρ ΑΜ (α) (*άνθρωπος*) to get the circulation going · (*μυαλό*) to clear (β) (*αθλητής*) to warm up, to stretch
▷**ξεμούδιασαν τα πόδια/χέρια μου** the circulation came back to my legs/hands

ξεμουχλιάζω ① Ρ Μ (*τυρί, ψωμί*) to take the mould (*Βρετ.*) ή mold (*Αμερ.*) off · (*ρούχα*) to take the mildew off
② Ρ ΑΜ (α) (*δωμάτιο, σπίτι*) to be aired (β) (*ανεπ.*) to perk up

ξεμπαρκάρω ① Ρ ΑΜ to disembark, to go ashore

② Ρ Μ (*εμπόρευμα*) to unload

ξεμπέρδεμα ΟΥΣ ΟΥΔ (α) (*κλωστής, κουβαριού, μαλλιών*) untangling (β) (*κατάσταση, προβλήματος, λογαριασμού*) sorting out (γ) (= *ξεφόρτωμα*) getting rid
▷**καλά ξεμπερδέματα!** (*ειρων.*) good luck to you!
▷**ξεμπέρδεμα με γάμο** getting out of a marriage
▷**ξεμπέρδεμα με το μαγείρεμα/καθάρισμα** getting the cooking/cleaning out of the way

ξεμπερδεύω ① Ρ Μ (α) (*κουβάρι, κλωστή, μαλλιά*) to untangle (β) (*πρόβλημα, κατάσταση, κληρονομικά*) to sort out · (*θέμα*) to resolve
② Ρ ΑΜ: **ας ή να ξεμπερδεύουμε** let's get it over with
▷**ξεμπερδεύω με κπν** (= *τελειώνω*) to get sb out of the way · (= *ξεκάνω*) to finish sb off
▷**ξεμπερδεύω με κτ** to get sth out of the way

ξεμπλέκω ① Ρ Μ (α) (*μαλλιά, λάστιχο*) to untangle · (*δάχτυλα*) to disentangle (β) (*πρόβλημα, κατάσταση, υποθέσεις*) to sort out · (*θέμα*) to resolve · (*φίλο*) to help out · (*επιχείρηση*) to get out of difficulties
② Ρ ΑΜ: **ξεμπλέκω από κπν** to finish with sb
▷**ξεμπλέκω απο ναρκωτικά** to come off drugs

ξεμπουκάρω Ρ ΑΜ (α) (*για υγρά*) to gush out · (*για αέρια*) to burst out (β) (= *εμφανίζομαι ξαφνικά*) to appear suddenly, to burst on the scene

ξεμπρατσώνομαι Ρ ΑΜ to bare one's arms, to pull up one's sleeves

ξεμπροστιάζω Ρ Μ (*ανεπ.*) (α) (*ξεσκεπάζω*) to unmask (β) (= *αποδοκιμάζω ή κατηγορώ δημοσίως*) to expose

ξεμυαλίζω Ρ Μ: **ξεμυαλίζω κπν** to turn sb's head
▸**ξεμυαλίζομαι** ΜΕΣΟΠΑΘ to lose one's head
▷**ξεμυαλίζομαι από κπν/κτ** to be seduced by sb/sth

ξεμυαλισμένος, -η, -ο ΕΠΙΘ scatterbrained

ξεμυαλιστής ΟΥΣ ΑΡΣ seducer

ξεμυαλίστρα ΟΥΣ ΘΗΛ seductress

ξεμυτίζω, ξεμυτώ Ρ ΑΜ (*άνθρωπος*) to venture out · (*λουλούδι*) to come up · (*πλοίο*) to come into view

ξεμωραίνομαι Ρ ΑΜ to be senile, to be in one's dotage

ξένα ΟΥΣ ΟΥΔ ΠΛΗΘ foreign parts
▷**στα ξένα** abroad
▷**φεύγω για τα ξένα** to go abroad

ξενάγηση ΟΥΣ ΘΗΛ (α) (*σε αξιοθέατα*) guided tour (β) (*μτφ.*) journey

ξεναγός ΟΥΣ ΑΡΣΘΗΛ guide

ξεναγώ Ρ Μ: **ξεναγώ κπν** to show sb around, to give sb a guided tour

ξενερώνω Ρ ΑΜ (α) (*ανεπ.: = ξεμεθώ*) to sober up (β) (*αργκ.: = επαναφέρω στην πραγματικότητα*) to come down to earth

ξενέρωτος, -η, -ο ΕΠΙΘ (α) (*ανεπ.*: = ξεμέθυστος) sober (β) (*αργκ.*: = βαρετός) boring

ξενίζω Ρ Μ to surprise

ξενικός, -ή, -ό ΕΠΙΘ foreign

ξενιτειά ΟΥΣ ΘΗΛ = **ξενιτιά**

ξενιτεύομαι Ρ ΑΜ ΑΠΟΘ to emigrate

ξενιτιά ΟΥΣ ΘΗΛ (α) (= ξένα) foreign parts *πληθ.*, foreign country (β) (= αποδημία) living abroad *ή* in a foreign country
▷**στην ξενιτιά** abroad

ξενόγλωσσος, -η, -ο ΕΠΙΘ (α) (*πληθυσμός*) foreign–language speaking · (*μάθημα*) foreign language · (*τμήμα πανεπιστημίου*) languages (β) (*επιγραφή, κείμενο*) in a foreign language
▸**ξενόγλωσση εκπαίδευση** language teaching

ξενοδοχειακός, -ή, -ό ΕΠΙΘ hotel

ξενοδοχείο ΟΥΣ ΟΥΔ hotel

ξενοδόχος ΟΥΣ ΑΡΣ&ΘΗΛ hotelier

ξενοιάζω Ρ ΑΜ (α) (= δεν έχω έννοιες) to be free from care (β) (= δεν ανησυχώ) not to worry
▷**ξενοιάζω από τις εξετάσεις** to get the exams out of the way

ξενοιασιά ΟΥΣ ΘΗΛ insouciance (*επίσ.*)
▷**η ξενοιασιά της παιδικής ηλικίας/των σχολικών χρόνων** the carefree days of childhood/at school

ξένοιαστος, -η, -ο ΕΠΙΘ carefree

ξενοικιάζω Ρ Μ (α) (= ελευθερώνω) to move out of (β) (*για ιδιοκτήτη*) to stop renting

ξενοίκιαστος, -η, -ο ΕΠΙΘ (*ανεπ.*) empty

ξενοκοιμάμαι Ρ ΑΜ ΑΠΟΘ (α) (= κοιμάμαι σε ξένο σπίτι) to sleep out (β) (= απατώ) to sleep around

ξενομανής, -ής, -ές ΕΠΙΘ (*αρνητ.*) loving everything foreign

ξενομανία ΟΥΣ ΘΗΛ (*αρνητ.*) love of everything foreign

ξένος, -η, -ο ΕΠΙΘ (α) (*ρούχο, σπίτι*) strange, somebody else's · (*περιουσία*) somebody else's (β) (*χώρα, έθιμο, γλώσσα*) foreign (γ) (= άσχετος) unfamiliar (*προς* with) (δ) (= άγνωστος) like a stranger
▷**είμαι ή φαίνομαι ξένος προς κτ** (*αισθητικά*) not to go with sth · (*ηθικά*) to be unlike sth
▷**μου είναι ξένος** I don't know him
▷**μου είναι ξένο να κάνω κτ** it's unlike *ή* not like me to do sth
▸**ξένος** ΟΥΣ ΑΡΣ, **ξένη** ΟΥΣ ΘΗΛ (α) (= αλλοδαπός) foreigner (β) (= φιλοξενούμενος) visitor, guest (γ) (= άγνωστος) stranger (δ) (= μετανάστης) immigrant

ξενόφερτος, -η, -ο ΕΠΙΘ foreign

ξενοφοβία ΟΥΣ ΘΗΛ xenophobia

ξεντύνω Ρ Μ to undress
▸**ξεντύνομαι** ΜΕΣΟΠΑΘ to undress, to take one's clothes off

ξέντυτος, -η, -ο ΕΠΙΘ (*ανεπ.*) naked

ξενυχιάζω Ρ Μ: **ξενυχιάζω κπν** to pull sb's nails out · (*μτφ.*) to crush sb's toes

ξενυχτάδικο ΟΥΣ ΟΥΔ all–night bar

ξενύχτης ΟΥΣ ΑΡΣ (α) (= *που έχει ξενυχτήσει*) person that hasn't slept (β) (= νυχτόβιος) night owl (*ανεπ.*)

ξενύχτι ΟΥΣ ΟΥΔ late night

ξενυχτίζω Ρ Μ (*άρρωστο*) to stay up all night with · (*νεκρό*) to keep vigil over, to hold a wake for

ξενύχτισσα ΟΥΣ ΘΗΛ *βλ.* **ξενύχτης**

ξενυχτώ ① Ρ ΑΜ (α) (= ξαγρυπνώ) to stay up late (β) (= διασκεδάζω μέχρι πρωίας) to stay up all night
② Ρ Μ (α) (= κρατώ άγρυπνο) to keep awake all night (β) (= ξενυχτίζω: *άρρωστο*) to stay up all night with · (*νεκρό*) to keep vigil over

ξενώνας ①
② ΟΥΣ ΑΡΣ (*δωμάτιο*) guest room · (*κτήριο*) guest house
▸**ξενώνας νεότητας** youth hostel

ξεπαγιάζω ① Ρ ΑΜ to be frozen stiff, to be freezing
② Ρ Μ to freeze

ξεπαγώνω Ρ Μ/ΑΜ to defrost

ξεπακετάρω Ρ Μ to unpack

ξεπαρθένεμα ΟΥΣ ΟΥΔ deflowering

ξεπαρθενεύω Ρ Μ to deflower

ξεπαστρεύω Ρ Μ (α) (*εχθρό*) to kill · (*πληθυσμό*) to wipe out, to annihilate (β) (*ζώα, έντομα*) to kill (γ) (*φαγητό*) to devour

ξεπατώνω Ρ ΑΜ (α) (*βαρέλι, δοχείο*) to knock the bottom out (β) (= εξαντλώ) to wear out

ξεπεζεύω Ρ ΑΜ to get off

ξεπέρασμα ΟΥΣ ΟΥΔ (α) (*συναδέλφων*) surpassing (β) (*εμποδίων, κρίσης*) overcoming, surmounting

ξεπερασμένος, -η, -ο ΕΠΙΘ old–fashioned, outdated

ξεπερνώ Ρ Μ (α) (*αντιπάλους, δρομείς*) to get ahead of (β) (*όριο, προσδοκία*) to go beyond, to exceed (γ) (*εμπόδιο, κρίση, δυσκολία*) to overcome · (*sok*) to get over
▷**ξεπερνώ κπν σε ομορφιά** to be more beautiful than sb
▷**ξεπερνώ κπν στη χημεία** to be better than sb at chemistry
▷**ξεπερνώ κπν στους βαθμούς** to get better grades than sb
▷**ξεπερνώ τον εαυτό μου** to surpass oneself
▸**ξεπερνιέμαι** ΜΕΣΟΠΑΘ to become obsolete

ξεπεσμένος, -η, -ο ΕΠΙΘ (α) (*αξίες, ήθη*) corrupt (β) (*αριστοκράτης*) impoverished · (*έθνος*) in decline

ξεπεσμός ΟΥΣ ΑΡΣ (α) (*αξιών, ζωής*) decline (β) (*ευγενών, αριστοκρατίας*) degradation

ξεπεταρούδι ΟΥΣ ΟΥΔ (α) (*για πουλί*) fledgling (β) (*για παιδί*) child

---

Προσοχή!: Ο πληθυντικός του child *είναι* **children.**

ξεπετώ Ρ Μ (α) (*κλωνάρια, φύλλα*) to sprout,

to put out **(β)** *(δουλειά, εργασία)* to whip through · *(θελήματα)* to get through quickly
▸**ξεπετάγομαι, ξεπετιέμαι** ΜΕΣΟΠΑΘ
(α) *(= παρουσιάζομαι ξαφνικά)* to spring up
(β) *(= μεγαλώνω απότομα)* to shoot up
▹**ξεπετάγομαι από την πόρτα** to burst through the door
ξεπέφτω Ρ Μ **(α)** *(αξίες, ήθη)* to decline · *(θέατρο)* to be in decline
(β) *(= ταπεινώνομαι)* to demean oneself
(γ) *(ευγενής, αριστοκρατία, καλλιτέχνης)* to become impoverished, to be in reduced circumstances **(δ)** *(= ξεμένω)* to end up
ξεπικρίζω ① Ρ Μ *(ελιές, νεραντζάκι)* to soak the bitterness out of
② Ρ ΑΜ to be less bitter
ξέπλεκος, -η, -ο ΕΠΙΘ *(ανεπ.: μαλλιά)* loose · *(κουβάρι)* unravelled *(Βρετ.)*, unraveled *(Αμερ.)*
ξεπλέκω Ρ Μ *(μαλλιά)* to let down · *(κουβάρι)* to unravel
ξεπλένω Ρ Μ **(α)** *(ρούχα, μαλλιά, ποτήρια, φλιτζάνια)* to rinse · *(πρόσωπο, φρούτο)* to wash **(β)** *(αμαρτία, ντροπή)* to wash away
(γ) *(χρήμα)* to launder
▸**ξεπλένομαι** ΜΕΣΟΠΑΘ to wash oneself down
ξεπληρώνω Ρ Μ **(α)** *(φόρο, χρέος)* to pay off
(β) *(= ανταποδίδω)* to repay, to pay back · *(= εκδικούμαι)* to pay back
ξέπλυμα ΟΥΣ ΟΥΔ **(α)** *(ρούχων, πιάτων, φλιτζανιών)* rinse, rinsing · *(φρούτων)* washing **(β)** *(για φαγητό)* tasteless food · *(για ποτό)* dishwater **(γ)** *(χρήματος)* laundering
ξεπλυμένος, -η, -ο ΕΠΙΘ **(α)** *(πιάτα, ρούχα)* rinsed **(β)** *(χρώμα)* washed out
ξέννοος, -η, -ο ΕΠΙΘ breathless
ξεποδαριάζω Ρ ΑΜ *(ανεπ.)*: **ξεποδαριάζω κπν** to walk sb's legs off
▸**ξεποδαριάζομαι** ΜΕΣΟΠΑΘ to walk one's legs off
ξεπορτίζω Ρ ΑΜ to sneak out
ξεπούλημα ΟΥΣ ΟΥΔ **(α)** *(προϊόντων, εμπορευμάτων)* clearance sale
(β) *(κληρονομιάς, κειμηλίων)* selling off
(γ) *(πατρίδας, ιδανικών)* betrayal
▸**γενικό ξεπούλημα** sales *πληθ.*
ξεπουλώ Ρ Μ **(α)** *(εμπορεύματα, αγαθά, κειμήλια)* to sell off **(β)** *(πατρίδα, ιδανικά)* to betray
▹**ξεπουλώ τις αξίες μου** to sell out
ξεπουπουλιάζω Ρ Μ **(α)** *(κότα, γαλοπούλα)* to pluck **(β)** *(= αποσπώ χρήματα)* to fleece *(ανεπ.)*
ξεπρήζομαι Ρ ΑΜ to be less swollen
ξεπροβάλλω Ρ ΑΜ **(α)** *(άνθρωπος, ζώο)* to appear · *(ήλιος, φεγγάρι)* to peep out
(β) *(= εμφανίζομαι ξαφνικά)* to pop up
ξεπροβοδίζω Ρ Μ to see off · *(μέχρι την πόρτα)* to see out
ξεπροβόδισμα ΟΥΣ ΟΥΔ seeing off
ξέρα ΟΥΣ ΘΗΛ **(α)** *(= ύφαλος ή σκόπελος)* reef

(β) *(= ξηρασία)* drought **(γ)** *(= ξερότοπος)* arid land *χωρίς πληθ.*
ξεράδι ΟΥΣ ΟΥΔ dead wood *χωρίς πληθ.*, dry stick
▹**κάτω τα ξεράδια σου!** hands off!
ξεράιλα ΟΥΣ ΘΗΛ **(α)** *(= μεγάλη ξηρασία)* severe drought **(β)** *(= ξερότοπος)* arid land *χωρίς πληθ.* **(γ)** *(= έλλειψη κίνησης)* slump
ξεραίνω Ρ Μ **(α)** *(επίσης* **ξηραίνω:** *γη)* to dry out ή up · *(σύκα, λουλούδια)* to dry
(β) *(= προκαλώ πόνο)* to hurt
▸**ξεραίνομαι** ΜΕΣΟΠΑΘ **(α)** *(στόμα, λαιμός, πηγάδι)* to be dry **(β)** *(= κοιμάμαι βαθιά)* to be fast asleep **(γ)** *(= εκπλήσσομαι)* to be stunned
▹**ξεραίνομαι στα γέλια** to fall about with laughter
▹**το λαρύγγι μου έχει ξεραθεί από τη δίψα** my throat's parched
ξερακιανός, -ή, -ό ΕΠΙΘ lanky, tall and skinny
ξέρασμα ΟΥΣ ΟΥΔ **(α)** *(= εμετός)* puke *(ανεπ.)*
(β) *(= σαχλαμάρες)* rubbish *χωρίς πληθ.*, piffle *χωρίς πληθ. (ανεπ.)*
ξερατό ΟΥΣ ΟΥΔ **(α)** *(= εμετός)* puke *(ανεπ.)*
(β) *(= ό, τι προκαλεί αηδία)* filth
ξερίζωμα ΟΥΣ ΟΥΔ **(α)** *(φυτών)* pulling up, uprooting **(β)** *(πληθυσμών)* uprooting
(γ) *(προκαταλήψεων)* eradication
▹**το ξερίζωμα των (άγριων) χορταριών** weeding
ξεριζωμός ΟΥΣ *(λαού, κατοίκων)* uprooting
ξεριζώνω Ρ Μ **(α)** *(χορτάρια, φυτά)* to pull up, to uproot · *(δόντια, μαλλιά, τρίχες)* to pull out **(β)** *(προκατάληψη, φόβο, κακό)* to eradicate **(γ)** *(λαό)* to uproot
ξερνοβολώ Ρ ΑΜ to puke *(ανεπ.)*
ξερνώ ① Ρ ΑΜ *(ανεπ.)* to throw up *(ανεπ.)*, to puke *(ανεπ.)*
② Ρ Μ **(α)** *(αίμα, φάρμακο, φαγητό)* to bring up **(β)** *(πτώμα, ναυάγιο)* to wash up
(γ) *(λάβα, φωτιά)* to spew **(δ)** *(μυστικό)* to spit out
ξερόβηχας ΟΥΣ ΑΡΣ **(α)** *(βήχας)* hacking cough **(β)** *(ως ένδειξη αμηχανίας)* hemming and hawing · *(ως προειδοποίηση)* clearing one's throat
ξερόβηχω Ρ ΑΜ **(α)** *(= έχω ξερόβηχα)* to have a hacking cough **(β)** *(για να προκαλέσω την προσοχή)* to clear one's throat · *(από αμηχανία)* to hem and haw · *(από ντροπή)* to cough in embarrassment
ξερόβόρι ΟΥΣ ΟΥΔ icy north wind
ξερόβούνι ΟΥΣ ΟΥΔ bare mountain
ξερογλείφομαι Ρ ΑΜ ΑΠΟΘ to lick one's lips
ξεροκαταπίνω Ρ ΑΜ to gulp
ξεροκεφαλιά ΟΥΣ ΘΗΛ pig-headedness
ξεροκέφαλος, -η, -ο ΕΠΙΘ pig-headed
ξεροκόμματο ΟΥΣ ΟΥΔ crust
▹**δουλεύω για ένα ξεροκόμματο** to work for a pittance

▷**τη βγάζω** ή **περνάω (και) μ' ένα**
ξεροκόμματο to live on a pittance
ξερόλας ΟΥΣ ΑΡΣ know–all (Βρετ.),
know–it–all (Αμερ.)

ξερολίθι ΟΥΣ ΟΥΔ = **ξερολιθιά**
ξερολιθιά ΟΥΣ ΘΗΛ dry–stone wall
ξερονήσι ΟΥΣ ΟΥΔ desert island
ξεροπήγαδο ΟΥΣ ΟΥΔ dry well, dried–up well
ξεροπόταμος ΟΥΣ ΑΡΣ dry river bed
ξερός, -ή, -ό ΕΠΙΘ (α) (κλίμα, καιρός, χείλη)
dry · (ποτάμι, πηγάδι) dry, dried–up
(β) (φύλλα, ξύλα, χορτάρι, κλαδί, ψωμί) dry ·
(γήπεδο) hard · (σύκα, λουλούδια) dried
(γ) (τόπος) arid · (βουνό) bare · (νησί) desert
(δ) (κρότος, ήχος, φωνή) hollow
(ε) (κουβέντα, απάντηση, ύφος) terse, curt ·
(άρνηση) blunt · (μισθός) basic · (γνώσεις)
rudimentary
▷**αφήνω κπν ξερό (στον τόπο)** (= αφήνω
αναίσθητο) to knock sb out · (= αφήνω
νεκρό) to leave sb for dead
▷**πέφτω ξερός** (= πεθαίνω) to drop dead ·
(= κοιμάμαι) to sleep like a log
▷**και ξερό ψωμί** and nothing else
▷**ξερό κεφάλι** (= πεισματάρης) pig–headed
person · (= τρόπος σκέψης) pig–headedness
▷**μαζί με τα ξερά καίγονται και τα χλωρά**
(παροιμ.) the innocent suffer along with the
guilty
▶ **ξερό** ΟΥΣ ΟΥΔ (α) (κοροϊδ.: = κεφάλι) head
(β) (υβρ.: = χέρι) paw (ανεπ.), hand · (= πόδι)
foot

Προσοχή!: Ο πληθυντικός του **foot** *είναι*
feet.

ξεροσταλιάζω Ρ ΑΜ to stand waiting
ξεροστάλιασμα ΟΥΣ ΟΥΔ standing waiting
ξεροσφύρι ΕΠΙΡΡ: **πίνω κτ ξεροσφύρι** to drink
sth on an empty stomach
ξερότοπος ΟΥΣ ΑΡΣ arid land χωρίς πληθ.
ξεροψήνω Ρ Μ (κρέας, μπιφτέκια) to roast
slowly · (ψωμί) to bake slowly
ξέρω Ρ Μ (α) (= γνωρίζω, κατέχω) to know
(β) (για γλώσσα) to speak
▷**δεν ξέρω από κτ** not to know anything
about sth
▷**ξέρω από κτ** to know all about sth
▷**ξέρω κολύμπι** ή **να κολυμπώ** to know how
to swim
▷**ξέρω κπν απ' έξω κι ανακατωτά, ξέρω κπν**
απ' την καλή κι απ' την ανάποδη to be able
to read sb like a book
▷**το ξέρω** I know
ξεσαμαρώνω Ρ Μ to unsaddle
ξεσαμάρωτος, -η, -ο ΕΠΙΘ unsaddled
▷**γάιδαρος ξεσαμάρωτος, γαϊδούρι**
ξεσαμάρωτο (υβρ.) degenerate
ξεσελώνω Ρ Μ to unsaddle
ξεσέλωτος, -η, -ο ΕΠΙΘ unsaddled
ξεσήκωμα ΟΥΣ ΟΥΔ (α) (= αναστάτωση)
turmoil (β) (= εξέγερση) uprising

(γ) (= αντιγραφή) copying · (με ημιδιαφανές
χαρτί) tracing
ξεσηκωμός ΟΥΣ ΟΥΔ uprising
ξεσηκώνω Ρ Μ (α) (διαμαρτυρίες, θύελλα
αντιδράσεων) to raise · (θύελλα
ενθουσιασμού) to whip up (β) (γειτονιά) to
rouse (γ) (λαό, μάζες, φοιτητές) to rouse, to
incite (δ) (= απομακρύνω δια βίας:
πλήθυσμό, κατοίκους) to displace (ε) (σχέδιο,
ζωγραφιά) to copy · (με ημιδιαφανές χαρτί) to
trace · (τρόπους, ύφος, γνώμη) to pick up ·
(συμπεριφορά) to copy
▷**ξεσηκώνω κπν να κάνει κτ** to urge ή press
sb to do sth
▶ **ξεσηκώνομαι** ΜΕΣΟΠΑΘ (α) (= επαναστατώ) to
rise up (β) (= αναστατώνομαι) to be alarmed
ξεσκάζω Ρ ΑΜ = **ξεσκάω**
ξεσκαλίζω Ρ Μ (α) (λουλούδια, δέντρο) to dig
up (β) (σκάνδαλο, παρελθόν) to rake up
ξεσκάλισμα ΟΥΣ ΟΥΔ (α) (λουλουδιών,
δέντρου) digging up (β) (ιστορίας,
σκανδάλου) raking up
ξεσκαρτάρισμα ΟΥΣ ΟΥΔ discarding, sorting
out
ξεσκαρτάρω Ρ Μ to discard, to sort out
ξεσκάω Ρ ΑΜ to unwind
ξεσκεπάζω Ρ Μ (α) (σκεύος) to take the lid
off · (άνθρωπο) to uncover (β) (συνωμοσία,
σκάνδαλο) to uncover, to expose · (ύποπτο,
παρανομία) to expose
ξεσκέπασμα ΟΥΣ ΟΥΔ (α) (κρεβατιού) removal
of the covers (ανθρώπου) uncovering
(β) (παρανόμων, συνωμοσίας) exposure
ξεσκέπαστος, -η, -ο ΕΠΙΘ uncovered
ξεσκίζω Ρ Μ (α) (ρούχα) to tear · (αφίσα,
πορτραίτο) to tear up · (καρδιά) to break
(β) (για ζώα) to tear apart (γ) (πρόσωπο,
μάγουλα) to scratch (δ) (αντίπαλο, ομάδα) to
thrash (ε) (χυδ.) to screw (χυδ.), to shag
(χυδ.)
▶ **ξεσκίζομαι** ΜΕΣΟΠΑΘ: **ξεσκίζομαι στο διάβασμα**
to do oneself in studying (ανεπ.)
▷**ξεσκίζομαι στη δουλειά/στο χορό** to work/
dance till one drops (ανεπ.)
▷**ξεσκίζομαι στο φαγητό/ποτό** to eat/drink
till one is fit to burst
ξέσκισμα ΟΥΣ ΟΥΔ (α) (αφίσας, πορτρέτου)
tear · (σάρκας, προσώπου) laceration
(β) (χυδ.: = βίαιο σεξ) rampant sex
ξεσκλαβώνω Ρ Μ (υπόδουλους, έθνος) to set
free · (χώρα) to liberate
▶ **ξεσκλαβώνομαι** ΜΕΣΟΠΑΘ (μτφ.) to be free
ξεσκονίζω Ρ Μ (α) (έπιπλα, σπίτι, παπούτσια)
to dust (β) (υπόθεση, βιβλίο) to study in
detail (γ) (για γλώσσα, γνώσεις) to brush up
ξεσκόνισμα ΟΥΣ ΟΥΔ (α) (επίπλου, δωματίου)
dusting (β) (υπόθεσης, βιβλίου) close study
(γ) (μτφ.: για γλώσσα, γνώσεις) brushing up
ξεσκονιστήρι ΟΥΣ ΟΥΔ (α) (= φτερό) feather
duster (β) (γενικότ.) duster
ξεσκονίστρα ΟΥΣ ΘΗΛ dusting broom

ξεσκονόπανο ΟΥΣ ΟΥΔ duster

ξεσκοτίζω Ρ Μ (*άνθρωπο*) to cheer up
▷**ξεσκοτίζω το μυαλό μου** to clear one's head
▸ **ξεσκοτίζομαι** ΜΕΣΟΠΑΘ to clear one's head

ξεσκουριάζω ① Ρ Μ (*σίδερο*) to clean the rust off
② Ρ ΑΜ **(α)** (*κάγκελα, πόρτα*) to be cleaned of rust **(β)** (*μτφ.*) to limber up

ξεσκούριασμα ΟΥΣ ΟΥΔ **(α)** (*σίδερου*) removal of the rust **(β)** (*μτφ.*) limbering up

ξεσκούφωτος, -η, -ο ΕΠΙΘ bareheaded

ξεσπαθώνω Ρ ΑΜ to draw one's sword
▷**ξεσπαθώνω εναντίον κπν/κτ** to lash out against sb/sth
▷**ξεσπαθώνω υπέρ κπν/κτ** to stand up for sb/sth

ξέσπασμα ΟΥΣ ΟΥΔ **(α)** (*οργής, χαράς, γέλιου*) outburst **(β)** (*επανάστασης, πολέμου, επιδημίας*) outbreak

ξεσπίτωμα ΟΥΣ ΟΥΔ **(α)** (*ενοικιαστή*) eviction **(β)** (*λαού, πληθυσμού*) driving out

ξεσπιτώνω Ρ Μ (*ενοικιαστή*) to throw out, to evict
▸ **ξεσπιτώνομαι** ΜΕΣΟΠΑΘ to be driven out of one's home

ξεσπώ Ρ ΑΜ (*επιδημία, πυρκαγιά, πόλεμος, ταραχές*) to break out · (*σκάνδαλο*) to break · (*καταιγίδα, κακοκαιρία*) to blow up
▷**ξεσπώ σε γέλια** to burst into laughter, to burst out laughing
▷**ξεσπώ σε ζητωκραυγές** to erupt in cheers
▷**ξεσπώ σε κλάματα** to burst into tears
▷**ξεσπώ σε λυγμούς** to break down in sobs
▷**ξεσπώ σε κπν/κτ** to take it out on sb/sth

ξεσταχυάζω Ρ ΑΜ to ear, to develop ears

ξεστομίζω Ρ Μ (*αρνητ.*: *λόγια, κουβέντα, βρισιές*) to come out with

ξεστράβωμα ΟΥΣ ΟΥΔ (= *ίσιωμα*) straightening
▷**το ξεστράβωμα κποιου** restoring sb's sight · (*μτφ.*) opening sb's eyes

ξεστραβώνω Ρ Μ (= *ισιώνω*) to straighten
▷**ξεστραβώνω κπν** (= *θεραπεύω τυφλό*) to restore sb's sight · (*μτφ.*) to open sb's eyes

ξεστρατίζω Ρ ΑΜ **(α)** (= *παρεκκλίνω*) to go the wrong way, to stray **(β)** (= *παρασύρομαι*) to be led astray

ξεστράτισμα ΟΥΣ ΟΥΔ **(α)** (*οδοιπόρου*) straying **(β)** (*παιδιού, νέου*) leading astray

ξεστρατισμένος, -η, -ο ΕΠΙΘ **(α)** (*οδοιπόρος*) straying **(β)** (*παιδί, νέος*) errant

ξέστρωμα ΟΥΣ ΟΥΔ **(α)** (*κρεβατιού*) stripping · (*καναπέ*) removal of the cover · (*τραπεζιού*) removal of the cloth **(β)** (= *μάζεμα τραπεζιού*) clearing away

ξεστρώνω Ρ Μ **(α)** (*κρεβάτι*) to strip · (*καναπέ*) to take the cover off · (*τραπέζι*) to take the cloth off **(β)** (= *μαζεύω το τραπέζι*) to clear away

ξέστρωτος, -η, -ο ΕΠΙΘ (*κρεβάτι*) unmade · (*τραπέζι*) uncovered · (*σπίτι*) uncarpeted

ξεσυνερίζομαι Ρ Μ ΑΠΟΘ to be angry with

ξεσυνηθίζω Ρ Μ to become unaccustomed to
▷**έχω ξεσυνηθίσει τα Γαλλικά/Αγγλικά** my French/English is rusty
▷**ξεσυνηθίζω να παίζω πιάνο** to be out of practice on the piano
▷**ξεσυνηθίζω τη δουλειά** to get used to not working
▷**ξεσυνηθίζω το τσιγάρο/ποτό** to give up smoking/drinking

ξεσφίγγω Ρ Μ to loosen

ξεσχίζω Ρ Μ = **ξεσκίζω**

ξέσχισμα ΟΥΣ ΟΥΔ = **ξέσκισμα**

ξετίναγμα ΟΥΣ ΟΥΔ **(α)** (*χαλιού, κουβέρτας*) shaking out **(β)** (*χαρτοπαίκτη, τράπεζας*) cleaning out (*ανεπ.*)

ξετινάζω Ρ Μ **(α)** (*χαλιά, κουβέρτες*) to shake out **(β)** (*άνθρωπο, τράπεζα*) to clean out (*ανεπ.*)

ξετρελαίνω Ρ Μ: **ξετρελαίνω κπν**
(= *ενθουσιάζω*) to be a hit with sb ·
(= *ξεμυαλίζω*) to drive sb to distraction, to turn sb's head
▸ **ξετρελαίνομαι** ΜΕΣΟΠΑΘ (= *ερωτεύομαι σφοδρά*) to be infatuated
▷**ξετρελαίνομαι με κτ** to love sth, to be mad about sth (*ανεπ.*)

ξετρύπωμα ΟΥΣ ΟΥΔ **(α)** (*λαγού, αλεπούς*) flushing out **(β)** (*φωτογραφίας, γραμμάτων, άλμπουμ*) unearthing

ξετρυπώνω ① Ρ Μ **(α)** (*λαγό, αλεπού*) to flush out **(β)** (*φωτογραφίες, χειρόγραφα*) to dig out · (*τυχαία*) to come across
② Ρ ΑΜ **(α)** (*ποντίκι, φίδι*) to come out of its hole **(β)** (= *εμφανίζομαι ξαφνικά*) to pop up
▷**από πού ξετρύπωσες εσύ;** where did you spring from?

ξετσιπώνομαι Ρ ΑΜ ΑΠΟΘ to be brazen

ξετσιπωσιά ΟΥΣ ΘΗΛ brazenness

ξετσίπωτος, -η, -ο ΕΠΙΘ brazen

ξετυλίγω Ρ Μ **(α)** (*καλώδιο*) to unwind · (*κουβάρι*) to unravel **(β)** (*δώρο, πακέτο*) to unwrap
▸ **ξετυλίγομαι** ΜΕΣΟΠΑΘ (*υπόθεση, γεγονότα, τοπίο*) to unfold

ξεφάντωμα ΟΥΣ ΟΥΔ revelry

ξεφαντώνω Ρ Μ to live it up, to whoop it up (*ανεπ.*)

ξεφεύγω Ρ ΑΜ **(α)** (= *γλυτώνω*) to get away (*από* from) · (*από ενέδρα, παγίδα*) to get out (*από* of) · (= *ξεγλιστρώ*) to be evasive **(β)** (*ομιλητής, μαθητής*) to digress · (*ηθικά*) to stray **(γ)** (*συζήτηση*) to drift **(δ)** (*λάθος, λεπτομέρεια*) to slip through
▷**η ομάδα ξέφυγε τρεις βαθμούς** the team were three points ahead *ή* had a three–point lead
▷**μου ξεφεύγει ένα μυστικό** to let a secret out
▷**μη σου ξεφύγει (καμιά) κουβέντα!** don't say a word!
▷**μου ξεφεύγει μια κραυγή/ένας λυγμός** to let out a cry/sob

▷**μου ξεφεύγει ένα λάθος/μια λεπτομέρεια** to overlook a mistake/detail
▷**μου ξεφεύγει μια ευκαιρία** to miss an opportunity, to let an opportunity slip by
▷**ξεφεύγω από το θέμα** to go off the subject
▷**ξεφεύγω από τις αρχές μου** to betray one's principles
▷**ξεφεύγω από την καθημερινότητα** to escape the routine, to get away from it all
▷**ξεφεύγω από δύσκολη θέση** to get out of a difficult situation
▷**ξεφεύγω από τον έλεγχο κποιου** to be out of control

ξεφλουδίζω P M/AM to peel

ξεφλούδισμα ΟΥΣ ΟΥΔ peeling

ξεφόρτωμα ΟΥΣ ΟΥΔ (α) (= εκφόρτωση) unloading (β) (= απαλλαγή από κατάσταση ή άτομο) getting rid

ξεφορτώνω 1 P M to unload
2 P AM to be unloaded
▸**ξεφορτώνομαι** ΜΕΣΟΠΑΘ (α) (βαλίτσες, ψώνια) to put down (β) (άνθρωπο, άχρηστα αντικείμενα) to get rid of · (κατάσταση) to get out of
▷**ξεφορτώσου με/μας!** leave me/us alone!

ξεφουρνίζω P M (α) (ψωμί, φαγητό) to take out of the oven (β) (μυστικό) to blurt out · (ψέμα, ανοησία) to come out with · (ιστορία) to spin

ξεφούρνισμα ΟΥΣ ΟΥΔ (α) (ψωμιού) removal from the oven (β) (ψέματος) blurting out · (ιστορίας) spinning

ξεφούσκωμα ΟΥΣ ΟΥΔ (α) (μπαλονιού, λάστιχου) deflation (β) (στομαχιού) relief

ξεφουσκώνω 1 P M (μπαλόνι, σωσίβιο) to deflate
2 P AM (α) (λάστιχο, μπάλα) to go down (β) (στομάχι) to settle

ξεφούσκωτος, -η, -ο ΕΠΙΘ (λάστιχο, μπάλα) flat, deflated

ξέφραγος, -η, -ο ΕΠΙΘ unfenced

ξεφράζω P M (α) (αμπέλι, χωράφι, οικόπεδο) to remove the fence from (β) (νιπτήρα, νεροχύτη) to unblock

ξέφρενος, -η, -ο ΕΠΙΘ (α) (γλέντι, ενθουσιασμός, πάθος, χορός) wild (β) (ρυθμός) frenzied · (κούρσα, αγώνας) frantic

ξεφτέρι ΟΥΣ ΟΥΔ whizz (ανεπ.)

ξέφτι ΟΥΣ ΟΥΔ frayed end, loose thread

ξεφτίζω 1 P M (χαλί, παντελόνι) to fray the edges of
2 P AM (α) (χαλί, παντελόνι) to be frayed (β) (τοίχος, πόρτα) to be the worse for wear (γ) (όνειρο) to fade · (δόξα) to wane · (αξίες) to decline

ξεφτίλα ΟΥΣ ΘΗΛ humiliation
▷**κάνω κπν ξεφτίλα** to humiliate sb

ξεφτίλας ΟΥΣ ΑΡΣ (υβρ.) degenerate

ξεφτιλίζω P M (όνομα, τιμή) to disgrace · (άνθρωπο, οικογένεια) to humiliate

ξεφτίλισμα ΟΥΣ ΟΥΔ humiliation

ξεφτιλισμένος, -η, -ο ΕΠΙΘ (α) (άνθρωπος) humiliated (β) (δουλειά) humiliating

ξέφτισμα ΟΥΣ ΟΥΔ (α) (υφάσματος) fraying (β) (τοίχου, πόρτας) wear (γ) (αξιών) decline · (ιδανικών) fading

ξεφτισμένος, -η, -ο ΕΠΙΘ (α) (ύφασμα, ρούχο, σκοινί) threadbare, frayed (β) (τοίχος, παράθυρο) dilapidated (γ) (αξίες) declining

ξεφτώ P M = ξεφτίζω

ξεφυλλίζω P M (α) (φυτό, άνθος) to pull the petals off (β) (περιοδικό, βιβλίο, άλμπουμ) to flick through

ξεφύσημα ΟΥΣ ΟΥΔ (α) (= δυνατό φύσημα) puffing (β) (= λαχάνιασμα) panting (γ) (= αναστεναγμός) sigh

ξεφυσώ 1 P M (καπνό) to puff
2 P AM (α) (= φυσώ δυνατά) to puff (β) (= λαχανιάζω) to pant (γ) (= αναστενάζω) to sigh

ξεφυτρώνω P AM (α) (λουλούδια, θάμνος) to sprout, to shoot up (β) (ομάδες, οργανώσεις) to spring up
▷**από πού ξεφύτρωσες εσύ;** where did you spring from?

ξεφωνητό ΟΥΣ ΟΥΔ scream

ξεφωνίζω 1 P AM to scream, to cry out
2 P M (ανεπ.) to jeer at
▷**ξεφωνίζω από πόνο/φόβο** to scream in pain/fear
▷**ξεφωνίζω από χαρά** to whoop with delight

ξέφωτο ΟΥΣ ΟΥΔ clearing

ξεχαρβάλωμα ΟΥΣ ΟΥΔ (μηχανής, συσκευής) disintegration · (υπηρεσίας) disorganization

ξεχαρβαλωμένος, -η, -ο ΕΠΙΘ (τηλεόραση) on the blink (ανεπ.), wonky (ανεπ.) · (αυτοκίνητο, καρέκλα) falling apart · (παράθυρα, κράτος) ramshackle

ξεχαρβαλώνω P M (α) (αυτοκίνητο, τηλεόραση) to take apart (β) (υπηρεσία, κράτος) to disrupt
▸**ξεχαρβαλώνομαι** ΜΕΣΟΠΑΘ to be falling apart

ξεχασιάρης, -α, -ικο ΕΠΙΘ forgetful, absent-minded

ξεχασμένος, -η, -ο ΕΠΙΘ forgotten
▷**περασμένα ξεχασμένα** let bygones be bygones

ξεχειλίζω 1 P AM (α) (δοχείο, νερό, ποτάμι) to overflow (β) (σχολεία, φυλακές) to be overflowing · (χαρά) to bubble over · (θυμός) to erupt
2 P M (ποτήρι, βάζο) to fill to the brim
▷**ξεχειλίζω από θυμό** to explode with anger
▷**ξεχειλίζω από ζωή ή ζωτάνια/ευτυχία** to be bursting with life/happiness
▷**ξεχειλίζω από χαρά** to be bubbling over with joy
▷**το ποτήρι ξεχείλισε** enough is enough, that's the last straw

ξεχείλισμα ΟΥΣ ΟΥΔ (α) (μπανιέρας, ποτηριού, ποταμού) overflowing (β) (καρδιάς, χαράς) outpouring

ξέχειλος, -η, -ο ΕΠΙΘ full to the brim

ξεχειλώνω ① Ρ Μ to pull out of shape ② Ρ ΑΜ to lose its shape

ξεχειμάζω Ρ ΑΜ = **ξεχειμωνιάζω**

ξεχειμωνιάζω Ρ ΑΜ to winter, to spend the winter

ξεχειμώνιασμα ΟΥΣ ΟΥΔ wintering

ξεχερσώνω Ρ Μ to clear

ξεχνώ ① Ρ Μ to forget ② Ρ ΑΜ to forget

▷**ξεχνώ κτ στο σπίτι/στο γραφείο** to leave sth at home/in the office

▷**ξεχνώ να κάνω κτ** to forget to do sth

▷**χωρίς να ξεχνάμε ότι** not forgetting that

▶**ξεχνιέμαι** ΜΕΣΟΠΑΘ (α) (= αφαιρούμαι) to forget oneself (β) (= ξεχνώ ό, τι με απασχολεί) to forget about everything

ξεχορταριάζω Ρ Μ to weed

ξεχρέωμα ΟΥΣ ΟΥΔ paying off

ξεχρεώνω ① Ρ Μ (τράπεζα, σπίτι, αυτοκίνητο) to pay off · (δανειστή) to settle up with, to pay back ② Ρ Μ to be out of debt

ξεχύνομαι Ρ ΑΜ ΑΠΟΘ (πλήθος, κόσμος) to pour out · (νερό) to pour out, to gush out · (αγάπη) to overflow

ξεχώνω Ρ Μ to dig up

ξέχωρα ΕΠΙΡΡ separately

▷**ξέχωρα από** apart from

ξεχωρίζω ① Ρ Μ (α) (= διαχωρίζω) to separate (από from) · (= διαλέγω) to pick out (β) (= διαφοροποιώ) to set apart, to distinguish · (= διακρίνω) to tell, to make out (γ) (= κάνω διακρίσεις) to differentiate (δ) (= αντιλαμβάνομαι) to make out ② Ρ ΑΜ (α) (= φαίνομαι) to be visible (β) (= διακρίνομαι) to stand out

▷**ξεχωρίζω το καλό από το κακό** to tell the difference ή to distinguish between good and evil

▷**ξεχωρίζω τη μέρα από τη νύχτα** to tell night from day

ξεχώρισμα ΟΥΣ ΟΥΔ (α) (= διαχωρισμός) separating (β) (= διάκριση) distinction (γ) (= υπεροχή) standing out

ξεχωριστά ΕΠΙΡΡ separately

ξεχωριστός, -ή, -ό ΕΠΙΘ (α) (κρεβάτια, δωμάτια, κοινότητες) separate (β) (ομορφιά, ικανότητα) exceptional, outstanding · (επιστήμονας) distinguished · (προσωπικότητα) unique (γ) (γεύση, άρωμα, τιμή) unique

ξεψαχνίζω Ρ Μ (α) (κοτόπουλο, ψάρι) to pick to the bone (β) (= εκμαιεύω) to sound out (γ) (υπόθεση, στοιχεία, πληροφορίες) to scrutinize

ξεψάχνισμα ΟΥΣ ΟΥΔ (α) (κοτόπουλου, ψαριού) picking to the bone (β) (= εκμαίευση) probing (γ) (υπόθεσης, στοιχείων, πληροφοριών) scrutinizing

ξεψειριάζω, ξεψειρίζω Ρ Μ to delouse

ξεψυχισμένος, -η, -ο ΕΠΙΘ soulless

ξεψυχώ ① Ρ ΑΜ to die, to breathe one's last ② Ρ Μ to torment · (με ερωτήσεις, απαιτήσεις) to pester

ξηλώνω Ρ Μ (α) (ρούχο) to unstitch · (ραφές) to unpick (β) (ξύλα) to rip out · (πάτωμα) to pull up · (πλάκες) to take down · (αέρας: στέγες) to tear off, to rip off (γ) (ανεπ.: υπάλληλο, εργαζόμενο) to sack

▶**ξηλώνομαι** ΜΕΣΟΠΑΘ (α) (φούστα, παντελόνι) to come apart at the seams (β) (= πληρώνω) to spend a lot

▷**ξηλώσου!, ξηλωθείτε!** (ανεπ.) cough up! (ανεπ.)

ξημεροβραδιάζομαι Ρ ΑΜ ΑΠΟΘ to spend all day and night

ξημέρωμα ΟΥΣ ΟΥΔ daybreak, dawn

▷**γυρίζω σπίτι ξημερώματα** to get home at dawn

▷**καλό ξημέρωμα!** good night!

ξημερώνω Ρ ΑΜ (= ξενυχτώ) to stay up till dawn

▶**ξημερώνει** ΑΠΡΟΣ it's dawn, the day is breaking

▷**δεν ξέρω τι μου ξημερώνει** I don't know what the future has in store

▷**ξημέρωσε** it's dawn

▶**ξημερώνομαι** ΜΕΣΟΠΑΘ (α) (ειρων.) to be late (β) (= μένω άγρυπνος ως την αυγή) to stay up all night

▷**ξημερωθήκαμε στο βουνό** it was dawn and we were still on the mountain

ξηρά ΟΥΣ ΘΗΛ land

▷**από ή δια ή μέσω ξηράς** by land

▷**βγαίνω στην ξηρά** to land

▷**σε ξηρά και θάλασσα** on land and at sea

▷**στρατός ξηράς** land forces πληθ.

ξηραίνω Ρ Μ to dry (out)

ξήρανση ΟΥΣ ΘΗΛ drying (out)

ξηραντικός, -ή, -ό ΕΠΙΘ drying

ξηρασία ΟΥΣ ΘΗΛ drought

ξηρός, -ή ή -ά, -ό ΕΠΙΘ (α) (δέρμα, κλαδί, χόρτο) dry (β) (έδαφος, κοιλάδα) arid (γ) (σύκο, δαμάσκηνο) dried

▶**ξηρά τροφή** dried foods

▶**ξηροί καρποί** (= σύκα, σταφίδες) dried fruits · (= φιστίκια) nuts

▶**ξηρό κλίμα** dry climate

▶**ξηρός οίνος** dry wine

▶**ξηρές σταφίδες** currants

ξηρότητα ΟΥΣ ΘΗΛ (δέρματος, κλίματος) dryness · (εδάφους) aridity

ξι ΟΥΣ ΟΥΔ ΑΚΛ xi, 14th letter of the Greek alphabet

ξίγκι ΟΥΣ ΟΥΔ fat

▷**βγάζω από τη μύγα ξίγκι** to get blood out of a stone

ξιδάτος, -η, -ο ΕΠΙΘ pickled (in vinegar)

ξίδι ΟΥΣ ΟΥΔ vinegar

▶**ξίδια** ΠΛΗΘ (αργκ.: = ποτά) rotgut εν. (χυδ.), plonk εν. (ανεπ.)

ξιδιάζω ① ρ μ to pickle in vinegar
② ρ αμ (*κρασί*) to turn sour

ξινίζω ① ρ αμ (*κρασί*) to turn sour · (*γάλα*) to go ή turn sour · (*φαγητό*) to go off
② ρ μ to sour
▷**ξινίζω τα μούτρα μου** to become ή turn sour
▷**ξινισμένα μούτρα** sour face εν.

ξινίλα ουσ θηλ sour taste

ξινό ουσ ουδ citric acid
▸ **ξινά** πληθ citrus fruits
▷**μου αρέσουν τα ξινά** to be a womanizer

ξινόγαλα, ξινόγαλο ουσ ουδ sour ή curdled milk

ξινόγλυκος, -η, -ο επιθ sweet-and-sour

ξινόμηλο ουσ ουδ crab apple

ξινός, -ή, -ό επιθ (α) (*τροφή, γεύση*) sour, tart · (*φρούτο*) sour (β) (*για πρόσ.*) sour
▷**το βγάζω ξινό σε κπν** to ruin it for sb
▷**μου βγήκε ξινό** things turned sour

ξινούτσικος, -η, -ο επιθ (*ανεπ.*) sourish

ξιπάζω ρ μ to make conceited
▸ **ξιπάζομαι** μεσοπαθ to be conceited, to put on airs

ξιπασιά ουσ θηλ conceit

ξιπασμένος, -η, -ο επιθ conceited

ξιφασκία ουσ θηλ (αθλ) fencing

ξιφίας ουσ αρσ swordfish

> *Προσοχή!: Ο πληθυντικός του* **swordfish** *είναι* **swordfish.**

ξιφοθήκη ουσ θηλ scabbard

ξιφολόγχη ουσ θηλ bayonet

ξιφομαχία ουσ θηλ (α) (= *μάχη με ξίφη*) sword fight (β) (= *ξιφασκία*) fencing

ξιφομάχος ουσ αρσ (α) (*αθλητής*) fencer (β) (*πολεμιστής*) swordsman

> *Προσοχή!: Ο πληθυντικός του* **swordsman** *είναι* **swordsmen.**

ξιφομαχώ ρ αμ (α) (= *πολεμώ με ξίφος*) to have a sword fight (β) (= *ασκούμαι στην ξιφομαχία*) to fence

ξίφος ουσ ουδ (*γενικότ.*) sword · (*ξιφασκίας*) foil
▷**διασταυρώνω τα ξίφη με κπν** to cross swords with sb

ξιφουλκώ ρ αμ to draw one's sword

ξόανο ουσ ουδ (α) (= *ξύλινο άγαλμα*) wooden statue ή idol (β) (*υβρ.: = άσχημος*) gargoyle · (= *ανόητος*) dolt, blockhead (*ανεπ.*)

ξόβεργα ουσ θηλ (α) (= *παγίδα*) lime-twig (β) (*μτφ.*) snare

ξόδεμα ουσ ουδ (*χρημάτων, χρόνου*) spending · (*ρεύματος*) consumption · (*ενέργειας, δυνάμεων*) expending

ξοδεύω ρ μ (α) (*χρήματα*) to spend (β) (*καύσιμα, υλικά*) to use, to consume (γ) (*χρόνο, ζωή*) to spend · (*δυνάμεις, ενέργεια*) to use, to expend · (*προσπάθεια,*

κόπο) to put in
▸**ξοδεύομαι** μεσοπαθ to spend money

ξομολογώ ρ μ = **εξομολογώ**

ξοπίσω επιρρ (*τοπικά*) behind · (*χρονικά*) after
▷**έτρεχε ξοπίσω της** he was running after her

ξόρκι ουσ ουδ spell

ξορκίζω ρ μ = **εξορκίζω**

ξουράφι ουσ ουδ = **ξυράφι**

ξοφλημένος, -η, -ο επιθ finished, washed-up (*ανεπ.*)

ξοφλώ ① ρ μ (= *εξοφλώ*) to pay off · (*μτφ.*) to settle
② ρ αμ to be finished

ξύγκι ουσ ουδ = **ξίγκι**

ξύδι ουσ ουδ = **ξίδι**

ξυλάκι, ξυλαράκι ουσ ουδ (*υποκορ.*) twig, stick
▸**παγωτό ξυλάκι** ice lolly (*Βρετ.*), Popsicle ® (*Αμερ.*)

ξυλάνθρακας ουσ αρσ charcoal

ξυλαποθήκη ουσ θηλ timber yard (*Βρετ.*), lumberyard (*Αμερ.*)

ξυλεία ουσ θηλ timber, lumber (*Αμερ.*)

ξυλεμπορία ουσ θηλ timber trade (*Βρετ.*), lumber business (*Αμερ.*)

ξυλέμπορος ουσ αρσ&θηλ timber dealer (*Βρετ.*), lumber dealer (*Αμερ.*)

ξυλεύομαι ρ αμ to fell timber ή lumber (*Αμερ.*)

ξύλευση ουσ θηλ logging

ξυλιά ουσ θηλ (α) (= *χτύπημα με ξύλο*) blow (*from a stick*) (β) (= *χτύπημα με χέρι*) smack

ξυλιάζω ρ μ to be stiff with cold

ξυλίζω ρ μ to beat

ξύλινος, -η, -ο επιθ (*κυριολ., μτφ.*) wooden

ξύλο ουσ ουδ (α) (*γενικότ.*) wood (β) (= *χτυπήματα*) beating, hiding, thrashing
▷**δίνω ένα χέρι ή χεράκι ξύλο σε κπν** to give sb a good hiding ή thrashing
▷**κάνω κπν μαύρο στο ξύλο, μαυρίζω κπν στο ξύλο** to beat sb black and blue
▷**παίζω ξύλο** to fight
▷**πέφτει ξύλο** there's a fight
▷**σαπίζω ή ρημάζω ή σπάω ή τσακίζω κπν στο ξύλο** to beat the living daylights out of sb
▷**τα χέρια/πόδια/δάχτυλά μου είναι ή έγιναν ξύλο από το κρύο** my hands/feet/fingers are frozen stiff
▷**τρώω ξύλο** to be beaten, to get a beating
▷**τρώω το ξύλο της χρονιάς μου** to be beaten to a pulp
▷**χτύπα ξύλο!** touch wood! (*Βρετ.*), knock on wood! (*Αμερ.*)
▸**ξύλο οξιάς/καρυδιάς** beech (wood)/walnut (wood)
▸ **ξύλα** πληθ (fire)wood εν.

ξυλογλυπτική ουσ θηλ woodcarving

ξυλόγλυπτος, -η, -ο επιθ carved in wood

ξυλογραφία ουσ θηλ (α) (*τέχνη*) wood

engraving (β) (*έργο τέχνης*) woodcut, wood engraving

ξυλοκάρβουνο ΟΥΣ ΟΥΔ charcoal

ξυλοκερατιά ΟΥΣ ΘΗΛ carob (tree)

ξυλοκέρατο ΟΥΣ ΟΥΔ carob

ξυλοκόπημα ΟΥΣ ΟΥΔ beating, thrashing

ξυλοκόπος ΟΥΣ ΑΡΣ woodcutter (*Βρετ.*), lumberjack (*κυρ. Αμερ.*)

ξυλοκοπτική ΟΥΣ ΘΗΛ carpentry

ξυλοκοπώ Ρ Μ to thrash

ξυλόκοτα ΟΥΣ ΘΗΛ (α) (= *μπεκάτσα*) woodcock (β) (*υβρ.*) beanpole (*ανεπ.*)

ξυλοπάπουτσο ΟΥΣ ΟΥΔ clog

ξυλοπόδαρο ΟΥΣ ΟΥΔ stilt

ξυλοπολτός ΟΥΣ ΑΡΣ wood pulp

ξυλουργείο ΟΥΣ ΟΥΔ (*εργαστήριο*) carpenter's workshop · (*σε σχολείο*) woodwork room

ξυλουργικός, -ή, -ό ΕΠΙΘ (*εργασίες, εργαλεία*) carpentry

▸ **ξυλουργική** ΟΥΣ ΘΗΛ carpentry

ξυλουργός ΟΥΣ ΑΡΣ carpenter

ξυλοφάγος, -ος, -ο ΕΠΙΘ (*έντομα*) wood–boring

▸ **ξυλοφάγος** ΟΥΣ ΑΡΣ (= *λίμα*) rasp

ξυλοφόρτωμα ΟΥΣ ΟΥΔ beating, thrashing

ξυλοφορτώνω Ρ Μ to beat up, to thrash

ξυλόφωνο ΟΥΣ ΟΥΔ xylophone

ξύνω Ρ Μ (α) (*μύτη, πλάτη, γένια*) to scratch (β) (*σκουριά, μπογιά*) to scrape off · (*ξύλο, έπιπλο, πάτωμα*) to sand (down) · (*καρότα, κολοκύθια*) to scrape · (*τυρί*) to grate · (*ψάρια*) to scale (γ) (*μολύβι*) to sharpen (δ) (*για σφαίρα*) to graze · (*για όχημα, κλαδί*) to scrape

▸ **άι ξύσου!** (*υβρ.*) get lost!

▸ **ξύνω κτ από κτ** to scrape sth off sth

▸ **ξύνω πληγές** to open up old wounds

▸ **ξύνω το κεφάλι μου** to scratch one's head

▸ **ξύνομαι** ΜΕΣΟΠΑΘ (α) (*κυριολ.*) to scratch (oneself) (β) (*ανεπ.*: = *τεμπελιάζω*) to loaf around (*ανεπ.*)

▸ **ξύνομαι για καβγά** to be spoiling for a fight

ξύπνημα ΟΥΣ ΟΥΔ (*επίσης* **κυριολ., μτφ.**) awakening

▸ **πρωινό ξύπνημα** getting up early, early start

ξυπνητήρι ΟΥΣ ΟΥΔ alarm clock

ξυπνητός, -ή, -ό ΕΠΙΘ awake

ξύπνιος, -α, -ο ΕΠΙΘ (α) (= *ξυπνητός*) awake (β) (= *έξυπνος*) smart, sharp–witted (γ) (*ειρων.*) clever

ξυπνώ ① Ρ Μ (α) (= *αφυπνίζω*) to wake up (β) (*ενδιαφέρον*) to arouse · (*επιθυμία, αναμνήσεις, φιλοδοξίες*) to stir · (*παρελθόν*) to bring back ② Ρ ΑΜ (α) (= *αφυπνίζομαι*) to wake up (β) (= *βλέπω την πραγματικότητα*) to open one's eyes (γ) (*πόλη, φύση*) to come alive · (*νεύρα, κορμί*) to wake up · (*αισθήσεις*) to be awakened

▸ **ξυπνώ κπν από κτ** (*από νάρκη, λήθαργο*) to make sb snap out of sth · (*από όνειρο*) to wake sb from sth

▸ **ξυπνώ κπν από τον ύπνο** to wake sb up

▸ **ξυπνώ κτ μέσα σε κπν** to bring sth out in sb

ξυπόλητος, -η, -ο ΕΠΙΘ = **ξυπόλυτος**

ξυπολιέμαι Ρ ΑΜ ΑΠΟΘ to take one's shoes off

ξυπολυσιά ΟΥΣ ΘΗΛ walking barefoot

ξυπόλυτος, -η, -ο (α) (*παιδί, ψαράς, νέοι*) barefoot (β) (= *πάμφτωχος*) destitute

▸ **περπατάω/γυρίζω ξυπόλυτος** to walk/to walk around barefoot

▸ **πηγαίνω ξυπόλυτος στα αγκάθια** to go unprepared

ξυραφάκι ΟΥΣ ΟΥΔ (α) (*καταχρ.*: = *μηχανή ξυρίσματος*) razor (β) (*υποκορ.*: = *λεπίδα*) razor blade

ξυράφι ΟΥΣ ΟΥΔ (α) (= *ξυριστική μηχανή*) razor (β) (= *λεπίδα*) razor blade

▸ **είμαι ξυράφι** to be razor–sharp

▸ **μυαλό ξυράφι** a razor–sharp mind

ξυραφιά ΟΥΣ ΘΗΛ cut (*from a razor blade*)

ξυρίζω ① Ρ Μ (*γένια, μουστάκι, πόδια, κεφάλι*) to shave ② Ρ ΑΜ (*αέρας, βοριάς*) to be bitter

▸ **ξυρίζομαι** ΜΕΣΟΠΑΘ to shave, to have a shave

ξύρισμα ΟΥΣ ΟΥΔ (α) (= *πράξη*) shaving (β) (= *αποτέλεσμα*) shave

ξυριστικός, -ή, -ό ΕΠΙΘ: **ξυριστική λεπίδα** razor blade

▸ **ξυριστική μηχανή** (= *ξυραφάκι*) razor · (*ηλεκτρική*) shaver, electric razor

▸ **ξυριστικά** ΟΥΣ ΟΥΔ ΠΛΗΘ shaving kit εν.

ξύσιμο ΟΥΣ ΟΥΔ (α) (*πλάτης, μύτης*) scratching (β) (*σκουριάς, μπογιάς*) scraping off · (*ξύλου, επίπλου, πατώματος*) sanding down · (*ψαριού*) scaling · (*τυριού*) grating · (*καρότου*) scraping (γ) (*μολυβιού*) sharpening (δ) (*σε όχημα*) scrape, scratch · (*σε πλοίο*) scrape · (*από σφαίρα*) graze · (*από κλαδί*) scratch

ξύσμα ΟΥΣ ΟΥΔ (*λεμονιού, πορτοκαλιού*) zest

▸ **ξύσματα** ΠΛΗΘ (= *ροκανίδια*) shavings

ξυστά ΕΠΙΡΡ: **περνώ ξυστά** to brush past

▸ **περνώ ξυστά (πάνω) από το νερό/έδαφος** to skim over the water/the ground

ξυστό ΟΥΣ ΟΥΔ scratch card

ξύστρα ΟΥΣ ΘΗΛ (α) (*μολυβιού*) pencil sharpener (β) (*εργαλείο*) rasp

ξυστρί ΟΥΣ ΟΥΔ (*για ζώα*) currycomb

ξυστρίζω Ρ Μ (*άλογο, υποζύγιο*) to groom

ξωκκλήσι, ξωκλήσι ΟΥΣ ΟΥΔ = **εξωκκλήσι**

ξωμάχος ΟΥΣ ΑΡΣ farm hand

ξώπετσα ΕΠΙΡΡ (*πληγώνομαι, τραυματίζομαι, κόβομαι*) superficially

▸ **με πήρε ξώπετσα** it just grazed me

▸ **παίρνω κτ ξώπετσα** to take sth lightly

ξώπετσος, -η, -ο ΕΠΙΘ (*τραύμα, χτύπημα*) superficial

ξωτικό ΟΥΣ ΟΥΔ spirit

ξώφαλτσα ΕΠΙΡΡ: **με παίρνει ξώφαλτσα** to graze sb

O o

· ·

Ο, ο omicron, *15th letter of the Greek alphabet*
▷**ο΄** 70
▷**,ο** 70,000

ΛΕΞΗ-ΚΛΕΙΔΙ

ο, η, το ΑΡΘΡ ΟΡΙΣΤ (α) *(ορίζει ουσιαστικά)* the
□ **θα πάρω τη δουλειά** I'll take the job· **πήρα το τρένο** I took the train· **ο γιος του διευθυντή** the manager's son· **το χρώμα του αυτοκινήτου** the colour of the car
(β) *(οικ.: για έμφαση)* the □ **σου λέω είναι Ο οδηγός!** I'm telling you, he's SOME driver!, as a driver, he's the tops *(οικ.)*
(γ) *(ορίζει ομοειδή)* the □ **το λιοντάρι είναι δυνατό ζώο** lions are strong animals, the lion is a strong animal· **ο γιατρός δεν είναι θεός** doctors are not gods· **τι είναι ο άνθρωπος;** what is man?
(δ) *(με κύρια ονόματα)* □ **είδα τον Γιώργο** I saw Giorgos· **το Λονδίνο είναι ακριβό** London is expensive· **το καλοκαίρι θα πάμε στο Παρίσι** we're going to Paris this summer· **οι παραλίες της Κεφαλλονιάς** the beaches of Kefallonia· **τα βάθη του Ειρηνικού** the depths of the Pacific· **για τον Νίκο τον Πανόπουλο σου μιλάω** I've been talking to you about Nick, you know, the Panopoulos guy
(ε) *(για ιδιότητα)* the □ **Ελισάβετ η Δεύτερη** Elisabeth the Second· **Αλέξανδρος ο Μέγας** Alexander the Great
(στ) *(για επιμερισμό)* a, per □ **τρεις φορές τον χρόνο** three times a year· **παίρνει 1.000 ευρώ τον μήνα** she gets paid 1,000 euros a *ή* per month
(ζ) *(για χρόνο)* on □ **θα σας δω τη Δευτέρα** I'll see you on Monday
(η) +αριθ. the □ **κάλεσε τους δύο στο γραφείο της** she called the two of them into her office· **δύο φορές το τρία** two times three· **οι τρεις από τους** *ή* **στους δέκα** three out of *ή* of the ten
(θ) *(με επίθετα, αντωνυμίες, μετοχές)* the □ **ποιο είναι το στυλό σου; – το κόκκινο** which one is your pen? – the red one· **ποιοι άντρες σου αρέσουν; – οι ξανθοί** which men do you like? – blonds· **θέλω να ξέρω το γιατί** I want to know why· **ανάμεσα στο καλό και το κακό** between good and evil
(ι) *(με συγκριτικό βαθμό, επιρρήματα)* the □ **ο χειρότερος** the worst
(ια) *(πριν από προτάσεις)* □ **το τι κάνεις εσύ**

δεν με αφορά! what you're doing is none of my business!· **το ότι κέρδισε το παιχνίδι** the fact that she won the match· **με το να φωνάζεις δεν βγάζεις τίποτε** screaming won't get you anywhere
(ιβ) *(σε περιγραφή)* □ **το "γίνομαι" είναι συνδετικό ρήμα** "to become" is a link verb· **χθες είδα το "Όσα παίρνει ο Άνεμος"** I saw "Gone with the Wind" yesterday

---

ΛΕΞΗ-ΚΛΕΙΔΙ

ό, τι ① ΑΝΤΩΝ (α) *(= αυτό που)* whatever
□ **έκανε ό, τι μπορούσε** he did whatever he could· **του έδωσαν ό, τι ζήτησε** they gave him whatever *ή* everything he asked for· **ζήτησε ό, τι θες** ask for anything you want· **ήταν ό, τι ακριβώς ήθελε** it was exactly what she wanted· **απ' ό, τι ακούω ...** from what I hear ...
(β) *(για σύγκριση)* than □ **τα πήγε καλύτερα απ' ό, τι περίμενε** she did better than she expected· **κατάφερε να λύσει το πρόβλημα γρηγορότερα απ' ό, τι εγώ** she managed to solve the problem quicker than me
(γ) : **ό, τι κι αν** *ή* **και να** whatever □ **ό, τι κι αν της πεις ...** whatever you say to her ...· **ό, τι κι αν του ζητήσεις, θα το κάνει** whatever you ask him to do, he'll do it
▷**ό, τι καλύτερο/ομορφότερο/εξυπνότερο** the best/the most beautiful/the cleverest
▷**ό, τι (που)** just about to □ **ό, τι έφευγα** I was just about to leave
② ΕΠΙΘ *(= όποιος: ανοησία, αδιαθεσία, ρούχα)* whatever, whichever· *(απορίες)* any

---

όαση ΟΥΣ ΘΗΛ *(κυριολ., μτφ.)* oasis

> Προσοχή!: Ο πληθυντικός του **oasis** είναι **oases**.

οβελίας ΟΥΣ ΑΡΣ *(επίσ.)* spit–roast lamb *(eaten on Easter Sunday)*

οβελίσκος ΟΥΣ ΑΡΣ (α) (ΑΡΧΑΙΟΛ) obelisk
(β) *(= μικρή σούβλα)* skewer

όβερ ΟΥΣ ΟΥΔ ΑΚΛ over

οβίδα ΟΥΣ ΘΗΛ shell

οβιδοβόλο ΟΥΣ ΑΡΣ howitzer

οβολός ΟΥΣ ΑΡΣ (α) *(στη αρχαιότητα)* obolus, *silver coin worth one sixth of a drachma*
(β) *(παλαιότ.: = πεντάλεπτο)* five lepta coin

(γ) (μτφ.: = μικρό ποσό) penny

> Προσοχή!: Ο πληθυντικός του **penny**
> είναι **pennies** ή **pence**.

ογδοηκοστός, -ή, -ό ΑΡΙΘ ΤΑΚΤ eightieth
ογδόντα ΑΡΙΘ ΑΠΟΛ ΑΚΛ eighty
ογδοντάρα ΟΥΣ ΘΗΛ βλ. **ογδοντάρης**
ογδοντάρης ΟΥΣ ΑΡΣ octogenarian
όγδοος, -η, -ο ΑΡΙΘ ΤΑΚΤ eighth
▸ **όγδοη** ΟΥΣ ΘΗΛ (α) (= ημέρα μήνα) eighth
  (β) (ΜΟΥΣ) octave
▸ **όγδοος** ΟΥΣ ΑΡΣ (α) (= όροφος) eighth floor
  (β) (= Αύγουστος) August
ογκόλιθος ΟΥΣ ΑΡΣ boulder
ογκολογία ΟΥΣ ΘΗΛ oncology
ογκομετρία, ογκομετρική ΟΥΣ ΘΗΛ
  volumetry
ογκόμετρο ΟΥΣ ΟΥΔ volumeter
όγκος ΟΥΣ ΑΡΣ (α) (σώματος) volume
  (β) (= μέγεθος) size (γ) (κάστρου, εργασίας)
  bulk · (συναλλαγών, αιτήσεων) volume ·
  (επιστολών) pile (δ) (σπουδαστών,
  διαδήλωσης) mass (ε) (ΙΑΤΡ) tumour (Βρετ.),
  tumor (Αμερ.)
▸ **κακοήθης όγκος** malignant tumour (Βρετ.)
  ή tumor (Αμερ.)
▸ **καλοήθης όγκος** benign tumour (Βρετ.) ή
  tumor (Αμερ.)
▸ **υδάτινος όγκος** body of water
ογκρατέν ΟΥΣ ΟΥΔ ΑΚΛ au gratin
  ▷ **μακαρόνια ογκρατέν** macaroni cheese
ογκώδης, -ης, -ες ΕΠΙΘ (α) (έπιπλο, βιβλίο,
  δέμα) bulky · (τοίχοι) massive · (συγκέντρωση)
  mass · (μάζα) vast (β) (μτφ.: άντρας) heavy,
  hefty
ογκώνομαι Ρ ΑΜ ΑΠΟΘ (αντίδραση,
  διαμαρτυρίες) to grow
όδευση ΟΥΣ ΘΗΛ (α) (επίσ.: = πορεία) advance
  (β) (= δίοδος διαφυγής) emergency exit
οδεύω Ρ ΑΜ (επίσ.: = πορεύομαι: στράτευμα)
  to advance
  ▷ **οδεύω προς** (= κατευθύνομαι) to head for
οδήγηση ΟΥΣ ΘΗΛ (αυτοκινήτου, τραμ) driving
▸ **άδεια οδήγησης** driving licence (Βρετ.),
  driver's license (Αμερ.)
οδηγητής ΟΥΣ ΑΡΣ leader
οδηγήτρια ΟΥΣ ΘΗΛ βλ. **οδηγητής**
οδηγία ΟΥΣ ΘΗΛ (διευθυντή, προϊσταμένου,
  δασκάλου) instructions πληθ. · (γονέων)
  advice χωρίς πληθ. · (ιατρού) order ·
  (δικηγόρου) brief
▸ **οδηγίες χρήσης** ή **χρήσεως** (φαρμάκων,
  προϊόντων) directions for use · (μηχανήματος)
  instructions · (ρούχου) washing instructions
οδηγός ΟΥΣ ΑΡΣ (α) (φορτηγού, λεωφορείου)
  driver (β) (= ξεναγός) guide (γ) (βιβλίο)
  guide · (τουριστικός) guide(book) (δ) (αγώνα,
  κινήματος) leader (ε) (στη ζωή) guide
  (στ) (ΠΛΗΡΟΦ) drive (ζ) (= μέλος οδηγισμού)
  Guide (Βρετ.), Girl Scout (Αμερ.)
  (η) (πόρτας, παραθύρου, κουρτίνας) guide

▷ **πνευματικός οδηγός** spiritual leader
▸ **χρυσός οδηγός** Yellow Pages ®
οδηγώ Ρ Μ (α) (αυτοκίνητο, φορτηγό,
  λεωφορείο) to drive (β) (τουρίστες, παιδί,
  μαθητή) to guide (γ) (= κατευθύνω) to lead
  (δ) (= καταλήγω) to lead (σε to)
  ▷ **οδηγώ μεθυσμένος** to drink and drive
οδικός, -ή, -ό ΕΠΙΘ (κυκλοφορία, ατύχημα)
  road · (συμπεριφορά) on the road
▸ **κώδικας οδικής κυκλοφορίας** highway code
▸ **οδικό δίκτυο** road network
▸ **οδικός χάρτης** (χώρας, περιοχής) road map ·
  (πόλης) street map, A to Z
οδογέφυρα ΟΥΣ ΘΗΛ viaduct
οδοιπορία ΟΥΣ ΘΗΛ trek
οδοιπορικό ΟΥΣ ΟΥΔ itinerary
▸ **οδοιπορικά** ΠΛΗΘ travelling expenses
οδοιπόρος ΟΥΣ ΑΡΣ traveller (Βρετ.), traveler
  (Αμερ.)
οδοιπορώ Ρ ΑΜ to walk
οδοκαθαριστής ΟΥΣ ΑΡΣ road sweeper
οδομαχία ΟΥΣ ΘΗΛ street fighting
οδοντιατρείο ΟΥΣ ΟΥΔ dentist's surgery,
  dental clinic
οδοντιατρική ΟΥΣ ΘΗΛ dentistry
οδοντιατρικός, -ή, -ό ΕΠΙΘ (σύλλογος)
  dentists' · (έρευνα) dental
οδοντίατρος ΟΥΣ ΑΡΣ dentist
οδοντικός, -ή, -ό ΕΠΙΘ dental
▸ **οδοντικό σύμφωνο** dental consonant
οδοντόβουρτσα ΟΥΣ ΘΗΛ toothbrush
οδοντογιατρός ΟΥΣ ΑΡΣ = **οδοντίατρος**
οδοντογλυφίδα ΟΥΣ ΘΗΛ toothpick
  ▷ **είμαι (σαν) οδοντογλυφίδα** to be as thin as
  a rake
οδοντοθεραπεία ΟΥΣ ΘΗΛ dental treatment
οδοντόκρεμα, οδοντόπαστα ΟΥΣ ΘΗΛ
  toothpaste
οδοντοστοιχία ΟΥΣ ΘΗΛ (set of) teeth
▸ **τεχνητή οδοντοστοιχία** dentures πληθ.
οδοντοτεχνίτης ΟΥΣ ΑΡΣ dental technician
οδοντοφυΐα ΟΥΣ ΘΗΛ teething
οδοντωτός, -ή, -ό ΕΠΙΘ serrated, jagged
▸ **οδοντωτός τροχός** gearwheel
▸ **οδοντωτός** ΟΥΣ ΑΡΣ (επίσης **οδοντωτός
  σιδηρόδρομος**) rack railway, cog railway
  (Αμερ.)
οδοποιία ΟΥΣ ΘΗΛ road building, road
  construction
οδός ΟΥΣ ΘΗΛ (α) (επίσ.) road · (σε πόλη)
  street, road (β) (= τρόπος επικοινωνίας) route
  (γ) (μτφ.: = μέσο) way
  ▷ **καθ'οδόν** on the way
  ▷ **η μέση οδός** the middle way
▸ **εθνική οδός** major road, trunk road (Βρετ.),
  highway (Αμερ.)
οδόστρωμα ΟΥΣ ΟΥΔ road surface, pavement
  (Αμερ.)
οδοστρωτήρας ΟΥΣ ΑΡΣ steamroller
οδόφραγμα ΟΥΣ ΟΥΔ barricade

οδύνη ΟΥΣ ΘΗΛ (επίσ.) grief
▸ **ψυχική οδύνη** (ΝΟΜ) mental cruelty
οδυνηρός, -ή, -ό ΕΠΙΘ (α) (εγχείρηση, μνήμες, χωρισμός) painful (β) (μτφ.: συνέπειες) devastating · (έκπληξη) unpleasant · (ήττα) crushing
οδυρμός ΟΥΣ ΑΡΣ (επίσ.) wailing
▷ **κλαυθμός ή θρήνος και οδυρμός** deep mourning
οδύρομαι Ρ ΑΜ ΑΠΟΘ (επίσ.) to wail
▷ **κλαίω και οδύρομαι** to lament
Οδύσσεια ΟΥΣ ΘΗΛ (α) (= ομηρικό έπος) Odyssey (β) (μτφ.) odyssey
οδυσσειακός, -ή, -ό ΕΠΙΘ Odyssean
όζον ΟΥΣ ΟΥΔ (ΧΗΜ) ozone
▸ **τρύπα του όζοντος** hole in the ozone layer
οθόνη ΟΥΣ ΘΗΛ (α) (τηλεόρασης, κινηματογράφου, Η/Υ) screen (β) (= μουσαμάς) canvas
▷ **η μεγάλη οθόνη** the big screen
▷ **η μικρή οθόνη** the small screen
οθωμανικός, -ή, -ό ΕΠΙΘ Ottoman
Οθωμανός ΟΥΣ ΑΡΣ Ottoman
οιάκιο ΟΥΣ ΟΥΔ (επίσ.) (α) (= λαβή πηδαλίου) tiller (β) (= πηδάλιο) rudder
οίδημα ΟΥΣ ΟΥΔ (α) (= πρήξιμο) swelling (β) (ΙΑΤΡ) oedema (Βρετ.), edema (Αμερ.)
▸ **πνευμονικό οίδημα** pneumonia
οιδηματώδης, -ης, -ες ΕΠΙΘ (= πρησμένος) swollen
▸ **οιδηματώδης πάθηση** swelling
οιδιπόδειος, -α, -ο ΕΠΙΘ (ΜΥΘΟΛ) of Oedipus
▸ **οιδιπόδειο σύμπλεγμα** Oedipus complex
οικειοθελής, -ής, -ές ΕΠΙΘ (παροχή, προσφορά, αποχώρηση) voluntary
οικειοθελώς ΕΠΙΡΡ (αποχωρώ, παραχωρώ) voluntarily
οικειοποίηση ΟΥΣ ΘΗΛ (περιουσίας) appropriation · (αξιώματος) usurping
οικειοποιούμαι Ρ Μ ΑΠΟΘ (περιουσία, ιδέες, εφεύρεση) to appropriate · (τίτλο, αξίωμα) to usurp
οικείος, -α, -ο ΕΠΙΘ (α) (περιβάλλον, φωνή, χώρος, καταστάσεις) familiar (β) (κακά, συμφορές, περιουσία) personal · (αυθάδεια, αναίδεια, θρασύτητα) brazen (γ) (οργανισμός, αρχή) appropriate
▸ **οικείοι** ΟΥΣ ΑΡΣ ΠΛΗΘ (α) (= συγγενείς) family εν., relatives (β) (= άτομα στενού περιβάλλοντος) close friends
οικειότητα ΟΥΣ ΘΗΛ intimacy
▷ **έχω οικειότητα με κπν** to be on intimate terms with sb
▸ **οικειότητες** ΠΛΗΘ (= υπερβολική εγκαρδιότητα) liberties
οικείωση ΟΥΣ ΘΗΛ (α) (= οικειοποίηση) appropriation (β) (= εξοικείωση) familiarization
οίκημα ΟΥΣ ΟΥΔ house

Προσοχή!: Ο πληθυντικός του **house** είναι **houses**.

οίκηση ΟΥΣ ΘΗΛ habitation
οικία ΟΥΣ ΘΗΛ (επίσ.) home, residence (επίσ.)
οικιακός, -ή, -ό ΕΠΙΘ (α) (σκεύος, συσκευές) domestic · (είδη, σκουπίδια) household (β) (παραγωγή) home
▸ **οικιακή οικονομία** home economics εν.

Προσοχή!: Αν και το **home economics** φαίνεται ως τύπος πληθυντικού, είναι ουσιαστικό μόνο στον ενικό και συντάσσεται με ρήμα στον ενικό.

▸ **οικιακή βιοτεχνία** cottage industry
▸ **οικιακός/οικιακή βοηθός** domestic help
▸ **οικιακά** ΟΥΣ ΟΥΔ ΠΛΗΘ (επίσ.) housework εν.
οικίζω Ρ Μ to colonize
οικισμός ΟΥΣ ΑΡΣ settlement
οικιστής ΟΥΣ ΑΡΣ settler
οικογένεια ΟΥΣ ΘΗΛ (α) (γενικότ.: ΒΙΟΛ) family (β) (= τζάκι) good family
▷ **καλής οικογενείας, από καλή οικογένεια** from a good family, well-born
▷ **κάνω ή αποκτώ οικογένεια** to start a family
οικογενειακός, -ή, -ό ΕΠΙΘ family
▸ **οικογενειακός προγραμματισμός** family planning
▸ **οικογενειακά** ΟΥΣ ΟΥΔ ΠΛΗΘ family business εν. ή matters
οικογενειακώς, οικογενειακά ΕΠΙΡΡ (ταξιδεύω, βγαίνω, διασκεδάζω) as a family
οικογενειάρχης ΟΥΣ ΑΡΣ head of the family
οικοδέσποινα ΟΥΣ ΘΗΛ hostess
οικοδεσπότης ΟΥΣ ΑΡΣ host
οικοδομή ΟΥΣ ΘΗΛ (α) (επίσ.: = οικοδόμηση) building, construction (β) (= κτήριο που κτίζεται) building ή construction site (γ) (= οικοδόμημα) building
οικοδόμημα ΟΥΣ ΟΥΔ (α) (= κτίσμα) building (β) (μτφ.) structure, fabric
οικοδόμηση ΟΥΣ ΘΗΛ (α) (ναού, κτηρίου) building, construction (β) (μτφ.: χώρας, πολιτισμού, διανόησης) construction · (μέτρων) creation
οικοδομήσιμος, -η, -ο ΕΠΙΘ (έδαφος) suitable for building on · (υλικά) building
οικοδομικός, -ή, -ό ΕΠΙΘ (εργασίες, άδεια, επάγγελμα, κανονισμός, υλικά) building · (συνεταιρισμός, εταιρεία, επιχείρηση) construction
▸ **οικοδομικό τετράγωνο** residential block
▸ **οικοδομικά** ΟΥΣ ΟΥΔ ΠΛΗΘ construction costs
οικοδόμος ΟΥΣ ΑΡΣ builder
οικοδομώ Ρ Μ (α) (σπίτι, ακρόπολη, πύργο) to build · (οικόπεδο, χώρο) to build on (β) (μτφ.: όνειρα, καριέρα, κράτος, πολιτισμό) to build
οικοκυρικός, -ή, -ό ΕΠΙΘ (επίσ.: καθήκοντα, ενασχολήσεις) housekeeping
▸ **οικοκυρικά** ΟΥΣ ΟΥΔ ΠΛΗΘ home economics εν.
οικολογία ΟΥΣ ΘΗΛ (α) (επιστήμη) ecology (β) (ιδεολογία) ecological movement
οικολογικός, -ή, -ό ΕΠΙΘ (α) (οργάνωση,

κίνημα) ecological, Green · (*σπουδές*) ecology **(β)** (*προϊόν, συσκευασία*) environment–friendly, green **(γ)** (*προβλήματα, καταστροφή*) ecological

οικολόγος ΟΥΣ ΑΡΣΘΗΛ **(α)** (*επστήμονας*) ecologist **(β)** (ΠΟΛΙΤ) Green, ecologist **(γ)** (*γενικότ.*) ecologist, environmentalist

οικονόμα ΟΥΣ ΘΗΛ thrifty woman

οικονομημένος, -η, -ο ΕΠΙΘ (*ανεπ.*) well–off (*ανεπ.*)

οικονομία ΟΥΣ ΘΗΛ **(α)** (*χώρας, κράτους*) economy **(β)** (= *οικονομικά*) economics *εν. ή πληθ.* **(γ)** (*δυνάμεων, χρημάτων, χρόνου, μέσων*) saving · (*κανοίμων*) economy **(δ)** (*δράματος, λόγου, μυθιστορήματος*) structure
▷**κάνω οικονομία** to save money, to economize
▷**εθνική οικονομία** national economy
▸**θεία οικονομία** divine plan
▸**πολιτική οικονομία** political economy
▸οικονομίες ΠΛΗΘ savings

οικονομικά¹ ΟΥΣ ΟΥΔ ΠΛΗΘ **(α)** (*κράτους, χώρας, σπιτιού, οργανισμού*) finances **(β)** (*επιστήμη*) economics *εν.*

οικονομικά² ΕΠΙΡΡ (*ζω, περνάω*) frugally, cheaply · (*ντύνομαι*) cheaply

οικονομικός, -ή, -ό ΕΠΙΘ **(α)** (*θεωρία, πολιτική, κρίση, σύμβουλος*) economic · (*διευθυντής, οργανισμός, περιοδικό, εφημερίδα, σκάνδαλο*) financial · (*εταιρεία*) finance · (*σπουδές*) in economics **(β)** (*έλεγχος, κατάσταση, δυσκολίες*) financial **(γ)** (*για πρόσ.*) economical, thrifty **(δ)** (*αυτοκίνητο*) economical · (*ζωή, φαγητό*) frugal · (*διασκέδαση*) cheap · (*εστιατόριο, διαμέρισμα, ξενοδοχείο*) inexpensive
▸**Υπουργείο Οικονομικών** Ministry of Finance
▸**οικονομική επιστήμη** economics *εν.*
▸**οικονομικό έτος** financial *ή* fiscal year
▸**οικονομικό μέγεθος** economy size
▸**οικονομική συσκευασία** economy pack
▸**οικονομικό** ΟΥΣ ΟΥΔ **(α)** (= *κόστος*) cost **(β)** (= *αμοιβή*) wages *πληθ.*

οικονομολόγος ΟΥΣ ΑΡΣΘΗΛ **(α)** (*επιστήμονας*) economist **(β)** (*καταχρ.*) thrifty person

οικονόμος ΟΥΣ ΑΡΣΘΗΛ **(α)** (= *φειδωλός*) thrifty person **(β)** (*σπιτιού*) housekeeper · (*ιδρύματος*) bursar

οικονομώ Ρ Μ **(α)** (= *αποταμιεύω: χρήματα, χρόνο, χώρο*) to save **(β)** (= *προμηθεύομαι: εισιτήρια, χρήματα, δουλειά*) to get
▷**τα οικονομάω** to be doing well
▸οικονομούμαι ΜΕΣΟΠΑΘ: **οικονομούμαι από κτ** to get oneself sth
▷**οικονομούμαι με κτ** to make do with sth

οικόπεδο ΟΥΣ ΟΥΔ (building) plot
▷**παραθαλάσσιο οικόπεδο** plot of land by the sea

οικοπεδοποίηση ΟΥΣ ΘΗΛ land reclamation

οικοπεδοποιώ Ρ Μ to reclaim

οικοπεδούχος ΟΥΣ ΑΡΣΘΗΛ landowner

οικοπεδοφάγος ΟΥΣ ΑΡΣ (*αρνητ.*) greedy property developer

οίκος ΟΥΣ ΑΡΣ **(α)** (*επίσ.:* = *σπίτι*) house, place of residence (*επίσ.*)

Προσοχή!: Ο πληθυντικός του **house** *είναι* **houses***.*

(β) (*για βασιλικές δυναστείες*) house
▸**οίκος μόδας** fashion house
▸**εκδοτικός οίκος** publishing house

οικόσημο ΟΥΣ ΟΥΔ coat of arms

οικοσκευή ΟΥΣ ΘΗΛ household effects

οικοτεχνία ΟΥΣ ΘΗΛ cottage industry

οικοτροφείο ΟΥΣ ΟΥΔ **(α)** (= *ίδρυμα για διαμονή*) boarding house **(β)** (= *σχολείο*) boarding school

οικότροφος ΟΥΣ ΑΡΣΘΗΛ **(α)** boarder **(β)** (*ένοικος*) paying guest

οικουμένη ΟΥΣ ΘΗΛ world
▷**σε όλη την οικουμένη** in the whole world

οικουμενικός, -ή, -ό ΕΠΙΘ (*προβλήματα*) worldwide · (*αρμονία*) world, global · (*αξία, συνείδηση*) universal
▸**οικουμενική κυβέρνηση** all–party government
▸**Οικουμενικό Πατριαρχείο** ecumenical Patriarchate
▸**Οικουμενικός Πατριάρχης** ecumenical Patriarch
▸**Οικουμενική Σύνοδος** Ecumenical Synod

οικουμενικότητα ΟΥΣ ΘΗΛ universality

οικτιρμός ΟΥΣ ΑΡΣ **(α)** (= *έλεος*) mercy · (= *λύπηση*) compassion **(β)** (*αρνητ.:* = *καταφρόνηση*) scorn

οικτίρμων, -ων, ον ΕΠΙΘ merciful

οικτίρω Ρ Μ **(α)** (= *συμπονώ*) to feel compassion for **(β)** (*αρνητ.:* = *ελεεινολογώ*) to despise

οίκτος ΟΥΣ ΑΡΣ **(α)** (= *συμπόνια*) pity **(β)** (= *περιφρόνηση*) scorn
▷**από οίκτο** out of pity
▷**δείχνω οίκτο** to show mercy
▷**προκαλώ (τον) οίκτο** (*για λύπηση*) to arouse pity · (*για περιφρόνηση*) to be despised

οικτρός, -ή, -ό ΕΠΙΘ **(α)** (= *που προκαλεί λύπηση και συμπόνια*) pitiful **(β)** (*κατάσταση, απόπειρα, θέαμα*) pitiful · (*στέρηση, τέλος*) wretched · (*αποτυχία, μετάφραση*) lamentable

οικώ Ρ ΑΜ (*επίσ.*) to reside (*επίσ.*)

οινολογία ΟΥΣ ΘΗΛ oenology

οινολογικός, -ή, -ό ΕΠΙΘ (*εργαστήριο, μέθοδοι*) oenological

οινολόγος ΟΥΣ ΑΡΣΘΗΛ oenologist

οινομαγειρείο ΟΥΣ ΟΥΔ tavern

οινοπαραγωγή ΟΥΣ ΘΗΛ wine production

οινοπαραγωγός, -ός, -ό ΕΠΙΘ (*χώρα*) wine–producing · (*περιοχή*) wine–growing
▸**οινοπαραγωγός** ΟΥΣ ΑΡΣΘΗΛ wine–grower, wine–producer

οινόπνευμα ους ουδ **(α)** (ΧΗΜ) alcohol · (*για απολύμανση*) surgical spirit (*Βρετ.*), rubbing alcohol (*Αμερ.*) **(β)** (= *αλκοόλ*) alcohol

οινοπνευματοποιία ους ΘΗΛ **(α)** (= *βιομηχανία παραγωγής οινοπνεύματος*) distilling industry **(β)** (= *μέθοδος παραγωγής οινοπνεύματος*) distillation

οινοπνευματώδης, -ης, -ες ΕΠΙΘ alcoholic
▸ **οινοπνευματώδες** ους ουδ (*επίσης* **οινοπνευματώδες ποτό**) alcoholic drink

οινοποιείο ους ουδ winery

οινοποιία ους ΘΗΛ **(α)** (= *παρασκευή και συντήρηση κρασιού*) wine making *ή* production **(β)** (*βιομηχανικός κλάδος*) wine industry **(γ)** (= *τέχνη παρασκευής κρασιού*) vinification

οινοποιός ους ΑΡΣ/ΘΗΛ wine producer

οινοποσία ους ΘΗΛ (*επίσ.*) heavy wine–drinking session

οινοπωλείο ους ουδ (*επίσ.*) wine shop

οίνος ους ΑΡΣ (*επίσ.*) wine
▷ **ερυθρός/ξηρός/επιτραπέζιος/γλυκός/ λευκός οίνος** red/dry/table/sweet/white wine
▸ **μηλίτης οίνος** cider

οινοχόος ους ΑΡΣ **(α)** (*στην αρχαιότητα*) cupbearer **(β)** (= *σερβιτόρος εστιατορίου*) wine waiter (*Βρετ.*), wine server (*Αμερ.*)

οιοσδήποτε, οιαδήποτε, οιοδήποτε (*επίσ.*) ΑΝΤΩΝ = **οποιοσδήποτε**

οισοφάγος ους ΑΡΣ oesophagus (*Βρετ.*), esophagus (*Αμερ.*)

οιστρογόνο ους ουδ oestrogen

οίστρος ους ΑΡΣ (*επίσ.*) inspiration

οιωνός ους ΑΡΣ **(α)** (= *προφητικό σημάδι*) omen **(β)** (*μτφ.*: = *προμήνυμα*) omen, sign

οιωνοσκοπία ους ΘΗΛ divination

οιωνοσκόπος ους ΑΡΣ diviner

οκλαδόν ΕΠΙΡΡ cross–legged
▷ **οκλαδόν!** (*παράγγελμα*) sit cross–legged!

οκνηρία ους ΘΗΛ **(α)** (= *τεμπελιά*) idleness **(β)** (*κινήσεων*) sluggishness

οκνηρός, -ή, -ό ΕΠΙΘ **(α)** (= *τεμπέλης*) idle, lazy **(β)** (*κινήσεις*) sluggish

οκνός, -ή, -ό ΕΠΙΘ (*επίσ.*) = **οκνηρός**

οκτάβα ους ΘΗΛ (ΜΟΥΣ, ΠΟΙΗΣ) octave

οκταγωνικός, -ή, -ό octagonal

οκτάγωνος, -η, -ο ΕΠΙΘ (*τραπέζι*) octagonal
▸ **οκτάγωνο** ους ουδ octagon

οκτάδα ους ΘΗΛ (group of) eight

οκτάεδρος, -η, -ο ΕΠΙΘ octahedral
▸ **οκτάεδρο** ους ουδ octahedron

οκταετής, -ής, -ές ΕΠΙΘ eight–year

οκταετία ους ΘΗΛ eight–year period, eight years *πληθ.*

οκταήμερος, -η, -ο ΕΠΙΘ (*εκδρομή, συνέδριο*) eight–day
▸ **οκταήμερο** ους ουδ eight–day period, eight days *πληθ.*

οκτακόσια ΑΡΙΘ ΑΠΟΛ ΑΚΛ eight hundred

οκτακόσιοι, -ες, -α ΑΡΙΘ ΑΠΟΛ ΠΛΗΘ eight hundred

οκτακοσιοστός, -ή, -ό ΑΡΙΘ ΤΑΚΤ eight hundredth

οκταμελής, -ής, -ές ΕΠΙΘ with eight members

οκτάμηνος, -η, -ο ΕΠΙΘ (*σεμινάριο, άδεια*) eight–month
▸ **οκτάμηνο** ους ουδ eight–month period, eight months *πληθ.*

οκταπλάσιος, -α, -ο ΕΠΙΘ eightfold

οκτάπλευρος, -η, -ο ΕΠΙΘ eight–sided

οκτάστηλος, -η, -ο ΕΠΙΘ eight–column

οκτάστιχος, -η, -ο ΕΠΙΘ (*ποίημα, επίγραμμα, τραγούδι*) with eight verses
▸ **οκτάστιχο** ους ουδ poem with eight verses

οκτασύλλαβος, -η, -ο ΕΠΙΘ (*λέξη*) octosyllabic
▸ **οκτασύλλαβος** ους ΑΡΣ (*επίσης* **οκτασύλλαβος στίχος**) octosyllable, line of eight syllables

οκτάωρο ους ουδ eight–hour day
▷ **διάβαζε ένα συνεχόμενο οκτάωρο** he studied for eight hours non–stop

οκτάωρος, -η, -ο ΕΠΙΘ (*εργασία, πρόγραμμα*) eight–hour

οκτώ ΑΡΙΘ ΑΠΟΛ ΑΚΛ eight
▷ **στις οκτώ** at eight (o'clock)

Οκτώβρης ους ΑΡΣ = **Οκτώβριος**

Οκτώβριος ους ΑΡΣ October

ολάκερος, -η, -ο ΕΠΙΘ (*λογοτ.*) whole

ολάνοικτος, ολάνοιχτος, -η, -ο ΕΠΙΘ wide open

ολάσπρος, -η, -ο ΕΠΙΘ = **ολόασπρος**

ολέθριος, -α, -ο ΕΠΙΘ (*αποτελέσματα, συνέπειες*) devastating · (*τακτική, σφάλμα*) disastrous · (*νοοτροπία, επιρροή*) pernicious · (*τύψεις*) bitter

όλεθρος ους ΑΡΣ devastation

ολημερίς, ολημέρα ΕΠΙΡΡ **(α)** (= *κατά τη διάρκεια της ημέρας*) all day long **(β)** (= *κάθε μέρα*) every day

ολιγάριθμος, -η, -ο ΕΠΙΘ small

ολιγάρκεια ους ΘΗΛ frugality

ολιγαρκής, -ής, -ές ΕΠΙΘ frugal

ολιγαρχία ους ΘΗΛ **(α)** (ΠΟΛΙΤ) oligarchy **(β)** (*αρνητ.*: = *ισχυροί*) power elite

ολιγαρχικός, -ή, -ό ΕΠΙΘ (*πολίτευμα*) oligarchic
▸ **ολιγαρχικός** ους ΑΡΣ, **ολιγαρχική** ους ΘΗΛ oligarch

ολιγήμερος, -η, -ο ΕΠΙΘ (*διάσκεψη, συνέδριο*) lasting a few days

ολιγόλεπτος, -η, -ο ΕΠΙΘ (*συζήτηση, διάλειμμα*) brief, lasting a few minutes

ολιγόλογος, -η, -ο ΕΠΙΘ **(α)** (= *σύντομος*) reticent **(β)** (*απάντηση, ανακοίνωση, έκθεση*) brief

ολιγομελής, -ής, -ές ΕΠΙΘ (*ομάδα, σωματείο, σχολική τάξη*) small

ολιγόπιστος, -η, -ο ΕΠΙΘ having little faith

ολίγος, -η, -ο (επίσ.) ΕΠΙΘ: **εν ολίγοις** in short
▷**εντός ολίγου** in a little ή short while, soon
▷**παρ' ολίγο(ν)** almost
▷**προ ολίγου** a short time ago · βλ. κ. **λίγος**

ολιγόχρονος, -η, -ο ΕΠΙΘ (απουσία) brief

ολιγοψυχία ΟΥΣ ΘΗΛ faintheartedness, cowardice

ολιγόψυχος, -η, -ο ΕΠΙΘ fainthearted

ολιγοψυχώ Ρ ΑΜ (α) (= δειλιάζω) to lose one's nerve (β) (= λιποθυμώ) to faint

ολιγόωρος, -η, -ο ΕΠΙΘ (στάση, απεργία) lasting a few hours

ολιγωρία ΟΥΣ ΘΗΛ negligence

ολιγωρώ ① Ρ ΑΜ (κυβέρνηση, υπεύθυνος, πολιτικός) to be negligent, to fail in one's duty
② Ρ Μ (= αμελώ) to neglect (να κάνω to do)

ολικός, -ή, -ό ΕΠΙΘ (αμνησία, δαπάνη, έκλειψη, απώλεια) total · (καταστροφή) complete, total · (ύψος, βάρος) full · (ανακαίνιση) complete

ολισθαίνω Ρ ΑΜ (επίσ.) (α) (όχημα) to skid · (ασφαλτος, δρόμος) to be slippery (β) (= κυλώ) to slide (γ) (μτφ.: = πέφτω σε σφάλμα) to lapse
▷**ολισθαίνω προς την καταστροφή/τον πόλεμο** to be heading for disaster/war

ολίσθημα ΟΥΣ ΟΥΔ error · (πένας, γλώσσας) slip

ολισθηρός, -ή, -ό ΕΠΙΘ (α) (δρόμος, δάπεδο) slippery (β) (= επικίνδυνος) dangerous
▷**ακολουθώ τον ολισθηρό δρόμο** to be on the slippery slope

ολισθηρότητα ΟΥΣ ΘΗΛ slipperiness

ολκή ΟΥΣ ΘΗΛ (α) (έλξη) pull (β) (= διαμέτρημα πυροβόλου) calibre (Βρετ.), caliber (Αμερ.)
▶**ολκής** ΟΥΣ ΘΗΛ γεν. (άνθρωπος) of high calibre (Βρετ.) ή caliber (Αμερ.) · (επίτευγμα) remarkable · (σκάνδαλο, επιχείρηση) major

Ολλανδέζα ΟΥΣ ΘΗΛ = **Ολλανδή**

ολλανδέζικος, -η, -ο ΕΠΙΘ = **ολλανδικός**

Ολλανδέζος ΟΥΣ ΑΡΣ = **Ολλανδός**

Ολλανδή ΟΥΣ ΘΗΛ Dutch woman

Ολλανδία ΟΥΣ ΘΗΛ Holland

ολλανδικός, -ή, -ό ΕΠΙΘ Dutch

Προσοχή!: Τα εθνικά επίθετα, όπως **Dutch**, *γράφονται με κεφαλαίο το αρχικό γράμμα στα Αγγλικά.*

▶Ολλανδικά, Ολλανδέζικα ΟΥΣ ΟΥΔ ΠΛΗΘ Dutch

Ολλανδός ΟΥΣ ΑΡΣ Dutchman
▷**οι Ολλανδοί** the Dutch

όλμος ΟΥΣ ΑΡΣ (α) (βλήμα) mortar shell (β) (όπλο) mortar

όλο ΕΠΙΡΡ (παραπονιέμαι, μιλώ, γυρεύω) always, constantly
▷**η Βρετανία είναι όλο πράσινο** Britain is very green
▷**όλο γκρινιάζεις!, είσαι όλο γκρίνια!** you're always complaining!, all you do is complain!
▷**όλο και καλύτερα** better and better

▷**όλο και κάτι** something
▷**όλο και περισσότερο** more and more
▷**όλο και πιο συχνά** increasingly, more and more often
▷**όσο του μιλούσε, όλο και εκνευριζόταν** the more he spoke to him, the angrier he got
▷**τα χωράφια ήταν όλο αγκάθια** the fields were full of thistles
▷**τα πόδια του ήταν όλο γρατζουνιές** his feet were covered in scratches
▷**το γραφείο ήταν όλο καρυδιά** the desk was made of solid walnut wood
▷**το τραπεζομάντηλο ήταν όλο δαντέλα** the tablecloth was made entirely of lace

ολόασπρος, -η, -ο ΕΠΙΘ all white

ολόγιομος, -η, -ο ΕΠΙΘ (κανάτα, δοχείο) full to the brim · (φεγγάρι) full

ολόγραμμα ΟΥΣ ΟΥΔ (ΦΩΤΟΓΡ) hologram
▶**τηλεοπτικό ολόγραμμα** hologram

ολογραφία ΟΥΣ ΘΗΛ holography

ολόγραφος, -η, -ο ΕΠΙΘ (λέξη) written in full

ολογράφως ΕΠΙΡΡ (γράφω, υπογράφω) in full

ολόγυμνος, -η, -ο ΕΠΙΘ (κοπέλα, παιδί) stark naked · (σώμα) completely naked · (χέρι, πόδι) bare

ολόγυρα ΕΠΙΡΡ (στέκομαι, κοιτάζω) all around

ολοένα ΕΠΙΡΡ (αδυνατίζω, γίνομαι) constantly
▷**οι φλόγες ολοένα και φούντωναν** the fire kept flaring up
▷**ο μικρός ολοένα και πείσμωνε** the boy became more and more stubborn

ολοζώντανος, -η, -ο ΕΠΙΘ (α) (= ζωντανός) alive and well (β) (μτφ.: = γεμάτος ζωντάνια) full of life (γ) (μτφ.: ανάμνηση, χρώματα, σκηνή, όνειρο) vivid

ολοήμερος, -η, -ο ΕΠΙΘ (εκδρομή, σχολείο) day

ολοίδιος, -α, -ο ΕΠΙΘ identical (με to)
▷**είναι ολοίδια η μητέρα της** she's the spitting image of her mother

ολόισια ΕΠΙΡΡ (διασχίζω, τραβώ, βγάζω) straight · (κοιτάζω) straight, squarely

ολόισιος, -α, -ο ΕΠΙΘ (δρόμος, γραμμή, μαλλιά) straight · (κοιλιά) flat · (κορμί) upright

ολοκάθαρος, -η, -ο ΕΠΙΘ (α) (ρούχο, σπίτι, χώρος) spotlessly clean · (μωρό, χέρια) nice and clean (β) (νερό) crystal clear · (ουρανός, ατμόσφαιρα) clear · (χρώμα, χρυσάφι) pure (γ) (υπογραφή, σφραγίδα, διατύπωση) very clear · (νόημα) crystal clear (δ) (αγάπη) pure

Ολόκαινο ΟΥΣ ΟΥΔ **το Ολόκαινο** the Holocene

Ολόκαινος Εποχή ΟΥΣ ΘΗΛ Holocene (Epoch)

ολοκαίνουργιος, -ια, -ιο ΕΠΙΘ brand-new

ολοκαίνουρyος, -η, -ο ΕΠΙΘ =
ολοκαίνουργιος

ολοκαύτωμα ΟΥΣ ΟΥΔ (α) (= αυτός που καίγεται τελείως) burnt ashes πληθ. (β) (= απόλυτη θυσία) sacrifice (γ) (Καλαβρύτων, Εβραίων, πολέμου) holocaust

ολοκληρία ΟΥΣ ΘΗΛ whole
▷**καθ' ολοκληρίαν** entirely
ολόκληρος, -η, -ο ΕΠΙΘ whole, entire
▷**εξ ολοκλήρου, εξολοκλήρου** entirely
▷**ολόκληρη η ιστορία** the whole story
▷**ολόκληρος ο μηχανισμός** the whole mechanism
▷**ολόκληρο το βιβλίο** the whole book
▷**ολόκληρος/-η άντρας/γυναίκα** grown man/woman
►**ολόκληρο εισιτήριο** full–price ticket
►**ολόκληρο** ΟΥΣ ΟΥΔ (ΜΟΥΣ) semibreve (*Βρετ.*), whole note (*Αμερ.*)
ολοκλήρωμα ΟΥΣ ΟΥΔ (α) (*δουλειάς*) completion · (*ιστορίας, βιβλίου*) ending · (*υπόθεσης*) conclusion (β) (ΜΑΘ) integral
ολοκληρωμένος, -η, -ο ΕΠΙΘ (α) (*έργο, σχέδιο*) finished · (*άποψη*) fully formed · (*εικόνα*) complete (β) (μτφ.: *προσωπικότητα, άτομο*) rounded, well–rounded · (*επιστήμονας*) fully fledged
ολοκληρώνω ① Ρ Μ (α) (*έργο, διαδικασία, σπουδές*) to complete (β) (*καταχρ.*: = *τελειώνω*: *φράση*) to finish · (*ομιλία* ...) to wind up · (*πίνακα*) to put the finishing touches to ② Ρ ΑΜ (= *τελειώνω τον λόγο μου*) to wind up
ολοκλήρωση ΟΥΣ ΘΗΛ completion
ολοκληρωτικός, -ή, -ό ΕΠΙΘ (α) (*καταστροφή, νίκη, εξόντωση*) complete, total · (*χωρισμός, ήττα, θρίαμβος*) complete (β) (ΜΑΘ: *λογισμός, εξίσωση*) integral (γ) (*καθεστώς, ιδεολογία*) totalitarian
ολόλευκος, -η, -ο ΕΠΙΘ (*δέρμα, σεντόνι*) snow white · (*ρούχο*) all white
ολόμαλλος, -η, -ο ΕΠΙΘ (*κάλτσα, ρούχο, κουβέρτα*) pure wool
ολόμαυρος, -η, -ο ΕΠΙΘ (*δέρμα*) deep black · (*μαλλιά, μάτι, σκύλος*) jet black
ολομέλεια ΟΥΣ ΘΗΛ plenary session
ολομέταξος, -η, -ο ΕΠΙΘ (*πουκάμισο, ύφασμα*) pure silk
ολομόναχος, -η, -ο ΕΠΙΘ (*άτομο*) all alone, all by oneself · (*δέντρο, ζώο*) all by itself
▷**μένω ολομόναχος** to be left all alone
ολονυχτία ΟΥΣ ΘΗΛ vigil
ολονύχτιος, -α, -ο ΕΠΙΘ (*ταξίδι*) overnight · (*γλέντι*) lasting all night long
ολονυχτίς ΕΠΙΡΡ all night long, through the night
ολόπλευρος, -η, -ο ΕΠΙΘ (*υποστήριξη, ενίσχυση*) multilateral · (*ανάπτυξη*) all–round (*Βρετ.*), all–around (*Αμερ.*) · (*επίθεση*) all-out
ολόρθος, -η, -ο ΕΠΙΘ (α) (*άνθρωπος*) bolt upright, erect · (*πλάτανος*) tall and straight (β) (μτφ.: *ήρωας, μαχητής*) steadfast
▷**στέκομαι ολόρθος** to stand bolt upright · (μτφ.) to stand firm

┌─ **ΛΕΞΗ-ΚΛΕΙΔΙ** ─┐
όλος, -η, -ο ΕΠΙΘ (α) (= *ολόκληρος*) all □**όλα τα παιδιά** all the children **έφαγες όλο σου το φαγητό;** did you eat all your food? · **όλη η**

ιδέα/η αλήθεια/το λεωφορείο the whole idea/truth/bus · **το σφάλμα είναι όλο δικό μου** the mistake is all mine · **σ' όλο αυτό το διάστημα** ... during all this time ...
▷**ο όλος** +ΟΥΣ the whole □**το όλο θέμα/το όλο πρόβλημα** the whole issue/problem
▷**όλοι μαζί** all together
▷**όλος-όλος, όλος κι όλος** in all (β) (= *γεμάτος*): **ήταν όλος χαρά** he was full of joy
▷**ήταν όλη λάσπες** she was covered in mud
▷**είμαι όλος αφτιά/χαμόγελα** to be all ears/all smiles
►**όλα** ΟΥΣ ΟΥΔ ΠΛΗΘ everything □**πάνω απ' όλα** above all · **πόσο είναι το σκορ; – τριάντα όλα** what's the score? – thirty all · **τα θέλει όλα δικά του** he wants everything ή it all for himself · **είναι ικανή για όλα** she's capable of anything
▷**καλά όλα αυτά, αλλά ...** that's all fine and dandy, but ..., that's all well and good, but ...
▷**με τα όλα μου** 100%, every inch □**είναι γυναίκα με τα όλα της!** she's every inch a woman!
▷**όλα κι όλα!** that's the limit!, that's it!
└───────────────────┘

ολοσέλιδος, -η, -ο ΕΠΙΘ (*εικονογράφηση, διαφήμιση*) full–page
ολοσκότεινος, -η, -ο ΕΠΙΘ (*χώρος, γραφείο*) pitch–black
ολόστεγνος, -η, -ο ΕΠΙΘ (*χέρι, δρόμος, ρούχο*) bone–dry
ολοστόλιστος, -η, -ο ΕΠΙΘ (*γυναίκα*) dripping in jewellery · (*δωμάτιο, σπίτι*) full of ornaments
ολοστρόγγυλος, -η, -ο ΕΠΙΘ (α) (*πρόσωπο, κύκλος*) perfectly round · (*φεγγάρι*) full (β) (μτφ.: = *παχουλός*) rotund
ολοσχερής, -ής, -ές ΕΠΙΘ (*διάλυση, ερήμωση, ικανοποίηση*) complete · (*εξόφληση*) full · (*καταστροφή*) unmitigated, complete
ολοσχερώς ΕΠΙΡΡ completely
ολόσωμος, -η, -ο ΕΠΙΘ (*πίνακας, φωτογραφία, φόρεμα, μαγιό*) full–length
ολοταχώς ΕΠΙΡΡ at full speed
▷**πρόσω ολοταχώς!** (ΝΑΥΤ) full speed ahead!
ολότελα ΕΠΙΡΡ completely
ολότητα ΟΥΣ ΘΗΛ entirety
ολοφάνερα ΕΠΙΡΡ (*τείνω, ασχολούμαι*) obviously · (*αποδεικνύω*,) conclusively
ολοφάνερος, -η, -ο ΕΠΙΘ (*αμηχανία, δυσαρέσκεια, συγκίνηση*) obvious · (*ψέμα*) blatant · (*απόδειξη, δυνατότητα*) clear
▷**είναι ολοφάνερο ότι** it is glaringly ή blatantly obvious that
ολόφωτος, -η, -ο ΕΠΙΘ (*δρόμος, πόλη*) illuminated · (*μέρα*) bright
ολόχρυσος, -η, -ο ΕΠΙΘ (α) (*θρόνος*) solid gold, of pure gold · (*ρολόι*) solid gold · (*φόρεμα*) gold (β) (μτφ.: *μαλλιά*) golden
ολόψυχα ΕΠΙΡΡ (*εύχομαι, επιθυμώ*) with all

one's heart

ολόψυχος, -η, -ο ΕΠΙΘ *(επιθυμία, ευχή)* wholehearted

Ολυμπία ΟΥΣ ΘΗΛ Olympia

Ολυμπιάδα ΟΥΣ ΘΗΛ Olympiad

ολυμπιακός, -ή, -ό ΕΠΙΘ (α) (= *σχετικός με την Ολυμπία*) of ή from Olympia, Olympian (β) *(στάδιο, χωριό)* Olympic

► **ολυμπιακή ιδέα** Olympic idea

► **ολυμπιακή φλόγα** Olympic flame

► **Ολυμπιακοί Αγώνες** Olympic games

► **Ολυμπιακή** ΟΥΣ ΘΗΛ *(επίσης **Ολυμπιακή Αεροπορία**)* Olympic Airways

► **Ολυμπιακός** ΟΥΣ ΑΡΣ *(ομάδα)* Olympiakos

ολυμπιονίκης ΟΥΣ ΑΡΣΘΗΛ Olympic medallist *(Βρετ.)* ή medalist *(Αμερ.)*

ολύμπιος, -α, -ο ΕΠΙΘ *(κυριολ., μτφ.)* Olympian

Όλυμπος ΟΥΣ ΑΡΣ Mount Olympus

όλως διόλου ΕΠΙΡΡ completely

ομ ΟΥΣ ΟΥΔ ΑΚΛ (ΦΥΣ) = **ωμ**

ομάδα ΟΥΣ ΘΗΛ (α) *(ατόμων, μαθητών)* group · *(προσκόπων)* troop · *(ασκήσεων, προβλημάτων)* set (β) *(έρευνας, επιστημόνων, ειδικών)* team · *(δράσης)* group (γ) (ΑΘΛ) team

▷ **κατά ομάδες** in groups

► **κοινοβουλευτική ομάδα** parliamentary group

► **ομάδα αίματος** blood group

► **ομάδα διάσωσης** rescue party

► **ομάδα ελέγχου** control group

► **ομάδα εργασίας** working group ή party *(Βρετ.)*

► **ομάδα πίεσης** pressure group, ginger group

ομαδάρχης ΟΥΣ ΑΡΣ *(προσκόπων)* scoutmaster

ομαδάρχισσα ΟΥΣ ΘΗΛ *βλ.* **ομαδάρχης**

ομαδικός, -ή, -ό ΕΠΙΘ (α) *(πνεύμα)* team (β) *(προσπάθεια)* joint · *(εργασία, άθλημα)* team · *(έξοδος, αυτοκτονία, αποχώρηση)* mass · *(έκθεση)* collective · *(πυρά)* grouped · *(επίθεση)* concerted · *(αντίδραση)* common

ομαδοποίηση ΟΥΣ ΘΗΛ grouping

ομαλοποίηση ΟΥΣ ΘΗΛ *(σχέσεων, κατάστασης)* normalization

ομαλοποιώ Ρ Μ to normalize

ομαλός, -ή, -ό ΕΠΙΘ (α) *(δρόμος)* smooth · *(επιφάνεια)* even (β) *(μτφ.: ρυθμός, αναπνοή, βελτίωση)* regular (γ) *(λειτουργία, πορεία, κυκλοφορία)* normal · *(σχέση)* steady · *(περίοδος)* routine (δ) (ΓΛΩΣΣ) regular

ομαλότητα ΟΥΣ ΘΗΛ (α) *(δρόμου)* smoothness · *(επιφάνειας)* evenness (β) *(μτφ.: ρυθμού, αναπνοής, βελτίωσης)* regularity (γ) *(κατάστασης)* normality · *(σχέσης)* steadiness

ομελέτα ΟΥΣ ΘΗΛ omelette *(Βρετ.)*, omelet *(Αμερ.)*

ομήγυρη ΟΥΣ ΘΗΛ circle, group

ομηρεία ΟΥΣ ΘΗΛ captivity

ομηρικός, -ή, -ό ΕΠΙΘ Homeric

► **ομηρικός καβγάς** heated argument

► **ομηρικό ζήτημα** Homeric question *(regarding the authorship of the Iliad and the Odyssey)*

Όμηρος ΟΥΣ ΑΡΣ Homer

όμηρος ΟΥΣ ΑΡΣΘΗΛ hostage

▷ **κρατώ κπν όμηρο** to hold sb hostage

όμικρον ΟΥΣ ΟΥΔ ΑΚΛ omicron, *fifteenth letter of the Greek alphabet*

ομιλητής ΟΥΣ ΑΡΣ (α) (= *αυτός που μιλά*) speaker (β) *(διάλεξης)* lecturer

▷ **δεινός ομιλητής** brilliant speaker

ομιλητικός, -ή, -ό ΕΠΙΘ talkative

ομιλητικότητα ΟΥΣ ΘΗΛ talkativeness

ομιλήτρια ΟΥΣ ΘΗΛ *βλ.* **ομιλητής**

ομιλία ΟΥΣ ΘΗΛ (α) *(συγγραφέα)* talk · *(πρωθυπουργού, προέδρου)* speech · *(καθηγητή)* lecture (β) (= *συνομιλία*) conversation (γ) (= *τρόπος έκφρασης*) speech

▷ **ακούω ομιλίες** I can hear people talking

όμιλος ΟΥΣ ΑΡΣ (α) (= *παρέα*) group (β) (= *σύλλογος*) club · *(μουσικός, θεατρικός)* society (γ) (ΟΙΚΟΝ) combine

► **αθλητικός όμιλος** sports club

► **θεατρικός όμιλος** dramatic society

ομιλώ ① Ρ ΑΜ *(επίσ.)* to speak ② Ρ Μ *(Αγγλικά, Ελληνικά)* to speak · *βλ. κ.* **μιλώ**

ομιλών, -ούσα, -ούν ΕΠΙΘ *(επίσ.)* speaker

ομίχλη ΟΥΣ ΘΗΛ (α) *(καταχνιά)* mist · *(πυκνή)* fog (β) *(μτφ.: = ασαφής κατάσταση)* obscurity, fog

► **σήμα ομίχλης** foghorn

► **φώτα ομίχλης** fog lights

ομιχλώδης, -ης, -ες ΕΠΙΘ (α) *(ατμόσφαιρα, πρωινό, τοπίο)* misty · *(πιο πυκνός)* foggy (β) *(μτφ.: πολιτική)* ill–defined · *(διατύπωση)* vague

ομοβροντία ΟΥΣ ΘΗΛ salvo

ομογάλακτος, -η, -ο ΕΠΙΘ *(αδελφός)* foster

ομογένεια ΟΥΣ ΘΗΛ (α) (= *ομοεθνία*) common ancestry (β) *(Αμερικής, Αυστραλίας)* expatriate community

ομογενής, -ής, -ές ΕΠΙΘ (α) (= *ομοεθνής*) of the same nationality (β) *(μείγμα, κοινωνία)* homogenous

► **ομογενής** ΟΥΣ ΑΡΣΘΗΛ expatriate Greek

ομογενοποιημένος, -η, -ο ΕΠΙΘ:

ομογενοποιημένο γάλα homogenized milk

ομόγλωσσος, -η, -ο ΕΠΙΘ speaking the same language

ομοεθνής, -ής, -ές ΟΥΣ ΑΡΣΘΗΛ of the same nationality

ομοειδής, -ής, -ές ΕΠΙΘ *(αντικείμενα)* similar

ομόθρησκος, -η, -ο ΕΠΙΘ of the same religion

ομοθυμία ΟΥΣ ΘΗΛ unanimity

ομόθυμος, -η, -ο ΕΠΙΘ unanimous

όμοια ΕΠΙΡΡ similarly

▷ **δεν είμαστε ίσα κι όμοια** we are not equals

ομοιάζω Ρ ΑΜ = **μοιάζω**

ομοϊδεάτης ΟΥΣ ΑΡΣ like–minded person
ομοϊδεάτισσα ΟΥΣ ΘΗΛ *βλ.* **ομοϊδεάτης**
ομοιογένεια ΟΥΣ ΘΗΛ homogeneity
ομοιογενής, -ής, -ές ΕΠΙΘ homogeneous
ομοιοκατάληκτος, -η, -ο ΕΠΙΘ rhyming
ομοιοκαταληκτώ Ρ ΑΜ to rhyme
ομοιοκαταληξία ΟΥΣ ΘΗΛ rhyme
ομοιομέρεια ΟΥΣ ΘΗΛ homogeneity
ομοιομερής, -ής, -ές ΕΠΙΘ *(σύνολο)*
homogenous
ομοιομορφία ΟΥΣ ΘΗΛ uniformity
ομοιόμορφος, -η, -ο ΕΠΙΘ *(στολές, κτήρια)*
identical, the same · *(σύνολο)* uniform ·
(κατανομή) equal · *(κίνηση)* smooth
ομοιοπαθής, -ής, -ές ΕΠΙΘ: **είμαι**
ομοιοπαθής to be a fellow sufferer
ομοιοπαθητικός, -ή, -ό ΕΠΙΘ *(ουσίες)*
homoeopathic *(Βρετ.)*, homeopathic *(Αμερ.)*
▸**ομοιοπαθητική** ΟΥΣ ΘΗΛ homoeopathy
(Βρετ.), homeopathy *(Αμερ.)*
▸**ομοιοπαθητικός** ΟΥΣ ΑΡΣ/ΘΗΛ homoeopath
(Βρετ.), homeopath *(Αμερ.)*
όμοιος, -α, -ο ΕΠΙΘ *(α)* (= *ίδιος*) similar, the
same · *(δίδυμοι)* identical *(β)* (= *ισάξιος*)
equal
▷**είμαι όμοιος με κτ** to be the same as *ή*
similar to sth
▷**είναι όμοιοι μεταξύ τους** they're identical,
they're very much alike
▷**είναι όμοιος με τον πατέρα του** he's just
like his father
ομοιότητα ΟΥΣ ΘΗΛ *(α)* *(ανθρώπων)*
resemblance · *(μορφών, αντικειμένων)*
similarity *(β)* *(συστημάτων, ιδεολογιών)*
similarity
ομοιοτυπία ΟΥΣ ΘΗΛ *(α)* *(κειμένου, έργου)*
similarity *(β)* *(πίνακα, γλυπτού)*
reproduction
ομοιότυπος, -η, -ο ΕΠΙΘ *(α)* *(κείμενο, έργο)*
similar *(β)* *(πίνακας, γλυπτό)* reproduction
▸**ομοιότυπο** ΟΥΣ ΟΥΔ reproduction
ομοιοχρωμία ΟΥΣ ΘΗΛ camouflage
ομοιόχρωμος, -η, -ο ΕΠΙΘ camouflaged
ομοίωμα ΟΥΣ ΟΥΔ effigy
▷**μουσείο κέρινων ομοιωμάτων** wax museum
ομοιωματικά ΟΥΣ ΟΥΔ ΠΛΗΘ inverted commas
ομοίως ΕΠΙΡΡ *(α)* (= *με όμοιο ή ανάλογο*
τρόπο) similarly *(β)* (= *παρομοίως*) too
▷**(κι εγώ) ομοίως** me too
ομόκεντρος, -η, -ο ΕΠΙΘ concentric
ομολογητής ΟΥΣ ΑΡΣ confessor
ομολογήτρια ΟΥΣ ΘΗΛ *βλ.* **ομολογητής**
ομολογία ΟΥΣ ΘΗΛ *(α)* (= *προφορική*
παραδοχή) admission, confession · (= *γραπτή*
παραδοχή) confession *(β)* (ΟΙΚΟΝ) bond
▷**κατά κοινή/γενική ομολογία** by common/
general consent
▸**ομολογία (πίστεως)** (ΘΡΗΣΚ) confession of
faith
ομολογιακός, -ή, -ό ΕΠΙΘ (ΟΙΚΟΝ: *δάνειο,*

κεφάλαιο) bond
ομόλογος, -η, -ο ΕΠΙΘ *(α)* *(πλευρές,*
δικαίωμα) equal · *(σχήματα, σημεία)*
corresponding *(β)* *(για δημόσιο πρόσωπο με*
αρμοδιότητες) counterpart
▸**ομόλογο** ΟΥΣ ΟΥΔ *(τράπεζας)* bond ·
(Δημοσίου) stock
ομολογουμένως ΕΠΙΡΡ *(επίσ.)* admittedly
ομολογώ ① Ρ Μ *(α)* *(πράξη)* to admit to ·
(αλήθεια, ενοχή) to admit · *(έγκλημα)* to
confess (to) *(β)* (= *παραδέχομαι*) to admit
(γ) (ΘΡΗΣΚ) to confess
② Ρ ΑΜ to own up · *(φυλακισμένος,*
κρατούμενος) to confess
▸**ομολογείται** ΜΕΣΟΠΑΘ ΤΡΙΤΟΠΡΟΣ
(= *αναγνωρίζεται*): **ομολογείται πως** it is
generally admitted that
ομομήτριος, -α, -ο ΕΠΙΘ born of the same
mother
ομόνοια ΟΥΣ ΘΗΛ harmony
ομονοώ Ρ ΑΜ *(α)* (= *συμφωνώ*) to agree
(β) *(λαός, πολίτες)* to be united
ομοπάτριος, -α, -ο ΕΠΙΘ with the same
father
όμορος, -η, -ο ΕΠΙΘ *(επίσ.)* neighbouring
(Βρετ.), neighboring *(Αμερ.)*
ομόρρυθμος, -η, -ο ΕΠΙΘ (ΑΡΧΑΙΟΛ) of the
same order
▸**ομόρρυθμος εταιρεία** general partnership
όμορφα ΕΠΙΡΡ *(α)* (= *ωραία: μιλώ, γράφω*)
nicely, well · *(κυλώ)* well · *(επιπλωμένο)*
nicely *(β)* (= *φρόνιμα: κάθομαι*) quietly ·
(συμπεριφέρομαι) well
▷**όμορφα-όμορφα** happily
ομορφάδα ΟΥΣ ΘΗΛ *(λογοτ.)* = **ομορφιά**
ομορφαίνω ① Ρ Μ (= *κάνω όμορφο*) to make
more beautiful
② Ρ ΑΜ *(άντρας)* to become *ή* grow more
handsome · *(γυναίκα)* to become *ή* grow
more beautiful
▷**αυτά τα ρούχα σε ομορφαίνουν** you look
nice in those clothes
ομορφάνθρωπος ΟΥΣ ΑΡΣ handsome man
ομορφάντρας ΟΥΣ ΑΡΣ handsome man
ομορφιά ΟΥΣ ΘΗΛ beauty · *(νεαρού, άντρα)*
good looks
▷**είμαι στις ομορφιές μου** to look lovely
▷**ψυχική ομορφιά** inner beauty
ομορφογυναίκα ΟΥΣ ΘΗΛ beautiful woman,
beauty
ομορφονιά ΟΥΣ ΘΗΛ *βλ.* **ομορφονιός**
ομορφονιός ΟΥΣ ΑΡΣ *(α)* (= *όμορφος νεαρός*)
handsome young man *(β)* (*ειρων.*) dandy
όμορφος, -η, -ο ΕΠΙΘ *(α)* *(γυναίκα,*
περιβάλλον, πόλη, σπίτι) beautiful · *(κορίτσι)*
pretty · *(νέος)* handsome *(β)* *(αναμνήσεις,*
λόγια) beautiful · *(εποχή, χρόνια)* wonderful
(γ) *(καιρός, κλίμα)* beautiful, lovely
ομορφούλης, -α, -ικο ΕΠΙΘ *(χαϊδευτ.)* pretty
ομοσπονδία ΟΥΣ ΘΗΛ federation
ομοσπονδιακός, -ή, -ό ΕΠΙΘ *(κυβέρνηση,*

στρατός, δυνάμεις, κράτος, σύστημα) federal ·
(προπονητής, τεχνικός) national

ομόσπονδος, -η, -ο ΕΠΙΘ (κρατίδιο, χώρα,
δημοκρατίες) confederate

ομοταξία ΟΥΣ ΘΗΛ (ΒΙΟΛ) class

ομότεχνος, -η, -ο ΕΠΙΘ practising the same
craft

ομότιμος, -η, -ο ΕΠΙΘ (αξιωματούχος,
διευθυντής) of equivalent rank
► **ομότιμος καθηγητής/καθηγήτρια** Emeritus
Professor

ομοτράπεζος, -η, -ο ΕΠΙΘ at the same table

ομόφρων, -ων, -ον ΕΠΙΘ like–minded

ομόφυλος, -η, -ο ΕΠΙΘ (α) (= που ανήκει στο
ίδιο φύλο) of the same sex (β) (= ομοεθνής)
of the same nationality

ομοφυλοφιλία ΟΥΣ ΘΗΛ homosexuality

ομοφυλόφιλος, -η, -ο ΕΠΙΘ homosexual, gay

ομόφωνα ΕΠΙΡΡ unanimously

ομοφωνία ΟΥΣ ΘΗΛ (α) (απόψεων,
φρονημάτων) consensus (β) (ΜΟΥΣ)
homophony

ομόφωνος, -η, -ο ΕΠΙΘ (α) (απόφαση,
αντίδραση, επιλογή, αποδοχή) unanimous
(β) (ΜΟΥΣ) homophonic

ομοφώνως ΕΠΙΡΡ = **ομόφωνα**

ομοψυχία ΟΥΣ ΘΗΛ unity
▷ **εθνική ομοψυχία** national unity

ομπρέλα ΟΥΣ ΘΗΛ (= αλεξιβρόχιο) umbrella ·
(= αλεξήλιο) parasol

ομπρελοθήκη ΟΥΣ ΘΗΛ umbrella stand

ομφάλιος, -α, -ο ΕΠΙΘ umbilical

ομφαλοκήλη ΟΥΣ ΘΗΛ umbilical hernia

ομφαλός ΟΥΣ ΑΡΣ navel, belly button (ανεπ.)
▷ **ο ομφαλός της γης** (μτφ.) Delphi

ομωνυμία ΟΥΣ ΘΗΛ homonymy

ομώνυμος, -η, -ο ΕΠΙΘ (έργο) of the same
name
► **ομώνυμες λέξεις** homonyms

όμως ΣΥΝΔ (= αλλά) but
▷ **δεν τον μισώ ούτε όμως και τον αγαπώ** I
don't hate him, but I don't love him either
▷ **και όμως** (για αντίθεση) and yet · (ως
αρνητική απάντηση) on the contrary

ον ΟΥΣ ΟΥΔ being
► **ανθρώπινο ον** human being

όναγρος ΟΥΣ ΑΡΣ wild ass

ονειδίζω Ρ Μ (επίσ.) (α) (= κατηγορώ) to
blame (β) (= χλευάζω) to jeer at, to scoff at
(γ) (= ντροπιάζω) to put to shame

ονειδισμός ΟΥΣ ΑΡΣ (επίσ.) (α) (= μομφή)
blame, opprobrium (επίσ.) (β) (= χλευασμός)
derision (γ) (= ντροπή) shame

όνειδος ΟΥΣ ΟΥΔ (επίσ.) (α) (= ντροπή) shame
(β) (= ό, τι επιφέρει ντροπή) disgrace

ονειρεμένος, -η, -ο ΕΠΙΘ (ζωή, τοπίο)
fairy–tale · (πλούτη) undreamed–of ·
(διακοπές, μέρες) fantastic

ονειρεύομαι ① Ρ Μ ΑΠΟΘ (α) (= βλέπω σε
όνειρο) to dream of ή about

(β) (= δημιουργώ με τη φαντασία) to dream
up
② Ρ ΑΜ ΑΠΟΘ (α) (= βλέπω όνειρο) to dream
(β) (μτφ.) to daydream
▷ **ονειρεύομαι να κάνω κτ** to dream of doing
sth

ονειρικός, -ή, -ό ΕΠΙΘ (α) (κατάσταση)
dream (β) (μτφ.: ζωή, τοπίο) fairy–tale ·
(κατάσταση, ατμόσφαιρα) dreamy

όνειρο ΟΥΣ ΟΥΔ (κυριολ., μτφ.) dream
▷ **βλέπω όνειρο** to have a dream
▷ **ήταν μια εκδρομή όνειρο** it was a dream
holiday
▷ **όνειρα γλυκά** sweet dreams!
▷ **όνειρο θερινής νυκτός** pie in the sky

ονειροκρίτης ΟΥΣ ΑΡΣ (α) (= ονειρομάντης)
interpreter of dreams (β) (βιβλίο) dream
book

ονειρομαντεία ΟΥΣ ΘΗΛ interpretation of
dreams

ονειρομάντης ΟΥΣ ΑΡΣ interpreter of dreams

ονειροπαρμένος, -η, -ο ΕΠΙΘ (ειρων.) living
in a dream world, starry–eyed

ονειροπόληση ΟΥΣ ΘΗΛ (α) (= περιπλάνηση
με τη φαντασία) daydream (β) (= όνειρα για
το μέλλον) prophetic dream

ονειροπόλος, -α ή **-ος, -ο** ΕΠΙΘ (α) (ύφος,
έκφραση, βλέμμα) dreamy (β) (άνθρωπος,
κορίτσι, αγόρι) in a world of one's own
► **ονειροπόλος** ΟΥΣ ΑΡΣ, **ονειροπόλα** ΟΥΣ ΘΗΛ
dreamer

ονειροπολώ Ρ ΑΜ (α) (= περιπλανώμαι με τη
φαντασία) to daydream, to fantasize
(β) (= κάνω όνειρα για το μέλλον) to dream
of the future (γ) (= έχω απραγματοποίητες
επιθυμίες) to live in a dream world

ονειρώδης, -ης, -ες ΕΠΙΘ
(α) (= φανταστικός) dreamlike (β) (μτφ.:
διαδρομή, διάκοσμος, περιβάλλον) dream

ονείρωξη ΟΥΣ ΘΗΛ wet dream

ον-λάιν ΕΠΙΘ ΑΚΛ (συνομιλία, πωλήσεις)
on–line
▷ **είμαι ον-λάιν** to be on line

όνομα ΟΥΣ ΟΥΔ (α) (ανθρώπου, ζώου,
πράγματος) name (β) (= φήμη, υπόληψη)
name, reputation (γ) (ΓΛΩΣΣ) noun
▷ **αφήνω ή βγάζω ή κάνω όνομα** to make a
name for oneself
▷ **για όνομα του Θεού!** in God's ή heaven's
name
▷ **δίνω όνομα** to call
▷ **εν ονόματι** +γεν. in the name of
▷ **εξ ονόματος** +γεν. on behalf of
▷ **επ' ονόματι** +γεν. in the name of
▷ **έχω καλό/κακό όνομα** to have a good/bad
name ή reputation
▷ **έχω κτ στ' όνομά μου** to have sth in one's
name
▷ **κάλλιο να σου βγει το μάτι παρά τ' όνομα**
there is nothing worse than having a bad
reputation
▷ **κατ' όνομα** in name

▷**όνομα και μη χωριό** mention no names
▷**όνομα και πρά(γ)μα** in every sense
▷**ονόματι** by the name of, called
►**μεγάλο όνομα** surname, family name
►**μικρό όνομα** first name
►**πατρικό όνομα** maiden name
ονομάζω Ρ Μ (α) (= *δίνω όνομα*) to call
(β) (= *κατονομάζω*) to mention by name ·
(*συνενόχους*) to name (γ) (*διάδοχο*) to name
►**ονομάζομαι** ΜΕΣΟΠΑΘ (= *λέγομαι*) to be called
▷**πως ονομάζεστε;** what is your name?
ονομασία ΟΥΣ ΘΗΛ (α) (= *όνομα*) name
(β) (= *απόδοση ονόματος*) naming
(γ) (= *απόδοση τίτλου ή διορισμός σε αξίωμα*)
nomination
ονομαστικά, ονομαστικώς ΕΠΙΡΡ by name
ονομαστική ΟΥΣ ΘΗΛ nominative
ονομαστικός, -ή, -ό ΕΠΙΘ (*επιτόκια*)
nominal · (*κατάλογος*) of names
►**ονομαστική αξία** face value
►**ονομαστική εορτή** name day
ονομαστός, -ή, -ό ΕΠΙΘ (*γενικότ.*) famous,
well-known · (*γιατρός, επιστήμονας*)
reputable
ονοματεπώνυμο ΟΥΣ ΟΥΔ full name
ονοματίζω Ρ Μ (α) (= *ονομάζω*) to call
(β) (= *κατονομάζω*) to mention by name ·
(*συνενόχους*) to name
ονοματικός, -ή, -ό ΕΠΙΘ nominal
►**ονοματικό σύνολο** noun phrase
ονοματολογία ΟΥΣ ΘΗΛ terminology
ονοματοποιία ΟΥΣ ΘΗΛ onomatopoeia
όνος ΟΥΣ ΑΡΣ donkey · *βλ. κ.* **γάιδαρος**
όντας ΜΤΧ (*επίσ.*) being, when
οντολογία ΟΥΣ ΘΗΛ ontology
οντολογικός, -ή, -ό ΕΠΙΘ (*έρευνα, μελέτη*)
ontological
οντότητα ΟΥΣ ΘΗΛ (α) (= *ύπαρξη*) existence
(β) (= *ουσία*) matter (γ) (= *αυτοτελής
ύπαρξη*) entity (δ) (= *προσωπικότητα*)
personality
όντως ΕΠΙΡΡ indeed
ονυχοφαγία ΟΥΣ ΘΗΛ nail-biting
ονυχοφυΐα ΟΥΣ ΘΗΛ nail growth
οξεία ΟΥΣ ΘΗΛ acute accent
οξείδιο ΟΥΣ ΟΥΔ = **οξίδιο**
οξειδώνω Ρ Μ = **οξιδώνω**
οξείδωση ΟΥΣ ΘΗΛ = **οξίδωση**
οξίδιο ΟΥΣ ΟΥΔ oxide
οξιδώνω Ρ Μ (α) (= *αποσπώ ηλεκτρόνια από
στοιχείο*) to oxidize (β) (*σίδερο*) to rust
οξίδωση ΟΥΣ ΘΗΛ (α) (= *απόσπαση
ηλεκτρονίων από στοιχείο*) oxidization
(β) (*μετάλλων*) corrosion, rusting
οξιά ΟΥΣ ΘΗΛ beech (tree)
οξικός, -ή, -ό ΕΠΙΘ acetic
►**οξικό οξύ** acetic acid
όξινος, -η, -ο ΕΠΙΘ (α) (*επίσ.: = που έχει
γεύση ξιδιού*) vinegary, acidic (β) (ΧΗΜ)
acidic

►**όξινη βροχή** acid rain
οξοποιία ΟΥΣ ΘΗΛ vinegar production
οξύ ΟΥΣ ΟΥΔ acid
οξυά ΟΥΣ ΘΗΛ = **οξιά**
οξυγόνο ΟΥΣ ΟΥΔ (α) (ΧΗΜ) oxygen
(β) (= *καθαρός αέρας*) fresh air
►**κύκλος του οξυγόνου** (ΒΙΟΛ) oxygen cycle
►**μάσκα οξυγόνου** oxygen mask
οξυγονοκόλληση ΟΥΣ ΘΗΛ welding
οξυγονοκολλητής ΟΥΣ ΑΡΣ welder
οξυγονοκολλήτρια ΟΥΣ ΘΗΛ *βλ.*
οξυγονοκολλητής
οξυγονούχος, -ος, -ο ΕΠΙΘ oxygenated
►**οξυγονούχο ύδωρ** (ΦΑΡΜ) hydrogen
peroxide
οξυγονώνω Ρ Μ to oxygenate
οξυγόνωση ΟΥΣ ΘΗΛ oxygenation
οξυγώνιος, -α, -ο ΕΠΙΘ (α) (*κορυφή*) sharp
(β) (ΓΕΩΜ) acute-angled
οξυδέρκεια ΟΥΣ ΘΗΛ acumen
οξυδερκής, -ής, -ές ΕΠΙΘ perceptive
οξυζενέ ΟΥΣ ΟΥΔ ΑΚΛ hydrogen peroxide
οξύθυμος, -η, -ο ΕΠΙΘ short-tempered
οξύμωρος ΕΠΙΘ illogical
►**οξύμωρο** ΟΥΣ ΟΥΔ (*επίσης* **οξύμωρο σχήμα**)
oxymoron
οξύνοια ΟΥΣ ΘΗΛ perspicacity
οξύνους, -ους, -ουν ΕΠΙΘ perceptive
οξύνω Ρ Μ (α) (= *ακονίζω*) to sharpen
(β) (*μτφ.: νου*) to sharpen (γ) (*κατάσταση,
πρόβλημα, αντιθέσεις*) to aggravate · (*σχέσεις*)
to sour (δ) (*πόνο*) to intensify
▷**οξύνθηκαν τα πνεύματα** tempers frayed
►**οξύνομαι** ΜΕΣΟΠΑΘ to take an acute accent
οξύρρυχος, -η, -ο ΕΠΙΘ (= *που έχει μυτερή
μύτη*) with a pointed nose
►**οξύρρυχος** ΟΥΣ ΑΡΣ sturgeon
οξύς, -εία, -ύ ΕΠΙΘ (α) (= *μυτερός*) pointed
(β) (ΓΕΩΜ: *γωνία*) acute (γ) (*μτφ.: διένεξη,
λογομαχία*) heated · (*ανταγωνισμός,
συναγωνισμός*) keen · (*κριτική, απάντηση,
αντίδραση*) sharp · (*πρόβλημα, πόνος,
φλεγμονή, γαστρίτιδα*) acute · (*πυρετός*) high
(δ) (*αντίληψη*) keen (ε) (*βλέμμα, όραση,
ακοή*) keen, sharp · (*ήχος, φωνή*) strident
οξύτητα ΟΥΣ ΘΗΛ (α) (*λεπίδας, κόψης*)
sharpness (β) (*μτφ.: διαμάχης, διένεξης,
συνομιλίας*) heatedness · (*κριτικής, λόγων*)
severity (γ) (*σχέσεων, πολιτικού αγώνα*)
acrimony (δ) (*όσφρησης, ακοής, σκέψης*)
acuity (ε) (ΧΗΜ) acidity
οξύτονος, -η, -ο ΕΠΙΘ (α) (ΓΛΩΣΣ: *λέξη*) with
an acute accent on the last syllable, oxytone
(*επιστ.*) (β) (ΠΟΙΗΣ: *στίχος*) ending in an
accented syllable ή oxytone (*επιστ.*)
οξύφωνος, -η, -ο ΕΠΙΘ with a strident ή
high-pitched voice
►**οξύφωνος** ΟΥΣ ΑΡΣ (ΜΟΥΣ) tenor
οπαδός ΟΥΣ ΑΡΣ&ΘΗΛ (α) (*κόμματος*) follower ·
(*ιδέας*) adherent · (*ομάδας*) supporter

O

(β) (*αρνητ.*) fanatic

▷**φανατικός οπαδός** fan

οπαλίνα ΟΥΣ ΘΗΛ opaline

οπάλιο ΟΥΣ ΟΥΔ opal

όπερα ΟΥΣ ΘΗΛ (α) (= *μελόδραμα*) opera
(β) (*θέατρο*) opera (house)

οπερέτα ΟΥΣ ΘΗΛ operetta

οπή ΟΥΣ ΘΗΛ (*επίσ.*) aperture

όπιο ΟΥΣ ΟΥΔ (*κυριολ., μτφ.*) opium

οπιομανής ΟΥΣ ΑΡΣ&ΘΗΛ opium addict

οπιομανία ΟΥΣ ΘΗΛ opium addiction

οπισθάγκωνα ΕΠΙΡΡ = **πισθάγκωνα**

όπισθεν ΕΠΙΡΡ (*επίσ.*) behind

▸**όπισθεν** ΟΥΣ ΘΗΛ reverse

▷**βάζω (την) όπισθεν** to go into reverse

▷**κάνω όπισθεν** to reverse

οπίσθιος, -α, -ο ΕΠΙΘ (*επίσ.*: = *πισινός*) rear,
back

▸ **οπίσθια** ΟΥΣ ΟΥΔ ΠΛΗΘ (= *νώτα*) back *εν.* ·
(= *πισινά*) behind *εν.*, bottom *εν.*

▷**γυρίζω** ή **στρέφω τα οπίσθια σε κπν** to turn
one's back on sb

οπισθογεμής, -ής, -ές ΕΠΙΘ breech-loading

▸**οπισθογεμές όπλο** breech-loader

οπισθογράφηση ΟΥΣ ΘΗΛ endorsement

οπισθογραφώ Ρ Μ to endorse

οπισθοδρόμηση ΟΥΣ ΘΗΛ (α) (= *κίνηση προς
τα πίσω*) retreat (β) (*μτφ.*) regression

οπισθοδρομικός, -ή, -ό ΕΠΙΘ (*αντιλήψεις,
μέθοδος, τακτική*) retrogressive · (*άνθρωπος*)
backward–looking

▸**οπισθοδρομικός** ΟΥΣ ΑΡΣ, **οπισθοδρομική** ΟΥΣ
ΘΗΛ stick–in–the–mud

οπισθοδρομικότητα ΟΥΣ ΘΗΛ
retrogressiveness

οπισθοδρομώ Ρ ΑΜ (α) (= *οπισθοχωρώ*) to
retreat (β) (*μτφ.*) to be retrogressive

οπισθοφύλακας ΟΥΣ ΑΡΣ (α) (ΣΤΡΑΤ) *soldier
bringing up the rear of a column* (β) (ΑΘΛ)
full–back

οπισθοφυλακή ΟΥΣ ΘΗΛ rearguard

οπισθοχώρηση ΟΥΣ ΘΗΛ (α) (ΣΤΡΑΤ) retreat
(β) (*μτφ.*) step backwards

οπισθοχωρώ Ρ ΑΜ (α) (= *βαδίζω προς τα
πίσω*) to move back, to withdraw · (*με φρίκη*)
to recoil (β) (ΣΤΡΑΤ) to retreat (γ) (*μτφ.*) to
back down

οπίσω ΕΠΙΡΡ = **πίσω**

οπλή ΟΥΣ ΘΗΛ hoof

Προσοχή!: Ο πληθυντικός του hoof *είναι*
hoofs ή hooves.

οπλίζω Ρ Μ (α) (= *εξοπλίζω*) to arm (β) (*μτφ.*:
= *ενισχύω ψυχολογικά*) to arm (γ) (*όπλο*) to
load (δ) (*φωτογραφική μηχανή*) to wind on
(ε) (*μπετόν*) to reinforce

▷**οπλίζω το χέρι κποιου** to make sb take up a
gun

▷**οπλίζω κπν με θάρρος** to fill sb with
courage

▷**οπλίζομαι με κουράγιο** to pluck up the
courage

οπλισμός ΟΥΣ ΑΡΣ (α) (= *εξοπλισμός*) arming,
armament (β) (= *σύνολο όπλων και
πολεμοφοδίων*) arms *πληθ.*, armaments
πληθ. · (*ιπποτών*) armour (*Βρετ.*), armor
(*Αμερ.*)

▸**οπλισμός σκυροδέματος** reinforcement

οπλίτης ΟΥΣ ΑΡΣ soldier

όπλο ΟΥΣ ΟΥΔ (α) (*γενικότ.*) weapon ·
(*πυροβόλο*) gun · (*κυνηγετικό*) rifle (β) (*μτφ.*)
weapon

▷**κατaθέτω τα όπλα** (*κυριολ.*) to lay down
one's arms · (*μτφ.*) to throw in the towel

▷**στα όπλα!** to arms!

▷**υπό την απειλή όπλου** at gunpoint

▸**βιομηχανία όπλων** arms industry

οπλοπολυβόλο ΟΥΣ ΟΥΔ machine gun

οπλοπωλείο ΟΥΣ ΟΥΔ gun shop ή store

οπλοστάσιο ΟΥΣ ΟΥΔ (*κυριολ., μτφ.*) arsenal

οπλουργός ΟΥΣ ΑΡΣ gunsmith

οπλοφορία ΟΥΣ ΘΗΛ possession of a firearm

οπλοφορώ Ρ ΑΜ to carry a firearm

οπλοχρησία ΟΥΣ ΘΗΛ use of a firearm

οποίος, -α, -ο ΑΝΤΩΝ (α) (*με άρθρο: για
πρόσ.*) who · (*για ζώο, πράγμα*) which, that
(β) (*χωρίς άρθρο*) what a

όποιος, -α, -ο ΑΝΤΩΝ (α) (*για πρόσ.*: = *αυτός
που*) whoever (β) (*με άρθρο*) whatever, what
little

▷**όποιος κι αν** (*για πρόσ.*) whoever · (*για
πράγματα*) whichever

▷**όποιος κι όποιος** not just anybody

▷**πάρε όποιο θες!** take whichever one you
want!

**οποιοσδήποτε, οποιαδήποτε,
οποιοδήποτε** ΑΝΤΩΝ (*για πρόσ.*) whoever,
no matter who · (*για ζώα, πράγματα*)
whichever, no matter which · (*με άρθρο: για
πρόσ.*) anyone · (*για ζώα, πράγματα*) any

οπότε ΣΥΝΔ and then

όποτε ΣΥΝΔ (α) (= *όταν*) when (β) (= *κάθε
φορά που*) whenever

οποτεδήποτε ΕΠΙΡΡ any time ΣΥΝΔ whenever

όπου ΕΠΙΡΡ (α) (*για τόπο*) where (β) (*για
χρόνο*) when (γ) (*για κατάσταση ή
περίπτωση*) that

▷**όπου βρεθώ κι όπου σταθώ** (*ανεπ.*)
wherever I go

▷**όπου κι αν** wherever

▷**όπου να 'ναι** any time now

▷**όπου φύγει φύγει** to run for dear life

οπουδήποτε ΕΠΙΡΡ anywhere

▷**οπουδήποτε κι αν** wherever

οπτασία ΟΥΣ ΘΗΛ apparition

οπτική ΟΥΣ ΘΗΛ (α) (ΦΥΣ) optics *εν.*

Προσοχή!: Αν και το optics *φαίνεται ως
τύπος πληθυντικού, είναι ουσιαστικό
μόνο στον ενικό και συντάσσεται με
ρήμα στον ενικό.*

(β) (ΙΑΤΡ) ophthalmology **(γ)** (μτφ.) perspective

οπτικός, -ή, -ό ΕΠΙΘ (νεύρο) optic· (σήμα, έλεγχος) visual

▷**κατάστημα οπτικών** optician's, optician

▸**οπτική απάτη** optical illusion

▸**οπτική γωνία** (μτφ.) point of view

▸**οπτικό πεδίο** field of vision, visual field (επιστ.)

▸**οπτικός τύπος** person with a good visual memory

▸**οπτικά** ΟΥΣ ΟΥΔ ΠΛΗΘ optician's εν.

▸**οπτικός** ΟΥΣ ΑΡΣ⊕ΘΗΛ optician

οπτιμισμός ΟΥΣ ΑΡΣ optimism

οπτιμιστής ΟΥΣ ΑΡΣ optimist

οπτιμιστικός, -ή, -ό ΕΠΙΘ optimistic

οπτιμίστρια ΟΥΣ ΘΗΛ = **οπτιμιστής**

οπώρα ΟΥΣ ΘΗΛ (επίσ.) (piece of) fruit

οπωρικά ΟΥΣ ΟΥΔ ΠΛΗΘ fruit

οπωροκαλλιεργητής ΟΥΣ ΑΡΣ (επίσ.) fruit–grower

οπωροκηπευτικά ΟΥΣ ΟΥΔ ΠΛΗΘ fruit and vegetable growing

οπωροπωλείο ΟΥΣ ΟΥΔ greengrocer's

οπωροπώλης ΟΥΣ ΑΡΣ (επίσ.) greengrocer (Βρετ.), produce dealer (Αμερ.)

οπωροπώλισσα ΟΥΣ ΘΗΛ (επίσ.) = **οπωροπώλης**

οπωροφόρος, -α, -ο ΕΠΙΘ (δέντρο) fruit

οπωρώνας ΟΥΣ ΑΡΣ orchard

όπως[1] ΕΠΙΡΡ **(α)** (= με τον τρόπο που) as **(β)** (για παραλληλισμό: με δευτερεύουσα αναφορική πρόταση) as· (με ουσιαστικό, αντωνυμία) like

▷**έτσι είναι, όπως τα λες** it's just as you describe it

▷**είναι όμορφη όπως η μητέρα της** she's as beautiful as her mother, she's beautiful, just like her mother

▷**η τουαλέτα είναι όπως μπαίνεις δεξιά** the toilets are on your right as you go in

▷**θα βρεις την τράπεζα όπως πας στα εκατό μέτρα** carry on another hundred metres and you'll find the bank

▷**όπως αγαπάς** as you wish ή like

▷**όπως θες** as you want

▷**όπως και να το πάρει κανείς** whichever way you look at it

▷**όπως και να 'χει το πράγμα, όπως και να το κάνουμε** in any event ή case

▷**όπως-όπως** any old how

▷**όπως στρώσεις, θα κοιμηθείς** (παροιμ.) as you make your bed, so must you lie in it (παροιμ.)

▷**όπως και να το πάρει κανείς** whichever way you look at it

όπως[2] ΣΥΝΔ **(α)** (= ενώ) as **(β)** (επίσ.: = να) to

▷**κρυωμένος όπως ήμουν...** because I had a cold ή as I was full of cold, ...

οπωσδήποτε ΕΠΙΡΡ **(α)** (= με κάθε μέσο) come what may, no matter what **(β)** (= ούτως ή άλλως) in any event ή case **(γ)** (= βέβαια) certainly

όραμα ΟΥΣ ΘΗΛ (κυριολ., μτφ.) vision

οραματίζομαι [1] Ρ Μ ΑΠΟΘ (μέλλον) to envisage· (ειρήνη, ελευθερία, δικαιοσύνη) to dream of

[2] Ρ ΑΜ ΑΠΟΘ to have visions

οραματισμός ΟΥΣ ΑΡΣ vision εν.

οραματιστής ΟΥΣ ΑΡΣ visionary

οραματίστρια ΟΥΣ ΘΗΛ = **οραματιστής**

όραση ΟΥΣ ΘΗΛ (eye)sight, vision

▷**αδύνατη/μειωμένη όραση** poor/failing eyesight

ορατόριο ΟΥΣ ΟΥΔ oratorio

ορατός, -ή, -ό ΕΠΙΘ **(α)** (αντικείμενο) visible **(β)** (μτφ.: κίνδυνος, απειλή, συνέπεια) obvious

▷**ορατός δια γυμνού οφθαλμού** visible to the naked eye

ορατότητα ΟΥΣ ΘΗΛ visibility

οργανικός, -ή, -ό ΕΠΙΘ **(α)** (ΙΑΤΡ, ΒΙΟΛ, ΧΗΜ) organic **(β)** (ΜΟΥΣ) instrumental

▷**οργανική χημεία** organic chemistry

▸**οργανική θέση** permanent position ή post

οργανισμός ΟΥΣ ΑΡΣ **(α)** (ΒΙΟΛ) organism **(β)** (= κράση) constitution **(γ)** (υπηρεσία) organization

▸**διεθνής οργανισμός** international organization

▸**Ελληνικός Οργανισμός Τουρισμού** Greek tourist board

▸**κρατικός οργανισμός** government body

▸**Οργανισμός Ηνωμένων Εθνών** United Nations Organization

▸**Οργανισμός Σιδηροδρόμων Ελλάδος** Greek national railway company

▸**Οργανισμός Τηλεπικοινωνιών Ελλάδος** Greek national phone company

όργανο ΟΥΣ ΟΥΔ **(α)** (ΑΝΑΤ) organ **(β)** (= εργαλείο) instrument· (ΓΥΜΝΑΣΤ) equipment χωρίς πληθ. (κόμματος) executive· (οργανισμού) organ· (συλλόγου) committee **(δ)** (για εφημερίδα) organ **(ε)** (μτφ.: = μέσο) instrument· (αρνητ.) tool **(στ)** (ευφημ.) (male) organ **(ζ)** (ΜΟΥΣ) instrument· (εκκλησιαστικό) organ

▷**επίσημο όργανο** official organ

▷**όργανο της τάξεως** policeman

▸**όργανο ακριβείας** precision instrument

οργανοπαίκτης ΟΥΣ ΑΡΣ musician

οργαντίνα ΟΥΣ ΘΗΛ organdie (Βρετ.), organdy (Αμερ.)

οργανωμένος, -η, -ο ΕΠΙΘ **(α)** (γενικότ.) organized **(β)** (σε οργάνωση) signed–up

οργανώνω Ρ Μ (γενικότ.) to organize· (επιχείρηση, κράτος) to set up· (επανάσταση) to stage· (συνωμοσία) to hatch

▸**οργανώνομαι** ΜΕΣΟΠΑΘ **(α)** (= εντάσσομαι σε οργάνωση) to become a signed–up member (σε of) **(β)** (= βάζω πρόγραμμα) to get organized

οργάνωση ΟΥΣ ΘΗΛ **(α)** (γενικότ.) organization **(β)** (έκθεσης, λόγου) structure

▸**Παγκόσμια Οργάνωση Υγείας (Π.Ο.Υ.)** World Health Organization (WHO)
▸**συνδικαλιστική οργάνωση** trade union
▸**φιλανθρωπική οργάνωση** charity, charitable organization
οργανωτής ΟΥΣ ΑΡΣ organizer
οργανωτικός, -ή, -ό ΕΠΙΘ (α) (*προβλήματα, αλλαγή*) organizational · (*σύμβουλος, επιτροπή*) management (β) (*ικανότητα*) organizational · (*πνεύμα*) organized
οργανώτρια ΟΥΣ ΘΗΛ *βλ.* **οργανωτής**
οργασμός ΟΥΣ ΑΡΣ (α) (ΙΑΤΡ) orgasm (β) (*μτφ.*) climax
οργή ΟΥΣ ΘΗΛ rage, fury
▷**άει στην οργή!** to hell with him/it! (*ανεπ.*)
▷**δίνω τόπο στην οργή** to swallow one's anger
▷**να πάρει η οργή!** blast it! (*ανεπ.*)
▷**οργή Θεού** divine wrath
οργιά, οργυιά ΟΥΣ ΘΗΛ (α) (*μονάδα μήκους*) two arms' lengths (β) (ΝΑΥΤ) fathom
οργιάζω Ρ ΑΜ (α) (*κυριολ.*) to hold orgies (β) (*μτφ.: φαντασία*) to run wild · (*φήμες, φοροδιαφυγή, έγκλημα*) to be rife · (*βλάστηση*) to be luxuriant (γ) (*μτφ.: = κάνω καταπληκτικά πράγματα*) to perform brilliantly
οργιαστικός, -ή, -ό ΕΠΙΘ (α) (*νύχτα, γλέντι*) orgiastic (β) (*μτφ.: φήμες*) rife · (*βλάστηση*) luxuriant
οργίζω Ρ Μ to infuriate, to enrage
▸**οργίζομαι** ΜΕΣΟΠΑΘ to be furious
οργίλος, -η, -ο ΕΠΙΘ (α) (*βλέμμα, ύφος*) angry (β) (= *ευέξαπτος*) hot–tempered
όργιο ΟΥΣ ΟΥΔ (α) (= *ακολασία*) orgy (β) (*μτφ.: νοθείας*) spate · (*συναλλαγών, φημών*) flurry
▸**όργια** ΠΛΗΘ (= *μυστηριακές τελετές*) orgies
οργισμένος, -η, -ο ΕΠΙΘ irate, furious
όργωμα ΟΥΣ ΟΥΔ ploughing (*Βρετ.*), plowing (*Αμερ.*)
οργώνω Ρ Μ (α) (*γη*) to plough (*Βρετ.*), to plow (*Αμερ.*) (β) (*μτφ.: πόλη, χώρα*) to go all over
ορδή ΟΥΣ ΘΗΛ horde
ορέγομαι Ρ Μ ΑΠΟΘ (*πλούτο, τιμές*) to hanker after · (*ποτό, φαγητό*) to be dying for (*ανεπ.*)
ορειβασία ΟΥΣ ΘΗΛ mountaineering, climber
▷**κάνω ορειβασία** to go mountaineering *ή* climbing
ορειβάτης ΟΥΣ ΑΡΣ mountaineer, climber
ορειβατικός, -ή, -ό ΕΠΙΘ (*καταφύγιο*) mountain · (*σύλλογος, εξοπλισμός*) climbing, mountaineering
ορειβάτισσα ΟΥΣ ΘΗΛ = **ορειβάτης**
ορεινός, -ή, -ό ΕΠΙΘ (*περιοχή, χώρα, τοπίο*) mountainous · (*χωριό, κλίμα*) mountain
▸**ορεινά** ΟΥΣ ΟΥΔ ΠΛΗΘ highlands, mountainous regions
ορειχάλκινος, -η, -ο ΕΠΙΘ (*άγαλμα, γλυπτό*) bronze
ορείχαλκος ΟΥΣ ΑΡΣ bronze

ορεκτικός, -ή, -ό ΕΠΙΘ (*σαλάτα, μυρωδιές*) appetizing
▸**ορεκτικό ποτό** aperitif
▸**ορεκτικό** ΟΥΣ ΟΥΔ hors d'oeuvre, starter (*Βρετ.*), appetizer (*Αμερ.*)
ορεξάτος, -η, -ο ΕΠΙΘ (α) (= *κεφάτος*) cheerful (β) (= *που έχει έντονη διάθεση για κτ*) keen
όρεξη ΟΥΣ ΘΗΛ (α) (= *επιθυμία για φαγητό*) appetite (β) (= *διάθεση*) mood
▷**δεν έχω όρεξη για δουλειά/να βγω έξω** I don't feel like working/going out
▷**δεν έχω καμιά όρεξη να κάνω κτ** to be in no mood for doing sth
▷**έχω όρεξη για καυγά** to be looking for a fight
▷**η όρεξή μου τραβάει κτ** to feel like sth, to fancy sth (*Βρετ.*)
▷**καλή όρεξη!** enjoy your meal!
▷**ανοίγω την όρεξη κπιου** (*για φαγητό*) to give sb an appetite
▷**ανοίγω την όρεξη κπιου για κτ** (= *δημιουργώ προσδοκίες*) to give sb a taste for sth
▷**μου κόπηκε η όρεξη, χάλασε η όρεξή μου** I've lost my appetite
▷**περί ορέξεως ουδείς λόγος** there is no accounting for tastes
▷**τρώγοντας έρχεται η όρεξη** (*παροιμ.*) appetite comes with eating (*παροιμ.*)
ορεσίβιος, -α, -ο ΕΠΙΘ mountain–dwelling
ορθά, ορθώς ΕΠΙΡΡ (*κρίνω, εκτιμώ*) rightly
▷**ορθά-κοφτά** bluntly
▷**ορθά μιλάς** what you say is right
ορθάνοιχτος, -η, -ο ΕΠΙΘ wide open
όρθιος, -α, -ο ΕΠΙΘ (α) (*πλάτη*) straight · (*κορμί*) erect · (*στάση*) upright, erect (β) (*άνθρωπος, ζώο*) standing (up) (γ) (*στήλη, κολόνα*) upright (δ) (*δρόμος, στέγη*) steep
▷**δεν μπορώ να σταθώ όρθιος** to be dead on one's feet
▷**κοιμάμαι όρθιος** (= *νυστάζω πολύ*) to be asleep on one's feet · (*μτφ.*) to be not all there
▷**κρατώ όρθιο το κεφάλι μου** to hold one's head up
▷**όσο είμαι όρθιος θα δουλέψω** (*προφορ.*) as long as I can stand on my own two feet, I will work
▷**στέκομαι όρθιος** to stand (up)
ορθό ΟΥΣ ΟΥΔ (ΑΝΑΤ) rectum

Προσοχή!: Ο πληθυντικός του **rectum** *είναι* **rectums** *ή* **recta**.

▸**το ορθό** the right thing
ορθογραφία ΟΥΣ ΘΗΛ (α) (*λέξης*) correct spelling (β) (*μάθημα*) spelling lesson (γ) (*σύστημα*) spelling
▸**ιστορική ορθογραφία** old spelling
▸**φωνητική ορθογραφία** phonetic spelling
ορθογραφικός, -ή, -ό ΕΠΙΘ (*λάθος,*

μεταρρύθμιση) spelling

ορθογράφος ΟΥΣ ΑΡΣΘΗΛ good speller

ορθογώνιο ΟΥΣ ΟΥΔ rectangle

ορθογώνιος, -α, -ο ΕΠΙΘ rectangular
▸**ορθογώνιο παραλληλόγραμμο** rectangle, right–angled parallelogram
▸**ορθογώνιο τρίγωνο** right–angled triangle

ορθοδοντική ΟΥΣ ΘΗΛ orthodontics *εν.*

> *Προσοχή!: Αν και το* **orthodontics** *φαίνεται ως τύπος πληθυντικού, είναι ουσιαστικό μόνο στον ενικό και συντάσσεται με ρήμα στον ενικό.*

ορθοδοντικός, -ή, -ό ΕΠΙΘ (*μηχάνημα, ιατρείο*) orthodontic
▸**ορθοδοντικός** ΟΥΣ ΑΡΣΘΗΛ orthodontist

ορθοδοξία ΟΥΣ ΘΗΛ orthodoxy

ορθόδοξος, -η, -ο ΕΠΙΘ (α) (ΘΡΗΣΚ) Orthodox (β) (*πρακτική, μέθοδος*) orthodox
▸**Ορθόδοξη Εκκλησία** Orthodox Church
▸**ορθόδοξος** ΟΥΣ ΑΡΣ, **ορθόδοξη** ΟΥΣ ΘΗΛ person of the Orthodox faith

ορθοέπεια ΟΥΣ ΘΗΛ correct use of language

ορθολογικός, -ή, -ό ΕΠΙΘ rational

ορθολογισμός ΟΥΣ ΑΡΣ (α) (= *σκέψη ή κρίση σύμφωνα με τη λογική*) sound reasoning *χωρίς πληθ.* (β) (ΦΙΛΟΣ) rationalism

ορθολογιστής ΟΥΣ ΑΡΣ (α) (= *ο σκεπτόμενος σύμφωνα με τη λογική*) rational person (β) (= *οπαδός ορθολογισμού*) rationalist

ορθολογιστικός, -ή, -ό ΕΠΙΘ rationalistic

ορθολογίστρια ΟΥΣ ΘΗΛ = **ορθολογιστής**

ορθοπεδική, ορθοπαιδική ΟΥΣ ΘΗΛ orthopaedics *εν.* (*Βρετ.*), orthopedics *εν.* (*Αμερ.*)

> *Προσοχή!: Αν και το* **orthopaedics** *φαίνεται ως τύπος πληθυντικού, είναι ουσιαστικό μόνο στον ενικό και συντάσσεται με ρήμα στον ενικό.*

ορθοπεδικός, ορθοπαιδικός, -ή, -ό ΕΠΙΘ (*μηχάνημα, κλινική, παπούτσι*) orthopaedic (*Βρετ.*), orthopedic (*Αμερ.*)
▸**ορθοπεδικός, ορθοπαιδικός** ΟΥΣ ΑΡΣΘΗΛ orthopaedist (*Βρετ.*), orthopedist (*Αμερ.*)

ορθοποδώ Ρ ΑΜ (*εμπόριο, οικονομία*) to recover · (*άνθρωπος*) to get back on one's feet

ορθός, -ή, -ό ΕΠΙΘ (α) (*άνθρωπος*) standing (up) (β) (*λόγος, απόφαση*) right · (*κρίση, γνώμη*) sound
▸**στέκομαι ορθός** to stand (up)
▸**ορθή γωνία** right angle

ορθοστασία ΟΥΣ ΘΗΛ standing

ορθοστάτης ΟΥΣ ΑΡΣ (α) (*σκηνής*) pole · (*βιβλίων*) bookend (β) (*στέγης*) king post

ορθότητα ΟΥΣ ΘΗΛ (*κρίσης, άποψης*) soundness · (*απόφασης*) wisdom

ορθοφωνία ΟΥΣ ΘΗΛ (α) (= *σωστή άρθρωση των λέξεων*) elocution (β) (= *μέθοδος*

διδασκαλίας διόρθωσης) voice training · (= *μέθοδος ελάττωσης ή θεραπείας*) speech therapy

όρθρος ΟΥΣ ΑΡΣ matins *πληθ.*

ορθώνω Ρ Μ (α) (*τείχη, μνημείο, οδόφραγμα*) to put up, to erect (β) (*κορμί, πλάτη*) to hold straight, to straighten
▸**ορθώνομαι** ΜΕΣΟΠΑΘ (α) (*βράχος, κτήριο, στύλος*) to rise (β) (*μτφ.*: *έθνος, λαός*) to rise up
▷**ορθώνω το ανάστημά μου απέναντι κπν/κτ** to stand up against sb/sth

οριακός, -ή, -ό ΕΠΙΘ (α) (*αύξηση, σημείο*) marginal · (*πλειοψηφία*) narrow (β) (*μτφ.*: *κατάσταση*) critical

ορίζοντας ΟΥΣ ΑΡΣ (*κυριολ., μτφ.*) horizon
▸**σημεία του ορίζοντα** points of the compass

οριζόντιος, -α, -ο ΕΠΙΘ horizontal

οριζοντιώνω Ρ Μ to lay flat
▸**οριζοντιώνομαι** ΜΕΣΟΠΑΘ (*μτφ.*) to lie down · (*με γρίπη*) to be laid up in bed

οριζόντίωση ΟΥΣ ΘΗΛ lying down

ορίζουσα ΟΥΣ ΘΗΛ determinant

ορίζω Ρ Μ (α) (*ημερομηνία γάμου*) to set · (*τόπο συνάντησης*) to decide on (β) (*σύνορα*) to define · (*κτήμα*) to border (γ) (*εκπρόσωπο, μέλη*) to appoint · (*τιμές, δουλειά*) to set (δ) (= *επιλέγω*) to select (ε) (*ποινή*) to stipulate (στ) (*σπίτι, οικογένεια*) to be master of · (*περιουσία*) to have (ζ) (= *εξουσιάζω*) to rule over
▷**καλώς όρισες/ορίσατε!** welcome!

ορίστε ΕΠΙΦΩΝ: **ορίστε!** (*όταν δίνουμε κάτι*) here you are! · (*απάντηση σε κάλεσμα*) yes (please!)
▷**ορίστε;** (*για απορία, έκπληξη*) (I beg your) pardon?
▷**ορίστε, (κοίτα τι έκανες)!** now you've done it!, now look what you've done!
▷**ορίστε, (παρακαλώ)** (*σε τηλεφωνική συνδιάλεξη*) hello

όριο ΟΥΣ ΟΥΔ (α) (*αγρού, ιδιοκτησίας*) boundary · (*δήμου*) edge, boundary · (*χώρας*) border, frontier (β) (*εξουσίας, υπομονής*) limit
▷**ανώτατο όριο** upper limit, maximum
▷**κατώτατο ή ελάχιστο όριο** minimum
▷**υπερβαίνω τα όρια** to go too far
▷**φτάνω στα όριά μου** to be at the end of one's tether
▷**χρονικά όρια** time limit *εν.*
▸**όριο αντοχής** breaking point
▸**όριο ηλικίας** age limit
▸**όριο ταχύτητας** speed limit

ορισμένος, -η, -ο ΕΠΙΘ (α) (= *καθορισμένος: τιμή, ώρα*) set, fixed (β) (*συγκεκριμένος*) certain
▸**ορισμένοι, -ες, -α** ΠΛΗΘ some

ορισμένως ΕΠΙΡΡ definitely

ορισμός ΟΥΣ ΑΡΣ (α) (*λέξης*) definition · (*σε σταυρόλεξο*) clue (β) (*τιμής, χρονολογίας*) setting

▷**στους ορισμούς σας!** at your orders!

οριστική ΟΥΣ ΘΗΛ indicative

οριστικοποιώ Ρ Μ to finalize

οριστικός, -ή, -ό ΕΠΙΘ (α) *(απόφαση, λύση)* final · *(διακοπή)* definitive · *(απάντηση)* definite (β) *(αντωνυμία, άρθρο)* definite

ορκίζω Ρ Μ (α) *(φοιτητή, μάρτυρα)* to swear in (β) *(= ικετεύω)* to beg
▷**ορκίζω κπν να μην κάνει κτ** to make sb swear not to do sth
▸**ορκίζομαι** ΜΕΣΟΠΑΘ (α) *(άνθρωπος)* to swear (β) *(κυβέρνηση, Υπουργός, φοιτητές)* to be sworn in
▷**ορκίζομαι στη ζωή μου** to swear on one's life

ορκισμένος, -η, -ο ΕΠΙΘ *(εχθρός)* sworn

ορκοδοσία ΟΥΣ ΘΗΛ *(επίσ.)* swearing in

όρκος ΟΥΣ ΑΡΣ vow, oath
▷**όρκος της αγάπης** pledge of love
▷**όρκος σιωπής** vow of silence
▷**παίρνω όρκο** to swear
▷**πατώ τον όρκο μου** to break one's vow
▸**όρκος του Ιπποκράτη** Hippocratic oath

ορκωμοσία ΟΥΣ ΘΗΛ swearing in

ορκωτός, -ή, -ό ΕΠΙΘ *(= ένορκος)* bound by oath
▸**ορκωτό δικαστήριο** jury
▸**ορκωτός λογιστής** chartered accountant

ορμαθός ΟΥΣ ΑΡΣ (α) *(σύκων)* string · *(κλειδιών)* bunch (β) *(μτφ.: ανοησιών)* load · *(ψευδολογιών)* pack

ορμή ΟΥΣ ΘΗΛ (α) *(ανέμου, κυμάτων, χιονοστιβάδας)* force (β) (ΦΥΣ) momentum (γ) (ΨΥΧΟΛ) urge
▷**πέφτω με ορμή (πάνω) σε κπν/κτ** to rush at sb/sth
▷**ρίχνομαι με ορμή σε κπν/κτ** to charge at sb/sth
▷**το πλοίο έπεσε με ορμή επάνω στους βράχους** the ship was dashed against the rocks
▸**ορμές** ΠΛΗΘ sexual desire *εν.*

ορμήνεια ΟΥΣ ΘΗΛ advice *χωρίς πληθ.*

ορμηνεύω Ρ Μ: **ορμηνεύω κπν να κάνει κτ** *(= συμβουλεύω)* to advise sb to do sth · *(= καθοδηγώ)* to put sb up to doing sth

ορμήνια ΟΥΣ ΘΗΛ = **ορμήνεια**

ορμητήριο ΟΥΣ ΟΥΔ base (of operations)

ορμητικός, -ή, -ό ΕΠΙΘ *(άνεμος)* violent · *(νερά)* surging, raging · *(επίθεση)* all-out · *(χαρακτήρας)* impetuous

ορμητικότητα ΟΥΣ ΘΗΛ *(ανέμου)* violence · *(χαρακτήρα)* impetuousness, impetuosity

ορμίζω Ρ Μ to moor

ορμίσκος ΟΥΣ ΑΡΣ cove

ορμόνη ΟΥΣ ΘΗΛ hormone

ορμονικός, -ή, -ό ΕΠΙΘ hormonal

ορμονοθεραπεία ΟΥΣ ΘΗΛ hormone replacement therapy, HRT

όρμος ΟΥΣ ΑΡΣ bay

ορμώ Ρ ΑΜ (α) *(= κινούμαι προς τα εμπρός)* to rush forward · *(πλήθος)* to surge forward (β) *(= επιτίθεμαι)* to rush *(πάνω* at)
▸**ορμώμαι** ΜΕΣΟΠΑΘ to be driven *(από* by)

όρνιθα ΟΥΣ ΘΗΛ *(επίσ.)* fowl, hen

ορνιθοκομείο ΟΥΣ ΟΥΔ poultry farm

ορνιθολογία ΟΥΣ ΘΗΛ ornithology

ορνιθολόγος ΟΥΣ ΑΡΣ/ΘΗΛ ornithologist

ορνιθοπωλείο ΟΥΣ ΟΥΔ poultry market

ορνιθοσκαλίσματα ΟΥΣ ΟΥΔ ΠΛΗΘ scrawl *εν.*

ορνιθοτροφείο ΟΥΣ ΟΥΔ poultry farm

ορνιθοτροφία ΟΥΣ ΘΗΛ poultry farming

ορνιθοτρόφος ΟΥΣ ΑΡΣ/ΘΗΛ poultry farmer

ορνιθώνας ΟΥΣ ΑΡΣ (α) *(= ορνιθοτροφείο)* poultry farm (β) *(= κοτέτσι)* chicken coop, henhouse

όρνιο ΟΥΣ ΟΥΔ (α) *(= γύπας)* vulture (β) *(υβρ.)* dolt

ορντινάντσα ΟΥΣ ΘΗΛ orderly

οροθεσία, οροθέτηση ΟΥΣ ΘΗΛ demarcation

οροθετικός, -ή, -ό ΕΠΙΘ boundary
▸**οροθετική γραμμή** boundary line

οροθετώ Ρ Μ to determine the boundaries of

ορολογία ΟΥΣ ΘΗΛ terminology · *(επαγγελματική)* jargon

οροπέδιο ΟΥΣ ΟΥΔ plateau

> *Προσοχή!: Ο πληθυντικός του* plateau *είναι* plateaus *ή* plateaux*.*

ορός ΟΥΣ ΑΡΣ (α) (ΒΙΟΛ) pus (β) (ΙΑΤΡ) serum
▸**ορός της αλήθειας** lie detector

όρος¹ ΟΥΣ ΑΡΣ (α) *(= προϋπόθεση)* condition (β) *(= επιστημονική λέξη)* term (γ) *(πολυωνύμου, εξίσωσης, κλάσματος)* term
▷**βάζω όρο** to lay down a condition
▷**εφ' όρου ζωής** for life
▷**κατά μέσο όρο** on average
▷**μέσος όρος** average
▷**υπό ή με τον όρο ότι** on condition that
▸**όροι** ΠΛΗΘ *(δανείου, συνθήκης, συμβολαίου)* terms · *(διαβίωσης, εργασίας)* conditions
▷**άνευ όρων** *(παραδίδομαι)* unconditionally · *(παράδοση)* unconditional
▷**επί ίσοις όροις** on equal terms

όρος² ΟΥΣ ΟΥΔ *(επίσ.)* mountain · *(σε ονομασία)* Mount
▸**Άγιον Όρος** Mount Athos

οροσειρά ΟΥΣ ΘΗΛ mountain range

ορόσημο ΟΥΣ ΟΥΔ landmark

οροφή ΟΥΣ ΘΗΛ (α) *(δωματίου)* ceiling (β) *(σπιτιού, οχήματος)* roof (γ) *(μτφ.: μισθών)* ceiling

όροφος ΟΥΣ ΑΡΣ (α) *(σπιτιού, πολυκατοικίας)* floor, storey *(Βρετ.)*, story *(Αμερ.)*

> *Προσοχή!: Ο πληθυντικός του* storey *είναι* storeys *ή* stories*.*

(β) *(τούρτας)* tier

ορτανσία ΟΥΣ ΘΗΛ hydrangea

ορτύκι ΟΥΣ ΟΥΔ quail

όρυγμα ΟΥΣ ΟΥΔ (α) (= *τάφρος*) ditch
(β) (ΣΤΡΑΤ) trench

ορυζώνας ΟΥΣ ΑΡΣ rice *ή* paddy field

ορυκτέλαιο ΟΥΣ ΟΥΔ petroleum

ορυκτό ΟΥΣ ΟΥΔ mineral

ορυκτολογία ΟΥΣ ΘΗΛ mineralogy

ορυκτολογικός, -ή, -ό ΕΠΙΘ mineralogical

ορυκτολόγος ΟΥΣ ΑΡΣ&ΘΗΛ mineralogist

ορυκτός, -ή, -ό ΕΠΙΘ (*ύλη, πίσσα*) mineral
▸ **ορυκτό καύσιμο** fossil fuel
▸ **ορυκτός πλούτος** mineral wealth

ορυχείο ΟΥΣ ΟΥΔ mine

ορφανεύω Ρ ΑΜ to be orphaned

ορφάνια ΟΥΣ ΘΗΛ being an orphan

ορφανός, -ή, -ό ΕΠΙΘ (*παιδί*) orphaned
▷ **ορφανός από πατέρα/μητέρα** fatherless/
motherless
▸ **ορφανό** ΟΥΣ ΟΥΔ orphan

ορφανοτροφείο ΟΥΣ ΟΥΔ orphanage

ορχεκτομή ΟΥΣ ΘΗΛ castration · (*αλόγων*)
gelding

ορχήστρα ΟΥΣ ΘΗΛ orchestra
▸ **ορχήστρα τζαζ** jazz band

όρχις ΟΥΣ ΑΡΣ testicle

όρχος ΟΥΣ ΑΡΣ (ΣΤΡΑΤ) park

Ο.Σ.Ε. ΣΥΝΤΟΜ (= *Οργανισμός Σιδηροδρόμων
Ελλάδος*)

οσιομάρτυρας ΟΥΣ ΑΡΣ&ΘΗΛ holy martyr

όσιος, -ία, -ιο ΕΠΙΘ saint, sainted

οσιότητα ΟΥΣ ΘΗΛ sanctity

Όσλο ΟΥΣ ΟΥΔ Oslo

οσμή ΟΥΣ ΘΗΛ smell, odour (*Βρετ.*), odor
(*Αμερ.*)

οσμίζομαι Ρ Μ ΑΠΟΘ (*κυριολ.*) to smell ·
(*ναρκωτικές ουσίες*) to sniff out · (*μτφ.*:
κακοτοπιές) to sniff out

όσμωση ΟΥΣ ΘΗΛ = **ώσμωση**

όσο ΕΠΙΡΡ (α) (= *στον βαθμό που: πίνω, τρώω,
αγαπώ*) as much as · (*μένω*) as long as ·
(*προσπαθώ*) as hard as (β) (= *μέχρι*) until,
till · (*για προθεσμία*) by the time · (= *κατά τον
χρόνο που*) during, when
▷ **όσο για** as for
▷ **όσο κι αν** *ή* **και να** no matter how much,
however much
▷ **όσο να 'ναι** (*καταφατική απάντηση*) in any
case
▷ **όσο πιο πολύ ... τόσο περισσότερο** the
more ... the more
▷ **όσο περισσότερο ... τόσο λιγότερο** the
more ... the less
▷ **όσο πιο λίγο ... τόσο λιγότερο** the less ...
the less
▷ **όσον αφορά σε** as far as ... is concerned
▷ **πουλώ κτ όσο-όσο** to sell sth for next to
nothing

όσος, -η, -ο ΑΝΤΩΝ (α) (= *ίδιος με άλλον: με
μη αριθμητό ουσιαστικό*) as much as · (*με
αριθμητό ουσιαστικό*) as many as
(β) (= *καθένας*) anybody, anyone

▷ **όσος και να** *ή* **κι αν** (*με μη αριθμητό
ουσιαστικό*) however much, no matter how
much · (*με αριθμητό ουσιαστικό*) however
many, no matter how many
▸ **όσα** ΟΥΣ ΟΥΔ ΠΛΗΘ all, everything
▷ **καταστράφηκαν όσα είχα και δεν είχα**
everything *ή* all I had was destroyed

οσοδήποτε, οσηδήποτε, οσοδήποτε
ΑΝΤΩΝ (= *τόσος όσος*: *με μη αριθμητά
ουσιαστικά*) as much · (*με ουσιαστικά στον
πληθυντικό*) as many
▷ **οσοσδήποτε κι αν** (*με μη αριθμητά
ουσιαστικά*) no matter how much · (*με
ουσιαστικά στον πληθυντικό*) no matter how
many
▷ **μένω οσοδήποτε θέλω** to stay as long as
one wants
▷ **παίρνω οσοδήποτε θέλω** to take as many as
one wants
▷ **τρώω οσοδήποτε θέλω** to eat as much as
one wants

όσπρια ΟΥΣ ΟΥΔ ΠΛΗΘ pulses

οστέινος, -η, -ο ΕΠΙΘ bone

οστεοαρθρίτιδα ΟΥΣ ΘΗΛ osteoarthritis

οστεογένεση ΟΥΣ ΘΗΛ osteogenesis (*επιστ.*),
bone formation

οστεολογία ΟΥΣ ΘΗΛ osteology

οστεοπάθεια ΟΥΣ ΘΗΛ bone disease

οστεοπόρωση ΟΥΣ ΘΗΛ osteoporosis

οστεοφυλάκιο ΟΥΣ ΟΥΔ ossuary

οστεώδης, -ης, -ες ΕΠΙΘ (α) (= *οστέινος*)
bone, osseous (*επιστ.*) (β) (= *κοκαλιάρης*:
πρόσωπο, χέρι) bony

όστια ΟΥΣ ΘΗΛ (ΘΡΗΣΚ) Host

οστικός, -ή, -ό ΕΠΙΘ bone

οστό, οστούν ΟΥΣ ΟΥΔ (*επίσ.*) bone

οστρακιά ΟΥΣ ΘΗΛ scarlet fever

όστρακο ΟΥΣ ΟΥΔ (α) (*χελώνας, κάβουρα*)
shell (β) (ΑΡΧΑΙΟΛ) potsherd, ostracon
(*επιστ.*)

οστρακόδερμο ΟΥΣ ΟΥΔ crustacean

οστρακοειδής, -ής, -ές ΕΠΙΘ shell–like
▸ **οστρακοειδές** ΟΥΣ ΟΥΔ shellfish

όστρια ΟΥΣ ΘΗΛ south wind

οσφραίνομαι Ρ Μ ΑΠΟΘ (*κυριολ., μτφ.*) to
smell

όσφρηση ΟΥΣ ΘΗΛ sense of smell

οσφρητικός, -ή, -ό ΕΠΙΘ olfactory

οσφυαλγία ΟΥΣ ΘΗΛ lumbago

οσφυϊκός, -ή, -ό ΕΠΙΘ lumbar

οσφύς ΟΥΣ ΘΗΛ lumbar region

όσχεο ΟΥΣ ΟΥΔ scrotum

Οτάβα ΟΥΣ ΘΗΛ = **Οττάβα**

όταν ΣΥΝΔ (α) (*γενικότ.*) when (β) (= *ενώ*)
while

Ο.Τ.Ε. ΣΥΝΤΟΜ (= *Οργανισμός Τηλεπικοινωνιών
Ελλάδος*)

ότι ΣΥΝΔ that
▷ **το γεγονός ότι** the fact that

οτιδήποτε ΑΝΤΩΝ anything

O

▷**οτιδήποτε κι αν** whatever
οτοστόπ ΟΥΣ ΟΥΔ ΑΚΛ hitchhiking
▷**κάνω οτοστόπ** to hitchhike
Οττάβα ΟΥΣ ΘΗΛ Ottawa
Ουαλή ΟΥΣ ΘΗΛ Welsh woman
Ουαλία ΟΥΣ ΘΗΛ Wales *εν.*
ουαλικός, -ή, -ό ΕΠΙΘ Welsh

Προσοχή!: Τα εθνικά επίθετα, όπως **Welsh,** *γράφονται με κεφαλαίο το αρχικό γράμμα στα Αγγλικά.*

▸**Ουαλικά** ΟΥΣ ΟΥΔ ΠΛΗΘ Welsh
Ουαλός ΟΥΣ ΑΡΣ Welshman
▷**οι Ουαλοί** the Welsh
Ουάσινγκτον ΟΥΣ ΘΗΛ ΑΚΛ Washington
Ουγγαρέζα ΟΥΣ ΘΗΛ *βλ.* **Ούγγρος**
ουγγαρέζικος, -η, -ο ΕΠΙΘ = **ουγγρικός**
Ουγγαρέζος ΟΥΣ ΑΡΣ = **Ούγγρος**
Ουγγαρία ΟΥΣ ΘΗΛ Hungary
ουγγρικός, -ή, -ό ΕΠΙΘ Hungarian

Προσοχή!: Τα εθνικά επίθετα, όπως **Hungarian,** *γράφονται με κεφαλαίο το αρχικό γράμμα στα Αγγλικά.*

▸**Ουγγρικά, Ουγγαρέζικα** ΟΥΣ ΟΥΔ ΠΛΗΘ Hungarian
Ούγγρος ΟΥΣ ΑΡΣ Hungarian
Ουγενότοι ΟΥΣ ΑΡΣ ΠΛΗΘ Huguenots
ούγια ΟΥΣ ΘΗΛ selvage
ουγκιά ΟΥΣ ΘΗΛ ounce
ουδείς, ουδεμία, ουδέν ΑΝΤΩΝ (*επίσ.*: = *κανείς*) nobody, no one · (*αντίδραση, διάταξη, ασάφεια*) no
ουδέποτε ΕΠΙΡΡ (*επίσ.*) never
ουδετερόνιο ΟΥΣ ΟΥΔ *βλ.* **νετρόνιο**
ουδετεροποίηση ΟΥΣ ΘΗΛ neutralization
ουδέτερος, -η, -ο ΕΠΙΘ (α) (*ομιλητής, στάση, θέμα, χώρα, κυβέρνηση*) neutral (β) (ΧΗΜ) neutral
▸**ουδέτερο γένος** neuter
▸**ουδέτερο έδαφος** neutral territory
▸**ουδέτερη ζώνη** no–man's–land
▸**ουδέτερο** ΟΥΣ ΟΥΔ (*επίσης* **ουδέτερο όνομα**) neuter noun
ουδετερότητα ΟΥΣ ΘΗΛ neutrality
ουδετερόφιλος, -η, -ο ΕΠΙΘ neutralist
ουδόλως ΕΠΙΡΡ (*επίσ.*) not at all
ουζάδικο ΟΥΣ ΟΥΔ bar that serves ouzo and appetizers
ουζερί ΟΥΣ ΟΥΔ ΑΚΛ *βλ.* **ουζάδικο**
ούζο ΟΥΣ ΟΥΔ ouzo
ουζομεζέδες ΟΥΣ ΑΡΣ *appetizer served with ouzo*
ουζοπωλείο ΟΥΣ ΟΥΔ = **ουζάδικο**
ουίσκι ΟΥΣ ΟΥΔ ΑΚΛ whisky (*Βρετ.*), whiskey (*Αμερ.*)
Ουκρανία ΟΥΣ ΘΗΛ Ukraine
ουλή ΟΥΣ ΘΗΛ scar
ουλίτιδα ΟΥΣ ΘΗΛ gingivitis, inflammation of

the gums
ούλο ΟΥΣ ΟΥΔ gum
Ούννος ΟΥΣ ΑΡΣ Hun
▸**Ούννοι** ΠΛΗΘ (*μειωτ.*: = *γερμανικά στρατεύματα κατοχής*) Huns (*ανεπ.*) · (= *τουρίστες*) hordes
ουρά ΟΥΣ ΘΗΛ (α) (*ζώου*) tail (β) (= *κόκκυγας*) coccyx (γ) (*ανθρώπων*) queue (*Βρετ.*), line (*Αμερ.*) · (*αυτοκινήτων*) line, tailback (*Βρετ.*) (δ) (*αεροπλάνου, χαρταετού, κομήτη*) tail · (*πορείας, διαδήλωσης*) tail end · (*φορέματος*) train (ε) (*μαλλιών*) ponytail (στ) (*γράμματος*) tail
▷**βάζω την ουρά μου** to stick *ή* poke one's nose in
▷**βάζω την ουρά στα σκέλια** to put one's tail between one's legs
▷**βγάζω την ουρά μου έξω** to duck out, to back out
▷**μπαίνω στην ουρά** to get in the queue (*Βρετ.*) *ή* in line (*Αμερ.*)
▷**πιάνο με ουρά** grand piano
▷**πίσω έχει η αχλάδα την ουρά** there's a sting in the tail
▷**στέκομαι στην ουρά** to stand in the queue (*Βρετ.*) *ή* in line (*Αμερ.*)
▷**φτιάχνω** *ή* **σχηματίζω** *ή* **κάνω ουρά** to form a queue (*Βρετ.*) *ή* line (*Αμερ.*)
▷**ψέμα με ουρά** whopping great lie, whopper (*ανεπ.*)
ούρα ΟΥΣ ΟΥΔ ΠΛΗΘ urine *εν.*
▷**εξέταση ούρων** urine test
ουραγκοτάγκος, ουρακοτάγκος ΟΥΣ ΑΡΣ orang-utang
ουραγός ΟΥΣ ΑΡΣΘΗΛ (α) (*σχολείου*) bottom of the class · (*βαθμολογικού πίνακα*) bottom · (*σειράς*) last item (β) (ΣΤΡΑΤ) rearmost officer (*in a column*) (γ) (ΝΑΥΤ) rear ship (*in a convoy*)
ουραίος, -α, -ο ΕΠΙΘ tail
▸**ουραίο πτερύγιο** tail feather
▸**ουραίο** ΟΥΣ ΟΥΔ (ΣΤΡΑΤ) breech
ουρανής, -ιά, -ί ΕΠΙΘ (*χρώμα, ύφασμα*) sky–blue
ουράνια ΟΥΣ (*λογοτ.*) heavens, skies
▷**ανεβαίνω** *ή* **ανεβάζω κπν στα ουράνια** to praise sb to the skies
▷**πετάω στα ουράνια** to be in seventh heaven
ουράνιο ΟΥΣ ΟΥΔ uranium
ουράνιος, -α, -ο ΕΠΙΘ (α) (*θόλος, σώματα*) celestial (β) (*μτφ.: ομορφιά, ύψη, δόξα*) divine · (*Πατέρας*) heavenly
▸**ουράνιο τόξο** rainbow
ουρανίσκος ΟΥΣ ΑΡΣ palate
ουρανοβατώ Ρ ΑΜ to daydream
ουρανοκατέβατος, -η, -ο ΕΠΙΘ (α) (*θαύμα*) heaven-sent, divine (β) (*βοήθεια*) heaven-sent
▷**έρχομαι ουρανοκατέβατος** to be a godsend
▷**ουρανοκατέβατη τύχη** incredible stroke of luck

ουρανομήκης, -ης, -ες ΕΠΙΘ (*φλόγες*) sky–high · (*ζητωκραυγές*) resounding

ουρανοξύστης ΟΥΣ ΑΡΣ skyscraper

ουρανός ΟΥΣ ΑΡΣ **(α)** (= *ουράνιος θόλος*) sky **(β)** (*αυτοκινήτου*) roof · (*κρεβατιού, θρόνου*) canopy
▷ **άνοιξαν οι ουρανοί** it's pouring with rain
▷ **βρίσκομαι στον έβδομο ουρανό** to be in seventh heaven
▷ **η βασιλεία των ουρανών** the kingdom of heaven
▷ **καθαρός ουρανός αστραπές δεν φοβάται** (*παροιμ.*) a clear conscience fears no accuser
▷ **κινώ γη και ουρανό** to move heaven and earth
▷ **μου έρχεται ο ουρανός σφοντύλι** to see stars
▸ **Ουρανός** ΟΥΣ ΑΡΣ (ΜΥΘΟΛ, ΑΣΤΡΟΝ) Uranus

ουρήθρα ΟΥΣ ΘΗΛ urethra

ουρηθρίτιδα ΟΥΣ ΘΗΛ urethritis, inflammation of the urethra

ούρηση ΟΥΣ ΘΗΛ urination

ουρητήρας ΟΥΣ ΑΡΣ ureter

ουρητήριο ΟΥΣ ΟΥΔ urinal
▷ **δημόσια ουρητήρια** public urinal

ουρικός, -ή, -ό ΕΠΙΘ uric
▸ **ουρικό οξύ** uric acid

ούριος, -α, -ο ΕΠΙΘ: **ούριος άνεμος** tailwind

ουρλιάζω Ρ ΑΜ **(α)** (*ζώο*) to howl **(β)** (*άνθρωπος: από πόνο*) to howl, to scream · (*από φρίκη*) to scream

ουρλιαχτό ΟΥΣ ΟΥΔ **(α)** (*ζώου*) howl **(β)** (*ανθρώπου*) scream · (*νίκης*) roar

ουρογεννητικός, -ή, -ό ΕΠΙΘ (*σύστημα, όργανα*) urogenital

ουροδόχος, -ος, -ο ΕΠΙΘ urinary
▸ **ουροδόχος κύστη** urinary bladder

ουρολογία ΟΥΣ ΘΗΛ urology

ουρολογικός, -ή, -ό ΕΠΙΘ urologic(al)

ουρολόγος ΟΥΣ ΑΡΣ&ΘΗΛ urologist

ουροποιητικός, -ή, -ό ΕΠΙΘ urogenital
▸ **ουροποιητικό σύστημα** urogenital system *ή* tract

ουρώ Ρ ΑΜ to urinate

ους ΟΥΣ ΟΥΔ (*επίσ.*) ear
▷ **ο έχων ώτα ακούειν ακουέτω** you can only hear if you listen · *βλ. κ.* **αφτί**

ουσάρος ΟΥΣ ΑΡΣ (*παλαιότ.*) hussar

ουσία ΟΥΣ ΘΗΛ **(α)** (= *υλικό σώμα*) substance, matter *χωρίς πληθ.* **(β)** (= *η πραγματική υπόσταση*) essence **(γ)** (*θέματος, ζητήματος, προβλήματος*) heart · (*προβλήματος*) heart, essence **(δ)** (= *σπουδαιότητα: λόγου, κειμένου, έργου, συζήτησης*) gist · (*πραγμάτων, ζωής*) meaning, point **(ε)** (*ψωμιού, φρούτων*) flavour (*Βρετ.*), flavor (*Αμερ.*) **(στ)** (ΦΙΛΟΣ) essence
▷ **η ουσία είναι...** the point is...
▷ **κατ' ουσίαν, στην ουσία** essentially, basically
▷ **λόγια με ουσία** weighty words

▸ **τοξική ουσία** toxic substance

ουσιαστικός, -ή, -ό ΕΠΙΘ (*ανάγκες, διαφορά*) essential · (*σκοπός*) main · (*λόγος*) significant · (*διάλογος*) meaningful
▸ **ουσιαστικό** ΟΥΣ ΟΥΔ noun

ουσιώδης, -ης, -ες ΕΠΙΘ (*ζήτημα, διαφορές, ερώτηση*) essential

ούτε ΣΥΝΔ nor, neither
▷ **ούτε εγώ** nor do I
▷ **ούτε (καν)** not even
▷ **ούτε λέξη απ' όσα είπαμε!** don't breathe a word of what we've talked about!
▷ **ούτε... ούτε...** neither... nor...
▷ **ούτε πήγα ούτε θέλω να πάω** I didn't go and I don't want to go either

ουτοπία ΟΥΣ ΘΗΛ utopia

ουτοπιστής ΟΥΣ ΑΡΣ utopian

ουτοπίστρια ΟΥΣ ΘΗΛ *βλ.* **ουτοπιστής**

ούτω, ούτως ΕΠΙΡΡ (*επίσ.*) so that
▷ **ούτως ή άλλως** in any event *ή* case
▷ **ούτως ώστε** so that

οφειλέτης ΟΥΣ ΑΡΣ debtor

οφειλέτρια ΟΥΣ ΘΗΛ *βλ.* **οφειλέτης**

οφειλή ΟΥΣ ΘΗΛ **(α)** (= *χρέος*) debt · (*αποζημίωσης, τόκων*) sum due **(β)** (= *υποχρέωση*) obligation

οφειλόμενος, -η, -ο ΕΠΙΘ (*ποσό, σεβασμός, ευγνωμοσύνη*) due
▸ **οφειλόμενο** ΟΥΣ ΟΥΔ debt

οφείλω Ρ Μ (*χρήματα, εξήγηση, ευγνωμοσύνη*) to owe
▷ **οφείλω να κάνω κτ** I ought to do sth
▸ **οφείλομαι** ΜΕΣΟΠΑΘ to be due to

όφελος ΟΥΣ ΟΥΔ (*γενικότ.*) gain · (*κέρδος*) profit
▷ **ποιο το όφελος;** what's the point?, what do I/you/we stand to gain?
▷ **προς όφελος κποιου** for the good *ή* benefit of sb
▷ **προσωπικό όφελος** personal gain
▷ **χωρίς κανένα όφελος** to no avail
▷ **υλικά οφέλη** material gain

οφθαλμαπάτη ΟΥΣ ΘΗΛ optical illusion

οφθαλμιατρείο ΟΥΣ ΟΥΔ eye clinic *ή* hospital

οφθαλμίατρος ΟΥΣ ΑΡΣ&ΘΗΛ eye specialist, ophthalmologist

οφθαλμικός, -ή, -ό ΕΠΙΘ (*πάθηση*) eye, ophthalmic (*επιστ.*)

οφθαλμολογία ΟΥΣ ΘΗΛ ophthalmology

οφθαλμοπορνεία ΟΥΣ ΘΗΛ (*επίσ.*) voyeurism

οφθαλμός ΟΥΣ ΑΡΣ (*επίσ.: επίσης* ΒΟΤ) eye
▷ **εν ριπή οφθαλμού** in the twinkling of an eye
▷ **οφθαλμόν αντί οφθαλμού** an eye for an eye

οφθαλμοφανής, -ής, -ές ΕΠΙΘ obvious

όφις ΟΥΣ ΑΡΣ (*επίσ.*) snake

οφσάιντ ΟΥΣ ΟΥΔ ΑΚΛ offside

οχ ΕΠΙΦΩΝ (*για πόνο*) ow!, ouch! · (*για έκπληξη, στενοχώρια*) oh!

οχαδερφισμός ΟΥΣ ΑΡΣ do–nothing policy,

laissez–faireism

οχετός ΟΥΣ ΑΡΣ sewer
▷**το στόμα μου είναι οχετός** to be foul–mouthed

όχημα ΟΥΣ ΟΥΔ (*κυριολ., μτφ.*) vehicle
►**δίκυκλο όχημα** motorbike
►**πυροσβεστικό όχημα** fire engine
►**ρυμουλκό όχημα** tow truck
►**σιδηροδρομικό όχημα** train
►**φορτηγό όχημα** lorry (*Βρετ.*), truck (*Αμερ.*)
►**όχημα δημόσιας χρήσεως** public transport *χωρίς πληθ.*
►**όχημα ιδιωτικής χρήσεως** private vehicle

οχηματαγωγό ΟΥΣ ΟΥΔ car ferry

όχθη ΟΥΣ ΘΗΛ (*ποταμού*) bank · (*λίμνης*) shore
▷**περνώ στην απέναντι όχθη** to go over to the other side

όχι ΕΠΙΡΡ no
▷**και όχι μόνο** and not only
▷**όχι ακόμα/τώρα/αυτό** not yet/now/that
▷**όχι δα!** you don't say!
▷**όχι μόνο..., αλλά...** not only..., but...
▷**όχι να** instead of
▷**όχι ότι** *ή* **πως** not that
►**όχι** ΟΥΣ ΟΥΔ no

> *Προσοχή!: Ο πληθυντικός του* **no** *είναι* **noes**.

►**Όχι** ΟΥΣ ΟΥΔ *Greece's refusal to allow Italian troops through its territory on 28th October 1940*

οχιά ΟΥΣ ΘΗΛ adder, viper · (*μτφ.*) viper

οχλαγωγία ΟΥΣ ΘΗΛ uproar

οχληρός, -ή, -ό ΕΠΙΘ (*υπόθεση, ζήτημα, εργασία*) tiresome
►**μαζικό οχληρό μήνυμα** (ΠΛΗΡΟΦ) spam

όχληση ΟΥΣ ΘΗΛ (*επίσ.*) annoyance

οχλοβοή ΟΥΣ ΘΗΛ uproar

οχλοκρατία ΟΥΣ ΘΗΛ (α) (= *επικράτηση όχλου*) mob rule (β) (= *αναρχία*) anarchy

οχλοκρατούμαι Ρ ΑΜ ΑΠΟΘ (*πολιτεία, κράτος*) to be ruled by the mob

όχλος ΟΥΣ ΑΡΣ (*αρνητ.*) (α) (= *ανεξέλεγκτο πλήθος*) mob (β) (ΠΟΛΙΤ: = *μάζα*) populace (γ) (= *συρφετός*) rabble

οχταγωνικός, -ή, -ό ΕΠΙΘ = **οκταγωνικός**

οχτάγωνος, -η, -ο ΕΠΙΘ = **οκτάγωνος**

οχτάδα ΟΥΣ ΘΗΛ = **οκτάδα**

οχτάεδρος, -η, -ο ΕΠΙΘ = **οκτάεδρος**

οχταετής, -ής, -ές ΕΠΙΘ = **οκταετής**

οχταετία ΟΥΣ ΘΗΛ = **οκταετία**

οχταήμερος, -η, -ο ΕΠΙΘ = **οκταήμερος**

οχτακόσια ΑΡΙΘ ΑΠΟΛ ΑΚΛ = **οκτακόσια**

οχτακόσιοι, -ες, -α ΑΡΙΘ ΑΠΟΛ ΠΛΗΘ = **οκτακόσιοι**

οχτακοσιοστός, -ή, -ό ΑΡΙΘ ΤΑΚΤ = **οκτακοσιοστός**

οχταμελής, -ής, -ές ΕΠΙΘ = **οκταμελής**

οχτάμηνος, -η, -ο ΕΠΙΘ = **οκτάμηνος**

οχταπλάσιος, -α, -ο ΕΠΙΘ = **οκταπλάσιος**

οχτάπλευρος, -η, -ο ΕΠΙΘ = **οκτάπλευρος**

οχτάρι ΟΥΣ ΟΥΔ eight
▷**κάνω οχτάρια** to stagger

οχτάστηλος, -η, -ο ΕΠΙΘ = **οκτάστηλος**

οχτάστιχος, -η, -ο ΕΠΙΘ = **οκτάστιχος**

οχτασύλλαβος, -η, -ο ΕΠΙΘ = **οκτασύλλαβος**

οχτάωρος, -η, -ο ΕΠΙΘ = **οκτάωρος**

οχτώ ΑΡΙΘ ΑΠΟΛ ΑΚΛ = **οκτώ**

οχυρό ΟΥΣ ΟΥΔ fortress · (*μτφ.*) stronghold

οχυρός, -ή, -ό ΕΠΙΘ (*θέση*) fortified

οχύρωμα ΟΥΣ ΟΥΔ fortification

οχυρωματικός, -ή, -ό ΕΠΙΘ (*έργα, τεχνική*) fortification

οχυρώνω Ρ Μ (*πόλη*) to fortify
►**οχυρώνομαι** ΜΕΣΟΠΑΘ (*κυριολ.*) to dig oneself in
▷**οχυρώνομαι πίσω από κτ** (*μτφ.*) to hide behind sth

οχύρωση ΟΥΣ ΘΗΛ (α) (*πόλης, περιοχής*) fortification (β) (= *σύνολο οχυρωματικών έργων*) fortifications *πληθ.*

όψη ΟΥΣ ΘΗΛ (α) (*ανθρώπου, σπιτιού*) appearance, look · (*μτφ.: ζωής*) aspect (β) (*υφάσματος*) top side (γ) (= *έκφραση*) look (δ) (*μτφ.: = άποψη: πραγμάτων*) aspect, side
▷**από την όψη της κατάλαβα ότι...** from the look on her face I could tell that...
▷**βρισκόμαστε εν όψει δύσκολων καιρών** there are difficult times ahead
▷**είχε σοβαρή όψη** she looked serious
▷**εν όψει των αλλαγών** in view of the changes
▷**εκ πρώτης όψεως** at first sight
▷**εξ όψεως, κατ' όψιν** by sight
▷**εχθρός εν όψει!** enemy in sight!
▷**η άλλη όψη τού προβλήματος** the other side of the problem
▷**θέτω κτ υπ' όψη** *ή* **όψιν κποιου** to address sth for the attention of sb

όψιμος, -η, -ο ΕΠΙΘ (*περίοδος, χειμώνας, βροχή, καρπός, φρούτο*) late · (*καταγγελία, ομολογία, ενδιαφέρον*) belated

Π π

Π, π pi, *16th letter of the Greek alphabet*
▷**π΄** 80
▷**,π** 80,000

παγάκι ΟΥΣ ΟΥΔ ice cube
παγανισμός ΟΥΣ ΑΡΣ (= *ειδωλολατρία*) paganism
παγανιστικός, -ή, -ό ΕΠΙΘ paganistic
παγερός, -ή, -ό ΕΠΙΘ (α) (*άνεμος, νύχτα*) freezing (β) (*βλέμμα, σιωπή, υποδοχή*) icy, frigid
παγερότητα ΟΥΣ ΘΗΛ iciness, coldness
παγετός ΟΥΣ ΑΡΣ frost
παγετώδης, -ης, -ες ΕΠΙΘ (*καιρός*) icy, freezing· (*περιοχή*) frosty, icy
παγετώνας ΟΥΣ ΑΡΣ glacier
▷**οι περίοδοι των παγετώνων** the Ice Age
παγίδα ΟΥΣ ΘΗΛ (*για ζώα*) trap
▷**πέφτω** *ή* **πιάνομαι στην παγίδα** to walk *ή* fall into a trap
▷**στήνω παγίδα σε κπν** to set sb up, to frame sb
▸**ερώτηση-παγίδα** trick question
παγίδευση ΟΥΣ ΘΗΛ (*ζώον, ανθρώπου*) trapping, ensnaring· (*αυτοκινήτου*) booby-trapping· (*τηλεφώνου*) tapping, bugging
παγιδεύω Ρ Μ (α) (*ζώο, άνθρωπο*) to trap (β) (*τηλέφωνο*) to tap, to bug· (*αυτοκίνητο*) to booby-trap
▸**παγιδεύομαι** ΜΕΣΟΠΑΘ to be trapped
πάγιος, -α, -ο ΕΠΙΘ (*αίτημα, επίδομα, τέλη*) fixed, invariable
▸**πάγιο** ΟΥΣ ΟΥΔ (*λογαριασμού*) fixed rate
παγιώνω Ρ Μ (= *σταθεροποιώ*) to consolidate
παγίωση ΟΥΣ ΘΗΛ consolidation
παγκάκι ΟΥΣ ΟΥΔ (*κήπου, πλατείας*) bench
παγκάρι ΟΥΣ ΟΥΔ church table for candles
πάγκος ΟΥΣ ΑΡΣ (α) (*για εμπορεύματα*) bookstall, stand· (*για εργαλεία*) tool bench (β) (*κουζίνας*) bench· (*καταστήματος*) counter (γ) (= *πρόχειρο κάθισμα*) bench, seat (δ) (ΑΘΛ) bench
παγκοσμιοποίηση ΟΥΣ ΘΗΛ globalization
παγκόσμιος, -α, -ο ΕΠΙΘ (*πόλεμος, ρεκόρ, ιστορία*) world· (*αναγνώριση, ακτινοβολία*) universal, worldwide
▸**Παγκόσμιος Ιστός** (ΠΛΗΡΟΦ) World-Wide Web
▸**Παγκόσμιος Οργανισμός Τουρισμού**
International Tourist Organisation
▸**Παγκόσμια Οργάνωση Υγείας** World Health Organisation
παγκοσμιότητα ΟΥΣ ΘΗΛ (*ιδεών, νόμων*) universality
πάγκρεας ΟΥΣ ΟΥΔ (ΑΝΑΤ) pancreas
παγόβουνο ΟΥΣ ΟΥΔ (*κυριολ., μτφ.*) iceberg
▷**η κορυφή του παγόβουνου** the tip of the iceberg
παγόδα ΟΥΣ ΘΗΛ (*κτήριο*) pagoda
παγοδρομία ΟΥΣ ΘΗΛ (ΑΘΛ) ice-skating
παγοδρομικός, -ή, -ό ΕΠΙΘ (ΑΘΛ) skating
παγοδρόμιο ΟΥΣ ΟΥΔ (ΑΘΛ) skating rink
παγοδρόμος ΟΥΣ ΑΡΣΘΗΛ ice-skater
παγοθραύστης ΟΥΣ ΑΡΣ (= *παγοθραυστικό*) icebreaker
παγοθραυστικό ΟΥΣ ΟΥΔ icebreaker
παγοκαλύβα ΟΥΣ ΘΗΛ (*Εσκιμώον*) igloo
παγοκρύσταλλος ΟΥΣ ΑΡΣ icicle
παγοκύστη ΟΥΣ ΘΗΛ (*για χτυπήματα, πόνο*) ice-pack, ice-bag
παγόνι ΟΥΣ ΟΥΔ = **παγώνι**
παγοπέδιλο ΟΥΣ ΟΥΔ skate
πάγος ΟΥΣ ΑΡΣ (α) (= *παγωμένο νερό*) ice (β) (*μτφ.: για θάλασσα, χέρια*) ice-cold (γ) (= *παγωνιά*) frost
▷**(ένα ποτό) με πάγο** (a drink) with ice
▷**σπάω τον πάγο** (*μτφ.*) to break the ice
παγούρι ΟΥΣ ΟΥΔ flask
πάγωμα ΟΥΣ ΟΥΔ (α) (*νερού, τροφίμων*) freezing (β) (*μισθών, προσλήψεων, τιμών*) freeze
παγωμένος, -η, -ο ΕΠΙΘ (α) (*αέρας, λίμνη, μπίρα*) frozen, iced (β) (*φωνή, βλέμμα*) cold (γ) (*χέρια, πόδια*) freezing
παγώνι ΟΥΣ ΟΥΔ peacock
παγωνιά ΟΥΣ ΘΗΛ (*χειμώνα, νύχτας*) frost
▷**κάνει παγωνιά** it's freezing
παγωνιέρα ΟΥΣ ΘΗΛ (α) (*ψυγείο πάγου*) cool box (*Βρετ.*), cooler (*Αμερ.*), ice chest (*Αμερ.*) (β) (*για σαμπάνια, κρασί*) ice bucket
παγώνω ① Ρ Μ (*κυριολ., μτφ.*) to freeze
② Ρ ΑΜ (*κυριολ., μτφ.*) to freeze
▷**πάγωσα από τον φόβο μου** I froze with fear
▷**το αίμα μου πάγωσε στις φλέβες μου** the blood froze in my veins
▷**το χαμόγελο πάγωσε στα χείλη της** the smile froze on her lips
παγωτό ΟΥΣ ΟΥΔ ice cream

‣παγωτό ξυλάκι ice lolly (*Βρετ.*), popsicle (*Αμερ.*)

‣παγωτό χωνάκι ice cream cone

παζάρεμα ΟΥΣ ΟΥΔ bargaining, haggling

παζαρεύω ① Ρ Μ (*τιμή*) to bargain ② Ρ ΑΜ to bargain

παζάρι ΟΥΣ ΟΥΔ (α) (*σε εορτασμό*) bazaar (β) (= *υπαίθρια αγορά*) market place, bazaar (γ) (= *παζάρεμα*) bargaining

παθαίνω Ρ Μ (*ζημιά, κρίση, ατύχημα*) to suffer
▷**είδα κι έπαθα να ...** I had a struggle to ...
▷**θα δεις τι θα πάθεις!** (*απειλή*) you'll get it in the neck!
▷**καλά να πάθεις!** (it) serves you right!
▷**την έπαθα** I am in a fix

πάθημα ΟΥΣ ΘΗΛ suffering

πάθηση ΟΥΣ ΘΗΛ disease
▷**χρόνια πάθηση** chronic complaint

παθητικό ΟΥΣ ΟΥΔ (*εταιρείας, τράπεζας*) liability

παθητικός, -ή, -ό ΕΠΙΘ (*άνθρωπος, ρόλος, συμπεριφορά*) passive
‣παθητική διάθεση passive mood
‣παθητική φωνή passive voice

παθητικότητα ΟΥΣ ΘΗΛ passivity, passiveness

παθιάζομαι Ρ ΑΜ to become passionate
▷**παθιάζομαι με κτ** to be passionate about sth

παθιάρης, -α, -ικο ΕΠΙΘ passionate

παθιασμένος, -η, -ο ΕΠΙΘ passionate
▷**είμαι παθιασμένος με κτ** to be passionately fond of sth

παθογόνος, -ος, -ο ΕΠΙΘ (*μικροοργανισμός*) causing disease, pathogenic

παθολογία ΟΥΣ ΘΗΛ (ΙΑΤΡ) pathology

παθολογικός, -ή, -ό ΕΠΙΘ (*σύμπτωμα, κατάσταση, αίτια*) pathological

παθολόγος ΟΥΣ ΑΡΣ&ΘΗΛ pathologist

πάθος ΟΥΣ ΟΥΔ (α) (*έρωτα*) passion (β) (*χαρτοπαιξίας*) obsession
▷**έχω πάθος με ή για κτ** to be hooked on sth
▷**μου κτ γίνεται πάθος** to become obsessed with sth
▷**χωρίς φόβο και πάθος** without fear or prejudice
‣πάθη ΠΛΗΘ (= *βάσανα*) hardships
▷**τα Πάθη** (ΘΡΗΣΚ) the Passion
▷**Εβδομάδα των Παθών** Passion Week

παθούσα ΟΥΣ ΘΗΛ *βλ.* **παθών**

παθών ΟΥΣ ΑΡΣ victim, sufferer

παιγνίδι ΟΥΣ ΟΥΔ = **παιχνίδι**

παιγνιόχαρτο ΟΥΣ ΟΥΔ playing card

παιδαγωγική ΟΥΣ ΘΗΛ (*επίσης* **παιδαγωγική επιστήμη**) education

παιδαγωγικός, -ή, -ό ΕΠΙΘ (*μέθοδος, σκοπός, έρευνα*) educational
‣Παιδαγωγική Σχολή teacher training school

παιδαγωγός ΟΥΣ ΑΡΣ&ΘΗΛ (α) (= *υπεύθυνος αγωγής παιδιών*) tutor (β) (*επιστήμονας*) educationalist (*Βρετ.*), educator (*Αμερ.*)

παιδαγωγώ Ρ Μ = **διαπαιδαγωγώ**

παιδάκι ΟΥΣ ΟΥΔ (α) (= *μικρό παιδί*) little child, little kid (*ανεπ.*) (β) (*μειωτ.*) kid

παϊδάκια ΟΥΣ ΟΥΔ ΠΛΗΘ spare ribs

παιδαρέλι ΟΥΣ ΟΥΔ (*μειωτ.*) small fry, chit

παιδαριώδης, -ης, -ες (*αρνητ.*) ΕΠΙΘ (*αντίδραση, σκέψη*) childish

παίδαρος ΟΥΣ ΑΡΣ (*ανεπ.: = κούκλος*) hunk

παιδεία ΟΥΣ ΘΗΛ (α) (= *εκπαίδευση*) education (β) (= *μόρφωση*) culture
▷**μουσική/θεατρική παιδεία** musical/ theatrical education
‣Υπουργείο Παιδείας Ministry of Education

παίδεμα ΟΥΣ ΟΥΔ (*ανεπ.*) ordeal, hassle (*ανεπ.*)

παιδεραστής ΟΥΣ ΑΡΣ paedophile (*Βρετ.*), pedophile (*Αμερ.*)

παιδεραστία ΟΥΣ ΘΗΛ paedophilia (*Βρετ.*), pedophilia (*Αμερ.*)

παιδεράστρια ΟΥΣ ΘΗΛ *βλ.* **παιδεραστής**

παιδεύω Ρ Μ (= *βασανίζω*) to give a hard time
‣παιδεύομαι ΜΕΣΟΠΑΘ: **παιδεύομαι να κάνω κτ** to have a hard time doing sth

παιδί ΟΥΣ ΟΥΔ (α) (*γενικότ*) child

Προσοχή!: Ο πληθυντικός του **child** *είναι* **children**.

(β) (= *τέκνο*) child (γ) (= *νεαρός*) lad · (= *νεαρή*) young girl (δ) (= *νεαρός σερβιτόρος ή υπάλληλος*) lad
▷**από παιδί** since childhood
▷**κάνω παιδί** to bear a child, to have a child
▷**παιδί μου/παιδάκι μου** (*οικ.*) oh, my child
▷**παιδί του δρόμου** (= *αλήτης*) street urchin, guttersnipe
▷**παιδί-θαύμα** a child prodigy, wonder–boy
▷**παιδιά!** (*οικ.*) guys!

παΐδι ΟΥΣ ΟΥΔ (*ανεπ.*) rib

παιδιά ΟΥΣ ΘΗΛ (= *ομαδικό παιχνίδι*) sport
▷**χάριν παιδιάς** jokingly

παιδιαρίζω Ρ ΑΜ to behave like a child

παιδιαρίσματα ΟΥΣ ΟΥΔ ΠΛΗΘ childish behaviour (*Βρετ.*) ή behavior (*Αμερ.*)

παιδιάστικος, -η, -ο ΕΠΙΘ (*καμώματα*) childish, puerile

παιδιατρική ΟΥΣ ΘΗΛ paediatrics *εν.* (*Βρετ.*), pediatrics *εν.* (*Αμερ.*), child medicine

---

Προσοχή!: Αν και το **pa(e)diatrics** *φαίνεται ως τύπος πληθυντικού, είναι ουσιαστικό μόνο στον ενικό και συντάσσεται με ρήμα στον ενικό.*

παιδικός, -ή, -ό ΕΠΙΘ (*αρρώστια*) child · (*βιβλίο*) children's · (*αναμνήσεις, φίλος*) childhood
‣παιδικά είδη children's items
‣παιδικός σταθμός day nursery
‣παιδική χαρά playground

παιδικότητα ΟΥΣ ΘΗΛ youthfulness

παιδοκόμος ΟΥΣ ΑΡΣ&ΘΗΛ tutor, governess

παιδοκτονία ΟΥΣ ΘΗΛ infanticide

παιδοκτόνος ΟΥΣ ΑΡΣΘΗΛ infanticide

παιδομάνι ΟΥΣ ΟΥΔ swarms of kids

παιδότοπος ΟΥΣ ΑΡΣ children's playground

παιδοχειρουργική ΟΥΣ ΘΗΛ paediatric (*Βρετ.*) ή pediatric (*Αμερ.*) surgery

παιδοχειρουργός ΟΥΣ ΑΡΣΘΗΛ paediatric (*Βρετ.*) ή pediatric (*Αμερ.*) surgeon

παιδοψυχιατρική ΟΥΣ ΘΗΛ child psychiatry

παιδοψυχίατρος ΟΥΣ ΑΡΣΘΗΛ child psychiatrist

παιδοψυχολογία ΟΥΣ ΘΗΛ child psychology

παιδοψυχολόγος ΟΥΣ ΑΡΣΘΗΛ child psychologist

παίζω ① Ρ ΑΜ to play
② Ρ Μ (**α**) (*παιχνίδι, όργανο, ρόλο*) to play (**β**) (*χρήματα*) to gamble, to bet (**γ**) (*εκπομπή, έργο, τραγούδια*) to show
▷**δεν είναι παίξε-γέλασε** (= *είναι σοβαρό*) it's no laughing matter · (= *είναι δύσκολο*) it's no picnic
▷**εγώ δεν παίζω!** I am not kidding!
▷**παίζεται** (= *είναι αμφίβολο*) it's not certain yet
▷**παίζω ρόλο σε κτ** to play a part in sth
▷**παίζω το κεφάλι μου/τη ζωή μου** to risk my neck/life
▷**τα παίζω όλα για όλα** to risk everything
▷**τα 'παιξα/τα 'χω παίξει** (*αργκ.*: = *έχω τρομοκρατηθεί*) I'm scared stiff (*ανεπ.*) · (= *έχω εξαντληθεί*) I'm worn out · (= *έχω τρελαθεί*) I'm going/have gone mad
▷**τα 'παιξε/τα 'χει παίξει** (*αργκ.*: *για μηχάνημα*) it broke down
▷**το παίζω κτ** (*αργκ.*) to put on an act

παίκτης ΟΥΣ ΑΡΣ (*ποδοσφαίρου, μπάσκετ*) player

παίκτρια ΟΥΣ ΘΗΛ *βλ.* **παίκτης**

παίνεμα ΟΥΣ ΟΥΔ praise

παινεύω Ρ Μ to praise

παινεψιάρης, -α, -ικο ΕΠΙΘ (*ανεπ.*) boastful

παίξιμο ΟΥΣ ΟΥΔ (**α**) (*κιθάρας, βιολιού*) playing (**β**) (*ηθοποιού*) acting (**γ**) (*ματιού*) eye movement

─────────────────
/ΛΕΞΗ-ΚΛΕΙΔΙ/

παίρνω Ρ Μ (**α**) (= *πιάνω*) to take □ **πήρε το περιοδικό κι άρχισε να διαβάζει** she took the magazine and started reading it · **πήρε το χέρι της στο δικό του και το κρατούσε με τρυφερότητα** he took her hand in his and held it there tenderly · **την πήρε πιο πέρα για να μιλήσουν** he took her aside to talk · **πήρε την απόφαση να της τα πει όλα** he took the decision to tell her everything
▷**να πάρει!** damn (it)! □ **να πάρει, πάλι χάλασε το αυτοκίνητο!** damn it, the car's broken down again!
▷**πάρ' τον έναν και χτύπα τον άλλο** (*παροιμ.*) there's nothing to choose between them, one's no better than the other
(**β**) (= *μετακινώ: έπιπλο*) to move · (*μαλλιά, φούστα*) to rustle □ **πάρε το τραπεζάκι από**

τη μέση του δωματίου move the little table away from the centre of the room · **φυσούσε δυνατό αεράκι που της έπαιρνε τα μαλλιά** a strong breeze was blowing which rustled her hair
(**γ**) (= *παρασύρω*) to carry off □ **ο αέρας πήρε την τέντα/τα κεραμίδια** the wind carried off the tent/the tiles
(**δ**) (= *παραλαμβάνω: γράμμα, δέμα*) to get, to receive □ **πήρα γράμμα από τον αδελφό μου** I got ή received a letter from my brother
(**ε**) (= *μεταφέρω από κάπου*) to pick up □ **τον πήρα από το αεροδρόμιο** I picked him up from the airport
(**στ**) (= *δέχομαι: δώρα, μισθό, πτυχίο, δίπλωμα*) to get
(**ζ**) (= *αμείβομαι*) to get □ **παίρνει καλά λεφτά** she gets good money ή a good salary · **πόσα παίρνεις την ώρα;** how much do you get paid per hour?
(**η**) (= *αγοράζω: σπίτι, αυτοκίνητο, ποδήλατο*) to buy · (= *νοικιάζω*) to get □ **πήραμε ένα ποδήλατο θαλάσσης και γυρίσαμε όλες τις παραλίες του νησιού** we hired a pedalo and went all around the coast of the island · **τι δώρο του πήρες;** what did you get him as a present?
(**θ**) (= *χρησιμοποιώ: λεωφορείο, τρένο, αεροπλάνο*) to take
(**ι**) (= *τηλεφωνώ*) to call □ **θα σε πάρω αργότερα** I'll call you later
(**ια**) (= *κλέβω*) to take, to steal □ **της πήραν τα χρήματα/τα κοσμήματα** they took ή stole her money/jewellery
(**ιβ**) (= *χωρώ: αίθουσα, χώρος*) to hold · (*αυτοκίνητο*) to seat □ **ελάτε πιο κοντά, για να σας πάρει όλους η φωτογραφία** come closer so that you're all in ή all fit in the photo
(**ιγ**) (= *προσλαμβάνω: υπάλληλο, γραμματέα, βοηθό*) to hire, to take on
(**ιδ**) (= *κάνω λήψη*) to capture □ **μας παίρνει η κάμερα** we're being photographed · **μας πήρε το βίντεο την ώρα που τραγουδούσαμε** we were being filmed while we were singing
(**ιε**) (= *αποκτώ: χρώμα*) to get □ **το πρόσωπό της πήρε ένα περίεργο χρώμα και λιποθύμησε** her face turned a funny colour (*Βρετ.*) ή color (*Αμερ.*) and she fainted · **κάθε καλοκαίρι παίρνει ωραίο χρώμα** she gets a nice tan every summer
(**ιστ**) (= *παντρεύομαι*) to marry
(**ιζ**) (= *κληρονομώ: μάτια, μαλλιά, χαρακτήρα*) to inherit
▷**παίρνω από κπν** to take after sb
(**ιη**) (= *λαμβάνω: φαγητό, φάρμακο, ναρκωτικά*) to take □ **παίρνει τα φάρμακά του μια φορά την ημέρα** he takes his medication once a day
(**ιθ**) (= *πετυχαίνω*) to hit □ **η σφαίρα τον πήρε στον ώμο** the bullet hit him in the shoulder
(**κ**) (= *κυριεύω: πόλη, κάστρο*) to capture
▷**θα πάρετε ένα ποτό;** would you like a

Π

drink?
▷**με παίρνει να κάνω κτ** to be able to do sth
▷**όσο δεν παίρνει** extremely, terribly □ **είναι αξιαγάπητος όσο δεν παίρνει** he's extremely loveable
▷**πάρε-δώσε** (= *δοσοληψίες*) dealings *πληθ.* · (= *σχέσεις*) relations *πληθ.*
▷**τον παίρνω** (*οικ.*: = *κοιμάμαι*) to nod

παιχνιδάκι ΟΥΣ ΟΥΔ **(α)** (= *μικρό παιχνίδι*) plaything **(β)** (*μτφ.*: = *πολύ εύκολο*) doddle, pushover
παιχνίδι ΟΥΣ ΟΥΔ **(α)** (= *διασκεδαστική δραστηριότητα*) playing **(β)** (= *αντικείμενο για διασκέδαση*) toy **(γ)** (= *αγώνας*) game, match
▷**ατομικό/ομαδικό παιχνίδι** singles/team game
▷**γίνομαι παιχνίδι (στα χέρια κποιου)** to become a plaything (in sb's hands)
▷**παίζω άσχημο** ή **βρόμικο παχνίδι σε κπν** to play a dirty trick on sb
παιχνιδιάρης, -α, -ικο ΕΠΙΘ (*παιδί*) playful
παιχνιδιάρικος, -η, -ο ΕΠΙΘ (*φωνή, βλέμμα, διάθεση*) playful
παιχνιδίζω Ρ ΑΜ (*φως*) to flicker
παιχνίδισμα ΟΥΣ ΟΥΔ (*φωτός, φλόγας*) flickering
παίχτης ΟΥΣ ΑΡΣ = **παίκτης**
παίχτρια ΟΥΣ ΘΗΛ *βλ.* **παίκτης**
πακετάρισμα ΟΥΣ ΟΥΔ packing · (*δώρου*) wrapping up
πακετάρω Ρ Μ (*δώρο*) to wrap up
πακέτο ΟΥΣ ΟΥΔ packet
▷**πάω πακέτο με κπν** (*οικ.*) to be inseparable from sb
Πακιστάν ΟΥΣ ΟΥΔ ΑΚΛ Pakistan
Πακιστανή ΟΥΣ ΘΗΛ *βλ.* **Πακιστανός**
πακιστανικός, -ή, -ό ΕΠΙΘ Pakistani
Πακιστανός ΟΥΣ ΑΡΣ Pakistani

Προσοχή!: Τα εθνικά επίθετα, όπως **Pakistani**, *γράφονται με κεφαλαίο το αρχικό γράμμα στα Αγγλικά.*

πάκο ΟΥΣ ΟΥΔ (= *δέμα*) packet · (= *στοίβα*) bundle
πακτωλός ΟΥΣ ΑΡΣ (*χρημάτων, χρυσού*) (gold) mine
παλαβιάρης, -α, -ικο (*ανεπ.*) ΕΠΙΘ madcap (*ανεπ.*)
παλαβωμάρα ΟΥΣ ΘΗΛ madness, folly
παλαβός, -ή, -ό (*ανεπ.*) ΕΠΙΘ crazy, mad, insane
▷**είμαι παλαβός για** ή **με κπν** to be nuts about sb (*ανεπ.*)
παλαβώνω (*ανεπ.*) ① Ρ Μ (= *τρελαίνω*) to drive mad
② Ρ ΑΜ (= *τρελαίνομαι*) to go mad
πάλαι ΕΠΙΡΡ: **πάλαι ποτέ** a long, long time ago
παλαιά ΕΠΙΡΡ in the old days

παλαίμαχος ΟΥΣ ΑΡΣ veteran
παλαιοβιβλιοπωλείο ΟΥΣ ΟΥΔ antiquarian book shop
παλαιογραφία ΟΥΣ ΘΗΛ palaeography (*Βρετ.*), paleography (*Αμερ.*)
παλαιοημερολογίτης ΟΥΣ ΑΡΣ follower of the old calendar
παλαιοημερολογίτισσα ΟΥΣ ΘΗΛ *βλ.* **παλαιοημερολογίτης**
παλαιολιθικός, -ή, -ό ΕΠΙΘ (*άνθρωπος, τέχνη*) Palaeolithic (*Βρετ.*), Paleolithic (*Αμερ.*)
▸**Παλαιολιθική Εποχή** Palaeolithic (*Βρετ.*), Paleolithic (*Αμερ.*)
παλαιοντολογία ΟΥΣ ΘΗΛ palaeontology (*Βρετ.*), paleontology (*Αμερ.*)
παλαιοντολόγος ΟΥΣ ΑΡΣ ΘΗΛ palaeontologist
παλαιοπωλείο ΟΥΣ ΑΡΣ antique shop, old curiosity shop
παλαιοπώλης ΟΥΣ ΑΡΣ secondhand dealer
παλαιός, -ή ή **-ά, -ό** ΕΠΙΘ (*μύθος, εποχή*) old, ancient · (*καθεστώς, πόλη*) old, past
▸**η Παλαιά Διαθήκη** the Old Testament
▸**παλαιοί** ΟΥΣ ΑΡΣ ΠΛΗΘ (= *πρόγονοι*) ancestors · *βλ. κ.* **παλιός**
παλαιότητα ΟΥΣ ΘΗΛ (*πόλης*) old age
παλαιστής ΟΥΣ ΑΡΣ wrestler
παλαιστικός, -ή, -ό ΕΠΙΘ (*σύλλογος*) wrestling
παλαίστρα ΟΥΣ ΘΗΛ (ΑΘΛ) wrestling ring ή arena, palaestra (*Βρετ.*), palestra (*Αμερ.*)
παλαίστρια ΟΥΣ ΘΗΛ *βλ.* **παλαιστής**
παλαιώνω ① Ρ ΑΜ to age
② Ρ Μ (*κρασί, ουίσκι*) to age
παλαίωση ΟΥΣ ΘΗΛ **(α)** (*γενικότ.*) ageing **(β)** (*κρασιού*) maturing
παλαμάκια ΟΥΣ ΟΥΔ ΠΛΗΘ clapping, applause
▷**χτυπώ παλαμάκια** to clap one's hands, to applaud
παλαμάρι ΟΥΣ ΟΥΔ mooring line, head–rope
παλάμη ΟΥΣ ΘΗΛ **(α)** (*χεριού*) palm **(β)** (= *μονάδα μέτρησης*) hand
παλαμίδα ΟΥΣ ΘΗΛ skipjack
παλάντζα ΟΥΣ ΘΗΛ (= *ζυγαριά*) balance, scales *πληθ.*
παλαντζάρω Ρ ΑΜ **(α)** (= *γέρνω πότε δεξιά, πότε αριστερά*) to teeter **(β)** (*μτφ.*: = *αμφιταλαντεύομαι*) to to hesitate, to dither
παλάσκα ΟΥΣ ΘΗΛ (= *φυσιγγιοθήκη*) bandolier, cartridge–belt/pouch
παλάτι ΟΥΣ ΟΥΔ palace
παλέτα ΟΥΣ ΘΗΛ **(α)** (*ζωγράφου*) palette **(β)** (*για μεταφορά αντικειμένων*) pallet
παλεύω Ρ ΑΜ **(α)** (ΑΘΛ) to wrestle **(β)** (= *αγωνίζομαι*) to battle, to struggle
▷**παλεύω με κπν** to wrestle ή grapple with sb
▷**παλεύω με** ή **εναντίον κποιου** (*μτφ.*) to fight sb
πάλη ΟΥΣ ΘΗΛ **(α)** (ΑΘΛ) wrestling **(β)** (= *συμπλοκή*) struggle **(γ)** (*μτφ.*) struggle,

struggling
▷**η πάλη των τάξεων** the class struggle
πάλι ΕΠΙΡΡ (α) (= ξανά) again (β) (= πίσω)
back (γ) (= από την άλλη πλευρά) on the
other hand
παλιά ΕΠΙΡΡ in the old days
▷**από παλιά** from the past
παλιάλογο ΟΥΣ ΟΥΔ (= γέρικο άλογο) nag
παλιάμπελο ΟΥΣ ΟΥΔ: **ας πάει και το
παλιάμπελο** old vineyard
παλιανθρωπιά ΟΥΣ ΘΗΛ (= αχρειότητα)
nastiness
παλιάνθρωπος ΟΥΣ ΑΡΣ (υβρ.) rascal, wretch
παλιατζής ΟΥΣ ΑΡΣ scrap dealer
παλιατζίδικο ΟΥΣ ΟΥΔ junk shop, flea market
παλιατσαρία (μειωτ.) ΟΥΣ ΘΗΛ (= παλιά ή
άχρηστα πράγματα) junk
παλιάτσος ΟΥΣ ΑΡΣ (κυριολ., μτφ.) clown,
buffoon
παλιγγενεσία ΟΥΣ ΘΗΛ (= αναγέννηση)
regeneration
παλικαράκι ΟΥΣ ΟΥΔ lad
παλικαράς ΟΥΣ ΑΡΣ (ειρων.) swashbuckler
παλικάρι ΟΥΣ ΟΥΔ (α) (= νεαρός άνδρας)
young man, lad (β) (μτφ.: = ακμαίος) young
man (γ) (= γενναίος) brave man
παλικαριά ΟΥΣ ΘΗΛ bravery
παλικαρίσιος, -α, -ο ΕΠΙΘ (κορμοστασιά,
καρδιά) plucky, stout-hearted
παλικαρισμός ΟΥΣ ΑΡΣ (μειωτ.) bravado
παλιμπαιδισμός ΟΥΣ ΑΡΣ (ΨΥΧΟΛ) second
childhood
παλινδρόμηση ΟΥΣ ΘΗΛ (εμβόλου) recoil,
swing
παλινδρομικός, -ή, -ό ΕΠΙΘ (κίνηση)
alternating
παλινδρομώ Ρ ΑΜ to alternate
παλιννόστηση ΟΥΣ ΘΗΛ homecoming
παλιννοστούντες ΟΥΣ ΑΡΣ ΠΛΗΘ repatriates
παλιννοστώ Ρ ΑΜ to return home
παλινόρθωση ΟΥΣ ΘΗΛ (μοναρχίας)
restoration
παλινωδία ΟΥΣ ΘΗΛ retraction
παλιοβρόμα ΟΥΣ ΘΗΛ (υβρ.) slut (χυδ.), bitch
(χυδ.)
παλιόγερος ΟΥΣ ΑΡΣ (υβρ.) nasty old man
παλιόγρια ΟΥΣ ΘΗΛ (υβρ.) crone, old hag
παλιογυναίκα ΟΥΣ ΘΗΛ (υβρ.) trollop, tart
παλιοθήλυκο ΟΥΣ ΟΥΔ (υβρ.) slut, hussy
παλιόκαιρος ΟΥΣ ΑΡΣ foul weather
παλιοκόριτσο ΟΥΣ ΟΥΔ (υβρ.) bad girl
παλιόλογα ΟΥΣ ΟΥΔ ΠΛΗΘ smut, filthy talk
παλιόμουτρο ΟΥΣ ΟΥΔ (υβρ.) scoundrel,
scamp
παλιόπαιδο ΟΥΣ ΟΥΔ (α) (υβρ.) brat
(β) (χαϊδευτ.) naughty boy
παλιοπάπουτσο ΟΥΣ ΟΥΔ worn-out shoe
παλιοπράγματα ΟΥΣ ΟΥΔ ΠΛΗΘ (= άχρηστα

πράγματα) junk, lumber
παλιός, -ιά, -ιό ΕΠΙΘ (α) (έθιμο, κρασί, φίλος,
γενιά) old (β) (ήθη, ιδέες) old-fashioned
(γ) (έπιπλο, ρούχα, παπούτσια) worn out,
shabby (δ) (τεχνίτης, μάστορας) experienced
▷**παλιά μου τέχνη κόσκινο** (παροιμ.) once
seen never forgotten
▷**τα παλιά** (= παρελθόν) the past, the old
days
παλιοσίδερα ΟΥΣ ΟΥΔ ΠΛΗΘ scraps
παλιόσκυλο ΟΥΣ ΟΥΔ (υβρ.) bastard, mongrel
παλιοτόμαρο ΟΥΣ ΟΥΔ (υβρ.) scoundrel,
wretch
παλιούτσικος, -η, -ικο ΕΠΙΘ oldish
παλιόφιλος ΟΥΣ ΑΡΣ (= φίλος από τα παλιά)
old friend
παλίρροια ΟΥΣ ΘΗΛ tide
παλιρροϊκός, -ή, -ό ΕΠΙΘ (κύμα, κίνηση) tidal
παλιωμένος, -η, -ο ΕΠΙΘ (α) (ρούχα,
παπούτσια) worn-out (β) (κρασί) matured
παλιώνω ① Ρ ΑΜ (α) (ρούχα, παπούτσια,
έπιπλα) to become old (β) (κρασί) to age
② Ρ Μ (κρασί, ουίσκι) to age
παλκοσένικο ΟΥΣ ΟΥΔ stage
παλλαϊκός, -ή, -ό ΕΠΙΘ universal
παλλακίδα ΟΥΣ ΘΗΛ (α) (στην αρχαιότητα)
concubine (β) (= ερωμένη) mistress
πάλλευκος, -η, -ο ΕΠΙΘ (= κάτασπρος)
lily-white, snow-white
πάλλω Ρ ΑΜ (χορδή) to pulsate, to throb
▶**πάλλομαι** ΜΕΣΟΠΑΘ (χορδή) to vibrate ·
(καρδιά) to beat
παλμικός, -ή, -ό ΕΠΙΘ (κίνηση) oscillatory
παλμογράφημα ΟΥΣ ΟΥΔ oscillogram
παλμογράφος ΟΥΣ ΑΡΣ oscillograph
παλμός ΟΥΣ ΑΡΣ (α) (καρδιάς) pulse, heartbeat
(β) (εποχής, κοινωνίας, χώρας) mood
παλούκι ΟΥΣ ΟΥΔ (α) (= πάσσαλος) pole, stake
(β) (οικ.) stinker
παλουκώνω Ρ Μ to impale
▶**παλουκώνομαι** ΜΕΣΟΠΑΘ (οικ.) to sit still
παλτό ΟΥΣ ΟΥΔ topcoat, overcoat
▷**γούνινο/μάλλινο παλτό** fur/woollen coat
παμπ ΟΥΣ ΘΗΛ ΑΚΛ pub (Βρετ.), bar (Αμερ.)
παμπάλαιος, -η ή -α, -ο ΕΠΙΘ old-fashioned,
ancient-looking
πάμπλουτος, -η, -ο ΕΠΙΘ (έμπορος,
επιχειρηματίας) fabulously ή immensely rich
πάμπολλοι, -ες, -α ΕΠΙΘ ΠΛΗΘ (άτομα, θέματα,
παραδείγματα) numerous, quite a few
παμπόνηρος, -η, -ο ΕΠΙΘ cunning
παμφάγος, -α, -ο ΕΠΙΘ (επίσης **παμφάγο ζώο**)
omnivorous
πάμφθηνος, -η, -ο ΕΠΙΘ (προϊόντα, τιμές)
dirt-cheap
πάμφτωχος, -η, -ο ΕΠΙΘ (οικογένεια) poor as
a church mouse
παμψηφεί ΕΠΙΡΡ unanimously
παν ΟΥΣ ΟΥΔ (α) (= το σύμπαν) the universe

(β) (= *το όλον*) everything· *βλ. κ.* **πας**
▷**κάνω το παν** ή **τα πάντα** to do all ή everything possible
▷**το παν είναι...** the main thing...
▷**τα πάντα ρει** all is flux

πάνα ΟΥΣ ΘΗΛ (*μωρού*) nappy (*Βρετ.*), diaper (*Αμερ.*)

πανάγαθος, -η, -ο ΕΠΙΘ most gracious, most merciful
▷**ο πανάγαθος Θεός** the Most Merciful God

Παναγία, Παναγιά ΟΥΣ ΘΗΛ (ΘΡΗΣΚ) the (Blessed) Virgin Mary, the Madonna
▷**Παναγία** ή **Παναγιά μου!** oh dear!

Πανάγιος Τάφος ΟΥΣ ΑΡΣ Holy Sepulchre

Παναγιότατος ΟΥΣ ΑΡΣ Holiness

πανάδες ΟΥΣ ΘΗΛ ΠΛΗΘ (= *κηλίδα στο δέρμα*) spots

πανάθλιος, -α, -ο ΕΠΙΘ (α) (*όψη, κατάσταση*) wretched (β) (*για πρόσ.*) as bad as bad can be

παναθρώπινος, -η, -ο ΕΠΙΘ (*ιδανικά, ενδιαφέρον*) universal

πανάκεια ΟΥΣ ΘΗΛ (*κυριολ., μτφ.*) panacea

πανάκριβος, -η, -ο ΕΠΙΘ (*ρούχο, κόσμημα, δώρο*) very expensive, extravagant

πανάρχαιος, -α ή **-η, -ο** ΕΠΙΘ (*χρόνια, μύθοι, έθιμο*) ancient, age-old

πανάσχημος, -η, -ο ΕΠΙΘ unsightly, repulsive

πανδαιμόνιο ΟΥΣ ΟΥΔ pandemonium, uproar

πανδαισία ΟΥΣ ΘΗΛ (= *φαγοπότι*) feast, junketing (*ανεπ.*)

πάνδεινα ΟΥΣ ΟΥΔ ΠΛΗΘ untold hardships
▷**υποφέρω τα πάνδεινα** to suffer untold hardships, to suffer hell on earth (*ανεπ.*)

πανδημία ΟΥΣ ΘΗΛ pandemic

πανδημικός, -ή, -ό ΕΠΙΘ pandemic

πάνδημος, -η, -ο ΕΠΙΘ (*συλλαλητήριο, συμμετοχή*) general, mass

πανδοχείο ΟΥΣ ΟΥΔ inn

πανεθνικός, -ή, -ό ΕΠΙΘ (*αίτημα, κόμμα*) nationwide, national

πανελλαδικός, -ή, -ό ΕΠΙΘ (*απεργία, σύσκεψη, έρανος*) Panhellenic

πανελλήνιο(ν) ΟΥΣ ΟΥΔ the Greek nation

πανελλήνιος, -α, -ο ΕΠΙΘ Panhellenic
▷**πανελλήνιο ρεκόρ** (ΑΘΛ) Greek record

πανέμορφος, -η, -ο ΕΠΙΘ exquisite, gorgeous

πανέξυπνος, -η, -ο ΕΠΙΘ (*άνθρωπος, σχέδιο, ιδέα*) ingenious

πανεπιστημιακός, -ή, -ό ΕΠΙΘ (*χώρος, πρόγραμμα, τμήμα, έδρα*) university
▸**πανεπιστημιακός** ΟΥΣ ΑΡΣΘΗΛ academic

πανεπιστήμιο ΟΥΣ ΟΥΔ (α) (= *ανώτατο εκπαιδευτικό ίδρυμα*) university
(β) (= *εγκαταστάσεις του ιδρύματος*) campus
▷**μπαίνω στο πανεπιστήμιο** to enter university

πανεπιστημιούπολη ΟΥΣ ΘΗΛ university campus

πανεπιστήμων ΟΥΣ ΑΡΣΘΗΛ (= *που κατέχει πολλές επιστήμες*) person versed in all the sciences

πανέρι ΟΥΣ ΟΥΔ creel, basket

πανεύκολος, -η, -ο ΕΠΙΘ (*δουλειά, μάθημα*) very easy

πανευρωπαϊκός, -ή, -ό ΕΠΙΘ (*συνεργασία, πρωτάθλημα, αγώνες*) pan–European

πανευτυχής, -ής, -ές ΕΠΙΘ (*νεόνυμφοι*) blissfully happy

πανζουρλισμός ΟΥΣ ΑΡΣ (α) (= *ομαδικός ενθουσιασμός*) wild enthusiasm
(β) (= *πανδαιμόνιο*) pandemonium

πανηγύρι ΟΥΣ ΟΥΔ (*χωριού*) feast
▷**αυτός είναι για τα πανηγύρια** he is a good-for-nothing
▷**χαρές και πανηγύρια** merry-making
▸**πανηγύρια** ΠΛΗΘ (*φιλάθλων, οπαδών*) celebrations

πανηγυρίζω 1 Ρ ΑΜ (*χωριό*) to celebrate
2 Ρ Μ (*νίκη*) to celebrate

πανηγυρικός, -ή, -ό ΕΠΙΘ (*ομιλία, υποδοχή*) festive
▸**πανηγυρικός** ΟΥΣ ΑΡΣ (*επίσης* **πανηγυρικός λόγος**) panegyric, oration

πανηγυρισμός ΟΥΣ ΑΡΣ celebration· (*φιλάθλων*) jubilation

πανηγυριώτικος, -η, -ο ΕΠΙΘ (*τραγούδια*) festal

πανθεϊσμός ΟΥΣ ΑΡΣ pantheism

πανθεϊστής ΟΥΣ ΑΡΣ pantheist

πάνθεο(ν) ΟΥΣ ΟΥΔ (*κυριολ., μτφ.*) pantheon

πάνθηρας ΟΥΣ ΑΡΣ panther

πανί ΟΥΣ ΟΥΔ (α) (= *κομμάτι υφάσματος*) cloth, fabric (β) (= *ιστίο πλοίου*) sail
▷**κάνω** ή **ανοίγω** ή **σηκώνω πανιά** (*για πλοίο*) to set sail
▷**μένω πανί με πανί** to be stony ή flat broke
▷**γίνομαι πανί** to be as white as death ή a sheet

πανιάζω Ρ ΑΜ (= *γίνομαι άσπρος*) to turn ή go pale

πάνιασμα ΟΥΣ ΟΥΔ paleness

πανίδα ΟΥΣ ΘΗΛ animal kingdom· (*συγκεκριμένης περιοχής*) fauna

πανικοβάλλω Ρ Μ to panic
▷**πανικοβάλλομαι με κτ** to be panic-stricken about sth

πανικόβλητος, -η, -ο ΕΠΙΘ panic-stricken

πανικός ΟΥΣ ΑΡΣ panic
▷**με πιάνει** ή **κυριεύει πανικός** to be ή get into a panic
▷**προκαλώ πανικό** to create a panic

πάνινος, -η, -ο ΕΠΙΘ (*παπούτσια, κούκλα*) fabric

πανίσχυρος, -η, -ο ΕΠΙΘ (*κράτος, δυνάμεις*) mighty

πανόδετος, -η, -ο ΕΠΙΘ (*βιβλίο, τόμος*) cloth-bound

πανόμοιος, -α, -ο ΕΠΙΘ identical

πανομοιότυπος, -η, -ο ΕΠΙΘ (*στολές, κτήρια*)

identical

πανοπλία ΟΥΣ ΘΗΛ suit of armour (*Βρετ.*) ή armor (*Αμερ.*)

πάνοπλος, -η, -ο ΕΠΙΘ (α) (*στρατιώτης, ιππότης*) armed to the teeth, fully armed (β) (*μτφ.*) fully equipped

πανόραμα ΟΥΣ ΟΥΔ panorama

πανοραμικός, -ή, -ό ΕΠΙΘ (*θέα, άποψη, οθόνη*) panoramic

πανούκλα ΟΥΣ ΘΗΛ (ΙΑΤΡ) plague
▷**απ' έξω κούκλα, από μέσα πανούκλα** a wolf in sheep's clothing

πανουργία ΟΥΣ ΘΗΛ trickery

πανούργος, -α, -ο ΕΠΙΘ crafty, sly

πανσέληνος ΟΥΣ ΘΗΛ full moon

πανσές ΟΥΣ ΑΡΣ pansy

πανσοφία ΟΥΣ ΘΗΛ (*του Θεού*) omniscience

πάνσοφος, -η, -ο ΕΠΙΘ omniscient

πανσπερμία ΟΥΣ ΘΗΛ (*λαών, εθνοτήτων, γλωσσών*) welter

πάντα[1] ΟΥΣ ΘΗΛ *βλ.* **μπάντα**

πάντα[2] ΕΠΙΡΡ always
▷**για πάντα** forever
▷**μια για πάντα** once and for all

πάντα[3] ΟΥΣ ΟΥΔ ΠΛΗΘ everything · *βλ. κ.* **παν**

πάντα[4] ΟΥΣ ΟΥΔ ΑΚΛ (ΖΩΟΛ) panda

πανταλόνι ΟΥΣ ΟΥΔ = **παντελόνι**

πανταχόθεν ΕΠΙΡΡ (*επίσ.*) from all sides

πανταχού ΕΠΙΡΡ everywhere
▷**πανταχού παρών** ubiquitous, omnipresent

παντελής, -ής, -ές ΕΠΙΘ (*έλλειψη, άγνοια*) total

παντελώς ΕΠΙΡΡ thoroughly, totally

παντελόνι ΟΥΣ ΟΥΔ trousers *πληθ.*, (a pair of) trousers ή pants (*Αμερ.*)

παντέρημος, -η, -ο ΕΠΙΘ (*για πρόσ.*) all alone

παντεσπάνι ΟΥΣ ΟΥΔ sponge cake

παντζάρι ΟΥΣ ΟΥΔ flush (of anger)

παντζούρι ΟΥΣ ΟΥΔ folding shutters *πληθ.*

παντιέρα ΟΥΣ ΘΗΛ (= *σημαία*) banner
▷**σηκώνω παντιέρα** to rebel

παντογνώστης ΟΥΣ ΑΡΣ omniscience

παντογνώστρια ΟΥΣ ΘΗΛ *βλ.* **παντογνώστης**

παντοδυναμία ΟΥΣ ΘΗΛ omnipotence

παντοδύναμος, -η, -ο ΕΠΙΘ almighty, omnipotent
►**Παντοδύναμος** ΟΥΣ ΑΡΣ (ΘΡΗΣΚ) Almighty

παντοειδής, -ής, -ές ΕΠΙΘ (*σχόλια*) of every kind

παντοιοτρόπως ΕΠΙΡΡ in every way

Παντοκράτορας, Παντοκράτωρ ΟΥΣ ΑΡΣ Pantocrator

παντομίμα ΟΥΣ ΘΗΛ (*θεατρικό είδος*) dumb show

παντοπωλείο ΟΥΣ ΟΥΔ grocery, grocer's (shop)

παντοπώλης ΟΥΣ ΑΡΣ grocer

πάντοτε ΕΠΙΡΡ always

παντοτινός, -ή, -ό ΕΠΙΘ (= *μόνιμος, αιώνιος*) eternal, everlasting

παντού ΕΠΙΡΡ everywhere, all over

παντόφλα, παντούφλα ΟΥΣ ΘΗΛ slipper

παντρειά ΟΥΣ ΘΗΛ (*οικ.*) marriage
▷**(κορίτσι ή κοπέλα) της παντρειάς** of marriageable age

παντρεμένος, -η, -ο ΕΠΙΘ married
►**παντρεμένος** ΟΥΣ ΑΡΣ married man
►**παντρεμένη** ΟΥΣ ΘΗΛ married woman

παντρεύω Ρ Μ (α) (*γιο, κόρη*) to marry (β) (*μτφ.: = ταιριάζω*) to match
►**παντρεύομαι** ΜΕΣΟΠΑΘ to marry, to get married

παντρολογήματα ΟΥΣ ΟΥΔ ΠΛΗΘ (*ανεπ.*) match–making

παντρολογώ Ρ Μ (*ανεπ.*) to marry off
►**παντρολογιέμαι** ΜΕΣΟΠΑΘ to be about to be married

πάντως ΕΠΙΡΡ (α) (= *σε κάθε περίπτωση*) anyway, anyhow, in any case (β) (= *όμως*) but

πανύψηλος, -η, -ο ΕΠΙΘ very tall ή high, towering

πάνω ΕΠΙΡΡ (α) (*πετάγομαι, σηκώνομαι, τινάζομαι*) up · (*στο δωμάτιο*) upstairs (β) (*στο τραπέζι, στο χορτάρι, στον τοίχο*) on · (*από το τζάκι, τα βιβλία*) on (γ) (= *περισσότερο*): **πάνω από** over, above (δ) : **πάνω σε** (*για χρόνο*) while, during · (*για όχημα*) on (ε) : **πάνω σε** (*λεωφορείο, τρένο*) on (στ) (*για αύξηση τιμών*) up
▷**από πάνω** (= *επιπλέον*) as well, on top of that
▷**από πάνω ως κάτω** from head to toe, from top to bottom
▷**από τη μέση και πάνω** from the waist up
▷**είμαι ή βρίσκομαι από πάνω** (= *έχω το πάνω χέρι*) to have the upper hand
▷**έχω ή κρατώ κτ πάνω μου** to have sth on one
▷**έχω κτ (ε)πάνω μου που ...** there's sth about me that ...
▷**λέω κτ ή αναφέρομαι πάνω σε κτ** to say sth about ή on sth
▷**ο ένας πάνω στον άλλον** one on top of the other
▷**ο πάνω όροφος** the upper floor
▷**ορμώ ή χιμώ πάνω σε κπν** to pounce upon
▷**παίρνω κτ (ε)πάνω μου** to assume responsibility for sth
▷**παίρνω τα πάνω μου** to be on the mend
▷**Πάνω ...** (*σε τοπωνύμια*) Upper ...
▷**πάνω απ' όλα** above all
▷**πάνω-κάτω** (*για κίνηση*) up and down · (*περίπου*) more or less
▷**πάνω-πάνω** lightly, on the top
▷**πάνω που ...** just as ..., while ...
▷**πάνω στην ώρα!** just in time!
▷**πάνω του/τους!** get him/them!
▷**πίνω λίγο παρά πάνω** to have one too many
▷**πιο πάνω** (= *παραπάνω*) above
▷**προς τα πάνω** upwards
▷**σήκω πάνω!** get up! · (= *ξύπνα*) wake up!

Π

▷**τα κάνω πάνω μου** to dirty one's pants ·
(*μτφ.*) to be scared out of one's wits
▷**το ένα πάνω στο άλλο** (= *απανωτά*) one
after another, in quick succession
▷**το παίρνω (ε)πάνω μου** to put on airs, to
think too much of oneself
▷**ως εκεί πάνω** (*για ύψος*) up to here
▷**ως ή μέχρι πάνω** (*για γεμάτο ποτήρι*) to the
brim

πανωλεθρία ΟΥΣ ΘΗΛ debacle

πανώλη, πανώλης ΟΥΣ ΘΗΛ (= *πανούκλα*)
pestilence, plague

πανώριος, -α, -ο ΕΠΙΘ (*λογοτ.*) gorgeous

πανωσέντονο ΟΥΣ ΟΥΔ top sheet

πανωφόρι ΟΥΣ ΟΥΔ overcoat, topcoat

παξιμάδι ΟΥΣ ΟΥΔ (α) (ΜΑΓΕΙΡ) biscuit (*Βρετ.*),
cookie (*Αμερ.*) (β) (ΜΗΧΑΝ) nut

παπαγαλία ΟΥΣ ΘΗΛ parroting

παπαγαλίζω Ρ Μ/ΑΜ to parrot

παπαγάλος ΟΥΣ ΑΡΣ parrot

παπαδάκι ΟΥΣ ΟΥΔ altar boy

παπαδιά ΟΥΣ ΘΗΛ (= *σύζυγος ιερέα*) priest's
wife

παπαδίστικα (*ανεπ.*) ΟΥΣ ΟΥΔ ΠΛΗΘ (= *άμφια*)
sacerdotal vestments

παπαδίστικος, -η, -ο (*ανεπ., μειωτ.*) ΕΠΙΘ
(*ύφος, λόγια*) priestly

παπαδοπαίδι (*ανεπ.*) ΟΥΣ ΟΥΔ (α) (= *παιδί
ιερέα*) priest's son (β) (= *παπαδάκι*) altar
boy, acolyte

παπάκι ΟΥΣ ΟΥΔ (α) (= *μικρή πάπια*) duckling
(β) (= *παπί*) motorbike

παπάρα ΟΥΣ ΘΗΛ (*προφορ.*) soaked bread
►**παπάρες** ΠΛΗΘ (*οικ.*) rubbish (*Βρετ.*), trash
(*Αμερ.*)

παπαρούνα ΟΥΣ ΘΗΛ poppy

πάπας ΟΥΣ ΑΡΣ (ΘΡΗΣΚ) Pope

παπάς ΟΥΣ ΑΡΣ (α) (= *ιερέας*) priest (β) (*στην
τράπουλα*) king (γ) (*παιχνίδι*) skin game
▷**αν είσαι και παπάς, με την αράδα σου θα
πας** (*παροιμ.*) last come, last served

παπατζής ΟΥΣ ΑΡΣ (*οικ.*) swindler

παπατρέχας ΟΥΣ ΑΡΣ (*κοροϊδ.*) gabbler

παπί ΟΥΣ ΟΥΔ (α) (ΖΩΟΛ) duck (β) (= *παπάκι*)
motorbike
▷**γίνομαι παπί** to get soaking wet

πάπια ΟΥΣ ΘΗΛ (α) (ΖΩΟΛ) duck (β) (= *δοχείο
νυκτός για ασθενείς*) bedpan
▷**κάνω την πάπια** to keep mum, to play
possum
▷**πηγαίνω σαν (την) πάπια** to waddle

παπικός, -ή, -ό ΕΠΙΘ (*κράτος, βούλευμα,
ακόλουθος*) papal
►**παπικός** ΟΥΣ ΑΡΣ papist

παπισμός ΟΥΣ ΑΡΣ papacy

πάπισσα ΟΥΣ ΘΗΛ: **πάπισσα Ιωάννα** pope

πάπλωμα ΟΥΣ ΟΥΔ quilt, duvet
▷**ο καβγάς (είναι) για το πάπλωμα** in one's
interest

παπόρι ΟΥΣ ΟΥΔ (*ανεπ.*) = **βαπόρι**

παπουτσής ΟΥΣ ΑΡΣ (α) (= *υποδηματοποιός*)
shoe–maker (β) (= *τσαγκάρης*) cobbler

παπούτσι ΟΥΣ ΟΥΔ shoe
▷**βάζω σε κπν τα δυο πόδια σε ένα παπούτσι**
to bring sb to heel, to force sb to toe the line
▷**δίνω σε κπν τα παπούτσια στο χέρι** to give
sb the sack

πάππος ΟΥΣ ΑΡΣ (= *παππούς*) grandfather
▷**πάππου προς πάππου** from father to son

παππούλης ΟΥΣ ΑΡΣ (α) (*χαϊδευτ.*: = *παππούς*)
grandpa (β) (= *ηλικιωμένος*) old man
(γ) (= *ιερέας*) father

παππούς ΟΥΣ ΑΡΣ (α) (= *παππούλης*)
grandfather (β) (= *ηλικιωμένος*) old man

πάπυρος ΟΥΣ ΑΡΣ papyrus, scroll

> *Προσοχή!*: Ο πληθυντικός του **papyrus**
> είναι **papyri**.

───── *ΛΕΞΗ-ΚΛΕΙΔΙ* ─────

παρά, παρ' ① ΠΡΟΘ (α) (*για αντίθεση*) despite
❏ **ο πατέρας είναι αισιόδοξος παρά τις
αυξήσεις** father is optimistic despite the
price rises
(β) (*για αφαίρεση*) but for ❏ **παρά τρία
εκατοστά θα έκανε παγκόσμιο ρεκόρ** but for
three centimetres (*Βρετ.*) ή centimeters
(*Αμερ.*) she would have set a world record ·
**ήταν έξι παρά πέντε που χτύπησε το
τηλέφωνο** it was five to six when the phone
rang
(γ) (*για εξαίρεση*) except ❏ **χθες στο μπαρ,
δεν ήπια παρά ένα ποτό** yesterday at the bar
I had nothing except one drink · **δεν θέλω
κάτι περισσότερο παρά δικαιοσύνη** I only
want justice
(δ) (*επίσ.*) +γεν. (*για προέλευση*) by ·
❏ **ενημερώθηκαν παρά των δημοσιογράφων**
they were informed by the journalists · **το
διάγραμμα συντάχτηκε παρά του αρμοδίου
τεχνικού υπαλλήλου** the diagram was done
by a member of the technical staff
▷**παρά λίγο, παρ' ολίγον** nearly
▷**παρά μόνον** except
▷**παρ' όλα αυτά, παρά ταύτα** despite this
▷**παρά ποτέ** more than ever
▷**παρά φύσιν** unnatural
② ΣΥΝΔ (α) (*σαν δεύτερος όρος σύγκρισης*)
rather than ❏ **προτιμώ να ξεκουραστώ παρά
να πάω στο πάρτι** I'd prefer to relax rather
than going to the party
(β) (*μετά από άρνηση*: = *μόνο*) only ❏ **δεν
ακουγόταν τίποτ' άλλο παρά ο αέρας** you
couldn't hear anything but the wind

──────────────

πάρα ΕΠΙΡΡ: **πάρα πολύς/πολύ** (far) too much

παραβαίνω Ρ Μ (*εντολή, απαγόρευση, νόμο*)
to break

παραβάλλω Ρ Μ (*πρόσωπα*) to compare ·
(*καταστάσεις, γεγονότα*) to compare, to
parallel · (*έργα, υπογραφές, έγγραφα*) to
compare, to collate

παραβάν ΟΥΣ ΟΥΔ ΑΚΛ (= *προπέτασμα*) screen · (*για εκλογές*) voting booth

παραβαραίνω ① Ρ Μ (*αυτοκίνητο, στομάχι*) to overburden ② Ρ ΑΜ (α) (*στομάχι*) to become overburdened (β) (*άντρας, γυναίκα*) to grow too fat, to become too heavy

παράβαση ΟΥΣ ΘΗΛ (= *καταπάτηση*) offence (*Βρετ.*), offense (*Αμερ.*), violation ▷**κατά παράβαση** +γεν. in violation *ή* defiance/contravention of

παραβάτης ΟΥΣ ΑΡΣ offender, lawbreaker

παραβάτιδα ΟΥΣ ΘΗΛ *βλ.* **παραβάτης**

παραβγαίνω Ρ ΑΜ (α) (= *ανταγωνίζομαι*) to compete (β) (= *βγαίνω υπερβολικά*) to go out too much *ή* often ▷**δεν παραβγαίνω σε κπν** not to be a match for sb

παραβιάζω Ρ Μ (α) (*έδαφος, εναέριο χώρο*) to violate (β) (*απόφαση, νόμους*) to break (γ) (*πόρτα*) to force · (*προσωπική ζωή*) to invade

παραβίαση ΟΥΣ ΘΗΛ (α) (*συνθήκης, δικαιωμάτων*) violation · (*διατάξεως*) breaking (β) (*πόρτας*) forcing open · (*προσωπικής ζωής*) invasion

παραβλάπτω Ρ Μ to harm, to damage

παραβλέπω Ρ Μ (*ακουσίως*) to overlook · (*εκουσίως*) to ignore ▷**βλέπω και παραβλέπω!** I can see only too well!

παράβλεψη ΟΥΣ ΘΗΛ omission

παραβολή ΟΥΣ ΘΗΛ (α) (= *σύγκριση*) comparison, parallel (β) (ΘΡΗΣΚ) parable

παραβολικός, -ή, -ό ΕΠΙΘ parabolic

παράβολο ΟΥΣ ΟΥΔ (ΝΟΜ) fee

παραβρίσκομαι Ρ ΑΜ ΑΠΟΘ = **παρευρίσκομαι**

παραγάδι ΟΥΣ ΟΥΔ trawl–line, longline

παραγγελιά ΟΥΣ ΘΗΛ (*για τραγούδι*) special request · *βλ. κ.* **παραγγελία**

παραγγελία ΟΥΣ ΘΗΛ (α) (= *μήνυμα*) message, word (β) (*στο εμπόριο*) order ▷**δελτίο παραγγελίας** order form ▷**επί παραγγελία** on order ▷**κατά παραγγελία(ν)** made to order *ή* measure ▷**παίρνω παραγγελία** to take an order

παραγγελιοδότης ΟΥΣ ΑΡΣ customer

παραγγελιοδόχος ΟΥΣ ΑΡΣ commission agent

παραγγέλλω Ρ Μ (α) (*φαγητό, εμπορεύματα*) to order (β) (= *στέλνω μήνυμα*) to send a message to (γ) (= *ζητώ με διαταγή*) to prescribe, to order

παράγγελμα ΟΥΣ ΟΥΔ (α) (= *εντολή*) order, command (β) (= *επιταγή*) precept, commandment

παραγγέλνω Ρ Μ = **παραγγέλλω**

παραγεγραμμένος, -η, -ο ΕΠΙΘ (ΝΟΜ) statute–barred, lapsed

παραγεμίζω ① Ρ Μ (*πιάτο, ποτήρι*) to fill up · (*ντομάτες, μελιτζάνες*) to stuff · (*ντουλάπια,*

δωμάτιο) to cram ② Ρ ΑΜ (*μπανιέρα*) to flow over

παραγέμισμα ΟΥΣ ΟΥΔ (*για συρτάρια, ντουλάπια*) cramming · (*για πιπεριές, ντομάτες*) stuffing

παραγεμιστός, -ή, -ό ΕΠΙΘ (*ντομάτες, κολοκύθια*) stuffed

παραγερασμένος, -η, -ο ΕΠΙΘ very old, aged

παραγερνώ Ρ ΑΜ to grow too old

παραγίνομαι Ρ ΑΜ ΑΠΟΘ (α) (*για φρούτα, καρπούς*) to be over–ripe (β) +κατηγορ. to be far too ▷**παράγινε το κακό!** things have gone too far this time!

παραγινωμένος, -η, -ο ΕΠΙΘ (*για φρούτα, καρπούς*) over–ripe

παραγιός (*ανεπ.*) ΟΥΣ ΑΡΣ (α) (= *μαθητευόμενος*) apprentice (β) (= *υιοθετημένος γιος*) adopted son

παράγκα ΟΥΣ ΘΗΛ shack, shanty

παραγκωνίζω Ρ Μ (*υπάλληλο, υποψηφίους*) to supplant, to push aside

παραγκωνισμός ΟΥΣ ΑΡΣ (*γυναικών, υπαλλήλου, υποψηφίου*) supplanting

παραγνωρίζω Ρ Μ (α) (= *υποτιμώ*) to neglect (β) (= *αναγνωρίζω λανθασμένα*) to mistake, to confuse ▸**παραγνωρίζομαι** ΜΕΣΟΠΑΘ to become too familiar

παραγνώριση ΟΥΣ ΘΗΛ (= *λανθασμένη αναγνώριση*) wrong identification

παραγνωρισμένος, -η, -ο ΕΠΙΘ (= *υποτιμημένος*) neglected

παράγοντας ΟΥΣ ΑΡΣ (α) (= *συντελεστής*) factor (β) (= *προσωπικότητα*) personality ▷**καθοριστικός παράγοντας** determining factor ▷**ασταθμητοι παράγοντες** imponderables, unknown factors

Παραγουάη ΟΥΣ ΘΗΛ Paraguay

παραγραφή ΟΥΣ ΘΗΛ (ΝΟΜ) statutory limitation

παράγραφος ΟΥΣ ΘΗΛ (*κειμένου*) paragraph

παραγράφω Ρ Μ (α) (ΝΟΜ) to prescribe, to cancel for lapse of time (β) (= *γράφω υπερβολικά*) to overwrite

παράγω Ρ Μ to produce ▸**παράγομαι** ΜΕΣΟΠΑΘ (ΓΛΩΣΣ) to be derived from, to come from

παραγωγή ΟΥΣ ΘΗΛ (α) (*προϊόντων, ταινίας, εκπομπής*) production (β) (*ηλεκτρικής ενέργειας*) generation (γ) (ΓΛΩΣΣ) derivation

παραγωγικός, -ή, -ό ΕΠΙΘ (α) (*διαδικασία, υπάλληλος*) productive (β) (*αγροί, κτήματα*) fertile (γ) (ΓΛΩΣΣ) derivational

παραγωγικότητα ΟΥΣ ΘΗΛ productivity

παράγωγο ΟΥΣ ΟΥΔ (α) (= *προϊόν*) product (β) (ΧΗΜ) by–product (γ) (ΓΛΩΣΣ) derivative

παραγωγός ΟΥΣ ΑΡΣ/ΘΗΛ producer

παράγωγος, -η ή -ος, -ο ΕΠΙΘ derived

παράγων ΟΥΣ ΑΡΣ = **παράγοντας**

παραγώνι (ανεπ.) ΟΥΣ ΟΥΔ (α) (= χώρος δίπλα στο τζάκι) fireside (β) (= τζάκι) fireplace

παραδάκι (οικ.) ΟΥΣ ΟΥΔ money, dough (ανεπ.)

παράδειγμα ΟΥΣ ΟΥΔ example
▷ **για παράδειγμα, παραδείγματος χάριν** for example, for instance
▷ **δίνω σε κπν το (καλό/το κακό) παράδειγμα** to set a(n) (good/bad) example to sb
▷ **επί παραδείγματι** (επίσ.) for instance
▷ **παράδειγμα προς αποφυγή** a warning lesson
▷ **παράδειγμα προς μίμηση** an example to follow

παραδειγματίζω Ρ Μ to set an example
▸ παραδειγματίζομαι ΜΕΣΟΠΑΘ to take one's cue from

παραδειγματικός, -ή, -ό ΕΠΙΘ exemplary

παραδειγματισμός ΟΥΣ ΑΡΣ example

παραδεισένιος, -α, -ο ΕΠΙΘ heavenly

παραδείσιος, -α, -ο ΕΠΙΘ (πουλιά, ομορφιά) exotic

παράδεισος ΟΥΣ ΑΡΣ (α) (ΘΡΗΣΚ) heaven (β) (μτφ.) heaven, paradise
▷ **επίγειος παράδεισος** heaven on earth
▷ **το ξύλο βγήκε απ' τον παράδεισο** (παροιμ.) spare the rod and spoil the child

παραδεκτός, -ή, -ό ΕΠΙΘ acceptable

παραδέρνω Ρ ΑΜ to struggle

παραδέχομαι Ρ Μ ΑΠΟΘ to acknowledge, to admit
▷ **το παραδέχομαι** I admit it
▷ **παραδέχομαι κπν** to take one's hat off to sb, to bow to sb

παραδίδω Ρ Μ (α) (δέμα) to deliver (β) (υπόπτους) to hand over (γ) (μαθήματα) to give (δ) (= εμπιστεύομαι) to entrust
▷ **παραδίδω το πνεύμα** to give up the ghost
▸ παραδίδομαι, παραδίνομαι ΜΕΣΟΠΑΘ (α) (ύποπτος, στρατιώτες) to surrender (β) : **παραδίδομαι σε** to indulge in
▷ **παραδίδομαι στις φλόγες** to be committed to the flames
▷ **παραδίδεται** to be handed down

παραδίνω Ρ Μ to spoil · βλ. κ. **παραδίδω**

παράδοξο ΟΥΣ ΟΥΔ paradox

παράδοξος, -η, -ο ΕΠΙΘ (ισχυρισμός, άποψη, γεγονός) queer, peculiar · (σχήμα, κατασκευή) strange, extraordinary
▷ **κατά ή με παράδοξο τρόπο** it's surprising ή odd that

παραδοξότητα ΟΥΣ ΘΗΛ (ζωής, γεγονότος) singularity, oddity

παραδόξως ΕΠΙΡΡ paradoxically
▷ **όλως παραδόξως** strangely ή funnily enough

παραδόπιστος, -η, -ο ΕΠΙΘ (αρνητ.) niggardly

παράδοση ΟΥΣ ΘΗΛ (α) (δέματος) delivery (β) (κακοποιού, στρατιωτών) surrender

(γ) (μαθημάτων) teaching (δ) (= στοιχείο πολιτισμού) tradition
▷ **εκ παραδόσεως** by tradition, traditionally
▷ **σύμφωνα με την παράδοση** according to tradition
▸ **λαϊκή παράδοση** folklore
▸ παραδόσεις ΠΛΗΘ (= ήθη και έθιμα) traditions

παραδοσιακός, -ή, -ό ΕΠΙΘ (χοροί, τραγούδια) traditional

παραδοτέος, -α, -ο ΕΠΙΘ (επίσ.) due for delivery

παραδουλεύτρα ΟΥΣ ΘΗΛ (ανεπ.) domestic help, charwoman

Προσοχή!: Ο πληθυντικός του **charwoman** *είναι* **charwomen.**

παραδουλεύω Ρ ΑΜ (= δουλεύω υπερβολικά) to work too hard

παραδουνάβιος, -α, -ο ΕΠΙΘ (ηγεμονία) bordering on the Danube

παραδοχή ΟΥΣ ΘΗΛ (= αποδοχή) acceptance, acknowledgement · (= έγκριση) admission
▷ **κατά κοινή παραδοχή** by general admission

παραδρομή ΟΥΣ ΘΗΛ slip
▷ **εκ παραδρομής** through an oversight, inadvertently

παραδώ ΕΠΙΡΡ nearer, closer

παραδώθε ΕΠΙΡΡ (ανεπ.) = **παραδώ**

παραείμαι Ρ ΣΥΝΔΕΤ. +κατηγορ. to be too
▷ **αυτό παραείναι!** that's a bit thick!

παραεκκλησιαστικός, -ή, -ό ΕΠΙΘ (κύκλος, οργανώσεις) para–ecclesiastical

παραεξουσία ΟΥΣ ΘΗΛ extra–governmental factors and organizations πληθ.

παραέξω ΕΠΙΡΡ farther out

παραέχω Ρ Μ to have too much

παραζάλη ΟΥΣ ΘΗΛ confusion, commotion

παραζαλίζω Ρ Μ (α) (= ενοχλώ) to pester (β) (= ζαλίζω υπερβολικά) to make very dizzy

παραζαλισμένος, -η, -ο ΕΠΙΘ confused

παραθαλάσσιος, -α, -ο ΕΠΙΘ (οικόπεδο, οικισμός, δρόμος) coastal, seaside

παραθαρρεύω Ρ ΑΜ (= παίρνω πολύ θάρρος) to take liberties

παραθείο ΟΥΣ ΟΥΔ (ΧΗΜ) parathion, *deadly poison*

παραθερίζω Ρ ΑΜ to spend ή pass the summer

παραθέρισμα ΟΥΣ ΟΥΔ spending the summer

παραθεριστής ΟΥΣ ΑΡΣ holidaymaker (Βρετ.), vacationer (Αμερ.)

παράθεση ΟΥΣ ΘΗΛ (α) (= αναφορά) quoting, quotation (β) (= παραβολή) comparison (γ) (γεύματος, δεξίωσης, δείπνου) wining and dining (δ) (ΓΛΩΣΣ) apposition

παραθετικά ΟΥΣ ΟΥΔ ΠΛΗΘ (επιθέτων, επιρρημάτων) degrees of comparison

παραθέτω Ρ Μ (α) (= αναφέρω) to quote, to cite (β) (= αραδιάζω) to list

(γ) (= *παραβάλλω*) to collate, to compare
(δ) (*γεύμα, δεξίωση, δείπνο*) to give

παραθυράκι ΟΥΣ ΟΥΔ (α) (= *μικρό παράθυρο*) small window, hatch (β) (*μτφ.*) loophole

παραθύρι ΟΥΣ ΟΥΔ (*λογοτ.*) window

παράθυρο ΟΥΣ ΟΥΔ window
▷**από το παράθυρο** (= *παράνομα*) through the window

παραθυρόφυλλο ΟΥΣ ΟΥΔ shutter

παραίνεση ΟΥΣ ΘΗΛ admonition

παραινετικός, -ή, -ό ΕΠΙΘ
(α) (= *προτρεπτικός*) admonitory (β) (*λόγος*) hortative

παραινώ Ρ Μ (α) (= *προτρέπω*) to admonish (β) (= *συμβουλεύω*) to advise

παραίσθηση ΟΥΣ ΘΗΛ hallucination

παραισθησιογόνος, -ος, -ο ΕΠΙΘ hallucinogenic
▸**παραισθησιογόνο** ΟΥΣ ΟΥΔ hallucinatory

παραίτηση ΟΥΣ ΘΗΛ (α) (*υπαλλήλου*) resignation (β) (= *έγγραφο*) notice of resignation
▷**υποβάλλω παραίτηση** to hand in one's resignation

παραιτούμαι Ρ ΑΜ ΑΠΟΘ (α) (*εργαζόμενος*) to resign (β) (= *εγκαταλείπω*) to give up, to quit

παρακάθημαι (*επίσ.*) Ρ ΑΜ ΑΠΟΘ (*σε συνέδριο, συμπόσιο*) to attend

παρακάθομαι Ρ ΑΜ ΑΠΟΘ (= *μένω κάπου πολύ*) to overstay

παράκαιρος, -η, -ο ΕΠΙΘ (*επέμβαση, ενέργεια*) ill-timed · (*θάνατος*) untimely

παρακάλια ΟΥΣ ΟΥΔ ΠΛΗΘ entreaties, pleas

παρακαλώ Ρ Μ (= *ζητώ*) to request
▷**παρακαλώ!** (*απάντηση σε ευχαριστία*) you're welcome! · (= *ναι*) please (do)! · (*στο τηλέφωνο*) yes (please)!
▷**σε/σας παρακαλώ, ...** (*ευγενική παράκληση*) please, ...

παρακαμπτήριος ΟΥΣ ΘΗΛ by-pass · (*λόγω έργων*) detour

παρακάμπτω Ρ Μ (α) (*κίνηση*) to by-pass, to divert (β) (= *υπερνικώ δυσχέρεια*) to circumvent, to get around

παρακάνω Ρ Μ (= *κάνω υπερβολικά*) to overdo
▷**το παρακάνω** to go too far

παρακαταθέτης ΟΥΣ ΑΡΣ depositor

παρακαταθέτω Ρ Μ to deposit

παρακαταθήκη ΟΥΣ ΘΗΛ (α) (= *ό, τι παρακατατίθεται*) trust (β) (*μτφ.*: = *κληρονομιά*) heritage
▷**Ταμείο Παρακαταθηκών και Δανείων** Deposit and Consignment Office

παρακατιανός, -ή, -ό (*μειωτ.*) ⓵ ΕΠΙΘ (*εμπόρευμα, ρούχα*) inferior
⓶ ΟΥΣ ΑΡΣ working-class ή lower-class man

παρακάτω ⓵ ΕΠΙΡΡ (α) (*για χώρο*) further down (β) (*για χρόνο*) later on (γ) (= *περισσότερο*) further
⓶ ΕΠΙΘ: **ο παρακάτω** the following

▷**(ας) πάμε παρακάτω** (= *ας συνεχίσουμε*) let's move on

παρακεί ΕΠΙΡΡ (*ανεπ.*) a little farther on, a few steps away

παρακείμενος, -η, -ο ΕΠΙΘ (= *διπλανός*: *κτήματα, δωμάτια*) adjoining, neighbouring (*Βρετ.*), neighboring (*Αμερ.*)
▸**παρακείμενος** ΟΥΣ ΑΡΣ (ΓΛΩΣΣ) present perfect

παρακέντηση ΟΥΣ ΘΗΛ puncture

παρακεντώ Ρ Μ to puncture

παρακινδυνευμένος, -η, -ο ΕΠΙΘ risky, chancy

παρακινημένος, -η, -ο ΕΠΙΘ actuated, prompted

παρακίνηση ΟΥΣ ΘΗΛ prompting, exhortation

παρακινώ Ρ Μ to urge, to egg on (*ανεπ.*)

παρακλάδι ΟΥΣ ΟΥΔ branch, offshoot · (*μτφ.*: *ποταμού, επιστήμης, οικογενείας*) branch

παράκληση ΟΥΣ ΘΗΛ (= *έκκληση*) entreaty
▷**κατά παράκληση** by request

παρακλητικός, -ή, -ό ΕΠΙΘ imploring

παρακμάζω Ρ ΑΜ (*πολιτισμός, κράτος, σύστημα*) to decline, to decay

παρακμή ΟΥΣ ΘΗΛ decline

παρακοή ΟΥΣ ΘΗΛ disobedience

παρακολούθηση ΟΥΣ ΘΗΛ
(α) (*προγράμματος, ταινίας*) watching (β) (*εργαστηρίου, μαθημάτων*) attendance (γ) (*ασθενούς*) observation (δ) (*αστυνομίας*) surveillance
▷**(υπό) στενή παρακολούθηση** (under) close observation

παρακολουθώ ⓵ Ρ Μ (α) (*εκπομπή, τηλεόραση*) to watch (β) (*μαθήματα, διαλέξεις*) to attend (γ) (*γεγονότα*) to keep up with (δ) (*κακοποιό, υπόπτους*) to have under surveillance (ε) (*ομιλητή*) to follow (στ) (*ασθενή*) to have sb under observation
⓶ Ρ ΑΜ (= *προσέχω*) to follow

παράκουος, -η, -ο ΕΠΙΘ (= *ανυπάκουος*) disobedient

παρακούω ⓵ Ρ Μ to disobey
⓶ Ρ ΑΜ to hear wrong

παρακράτηση ΟΥΣ ΘΗΛ deduction
▷**παρακράτηση φόρου** pay-as-you-earn

παρακρατικός, -ή, -ό ΕΠΙΘ (*οργάνωση, μηχανισμός, δράση*) parastatal

παρακρατώ ⓵ Ρ Μ (α) (*φόρο, αμοιβές*) to withhold (β) (*εμπόρευμα, επικαρπία*) to retain
⓶ Ρ ΑΜ (*κατάσταση, βροχή, εξέταση*) to drag on, to last too long

παράκρουση ΟΥΣ ΘΗΛ (ΙΑΤΡ) mental disorder ή derangement

παράκτιος, -α, -ο ΕΠΙΘ (*αλιεία, ναυσιπλοΐα*) coastal, inshore
▸**παράκτια πετοσφαίριση** (ΑΘΛ) beach volley

παράκυκλος ΟΥΣ ΑΡΣ (α) (= *ροδέλα*) washer (β) (ΜΑΘ) circle

παρακώλυση ΟΥΣ ΘΗΛ obstruction

παρακωλύω Ρ Μ to obstruct
παραλαβή ΟΥΣ ΘΗΛ consignment
▸**απόδειξη παραλαβής** receipt of delivery
παραλαμβάνω Ρ Μ (α) (*δέματα, πρόσφυγα*) to receive (β) (*από αεροδρόμιο, λιμάνι: προσκεκλημένο*) to collect
παραλείπω Ρ Μ (α) (= *αποκρύπτω σκοπίμως*) to leave out (β) (= *ξεχνώ*) to neglect, to omit
▷**τα ευκόλως εννοούμενα παραλείπονται** what is obvious can be omitted
παράλειψη ΟΥΣ ΘΗΛ (α) (*όρων, συλλαβής*) omission (β) (= *αμέλεια*) omission, neglect
παραλέω Ρ Μ: **τα παραλέω** (= *υπερβάλλω*) to exaggerate
παραλήγουσα ΟΥΣ ΘΗΛ (ΓΛΩΣΣ) penultimate syllable
παραλήπτης ΟΥΣ ΑΡΣ recipient
παραλήπτρια ΟΥΣ ΘΗΛ *βλ.* **παραλήπτης**
παραλήρημα ΟΥΣ ΟΥΔ (α) (ΙΑΤΡ) brain fever (β) (*μτφ.*) delirium, frenzy
▷**παραλήρημα χαράς** ecstasy
παραληρώ Ρ ΑΜ (α) (*ασθενής*) to rave (β) (*μτφ.: λαός, ερωτευμένος, απελπισμένος*) to go wild *ή* berserk
παραλία ΟΥΣ ΘΗΛ beach
παράλια ΟΥΣ ΟΥΔ ΠΛΗΘ coastline
παραλιακός, -ή, -ό ΕΠΙΘ (*δρόμος, πόλη, θέρετρο, κέντρο*) coastal, seaside
παραλίγο ΕΠΙΡΡ nearly
παραλίμνιος, -α, -ο ΕΠΙΘ (*περιοχή, δρόμος*) (situated) by a lake
παράλιος, -α, -ο ΕΠΙΘ = **παραλιακός**
παραλλαγή ΟΥΣ ΘΗΛ (α) (*μύθου, φράσης, ποιήματος*) variation · (*άσκησης*) variant (β) (= *καμουφλάζ*) camouflage
▷**λούφα και παραλλαγή!** (*αργκ.*) to lie doggo
παραλλάζω Ρ Μ = **παραλλάσσω**
παραλλάσσω Ρ ΑΜ to vary
παραλληλεπίπεδο ΟΥΣ ΟΥΔ parallelepiped
▷**ορθογώνιο παραλληλεπίπεδο** right *ή* rectangular parallelepiped
παραλληλίζω Ρ Μ (= *συγκρίνω*) to draw a parallel between, to compare
παραλληλισμός ΟΥΣ ΑΡΣ parallel, comparison
παραλληλόγραμμο ΟΥΣ ΟΥΔ parallelogram
▷**ορθογώνιο παραλληλόγραμμο** rectangular parallelogram
παράλληλος, -η, -ο ΕΠΙΘ parallel
▸**παράλληλος** ΟΥΣ ΑΡΣ&ΘΗΛ ΟΥΣ ΘΗΛ parallel
παραλογίζομαι Ρ ΑΜ ΑΠΟΘ to lose one's reason
παραλογισμός ΟΥΣ ΑΡΣ absurdity
παράλογο ΟΥΣ ΟΥΔ: **το παράλογο** the absurd
▸**θέατρο του παραλόγου** (*Βρετ.*) theatre *ή* theater (*Αμερ.*) of the absurd
παράλογος, -η, -ο ΕΠΙΘ (α) (*απαιτήσεις*) absurd, preposterous (β) (*φόβος, άνθρωπος*) irrational
παραλυμένος, -η, -ο ΕΠΙΘ (α) (*χέρι, πόδι*) paralyzed (β) (= *διεφθαρμένος*) wanton

παράλυση ΟΥΣ ΘΗΛ (α) (*χεριών, ποδιών*) paralysis

> *Προσοχή!: Ο πληθυντικός του* **paralysis** *είναι* **paralyses.**

(β) (*μτφ.: κυκλοφορίας, αντίστασης*) disruption, disorganisation
παράλυτος, -η, -ο ΕΠΙΘ (*μέλη*) paralyzed, numb
▷**μένω παράλυτος** to be paralyzed
▸**παράλυτος** ΟΥΣ ΑΡΣ, **παράλυτη** ΟΥΣ ΘΗΛ paralyzed person
παραλύω [1] Ρ ΑΜ (α) (*πόδι, καρδιά, μυς, νεύρα*) to be numb (β) (*από φόβο, συγκίνηση*) to be paralyzed [2] Ρ Μ (*κυκλοφορία, εμπόριο*) to paralyze, to bring to a halt
παραμάνα ΟΥΣ ΘΗΛ (α) (= *καρφίτσα ασφαλείας*) safety pin (β) (= *τροφός*) nurse, nanny
παραμάσχαλα, παραμάσκαλα ΕΠΙΡΡ under one's arm
παραμεθόριος, -α *ή* **-ος, -ο** ΕΠΙΘ (*περιοχή, σταθμός, φυλάκιο*) border
παραμέληση ΟΥΣ ΘΗΛ (*παιδιών, σπιτιού, καθήκοντος*) neglect
παραμελώ Ρ Μ to neglect
παραμένω Ρ ΑΜ to remain
▷**παραμένει ανοιχτό** (*θέμα, ζήτημα*) it remains open
παράμερα ΕΠΙΡΡ (α) (= *πιο πέρα*) aside (β) (= *μακριά*) out of the way
▷**παίρνω κπν παράμερα** to draw sb aside
παραμερίζω [1] Ρ Μ (α) (*χόρτα, χώματα*) to push aside, to remove (β) (*διαφορές, αντίπαλο*) to set aside [2] Ρ ΑΜ to stand *ή* step aside
παράμερος, -η, -ο ΕΠΙΘ (*σπίτι, δρόμος*) secluded
παραμέσα ΕΠΙΡΡ farther in
παράμεσος ΟΥΣ ΑΡΣ ring finger
παράμετρος ΟΥΣ ΘΗΛ (α) (= *συνιστώσα*) parameter (β) (ΜΑΘ) constant
παραμικρός, -ή, -ό ΕΠΙΘ the slightest, the faintest
▸**παραμικρό** ΟΥΣ ΟΥΔ anything
▷**με το παραμικρό** at the slightest thing
παραμιλητό ΟΥΣ ΟΥΔ delirium, raving
παραμιλώ Ρ ΑΜ to be delirious
παραμονεύω [1] Ρ Μ: **παραμονεύω κπν** to lie in wait for sb [2] Ρ ΑΜ to lurk
παραμονή ΟΥΣ ΘΗΛ (α) (*γεγονότος, νίκης*) the day before · (*γιορτής, Πρωτοχρονιάς*) on the eve of (β) (= *διαμονή*) stay
▷**άδεια παραμονής** residence permit
▸**παραμονές** ΠΛΗΘ (*γάμου*) the eve of a great event
παραμορφώνω Ρ Μ (α) (*σώμα*) to disfigure (β) (*στοιχεία, εικόνα*) to distort

παραμόρφωση ΟΥΣ ΘΗΛ (α) (*μορφής*) distortion, disfigurement (β) (*εγγράφου, γεγονότος*) distortion

παραμορφωτικός, -ή, -ό ΕΠΙΘ (*καθρέφτης, φακός*) distorting

παραμυθάς ΟΥΣ ΑΡΣ (α) (= *που λέει παραμύθια*) storyteller (β) (= *ψεύτης*) fibber

παραμυθένιος, -α, -ο ΕΠΙΘ (*κόσμος, πλούτη, ομορφιά*) fabulous

παραμύθι ΟΥΣ ΟΥΔ (α) (= *ιστορία*) story, fairy tale (β) (*μτφ.*) fairy tale (γ) (= *ψέμα*) tall story, fib
▷ **σκάω το παραμύθι (σε κπν)** (*οικ.*) to tell sb the whole story

παραμυθιάζω (*οικ.*) Ρ Μ (= *κοροϊδεύω*) to have on
▸ **παραμυθιάζομαι** ΜΕΣΟΠΑΘ to be taken in

παραμυθού ΟΥΣ ΘΗΛ *βλ.* **παραμυθάς**

παρανάλωμα ΟΥΣ ΟΥΔ (= *του πυρός ή της φωτιάς*) a prey to the flames

παρανόηση ΟΥΣ ΘΗΛ misunderstanding

παράνοια ΟΥΣ ΘΗΛ (α) (ΙΑΤΡ) insanity (β) (= *παραλογισμός*) paranoia

παρανοϊκός, -ή, -ό ΕΠΙΘ paranoid
▸ **παρανοϊκός** ΟΥΣ ΑΡΣ, **παρανοϊκή** ΟΥΣ ΘΗΛ paranoid person

παράνομα ΕΠΙΡΡ illegally

παρανομία ΟΥΣ ΘΗΛ lawlessness, illegality
▷ **βγαίνω ή περνάω ή μπαίνω στην παρανομία** to go underground

παράνομος, -η, -ο ΕΠΙΘ unlawful · (*τυπογραφείο*) underground
▸ **παράνομος** ΟΥΣ ΑΡΣ, **παράνομη** ΟΥΣ ΘΗΛ outlaw

παρανομώ Ρ ΑΜ to commit an offence, to break the law

παρανόμως ΕΠΙΡΡ = **παράνομα**

παρανοώ Ρ Μ (= *παρεξηγώ*) to misunderstand, to misconstrue

παράνυμφος ΟΥΣ ΑΡΣ/ΘΗΛ (*για άνδρα*) ≈ best man · (*για γυναίκα*) ≈ bridesmaid

παρανυχίδα ΟΥΣ ΘΗΛ = **παρωνυχίδα**

παραξενεύω ① Ρ Μ to wonder at
② ΑΜ (= *γίνομαι ιδιότροπος*) to become eccentric
▸ **παραξενεύομαι** ΜΕΣΟΠΑΘ to be surprised at, to be intrigued by

παραξενιά ΟΥΣ ΘΗΛ (= *ιδιοτροπία*) peculiarity, eccentricity · (= *ιδιότροπη συμπεριφορά*) quirk

παραξενιάζω Ρ ΑΜ to become eccentric

παράξενος, -η, -ο ΕΠΙΘ (α) (*συμπεριφορά, τρόποι, λόγια*) eccentric, odd · (*έθιμα, πολιτεία*) strange, singular (β) (*για πρόσ.*) eccentric

παραξηλώνω Ρ Μ: **το παραξηλώνω** (*οικ.*: = *το παρατραβώ*) to overdo

παραπαίω Ρ ΑΜ (α) (= *βαδίζω τρεκλίζοντας*) to stagger, to reel (β) (*σύστημα, ομάδα*) to totter

παραπανίσιος, -ια, -ιο ΕΠΙΘ (= *περιττός: κιλά*) extra

παραπάνω ΕΠΙΡΡ (α) (= *πιο πάνω*) further up (β) (= *παραπέρα*) farther on (γ) (= *επιπλέον*) extra (δ) (= *ανωτέρω*) above
▷ **ένας λόγος παραπάνω** all the better to
▷ **κάτι παραπάνω** slightly more
▷ **και με το παραπάνω** (= *περισσότερο από ικανοποιητικά*) more than enough, enough and to spare

παραπατώ Ρ ΑΜ (α) (= *σκοντάφτω*) to stumble (β) (*μεθυσμένος*) to stagger (γ) (*μτφ.*) to make a false step, to stumble

παραπάτημα ΟΥΣ ΟΥΔ (α) (= *στραβοπάτημα*) stumbling (β) (*μτφ.*) false step

παραπαχαίνω Ρ ΑΜ to get too fat

παραπάω Ρ ΑΜ: **αυτό παραπάει** that's a bit too much

παραπειστικός, -ή, -ό ΕΠΙΘ (= *παραπλανητικός*) misleading

παραπεμπτικός, -ή, -ό ΕΠΙΘ (*απόφαση, σημείωμα, βούλευμα*) indictment

παραπέμπω Ρ Μ (*υπόθεση, διαφορά, αναγνώστη*) to refer
▷ **παραπέμπω σε δίκη** to indict

παραπεταμένος, -η, -ο ΕΠΙΘ (α) (= *που έχει τοποθετηθεί χωρίς τάξη*) kicking about (β) (= *εγκαταλελειμμένος*) abandoned

παραπέτασμα ΟΥΣ ΟΥΔ (= *κουρτίνα*) curtain (*Βρετ.*), drape (*Αμερ.*)

παραπετώ Ρ Μ (α) (*περιοδικό, κουτί*) to mislay (β) (= *εγκαταλείπω*) to neglect

παραπέτο ΟΥΣ ΟΥΔ (*σκάλας, γεφυριού*) parapet

παραπέφτω Ρ ΑΜ (*κλειδιά, στυλό*) to be mislaid

παράπηγμα ΟΥΣ ΟΥΔ (= *παράγκα*) shack, shed

παραπλάνηση ΟΥΣ ΘΗΛ deceit

παραπλανητικός, -ή, -ό ΕΠΙΘ misleading, deceptive

παραπλανώ Ρ Μ to mislead, to deceive

παράπλευρος, -η, -ο ΕΠΙΘ (*δρόμοι, οικόπεδο*) adjoining, adjacent

παραπληγία ΟΥΣ ΘΗΛ paraplegia

παραπληρωματικός, -ή, -ό ΕΠΙΘ (*γωνίες*) supplementary

παραπλήσιος, -α, -ο ΕΠΙΘ (α) (= *ο ένας κοντά στον άλλο*) next (β) (= *παρόμοιος*) similar

παράπλους ΟΥΣ ΑΡΣ coasting

παραποίηση ΟΥΣ ΘΗΛ (α) (*αλήθειας, ιστορίας*) distortion (β) (*τέχνης, μνημείου*) counterfeiting, forging

παραποιώ Ρ Μ (α) (*ιστορία, αλήθεια, πληροφορίες*) to distort (β) (*φωτογραφία*) to falsify

παραπομπή ΟΥΣ ΘΗΛ (α) (= *υποσημείωση*) cross–reference, reference (β) (= *μεταφορά*) transfer (γ) (ΝΟΜ) committal
▷ **παραπομπή σε δίκη** committal to trial

παραπονεμένος, -η, -ο ΕΠΙΘ (α) (*λόγια, τραγούδι*) plaintive, whining (β) (*για πρόσ.*)

discontented, grumbling

παραπονιάρα ΟΥΣ ΘΗΛ *βλ.* **παραπονιάρης**

παραπονιάρης ΟΥΣ ΑΡΣ grumbler

παραπονιάρικος, -η, -ο ΕΠΙΘ (*τραγούδι, φωνή, ύφος*) plaintive

παραπονιέμαι Ρ ΑΜ = **παραπονούμαι**

παράπονο ΟΥΣ ΟΥΔ (= *δυσαρέσκεια*) complaint, grievance
▷**έχω παράπονο από** κπν to have grounds for complaint against sb
▷**με παίρνει** *ή* **πιάνει το παράπονο** to mutter at an injustice
▷**κάνω παράπονα** to make complaints
▷**τα παράπονά σου στον δήμαρχο!** (*ειρων.*) if you don't like it, you can lump it!

παραπονούμαι Ρ ΑΜ **(α)** (= *εκφράζω παράπονο*) to whine, to grumble **(β)** (= *διαμαρτύρομαι*) to complain

παραπόρτι ΟΥΣ ΟΥΔ **(α)** (= *μικρή πόρτα κοντά σε μεγάλη εξώπορτα*) wicket **(β)** (= *κρυφή είσοδος*) postern

παραποτάμιος, -α, -ο ΕΠΙΘ (*κτήμα, όχθη*) riverside

παραπόταμος ΟΥΣ ΑΡΣ (= *ο ποταμός που εκβάλλει σε άλλο μεγαλύτερο*) tributary

παραπούλι ΟΥΣ ΟΥΔ (= *είδος λαχανικού*) sprout

παραπροϊόν ΟΥΣ ΟΥΔ (= *δευτερεύον προϊόν*) by–product

παράπτωμα ΟΥΣ ΟΥΔ misdemeanour (*Βρετ.*), misdemeanor (*Αμερ.*)
▷**πειθαρχικό παράπτωμα** (ΝΟΜ) misdemeanour (*Βρετ.*), misdemeanor (*Αμερ.*)

παραρίχνω Ρ Μ to put too much

παράρτημα ΟΥΣ ΟΥΔ **(α)** (*εγγράφου*) annexe (*Βρετ.*), annex (*Αμερ.*) **(β)** (*βιβλίου, κανονισμού, λεξικού*) appendix

> *Προσοχή!: Ο πληθυντικός του* **appendix** *είναι* **appendices** *ή* **appendixes**.

(γ) (*οργανισμού, βιβλιοθήκης, σχολείου*) branch
▷**έκτακτο παράρτημα** (*εφημερίδας*) special edition *ή* issue · (*περιοδικού*) special section

παράς ΟΥΣ ΑΡΣ (*προφορ.*: = *χρήματα, περιουσία*) dough (*ανεπ.*) · (= *τούρκικο νόμισμα*) Turkish coin
▷**έχω παρά με ουρά** to be rolling in money

παρασέρνω Ρ Μ (*προφορ.*) to sweep off · *βλ. κ.* **παρασύρω**

παρασημαντική ΟΥΣ ΘΗΛ musical notation

παράσημο ΟΥΣ ΟΥΔ medal, decoration
▷**παίρνω παράσημο** to get a medal

παρασημοφόρηση ΟΥΣ ΘΗΛ decoration

παρασιτικός, -ή, -ό ΕΠΙΘ parasitic

παρασιτισμός ΟΥΣ ΑΡΣ parasitism

παράσιτο ΟΥΣ ΟΥΔ **(α)** (ΒΙΟΛ) parasite **(β)** (*για πρόσ.*) leech
▶**παράσιτα** ΠΛΗΘ (*ραδιοφώνου*) interference

παρασιτοκτόνο ΟΥΣ ΟΥΔ pesticide

παρασκευάζω Ρ Μ (*τυρί, φάρμακο, εμβόλιο*)

to prepare

παρασκεύασμα ΟΥΣ ΟΥΔ preparation

παρασκευαστήριο ΟΥΣ ΟΥΔ laboratory

παρασκευαστής ΟΥΣ ΑΡΣ **(α)** (*προϊόντος, τροφίμων*) preparer **(β)** (*εργαστηρίου*) laboratory assistant

Παρασκευή ΟΥΣ ΘΗΛ Friday

παρασκηνιακός, -ή, -ό ΕΠΙΘ (*ενέργεια, χειρισμός, συμφωνία*) behind–the–scenes, backstage

παρασκήνιο ΟΥΣ ΟΥΔ backstage area
▶**παρασκήνια** ΠΛΗΘ (*θεάτρου*) wings

παρασκοτίζω Ρ Μ (*προφορ.*) to pester, to bother

παρασπονδία ΟΥΣ ΘΗΛ (= *αθέτηση συμφωνίας*) violation

παρασπονδώ Ρ ΑΜ to break one's word *ή* promise

παραστάδες ΟΥΣ ΘΗΛ ΠΛΗΘ pilasters *πληθ.*

παρασταίνω Ρ Μ = **παριστάνω**

παράσταση ΟΥΣ ΘΗΛ **(α)** (= *απεικόνιση*) representation **(β)** (*στο θέατρο*) performance **(γ)** (ΝΟΜ, ΜΑΘ) representation **(δ)** (ΨΥΧΟΛ) image
▷**γραφική παράσταση** graphic representation, graph
▷**κλέβω την παράσταση** to steal the show
▷**δίνω παράσταση** to give a performance · (*μτφ.*) to act
▷**απογευματινή/βραδινή παράσταση** afternoon/evening performance
▷**θεατρική παράσταση** play

παραστάτης ΟΥΣ ΑΡΣ **(α)** (= *βοηθός*) aid **(β)** (*στη παρέλαση*) flag attendant **(γ)** (*πόρτας, παραθύρου*) door–post

παραστατικός, -ή, -ό ΕΠΙΘ **(α)** (*χειρονομία, τέχνη*) descriptive **(β)** (= *ζωντανός, σαν αληθινός*: *περιγραφή*) vivid **(γ)** (*τύπος, ικανότητα*) descriptive

παραστέκομαι, παραστέκω Ρ ΑΜ:
παραστέκομαι σε κπν to come to sb's aid

παράστημα ΟΥΣ ΟΥΔ bearing

παραστράτημα ΟΥΣ ΟΥΔ slip

παραστρατημένος, -η, -ο ΕΠΙΘ stray

παραστρατίζω Ρ ΑΜ = **παραστρατώ**

παραστρατώ Ρ ΑΜ to go astray

παρασυναγωγή ΟΥΣ ΘΗΛ (= *παράνομη ή μυστική συνάθροιση*) conventicle, illicit meeting

παρασύνθημα ΟΥΣ ΟΥΔ countersignature

παρασύρω Ρ Μ **(α)** (= *μετακινώ*) to lead away **(β)** (= *πείθω*) to inveigle **(γ)** (*πεζό*) to run down **(δ)** (= *συνεπαίρνω*) to carry away **(ε)** (= *αποπλανώ*) to lure

παράταιρος, -η, -ο ΕΠΙΘ (*συμπεριφορά, περιβολή, λόγια*) odd · (*παπούτσια*) mismatched

παράταξη ΟΥΣ ΘΗΛ **(α)** (= *ο ένας δίπλα στον άλλο*) line **(β)** (= *πολιτικό κόμμα*) party, side **(γ)** (ΓΛΩΣΣ) parataxis

παράταση ΟΥΣ ΘΗΛ (α) (*άδειας, προθεσμίας*) extension (β) (ΑΘΛ: *αγώνα*) extra time
▷**παίρνω παράταση** to get an extension of time

παρατάσσω Ρ Μ (*μαθητές*) to line up · (*πλοία*) to array, to dispose

παρατατικός ΟΥΣ ΑΡΣ (ΓΛΩΣΣ) imperfect

παρατώ Ρ Μ (α) (= *αφήνω*) to drop (β) (= *εγκαταλείπω*) to dump · (=) to quit
▷**τα παρατάω** to quit
▷**τα παρατάω στη μέση** to quit, to give up
▷**παράτα με** (*υβρ.*) leave me alone
▷**δεν μας παρατάς** (*υβρ.*) buzz off! (*ανεπ.*)

παρατείνω Ρ Μ (*διακοπές, άδεια, διαμονή*) to extend, to prolong

παρατεταμένος, -η, -ο ΕΠΙΘ (*αντιδράσεις, ωράριο*) protracted, prolonged

παρατήρηση ΟΥΣ ΘΗΛ (α) (*φύσης, συμπεριφοράς, φαινομένου*) observation (β) (= *επίκριση*) remark (γ) (= *σχόλιο, σημείωση*) comment

παρατηρητήριο ΟΥΣ ΟΥΔ observation ή look–out post, watch tower

παρατηρητής ΟΥΣ ΑΡΣ (α) (*γενικότ.*) observer (β) (ΣΤΡΑΤ) look–out

παρατηρητικός, -ή, -ό ΕΠΙΘ observant

παρατηρητικότητα ΟΥΣ ΘΗΛ power of observation

παρατηρήτρια ΟΥΣ ΘΗΛ *βλ.* **παρατηρητής**

παρατηρώ Ρ Μ (α) (= *παρακολουθώ*) to observe (β) (*φαινόμενο, γεγονός, άνθρωπο*) to observe (γ) (= *σημειώνω*) to comment (δ) (= *επικρίνω*) to criticize
▸**παρατηρούμαι** ΜΕΣΟΠΑΘ: **παρατηρείται ότι** to be noted

παράτολμος, -η, -ο ΕΠΙΘ (*άνθρωπος, συμπεριφορά, σχέδιο*) daring, reckless

παρατονία ΟΥΣ ΘΗΛ (= *παραφωνία*) dissonance, discord

παράτονος, -η, -ο ΕΠΙΘ (*τραγούδι*) dissonant

παρατραβώ ① Ρ Μ (*παρατείνομαι υπερβολικά*) to drag on, to last too long ② Ρ Μ (*επίσκεψη*) to spin out
▷**το παρατραβάω** to overdo

παρατράγουδο ΟΥΣ ΟΥΔ deplorable incident

παρατρεχάμενος, -η, -ο ΕΠΙΘ (*κόμματος*) servant

παρατρώ(γ)ω Ρ Μ to gorge on, to stuff oneself with

παρατσούκλι ΟΥΣ ΟΥΔ (*ανεπ.*) nickname

παρατυπία ΟΥΣ ΘΗΛ irregularity

παράτυπος, -η, -ο ΕΠΙΘ improper, irregular

πάραυτα ΕΠΙΡΡ (= *αμέσως*) immediately, forthwith (*επίσ.*)

παραφέρομαι Ρ ΑΜ ΑΠΟΘ to lose one's temper

παραφθαρμένος, -η, -ο ΕΠΙΘ corrupt

παραφθορά ΟΥΣ ΘΗΛ corruption

παραφινέλαιο ΟΥΣ ΟΥΔ paraffin oil

παραφίνη ΟΥΣ ΘΗΛ paraffin

παραφορά ΟΥΣ ΘΗΛ (*χαράς, τρυφερότητας,*

θυμού) wild excitement

παράφορος, -η, -ο ΕΠΙΘ (*πάθος, έρωτας, μανία*) passionate, fiery

παραφορτώνω Ρ Μ (α) (*πλοίο*) to overload (β) (*μτφ.*) to clutter

παραφουσκώνω Ρ Μ (α) (*βαλίτσα, πορτοφόλι*) to bulge (β) (*μτφ.: = μεγαλοποιώ κτ: υπόθεση, ιστορία*) to overdraw

παραφράζω Ρ Μ to paraphrase

παράφραση ΟΥΣ ΘΗΛ (*έργου, ποιητή*) paraphrase

παραφρονώ Ρ ΑΜ to go mad, to go off one's head

παραφροσύνη ΟΥΣ ΘΗΛ (α) (= *τρέλα*) insanity (β) (= *έλλειψη σύνεσης*) lunacy, madness

παράφρων, -ων, -ον ΕΠΙΘ (*για πρόσ.*) lunatic, insane

παραφυάδα ΟΥΣ ΘΗΛ (α) (ΒΟΤ) offshoot (β) (= *παρακλάδι*) branch

παραφυλάω Ρ Μ to ambush

παραφωνία ΟΥΣ ΘΗΛ (α) (ΜΟΥΣ) discord, dissonance (β) (*μτφ.*) discordant note

παράφωνος, -η, -ο ΕΠΙΘ (α) (*ήχος, φωνή*) dissonant (β) (*για πρόσ.*) out of tune

παραχαϊδεμένος, -η, -ο ΕΠΙΘ pampered, spoilt

παραχαϊδεύω Ρ Μ (*προφορ.: παιδί*) to pamper, to spoil

παραχαράζω Ρ Μ = **παραχαράσσω**

παραχαράκτης ΟΥΣ ΑΡΣ forger

παραχαράκτρια ΟΥΣ ΘΗΛ *βλ.* **παραχαράκτης**

παραχάραξη ΟΥΣ ΘΗΛ (α) (*νομίσματος*) counterfeiting (β) (*ιστορίας*) falsification, distortion

παραχαράσσω Ρ Μ (α) (*χαρτονόμισμα, νόμισμα*) to counterfeit, to forge (β) (*αλήθεια, πραγματικότητα*) to falsify, to distort

παραχρήμα ΕΠΙΡΡ (*επίσ.*) right away, straight off

παραχώνω Ρ Μ to cover with earth · (*κόκκαλο*) to bury
▸**παραχώνομαι** ΜΕΣΟΠΑΘ to meddle

παραχώρηση ΟΥΣ ΘΗΛ (*δικαιώματος, εδάφους*) grant, concession

παραχωρητήριο ΟΥΣ ΟΥΔ (= *νομικό έγγραφο*) deed of concession ή transfer

παραχωρητικός, -ή, -ό ΕΠΙΘ (*έγγραφο, μέτρα*) concessive

παραχωρώ Ρ Μ (α) (*περιουσία*) to transfer (β) (*δικαίωμα, προνόμια*) to grant, to cede
▷**παραχωρώ τη θέση μου** to give way to

παραψυχολογία ΟΥΣ ΘΗΛ parapsychology

παρδαλός, -ή, -ό ΕΠΙΘ (α) (= *πολύχρωμος*) mottled (β) (= *γεμάτος στίγματα*) spotty, spotted

παρέα ΟΥΣ ΘΗΛ group, company
▷**παρέα με** in company with
▷**κάνω καλή/κακή παρέα** to be good/bad company

▷**παίρνω** κπν **για παρέα** to take sb along for company

▷**παρέες-παρέες** in groups *ή* knots

▷**είμαι με παρέα** to be in company

▷**κακές παρέες** bad company

▷**κάνω παρέα με** κπν to be friends with sb

▷**έχω παρέα** to have friends · (*ως απάντηση σε πρόσκληση*) to be with friends

▷**κάνω παρέα σε** κπν to keep sb company

▷**παίρνω παρέα μου** κτ to take sth with one

πάρεδρος ΟΥΣ ΑΡΣ deputy, assistant

παρείσακτος, -η, -ο ΕΠΙΘ outsider

παρεισφρέω Ρ ΑΜ (= *εισέρχομαι κρυφά*) to worm one's way in · (*ανακρίβειες, γλωσσικά στοιχεία*) to slip

παρείσφρηση ΟΥΣ ΘΗΛ intrusion, stealing in

παρέκβαση ΟΥΣ ΘΗΛ deviation, digression

παρεκκλήσι ΟΥΣ ΟΥΔ chapel

παρεκκλίνω Ρ ΑΜ to deviate

παρέκκλιση ΟΥΣ ΘΗΛ deviation

παρεκτός ΕΠΙΡΡ except

παρεκτρέπομαι Ρ ΑΜ ΑΠΟΘ to misbehave, to forget one's manners

παρεκτροπή ΟΥΣ ΘΗΛ misconduct

▷**παρεκτροπή από** κτ deviation from sth

παρέλαση ΟΥΣ ΘΗΛ parade

▷**στρατιωτική παρέλαση** march-past, military parade

▷**μαθητική παρέλαση** pupils' parade

παρελαύνω Ρ ΑΜ to march past, to parade

παρελθόν ΟΥΣ ΟΥΔ past

▷**ανήκω στο παρελθόν** to be a thing of the past

▷**σβήνω το παρελθόν** to wipe the slate clean

▷**είναι** *ή* **αποτελεί παρελθόν** to be a thing of the past, to be history (*ανεπ.*)

▷**έχω παρελθόν** to have a past *ή* record

παρελθοντολογία ΟΥΣ ΘΗΛ (*αρνητ.*) talk about the past

παρέλκυση ΟΥΣ ΘΗΛ delay

παρελκυστικός, -ή, -ό ΕΠΙΘ (*τακτική, πολιτική*) delaying

παρελκύω Ρ Μ (= *επιβραδύνω*) to drag out

παρεμβαίνω Ρ ΑΜ (α) (= *επεμβαίνω*) to intervene (β) (= *υπεισέρχομαι*) to step in

παρεμβάλλω Ρ Μ to insert

παρέμβαση ΟΥΣ ΘΗΛ (= *μεσολάβηση, επέμβαση*) intervention

▷**ιατρική παρέμβαση** medical intervention

παρεμβατικός, -ή, -ό ΕΠΙΘ intervening

παρεμβατισμός ΟΥΣ ΑΡΣ interventionism

▷**κρατικός παρεμβατισμός** government interventionism

παρεμβολή ΟΥΣ ΘΗΛ interference

παρεμποδίζω Ρ Μ to block

παρεμφερής, -ής, -ές ΕΠΙΘ similar

παρενέργεια ΟΥΣ ΘΗΛ side effect

παρένθεση ΟΥΣ ΘΗΛ (α) (= *παρέκβαση*) interposition (β) (*σημείο στίξης*) bracket

▷**ανοίγω/κλείνω παρένθεση** to open/close brackets

παρενθετικός, -ή, -ό ΕΠΙΘ parenthetical

παρενόχληση ΟΥΣ ΘΗΛ vexation

▷**σεξουαλική παρενόχληση** sexual harassment

παρενοχλώ Ρ Μ to annoy · (= *ενοχλώ* κπν *σεξουαλικά*) to sexually harass sb

παρεξήγηση ΟΥΣ ΘΗΛ misunderstanding

παρεξηγώ Ρ Μ (= *παρερμηνεύω, παρανοώ*) to misinterpret, to misconstrue

▸**παρεξηγούμαι** ΜΕΣΟΠΑΘ to take the wrong way

παρεπιδημώ Ρ ΑΜ (*επίσ.*) to stay temporarily

παρεπόμενο ΟΥΣ ΟΥΔ ΠΛΗΘ (*ρήματος, λέξης*) attribute, adjunct

παρεπόμενος, -η, -ο ΕΠΙΘ
(α) (= *επακόλουθος*) attendant
(β) (= *συνέπεια, επακόλουθο*) consequent

πάρεργο ΟΥΣ ΟΥΔ part-time job, sideline

παρερμηνεία ΟΥΣ ΘΗΛ misinterpretation, misconstruction

παρερμηνεύω Ρ Μ to misconstrue, to misinterpret

παρέρχομαι Ρ ΑΜ ΑΠΟΘ (= *περνώ*) to pass, to slip by

▷**έρχομαι και παρέρχομαι** to come and go

παρευθύς ΕΠΙΡΡ right away

παρευρίσκομαι Ρ ΑΜ ΑΠΟΘ (= *είμαι παρών, συμμετέχω*) to attend

παρέχω Ρ Μ (α) (*δυνατότητα, δικαίωμα, ικανοποίηση*) to give, to offer (β) (*αγαθά, απαραίτητα*) to provide for

παρηγορητικός, -ή, -ό ΕΠΙΘ comforting

παρηγοριά ΟΥΣ ΘΗΛ comfort, solace, consolation

▷**έχω** κπν **παρηγοριά** to find solace *ή* consolation in sb

▷**κτ είναι παρηγοριά για** κπν sth is a great comfort *ή* consolation to sb

παρήγορος, -η, -ο ΕΠΙΘ comforting, consoling

▷**είναι παρήγορο ότι** it's a comfort to know that

παρηκμασμένος, -η, -ο ΕΠΙΘ (α) (*κοινωνία, πολιτισμός*) decadent, effete (β) (*ιδέες*) decadent

παρθένα ΟΥΣ ΘΗΛ virgin

παρθεναγωγείο ΟΥΣ ΟΥΔ girls' school

παρθενιά ΟΥΣ ΘΗΛ virginity

παρθενικός, -ή, -ό ΕΠΙΘ (α) (= *ο της παρθένας*) virginal (β) (= *αυτός που γίνεται για πρώτη φορά*: *ταξίδι, εμφάνιση*) maiden (γ) (= *αγνός*: *ομορφιά, ψυχή*) pure, immaculate

▷**παρθενικός υμένας** (ΑΝΑΤ) hymen

παρθενικότητα ΟΥΣ ΘΗΛ chastity

παρθένος, -α, -ο ΕΠΙΘ (α) virgin (β) (ΑΣΤΡΟΝ, ΑΣΤΡΟΛ) Virgo

▸**παρθένο ελαιόλαδο** virgin olive oil

Παρθενώνας ΟΥΣ ΑΡΣ Parthenon

πάρθιος, -α, -ο ΕΠΙΘ: **πάρθιο βέλος** Parthian

παρίας ΟΥΣ ΑΡΣ pariah, social outcast

Παρίσι ΟΥΣ ΟΥΔ Paris

παρίσταμαι Ρ ΑΜ to attend, to be present
▷**παρίσταται ανάγκη** it is necessary
▷**παρίσταμαι σε δίκη** to appear before a court of law

παριστάμενος, -η, -ο ΕΠΙΘ present

παριστάνω Ρ Μ (α) (= *περιγράφω παραστατικά*) to show, to represent (β) (= *υποκρίνομαι*) to act, to impersonate

παρκάρω Ρ Μ (*αυτοκίνητο, μοτοσυκλέτα*) to park

παρκέ ΟΥΣ ΑΚΛ parquet

παρκετέζα ΟΥΣ ΘΗΛ electric floor polisher

παρκετίνη ΟΥΣ ΘΗΛ floor polish

πάρκο ΟΥΣ ΟΥΔ park · (*για μωρά*) playpen
▷**τεχνολογικό πάρκο** technology park

πάρλα ΟΥΣ ΘΗΛ (*προφορ.*: = *φλυαρία*) chatter, gab (*ανεπ.*)
▷**πιάνω τη πάρλα** to chatter, to prattle

παρλάρω Ρ ΑΜ (*προφορ.*: = *φλυαρώ*) to prattle, to chatter

παρμεζάνα ΟΥΣ ΘΗΛ Parmesan (cheese)

παρμπρίζ ΟΥΣ ΟΥΔ ΑΚΛ (ΑΥΤΟΚΙΝ) windscreen (*Βρετ.*), windshield (*Αμερ.*)

Παρνασσός ΟΥΣ ΑΡΣ Parnassus

παροδικός, -ή, -ό ΕΠΙΘ temporary, transient

παροδικότητα ΟΥΣ ΘΗΛ transience, temporariness

παρόδιος, -α, -ο ΕΠΙΘ (*ιδιοκτήτης*) *person whose property fronts a street or road*

πάροδος ΟΥΣ ΘΗΛ (α) (= *δευτερεύων στενός δρόμος*) side street (β) (*ηλικίας, χρόνου*) lapse (γ) (*προθεσμίας, συμφωνίας*) expiration (δ) (= *πλάγια είσοδος*) byway (ε) (= *η πρώτη είσοδος του χορού*) first entry of the chorus · (= *το πρώτο άσμα του χορού*) first song of the chorus

παροικία ΟΥΣ ΘΗΛ community

πάροικος ΟΥΣ ΑΡΣ resident alien

παροικώ Ρ ΑΜ to reside abroad

παροιμία ΟΥΣ ΘΗΛ proverb, saying

παροιμιακός, -ή, -ό ΕΠΙΘ (*φράση*) proverbial

παροιμιώδης, -ης, -ες ΕΠΙΘ proverbial

παρομοιάζω Ρ Μ to compare to, to liken to

παρόμοιος, -α, -ο ① ΕΠΙΘ (*γεγονός, κατάσταση, αποτέλεσμα*) similar ② ΟΥΣ ΟΥΔ ΠΛΗΘ the like

παρομοιώνω Ρ Μ *βλ.* **παρομοιάζω**

παρομοίωση ΟΥΣ ΘΗΛ simile

παρόν ΟΥΣ ΟΥΔ present
▷**δεν είναι του παρόντος** it is not a question of the hour
▷**προς το παρόν** for the time being
▷**επί του παρόντος** for the time being · *βλ. κ.* **παρών**

παρονομάζω Ρ Μ (*προφορ.*) to nickname

παρονομαστής ΟΥΣ ΑΡΣ (*κλάσματος*)

denominator
▷**κοινός παρονομαστής** common denominator
▷**ελάχιστος παρονομαστής** lowest common denominator
▷**στον ίδιο παρονομαστή** to be in the same boat

παρόξυνση ΟΥΣ ΘΗΛ (α) (= *ερεθισμός*: *διαφωνίας*) aggravation (β) (= *έξαψη*) exacerbation

παροξυσμός ΟΥΣ ΑΡΣ (α) (*οργής, μελαγχολίας, μανίας*) outburst (β) (ΙΑΤΡ) fit, paroxysm

παροξύτονος, -η, -ο ΕΠΙΘ (*λέξη*) paroxytone, accented on the penult

παροπλίζω Ρ Μ (*πλοίο*) to put out of commission

παρόραμα ΟΥΣ ΟΥΔ misprint

παρόρμηση ΟΥΣ ΘΗΛ impulse, urge
▷**εσωτερική παρόρμηση** urge

παρορμητικός, -ή, -ό ΕΠΙΘ (α) (= *προτρεπτικός: συναίσθημα, ερέθισμα*) inciting (β) (*τάση, ενέργεια*) impetuous · (*τύπος, συμπεριφορά*) impulsive

παρορμώ Ρ Μ (*επίσ.*) to impel

Πάρος ΟΥΣ ΘΗΛ (ΓΕΩΓΡ) Paros

παρότρυνση ΟΥΣ ΘΗΛ encouragement

παροτρύνω Ρ Μ to urge on, to encourage

παρουσία ΟΥΣ ΘΗΛ presence
▷**παρουσία τού ...** in the presence of ...
▷**η Δευτέρα Παρουσία** Doomsday, the Day of Judgement, the Second Coming
▷**επιβάλλω την παρουσία μου** to intrude on

παρουσιάζω Ρ Μ (α) (*βιβλίο, τραγούδι*) to introduce (β) (*εργασία, διατριβή*) to submit, to present (γ) (*δυσκολίες, ενδιαφέρον, αδυναμίες, συμπτώματα*) to present (δ) (*για μετοχές: άνοδο, πτώση*) to show (ε) (= *συστήνω*) to introduce, to present (στ) (*εκπομπή*) to host (ζ) (= *περιγράφω*) to present oneself to (η) (= *πιστοποιητικά, αποδείξεις*) to produce, to bring forward
▸**παρουσιάζομαι** ΜΕΣΟΠΛ• (α) (*για πρόσ.*) to appear (β) (= *απεικονίζομαι*) to appear, to be shown (γ) (= *εμφανίζομαι*) to appear (δ) (*ανάγκη, ευκαιρία*) to arise (ε) (= *εκτίθεμαι*) to be presented

παρουσίαση ΟΥΣ ΘΗΛ (α) (*ανθρώπου*) introduction (β) (*κατάστασης, συνθηκών, χαρακτήρα*) description (γ) (*σχεδίου, θεωρίας, απόψεων, εργασίας*) presentation (δ) (*βιβλίου*) presentation (ε) (*εκπομπής*) hosting (στ) (*εγγράφων, στοιχείων, αποδείξεων*) presentation

παρουσιάσιμος, -η, -ο ΕΠΙΘ presentable

παρουσιαστής ΟΥΣ ΑΡΣ (*δελτίου*) presenter · (*εκπομπής*) host

παρουσιαστικό ΟΥΣ ΟΥΔ appearance

παροχέτευση ΟΥΣ ΘΗΛ (α) (*νερού, ρεύματος*) supply (β) (*χειμάρρου*) diversion

παροχετεύω Ρ Μ (α) (*νερό, ρεύμα*) to supply (β) (*χείμαρρο*) to divert

παροχή ΟΥΣ ΘΗΛ (α) (*ρεύματος*) supply (β) (= *χορήγηση: αποζημίωσης, υποτροφίας*) grant (γ) (*ασφάλειας, βοήθειας*) benefit (δ) (= *κάθε τι που οφείλει να πράξει ο οφειλέτης*) performance
▷**έναρξη παροχής υπηρεσιών** commencement of a business

παρόχθιος, -α, -ο ΕΠΙΘ (*περιοχή: για ποτάμι*) riverside · (*για λίμνη*) lakeside

παρρησία ΟΥΣ ΘΗΛ frankness, candour (*Βρετ.*), candor (*Αμερ.*)

παρτέρι ΟΥΣ ΟΥΔ flower bed

παρτίδα ΟΥΣ ΘΗΛ (α) (*παιχνιδιού*) round (β) (*προϊόντων, παραγωγής*) lot, batch
▷**ανοίγω παρτίδες με κπν** to have dealings with sb
▷**κόβω παρτίδες με κπν** to cease to have anything to do with sb
▸ παρτίδες ΠΛΗΘ (*προφορ.*) dealings πληθ., business

παρτιζάνος ΟΥΣ ΑΡΣ partisan

παρτιτούρα ΟΥΣ ΘΗΛ (ΜΟΥΣ) score

παρυφή ΟΥΣ ΘΗΛ (*βουνού, δάσους*) edge

παρωδία ΟΥΣ ΘΗΛ (α) (*κατάστασης, γάμου, εκλογών*) burlesque, travesty (β) (ΛΟΓ) parody

παρωδώ Ρ Μ (*έργο, ποίημα*) to parody, to send up (*ανεπ.*)

παρών, -ούσα, -όν ΕΠΙΘ present
▷**δίνω το παρών** (= *αναφέρω την παρουσία μου*) to present myself
▷**πανταχού παρών** (= *βρίσκεται πάντα παντού*) ubiquitous, omnipresent
▷**οι παρόντες εξαιρούνται** present company excepted

παρωνύμιο ΟΥΣ ΟΥΔ (= *παρατσούκλι*) nickname

παρωνυχίδα ΟΥΣ ΘΗΛ (α) (= *κυριολ.*) whitlow, hangnail (β) (*μτφ.: = ασήμαντη πλευρά*) trifle, nothing to speak of

παρωπίδα ΟΥΣ ΘΗΛ (*ζώου*) blinkers πληθ. (*Βρετ.*), blinders πληθ. (*Αμερ.*)
▷**έχω παρωπίδες** to wear blinkers (*Βρετ.*) ή blinders (*Αμερ.*)

πάρωρα ΕΠΙΡΡ (*λογοτ.*: = *αργά τη νύχτα*) too late at night

πάρωρος, -η, -ο ΕΠΙΘ (= *παράκαιρος*) too late

παρωχημένος, -η, -ο ΕΠΙΘ (α) (*ιδεολογία, μόδα, αντίληψη*) dated (β) (ΓΛΩΣΣ: = *παρελθοντικοί: χρόνοι*) past tense, preterite

πας, πάσα, παν ΑΝΤΩΝ (α) (= *όλος*) the whole (β) (= *κάθε*) every · (*με άρνηση*) anybody
▷**κατά παντός υπευθύνου** against all those responsible
▷**πας μη Έλλην βάρβαρος** anybody not Greek is a barbarian
▸ πάντες ΟΥΣ ΑΡΣ ΠΛΗΘ everybody
▷**ειρήνη πάσι** (ΘΡΗΣΚ) peace to all
▷**η ημέρα των Αγίων Πάντων** All Saints' day

πάσα¹ ΟΥΣ ΘΗΛ (ΑΘΛ) pass
▷**κάνω πάσα** to pass ή hand on
▷**κάνω κπν/κτ πάσα** (*οικ.*: = *ξεφορτώνομαι*) to foist sb/sth off

πάσα² ΑΝΤΩΝ (α) (= *όλη*) the whole, all (β) (= *κάθε*) everybody · (*με άρνηση*) anybody
▷**ανά πάσα στιγμή** at any moment
▷**εν πάση περιπτώσει** at any rate
▷**κατά πάσα πιθανότητα** most likely
▷**λέω την πάσα αλήθεια** to tell the whole truth
▷**πάσης φύσεως** of all kinds
▷**πάση θυσία** at all costs
▷**πάσης χρήσεως** of every possible use
▷**προς πάσα κατεύθυνση** in all directions
▷**υπεράνω πάσης υποψίας** above suspicion
▷**χάνω πάσα ιδέα** to lose all respect

πασαλείβω Ρ Μ (α) (*ειρων.: τοίχο*) to daub, to smear (β) (*μτφ.: βιβλίο, ύλη*) to skip through

πασάλειμμα ΟΥΣ ΟΥΔ (α) (*τοίχου*) daubing, smearing (β) (*μτφ.: βιβλίου, ύλης*) skipping through

πασαλείφω Ρ Μ = **πασαλείβω**

πασαπόρτι (*ανεπ.*) ΟΥΣ ΟΥΔ **δίνω πασαπόρτι σε κποιον** to give sb the sack

πασάρω (*οικ.*) Ρ Μ (α) (= *ξεφορτώνομαι*) to fob off with (β) (ΑΘΛ) to pass

πασάς ΟΥΣ ΑΡΣ (ΙΣΤ) pasha

πασατέμπος ΟΥΣ ΑΡΣ roasted gourd–seed

πασίγνωστος, -η, -ο ΕΠΙΘ (*ταινία, τραγούδι, ηθοποιός*) well–known, celebrated
▷**είναι πασίγνωστο ότι** ή **πως** it is a well–known fact that
▷**πασίγνωστος για** to be notorious for

πασίδηλος, -η, -ο ΕΠΙΘ evident

πασιέντζα, πασιέντσα ΟΥΣ ΘΗΛ patience, card game for one

πασιφανής, -ής, -ές ΕΠΙΘ (= *ολοφάνερος*) evident

πασιφισμός ΟΥΣ ΑΡΣ (= *ειρηνισμός*) pacifism

πασίχαρος, -η, -ο ΕΠΙΘ (= *ολόχαρος*) radiant

πάσο ΟΥΣ ΟΥΔ ΑΚΛ (α) (= *κάρτα φοιτητών*) pass (β) (= *χώρισμα ανάμεσα σε δύο χώρους*) hatch
▷**(πηγαίνω/δουλεύω) με το πάσο μου** (*προφορ.*) to saunter
▷**πάω πάσο** (*σε τυχερά παιχνίδια*) to pass

πασπαλίζω Ρ Μ (*γλυκό*) to sprinkle, to dust

πασπάλισμα ΟΥΣ ΟΥΔ sprinkling, powdering

πασπάτεμα ΟΥΣ ΟΥΔ (α) (*υφάσματος*) feeling (β) (*τοίχου*) groping (γ) (*αρνητ.: σώματος*) feeling

πασπατεύω Ρ Μ (α) (*τοίχο*) to fumble, to grope · (*μηχάνημα*) to twiddle ή mess about with (β) (*ύφασμα*) to feel (γ) (*αρνητ.: άνδρα, γυναίκα*) to paw

πάσσαλος ΟΥΣ ΑΡΣ stake, pole

πασσιφλόρα ΟΥΣ ΘΗΛ passion fruit

πάστα ΟΥΣ ΘΗΛ (α) (*γλυκό*) pastry (β) (= *ζυμαρικά*) pasta (γ) (*μτφ.: = φύση*) stuff

πασταφλόρα ΟΥΣ ΘΗΛ pastaflora, *type of pastry*

παστέλ ΟΥΣ ΟΥΔ ΑΚΛ pastel

παστέλι ΟΥΣ ΟΥΔ sesame cake

παστεριώνω Ρ Μ (*γάλα*) to pasteurize

παστερίωση ΟΥΣ ΘΗΛ (*γάλακτος*) pasteurization

παστίλια ΟΥΣ ΘΗΛ lozenge, tablet

παστίτσιο ΟΥΣ ΟΥΔ macaroni pie

παστοκύδωνο ΟΥΣ ΟΥΔ (ΜΑΓΕΙΡ) quince paste

πάστορας ΟΥΣ ΑΡΣ (= *ιερέας εκκλησίας διαμαρτυρομένων*) pastor, minister

παστός, -ή, -ό ΕΠΙΘ (*κρέας, χοιρινό, ψάρι*) salted

παστουρμάς ΟΥΣ ΑΡΣ seasoned or cured beef or camel meat

πάστρα ΟΥΣ ΘΗΛ (*προφορ.*: = *καθαριότητα*) cleanliness

παστρικός, -ή ή -ιά, -ό ΕΠΙΘ (α) (*πετσέτα, σεντόνι, άνθρωπος*) neat, tidy (β) (*μτφ.*: *εξήγηση, κουβέντες*) honest, straightforward

πάστωμα ΟΥΣ ΟΥΔ (α) (*κρέατος, ψαριών*) salting, curing (β) (*ειρων.*: *ματιών, βλεφάρων*) smearing, daubing

παστώνω Ρ Μ (α) (*ψάρι, κρέας*) to salt, to cure (β) (*ειρων.*: *βλεφαρίδες, πρόσωπο, χείλη*) to apply make-up heavily

▸ **παστώνομαι** ΜΕΣΟΠΑΘ (*ειρων.*: = *μακιγιάρομαι έντονα και άτεχνα*) to be heavily made-up

Πάσχα ΟΥΣ ΟΥΔ ΑΚΛ (α) (*χριστιανική γιορτή*) Easter (β) (*εβραϊκή γιορτή*) Passover

▹ **κάνω Πάσχα** (= *γιορτάζω το Πάσχα*) to celebrate Easter

▹ **Δώρο του Πασχα** (*για εργαζομένους*) Easter bonus

▹ **καλό Πάσχα!** (*ευχή*) have a nice Easter!

πασχαλιά ΟΥΣ ΘΗΛ (α) lilac (β) (*λογοτ.*: = *οι μέρες του Πάσχα*) Easter season

πασχαλιάτικα ΕΠΙΡΡ (= *την ημέρα του Πάσχα*) on Easter day

πασχαλιάτικος, -η, -ο ΕΠΙΘ (*λαμπάδα, αρνί*) Easter

πασχαλινός, -ή, -ό ΕΠΙΘ Easter

πασχαλίτσα ΟΥΣ ΘΗΛ ladybird (*Βρετ.*), ladybug (*Αμερ.*)

πασχίζω Ρ Μ to strive towards, to try hard for

πάσχω Ρ ΑΜ (α) (= *υποφέρω από ασθένεια*) to suffer (β) (= *δοκιμάζομαι ή υποφέρω*) to be tried (γ) (*αργκ.*: = *είμαι τρελός*) to be insane

πάταγος ΟΥΣ ΑΡΣ (α) (= *ισχυρός κρότος*) bang (β) (*μτφ.*) uproar, sensation

▹ **κάνω πάταγο** to cause ή create a sensation ή stir

παταγώδης, -ης, -ες ΕΠΙΘ: **παταγώδης αποτυχία** flop, wash-out (*ανεπ.*)

πάταξη ΟΥΣ ΘΗΛ (*επίσ.*) wiping out, stamping out

πατάρι ΟΥΣ ΟΥΔ attic (α) (= *ημιώροφος*) loft (β) (= *ξύλινη εξέδρα*) wooden stage

πατάσσω Ρ Μ (*επίσ.*: = *καταστέλλω*) to do away with, to stamp out · (= *τιμωρώ αυστηρά, εξοντώνω*) to punish harshly, to come down on

πατάτα ΟΥΣ ΘΗΛ (α) potato (β) (= *καρπός του φυτού*) potato (γ) (*αρνητ.*: *μτφ.*) flop

> *Προσοχή!: Ο πληθυντικός του **potato** είναι **potatoes**.*

▸ **πατάτες** ΠΛΗΘ (ΜΑΓΕΙΡ) chips (*Βρετ.*), French fries (*Αμερ.*)

πατατάκια ΟΥΣ ΟΥΔ ΠΛΗΘ (potato) crisps (*Βρετ.*), chips (*Αμερ.*)

πατατάλευρο ΟΥΣ ΟΥΔ potato flour

πατατιά ΟΥΣ ΘΗΛ (= *πατάτα*) potato (plant)

πατατοκεφτέδες ΟΥΣ ΑΡΣ ΠΛΗΘ fried potato croquettes

πατατούκα ΟΥΣ ΘΗΛ reefer, pea jacket

πατέντα ΟΥΣ ΘΗΛ patent

▹ **ένας βλάκας με πατέντα** (*προφορ./αρνητ.*) a born fool

πατέρας ΟΥΣ ΑΡΣ father

▹ **γίνομαι πατέρας** (= *αποκτώ παιδί*) to become a father

▹ **ο Πατέρας όλων μας** ή **ο Επουράνιος Πατέρας** (*για τον Θεό*) Our (Heavenly) Father

▹ **Πατέρες της Εκκλησίας** Church Fathers

▹ **οι Αγιοι Πατέρες** the Holy Fathers

▸ **πατέρες** ΠΛΗΘ (= *πρόγονοι*) forefathers

πατερίτσα ΟΥΣ ΘΗΛ (α) (= *δεκανίκι, στήριγμα τραυματισμένων και αναπήρων*) crutch (β) (= *ποιμαντορική ράβδος αρχιερέα*) crozier

πάτερο ΟΥΣ ΟΥΔ joist, rafter

πατίκωμα ΟΥΣ ΟΥΔ (*ανεπ.*: *ρούχων, μαλλιών*) ramming, stuffing

πατικώνω Ρ Μ (*ανεπ.*: *μαλλιά, χώμα, σεντόνι*) to ram, to tamp down

πάτημα ΟΥΣ ΟΥΔ (α) (= *συμπίεση: κουμπιού, διακόπτη*) press, push (β) (= *πατημασιά, βήμα: ανθρώπου*) footstep, tread (γ) (= *πατημασιά, ίχνος: ζώου*) track, footprint (δ) (= *θόρυβος βήματος*) footstep, tread (ε) (= *πλάτος σκαλοπατιού, κατωφλιού, επιφάνειας*) tread, step

▹ **βρίσκω πάτημα** (*προφορ.*: = *βρίσκω κάπου να στηριχθώ*) to find a pretext ή excuse

▹ **δίνω πάτημα** (*προφορ.*: = *δίνω αφορμή*) to give an excuse

πατημασιά ΟΥΣ ΘΗΛ (α) (= *ίχνος ποδιού ανθρώπου*) footprint (β) (= *ίχνη ζώου*) tracks πληθ. (γ) (= *θόρυβος βήματος*) footstep (δ) (= *βήμα*) footstep

πατήρ ΟΥΣ ΑΡΣ (*για ιερείς*) father

πατητή ΟΥΣ ΘΗΛ (*είδος ραφής*) whipstitch

πατητήρι ΟΥΣ ΟΥΔ wine press

πατινάζ ΟΥΣ ΟΥΔ ΑΚΛ skating

πατινάρω Ρ ΑΜ (α) (= *τρέχω με τροχοπέδιλα*) to roller-skate (β) (= *τρέχω με παγοπέδιλα*) to ice-skate

πατίνι ΟΥΣ ΟΥΔ (= *σανίδα με ροδούλες*) skateboard

▹ **κάνω τη ζωή κποιου πατίνι** (*οικ.*) to make sb jump through hoops (*ανεπ.*)

▸**πατίνια** ΠΛΗΘ (= *τροχοπέδιλα*) roller–skates·
(= *παγοπέδιλα*) ice–skates

Πάτμος ΟΥΣ ΘΗΛ Patmos

πατόκορφα ΕΠΙΡΡ (*ανεπ.*) from head to toe
▷**βρίζω ή χέζω πατόκορφα** (*χυδ.*) to shower
abuse on sb

πάτος ΟΥΣ ΑΡΣ (α) (= *πυθμένας, βυθός:*
πηγαδιού, θάλασσας) bottom (β) (= *βάση:*
δοχείον, μπουκάλας, μπαούλον) bottom
(γ) (= *σόλα: παπουτσιού*) sole (δ) (*μτφ.*)
bottom
▷**άσπρο πάτο** bottoms up!
▷**αδειάζω το ποτήρι ως τον πάτο** to drink up
▷**φτάνω στον πάτο** (= *αδειάζω*) to drink up
▷**πάω στον πάτο** (= *βουλιάζω*) to go to Davy
Jones's locker
▷**πάω στον πάτο** (*ανεπ.*: = *αποτυγχάνω*) to
touch the bottom
▷**πιάνω πάτο** (*ανεπ.*) to bottom out, to hit ή
reach rock bottom
▷**μου βγαίνει ή μου φεύγει ο πάτος** (*ανεπ.*: =
κουράζομαι υπερβολικά) to sweat blood, to
slave away
▷**διπλός πάτος** double bottom

πατούσα ΟΥΣ ΘΗΛ (α) (= *πέλμα ποδιού*) sole
(β) (= *αποτύπωμα πέλματος*) footprint
(γ) (= *πέλμα κάλτσας*) tread
▷**κάτω από την πατούσα ή κάτω από το**
βάρος της πατούσας under his foot ή under
the weight of his tread

Πάτρα ΟΥΣ ΘΗΛ Patras

Πάτραι ΟΥΣ ΘΗΛ ΠΛΗΘ = **Πάτρα**

πατριά ΟΥΣ ΘΗΛ clan, family

πάτρια ΟΥΣ ΟΥΔ ΠΛΗΘ (= *πατροπαράδοτα έθιμα*)
traditions

πατριαρχείο ΟΥΣ ΟΥΔ Patriarchate

πατριάρχης ΟΥΣ ΑΡΣ Patriarch

πατριαρχία ΟΥΣ ΘΗΛ patriarchy

πατριαρχικός, -ή, -ό ΕΠΙΘ patriarchal

πατρίδα ΟΥΣ ΘΗΛ (α) (*γενικότ.*) homeland·
(= *τόπος γέννησης*) birthplace (β) (= *χώρα*
διαμονής) country (γ) (*μτφ.*: = *κοιτίδα*)
cradle, birthplace
▷**ιδιαίτερη πατρίδα** birthplace, native town
▷**μητέρα πατρίδα** mother country
▷**θετή πατρίδα** second home
▷**νέα πατρίδα** new home

πατριδογνωσία ΟΥΣ ΘΗΛ (*σχολικό μάθημα*)
local history

πατριδοκαπηλία ΟΥΣ ΘΗΛ (*αρνητ.*: =
καπήλευση του ιδανικού της πατρίδας)
flag–waving

πατριδοκάπηλος ΟΥΣ ΑΡΣ (*αρνητ.*) jingoist

πατριδολατρία ΟΥΣ ΘΗΛ patriotism

πατρικία ΟΥΣ ΘΗΛ *βλ.* **πατρίκιος**

πατρίκιος ΟΥΣ ΑΡΣ (ΑΡΧ ΙΣΤ: = *Ρωμαίος*
ευγενής) patrician

πατρικός, -ή, -ό ΕΠΙΘ (α) (= *σχετικός με τον*
πατέρα: εξουσία, κληρονομιά) paternal
(β) (*μτφ.: στοργή, ενδιαφέρον*) fatherly,
paternal

▸**πατρικό** ΟΥΣ ΟΥΔ (α) (= *το σπίτι των γονιών*)
parents' house (β) (= *οικογενειακό όνομα*
γυναίκας) maiden name

πατριός ΟΥΣ ΑΡΣ (= *θετός γονιός*) step–father

πάτριος, -α, -ο ΕΠΙΘ (*επίσ.*: = *των προγόνων:*
έδαφος, γη, κληρονομιά) ancestral, native

πατριώτης ΟΥΣ ΑΡΣ (α) (= *συμπατριώτης,*
συντοπίτης) compatriot, fellow countryman

> *Προσοχή!: Ο πληθυντικός του*
> **countryman** *είναι* **countrymen***.*

(β) (= *πολίτης που αγαπάει την πατρίδα,*
φιλόπατρις) patriot (γ) (*ανεπ.: προσφώνηση*)
mate (*Βρετ.*), buddy (*Αμερ.*)

πατριωτικός, -ή, -ό ΕΠΙΘ (α) (*συμπεριφορά,*
φλόγα, ενθουσιασμός) patriotic (β) (= *ο*
αναφερόμενος στην πατρίδα: θέμα, χρέος)
country (γ) (*ιδεώδες, πολιτική, προθέσεις,*
σκοποί) patriotic· (*τραγούδι, ποίηση,*
εκδήλωση) patriotic (δ) (*κίνημα, ένωση*)
patriotic

πατριωτισμός ΟΥΣ ΑΡΣ (= *φιλοπατρία*)
patriotism
▷**φλογερός πατριωτισμός** fiery patriotism

πατρογονικός, -ή, -ό ΕΠΙΘ (α) (*περιουσία,*
κτήμα) paternal· (*σπίτι*) ancestral (β) (*έθιμο,*
παράδοση) ancestral
▸**πατρογονικά** ΟΥΣ ΟΥΔ ΠΛΗΘ (= *οι πρόγονοι*)
ancestry *εν.*, patrimony *εν.*

πατροκτονία ΟΥΣ ΘΗΛ patricide

πατροκτόνος ΟΥΣ ΑΡΣΘΗΛ patricide

πατρονάρισμα ΟΥΣ ΟΥΔ patronage

πατρονάρω Ρ Μ (= *κατευθύνω αφανώς*) to
patronize

πατροπαράδοτος, -η, -ο ΕΠΙΘ
(α) (= *προερχόμενος από τους προγόνους:*
γνώση, θρησκεία) traditional
(β) (= *παραδοσιακός: έθιμο, φιλοξενία,*
φαγητό) traditional (γ) (*μτφ.: =*
συνηθισμένος) long–established

πατρότητα ΟΥΣ ΘΗΛ (α) (= *ιδιότητα του*
πατέρα: παιδιού) paternity (β) (*μτφ.: =*
ιδιότητα πρώτου δημιουργού: ιδέας, θεωρίας)
fatherhood
▷**βιολογική πατρότητα** paternity
▷**αναγνώριση της πατρότητας** recognition of
paternity

πατρυιός ΟΥΣ ΑΡΣ = **πατριός**

πάτρωνας ΟΥΣ ΑΡΣ (= *προστάτης*) patron,
protector

πατρωνυμικός, -ή, -ό ΕΠΙΘ (= *αναγόμενος*
στο πατρικό όνομα) patronymic

πατρώνυμο ΟΥΣ ΟΥΔ (= *όνομα πατέρα*) father's
name

πατρώος, -α, -ο ΕΠΙΘ (*επίσ.*) ancestral

πατσαβούρα ΟΥΣ ΟΥΔ (α) rag, cloth (β) (*υβρ.:*
για γυναίκα) slut (*χυδ.*), tart (*χυδ.*)

πατσά ΟΥΣ ΘΗΛ = **πατσάς**

πατσάς ΟΥΣ ΑΡΣ (α) tripe (soup)
(β) (= *εντόσθια ζώου*) tripe

πατσατζής ουσ αρσ *owner or cook of a restaurant serving tripe*

πατσατζίδικο ουσ ουδ *restaurant serving tripe*

πατσίζω ρ αμ (= *ανταποδίδω*) to call it quits · (*για χρήματα*) to get even

πατσουλί ουσ ουδ ακλ (α) (= *αιθέριο έλαιο*) patchouli (β) (*αρνητ.*) cheap, strong–smelling perfume

πατώ ① ρ μ (α) (= *βάζω το πόδι μου πάνω σε κάτι*) to step, to tread (β) (= *κυριεύω: χώρα, νησί, κάστρο*) to set foot on (γ) (= *πιέζω: κουμπί*) to push · (*σκανδάλη*) to pull (δ) (*σταφύλια*) to tread (ε) (*άνθρωπο, πεζό, σκύλο*) to run over ② ρ αμ (α) (= *ακουμπώ τα πόδια μου κάπου*) to step (β) (*στη θάλασσα: = πατώνω*) to touch bottom

▷**δεν πατώ σε** (= *δεν πηγαίνω*) to never set foot in

▷**πατώ όρκο** to break one's word, to go back on one's word

▷**πατώ πόδι** to put one's foot down

▷**το πατάω** to step on it

▷**πατώ φρένο** to step on the brakes

▷**έχω πατήσει τα 40/50/60** (*για ηλικία*) to be on the wrong side of 40/50/60

▷**την πατάω με κπν** (*προφορ.*: = *ερωτεύομαι*) to fall for sb

▷**την πατάω σε κτ** (*προφορ.*) to be floored by sth

▷**την πατάω** (*προφορ.*: = *ξεγελιέμαι*) to put one's foot in it

▷**πατάω την πεπονόφλουδα** ή **μπανανόφλουδα** (*προφορ.*) to fall headlong into a trap

πάτωμα ουσ ουδ (α) (= *δάπεδο*) floor (β) (= *όροφος*) floor (γ) (= *δάπεδο από ξύλο*) floor · (*επίσης* **ξύλινο πάτωμα**) floor

▷**κάτω/πάνω πάτωμα** the floor below/above

πατώνω ① ρ αμ (α) (*στη θάλασσα*) to touch bottom (β) (*σε διαγωνισμό, βαθμολογία*) to reach the bottom ② ρ μ (α) (*σπίτι*) to floor (β) (*δοχείο, βαρέλι*) to bottom

πατωσιά ουσ θηλ (α) (= *επίστρωση με σανίδες*) flooring (β) (= *δάπεδο*)

παύλα ουσ θηλ (α) (= *σημείο στίξης*) dash (β) (= *μουσική παύση*) rest

παύση ουσ θηλ (α) (*εργασιών, ερευνών, επίθεσης*) end, cessation (*επίσ.*) (β) (= *διακοπή ομιλίας*) pause (γ) (ΜΟΥΣ) rest (δ) (= *απόλυση: υπαλλήλου, αξιωματούχου*) discharge

▷**κάνω παύση** to pause

▷**σύντομη/μακριά παύση, μικρή/μεγάλη παύση** short/long pause

παυσίπονο ουσ ουδ painkiller

παυσίπονος, -η, -ο επιθ (*ουσία, δράση*) pain–killing

παύω ① ρ μ (α) (= *διακόπτω, σταματώ: παιχνίδι, εργασία, συζήτηση*) to stop (β) (*επίσ.: πρόεδρο, υπουργό, στρατιωτικό*) to relieve of one's duties ② ρ αμ (α) (= *διακόπτομαι, σταματώ*) to stop, to cease (β) (= *σιωπώ: για πρόσ. και ήχο*) to stop

▷**παύω να** (= *σταματώ*) to stop doing

▷**παύω κπν από** (= *απομακρύνω κπν από τα καθήκοντά του*) to relieve sb of his duties

▷**παύσατε πυρ** (ΣΤΡΑΤ) cease fire!

πάφιλας ουσ αρσ (*ανεπ.*: = *ορείχαλκος*) sheet–brass

παφλάζω ρ αμ (α) (*κύμα, νερό*) to plop (β) (*μτφ.*) to bubble

παφλασμός ουσ αρσ (α) (*κυμάτων*) splash (β) (*μτφ.*) echo

> *Προσοχή!: Ο πληθυντικός του* **echo** *είναι* **echoes**.

Πάφος ουσ θηλ Paphos

παχαίνω ① ρ αμ (α) (= *αυξάνεται το βάρος μου*) to get fat, to put on weight (β) (= *είμαι παχυντικός: φαγητό, ποτό*) to be fattening ② ρ μ (*ζώο, άνθρωπο*) to fatten

πάχνη ουσ θηλ (= *πρωινή δροσιά*) hoarfrost, white frost

παχνί ουσ ουδ (α) (= *φάτνη*) stall (β) (= *χώρος που τρώει ένα ζώο*) manger

πάχος ουσ αρσ (α) (*κλαδιού, χαλιού, σανίδας*) thickness (β) (= *παχυσαρκία: ανθρώπου, ζώου*) plumpness, fatness (γ) (= *λίπος: κρέατος, κοτόπουλου*) fat, grease

παχουλός, -ή, -ό επιθ (*άνθρωπος, ζώο*) plump · (*δάχτυλα, πόδια*) fat

παχουλούτσικος, -η, -ο επιθ (= *κάπως παχουλός*) fattish

παχυδερμία ουσ θηλ (α) (= *ιδιότητα του παχύδερμου*) thickness of the skin (β) (*μτφ.*: = *αναισθησία, αφιλοτιμία*) insensitivity

παχύδερμο ουσ ουδ (α) (ΖΩΟΛ) pachyderm (β) (*μτφ.*: = *άνθρωπος αναίσθητος*) thick–skinned person

παχύδερμος, -η, -ο επιθ (α) (= *με παχύ δέρμα*) thick–skinned (β) (*μτφ.*: = *αναίσθητος, αδιάφορος*) insensitive

παχυλός, -ή, -ό επιθ (α) (*μισθός, έσοδα, αμοιβή*) tidy, high (β) (*άγνοια, αγραμματοσύνη, υποκρισία*) gross, crass

πάχυνση ουσ θηλ fattening

παχυντικός, -ή, -ό επιθ (*τροφή, φάρμακο*) fattening

παχύνω *βλ. κ. ρ.* **παχαίνω**

παχύρρευστος, -η, -ο επιθ (*ουσία, υγρό, ζωμός, μέλι*) thick, viscous (*επίσ.*)

παχύς, -ιά ή **-εία, -ύ** επιθ (α) (= *χοντρός, παχύσαρκος: άνθρωπος, ζώο*) fat (β) (= *με μεγάλο πάχος: στρώμα, χορτάρι*) thick (γ) (= *λιπαρό: κρέας, ψάρι*) fat (δ) (= *παχύρρευστος: σάλτσα, γάλα*) thick (ε) (*για σύμφωνα*) thick

▸**παχύ έντερο** large intestine

▸**παχιά λόγια** (= *κομπορρημοσύνες, κενές υποσχέσεις*) big words

παχυσαρκία ΟΥΣ ΘΗΛ (= ιδιότητα του παχύσαρκου) obesity

παχύσαρκος, -η, -ο ΕΠΙΘ (επίσ.: = χοντρός) obese

πάω Ρ Μ/ΑΜ βλ. **πηγαίνω**

πέδηση ΟΥΣ ΘΗΛ (= φρενάρισμα) braking

πεδιάδα ΟΥΣ ΘΗΛ (= κάμπος) flat country

πεδικλώνω Ρ Μ to trip up
▸**πεδικλώνομαι** ΜΕΣΟΠΑΘ (= σκοντάφτω) to trip over

πέδιλο ΟΥΣ ΟΥΔ (α) (= σαντάλι) sandal (β) (για βατραχοπέδιλο, κλπ) flipper · (παγοπέδιλο) ice skate (γ) (= ποδόπληκτρο, πετάλι: ραπτομηχανής) pedal

πεδινός, -ή, -ό ΕΠΙΘ (α) (χωριό, κλίμα) of a plain (β) (χώρα, περιοχή) flat

πεδίο ΟΥΣ ΟΥΔ (έρευνας, επιστήμης) field
▸**οπτικό πεδίο** optical field, range of vision
▸**πεδίο βολής** shooting range, rifle range
▸**πεδίο μάχης** battlefield
▸**Πεδίον του Άρεως** the Field of Ares

πεζεύω Ρ ΑΜ (= ξεπεζεύω) to dismount

πεζή ΕΠΙΡΡ (ταξιδεύω, μετακινούμαι) on foot

πεζικάριος ΟΥΣ ΑΡΣ (= στρατιώτης του πεζικού) infantryman

> *Προσοχή!: Ο πληθυντικός του* infantryman *είναι* infantrymen.

πεζικό ΟΥΣ ΟΥΔ infantry
▸**ελαφρύ/βαρύ πεζικό** light/heavy infantry

πεζογράφημα ΟΥΣ ΟΥΔ prose piece

πεζογραφία ΟΥΣ ΘΗΛ prose
▸**μεταπολεμική πεζογραφία** post–war prose
▸**νεοελληνική πεζογραφία** Modern Greek prose

πεζογραφικός, -ή, -ό ΕΠΙΘ (χαρακτηριστικό, έργο, εργασία) written in prose

πεζογράφος ΟΥΣ ΑΡΣΘΗΛ prose writer

πεζογραφώ Ρ ΑΜ to write prose

πεζοδρόμηση ΟΥΣ ΘΗΛ (= κατασκευή πεζόδρομων) pedestrianization

πεζοδρόμιο ΟΥΣ ΟΥΔ pavement (Βρετ.), sidewalk (Αμερ.) · (μτφ.) gutter
▸**μεγαλώνω στο πεζοδρόμιο** to be brought up in the gutter
▸**κάνω πεζοδρόμιο** (προφορ.: για γυναίκα) to walk the streets
▸**γυναίκα του πεζοδρομίου** woman of the streets, streetwalker

πεζόδρομος ΟΥΣ ΑΡΣ (= δρόμος μόνο για πεζούς) pedestrian walkway

πεζοδρομώ Ρ Μ to pedestrianize

πεζομαχία ΟΥΣ ΘΗΛ infantry battle

πεζοναύτης ΟΥΣ ΑΡΣ marine

πεζοπορία ΟΥΣ ΘΗΛ (α) (= πορεία με τα πόδια) hiking (β) (= περπάτημα ως τρόπος άθλησης) walking, hiking

πεζοπορικός, -ή, -ό ΕΠΙΘ (= σχετικός με πεζοπορία) hiking, walking

πεζοπόρος ΟΥΣ ΑΡΣ (= που πορεύεται πεζή) hiker
▸**πεζοπόρο άγημα** party of foot soldiers

πεζοπορώ Ρ ΑΜ (α) (= περπατώ) to walk, to hike (β) (= κάνω πεζοπορία) to hike

πεζός, -ή, -ό ΕΠΙΘ (α) (στρατιώτης, ταχυδρόμος, διαδηλωτής) on foot (β) (κείμενο, απόσπασμα) prose (γ) (= κοινότοπος: άνθρωπος, ύφος, πραγματικότητα) dull, mundane
▸**πεζό** ΟΥΣ ΟΥΔ (α) (ΛΟΓ) prose (β) (επίσης **πεζό στοιχείο**) lower–case letter
▸**πεζός** ΟΥΣ ΑΡΣ, **πεζή** ΟΥΣ ΘΗΛ pedestrian

πεζότητα ΟΥΣ ΘΗΛ (= κοινοτοπία, καθημερινότητα) dullness

πεζούλα ΟΥΣ ΘΗΛ (= τοίχος για συγκράτηση χώματος) low stone wall

πεζούλι ΟΥΣ ΟΥΔ (= τοιχάκι: σπιτιού, πηγαδιού, παράθυρου) low stone wall

πεθαίνω ① Ρ ΑΜ to die
② Ρ Μ (α) (= οδηγώ στον θάνατο) to lead to death (β) (μτφ.: = βασανίζω) to torture
▸**πεθαίνω από** (κρυολ., μτφ.) to die of
▸**πεθαίνω για** to die for
▸**πεθαίνω στα γέλια** ή από τα γέλια to laugh one's head off
▸**πεθαίνω της πείνας** ή από την πείνα to starve to death
▸**πεθαίνω της δίψας** ή από τη δίψα to die of thirst
▸**πεθαίνω στη δουλειά** to work oneself to death

πεθαμός ΟΥΣ ΑΡΣ (προφορ.: = θάνατος) death · (μτφ.: = ταλαιπωρία) hell

πεθερά ΟΥΣ ΘΗΛ mother–in–law

> *Προσοχή!: Ο πληθυντικός του* mother–in–law *είναι* mothers–in–law.

▸**κακιά πεθερά** (ειρων.: για ιδιότροπο άτομο) a miserable sod

πεθερικά ΟΥΣ ΟΥΔ ΠΛΗΘ in–laws, parents–in–law

πεθερός ΟΥΣ ΑΡΣ father–in–law

> *Προσοχή!: Ο πληθυντικός του* father–in–law *είναι* fathers–in–law.

πειθαναγκάζω Ρ Μ (= αναγκάζω κπν να υπακούσει) to compel, to coerce

πειθαναγκασμός ΟΥΣ ΑΡΣ (= αναγκασμός κου να κάνει κτ) coercion, compulsion

πειθαρχείο ΟΥΣ ΟΥΔ (= θάλαμος για τιμωρημένους στρατιώτες) guardroom

πειθαρχία ΟΥΣ ΘΗΛ (= υπακοή: ανθρώπου, στρατού) discipline

πειθαρχικό ΟΥΣ ΟΥΔ (ΔΙΟΙΚ) disciplinary board

πειθαρχικός, -ή, -ό ΕΠΙΘ (ποινή, δικογραφία, μέτρο) disciplinary

πειθαρχώ Ρ Μ (= υπακούω) to obey

πειθήνιος, -α, -ο ΕΠΙΘ (α) (για υποζύγια) amenable, tractable (β) (για πρόσ.) docile, obedient

πειθώ ΟΥΣ ΘΗΛ persuasion

πείθω Ρ Μ to convince, to persuade
▷**ανάγκα και οι θεοί πείθονται** needs must (when the devil drives)
▷**δεν με πείθεις!** you don't convince me!

πείνα ΟΥΣ ΘΗΛ (α) (*ανθρώπου, ζώου*) hunger (β) (= *έλλειψη τροφίμων*) starvation, famine (γ) (*μτφ.*: = *έντονο αίσθημα στέρησης*) hunger
▷**λυσσάω στην πείνα** to be starving
▷**με θερίζει ή σφίγγει η πείνα** to be hungry, to starve
▷**πεθαίνω ή ψοφάω της πείνας ή στην πείνα** to starve
▷**σύνταξη/μεροκάματο πείνας** starvation salary/wage
▸**απεργία πείνας** hunger strike
▷**σύνταξη/μεροκάματο πείνας** starvation salary/wage

πειναλέος, -α, -ο (*προφορ.*) ΕΠΙΘ (α) (= *πολύ πεινασμένος*) hungry (β) (= *πολύ φτωχός*) starving, famished

πεινασμένος, -η, -ο ΕΠΙΘ hungry
▷**ο πεινασμένος καρβέλια ονειρεύεται** (*παροιμ.*) to crave

πεινώ Ρ ΑΜ (α) (= *αισθάνομαι πείνα*) to be hungry (β) (= *τρέφομαι ανεπαρκώς*) to be famished
▷**πεινάω σαν λύκος** I could eat a horse (*ανεπ.*)

πείρα ΟΥΣ ΘΗΛ (= *εμπειρία*) experience

πείραγμα ΟΥΣ ΟΥΔ (α) (*καλοπροαίρετο, ερωτικό*) teasing (β) (*ενοχλητικό*) taunt, jeer

πειράζω Ρ Μ (α) (= *εκνευρίζω*) to vex (β) (= *κάνω αστεία*) to tease (γ) (= *βλάπτω*) to hurt (δ) (*ρολόι, τηλεόραση*) to mess about with (*ανεπ.*), to tamper with
▸**πειράζει** ΑΠΡΟΣ to matter
▷**δεν πειράζει** it doesn't matter
▸**πειράζομαι** ΜΕΣΟΠΑΘ (α) (= *θίγομαι*) to be irritated (β) (= *προσβάλλομαι από αρρώστια*) to be affected

Πειραιάς ΟΥΣ ΑΡΣ Piraeus

πειραϊκός, -ή, -ό ΕΠΙΘ (α) (*θέατρο, λιμάνι, ζωή*) of Piraeus (β) (*ομάδα, σύλλογος, καταγωγή*) from Piraeus

πειραιώτικος, -η, -ο ΕΠΙΘ = **πειραϊκός**

πειρακτικός, -ή, -ό ΕΠΙΘ = **πειραχτικός**

πείραμα ΟΥΣ ΟΥΔ experiment

πειραματίζομαι Ρ ΑΜ ΑΠΟΘ (*κυριολ., μτφ.*) to experiment

πειραματικό ΟΥΣ ΟΥΔ pilot · (*επίσης* **πειραματικό σχολείο**) pilot school

πειραματικός, -ή, -ό ΕΠΙΘ experimental
▷**πειραματικό θέατρο** fringe theatre (*Βρετ.*), fringe theater (*Αμερ.*)
▷**πειραματικό σχολείο** (ΕΚΠ) pilot school

πειραματισμός ΟΥΣ ΑΡΣ (*αρχιτεκτονικής, ψυχολογίας, χημείας*) experimentation

πειραματιστής ΟΥΣ ΑΡΣ (= *αυτός που κάνει πειράματα*) experimenter

πειραματόζωο ΟΥΣ ΟΥΔ guinea pig

πειρασμός ΟΥΣ ΑΡΣ (α) (= *σκανδάλισμα: ζωής, πλούτου, αισθήσεων*) temptation (β) (= *ότι προκαλεί έντονη επιθυμία για υλική απόλαυση*) temptation (γ) (*μτφ.*: = *διάβολος*) devil

πειρατεία ΟΥΣ ΘΗΛ piracy

πειρατής ΟΥΣ ΑΡΣ (= *κουρσάρος*) pirate

πειρατικό ΟΥΣ ΟΥΔ (*επίσης* **πειρατικό πλοίο**) pirate ship

πειρατικός, -ή, -ό ΕΠΙΘ (*επιχείρηση, επίθεση, λάφυρο*) pirate
▷**πειρατικό ταξί** mini cab

πειραχτήρι ΟΥΣ ΟΥΔ tease

πειραχτικός, -ή, -ό ΕΠΙΘ teasing

πείσμα ΟΥΣ ΟΥΔ (= *ισχυρογνωμοσύνη*) obstinacy, stubbornness
▷**σε πείσμα** (= *για αντίδραση*) out of spite, from spite
▷**βάζω πείσμα να κάνω κτ** to do sth out of spite, to do sth from spite
▷**αφήνω τα πείσματα** not to be stubborn
▷**κάνω πείσματα** to be pigheaded

πεισματάρης, -α, -ικο ΕΠΙΘ (*άνθρωπος*) pigheaded

πεισματάρικος, -η, -ο ΕΠΙΘ (α) (*παιδί, ζώο*) stubborn (β) (*καρδιά, μέτωπο*) tenacious

πεισματικός, -ή, -ό ΕΠΙΘ (*εμμονή, στερεότητα, επιχείρημα*) tenacious

πεισματωμένος, -η, -ο ΕΠΙΘ = **πεισμωμένος**

πεισματώνω Ρ Μ/ΑΜ = **πεισμώνω**

πεισμωμένος, -η, -ο ΕΠΙΘ sulky

πείσμων, -ων, -ον ΕΠΙΘ (= *πεισματάρης*) obstinate

πεισμώνω ① Ρ Μ to spite
② Ρ ΑΜ (= *κυριεύομαι από πείσμα*) to become stubborn

πειστήριο ΟΥΣ ΟΥΔ exhibit
▷**πειστήριο του εγκλήματος** criminal evidence

πειστικός, -ή, -ό ΕΠΙΘ convincing, persuasive

πειστικότητα ΟΥΣ ΘΗΛ persuasiveness

Πεκίνο ΟΥΣ ΟΥΔ Beijing

πελαγίσιος, -ια, -ιο ΕΠΙΘ (*αλμύρα, αέρας*) sea

πέλαγο (*λογοτ.*) ΟΥΣ ΟΥΔ = **πέλαγος**

πέλαγος ΟΥΣ ΟΥΔ sea
▷**ανοιχτό πέλαγος** the open sea
▷**ανοίγομαι ή ξανοίγομαι στο πέλαγος** to sail on the high seas

πελάγρα ΟΥΣ ΘΗΛ pellagra, *chronic disease caused by niacin deficiency*

πελαγωμένος, -η, -ο ΕΠΙΘ (= *σαστισμένος*) at a loss

πελαγώνω Ρ ΑΜ (= *τα χάνω*) to be in a muddle

πελαργός ΟΥΣ ΑΡΣ stork

Πελασγοί ΟΥΣ ΑΡΣ ΠΛΗΘ (ΑΡΧ ΙΣΤ) Pelasgoi

πελατεία ΟΥΣ ΘΗΛ (*μαγαζιού*) custom, patronage · (*επιχείρησης*) clientele · (*γιατρού, δικηγόρου*) practice

πελάτης ΟΥΣ ΑΡΣ (*καταστήματος*) customer· (*εστιατορίου*) patron· (*γιατρού*) patient· (*δικηγόρου*) client

πελεκάνος ΟΥΣ ΑΡΣ pelican

πελεκώ Ρ Μ (α) (*ξύλο*) to chop· (*πέτρα, τούβλα*) to hew (β) (*προφορ., ανεπ.*: = δέρνω) to thrash, to beat

πελέκημα ΟΥΣ ΟΥΔ (α) (*ξύλων*) chopping (β) (*προφορ., ανεπ.*: = ξυλοδαρμός) beating

πελεκητός, -ή, -ό ΕΠΙΘ (*πέτρες, μάρμαρο*) shaped

πελέκι ΟΥΣ ΟΥΔ = **πέλεκυς**

πέλεκυς ΟΥΣ ΑΡΣ (α) (*επίσ.*: = τσεκούρι) hatchet (β) (*μτφ.*: = ποινή ή απειλή) axe (*Βρετ.*), ax (*Αμερ.*)
▷**διπλός πέλεκυς** double axe (*Βρετ.*) ή ax (*Αμερ.*)

πελιδνός, -ή, -ό ΕΠΙΘ (= ωχρός) livid

πέλμα ΟΥΣ ΟΥΔ (α) (*ανθρώπου*) sole· (*ζώου*) paw (β) (= *σόλα*) sole (γ) (ΜΗΧΑΝ) shoe pad

πελοποννησιακός, -ή, -ό ΕΠΙΘ Peloponnesian

Προσοχή!: Τα εθνικά επίθετα, όπως **Peloponnesian**, *γράφονται με κεφαλαίο το αρχικό γράμμα στα Αγγλικά.*

▸**Πελοποννησιακός Πόλεμος** the Peloponnesian war

Πελοπόννησος ΟΥΣ ΘΗΛ Peloponnese

πέλος ΟΥΣ ΟΥΔ (*υφάσματος, χαλιού*) nap, pile

πελτές ΟΥΣ ΑΡΣ (α) (*ντομάτας*) tomato paste (β) (*φρούτων*) fruit purée

πελώριος, -α, -ο ΕΠΙΘ enormous, huge

Πέμπτη ΟΥΣ ΘΗΛ Thursday

πέμπτος, -η, -ο ΑΡΙΘ ΤΑΚΤ fifth
▸**πέμπτος** ΟΥΣ ΑΡΣ (α) (= όροφος) fifth floor (*Βρετ.*), sixth floor (*Αμερ.*) (β) (= Μάιος) May
▸**πέμπτη** ΟΥΣ ΘΗΛ (α) (= ημέρα) fifth (β) (= ταχύτητα) fifth (gear) (γ) (= τάξη δημοτικού) fifth grade

πεμπτουσία ΟΥΣ ΘΗΛ (= απόσταγμα) quintessence

πένα[1] ΟΥΣ ΘΗΛ (α) (*για γραφή*) pen (β) (ΜΟΥΣ) pick, plectrum

πένα[2] ΟΥΣ ΘΗΛ (= υποδιαίρεση λίρας) penny

Προσοχή!: Ο πληθυντικός του **penny** *είναι* **pennies** *ή* **pence**.

πενάκι ΟΥΣ ΟΥΔ (α) (= μικρή πένα) pen nib (β) (= είδος ζυμαρικού) penne

πέναλτι ΟΥΣ ΟΥΔ ΑΚΛ (ΑΘΛ) penalty

πενήντα ΑΡΙΘ ΑΠΟΛ ΑΚΛ fifty

πενηντάρα ΟΥΣ ΘΗΛ *βλ.* **πενηντάρης**

πενηντάρης ΟΥΣ ΑΡΣ fifty–year–old man

πενηνταριά ΟΥΣ ΘΗΛ: **καμιά πενηνταριά** about fifty

πένης ΟΥΣ ΑΡΣ (*επίσ.*) pauper

πενθήμερο ΟΥΣ ΟΥΔ five–day week

πενθήμερος, -η, -ο ΕΠΙΘ five–day

πένθιμος, -η, -ο ΕΠΙΘ (α) (*ρούχα, *) mourning· (*τελετή, εμβατήριο*) funeral (β) (*ύφος, τόνος, τοπίο*) gloomy

πένθος ΟΥΣ ΟΥΔ mourning· (= μαύρη ταινία στο μπράτσο άντρα, δηλωτική πένθους) mourning armband
▷**έχω πένθος** to be in mourning

πενθοφορώ Ρ ΑΜ (= φοράω πένθιμα ρούχα) to wear mourning, to be dressed in black

πενθώ Ρ ΑΜ (α) (= θρηνώ νεκρό) to mourn (β) (= τηρώ εξωτερικά το πένθος) to be dressed in mourning

πενιά ΟΥΣ ΘΗΛ (*μτφ.*) folk song accompanied by a bouzouki

πενία ΟΥΣ ΘΗΛ destitution
▷**πενία τέχνας κατεργάζεται** necessity is the mother of invention

πενικιλίνη ΟΥΣ ΘΗΛ penicillin

πενιχρός, -ή, -ό ΕΠΙΘ (α) (= ευτελής) meagre (*Βρετ.*), meager (*Αμερ.*) (β) (= ανεπαρκής, λίγος) scant (γ) (= ασήμαντος) scant, poor

πενιχρότητα ΟΥΣ ΘΗΛ (*μισθού, εισοδήματος*) scantiness

πένσα ΟΥΣ ΘΗΛ pliers *πληθ.*

πεντάγραμμο ΟΥΣ ΟΥΔ (ΜΟΥΣ) stave, staff

πεντάγωνο ΟΥΣ ΟΥΔ (ΓΕΩΜ) pentagon
▷**Πεντάγωνο** the Pentagon

πεντάγωνος, -η, -ο ΕΠΙΘ (*κτήριο, σχήμα*) pentagonal

πεντάδα ΟΥΣ ΘΗΛ group of five

πεντάδυμα ΟΥΣ ΟΥΔ ΠΛΗΘ quintuplets

πεντάεδρο ΟΥΣ ΟΥΔ pentahedron

πενταετής, -ής, -ές ΕΠΙΘ (*υπηρεσία, θητεία, πρόγραμμα*) five–year

πενταετία ΟΥΣ ΘΗΛ (= περίοδος πέντε ετών) five–year period

πένταθλο ΟΥΣ ΟΥΔ pentathlon

πεντακάθαρος, -η, -ο ΕΠΙΘ (*αυλή*) spick and span

πεντάκις ΕΠΙΡΡ fivefold

πεντάκλωνος, -η, -ο ΕΠΙΘ (*νήμα*) five–ply

πεντάκορφος, -η, -ο ΕΠΙΘ with five peaks

πεντακοσάρα ΟΥΣ ΘΗΛ (α) (= φιάλη πεντακοσίων γραμμαρίων) a 500 ml bottle (β) (*για μηχανή*) a 500 cc bike

πεντακοσαριά ΟΥΣ ΘΗΛ: **καμιά πεντακοσαριά** about five hundred

πεντακόσια ΑΡΙΘ ΑΠΟΛ ΑΚΛ five hundred

πεντακόσιοι, -ες, -α ΑΡΙΘ ΑΠΟΛ ΠΛΗΘ five hundred

πεντακοσιοστός, -ή, -ό ΑΡΙΘ ΤΑΚΤ five hundredth

πεντάλ ΟΥΣ ΟΥΔ ΑΚΛ (*γκαζιού, πιάνου*) pedal

πεντάλεπτο ΟΥΣ ΟΥΔ (= πέντε λεπτά) five–minute period

πεντάλεπτος, -η, -ο ΕΠΙΘ (*πρόγραμμα, διάλειμμα, σιγή*) five–minute

πεντάλφα ΟΥΣ ΟΥΔ ΑΚΛ (*σχήμα*) pentacle

πενταμελής, -ής, -ές ΕΠΙΘ (*οικογένεια,*

συμβούλιο, επιτροπή) with five members

πενταμερής, -ής, -ές ΕΠΙΘ (διάσκεψη, συνεργασία) with five participants

πεντάμηνο ΟΥΣ ΟΥΔ five-month period

πεντάμηνος, -η, -ο ΕΠΙΘ (διάστημα, σεμινάριο, σύμβαση) five-month

πεντάμορφος, -η, -ο ΕΠΙΘ (= πολύ όμορφος) ravishing

πεντανόστιμος, -η, -ο ΕΠΙΘ (φαγητό) delicious

πενταπλάσιος, -α, -ο ΕΠΙΘ (αύξηση) fivefold · (πωλήσεις) five times as many

πεντάπλευρο ΟΥΣ ΟΥΔ pentagon

πενταπλός, -ή, -ό ΕΠΙΘ fivefold

πεντάρα ΟΥΣ ΘΗΛ (παλαιότ.) a five-lepta nickel coin
 ▷ **δεν αξίζει πεντάρα** it's not worth a tinker's cuss (ανεπ.)
 ▷ **δεν δίνω πεντάρα** I don't give a damn (ανεπ.)
 ► **πεντάρες** ΠΛΗΘ (στα ζάρια) fives
 ▷ **φέρνω πεντάρες** to throw fives

πεντάρι ΟΥΣ ΟΥΔ (α) (αριθμός) five (β) (παιγνιόχαρτο) five (γ) (στο Λόττο) five (δ) (διαμέρισμα) apartment with five rooms
 ▷ **κάνα πεντάρι** about five

πενταροδεκάρες ΟΥΣ ΘΗΛ ΠΛΗΘ (= ασήμαντο ποσό) chicken feed εν.

πεντάρφανος, -η, -ο ΕΠΙΘ (= ορφανός κι από τους δυο γονείς) orphaned

πεντάστιχο ΟΥΣ ΟΥΔ five-verse stanza

πεντάτομος, -η, -ο ΕΠΙΘ (εγκυκλοπαίδεια, έργο) five-volume

πενταφωνία ΟΥΣ ΘΗΛ quintet

πεντάχορδος, -η, -ο ΕΠΙΘ (όργανο) five-stringed

πεντάχρονος, -η, -ο ΕΠΙΘ (α) (αγόρι, κορίτσι) five-year-old (β) (αναστολή, φυλάκιση, εξαφάνιση) five-year

πεντάωρο ΟΥΣ ΟΥΔ five-hour period

πεντάωρος, -η, -ο ΕΠΙΘ (σύσκεψη, κατάληψη, διακοπή) five-hour

πέντε ΑΡΙΘ ΑΠΟΛ ΑΚΛ five

πεντηκονταετία ΟΥΣ ΘΗΛ fifty-year period

Πεντηκοστή ΟΥΣ ΘΗΛ Whitsun

πεντηκοστός, -ή, -ό ΑΡΙΘ ΤΑΚΤ fiftieth

πεντόβολα ΟΥΣ ΟΥΔ ΠΛΗΘ (παιχνίδι) jacks

πεντοζάλης ΟΥΣ ΑΡΣ (= κρητικός χορός) Cretan folk dance

πεντόλιρο ΟΥΣ ΟΥΔ five-pound note, fiver (ανεπ.)

πέος ΟΥΣ ΑΡΣ penis

πεπατημένη ΟΥΣ ΘΗΛ the beaten track
 ▷ **ακολουθώ την πεπατημένη** to keep to the beaten track

πεπειραμένος, -η, -ο ΕΠΙΘ (δικηγόρος, τεχνίτης, δασκάλα) experienced, skilled

πεπεισμένος, -η, -ο ΕΠΙΘ convinced

πεπερασμένος, -η, -ο ΕΠΙΘ finite

πεπιεσμένος, -η, -ο ΕΠΙΘ (αέρας, χαρτόνι) compressed
 ▷ **πεπιεσμένο χαρτί** papier-mâché

πέπλο ΟΥΣ ΟΥΔ veil

πέπλος ΟΥΣ ΑΡΣ (στην αρχαιότητα) mantle, robe

πεποίθηση ΟΥΣ ΘΗΛ (= ακλόνητη βεβαιότητα) conviction · (= αυτοπεποίθηση) confidence
 ▷ **έχω την πεποίθηση ότι** to feel confident of
 ► **πεποιθήσεις** ΠΛΗΘ beliefs, convictions
 ▷ **θρησκευτικές πεποιθήσεις** religious beliefs
 ▷ **πολιτικές πεποιθήσεις** political convictions

πεπόνι ΟΥΣ ΟΥΔ melon

πεπονόφλουδα ΟΥΣ ΘΗΛ (= φλούδα πεπονιού) melon skin

πεπραγμένα ΟΥΣ ΟΥΔ ΠΛΗΘ minutes

πεπρωμένο ΟΥΣ ΟΥΔ (λαού, τέχνης, θεάτρου) fate, destiny

πεπτικός, -ή, -ό ΕΠΙΘ (σύστημα, διαταραχές) digestive, peptic

πέρα ΕΠΙΡΡ (α) (για χρόνο) from now on (β) (για τόπο) far away
 ▷ **από δω και πέρα** from now on
 ▷ **κάνω κπν πέρα** to push sb aside
 ▷ **πέρα από** (για ώρα) after · (για ποσό) more than
 ▷ **πέρα βρέχει** I couldn't care less
 ▷ **πέρα για πέρα** (= εντελώς) out-and-out
 ▷ **πέρα δώθε** (= εδώ κι εκεί) to and fro, back and forth
 ▷ **τα βγάζω πέρα** to cope, to manage

περαιτέρω ΕΠΙΡΡ (= πιο πέρα) further, farther
 ▷ **τα περαιτέρω** the rest, the following
 ▷ **το μη περαιτέρω** no more

πέραμα ΟΥΣ ΟΥΔ (α) (ποταμού) ford (β) (= πλωτό μέσο για διάβαση) passage

πέρας ΟΥΣ ΟΥΔ (= τέλος: εργασίας, θεραπείας, εξέτασης) end
 ▷ **στα πέρατα της γης** to the ends of the earth
 ▷ **φέρνω κτ εις ή σε πέρας** to bring sth to an end, to bring sth to a close

πέρασμα ΟΥΣ ΟΥΔ (α) (ποταμού, γέφυρας) crossing (β) (= διάβαση) ford (γ) (χρόνων, καιρού) passage

περασμένος, -η, -ο ΕΠΙΘ (μήνας, δόξα, μεγαλεία) past, bygone
 ▷ **τα περασμένα** the past

περαστικός, -ή, -ό ΕΠΙΘ (αρρώστια, βροχή, σχέση) brief
 ► **περαστικός** ΟΥΣ ΑΡΣ passer-by

> *Προσοχή!: Ο πληθυντικός του* **passer-by** *είναι* **passers-by**.

 ▷ **περαστικά σας!** speedy recovery!, get well soon!

περαστός, -ή, -ό ΕΠΙΘ (σκουλαρίκι, κολιέ) keyed-in

περατώνω Ρ Μ (= τελειώνω: πρόγραμμα, δίκη, σπουδές) to finish, to complete

περβάζι ΟΥΣ ΟΥΔ (παράθυρου, κουζίνας)

window sill

περγαμηνή ΟΥΣ ΘΗΛ (= *κατεργασμένο δέρμα για γραφή*) parchment
▸ **περγαμηνές** ΠΛΗΘ distinction *εν.*

περγαμόντο ΟΥΣ ΟΥΔ (α) (*φυτό*) bergamot (orange) (β) (*γλυκό*) bergamot

πέρδικα ΟΥΣ ΘΗΛ partridge

περδίκι ΟΥΣ ΟΥΔ young partridge
▸ **είμαι/γίνομαι περδίκι** to be as fit as a fiddle

περδικλώνω Ρ Μ = **πεδικλώνω**

περδικούλα ΟΥΣ ΘΗΛ young partridge
▸ **το λέει η περδικούλα του** he's got plenty of guts (*ανεπ.*)

πέρδομαι Ρ ΑΜ ΑΠΟΘ to break wind

περδουκλώνω Ρ Μ = **πεδικλώνω**

περηφανεύομαι Ρ ΑΜ ΑΠΟΘ = **υπερηφανεύομαι**

περηφάνια ΟΥΣ ΘΗΛ = **υπερηφάνια**

περήφανος, -η, -ο ΕΠΙΘ = **υπερήφανος**

περιαδράχνω Ρ Μ (*επίσ.*) to take hold of

περιαυτολογία ΟΥΣ ΘΗΛ (= *αυτοέπαινος*) bragging

περιαυτολογώ Ρ ΑΜ (= *αυτοεπαινούμαι*) to brag, to boast

περιβάλλον ΟΥΣ ΟΥΔ environment
▸ **στενό περιβάλλον** family environment
▸ **εργασιακό περιβάλλον** working environment
▸ **κοινωνικό/οικογενειακό περιβάλλον** social/family environment
▸ **φυσικό περιβάλλον** natural environment, habitat

περιβαλλοντολογικός, -ή, -ό ΕΠΙΘ (*έρευνα, συνήθειες, αιτίες*) environmental

περιβαλλοντολόγος ΟΥΣ ΑΡΣ&ΘΗΛ environmentalist

περιβάλλω Ρ Μ (α) (= *είμαι γύρω-γύρω*) to enclose (β) (= *περιζώνω*) to surround, to envelop (γ) (= *παρέχω*) to have, to hold

περίβλεπτος, -η, -ο ΕΠΙΘ (= *έξοχος, επιφανής*) conspicuous, prominent

περίβλημα ΟΥΣ ΟΥΔ (= *επένδυση, περικάλυμμα*) casing, sheath

περιβόητος, -η, -ο ΕΠΙΘ (= *ονομαστός, ξακουστός*) infamous, notorious

περιβολάρης ΟΥΣ ΘΗΛ (*προφορ.*: = *κηπουρός*) gardener

περιβολή ΟΥΣ ΘΗΛ (α) (*επίσ.*: = *ένδυμα*) clothes *πληθ.*, dress (β) (ΘΡΗΣΚ) garb
▸ **επίσημη περιβολή** formal dress *ή* attire (*επίσ.*)
▸ **πολιτική περιβολή** civilian clothes
▸ **ναυτική/στρατιωτική περιβολή** naval/military dress *ή* attire (*επίσ.*)

περιβόλι ΟΥΣ ΟΥΔ (*με οπωροφόρα*) orchard · (*με λουλούδια, λαχανικά*) garden
▸ **μου 'κανες την καρδιά περιβόλι!** (*ειρων.*) that's all I need!
▸ **είναι περιβόλι** (*για ευχάριστο άνθρωπο*) to have a heart of gold

περίβολος ΟΥΣ ΑΡΣ (α) (*πλατείας*) enclosure, surrounding wall · (*εκκλησίας*) precinct · (*σχολείου*) school grounds *πληθ.*
(β) (= *οχύρωμα γύρω από φρούριο*) enclosure

περιβραχιόνιο ΟΥΣ ΟΥΔ (α) (= *ταινία που τυλίγει το μπράτσο(σε πένθος)*) armband (β) (ΣΤΡΑΤ) brassard
▸ **πένθιμο περιβραχιόνιο** mourning armband

περιβρέχω Ρ Μ (*νησί, χώρα*) to wash

περίγειο ΟΥΣ ΟΥΔ (ΑΣΤΡΟΝ) perigee

περιγελαστικός, -ή, -ό ΕΠΙΘ (= *εμπαικτικός*) mocking, scoffing

περιγέλαστος, -η, -ο ΕΠΙΘ (= *άξιος εμπαιγμού*) ludicrous, ridiculous

περίγελος ΟΥΣ ΑΡΣ, **περίγελως** (*μειωτ.*: = *αντικείμενο χλευασμού*) laughing stock

περιγελώ Ρ Μ (= *εμπαίζω*) to laugh at, to mock

περίγελως = **περίγελος**

περιγιάλι ΟΥΣ ΟΥΔ (*λογοτ.*: = *παραλία*) coast, beach

περίγραμμα ΟΥΣ ΟΥΔ (*σχήματος, στόματος, χώρου*) outline, contour

περιγραφή ΟΥΣ ΘΗΛ (*μάχης, τοποθεσίας, ιστορίας*) account, description
▸ **αναλυτική περιγραφή** detailed account
▸ **ακριβής περιγραφή** true *ή* accurate description

περιγραφικός, -ή, -ό ΕΠΙΘ (α) (*ποίηση*) descriptive (β) (*ύφος, έκφραση, γλώσσα*) descriptive, narrative

περιγραφικότητα ΟΥΣ ΘΗΛ (= *ικανότητα της περιγραφής*) descriptive power

περιγράφω Ρ Μ to describe, to give an account of

περίγυρα ΕΠΙΡΡ (*προφορ.*: = *γύρω-γύρω*) all around

περίγυρος ΟΥΣ ΑΡΣ (α) (*αυλής, εκκλησίας*) circumference (β) (= *περιβάλλον*) environment
▸ **κοινωνικός περίγυρος** social environment

περιδεής, -ής, -ές ΕΠΙΘ (*επίσ.*: = *ο γεμάτος φόβο*) numb with fear, scared

περιδέραιο ΟΥΣ ΟΥΔ necklace

περιδιάβασμα ΟΥΣ ΟΥΔ (= *χάζεμα*) loitering, stroll

περιδίνηση ΟΥΣ ΘΗΛ (*κυριολ., μτφ.*) spin

περιδρομιάζω Ρ Μ (*οικ.*) to gorge oneself on

περίδρομος ΟΥΣ ΑΡΣ: **τρώω τον περίδρομο** (*οικ.*) to eat until one's fit to burst
▸ **περίδρομος!** (*υβρ.*) shut up!

περιεκτικός, -ή, -ό ΕΠΙΘ (*δήλωση, νόημα, αφήγηση*) succinct, concise

περιεκτικότητα ΟΥΣ ΘΗΛ (α) (*λίπους, οινοπνεύματος, νικοτίνης*) content (β) (= *η ιδιότητα του περιεκτικού*) succinctness, conciseness

περιέλιξη ΟΥΣ ΘΗΛ (*επίσ.*: = *περιτύλιξη*) winding

περιεργάζομαι Ρ Μ ΑΠΟΘ (= *εξετάζω με λεπτομέρεια*) to scrutinize

περιέργεια ΟΥΣ ΘΗΛ curiosity
▷**με τρώει η περιέργεια να** to keenly anticipate doing

περίεργος, -η, -ο ΕΠΙΘ (α) (= *επίμονος να μάθει*) inquisitive (β) (= *ιδιόρρυθμος, ακατανόητος*) weird (γ) (= *αδιάκριτος*) nosey (δ) (= *παράδοξος*) unusual
▷**είναι περίεργο που** it's odd that

περιέρχομαι Ρ Μ (α) (*επίσ.*: = *καταλήγω*) to come ή devolve to (β) (*επίσ.*: = *περιφέρομαι*) to go about

περιεχόμενο ΟΥΣ ΟΥΔ (α) (= *ό, τι ενυπάρχει κπου*) content (β) (*μελέτης, κειμένου, διάταξης*) subject matter (γ) (= *βαθύτερη ουσία*) substance
▷**κενός/άνευ περιεχομένου** devoid of substance
▷**ηθικό περιεχόμενο** moral context
▷**πολιτικό περιεχόμενο** political context
▷**παιδαγωγικό περιεχόμενο** educational context
▷**πολιτισμικό περιεχόμενο** cultural context
▷**θρησκευτικό περιεχόμενο** religious context
▸**περιεχόμενα** ΠΛΗΘ (*για βιβλίο*) contents

περιέχω Ρ Μ (= *περιλαμβάνω*) to include, to comprise

περιζήτητος, -η, -ο ΕΠΙΘ (*γαμπρός, βιβλίο, αυτοκίνητο*) (much) sought–after, in great demand

περίζωμα ΟΥΣ ΟΥΔ frieze, cornice
▷**βασιλικό περίζωμα** royal girdle

περιζώνω Ρ Μ (α) (= *τυλίγω: κισσός*) to girdle (β) (= *περικυκλώνω*) to surround

περιήγηση ΟΥΣ ΘΗΛ (α) (*χώρας, Ελλάδας*) tour (β) (*μτφ.*: = *αφήγηση*) narration, rambling
▷**περιήγηση σε** conducted tour of

περιηγητής ΟΥΣ ΑΡΣ sightseer, traveller (*Βρετ.*), traveler (*Αμερ.*)

περιηγητικός, -ή, -ό ΕΠΙΘ (*λέσχη*) touring club

περιηγούμαι Ρ Μ ΑΠΟΘ to tour

περιθάλπω Ρ Μ (= *προστατεύω, φροντίζω: άρρωστο, γέροντα*) to nurse, to look after

περίθαλψη ΟΥΣ ΘΗΛ (= *προστασία, φροντίδα: ανήλικων, ασθενών, αναπήρων*) care
▷**ιατρική περίθαλψη** medical care
▷**ιατροφαρμακευτική περίθαλψη** health insurance
▷**υγειονομική περίθαλψη** health care
▷**νοσοκομειακή περίθαλψη** hospital care

περιθωριακός, -ή, -ό ① ΕΠΙΘ (*χαρακτήρας, ταινία*) fringe ② ΟΥΣ ΑΡΣ (*για ανθρώπους*) dropout

περιθώριο ΟΥΣ ΟΥΔ (α) (*σελίδας*) margin (β) (*κέρδους, χρόνου*) margin (γ) (*κοινωνίας*) fringe (δ) (ΟΙΚΟΝ) margin, mark–up
▷**ζω στο περιθώριο** to live cut off from the world
▷**βάζω κπν/κτ στο περιθώριο** to push sb/sth

into the background

περιίπταμαι Ρ Μ/ΑΜ (*επίσ.*) to hover, to fly around

περικάλυμμα ΟΥΣ ΟΥΔ (*εμπορεύματος, γύψου*) wrapper, cover

περικάρδιο ΟΥΣ ΘΗΛ pericardium

> **Προσοχή!**: Ο πληθυντικός του **pericardium** είναι **pericardia**.

περικαρδίτιδα ΟΥΣ ΘΗΛ pericarditis

περικάρπιο ΟΥΣ ΟΥΔ (= *περίβλημα καρπού*) pericarp

περικεφαλαία ΟΥΣ ΘΗΛ (= *πολεμικό κάλυμμα του κεφαλιού*) helmet
▷**βλάκας με περικεφαλαία** (= *βλάκας σε μεγάλο βαθμό*) to be a stupid idiot (*ανεπ.*)

περίκλειστος, -η, -ο ΕΠΙΘ (*σπίτι, μπουντρούμι, κτίσμα*) enclosed, shut in

περικλείω Ρ Μ (α) (= *περιλαμβάνω*) to contain (β) (= *περικυκλώνω*) to shut in

περικνημίδα ΟΥΣ ΘΗΛ (= *πολεμικό κάλυμμα της κνήμης*) gaiter

περικόβω Ρ Μ (α) (= *ελαττώνω: τιμές, δαπάνες, έξοδα*) to slash (β) (*αριθμό εισαγομένων, εργατικό δυναμικό*) to cut down, to reduce

περικοκλάδα ΟΥΣ ΘΗΛ (ΒΟΤ) creeper

περίκομψος, -η, -ο ΕΠΙΘ (α) (= *μπομπονιέρα, πίνακας, βάζο*) ornate, elegant (β) (*ύφος*) ornate

περικοπή ΟΥΣ ΘΗΛ (= *ελάττωση: μισθού, δαπανών, εξόδων*) cut
▷**Ευαγγελική περικοπή** excerpt from the Bible

περικόχλιο ΟΥΣ ΟΥΔ screw nut

περικυκλώνω Ρ Μ (*στόλο, εκκλησία, περιοχή*) to surround, to encircle

περικύκλωση ΟΥΣ ΘΗΛ (*στον πόλεμο: πόλης, στρατού, κτιρίου*) surrounding

περιλαβαίνω Ρ Μ to get hold of, to seize

περιλαίμιο ΟΥΣ ΟΥΔ (α) (= *ό, τι φοριέται γύρω από τον λαιμό*) collar (β) (*για σκύλο*) dog collar

περιλαμβάνω Ρ Μ (α) (= *εμπεριέχω*) to embody (β) (= *περιέχω, συνυπολογίζω*) to include

περίλαμπρος, -η, -ο ΕΠΙΘ (*αυλή, νίκη, τελετή*) resplendent, glorious

περιληπτικός, -ή, -ό ΕΠΙΘ (*περιγραφή, εξιστόρηση, αιτιολογία*) concise, brief

περίληψη ΟΥΣ ΘΗΛ (*κειμένου, έργου, ομιλίας*) summary, abstract
▷**εν περιλήψει** (= *με λίγα λόγια*) in brief

περιλούζω Ρ Μ (α) (= *περιβρέχω*) to pour, to splash (β) (*μτφ.*) to shower

περίλυπος, -η, -ο ΕΠΙΘ (α) (= *πολύ λυπημένος: ύφος, βλέμμα*) sad (β) (*για πρόσ.*) sick at heart

περιμαζεύω Ρ Μ (α) (= *συγκεντρώνω: χαρτιά, αντικείμενα*) to pick up (β) (= *περιθάλπω:*

Π

ναναγό, τραυματία) to give shelter to

περιμάχητος, -η, -ο ΕΠΙΘ (= περιζήτητος: ρόλος, θέση, αγαθό) coveted

περιμένω 1 Ρ Μ (α) (φίλο) to wait for (β) (= προσδοκώ) to expect 2 Ρ ΑΜ to wait

περιμετρικός, -ή, -ό ΕΠΙΘ (ζώνη, δρόμος, στοά) perimetric

περίμετρος ΟΥΣ ΘΗΛ (α) (κτηρίου, στρατοπέδου, γης) perimeter (β) (ΓΕΩΜ) circumference

πέριξ 1 ΠΡΟΘ (= τριγύρω) around 2 ΕΠΙΡΡ +άρθρ. (= γειτονικός) surrounding
▷**τα πέριξ** vicinity

περιοδεία ΟΥΣ ΘΗΛ (συναυλιών, θιάσων) tour
▷**προεκλογική περιοδεία** stump

περιοδεύω Ρ ΑΜ (θέατρο, υπουργός) to barnstorm, to tour

περιοδικό ΟΥΣ ΟΥΔ magazine
▷**μηνιαίο περιοδικό** monthly magazine
▷**δεκαπενθήμερο περιοδικό** fortnightly magazine
▷**εβδομαδιαίο περιοδικό** weekly magazine
▷**επιστημονικό περιοδικό** scientific journal
▷**εικονογραφημένο περιοδικό** illustrated magazine

περιοδικός, -ή, -ό ΕΠΙΘ (έλεγχος, εξέταση, επιμόρφωση) periodic
▷**περιοδικός τύπος** periodical press

περιοδικότητα ΟΥΣ ΘΗΛ (φαινομένου, αναπαραγωγής) periodicity

περίοδος ΟΥΣ ΘΗΛ period
▷**χειμερινή περίοδος** winter
▷**εξεταστική περίοδος** examinations
▷**καλοκαιρινή περίοδος** summer
▷**μεταβατική περίοδος** transient period
▷**πρώιμη περίοδος** early period
▷**μεταγενέστερη περίοδος** later period
▷**προεκλογική περίοδος** electoral period
▷**περίοδος εκπτώσεων** sales period

περίοικος ΟΥΣ ΑΡΣ (= γείτονας) neighbour (Βρετ.), neighbor (Αμερ.)

περίοπτος, -η, -ο ΕΠΙΘ (θέση, κτήριο, άγαλμα) prominent, conspicuous

περιορίζω Ρ Μ (α) (= περικλείω μέσα σε όρια) to confine, to curb (Βρετ.), to kerb (Αμερ.) (β) (τσιγάρο, ποτό, έξοδα) to limit (γ) (= συνετίζω, χαλιναγωγώ) to check, to restrain
►**περιορίζομαι** ΜΕΣΟΠΑΘ (= αρκούμαι) to be limited

περιορισμένος, -η, -ο ΕΠΙΘ (α) (δυνατότητες, περιθώρια) limited (β) (λεξιλόγιο, εφόδια, μέσα) limited (γ) (αντίληψη, μυαλό) narrow, with a restricted outlook

περιορισμός ΟΥΣ ΑΡΣ (α) (χρημάτων, εξόδων, ποτού) cutting down (β) (= συνέτιση) restriction (γ) (= κατ' οίκον περιορισμός) house arrest
▷**ετέθη υπό περιορισμόν** he was placed under restraint

▷**χρονικός περιορισμός** time limitation

περιοριστικός, -ή, -ό ΕΠΙΘ (μέτρα, όροι, πολιτική) restrictive

περιουσία ΟΥΣ ΘΗΛ estate
▷**κινητή περιουσία** movable property
▷**ακίνητη περιουσία** real estate, immovable ή landed property
▷**εκκλησιαστική περιουσία** church property
▷**πατρική περιουσία** paternal property
▷**κρατική περιουσία** state property
▷**βασιλική περιουσία** royal estate
▷**ατομική περιουσία** personal property, private property

περιουσιακός, -ή, -ό ΕΠΙΘ (στοιχεία, δικαιώματα, κατάσταση) property

περιούσιος, -α, -ο ΕΠΙΘ (ΘΡΗΣΚ) chosen

περιοχή ΟΥΣ ΘΗΛ (α) (= τοπική έκταση) area (β) (= περιφέρεια) region (γ) (= χώρος πνευματικής δραστηριότητας) domain
▷**γνωστική περιοχή** cognitive domain
▷**βιομηχανική περιοχή** industrial area, industrial zone

περιπάθεια ΟΥΣ ΘΗΛ (= εκδήλωση τρυφερού συναισθήματος) passion

περιπαθής, -ής, -ές ΕΠΙΘ (λόγια, εξομολόγηση, έρωτας) passionate

περιπαίζω Ρ Μ (= κοροϊδεύω, χλευάζω) to mock, to make fun of

περιπαικτικός, -ή, -ό ΕΠΙΘ (διάθεση, ματιά, τόνος) ironic

περιπατητής ΟΥΣ ΑΡΣ walker

περιπατητικός, -ή, -ό ΕΠΙΘ peripatetic
▷**περιπατητικοί φιλόσοφοι** peripatetic philosophers
▷**περιπατητική σχολή** peripatetic school

περίπατος ΟΥΣ ΑΡΣ walk, stroll
▷**πρωινός περίπατος** morning stroll
▷**πήγε περίπατο** (μτφ.) it's gone for good

περιπέτεια ΟΥΣ ΘΗΛ (α) (= περιστατικό γεμάτο κινδύνους) adventure (β) (= συμφορά, πάθημα) mishap (γ) (= ερωτικό μπλέξιμο) fling
▷**ερωτική περιπέτεια** affair
▷**αστυνομική περιπέτεια** thriller

περιπετειώδης, -ης, -ες ΕΠΙΘ (εμπειρία, ταξίδι, ζωή) eventful

περιπίπτω (επίσ.) Ρ ΑΜ: **περιπίπτω σε** to fall into

περιπλάνηση ΟΥΣ ΘΗΛ (= άσκοπη μετακίνηση) ramble

περιπλανιέμαι Ρ ΑΜ (α) (= γυρίζω άσκοπα: σκέψη, μυαλό) to wander (β) (για πρόσ.) to roam, to ramble (γ) (= χάνω το δρόμο μου) to wander, to lose one's way

περιπλανώμαι Ρ ΑΜ ΑΠΟΘ = **περιπλανιέμαι**

περιπλέκω Ρ Μ (= δυσκολεύω) to complicate

περιπλέω Ρ Μ (= πλέω ολόγυρα) to circumnavigate

περιπλοκή ΟΥΣ ΘΗΛ complication

περίπλοκος, -η, -ο ΕΠΙΘ (α) (μηχανή, σύστημα) complicated, intricate (β) (*υπόθεση, διαδικασία*) intricate, complex

περίπλους ογε αρς circumnavigation

περιποιημένος, -η, -ο επιθ (α) (*δωμάτιο*) neat, tidy · (*κήπος*) trim · (*χέρια*) well-groomed (β) (*για πρόσ.*) prim, well-groomed, neat

περιποίηση ογε θηλ (*σπιτιού, περιβολιού, σώματος*) attention, care

περιποιητικός, -ή, -ό επιθ attentive

περιποιούμαι ρ μ αποθ (α) (*κήπο, σώμα, μαλλιά*) to tend, to take care of (β) (= *δείχνω εξυπηρετικός*) to be attentive towards

περιπολία ογε θηλ (*στρατού, αστυνομίας*) patrol, round

περιπολικό ογε ουδ police car

περίπολος ογε θηλ patrol
▷**νυχτερινή περίπολος** night patrol
▷**αστυνομική περίπολος** police patrol

περιπολώ ρ αμ to patrol

περίπου επιρρ about, nearly

περιπτεράς ογε αρς kiosk owner

περιπτεριούχος ογε αρς/θηλ *βλ.* **περιπτεράς**

περίπτερο ογε ουδ (α) kiosk, newsstand (β) (*έκθεσης έργων τέχνης*) pavilion, display stand (γ) (= *κτίσμα ως κέντρο αναψυχής*) coffee stall

περίπτυξη ογε θηλ (= *αγκάλιασμα*) embrace (*επίσ.*), hug

περιπτώσει ογε θηλ (= *πιθανότητα*) chance
▷**κις είναι περίπτωση** sb is a real nutcase (*ανεπ.*)
▷**κλασσική περίπτωση** typical case
▷**εν πάσει περιπτώσει** anyway
▷**σε καμμιά περίπτωση** never
▷**σε κάθε περίπτωση** in any case
▷**σε αντίθετη περίπτωση** otherwise
▷**κατά περίπτωση** as the case may be

περίσκεψη ογε θηλ (= *σύνεση*) caution

περισκόπηση ογε θηλ (*ορίζοντα*) observation

περισκόπιο ογε ουδ periscope

περισπούδαστος, -η, -ο επιθ (*κριτική, ανάλυση, ύφος*) profound

περισπώ ρ μ (α) (*μυαλό, προσοχή*) to distract (β) (*ΓΛΩΣΣ*) to place a circumflex over

περισπωμένη ογε θηλ (*ΓΛΩΣΣ*) circumflex

περίσσεια ογε θηλ (= *αφθονία: αγαθών, νερού*) abundance, profusion

περίσσευμα ογε ουδ (*αγαθών*) surplus, excess

περισσεύω ρ αμ (*χρήματα, φαγητά, ώρες*) to be more than enough
▷**μου φτάνει και μου περισσεύει** it's more than enough, it's enough and to spare

περίσσιος, -α, -ο επιθ (*χάρη, ομορφιά*) abundant

περισσός, -ή, -ό επιθ (*λογοτ.: αγάπη, τρυφερότητα, αδιαφορία*) excessive, abundant
▷**ως εκ περισσού** (= *χωρίς να χρειάζεται*) though unnecessary

περισσότερος, -η, -ο επιθ *βλ.* **πολύς**

περισταλτικός, -ή, -ό επιθ (*επίσ.: = περιοριστικός: μέτρα*) restrictive

περίσταση ογε θηλ (α) (= *περίπτωση*) case, instance (β) (= *ευκαιρία*) occasion
▷**σε/για κάθε περίσταση** in any case, for every occasion
▷**έκτακτη περίσταση** urgent case
▷**κρίσιμη περίσταση** juncture
▸**οι περιστάσεις** πληθ circumstances

περιστασιακός, -ή, -ό επιθ (*σχέση, δουλειά*) occasional

περιστατικό ογε ουδ (α) (= *γεγονός, συμβάν*) event, incident (β) (*σε νοσοκομείο*) case
▷**επείγον περιστατικό** urgent incident
▷**έκτακτο περιστατικό** unexpected event *ή* incident

περιστέλλω ρ μ (= *περιορίζω: δαπάνες, δικαιώμα, εγωισμό*) to cut down, to limit

περιστερά, περιστέρα ογε θηλ (= *θηλυκό περιστέρι*) dove
▷**παριστάνει την αθώα περιστερά** to feign innocence

περιστέρι ογε ουδ dove, pigeon

περιστερώνας, περιστεριώνας ογε αρς dovecot, pigeon loft

περιστοιχίζω ρ μ (α) (= *είμαι ακόλουθος κπου*) to surround (β) (= *περιβάλλω*) to surround, to encircle

περιστολή ογε θηλ (*επίσ.*) limitation, curbing (*Βρετ.*), kerbing (*Αμερ.*)

περιστόμιο ογε ουδ (α) (= *ό, τι περιβάλλει στόμιο*) rim, edge (β) (= *ιμάντας στο χαλινάρι του αλόγου*) mouth

περιστρέφω ρ μ (*τροχό, κοχλία*) to turn
▸**περιστρέφομαι** μεςοπαθ to revolve

περιστροφή ογε θηλ (*ήλιου, κινητήρα, τροχού*) revolution
▷**χωρίς περιστροφές** (= *ξεκάθαρα*) straight out, bluntly

περιστροφικός, -ή, -ό επιθ (*κίνηση, φάρος*) rotating, revolving

περίστροφο ογε ουδ (= *πιστόλι*) revolver

περιστύλιο ογε ουδ (*ΑΡΧΙΤ*) peristyle

περίστυλος ογε αρς (*ΑΡΧΙΤ*) peristyle

περισυλλέγω ρ μ (α) (= *συγκεντρώνω πράγματα: νερό, σκουπίδια*) to collect, to pick up (β) (*πληροφορίες*) to collect (γ) (= *παρέχω άσυλο: άστεγο, τραυματία, ναυαγό*) to pick up, to collect

περισυλλογή ογε θηλ (α) (= *περίσκεψη, σύνεση*) contemplation, meditation (β) (*ναυαγού, τραυματία*) picking up (γ) (*χρημάτων, καρπών*) collection
▷**πέφτω σε περισυλλογή** to contemplate

περισώζω ρ μ (*περιουσία, έπιπλα*) to save, to rescue

περιτειχίζω ρ μ (*πόλη, κάστρο*) to wall in

περιτείχιση ογε θηλ (*πόλης, τείχους*) walling in

περιτέμνω ρ μ (= *εκτελώ περιτομή*) to circumcise

περίτεχνος, -η, -ο ΕΠΙΘ (α) (*μνημείο, σκάλισμα*) elaborate, ornate (β) (*λόγος, κίνηση*) ornate, luxuriant

περιτοιχίζω Ρ Μ (*αυλή, μνήμα*) to wall in

περιτοίχιση ΟΥΣ ΘΗΛ (*δωματίου, οικοπέδου*) walling in

περιτομή ΟΥΣ ΘΗΛ (ΘΡΗΣΚ) circumcision

περίτρανος, -η, -ο ΕΠΙΘ (= *ολοφάνερος: απόδειξη, νίκη*) indisputable

περιτρέχω Ρ Μ (*θάλασσα, ήπειρο*) to travel all over, to go around

περιτριγυρίζω Ρ Μ (α) (*για βουνά, θάλασσα*) to surround, to encircle · (*για σκέψεις*) to surround (β) (*αρνητ.*) to hang around

περιτροπή ΟΥΣ ΘΗΛ: **εκ περιτροπής** (= *εναλλάξ*) in turn, in rotation

περιττεύω Ρ Μ (*λόγια, σχόλια*) to be superfluous

περιττολογία ΟΥΣ ΘΗΛ (= *παραπανίσια λόγια*) excess verbiage

περιττολογώ Ρ ΑΜ (= *λέω περιττά λόγια*) to talk too much

περιττός, -ή, -ό ΕΠΙΘ (α) (*λόγος, θεσμός, πολυτέλεια*) superfluous, needless (β) (ΜΑΘ) odd
▷ **είναι περιττό** it's pointless

περιττοσύλλαβος, -η, -ο ΕΠΙΘ (ΓΛΩΣΣ) imparisyllabic

περίττωμα ΟΥΣ ΘΗΛ (*επίσ.*) excrement

περιτύλιγμα ΟΥΣ ΟΥΔ (*σοκολάτας, κουτιού*) wrapping

περιτυλίγω Ρ Μ to wrap up

περιτύλιξη ΟΥΣ ΘΗΛ (*δώρου, δέματος*) wrapping up

περιφανής, -ής, -ές ΕΠΙΘ (*νίκη, επιτυχία, επιβεβαίωση*) glorious, sweeping

περιφέρεια ΟΥΣ ΘΗΛ (α) (= *περιοχή έξω από το κέντρο*) region (β) (*γης, δέντρου*) circumference (γ) (ΓΕΩΜ) circumference (δ) (*ανεπ.*: = *ογκώδεις γλουτοί*) backside, buttocks
▷ **δικαστική περιφέρεια** circuit
▷ **εκλογική περιφέρεια** constituency
▷ **εκπαιδευτική περιφέρεια** educational region
▷ **στρατιωτική περιφέρεια** military area

περιφερειακός, -ή, -ό ΕΠΙΘ (*αεροδρόμιο, θέατρο, νοσοκομείο*) regional

περιφερικός, -ή, -ό ΕΠΙΘ (*διαταραχή, νεύρο, αγγείο*) peripheral

περιφερόμενος, -η, -ο ΕΠΙΘ (= *περιπλανώμενος*) wandering, rambling

περιφέρω Ρ Μ (= *φέρω γύρω-γύρω*) to carry about
▸ **περιφέρομαι** ΜΕΣΟΠΑΘ (= *περιπλανιέμαι*) to loaf around

περίφημος, -η, -ο ΕΠΙΘ (α) (*μάχη, δίκη*) celebrated (β) (*πολιτικός, δάσκαλος*) eminent, famous

περιφορά ΟΥΣ ΘΗΛ (*εικόνας, Επιταφίου*) procession · (*ήλιου*) revolution

περίφραξη ΟΥΣ ΘΗΛ (*οικοπέδου, θεάτρου, έκτασης*) fencing

περίφραση ΟΥΣ ΘΗΛ periphrasis, circumlocution

περιφράσσω Ρ Μ (*οικόπεδο, αυλή*) to enclose

περιφραστικός, -ή, -ό ΕΠΙΘ (*έκφραση*) periphrastic

περιφρόνηση ΟΥΣ ΘΗΛ (α) (= *προσβλητική αδιαφορία*) contempt (β) (= *υπεροψία*) disdain
▷ **δείχνω περιφρόνηση** to show contempt

περιφρονητής ΟΥΣ ΑΡΣ (= *αυτός που περιφρονεί: ιδεών, αρχών*) despiser

περιφρονητικός, -ή, -ό ΕΠΙΘ (*λόγια, ματιά, ύφος*) scornful, disdainful

περιφρονώ Ρ Μ (α) (= *αψηφώ*) to be disdainful about (β) (= *θεωρώ ανάξιο προσοχής*) to sniff at

περιφρούρηση ΟΥΣ ΘΗΛ (*υγείας, τάξης, τιμής*) protection, safeguarding

περιφρουρώ Ρ Μ (*δικαιώματα, έργο, ελευθερία*) to safeguard

περιχαράζω Ρ Μ to create a boundary around

περιχαράκωμα ΟΥΣ ΟΥΔ (*με τάφρο*) entrenchment · (*με πασσάλους*) palisade

περιχαρακώνω Ρ Μ to entrench

περιχαράκωση ΟΥΣ ΘΗΛ entrenchment

περιχαρής, -ής, -ές ΕΠΙΘ (= *πολύ χαρούμενος*) jubilant, elated

περίχαρος, -η, -ο ΕΠΙΘ = **περιχαρής**

περιχύνω Ρ Μ (= *χύνω επάνω*) to pour on, to sprinkle on

περίχωρα ΟΥΣ ΟΥΔ ΠΛΗΘ outskirts, environs

περιώνυμος, -η, -ο ΕΠΙΘ (*βιβλίο, αξίωμα*) renowned, celebrated

περιωπή ΟΥΣ ΘΗΛ (= *εξέχουσα θέση*) high standing
▷ **άνθρωπος περιωπής** man of distinction

πέρκα ΟΥΣ ΘΗΛ perch

πέρλα ΟΥΣ ΘΗΛ pearl

περμανάντ ΟΥΣ ΘΗΛ ΑΚΛ permanent wave

περνώ 1 Ρ Μ (α) (= *διατρυπώ*) to pierce, to penetrate (β) (*βελόνα*) to thread (γ) (= *διασχίζω: δρόμο, ποτάμι*) to cross (δ) (= *οδηγώ δια μέσου*) to go through (ε) (= *βάφω*) to give another coat of paint (στ) (= *ξεπερνώ σε ηλικία*) to be older than (ζ) (= *καταγράφω*) to put down (η) (*καιρό, μέρα*) to spend (θ) (= *υφίσταμαι: βάσανα, ταλαιπωρίες*) to live through
2 Ρ ΑΜ (α) (= *παύω: θυμός, πόνος*) to blow over, to die down (β) (= *διέρχομαι*) to pass ή blow through (γ) (= *επισκέπτομαι*) to drop by (δ) (= *βρίσκω αποδοχή*) to go on (ε) (*καιρός, εποχή*) to pass, to go by
▷ **μου πέρασε από το νου/μυαλό** it occurred to me, it crossed my mind
▷ **δεν περνάνε σε μένα αυτά** don't mess around with me
▷ **μου πέρασε η ιδέα** an idea occurred to me
▷ **κάνω ό, τι περνά από το χέρι μου** to do my

best
▷**περνά το δικό μου** to have *ή* get one's own way
▷**ο λόγος μου περνάει** my word counts
▷**περνιέμαι για** to be taken for
▷**θα μου περάσει** it will pass, it will wear off
▷**θα περάσει** (*για ατύχημα*) you will soon be up and about
▷**πώς τα περνάς;** how are you getting along?
περόνη ΟΥΣ ΘΗΛ (α) (= *καρφίτσα*) pin (β) (ΑΝΑΤ) fibula
περονιάζω Ρ Μ (*προφορ.*: = *διαπερνώ: κρύο, υγρασία*) to pierce
περονόσπορος ΟΥΣ ΑΡΣ (*ασθένεια των φυτών*) blight
Περού ΟΥΣ ΟΥΔ ΑΚΛ Peru
περούκα ΟΥΣ ΘΗΛ wig
περπατησιά ΟΥΣ ΘΗΛ (= *τρόπος βαδίσματος*) walk, gait (*επίσ.*)
περπατώ Ρ ΑΜ (α) (= *βαδίζω*) to walk (β) (= *κάνω περίπατο*) to stroll
πέρσι ΕΠΙΡΡ = **πέρυσι**
Πέρσης ΟΥΣ ΑΡΣ Persian
Περσία ΟΥΣ ΘΗΛ (α) (*στην αρχαιότητα*) Persia (β) (= *Ιράν*) Iran
Περσίδα ΟΥΣ ΘΗΛ *βλ.* **Πέρσης**
περσικός, -ή, -ό ΕΠΙΘ (*όνομα*) Persian

Προσοχή!: Τα εθνικά επίθετα, όπως **Persian**, *γράφονται με κεφαλαίο το αρχικό γράμμα στα Αγγλικά.*

▸**περσικό χαλί** Persian carpet *ή* rug
▸ Περσικά, Πέρσικα ΟΥΣ ΟΥΔ ΠΛΗΘ Persian
Περσικός ΟΥΣ ΑΡΣ (*επίσης* **ο Περσικός Κόλπος**) the (Persian) Gulf
πέρσικος, -η, -ο ΕΠΙΘ = **περσικός**
περσινός, -ή, -ό ΕΠΙΘ (*χρονιά, χειμώνας, επιτυχία*) last year's
πέρυσι ΕΠΙΡΡ last year
πεσέτα ΟΥΣ ΘΗΛ peseta
πεσιμισμός ΟΥΣ ΑΡΣ (= *απαισιοδοξία*) pessimism
πεσιμιστής ΟΥΣ ΑΡΣ (= *απαισιόδοξος*) pessimist
πεσιμίστρια ΟΥΣ ΘΗΛ *βλ.* **πεσιμιστής**
πέσιμο ΟΥΣ ΟΥΔ fall
πεσμένος, -η, -ο ΕΠΙΘ lying down · (= *κακόκεφος*) sluggish
πεσόντες ΟΥΣ ΑΡΣ ΠΛΗΘ casualties of war
▷**μνημείο πεσόντων** war memorial
πεσσός ΟΥΣ ΑΡΣ (α) (= *ψηφίδα παιχνιδιού, πούλι: επσ*) die, draught (*Βρετ.*), draft (*Αμερ.*) (β) (ΑΡΧΙΤ) square base of an arch
πέστροφα ΟΥΣ ΘΗΛ trout
πέταγμα ΟΥΣ ΟΥΔ (α) (*πουλιού, αεροπλάνου*) flight (β) (*δίσκου, ακοντίου*) throw, throwing
πετάγομαι Ρ ΑΜ (α) (= *αναπηδώ*) to jump up (β) (= *ορμώ*) to dart, to dash (γ) (*μάτια, φλέβες*) to bulge, to stick out (δ) (= *πηγαίνω*

κάπου πολύ γρήγορα) to nip in (ε) (= *επεμβαίνω άκαιρα σε συζήτηση*) to chip in
πετάλι ΟΥΣ ΟΥΔ (*ποδηλάτου*) pedal
πεταλίδα ΟΥΣ ΘΗΛ limpet, barnacle
πέταλο ΟΥΣ ΟΥΔ (α) (*αλόγου*) horseshoe (β) (*λουλουδιού*) petal
▷**μια στο καρφί και μια στο πέταλο** (*παροιμ.*) to blow hot and cold
πεταλοειδής, -ής, -ές ΕΠΙΘ (*μαγνήτης*) horseshoe
πεταλούδα ΟΥΣ ΘΗΛ (*έντομο*) butterfly
▷**πεταλούδα της νύχτας** (*ευφημ.*) streetwalker
πεταλουδίτσα ΟΥΣ ΘΗΛ (α) (= *μικρή πεταλούδα*) young butterfly (β) (*ευφημ.*) streetwalker
πεταλώνω Ρ Μ (*άλογο*) to shoe
πεταλωτής ΟΥΣ ΑΡΣ farrier, blacksmith
πέταμα ΟΥΣ ΟΥΔ (α) (*άχρηστων αντικειμένων*) throwing away (β) (= *ξόδεμα*) spending
▷**δεν είναι για πέταμα** it's not to be sniffed at
πεταμένος, -η, -ο ΕΠΙΘ cast–off
▷**πεταμένα λεφτά** (= *άσκοπα ξοδεμένα*) wasted money
πεταρίζω Ρ ΑΜ (α) (*πουλιά*) to flap, to flutter (β) (*μτφ.: καρδιά*) to flutter
πεταρούδι ΟΥΣ ΟΥΔ (= *μικρό πουλί/παιδί*) fledgling
πεταχτός, -ή, -ό ΕΠΙΘ (α) (*φιλί*) fleeting, light (β) (*για πρόσ.: = ζωηρός*) breezy, pert (γ) (= *χαρούμενος, εύθυμος: ρυθμός*) lively (δ) (*αυτιά, μάτια, πηγούνι*) bulging, sticking out
▷**στα πεταχτά** hastily, hurriedly
πετώ ① Ρ ΑΜ to fly
② Ρ Μ (α) (*πέτρα, βέλος*) to throw (β) (*ιδέα*) to let drop (γ) (*άχρηστο ή παλιό αντικείμενο*) to throw away (δ) (= *δίνω περιφρονητικά*) to toss (ε) (*λεφτά*) to waste (στ) (*κλαδιά, φύλλα*) to give off, to sprout
▷**πετάω έξω** to throw out, to expel (*επίσ.*)
▷**πετάω λόγια/κουβέντες** to let it drop
▷**πετάω από τη χαρά μου** to fly high
▷**πετάει η καρδιά μου** to be overjoyed *ή* delighted
▷**πέταξε το πουλί** the bird has flown
πετεινάρι ΟΥΣ ΟΥΔ (= *μικρός πετεινός*) cockerel
πετεινός ΟΥΣ ΑΡΣ cock (*Βρετ.*), rooster
▷**είπε ο γάιδαρος τον πετεινό κεφάλα** (*παροιμ.*) that's the pot calling the kettle black
πετιμέζι ΟΥΣ ΟΥΔ molasses (*Βρετ.*), treacle (*Αμερ.*) · (*μτφ.: = κτ πολύ γλυκό*) very sweet food
πέτο ΟΥΣ ΟΥΔ (*σακακιού*) lapel
πετονιά ΟΥΣ ΘΗΛ fishing line
πετούμενο ΟΥΣ ΟΥΔ bird, fowl
πετούνια ΟΥΣ ΟΥΔ petunia
πέτρα ΟΥΣ ΟΥΔ (α) (= *ως υλικό διαφόρων*

χρήσεων) stone (β) (μτφ.: = καθετί σκληρό) rock (γ) (δαχτυλιδιού) gem (δ) (ΙΑΤΡ: νεφρού, χολής) calculus, stone
▷ **πέτρα του σκανδάλου** (= αιτία του σκανδάλου) the root of the trouble
▷ **πολύτιμες/ημιπολύτιμες πέτρες** precious/semi-precious stones
▷ **ρίχνω μαύρη πέτρα πίσω μου** to shake the dust off one's feet
▷ **κάνω την καρδιά μου πέτρα** to be/become as hard as stone

πετραδάκι ΟΥΣ ΟΥΔ grit

πετράδι ΟΥΣ ΟΥΔ gem, precious stone

πετραχήλι ΟΥΣ ΟΥΔ (ΘΡΗΣΚ) stole
▷ **τάζω σε κπν λαγούς με πετραχήλια** to promise sb the moon

πετρελαϊκός, -ή, -ό ΕΠΙΘ (πηγή, κρίση) oil

πετρέλαιο ΟΥΣ ΟΥΔ (μηχανής, θέρμανσης) petrol (Βρετ.), gasoline (Αμερ.)
▷ **φωτιστικό πετρέλαιο** kerosene ή paraffin oil

πετρελαιοειδή ΟΥΣ ΟΥΔ ΠΛΗΘ (επίσης **πετρελαιοειδή προϊόντα**) petroleum products

πετρελαιοκηλίδα ΟΥΣ ΘΗΛ oil slick

πετρελαιοκινητήρας ΟΥΣ ΑΡΣ diesel engine

πετρελαιοκίνητος, -η, -ο ΕΠΙΘ (αυτοκίνητο) diesel

πετρελαιοπαραγωγός, -ός, -ό ΕΠΙΘ (περιοχή, χώρα) oil-producing

πετρελαιοπηγή ΟΥΣ ΘΗΛ oil well

πετρελαιοφόρο ΟΥΣ ΟΥΔ (oil) tanker

πετριά ΟΥΣ ΘΗΛ (προφορ.) blow from a stone

πέτρινος, -η, -ο ΕΠΙΘ (α) (πύργος, σκάλα, άγαλμα) stone (β) (μτφ.: καρδιά, στήθος) stony

πετρίτης ΟΥΣ ΑΡΣ (ΖΩΟΛ) peregrine falcon

πετροβόλημα ΟΥΣ ΟΥΔ stoning

πετροβολώ Ρ Μ (= ρίχνω πέτρα σε κπν) to throw stones at, to stone

πετροδολάριο ΟΥΣ ΟΥΔ petrodollar

πετροκάραβο ΟΥΣ ΟΥΔ *small island with precipitous shores*

πετροκάρβουνο ΟΥΣ ΟΥΔ (προφορ.: = λιθάνθρακας) anthracite, pit coal

πετροκέρασο ΟΥΣ ΟΥΔ white-heart cherry

πετροκότσυφας ΟΥΣ ΑΡΣ rock thrush, blackbird

πετροπέρδικα ΟΥΣ ΘΗΛ rock partridge

πετροπερίστερο ΟΥΣ ΟΥΔ rock pigeon

πετροπόλεμος ΟΥΣ ΟΥΔ *(children's) stone-throwing battle*

πετροχελίδονο ΟΥΣ ΟΥΔ (ΖΩΟΛ) martin

πετρόψαρο ΟΥΣ ΟΥΔ rock fish

πετρώδης, -ης, -ες ΕΠΙΘ (τόπος, λόφος) stony, rocky

πέτρωμα ΟΥΣ ΟΥΔ rock
▷ **ιζηματογενή/ασβεστολιθικά πετρώματα** sedimentary/calcareous rocks

πετρώνω Ρ ΑΜ (α) (= γίνομαι σκληρός: ψωμί, γλυκό) to become rock-hard (β) (μτφ.) to be

petrified, to be rooted to the spot

πέτσα ΟΥΣ ΘΗΛ (α) (ανεπ.: = δέρμα) skin · (κοτόπουλου, αρνιού) crust (β) (γάλακτος, γιαουρτιού) skin

πετσέτα ΟΥΣ ΘΗΛ (α) (προσώπου, μπάνιου) towel · (για στέγνωμα αντικειμένων) tea towel ή cloth (Βρετ.), dish towel (Αμερ.) (β) (φαγητού) napkin

πετσετάκι ΟΥΣ ΟΥΔ (α) (= τραπεζιού) napkin (β) (για πιατελάκι) doily

πετσετοθήκη ΟΥΣ ΘΗΛ towel ή napkin drawer

πετσετόπανο ΟΥΣ ΟΥΔ towelling (Βρετ.), toweling (Αμερ.)

πετσί ΟΥΣ ΟΥΔ (α) (προφορ.: ανθρώπου, ζώου) skin (β) (= κατεργασμένο δέρμα ζώου) leather
▷ **μπαίνω στο πετσί του ρόλου** to throw oneself into a part
▷ **σηκώνεται το πετσί μου** to get the creeps
▷ **νιώθω κτ στο πετσί μου** to feel sth in one's bones
▷ **(είμαι) πετσί και κόκκαλο** to be all skin and bone

πετσιάζω Ρ ΑΜ to skin over

πέτσινος, -η, -ο ΕΠΙΘ (ζώνη, λουρί, πολυθρόνα) leather
▸ **πέτσινο** ΟΥΣ ΟΥΔ (επίσης **πέτσινο μπουφάν**) leather jacket

πετσοκόβω Ρ Μ (α) (= κατακομματιάζω) to cut up (β) (= κατασφάζω) to massacre, to butcher

πετσώνω Ρ Μ: **την πέτσωσα** (προφορ.: = έφαγα πάρα πολύ) to stoke

πετυχαίνω ① Ρ ΑΜ (παράσταση) to be successful · (επαγγελματίας) to succeed ② Ρ Μ (α) (= βρίσκω το στόχο) to hit (β) (σκοπό, νίκη) to achieve (γ) (τέρμα) to score (δ) (= συναντώ τυχαία) to come across, to run into (ε) (= εκτελώ με επιτυχία) to succeed in
▷ **πετυχαίνω σε κτ** to be successful in sth
▷ **το πέτυχα** to guess right

πετυχημένος, -η, -ο ΕΠΙΘ = **επιτυχημένος**

πεύκη ΟΥΣ ΘΗΛ = **πεύκο**

πεύκο ΟΥΣ ΟΥΔ pine tree

πευκοβελόνα ΟΥΣ ΘΗΛ pine needle

πευκόδασος, πευκοδάσος ΟΥΣ ΟΥΔ pine forest

πευκόξυλο ΟΥΣ ΟΥΔ pine(wood)

πευκόφυτος, -η, -ο ΕΠΙΘ (τοποθεσία, πλαγιά) pine-clad

πευκώνας ΟΥΣ ΑΡΣ (= δάσος πεύκων) pine forest

πέφτω Ρ ΑΜ (α) (= φέρομαι προς τα κάτω λόγω βάρους) to fall (β) (= ανατρέπομαι) to fall over (γ) (φύλλα, μαλλιά) to fall (δ) (= κυριεύομαι: πόλη, οχυρό) to fall (ε) (μτφ.: φως, νύχτα, βροχή) to fall (στ) (= σκοτώνομαι σε μάχη) to fall (ζ) (= ενσκήπτω, ορμώ: κεραυνός, αρρώστια) to strike (η) (κλήρος, λαχείο) to fall

(ϑ) (ανεπ.: = αναλογώ) to fall short
(ι) (= ελαττώνομαι, λιγοστεύω) to drop
(ια) (ο μαθητής) to fall down (ιβ) (γιορτή, επέτειος) to fall (ιγ) (ρούχο) to sit
(ιδ) (= πλαγιάζω) to go to bed
▷**πέφτω σε** to fall into
▷**πέφτω σε σκέψη/περισυλλογή** to be sunk in thought
▷**πέφτω από** to fall off
▷**πέφτω πάνω σε** κπν (= συναντώ τυχαία) to bump into sb
▷**πέφτω έξω** to be out in one's reckoning
▷**πέφτω χαμηλά** (= καταντώ) to sink low
▷**πέφτω άρρωστος** to fall ill
▷**πέφτω νεκρός** to drop dead
▷**πέφτω από τα σύννεφα** to be taken aback
▷**πέφτω στα γόνατα** to fall to one's knees
▷**πέφτω στα πόδια** κποιου to fall at sb's feet
▷**πέφτει η μύτη μου** to be taken down a peg or two
▷**πέφτω στη φωτιά** (ως όρκος) to go through hell
▷**πέφτω στα μαλακά** to fall on one's feet
▷**την πέφτω σε** κπν (αργκ.: = πλησιάζω εχθρικά) to jump on sb, to go for sb · (= πλησιάζω ερωτικά) to make a pass at sb
▷**πέφτω για ύπνο/να κοιμηθώ** to turn in
▷**μου πέφτει λόγος** (προφορ.) to have a say in sth
▷**πέφτουν οι μάσκες** to throw off one's mask
▷**πέφτουν όλοι να φάνε** κπν to pounce on sb
▷**πέφτω στα χέρια/στα νύχια** κποιου to fall into sb's hands/clutches
▷**πέφτω λιπόθυμος** to fall down in a faint
▷**όπου δεν πίπτει λόγος, πίπτει ράβδος** by hook or by crook

πέψη ουσ θηλ digestion

πηγαδάκι ουσ ουδ (= μικρό πηγάδι) small well
▷**ανοίγω πηγαδάκι** (= συζητώ σε μικρή συντροφιά) to stand in a circle and talk

πηγάδι ουσ ουδ well
▷**ανοίγω πηγάδι** to sink a well

πηγαδίσιος, -α, -ο επιθ (νερό) well

πηγάζω ρ αμ (α) (ποταμός) to rise (β) : **πηγάζω από** (μτφ.) to stem from

πηγαιμός ουσ αρσ journey

πηγαινέλα ουσ ουδ ακλ coming and going

πηγαινοέρχομαι ρ αμ αποθ to come and go · (= βαδίζω πάνω κάτω) to pace up and down

πηγαίνω ① ρ αμ (α) (= μεταβαίνω κάπου) to go (β) (= συχνάζω, φοιτώ) to go (γ) (= φεύγω) to be off (δ) (= οδηγώ: δρόμος) to lead (ε) (= λειτουργώ: ρολόι) to show the time (στ) (= εξελίσσομαι, καταλήγω) to feel well (ζ) (= ξοδεύομαι: χρήματα) to go, to spend (η) (= είμαι: ώρα) to be
② ρ μ (= μεταφέρω) to take
▷**πηγαίνω να τρελαθώ** (= κοντεύω) to go (crazy)
▷**πηγαίνω με** κπν (= συνουσιάζομαι) to have sex with sb
▷**πήγαινε από δω!** get out of here!
▷**τα πηγαίνω καλά/άσχημα με** κπν/σε κτ to

get on well/badly with sb/sth
▷**πώς τα πας;** how are you getting on (Βρετ.) ή along?
▷**τα πάω καλά με** κτ to do well at sth
▷**πού το πας;** what are you getting at?
▷**το πάω αλλού** (προφορ.) to change the subject
▷**πάω** κπν (αργκ.: = συμπαθώ) to get on (Βρετ.) ή along with sb
▷**πάει να πει** (= σημαίνει) it means
▷**πάω να** (= επιχειρώ) to be about to
▷**πάει καιρός/χρόνια/ώρα που** it's been ages/ years/a while since

πηγαίος, -α, -ο επιθ (άνθρωπος, ταλέντο, χιούμορ) spontaneous

πηγή ουσ θηλ source
▷**ιαματική πηγή** hot ή thermal spring
▷**Ζωοδόχος Πηγή** (θρησκ) the Source of Life
▷**πηγές ενέργειας** energy sources
▷**πηγή πληροφοριών** source of information
▷**αστείρευτη/ανεξάντλητη πηγή** mine of information
▸**πηγές** πληθ (ιστ) resources

πηγούνι ουσ ουδ chin

πηδάλιο ουσ ουδ (α) (πλοίου) helm, rudder (β) (αυτοκινήτου, αεροπλάνου) controls πληθ.
▷**κρατώ το πηδάλιο (του κράτους/της πολιτείας)** (= κυβερνώ) to be at the helm of the state

πηδαλιούχος ουσ αρσ (= που κρατάει το πηδάλιο) helmsman

> *Προσοχή!: Ο πληθυντικός του* **helmsman** *είναι* **helmsmen**.

πηδαλιουχούμενος, -η, -ο επιθ dirigible

πηδαλιουχώ ρ αμ to be at the helm

πήδημα ουσ ουδ leap · (χυδ.: = συνουσία) screwing (χυδ.)
▷**για ψύλλου πήδημα** (= για κτ ασήμαντο) almost for no reason

πηδηχτός, -ή, -ό επιθ bouncing · (βήμα, χορός) lively, quick

πήδος ουσ αρσ: **μ' έναν πήδο** bound, leap

πηδώ ① ρ αμ to jump
② ρ μ (α) (τοίχο, μάντρα, εμπόδιο) to jump over (β) (αράδα, σελίδα, κεφάλαιο) to leave out, to omit (γ) (χυδ.: = κάνω έρωτα σε κπν) to screw (χυδ.), to lay (χυδ.)
▷**πηδάω σε** κτ to jump on sth
▷**πηδάω από** κτ to jump off sth
▷**πηδώ από το ένα θέμα στο άλλο** to jump ή skip from one subject to another
▷**πηδώ από τη χαρά μου** to jump ή leap for joy

πήζω ① ρ μ (γάλα) to curdle
② ρ μ (α) (γάλα, γιαούρτι) to curdle, to coagulate (β) (= γεμίζω ασφυκτικά με κτ: δωμάτιο, αίθουσα) to be packed
▷**πήζει το μυαλό** (= ωριμάζει) to mature
▷**έπηξα στη δουλειά/στο διάβασμα** to be up to one's eyes in work

πηκτικός, -ή, -ό ΕΠΙΘ (υλικό) coagulative, congealing

πηκτός, -ή, -ό ΕΠΙΘ = **πηχτός**

πηλάλα ΟΥΣ ΘΗΛ = **πιλάλα**

πηλαλώ Ρ ΑΜ = **πιλαλώ**

πηλήκιο ΟΥΣ ΟΥΔ (α) (στρατιωτικού) kepi (β) (μαθητή) cap

πηλίκο ΟΥΣ ΟΥΔ quotient
▷**μηδέν εις το πηλίκον** (= για αποτυχία) all his efforts came to nothing

πήλινος, -η, -ο ΕΠΙΘ (πιάτο, αγγείο, άγαλμα) earthen(ware)

Πήλιο ΟΥΣ ΟΥΔ Mount Pelion

πηλοπλαστική ΟΥΣ ΘΗΛ pottery

πηλός ΟΥΣ ΑΡΣ clay

πηλοφόρι ΟΥΣ ΟΥΔ (= εργαλείο χτίστη) mortarboard

Πηνειός ΟΥΣ ΑΡΣ Peneus

πηνίο ΟΥΣ ΟΥΔ (ΗΛΕΚΤΡ) coil, choke

πήξη ΟΥΣ ΘΗΛ (ΦΥΣ) coagulation

πήχης ΟΥΣ ΑΡΣ (α) (ΑΝΑΤ) forearm (β) (= μονάδα μήκους) measure of length (64 cm)

πηχτή ΟΥΣ ΘΗΛ pork jelly, brawn

πηχτός, -ή, -ό ΕΠΙΘ (κρέμα, λάσπη) thick

πήχτρα ΟΥΣ ΘΗΛ (γήπεδο, μαγαζί) packed with
▷**σκοτάδι πήχτρα** pitch black

πηχυαίος, -α, -ο ΕΠΙΘ (τίτλος) banner

πήχυς ΟΥΣ ΑΡΣ βλ. **πήχης**

πι ΟΥΣ ΟΥΔ ΑΚΛ pi, 16th letter of the Greek alphabet
▷**στο πι και φι** at the drop of a hat

πια ΕΠΙΡΡ no longer, no more
▷**ποτέ πια** never again!
▷**αμάν πια!** for God's sake!

πιανίστας ΟΥΣ ΑΡΣ pianist

πιανίστρια ΟΥΣ ΘΗΛ βλ. **πιανίστας**

πιάνο ΟΥΣ ΟΥΔ piano

πιάνω Ρ Μ (α) (= κρατώ) to hold (β) (= αγγίζω) to touch (γ) (ανεπ.: = εισπράττω) to take (δ) (= συλλαμβάνω) to catch (ε) (= καταλαμβάνω) to take up, to occupy (στ) (= νοικιάζω) to rent (ζ) (= κυριεύω: τρέλα, νεύρα) to possess (η) (πλοίο) to come into (θ) (για φυτά) to root (ι) (οικ.: = καταλαβαίνω) to grasp, to get
▷**πιάνω κπν να ...** to catch sb doing...
▷**ποιος με πιάνει τώρα**; who can catch me now?
▷**τα πιάνω** (= δωροδοκούμαι) to be bribed
▷**πιάνω κπν** (= μιλώ σε κπν) to go and speak to sb
▷**πιάνω κπν στα πράσα** (= συλλαμβάνω επ' αυτοφώρω) to catch sb red–handed
▷**δεν πιάνεται** (= δεν ισχύει) it doesn't count
▷**τα πιάσαμε τα λεφτά μας** to be in a fix
▷**δεν έπιασε** it didn't work
▷**πιάνω τόπο** (= ωφελεί) to be good value
▶**πιάνομαι** ΜΕΣΟΠΑΘ (α) (= πλουτίζω) to strike oil (β) (= σκαλώνω) to catch

▷**ο πνιγμένος από τα μαλλιά του πιάνεται** (παροιμ.) a drowning man will clutch at a straw
▷**πιάνομαι στα χέρια με κπν** (= τσακώνομαι) to come to blows with sb

πιάσιμο ΟΥΣ ΟΥΔ (προφορ.) touch · (= λαβή) grip · (χεριού, ποδιού) stiffness · (φυτού) rooting

πιασμένος, -η, -ο ΕΠΙΘ (α) (προφορ.: = κατειλημμένος: θέση) taken, occupied (β) (χέρι, πόδι, κορμί) stiff

πιάστρα ΟΥΣ ΘΗΛ piastre

πιαστράκι ΟΥΣ ΟΥΔ hook

πιατέλα ΟΥΣ ΘΗΛ large flat dish, platter

πιατικά ΟΥΣ ΟΥΔ ΠΛΗΘ china(ware)

πιάτο ΟΥΣ ΟΥΔ (α) (= γεύμα) dish (β) (= διακοσμητικό αντικείμενο σε σχήμα πιάτου) plate
▷**του τα φέρνουν όλα στο πιάτο** (= είναι τεμπέλης) he has everything handed to him on a plate
▷**σηκώνω τα πιάτα** (= καθαρίζω το τραπέζι) to clear the table
▷**πρώτο/δεύτερο πιάτο** (ΜΑΓΕΙΡ) first/second course
▷**κρύο πιάτο** (ΜΑΓΕΙΡ) cold dish

πιατοθήκη ΟΥΣ ΘΗΛ plate rack

πιάτσα ΟΥΣ ΘΗΛ (ταξί) taxi rank (Βρετ.), taxi stand (Αμερ.)
▷**κάνω πιάτσα** (αργκ.) to walk the streets

πιγκουίνος ΟΥΣ ΑΡΣ penguin

πιγούνι = **πηγούνι**

πίδακας ΟΥΣ ΑΡΣ (α) (νερού, φλόγας, αερίου) spurt, jet (β) (= συντριβάνι) fountain

πιέζω Ρ Μ to push

πιερότος ΟΥΣ ΑΡΣ Pierrot

πίεση ΟΥΣ ΘΗΛ pressure
▷**ατμοσφαιρική πίεση** atmospheric pressure
▷**υδροστατική πίεση** hydrostatic pressure
▷**αρτηριακή πίεση** blood pressure
▷**ασκώ πίεση σε κτ** to put pressure on sth
▷**υπό την πίεση του...** under the pressure of...

πιεσόμετρο ΟΥΣ ΟΥΔ pressure gauge

πιεστήριο ΟΥΣ ΟΥΔ (εφημερίδων, περιοδικών) printing press
▷**τυπογραφικό πιεστήριο** printing press
▷**επί του πιεστηρίου** stop press

πιεστικός, -ή, -ό ΕΠΙΘ (α) (κατάσταση, απειλή) pressing, urgent (β) (άνθρωπος) pushy

πιέτα ΟΥΣ ΘΗΛ (φούστας, παντελονιού) pleat

πιζάμα ΟΥΣ ΘΗΛ, **πιτζάμα** pyjamas (Βρετ.), pajamas (Αμερ.)

πιθαμή = **σπιθαμή**

πιθαμολογία ΟΥΣ ΘΗΛ (ΦΙΛΟΣ) probabilism

πιθανολογώ Ρ Μ (καθυστέρηση, εγκυρότητα, κηδεμονία) to conjecture ή speculate about
▶**πιθανολογείται** ΑΠΡΟΣ it's possible

πιθανόν ΕΠΙΡΡ (= ίσως, ενδεχομένως) maybe, perhaps
▷**είναι πιθανόν** it is probable ή likely that

πιθανός, -ή, -ό ΕΠΙΘ likely, probable
πιθανότητα ΟΥΣ ΘΗΛ (= *το ενδεχόμενο*) likelihood
▷**νόμος/θεωρία των πιθανοτήτων** the law/theory of probability
▷**κατά πάσα πιθανότητα** in all likelihood *ή* probability
πιθανώς ΕΠΙΡΡ possibly
πιθάρι ΟΥΣ ΟΥΔ earthenware jar
πιθηκάνθρωπος ΟΥΣ ΑΡΣ **(α)** (ΒΙΟΛ) pithecanthropus **(β)** (*υβρ.: μτφ.: = ασχημομούρης*) apeman

Προσοχή!: Ο πληθυντικός του **pithecanthropus** *είναι* **pithecanthropi**. *Ο πληθυντικός του* **apeman** *είναι* **apemen**.

πιθηκίζω ⓵ Ρ ΑΜ (*μειωτ.: = μιμούμαι κτ αδέξια*) to ape · (*ιδέες, ύφος, ζωή*) to imitate ⓶ Ρ ΑΜ (*αρνητ.: = φέρομαι μιμητικά όπως ο πίθηκος: άνθρωπος*) to do an imitation
πιθηκισμός ΟΥΣ ΑΡΣ (= *μίμηση*) imitation, aping
πίθηκος ΟΥΣ ΑΡΣ **(α)** (ΖΩΟΛ) ape **(β)** (*μτφ.: μειωτ.*) monkey, ape
πίκα ΟΥΣ ΘΗΛ **(α)** (*προφορ.: = πείσμα, γινάτι: ανθρώπου*) spite, pique (*επίσ.*) **(β)** (*στην χαρτοπαιξία: = μπαστούνι*) spade
πικάντικος, -η, -ο ΕΠΙΘ **(α)** (= *καυτερός: για τροφή: γεύση, μεζές*) piquant **(β)** (*μτφ.: = ερεθιστικός*) titillating, racy · (= *προκλητικός: πρόσωπο, γυναίκα, κόσμος*) saucy · (= *τέχνη, ομορφιά*) racy
πικ απ ΟΥΣ ΟΥΔ ΑΚΛ record player
πικάρω Ρ Μ (= *πειράζω κπν με λόγια*) to vex, to irritate
πικές ΟΥΣ ΑΡΣ (*ύφασμα*) pique
πίκρα ΟΥΣ ΘΗΛ **(α)** (= *πικρή γεύση: καφέ, φρούτου, φαρμάκου*) bitter taste **(β)** (*μτφ.: = πικρία*) bitterness
πικραγγουριά ΟΥΣ ΘΗΛ squirting cucumber
πικράδα ΟΥΣ ΘΗΛ bitter taste
πικραίνω Ρ Μ (*μτφ.: = δυσαρεστώ*) to grieve, to distress
πικραλίδα ΟΥΣ ΘΗΛ dandelion
πικραμένος, -η, -ο ΕΠΙΘ embittered
πικραμύγδαλο ΟΥΣ ΟΥΔ bitter almond
πικρία ΟΥΣ ΘΗΛ (= *λύπη, θλίψη: ανθρώπου*) bitterness, acrimony
πικρίζω Ρ ΑΜ **(α)** (= *έχω πικρή γεύση: τσιγάρο, φρούτο, μαρμελάδα*) to be bitter **(β)** (= *αποκτώ πικρή γεύση: χόρτα, φρούτο, τυρί*) to become bitter
πικρίλα ΟΥΣ ΘΗΛ (*φαγητού, τσιγάρου*) bitter taste, bitterness
πικροδάφνη ΟΥΣ ΘΗΛ oleander
πικρός, -ή, -ό ΕΠΙΘ bitter
▸**πικρό ποτήρι** bitter
πικρόχολος, -η, -ο ΕΠΙΘ **(α)** (= *στρυφνός: άνθρωπος, χαρακτήρας*) peevish, cantankerous **(β)** (= *φαρμακερός*) acrimonious

πιλάλα (*προφορ.*) ⓵ ΟΥΣ ΘΗΛ (= *γρήγορο τρέξιμο*) running, rush ⓶ ΕΠΙΡΡ (= *τροχάδην: φεύγω, περνώ, τρέχω*) running
πιλαλώ (*προφορ.*) Ρ ΑΜ (= *τρέχω γρήγορα*) to run, to roam
πιλάτεμα ΟΥΣ ΟΥΔ (*προφορ.: = κατατυράννηση*) pestering
πιλατεύω Ρ Μ (*προφορ.: = βασανίζω*) to pester
πιλάφι ΟΥΣ ΟΥΔ (ΜΑΓΕΙΡ) pilaff, pilau
πιλοτάρω ⓵ Ρ Μ (*αεροπλάνο*) to pilot ⓶ Ρ ΑΜ to pilot
πιλοτή ΟΥΣ ΘΗΛ, **πυλωτή** open ground–floor space in blocks of flats used as a parking lot
πιλότος ΟΥΣ ΑΡΣ pilot
▷**αυτόματος πιλότος** automatic pilot
▷**πρώτος/δεύτερος πιλότος** senior/second pilot
πίνακας ΟΥΣ ΑΡΣ **(α)** (*τάξης*) (black)board (*Βρετ.*), chalkboard (*Αμερ.*) **(β)** (= *έργο ζωγραφικής: ζωγραφικής, ζωγράφου, καλλιτέχνη*) painting (*γ*) (= *κατάλογος*) table, list (*δ*) (*αεροδρομίου, γηπέδου*) notice board (*Βρετ.*), bulletin board (*Αμερ.*) (*ε*) (= *ταμπλό με διακόπτες: αυτοκινήτου*) dashboard · (*σπιτιού, ρεύματος*) electricity panel
▷**πίνακας ελέγχου** control panel
▷**βάζω/γράφω κπν στο μαύρο πίνακα** to blacklist sb
▷**πίνακας ανακοινώσεων** notice board (*Βρετ.*), bulletin board (*Αμερ.*)
πινακίδα ΟΥΣ ΘΗΛ **(α)** (= *ταμπέλα*) sign **(β)** (= *σήμα της τροχαίας*) traffic sign, signpost
▷**πινακίδες κυκλοφορίας** (*για αυτοκίνητο*) number plates (*Βρετ.*), license plates (*Αμερ.*)
πινάκιο ΟΥΣ ΟΥΔ (*επίσ.: = κατάλογος προς εκδίκαση υποθέσεων*) register (*Βρετ.*), docket (*Αμερ.*) · (= *μικρός πίνακας*) small painting
▷**αντί πινακίου φακής** for a pittance
πινακοθήκη ΟΥΣ ΘΗΛ art gallery
πινακωτή ΟΥΣ ΘΗΛ (*ανεπ./προφορ.*): **πινακωτή, πινακωτή, από τ' άλλο μου τ' αυτί** board used for carrying bread to the oven
πινέζα ΟΥΣ ΘΗΛ (= *κοντό λεπτό καρφί με μεγάλο κεφάλι*) tack, drawing pin (*Βρετ.*), thumbtack (*Αμερ.*)
πινελιά ΟΥΣ ΘΗΛ **(α)** (= *ποσότητα χρώματος που παίρνει ένα πινέλο*) brush stroke **(β)** (*μτφ.: = λεπτομέρεια*) touch
πινέλο ΟΥΣ ΟΥΔ (= *χρωστήρας*) brush
πίνω ⓵ Ρ Μ **(α)** (*νερό, κρασί, φάρμακο*) to drink **(β)** (*προφορ.: μτφ.: τσιγάρο*) to smoke (*γ*) (= *απορροφώ*) to absorb ⓶ Ρ ΑΜ **(α)** to drink **(β)** (= *είμαι αλκοολικός, πότης*) to be a heavy drinker
▷**πίνω με (φαγητό)** to wash down
▷**πίνω στη υγεία/ευτυχία κποιου** to drink to sb's health/success
▷**πίνω το καταπέτασμα** (*προφορ.*) to have a tankful (*ανεπ.*)

▷**πίνω το αίμα κποιου** (*προφορ./αρνητ.*) to suck sb's blood

▷**πίνω πολλά φαρμάκια** (= *δοκιμάζω πολλές δυστυχίες*) life to me is gall and wormwood

▷**τα 'πινες πάλι** you have been drinking again

▷**να την πιείς στο ποτήρι** she is a stunner! (*ανεπ.*)

▷**πίνω νερό στο όνομα κποιου** to show one's gratitude to sb

┌─────────────────┐
│ *ΛΕΞΗ-ΚΛΕΙΔΙ* │
└─────────────────┘

ΠΙΟ ΕΠΙΡΡ **(α)** +*επίθ./επίρρ.* more ❑ **πιο καλός/ άσχημος/όμορφος** better/uglier/more beautiful

▷**πιο καλά/έξυπνα** better/more cleverly ❑ **για έλα πιο κοντά να σε δω** come closer and let me see you

(β) +*ουσ.* more ❑ **λογομαχούσαν για το ποιος είναι πιο αρσενικό απ' τον άλλο!** they were arguing about who was the more masculine of the two!

▷**λίγο πιο** +*επίθ./επίρρ.* a little

▷**ο πιο** +*ουσ.* the most ❑ **ήταν η πιο ερασιτέχνις από τις σκηνοθέτιδες που ήξερα** she was the most amateurish of all the directors I knew

▷**πιο πριν** earlier

▷**πολύ πιο** +*επίθ./επίρρ.* a lot ...

πιόνι ΟΥΣ ΟΥΔ pawn

πιότερο ΕΠΙΡΡ (*προφορ.*: = *περισσότερο*) more

πιοτό ΟΥΣ ΟΥΔ (*προφορ.*) drink · *βλ. κ.* **ποτό**

πίπα ΟΥΣ ΘΗΛ (= *τσιμπούκι*) pipe

πιπεράτος, -η, -ο ΕΠΙΘ **(α)** (= *που έχει καυτερή γεύση: γεύση, φαγητό, ποτό*) pungent **(β)** (*μτφ.*: = *δηκτικός, πειρακτικός*) racy, risqué

πιπέρι ΟΥΣ ΟΥΔ pepper

πιπεριά ΟΥΣ ΘΗΛ **(α)** (= *φυτό*) pepper plant **(β)** (= *καρπός της πιπεριάς*) pepper

πιπεριέρα ΟΥΣ ΘΗΛ (= *επιτραπέζιο σκεύος για το πιπέρι*) pepper castor

πιπερίζω Ρ ΑΜ (= *έχω καυτερή γεύση: φαγητό, τυρί*) to have a peppery taste

πιπερώνω Ρ Μ (= *πασπαλίζω με πιπέρι: φαγητό*) to season with pepper

πίπιζα ΟΥΣ ΘΗΛ bagpipe

πιπίλα ΟΥΣ ΘΗΛ dummy (*Βρετ.*), pacifier (*Αμερ.*)

πιπιλίζω Ρ Μ **(α)** (= *βυζαίνω: αίμα, στήθος, καραμέλα*) to suck **(β)** (*μτφ.*: *λέξεις, ιδέες*) to repeat over and over again

▷**πιπιλίζω κπν** (= *προσπαθώ να πείσω κπν για κτ*) to coax, to cajole sb

▷**πιπιλίζω το μυαλό κποιου** to pester sb

πιπίλισμα ΟΥΣ ΟΥΔ **(α)** (= *η πράξη του πιπιλίζω*) sucking **(β)** (*μτφ.*) pestering

πίπτω Ρ ΑΜ = **πέφτω**

πιράνχας ΟΥΣ ΟΥΔ ΑΚΛ piranha

πιρόγα ΟΥΣ ΘΗΛ (= *είδος βάρκας των Πολυνήσιων ιθαγενών*) pirogue, dugout

πιρουέτα ΟΥΣ ΘΗΛ (= *χορευτική κίνηση*) pirouette

πιρούνι ΟΥΣ ΟΥΔ fork

πισθάγκωνα ΕΠΙΡΡ (*ανεπ.*: *δένω, κρατώ*) with one's hands tied behind one's back

πισινά ΟΥΣ ΟΥΔ ΠΛΗΘ **(α)** (*προφορ./ανεπ.*: = *τα οπίσθια του ανθρώπου*) backside *εν.*, bottom *εν.* **(β)** (= *τα πίσω σκέλη των ζώων: ζώου*) haunches, buttocks

πισίνα ΟΥΣ ΘΗΛ (*σπιτιού, κολυμβητήριου*) swimming pool

πισινή ΟΥΣ ΘΗΛ (*προφορ./ανεπ.*) alternative up one's sleeve

▷**κρατάω ή βαστάω πισινή** to wait to see which way the cat jumps

πισινός¹, -ή, -ό ΕΠΙΘ (*κάθισμα, πόρτα*) back

πισινός² ΟΥΣ ΑΡΣ **(α)** (*προφορ./ανεπ.*: = *οι γλουτοί, πρωκτός*) backside **(β)** (= *αυτός που στέκεται ή κάθεται από πίσω*) person at the back

▷**γυρνώ τον πισινό μου σε κπν** (= *περιφρονώ κπν*) to turn one's back on sb

▷**τα θέλει ο πισινός μου** to play hard to get

πίσσα ΟΥΣ ΘΗΛ tar · (*μτφ.*: = *κατάμαυρος*) pitch black

▷**σκοτάδι πίσσα** pitch black

πισσόχαρτο ΟΥΣ ΟΥΔ (= *αδιάβροχο χαρτί εμποτισμένο με πίσσα*) roofing felt

πισσώνω Ρ Μ (*δρόμο, ταράτσα, τοίχο*) to tar, to pitch

πίστα ΟΥΣ ΘΗΛ **(α)** (*κέντρου*) dance floor **(β)** (*αυτοκινήτων*) circuit · (*ιπποδρόμου*) race course (*Βρετ.*), race track (*Αμερ.*) · (*πατινάζ*) rink **(γ)** (*αεροδρομίου, απογείωσης, προσγείωσης*) runway

▷**χιονοδρομική πίστα** ski slope

πιστευτός, -ή, -ό ΕΠΙΘ credible

πιστεύω¹ Ρ Μ **(α)** (= *δίνω εμπιστοσύνη: άνθρωπο, θεωρία, κόμμα*) to believe, to trust **(β)** (= *δέχομαι κτ σαν αληθινό: ιστορία, κουβέντα, άποψη*) to believe **(γ)** (*θρησκεία, Θεό*) to believe in

▷**πιστεύω ότι...** to believe that...

▷**πιστεύω πως...** to believe that...

▷**πιστεύω σε κπν/κτ** (= *έχω εμπιστοσύνη*) to believe sb/sth

▷**πιστεύω να...** to suppose that...

πιστεύω² ΟΥΣ ΟΥΔ ΑΚΛ belief · (ΘΡΗΣΚ) the Creed

πίστη ΟΥΣ ΘΗΛ **(α)** (= *εμπιστοσύνη σε κπν/κτ*) faith, trust **(β)** (= *εμμονή σε αρχές ή δόγματα*) faith **(γ)** (= *αφοσίωση*) loyalty **(δ)** (= *η θρησκεία που πιστεύει κπς*) faith · (= *παραδοχή*) faith

▷**μα την πίστη μου** (*προφορ.*) by God!

▷**η καλή πίστη** (= *ειλικρίνεια*) good faith

▷**η κακή πίστη** (= *κακοπιστία*) bad faith

▷**συζυγική πίστη** marital fidelity

▷**βγάζω την πίστη κποιου** to make sb sweat, to drive sb hard

▷**μου βγαίνει η πίστη** to sweat one's guts out

▷**το σύμβολο της πίστεως** (ΘΡΗΣΚ) the Creed

▷**δίνω πίστη σε κπν/κτ** to give credence to sb/sth

πιστοδότης ΟΥΣ ΑΡΣ creditor

πιστολάκι ΟΥΣ ΟΥΔ (α) (*προφορ.*: *για μαλλιά*) hair dryer (β) (= *μικρό πιστόλι*) small pistol
▷**κάνω (τα μαλλιά με) πιστολάκι** (*προφορ.*) to blow–dry one's hair

πιστολάς ΟΥΣ ΑΡΣ gunman

Προσοχή!: Ο πληθυντικός του **gunman** *είναι* **gunmen**.

πιστόλι ΟΥΣ ΟΥΔ (= *μικρό φορητό πυροβόλο όπλο*) gun, pistol
▷**τραβάω πιστόλι** to pull a gun
▷**γρήγορο πιστόλι** to be quick on the trigger

πιστολιά ΟΥΣ ΘΗΛ (= *κρότος πυροβολισμού*) gunshot

πιστολίδι ΟΥΣ ΟΥΔ ΑΚΛ gunshots *πληθ.*, gunfire
▷**πέφτει πιστολίδι** gunshots are exchanged
▷**ρίχνω πιστολίδι** there is gunfire
▷**άγριο πιστολίδι** heavy gunfire

πιστόνι ΟΥΣ ΟΥΔ piston

πιστοποίηση ΟΥΣ ΘΗΛ certification

πιστοποιητικό ΟΥΣ ΟΥΔ (*υγείας, υπογραφής, γνησιότητας*) certificate

πιστοποιώ Ρ Μ to certify
▷**πιστοποιώ ότι...** to certify that...

πιστός¹, -ή, -ό ΕΠΙΘ (α) (= *που πιστεύει: λαός, φίλος*) loyal (β) (= *αφοσιωμένος: σύζυγος*) faithful (γ) (= *ακριβής: αντιγραφή, απομίμηση, διήγηση*) faithful, true
▷**μένω/παραμένω πιστός σε κπν/κτ** to stick with sb/sth

πιστός² ΟΥΣ ΑΡΣ believer

πιστότητα ΟΥΣ ΘΗΛ (= *ακρίβεια: εγγράφου*) authenticity · (*εικόνας, ήχου*) fidelity

πιστώνω Ρ Μ to credit

πίστωση ΟΥΣ ΘΗΛ credit
▷**πίστωση χρόνου** time to spare
▷**δίνω/κάνω πίστωση** to give credit
▷**κόβω την πίστωση** to revoke credit
▷**επί πιστώσει** (= *με πίστωση*) on credit
▷**χρεώνω σε πίστωση** to charge on account

πιστωτής ΟΥΣ ΑΡΣ creditor

πιστωτικός, -ή, -ό ΕΠΙΘ credit
▷**πιστωτική κάρτα** credit card

πιστώτρια ΟΥΣ ΘΗΛ *βλ.* **πιστωτής**

πίσω ΕΠΙΡΡ back (α) (*για επιστροφή*) back (β) (*μτφ.: για καθυστέρηση*) behind
▷**πίσω από κπου** behind
▷**από πίσω** from behind
▷**από πίσω κποιου** (*μτφ.*) behind sb's back
▷**πίσω από την πλάτη μου** behind one's back
▷**μπρος-πίσω** back and forth
▷**παίρνω κπν/κτ από πίσω** to follow sb/sth closely

πισωγυρίζω Ρ Μ (*προφορ.*: *άνθρωπο*) to drive back

πισωγύρισμα ΟΥΣ ΟΥΔ (α) (= *αναποδογύρισμα: δρόμου, ποδιού, κύματος*) driving back (β) (*μτφ.: ανθρώπου, κοινωνίας*) retrogression

πισωκάπουλα ΕΠΙΡΡ pillion

πισώκωλα ΕΠΙΡΡ (*στέκομαι, κάθομαι*) backwards

πισώπλατα ΕΠΙΡΡ (= *στα νώτα: χτυπώ, μαχαιρώνω*) in the back
▷**τη φέρνω σε κπν πισώπλατα** (*μτφ.*) to stab sb in the back

πίτα ΟΥΣ ΘΗΛ, **πίττα** (α) (ΜΑΓΕΙΡ) pie · (= *βασιλόπιτα*) New Year cake (β) (= *είδος άζυμου ψωμιού*) pitta bread
▷**(θέλω) και την πίτα ολόκληρη, και το σκύλο χορτάτο** you can't have your cake and eat it
▷**είμαι/γίνομαι πίτα** (= *καταπλακώνομαι από κπν ή κάποιους*) to be crushed
▷**είμαι/γίνομαι πίτα** (= *είμαι μεθυσμένος*) to be pie–eyed
▷**κάνω κπν πίτα στο ξύλο** to give sb a good hiding
▷**πέσε πίτα, να σε φάω** you can't have it both ways

πιτζάμα ΟΥΣ ΘΗΛ pyjamas *πληθ.* (*Βρετ.*), pajamas *πληθ.* (*Αμερ.*)
▷**πιτζάμα-πάρτι** pyjama (*Βρετ.*) ή pajama (*Αμερ.*) party

πίτουρο ΟΥΣ ΟΥΔ (= *φλούδι των σιτηρών: σιταριού, βρώμης*) bran
▷**τρώω πίτουρα** (*προφορ.*) to be a sucker ή dupe
▷**όποιος ανακατεύεται με τα πίτουρα, τον τρώνε οι κότες** if you fly with the crows, you get shot with them

πίτσα ΟΥΣ ΘΗΛ (= *είδος πίτας*) pizza

πιτσαρία ΟΥΣ ΘΗΛ pizzeria, pizza house

πιτσιλιά ΟΥΣ ΘΗΛ (α) (= *λεκές από πιτσίλισμα*) splash (β) (= *κηλίδα: δέρματος, τριχώματος*) spot

πιτσιλίζω Ρ Μ (= *βρέχω*) to splash, to spatter

πιτσίλισμα ΟΥΣ ΟΥΔ (*βροχής, θάλασσας, νερού*) splashing, spattering

πιτσιλιστός, -ή, -ό ΕΠΙΘ (α) (= *διάσπαρτος με πιτσιλιές: δέρμα, φτερό, λουλούδι*) spotted, speckled (β) (= *παρδαλός: ρούχο, ύφασμα*) mottled

πιτσιλώ Ρ Μ *βλ.* **πιτσιλίζω**

πιτσιλωτός, -ή, -ό ΕΠΙΘ (= *με κηλίδες: δέρμα, φτερό*) speckled, spotted

πιτσιρίκα ΟΥΣ ΘΗΛ *βλ.* **πιτσιρίκος**

πιτσιρίκι ΟΥΣ ΟΥΔ (*προφορ.*: = *μικρό παιδί*) kid (*ανεπ.*)

πιτσιρίκος ΟΥΣ ΑΡΣ (*προφορ.*: = *μικρό αγόρι*) kid (*ανεπ.*), nipper (*ανεπ.*)

πιτσουνάκια ΟΥΣ ΟΥΔ ΠΛΗΘ (*χαϊδ.*: = *ζευγάρι ερωτευμένων*) lovebirds

πιτσούνι ΟΥΣ ΟΥΔ (α) (ΖΩΟΛ) squab (β) (*χαϊδ.*: *για προσφώνηση*) lovebird

πιτυρίδα ΟΥΣ ΘΗΛ dandruff

πιτυρούχος, -ος, -ο ΕΠΙΘ (= *που περιέχει πίτουρα: ψωμί, αλεύρι*) all-bran

πιωμένος, -η, -ο ΕΠΙΘ (= *μεθυσμένος*) drunk

πλαγιά ΟΥΣ ΘΗΛ (*βουνού, λόφου*) slope, side

πλάγια ΟΥΣ ΟΥΔ ΠΛΗΘ: **τα πλάγια** (= *οι πλευρές*) flanks, sides

πλαγιάζω ① Ρ Μ (α) (= *βάζω κπν να ξαπλώσει: άνθρωπο*) to lie down (β) (ΝΑΥΤ) to sail close to the wind
② Ρ ΑΜ (= *πέφτω να κοιμηθώ: παλ*) to go to bed, to lie down · (= *ξαπλώνω: άνθρωπος, ζώο*) to lie down
▷**πλαγιάζω με κπν** (= *κάνω έρωτα*) to go to bed with sb, to sleep with sb

πλάγιασμα ΟΥΣ ΟΥΔ (= *ξάπλωμα: ανθρώπου, ζώου*) lying down

πλαγιαστός, -ή, -ό ΕΠΙΘ (= *κεκλιμένος: δέντρο*) aslant, oblique

πλαγιοδρομία ΟΥΣ ΘΗΛ (ΝΑΥΤ) beating

πλαγιοδρομώ Ρ ΑΜ (*πλοίο*) to hug the wind

πλάγιος, -α, -ο ΕΠΙΘ (α) (= *κεκλιμένος: γράμμα, γραμμή*) oblique
(β) (= *παράπλευρος*) sidelong (γ) (= *έμμεσος: λύση, απάντηση, συμπεριφορά, ύφος*) indirect, roundabout (δ) (= *λοξός: ματιά*) oblique (ε) (= *παράνομος: μέσα, ενέργεια*) devious, underhand
▷**πλάγιος άνεμος** crosswind
▷**πλάγιος λόγος** (ΓΛΩΣΣ) indirect ή reported speech

πλαγκτόν ΟΥΣ ΟΥΔ plankton

πλαδαρός, -ή, -ό ΕΠΙΘ (α) (= *χαλαρός*) flabby (β) (*μτφ.: ύφος, επιχείρημα*) weak

πλαδαρότητα ΟΥΣ ΘΗΛ (α) (= *χαλαρότητα*) flabbiness (β) (*μτφ.: = ατονία*) indolence

πλαζ ΟΥΣ ΘΗΛ ΑΚΛ beach

πλάθω Ρ Μ (α) (*κυριολ., μτφ.*) to shape (β) (= *επινοώ: ιστορίες*) to make up, to fabricate

πλάι ΕΠΙΡΡ: **πλάι σε κπν/κτ** by sb/sth
▷**με το πλάι** with the side
▷**στο πλάι** on its side
▷**πλάι-πλάι** (= *δίπλα*) side by side, shoulder to shoulder

πλαϊνός¹, -ή, -ό ΕΠΙΘ (= *διπλανός*) adjacent, adjoining

πλαϊνός² ΟΥΣ ΑΡΣ (= *διπλανός*) person beside somebody

πλαίσιο ΟΥΣ ΟΥΔ (α) (= *κορνίζα: πόρτας, καθρέφτη, φωτογραφίας*) frame
(β) (= *κούφωμα: πόρτας*) frame
(γ) (= *σύστημα*) framework
▷**στο πλαίσιο** ή **στα πλαίσια** within the scope of

πλαισιώνω Ρ Μ (α) (= *περιβάλλω*) to edge, to border (β) (*συνεργάτης: κόμμα, άτομο*) to frame, to surround

πλαισίωση ΟΥΣ ΘΗΛ (*πόρτας, χώρου, δωματίου*) bordering

πλάκα ① ΟΥΣ ΘΗΛ (α) (= *πεπλατυσμένη πέτρα: δαπέδου, αυλής, τοίχου*) flagstone, paving stone · (= : *τάφου, μνήματος*) tombstone (β) (*αστείο: πινακίδα*) plaque (δ) (= *τσιμεντένιο επίπεδο: οικοδομής*) concrete slab (ε) (= *ταράτσα: κτιρίου*) flat

roof (στ) (= *κομμάτι: σαπούνι*) bar (ζ) (*γης*) plate (η) (*παλ*) slate (ϑ) (*επίσης* **οδοντική πλάκα**) dental plaque
② ΕΠΙΡΡ (= *επίπεδος*) flat
▷**για πλάκα** for fun, for kicks
▷**κτ/κπς έχει πλάκα** (= *είναι αστείο*) sth/sb is funny
▷**κάνω πλάκα (σε κπν)** (= *κάνω αστεία*) to play a trick ή joke (on sb)
▷**κόβω την πλάκα** (*προφορ.: = σταματώ να κάνω ένα αστείο*) to stop kidding
▷**παθαίνω πλάκα** ή **την πλάκα μου** (*προφορ.: = μένω έκπληκτος*) to be flabbergasted ή dumbfounded
▷**πλάκα-πλάκα** (*προφορ.*) although it may seem unbelievable
▷**σπάω πλάκα κπν** to pull sb's leg
▷**σπάω πλάκα κτ** to laugh at sth
▷**έχει πλάκα τα γαλόνια** (*για ανώτερους αξιωματικούς*) to be a brass hat (*Βρετ.*) (*ανεπ.*)

πλακάκι ΟΥΣ ΟΥΔ (= *μικρή πλάκα*) tile
▷**περνώ** ή **βάζω πλακάκια σε κτ** to tile sth
▷**τα κάνω πλακάκια με κπν** to conspire with sb

πλακάτ ΟΥΣ ΟΥΔ ΑΚΛ (= *πινακίδα διαδηλωτών*) placard

πλακέ ΕΠΙΘ ΑΚΛ (*μπουκάλι, μολύβι*) flat

πλακί ΟΥΣ ΟΥΔ ΑΚΛ fish or beans baked in the oven

πλακίδιο ΟΥΣ ΟΥΔ (*επίσ.: = πλακάκι*) tile

πλακοστρώνω Ρ Μ (α) (*δρόμο*) to pave (β) (*τοίχο*) to tile

πλακόστρωση ΟΥΣ ΘΗΛ (α) (*δρόμου*) paving (β) (*τοίχου*) tiling

πλακόστρωτο ΟΥΣ ΟΥΔ (*πόλης, αποβάθρας*) paved street

πλακόστρωτος, -η, -ο ΕΠΙΘ (α) (*δρόμος, αυλή*) paved (β) (*τοίχος*) tiled

πλακούντας ΟΥΣ ΑΡΣ placenta

πλάκωμα ΟΥΣ ΟΥΔ (*μτφ.*) weight, load · (*ψυχής*) load, burden

πλακώνω ① Ρ Μ (α) (= *πιέζω με βάρος*) to press down (β) (*συνθλίβω: άνθρωπο, ζώο, σπίτι*) to crush (γ) (*προφορ.: = χτυπώ*) to beat black and blue (δ) (*συμφορά, μοναξιά, σπίτι: άνθρωπο*) to close in on
② Ρ ΑΜ (= *έρχομαι αφνιδιαστικά: κρύο, ησυχία, χειμώνας*) to come on, to set in · (*πελατεία, κόσμος*) to rush in
▷**πλακώνω κπν στο ξύλο** (= *χτυπώ κπν*) to beat sb black and blue

πλακωτό ΟΥΣ ΟΥΔ (= *παιχνίδι στο τάβλι*) plakoto, *variation of backgammon*

πλακωτός, -ή, -ό ΕΠΙΘ (= *πεπλατυσμένος: πέτρα, πρόσωπο, μύτη*) flat, flattened

πλανερός, -ή, -ό ΕΠΙΘ (*φαντασία, εικόνα, όραμα*) seductive, alluring

πλανευτής ΟΥΣ ΑΡΣ seducer

πλανεύτρα ΟΥΣ ΘΗΛ seductress

πλανεύω Ρ Μ (α) (= *αποπλανώ: άνθρωπο*) to

seduce (β) (= ξεγελώ) to tempt

πλάνη ΟΥΣ ΘΗΛ (α) (= λαθεμένη κρίση, σφάλμα: ανθρώπου) error, fallacy (β) (= ξεγέλασμα, απάτη: ζωής, τύχης) illusion (γ) (ξυλουργού, μάστορα) plane
▷**δικαστική πλάνη** (ΝΟΜ) mistrial, miscarriage of justice

πλανητάριο ΟΥΣ ΟΥΔ planetarium

πλανητάρχης ΟΥΣ ΑΡΣ (= ο πιο δυνατός άνθρωπος στη γη) ruler of the planet

πλανήτης ΟΥΣ ΑΡΣ planet
▷**ζω σε άλλο πλανήτη** ή **είμαι από άλλο πλανήτη** (= φέρομαι πολύ περίεργα) to live on ή to be from another planet

πλανητικός, -ή, -ό ΕΠΙΘ planetary

πλανιέμαι Ρ ΑΜ (α) (= περιπλανιέμαι: άνθρωπος) to wander (β) (μτφ.: σκιά, φως, φήμη) to hover (γ) (= ξεγελιέμαι: άνθρωπος) to be mistaken

πλανίζω Ρ Μ (ξύλο, έπιπλο) to plane

πλάνισμα ΟΥΣ ΟΥΔ (ξύλου, επίπλου) planing

πλάνο ΟΥΣ ΟΥΔ (α) (εργασίας, οργάνωσης, έρευνας) plan (β) (= σχέδιο, σχεδίασμα: εργοστασίου, περιοχής, μηχανής) plan (γ) (τοπίου, ατυχήματος, έργου) view, shot · (καναλιού, τηλεόρασης) angle (δ) (= κυρίως) in the first place
▷**τραβώ/παίρνω πλάνο** (= κινηματογραφώ) to take a shot, to shoot
▷**περνώ σε πρώτο/δεύτερο πλάνο** (μτφ.) to to take first/second place
▷**σε πρώτο πλάνο** (= μπροστά) in the foreground

πλανόδιος, -α, -ο ΕΠΙΘ (θίασος, ζωγράφος, πωλητή) itinerant (επία.), wandering

πλάνος, -α, -ο ΕΠΙΘ (άνθρωπος, μάτια, βλέμμα) seductive, enticing · (αγάπη, πάθος, υπόσχεση) beguiling

πλαντάζω Ρ ΑΜ (= στενοχωριέμαι υπερβολικά) to pine
▷**πλαντάζω στο κλάμα** to cry one's eyes out

πλανώ Ρ Μ βλ. **πλανεύω**

πλασάρισμα ΟΥΣ ΘΗΛ (α) (= διάθεση ενός προϊόντος: προϊόντος, σχεδίου) marketing, selling (β) (για αθλήματα με μπάλα: ποδοσφαιριστή, μπασκεμπολίστα) passing

πλασάρω Ρ Μ (α) (= διοχετεύω κτ με κατάλληλο τρόπο: προϊόν, ιδέα) to market, to sell (β) (= δόσιμο της μπάλας: μπάλα) to pass

πλάση ΟΥΣ ΘΗΛ (= ότι έχει δημιουργηθεί από το Θεό) nature, universe

πλασιέ ΟΥΣ ΑΡΣΘΗΛ ΑΚΛ representative, travelling (Βρετ.) ή traveling (Αμερ.) salesman

Προσοχή!: Ο πληθυντικός του **salesman** *είναι* **salesmen**.

πλάσιμο ΟΥΣ ΟΥΔ (α) (= η πράξη του πλάθω: πηλού) shaping, moulding (Βρετ.), molding (Αμερ.) (β) (= η τελική διαμόρφωση: πίνακα, αγγείου) forming (γ) (μτφ.: ανθρώπου)

modelling (Βρετ.), modeling (Αμερ.)

πλάσμα ΟΥΣ ΟΥΔ (α) (= δημιούργημα: Θεού, δημιουργίας) creature, being (β) (= ζωντανή ύπαρξη: δάσους, σκότους, γης) being, creature (γ) (μτφ.: τέχνης, φαντασίας, λογικού) invention, fiction (δ) (= πολύ όμορφος άνθρωπος) creature (ε) (ΙΑΤΡ) plasma
▷**πλάσμα δικαίου** (ΝΟΜ) legal fiction, presumption of law

πλασματικός, -ή, -ό ΕΠΙΘ (= φανταστικός, υποθετικός) fictitious

πλασμένος, -η, -ο ΕΠΙΘ (α) (= φτιαγμένος: άνθρωπος, κόσμος, ζώο) formed, created (β) (άγαλμα, εικόνα) created
▷**είμαι πλασμένος για κτ** to be cut out to be sth

πλασμώδιο ΟΥΣ ΟΥΔ (ΒΙΟΛ. = πολυπύρηνο κύτταρο) plasmodium · (= το μικρόβιο της ελονοσίας) plasmodium malariae

πλαστελίνη ΟΥΣ ΘΗΛ (= μαλακή ύλη για πλάσιμο) Plasticine ®

πλάστης ΟΥΣ ΑΡΣ (α) (= αυτός που πλάθει: αγάλματος, αγγείου, ομοιώματος) creator, maker (β) (ΘΡΗΣΚ: κόσμου, ανθρώπου, ζώων) Creator, Maker (γ) (ΜΑΓΕΙΡ) rolling pin (δ) (ΒΙΟΛ. = πλαστίδιο) plastid

πλάστιγγα ΟΥΣ ΘΗΛ (α) (= ζυγαριά για μεγάλα βάρη: φορτηγών, κρεάτων) balance (β) (= δίσκος της ζυγαριάς) scales πληθ. (γ) (μτφ.: μοίρας, συζήτησης) scales πληθ.

πλαστική ΟΥΣ ΘΗΛ (α) (= η γλυπτική) plastic arts πληθ. (β) (ΙΑΤΡ: μύτης, στήθους) plastic surgery

πλαστικό ΟΥΣ ΟΥΔ (α) (= ειδικό υλικό) plastic (β) (= αντικείμενα φτιαγμένα από πλαστικό) plastics πληθ.

πλαστικός, -ή, -ό ΕΠΙΘ (α) (= αυτός που πλάθει) plastic (β) (= ο αρμονικός σε διάπλαση: σώμα, πρόσοψη, μυς) modelled (Βρετ.), modeled (Αμερ.) · (στοιχείο, γραμμή, δημιουργία) plastic · (= γλυπτική, ζωγραφική, αγγειοπλαστική: τέχνη) plastic (γ) (μτφ.: αξία, μορφή, διάπλαση) plastic (δ) (= φτιαγμένος από πλαστικό) plastic (ε) (εγχείρηση, χειρούργος, παιδοχειρουργική) plastic
▷**πλαστικό χρήμα** plastic money

πλαστικότητα ΟΥΣ ΘΗΛ plasticity

πλαστίνη ΟΥΣ ΘΗΛ (ΒΙΟΛ) plastid

πλαστογράφημα ΟΥΣ ΟΥΔ forged document

πλαστογραφία ΟΥΣ ΘΗΛ (α) (πίνακα, έργου, υπογραφής) forgery (β) (διαθήκης, συνταγής, επιταγής) falsification, fabrication

πλαστογραφικός, -ή, -ό ΕΠΙΘ (υπαγραφή, πίνακας, έγγραφο) forged, falsified

πλαστογράφος ΟΥΣ ΑΡΣΘΗΛ (διαθήκης, πίνακα, διαβατηρίου) forger, falsifier

πλαστογραφῶ Ρ Μ (α) (= μιμούμαι γραφή ή έργο άλλου) to forge (β) (= κατασκευάζω νοθεύω έγγραφο) to forge (γ) (μτφ.: = παραποιώ κτ σκόπιμα) to falsify

πλαστοπροσωπία ΟΥΣ ΘΗΛ criminal impersonation

πλαστός, -ή, -ό ΕΠΙΘ (α) (= κίβδηλος, νόθος: έγγραφο, απόδειξη, όνομα) false, falsified (β) (= εικονικός, φανταστικός: χαμόγελο, πραγματικότητα, πρόβλημα) fictitious

πλαστότητα ΟΥΣ ΘΗΛ (εγγράφου, πρωτοτύπου, τίτλου) falsification

πλαταγίζω Ρ ΑΜ (= κροταλίζω: γλώσσα, ετικέτα) to smack · (φτερά) to flap

πλατάγισμα ΟΥΣ ΟΥΔ (= κροτάλισμα: χειλιών) smacking · (κυμάτων) lapping · (φτερών) flapping

πλαταίνω 1 Ρ Μ (α) (= κάνω κτ πλατύ: δρόμο, πουκάμισο) to widen (β) (= διευρύνω: ψυχή, γνώση, ελευθερία) to broaden
2 Ρ ΑΜ (α) (= γίνομαι πλατύς: λεκές, φόρεμα, ποτάμι) to widen, to open out (β) (= διευρύνομαι: εικόνα, ιδέες) to broaden, to widen

πλατάνι ΟΥΣ ΟΥΔ βλ. **πλάτανος**

πλάτανος ΟΥΣ ΑΡΣ plane tree

πλατεία ΟΥΣ ΘΗΛ (α) (= μεγάλος επίπεδος διαμορφωμένος χώρος) square (β) (= χώρος μπροστά στη σκηνή: θεάτρου, ορχήστρας) stalls πληθ.

πλατειάζω Ρ ΑΜ (= περιττολογώ: ομιλητής, έργο, βιβλίο) to ramble

πλατειασμός ΟΥΣ ΑΡΣ (ομιλίας, ταινίας, συζήτησης) prolixity

πλάτεμα ΟΥΣ ΟΥΔ (δρόμου, ρούχου) widening

πλάτη ΟΥΣ ΘΗΛ back
▷**πλάτη με πλάτη** back to back
▷**σηκώνω την πλάτη** (= σηκώνω τους ώμους) to shrug
▷**κάνω πλάτες σε κπν** (προφορ.) to back sb
▷**έχω γερές πλάτες** (προφορ.) to be able to pull a lot of strings
▷**γυρίζω την πλάτη σε κπν/κτ** (προφορ.) to turn one's back on sb/sth
▷**πίσω απ' την πλάτη μου** (προφορ.) behind one's back

πλατίνα ΟΥΣ ΘΗΛ (α) (= λευκόχρυσος) platinum (β) (αυτοκινήτου, μηχανής) points πληθ.

πλατινένιος, -α, -ο ΕΠΙΘ platinum

πλατό ΟΥΣ ΟΥΔ ΑΚΛ (α) (= επίπεδη επιφάνεια: πικ-απ) turntable (β) (ΤΗΛΕΟΡ: στούντιο, θεάτρου) studio

πλάτος ΟΥΣ ΑΡΣ (α) (= φάρδος: παραλίας, δρόμου, κτιρίου) width (β) (μτφ.: φαντασίας, παράδοσης) breadth (γ) (σήματος, συχνότητας, κύματος) amplitude
▷**κατά πλάτος** across, breadthwise
▷**γεωγραφικό πλάτος** (ΓΕΩΓΡ) latitude
▷**βόρειο/νότιο πλάτος** (ΓΕΩΓΡ) north/south latitude

πλατσουρίζω Ρ ΑΜ (= τσαλαβουτώ: άνθρωπος, ζώο, πόδια) to slosh, to squelch

πλατύγυρος, -η, -ο ΕΠΙΘ (καπέλο) broad-brimmed

πλάτυνση ΟΥΣ ΘΗΛ βλ. **πλάτεμα**

πλατύνω Ρ Μ/ΑΜ = **πλαταίνω**

πλατυποδία ΟΥΣ ΘΗΛ (ΙΑΤΡ: ανθρώπου) flat-footedness

πλατύς, -ιά ή -εία, -ύ ΕΠΙΘ (α) (= φαρδύς: πρόσωπο, δρόμος) wide (β) (= εκτεταμένος, λεπτομερειακός: έννοια, ερμηνεία, επικοινωνία) wide · (χαμόγελο) wide (γ) (μτφ.: κοινό, στρώματα) general, full-length

πλατύσκαλο ΟΥΣ ΟΥΔ (ισογείου, ορόφου, σκάλας) landing

πλατύστομος, -η, -ο ΕΠΙΘ (αγγείο, μπουκάλι) wide-mouthed

πλατύφυλλος, -η, -ο ΕΠΙΘ (δέντρο, βασιλικός, λουλούδι) broad-leafed

πλατφόρμα ΟΥΣ ΘΗΛ platform

πλατωνικός, -ή, -ό ΕΠΙΘ Platonic
▷**πλατωνικός έρωτας** platonic love

πλατωνισμός ΟΥΣ ΑΡΣ Platonism

πλατωσιά ΟΥΣ ΘΗΛ (= πλάτωμα: δάσους, περιοχής) plateau

Προσοχή!: Ο πληθυντικός του **plateau** *είναι* **plateaus** *ή* **plateaux**.

πλαφονιέρα ΟΥΣ ΘΗΛ ceiling lamp

πλέγμα ΟΥΣ ΟΥΔ (α) (= καθετί πλεγμένο: παραθύρου, καλωδίου, δαπέδου) mesh, braid (β) (μτφ.: σχέσεων, αιτιών, δραστηριοτήτων) network

πλέθρο ΟΥΣ ΟΥΔ (= μονάδα μήκους ή επιφανειών) square measure

πλειάδα ΟΥΣ ΘΗΛ (α) (= πλήθος) a number of (β) (= ομάδα 7 αστεριών του αστερισμού Άτλαντα, η Πούλια) Pleiades

πλειοδοσία ΟΥΣ ΘΗΛ (= προσφορά ανώτερης τιμής σε δημοπρασία) higher bidding

πλειοδότης ΟΥΣ ΑΡΣ (= αυτός που προσφέρει μεγαλύτερη τιμή σε δημοπρασία) bidder

πλειοδοτώ Ρ ΑΜ (βιομηχανία, τράπεζα, ενδιαφερόμενος) to make a higher bid

Πλειόκαινο ΟΥΣ ΟΥΔ Pliocene

πλειονότητα ΟΥΣ ΘΗΛ majority

πλειοψηφία ΟΥΣ ΘΗΛ majority

πλειοψηφικός, -ή, -ό 1 ΕΠΙΘ majority
2 ΟΥΣ ΟΥΔ (= σύστημα εκλογών) majority electoral system

πλειοψηφώ Ρ ΑΜ to have a majority

πλειστάκις ΕΠΙΡΡ (επίσ.: = πάρα πολλές φορές) often, several times

πλειστηριάζω Ρ Μ (= δημοπρατώ: ακίνητο, οικόπεδο, πλοίο) to put up for auction, to auction

πλειστηριασμός ΟΥΣ ΑΡΣ auction

Πλειστόκαινο ΟΥΣ ΟΥΔ Pleistocene

πλείστος, -η, -ο ΕΠΙΘ (επίσ.: = πάρα πολύς: αναγνώστες, επιχειρήσεις, κράτη) most · (στοιχεία, περιπτώσεις, έρευνα) many
▷**κατά το πλείστο(ν)** (= κατά το μεγαλύτερο μέρος) for the most part

▷**ως επί το πλείστον** (= *τις περισσότερες φορές*) for the most *ή* main part, mostly

πλεκτάνη ΟΥΣ ΘΗΛ (= *δολοπλοκία*) machination

πλεκτήριο ΟΥΣ ΟΥΔ, **πλεχτήριο** knitting factory

πλεκτό ΟΥΣ ΟΥΔ (= *πλεγμένη μπλούζα*) knitting

πλεκτός, -ή, -ό ΕΠΙΘ = **πλεχτός**

πλέκω Ρ Μ (α) (*μπλούζα, στεφάνι, κουκούλι*) to knit (β) (*χέρια, μαλλιά, δάχτυλα*) to plait, to clasp (γ) (*μτφ.*: *εγκώμιο, ειδύλλιο*) to sing the praises of · (*όνειρο, ιστορία*) to weave
▸**πλέκομαι** ΜΕΣΟΠΑΘ (α) (*κλαδί, μαλλιά*) to entwine (β) (*μτφ.*: *περιστατικό, κατάσταση, μύθος*) to intertwine
▷**πλεγμένος στο χέρι/στη μηχανή** hand-/machine–knitted

πλεμόνι ΟΥΣ ΟΥΔ (*ανεπ.*: = *πνεύμονας*: *ανθρώπου, ζώου*) lung
▷**πρήζω τα πλεμόνια κποιου** to nag sb to death

πλένω Ρ Μ to wash

πλέξη ΟΥΣ ΘΗΛ (α) (*σχοινιού*) braiding (β) (*πουλόβερ*) knitting

πλεξίδα ΟΥΣ ΘΗΛ, **πλεξούδα** (= *κοτσίδα*) braid

πλέξιμο ΟΥΣ ΟΥΔ (*πουλόβερ*) knitting · (*μαλλιών*) braiding

πλέον ΕΠΙΡΡ (= *περισσότερο*) most, any more *ή* longer

πλεονάζω Ρ ΑΜ (α) (= *περισσεύω*: *βάρος, κεφάλαιο, άνθρωποι*) to be superfluous (β) (= *υπερτερώ σε αριθμό*) to be in the majority

πλεόνασμα ΟΥΣ ΟΥΔ (= *περίσσευμα*: *αγαθών, χρημάτων, νερού*) surplus · (*ανθρώπων*) redundancy · (*ενέργειας, δυνάμεως, ζωής*) superfluity

πλεονασμός ΟΥΣ ΑΡΣ (α) (= *περίσσευμα*: *αγαθών, ενέργειας, δύναμης*) excess, surplus (β) (= *σχήμα λόγου*) pleonasm

πλεονέκτημα ΟΥΣ ΟΥΔ (α) (= *κέρδος, όφελος*) boon · (*φαρμάκου, νομίσματος, επιχείρησης*) advantage (β) (= *προτέρημα*: *ανθρώπου, χαρακτήρα, συμπεριφοράς*) advantage
▷**αφήνω πλεονέκτημα σε κπν** to give sb the advantage
▷**πλεονέκτημα** (*για ποδόσφαιρο*) advantage
▷**έχω πλεονέκτημα** to have the edge

πλεονέκτης ΟΥΣ ΑΡΣ, **πλεονέχτης** (= *άπληστος*) greedy person

πλεονεκτικός, -ή, -ό ΕΠΙΘ (*θέση, σκοπιά, κλίμα*) advantageous

πλεονεκτώ Ρ ΑΜ (= *υπερτερώ, υπερέχω*: *ανθρώπος*) to have the edge · (*βιβλίο, αυτοκίνητο, υπολογιστής*) to have an advantage · (= : *έρευνα, θέση, μέθοδος*) to be one up (*ανεπ.*)

πλεονεξία ΟΥΣ ΘΗΛ (= *απληστία, ιδιοτέλεια*: *ανθρώπου*) greed, avarice

πλεούμενο ΟΥΣ ΟΥΔ (*ανεπ.*: = *σκάφος*) vessel, craft

> *Προσοχή!*: Ο *πληθυντικός του* **craft** *είναι* **craft**.

πλερέζα ΟΥΣ ΘΗΛ (= *πένθιμος πέπλος*: *γυναίκας*) black veil

πλευρά ΟΥΣ ΘΗΛ (α) (= *πλάγιο μέρος*: *βουνού, κτιρίου, αυτοκινήτου*) side (β) (*μτφ.*: *ανθρώπου, κράτους, κόμματος*) side · (*κατάστασης, διαδικασίας, σχέσης*) side (γ) (*ανθρώπου, ζώου*) rib (δ) (*τριγώνου, τετραγώνου*) side
▷**από την πλευρά κποιου** from sb's point of view
▷**από την άλλη πλευρά** on the other hand
▷**άλλη πλευρά του νομίσματος** (= *η αντίθετη άποψη σε κτ*) the other side of the coin

πλευρίζω Ρ Μ (α) (= *αράζω πλοίο*: *πλοίο*) to draw alongside (β) (*μτφ.*: = *πλησιάζω κπν*: *άνθρωπο*) to accost

πλευρικός, -ή, -ό ΕΠΙΘ (α) (= *ο των πλευρών*: *είσοδος, δεντροστοιχία, τοίχος*) side (β) (= *που γίνεται στα πλάγια*: *επίθεση, ικανότητα*) flank

πλευρίτιδα ΟΥΣ ΘΗΛ (ΙΑΤΡ) pleurisy

πλευριτώνω ① Ρ Μ (= *προκαλώ πλευρίτιδα*: *άνθρωπο*) to give pleurisy to
② Ρ ΑΜ (= *χουολογώ*: *άνθρωπος*) to catch one's death of cold

πλευρό ΟΥΣ ΟΥΔ (α) (= *πλάγιο μέρος*: *κτιρίου, καραβιού, τραπεζιού*) side (β) (= *πλάγιο μέρος του κορμού*: *ανθρώπου, ζώου*) side (γ) (= *καθένα από τα οστά του θώρακα*: *ανθρώπου, ζώου*) rib (δ) (*μτφ.*) side
▷**στέκομαι/είμαι στο πλευρό κποιου** to stand by sb
▷**γυρίζω πλευρό σε κπν/κτ** to turn one's back on sb/sth
▷**αλλάζω/γυρίζω πλευρό** (= *αλλάζω στάση όταν κοιμάμαι*) to change sides
▷**μ' αυτό το πλευρό να κοιμάσαι** don't count on that!

πλευροκόπημα ΟΥΣ ΟΥΔ (ΣΤΡΑΤ) flank fire *ή* attack

πλεύση ΟΥΣ ΘΗΛ course

πλεύσιμος, -η, -ο ΕΠΙΘ (= *πλωτός*: *ποταμός, κοίτη*) navigable

πλευστός, -ή, -ό ΕΠΙΘ *βλ.* **πλεύσιμος**

πλεχτός, -ή, -ό ΕΠΙΘ (*γάντια, μπλούζα*) knitted · (*καλάθι*) wicker

πλέω Ρ ΑΜ (α) (*για σχεδία*) to float (β) (= *επιπλέω σε υδάτινη επιφάνεια*: *πάγος, ξύλο*) to float (γ) (*μτφ.*) to float · (*ηρεμία, άνθρωπος*) to be blissfully happy (δ) (*ρούχα, παπούτσια*) to be too big
▷**πλέω στο αίμα** (= *είμαι αιμόφυρτος*) there is blood all over me
▷**πλέω σε πελάγη ευτυχίας** to lead a blissful existence

πληβείος ΟΥΣ ΑΡΣ plebeian

πληγείς, -είσα, -έν ΕΠΙΘ (*επίσ.*: *άνθρωπος,*

περιοχή) affected
▸ **πληγέντες** ΟΥΣ ΑΡΣ ΠΛΗΘ sufferers

πληγή ΟΥΣ ΘΗΛ (α) (= *τραύμα*) wound
(β) (*μτφ*.: = *συμφορά: ανθρώπου, χώρας,
οικονομίας*) calamity · (= *αβάσταχτος πόνος:
ανθρώπου*) hurt
▸ **ξύνω πληγές** to scratch a wound
▸ **ανοιχτή πληγή** weeping sore
▸ **είναι κρυφή πληγή** (= *είναι ύπουλος,
καταχθόνιος*) plague

πληγιάζω ① Ρ Μ (= *πληγώνω: άνθρωπο, ζώο*)
to hurt
② Ρ ΑΜ (= *αποκτώ, σχηματίζω πληγή:
πρόσωπο, δέρμα, πόδια*) to chafe

πλήγμα ΟΥΣ ΟΥΔ (α) (= *δυνατό χτύπημα*) blow
(β) (*μτφ*.) wound, shock
▸ **καταφέρω σε κπν πλήγμα** to land a blow
on sb

πληγώνω Ρ Μ (α) (= *τραυματίζω: άνθρωπο,
ζώο*) to wound (β) (*μτφ*.) to hurt

πληθαίνω ① Ρ ΑΜ (= *αυξάνομαι σε αριθμό:
στρατός, άνθρωποι*) to increase, to grow in
numbers
② Ρ Μ (= *αυξάνω κτ σε ποσότητα: χρήματα,
ζωή, εύνοια*) to multiply

πλήθος ΟΥΣ ΟΥΔ (α) (= *μεγάλος αριθμός:
ανθρώπων, ζώων, πραγμάτων*) a large
number (β) (= *η μάζα του λαού*) the masses
πληθ.

πληθυντικός ΟΥΣ ΑΡΣ plural
▸ **μιλώ στον πληθυντικό** (*για ένδειξη
ευγένειας*) to use the plural form

πληθύνω Ρ Μ/ΑΜ = **πληθαίνω**

πληθυσμιακός, -ή, -ό ΕΠΙΘ population
▸ **πληθυσμιακή έκρηξη** population explosion

πληθυσμός ΟΥΣ ΑΡΣ (= *σύνολο κατοίκων:
πόλης, χώρας*) population

πληθώρα ΟΥΣ ΘΗΛ (= *αφθονία: καταστημάτων,
φορέων, πολιτών*) plethora · (*απόψεων,
προτάσεων, εργασιών*) superabundance

πληθωρικός, -ή, -ό ΕΠΙΘ (α) (*άνθρωπος,
χαρακτήρας*) exuberant (β) (= *πλούσιο:
κυρίως για γυναικείο σώμα: στήθος,
καμπύλες, γυναίκα*) plump (γ) (*μτφ*.:
φιλοφρόνηση, παρουσία) excessive, effusive

πληθωρικότητα ΟΥΣ ΘΗΛ (= *η ιδιότητα του
πληθωρικού*) exuberance

πληθωρισμός ΟΥΣ ΑΡΣ inflation

πληθωριστικός, -ή, -ό ΕΠΙΘ (*έσοδο, τάση*)
inflationary

πληκτικός, -ή, -ό ΕΠΙΘ (α) (= *βαρετός:
άνθρωπος, ομιλία, απόγευμα*) boring
(β) (*επίπλωση, διακόσμηση, σπίτι*) dull

πλήκτρο ΟΥΣ ΟΥΔ key
▸ **πλήκτρο διαστήματος** (ΠΛΗΡΟΦ) space bar

πληκτρολόγιο ΟΥΣ ΟΥΔ (*γραφομηχανής,
υπολογιστή*) keyboard

πλημμέλεια ΟΥΣ ΘΗΛ (*επίσ*.: = *αθέμιτη πράξη
που τιμωρείται*) misdemeanour (*Βρετ*.),
misdemeanor (*Αμερ*.)

Πλημμελειοδικείο ΟΥΣ ΟΥΔ magistrates'

court, crown court

πλημμελειοδίκης ΟΥΣ ΑΡΣΘΗΛ (= *δικαστής του
πλημμελειοδικείου*) magistrate, crown court
judge

πλημμέλημα ΟΥΣ ΟΥΔ *βλ*. **πλημμέλεια**

πλημμύρα ΟΥΣ ΘΗΛ (α) flood, inundation
(*επίσ*.) (β) (= *νεροποντή*) downpour (γ) (*μτφ*.:
ερωτήσεων, ταινιών) spate

πλημμυρίδα ΟΥΣ ΘΗΛ (α) (= *φουσκονεριά*) tide
(β) (*μτφ*.: = *υπεραφθονία: αισθημάτων,
εισαγωγών*) overflow

πλημμυρίζω ① Ρ Μ (α) (= *ξεχειλίζω: ποτάμι,
πόλη, δρόμο*) to flood (β) (*μτφ*.: = *γεμίζω:
χώρο, ανθρώπους, επενδύσεις*) to swarm
(*κατάστημα, λιμάνι, διοίκηση*) to be flooded *ή*
inundated with
② Ρ ΑΜ (α) (*δρόμος, ποτάμι, δωμάτιο*) to be
flooded (β) (*μτφ*.: *αγάπη, ανησυχία, άγχος*)
to surge up

πλημμυροπαθής, -ής, -ές ΕΠΙΘ flood victim

πλην¹ ΠΡΟΘ (α) (ΜΑΘ) minus (β) (*επίσ*.: =
εκτός από) except (γ) (*για έντονη αντίθεση*)
but
▸ **πλην του ότι** (= *εκτός του ότι*) except that
▸ **πλην όμως** however · (= *περίπου*) plus or
minus, more or less

πλην² (ΜΑΘ: = *σημείο αφαίρεσης*) minus ·
(= *τα πλεονεκτήματα και μειονεκτήματα*) the
pros and cons *πληθ*.

πλήξη ΟΥΣ ΘΗΛ (= *ανία*) boredom

πληρεξούσιο ΟΥΣ ΟΥΔ (ΝΟΜ) proxy, letter of
attorney

πληρεξούσιος¹ ΟΥΣ ΑΡΣΘΗΛ (ΝΟΜ) proxy

πληρεξούσιος², -α, -ο ΕΠΙΘ (ΝΟΜ: *δικηγόρος,
έγγραφο*) proxy

πληρεξουσιότητα ΟΥΣ ΘΗΛ (*δικηγόρου*)
power of attorney

πληρέστερος, -η, -ο ΕΠΙΘ *βλ*. **πλήρης**

πλήρης, -ης, -ες ΕΠΙΘ (α) (= *γεμάτος*) full
(β) (= *ολοκληρωτικός: απασχόληση,
ικανοποίηση, ανάπτυξη*) full
(γ) (= *ολοκληρωμένος: κείμενο, εικόνα,
γεύμα*) complete (δ) (*τροφή*) full
▸ **εν πλήρη γνώσει/αγνοία** (*επίσ*.) to be aware/
unaware of
▸ **πλήρες ωράριο** full–time

πληρότητα ΕΠΙΘ (*αιτιολογίας, ενστάσεως*)
fullness, completeness

πληροφορημένος, -η, -ο ΕΠΙΘ
well–informed

πληροφόρηση ΟΥΣ ΘΗΛ information

πληροφορία ΟΥΣ ΘΗΛ piece of information
▸ **ζητώ πληροφορίες** to make inquiries
▸ **παίρνω πληροφορίες** to obtain information
▸ **γραμματεία τύπου και πληροφοριών**
secretariat of press and information
▸ **πληροφορίες** information desk
▸ **ηλεκτρονική υπηρεσία πληροφοριών**
electronic intelligence service

πληροφοριακός, -ή, -ό ΕΠΙΘ informative

Πληροφορική ΟΥΣ ΘΗΛ computer science

▷**συστήματα Πληροφορικής** computer systems

πληροφοριοδότης ΟΥΣ ΑΡΣ informer, informant

πληροφορώ Ρ Μ to inform

πληρώ Ρ Μ (*όρους, προϋποθέσεις, προδιαγραφές*) to fulfil (*Βρετ.*), to fulfill (*Αμερ.*), to meet

πλήρωμα ΟΥΣ ΟΥΔ (*πλοίου, αεροπλάνου*) crew
▷**το πλήρωμα του χρόνου** in the fullness of time
▷**χριστεπώνυμο πλήρωμα** (= *η ολότητα των χριστιανών*) Christianity

πληρωμή ΟΥΣ ΘΗΛ payment

πληρώνω Ρ Μ to pay
▷**πληρώνω τα σπασμένα** to pay for the damage
▷**είμαι πληρωμένος** to be bribed
▷**πληρώνω κπν με το ίδιο νόμισμα** to pay sb back in kind, to pay sb in his own coin
▷**πληρώνω τις αμαρτίες** to take the rap

πληρωτέος, -α, -ο ΕΠΙΘ (*γραμμάτιο, δόση, αποδοχές*) payable

πλησιάζω ① Ρ Μ (α) (= *φέρνω κάτι κοντά σε κάτι άλλο*) to move/bring near (β) (= *έρχομαι κοντά*) to approach (γ) (*μτφ.*: = *συναναστρέφομαι*) to approach (δ) (*μτφ.*: = *συναναστρέφομαι: αϱνητ.*) to approach ② Ρ ΑΜ to go near · (*για χρόνο: εξετάσεις, άνοιξη*) to be approaching

πλησίασμα ΟΥΣ ΟΥΔ approaching

πλησιέστερος, -η, -ο ΕΠΙΘ (α) (*οδός, κτίριο*) nearest (β) (*συγγενής*) close (γ) (*μτφ.*: *έννοια, εκτίμηση*) closer

πλησίον[1] ΕΠΙΡΡ (*επίσ.*) near

πλησίον[2] ΟΥΣ ΑΡΣ ΑΚΛ (= *συνάνθρωπος*) fellow human being, neighbour (*Βρετ.*), neighbor (*Αμερ.*)

πλησίστιος, -α, -ο ΕΠΙΘ (α) (*για πλοίο*) full sail (β) (*μτφ.*: = *ολοταχώς*) full speed ahead

πλησμονή ΟΥΣ ΘΗΛ (= *αφθονία: αγαθών*) abundance

πλήττω Ρ ΑΜ to be bored · (= *παθαίνω πλήξη*) to get bored

πλιάτσικο ΟΥΣ ΟΥΔ ΑΚΛ (α) (= *λάφυρο*) loot, spoils *πληθ.* (β) (= *λεηλασία*) foray, plundering

πλιατσικολόγος ΟΥΣ ΑΡΣ looter, plunderer

πλιατσικολογώ Ρ ΑΜ (= *λαφυραγωγώ: προφορ.*) to loot, to plunder

πλιγούρι ΟΥΣ ΟΥΔ (= *σιτάρι*) groats *πληθ.*

πλίθα ΟΥΣ ΘΗΛ *βλ.* **πλίθος**

πλίθινος, -η, -ο ΕΠΙΘ brick

πλίθος ΟΥΣ ΑΡΣ (= *δομικό υλικό*) mud brick

πλίνθος ΟΥΣ ΑΡΣ: **πλίνθοι και κέραμοι ατάκτως ερριμμένα** brick

πλισέ ΟΥΣ ΑΚΛ pleated

πλοήγηση ΟΥΣ ΘΗΛ piloting

πλοηγία ΟΥΣ ΘΗΛ *βλ.* **πλοήγηση**

πλοηγικός, -ή, -ό ΕΠΙΘ (*σημαία*) pilot

πλοηγίς ΟΥΣ ΘΗΛ pilot boat

πλοηγός ΟΥΣ ΑΡΣ pilot, navigator · (*μτφ.*: *ψυχής*) guide

πλοηγώ Ρ ΑΜ (= *είμαι πλοηγός*) to pilot, to act as a pilot

πλοιάριο ΟΥΣ ΟΥΔ (= *μικρό πλοίο*) boat, small craft

> **Προσοχή!:** *Ο πληθυντικός του* **craft** *είναι* **craft**.

πλοίαρχος ΟΥΣ ΑΡΣ captain

πλόιμος, -η, -ο ΕΠΙΘ (α) (*ποτάμι*) navigable (β) (*πλοίο*) seaworthy

πλοίο ΟΥΣ ΟΥΔ boat
▷**φορτηγό πλοίο** cargo boat
▷**επιβατικό πλοίο** passenger boat
▷**πολεμικό πλοίο** warship, battleship
▷**πλοίο της γραμμής** liner

πλοιοκτησία ΟΥΣ ΘΗΛ (= *ιδιοκτησία πλοίου*) ownership of a vessel

πλοιοκτήτης ΟΥΣ ΑΡΣ (= *ιδιοκτήτης πλοίου*) shipowner

πλοιοκτήτρια ΟΥΣ ΘΗΛ (*για εταιρεία*) shipping company

πλοκάμι ΟΥΣ ΟΥΔ tentacle

πλόκαμος ΟΥΣ ΑΡΣ (*μαλλιού*) braid, plait

πλοκή ΟΥΣ ΘΗΛ (= *η εξέλιξη της δράσης*) plot

πλουμίδια ΟΥΣ ΟΥΔ ΠΛΗΘ (= *διακοσμητικό σχέδιο, στολίδι*) frills, trimmings

πλουμίζω Ρ Μ (*λογοτ.*) to adorn

πλουμιστός, -ή, -ό ΕΠΙΘ (*λογοτ.*) adorned

πλουραλισμός ΟΥΣ ΑΡΣ pluralism

πλουραλιστικός, -ή, -ό ΕΠΙΘ pluralistic

πλους ΟΥΣ ΑΡΣ course, passage

πλουσιοπάροχος, -η, -ο ΕΠΙΘ (*γεύμα, τραπέζι, δείπνο, δώρα*) luxurious, lavish

πλούσιος, -α, -ο ΕΠΙΘ (α) (*άνθρωπος, οικογένεια, σπίτι*) rich, wealthy (β) (*μαλλιά, γένεια*) voluminous, luxuriant, rich (γ) (= *εύφορος: γη, χώρα*) rich, fertile (δ) (*πλοκή, συναισθήματα*) rich (ε) (= *πολυτελής: γεύμα, διακόσμηση, έπιπλα*) costly, luxurious (στ) (*φόρεμα*) sumptuous (ζ) (= *άφθονος: λεξιλόγιο, βιβλιογραφία*) wide, rich (η) (*για φαγητά*) rich

πλουταίνω ① Ρ ΑΜ to grow richer ② Ρ Μ to make richer

πλουτίζω ① Ρ ΑΜ (α) (*χώρα*) to bring wealth (β) (= *αποκτώ χρήματα*) to become rich ② Ρ Μ (*βιώματα, λεξιλόγιο, γνώσεις*) to enrich

πλουτισμός ΟΥΣ ΑΡΣ enrichment

πλουτοκράτης ΟΥΣ ΑΡΣ plutocrat

πλουτοκρατία ΟΥΣ ΘΗΛ (α) (= *η κυριαρχία των πλουσίων*) plutocracy (β) (= *το σύνολο των πλουσίων*) the moneyed classes *πληθ.*

πλουτοκρατικός, -ή, -ό ΕΠΙΘ (*κράτος, σύστημα, τάξη*) plutocratic

πλουτοπαραγωγικός, -ή, -ό ΕΠΙΘ (*πηγή*) wealth–producing

π

πλούτος ΟΥΣ ΑΡΣ **(α)** (= αφθονία υλικών αγαθών) affluence **(β)** (γλώσσας, λεξιλογίου) wealth, richness **(γ)** (= πληθώρα: πληροφοριών, εμπειριών, γνώσεων) wealth
▷**δασικός πλούτος** forest resources
▷**εθνικός πλούτος** national wealth ή resources
▷**φυσικός πλούτος** natural wealth ή resources

πλουτώνιο ΟΥΣ ΟΥΔ plutonium

πλυντήριο ΟΥΣ ΟΥΔ **(α)** (πιάτων, ρούχων) washing machine **(β)** (κατάστημα) laundry **(γ)** (εργοστασίον) industrial washer

πλύση ΟΥΣ ΘΗΛ (= καθαρισμός) washing
▷**πλύση εγκεφάλου** brainwashing
▷**έχω/βάζω πλύση** to give the clothes a wash

πλύσιμο ΟΥΣ ΟΥΔ (πιάτων, ρούχων) wash

πλυσταριό ΟΥΣ ΟΥΔ wash house

πλύστρα ΟΥΣ ΘΗΛ (επάγγελμα) washerwoman (Βρετ.), washwoman (Αμερ.)

> *Προσοχή!: Ο πληθυντικός του* **washerwoman/washwoman** *είναι* **washerwomen/washwomen**.

πλώρη ΟΥΣ ΘΗΛ (πλοίου) bow
▷**βάζω πλώρη** (= επιδιώκω: πλοίο) to set sail for
▷**βάζω πλώρη** to aim at becoming

πλωτάρχης ΟΥΣ ΑΡΣ lieutenant commander

πλωτήρας ΟΥΣ ΑΡΣ (= φλοτέρ) float, pontoon

πλωτός, -ή, -ό ΕΠΙΘ **(α)** (γέφυρα) pontoon, floating **(β)** (ποταμός) navigable
▸**πλωτό μέσο** navigable means

πνεύμα ΟΥΣ ΟΥΔ **(α)** (= ψυχή) spirit **(β)** (= αυτό που έχει να κάνει με τα πνευματικά δημιουργήματα) spirit, mind **(γ)** (= ψυχοσύνθεση, φυσιογνωμία: εποχής, λαού) spirit **(δ)** (ΓΛΩΣΣ) breathing **(ε)** (= ό, τι είναι άϋλο) spirit **(στ)** (= κεντρική ιδέα: κειμένου, λόγου, διακήρυξης) spirit **(ζ)** (για πρόσ.) mind **(η)** (= ιδιοσυγκρασία) mind **(θ)** (= διάθεση: αγάπης, συνεργασίας, συντηρητισμού) spirit **(ι)** (= νους) mind **(ια)** (= ικανότητα του νου) attitude, spirit **(ιβ)** (= ευφυΐα) genius

> *Προσοχή!: Ο πληθυντικός του* **genius** *είναι* **geniuses** *ή* **genii**.

▷**οξύνω τα πνεύματα** tempers become frayed
▷**στο ίδιο πνεύμα** in the same vein
▷**πνεύμα αντιλογίας** spirit of contradiction
▷**ηρεμώ τα πνεύματα** to calm things down
▷**κοινό πνεύμα** public spirit
▷**Άγιο Πνεύμα** Holy Spirit ή Ghost
▷**αρχαίο πνεύμα** ancient spirit
▷**πτωχός τω πνεύματι** (= αυτός που υστερεί πνευματικά) poor in spirit
▷**κάνω/πουλάω πνεύμα** (αργκ.) to try to be funny ή witty
▷**παραδίδω το πνεύμα** (= πεθαίνω) to die
▷**πνεύμα του νόμου** spirit of the law

πνευματικός, -ή, -ό ① ΕΠΙΘ **(α)** (ενδιαφέροντα, ικανότητα) intellectual **(β)** (= άϋλος, ασώματος: ον) spiritual ② ΟΥΣ ΑΡΣ (επίσ.: = εξομολογητής ιερωμένος) confessor
▸**πνευματική τροφή** brain fodder (ανεπ.)
▸**πνευματική ελευθερία** intellectual freedom
▸**πνευματική ιδιοκτησία** copyright
▸**πνευματικός άνθρωπος** intellectual

πνευματισμός ΟΥΣ ΑΡΣ spiritualism

πνευματιστής ΟΥΣ ΘΗΛ (= ο ασχολούμενος με τον πνευματισμό) spiritualist

πνευματοκρατία ΟΥΣ ΘΗΛ intelligentsia

πνευματώδης, -ης, -ες ΕΠΙΘ (συζήτηση, συνομιλία) witty

πνευμοθώρακας ΟΥΣ ΑΡΣ pneumothorax

πνεύμονας ΟΥΣ ΑΡΣ lung

πνευμονία ΟΥΣ ΘΗΛ pneumonia

πνευμονικός, -ή, -ό ΕΠΙΘ (οίδημα, λοίμωξη, εμφύσημα) pulmonary

πνευστό ΟΥΣ ΟΥΔ wind · (επίσης **πνευστό όργανο**) wind instrument

πνέω Ρ ΑΜ (επίσ.: άνεμος) to blow
▷**πνέω τα λοίσθια** (επίσ.) to breathe one's last

πνιγηρός, -ή, -ό ΕΠΙΘ (= αποπνικτικός) sultry, stifling

πνιγμός ΟΥΣ ΑΡΣ drowning

πνίγω Ρ Μ **(α)** (στη θάλασσα ή στο νερό) to drown **(β)** (θηλειά) to strangle **(γ)** (= στραγγαλίζω) to strangle **(δ)** (μτφ.) to suffocate, to stifle **(ε)** (χορτάρια) to smother, to choke **(στ)** (μτφ.: θυμό, οργή) to smother
▸**πνίγομαι** ΜΕΣΟΠΑΘ **(α)** (= παθαίνω ασφυξία: = ασφυκτιώ) to stifle, to choke **(β)** (από φαγητό) to choke
▷**πνίγομαι σε μια κουταλιά νερό** to make heavy weather of something
▷**πνίγω κπν στα φιλιά** to smother sb with kisses
▷**να πας** ή **πήγαινε να πνιγείς** ή **άει πνίξου** (υβρ.) go take a running jump for all I care
▷**ο πνιγμένος από τα μαλλιά πιάνεται** a drowning man will clutch at a straw

πνίξιμο ΟΥΣ ΟΥΔ **(α)** (σε νερό) drowning **(β)** (= όταν καταπίνω το φαγητό) choking

πνιχτός, -ή, -ό ΕΠΙΘ (λυγμός, φωνή, γέλιο) suppressed, smothered

πνοή ΟΥΣ ΘΗΛ **(α)** (= αναπνοή) breath **(β)** (μτφ.: = ζωντάνια) spirit **(γ)** (= φύσημα) breath **(δ)** (μτφ.: = έμπνευση) inspiration, power **(ε)** (= γνώμισα) inspiration
▷**αφήνω την τελευταία πνοή** to breathe one's last, to pass away
▷**ως την τελευταία πνοή** (= ως το θάνατο) until one's dying breath
▷**μακρά πνοή** (επίσ.: = μεγάλης διάρκειας) long-term

πόα ΟΥΣ ΘΗΛ **(α)** (φυτό) moss **(β)** (γρασίδι) turf

ποδάγρα ΟΥΣ ΘΗΛ gout in the feet

ποδάρα ΟΥΣ ΘΗΛ long leg · (για πέλμα) big foot

ποδαράτο ΕΠΙΡΡ (= με τα πόδια) on foot

ποδάρι ΟΥΣ ΟΥΔ leg · (*για πέλμα*) foot

> *Προσοχή!: Ο πληθυντικός του* **foot** *είναι* **feet.**

ποδαρικό ΟΥΣ ΟΥΔ (*προφορ.*) good luck
▷**έχω καλό/κακό ποδαρικό** to bring good/bad luck
ποδαρίλα ΟΥΣ ΘΗΛ (= *δυσοσμία των ποδιών*) stink *ή* stench of feet
ποδεμένος ΜΤΧ (*ανεπ.*) shod
ποδένω Ρ Μ to shoe
ποδηγετώ Ρ Μ to lead, to guide
ποδηλασία ΟΥΣ ΘΗΛ cycling
ποδηλάτης ΟΥΣ ΑΡΣ cyclist
ποδηλατικός, -ή, -ό ΕΠΙΘ (*αγώνας, όμιλος, σωματείο*) cycling
ποδήλατο ΟΥΣ ΟΥΔ bicycle, bike
▷**κάνω ποδήλατο** to ride a bike, to cycle
ποδηλατοδρομία ΟΥΣ ΘΗΛ cycle race
ποδηλατοδρόμιο ΟΥΣ ΟΥΔ cycle track
ποδηλατώ Ρ ΑΜ to cycle
ποδήρης, -ης, -ες ΕΠΙΘ (= *αυτός που φτάνει μέχρι τα πόδια: χιτώνας*) long
πόδι ΟΥΣ ΟΥΔ (α) (β) (*ζώου*) leg, paw (γ) (*τραπεζιού, καρέκλας*) leg (δ) (*μονάδα μήκους*) foot
▷**στο πόδι** to be on the go, to be on one's feet
▷**στο πόδι** (= *πρόχειρα*) (done *ή* made) anyhow *ή* in a slipshod manner
▷**στο πόδι** to be astir
▷**πατώ το πόδι μου** to set foot in a place
▷**κάτω από τα πόδια** underfoot
▷**δεν μπορώ να πάρω τα πόδια μου** to be unable to walk
▷**παίρνω πόδι** to be fired *ή* sacked, to get the sack
▷**το βάζω στα πόδια** to take to one's heels
▷**πατώ πόδι** to put one's foot down
▷**σέρνω τα πόδια μου** to drag one's feet
▷**μπερδεύομαι/είμαι στα πόδια κποιου** to be *ή* get in sb's way
▷**στέκομαι στα πόδια μου** to be dead on one's feet
▷**στέκομαι στα πόδια μου** to find one's feet
▷**με το ένα πόδι στον τάφο** (= *κοντά στο θάνατο*) to have one foot in the grave
▷**πέφτω στα πόδια κποιου** to throw oneself at sb's feet
▷**μου κόπηκαν τα πόδια** (*από φόβο*) to have one's heart in one's mouth
▷**τρώω/πίνω στο πόδι** to grab something to eat
▷**σηκώνω στο πόδι** (= *αναστατώνω*) to kick up a racket
▷**με τα πόδια** on foot
▷**αφήνω κπν στο πόδι μου** to stand in for sb
▷**δίνω πόδι** to sack
▷**πατάω στα πόδια μου** to be able to stand up
▷**δεν με βαστούν τα πόδια μου** to feel too groggy to stand
▷**απλώνω τα πόδια μου** (= *ξεκουράζομαι*) to

put one's feet up
ποδιά ΟΥΣ ΘΗΛ (α) (*νοικοκυράς, υπηρέτριας, σερβιτόρου*) apron (β) (*μάστορα, τεχνίτη*) apron · (*για μαθητές, σχολείο*) pinafore
▷**φιλάω κατουρημένες ποδιές** (= *ταπεινώνομαι*) to bow and scrape
ποδοβολητό ΟΥΣ ΟΥΔ (*ζώων*) clatter · (= *θόρυβος από βήματα: ανθρώπων*) tramp, clatter
ποδόγυρος ΟΥΣ ΑΡΣ (*φούστας, φορέματος*) hemline
ποδοκίνητος, -η, -ο ΕΠΙΘ (*μηχανή, σύστημα*) foot-operated
ποδοκρότημα ΟΥΣ ΟΥΔ foot-stamping
ποδόλουτρο ΟΥΣ ΟΥΔ footbath
ποδοπάτημα ΟΥΣ ΟΥΔ (*προφορ.*) stamping, trampling
ποδοπατώ Ρ Μ (α) (*άνθρωπο*) to trample (β) (= *καταπατώ: δικαιώματα, αισθήματα*) to trample (γ) (= *εξευτελίζω*) to tread down
ποδοσφαιριστής ΟΥΣ ΑΡΣ footballer (*Βρετ.*), soccer player (*Αμερ.*)
ποδόσφαιρο ΟΥΣ ΟΥΔ football (*Βρετ.*), soccer (*Αμερ.*)
πόζα ΟΥΣ ΘΗΛ (= *στάση*) pose, posture
▷**παίρνω πόζα** to strike a pose *ή* an attitude
▷**κρατάω πόζα** (= *κάνω το θυμωμένο/ σπουδαίο*) to put on airs
ποζάρισμα ΟΥΣ ΟΥΔ (*μοντέλου*) sitting
ποζάρω Ρ ΑΜ to pose, to sit
ποζάτος, -η, -ο ΕΠΙΘ (*ειρων.*) stuck-up, affected
πόθεν ΕΠΙΡΡ: **πόθεν έσχες** (= *η προέλευση της περιουσίας κποιου*) means test
ποθητός, -ή, -ό ΕΠΙΘ (α) (*αποτέλεσμα, αμοιβή*) coveted (β) (= *αγαπητός: για πρόσ.*) beloved
πόθος ΟΥΣ ΑΡΣ (α) (= *επιθυμία*) wish, urge (β) (= *ερωτική επιθυμία*) lust, desire
▷**ευσεβής πόθος** (= *ανεκπλήρωτη επιθυμία*) wishful thinking
ποθώ Ρ Μ (α) (= *επιθυμώ*) to wish for, to desire (β) (*άνθρωπο*) to lust for, to covet
ποίημα ΟΥΣ ΟΥΔ (α) poem (β) (*μτφ.*: = *κτ έξοχο, ωραίο*) fantastic *ή* exquisite thing
ποίηση ΟΥΣ ΘΗΛ poetry
▷**λυρική/επική/δραματική ποίηση** lyric/epic/ dramatic poetry
ποιητής ΟΥΣ ΑΡΣ (α) poet (β) (= *δημιουργός: κόσμου, γης, πάντων*) maker, creator
ποιητικός, -ή, -ό ΕΠΙΘ (*φράση, συλλογή, εικόνα*) poetic
▷**ποιητική αδεία** poetic licence (*Βρετ.*) *ή* license (*Αμερ.*)
▷**ποιητικό αίτιο** (ΓΛΩΣΣ) agent
ποιητικότητα ΟΥΣ ΘΗΛ (*φράσης, έργου, εικόνας*) poetry element
ποιήτρια ΟΥΣ ΘΗΛ poetess
ποικιλία ΟΥΣ ΘΗΛ (α) (*αρωμάτων, λύσεων, υπηρεσιών*) choice, range (β) (= *φαγητό*)

Π

assortment (γ) (ζώων, φυτών) diversity
▷**για ποικιλία** for the sake of variety
ποικίλλω Ρ ΑΜ to vary
ποικιλομορφία ΟΥΣ ΘΗΛ diversity of form
ποικιλόμορφος, -η, -ο ΕΠΙΘ (εκδήλωση, εμφάνιση) variform
ποικίλος, -η, -ο ΕΠΙΘ (μορφές, διατάξεις, συναισθήματα) various, diverse
ποικιλόσχημος, -η, -ο ΕΠΙΘ (= αυτός που εμφανίζει ποικίλα σχήματα) variform
ποικιλότροπος, -η, -ο ΕΠΙΘ (εκδήλωση, ενασχόληση, βοήθεια) various
ποικιλόχρωμος, -η, -ο ΕΠΙΘ (= αυτός που έχει διάφορα χρώματα: ύφασμα) multi-coloured (Βρετ.), multi-colored (Αμερ.), motley
ποικιλώνυμος, -η, -ο ΕΠΙΘ (οργανώσεις) various, miscellaneous
ποιμαντικός, -ή, -ό ΕΠΙΘ (ράβδος, σκήπτρο) pastoral
▷**Ποιμαντική** Pastoral Theology
ποιμαντορικός, -ή, -ό ΕΠΙΘ pastoral
ποιμενάρχης ΟΥΣ ΑΡΣ (= αρχιερέας) pastor
ποιμένας ΟΥΣ ΑΡΣ shepherd
ποιμενικός, -ή, -ό ① ΕΠΙΘ (α) (ειδύλλιο, σκηνή) pastoral, bucolic (β) (ποίημα, δράμα) pastoral
② ΟΥΣ ΟΥΔ (ΜΟΥΣ) pastorale
ποίμνιο ΟΥΣ ΟΥΔ flock
ποινή ΟΥΣ ΘΗΛ (= τιμωρία) sentence
▷**εκτίω τη ποινή μου** to serve one's sentence
▷**η εσχάτη των ποινών** (= θάνατος) capital punishment
▷**πειθαρχική ποινή** disciplinary punishment
▷**χρηματική ποινή** fine
▷**θανατική ποινή** death penalty ή sentence
Ποινικολογία ΟΥΣ ΘΗΛ criminal law
ποινικολόγος ΟΥΣ ΑΡΣ&ΘΗΛ criminal lawyer
ποινικοποίηση ΟΥΣ ΘΗΛ penalization
ποινικοποιώ Ρ Μ to penalize
ποινικός, -ή, -ό ΕΠΙΘ (αδίκημα, δίωξη) criminal, penal
▸**ποινικό δίκαιο** criminal ή penal law
▸**ποινική δικονομία** criminal procedure
▸**ποινικός νόμος** criminal law
▸**ποινικός κώδικας** criminal code
▸**ποινική ρήτρα** penal clause
ποινολόγιο ΟΥΣ ΟΥΔ (σχολείου, ιδρύματος) crime sheet
ποιόν ΟΥΣ ΟΥΔ ΑΚΛ character, nature
ποιος ΑΝΤΩΝ who
▷**ποιος από τους δύο/απ' όλους** which of the two/of them
▷**ποιος άλλος παρά...** who else but...
ποιότητα ΟΥΣ ΘΗΛ (προϊόντων, χαρακτήρα, σχέσης) quality
▷**ποιότητα ζωής** quality of life
▷**πρώτης/εξαιρετικής/εκλεκτής ποιότητας** top/excellent/choice quality
ποιοτικός, -ή, -ό ΕΠΙΘ (αναβάθμιση, κινηματογράφος) quality

▸**ποιοτικός έλεγχος** quality control
▸**ποιοτική διαφορά** qualitative difference
ποιώ Ρ Μ (επίσ.) to make, to create·
(= πράττω) to make
▷**ποιώ την νήσσαν** to play possum
πόκα ΟΥΣ ΘΗΛ (= παιχνίδι με χαρτιά) stud poker
πολέμαρχος ΟΥΣ ΑΡΣ war chief
πολεμικός, -ή, -ό ΕΠΙΘ (προετοιμασία, κατορθώματα, ανταποκριτής) war
πολέμιος ΟΥΣ ΑΡΣ (= εχθρός: νόμου, λαού) enemy
πολεμιστής ΟΥΣ ΑΡΣ warrior, combatant
πολεμίστρα ΟΥΣ ΘΗΛ (του κάστρου) embrasure
πολεμοκάπηλος ΟΥΣ ΑΡΣ warmonger
πολεμοπαθής ΟΥΣ ΑΡΣ war victim
πόλεμος ΟΥΣ ΑΡΣ (α) (= ένοπλη σύγκρουση) war (β) (μτφ.) war (γ) (= χρονική διάρκεια αυτής της σύγκρουσης) wartime
▷**πόλεμος νεύρων** war of nerves
▷**πυρηνικός/χημικός πόλεμος** nuclear/chemical war
▷**εμφύλιος πόλεμος** civil war
▷**ψυχρός πόλεμος** cold war
▷**ανάπηρος πολέμου** disabled in the war
▷**κηρύσσω τον πόλεμο εναντίον κποιου** to declare war on sb
▷**διεξάγω πόλεμο** to wage war on
πολεμοφόδια ΟΥΣ ΟΥΔ ΠΛΗΘ munition(s), ammunition εν.
πολεμοχαρής, -ής, -ές ΕΠΙΘ bellicose, sabre-rattling (Βρετ.), saber-rattling (Αμερ.)
πολεμώ ① Ρ ΑΜ to fight
② Ρ Μ (α) (εχθρό, κατακτητή) to fight (β) (μτφ.) to fight (γ) (= προσπαθώ, μοχθώ) to struggle
▷**πολεμώ εναντίον κποιου** to fight against sb
πολεοδομία ΟΥΣ ΘΗΛ town ή urban planning
πολεοδόμος ΟΥΣ ΑΡΣ&ΘΗΛ town ή city planner
Πόλη ΟΥΣ ΘΗΛ Constantinople
πόλη ΟΥΣ ΘΗΛ town, city· (= το σύνολο των κατοίκων) townspeople πληθ.
▷**πόλη-κράτος** city state
▷**αιώνια πόλη** (= Ρώμη) the Eternal City
▷**πόλη του φωτός** (= Παρίσι) the City of Light
Πόλη του Μεξικού ΟΥΣ ΘΗΛ Mexico City
πολικός, -ή, -ό ΕΠΙΘ (α) (χάρτης, ψύχος) polar, arctic (β) (τάση, διάγραμμα) polar
▷**πολικός αστέρας** pole star
▷**πολική αρκούδα** polar bear
πολιομυελίτιδα ΟΥΣ ΘΗΛ poliomyelitis, polio
πολιορκητής ΟΥΣ ΑΡΣ besieger
πολιορκητικός, -ή, -ό ΕΠΙΘ (προσπάθεια, μηχανή) besieging, siege
▷**πολιορκητικός κριός** ram
πολιορκία ΟΥΣ ΘΗΛ (α) (πόλης, κάστρου) siege (β) (= συνωστισμός πλήθους γύρω από κτ) mobbing (γ) (= επίμονη, φορτική ενόχληση) mobbing
▷**κατάσταση πολιορκίας** state of siege

πολιορκώ Ρ Μ **(α)** (*πόλη, κάστρο*) to besiege, to lay siege to **(β)** (*μτφ.*) to beset **(γ)** (*συγκεντρώνομαι*) to mob **(δ)** (= *ενοχλώ επίμονα*) to besiege, to lay siege to

πολιός, -ά, -ό ΕΠΙΘ (= *ψαρομάλλης*) hoary

πολιούχος ΟΥΣ ΑΡΣΘΗΛ (*της πόλης*) patron saint

πόλις = **πόλη**

πολιτεία ΟΥΣ ΘΗΛ **(α)** (= *κράτος, η κυβερνητική/ νομοθετική εξουσία*) state **(β)** (= *πόλη, χώρα*) faraway place
▷**Ηνωμένες Πολιτείες της Αμερικής** the United States of America
▷**δημοκρατική/ευνομούμενη πολιτεία** democratic/well–governed state *ή* nation
▷**ακυβέρνητη πολιτεία** (= *Ιερουσαλήμ*) city in a state of anarchy

πολιτειακός, -ή, -ό ΕΠΙΘ (*ζήτημα, σύστημα, φορέας*) state

πολίτευμα ΟΥΣ ΟΥΔ system of government, regime
▷**δημοκρατικό πολίτευμα** democratic government
▷**μοναρχικό πολίτευμα** monarchy
▷**απολυταρχικό πολίτευμα** totalitarian government

πολιτεύομαι Ρ ΑΜ to go into politics

πολιτευόμενος, -η, -ο ΕΠΙΘ political

πολιτευτής ΟΥΣ ΑΡΣ (= *που μετέχει στην πολιτική*) politician

Πολίτης ΟΥΣ ΑΡΣ person who comes from Constantinople

πολίτης ΟΥΣ ΑΡΣ **(α)** (= *που έχει πολιτικά δικαιώματα*) citizen **(β)** (= *ο μη στρατιωτικός ή κληρικός*) civilian
▷**απλός/ανώνυμος πολίτης** ordinary/ anonymous citizen
▷**διακεκριμένος πολίτης** distinguished citizen
▷**ακαδημαϊκός πολίτης** undergraduate student

πολιτικά ΟΥΣ ΟΥΔ ΠΛΗΘ (*προφορ.*) politics εν.

Προσοχή!: Αν και το **politics** *φαίνεται ως τύπος πληθυντικού, είναι ουσιαστικό μόνο στον ενικό και συντάσσεται με ρήμα στον ενικό.*

πολιτικάντης ΟΥΣ ΑΡΣ (*αρνητ.*) cunning politician

πολιτική ΟΥΣ ΘΗΛ policy
▷**εσωτερική/εξωτερική πολιτική** domestic/ foreign policy
▷**οικονομική/εκπαιδευτική/κοινωνική πολιτική** economic/educational/social policy
▷**ενεργός πολιτική** active politics

πολιτικολογία ΟΥΣ ΘΗΛ talking politics

πολιτικολογώ Ρ ΑΜ to talk politics

πολιτικοποιημένος, -η, -ο ΕΠΙΘ (*φοιτητής, αγώνας*) politically–oriented

πολιτικοποίηση ΟΥΣ ΘΗΛ politicization

πολιτικοποιούμαι Ρ ΑΜ (*νεαρός, σύλλογος*) to politicize

πολιτικός[1] ΟΥΣ ΑΡΣΘΗΛ politician

πολιτικός[2]**, -ή, -ό** ΕΠΙΘ **(α)** (= *του πολίτη: δικαιώματα*) civil **(β)** (= *σχετικός με τη διοίκηση των κοινών: σύστημα*) political **(γ)** (= *σχετικός με την πολιτική: παράταξη, ζήτημα, φρονήματα*) political **(δ)** (*επίσης* **πολιτικά ρούχα**) civilian, plain
▷**πολιτικός μηχανικός** civil engineer
▷**πολιτική οικονομία** political economy
▷**πολιτική αγωγή** civil action
▷**πολιτικός γάμος** civil marriage
►**πολιτικός χάρτης** political map
►**πολιτικό γραφείο** political office

πολιτισμένος, -η, -ο ΕΠΙΘ (*φυλή, τρόποι*) civilized

πολιτισμιακός, -ή, -ό ΕΠΙΘ (*κανόνας, επίπεδο, αλλαγή*) cultural

πολιτισμικός, -ή, -ό ΕΠΙΘ (*υπόβαθρο, αξίες, διαφορές*) cultural

πολιτισμός ΟΥΣ ΑΡΣ culture, civilization
▷**σύγχρονος/προηγμένος/τεχνολογικός πολιτισμός** modern/advanced/technological civilization
▷**κλασσικός/βυζαντινός/δυτικός πολιτισμός** classical/Byzantine/western civilization
▷**εθνικός/λαϊκός πολιτισμός** national/ popular culture
▷**Υπουργείο Πολιτισμού** Ministry of Culture

πολιτιστικός, -ή, -ό ΕΠΙΘ (*γεγονός, εκδήλωση*) cultural
►**πολιτιστική πρωτεύουσα** cultural capital

πολιτογράφηση ΟΥΣ ΘΗΛ naturalization

πολιτογραφώ Ρ Μ **(α)** (*αλλοδαπό*) to naturalize **(β)** (*μτφ.*) to admit, to accept

πολιτοφύλακας ΟΥΣ ΑΡΣ militiaman

Προσοχή!: Ο πληθυντικός του **militiaman** *είναι* **militiamen**.

πολιτοφυλακή ΟΥΣ ΘΗΛ (= *αστυνομικό σώμα από πολίτες*) militia, civil guard

πολίχνη ΟΥΣ ΘΗΛ (= *μικρή πόλη*) township, market town

πολλαπλασιάζω Ρ Μ **(α)** (= *αυξάνω κατά ποσότητα*) to increase **(β)** (ΜΑΘ) to multiply
►**πολλαπλασιάζομαι** ΜΕΣΟΠΑΘ
(α) (= *αναπαράγομαι: φυτά, ζώα*) to breed, to multiply **(β)** (= *εντείνομαι, αυξάνομαι*) to increase

πολλαπλασιασμός ΟΥΣ ΑΡΣ
(α) multiplication **(β)** (*φυτών, ζώων*) propagation **(γ)** (*μτφ.*) proliferation

πολλαπλασιαστέος, -α, -ο ΕΠΙΘ multipliable

πολλαπλασιαστικός, -ή, -ό ΕΠΙΘ (*σχέση, παράγοντας, φαινόμενο*) multiplicative
▷**πολλαπλασιαστικά αριθμητικά** (ΓΛΩΣΣ) numerical adjectives

πολλαπλάσιο ΟΥΣ ΟΥΔ (ΜΑΘ) multiple
▷**Ελάχιστο Κοινό Πολλαπλάσιο** lowest common multiple

πολλαπλάσιος, -α, -ο ΕΠΙΘ (*αριθμός*)

multiple, manifold

πολλαπλός, -ή, -ό ΕΠΙΘ (*επίπεδα, προβλήματα, ωφέλη*) multiple

πολλαπλότητα ΟΥΣ ΘΗΛ (*γνώσεων, παραγόντων, μέσων*) multiplicity

πολλοί = **πολύς**

πολλοστημόριο ΟΥΣ ΟΥΔ infinitesimal part, very small fraction

πολλοστός, -ή, -ό ΕΠΙΘ: **για πολλοστή φορά** umpteenth (*ανεπ.*)

πόλος ΟΥΣ ΑΡΣ pole
▷**βόρειος/νότιος πόλος** North/South Pole
▷**πόλος έλξης** pole of attraction

πολτοποίηση ΟΥΣ ΘΗΛ (*ντομάτας, κρέατος, χαρτιού*) pulping

πολτοποιώ Ρ Μ (*ντομάτα, κρέας, χαρτί*) to pulp

πολτός ΟΥΣ ΑΡΣ (*ντομάτας, χαρτιού*) pulp
▷**βασιλικός πολτός** royal jelly

πολύ ΕΠΙΡΡ (α) (= *σε μεγάλο βαθμό*) very (β) (= *υπερβολικά*) too (γ) (= *για μεγάλο χρονικό διάστημα*) long
▷**κατά πολύ** by far
▷**πάρα πολύ** very much
▷**πολύ περισσότερο** much more
▷**το πολύ** at the latest
▷**το πολύ πολύ** at the most
▷**πολύ που...** (*προφορ./ειρων.*) much that...
▷**λίγο πολύ** more or less

πολυάνθρωπος, -η, -ο ΕΠΙΘ populous

πολυάριθμος, -η, -ο ΕΠΙΘ (*πολιτεία*) large

πολυάσχολος, -η, -ο ΕΠΙΘ (*επιχειρηματίας, γραφείο, μέρα*) busy

πολυβόλο ΟΥΣ ΟΥΔ (= *είδος όπλου*) machine gun

πολύβουος, -η, -ο ΕΠΙΘ (*πόλη, πανηγύρι, παιχνίδι*) noisy, bustling

πολυγαμία ΟΥΣ ΘΗΛ polygamy

πολύγλωσσος, -η, -ο ΕΠΙΘ (*άνθρωπος, κείμενο*) multilingual

πολύγνωμος, -η, -ο ΕΠΙΘ (α) (= *που έχει πολλές γνώμες*) irresolute (β) (= *αναποφάσιστος*) vacillating

πολύγραφος ΟΥΣ ΑΡΣ duplicator

πολυγραφότατος, -η, -ο ΕΠΙΘ (*συγγραφέας*) prolific

πολύγωνο ΟΥΣ ΟΥΔ polygon

πολυδαίδαλος, -η, -ο ΕΠΙΘ (*σκέψη, νόμος*) very intricate

πολυδάπανος, -η, -ο ΕΠΙΘ (*έρευνα, ταξίδι, εξοπλισμός*) extravagant, costly

πολυδιαβασμένος, -η, -ο ΕΠΙΘ (α) (= *που τον έχουν διαβάσει πολύ*) well-read (β) (= *που έχει διαβάσει πολύ*) well-informed

πολυδιάστατος, -η, -ο ΕΠΙΘ (*θέμα, εφαρμογή*) multi-dimensional

πολύεδρο ΟΥΣ ΟΥΔ polyhedron

πολυεθνικός, -ή, -ό ΕΠΙΘ (α) (*κοινωνία, συνύπαρξη*) multinational (β) (*επίσης* **πολυεθνική εταιρεία**) multinational

πολυέλαιος ΟΥΣ ΟΥΔ chandelier
▷**σιγά τον πολυέλαιο** (= *για ασήμαντα πράγματα*) big deal!

πολυέξοδος, -η, -ο ΕΠΙΘ (α) (*γιορτή, ταξίδι, εξοπλισμός*) expensive, extravagant (β) (*άνθρωπος*) extravagant

πολυετής, -ής, -ές ΕΠΙΘ (α) (= *που διαρκεί πολά χρόνια*) lasting many years (β) (= *που ζει πολλά χρόνια: φυτό*) perennial

Πολυεύσπλαχνος ΟΥΣ ΑΡΣ most merciful

πολυήμερος, -η, -ο ΕΠΙΘ (*ταξίδι, απεργία, εκδήλωση*) lasting many days

πολυθεΐα ΟΥΣ ΘΗΛ polytheism

πολυθεϊστής ΟΥΣ ΑΡΣ polytheist

πολυθεσία ΟΥΣ ΘΗΛ pluralism, plurality

πολυθεσίτης ΟΥΣ ΑΡΣ pluralist

πολυθεσίτισσα ΟΥΣ ΘΗΛ pluralist · *βλ.* **πολυθεσίτης**

πολυθρόνα ΟΥΣ ΘΗΛ armchair

πολυθρύλητος, -η, -ο ΕΠΙΘ (*υπόθεση, νόμος*) legendary

πολυκαιρίζω Ρ Μ (*ρούχο, φωτογραφία, κρασί*) to age, to grow old

πολυκαταλαβαίνω Ρ Μ (*προφορ.*) not to make much of

πολυκατάστημα ΟΥΣ ΟΥΔ department store

πολυκατοικία ΟΥΣ ΘΗΛ block of flats (*Βρετ.*), apartment house (*Αμερ.*)

πολυκερδής, -ής, -ές ΕΠΙΘ (*εργασία, επιχείρηση*) profitable

πολύκλωνος, -η, -ο ΕΠΙΘ (*δέντρα*) with many branches

πολυκοσμία ΟΥΣ ΘΗΛ crowds *πληθ.* of people

πολύκροτος, -η, -ο ΕΠΙΘ (*δίκη, υπόθεση*) sensational

πολυκύμαντος, -η, -ο ΕΠΙΘ (*ιστορία, πορεία*) eventful

πολυλογάς ΟΥΣ ΑΡΣ (*αρνητ.*) chatterbox (*ανεπ.*)

πολυλογία ΟΥΣ ΘΗΛ chatter

πολυλογώ Ρ ΑΜ to chatter

πολυμάθεια ΟΥΣ ΘΗΛ erudition

πολυμαθής, -ής, -ές ΕΠΙΘ erudite, scholarly

πολυμελής, -ής, -ές ΕΠΙΘ (*οικογένεια, αντιπροσωπεία, σύλλογος*) large

πολυμέρεια ΟΥΣ ΘΗΛ (*θέματος*) complexity · (*μόρφωσης*) flexibility

πολυμερής, -ής, -ές ΕΠΙΘ (α) (= *που έχει πολλά μέρη: σύμβαση*) multilateral (β) (= *που αποβλέπει σε πολλά: ενδιαφέρον*) versatile (γ) (= *που επιδίδεται σε πολλά: διάνοια*) versatile (δ) (*ένωση, σώμα, υλικά*) polymeric

πολυμερισμός ΟΥΣ ΑΡΣ polymerization

πολυμέτωπος, -η, -ο ΕΠΙΘ (*αγώνας, επίθεση*) on several fronts

πολύμηνος, -η, -ο ΕΠΙΘ (*θητεία, φυλάκιση, έρευνα*) lasting several months

πολυμήχανος, -η, -ο ΕΠΙΘ resourceful, ingenious

πολυμιλώ Ρ ΑΜ to talk too much

πολυμορφία ΟΥΣ ΘΗΛ (*κοινωνίας, συμπεριφοράς*) multiformity

πολύμορφος, -η, -ο ΕΠΙΘ (*φαινόμενο, σύνολο, σύστημα*) multiform, polymorphous

πολύμοχθος, -η, -ο ΕΠΙΘ (*έρευνα, έργο*) laborious, arduous

Πολυνησία ΟΥΣ ΘΗΛ Polynesia

πολύξερος, -η, -ο ΕΠΙΘ (*ειρων.*) greatly experienced

πολυπαθής, πολύπαθος, -ής, -ές ΕΠΙΘ afflicted

πολύπειρος, -η, -ο ΕΠΙΘ very experienced

πολύπλευρος, -η, -ο ΕΠΙΘ (α) (*μόρφωση, προσέγγιση*) many–sided (β) (*για πρόσ.*) versatile (γ) (*ταλέντο*) versatile (δ) (*ζήτημα, θέμα*) multi–faceted (ε) (*σχήμα*) many–sided

πολυπληθής, -ής, -ές ΕΠΙΘ (α) (*συγκέντρωση, κοινό*) large (β) (*ανάγκες*) numerous

πολύπλοκος, -η, -ο ΕΠΙΘ (α) (= *περίπλοκος*: *πρόβλημα, νόημα*) complicated (β) (*μηχάνημα, σχέδιο, εικόνα*) complex, intricate

πολυπλοκότητα ΟΥΣ ΘΗΛ (*φαινομένου, διαδικασίας, προβλήματος*) complexity

πολύποδας ΟΥΣ ΑΡΣ polyp, polypus

πολυπόθητος, -η, -ο ΕΠΙΘ coveted, much desired

πολυποίκιλος, -η, -ο ΕΠΙΘ (*εκδήλωση, προέλευση, ανάγκη*) multifarious, various

πολύπους ΟΥΣ ΑΡΣ = **πολύποδας**

πολυπραγμοσύνη ΟΥΣ ΘΗΛ meddling, interfering

πολυπράγμων, -ων, -ον ΕΠΙΘ, **πολυπράγμονας** meddlesome, interfering

πολυπρόσωπος, -η, -ο ΕΠΙΘ (*σύνθεση, ομάδα*) large

πολύπτυχος, -η, -ο ΕΠΙΘ (*χιτώνας*) pleated

ΛΕΞΗ-ΚΛΕΙΔΙ

πολύς, πολλή, πολύ ΕΠΙΘ (α) (*ζάχαρη, αλάτι, λάδι*) too much · (*χρήμα, χώρος, κόσμος*) a lot of ◻ *έβαλες πολύ ζάχαρη στον καφέ* you put too much sugar in the coffee · *πολύ κόσμος* a lot of people
▷ *γίνεται πολύς λόγος για* there's a lot of talk about
(β) (= *μεγάλος σε ένταση: ζέστη, βροχή, θάρρος, θόρυβος*) a lot of · (*άνεμος*) high ◻ *στη συγκεκριμένη περιοχή υπάρχει πάντα πολύς άνεμος* in this particular area there is always a high wind
(γ) (*για χρόνο: καιρός, ώρα, καιρός*) a lot of ◻ *περίμενες πολλή ώρα;* have you been waiting for long?
▷ *προ πολλού* a long time ago ◻ *το μυστικό είχε διαρρεύσει προ πολλού, αλλά εμείς δεν το είχαμε μάθει* the secret had been leaked a long time ago but we had not heard about it
(δ) (*στον πληθυντικό: φίλοι, βιβλία, λάθη*) many, a lot of
▶ *οι πολλοί* ΟΥΣ ΑΡΣ ΠΛΗΘ (= *πλειοψηφία*) the majority · (= *λαός*) most people, the masses
▷ *πολλές φορές* many ή several times
▶ *πολλά* ΟΥΣ ΟΥΔ ΠΛΗΘ a lot ◻ *είχε κάνει πολλά για την ομάδα* he'd done a lot for the team · *μη ζητάς πολλά!* don't ask for too much!
▷ *έχω πολλά-πολλά με κπν* to have a lot to do with someone
▷ *με τα πολλά* after a lot of effort ◻ *με τα πολλά την έπεισα να έρθει μαζί μας* after a lot of effort I convinced her to come with us
▷ *πολλά-πολλά* fuss ◻ *με ακολούθησε χωρίς πολλά-πολλά* she followed me without any fuss

---

πολυσέλιδος, -η, -ο ΕΠΙΘ (*τεύχος, φυλλάδιο, γράμμα*) with many pages

πολυσήμαντος, -η, -ο ΕΠΙΘ (*έκφραση, λέξη, νόημα, όνειρο*) comprehensive

πολύσπαστο ΟΥΣ ΟΥΔ (ΤΕΧΝΛ) pulley block

πολύστηλος, -η, -ο ΕΠΙΘ (*άρθρο*) with many columns

πολύστροφος, -η, -ο ΕΠΙΘ (α) (*ποταμός*) winding (β) (*για μηχανές*) high–speed

πολυσύλλαβος, -η, -ο ΕΠΙΘ (*λέξη*) polysyllabic

πολυσύνθετος, -η, -ο ΕΠΙΘ (*φαινόμενο, σύστημα*) complex, intricate

πολυσύχναστος, -η, -ο ΕΠΙΘ (*δρόμος, μαγαζί, πόλη*) much–frequented, busy

πολυσχιδής, -ής, -ές ΕΠΙΘ multifarious

πολυτάλαντος, -η, -ο ΕΠΙΘ (*καλλιτέχνης, χορευτής*) gifted, talented

πολυτάραχος, -η, -ο ΕΠΙΘ (*ζωή, σχέση, παρελθόν*) stormy, turbulent

πολύτεκνος, -η, -ο ΕΠΙΘ (*γονέας, οικογένεια*) with many children

πολυτέλεια ΟΥΣ ΘΗΛ luxury
▷ *είδος πολυτελείας* luxury article
▷ *αυτοκίνητο/ξενοδοχείο πολυτελείας* luxury car/hotel

πολυτελής, -ής, -ές ΕΠΙΘ (*εστιατόριο, ρούχα*) plush, posh

Πολυτεχνείο ΟΥΣ ΟΥΔ polytechnic, poly

πολυτεχνική ΟΥΣ ΘΗΛ engineering school

πολυτεχνικός, -ή, -ό ΕΠΙΘ (*σχολή*) polytechnic

πολυτεχνίτης ΟΥΣ ΑΡΣ: **πολυτεχνίτης κι ερημοσπίτης** handyman

> *Προσοχή!: Ο πληθυντικός του* **handyman** *είναι* **handymen**.

πολύτιμος, -η, -ο ΕΠΙΘ (α) (*αντικείμενο, χρυσαφικά, πέτρα*) valuable, precious (β) (*εμπειρία, βοήθεια*) invaluable (γ) (*φίλος, συνεργάτης*) valued
▷ *πολύτιμες πέτρες* precious stones

πολύτομος, -η, -ο ΕΠΙΘ (*έργο, βιβλίο, έκδοση*) voluminous

πολυτρίχι ΟΥΣ ΟΥΔ (ΒΟΤ) maidenhair

πολύτροπος, -η, -ο ΕΠΙΘ (*παρουσίαση*) ingenious

πολύφερνος, -η, -ο ΕΠΙΘ (= *αυτή που έχει μεγάλη προίκα*: *νύφη*) with a big dowry

πολυφίλητος, -η, -ο ΕΠΙΘ (= *πολύ αγαπητός*) beloved, cherished

πολύφυλλος, -η, -ο ΕΠΙΘ (α) (*διαθήκη*) with many pages (β) (*πορτοφόλι*) with many compartments (γ) (*δέντρο*) leafy

πολυφωνία ΟΥΣ ΘΗΛ (α) polyphony (β) (*μέσων μαζικής ενημέρωσης*) freedom of speech

πολυφωνικός, -ή, -ό ΕΠΙΘ (α) (*ενημέρωση, τύπος*) polyphonic (β) (*ορχήστρα*) polyphonous

πολύφωτο ΟΥΣ ΟΥΔ chandelier

πολυχρόνιος, -α, -ο ΕΠΙΘ (*άσκηση, εργασία, προϋπηρεσία*) long

πολύχρονος, -η, -ο ΕΠΙΘ (α) (*δοκιμασία, μελέτη, προσπάθεια*) long (β) (*για πρόσ.*: = *που ζεί πολλά χρόνια*) age-old

πολυχρωμία ΟΥΣ ΘΗΛ (α) (= *η ύπαρξη ποικιλίας χρωμάτων*) variegation (β) (= *τυπογραφική απόδοση με πολλά χρώματα*) polychromy

πολύχρωμος, -η, -ο ΕΠΙΘ (*εικόνα, ύφασμα, ντύσιμο*) multi-coloured (*Βρετ.*), multi-colored (*Αμερ.*), variegated

πολυψήφιος, -α, -ο ΕΠΙΘ (*αριθμός*) many-digit

πολυώνυμο ΟΥΣ ΟΥΔ (ΜΑΘ) polynomial

πολυώνυμος, -η, -ο ΕΠΙΘ (= *αυτός που έχει πολλά ονόματα*) with many names

πολύωρος, -η, -ο ΕΠΙΘ (*σύσκεψη, ταξίδι, συζήτηση*) long

πολυώροφος, -η, -ο ΕΠΙΘ (*πολυκατοικία, κτίριο*) multi-storey (*Βρετ.*), multi-story (*Αμερ.*)

Πολωνέζα ΟΥΣ ΘΗΛ *βλ.* **Πολωνός**

πολωνέζικος, -η, -ο ΕΠΙΘ = **πολωνικός**

Πολωνέζος ΟΥΣ ΑΡΣ = **Πολωνός**

Πολωνή ΟΥΣ ΘΗΛ *βλ.* **Πολωνός**

Πολωνία ΟΥΣ ΘΗΛ Poland

πολωνικός, -ή, -ό ΕΠΙΘ Polish

> *Προσοχή!: Τα εθνικά επίθετα, όπως* **Polish**, *γράφονται με κεφαλαίο το αρχικό γράμμα στα Αγγλικά.*

▸ Πολωνικά, Πολωνέζικα ΟΥΣ ΟΥΔ ΠΛΗΘ Polish

Πολωνός ΟΥΣ ΑΡΣ Pole

πολώνω Ρ Μ to polarize

πόλωση ΟΥΣ ΘΗΛ polarization · (ΗΛΕΚΤΡ) polarity

> **πολιτική/κοινωνική πόλωση** political/social polarization

πολωτικός, -ή, -ό ΕΠΙΘ (*τάσεις, πολιτική*) polarizing

πομάδα ΟΥΣ ΘΗΛ (= *αρωματική αλοιφή*) pomade

πόμολο ΟΥΣ ΟΥΔ (*πόρτας*) door handle, door knob

πομπή ΟΥΣ ΘΗΛ procession, parade · (= *ντροπή, ατιμία*) shameful *ή* wicked deed

> **γαμήλιος/νεκρική πομπή** wedding/funeral procession

πομπός ΟΥΣ ΑΡΣ transmitter

πομπώδης, -ης, -ες ΕΠΙΘ pompous

πομφόλυγα ΟΥΣ ΘΗΛ, **πομφόλυξ** (α) (= *φυσαλίδα αέρα*) bubble (β) (= *λόγος χωρίς περιεχόμενο*) empty words πληθ., hot air (*ανεπ.*)

πονεμένος, -η, -ο ΕΠΙΘ (α) (= *πολύ λυπημένος*) distressed (β) (*καρδιά*) sore (γ) (= *αυτός που πονάει*: *πόδι, χέρι*) sore

πονετικός, -ή, -ό ΕΠΙΘ (α) (= *αυτός που συμπονεί*) compassionate, sympathetic (β) (*λόγια, ματιά, ύφος*) compassionate

πόνημα ΟΥΣ ΟΥΔ task · (= *συγγραφικό έργο*) written work, essay

πονηρεύω ① Ρ Μ (α) (= *κάνω κπν πονηρό*) to excite the curiosity of (β) (= *κάνω κπν καχύποπτο*) to arouse the suspicions of ② Ρ Μ (= *γίνομαι πονηρός*) to grow cunning

▸ **πονηρεύομαι** ΜΕΣΟΠΑΘ (= *υποψιάζομαι*) to become suspicious

πονηριά ΟΥΣ ΘΗΛ, **πονηρία** cunning, craftiness

πονηρός, -ή, -ό ΕΠΙΘ (α) (= *δόλιος*) cunning, crafty (β) (= *καχύποπτος*) sly (γ) (*σκέψη, λόγια*) cunning, tricky

πονόδοντος ΟΥΣ ΑΡΣ toothache

πονοκεφαλιάζω ① Ρ Μ (*προφορ.*: = *ενοχλώ*) to give a headache ② ΑΜ (*προφορ.*: = *ενοχλούμαι*) to worry

πονοκεφάλιασμα ΟΥΣ ΟΥΔ (= *σκοτούρα*) worry, trouble

πονοκέφαλος ΟΥΣ ΑΡΣ headache · (*μτφ.*: = *δύσκολο έργο*) arduous task

πονόκοιλος ΟΥΣ ΑΡΣ bellyache, stomachache

πονόλαιμος ΟΥΣ ΑΡΣ sore throat

πονόματος ΟΥΣ ΑΡΣ (*προφορ.*) sore eyes πληθ.

πόνος ΟΥΣ ΑΡΣ pain (α) (= *ψυχική στενοχώρια*) grief, distress (β) (*ειρων.*: = *ιδιαίτερο ενδιαφέρον*) sudden interest

> **δυνατός πόνος** sharp pain

> **καυτός πόνος** burning sensation

> **πεθαίνω από τον πόνο** to die of a broken heart

▸ **πόνοι** ΠΛΗΘ (*τοκετού*) pains

πονόψυχος, -η, -ο ΕΠΙΘ (*άνθρωπος, άτομο*) compassionate

ποντάρισμα ΟΥΣ ΟΥΔ bet, stake

ποντάρω ① Ρ Μ to punt, to bet ② Ρ ΑΜ: **ποντάρω σε** to count on, to bank on

ποντίκι ΟΥΣ ΟΥΔ (α) (ΖΩΟΛ) mouse

> *Προσοχή!: Ο πληθυντικός του* **mouse** *είναι* **mice.**

(β) (*ανεπ.*: = *μυς*) muscle

> **όταν λείπει η γάτα χορεύουν τα ποντίκια**

while the cat is away the mice will play

ποντικοπαγίδα ΟΥΣ ΘΗΛ mousetrap

ποντικός ΟΥΣ ΑΡΣ mouse
▷**σαν ποντικός στη φάκα** like a mouse caught in a trap

ποντικότρυπα ΟΥΣ ΘΗΛ mousehole

ποντικοφαγωμένος, -η, -ο ΕΠΙΘ gnawed by mice

ποντικοφάρμακο ΟΥΣ ΟΥΔ rat poison

ποντικοφωλιά ΟΥΣ ΘΗΛ rat's nest

Πόντια ΟΥΣ ΑΡΣ βλ. **Πόντιος**

Πόντιος ΟΥΣ ΑΡΣ person from Pontus

ποντίφηκας ΟΥΣ ΑΡΣ **(α)** (= *αρχιερέας των Ρωμαίων*) pontifex **(β)** (= *τίτλος του Πάπα*) pontiff

Προσοχή!: Ο πληθυντικός του **pontifex** *είναι* **pontifices.**

ποντιφικός, -ή, -ό ΕΠΙΘ (= *παπικός*) pontifical

πόντος ΟΥΣ ΑΡΣ centimetre (*Βρετ.*), centimeter (*Αμερ.*) **(α)** point **(β)** (*πλεχτού*) stitch · (*κάλτσας, καλσόν*) ladder (*Βρετ.*), run (*Αμερ.*)
▷**μου φεύγει πόντος** (*προφορ.*) to have a ladder *ή* run
▷**του ρίχνει πόντους** (*προφορ.*) to grow taller

πονώ ⬚1 Ρ ΑΜ (*δόντι, κεφάλι*) to hurt, to ache ⬚2 Ρ Μ **(α)** (= *προκαλώ πόνο*) to hurt **(β)** (= *νοιάζομαι*) to care about

ποπλίνα ΟΥΣ ΘΗΛ poplin

πορδή ΟΥΣ ΘΗΛ fart (*χυδ.*)

πορδίζω Ρ ΑΜ to break wind (*ανεπ.*), to fart (*χυδ.*)

πορεία ΟΥΣ ΘΗΛ **(α)** (*ταξιδιού, πλοίου*) course **(β)** (= *εξέλιξη*) progress, course
▷**φύλλο πορείας** (*για μετακίνηση αξιωματικού*) marching orders
▷**στην πορεία** (= *κατά το πέρασμα του χρόνου*) in due course
▷**φώτα πορείας** indicator lights (*Βρετ.*), turn signals (*Αμερ.*)
▷**πορεία διαμαρτυρίας** protest march

πορεύομαι Ρ ΑΜ **(α)** (= *προχωρώ*) to march **(β)** (*μτφ.*) to manage

πόρθηση ΟΥΣ ΘΗΛ (= *κατάληψη*) capture, conquest

πορθητής ΟΥΣ ΑΡΣ conqueror

πορθμέας ΟΥΣ ΑΡΣ ferryman, boatman

Προσοχή!: Ο πληθυντικός του **ferryman/ boatman** *είναι* **ferrymen/boatmen.**

πορθμείο ΟΥΣ ΟΥΔ ferry(boat)

πορθμεύω Ρ Μ to cross by ferry

πορθμός ΟΥΣ ΑΡΣ strait, sound

πόρισμα ΟΥΣ ΟΥΔ (*επίσ.*: = *συμπέρασμα*: *επιτροπής*) findings *πληθ.*, conclusion

πορνεία ΟΥΣ ΘΗΛ prostitution

πορνείο ΟΥΣ ΟΥΔ brothel, whorehouse

πορνεύω Ρ Μ **(α)** (= *ασελγώ σε γυναίκα*) to

prostitute **(β)** (= *είμαι πόρνη*) to prostitute oneself (*Βρετ.*), to hustle (*Αμερ.*)

πόρνη ΟΥΣ ΘΗΛ (= *γυναίκα ελευθερίων ηθών*) prostitute, hustler (*Αμερ.*)

πορνό ΟΥΣ ΟΥΔ ΑΚΛ (*περιοδικό, εικόνα, ταινία*) porno (*ανεπ.*)

πορνόγερος ΟΥΣ ΑΡΣ (*υβρ.*) dirty old man

πορνογράφημα ΟΥΣ ΟΥΔ pornographic writing

πορνογραφία ΟΥΣ ΘΗΛ pornography

πορνογραφικός, -ή, -ό ΕΠΙΘ (*περιοδικό, υλικό*) pornographic

πορνογράφος ΟΥΣ ΑΡΣ/ΘΗΛ pornographer

πόρνος ΟΥΣ ΑΡΣ whoremonger

πόρος ΟΥΣ ΑΡΣ **(α)** (*δέρματος*) pore **(β)** (= *άνοιγμα*) duct
▷**φυσικοί πόροι** natural resources *πληθ.*
▸**πόροι** ΠΛΗΘ (= *πρόσοδοι*) public revenues

πόρπη ΟΥΣ ΘΗΛ (= *καρφίτσα: ζώνης*) buckle

πόρρω ΕΠΙΡΡ: **πόρρω απέχει** far from

πορσελάνη ΟΥΣ ΘΗΛ (= *υλικό*) porcelain
▸**πορσελάνες** ΠΛΗΘ china(ware)

πορσελάνινος, -η, -ο ΕΠΙΘ (*βάζο, πιάτο*) porcelain, china

πόρτα ΟΥΣ ΘΗΛ (*δωματίου, κτιρίου*) door
▷**κλείνω την πόρτα σε** κπν to close the door in sb's face
▷**χτυπώ λάθος πόρτα** (*μτφ.*) to come to the wrong place

πορτάκι ΟΥΣ ΟΥΔ hatch

πορτατίφ ΟΥΣ ΟΥΔ ΑΚΛ reading lamp

πορτιέρης ΟΥΣ ΑΡΣ (*κέντρου, ξενοδοχείου*) porter, doorman

Προσοχή!: Ο πληθυντικός του **doorman** *είναι* **doormen.**

πορτμπαγκάζ, πορτ-μπαγκάζ ΟΥΣ ΟΥΔ ΑΚΛ trunk

πόρτο ΟΥΣ ΟΥΔ (= *λιμάνι*) (sea)port

Πορτογαλέζα ΟΥΣ ΘΗΛ βλ. **Πορτογάλος**

πορτογαλέζικος, -η, -ο ΕΠΙΘ = **πορτογαλικός**

Πορτογαλέζος ΟΥΣ ΑΡΣ = **Πορτογάλος**

Πορτογαλία ΟΥΣ ΘΗΛ Portugal

Πορτογαλίδα ΟΥΣ ΘΗΛ βλ. **Πορτογάλος**

πορτογαλικός, -ή, -ό ΕΠΙΘ Portuguese

Προσοχή!: Τα εθνικά επίθετα, όπως **Portuguese**, *γράφονται με κεφαλαίο το αρχικό γράμμα στα Αγγλικά.*

▸**Πορτογαλικά, Πορτογαλέζικα** ΟΥΣ ΟΥΔ ΠΛΗΘ Portuguese

Πορτογάλος ΟΥΣ ΑΡΣ Portuguese

πορτογυρίστρα ΟΥΣ ΘΗΛ gadabout

πορτοκαλάδα ΟΥΣ ΘΗΛ orange juice

πορτοκαλεώνας ΟΥΣ ΑΡΣ orange grove

πορτοκαλής, -ιά, -ί ΕΠΙΘ (*φούστα, ύφασμα*) orange
▸**πορτοκαλί** ΟΥΣ ΟΥΔ orange

πορτοκάλι ΟΥΣ ΟΥΔ orange

πορτοκαλιά ΟΥΣ ΘΗΛ orange (tree)

πορτοκαλόφλουδα ΟΥΣ ΘΗΛ orange peel

πορτούλα ΟΥΣ ΘΗΛ (= *μικρή πόρτα*) small door, wicket

πορτοφολάκι ΟΥΣ ΟΥΔ purse (*Βρετ.*), change purse (*Αμερ.*)

πορτοφολάς ΟΥΣ ΑΡΣ pickpocket

πορτοφόλι ΟΥΣ ΟΥΔ wallet (*Βρετ.*), billfold (*Αμερ.*)
▷**γεμάτο πορτοφόλι** fat wallet

πορτόφυλλο ΟΥΣ ΟΥΔ flap

πορτραίτο ΟΥΣ ΟΥΔ portrait

πορφύρα ΟΥΣ ΘΗΛ (α) (ΙΣΤ: = *στολή Βυζαντινού αυτοκράτορα*) the (royal) purple (β) (*κοχύλι*) murex (γ) (= *χρωστική ουσία*) rhodopsin, purple

> *Προσοχή!: Ο πληθυντικός του* **murex** *είναι* **murices.**

πορφυρένιος, -α, -ο ΕΠΙΘ (*χρώμα, ουρανός*) purple

πορφυρός, -ή, -ό ΕΠΙΘ (*χρώμα, ουρανός, ήλιος*) purple

πορώδης, -ης, -ες ΕΠΙΘ (*βράχος, δέρμα, σφουγγάρι*) porous

πόση ΟΥΣ ΘΗΛ drinking

πόσιμος, -η, -ο ΕΠΙΘ drinkable

ποσό ΟΥΣ ΟΥΔ, **ποσόν** sum, amount· (*ηλεκτρικής ενέργειας, θερμότητας*) amount

πόσος ① ΑΝΤΩΝ how much
② ΕΠΙΡΡ how much
▷**κατά πόσο** whether
▷**κατά πόσον** (*επίσ.*) whether
▷**πόσο μάλλον** let alone

ποσοστό ΟΥΣ ΟΥΔ percentage
▷**δουλεύει με ποσοστά** to work on commission

ποσότητα ΟΥΣ ΘΗΛ amount, quantity

ποσοτικός, -ή, -ό ΕΠΙΘ (*έλεγχος, περιορισμός, προσδιορισμός*) quantitative

πόστα ΕΠΙΡΡ: **βάζω κπν πόστα** to tell sb off, to give sb a rap on ή over the knuckles

πόστο ΟΥΣ ΟΥΔ post, position

ποσώς ΕΠΙΡΡ not at all, not in the least

ποτάμι ΟΥΣ ΟΥΔ river, stream· (*μτφ.*) flood, river
▷**τρέχει κτ ποτάμι** sth streams down
▷**παίρνει κτ το ποτάμι** sth goes to the dogs
▷**είμαι σιγανό ποτάμι** to be a dark horse
▷**τα σιγανά ποτάμια να φοβάσαι** still waters run deep

ποταμιά ΟΥΣ ΘΗΛ (*λογοτ.*) river basin, riverside

ποταμίσιος, -α, -ο ΕΠΙΘ (*ψάρι, βλάστηση*) river

ποταμόπλοιο ΟΥΣ ΟΥΔ river boat

ποταμός ΟΥΣ ΑΡΣ river, stream· (*μτφ.*) river
▷**κπς/κτ είναι άνω ποταμών** (= *είναι υπερβολικός*) sb/sth is enough to drive one mad

ποταμόψαρο ΟΥΣ ΟΥΔ river fish

ποταπός, -ή, -ό ΕΠΙΘ (*επίσ.*: = *τιποτένιος*) ignominious

ποταπότητα ΟΥΣ ΘΗΛ (*επίσ.*) ignominy

ποτάσα ΟΥΣ ΘΗΛ, **ποτάσσα** potash, potassium carbonate
▷**καυστική ποτάσα** caustic potash

ποτέ ΕΠΙΡΡ never, not ... ever
▷**ποτέ πια!** never again!
▷**του Αγίου ποτέ!** (*ειρων.*: = *ουδέποτε*) never!

πότε ΕΠΙΡΡ when
▷**πότε-πότε** (= *ενίοτε, σπανίως*) sometimes, now and then
▷**πότε...πότε** now ... then

ποτηράκι ΟΥΣ ΟΥΔ (= *μικρό ποτήρι*) tot
▷**πίνω ένα ποτηράκι** to have a drink

ποτήρι ΟΥΣ ΟΥΔ glass
▷**πικρό ποτήρι** to drain a cup to the lees
▷**είναι να τον πιεις στο ποτήρι** it's a sight to behold

ποτήριον ΟΥΣ ΟΥΔ (α) chalice, communion cup (β) (*μτφ.*) cup

πότης ΟΥΣ ΑΡΣ drinker

ποτίζω ① Ρ Μ (α) (*γη, δέντρα, ζώα*) to water (β) (*μτφ.*) to give a drink to
② Ρ ΑΜ (= *μουσκεύω: μτφ.*) to steep
▷**ποτίζω με ιδρώτα** (= *κοπιάζω*) to toil
▷**ποτίζω με αίμα** (= *θυσιάζομαι*) to shed one's blood

πότισμα ΟΥΣ ΟΥΔ watering, irrigation

ποτιστήρι ΟΥΣ ΟΥΔ watering can

ποτιστικός, -ή, -ό ① ΕΠΙΘ (α) (*νερό, βροχή*) irrigating (β) (*φυτά, ποικιλίες*) irrigated, watered
② ΟΥΣ ΑΡΣ ΠΛΗ watering machinery ΕΝ.

ποτίστρα ΟΥΣ ΘΗΛ watering trough

ποτό ΟΥΣ ΟΥΔ: **το ρίχνω στο ποτό** to take to drinking

ποτοαπαγόρευση ΟΥΣ ΘΗΛ Prohibition (*Αμερ.*)

ποτοποιία ΟΥΣ ΘΗΛ distillery

ποτοποιός ΟΥΣ ΑΡΣΘΗΛ distiller

ποτοπωλείο ΟΥΣ ΟΥΔ off-licence (*Βρετ.*), wine and liquor store (*Αμερ.*)

ποτ-πουρί ΟΥΣ ΟΥΔ ΑΚΛ potpourri

┌─── *ΛΕΞΗ-ΚΛΕΙΔΙ* ───────────────

που ① ΑΝΤΩΝ ΑΚΛ (α) (= *οποίος*) that ⌑ *αυτός που μου μίλησε ήταν ο θείος μου* the man who spoke to me was my uncle· *θυμάμαι τη ζωή που κάναμε* I remember the life that we used to have
(β) (= *όπου*) where ⌑ *το μέρος που μεγάλωσα* the place where I grew up· *σε περίπτωση που γίνει κάτι τέτοιο* in case something like that happens
(γ) (= *όπως*) as ⌑ *έτσι που τα βλέπω τα πράγματα* as I see things
(δ) (*προφορ.*: *για τόπο*) where· (*για πρόσ.*) with whom ⌑ *το μαγαζί που πίνω καφέ* the place where I drink coffee· *ο Τάκης που ήμαστε συμμαθητές* Takis, who I was at

school with
2 ΣΥΝΔ **(α)** (= *όταν*) when · (= *αφότου*) for ❏ **την περίοδο που δούλευα στο εξωτερικό** the period when I was working abroad · **τότε που ήμαστε παιδιά** when we were kids · **πάει καιρός που έχω να την δω** I haven't seen her for a long time
▷ **με το που** as soon as
(β) (= *επειδή, ώστε, ότι*) that ❏ **συγνώμη που δεν σου μίλησα** I'm sorry I didn't speak to you · **είχα μελετήσει τόσο, που ...** I had studied so hard that ... · **είδες που δεν ήταν δύσκολο;** do you see that it wasn't hard?
(γ) (*αντί του "να"*) ❏ **τον είδα που έκλεβε την τράπεζα** I saw him robbing the bank
(δ) (= *ακόμη κι αν*) even if ❏ **δεν του κάνω χατήρι, που να κλαίει όλη μέρα!** he's not getting his way, even if he cries all day long!
(ε) (= *με το να*) by ❏ **καλά έκανες που της μίλησες έτσι!** you did the right thing by speaking to her like that!
3 ΜΟΡ **(α)** (= *είθε*) I hope ❏ **που να σου έλθουν όλα όπως τα θες!** I hope things turn out the way you want!
▷ **που να μη σώσεις!** damn you!
▷ **που να μην** I wish I hadn't ❏ **που να μην πήγαινα!** I wish I hadn't gone!
(β) (*για θαυμασμό*) how ❏ **τι όμορφη που είσαι απόψε!** how beautiful you are tonight!
▷ **που λες** so

ΛΕΞΗ-ΚΛΕΙΔΙ

πού ΕΠΙΡΡ **(α)** (*για τόπο*) where ❏ **πού πας;** where are you going? ❏ **πού πήγαν χθες;** where did they go last night? · **ρωτούσε για τον γιο της, τι του συνέβη και πού είναι** she was asking for her son, what happened to him and his whereabouts
(β) (*για απορία*) how (on earth), how come ❏ **πού το σκαρφίστηκες πάλι αυτό;** how (on earth) did you come up with something like that? · **πού ακούστηκε να σου μιλήσει με τόση αγένεια;** how come he was so rude to you? · **πού το 'μαθες πώς παντρεύτηκα;** how (on earth) did you find out that I got married?
▷ **από πού κι ως πού** how come ❏ **από πού κι ως πού σου λέει τι να κάνεις, δεν είναι αφεντικό σου** how come he's telling you what to do, he's not your boss
▷ **που να ...;** how ❏ **που να το φανταστώ ότι θα 'ρχόταν;** how was I to imagine that he'd come? · **πού να 'ξερες τι σου ετοιμάζω!** if you only knew what I've got for you!
(γ) (*για έντονη άρνηση*) ❏ **πού τον είδες τον κύριο; ένας αχρείος είναι!** what do you mean a gentleman? he's a scoundrel! · **πού να καταφέρει να περάσει στο πανεπιστήμιο!** no way is she going to go to university!
▷ **αραιά και πού** occasionally, from time to time
▷ **πού είχα μείνει;** where was I?

▷ **πού και πού** sometimes
▷ **πού το πας;** what are you driving *ή* getting at?

πουγγί ΟΥΣ ΟΥΔ purse strings *πληθ.*
πούδρα ΟΥΣ ΘΗΛ face powder
πουδράρισμα ΟΥΣ ΟΥΔ powdering
πουδράρω Ρ Μ (*πρόσωπο, μάγουλα*) to powder
πουδριέρα ΟΥΣ ΘΗΛ compact
πούθε ΕΠΙΡΡ (*προφορ.*) from where
πουθενά ΕΠΙΡΡ **(α)** (*με άρνηση*) anywhere **(β)** (*απόλυτο*) nowhere **(γ)** (*για τόπο*) somewhere
▷ **δεν βγάζω πουθενά** to get anywhere
πουκαμίσα ΟΥΣ ΘΗΛ nightdress, nightshirt
πουκάμισο ΟΥΣ ΟΥΔ shirt
πουκαμισού ΟΥΣ ΘΗΛ shirt–maker
πουλάδα ΟΥΣ ΘΗΛ pullet, young hen
πουλάκι ΟΥΣ ΟΥΔ **(α)** (= *μικρό πουλί*) little bird **(β)** (*για φωτογράφηση*) birdie **(γ)** (*ανεπ.*: = *παιδικό πέος*) birdie **(δ)** (*σε ένδειξη οικειότητας*) darling
▷ **πουλάκι μου** (*ειρων.*) my pet, my sweetie
πουλακίδα ΟΥΣ ΘΗΛ pullet, young hen
πουλάρι ΟΥΣ ΟΥΔ foal, colt
πουλάω Ρ Μ to sell · (*μτφ.: χώρα, τιμή, αξιοπρέπεια*) to sell, to sell out
▷ **πουλώ και αγοράζω** ΚΠΝ to run rings around sb, to be too smart for sb
▷ **σε ποιον τα πουλάς αυτά;** who are you trying to get smart with?
▷ **αλλού να τα πουλάς αυτά!** come off it!
πουλερικά ΟΥΣ ΟΥΔ ΠΛΗΘ poultry
πούλημα ΟΥΣ ΟΥΔ sale
πουλημένος, -η, -ο ΕΠΙΘ (*αγώνας, διαιτητής, πολιτικός*) venal
πουλί ΟΥΣ ΟΥΔ bird
▷ **πέταξε το πουλί!** (= *χάθηκε η ευκαιρία*) the bird has flown!
▷ **έχω και του πουλιού το γάλα** to be in clover, to live off the fat of the land
πούλι ΟΥΣ ΟΥΔ (*για παιχνίδι*) piece, counter
πούλια ΟΥΣ ΘΗΛ **(α)** (*αστέρι*) Pleiades *πληθ.* **(β)** (*για ρούχα*) sequin
πούλμαν ΟΥΣ ΟΥΔ ΑΚΛ coach
πουλόβερ ΟΥΣ ΟΥΔ ΑΚΛ pullover, sweater
πουλώ *βλ.* **πουλάω**
πούμα ΟΥΣ ΟΥΔ ΑΚΛ puma
πουνέντες ΟΥΣ ΑΡΣ, **πονέντες** west wing
πούντα ΟΥΣ ΘΗΛ ΑΚΛ (*προφορ.*) chill
πουντιάζω Ρ ΑΜ (*προφορ.*) to catch a chill
πουπουλένιος, -α, -ο ΕΠΙΘ (*πάπλωμα, μαξιλάρι*) feather, downy
πούπουλο ΟΥΣ ΟΥΔ feather, down · (*μτφ.*) feather
πουρές ΟΥΣ ΑΡΣ mash, purée
πουρί ΟΥΣ ΟΥΔ scale
πουριτανισμός ΟΥΣ ΑΡΣ puritanism

πουριτανός ΟΥΣ ΑΡΣ puritan

πουρμπουάρ ΟΥΣ ΟΥΔ ΑΚΛ tip

πουρνάρι ΟΥΣ ΟΥΔ holm oak, holly oak

πουρνό ΟΥΣ ΟΥΔ morning
▷**πουρνό-πουρνό** early in the morning, at the crack of dawn

πουρό ΟΥΣ ΟΥΔ (*ειρων.*) old man

πούρο ΟΥΣ ΟΥΔ cigar

πούσι ΟΥΣ ΟΥΔ (*ανεπ.*: = *ομίχλη*) fog, mist

πούστης ΟΥΣ ΑΡΣ (α) (*χυδ.*: = *ομοφυλόφιλος*) pansy (*ανεπ.*), fairy (*ανεπ.*) (β) (*υβρ.*: = *αισχρός, αναίσχυντος*) poofter (*ανεπ.*), poof (*ανεπ.*)

πουστιά ΟΥΣ ΘΗΛ (*χυδ.*: = *δόλια πράξη, παγίδα*) dirty trick

πούστικος, -η, -ο (*χυδ.*) ΕΠΙΘ (*συμπεριφορά*) foul, rotten

πουτάνα (*χυδ.*) ΟΥΣ ΘΗΛ (α) (= *πόρνη*) tramp, whore (β) (*υβρ.*: = *γυναίκα ανήθικη*) harlot
▷**γίνεται της πουτάνας (το κάγκελο)** all hell broke loose

πουταναριό ΟΥΣ ΟΥΔ (*προφορ./χυδ.*: = *πορνείο*) brothel, whorehouse

πουτανιά ΟΥΣ ΘΗΛ (α) (= *συμπεριφορά που ταιριάζει σε πόρνη*) whoring, harlotry (β) (*μτφ.*: = *πονηριά*) base behaviour (*Βρετ.*) *ή* behavior (*Αμερ.*)

πουτανίστικος, -η *ή* **-ια, -ο** (*χυδ.*) ΕΠΙΘ (α) (*τρόπου, συμπεριφοράς*) harlot's (β) (*ντύσιμο*) tarty

πουτίγγα ΟΥΣ ΘΗΛ pudding

πούτσα (*χυδ.*) ΟΥΣ ΘΗΛ = **πούτσος**

πούτσος (*χυδ.*) ΟΥΣ ΑΡΣ (= *πέος*) prick (*χυδ.*), cock (*χυδ.*)

ποώδης, -ης, -ες ΕΠΙΘ (*φυτά*) mossy, grassy

πράγμα ΟΥΣ ΟΥΔ (α) (= *πράξη*) thing (β) (= *υπόθεση*) matter, case
▷**σπουδαίο πράμα!** big deal!
▷**όπως και να 'χει το πράγμα** in any case
▷**το πρώτο πράγμα που.../το τελευταίο πράγμα που...** the first thing that.../the last thing that...
▷**πράγμα που...** something that...
▷**όνομα και πράγμα** in every sense
▷**τέτοιο πράγμα** such a thing
▷**δεν είναι μικρό πράγμα** it's no small thing to
▷**κτ είναι άλλο πράγμα** sth is something else
▷**τι πράγμα;** what?
▷**βάζω τα πράγματα στη θέση τους** to set the record straight
▷**κτ δεν λέει πολλά πράγματα** (= *δεν είναι αξιόλογο*) sth is not much to look at
▷**το πράγμα μιλάει μόνο του** (= *κτ είναι αυτονόητο, εμφανές*) it speaks for itself
▷**κάθε πρά(γ)μα στον καιρό του (κι ο κολιός τον Αύγουστο)** there is a time for everything
▶**εμπόρευματα** ΠΛΗΘ goods · (= *εργασίες, ασχολίες*) things

πραγματεία ΟΥΣ ΘΗΛ dissertation

πραγματεύομαι Ρ Μ (*συγγραφέας, ομιλητής*)
to deal with

πράγματι ΕΠΙΡΡ indeed, quite so

πραγματικά ΕΠΙΡΡ really, truly

πραγματικός, -ή, -ό ΕΠΙΘ real

πραγματικότητα ΟΥΣ ΘΗΛ reality
▷**κτ είναι** *ή* **αποτελεί πραγματικότητα** sth is *ή* constitutes reality
▷**στην πραγματικότητα** in reality *ή* fact

πραγματιστής ΟΥΣ ΑΡΣ pragmatist, realist

πραγματογνώμονας ΟΥΣ ΑΡΣ expert

πραγματογνωμοσύνη ΟΥΣ ΘΗΛ expert evidence *ή* opinion

πραγματογνωσία ΟΥΣ ΘΗΛ realism, pragmatism

πραγματοκρατία ΟΥΣ ΘΗΛ realism

πραγματολογία ΟΥΣ ΘΗΛ (= *πραγματογνωσία*) realism, pragmatism

πραγματολογικός, -ή, -ό ΕΠΙΘ (*έρευνα, μέθοδος, ανάλυση*) factual

πραγματοποίηση ΟΥΣ ΘΗΛ (*ονείρου, σχεδίου*) carrying out, realization

πραγματοποιήσιμος, -η, -ο ΕΠΙΘ feasible

πραγματοποιώ Ρ Μ (*μετάθεση, επιθυμία, επιχείρηση*) to realize

πραίτωρ ΟΥΣ ΑΡΣ praetor

πραιτωριανοί ΟΥΣ ΑΡΣ ΠΛΗΘ praetorian guard

πρακτέο(ν) ΟΥΣ ΟΥΔ **περί του πρακτέου** (*επίσ.*) what is to be done

πρακτικά ΟΥΣ ΟΥΔ ΠΛΗΘ (= *έκθεση των όσων ειπώθηκαν σε συνεδρίαση*) minutes, record of proceedings

πρακτική ΟΥΣ ΘΗΛ (= *εφαρμογή θεωρητικών απόψεων*) practice
▷**παραδοσιακή πρακτική** tradition
▷**καθημερινή πρακτική** common practice
▷**παιδαγωγική πρακτική** educational practice
▷**σχολική πρακτική** practice in schools

πρακτικογράφος ΟΥΣ ΑΡΣ (= *συντάκτης των πρακτικών*) taker of minutes

πρακτικός, -ή, -ό ΕΠΙΘ practical

πρακτικότητα ΟΥΣ ΘΗΛ (= *τα να εφαρμόζεται κάτι*) practicality

πράκτορας ΟΥΣ ΑΡΣ (α) (= *αυτός που διεκπεραιώνει ξένες υποθέσεις*) agent, representative (β) (*κατασκοπίας, αστυνομίας*) spy
▷**μυστικός πράκτορας** secret agent
▷**καλλιτεχνικός πράκτορας** artistic agent
▷**διαφημιστικός πράκτορας** advertising agent
▷**εμπορικός πράκτορας** sales representative
▷**ναυτικός πράκτορας** shipping agent

πρακτορείο ΟΥΣ ΟΥΔ (*ειδήσεων, τύπου*) press agency
▷**ταξιδιωτικό πρακτορείο** travel agency
▷**ειδησεογραφικό πρακτορείο** news agency
▷**διεθνές πρακτορείο** international agency
▷**τουριστικό πρακτορείο** tourist agency

πράμα (*προφορ./ειρων.*) = **πράγμα**

πραμάτεια ΟΥΣ ΘΗΛ (*προφορ./ανεπ.*: = *εμπόρευμα*) wares ΠΛΗΘ., merchandise

πραματευτής ΟΥΣ ΑΡΣ (*προφορ./ανεπ.*: = *πλανόδιος έμπορος*) hawker, pedlar (*Βρετ.*), peddler (*Αμερ.*)

πρανές ΟΥΣ ΟΥΔ (α) (*επίσ.*: = *πλαγιά*) slope (β) (ΑΡΧΙΤ) gradient

πράξη ΟΥΣ ΘΗΛ (α) (= *ενέργεια*) act, action (β) (= *εκτέλεση έργου*) deed (γ) (ΕΜΠΟΡ) transaction (δ) (ΜΑΘ) operation (ε) (ΤΕΧΝ) act
▷**εκπαιδευτική πράξη** educational act
▷**εμπορική πράξη** business transaction
▷**σεξουαλική πράξη** sexual intercourse
▷**συμβολαιογραφική πράξη** deed
▷**στην πράξη** in practice
▷**κάνω κτ πράξη** to put sth into action *ή* operation
▷**καλή/κακή πράξη** good/bad deed

πραξικόπημα ΟΥΣ ΟΥΔ coup (d'état)
▷**στρατιωτικό πραξικόπημα** military coup

πραξικοπηματίας ΟΥΣ ΑΡΣ leader of the coup

πραξικοπηματικός, -ή, -ό ΕΠΙΘ (*ενέργεια, επέμβαση, κίνηση*) by coup

πράος, -α, -ο ΕΠΙΘ (α) (*για πρόσ.*: = *ήρεμος*) sweet–tempered, mild (β) (*βλέμμα, ύφος*) gentle

πραότητα ΟΥΣ ΘΗΛ (= *ηρεμία, γλυκύτητα: πνεύματος, χαρακτήρα*) gentleness

πρασιά ΟΥΣ ΘΗΛ (*σε κήπο*) flower bed

πρασινάδα ΟΥΣ ΘΗΛ (= *χλόη*) grass, greenery

πρασινίζω Ρ ΑΜ (α) (= *γίνομαι πράσινος*) to become green (β) (*μτφ.: για πρόσ.*) to be green (with envy)

πράσινο ΟΥΣ ΟΥΔ (α) (*χρώμα*) green (β) (*φωτεινού σηματοδότη*) green light (γ) (= *βλάστηση*) greenery

πρασινογάλαζος, -η, -ο ΕΠΙΘ (*νερά, θάλασσα*) blue–green

πράσινος, -η, -ο ΕΠΙΘ (*μάτια, ζακέτα, μήλο*) green
▷**πράσινα άλογα** unreasonable things
▶Πράσινοι ΟΥΣ ΑΡΣ ΠΛΗΘ (ΠΟΛΙΤ) the Greens

πρασινωπός, -ή, -ό ΕΠΙΘ (*απόχρωση, χρώμα, υγρό*) greenish

πράσο ΟΥΣ ΟΥΔ leek

πρατήριο ΟΥΣ ΟΥΔ (*βενζίνης, καυσίμων*) filling station · (*άρτου*) shop

πρατηριούχος ΟΥΣ ΑΡΘΗΛ (= *ιδιοκτήτης πρατηρίου: για βενζίνη*) filling station owner · (*άρτου*) shop owner

πράττω Ρ Μ (*επίσ.*: = *ενεργώ*) to do, to act
▷**καλώς πράττεις** well done
▷**θα πράξω αναλόγως** to act accordingly

πρέζα ΟΥΣ ΘΗΛ pinch, dash
▷**παίρνω πρέζα** (*αργκ.*) to have a fix

πρεζάκιας ΟΥΣ ΑΡΣ (*αργκ.*) junkie (*χυδ.*)

πρεζάρω Ρ ΑΜ (*αργκ.*: = *παίρνω πρέζα*) to shoot up (*ανεπ.*)

πρελούντιο ΟΥΣ ΟΥΔ, **πρελούδιο** prelude

πρεμιέρα ΟΥΣ ΘΗΛ first *ή* opening night

ΠΡΕΠΕΙ Ρ ΑΠΡΟΣ (α) (= *είναι υποχρεωτικό*) to have to · (= *είναι σωστό*) should · (= *είναι απαραίτητο*) must □ "**φεύγετε αμέσως;**" **ρώτησε η Ελεάνα με λύπη.- ναι, πρέπει** are you leaving now? Helen asked sadly – yes, we have to *ή* we must **έπρεπε να τελειώσω την δουλειά στον καθορισμένο χρόνο** I had to finish the job by the appointed time · **δεν πρέπει να απαιτείς πολλά** you shouldn't ask for too much · **αυτή η τομή με πονάει περισσότερο από ό, τι πρέπει** this cut hurts more than it should · **οι υποψήφιοι πρέπει να συγκεντρώνουν όλα τα απαιτούμενα προσόντα** the candidates must *ή* should have all the required qualifications (β) : **πρέπει να** must □ **ποιος τηλεφωνεί τέτοια ώρα; – πρέπει να είναι η Αγγελική** who is phoning at this hour? it must be Angelica
▷(**θα) έπρεπε να** I should have *ή* ought to have □ **θα έπρεπε να σε είχα ακούσει** I should have *ή* ought to have listened to you (γ) : **μου πρέπει** to deserve □ **δεν σου πρέπει τέτοια σύζυγος** (= *δεν σου αξίζει*) you don't deserve such a husband · (= *δεν του αξίζεις*) your husband doesn't deserve you
▷**όπως πρέπει** properly □ **αν της μιλήσεις όπως πρέπει, θα καταλάβει** if you speak to her properly, she'll understand · **θα αναθρέψω την κόρη σου όπως πρέπει** I'll bring your daughter up properly
▷**ό, τι πρέπει** just the thing □ **αυτό το φόρεμα είναι ό, τι πρέπει για σας** this dress is just the thing for you

---

πρέπον ΟΥΣ ΟΥΔ the right thing

πρέπων, -ουσα, -ον ΕΠΙΘ fitting, proper

πρέσα ΟΥΣ ΘΗΛ (α) press (β) (*προφορ.*: = *πίεση*) pressure

πρεσάρω Ρ Μ (*ανεπ.*: = *πιέζω: αντίπαλο, εργαζόμενο, μαθητή*) to press

πρεσβεία ΟΥΣ ΘΗΛ embassy · (= *αντιπροσωπεία*) deputation

πρέσβειρα ΟΥΣ ΘΗΛ (= *γυναίκα πρεσβευτής*) ambassadress · (= *σύζυγος πρεσβευτή*) ambassador's wife

Προσοχή!: Ο πληθυντικός του **wife** *είναι* **wives**.

πρεσβευτής ΟΥΣ ΑΡΣ ambassador

πρεσβεύω Ρ Μ (*επίσ.*: = *πιστεύω, υποστηρίζω, αποδέχομαι*) to believe, to profess

πρέσβης ΟΥΣ ΑΡΣ, **πρέσβυς** (= *πρεσβευτής*) ambassador

πρέσβυς ΟΥΣ ΑΡΣ *βλ.* **πρέσβης**

πρεσβυτέρα ΟΥΣ ΘΗΛ (*επίσ.*: = *σύζυγος ιερέα*) priest's wife

πρεσβύτερος, -η ή -έρα, -ο ① ΕΠΙΘ (*επίσ.*: = *μεγαλύτερος*) older, senior ② ΟΥΣ ΑΡΣ (*επίσ.*: = *ιερέας*) priest, vicar

πρεσβύτης ΟΥΣ ΑΡΣ (επίσ.: = ηλικιωμένος) old man

πρεσβύωπας ΟΥΣ ΑΡΣΘΗΛ long–sighted person (Βρετ.), far–sighted person (Αμερ.)

πρεσβυωπία ΟΥΣ ΘΗΛ presbyopia, long–sightedness (Βρετ.), far–sightedness (Αμερ.)

πρεσβυωπικός, -ή, -ό ΕΠΙΘ (φακός, γυαλιά) presbyopic, long–sighted (Βρετ.), far–sighted (Αμερ.)

πρέφα ΟΥΣ ΘΗΛ (παιχνίδι της τράπουλας) kind of card game
▷**παίρνω πρέφα** κτ (αργκ.) to get wise to sth

πρήζω Ρ Μ (= ενοχλώ, κουράζω) to pester
►**πρήζομαι** ΜΕΣΟΠΑΘ to become swollen
▷**πρήζω το συκώτι κποιου** to pester the life out of sb

πρηνηδόν ΕΠΙΡΡ (επίσ.: = μπρούμυτα) flat on one's face

πρήξιμο ΟΥΣ ΟΥΔ (από χτύπημα) swelling

πριαπισμός ΟΥΣ ΑΡΣ (ΙΑΤΡ) priapism

πρίγκιπας ΟΥΣ ΑΡΣ prince

πριγκιπάτο ΟΥΣ ΟΥΔ (Μονακό) principality

πριγκιπέσα ΟΥΣ ΘΗΛ = **πριγκίπισσα**

πριγκιπικός, -ή, -ό ΕΠΙΘ princely

πριγκίπισσα ΟΥΣ ΘΗΛ princess

πριγκιποπούλα ΟΥΣ ΘΗΛ (α) (= κόρη πρίγκιπα) prince's daughter (β) (= νεαρή πριγκίπισσα) young princess

πριγκιπόπουλο ΟΥΣ ΟΥΔ (α) (= γιος πρίγκιπα) prince's child (β) (= νεαρός πρίγκιπας) young prince

πρίζα ΟΥΣ ΘΗΛ socket
▷**βάζω το σίδερο στην πρίζα** to plug the iron in

πρίμα ΕΠΙΡΡ fine, fair
▷**πάω πρίμα** (= πηγαίνω καλά) to go well

πριμαντόνα ΟΥΣ ΘΗΛ prima donna

πριμοδότηση ΟΥΣ ΘΗΛ (προϊόντων, επενδύσεων, παικτών) bounty

πριμοδοτώ Ρ Μ (έρευνα, εξαγωγές, παίκτη) to subsidize

πρίμος, -α, -ο ΕΠΙΘ (άνεμος, καιρός) fair, favourable (Βρετ.), favorable (Αμερ.)

πρίνος ΟΥΣ ΑΡΣ (= δρυς) oak

πριόνι ΟΥΣ ΟΥΔ saw

πριονίδι ΟΥΣ ΟΥΔ (ξύλου, σιδήρου) sawdust

πριονίζω Ρ Μ (ξύλο, δέντρο, κατάρτι) to saw

πριόνισμα ΟΥΣ ΟΥΔ (ξύλου, δέντρου) sawing

πριονοκορδέλα ΟΥΣ ΘΗΛ ribbon saw

πριονωτός, -ή, -ό ΕΠΙΘ (μαχαίρι) serrated

πρίσμα ΟΥΣ ΟΥΔ prism
▷**υπό το ή κάτω από το πρίσμα** +γεν. in the light of

πρισματικός, -ή, -ό ΕΠΙΘ (σχήμα, φακός) prismatic

προαγγελία ΟΥΣ ΘΗΛ (γάμου, εκδήλωσης, καιρού) notice, warning

προαγγέλλω Ρ Μ to herald, to foretell

προάγγελος ΟΥΣ ΑΡΣΘΗΛ herald

προάγω Ρ Μ (α) (υπάλληλο) to promote (β) (προσωπικότητα, συμφέρον, έρευνα) to develop

προαγωγή ΟΥΣ ΘΗΛ promotion
▷**παίρνω προαγωγή** to be promoted
▷**δίνω σε κπν προαγωγή** to give sb a promotion, to promote sb

προαγωγός ΟΥΣ ΑΡΣΘΗΛ (= μαστροπός) pimp, procurer

προαίρεση ΟΥΣ ΘΗΛ (= ενδόμυχη τάση, επιθυμία) intention
▷**κακή προαίρεση** bad intentions
▷**καλή προαίρεση** ή **αγαθή προαίρεση** with good intentions
▷**κατά προαίρεση** (= με ελεύθερη βούληση, προαιρετικά) at will

προαιρετικά ΕΠΙΡΡ optionally, at will

προαιρετικός, -ή, -ό ΕΠΙΘ (όρος, συμμετοχή, μάθημα) optional (Βρετ.), elective (Αμερ.)

προαιρούμαι Ρ ΑΜ (επίσ.) to wish
▷**όπως προαιρούνται** ή **καθώς προαιρούνται** as they wish
▷**ό, τι προαιρείσθε** (= ό, τι έχετε ευχαρίστηση) whatever you wish (to contribute)

προαισθάνομαι Ρ Μ (αλλαγές, καταστροφή, σεισμό) to have a presentiment of
▷**προαισθάνομαι ότι** ή **πως** to herald that

προαίσθημα ΟΥΣ ΟΥΔ premonition

προαιώνιος, -α, -ο ΕΠΙΘ age-old

προάλλες ΑΚΛ ΟΥΣ ΩΣ ΕΠΙΡ: **τις προάλλες** (= πριν λίγες μέρες) the other day

προαναγγελία ΟΥΣ ΘΗΛ (α) (επίσ.: επίσκεψης, άφιξης, δρομολογίου) announcement (β) (= προμήνυμα: βροχής, κρίσης) portent

προαναγγέλω Ρ Μ (α) (= αναγγέλλω από πριν) to announce (β) (= προμηνύω, προδιαγράφω) to presage (γ) (= ανακοινώνω: μέτρα, συλλήψεις, δρομολόγια) to announce, to presage

προανακρίνω Ρ Μ (ΝΟΜ: = διενεργώ προανάκριση) to launch a preliminary inquiry into

προανάκριση ΟΥΣ ΘΗΛ (ΝΟΜ: = προκαταρκτική ανάκριση/έρευνα) preliminary inquiry

προανάκρουσμα ΟΥΣ ΟΥΔ (α) (ΜΟΥΣ) prelude (β) (= προμήνυμα: πολέμου, συμμαχίας, εξέλιξης) prelude, precursor

προαναφέρω Ρ Μ to mention previously

προαπαιτούμενος, -η, -ο ΕΠΙΘ (γνώση, δεξιότητα, εμπειρία) prerequisite
►**προαπαιτούμενα** ΟΥΣ ΟΥΔ ΠΛΗΘ (= όσα προαπαιτούνται) prerequisites

προαποστέλλω Ρ Μ (επίσ.: χρήματα, δέμα, αποσκευές) to send on

προαποφασίζω Ρ Μ (δράση, απεργία, διαδήλωση) to decide in advance

προασπίζω Ρ Μ (= υπερασπίζομαι: θεσμό, δίκαιο, δημοκρατία) to defend
►**προασπίζομαι** ΜΕΣΟΠΑΘ (= υπερασπίζομαι) to stand up for

προάσπιση ΟΥΣ ΘΗΛ defence (*Βρετ.*), defense (*Αμερ.*)

προασπιστής ΟΥΣ ΑΡΣ defender

προάστιο ΟΥΣ ΟΥΔ suburb, outskirts *πληθ.*

προαύλιο ΟΥΣ ΟΥΔ (*σχολείου, κτηρίου, εκκλησίας*) forecourt, yard

προαφαιρώ Ρ Μ (*επίσ.: φόρο, έξοδα*) to deduct

πρόβα ΟΥΣ ΘΗΛ (α) (= *δοκιμή*) rehearsal (β) (*για θέατρο/ορχήστρα*) rehearsal (γ) (= *δοκιμή ρούχου που ράβεται ακόμα*) fitting
▷**έχω πρόβα** to attend a fitting/rehearsal
▷**κάνω πρόβα** to rehearse
▷**πρόβα τζενεράλε** (= *τελευταία πρόβα*) dress rehearsal
▷**πρόβα τζενεράλε** (*μτφ.*: = *τελική δοκιμασία*) final test

προβαδίζω Ρ Μ (= *προηγούμαι*) to precede

προβάδισμα ΟΥΣ ΟΥΔ precedence
▷**οικονομικό προβάδισμα** financial superiority
▷**αριθμητικό προβάδισμα** superiority in numbers
▷**έχω το προβάδισμα** to take precedence
▷**δίνω (το) προβάδισμα** to give priority
▷**παίρνω/κρατάω το προβάδισμα** to have/maintain priority

προβαίνω Ρ ΑΜ (α) (= *προχωρώ σε κάτι, ενεργώ, κάνω*) to proceed (β) (*λογοτ.*: = *προβάλλω, εμφανίζομαι*) to emerge
▷**προβαίνω σε κτ** (= *ενεργώ, κάνω κτ*) to proceed with sth
▷**προβεβηκυία ηλικία** (*επίσ.*: = *προχωρημένη ηλικία*) old age

προβάλλω ① Ρ Μ (α) (= *εκτείνω, ρίχνω προς τα μπρος: κεφάλι, πόδι, μαλλιά*) to stick out (β) (*φιλμ, διαφάνεια*) to show, to screen (γ) (= *τονίζω, δίνω έμφαση: αξία, ιδανικό, θεωρία, μοντέλο*) to highlight, to throw into relief (δ) (= *υποστηρίζω: απόδειξη, άποψη, δικαιολογία, πρόφαση*) to highlight, to point out ② Ρ ΑΜ (= *εμφανίζομαι*) to appear, to emerge
▸**προβάλλομαι** ΜΕΣΟΠΑΘ (= *παρουσιάζω τον εαυτό μου*) to push ή sell oneself
▷**προβάλλω αντίρρηση/αντιρρήσεις** to raise an objection/objections
▷**προβάλλω αντίσταση** to put up resistance
▷**προβάλλω βέτο** to veto

προβάρω Ρ Μ (= *δοκιμάζω: ρούχο, παπούτσι*) to try on

προβατίλα ΟΥΣ ΘΗΛ (*αρνητ.*: = *μυρωδιά προβάτου*) smell of a sheep

προβατίνα ΟΥΣ ΘΗΛ (*ανεπ.*: = *θηλυκό πρόβατο*) ewe

προβατίσιος, -α, -ο ΕΠΙΘ (α) (*κρέας, τυρί*) sheep's (β) (*μάτια, βλέμμα*) of a sheep

πρόβατο ΟΥΣ ΟΥΔ (α) sheep

> *Προσοχή!: Ο πληθυντικός του* **sheep** *είναι* **sheep**.

(β) (*μτφ.: για πρόσ.*) lamb
▷**βάλαμε το λύκο να φυλάει τα πρόβατα** (*παροιμ.*) a wolf in sheep's clothing
▷**αλλού τα πρόβατα αλλού τα γίδια** to separate the sheep from the goats
▷**χωρίζω τα πρόβατα από τα γίδια** to separate the sheep from the goats
▷**μαύρο πρόβατο** black sheep
▷**πρόβατο επί σφαγή(ν)** like a lamb to the slaughter
▷**πρόβατο του θεού** (= *άνθρωπος άκακος, αγνός*) naive man
▷**απολωλός πρόβατο** (= *άσωτος, διεφθαρμένος*) lost sheep

προβεβλημένος, -η, -ο ΕΠΙΘ projected, highlighted

πρόβειος, -α, -ο ΕΠΙΘ (= *από πρόβατο: γάλα, τυρί*) sheep's

προβιά ΟΥΣ ΘΗΛ (α) (= *δέρμα προβάτου*) sheepskin (β) (= *δέρμα ζώον*) pelt

προβιβάζω Ρ Μ (α) (*υπάλληλο, στρατιωτικό*) to promote (β) (*μαθητή, φοιτητή*) to move up
▸**προβιβάζομαι** ΜΕΣΟΠΑΘ (α) (*υπάλληλος, αξιωματούχος*) to be promoted (β) (*μαθητής*) to move up

προβιβασμός ΟΥΣ ΑΡΣ (α) (*αξιωματούχου, στρατιωτικού*) promotion (β) (*μαθητή*) moving up

προβιταμίνη ΟΥΣ ΘΗΛ provitamin

προβλεπτικός, -ή, -ό ΕΠΙΘ (*άνθρωπος, επιχειρηματίας*) prudent

προβλεπτικότητα ΟΥΣ ΘΗΛ (= *η ικανότητα της πρόβλεψης*) foresight, prudence

προβλέπω ① Ρ Μ (α) (= *προϋπολογίζω*) to contemplate, to foresee (β) (= *προαισθάνομαι, προμαντεύω*) to anticipate, to foresee (γ) (= *κανονίζω, ρυθμίζω από πριν*) to plan, to schedule ② Ρ ΑΜ: **προβλέπω για** (= *προνοώ*) to provide ή allow for
▸**προβλέπομαι** ΜΕΣΟΠΑΘ (= *προδιαγράφομαι, προμηνύομαι*) to be anticipated
▷**προβλέπεται να** (= *αναμένεται μετά από υπολογισμό*) to be expected to
▷**προβλέπω ότι θα ή να** to expect to

πρόβλεψη ΟΥΣ ΘΗΛ (α) (= *προϋπολογισμός*) anticipation · (*καιρού*) forecast (β) (= *προμήνυμα, προαίσθηση*) expectation, anticipation (γ) (= *πρόνοια*) provision
▷**μετεωρολογική πρόβλεψη** weather forecast
▷**ειδική πρόβλεψη** special provision
▷**δυσοίωνη πρόβλεψη** ominous prediction

πρόβλημα ΟΥΣ ΟΥΔ (α) (= *δυσχέρεια, δυσχερής κατάσταση*) problem, trouble (β) (ΜΑΘ: *αριθμητικής, τριγωνομετρίας*) sum, problem
▷**κτ αποτελεί πρόβλημα** sth is a problem
▷**βάζω πρόβλημα σε κπν** (*για σχολείο*) to set sb a problem/sum
▷**αυτό είναι πρόβλημά σου** (*προφορ.*) that's your problem
▷**έχω πρόβλημα** (*ανεπ.*) to have a problem
▷**οικογενειακό πρόβλημα** family problems

▷**οικονομικό πρόβλημα** financial problem *ή* trouble

προβληματίζω Ρ Μ (= *βάζω σε σκέψη, ανησυχώ: κατάσταση, δυσκολίες*) to puzzle over

▸**προβληματίζομαι** ΜΕΣΟΠΑΘ (α) (= *μπαίνω σε σκέψη, ανησυχώ*) to be concerned (β) (= *βρίσκομαι σε πνευματική εγρήγορση*) to ask oneself questions

προβληματικός, -ή, -ό ΕΠΙΘ (*επιχείρηση, ταμείο, περιοχή*) problematic

προβληματισμένος, -η, -ο ΕΠΙΘ (= *πολύ ανήσυχος*) concerned

προβληματισμός ΟΥΣ ΑΡΣ (= *έντονη απασχόληση με κτ*) speculation

προβλήτα ΟΥΣ ΘΗΛ (= *μόλος*) pier, wharf

> *Προσοχή!: Ο πληθυντικός του* wharf *είναι* wharfs *ή* wharves.

προβοκάτορας ΟΥΣ ΑΡΣ (*αρνητ.*: = *υποκινητής*) agent provocateur

> *Προσοχή!: Ο πληθυντικός του* agent provocateur *είναι* agents provocateurs.

προβοκάτσια ΟΥΣ ΘΗΛ (*αρνητ.*) provocation

προβολέας ΟΥΣ ΑΡΣ (α) (*αυτοκινήτου*) headlight (β) (*για κινηματογράφο*: = *όργανο προβολής φωτεινών εικόνων*) cinema projector (*Βρετ.*), movie projector (*Αμερ.*)
▷**ανάβω/σβήνω του προβολέα** to flash a searchlight on/off
▷**προβολέας της δημοσιότητας** in the limelight

προβολή ΟΥΣ ΘΗΛ (α) (= *εμφάνιση φωτεινών εικόνων με τον προβολέα*) projection (β) (*ταινίας*) showing, screening (γ) (*ιδεών, αντιρρήσεων*) promotion (δ) (= *κοινωνική αναγνώριση*) acknowledgement, recognition (ε) (ΑΘΛ) projection (στ) (ΓΕΩΜ: *γραμμής, σημείου*) projection
▷**διεθνής προβολή** international promotion
▷**κοινωνική προβολή** social promotion

προβοσκίδα ΟΥΣ ΘΗΛ (*για ζώα*) trunk

προβούλευμα ΟΥΣ ΟΥΔ (ΝΟΜ) dismissal

προγαμιαίος, -α, -ο ΕΠΙΘ (*δωρεά, σχέση*) premarital

προγενέστερος, -η ή -έρα, -ο [1] ΕΠΙΘ (*εποχή, γενιά, απόφαση*) previous, earlier
[2] ΟΥΣ ΑΡΣ ΠΛΗΘ (= *πρόγονοι*) ancestors

πρόγευμα ΟΥΣ ΟΥΔ (= *πρωινό*) breakfast

προγευματίζω Ρ ΑΜ to have breakfast

προγκά ω Ρ Μ (α) (*προφορ./ανεπ.*: = *αποδοκιμάζω, χλευάζω*) to boo, to jeer (β) (= *φέρομαι απότομα*) to snap at (γ) (*για κοπάδι ζώων που τρομάζει και σκορπίζεται*) to scare

πρόγνωση ΟΥΣ ΘΗΛ (α) (= *πρόβλεψη: καιρού, επίδοσης, εξέλιξης*) forecast (β) (ΙΑΤΡ) prognosis

> *Προσοχή!: Ο πληθυντικός του* prognosis *είναι* prognoses.

▷**δυσμενής/ευνοϊκή πρόγνωση** unfavourable (*Βρετ.*) *ή* unfavorable (*Αμερ.*)/favourable (*Βρετ.*) *ή* favorable (*Αμερ.*) prognosis

προγνωστικός, -ή, -ό [1] ΕΠΙΘ prognostic [2] ΟΥΣ ΟΥΔ (ΙΑΤΡ) prognostic
▸**προγνωστικά** ΟΥΣ ΟΥΔ ΠΛΗΘ (*ποδοσφαίρου, ιππόδρομου*) prognostics

προγονικός, -ή, -ό ΕΠΙΘ (*δόξα, παράδοση, κληρονομιά*) ancestral

προγονολατρεία ΟΥΣ ΘΗΛ (= *απόδοση τιμών στους προγόνους*) worshipping one's ancestors

προγονοπληξία ΟΥΣ ΘΗΛ (*αρνητ.*: = *έπαρση για τους προγόνους*) bragging about one's ancestors

πρόγονος ΟΥΣ ΑΡΣ (= *παιδί από προηγούμενο γάμο*) step-son · (*κορίτσι*) step-daughter

πρόγονος ΟΥΣ ΑΡΣ ancestor
▸**οι πρόγονοι** ΠΛΗΘ ancestors, forefathers

προγούλι ΟΥΣ ΟΥΔ (*προφορ./ανεπ.*: = *διπλοσάγονο*) double chin

πρόγραμμα ΟΥΣ ΟΥΔ (α) (*διακοπών, μαθημάτων*) curriculum

> *Προσοχή!: Ο πληθυντικός του* curriculum *είναι* curricula.

(β) (*κυβέρνησης*) plan, policy (γ) (= *τρόπος συμπεριφοράς*) timetable, schedule (δ) (*ηλεκτρονικού, υπολογιστή*) programme (*Βρετ.*), program (*Αμερ.*) (ε) (*για μουσικές εκδηλώσεις*) bill
▷**κυβερνητικό πρόγραμμα** government policy
▷**εκπαιδευτικό πρόγραμμα** educational policy
▷**ωρολόγιο πρόγραμμα** timetable
▷**σχολικό πρόγραμμα** curriculum
▷**θεραπευτικό πρόγραμμα** treatment plan
▷**βάζω πρόγραμμα** to plan
▷**τηλεοπτικό πρόγραμμα** television programme (*Βρετ.*) *ή* program (*Αμερ.*)
▷**είναι στο πρόγραμμα** it is expected

προγραμματίζω Ρ Μ (*ενέργεια, ζωή, εργασία*) to plan, to organize

προγραμματικός, -ή, -ό ΕΠΙΘ (*δήλωση, κατεύθυνση, διακήρυξη*) policy

προγραμματισμός ΟΥΣ ΑΡΣ (α) (*εργασιών, στόχων*) planning (β) (*για υπολογιστές*) programming (*Βρετ.*), programing (*Αμερ.*)

προγραμματιστής ΟΥΣ ΑΡΣ (= *που φτιάχνει προγράμματα*) computer programmer

προγραφή ΟΥΣ ΘΗΛ proscription

προγράφω Ρ Μ (α) (= *διώκω*) to persecute, to proscribe (β) (= *απορρίπτω: θέση, ανάμειξη*) to denounce

προγυμνάζω Ρ Μ (α) (= *γυμνάζω: χορεύτρια, αθλητή*) to train (β) (= *προετοιμάζω*) to train (γ) (= *προετοιμάζω μαθητή για εξετάσεις:*

μαθητή) to tutor

προγύμναση ΟΥΣ ΘΗΛ (= εκγύμναση) training· (μαθητή) tutorial

προγύμνασμα ΟΥΣ ΟΥΔ *βλ*. **προγύμναση**

πρόδηλος, -η, -ο ΕΠΙΘ (= ολοφάνερος: πλεονέκτημα, συμφέρον) clear, obvious

προδιαγραφή ΟΥΣ ΘΗΛ (α) (= προκαθορισμός συνόλου χαρακτηριστικών: προϊόντος) specification (β) (= λεπτομερειακή περιγραφή τεχνικού έργου) specifications *πληθ*.
▷**τεχνικές προδιαγραφές** (ΟΙΚΟΝ) technical specifications

προδιαγράφω Ρ Μ (= σχεδιάζω εκ των προτέρων: σχέδιο, μέλλον) to work out
‣**προδιαγράφομαι** ΜΕΣΟΠΑΘ (πορεία, μέλλον, εξέλιξη) to be specified *ή* predetermined

προδιάθεση ΟΥΣ ΘΗΛ (α) (έλκους, δυσλεξίας) predisposition (β) (= κλίση) natural aptitude, inclination

προδιαθέτω Ρ Μ (α) (άνθρωπο, αντίδραση, αποτέλεσμα) to predispose, to prepare (β) (άνθρωπο, οργανισμό) to work upon
‣**προδιατίθεμαι** ΜΕΣΟΠΑΘ to be prejudiced *ή* biased

προδίδω Ρ Μ (α) (= αθετώ ηθική υποχρέωση: αρχές, πατρίδα, φίλο) to betray (β) (= φανερώνω, κάνω φανερό: προτίμηση, πρόθεση, ενδιαφέρον) to reveal (γ) (= φανερώνω κτ ενώ δεν πρέπει: μυστικό, σχέδιο, σχέση) to give away (δ) (= εγκαταλείπω: άνθρωπο) to fail, to let down
‣**προδίδομαι** ΜΕΣΟΠΑΘ (σχέδιο, ελπίδες) to fail

προδικάζω Ρ Μ to foresee

προδικασία ΟΥΣ ΘΗΛ preliminary proceedings

προδίνω = **προδίδω**

προδοσία ΟΥΣ ΘΗΛ betrayal
▷**εσχάτη προδοσία** high treason

προδότης ΟΥΣ ΑΡΣ (α) traitor (β) (= καταδότης) informer

προδοτικός, -ή, -ό ΕΠΙΘ traitorous, treasonous

πρόδρομος ΟΥΣ ΑΡΣ&ΘΗΛ (= που προπαρασκευάζει τη δράση κου: ποιητών, εξέγερσης, μεθόδων) forerunner, pioneer· (έργου) precursor, forerunner

προεδρείο ΟΥΣ ΟΥΔ presiding board *ή* committee, the chair

προεδρεύω Ρ Μ to be in the chair, to preside
‣**προεδρευομένη δημοκρατία** presidential democracy

προεδρία ΟΥΣ ΘΗΛ (α) (= το αξίωμα του προέδρου: δημοκρατίας) presidency· (= θητεία του προέδρου) presidency (β) (= χρόνος διάρκειας της θητείας ενός προέδρου) chairmanship
▷**Υπουργείο/Υπουργός Προεδρίας** Ministry/ Minister of the Presidency

προεδρικός, -ή, -ό ΕΠΙΘ presidential
‣**προεδρικό μέγαρο** presidential

προεδριλίκι ΟΥΣ ΟΥΔ (ειρων./μειωτ.)

presidency, chairmanship

πρόεδρος ΟΥΣ ΑΡΣ&ΘΗΛ (= που προεδρεύει: δικαστηρίου, εταιρείας, τράπεζας) chairman· (διάσκεψης, συνόδου, συνεδρίου) chairman· (τάξης, ένωσης) president

> *Προσοχή!: Ο πληθυντικός του* **chairman** *είναι* **chairmen**.

▷**πρόεδρος της δημοκρατίας** President of the Republic
▷**πρόεδρος της κυβερνήσεως** (= ο πρωθυπουργός) Prime Minister, Premier
▷**πρόεδρος της βουλής** (ΠΟΛΙΤ) Speaker of the House

προειδοποίηση ΟΥΣ ΘΗΛ (α) (= προαναγγελλία) warning, notice (β) (= που προαναγγέλλει) notice

προειδοποιητικός, -ή, -ό ΕΠΙΘ warning

προειδοποιώ Ρ Μ (= προαναγγέλλω) to notify in advance
▷**προειδοποιώ κπν ότι/πως** to warn sb against
▷**προειδοποιώ κπν για κτ/να** to warn sb of sth/that

προεισαγωγή ΟΥΣ ΘΗΛ introduction

προεισαγωγικός, -ή, -ό ΕΠΙΘ preliminary

προεκλογικός, -ή, -ό ΕΠΙΘ (αγώνας, εκστρατεία, περίοδος) pre-election, electoral

προέκταση ΟΥΣ ΘΗΛ extension

προεκτείνω Ρ Μ to extend

προέλαση ΟΥΣ ΘΗΛ (στρατού, συμμάχων, πεζικού) advance

προελαύνω Ρ ΑΜ (στρατός, ομάδα, πυροβολικό) to advance

προέλευση ΟΥΣ ΘΗΛ origin

προελληνικός, -ή, -ό ΕΠΙΘ (οικισμός, πολιτισμός, λαός) pre-Hellenic

προεξαγγέλω Ρ Μ (= προαναγγέλω) to presage

προεξέχω Ρ ΑΜ (α) (κλαδί, πόδια, κτίριο) to jut *ή* stick out, to protrude (β) (μτφ.: = έχω προτεραιότητα) to stand out

προεξόφληση ΟΥΣ ΘΗΛ discount

προεξοφλητικός, -ή, -ό ΕΠΙΘ discount

προεξοφλώ Ρ Μ (α) (= επιταγή, συναλλαγματική, γραμμάτιο) to discount (β) (μτφ.: = προδικάζω: απόφαση, επιτυχία, εξέλιξη) to take for granted

προεξοχή ΟΥΣ ΘΗΛ (= οτιδήποτε εξέχει: στέγης, σπιτιού, στήθους) protrusion, jutting *ή* sticking out

προεόρτια ΟΥΣ ΘΗΛ ΠΛΗΘ eve of a feast-day

προεργασία ΟΥΣ ΘΗΛ (= προετοιμασία) preparation

προέρχομαι Ρ ΑΜ (α) (= κατάγομαι: άνθρωπος) to come of (β) (χρήματα, επιδημία) to come from (γ) (ιδέα, πληροφορία, στοιχεία) to originate

προεστός ΟΥΣ ΑΡΣ (ΔΙΟΙΚ/ΙΣΤ) head

προετοιμάζω Ρ Μ (α) (μαθητή, αθλητή) to train, to coach (β) (δρόμο, μέλλον) to prepare the ground for (γ) (= *προδιαθέτω: άνθρωπο*) to prepare

προετοιμασία ΟΥΣ ΘΗΛ preparation
▸**προετοιμασίες** ΟΥΣ ΠΛΗΘ preparations

προέχω Ρ ΑΜ (= *έχω μεγαλύτερη σημασία*) to come first, to be urgent *ή* pressing

πρόζα ΟΥΣ ΘΗΛ prose

προζύμι ΟΥΣ ΟΥΔ yeast

προηγιασμένη ΟΥΣ ΘΗΛ (ΘΡΗΣΚ) *service in which the holy gifts have been blessed*

προηγμένος, -η, -ο ΕΠΙΘ advanced, developed

προηγούμαι Ρ ΑΜ (α) (= *προπορεύομαι*) to precede (β) (= *βρίσκομαι χρονικά πιο μπροστά*) to precede, to have a lead (γ) (*μτφ.*) to be ahead

προηγουμένη ΟΥΣ ΘΗΛ the day before

προηγούμενο ΟΥΣ ΟΥΔ precedent
▸**έχω προηγούμενα με κπν** to have a bone to pick with sb, to have old scores to settle with sb

προηγούμενος, -η, -ο ΕΠΙΘ preceding

προημιτελικά ΟΥΣ ΟΥΔ ΠΛΗΘ quarter–finals *πληθ.*

προημιτελικός, -ή, -ό ΕΠΙΘ quarter–final

προθάλαμος ΟΥΣ ΑΡΣ anteroom, antechamber

πρόθεμα ΟΥΣ ΟΥΔ (= *πρώτο συνθετικό*) prefix

προθερμαίνω ① Ρ Μ (= *ζεσταίνω από πριν: φούρνο*) to warm up
② Ρ ΑΜ ΠΑΘ (*ποδοσφαιριστής, αθλητής, ομάδα*) to limber up, to loosen up

προθέρμανση ΟΥΣ ΘΗΛ (α) (= *προκαταρτική θέρμανση: φούρνου, θαλάμου*) warming up (β) (= *ελαφριά άσκηση του σώματος: ομάδας, ποδοσφαιριστή*) limbering *ή* loosening up

πρόθεση ΟΥΣ ΘΗΛ (α) intention, intent (β) (ΓΛΩΣΣ) preposition
▸**εκ προθέσεως/από πρόθεση** intentionally, on purpose
▸**Αγία Πρόθεση** (ΘΡΗΣΚ) credence, offertory
▸**έχω την πρόθεση να/με την πρόθεση να** to intend to, to have the intention of

προθεσμία ΟΥΣ ΘΗΛ deadline
▸**εντός (της) προθεσμίας** within the prescribed *ή* allotted time
▸**τελευταία προθεσμία** an absolute deadline, a strict time–limit
▸**παίρνω προθεσμία** to be allotted time

προθετικός, -ή, -ό ΕΠΙΘ: **προθετικό σύνολο** prepositional

προθήκη ΟΥΣ ΘΗΛ (= *βιτρίνα*) shop–window · (= *για πολύτιμα αντικείμενα*) showcase

προθρομβίνη ΟΥΣ ΘΗΛ (ΒΙΟΛ) prothrombin

προθυμία ΟΥΣ ΘΗΛ willingness
▸**με προθυμία** willingly
▸**δείχνω προθυμία να** to show willingness *ή* readiness

προθυμοποιούμαι Ρ Μ: **προθυμοποιούμαι να κάνω κτ** to be willing *ή* eager *ή* ready

πρόθυμος, -η, -ο ΕΠΙΘ willing, obliging
▸**είμαι πρόθυμος να...** to be willing *ή*

prepared to...

πρόθυρα ΟΥΣ ΟΥΔ ΠΛΗΘ ΑΚΛ (α) (*πόλης*) limits (β) (*μτφ.*) brink, threshold

προϊδεάζω Ρ Μ to predispose, to prepare

προίκα ΟΥΣ ΘΗΛ dowry, fortune

προικίζω Ρ Μ (α) (*κόρη, γιο*) to provide with a dowry (β) (*μτφ.: φύση, Θεός*) to endow

προικιό ΟΥΣ ΟΥΔ *βλ.* **προίκα**

προικισμένος, -η, -ο ΕΠΙΘ (*ζωγράφος, δάσκαλος, πολιτικός*) gifted, talented

προικοδότηση ΟΥΣ ΘΗΛ provision with a dowry

προικοθήρας ΟΥΣ ΑΡΣ (*αρνητ.*) fortune–hunter

προϊόν ΟΥΣ ΟΥΔ (α) (*γης, βιομηχανίας*) produce, product (β) (*κρέατος, πετρελαίου*) product (γ) (*μτφ.: φαντασίας, τύχης*) product (δ) (= *απολαυή, κέρδος: εργασίας, κόπου*) yield
▸**γεωργικά/κτηνοτροφικά/βιομηχανικά προϊόντα** agricultural/manufactured products
▸**χημικά/φαρμακευτικά/καλλυντικά προϊόντα** chemicals/pharmaceuticals/cosmetics
▸**εισαγόμενα/εξαγόμενα προϊόντα** imported/exported goods
▸**τελικό προϊόν** end product
▸**Ακαθάριστο Εθνικό Προϊόν** gross national product

προΐσταμαι Ρ Μ to direct

προϊσταμένη ΟΥΣ ΘΗΛ *βλ.* **προϊστάμενος**

προϊστάμενος ΟΥΣ ΑΡΣ head, director

προϊστορία ΟΥΣ ΘΗΛ (α) background (β) (ΙΣΤ) prehistory

προϊστορικός, -ή, -ό ΕΠΙΘ prehistoric

πρόκα ΟΥΣ ΘΗΛ (α) (*προφορ.*) nail (β) (*μτφ.: προφορ.*) spike

προκαθορίζω Ρ Μ to predetermine

προκαθορισμός ΟΥΣ ΑΡΣ predetermination

προκάλυμμα ΟΥΣ ΟΥΔ (α) (*καπνού, δέντρων*) screen (β) (*μτφ.*) cover

προκάλυψη ΟΥΣ ΘΗΛ (ΣΤΡΑΤ) protection, cover

προκαλώ Ρ Μ (α) (= *καλώ σε αναμέτρηση*) to provoke, to challenge (β) (= *επιφέρω: θυμό, πανικό, βλάβη*) to cause (γ) (= *διεγείρω: προσοχή, ενδιαφέρον*) to rouse
▸**προκαλώ κπν να κάνει κτ** to dare sb to do sth

προκάνω Ρ Μ (*προφορ.*) to do in time

προκαταβάλλω Ρ Μ (*ποσό*) to pay down, to pay in advance

προκαταβολή ΟΥΣ ΘΗΛ down payment, deposit

προκαταβολικά ΕΠΙΡΡ in advance

προκαταβολικός, -ή, -ό ΕΠΙΘ (*πληρωμή*) advance

προκαταβολικώς ΕΠΙΡΡ = **προκαταβολικά**

προκαταλαμβάνω Ρ Μ (= *προϊδεάζω*) to influence, to preempt

προκατάληψη ΟΥΣ ΘΗΛ prejudice, bias

▷**φυλετική/πολιτική/κοινωνική προκατάληψη** racial/political/social prejudice

προκαταρκτικός, -ή, -ό ① ΕΠΙΘ preliminary, preparatory ② ΟΥΣ ΟΥΔ ΠΛΗΘ (*γάμου, συνθήκης*) preliminaries

προκαταρτίζω Ρ Μ to prepare

προκατασκευασμένος, -η, -ο ΕΠΙΘ prefabricated

προκατασκευαστικός, -ή, -ό ΕΠΙΘ prefabricating

προκατειλημμένος, -η, -ο ΕΠΙΘ prejudiced, biased

προκάτοχος ΟΥΣ ΑΡΣ-ΘΗΛ (*αξιώματος, θέσης*) predecessor

προκείμενος, -η ή -ένη, -ο ① ΕΠΙΘ (*επίσ.*) in question ② ΟΥΣ ΟΥΔ (= *θέμα για το οποίο γίνεται λόγος*) matter in hand ▷**στην προκειμένη περίπτωση** in the case in point, in the present case ▷**επί του προκειμένου** (= *για το θέμα που μας απασχολεί*) about ή on the subject in question ▷**εν προκειμένω** (= *στο θέμα που συζητάμε*) with regard to the matter at issue ▷**προκειμένου να** in order to ▷**προκειμένου για** with reference to

πρόκειται Ρ ΑΠΡΟΣ ▷**πρόκειται για** (= *υπάρχει ζήτημα*) it's about, it concerns ▷**πρόκειται να** to be going to ▷**περί τινος πρόκειται;** what is it about?

προκήρυξη ΟΥΣ ΘΗΛ (α) (*οργάνωσης, κόμματος*) proclamation (β) (*διαγωνισμού, δημοπρασίας, εκλογών*) announcement, invitation ▷**επαναστατική/τρομοκρατική προκήρυξη** revolutionary/terrorist leaflet

προκηρύσσω Ρ Μ (*διαγωνισμό, δημοψήφισμα, εκλογές*) to announce

πρόκληση ΟΥΣ ΘΗΛ (α) challenge (β) (*ασθενειών, προβλημάτων*) causing (γ) (= *νομικό έγγραφο*) challenge ▷**πρόκληση σωματικής βλάβης** causing bodily harm

προκλητικός, -ή, -ό ΕΠΙΘ provocative

προκλητικότητα ΟΥΣ ΘΗΛ provocativeness

προκόβω Ρ ΑΜ to make good, to succeed

προκοίλι ΟΥΣ ΟΥΔ (*προφορ.*) paunch, pot-belly

προκομμένος, -η, -ο ΕΠΙΘ hard-working · (*προφορ./ειρων.*) good–for–nothing

προκοπή ΟΥΣ ΘΗΛ (*παιδιών, τόπου*) success ▷**της προκοπής** decent ▷**με πιάνει η προκοπή** (*προφορ./ειρων.*) to work hard, to be diligent ▷**βλέπω προκοπή** (*προφορ.*) to prosper, to be successful

προκριματικός, -ή, -ό ΕΠΙΘ (*αγώνες, φάση*) preliminary, test ▸**προκριματικά** ΠΛΗΘ ΟΥΣ ΟΥΔ ΠΛΗΘ preliminaries

προκρίνω Ρ Μ to choose ▸**προκρίνομαι** ΜΕΣΟΠΑΘ to qualify

πρόκριση ΟΥΣ ΘΗΛ (*αθλητή, ομάδας*) success in a preliminary test

πρόκριτος ΟΥΣ ΑΡΣ (ΙΣΤ) elders *πληθ.*

προκυμαία ΟΥΣ ΘΗΛ wharf, quay, jetty

προκύπτει Ρ ΑΠΡΟΣ to be clear ή evident

προκύπτω Ρ ΑΜ to turn up, to come to light

πρόκυψη ΟΥΣ ΘΗΛ (ΑΘΛ) bending forward

προλαβαίνω Ρ Μ to catch · (= *ματαιώνω κτ δυσάρεστο παρεμβαίνοντας: αρρώστεια, κακό*) to avert, to ward off ▷**προλαβαίνω να κάνω κτ** to have time to do sth

προλαμβάνω Ρ Μ (*επίσ.*) to anticipate, to pre–empt · *βλ. κ.* **προλαβαίνω**

προλεγόμενα ΟΥΣ ΟΥΔ ΠΛΗΘ (*βιβλίου, μελέτης*) introduction *εν.*, prolegomena *πληθ.*

προλέγω Ρ Μ to predict

προλεταριάτο ΟΥΣ ΟΥΔ proletariat

προλετάριος ΟΥΣ ΑΡΣ proletarian

προληπτικός, -ή, -ό ΕΠΙΘ precautionary · (*έλεγχος, μέτρα, ιατρική*) preventive

πρόληψη ΟΥΣ ΘΗΛ (α) (*ασθενειών, δυσκολιών, προβλημάτων*) prevention (β) (= *δεισιδαιμονία*) superstition ▷**αντικείμενο κατά πρόληψη** (ΓΛΩΣΣ) anticipatory object

προλογίζω Ρ Μ to preface

πρόλογος ΟΥΣ ΑΡΣ preface, foreword

προμαντεύω Ρ Μ to predict, to foretell

πρόμαχος ΟΥΣ ΑΡΣ advocate, defender

προμαχώνας ΟΥΣ ΑΡΣ (α) (= *τόπος από όπου μάχεται κανείς*) rampart (β) (*μτφ.*) bastion

προμελέτη ΟΥΣ ΘΗΛ preliminary study ή report ▷**εκ προμελέτης** premeditated, wilful (*Βρετ.*), willful (*Αμερ.*)

προμελετημένος, -η, -ο ΕΠΙΘ (*επίθεση, έγκλημα*) premeditated, wilful (*Βρετ.*), willful (*Αμερ.*)

προμετωπίδα ΟΥΣ ΘΗΛ frontispiece, title page

προμήθεια ΟΥΣ ΘΗΛ (α) (*υλικού, εμπορευμάτων, μηχανημάτων*) procurement (β) (= *αποταμιευτικό υλικό: τράπεζας*) bank commission (γ) (= *αμοιβή: μεσάζοντα*) commission ▷**κάνω προμήθειες** to lay in, to store up

προμηθευτής ΟΥΣ ΑΡΣ supplier, caterer

προμηθεύτρια ΟΥΣ ΘΗΛ *βλ.* **προμηθευτής**

προμηθεύω Ρ Μ to supply ▸**προμηθεύομαι** ΜΕΣΟΠΑΘ (*τρόφιμα, εμπορεύματα*) to get, to obtain

προμηνύω Ρ Μ (*ανεπ.: μέλλον, συμφορές, αλλαγές*) to forebode

προμήνυμα ΟΥΣ ΟΥΔ omen, augury

πρόναος ΟΥΣ ΑΡΣ (ΘΡΗΣΚ) narthex, vestibule

προνοητικός, -ή, -ό ΕΠΙΘ provident, prudent

προνοητικότητα ΟΥΣ ΘΗΛ prudence, foresight

πρόνοια ΟΥΣ ΘΗΛ foresight
▷**λαμβάνω πρόνοια** to make provision
▷**Θεία Πρόνοια** providence
▷**κοινωνική πρόνοια** social welfare
▷**Κράτος Προνοίας** welfare state

προνομιακός, -ή, -ό ΕΠΙΘ preferential

προνόμιο ΟΥΣ ΟΥΔ (α) (ευγενών, Πατριαρχείου) privilege, prerogative (β) (= εξαιρετικό φυσικό χάρισμα: ομορφιάς, καλλιέργειας, νεότητας) gift, talent
▷**έχω το προνόμιο να...** to enjoy the privilege of...
▷**προνόμιο ευρεσιτεχνίας** patent

προνομιούχος, -ος ή **-α, -ο** ΕΠΙΘ privileged

προνοώ Ρ ΑΜ (= σκέφτομαι από πριν) to provide
▷**προνοώ για κτ** (= μεριμνώ) to provide for sth

προνύμφη ΟΥΣ ΘΗΛ larva, caterpillar

> *Προσοχή!: Ο πληθυντικός του* **larva** *είναι* **larvae**.

προξενείο ΟΥΣ ΟΥΔ consulate

προξενεύω Ρ Μ to act as a match-maker for

προξενητής ΟΥΣ ΑΡΣ (για γάμο) match-maker

προξενήτρα ΟΥΣ ΘΗΛ βλ. **προξενητής**

προξενικός, -ή, -ό ΕΠΙΘ consular

προξενιό ΟΥΣ ΟΥΔ (α) (ανεπ.: = μεσολάβηση για σύναψη γάμου) match-making (β) (= το πρόσωπο που προξενεύουν) match
▷**κάνω/στέλνω προξενιό** to match

πρόξενος¹ ΟΥΣ ΑΡΣ&ΘΗΛ (αρνητ.) cause

πρόξενος² ΟΥΣ ΑΡΣ&ΘΗΛ consul

προξενώ Ρ Μ (α) (βλάβη, ζημιά) to cause (β) (χαρά, έκπληξη, λύπη) to give

προοδευτικός, -ή, -ό ΕΠΙΘ (α) (ιδέες) progressive, forward (β) (παράταξη, κόμμα) progressive (γ) (μείωση, αύξηση) gradual

προοδεύω Ρ ΑΜ to progress · (= προκόβω: μαθητής) to make progress

πρόοδος ΟΥΣ ΘΗΛ (α) (εργασίας, διαδικασίας) progress (β) (επιστήμης, κοινωνίας) progress, advance
▷**σημειώνω πρόοδο** to make progress ή headway
▷**αλματώδης πρόοδος** great strides πληθ.
▷**γεωμετρική πρόοδος** geometrical progression
▷**αριθμητική πρόοδος** arithmetical progression
▷**τεχνολογική πρόοδος** technological progress

προοίμιο ΟΥΣ ΟΥΔ introduction
▷**εκ προοιμίου** (επίσ.: = εξ αρχής) in advance

προοπτική ΟΥΣ ΘΗΛ prospect, perspective

προορίζω Ρ Μ to intend, to destine

προορισμός ΟΥΣ ΑΡΣ (α) (οργάνωσης, ιδρύματος) aim, purpose (β) (= αποστολή: ανθρώπου) destination, mission (γ) (= τέρμα: ταξιδιού) destination
▷**με προορισμό** bound for

▷**φτάνω στον προορισμό μου** to reach one's destination
▷**τελικός προορισμός** final destination

προπαγάνδα ΟΥΣ ΘΗΛ propaganda

προπαγανδίζω Ρ Μ (ιδέα, θεωρία) to propagandize

προπαγανδιστής ΟΥΣ ΑΡΣ propagandist

προπαγανδιστικός ΟΥΣ ΑΡΣ propaganda

προπαιδεία ΟΥΣ ΘΗΛ previous experience

προπαίδεια ΟΥΣ ΘΗΛ multiplication table

προπαντός ΕΠΙΡΡ first of all, in particular

προπάππος ΟΥΣ ΑΡΣ great-grandfather

προπαραλήγουσα ΟΥΣ ΘΗΛ (ΓΛΩΣΣ) antepenult

προπαραμονή ΟΥΣ ΘΗΛ (γιορτής, επετείου) the day before yesterday

προπαρασκευάζω Ρ Μ to prepare

προπαρασκευαστικός, -ή, -ό ΕΠΙΘ preparatory

προπαρασκευή ΟΥΣ ΘΗΛ (μαθητή, σχεδίου) preparation

προπαροξύτονος, -η, -ο ΕΠΙΘ (ΓΛΩΣΣ: λέξη) accented on the antepenult

προπατορικός, -ή, -ό ΕΠΙΘ: **προπατορικό αμάρτημα** original sin

προπέλα ΟΥΣ ΘΗΛ propeller

προπερασμένος, -η, -ο ΕΠΙΘ (εβδομάδα, Κυριακή) last but one

πρόπερσι ΕΠΙΡΡ two years ago, the year before last

προπέρσινος, -η, -ο ΕΠΙΘ (χρονιά, επιτυχία) of the year before last, of two years ago

προπέτασμα ΟΥΣ ΟΥΔ screen

προπέτεια ΟΥΣ ΘΗΛ (επίσ.) insolence, impertinence

προπετής, -ής, -ές ΕΠΙΘ (επίσ.) impudent, cheeky (ανεπ.)

προπέτης ΟΥΣ ΑΡΣ = **προπετής**

προπηλακίζω Ρ Μ (επσ) to abuse, to revile

προπηλακισμός ΟΥΣ ΑΡΣ jeer

πρόπλασμα ΟΥΣ ΟΥΔ model

προπληρωμή ΟΥΣ ΘΗΛ advance payment

προπληρώνω Ρ Μ (μισθό, συνδρομή, ενοίκιο) to pay in advance

πρόποδες ΟΥΣ ΑΡΣ ΠΛΗΘ (λόφου, βουνού) foot εν.

προπολεμικός, -ή, -ό ΕΠΙΘ (εποχή, τέχνη) pre-war

προπομπός ΟΥΣ ΑΡΣ advanced party · (μτφ.) the first in a series of events/functions

προπόνηση ΟΥΣ ΘΗΛ training

προπονητής ΟΥΣ ΑΡΣ trainer

προπονώ Ρ Μ to coach, to train
▸**προπονούμαι** ΜΕΣΟΠΑΘ (= προετοιμάζομαι) to train

προπορεύομαι Ρ ΑΜ ΑΠΟΘ to (have a) lead · (μτφ.) to be ahead of one's time

πρόποση ΟΥΣ ΘΗΛ toast

προπύλαια ΟΥΣ ΟΥΔ ΠΛΗΘ (Παρθενώνα,

Πανεπιστημίου) propylaea, entrance

προπύργιο ΟΥΣ ΟΥΔ (α) (= *προμαχώνας*) bastion, stronghold (β) (*μτφ.*) bulwark

προπωλώ Ρ Μ to book in advance

προσαγόρευση ΟΥΣ ΘΗΛ address

προσαγορεύω Ρ Μ to address

προσάγω Ρ Μ (α) (= *προσκομίζω*: *έγγραφο, απόδειξη, μάρτυρα*) to produce, to bring (β) (= *οδηγώ στον ανακριτή*) to bring

προσαγωγή ΟΥΣ ΘΗΛ presentation
▷**εκ προσαγωγής** gradually

προσάναμμα ΟΥΣ ΟΥΔ (= *ύλη για το άναμμα της φωτιάς*) tinder, fire lighter

προσανατολίζω Ρ Μ (= *κατατοπίζω*: *σκέψη, καταναλωτή*) to direct
▸προσανατολίζομαι ΜΕΣΟΠΑΘ (α) (= *προσδιορίζω τη θέση*) to find one's bearings (β) : **προσανατολίζομαι προς** to move *ή* turn towards

προσανατολισμός ΟΥΣ ΑΡΣ orientation
▷**επαγγελματικός προσανατολισμός** giving careers advice
▷**χάνω τον προσανατολισμό μου** to lose one's bearings
▷**βρίσκω τον προσανατολισμό μου** to find one's bearings
▷**ιδεολογικός προσανατολισμός** ideological leanings *ή* tendencies

προσάπτω Ρ Μ to blame

προσαράζω Ρ ΑΜ to run aground

προσάραξη ΟΥΣ ΘΗΛ (= *πλοίου*) grounding, running aground

προσαρμογή ΟΥΣ ΘΗΛ (α) (= *συμμόρφωση*) adaptation, adjustment (β) (= *εφαρμογή*: *εξαρτήματος, κεραίας, καλωδίου*) adjustment (γ) (= *τροποποιητική επίδραση παραγόντων στη συμπεριφορά*) adjustment (δ) (= *η ικανότητα του ματιού να προσαρμόζεται στις αποστάσεις*) adaptation
▷**κοινωνική προσαρμογή** social adaptation *ή* adjustment
▷**βιολογική προσαρμογή** biological adaptation *ή* adjustment
▷**επαγγελματική προσαρμογή** career adaptation

προσαρμόζω Ρ Μ to fit, to suit
▸προσαρμόζομαι ΜΕΣΟΠΑΘ (= *εξοικειώνομαι*) to adjust to, to get used to

προσαρμοστικός, -ή, -ό ΕΠΙΘ adaptive

προσαρμοστικότητα ΟΥΣ ΘΗΛ adaptability, adjustability

προσάρτημα ΟΥΣ ΟΥΔ (α) (= *πρόσθετο εξάρτημα*) fixture, fitting (β) (= *παράρτημα*) appendix

Προσοχή!: Ο πληθυντικός του **appendix** *είναι* **appendices** *ή* **appendixes**.

προσάρτηση ΟΥΣ ΘΗΛ annexation

προσαρτώ Ρ Μ (α) (= *συνάπτω, συνδέω*) to affix, to append (β) (= *υπάγω τόπο σε άλλον*) to annex

προσαυξάνω Ρ Μ (α) to augment, to increase

προσαύξηση ΟΥΣ ΘΗΛ (*αποδοχών, εισοδήματος*) augmentation, increase

προσβάλλω Ρ Μ (α) (= *βλάπτω*: *υγεία, ακοή, μαστό*) to attack, to affect (β) (= *θίγω*) to offend (γ) (= *επιτίθεμαι*) to attack (δ) (= *αμφισβητώ το κύρος*: *μίσθωση, σύμβαση*) to appeal against, to dispute
▷**προσβάλλω τη δημοσία αιδώ** to offend common decency

πρόσβαση ΟΥΣ ΘΗΛ (α) (= *τρόπος προσέγγισης*) access (β) (*για τόπο*) access, approach
▷**θαλάσσιες προσβάσεις** sea access
▷**υπόγειες προσβάσεις** underground access
▷**πλαϊνές προσβάσεις** access from the sides
▷**έχω προσβάσεις** to have access

προσβλέπω Ρ Μ to look forward to sth

προσβλητικός, -ή, -ό ΕΠΙΘ insulting, offensive

προσβλητικότητα ΟΥΣ ΘΗΛ offensiveness

προσβολή ΟΥΣ ΘΗΛ (α) (= *υβριστική συμπεριφορά*) insult (β) (= *βλάβη της υγείας*) attack (γ) (= *αμφισβήτηση κύρους*) disputation, appeal against
▷**προσβολή της δημοσίας αιδούς** offence against common decency
▷**καρδιακή προσβολή** heart attack
▷**υφίσταμαι προσβολή** to suffer an affront *ή* snub

προσγειωμένος, -η, -ο ΕΠΙΘ (*άτομο*) down-to earth

προσγειώνω Ρ Μ (α) (*αεροπλάνο, ελικόπτερο*) to land (β) (= *επαναφέρω στην πραγματικότητα*) to bring down to earth
▸προσγειώνομαι ΜΕΣΟΠΑΘ to land · (*μτφ.*) to come down to earth, to face reality

προσγείωση ΟΥΣ ΘΗΛ (α) (*αεροπλάνο, αεροσκάφους*) landing (β) (= *αντιμετώπιση της πραγματικότητας*) rude awakening
▷**ανώμαλη/ομαλή προσγείωση** forced/safe landing

προσδένω Ρ Μ to attach, to bind
▷**προσδένομαι στο άρμα κποιου** to follow sb slavishly
▷**προσδεθείτε!** fasten your seatbelts, please!

πρόσδεση ΟΥΣ ΘΗΛ mooring, tying

προσδίδω Ρ Μ, **προσδίνω** (*κύρος, μεγαλοπρέπεια, δύναμη*) to lend, to give

προσδιορίζω Ρ Μ to determine

προσδιορισμός ΟΥΣ ΑΡΣ (α) (*αρμοδιότητας, τιμής*) definition (β) (ΓΛΩΣΣ) adjunct
▷**επιθετικός προσδιορισμός** adjectival adjunct
▷**εμπρόθετος προσδιορισμός** prepositional adjunct
▷**επιρρηματικός προσδιορισμός** adverbial adjunct
▷**κατηγορηματικός προσδιορισμός** predicative adjunct

προσδιοριστικός, -ή, -ό ΕΠΙΘ defining

προσδοκία ΟΥΣ ΘΗΛ expectation, hope

Π

▷**εκφράζω την προσδοκία** to express hope
▷**κτ ξεπερνά κάθε προσδοκία** sth is beyond one's expectations
▷**ανταποκρίνομαι στις προσδοκίες** to meet expectations

προσδοκώ Ρ Μ (= *περιμένω, ελπίζω*) to expect, to hope

προσεγγίζω Ρ Μ (α) (= *φέρνω σ'επαφή*) to approach (β) (= *πλησιάζω*) to come near, to approach

προσέγγιση ΟΥΣ ΘΗΛ approach
▷**κατά προσέγγιση** (= *περίπου*) approximately
▷**σφαιρική προσέγγιση** holistic approach
▷**θεωρητική προσέγγιση** theoretical approach
▷**φιλοσοφική προσέγγιση** philosophical approach

προσεδάφιση ΟΥΣ ΘΗΛ landing

προσεκτικός = **προσεχτικός**

προσέλευση ΟΥΣ ΘΗΛ (= *ερχομός*) arrival

προσελκύω Ρ Μ (*προσοχή, πελατεία, οπαδούς*) to attract

προσέρχομαι Ρ ΑΜ (α) (= *παρουσιάζομαι για εκπλήρωση υποχρέωσης*) to attend (β) (= *έρχομαι προς κπν, κπου*) to come

προσεταιρίζομαι Ρ Μ to win over

προσεταιρισμός ΟΥΣ ΑΡΣ winning over

προσέτι ΕΠΙΡΡ (*επίσ.: = ακόμη, επιπλέον*) in addition, besides

προσευχή ΟΥΣ ΘΗΛ prayer
▷**νηστεία και προσευχή** (*για λιτοδίαιτους ανθρώπους*) fasting and prayer
▷**πρωινή προσευχή** morning prayer
▷**κάνω την προσευχή μου** to say one's prayers
▷**λέω την προσευχή μου** to say one's prayers

προσευχητάριο ΟΥΣ ΟΥΔ prayer book

προσευχητήριο ΟΥΣ ΟΥΔ (= *τόπος προσευχής*) oratory

προσεύχομαι Ρ ΑΜ to pray

προσεχής, -ής, -ές ΕΠΙΘ next, following

προσεχτικός, -ή, -ό ΕΠΙΘ (α) (*μαθητής, γιατρός*) meticulous (β) (*μελέτη, αξιολόγηση*) close (γ) (= *συνετός*) prudent

προσέχω Ρ Μ (α) (= *παρατηρώ: μάθημα, κίνηση, λόγια*) to observe, to pay attention to (β) (= *επιτηρώ*) to look after, to keep an eye on (γ) (= *προφυλάσσω*) to be careful of

προσεχώς ΕΠΙΡΡ shortly, soon

προσηγορία ΟΥΣ ΘΗΛ appellation

προσηγορικά ΟΥΣ ΟΥΔ (ΓΛΩΣΣ) common noun

προσήκων, -ουσα, -ον ΕΠΙΘ (*επίσ.*) suitable, fitting

προσήλιος, -α, -ο ΕΠΙΘ sunny

προσηλυτίζω Ρ Μ to convert

προσηλυτισμός ΟΥΣ ΑΡΣ proselytism, conversion

προσηλώνω Ρ Μ (*βλέμμα, προσοχή*) to fix
► **προσηλώνομαι** ΜΕΣΟΠΑΘ to concentrate on, to be engrossed in

προσήλωση ΟΥΣ ΘΗΛ (= *αφοσίωση*) fixation
▷**θρησκευτική προσήλωση** religious dedication

προσημειώνω Ρ Μ to attach

προσημείωση ΟΥΣ ΘΗΛ (legal) attachment

προσήνεια ΟΥΣ ΘΗΛ (α) (*ανεπ.*) gentleness, friendliness (β) (*επίσ.*) affability

προσήνεμος, -η, -ο ΕΠΙΘ windward

προσηνής, -ής, -ές ΕΠΙΘ (*επίσ.*) affable, amiable

προσθαλασσώνω Ρ Μ (= *φέρνω υδροπλάνο στην επιφάνεια της θάλασσας*) to bring down

προσθαλάσσωση ΟΥΣ ΘΗΛ (*υδροπλάνου*) touchdown

προσθαφαίρεση ΟΥΣ ΘΗΛ addition and subtraction

πρόσθεση ΟΥΣ ΘΗΛ addition

προσθετέος, -α, -ο ΕΠΙΘ to be added

προσθετικός, -ή, -ό ΕΠΙΘ adding

πρόσθετος, -η, -ο ΕΠΙΘ (= *παραπανίσιος*) additional

προσθέτω Ρ Μ (α) (= *προσαρτώ, επεκτείνω*) to add (β) (= *ενώνω κτ με κτ άλλο*) to add, to put in (γ) (= *ισχυρίζομαι επιπλέον*) to add (δ) (= *λαμβάνω υπόψη*) to take into account (ε) (ΜΑΘ) to add

προσθήκη ΟΥΣ ΘΗΛ (α) (*νερού, αλκοόλης, κρασιού*) addition (β) (= *επέκταση*) extension (γ) (*τόκων, λογαριασμών*) addition

πρόσθιο ΟΥΣ ΟΥΔ (ΑΘΛ) breast stroke

προσιδιάζω Ρ ΑΜ (*επίσ.: = ταιριάζω, αρμόζω*) to appertain

προσιτός, -ή, -ό ΕΠΙΘ (α) (*κορυφή, βιβλιογραφία, αρχείο*) accessible (β) (*τιμή, κόστος*) within one's means (γ) (*για πρόσ.: = οικείος, ευκολοπλησίαστος*) approachable, friendly

πρόσκαιρος, -η, -ο ΕΠΙΘ temporary, short-lived

προσκάλεσμα ΟΥΣ ΟΥΔ invitation

προσκαλώ Ρ Μ (α) (= *καλώ κπν να παρευρεθεί κπου*) to invite (β) (= *καλώ κπν με κάποια επίσημη ιδιότητα*) to call upon, to summon

πρόσκειμαι Ρ Μ/ΑΜ (= *είμαι με το μέρος κπου*) to lean towards, to be well-disposed towards

προσκεκλημένος, -η, -ο [1] ΕΠΙΘ invited [2] ΟΥΣ guest

προσκέφαλο ΟΥΣ ΟΥΔ pillow

προσκήνιο ΟΥΣ ΟΥΔ (α) proscenium, front of the stage (β) (*μτφ.: = επικαιρότητα*) limelight, spotlight
▷**βρίσκομαι/είμαι στο προσκήνιο** to be in the limelight
▷**πολιτικό προσκήνιο** the political limelight

πρόσκληση ΟΥΣ ΘΗΛ (α) invitation (β) (ΣΤΡΑΤ) call-up
▷**δέχομαι/αρνούμαι πρόσκληση** to accept/ refuse an invitation

▷**επίσημη πρόσκληση** formal invitation

προσκλητήριο ΟΥΣ ΟΥΔ (α) (*γάμου, βάπτισης*) invitation card (β) (ΣΤΡΑΤ) roll–call

προσκόλληση ΟΥΣ ΘΗΛ (α) (= *συγκόλληση: πρωτεϊνών, ενζύμων*) cohesion, adhesion (β) (= *αφοσίωση*) dedication
▷**πάω της προσκολλήσεως σε ένα πάρτι** (*γαι ακάλεστο σε παρέα*) to gatecrash

προσκολλώ Ρ Μ (= *κολλώ σε κτ*) to be attached to, to adhere to
▸προσκολλώμαι ΜΕΣΟΠΑΘ (α) to stick (β) (= *έρχομαι απρόσκλητος σε παρέα*) to tag along

προσκομίζω Ρ Μ (α) (*επίσ.* = *φέρνω, εισάγω: στοιχείο, έγγραφο*) to produce (β) (ΘΡΗΣΚ) to offer

προσκόμιση ΟΥΣ ΘΗΛ (*επίσ.*) producing

πρόσκομμα ΟΥΣ ΟΥΔ (= *εμπόδιο*) obstacle, hindrance

προσκοπικός, -ή, -ό ΕΠΙΘ (*εποχή*) scout

προσκοπισμός ΟΥΣ ΑΡΣ (= *διεθνής θεσμός*) international association of boy/girl scouts

πρόσκοπος ΟΥΣ ΑΡΣ boy scout

προσκόπτω Ρ ΑΜ to hit a snag

προσκρούω Ρ Μ (α) (= *σκοντάφτω*) to run ή bump into, to crash into (β) (= *βρίσκω εμπόδιο*) to come up against (γ) (= *αντιβαίνω*) to be contrary to

προσκύνημα ΟΥΣ ΟΥΔ (= *εκδήλωση λατρείας*) worship, adoration (β) (*μτφ.*: = *υποταγή σε κυρίαρχο*) submission
▷**λαϊκό προσκύνημα** pilgrimage

προσκύνηση ΟΥΣ ΘΗΛ (α) (= *γονυκλισία μπροστά σε εικόνες: αγίου, εικόνας*) genuflection, kneeling (β) (= *απονομή θρησκευτικής λατρείας: ιερών τόπων*) worship

προσκυνητάρι ΟΥΣ ΟΥΔ, **προσκυνητάριο** ΟΥΣ ΟΥΔ (α) (= *εκκλησιαστικό βιβλίο*) church book (β) (= *έπιπλο όπου προσεύχονται οι πιστοί*) icon stand (γ) (= *τόπος προσκύνησης*) shrine

προσκυνητής ΟΥΣ ΑΡΣ (α) (= *πιστός*) pilgrim, worshipper (β) (= *κπς που πηγαίνει σε λαϊκό προσκύνημα*) pilgrim

προσκυνώ Ρ Μ (α) (*βασιλιά, άρχοντα*) to bow to (β) (*εικόνα, Επιτάφιο, εικόνα*) to genuflect to, to bow to (γ) (*μτφ.*: = *δηλώνω υποταγή*) to kowtow to, to submit to

προσλαμβάνω Ρ Μ (α) (*επίσ.* = *παράσταση, ερέθισμα, πληροφορία*) to get (β) (*υπάλληλο, συνέταιρο*) to employ, to take on
▷**προσλαμβάνω διάστασεις** to loom large

πρόσληψη ΟΥΣ ΘΗΛ (*δεδομένων, πληροφοριών*) employment · (*υπαλλήλου, βοηθού*) employment, hiring

πρόσμειξη ΟΥΣ ΘΗΛ mixing

προσμένω Ρ Μ to wait for

προσμέτρηση ΟΥΣ ΘΗΛ adding in

προσμετρώ Ρ Μ (= *συνυπολογίζω*) to add in

προσμονή ΟΥΣ ΘΗΛ (= *αναμονή*) expectation, anticipation

πρόσοδος ΟΥΣ ΘΗΛ (*επίσ.* = *εισόδημα*) income

προσοδοφόρος, -ος ή **-α, -ο** ΕΠΙΘ (= *επικερδής: επένδυση, επάγγελμα*) profitable, lucrative

προσομοιάζω Ρ ΑΜ to resemble

προσομοίωση ΟΥΣ ΘΗΛ simulation

προσόν ΟΥΣ ΟΥΔ (= *προτέρημα*) merit · (= *απαραίτητο εφόδιο*) qualifications *πληθ.*, skills *πληθ.*
▷**τυπικό/ουσιαστικό προσόν** typical/essential skill
▷**επαρκές/ανεπαρκές προσόν** adequate/inadequate skill
▷**αντικειμενικό προσόν** true skill
▷**σωματικό προσόν** physical skill
▷**ηγετικό προσόν** leadership skills *πληθ.*

προσορμίζω Ρ Μ (= *οδηγώ πλοίο σε όρμο*) to anchor, to moor

προσόρμιση ΟΥΣ ΘΗΛ (*πλοίου*) anchoring, mooring

προσοχή ΟΥΣ ΘΗΛ (α) (= *προσήλωση*) attention (β) (= *προφύλαξη*) caution
▷**προσοχή!** (*να είσαι προσεχτικός!*) be careful!
▷**δίνω προσοχή** to pay attention
▷**κτ μου ελκύει την προσοχή** sth catches one's attention
▷**προκαλώ την προσοχή** to attract attention
▷**κτ μου αποσπά/τραβά την προσοχή** sth distracts one's attention

πρόσοψη ΟΥΣ ΘΗΛ front, facade

προσόψι ΟΥΣ ΟΥΔ = **προσόψιο**

προσόψιο ΟΥΣ ΟΥΔ (*επίσ.*) face towel

προσπάθεια ΟΥΣ ΘΗΛ (α) (= *καταβολή κόπων για την επίτευξη σκοπού*) effort (β) (= *απόπειρα*) attempt, try
▷**μάταιη προσπάθεια** vain attempt
▷**άκαρπη προσπάθεια** fruitless attempt
▷**επιτυχημένη/αποτυχημένη προσπάθεια** successful/unsuccessful attempt
▷**συλλογική προσπάθεια** collective effort
▷**καταβάλλω προσπάθεια** to make an effort

προσπαθώ Ρ Μ (α) (= *κάνω απόπειρα*) to make an attempt (β) (= *καταβάλλω κόπους για την επίτευξη σκοπού*) to try one's hardest, to go to great lengths

προσπελάζω Ρ Μ (= *πλησιάζω, προσεγγίζω*) to approach

προσπέλαση ΟΥΣ ΘΗΛ (= *πλησίασμα, προσέγγιση*) approach, access
▷**τυχαία προσπέλαση** random access
▷**άμεση/έμμεση προσπέλαση** direct/indirect access

προσπερνώ ① Ρ Μ (α) (*αυτοκίνητο, οδηγός*) to overtake (β) (= *ξεπερνώ: εμπόδιο, δυσκολία*) to overcome (γ) (= *περνώ μπροστά*) to pass on ② Ρ ΑΜ (*για οδήγηση*) to overtake

προσπέφτω Ρ ΑΜ (= *εκλιπαρώ*) to apologize

προσποίηση ΟΥΣ ΘΗΛ (= *επιτήδευση*) affectation, pretence (*Βρετ.*), pretense (*Αμερ.*)

Π

προσποιητός, -ή, -ó ΕΠΙΘ affected, feigned

προσποιούμαι Ρ Μ (= *υποκρίνομαι*) to feign, to pretend

προσπορίζω Ρ Μ (*επίσ.*) to provide

προσπορισμός ΟΥΣ ΑΡΣ (= *παροχή*) providing

προσταγή ΟΥΣ ΘΗΛ (= *διαταγή*) command
▷**δίνω προσταγή σε κπν** to order, to command
▷**στις προσταγές σας** at your service!

πρόσταγμα ΟΥΣ ΟΥΔ command
▷**δίνω το πρόσταγμα σε κπν** to order sb
▷**έχω το (γενικό) πρόσταγμα** (ΣΤΡΑΤ) to be in charge of

προστάζω Ρ Μ (= *διατάζω*) to command, to order

προστακτική ΟΥΣ ΘΗΛ imperative

προστακτικός, -ή, -ó ΕΠΙΘ (= *επιτακτικός*: *ύφος, τόνος*) imperious

προστασία ΟΥΣ ΘΗΛ protection
▷**είμαι υπό την προστασία κπου** to be under sb's protection
▷**αστυνομική προστασία** police protection
▷**οδική προστασία** road protection
▷**δικαστική προστασία** court protection
▷**νομική προστασία** legal protection
▷**κρατική προστασία** state protection
▷**έχω κτ/κπν στην** *ή* **υπό την προστασία μου** to take sb/sth under one's wing
▷**ζητώ προστασία από/παρέχω προστασία σε κπν** to ask sb for protection/to provide protection to sb

προστατευομένη ΟΥΣ ΘΗΛ *βλ.* **προστατευόμενος**

προστατευόμενος ΟΥΣ ΑΡΣ protégé

προστατευτικός, -ή, -ó ΕΠΙΘ (α) (*ματιά, ύφος*) protective (β) (= *που παρέχει προστασία*: *γάντια*) protective (γ) (*δασμοί*) protective (δ) (*άνθρωπος*) patronizing

προστατευτισμός ΟΥΣ ΑΡΣ protectionism

προστατεύω Ρ Μ to protect, to safeguard

προστάτης ΟΥΣ ΑΡΣ (α) (*πολιτισμού, τέχνης*) protector (β) (*φτωχού, ορφανού, οικογένειας*) support (γ) (ΑΝΑΤ) prostate
▷**προστάτης-άγιος** patron saint

προστάτιδα ΟΥΣ ΘΗΛ *βλ.* **προστάτης**

προστατίτιδα ΟΥΣ ΘΗΛ (*επίσ.*: ΙΑΤΡ) prostatitis

προστέγασμα ΟΥΣ ΟΥΔ (= *μαρκίζα*) porch, portico

πρόστεγο ΟΥΣ ΟΥΔ *βλ.* **προστέγασμα**

προστιθέμενος, -η, -ο ΕΠΙΘ added
▷**φόρος προστιθέμενης αξίας** value added tax, VAT

πρόστιμο ΟΥΣ ΟΥΔ fine
▷**επιβάλλω πρόστιμο σε κπν** to fine sb, to impose a fine on sb
▷**χρηματικό πρόστιμο** (ΝΟΜ) fine

προστρέχω Ρ ΑΜ (= *καταφεύγω*) to turn

προστριβή ΟΥΣ ΘΗΛ (= *διένεξη*) friction

προστυχιά ΟΥΣ ΘΗΛ (= *χυδαιότητα*) meanness, vulgarity

πρόστυχος, -η, -ο ΕΠΙΘ (α) (= *χυδαίος, τιποτένιος*: *συμπεριφορά, χειρονομία, λόγος*) vulgar (β) (*για πρόσ.*: = *ανήθικος*) gross, nasty

προσύμβαση ΟΥΣ ΘΗΛ draft agreement

προσύμφωνο ΟΥΣ ΘΗΛ draft agreement

προσυνεννόηση ΟΥΣ ΘΗΛ prearrangement, previous understanding

προσυπογράφω Ρ Μ (α) (= *υπογράφω μαζί με άλλους*) to endorse (β) (= *εγκρίνω*: *τακτική, μέτρα, απόψεις*) to subscribe

πρόσφατος, -η, -ο ΕΠΙΘ recent

προσφέρω Ρ Μ to offer
▸**προσφέρομαι** ΜΕΣΟΠΑΘ (α) (= *θέτω τις υπηρεσίες μου στη διάθεση κποιον*) to offer, to propose (β) (= *είμαι κατάλληλος*) to be suitable for, to lend oneself to

προσφεύγω Ρ ΑΜ: **προσφεύγω σε** to resort to, to turn to

προσφιλής, -ής, -ές ΕΠΙΘ (α) (*επίσ.*: *θέμα, συνήθεια, επιθυμία*) favourite (Βρετ.), favorite (Αμερ.) (β) (*συγγενής, πρόσωπο*) beloved

προσφορά ΟΥΣ ΘΗΛ (α) offer (β) (*ανθρώπου, θεωρίας*) contribution (γ) (= *παροχή*: *βοήθειας, ευκαιριών*) offer (δ) (= *δωρεά*) offer (ε) (*καταστήματος*: *για ρούχα*) offer (στ) (= *πρόσφορο*) consecrated bread
▷**νόμος της προσφοράς και της ζήτησης** law of supply and demand
▷**κάνω προσφορές** to make special offers
▸**προσφορές** ΠΛΗΘ (*για ρούχα*) sales *πληθ.*

πρόσφορο ΟΥΣ ΠΥΔ (= *άρτος*) consecrated bread

πρόσφορος, -η, -ο ΕΠΙΘ (= *κατάλληλος*) suitable, convenient

πρόσφυγας ΟΥΣ ΑΡΣ refugee, emigre

προσφυγή ΟΥΣ ΘΗΛ (α) (*επίσ.*) resort (β) (ΝΟΜ) legal redress, appeal

προσφυγιά ΟΥΣ ΘΗΛ (α) (= *πρόσφυγας*) being a refugee (β) (= *σύνολο προσφύγων*) refugees *πληθ.*

προσφυγικός, -ή, -ó ΕΠΙΘ refugee

προσφυής, -ής, -ές ΕΠΙΘ (*επίσ.*) apt, fitting

πρόσφυμα ΟΥΣ ΟΥΔ suffix

πρόσφυση ΟΥΣ ΘΗΛ adhesion

προσφώνηση ΟΥΣ ΘΗΛ address
▷**κλητική προσφώνηση** (ΓΛΩΣΣ) vocative

προσφωνώ Ρ Μ to address

πρόσχαρος, -η, -ο ΕΠΙΘ (α) (*τραγούδια, χαρακτήρας, συμπεριφορά*) cheerful, merry (β) (*άνθρωπος*) jovial, cheery

προσχεδιάζω Ρ Μ (*κλοπή, εξαπάτηση*) to premeditate

προσχεδίασμα ΟΥΣ ΟΥΔ *βλ.* **προσχέδιο**

προσχεδιασμένος, -η, -ο ΕΠΙΘ premeditated

προσχέδιο ΟΥΣ ΟΥΔ (*κτιρίου, στέγης, βιβλίου, χάρτη*) draft

πρόσχημα ΟΥΣ ΟΥΔ (= *ψευδής δικαιολογία, πρόφαση*) excuse, pretext

▷**κρατώ τα προσχήματα** to keep up appearances

▷**ηθικά προσχήματα** face–saving concessions

προσχηματίζω Ρ Μ (= *προσχηματίζω από πριν*) to use as a pretext

προσχηματικός, -ή, -ό ΕΠΙΘ ostensible

προσχηματισμένος, -η, -ο ΕΠΙΘ (= *αυτός που έχει σχηματισθεί από πριν*) formed in advance

πρόσχωμα ΟΥΣ ΟΥΔ alluvium, silt

προσχώνω Ρ Μ to deposit

προσχώρηση ΟΥΣ ΘΗΛ accession

προσχωρώ Ρ ΑΜ to join, to adhere · (= *συμμετέχω σε προϋπάρχουσα συμφωνία*) to accede

πρόσχωση ΟΥΣ ΘΗΛ alluvium, silt

πρόσσω ΕΠΙΡΡ: **πρόσσω ολοταχώς** (= *ναυτικό παράγγελμα*) ahead, forward

προσωδία ΟΥΣ ΘΗΛ prosody

προσωδιακός, -ή, -ό ΕΠΙΘ prosodic

προσωνυμία ΟΥΣ ΘΗΛ name, title

προσωπάρχης ΟΥΣ ΑΡΣΘΗΛ personnel manager

προσωπείο ΟΥΣ ΟΥΔ (α) (*για θέατρο*) mask (β) (*μτφ.*) facade, disguise

προσωπίδα ΟΥΣ ΘΗΛ mask

προσωπιδοφόρος, -ος, -ο ΕΠΙΘ masked

προσωπικά[1] ΟΥΣ ΟΥΔ ΠΛΗΘ (*επίσης* **προσωπικά θέματα**) personal matters

▷**έχω προσωπικά με κπν** there is friction between me and sb

προσωπικά[2] ΕΠΙΡΡ personally

▷**παίρνω κτ προσωπικά** to take sth personally

προσωπικό ΟΥΣ ΟΥΔ staff, personnel

▷**διδακτικό/ερευνητικό προσωπικό** teaching/ research staff

▷**υπηρετικό προσωπικό** domestic staff

προσωπικός, -ή, -ό ΕΠΙΘ (α) (*ανάγκη, πρόβλημα, βίωμα*) personal (β) (*τηλεφώνημα, γράμμα*) private, personal

▶**προσωπικός ακόλουθος** page, attendants *πληθ.*, retinue

▶**προσωπική αντωνυμία** personal pronoun

προσωπικότητα ΟΥΣ ΘΗΛ personality · (= *εξέχων άνθρωπος*) celebrity

▷**διχασμένη προσωπικότητα** dual *ή* split personality

▷**έχω προσωπικότητα** to have a (strong) personality *ή* character

πρόσωπο ΟΥΣ ΟΥΔ (α) face (β) (*δράματος, έργου, θιάσου*) character (γ) (*ρήματος*) person

---

Προσοχή!: Ο πληθυντικός του **person** *είναι* **people**.

▷**φυσικό πρόσωπο** natural person *ή* entity

▷**νομικό πρόσωπο** legal entity

▷**πρόσωπο με πρόσωπο** face to face

▷**πρόσωπα και πράγματα** who's who

▷**κατά πρόσωπο** in the face

προσωπογραφία ΟΥΣ ΘΗΛ portrait

προσωπογράφος ΟΥΣ ΑΡΣΘΗΛ portrait painter

προσωποκράτηση ΟΥΣ ΘΗΛ detention

προσωποκρατώ Ρ Μ to detain

προσωπολατρία ΟΥΣ ΘΗΛ (= *η λατρεία προς κάποιο πρόσωπο*) personality cult

προσωποποιώ Ρ Μ to personify, to embody

προσωρινός, -ή, -ό ΕΠΙΘ (*μέτρα, λύση, διαμονή*) temporary, provisional

προσωρινότητα ΟΥΣ ΘΗΛ (*ύπαρξης, πραγμάτων*) temporariness, transience

πρόταξη ΟΥΣ ΘΗΛ putting first · (*όρου, λέξης*) placing before

πρόταση ΟΥΣ ΘΗΛ proposal (α) (ΓΛΩΣΣ) clause (β) (ΝΟΜ: = *έγγραφο υπόμνημα*) pleading (γ) (ΑΘΛ: *χεριών*) stretching forward

▷**κύρια/δευτερεύουσα πρόταση** main/ subordinate clause

▷**πρόταση γάμου** marriage proposal

▷**πρόταση μομφής** vote of censure

▷**κάνω πρόταση σε κπν** to make a proposition to sb

προτάσσω Ρ Μ to prefix

προτείνω Ρ Μ (α) (*λύση*) to propose, to suggest (β) (*όπλο, χέρι*) to point, to put out (γ) (*άνθρωπο*) to propose, to recommend

▷**προτείνω να** to suggest, to propose

προτείχισμα ΟΥΣ ΟΥΔ rampart, outwork

προτεκτοράτο ΟΥΣ ΟΥΔ protectorate

προτελευταίος, -α, -ο ΕΠΙΘ last but one

προτεραιότητα ΟΥΣ ΘΗΛ priority

▷**έχω προτεραιότητα** to have priority

▷**δίνω προτεραιότητα σε κτ** to give priority to sth

▷**αριθμός προτεραιότητας** priority number

▷**κατά σειρά προτεραιότητας** in order of precedence

▷**απόλυτη προτεραιότητα** top *ή* first priority

προτέρημα ΟΥΣ ΟΥΔ merit, advantage

πρότερος, -η ή -έρα, -ο ΕΠΙΘ (*επίσ.*) previous

▷**εκ των προτέρων** in advance, beforehand

προτεστάντης ΟΥΣ ΑΡΣ Protestant

προτεσταντισμός ΟΥΣ ΑΡΣ Protestantism

προτεστάντισσα ΟΥΣ ΘΗΛ *βλ.* **προτεστάντης**

προτίθεμαι Ρ Μ (*επίσ.*) to intend

προτίμηση ΟΥΣ ΘΗΛ preference, choice

▷**κατά προτίμηση** preferably

προτιμητέος, -α, -ο ΕΠΙΘ (*επίσ.*) preferable

προτιμολόγιο ΟΥΣ ΟΥΔ pro–forma invoice

προτιμότερος, -η, -ο ΕΠΙΘ preferable, advisable

▷**είναι προτιμότερο να** I would rather

προτιμώ Ρ Μ to prefer, to like better

▷**προτιμώ να** I would rather

προτομή ΟΥΣ ΘΗΛ bust

προτρεπτικός, -ή, -ό ΕΠΙΘ (*ύφος, λόγια*) admonitory

προτρέπω Ρ Μ to urge, to incite

προτρέχω Ρ ΑΜ to run ahead

προτροπή ΟΥΣ ΘΗΛ urge

πρότυπο ΟΥΣ ΟΥΔ (α) model (β) (*μτφ.: ήθους, αρετής*) paragon, model
▷**κοινωνικά πρότυπα** social patterns

πρότυπος, -η, -ο ΕΠΙΘ (α) (*σχολή*) model (β) (*παραγωγή, συμπεριφορά, ανάλυση*) exemplary

προϋπαντώ Ρ Μ (= *υποδέχομαι κπν*) to meet

προϋπάρχω Ρ ΑΜ to exist before

προϋπηρεσία ΟΥΣ ΘΗΛ previous working experience

προϋπηρετώ Ρ Μ to have previous service

προϋπόθεση ΟΥΣ ΘΗΛ condition, requirement
▷**με *ή* υπό την προϋπόθεση** on condition that, provided *ή* providing that
▷**απαραίτητη προϋπόθεση** prerequisite

προϋποθέτω Ρ Μ to presuppose

προϋπολογίζω Ρ Μ (= *υπολογίζω από πριν*) to estimate, to budget

προϋπολογισμός ΟΥΣ ΑΡΣ (*κράτους, εταιρείας*) budget
▷**οικογενειακός/κρατικός προϋπολογισμός** family/state budget

προϋποτίθεμαι Ρ ΑΜ to be required

προύχοντας ΟΥΣ ΑΡΣ (ΙΣΤ) notable, leading citizen

προφανής, -ής, -ές ΕΠΙΘ clear, obvious
▷**είναι προφανές ότι** it's evident *ή* apparent that

προφανώς ΕΠΙΡΡ apparently, evidently

πρόφαση ΟΥΣ ΘΗΛ (= *δικαιολογία*) pretence (*Βρετ.*), pretense (*Αμερ.*), pretext
▷**προφάσεις εν αμαρτίαις** it's all a put–off

προφασίζομαι Ρ Μ to feign, to pretend

προφέρω Ρ Μ (α) (= *λέω: λέξη*) to pronounce (β) (*συλλαβή, λέξη*) to utter

προφητεία ΟΥΣ ΘΗΛ prediction · (ΘΡΗΣΚ) prophecy

προφητεύω Ρ Μ to predict, to prophesy

προφήτης ΟΥΣ ΑΡΣ prophet

προφητικός, -ή, -ό ΕΠΙΘ prophetic

προφθάνω Ρ Μ/ΑΜ *βλ. κ.* **προφτάνω**

προφίλ ΟΥΣ ΟΥΔ ΑΚΛ side view, profile
▷**παιδαγωγικό προφίλ** educational profile

προφορά ΟΥΣ ΘΗΛ pronunciation · (*λέξης, συλλαβής, φθόγγου*) accent

προφορικός, -ή, -ό ΕΠΙΘ verbal, oral

προφταίνω Ρ Μ/ΑΜ, **προφθάνω** to have time to
▷**δεν προφταίνω ... και** no sooner... than, to manage
▷**προφταίνω τα νέα/την είδηση σε κπν** to break the news to sb

προφυλάγομαι Ρ ΑΜ (= *φροντίζω τον εαυτό μου*) to protect oneself · *βλ. κ.* **προφυλάσσω**

προφυλακίζω Ρ Μ to remand in custody, to detain

προφυλάκιση ΟΥΣ ΘΗΛ detention awaiting trial, detention while on remand

προφυλακτήρας ΟΥΣ ΑΡΣ (*αυτοκινήτου*) bumper

προφυλακτικό ΟΥΣ ΟΥΔ condom

προφυλακτικός, -ή, -ό ΕΠΙΘ precautionary, protective

προφύλαξη ΟΥΣ ΘΗΛ caution
▷**με χίλιες προφυλάξεις** too many precautions
▷**παίρνω προφυλάξεις** to take precautions

προφυλάσσω Ρ Μ to protect, to shelter

πρόχειρα ΕΠΙΡΡ roughly
▷**τρώω πρόχειρα** to eat fast food
▷**ντύνομαι πρόχειρα** to dress casually
▷**στα πρόχειρα** off–hand

πρόχειρο ΟΥΣ ΟΥΔ rough piece of paper
▷**φοράω κτ πρόχειρο** to wear sth casual
▷**τρώω/ετοιμάζω κτ πρόχειρο** (*για φαγητό*) to improvise a meal

προχειρογραμμένος, -η, -ο ΕΠΙΘ (*αρνητ.*) sloppy, slipshod

προχειροδουλειά ΟΥΣ ΘΗΛ (*αρνητ.*) patchwork

προχειρολογία ΟΥΣ ΘΗΛ improvisation

πρόχειρος, -η, -ο ΕΠΙΘ (α) (*φαγητό, γεύμα*) scratch (β) (*ερμηνεία, υπολογισμός*) rough (γ) (*ρούχο*) casual
▷**έχω κτ πρόχειρο** to have sth at hand

προχειρότητα ΟΥΣ ΘΗΛ improvisation, off–handedness

προχθές ΕΠΙΡΡ, **προχτές** the day before yesterday, two days ago

προχθεσινός, -ή, -ό ΕΠΙΘ (*σύσκεψη, συνέντευξη, γεγονός*) of the day before yesterday, of two days ago

προχρονολογώ Ρ Μ to pre–date, to antedate

πρόχωμα ΟΥΣ ΟΥΔ (= *οχύρωμα*) earthwork

προχωρημένος, -η, -ο ΕΠΙΘ (α) (*ηλικία*) old, advanced (β) (*σήψη, αποσύνθεση*) advanced (γ) (*σκέψη, άποψη*) advanced, late

προχωρώ Ρ ΑΜ (α) (*αυτοκίνητο, άνθρωπος*) to advance (β) (*μτφ.: = προοδεύω, εξελίσσομαι*) to progress (γ) (*μτφ.: δουλειά, συζήτηση*) to progress, to go forward (δ) (*μτφ.*) to move forward (ε) (*μτφ.*) to proceed · (*ώρα, νύχτα*) to move on, to wear on

προώθηση ΟΥΣ ΘΗΛ promotion

προωθητικός, -ή, -ό ΕΠΙΘ (α) (*ενέργεια, δύναμη, αέριο*) propulsive (β) (*υλικό*) propellant (γ) (*μηχάνημα*) earth–moving

προωθώ Ρ Μ (α) (*άνθρωπο*) to promote, to push (β) (*συμφέρον, ανάπτυξη, σχέδιο*) to forward (γ) (*βιβλίο*) to promote

προώλης, -ης, -ες ΕΠΙΘ *βλ.* **εξώλης**

πρόωρος, -η, -ο ΕΠΙΘ (α) (*σύνταξη, εκλογές*) early (β) (*βρέφος*) premature

προσωποποίηση ΟΥΣ ΘΗΛ (α) personification (β) (*καλοσύνης, εντιμότητας*) incarnation

πρυμάτσα ΟΥΣ ΘΗΛ stern rope

πρυμίζω Ρ ΑΜ to put the ship before the wind

πρύμνη ΟΥΣ ΘΗΛ (*πλοίου*) stern

πρυτανεία ΟΥΣ ΘΗΛ (α) (= *το αξίωμα του*

πρύτανη) rectorate, deanery (β) (= *κτίριο*) deanery (γ) (ΔΙΟΙΚ) deanery (δ) (= *η περίοδος θητείας του πρύτανη*) deanery

πρυτανείο ΟΥΣ ΟΥΔ prytaneum, deanery

πρυτανεύω Ρ ΑΜ (α) (= *κυριαρχώ*) to prevail (β) (= *είμαι πρύτανης*) to be a dean *ή* rector

πρύτανης ΟΥΣ ΑΡΣ&ΘΗΛ, **πρύτανις** (*Πανεπιστημίου, Πολυτεχνείου*) rector, dean

πρυτανικός, -ή, -ό ΕΠΙΘ rector's

πρώην ΕΠΙΘ ΑΚΛ (*υπουργός, καθηγητής*) former, ex–

πρωθιεράρχης ΟΥΣ ΑΡΣ primate

πρωθιερέας ΟΥΣ ΑΡΣ head priest, dean

πρωθυπουργία ΟΥΣ ΘΗΛ premiership

πρωθυπουργικός, -ή, -ό ΕΠΙΘ Prime Minister's

πρωθυπουργίνα ΟΥΣ ΘΗΛ (α) (= *η σύζυγος του πρωθυπουργού*) Prime Minister's wife (β) (= *γυναίκα πρωθυπουργός*) Prime Minister

πρωθυπουργός ΟΥΣ ΑΡΣ&ΘΗΛ Premier, Prime Minister

πρωθύστερος, -η, -ο ① ΕΠΙΘ preposterous ② ΟΥΣ ΟΥΔ (ΛΟΓ) hysteron proteron

πρωί ① ΟΥΣ ΟΥΔ ΑΚΛ morning ② ΕΠΙΡΡ in the morning
▷**από το πρωί έως το βράδυ** (= *όλη την ημέρα*) from morning till night
▷**πρωί πρωί** very early in the morning

πρωία ΟΥΣ ΘΗΛ morning
▷**μια ωραία πρωία** (*ειρ*) one fine morning *ή* day

πρώιμος, -η, -ο ΕΠΙΘ (α) (*χρόνια, εμπειρίες, στάδιο*) early, precocious (β) (*φρούτο*) early

πρωιμότητα ΟΥΣ ΘΗΛ (*αντίδρασης*) precociousness

πρωινό ΟΥΣ ΟΥΔ (α) (= *πρωί*) morning (β) (= *πρόγευμα*) breakfast

πρωινός, -ή, -ό ΕΠΙΘ morning, early

πρωκτός ΟΥΣ ΑΡΣ rectum, anus

πρώρα ΟΥΣ ΘΗΛ (= *πλώρη*) prow

πρωραίος, -α, -ο ΕΠΙΘ (*κατάρτι*) prow, fore

Πρωσία ΟΥΣ ΘΗΛ (ΙΣΤ) Prussia

Πρωσίδα ΟΥΣ ΘΗΛ *βλ*. **Πρώσος**

πρωσικός, -ή, -ό ΕΠΙΘ Prussian
▶**πρωσική γλώσσα** Old Prussian

Πρώσος ΟΥΣ ΑΡΣ Prussian

πρώτα ΕΠΙΡΡ (α) (= *κατ'αρχάς*) first (β) (= *προπαντός*) first (γ) (= *άλλοτε*) in the old days
▷**πρώτα και κύρια** in the first place
▷**σαν πρώτα** before
▷**όπως πρώτα** before
▷**πρώτα - πρώτα** first and foremost
▷**πρώτα απ' όλα** first of all

πρωταγωνιστής ΟΥΣ ΑΡΣ (α) (= *αυτός που έχει τον πρώτο ρόλο*) leading actor, star (β) (*μτφ*.) protagonist

πρωταγωνιστικός, -ή, -ό ΕΠΙΘ leading

πρωταγωνίστρια ΟΥΣ ΘΗΛ *βλ*. **πρωταγωνιστής**

πρωταγωνιστώ Ρ ΑΜ (α) (= *παίρνω τον πρώτο ρόλο*) to star, to play a leading role (β) (*μτφ*.) to play a leading role

πρωτάθλημα ΟΥΣ ΟΥΔ championship
▷**παίρνω το πρωτάθλημα** to win in the championship

πρωταθλητής ΟΥΣ ΑΡΣ champion

πρωταθλήτρια ΟΥΣ ΘΗΛ *βλ*. **πρωταθλητής**

πρωταίτιος, -α, -ο ① ΕΠΙΘ (= *ο πρώτος υπεύθυνος*) ringleader ② ΟΥΣ ΑΡΣ ringleader

πρωτάκουστος, -η, -ο ΕΠΙΘ unheard–of, incredible, unbelievable

πρωταπριλιά ΟΥΣ ΘΗΛ (= *η πρώτη μέρα του Απριλίου*) first of April, April Fool's Day

πρωταπριλιάτικος, -η, -ο ΕΠΙΘ (*αστείο, φάρσα, ψέμμα*) April

πρωτάρα ΟΥΣ ΘΗΛ *βλ*. **πρωτάρης**

πρωτάρης ΟΥΣ ΑΡΣ (*ειρων*.) novice

πρωταρχίζω ① Ρ ΑΜ to begin, to start ② Ρ Μ to begin, to start

πρωταρχικός, -ή, -ό ΕΠΙΘ prime, primary

πρωτείκός, -ή, -ό ΕΠΙΘ protean

πρωτεΐνη ΟΥΣ ΘΗΛ protein

πρωτεϊνικός, -ή, -ό ΕΠΙΘ (*αλυσίδα*) proteinic

πρωτεϊνούχος, -ος, -ο ΕΠΙΘ proteinaceous

πρωτείο ΟΥΣ ΟΥΔ (= *πρώτο βραβείο*) first prize
▷**παίρνω ή κατέχω τα πρωτεία** (= *είμαι πρώτος*) to take first position, to be first
▷**πρωτείο του πάπα** the Pope's pre–eminence
▶**τα πρωτεία** ΠΛΗΘ (= *υπεροχή*) primacy, pre–eminence

πρωτεργάτης ΟΥΣ ΑΡΣ pioneer

πρωτεργάτρια ΟΥΣ ΘΗΛ pioneer · *βλ*. **πρωτεργάτρια**

πρωτεύουσα ΟΥΣ ΘΗΛ (*χώρας, νομού*) capital
▷**πολιτιστική πρωτεύουσα** cultural capital

πρωτευουσιάνα ΟΥΣ ΘΗΛ *βλ*. **πρωτευουσιάνος**

πρωτευουσιάνικος, -η, -ο ΕΠΙΘ (*νοοτροπία*) capital–city

πρωτευουσιάνος ΟΥΣ ΑΡΣ inhabitant of a capital city

πρωτεύω Ρ ΑΜ (= *έρχομαι πρώτος*) to be *ή* come first, to excel

πρωτεύων, -ουσα, -ον ΕΠΙΘ (*παράγοντας, ρόλος, σημασία*) primary
▷**πρωτεύοντα μαθήματα** major subjects

πρώτη ΟΥΣ ΘΗΛ bottom *ή* first gear

πρωτιά ΟΥΣ ΘΗΛ first
▷**παίρνω την πρωτιά** to get a first

πρωτινός, -ή, -ό ΕΠΙΘ (*προφορ./ανεπ*.) first

πρώτιστος, -η, -ο ΕΠΙΘ foremost

πρώτιστα ΕΠΙΡΡ first and foremost

πρωτίστως ΕΠΙΡΡ = **πρώτιστα**

πρωτοβάζω Ρ Μ (= *βάζω για πρώτη φορά*) to wear for the first time

πρωτοβάθμιος, -α, -ο ① ΕΠΙΘ (*δικαστήριο, επιτροπή*) of first instance
▶**πρωτοβάθμια εκπαίδευση** primary (*Βρετ*.) *ή*

elementary () education
πρωτοβγάζω
② P M (= *βγάζω κτ για πρώτη φορά*) to put out for the first time
πρωτοβγαίνω P AM to go out for the first time
πρωτόβγαλτος, -η, -ο ΕΠΙΘ (= *ανώριμος, άπειρος: κορίτσι, παιδαρέλι*) inexperienced
πρωτοβλέπω P M (α) (= *βλέπω για πρώτη φορά*) to see for the first time (β) (= *βλέπω πρώτος*) to see first
πρωτοβουλία ΟΥΣ ΘΗΛ initiative
▷**παίρνω την πρωτοβουλία να** to take the initiative
▷**αναλαμβάνω πρωτοβουλία** to take the initiative
▷**ιδιωτική πρωτοβουλία** private initiative
πρωτοβρόχια ΟΥΣ ΟΥΔ ΠΛΗΘ first rains in autumn (*Βρετ.*) ή fall (*Αμερ.*)
πρωτογενής, -ής, -ές ΕΠΙΘ primary
▷**πρωτογενής τομέας** (ΟΙΚΟΝ) primary sector
πρωτογεωμετρικός, -ή, -ό ΕΠΙΘ (ΑΡΧΑΙΟΛ) protogeometric
πρωτόγνωρος, -η, -ο ΕΠΙΘ (*συναίσθημα*) new, never known before
πρωτογονισμός ΟΥΣ ΑΡΣ primitivism
πρωτόγονος, -η, -ο ΕΠΙΘ primitive
▸ **οι πρωτόγονοι** ΠΛΗΘ ΟΥΣ ΑΡΣ primitive people
πρωτοδικείο ΟΥΣ ΟΥΔ court of first instance
πρωτοδίκης ΟΥΣ ΑΡΣ judge at a court of first instance
πρωτόδικος, -η, -ο ΕΠΙΘ (*απόφαση, ποινή*) judged in a court of first instance
πρωτοελλαδικός, -ή, -ό ΕΠΙΘ (ΑΡΧΑΙΟΛ) early Greek, of the early Greek period
πρωτοετής, -ής, -ές ΕΠΙΘ first-year
▸ **πρωτοετής** ΟΥΣ ΑΡΣΘΗΛ first-year student
πρωτόζωο ΟΥΣ ΟΥΔ protozoon

Προσοχή!: Ο πληθυντικός του **protozoon** *είναι* **protozoa**.

πρωτοθυμάμαι P M to remember first
πρωτοκαθεδρία ΟΥΣ ΘΗΛ first place, place of honour
πρωτοκλασάτος, -η, -ο ΕΠΙΘ (*στελέχη*) first-class, top-notch
πρωτόκλιτος, -η, -ο ΕΠΙΘ (ΓΛΩΣΣ: *ονόματα*) of the first declension
πρωτοκόλληση ΟΥΣ ΘΗΛ registration, entry
πρωτόκολλο ΟΥΣ ΟΥΔ (α) (= *νομικό έγγραφο*) register, record (β) (= *βιβλίο όπου καταχωρούνται έγγραφα*) register (γ) (= *έγγραφο κατοχύρωσης συμφωνίας κρατών*) protocol (δ) (= *επίσημοι κανόνες εθιμοτυπίας*) protocol
πρωτοκολλώ P M (*αίτηση, έγγραφο, δήλωση*) to enter in a register, to record, to register
πρωτόλειο ΟΥΣ ΟΥΔ early literary work
πρωτολέω P M (α) (= *λέω για πρώτη φορά*) to say for the first time (β) (= *λέω κτ πρώτο*) to

say first
Πρωτομαγιά ΟΥΣ ΘΗΛ (= *η πρώτη μέρα του Μάη*) May Day, the first of May
▷**εργατική Πρωτομαγιά** May 1, the first working day of May
πρωτομαγιάτικος, -η, -ο ΕΠΙΘ (*εκδήλωση, γιορτή*) May Day
πρωτομαθαίνω P M (α) (= *μαθαίνω για πρώτη φορά*) to learn ή hear for the first time (β) (= *μαθαίνω πρώτος*) to learn ή hear first
πρωτομάρτυρας ΟΥΣ ΑΡΣ (ΘΡΗΣΚ) protomartyr
πρωτομάστορας ΟΥΣ ΑΡΣ head workman
πρωτομηνιά ΟΥΣ ΘΗΛ (*ανεπ.*) first day of the month
πρωτομιλώ P AM (α) (= *μιλάω πρώτος*) to speak first (β) (= *μιλάω για πρώτη φορά*) to speak for the first time
πρωτομινωικός, -ή, -ό ΕΠΙΘ (ΑΡΧΑΙΟΛ) proto-Minoan
πρώτον ΕΠΙΡΡ (α) (= *κατ' αρχήν*) first, firstly (β) (= *κατά πρώτιστο λόγο*) in the first place ή instance
▷**κατά πρώτον** firstly
▷**πρώτον και κυριότερον** first and foremost
πρωτόνιο ΟΥΣ ΟΥΔ proton
πρωτονοτάριος ΟΥΣ ΑΡΣ (ΘΡΗΣΚ) first notary
πρωτοξάδερφα ΟΥΣ ΟΥΔ ΠΛΗΘ first cousins
πρωτοξάδερφος ΟΥΣ ΑΡΣ first cousin
πρωτοπαλίκαρο ΟΥΣ ΟΥΔ second in command, deputy chief
πρωτόπειρος, -η, -ο ΕΠΙΘ (*νεαρός, εργαζόμενος*) inexperienced
πρωτοπιάνω P M (α) (= *πιάνω για πρώτη φορά*) to seize ή catch for the first time (β) (= *πιάνω πρώτος*) to seize ή catch first · *βλ.* **πιάνω**
πρωτόπλασμα ΟΥΣ ΟΥΔ protoplasm
πρωτόπλαστοι ΟΥΣ ΑΡΣ ΠΛΗΘ Adam and Eve
πρωτοπορία ΟΥΣ ΘΗΛ (*τέχνης, επιστήμης, κινήματος*) vanguard, avant-garde
πρωτοποριακός, -ή, -ό ΕΠΙΘ pioneer, avant-garde
πρωτοπόρος, -ος ή **-α, -ο** ΕΠΙΘ (α) (= *αυτός που προηγείται*) leading (β) (*μτφ.*) pioneering
πρωτοπρεσβύτερος ΟΥΣ ΑΡΣ head priest
πρώτος, -η, -ο ΑΡΙΘ ΤΑΚΤ first
▷**έρχομαι πρώτος** to come first
▷**με την πρώτη** ή **το πρώτο** (*καταλαβαίνω*) at once, straight away · (*επιτυγχάνω, περνώ*) the first time around
▷**ο πρώτος διδάξας** person who led the way
▷**πρώτος και καλύτερος** first and foremost
▷**πρώτος-πρώτος** first of all
▸ **η πρώτη κυρία** the first lady
▸ **Κωνσταντίνος ο πρώτος** Constantine the first
▸ **συγγένεια πρώτου βαθμού** first-degree relations

▸**τόμος πρώτος** Volume One
▸**πρώτη (ε)ξαδέλφη** second cousin
▸**πρώτος αριθμός** (ΜΑΘ) prime number
▸**πρώτος (ε)ξάδελφος** second cousin
▸**πρώτη κλίση** (ΓΛΩΣΣ) first declension
▸**πρώτος μεσημβρινός** prime meridian
▸**πρώτο πρόσωπο** (ΓΛΩΣΣ) first person
▸**πρώτος τόμος** first volume
▸ πρώτος ΟΥΣ ΑΡΣ (α) (= *όροφος*) first floor (*Βρετ*.), second floor (*Αμερ*.)
(β) (= *Ιανουάριος*) January (γ) (ΝΑΥΤ) captain
▸**πρώτη** ΟΥΣ ΘΗΛ (α) (= *ημέρα*) first
(β) (= *ταχύτητα*) first (gear) (γ) (= *σχολική τάξη*) first year (δ) (= *παράσταση*) premiere, first
πρωτοστάτης ΟΥΣ ΑΡΣ ringleader, prime mover
πρωτοστατώ Ρ ΑΜ to play a leading part
πρωτοσύγκελλος ΟΥΣ ΑΡΣ canon, senior archimandrite
πρωτοτόκια ΟΥΣ ΟΥΔ ΠΛΗΘ birthright
πρωτότοκος, -η, -ο ΕΠΙΘ (*γιος*) first-born, elder
πρωτοτυπία ΟΥΣ ΘΗΛ originality
πρωτότυπο ΟΥΣ ΟΥΔ original
πρωτότυπος, -η, -ο ΕΠΙΘ original, seminal
πρωτοφανής, -ής, -ές ΕΠΙΘ (α) (*γεγονός*) unheard-of (β) (= *καταπληκτικός*) unprecedented
πρωτόφαντος, -η, -ο ΕΠΙΘ (= *που εμφανίζεται για πρώτη φορά: δημιούργημα, γεγονός*) new, fresh
πρωτοχρονιά ΟΥΣ ΘΗΛ New Year's Day
πρωτοχρονιάτικος, -η, -ο ΕΠΙΘ (*πίτα, δώρα, εκδήλωση*) New-Year, New Year's (*Αμερ*.)
πρωτοψάλτης ΟΥΣ ΑΡΣ (ΘΡΗΣΚ) precentor
πρωτύτερα ΕΠΙΡΡ earlier, before
πρωτύτερος, -η, -ο ΕΠΙΘ earlier, previous
πταίσμα ΟΥΣ ΟΥΔ (ΝΟΜ) petty offence, misdemeanour (*Βρετ*.), misdemeanor (*Αμερ*.)
πταισματοδικείο ΟΥΣ ΟΥΔ magistrate's court
πταισματοδίκης ΟΥΣ ΑΡΣ magistrate
πταίω Ρ ΑΜ: **τις πταίει;** to be guilty
πτέραρχος ΟΥΣ ΑΡΣ wing commander (*Βρετ*.), lieutenant colonel (*Αμερ*.)
πτέρυγα ΟΥΣ ΘΗΛ (α) (*νοσοκομείου, φυλακής, καταστήματος*) wing, ward (β) (= *θέση των βουλευτών των κομμάτων στη βουλή: κόμματος*) wing (γ) (ΣΤΡΑΤ: *στρατού*) flank, wing
▸**πτέρυγα μάχης** battle wing
πτερύγιο ΟΥΣ ΟΥΔ (α) (*ψαριού*) fin
(β) (*χελώνας, φώκιας*) flipper
(γ) (*αεροπλάνου*) flap (δ) (*έλικα, ανεμιστήρα*) blade, vane (ε) (*αυτιού*) lobe
πτέρωμα = **φτέρωμα**
πτερωτός = **φτερωτός**
πτηνό ΟΥΣ ΟΥΔ (*επίσ*.: = *πουλί*) bird
▸**ωδικά πτηνά** songbird
▸**υδρόβια πτηνά** water-fowl

πτηνοτροφείο ΟΥΣ ΟΥΔ aviary, poultry farm
πτηνοτροφία ΟΥΣ ΘΗΛ aviculture, bird-breeding
πτηνοτροφικός, -ή, -ό ΕΠΙΘ (*προϊόντα*) poultry
πτηνοτρόφος ΟΥΣ ΑΡΣ poultry-farmer, bird-breeder
πτήση ΟΥΣ ΘΗΛ flight
▸**εν πτήσει** during the flight
πτητικός, -ή, -ό ΕΠΙΘ (α) (= *που χρησιμοποιείται για πτήση: μηχανή*) flying
(β) (*ουσία*) volatile
πτητικότητα ΟΥΣ ΘΗΛ volatility
πτοώ Ρ Μ to intimidate, to daunt
πτύελον ΟΥΣ ΟΥΔ (*επσ*) spittle
πτυσσόμενος, -η, -ο ΕΠΙΘ (*έπιπλα*) folding, collapsible
πτυχή ΟΥΣ ΘΗΛ (α) (*φορέματος, σημαίας*) crease, fold (β) (*εδάφους*) depression, hollow
(γ) (*μτφ*.: *χαρακτήρα, προβλήματος*) aspect
πτυχίο ΟΥΣ ΟΥΔ (= *τίτλος σπουδών*) degree
▸**παίρνω το πτυχίο μου** to graduate, to take/get one's degree
πτυχιούχος ① ΟΥΣ ΑΡΣ&ΘΗΛ (*φυσικός, μηχανικός, πλοίαρχος*) qualified person
② ΟΥΣ ΑΡΣ graduate
πτύχωση ΟΥΣ ΘΗΛ (*υφάσματος*) drapery
πτυχωτός, -ή, -ό ΕΠΙΘ (*φόρεμα*) pleated
πτύω Ρ ΑΜ (*επίσ*.) to spit · *βλ. κ.* **φτύνω**
πτώμα ΟΥΣ ΟΥΔ corpse, carcass · (*μτφ*.: = *πολύ κουρασμένος*) shattered *ανεπ*., tired out
▸**πατάω επί πτωμάτων** to stop at nothing
▸**είμαι ή γίνομαι πτώμα στην κούραση** to be ή become washed up (*ανεπ*.)
▸(**περνάω**) **πάνω από το πτώμα κποιου** (to pass) over sb's dead body
πτωμαΐνη ΟΥΣ ΘΗΛ (ΙΑΤΡ) promaine
πτωματικός, -ή, -ό ΕΠΙΘ cadaveric
πτώση ΟΥΣ ΘΗΛ (α) (= *πέσιμο: αεροπλάνου, βράχων, τείχους*) fall (β) (*μτφ*.: *κυβέρνησης, δικτατορίας, βασιλιά*) fall, downfall, overthrow (γ) (= *άλωση: πόλης*) fall
(δ) (= *ελάττωση, μείωση: θερμοκρασίας, τιμών, πληθωρισμού*) fall, drop, slump
(ε) (= *υποτίμηση, ολίσθηση: δραχμής, δολλαρίου*) slump/drop/fall (στ) (= *ηθική κατάπτωση: του ανθρώπου*) fall (ζ) (ΓΛΩΣΣ) case (η) (ΙΑΤΡ: *νεφρού, στομάχου*) prolapse
▸**ελεύθερη πτώση** free fall
πτώχευση ΟΥΣ ΘΗΛ bankruptcy
▸**κηρύσσομαι σε πτώχευση/κηρύσσω πτώχευση** (*για επιχείρηση*) to be declared/declare oneself bankrupt
πτωχευτικός, -ή, -ό ΕΠΙΘ (*πιστωτής, περιουσία, συμβιβασμός*) bankruptcy
πτωχεύω Ρ ΑΜ to go bankrupt, to become insolvent
πτωχικός (*επίσ*.) = **φτωχικός**
πτωχοκομείο ΟΥΣ ΟΥΔ, **φτωχοκομείο** poorhouse

Π

πτωχός, -ή, -ό ΕΠΙΘ: **πτωχός τω πνεύματι** poor · *βλ. κ.* **φτωχός**

πυγμαίος, -α, -ο ΕΠΙΘ (= *πολύ κοντός*) dwarfish, stunted

▸**Πυγμαίος** ΟΥΣ ΑΡΣ, **Πυγμαία** ΟΥΣ ΘΗΛ Pygmy

πυγμαχία ΟΥΣ ΘΗΛ (ΑΘΛ) boxing, pugilism

πυγμάχος ΟΥΣ ΑΡΣ (ΑΘΛ) boxer, pugilist

πυγμαχώ Ρ ΑΜ to box

πυγμή ΟΥΣ ΘΗΛ (= *δύναμη, επιβολή*) determination

πυγολαμπίδα ΟΥΣ ΘΗΛ glow-worm, firefly

πυελογραφία ΟΥΣ ΘΗΛ (ΙΑΤΡ) pyelography

πυελονεφρίτιδα ΟΥΣ ΘΗΛ (ΙΑΤΡ) pyelonephritis

πύελος ΟΥΣ ΘΗΛ pelvis

πυθαγόρειος, -α, -ο ΕΠΙΘ Pythagorean
▸**πυθαγόρειο θεώρημα** Pythagoras's theorem
▸**οι Πυθαγόρειοι** ΟΥΣ ΑΡΣ ΠΛΗΘ the Pythagoreans *πληθ.*

πυθμένας ΟΥΣ ΑΡΣ (*θάλασσας, δοχείον, δεξαμενής*) bottom, bed

πύθωνας ΟΥΣ ΑΡΣ python

πυκνά ΕΠΙΡΡ (= *συχνά*) often
▸**συχνά πυκνά** quite often

πυκνογραμμένος, -η, -ο ΕΠΙΘ (*κείμενο*) closely written

πυκνοκατοικημένος, -η, -ο ΕΠΙΘ (*συνοικία, περιοχή*) densely ή thickly populated

πυκνόμετρο ΟΥΣ ΟΥΔ (*όργανο*) densitometer, hydrometer

πυκνόρευστος, -η, -ο ΕΠΙΘ (*υγρό*) thick, viscous

πυκνός, -ή, -ό ΕΠΙΘ (α) (*χορτάρι, δάσος*) rank, dense, thick (β) (*ακροατήριο, κυκλοφορία*) dense, thick (γ) (*σκοτάδι, ομίχλη*) dense, thick (δ) (*μτφ.: μυστήριο*) dense (ε) (*τρίχωμα, μαλλιά, γενειάδα*) bushy, thick (στ) (= *αλλεπάλληλος, συχνός: πυρά, επισκέψεις*) thick and fast, in rapid succession (ζ) (= *πλούσιος, άφθονος: βλάστηση, φύλλωμα*) luxuriant, dense (η) (= *περιεκτικός, συνοπτικός: ύφος, έκφραση, νόημα*) compact

πυκνότητα ΟΥΣ ΘΗΛ (α) (ΦΥΣ) density, viscosity (β) (*νοήματος, έκφρασης, ύφους*) compactness
▸**σχετική πυκνότητα** relevant density
▸**οστική πυκνότητα** bone density
▸**πληθυσμιακή πυκνότητα** ή **πυκνότητα πληθυσμού** density

πυκνοφυτεμένος, -η, -ο ΕΠΙΘ (α) (*δέντρα*) closely-planted (β) (*λόφος*) densely-planted

πυκνώνω Ρ ΑΜ (α) (*δέντρα, φυτά*) to become dense (β) (*μτφ.*) to become dense (γ) (*μαλλιά, γενειάδα*) to become bushy (δ) (*σκοτάδι, ομίχλη*) to become dense (ε) (= *γίνομαι πιο συχνός: επισκέψεις, τηλεφωνήματα*) to become more frequent (στ) (= *πληθαίνω: οργάνωση, παράταξη*) to become thicker

πύκνωση ΟΥΣ ΘΗΛ condensation

πυκνωτής ΟΥΣ ΑΡΣ (ΦΥΣ) capacitor, condenser

πύλη ΟΥΣ ΘΗΛ (α) (*πόλης, φρουρίου, ανακτόρου*) gate, portal (β) (*μτφ.*) gateway
▸**ωραία πύλη** (ΘΡΗΣΚ) the Sublime Port
▸**Υψηλή Πύλη** (ΙΣΤ) the Sublime Port
▸**βασιλική πύλη** (ΘΡΗΣΚ) the King's Portal
▸**οι πύλες του παραδείσου/της κόλασης/του Αδη** the gates of heaven/hell/Hades

πυλώνας ΟΥΣ ΑΡΣ (*ανακτόρου, μονής*) gate-tower, portal

πυλωρός ΟΥΣ ΑΡΣ (ΑΝΑΤ) pylorus

πυλωτή ΟΥΣ ΘΗΛ *βλ.* **πιλοτή**

πυξ ΕΠΙΡΡ: **πυξ λαξ** (= *με γροθιές και κλωτσιές*) kicking and punching

πυξίδα ΟΥΣ ΘΗΛ compass

πύο(ν) ΟΥΣ ΟΥΔ pus
▸**μαζεύω πύον** to suppurate
▸**βγάζω πύον** to discharge pus, to suppurate

πυόρροια ΟΥΣ ΘΗΛ (ΙΑΤΡ) pyorrhea, suppuration

πυορροώ Ρ ΑΜ (*πληγή, τραύμα*) to suppurate

πυοσφαίριο ΟΥΣ ΟΥΔ (ΒΙΟΛ) pus cell

πυρ ΟΥΣ ΟΥΔ (= *η φωτιά: επσ*) fire, conflagration
▸**δια πυρός και σιδήρου** (*κυριολ.*) to raze to the ground
▸**είμαι ή γίνομαι πυρ και μανία** the fat is in the fire
▸**μεταξύ δύο πυρών** (caught) between two lines of fire
▸**ανοίγω πυρ** to commence firing
▸**εις το πυρ το εξώτερον** fire and brimstone
▸**βάπτισμα του πυρός** baptism of fire
▸**κατάπαυση του πυρός** cease-fire
▸**γραμμή του πυρός** firing line
▸**παύσατε πυρ!** cease fire!
▸**υγρόν πυρ** (ΙΣΤ) Greek ή wild fire
▸**πυρ, γυνή και θάλασσα** fire, woman and water
▸**Γη του Πυρός** (ΓΕΩΓΡ) Tierra del Fuego
▸**πυρ!** fire!
▸**πυρά** ΠΛΗΘ (= *σφοδρές επιθέσεις*) fire εν.

πυρά ΟΥΣ ΘΗΛ the stake

πύρα ΟΥΣ ΘΗΛ (*προφορ.*) heat

πυράγρα ΟΥΣ ΘΗΛ fire-tongs *πληθ.*

πυράκανθος ΟΥΣ ΑΡΣ (ΒΟΤ) pyracantha, fire thorn

πυρακτωμένος, -η, -ο ΕΠΙΘ red-hot, glowing

πυρακτώνω Ρ Μ to make red-hot

πυράκτωση ΟΥΣ ΘΗΛ (*μετάλλου*) glow, incandescence

πυραμίδα ΟΥΣ ΘΗΛ pyramid
▸**κοινωνική πυραμίδα** social pyramid

πυραμιδοειδής, -ής, -ές ΕΠΙΘ pyramidical, pyramidal

πυρασφάλεια ΟΥΣ ΘΗΛ fire safety
▸**ζώνη πυρασφάλειας** fire break

πυραυλοκίνητος, -η, -ο ΕΠΙΘ (*αεροπλάνο*) jet-propelled, rocket-powered

πύραυλος ΟΥΣ ΑΡΣ rocket

▷**παγωτό πύραυλος** ice–cream cone
▷**γίνομαι πύραυλος** to shoot, to dart
πυργίσκος ΟΥΣ ΑΡΣ **(α)** (= *μικρός πύργος*) small tower **(β)** (= *μέρος πολεμικού πλοίου*) turret
πυργοδεσπότης ΟΥΣ ΑΡΣ lord of the manor
Πύργος ΟΥΣ ΑΡΣ (*πόλη*) Pyrgos
πύργος ΟΥΣ ΑΡΣ **(α)** (= *κτίσμα για άμυνα: τείχους, ακρόπολης*) tower **(β)** (*άρχοντα, φεουδάρχη*) castle, manor **(γ)** (*στο σκάκι*) castle, rook **(δ)** (= *μέρος πολεμικού πλοίου, πυργίσκος*) turret **(ε)** (= *βάση στήριξης καλωδίων*) pylon
▷**Λευκός Πύργος** the White Tower
▷**ο πύργος της Πίζας** the Leaning Tower of Pisa
▷**ο πύργος του Άϊφελ** the Eiffel Tower
▷**ο πύργος της Βαβέλ** the Tower of Babel
▷**πύργος ελέγχου** control tower
πυργωτός, -ή, -ό ΕΠΙΘ (= *που μοιάζει με πύργο: ναός*) castellated
πυρέξ ΟΥΣ ΟΥΔ ΑΚΛ Pyrex ®
πυρετικός, -ή, -ό ΕΠΙΘ **(α)** (*παραλήρημα*) feverish **(β)** (= *πυρετώδης*) feverish, hectic · *βλ.* **πυρετώδης**
πυρετός ΟΥΣ ΑΡΣ **(α)** fever **(β)** (*μτφ.*) fever, excitement
▷**κίτρινος/τεταρταίος/μελιταίος πυρετός** yellow/quartan/rock fever
▷**ψήνομαι στον πυρετό** to have a raging fever
πυρετώδης, -ης, -ες ΕΠΙΘ (*εκδηλώσεις, προετοιμασίες, διαβουλεύσεις*) feverish, hectic
Πυρηναία ΟΥΣ ΟΥΔ ΠΛΗΘ Pyrenees
πυρήνας ΟΥΣ ΑΡΣ **(α)** (*καρπού*) pit, stone **(β)** (*κυττάρου*) nucleus **(γ)** (*ατόμου*) nucleus **(δ)** (*γης, ήλιου*) core **(ε)** (*μτφ.: κόμματος, οργάνωσης, κοινωνίας*) nucleus, cell

Προσοχή! Ο πληθυντικός του **nucleus** είναι **nuclei**.

πυρηνέλαιο ΟΥΣ ΟΥΔ (= *είδος λαδιού*) seed–oil
πυρηνικός, -ή, -ό ΕΠΙΘ nuclear
▷**πυρηνικά όπλα** nuclear weapons
▷**πυρηνικός πόλεμος** nuclear war
▷**πυρηνική φυσική** nuclear physics *εν.*

Προσοχή! Αν και το **nuclear physics** φαίνεται ως τύπος πληθυντικού, είναι ουσιαστικό μόνο στον ενικό και συντάσσεται με ρήμα στον ενικό.

▷**πυρηνική οικογένεια** nuclear family
πυρίμαχος, -η, -ο ΕΠΙΘ (*σκεύη, υλικά, επένδυση*) fireproof, fire–resistant
πύρινος, -η, -ο ΕΠΙΘ **(α)** (*βέλος*) burning **(β)** (*γλώσσες, λόγια*) fiery
πυρίτης ΟΥΣ ΑΡΣ (*ορυκτό*) pyrites, flint
πυρίτιδα ΟΥΣ ΘΗΛ gunpowder
πυριτιδαποθήκη ΟΥΣ ΘΗΛ powder magazine, powder keg

πυριτιδοποιείο ΟΥΣ ΟΥΔ powder factory
πυρίτιο ΟΥΣ ΟΥΔ silicon dioxide
πυριτόλιθος ΟΥΣ ΑΡΣ flint
πυρκαγιά ΟΥΣ ΘΗΛ fire, conflagration
πυροβασία ΟΥΣ ΘΗΛ fire–walking
πυροβολαρχία ΟΥΣ ΘΗΛ battery
πυροβολείο ΟΥΣ ΟΥΔ gun emplacement
πυροβολητής ΟΥΣ ΑΡΣ (= *χειριστής πυροβόλου όπλου*) gunner, artilleryman

Προσοχή! Ο πληθυντικός του **artilleryman** είναι **artillerymen**.

πυροβολικό ΟΥΣ ΟΥΔ **(α)** artillery · (*επίσης* **πυροβολικό σώμα**) ordnance **(β)** (*μτφ.: = για άνθρωπο πολύ σημαντικό ή ικανό*) asset
▷**ελαφρύ/βαρύ πυροβολικό** light/heavy artillery
πυροβολισμός ΟΥΣ ΑΡΣ gunshot, firing
▷**πυροβολισμός εξ επαφής** shot point–blank
πυροβόλο ΟΥΣ ΟΥΔ gun, cannon
πυροβολώ ⊡ Ρ ΑΜ to shoot, to fire ⊡ Ρ Μ to fire at
πυροδότηση ΟΥΣ ΘΗΛ ignition
πυροδοτικός, -ή, -ό ΕΠΙΘ (*μηχανισμός*) firing
πυροδοτώ Ρ Μ **(α)** (*όπλο*) to fire · (*εκρηκτικό μηχανισμό*) to set off **(β)** (*μτφ.*) to set off
πυροκροτητής ΟΥΣ ΑΡΣ detonator
πυρολάτρης ΟΥΣ ΑΡΣ fire–worshipper
πυρόλιθος ΟΥΣ ΑΡΣ flint, quartz
πυρόλυση ΟΥΣ ΘΗΛ (ΧΗΜ) pyrolysis
πυρομανής, -ής, -ές ΕΠΙΘ pyromaniac, arsonist
πυρομανία ΟΥΣ ΘΗΛ pyromania, arson
πυρομαντεία ΟΥΣ ΘΗΛ pyromancy
πυρομαχικά ΟΥΣ ΟΥΔ ΠΛΗΘ ammunition *εν.*, munitions
πυρόμετρο ΟΥΣ ΟΥΔ pyrometer
πυρρόξανθος, -η, -ο ΕΠΙΘ (*μαλλιά*) auburn, ginger
πυροσβεστήρας ΟΥΣ ΑΡΣ fire extinguisher
πυροσβέστης ΟΥΣ ΑΡΣ fire fighter
Πυροσβεστική ΟΥΣ ΘΗΛ (*επίσης* **Πυροσβεστική Υπηρεσία**) fire brigade (*Βρετ.*), fire department (*Αμερ.*)
πυροσβεστικός, -ή, -ό ΕΠΙΘ (*αντλία, αεροσκάφος*) fire
πυροστιά ΟΥΣ ΘΗΛ firedog, andiron
πυρόσφαιρα ΟΥΣ ΘΗΛ (ΓΕΩΛ) pyrosphere
πυροσωλήνας ΟΥΣ ΑΡΣ fuse (*Βρετ.*), fuze (*Αμερ.*)
πυροτέχνημα ΟΥΣ ΘΗΛ firework · (*μτφ.: = κτ εντυπωσιακό που κρατάει λίγο*) pyrotechnics
πυροτεχνική ΟΥΣ ΘΗΛ pyrotechnics *εν.*

Προσοχή! Αν και το **pyrotechnics** φαίνεται ως τύπος πληθυντικού, είναι ουσιαστικό μόνο στον ενικό και συντάσσεται με ρήμα στον ενικό.

Π

πυροτεχνουργός ΟΥΣ ΑΡΣ pyrotechnist

πυρότουβλο ΟΥΣ ΟΥΔ firebrick

πυρπόληση ΟΥΣ ΘΗΛ setting on fire

πυρπολητής ΟΥΣ ΑΡΣ fire–raiser, *captain of a fire ship*

πυρπολικό ΟΥΣ ΟΥΔ fire ship

πυρπολώ Ρ Μ (*πλοίο, κτίριο, πόλη*) to set on fire, to set fire to

πύρρειος, -ος, -ο ΕΠΙΘ: **πύρρειος νίκη** Pyrrhic victory, hollow victory

πυρσός ΟΥΣ ΑΡΣ (= *αναμμένη δάδα, δαυλός*) torch

πύρωμα ΟΥΣ ΟΥΔ glowing

πυρώνω Ρ Μ (α) (= *ζεσταίνω σε φωτιά*) to warm, to roast (β) (= *πυρακτώνω: μέταλλο, πηλό*) to make red–hot

πύρωση ΟΥΣ ΘΗΛ (α) (*μετάλλου*) glow, incandescence (β) (ΙΑΤΡ) incandescence

πυτζάμα ΟΥΣ ΘΗΛ pyjamas *πληθ*. (*Βρετ.*), pajamas *πληθ*. (*Αμερ.*)

πυτιά ΟΥΣ ΘΗΛ rennet

πυώδης, -ης, -ες ΕΠΙΘ purulent

πώληση ΟΥΣ ΘΗΛ sale, selling
▷**λιανική/χονδρική πώληση** retail sale/ wholesale
▷**προς πώληση** for *ή* on sale
▷**πώληση τοις μετρητοίς/επί πιστώσει** cash/ credit sale

πωλητήριο ΟΥΣ ΟΥΔ deed *ή* bill of sale

πωλητής ΟΥΣ ΑΡΣ salesman

Προσοχή!: Ο πληθυντικός του **salesman** *είναι* **salesmen.**

▷**πλανόδιος πωλητής** street vendor

πωλήτρια ΟΥΣ ΘΗΛ *βλ.* **πωλητής**

πωλώ Ρ Μ (*επίσ.*) to sell · *βλ. κ.* **πουλάω**

πώμα ΟΥΣ ΟΥΔ cap, lid

πωματισμός ΟΥΣ ΑΡΣ (ΙΑΤΡ: *πληγής, τραύματος*) tamponing

πωρόλιθος ΟΥΣ ΑΡΣ limestone, porous stone

πωρωμένος, -η, -ο ΕΠΙΘ (*αρνητ.*) unscrupulous, corrupt

πώς ΕΠΙΡΡ (α) (= *για τρόπο, εξέλιξη*) how (β) (*για εντύπωση, άποψη, στάση*) what (γ) : **πώς και (δεν)** how come, how is it that (δ) (= *ευτυχώς που*) it was lucky, thank God (ε) (*ειρων.*) like hell, a fat lot
▷**κάνω** *ή* **περιμένω πώς και πώς** *ή* **και τι** to be all agog, to be dying to, to be very eager *ή* excited
▷**πώς/πώς είπατε;** excuse me?
▷**πώς πάνε** *ή* **είναι τα πράγματα;** how are things?
▷**πώς είστε;** how are you?
▷**πώς (κι) έτσι;** how come?
▷**πώς πάει;** (*οικ.*) how is it going? (*ανεπ.*)
▷**πώς σε λένε;** what's your name?
▷**πώς σου φαίνεται το καινούργιο αυτοκίνητο;** what do you think of the new car?

πως ΣΥΝΔ (= *ότι*) that
▷**όχι πως ...** not that ...

Π

P ρ

rho, *17th letter of the Greek alphabet*
▷**ρ'** 100
▷,**ρ** 100,000
ραβανί ΟΥΣ ΟΥΔ ΑΚΛ *cake coated in syrup*
ραβασάκι ΟΥΣ ΟΥΔ *love letter*
ραββίνος ΟΥΣ ΑΡΣ *rabbi*
ραβδί ΟΥΣ ΟΥΔ *stick*
▷**μαγικό ραβδί** *magic wand*
ραβδίζω Ρ Μ (α) (*άνθρωπο, ζώο*) *to thrash, to beat* (*with a stick*) (β) (*ελιές, αμυγδαλιές*) *to beat down*
ράβδισμα ΟΥΣ ΟΥΔ (α) (*ανθρώπου, ζώου*) *thrashing* (β) (*ελιών, καρυδιών*) *beating down*
ράβδος ΟΥΣ ΘΗΛ (α) (*βέργα*) *stick* (β) (= *ξυλοκόπημα*) *thrashing* (γ) (*αρχιεπισκόπου*) *crosier* · (*στρατάρχη, μαέστρου*) *baton* · (*ταχυδακτυλουργού*) *wand* (δ) (*χρυσού*) *ingot* · (*σιδήρου*) *rod* · (*αστυνομικού*) *baton* (*Βρετ.*), *truncheon* (*Βρετ.*), *billy* (*club*) (*Αμερ.*)
ράβδωση ΟΥΣ ΘΗΛ (α) (*κίονα*) *flute* · (*υλικού, κατασκευής*) *groove* (β) (*τίγρης, ζέβρας*) *stripe*
ραβδωτός, -ή, -ό ΕΠΙΘ (α) (= *γραμμωτός: μύες*) *striped, striated* (β) (*κολόνα, κίονας*) *fluted*
ραβέρσα ΟΥΣ ΘΗΛ (*στην καλαθοσφαίριση*) *pivot shot*
ραβίνος ΟΥΣ ΑΡΣ = **ραββίνος**
ραβιόλια ΟΥΣ ΟΥΔ ΠΛΗΘ *ravioli εν.*
ράβω Ρ Μ (α) (*κουμπί, φερμουάρ*) *to sew on* (β) (*φύλλα*) *to sew ή stitch together* · (*κάλτσες*) *to darn* (γ) (*ασθενή*) *to give stitches to* · (*πληγή, τραύμα*) *to stitch up* **2** Ρ ΑΜ *to sew*
▷**ράβω ένα κοστούμι/φόρεμα** *to have a suit/dress made*
▷**ράβω κπν** *to make sb's clothes*
▷**ράβω κτ σε κπν** *to have sth made by sb*
▷**ράβω στη ραπτομηχανή** *to use a sewing machine*
▷**ράψ' το!, ράφ' το!** (*ανεπ.*) *shut it!* (*ανεπ.*), *button it!* (*Βρετ.*) (*ανεπ.*)
▸ ράβομαι ΜΕΣΟΠΑΘ *to have one's clothes made* (*σε* by)
ράγα ΟΥΣ ΘΗΛ *rail*
ραγάδα ΟΥΣ ΘΗΛ (*σε βράχο*) *crevice* · (*σε τοίχο*) *crack*
▸ ραγάδες ΠΛΗΘ *stretch marks*

ραγδαίος, -α, -ο ΕΠΙΘ (α) (*βροχή*) *pelting, driving* · (*χιονοπτώσεις*) *heavy* (β) (*μτφ.: αύξηση τιμών, άνοδος*) *rapid, sharp* · (*ανάπτυξη, εξέλιξη, ρυθμοί*) *rapid* · (*αλλαγές*) *abrupt*
ραγίζω **1** Ρ ΑΜ (α) (*ποτήρι, τζάμι, κόκαλο*) *to crack, to be cracked* (β) (*μτφ.*) *to show cracks* **2** Ρ Μ (*τζάμι, γυαλί, ποτήρι*) *to crack*
▷**αν ραγίζει το γυαλί** (*μτφ.*) *if you lose your health*
▷**ραγίζει η καρδιά μου** *it breaks my heart*
▷**ραγίζω την καρδιά κποιου** *to break sb's heart*
ράγισμα ΟΥΣ ΟΥΔ (*σε τοίχο, πέτρα*) *crack* · (*σε κόκαλο*) *fracture*
ράγκμπι ΟΥΣ ΟΥΔ ΑΚΛ *rugby*
ραδιενέργεια ΟΥΣ ΘΗΛ *radiation, radioactivity*
ραδιενεργός, -ός ή -ή, -ό ΕΠΙΘ (*ουσία, κατάλοιπα*) *radioactive*
▸ **ραδιενεργός ακτινοβολία** *radioactivity*
ραδίκι ΟΥΣ ΟΥΔ *chicory, endive* (*Αμερ.*)
ράδιο¹ ΟΥΣ ΟΥΔ *radio*
▷**στο ράδιο** *on the radio*
ράδιο² ΟΥΣ ΟΥΔ *radium*
ραδιογωνιόμετρο ΟΥΣ ΟΥΔ *direction finder, radiogoniometer* (*επιστ.*)
ραδιοεπικοινωνία ΟΥΣ ΘΗΛ *radiocommunication*
ραδιοθεραπεία ΟΥΣ ΘΗΛ *radiotherapy*
ραδιοκασετόφωνο ΟΥΣ ΟΥΔ *radio cassette* (*player*)
ραδιολογία ΟΥΣ ΘΗΛ (α) (= *κλάδος φυσικής*) *radiation physics εν., radiological physics εν.* (β) (= *κλάδος ιατρικής*) *radiology*
ραδιοπειρατής ΟΥΣ ΑΡΣ *pirate–radio operator*
ραδιοπομπός ΟΥΣ ΑΡΣ *radio transmitter*
ραδιοσταθμός ΟΥΣ ΑΡΣ *radio station*
ραδιοτεχνίτης ΟΥΣ ΑΡΣ *radio technician*
ραδιοτηλεόραση ΟΥΣ ΘΗΛ *radio and television broadcasting*
ραδιοτηλέφωνο ΟΥΣ ΟΥΔ (*σε όχημα*) *radio telephone* · (*στο σπίτι*) *cordless phone*
ραδιουργία ΟΥΣ ΘΗΛ *intrigue*
▸ **ραδιουργίες** ΠΛΗΘ *intrigue εν., scheming εν.*
ραδιούργος, -α, -ο ΕΠΙΘ *intriguer, schemer*
ραδιουργώ Ρ ΑΜ *to scheme*
▷**ραδιουργώ εναντίον κπν/για να κάνω κτ** *to plot against sb/to do sth*

P

ραδιοφωνία ΟΥΣ ΘΗΛ radio (broadcasting)
ραδιοφωνικός, -ή, -ό ΕΠΙΘ (εκπομπή, σήμα, πρόγραμμα, δίκτυο) radio, on the radio
▸ραδιοφωνικός σταθμός radio station
▸ραδιοφωνικός χρόνος airtime
ραδιόφωνο ΟΥΣ ΟΥΔ (α) (συσκευή) radio (β) (= ραδιοσταθμός) radio station (γ) (= ραδιοφωνία) radio
ραθυμία ΟΥΣ ΘΗΛ (επίσ.) indolence
ράθυμος, -η, -ο ΕΠΙΘ indolent
ραΐζω Ρ ΑΜ = ραγίζω
ραίνω Ρ Μ (α) (= ραντίζω) to sprinkle (β) (= σκορπίζω) to scatter, to throw
ρακένδυτος, -η, -ο ΕΠΙΘ (επίσ.) ragged, in rags
ρακέτα ΟΥΣ ΘΗΛ (α) (τένις) racquet (Βρετ.), racket (Αμερ.) · (πινγκ-πόνγκ) bat (β) (στην καλαθοσφαίριση) foul lane
▸ρακέτες ΠΛΗΘ beach tennis
ρακή ΟΥΣ ΘΗΛ raki
ρακί ΟΥΣ ΟΥΔ = ρακή
ράκος ΟΥΣ ΟΥΔ (α) (επίσ.: = κουρέλι) rag (β) (μτφ.: για πρόσ.) wreck
ρακοσυλλέκτης ΟΥΣ ΑΡΣ ragpicker, rag-and-bone man (Βρετ.), junkman (Αμερ.)
ρακοσυλλέκτρια ΟΥΣ ΘΗΛ βλ. ρακοσυλλέκτης
ράλι ΟΥΣ ΟΥΔ ΑΚΛ rally
▸ράλι "Ακρόπολις" Acropolis rally
▸ράλι-αντίκα vintage car rally
ραλίστας ΟΥΣ ΑΡΣ rally driver
ΡΑΜ ΟΥΣ ΘΗΛ (ΠΛΗΡΟΦ) RAM
ράμμα ΟΥΣ ΟΥΔ (α) (ΙΑΤΡ) stitch (β) (επίσ.: = κλωστή) thread
ραμολιμέντο ΟΥΣ ΟΥΔ (α) (= μαλάκυνση) senility (β) (μειωτ.: = ξεκούτης) senile old person
▷παθαίνω ραμολιμέντο to be in one's dotage
ράμπα ΟΥΣ ΘΗΛ (α) (σε κτήρια, οικοδομές) ramp (β) (σε συνεργείο αυτοκινήτων) rack (γ) (στο θέατρο) footlights ΠΛΗΘ
ράμφος ΟΥΣ ΟΥΔ (α) (πουλιού) beak, bill (β) (χελώνας) beak
ρανίδα ΟΥΣ ΘΗΛ (επίσ.) drop
▷μέχρι τελευταίας ρανίδος (του αίματος) to the death
ραντάρ ΟΥΣ ΟΥΔ ΑΚΛ radar
ραντεβού ΟΥΣ ΟΥΔ ΑΚΛ (α) (γενικότ.) appointment · (μυστικό) rendez-vous (β) (επίσης ερωτικό ραντεβού) date
▷βγαίνω ραντεβού με κπν to go out with sb, to date sb (κυρ. Αμερ.)
▷δίνω ραντεβού (σε κπν) to arrange to meet (sb)
▷είμαι Άγγλος ή Εγγλέζος στα ραντεβού μου to be very punctual
▷κλείνω ραντεβού to make an appointment
ράντζο¹ ΟΥΣ ΟΥΔ = ράντσο¹
ράντζο² ΟΥΣ ΟΥΔ = ράντσο²
ραντίζω Ρ Μ (α) (= περιβρέχω) to sprinkle (β) (= ψεκάζω) to spray

ράντισμα ΟΥΣ ΟΥΔ (α) (ανθρώπου, αντικειμένου) sprinkling (β) (= ψεκασμός) spraying
ράντσο¹ ΟΥΣ ΟΥΔ (= κρεβάτι) camp bed (Βρετ.), cot (Αμερ.), folding bed
ράντσο² ΟΥΣ ΟΥΔ (= αγρόκτημα) ranch
ραπ ΟΥΣ ΘΗΛ ΑΚΛ (ΜΟΥΣ) rap (music)
ραπανάκι ΟΥΣ ΟΥΔ (υποκορ.: = μικρό ραπάνι) small radish
ραπάνι ΟΥΣ ΟΥΔ radish
ράπερ ΟΥΣ ΑΡΣΘΗΛ ΑΚΛ rapper, rap singer
ραπίζω Ρ Μ (επίσ.) to slap
ράπισμα ΟΥΣ ΟΥΔ (επίσ.) (α) (= χαστούκι) slap (β) (μτφ.) blow
ράπτης ΟΥΣ ΑΡΣ = ράφτης
ραπτική ΟΥΣ ΘΗΛ (επάγγελμα) dressmaking · (τέχνη) sewing, needlework
▸υψηλή ραπτική haute couture
ραπτομηχανή ΟΥΣ ΘΗΛ sewing machine
ράπτρια ΟΥΣ ΘΗΛ βλ. ράφτης
ράσο ΟΥΣ ΟΥΔ (μοναχού) habit · (κληρικού) cassock
▷τα ράσα δεν κάνουν τον παπά (παροιμ.) the cowl does not make the monk (παροιμ.)
ράστα ΟΥΣ ΑΡΣΘΗΛ ΑΚΛ (προφορ.) Rasta, Rastafarian
▷μαλλιά ράστα dreadlocks
ρασταφαρισμός ΟΥΣ ΑΡΣ Rastafarianism
ράτσα ΟΥΣ ΘΗΛ (α) (= γένος) race (β) (για ζώα) breed
▷ούνα φάτσα ούνα ράτσα birds of a feather
▸άλογο ράτσας pedigree ή thoroughbred horse
▸σκύλος ράτσας pedigree dog
ρατσισμός ΟΥΣ ΑΡΣ racism
ρατσιστής ΟΥΣ ΑΡΣ racist
ρατσιστικός, -ή, -ό ΕΠΙΘ racist
ρατσίστρια ΟΥΣ ΘΗΛ = ρατσιστής
ραφείο ΟΥΣ ΟΥΔ tailor's (shop)
ραφή ΟΥΣ ΘΗΛ (α) (= ράψιμο) sewing εν., needlework εν. (β) (= γραμμή ραψίματος) seam (γ) (ΙΑΤΡ) suture, stitches ΠΛΗΘ
ράφι ΟΥΣ ΟΥΔ (βιβλιοθήκης) (book)shelf · (καταστήματος) shelf

Προσοχή!: Ο πληθυντικός του shelf είναι shelves.

▷μένω στο ράφι (μτφ.) be left on the shelf
ραφιναρισμένος, -η, -ο ΕΠΙΘ refined
ραφινάρω Ρ Μ to refine
ραφινάτος, -η, -ο ΕΠΙΘ (κυριολ., μτφ.) refined
ράφτης ΟΥΣ ΑΡΣ tailor
ράφτρα ΟΥΣ ΘΗΛ seamstress · (= μοδίστρα) dressmaker
ράχη ΟΥΣ ΘΗΛ (α) (ανθρώπου, ζώου) back (β) (= ραχοκοκκαλιά) backbone (γ) (= καρέκλας) back · (κρεβατιού) bed head (μαχαιριού, φακέλου) edge · (βιβλίου) spine · (βουνού) ridge

ραχίτιδα ΟΥΣ ΘΗΛ rickets εν.

ραχιτισμός ΟΥΣ ΑΡΣ = **ραχίτιδα**

ραχοκοκκαλιά ΟΥΣ ΘΗΛ (α) (ανεπ.) backbone, spine (β) (μτφ.) backbone

ράψιμο ΟΥΣ ΟΥΔ (α) (πουκαμίσου, φορέματος) sewing · (κουμπιού) sewing on (β) (= μοδιστρική) sewing, needlework (γ) (τραύματος, πληγής) stitching (up)

ραψωδία ΟΥΣ ΘΗΛ (ΠΟΙΗΣ, ΜΟΥΣ) rhapsody

ραψωδός ΟΥΣ ΑΡΣ (α) (στην αρχαιότητα) rhapsode, rhapsodist, reciter of the epic poetry of Homer and Hesiod (β) (= μουσικοσυνθέτης ραψωδιών) rhapsodist, composer of rhapsodies

ρε[1] ΟΥΣ ΟΥΔ ΑΚΛ (ΜΟΥΣ) D

ρε[2] ΕΠΙΦΩΝ (ανεπ.) hey! (ανεπ.)
▷ **άντε, ρε!** (έκπληξη) hey! (ανεπ.) · (απορία) get away with you! (Βρετ.) (ανεπ.), get out of here! (Αμερ.) (ανεπ.)
▷ **έλα ρε!** hey, come on! (ανεπ.)
▷ **τι λες, ρε φιλέ;** what are you on about?
▷ **φύγε, ρε!** get lost! (ανεπ.)

ρεαλισμός ΟΥΣ ΑΡΣ (α) (= το πραγματικό) realism, pragmatism (β) (ΤΕΧΝ, ΛΟΓ, ΦΙΛΟΣ) realism

ρεαλιστής ΟΥΣ ΑΡΣ realist

ρεαλιστικός, -ή, -ό ΕΠΙΘ realistic

ρεαλίστρια ΟΥΣ ΘΗΛ βλ. **ρεαλιστής**

ρεβάνς ΟΥΣ ΘΗΛ ΑΚΛ (α) (= αντεκδίκηση) revenge (β) (ΑΘΛ) return match (Βρετ.), rematch (Αμερ.)

ρεβεγιόν ΟΥΣ ΟΥΔ ΑΚΛ New Year's Eve feast

ρεβέρ ΟΥΣ ΟΥΔ ΑΚΛ (α) (σε μανίκι) cuff · (σε παντελόνι) turn-up (Βρετ.), cuff (Αμερ.) (β) (στο τένις, πινγκ-πονγκ) backhand

ρεβίθι ΟΥΣ ΟΥΔ chickpea
▸ **ρεβίθια** ΠΛΗΘ chickpeas
▸ **σούπα ρεβίθια** chickpea soup

ρέβω [1] Ρ ΑΜ (α) (= φθείρομαι) to go to ruin (β) (μτφ.: = καταβάλλομαι) to be worn out [2] Ρ Μ (μτφ.) to wear out
▷ **ρέβω απ' τη στενοχώρια** to be eaten up with grief
▷ **ρέβω κπν στη δουλειά** to run sb into the ground

ρέγγα ΟΥΣ ΘΗΛ = **ρέγκα**

ρέγκα ΟΥΣ ΘΗΛ herring

ρέγκε ΟΥΣ ΘΗΛ ΑΚΛ (ΜΟΥΣ) reggae

ρέγουλα ΟΥΣ ΘΗΛ (α) (= τάξη) order (β) (= μέτρο) moderation
▷ **με ρέγουλα** in moderation

ρεγουλάρω Ρ Μ (μηχανή, πίεση) to adjust · (έξοδα) to cut back on, to control

ρεζέρβα ΟΥΣ ΘΗΛ (α) (= εφεδρεία) spare (β) (= ρόδα) spare tyre (Βρετ.) ή tire (Αμερ.), spare wheel (Βρετ.)
▸ **αλλαξιά ρεζέρβα** change of clothes
▸ **κλειδί ρεζέρβα** spare key
▸ **ρεζέρβες** ΠΛΗΘ (ΑΘΛ) reserves

ρεζερβέ ΕΠΙΘ ΑΚΛ reserved

ρεζερβουάρ ΟΥΣ ΟΥΔ ΑΚΛ petrol tank (Βρετ.), gas tank (Αμερ.)

ρεζίλεμα ΟΥΣ ΟΥΔ humiliation

ρεζιλεύω Ρ Μ (α) (= ντροπιάζω) to humiliate (β) (= διασύρω) to make a laughing stock of
▸ **ρεζιλεύομαι** ΜΕΣΟΠΑΘ to lose face, to become a laughing-stock

ρεζίλι ΟΥΣ ΟΥΔ (= γελοιοποίηση) ridicule · (= εξευτελισμός) humiliation
▷ **γίνομαι ρεζίλι** to be a laughing-stock
▷ **κάνω κπν ρεζίλι** to make a laughing-stock of sb, to show sb up
▷ **ρεζίλι των σκυλιών** complete laughing-stock

ρεζιλίκι ΟΥΣ ΟΥΔ humiliation
▸ **ρεζιλίκια** ΠΛΗΘ shameful behaviour (Βρετ.) ή behavior (Αμερ.)

ρέιβ ΟΥΣ ΘΗΛ/ΟΥΔ ΑΚΛ (ΜΟΥΣ) rave (music)

ρέιβ-πάρτι ΟΥΣ ΟΥΔ ΑΚΛ rave (party)

ρείθρο ΟΥΣ ΟΥΔ (επίσ.) (α) (= ρυάκι) stream, brook (β) (πεζοδρομίου) gutter

ρείκι ΟΥΣ ΟΥΔ heather

Ρέικιαβικ ΟΥΣ ΟΥΔ ΑΚΛ = **Ρέυκιαβικ**

ρεκλάμα ΟΥΣ ΘΗΛ (= διαφήμιση) advertising, publicity · (= επιγραφή) advertisement
▷ **κάνω μεγάλη ρεκλάμα για κτ** to give sth a lot of publicity
▸ **φωτεινή ρεκλάμα** illuminated sign

ρεκόρ ΟΥΣ ΟΥΔ ΑΚΛ record
▷ **καταρρίπτω το ρεκόρ** to break the record
▷ **σε χρόνο ρεκόρ** in record time

ρελαντί ΟΥΣ ΟΥΔ ΑΚΛ (μηχανής) idling speed
▷ **(κάνω κτ) στο ρελαντί** (μτφ.) (to do sth) in slow motion

ρελέ ΟΥΣ ΟΥΔ ΑΚΛ, **ρελές** ΟΥΣ ΑΡΣ relay

ρέμα ΟΥΣ ΟΥΔ (α) (= κοίτη χειμάρρου) river bed (β) (= χείμαρρος) stream
▷ **μπρος γκρεμός και πίσω ρέμα** between a rock and a hard place

ρεμάλι ΟΥΣ ΟΥΔ good-for-nothing

ρεματιά ΟΥΣ ΘΗΛ gully

ρεμβάζω Ρ ΑΜ to daydream

ρεμβασμός ΟΥΣ ΑΡΣ reverie

ρεμπέτης ΟΥΣ ΑΡΣ (α) (παλαιότ., αρνητ.) outlaw · (= αλήτης) wastrel (β) (= τραγουδιστής) rebetika singer-songwriter · (= οργανοπαίκτης) rebetika musician · (καταχρ.: = τραγουδιστής ρεμπέτικων) contemporary rebetika singer

ρεμπέτικος, -η, -ο ΕΠΙΘ (τραγούδι, μουσική, ορχήστρα) rebetika
▸ **ρεμπέτικο** ΟΥΣ ΟΥΔ, **ρεμπέτικα** ΟΥΣ ΟΥΔ ΠΛΗΘ rebetika

ρεμπέτισσα ΟΥΣ ΘΗΛ βλ. **ρεμπέτης**

ρέντα ΟΥΣ ΘΗΛ (στα χαρτιά) winning streak
▷ **έχω ρέντα** to be on a winning streak

ρεντίκολο ΟΥΣ ΟΥΔ laughing-stock

ρεπάνι ΟΥΣ ΟΥΔ = **ραπάνι**

ρεπερτόριο ΟΥΣ ΟΥΔ repertoire
▸ **θέατρο ρεπερτορίου** repertory theatre (Βρετ.) ή theater (Αμερ.)

P

ρεπό ΟΥΣ ΟΥΔ ΑΚΛ day off

ρεπορτάζ ΟΥΣ ΟΥΔ ΑΚΛ report

ρεπόρτερ ΟΥΣ ΑΡΣΘΗΛ ΑΚΛ reporter

ρεπουμπλικάνος ΟΥΣ ΑΡΣ ΠΛΗΘ republican
‣ρεπουμπλικάνοι ΠΛΗΘ Republicans

ρέπω Ρ ΑΜ to lean
 ▷**ρέπω προς κτ** to lean towards sth

ρεσεψιόν ΟΥΣ ΘΗΛ ΑΚΛ reception

ρεσεψιονίστ ΟΥΣ ΑΡΣΘΗΛ ΑΚΛ receptionist

ρεσιτάλ ΟΥΣ ΟΥΔ ΑΚΛ (α) (κυριολ.) recital
 (β) (μτφ.) dazzling performance

ρέστα ΟΥΣ ΟΥΔ ΠΛΗΘ change εν.
 ▷**ζητάω ή θέλω και τα ρέστα** (ανεπ.) to push
 one's luck (ανεπ.)
 ▷**και τα ρέστα** (ανεπ.) and all that
 ▷**τα ρέστα μου** (στα χαρτιά) the lot,
 everything I have

ρεστοράν ΟΥΣ ΟΥΔ ΑΚΛ restaurant

ρέστος, -η, -ο ΕΠΙΘ (ανεπ.): **μένω ρέστος** to
 be broke (ανεπ.)
 ▷**μένω ρέστος από κτ** to be out of sth

ρετάλι ΟΥΣ ΟΥΔ (α) (= υπόλοιπο υφάσματος)
 remnant (β) (αργκ.: = τιποτένιος) nobody

ρετιρέ ΟΥΣ ΟΥΔ ΑΚΛ penthouse

ρετουσάρω Ρ Μ (φωτογραφία, πίνακα) to
 retouch up· (κείμενο, ύφος) to put
 the finishing touches to

ρετρό ΕΠΙΘ ΑΚΛ (ρούχα, χτένισμα) retro
 ‣ρετρό ΟΥΣ ΟΥΔ retro style

ρετσίνα ΟΥΣ ΘΗΛ retsina, *resinated Greek wine*

ρετσίνι ΟΥΣ ΟΥΔ resin

ρετσινιά ΟΥΣ ΘΗΛ (α) (= λεκές από ρετσίνι)
 resin stain (β) (μτφ.) slur, smear
 ▷**κολλάω σε κπν την ρετσινιά του ψεύτη** ή
 ότι είναι ψεύτης to brand sb as a liar

ρετσινόλαδο ΟΥΣ ΟΥΔ castor oil

Ρέυκιαβικ ΟΥΣ ΟΥΔ ΑΚΛ Reykjavik

ρεύμα ΟΥΣ ΟΥΔ (α) (θάλασσας, ποταμού)
 current (β) (= ρέμα) stream (γ) (ΜΕΤΕΩΡ)
 airstream (δ) (= φύσημα αέρα) draught
 (Βρετ.), draft (Αμερ.) (ε) (ΗΛΕΚΤΡ) current
 (στ) (= ηλεκτρικό) electricity, power·
 (= λογαριασμός) electricity bill (ζ) (κόσμου,
 διαδηλωτών) flow, stream (η) (τέχνης) trend
 ‣διακοπή ρεύματος power cut
 ‣ρεύμα κυκλοφορίας traffic lane
 ‣μεταναστευτικό ρεύμα flow of immigrants
 ‣ρεύμα συμπάθειας (= συμπόνια) wave of
 sympathy · (= προτίμηση) popularity
 ‣συνεχές/εναλλασσόμενο ρεύμα direct/
 alternating current

ρευματισμοί ΟΥΣ ΑΡΣ ΠΛΗΘ rheumatism εν.

ρευματολόγος ΟΥΣ ΑΡΣΘΗΛ rheumatologist

ρεύομαι Ρ ΑΜ ΑΠΟΘ to burp, to belch

ρευστοποίηση ΟΥΣ ΘΗΛ (α) (στερεού)
 liquefaction (β) (ΟΙΚΟΝ) liquidation,
 realization

ρευστοποιώ Ρ Μ (α) (στερεό) to liquefy
 (β) (ΟΙΚΟΝ) to liquidate, to realize

ρευστός, -ή, -ό ΕΠΙΘ (α) (για σώματα) liquid,

fluid (β) (μτφ.: σχέδια) up in the air·
 (κατάσταση) unstable
 ‣ρευστό ΟΥΣ ΟΥΔ (= μετρητά) cash

ρευστότητα ΟΥΣ ΘΗΛ (α) (υγρών) fluidity,
 liquidity (β) (ΟΙΚΟΝ) liquidity (γ) (μτφ.: =
 αστάθεια) instability

ρεύω Ρ Μ/ΑΜ = **ρέβω**

ρεφρέν ΟΥΣ ΟΥΔ ΑΚΛ chorus· (μτφ.) refrain

ρέψιμο ΟΥΣ ΟΥΔ burp, belch

ρέω Ρ ΑΜ (α) (ποταμός, αίμα, νερό, ρεύμα) to
 flow· (χρόνος) to go by (β) (= ξεχύνομαι:
 αίμα, νερό) to gush (γ) (κρασί) to flow
 (δ) (μτφ.: λόγος, ομιλία) to flow
 ▷**τα δάκρυα έρρεαν στο πρόσωπό της** tears
 were streaming down her face
 ▷**ο ιδρώτας έρρεε στο πρόσωπό του** the
 sweat was pouring down his face
 ▷**ρέει το χρήμα** (για πρόσ.) he's/she's rolling
 in money

ρήγας ΟΥΣ ΑΡΣ (λογοτ.: κυριολ., μτφ.) king

ρήγμα ΟΥΣ ΟΥΔ (α) (= ρωγμή) crack (β) (μτφ.)
 rift

ρήμα ΟΥΣ ΟΥΔ verb
 ‣ανώμαλο/ομαλό ρήμα irregular/regular verb
 ‣βοηθητικό ρήμα auxiliary verb

ρημάδι ΟΥΣ ΟΥΔ (α) (= ερείπιο) ruin (β) (ανεπ.:
 για ράδιο, τηλεόραση) damn thing (ανεπ.)
 ▷**κλείσ' το το ρημάδι σου!** (ανεπ.) shut your
 mouth! (ανεπ.)
 ▷**κόψε το ρημάδι το τσιγάρο, πια!** (ανεπ.)
 stop bloody (Βρετ.) ή goddamn (Αμερ.)
 smoking!

ρημαδιό ΟΥΣ ΟΥΔ (= ερείπιο) ruin
 ▷**γίνομαι ρημαδιό** (ζωή, οικογένεια) to fall
 apart
 ▷**τα κάνω (όλα) ρημαδιό** to wreck everything

ρημάζω ① Ρ Μ (α) (= καταστρέφω: περιοχή,
 χώρα) to ravage, to lay waste to· (κτήριο) to
 reduce to rubble, to raze to the ground
 (β) (μτφ.: χώρα, αγορά) to cause havoc in
 ② Ρ ΑΜ (= ερημώνω) to fall into ruins, to go
 to ruin
 ▷**ρημάζω κπν στη δουλειά** to work sb to
 death
 ▷**ρημάζω κπν στο ξύλο** to beat sb black and
 blue

ρηματικός, -ή, -ό ΕΠΙΘ verbal

ρήξη ΟΥΣ ΘΗΛ (α) (= σπάσιμο) break (β) (ΙΑΤΡ)
 rupture (γ) (= διάσπαση) break-up·
 (= διατάραξη: σε κόμμα, οικογένεια) rift· (με
 φίλους) falling out
 ▷**έρχομαι σε ρήξη (με κπν)** (= συγκρούομαι)
 to clash (with sb)· (= διακόπτω σχέσεις: με
 φίλο) to fall out (with sb)· (για ζευγάρι) to
 break up (with sb)· (για χώρες) to sever ties
 (with sb)
 ▷**ρήξη με το παρελθόν** break with the past

ρήση ΟΥΣ ΘΗΛ saying

ρητά, ρητώς ΕΠΙΡΡ explicitly

ρητίνη ΟΥΣ ΘΗΛ resin

ρητό ΟΥΣ ΟΥΔ saying

ρήτορας ΟΥΣ ΘΗΛ (α) (= *δημόσιος ομιλητής*) public speaker, orator · (*στην αρχαιότητα*) orator, rhetor (β) (= *που έχει ευφράδεια*) eloquent speaker

ρητορεία ΟΥΣ ΘΗΛ (α) (= *δημηγορία*) oration (β) (= *ευφράδεια*) eloquence (γ) (= *ρητορική*) rhetoric

▸ **ρητορείες** ΠΛΗΘ speechifying

ρητορεύω Ρ ΑΜ (α) (= *αγορεύω*) to make a speech (β) (*αρνητ.*: = *μιλώ επιδεικτικά*) to hold forth

ρητορική ΟΥΣ ΘΗΛ (*τέχνη*) oratory · (= *γλωσσικά μέσα*) rhetoric

ρητορικός, -ή, -ό ΕΠΙΘ rhetorical

▸ **ρητορική ερώτηση** rhetorical question

ρητός, -ή, -ό ΕΠΙΘ (α) (= *που έχει λεχθεί*) spoken (β) (= *κατηγορηματικός*: *εντολές, διάψευση*) explicit · (*όροι*) specific · (*απαγόρευση, δέσμευση*) absolute

▸ **ρητός αριθμός** (ΜΑΘ) rational number

ρήτρα ΟΥΣ ΘΗΛ clause, provision

ρηχός, -ή, -ό ΕΠΙΘ (*κυριολ., μτφ.*) shallow

▸ **ρηχά** ΟΥΣ ΟΥΔ ΠΛΗΘ shallows

Ρίγα ΟΥΣ ΘΗΛ Riga

ρίγα ΟΥΣ ΘΗΛ (α) (= *γραμμή*) line (β) (*υφάσματος*) stripe

ρίγανη ΟΥΣ ΘΗΛ oregano

▷ **κολοκύθια με τη ρίγανη** (*προφορ.*) baloney (*ανεπ.*), twaddle (*ανεπ.*)

ριγέ ΕΠΙΘ ΑΚΛ (α) (*χαρτί, τετράδιο*) ruled (β) (*κουστούμι, πουκάμισο, παντελόνι*) striped

ρίγος ΟΥΣ ΟΥΔ (*από κρύο, πυρετό*) shiver · (*από συγκίνηση*) thrill · (*από ηδονή, επιθυμία*) quiver · (*από φόβο*) shudder

▷ **φέρνω ρίγος σε κπν** to send a chill down sb's spine

ριγώ Ρ ΑΜ (α) (*από κρύο, πυρετό*) to shiver · (*από ηδονή, συγκίνηση*) to quiver · (*από φόβο*) to shudder (β) (*μτφ.*: *φύλλα*) to quiver

ριγωτός, -ή, -ό ΕΠΙΘ (*χαρτί*) ruled · (*ύφασμα*) striped

ρίζα ΟΥΣ ΘΗΛ (α) (*φυτού, δέντρου*) root (β) (= *δέντρο*) tree (γ) (*μτφ.*: *βράχου, τοίχου*) foot · (*κολόνας*) base · (*βουνού*) foothill · (*λόφου*) bottom

> *Προσοχή!: Ο πληθυντικός του* **foot** *είναι* **feet**.

(δ) (*τρίχας, δοντιού, γλώσσας*) root (ε) (*μτφ.*: *προβλήματος, κακού*) root (στ) (ΓΛΩΣΣ) stem (ζ) (ΜΑΘ) root

▸ **τετραγωνική/κυβική ρίζα** square/cube root

▸ **ρίζες** ΠΛΗΘ (*μτφ.*) roots

ριζικό ΟΥΣ ΟΥΔ fate, destiny

▷ **το' χει το ριζικό μου να κάνω κτ** to be destined to do sth

▷ **λέω το ριζικό κποιου** to tell sb's fortune

ριζικός, -ή, -ό ΕΠΙΘ (α) (ΒΟΤ, ΑΝΑΤ) root (β) (*αλλαγή, ανακατάταξη, διαφορά*) radical · (*διαφωνία*) fundamental · (*ανακαίνιση*)

complete

ριζοσπάστης ΟΥΣ ΑΡΣ radical

ριζοσπαστικός, -ή, -ό ΕΠΙΘ (*άποψη, ιδέα, κίνημα, κόμμα*) radical

ριζοσπάστρια ΟΥΣ ΘΗΛ = **ριζοσπάστης**

ριζωμένος, -η, -ο ΕΠΙΘ (α) (*φυτό, δέντρο*) that has rooted ή taken root (β) (*μτφ.*: *προκατάληψη*) deep–rooted · (*αντίληψη*) entrenched (γ) (*μτφ.*: *για πρόσ.*: = *κολλημένος*) rooted · (= *στεριωμένος*) well–established, settled

ριζώνω Ρ ΑΜ (α) (*φυτό, δέντρο*) to take root (β) (*μτφ.*: *πόθος, κίνημα*) to take hold · (*προλήψεις*) to be deep–rooted · (*ιδέα*) to take root (γ) (*μτφ.*: *για πρόσ.*: = *κολλώ*) to be rooted · (= *στεριώνω*) to put down roots, to settle

ρίμα ΟΥΣ ΘΗΛ rhyme

▷ **κάνω ρίμα με κτ** to rhyme with sth

ριμπάουντ ΟΥΣ ΟΥΔ ΑΚΛ (*στην καλαθοσφαίριση*) rebound

ρινικός, -ή, -ό ΕΠΙΘ nasal

ρινίσματα ΟΥΣ ΟΥΔ ΠΛΗΘ (*ξύλου*) shavings · (*μετάλλου*) filings

ρινίτιδα ΟΥΣ ΘΗΛ rhinitis

ρινόκερος, ρινόκερως ΟΥΣ ΑΡΣ rhinoceros, rhino (*ανεπ.*)

ρινολογία ΟΥΣ ΘΗΛ rhinology

ρινορραγία ΟΥΣ ΘΗΛ nosebleed

ρίξιμο ΟΥΣ ΟΥΔ (α) (*ακόντιον, ζαριών*) throwing (β) (*κτηρίον, φράχτη*) knocking down (γ) (*μτφ.*: = *εξαπάτηση*) cheating (δ) (*ανεπ.*: = *έκτρωση*) abortion

ριπή ΟΥΣ ΘΗΛ (α) (ΣΤΡΑΤ) burst (β) (*αέρα, ανέμου*) gust

▷ **εν ριπή οφθαλμού** in the twinkling of an eye

ρίπτω Ρ Μ (*επίσ.*) βλ. **ρίχνω**

ρισκάρω ① Ρ Μ (*ζωή, χρήματα*) to risk ② Ρ ΑΜ to take risks

▷ **το ρισκάρω** to risk it

ρίσκο ΟΥΣ ΟΥΔ risk

▷ **παίρνω ρίσκο** to take a risk

ρίχνω ① Ρ Μ (α) (*ποτήρι, βάζο*) to drop · (*φύλλα*) to shed · (*άγκυρα*) to drop · (*παραγάδι, δίχτυα*) to cast · (*αεροπλάνο*) to bring down, to shoot down (β) (*σπίτι, τοίχο*) to pull down, to knock down (γ) (*κυβέρνηση*) to overthrow, to topple · (*ομάδα*) to topple (δ) (*τιμές, θερμοκρασία*) to bring down · (*επίπεδο συζήτησης*) to lower (ε) (*πέτρα, ακόντιο, δίσκο*) to throw (στ) (*σφαίρα, βολή, βλήματα, πύραυλο*) to fire · (*βόμβες*) to drop (ζ) (*ρύζι, κονφέτα, λουλούδια*) to throw · (*λίπασμα*) to spread · (*λάδι, κρασί, νερό*) to pour (η) (*ανεπ.*: = *ξεγελώ*) to take in · (= *πείθω*) to talk around (θ) (*ανεπ.*: *άνδρα, γυναίκα*) to pull (*Βρετ.*) (*ανεπ.*), to seduce (ι) (*ανεπ.*: *για ποινή*) to give ② Ρ ΑΜ (= *πυροβολώ*) to fire, to shoot

(εναντίον at)
▷**η αρρώστια τον έριξε στο κρεβάτι** he was bedridden by the illness
▷**ρίχνω ένα βλέμμα σε κπν** to give sb a look
▷**ρίχνω ένα χαστούκι σε κπν** to slap sb
▷**ρίχνω κτ κάτω** to drop sth
▷**ρίχνω κπν κάτω** to throw sb to the ground
▷**ρίχνω κπν κάτω από το κρεβάτι/στη θάλασσα** to throw sb onto the bed/into the sea
▷**ρίχνω κπν (σε κτ)** (ανεπ.) to cheat sb (over sth)
▷**ρίχνω κπν στην ανεργία** to make sb unemployed
▷**ρίχνω κπν στην φτώχεια** to reduce sb to poverty
▷**ρίχνω τα σκουπίδια στον κάδο** to throw the rubbish in the bin (Βρετ.), to throw the garbage in the trash can (Αμερ.)
▷**ρίχνω κτ πάνω μου** to put sth on
▷**ρίχνω κτ στον φούρνο** to throw ή bung (ανεπ.) sth in the oven
▷**ρίχνω λευκό** to make a blank vote
▷**ρίχνω μέσα μου** (ανεπ.) to stuff oneself (ανεπ.)
▷**ρίχνω μια ιδέα ή πρόταση** to make a suggestion
▷**ρίχνω μια κλοτσιά** to kick out
▷**ρίχνω μια κλοτσιά/γροθιά σε κπν/κτ** to kick/ punch sb/sth
▷**ρίχνω μια ματιά σε κπν/κτ** to glance at sth
▷**ρίξε μια ματιά στο φαγητό/στον κήπο, ρίχνω ξύλο (σε κπν)** to beat sb up
▷**ρίχνω το φταίξιμο ή τις ευθύνες σε κπν για κτ** to blame sb for sth
▷**ρίχνω τα χαρτιά** to read the cards
▷**ρίχνω το παιδί** to have an abortion
▷**ρίχνω φως σε κτ** (κυριολ.) to shine on sth· (μτφ.) to shed light on sth
▷**τα ρίχνω σε κπν** to make a pass at sb
▷**το ρίχνω έξω** to live it up
▷**το ρίχνω σε κτ** to start doing sth, to take to sth
▶**ρίχνει** ΑΠΡΟΣ it's raining
▷**ρίχνει χιόνι/βροχή** it's snowing/raining
▷**ρίχνομαι** ΜΕΣΟΠΑΘ: **ρίχνομαι σε κπν** to throw oneself at sb, to rush at sb· (ερωτικά) to make a pass at sb
▷**ρίχνομαι στην αγκαλιά κποιου** to rush into sb's arms
▷**ρίχτηκε να με χτυπήσει** he hit out at me
ρίψη ΟΥΣ ΘΗΛ (σκουπιδιών, πετρών) throwing· (βομβών) dropping· (αλεξιπτωτιστών, τροφίμων, εφοδίων) drop· (νομίσματος) insertion
▶**ρίψεις** ΠΛΗΘ (ΑΘΛ: επίσης **αγωνίσματα ρίψης**) throwing events
ριψοκινδυνεύω ① P Μ (α) (ζωή, περιουσία, υπόληψη, θέση) to risk· (υγεία) to endanger (β) (μτφ.: πρόβλεψη) to hazard
② P ΑΜ to take risks
ριψοκίνδυνος, -η, -ο ΕΠΙΘ (για πρόσ.) daring· (για πράξεις) risky· (οδηγός, οδήγηση) reckless

ρο ΟΥΣ ΑΡΣ ΑΚΛ rho, *17th letter of the Greek alphabet*
ρόγχος ΟΥΣ ΑΡΣ (α) (= ροχαλητό) snore (β) (ΙΑΤΡ) rale, rattle
▷**επιθανάτιος ρόγχος** death rattle
ρόδα ΟΥΣ ΘΗΛ wheel
ροδακινιά ΟΥΣ ΘΗΛ peach tree
ροδάκινο ΟΥΣ ΟΥΔ peach
ροδαλός, -ή, -ό ΕΠΙΘ (μάγουλο, χείλη) rosy
ροδάνι ΟΥΣ ΟΥΔ reel
▷**η γλώσσα της πάει ροδάνι** she talks nineteen to the dozen
ροδέλα ΟΥΣ ΘΗΛ washer
ροδέλαι ΟΥΣ ΟΥΔ attar of roses
ρόδι ΟΥΣ ΟΥΔ pomegranate· βλ. κ. **ρόιδο**
ροδιά ΟΥΣ ΘΗΛ (α) (δέντρο) pomegranate tree (β) (= ίχνος ρόδας) tyre (Βρετ.) ή tire (Αμερ.) track
ροδίζω P ΑΜ to brown
▶**ροδίζει** ΑΠΡΟΣ the sun's coming up ή rising
ρόδινος, -η, -ο ΕΠΙΘ (α) (στεφάνι) of roses (β) (μάγουλα) rosy· (ουρανός, σύννεφα) pink (γ) (μτφ.: μέλλον, προοπτικές) rosy
▷**δεν είναι όλα ρόδινα στη ζωή** life isn't a bed of roses
▷**τα βλέπω όλα ρόδινα** to see everything through rose–coloured (Βρετ.) ή rose–colored (Αμερ.) glasses
ρόδισμα ΟΥΣ ΟΥΔ (φαγητού) browning· (δέρματος) blush
Ροδίτης ΟΥΣ ΑΡΣ Rhodian
ροδίτης ΟΥΣ ΑΡΣ (α) (κρασί) rose wine (β) (= ποικιλία σταφυλιών) variety of grape
ρόδο ΟΥΣ ΟΥΔ rose
ροδοδάφνη ΟΥΣ ΘΗΛ oleander
ροδόδεντρο ΟΥΣ ΟΥΔ rhododendron
ροδοκοκκινίζω P ΑΜ (κρέας, φαγητό) to brown
ροδοκόκκινος, -η, -ο ΕΠΙΘ (μάγουλα, πρόσωπο) rosy· (φαγητό, ψωμί) browned
ροδόνερο ΟΥΣ ΟΥΔ βλ. **ροδόσταμο**
ροδοπέταλο ΟΥΣ ΟΥΔ rose petal
Ρόδος ΟΥΣ ΘΗΛ Rhodes
ροδόσταμο ΟΥΣ ΟΥΔ rose–water
ροδοψημένος, -η, -ο ΕΠΙΘ browned
ροδώνας ΟΥΣ ΑΡΣ rosery, rose bed
ροζ ΕΠΙΘ ΑΚΛ pink
▶**ροζ** ΟΥΣ ΟΥΔ pink
ροζέ ΕΠΙΘ ΑΚΛ (κρασί) rosé· (ύφασμα) pink
ροζιάζω P ΑΜ (δάχτυλα, δέρμα) to become calloused· (ξύλο, δέντρο) to become knotty
ρόζος ΟΥΣ ΑΡΣ (α) (σε δέντρο, ξύλο) knot (β) (χεριού, δέρματος) callus
ροή ΟΥΣ ΘΗΛ (α) (γενικότ.) flow (β) (μτφ.: = πορεία) course
ρόιδο ΟΥΣ ΟΥΔ pomegranate
▷**τα κάνω ρόιδο** (ανεπ.) to make a mess of things, to mess up (ανεπ.)
ροκ ΟΥΣ ΘΗΛ/ΟΥΔ ΑΚΛ (ΜΟΥΣ) rock

▷**ροκ μουσική/συγκρότημα** rock music/band ή group

ρόκα¹ ΟΥΣ ΘΗΛ (ΛΑΟΓΡ) distaff

ρόκα² ΟΥΣ ΘΗΛ **(α)** (φυτό) rocket **(β)** (= κώνος καλαμποκιού) corncob

ροκάνα ΟΥΣ ΘΗΛ **(α)** (= κρόταλο) rattle **(β)** (= ροκάνι) plane

ροκάνι ΟΥΣ ΟΥΔ plane

ροκανίδι ΟΥΣ ΟΥΔ sawdust χωρίς πληθ.

ροκανίζω Ρ Μ **(α)** (ξύλο, σανίδα) to plane **(β)** (κόκαλο) to gnaw · (παξιμάδι) to munch **(γ)** (μτφ.: χρήματα, περιουσία) to squander **(δ)** (μτφ.: άνθρωπο) to wear down
▷**ροκανίζω τον χρόνο** to stall for time

ρόλεϊ ΟΥΣ ΟΥΔ ΑΚΛ curler

ρολό ΟΥΣ ΟΥΔ **(α)** (= κύλινδρος) roll **(β)** (φαγητό) roulade **(γ)** (πόρτας, παράθυρου) roller blind **(δ)** (ελαιοχρωματιστή) roller
▷**κάνω κτ ρολό** to roll sth up
▷**κατεβάζω τα ρολά** (για επιχείρηση) to fold · (για τερματοφύλακα) not to let anything past

ρολόι ΟΥΣ ΟΥΔ **(α)** (για μέτρηση χρόνου) clock · (χειρός) watch **(β)** (= για μέτρηση κατανάλωσης) metre (Βρετ.), meter (Αμερ.)
▷**όλα πάνε ή δουλεύουν ρολόι** everything's going ή running like clockwork

ρόλος ΟΥΣ ΑΡΣ role, part
▷**παίζει ρόλο** to be important
▷**πρώτος/δεύτερος ρόλος** (ΤΕΧΝ) leading/supporting role · (μτφ.) leading/minor role

ρομάντζο ΟΥΣ ΟΥΔ romance

ρομαντικός, -ή, -ό ΕΠΙΘ romantic

ρομαντισμός ΟΥΣ ΑΡΣ romanticism

ρομάντσο ΟΥΣ ΟΥΔ = **ρομάντζο**

ρόμβος ΟΥΣ ΑΡΣ rhombus, lozenge

ρόμπα ΟΥΣ ΘΗΛ **(α)** (= πρόχειρο γυναικείο ένδυμα) dressing gown **(β)** (γιατρού) gown · (κουρέα) smock **(γ)** (αργκ., υβρ.) idiot
▷**γίνομαι ρόμπα** (αργκ., υβρ.) to be shown up, to be made a laughing-stock

ρομπότ ΟΥΣ ΟΥΔ ΑΚΛ (ΤΕΧΝΟΛ) robot

ρομποτικός, -ή, -ό ΕΠΙΘ (έλεγχος, συσκευή) automatic
▸**ρομποτική** ΟΥΣ ΘΗΛ robotics εν.

Προσοχή!: Αν και το **robotics** φαίνεται ως τύπος πληθυντικού, είναι ουσιαστικό μόνο στον ενικό και συντάσσεται με ρήμα στον ενικό.

ρόπαλο ΟΥΣ ΟΥΔ club, cudgel
▷**δια ροπάλου** by force

ροπή ΟΥΣ ΘΗΛ **(α)** (ΦΥΣ) moment **(β)** (μτφ.: = τάση) tendency, inclination

ρότα ΟΥΣ ΘΗΛ (ΝΑΥΤ) course

ροτόντα ΟΥΣ ΘΗΛ **(α)** (ΑΡΧΙΤ) rotunda **(β)** (= στρογγυλό τραπέζι) round table · (= στρογγυλό τραπεζομάντηλο) round tablecloth

ρούβλι ΟΥΣ ΟΥΔ rouble (Βρετ.), ruble (Αμερ.)

ρουζ ΟΥΣ ΟΥΔ ΑΚΛ rouge

ρουθούνι ΟΥΣ ΟΥΔ nostril
▷**δεν έμεινε ρουθούνι** no one was left alive
▷**μπαίνω στο ρουθούνι κποιου** to get on sb's nerves, to get up sb's nose (Βρετ.) (ανεπ.)

ρουθουνίζω Ρ ΑΜ to snuffle, to snort

ρουκέτα ΟΥΣ ΘΗΛ rocket

ρουλέτα ΟΥΣ ΘΗΛ roulette

Ρουμάνος ΟΥΣ ΑΡΣ βλ. **Ρουμάνος**

Ρουμανία ΟΥΣ ΘΗΛ Romania, Rumania, Roumania

ρουμανικός, -ή, -ό ΕΠΙΘ Romanian
▸**Ρουμανικά, Ρουμάνικα** ΟΥΣ ΟΥΔ ΠΛΗΘ Romanian, Rumanian, Roumanian

ρουμάνικος, -η, -ο ΕΠΙΘ = **ρουμανικός**

Ρουμάνος ΟΥΣ ΑΡΣ Romanian, Rumanian, Roumanian

ρούμι ΟΥΣ ΟΥΔ rum

ρούμπα ΟΥΣ ΘΗΛ rumba

ρουμπίνι ΟΥΣ ΟΥΔ ruby

ρούπι ΟΥΣ ΟΥΔ· **δεν κάνω ή δεν το κουνάω ρούπι** not to budge

ρους ΟΥΣ ΑΡΣ (επίσ.) **(α)** (ποταμού) current **(β)** (μτφ.: ιστορίας) course

ρουσφέτι ΟΥΣ ΟΥΔ favour (Βρετ.), favor (Αμερ.)

ρουσφετολογικός, -ή, -ό ΕΠΙΘ (τακτική) wire–pulling
▷**ρουσφετολογικές προσλήψεις** jobs for the boys

ρουτίνα ΟΥΣ ΘΗΛ routine
▷**εξέταση/υπόθεση/δουλειά ρουτίνας** routine examination/matter/job
▷**πέφτω στη ρουτίνα** to get in a rut

ρούφηγμα ΟΥΣ ΟΥΔ **(α)** (= η πράξη του ρουφώ) sucking **(β)** (ανεπ.: = σημάδι από φιλί) love bite, hickey (Αμερ.) (ανεπ.)

ρουφηξιά ΟΥΣ ΘΗΛ **(α)** (= ρούφηγμα) sucking **(β)** (= γουλιά) sip **(γ)** (για τσιγάρο) puff
▷**με μια ρουφηξιά** at a gulp

ρουφηχτός, -ή, -ό ΕΠΙΘ (αυγά) soft–boiled · (φιλί) smacking

ρουφήχτρα ΟΥΣ ΘΗΛ **(α)** (ανεπ.: = δίνη) whirlpool **(β)** (μτφ.) heavy drinker

ρουφιάνα ΟΥΣ ΘΗΛ βλ. **ρουφιάνος**

ρουφιανιά ΟΥΣ ΘΗΛ **(α)** (= δολοπλοκία) scheming **(β)** (= κατάδοση) treachery

ρουφιάνος ΟΥΣ ΑΡΣ **(α)** (= δολοπλόκος) schemer **(β)** (= καταδότης) traitor

ρουφώ Ρ Μ **(α)** (καφέ, γάλα) to sip · (από μπιμπερό, με καλαμάκι) to suck · (μτφ.: δύναμη) to drain **(β)** (με ηχηρό και ενοχλητικό τρόπο: σούπα, καφέ) to slurp **(γ)** (αέρα, μυρωδιά) to breathe in, to inhale · (καπνό) to inhale **(δ)** (= απορροφώ: υγρασία, νερό) to soak up, to absorb **(ε)** (μάγουλα) to suck in · (στομάχι, κοιλιά) to pull in **(στ)** (= πίνω λαίμαργα) to gulp **(ζ)** (μτφ.: λόγια, μάθημα) to drink in **(η)** (μτφ.: =

απομυζώ) to bleed dry (ϑ) (*μτφ.: = φιλώ με πάθος*) to kiss passionately (ι) (*αργκ.: γκολ*) to let in
▷**ρουφώ τη μύτη μου** to sniff
ρουχισμός ΟΥΣ ΑΡΣ clothing, clothes *πληθ.*
ρούχο ΟΥΣ ΟΥΔ garment, clothes *πληθ.*
▸**ρούχα** ΠΛΗΘ (α) (= *ενδύματα*) clothes (β) (= *κλινοσκεπάσματα*) bedclothes
▷**βγαίνω (έξω) από τα ρούχα μου** to see red
▷**βγάζω κπν από τα ρούχα του** to make sb see red
▷**γυναικεία/ανδρικά/παιδικά ρούχα** women's/men's/children's clothes
▷**έχω τα ρούχα μου** (*ανεπ.*) to be having one's period
▷**καλά ρούχα** Sunday best, best clothes
▷**όποιος φυλάει τα ρούχα του, έχει τα μισά, φύλαγε τα ρούχα σου να 'χεις τα μισά** (*παροιμ.*) better safe than sorry (*παροιμ.*)
▷**τρώγομαι με τα ρούχα μου** to moan and groan
ρόφημα ΟΥΣ ΟΥΔ beverage, drink
ροφός ΟΥΣ ΑΡΣ grouper
ροχάλα ΟΥΣ ΘΗΛ (*ανεπ.*) gob *χωρίς πληθ.* (*ανεπ.*)
ροχαλητό ΟΥΣ ΟΥΔ (= *το να ροχαλίζει κανείς*) snoring · (= *θορυβώδης αναπνοή*) snore
ροχαλίζω Ρ ΑΜ to snore
ρόχθος ΟΥΣ ΑΡΣ roar
ρυάκι ΟΥΣ ΟΥΔ creek, brook · (*μτφ.: αίματος*) trickle
ρύγχος ΟΥΣ ΟΥΔ (α) (*ζώου*) snout · (*ψαριού*) jaw (β) (*αεροσκάφους, εργαλείου*) nozzle
ρυζάλευρο ΟΥΣ ΟΥΔ ground rice
ρύζι ΟΥΣ ΟΥΔ rice
ρυζόγαλο ΟΥΣ ΟΥΔ rice pudding
ρυθμιζόμενος, -η, -ο ΕΠΙΘ adjustable
ρυθμίζω Ρ Μ (α) (*χρόνο, πρόγραμμα, ρολόι*) to set · (*θερμοκρασία, κλιματιστικό*) to set, to adjust · (*φωτογραφική μηχανή, τηλεσκόπιο*) to focus (β) (*κυκλοφορία, παραγωγικότητα*) to regulate, to control · (*είκονα, χρώματα*) to adjust (γ) (*λεπτομέρειες*) to arrange, to sort out · (*θέμα, ζητήματα*) to settle · (*ζωή*) to sort out, to take control of · (*μέλλον*) to plan for · (*σχέση*) to clarify
ρυθμικός, -ή, -ό ΕΠΙΘ rhythmic(al)
▸**ρυθμική** ΟΥΣ ΘΗΛ (α) (= *τονική στιχουργία*) rhythm (β) (*επίσης* **ρυθμική γυμναστική**) rhythmic gymnastics *εν.*
ρύθμιση ΟΥΣ ΘΗΛ (α) (*ρολογιού, στάθμης*) setting · (*θερμοκρασίας, μηχανισμού*) adjustment (β) (*κυκλοφορίας*) control (γ) (*προβλήματος, ζωής*) sorting out · (*χρέους, πληρωμής, θέματος*) settling · (*μέλλοντός*) planning
ρυθμιστής ΟΥΣ ΑΡΣ (α) (*εμπορίου, οικονομίας*) regulator (β) (*ταχύτητας, θερμοκρασίας, υγρασίας*) control, regulator
ρυθμιστικός, -ή, -ό ΕΠΙΘ (α) (*διάταγμα*) prescriptive · (*αρχή, στοιχείο, παράγοντας*)

guiding (β) (*ρόλος*) decisive
ρυθμίστρια ΟΥΣ ΘΗΛ = **ρυθμιστής**
ρυθμός ΟΥΣ ΑΡΣ (α) (*κολύμβησης, κωπηλασίας*) stroke · (*κούρσας*) pace (β) (*κυμάτων, σώματος*) rhythm · (*καρδιάς*) beat (γ) (*γεννήσεων, θανάτων, γάμων, παραγωγής*) rate (δ) (*ζωής, ομάδας*) pace · (*εργασίας, διαβάσματος*) rate, speed (ε) (ΜΟΥΣ) rhythm, beat (στ) (ΠΟΙΗΣ) rhythm (ζ) (ΤΕΧΝ) style · (*αρχιτεκτονικός*) order
▷**με/χωρίς ρυθμό** in/out of time
▸**ρυθμός ανάπτυξης** growth rate
ρύμη ΟΥΣ ΘΗΛ (*επίσ.*): **εν τη ρύμη του λόγου** in a rush of words
ρυμοτομία ΟΥΣ ΘΗΛ (α) (= *χάραξη δρόμων και πλατειών*) street layout (β) (= *κλάδος πολεοδομίας*) town planning
ρυμοτομώ Ρ Μ to lay out, to plan
ρυμούλκα ΟΥΣ ΘΗΛ trailer
ρυμούλκηση ΟΥΣ ΘΗΛ towing
ρυμουλκό ΟΥΣ ΟΥΔ (*επίσης* **ρυμουλκό πλοίο**) tug (boat) · (*επίσης* **ρυμουλκό όχημα**) tow truck
ρυμουλκώ Ρ Μ to tow
ρυπαίνω Ρ Μ to pollute
ρύπανση ΟΥΣ ΘΗΛ pollution · (*τροφίμων*) contamination
ρυπαντής ΟΥΣ ΑΡΣ polluter
ρυπαρός, -ή, -ό ΕΠΙΘ (*επίσ.*) (α) (= *βρόμικος*) dirty, filthy (β) (*μτφ.: = αισχρός*) smutty
ρυπαρότητα ΟΥΣ ΘΗΛ (*επίσ.*) (α) (= *βρομιά*) dirt, filth (β) (*μτφ.: = ανηθικότητα*) smut
ρυπογόνος, -ος, -ο ΕΠΙΘ polluting
▸**ρυπογόνο στοιχείο** pollutant
ρύπος ΟΥΣ ΑΡΣ (*επίσ.*) (α) (= *ακαθαρσία*) dirt, filth (β) (= *ουσία που μολύνει*) pollutant (γ) (*μτφ.: = αίσχος*) stain
ρυτίδα ΟΥΣ ΘΗΛ wrinkle
▷**κάνω ρυτίδες** to become wrinkled
ρυτιδώνω Ρ Μ (α) (*πρόσωπο, μέτωπο*) to wrinkle (β) (*μτφ.: θάλασσα, νερό*) to ripple
ρώγα ΟΥΣ ΘΗΛ (α) (*σταφυλιού*) grape (β) (*ανεπ.: = θηλή στήθους*) nipple (γ) (*μτφ.: = εσωτερικό άκρης δακτύλων*) tip
ρωγμή ΟΥΣ ΘΗΛ (*σε τοίχο, έδαφος*) crack · (*σε κόκαλο*) fracture · (*μτφ.*) rift
Ρωμαία ΟΥΣ ΘΗΛ *βλ.* **Ρωμαίος**
ρωμαϊκός, -ή, -ό ΕΠΙΘ Roman
▸**Ρωμαϊκή Εκκλησία** Roman Catholic Church, Church of Rome
▸**Ρωμαϊκό Δίκαιο** Roman law
ρωμαιοκαθολικός, -ή, -ό ΕΠΙΘ Roman Catholic
▸**Ρωμαιοκαθολική Εκκλησία** Roman Catholic Church
▸**ρωμαιοκαθολικός** ΟΥΣ ΑΡΣ, **ρωμαιοκαθολική** ΟΥΣ ΘΗΛ (Roman) Catholic
Ρωμαίος ΟΥΣ ΑΡΣ Roman
ρωμαλέος, -α, -ο ΕΠΙΘ (α) (*άνθρωπος, σώμα, μπράτσο*) strong · (*υγεία, νιότη*) robust

Ρ

(β) (*μτφ.: αυτοκρατορία*) strong· (*αντίσταση*) sturdy· (*προσπάθεια*) concerted· (*ύφος, λόγος*) vigorous

Ρώμη ΟΥΣ ΘΗΛ Rome

ρώμη ΟΥΣ ΘΗΛ (*επίσ.: σώματος*) strength, power· (*μτφ.: ψυχής*) courage

Ρωσία ΟΥΣ ΘΗΛ Russia

Ρωσίδα ΟΥΣ ΘΗΛ *βλ.* **Ρώσος**

ρωσικός, -ή, -ό ΕΠΙΘ Russian

> *Προσοχή!: Τα εθνικά επίθετα, όπως* **Russian**, *γράφονται με κεφαλαίο το αρχικό γράμμα στα Αγγλικά.*

▷**ρώσικη ρουλέτα** Russian roulette

► **Ρωσικά, Ρώσικα** ΟΥΣ ΟΥΔ ΠΛΗΘ Russian

ρώσικος, -η, -ο ΕΠΙΘ = **ρωσικός**

Ρώσος ΟΥΣ ΑΡΣ Rusian

ρώτημα ΟΥΣ ΟΥΔ question

> ▷**για να 'χουμε (το) καλό ρώτημα** just to be clear

> ▷**θέλει και ρώτημα;** do you really need to ask?

ρωτώ ① Ρ Μ to ask (*για* about)

② Ρ ΑΜ (*παιδί, μαθητής*) to ask a question *ή* questions

Σ σ ς

Σ, σ/ς sigma, *18th letter of the Greek alphabet*
▷ σ΄ 200
▷,σ 200,000
▷ στ΄, ς΄ 6

σα¹ (*προφορ.*) MOP = **σαν¹**
σα² (*προφορ., λογοτ.*) ΣΥΝΔ = **σαν²**
σαβάνα ΟΥΣ ΘΗΛ savanna(h)
σάβανο ΟΥΣ ΟΥΔ shroud
σαβάνωμα ΟΥΣ ΟΥΔ wrapping in a shroud
σαβανώνω P M to wrap in a shroud
σαββατιάτικα (*ανεπ.*) ΕΠΙΡΡ on a Saturday
σαββατιάτικος, -η, -ο (*ανεπ.*) ΕΠΙΘ (*αγώνας,
εκδρομή*) Saturday
Σάββατο ΟΥΣ ΟΥΔ Saturday
σαββατόβραδο ΟΥΣ ΟΥΔ Saturday night
σαββατογεννημένος, -η, -ο ΕΠΙΘ born on a
Saturday · (*μτφ.*) very lucky
σαββατοκύριακο ΟΥΣ ΟΥΔ weekend
σαβουάρ βιβρ ΟΥΣ ΟΥΔ ΑΚΛ good manners
πληθ., savoir–vivre (*επίσ.*)
σαβούρα ΟΥΣ ΘΗΛ (α) (= *έρμα*) ballast
(β) (*ανεπ.*: = *σκουπίδια*) junk (*ανεπ.*)
σαβουρογάμης (*ανεπ., μειωτ.*) ΟΥΣ ΑΡΣ: **είναι
σαβουρογάμης** he'd sleep with anything,
he's not fussy
σαβούρωμα ΟΥΣ ΟΥΔ (α) (*πλοίου*) ballasting
(β) (*οικ.: για πρόσα.*) stuffing oneself (*ανεπ.*)
σαβουρώνω ① P M (= *βάζω έρμα*) to ballast
② P ΑΜ (*οικ.: = περιδρομιάζω*) to stuff oneself
(*ανεπ.*)
σαγανάκι ΟΥΣ ΟΥΔ (α) (ΜΑΓΕΙΡ) fried cheese
(β) (*σκεύος*) small frying pan with two handles
▷ **γαρίδες/μύδια σαγανάκι** fried prawns
(*Βρετ.*) ή shrimps (*Αμερ.*)/mussels
σαγή ΟΥΣ ΘΗΛ harness
σαγηνευτικός, -ή, -ό ΕΠΙΘ (*χαμόγελο, ματιά*)
beguiling, seductive · (*πρόταση*) tempting ·
(*γυναίκα, άνδρας*) charming
σαγηνεύω P M to enchant, to captivate
σαγήνη ΟΥΣ ΘΗΛ charm
σαγιονάρα ΟΥΣ ΘΗΛ flip–flops *πληθ.* (*Βρετ.*),
thongs *πληθ.* (*Αμερ.*)
σαγκουίνι ΟΥΣ ΟΥΔ blood orange
σάγμα (*επίσ.*) ΟΥΣ ΟΥΔ saddle
σαγόνι ΟΥΣ ΟΥΔ (α) (= *σιαγόνα*) jaw
(β) (= *πιγούνι*) chin
σαγονιά (*ανεπ.*) ΟΥΣ ΘΗΛ punch in the mouth
(*ανεπ.*)

σαγρέ ΕΠΙΘ ΑΚΛ (*πρόσοψη*) roughcast
σαδισμός ΟΥΣ ΑΡΣ sadism
σαδιστής ΟΥΣ ΑΡΣ sadist
σαδιστικός, -ή, -ό ΕΠΙΘ sadistic
σαδίστρια ΟΥΣ ΘΗΛ *βλ.* **σαδιστής**
σαδομαζοχισμός ΟΥΣ ΑΡΣ sadomasochism
σαδομαζοχιστής ΟΥΣ ΑΡΣ sadomasochist
σαδομαζοχιστικός, -ή, -ό ΕΠΙΘ
sadomasochistic
σαδομαζοχίστρια ΟΥΣ ΘΗΛ *βλ.*
σαδομαζοχιστής
σαθρός, -ή, -ό ΕΠΙΘ (α) (*τοίχος*) crumbling ·
(*πάτωμα*) rotten · (*ταβάνι*) dilapidated
(β) (*επιχείρημα*) shaky
σαθρότητα ΟΥΣ ΘΗΛ (α) (*ταβανιού*)
dilapidated state · (*πατώματος*) rottenness
(β) (*επιχειρήματος*) shakiness
σαιζλόνγκ ΟΥΣ ΘΗΛ ΑΚΛ = **σεζλόνγκ**
σαιζόν ΟΥΣ ΘΗΛ ΑΚΛ = **σεζόν**
σαΐνι ΟΥΣ ΟΥΔ sharp–witted person
σαιξπηρικός, -ή, -ό ΕΠΙΘ Shakespearean
σαΐτα ΟΥΣ ΘΗΛ (α) (*λογοτ.*: = *βέλος*) arrow
(β) (*παιδικό παιχνίδι*) paper aeroplane
(*Βρετ.*) ή airplane (*Αμερ.*) (γ) (*αργαλειού*)
shuttle (δ) (*φίδι*) adder
σάκα ΟΥΣ ΘΗΛ (*μαθητή*) school bag, satchel
σακάκι ΟΥΣ ΟΥΔ jacket
▸ **μονόπετο σακάκι** single–breasted jacket
▸ **σταυρωτό σακάκι** double–breasted jacket
σακαράκα ΟΥΣ ΟΥΔ old banger (*Βρετ.*) ή wreck
(*ανεπ.*)
σακάτεμα (*ανεπ.*) ΟΥΣ ΟΥΔ (α) (= *αναπηρία*)
crippling (β) (= *ταλαιπωρία*) wearing out
σακατεύω (*ανεπ.*) P M (α) (= *καθιστώ
ανάπηρο*) to cripple (β) (= *ταλαιπωρώ*) to
wear out
▷ **σακατεύω κπν στο ξύλο** to beat the living
daylights out of sb
σακάτης (*μειωτ.*) ΟΥΣ ΑΡΣ cripple
σακάτικος, -η, -ο (*ανεπ.*) ΕΠΙΘ crippled
σακάτισσα (*μειωτ.*) ΟΥΣ ΘΗΛ *βλ.* **σακάτης**
σακ-βουαγιάζ ΟΥΣ ΟΥΔ ΑΚΛ travel bag
σακέ ΟΥΣ ΟΥΔ ΑΚΛ saké
σακί ΟΥΣ ΟΥΔ (α) (= *μικρός σάκος*) bag
(β) (= *τσουβάλι*) sack (γ) (= *περιεχόμενο
τσουβαλιού*) sack(ful)
σακιάζω P M (*αλεύρι, μήλα*) to put in a sack ή
bag

σακίδιο ΟΥΣ ΟΥΔ (α) (= δισάκι) bag (β) (= γυλιός: στρατιώτη) kitbag · (πεζοπόρου) backpack

σακοράφα ΟΥΣ ΘΗΛ pack needle

σάκος ΟΥΣ ΑΡΣ (= σακί) bag · (= τσουβάλι) sack ▷**σάκος του μποξ** punch bag (Βρετ.), punching bag (Αμερ.)

σακούλα ΟΥΣ ΘΗΛ (α) (= τσάντα) bag · (από πλαστικό) carrier bag (β) (= περιεχόμενο τσάντας) bag(ful) ▷**γιαούρτι σακούλας** strained yoghurt ▶ **σακούλες** ΠΛΗΘ bags (under the eyes)

σακούλι ΟΥΣ ΟΥΔ bag

σακουλιάζω ① Ρ Μ (ψώνια, τρόφιμα) to put in a bag ② Ρ ΑΜ (για ρούχο) to be baggy

σακχαρίνη ΟΥΣ ΘΗΛ saccharin(e)

σάκχαρο ΟΥΣ ΟΥΔ (α) (ΧΗΜ) sugar (β) (= σακχαρώδης διαβήτης) (sugar) diabetes · (= ποσότητα σακχάρου) blood sugar

σακχαροδιαβήτης ΟΥΣ ΑΡΣ = **ζαχαροδιαβήτης**

σάλα ΟΥΣ ΘΗΛ (α) (= σαλόνι) living room, drawing room (επίσ.) (β) (= αίθουσα εκδηλώσεων) hall

σαλαγώ Ρ Μ to shepherd

σαλαμάνδρα ΟΥΣ ΟΥΔ salamander

σαλάμι ΟΥΣ ΟΥΔ salami

Σαλαμίνα ΟΥΣ ΘΗΛ (α) (νησί) Salamis (β) (πρωτεύουσα) Salamina ▷**ναυμαχία της Σαλαμίνας** battle of Salamis

σαλαμούρα ΟΥΣ ΘΗΛ brine

σαλάτα ΟΥΣ ΘΗΛ (α) (= σαλατικό) salad (β) (μτφ.) mess ▷**τα κάνω σαλάτα** to make a mess of things

σαλατιέρα ΟΥΣ ΘΗΛ salad bowl

σαλατικό ΟΥΣ ΟΥΔ salad

σαλάχι ΟΥΣ ΟΥΔ = **σελάχι**

σαλβάρι ΟΥΣ ΟΥΔ (ανδρών) breeches ΠΛΗΘ. · (γυναικών) loose trousers ΠΛΗΘ.

σαλέ ΟΥΣ ΟΥΔ ΑΚΛ chalet

σαλέπι ΟΥΣ ΟΥΔ salep, infusion of the roots of various orchids

σαλεύω ① Ρ ΑΜ (φύλλο) to stir · (χείλη) to move ② Ρ Μ (χέρια, πόδια) to move ▷**μου σάλεψε, σάλεψε το μυαλό** ή **ο νους μου** to lose one's mind

σάλι ΟΥΣ ΟΥΔ shawl

σάλιαγκας (ανεπ.) ΟΥΣ ΑΡΣ snail

σαλιάρα ΟΥΣ ΘΗΛ (μωρού) bib

σαλιάρης, -α, -ικο (ανεπ.) ΕΠΙΘ slobbery

σαλιαρίζω (αρνητ.) Ρ ΑΜ (ερωτευμένοι) to slobber over each other ▷**σαλιαρίζω με κπν** to flirt with sb

σαλιαρίσματα (αρνητ.) ΟΥΣ ΟΥΔ ΠΛΗΘ flirting εν.

σαλιγκάρι ΟΥΣ ΟΥΔ snail

σαλίγκαρος ΟΥΣ ΑΡΣ = **σαλιγκάρι**

σάλιο ΟΥΣ ΟΥΔ saliva χωρίς πληθ. ▷**δεν υπάρχει σάλιο** (οικ.) to be skint (Βρετ.) (ανεπ.) ή broke (Αμερ.) ▷**τρέχουν τα σάλια μου** (οικ.) my mouth's watering

σαλιώνω Ρ Μ (γραμματόσημο, χείλη, δάχτυλο) to lick

σαλμονέλα ΟΥΣ ΘΗΛ salmonella

σαλόνι ΟΥΣ ΟΥΔ (α) (= σάλα) living room, lounge (Βρετ.) (β) (= έπιπλα σάλας) living room furniture χωρίς πληθ. (γ) (αυτοκινήτου) interior (δ) (= διεθνής έκθεση) show ▶ **φιλολογικό σαλόνι** literary salon

Σαλονίκη ΟΥΣ ΘΗΛ = **Θεσσαλονίκη**

σάλος ΟΥΣ ΑΡΣ uproar ▷**πολιτικός σάλος** political storm

σαλπάρισμα ΟΥΣ ΟΥΔ setting sail

σαλπάρω Ρ ΑΜ to set sail

σάλπιγγα ΟΥΣ ΘΗΛ (α) (ΜΟΥΣ) trumpet · (στρατιωτική) bugle (β) (ΑΝΑΤ) Fallopian tube

σαλπιγκτής ΟΥΣ ΑΡΣ (α) (= που παίζει σάλπιγγα) trumpeter (β) (= στρατιώτης που σαλπίζει) bugler

σαλπίζω Ρ ΑΜ (α) (= παίζω σάλπιγγα) to play the trumpet (β) (ΣΤΡΑΤ) to sound the bugle (γ) (μτφ.) to trumpet

σάλπισμα ΟΥΣ ΟΥΔ (α) (= ήχος σάλπιγγας) trumpet call (β) (ΣΤΡΑΤ) bugle call (γ) (μτφ.) declaration

σαλτάρισμα (οικ.) ΟΥΣ ΟΥΔ (α) (= πήδημα) jump (β) (αργκ.: = τρέλα) madness

σαλτάρω (οικ.) Ρ ΑΜ (α) (= πηδώ) to jump (β) (αργκ.: = τρελαίνομαι) to lose one's marbles (ανεπ.), to flip (ανεπ.)

σαλτιμπάγκος ΟΥΣ ΑΡΣ (α) (= πλανόδιος διασκεδαστής) travelling (Βρετ.) ή performer (Αμερ.) (β) (αρνητ.: = κατεργάρης) charlatan

σάλτο ΟΥΣ ΟΥΔ leap ▷**σάλτο μορτάλε** (= πήδημα θανάτου) leap of death

σάλτσα ΟΥΣ ΘΗΛ sauce ▶ **σάλτσες** ΠΛΗΘ window dressing εν., hot air εν. (ανεπ.) ▷**βάζω σάλτσες** to exaggerate, to pile it on (ανεπ.)

σαλτσιέρα ΟΥΣ ΘΗΛ sauce boat, gravy boat

σαμαράκι ΟΥΣ ΟΥΔ (σε οδόστρωμα) bump · βλ. κ. **σαμάρι**

σαμαράς ΟΥΣ ΑΡΣ saddler

σαμάρι ΟΥΣ ΟΥΔ (α) (= σάγμα) saddle (β) (σε δρόμο) bump · (για ελάττωση ταχύτητας) speed bump

σαμαρώνω Ρ Μ to saddle

σαματάς (ανεπ.) ΟΥΣ ΑΡΣ racket (ανεπ.), din ▷**κάνω σαματά** to make a racket (ανεπ.) ή din

σαματατζής (ανεπ.) ΟΥΣ ΑΡΣ rowdy

σαματατζού (ανεπ.) ΟΥΣ ΘΗΛ βλ. **σαματατζής**

σαμιακός, -ή, -ό (επίσ.) ΕΠΙΘ = **σαμιώτικος**

σαμιαμίδι ΟΥΣ ΟΥΔ **(α)** (= *μολυντήρι*) gecko **(β)** (*κοροϊδ.*) live wire (*ανεπ.*)

σαμιώτικος, -η, -ο ΕΠΙΘ (*κρασί*) Samian

Προσοχή!: Τα εθνικά επίθετα, όπως **Samian,** *γράφονται με κεφαλαίο το αρχικό γράμμα στα Αγγλικά.*

σαμοβάρι ΟΥΣ ΟΥΔ tea urn

Σαμοθράκη ΟΥΣ ΘΗΛ Samothrace

Σάμος ΟΥΣ ΘΗΛ Samos

σαμουράι ΟΥΣ ΑΡΣ ΑΚΛ samurai

σάμπα ΟΥΣ ΘΗΛ samba

σαμπάνια ΟΥΣ ΘΗΛ champagne

σαμπανιέρα ΟΥΣ ΘΗΛ champagne bucket

σαμπανιζέ ΕΠΙΘ ΑΚΛ: **σαμπανιζέ κρασί** sparkling wine

σαμπό ΟΥΣ ΟΥΔ ΑΚΛ clog

σαμποτάζ ΟΥΣ ΟΥΔ ΑΚΛ (*κυριολ., μτφ.*) sabotage
▷**κάνω σαμποτάζ** (*μτφ.*) to throw a spanner in the works (*Βρετ.*), to throw a (monkey) wrench into the works (*Αμερ.*)
▷**κάνω σαμποτάζ σε κτ** to sabotage sth

σαμποτάρισμα ΟΥΣ ΟΥΔ sabotage

σαμποτάρω Ρ Μ to sabotage

σαμποτέρ ΟΥΣ ΑΡΣ&ΘΗΛ saboteur

σαμπουάν ΟΥΣ ΟΥΔ ΑΚΛ shampoo

σαμπούκα ΟΥΣ ΘΗΛ ΑΚΛ sambuca

σαμπρέλα ΟΥΣ ΘΗΛ **(α)** (*ποδηλάτου, αυτοκινήτου*) inner tube **(β)** (*μπάλας*) bladder

σάμπως (*ανεπ.*) ΕΠΙΡΡ **(α)** (= *σαν*) as if, as though **(β)** (= *μήπως*) as if **(γ)** (= *ίσως*) perhaps, maybe

σαν¹ ΜΟΡ **(α)** (= *όπως*) like **(β)** (*καταχρ.*: = *ως*) as **(γ)** (= *σάμπως*) as if **(δ)** (= *άραγε*) I wonder
▷**πονηρός σαν αλεπού** as cunning as a fox
▷**σαν έξυπνη/λερωμένη που ήταν** as she was so clever/dirty
▷**σαν να** as if, as though
▷**σαν ν' άκουσε το κλάμα ενός μωρού** he thought he heard a baby crying
▷**σαν πόσα λες να της κόστισε το σπίτι;** I wonder how much the house cost her?
▷**φαίνομαι** *ή* **δείχνω σαν να** it looks as if *ή* like

σαν² (*λογοτ.*) ΣΥΝΔ **(α)** (= *όταν*) when **(β)** (= *μόλις*) as soon as **(γ)** (= *κάθε φορά που*) when **(δ)** (= *εάν*) if
▷**πηγαίνετε μια βόλτα σαν νέα παιδιά που είστε!** go for a walk like good children!
▷**σαν γονιός** as a parent
▷**συνήθισε στη δουλειά σαν πέρασε ο καιρός** he got used to the work in time *ή* as time went on

σανατόριο ΟΥΣ ΟΥΔ sanatorium (*Βρετ.*), sanitarium (*Αμερ.*)

Προσοχή!: Ο πληθυντικός του **sanatorium/sanitarium** *είναι* **sanatoria/ sanitaria.**

Σανγκάη ΟΥΣ ΘΗΛ Shanghai

σανγκρία ΟΥΣ ΘΗΛ ΑΚΛ sangria

σανδάλι ΟΥΣ ΟΥΔ sandal

σανίδα ΟΥΣ ΘΗΛ (wooden) plank · (*πατώματος*) floorboard · (*κρεβατιού*) slat
▷**βρε(γ)μένη σανίδα** (*προφορ.*) thrashing
▷**είμαι σαν σανίδα** (*κοιλιά*) to be as flat as a board · (*γυναίκα*) to be as skinny as a rake
►**σανίδα για βουτιές** diving board
►**σανίδα σέρφινγκ** surfboard
►**σανίδα του ψωμιού** breadboard

σανιδένιος, -ια, -ιο ΕΠΙΘ (*πάτωμα*) wooden · (*ταβάνι*) timbered

σανίδι ΟΥΣ ΟΥΔ **(α)** (= *σανίδα*) (wooden) plank · (*πατώματος*) floorboard · (*κρεβατιού*) slat **(β)** (= *σκηνή θεάτρου*) stage

σανιδόσκαλα ΟΥΣ ΘΗΛ (ΝΑΥΤ) plank

σανίδωμα ΟΥΣ ΟΥΔ **(α)** (*πατώματος*) laying **(β)** (*δωματίου*) panelling (*Βρετ.*), paneling (*Αμερ.*)

σανιδώνω Ρ Μ (*πάτωμα*) to lay
▷**το σανιδώνω** (*αργκ.*) to floor the accelerator, to step on the gas (*ανεπ.*)

σανιδωτός, -ή, -ό ΕΠΙΘ (*πάτωμα*) wooden · (*ταβάνι*) timbered

σανό ΟΥΣ ΟΥΔ hay crop
►**σανά** ΠΛΗΘ hay crop *εν.*

σανός ΟΥΣ ΑΡΣ hay
▷**τρώω σανό** (*οικ.*) to be a fool

Σανσκριτικά ΟΥΣ ΟΥΔ ΠΛΗΘ Sanskrit

Σανσκριτική ΟΥΣ ΘΗΛ = **Σανσκριτικά**

σαντάλι ΟΥΣ ΟΥΔ = **σανδάλι**

σαντιγί ΟΥΣ ΘΗΛ ΑΚΛ whipped cream

Σαντορίνη ΟΥΣ ΘΗΛ Santorini

σάντουιτς ΟΥΣ ΟΥΔ ΑΚΛ sandwich
▷**κάνω κπν/κτ σάντουιτς** (*ανεπ.*) to sandwich sb/sth in

σαντούρι ΟΥΣ ΟΥΔ dulcimer

σαξ ΕΠΙΘ ΑΚΛ (*μπλουζάκι, φούστα*) blue–green
►**σαξ** ΟΥΣ ΟΥΔ blue green

σαξοφωνίστας ΟΥΣ ΑΡΣ saxophonist

σαξοφωνίστρια ΟΥΣ ΘΗΛ *βλ.* **σαξοφωνίστας**

σαξόφωνο ΟΥΣ ΟΥΔ saxophone

Σαουδάραβας ΟΥΣ ΑΡΣ Saudi (Arabian)
►**Σαουδάραβες** ΠΛΗΘ: **οι Σαουδάραβες** Saudis, Saudi Arabians

σαουδαραβικός, -ή, -ό ΕΠΙΘ Saudi (Arabian)

Προσοχή!: Τα εθνικά επίθετα, όπως **Saudi (Arabian),** *γράφονται με κεφαλαίο το αρχικό γράμμα στα Αγγλικά.*

Σαουδαράβισσα ΟΥΣ ΘΗΛ *βλ.* **Σαουδάραβας**

Σαουδική Αραβία ΟΥΣ ΘΗΛ Saudi Arabia

σάουνα ΟΥΣ ΘΗΛ sauna

σάουντρακ ΟΥΣ ΟΥΔ ΑΚΛ **(α)** (= *μουσική ταινίας*) soundtrack **(β)** (= *βασικό μουσικό θέμα ταινίας*) theme music *ή* song

σαπίζω ① Ρ Μ (*ξύλο, φράχτη, ρίζες*) to rot ② Ρ ΑΜ **(α)** (*φρούτα*) to go rotten · (*κρέας*) to

spoil · (*πάτωμα, πόρτα*) to rot, to go rotten ·
(*δόντι*) to decay · (*πτώμα, ψοφίμι*) to
decompose (β) (*άνθρωπος, κοινωνία*) to go
to the bad
▷**σαπίζω στη φυλακή** to rot in prison
σαπίλα ΟΥΣ ΘΗΛ (α) (= *σήψη*) decay
(β) (= *βρόμα*) smell of decay
(γ) (= *διαφθορά*) rot
σαπιοκάραβο ΟΥΣ ΟΥΔ old tub (*ανεπ.*),
floating coffin (*ανεπ.*)
σάπιος, -ια, -ιο ΕΠΙΘ (α) (*φρούτα, λαχαικά,
κρέατα*) rotten (β) (*πάτωμα, σανίδα*) rotten ·
(*έπιπλο*) dilapidated (γ) (*δόντι*) decayed
(δ) (*κοινωνία, σύστημα*) rotten, corrupt ·
(*μυαλό*) corrupt
▷**άσε τα σάπια!** (*αργκ.*) cut the crap! (*χυδ.*)
▸**σάπιο μήλο** (*χρώμα*) reddy brown
σάπισμα ΟΥΣ ΟΥΔ (α) (*λαχανικών, φρούτων,
κορμού, σχοινιού, πατώματος*) rottenness ·
(*πτώματος*) decomposition · (*δόντιου*) decay
(β) (*κοινωνίας, ανθρώπου*) corruption
σαπουνάδα ΟΥΣ ΘΗΛ (α) (= *σαπουνόνερο*)
soapy water (β) (= *αφρός σαπουνόνερου*)
(soap)suds *πληθ.*, lather *χωρίς πληθ.*
▷**κάνω σαπουνάδα** (*σαπούνι*) to lather
σαπούνι ΟΥΣ ΟΥΔ soap
▸**υγρό σαπούνι** liquid soap
▸**σαπούνι σε σκόνη** soap powder
σαπουνίζω Ρ Μ (*χέρια, πρόσωπο, τοίχο*) to
wash with soap
σαπούνισμα ΟΥΣ ΟΥΔ soaping
σαπουνόνερο ΟΥΣ ΟΥΔ soapy water
σαπουνόπερα ΟΥΣ ΘΗΛ soap (opera)
σαπουνόφουσκα ΟΥΣ ΘΗΛ (soap) bubble
▸**σαπουνόφουσκες** ΠΛΗΘ nonsense *εν.*
σαπρός, -ή, -ό (*επίσ.*) ΕΠΙΘ = **σάπιος**
σαπρόφυτο ΟΥΣ ΟΥΔ (BOT) saprophyte
σαπφείρινος, -η, -ο (*επίσ.*) ΕΠΙΘ =
ζαφειρένιος
σάπφειρος (*επίσ.*) ΟΥΣ ΑΡΣ = **ζαφείρι**
σάπων (*επίσ.*) ΟΥΣ ΑΡΣ = **σαπούνι**
σαπωνοποιία ΟΥΣ ΘΗΛ soap manufacturing,
soap making
σάρα ΟΥΣ ΘΗΛ *βλ.* **μάρα**
σαραβαλάκι ΟΥΣ ΟΥΔ jalopy
σαραβαλιάζω Ρ Μ (*αυτοκίνητο, μηχάνημα,
έπιπλο*) to wreck
▸**σαραβαλιάζομαι** ΜΕΣΟΠΑΘ (*αυτοκίνητο,
άρρωστος*) to be a wreck · (*ηλικιωμένος*) to be
decrepit
σαραβαλιασμένος, -η, -ο ΕΠΙΘ
(α) (*αυτοκίνητο, ποδήλατο*) wrecked ·
(*καρέκλα*) broken (β) (*κορμί, γέρος*) decrepit
σαράβαλο ΟΥΣ ΟΥΔ (α) (*για αυτοκίνητο*)
wreck · (*για σπίτι*) ruin · (*για έπιπλο*) piece of
junk (β) (*για πρόσ.*) wreck · (*για γέρο*)
decrepit old man
σαράι ΟΥΣ ΟΥΔ seraglio
σαράκι ΟΥΣ ΟΥΔ (α) (= *σκόρος*) woodworm
(β) (*μτφ.*) canker
▷**με τρώει το σαράκι** (*μτφ.*) to be eaten up

inside
▷**πιάνω σαράκι** (*πάτωμα, ντουλάπα*) to be
riddled with woodworm, to be worm-eaten
Σαρακοστή ΟΥΣ ΘΗΛ Lent
▷**λείπει ο Μάρτης από τη Σαρακοστή;**
(*παροιμ.*) is the pope Catholic?
σαρακοστιανά ΟΥΣ ΟΥΔ ΠΛΗΘ Lenten foods
σαρακοφαγωμένος, -η, -ο ΕΠΙΘ (*έπιπλο,
ξυλεία*) riddled with woodworm,
worm-eaten
σαράντα ΑΡΙΘ ΑΠΟΛ ΑΚΛ forty
▷**είμαι στα σαράντα μου** to be in one's
forties
▷**το σαράντα** the 1940 Greek-Italian war
▸**σαράντα** ΠΛΗΘ *memorial service held forty days
after a person's death*
σαραντάκταωρο ΟΥΣ ΟΥΔ forty-eight hours
πληθ.
σαραντάκταωρος, -η, -ο ΕΠΙΘ (*άδεια, ταξίδι*)
fourty-eight hour, two-day
σαρανταπεντάρα ΟΥΣ ΘΗΛ (α) (*για γυναίκα*)
woman in her early forties (β) (*για κασέτα*)
forty-five minute tape
σαρανταπεντάρης ΟΥΣ ΑΡΣ man in his early
forties
σαρανταπεντάρι ΟΥΣ ΟΥΔ .45 calibre (*Βρετ.*) ή
caliber (*Αμερ.*) pistol, forty-five (*Αμερ.*)
σαρανταποδαρούσα ΟΥΣ ΘΗΛ centipede
σαραντάρα ΟΥΣ ΘΗΛ *βλ.* **σαραντάρης**
σαραντάρης ΟΥΣ ΑΡΣ forty-year-old
σαρανταριά ΟΥΣ ΘΗΛ: **καμιά σαρανταριά** about
forty
σαρανταρίζω Ρ ΑΜ to turn forty
σαραντίζω Ρ ΑΜ (*μωρό*) to be forty days old
▷**σαραντίζει** (*για νεκρό*) it's been forty days
since he died · (*για λεχώνα*) it's been forty
days since she had the baby
σαργός ΟΥΣ ΑΡΣ sargos
σαρδάμ ΟΥΣ ΟΥΔ ΑΚΛ slip of the tongue
▷**κάνω σαρδάμ** to trip over one's tongue
σαρδανάπαλος ΟΥΣ ΑΡΣ (α) (= *ακατάστατο
άτομο*) untidy person (β) (= *άσωτος
άνθρωπος*) rake
σαρδέλα ΟΥΣ ΘΗΛ (α) (*ψάρι*) sardine
(β) (*αργκ.*: = *σιρίτι*) stripe
▷**στριμωγμένοι σαν σαρδέλες** packed like
sardines
σαρδελοκούτι ΟΥΣ ΟΥΔ can of sardines
Σαρδηνία ΟΥΣ ΘΗΛ Sardinia
σαρδόνιος, -ια, -ιο ΕΠΙΘ (*γέλιο, χαμόγελο*)
sardonic
σάρι, σαρί ΟΥΣ ΟΥΔ sari
σαρίκι ΟΥΣ ΟΥΔ turban
σάρκα ΟΥΣ ΘΗΛ (α) (= *κρέας*) flesh (β) (= *ύλη*)
flesh (γ) (BOT) flesh, pulp
▷**παίρνω σάρκα και οστά** (*ιδέα, σχέδια*) to
take shape
σαρκάζω Ρ Μ to be sarcastic about, to scoff at
σαρκασμός ΟΥΣ ΑΡΣ sarcasm
σαρκαστής ΟΥΣ ΑΡΣ sarcastic person

Σ

σαρκαστικός, -ή, -ό ΕΠΙΘ sarcastic

σαρκάστρια ΟΥΣ ΘΗΛ *βλ.* **σαρκαστής**

σαρκικός, -ή, -ό ΕΠΙΘ *(επιθυμίες, ηδονή)* carnal

σαρκοβόρος, -α, -ο ΕΠΙΘ *(για ζώα)* carnivorous

σαρκοφάγος¹ ΟΥΣ ΘΗΛ *(ΑΡΧΑΙΟΛ)* sarcophagus

> *Προσοχή!: Ο πληθυντικός του* **sarcophagus** *είναι* **sarcophagi**.

σαρκοφάγος², -ος, -ο ΕΠΙΘ *(= σαρκοβόρος)* carnivorous
▸ **σαρκοφάγα φυτά** carnivorous plants

σαρκώδης, -ης, -ες ΕΠΙΘ *(α) (χείλη)* fleshy *(β) (φρούτο, καρπός)* juicy

σάρπα ΟΥΣ ΘΗΛ = **εσάρπα**

σάρωθρο(ν) *(επίσ.)* ΟΥΣ ΟΥΔ *(α) (= σκούπα)* broom *(β) (= μηχάνημα καθαρισμού οδών)* road–sweeping machine

σάρωμα ΟΥΣ ΟΥΔ *(α) (για κυκλώνα, θύελλα)* devastation *(β) (βραβείων)* running away with *(γ) (πατώματος)* sweeping · *(φύλλων)* sweeping up · *(κήπου)* raking

Σαρωνικός ΟΥΣ ΑΡΣ *(επίσης* **Σαρωνικός Κόλπος)** Saronic Gulf

σαρώνω ① Ρ Μ *(α) (για άνεμο, θύελλα)* to sweep through *(β) (βραβεία, όσκαρ)* to make a clean sweep of *(γ) (= σκανάρω)* to scan *(δ) (πάτωμα)* to sweep · *(φύλλα)* to sweep up
② Ρ ΑΜ *(ομάδα, κόμμα)* to sweep the board, to sweep to victory

σάρωση ΟΥΣ ΘΗΛ *(ΠΛΗΡΟΦ)* scanning

σαρωτής ΟΥΣ ΑΡΣ *(ΤΕΧΝΟΛ)* scanner
▸ **σαρωτής γραμμωτού κώδικα** bar–code reader *ή* scanner
▸ **σαρωτής οπτικής αναγνώρισης χαρακτήρων** optical character reader, optical scanner

σαρωτικός, -ή, -ό ΕΠΙΘ *(α) (άνεμος, θύελλα)* devastating *(β) (αλλαγές, νίκη)* sweeping

σας ΑΝΤΩΝ *βλ.* **εσύ**

σασί ΟΥΣ ΟΥΔ ΑΚΛ *(ΑΥΤΟΚΙΝ)* chassis

σασμάν ΟΥΣ ΟΥΔ ΑΚΛ *(ΑΥΤΟΚΙΝ)* gearbox

σασπένς ΟΥΣ ΟΥΔ ΑΚΛ suspense

σαστίζω ① Ρ Μ to confuse, to bewilder
② Ρ ΑΜ *(= είμαι σε αμηχανία)* to be confused, to be bewildered · *(= μένω έκπληκτος)* to be taken aback

σαστιμάρα ΟΥΣ ΘΗΛ = **σάστισμα**

σάστισμα ΟΥΣ ΟΥΔ confusion

σαστισμάρα ΟΥΣ ΘΗΛ = **σάστισμα**

σατανάς ΟΥΣ ΑΡΣ *(α) (ΘΡΗΣΚ)* Satan *(β) (= πανέξυπνο άτομο)* sharp–witted person *(γ) (χαϊδευτ.: = διαβολάκι)* little devil
▸ **είναι σατανάς!** *(= είναι πανέξυπνος)* he's got his wits about him!
▸ **πίσω μου σ' έχω σατανά!** get thee behind me Satan!

σατανικός, -ή, -ό ΕΠΙΘ *(α) (τελετές)* satanic *(β) (άνθρωπος, μυαλό)* evil · *(γέλιο, βλέμμα,*

όψη) diabolical *(γ) (σχέδιο)* fiendish, cunning · *(τέχνασμα, ιδέα)* cunning
▸ **σατανική λατρεία** devil worship

σατανικότητα ΟΥΣ ΘΗΛ fiendishness

σατανισμός ΟΥΣ ΑΡΣ Satanism

σατανιστής ΟΥΣ ΑΡΣ Satanist

σατανίστρια ΟΥΣ ΘΗΛ *βλ.* **σατανιστής**

σατέν ΕΠΙΘ ΑΚΛ *(σεντόνια, νυχτικό)* satin
▸ σατέν ΟΥΣ ΟΥΔ satin

σατινέ ΕΠΙΘ ΘΗΛ ΑΚΛ *(χαρτί)* with a satin finish · *(ύφασμα)* satiny

σάτιρα ΟΥΣ ΘΗΛ satire

σατιρίζω Ρ Μ *(κοινωνία, πολιτικούς)* to satirize

σατιρικός, -ή, -ό ΕΠΙΘ satirical

σατυρικός, -ή, -ό ΕΠΙΘ *(ωδές, χορός)* satyrical
▸ **σατυρικό δράμα** satyr play

Σάτυρος ΟΥΣ ΑΡΣ *(α) (ΜΥΘΟΛ)* Satyr *(β) (μετωνυμ.)* lecher *(ανεπ.)*

σαύρα ΟΥΣ ΘΗΛ lizard

σαυρίδι ΟΥΣ ΟΥΔ mackerel

σαφάρι ΟΥΣ ΟΥΔ ΑΚΛ *(άγριων ζώων)* safari

σαφήνεια ΟΥΣ ΘΗΛ clarity

σαφηνίζω Ρ Μ to clarify

σαφής, -ής, -ές ΕΠΙΘ *(α) (οδηγίες, προειδοποίηση, περιγραφή, απάντηση)* clear · *(γνώμη)* definite *(β) (βελτίωση)* distinct · *(δείγματα)* clear
▸ **γίνομαι σαφής** to make oneself clear
▸ **κάνω** *ή* **καθιστώ κτ σαφές** to make sth clear, to clarify sth

σαφρίδι ΟΥΣ ΟΥΔ = **σαυρίδι**

σαφώς ΕΠΙΡΡ *(α) (= ξεκάθαρα)* clearly *(β) (= φανερά)* obviously

σαχ ΟΥΣ ΟΥΔ ΑΚΛ *(στο σκάκι)* check

Σαχάρα ΟΥΣ ΘΗΛ: **η (έρημος) Σαχάρα** the Sahara (Desert)

σάχης ΟΥΣ ΑΡΣ shah

σάχλα ΟΥΣ ΘΗΛ nonsense *χωρίς πληθ.*
▸ **λέω σάχλες** to talk nonsense

σαχλαμάρα ΟΥΣ ΘΗΛ *(α) (= σάχλα)* nonsense *χωρίς πληθ.* *(β) (= ανόητη πράξη)* fooling around *χωρίς πληθ.*, tomfoolery *χωρίς πληθ.*

σαχλαμαρίζω Ρ ΑΜ *(α) (= λέω σαχλαμάρες)* to talk nonsense · *(= κάνω σαχλαμάρες)* to fool around *(β) (= φλυαρώ)* to chat, to natter

σάχλας *(ανεπ.)* ΟΥΣ ΑΡΣ fool

σαχλός, -ή, -ό ΕΠΙΘ *(α) (νεαροί)* foolish *(β) (= κρύος)* who tells corny jokes *(γ) (βιβλίο, ταινία)* corny

σβάρνα ΟΥΣ ΘΗΛ harrow
▸ **παίρνω κπν σβάρνα** *(πεζό)* to knock sb over and drag them along
▸ **παίρνω κτ σβάρνα** *(αυτοκίνητο)* to shunt sth
▸ **παίρνω σβάρνα τα μαγαζιά** to go around the shops
▸ **παίρνω σβάρνα τα σπίτια** to go from house to house

σβαρνίζω Ρ Μ *(α) (χωράφι)* to harrow *(β) (άνθρωπο)* to drag along

σβάρνισμα ΟΥΣ ΟΥΔ (α) (χωραφιού) harrowing
(β) (για πρόσ.) dragging along

σβάστικα ΟΥΣ ΘΗΛ swastika

σβελτάδα ΟΥΣ ΘΗΛ agility

σβέλτα (ανεπ.) ΕΠΙΡΡ nimbly

σβέλτος, -η, -ο (ανεπ.) ΕΠΙΘ agile

σβερκιά (ανεπ.) ΟΥΣ ΘΗΛ slap on the neck

σβέρκος ΟΥΣ ΑΡΣ neck
▷**κάθομαι στον σβέρκο κποιου** (οικ.) to come
down hard on sb

σβέση ΟΥΣ ΘΗΛ (= κατάσβεση) extinction

σβήνω 1 Ρ Μ (α) (πυρκαγιά) to put out, to
extinguish (επίσ.)· (τσιγάρο) to put out, to
stub out· (κερί) to put out· (= φυσώ) to blow
out (β) (φως, μηχανή) to turn ή switch off·
(τηλεόραση) to turn ή put off (γ) (λάθος,
λέξεις: με γομμολάστιχα) to erase, to rub out·
(με πέννα) to cross out· (πίνακα) to wipe
(δ) (δίψα) to quench (ε) (επιθετικό,
αντιπάλους) to wipe the floor with
(στ) (μνήμη, ντροπή, προσβολή) to wipe out,
to erase (ζ) (ατσάλι) to quench· (ασβέστη) to
slake· (σάλτσα) to thin· (κρέας) to douse
2 Ρ ΑΜ (α) (φωτιά) to go out· (κερί) to go ή
blow out (β) (φως, λάμπα) to go out·
(οδόνη) to go off· (μηχανή) to stall
(γ) (έρωτας, ανάμνηση, ελπίδες) to fade·
(παραδόσεις) to die out· (ήχος) to fade
(away) (δ) (= λιποθυμώ) to pass out
(ε) (= πεθαίνω) to die
▷**στο άψε–σβήσε** in next to no time, in a
jiffy (ανεπ.)

σβήσιμο ΟΥΣ ΟΥΔ (α) (= σβέση: φωτιάς,
τσιγάρου) putting out· (= παύση καύσης)
dying out (β) (= κλείσιμο: φώτων, λάμπας,
μηχανής) turning ή switching off
(γ) (= παύση λειτουργίας: μηχανής) stalling·
(οδόνης) going off (δ) (λάθους) erasing·
(πίνακα) wiping (ε) (δίψας) quenching
(στ) (επιθετικού, αντιπάλων) rout
(ζ) (ντροπής, προσβολής) wiping out
(η) (ατσαλιού) quenching· (ασβέστη)
slaking· (σάλτσας) thinning· (κρέατος)
dousing

σβησμένος, -η, -ο ΕΠΙΘ (α) (φωτιά) (put)
out· (κερί) snuffed (out)· (τσιγάρο) stubbed
out· (ηφαίστειο) extinct (β) (φως) out,
(turned) off· (μηχανή) (switched) off
(γ) (γράμματα, επιγραφή) faded
(δ) (χαμόγελο) feeble· (ελπίδες) lost

σβηστήρα ΟΥΣ ΘΗΛ eraser, rubber (Βρετ.)

σβηστήρι ΟΥΣ ΟΥΔ = **σβηστήρα**

σβηστός, -ή, -ό ΕΠΙΘ (α) (φωτιά) (put) out·
(τσιγάρο) stubbed out· (φως, φανάρι) out,
(turned) off· (μηχανή) (switched) off
(β) (φωνή, μιλιά) feeble

σβήστρα ΟΥΣ ΘΗΛ = **σβηστήρα**

σβολιάζω 1 Ρ Μ (χώμα) to clod
2 Ρ ΑΜ (ζύμη, κρέμα) to be lumpy

σβόλιασμα ΟΥΣ ΟΥΔ (χώματος) clodding·
(ζύμης, κρέμας) going lumpy

σβόλος ΟΥΣ ΑΡΣ (χώματος) clod· (ζύμης,
κρέμας) lump

σβουνιά (ανεπ.) ΟΥΣ ΘΗΛ cow dung

σβούρα ΟΥΣ ΘΗΛ (α) (παιχνίδι) (spinning) top
(β) (για πρόσ.) live wire (ανεπ.)

σβουράκι ΟΥΣ ΟΥΔ (α) (= μικρή σβούρα)
(spinning) top (β) (= δίσκος λείανσης)
polishing disc

σβουρίζω Ρ ΑΜ to spin
▷**τη σβουρίζω σε κπν** (ανεπ.) to slap sb

σβουριχτή (ανεπ.) ΟΥΣ ΘΗΛ slap

σβωλιάζω Ρ Μ/ΑΜ = **σβολιάζω**

σβώλιασμα ΟΥΣ ΟΥΔ = **σβόλιασμα**

σβώλος ΟΥΣ ΟΥΔ = **σβόλος**

σγουραίνω 1 Ρ Μ (μαλλιά) to curl
2 Ρ ΑΜ (μαλλιά, τρίχες) to curl, to go curly

σγουρομάλλης, -α, -ικο ΕΠΙΘ curly–haired

σγουρός, -ή, -ό ΕΠΙΘ (α) (μαλλιά) curly
(β) (= κατσαρομάλλης) curly–haired
(γ) (βασιλικός) bushy

─── ΛΕΞΗ–ΚΛΕΙΔΙ ───

σε¹, σ' ΠΡΟΘ (α) (για κίνηση ή θέση σε χώρο)
into □**μπήκε στο σπίτι/στο δωμάτιο** she got
into the house/into the room · **θα μείνω στο
γραφείο να τελειώσω τη δουλειά** I'm staying
at the office to finish my work · **ο
τερματοφύλακας μεταφέρθηκε σε
νοσοκομείο** the goalkeeper was taken to
hospital
(β) (= ανάμεσα) in □**ήταν χαμένη μες στο
πλήθος** she was lost in the crowd
(γ) (= γύρω από) at □**καθήσαμε στο τραπέζι
κι άρχισαν οι διαπραγματεύσεις** we sat at the
table and the negotiations started
(δ) (= μπροστά) □**τα μαλλιά της έλαμπαν
στον ήλιο** her hair was shining in the sun ·
**του ζήτησαν να παρουσιαστεί στην
αστυνομία** they asked him to present
himself at the police station
(ε) (= κοντά) at □**υπάρχει ένα άγαλμα στην
είσοδο** there's a statue at the entrance
(στ) (= επάνω) on □**το σπίτι μας είναι
κτισμένο σε λόφο** our house is built on a
hill · **ξαπλώσαμε στο κρεβάτι** we lay on the
bed
(ζ) +γεν. (για δήλωση τόπου) at □**θα είμαι
στου Κώστα** I'll be at Kosta's
(η) (για χρόνο) at □**θα συναντηθούμε στις
δύο** we'll meet at two · **το έργο
διαδραματίζεται σε μιαν άλλη εποχή** the play
is set in another era · **πολλοί πέθαναν στον
Α' Παγκόσμιο Πόλεμο** many died during ή in
the 1st World War
(θ) (για κατάσταση) in □**πολλοί άνθρωποι
ζουν ακόμη σε συνθήκες φτώχειας** many
people still live in poverty
(ι) (για τρόπο) in
(ια) (για αναφορά) in □**είναι η καλύτερη
στον χώρο της** she's the best in her field · **η
Θεσσαλονίκη είναι η δεύτερη σε πληθυσμό
πόλη** Thessaloniki is the second largest city

in population
(ιβ) (*για σκοπό*) to ▫**μας κάλεσαν σε δείπνο**
we've been invited to dinner
(ιγ) (*για αποτέλεσμα*) to ▫**τον προήγαγαν σε**
στρατηγό they promoted him to general · **η**
μητέρα μετέτρεψε το παλιό παντελόνι σε
φούστα the mother turned the old pair of
trousers into a skirt
(ιδ) (*για ποσό, αξία*) up to ▫**το διαμέρισμα**
υπολογίζεται σε τρία εκατομμύρια the flat is
reckoned to be worth up to three million
euros
(ιε) (*για μέσο ή όργανο*) in ▫**καλύτερα να**
πληρώσεις σε ευρώ! you'd better pay in
euros
(ιστ) (*για αναλογία, ποσοστό*) out of ▫**ένας**
στους δύο απάντησαν "ναι" one out of two
said "yes"
(ιζ) +*ρηματικό επίθετο* by ▫**ήταν αρεστή σε**
όλους she was liked by everyone

σε² ΑΝΤΩΝ you
▷**σε βλέπω!** I can see you!
σέβας (*επίσ.*) ΟΥΣ ΟΥΔ respect
▷**τα σέβη μου** (= *χαίρετε*) hello ·
(= *χαιρετίσματα*) regards
▷**τα σέβη μου στη σύζυγό σας** (give) my
regards to your wife
▷**υποβάλλω τα σέβη μου σε** κπν to pay one's
respects to sb
σεβάσμιος, -ια, -ιο ΕΠΙΘ venerable
Σεβασμιότατος ΟΥΣ ΑΡΣ My Lord (Bishop)
σεβασμός ΟΥΣ ΑΡΣ respect (*σε, προς* for)
▷**με σεβασμό** (*σε επιστολή*) respectfully yours
▷**με όλο τον σεβασμό που τρέφω σε** ή **προς**
κπν with all due respect to sb
▷**τρέφω σεβασμό προς** ή **για** κπν to hold sb
in high regard
σεβαστός, -ή, -ό ΕΠΙΘ (α) (*γέροντας*)
venerable · (*δάσκαλος*) respected
(β) (*απόψεις, επιχειρήματα*) worthy of
respect (γ) (*ποσό, εισόδημα*) sizeable
▷**Σεβαστοί μου γονείς** (*σε επιστολή*) Dear
Mother and Father
σέβομαι Ρ Μ ΑΠΟΘ (α) (*γονείς, μεγαλυτέρους*)
to respect (β) (*ανθρώπινα δικαιώματα*) to
respect · (*κανόνες, νόμους*) to abide by ·
(*υπόσχεση*) to keep (γ) (*απόψεις*) to respect ·
(*μόχθο, κούραση*) to appreciate
σεβρό ΟΥΣ ΟΥΔ ΑΚΛ kid(skin)
σεζλόνγκ ΟΥΣ ΘΗΛ ΑΚΛ deck chair
σεζόν ΟΥΣ ΘΗΛ ΑΚΛ season
▷**καλοκαιρινή** ή **θερινή σεζόν** summer
season
σειέμαι Ρ ΑΜ *βλ.* **σείω**
σέικερ ΟΥΣ ΟΥΔ ΑΚΛ (*ποτών, καφέ*) shaker
σειρά ΟΥΣ ΘΗΛ (α) (*καθισμάτων, δέντρων*)
row · (*στρατιωτών*) column · (*σε κατάστημα,*
στάση) queue (*Βρετ.*), line (*Αμερ.*)
(β) (*ποιήματος, σελίδας*) line (γ) (*άρθρων,*
βιβλίων) series · (*ερωτήσεων*) series, string ·
(*απεργιών*) series, spate · (*μέτρων*) package,

series · (*γραμματοσήμων*) set

▨ *Προσοχή!: Ο πληθυντικός του* series
είναι series.

(δ) (*στην τηλεόραση*) series (ε) (*ομιλητή,*
διαγωνιζομένου) turn (στ) (= *κατάταξη*)
order (ζ) (= *κοινωνική θέση*) class (η) (ΣΤΡΑΤ)
new recruits *πληθ.*
▷**βάζω κτ στη** ή **σε σειρά** to put sth in order
▷**βάζω τη ζωή μου σε μια σειρά** to put one's
life in order
▷**βάζω τα πράγματα σε (μία) σειρά** to clear
things up
▷**βγαίνω από τη σειρά μου** to get out of
one's routine
▷**έχω τη σειρά μου** to be doing well
▷**κατά σειρά(ν)** in order
▷**με τη σειρά αρχαιότητας** in order of
seniority
▷**μια σειρά από** a series of
▷**μπαίνω στη σειρά** (*πελάτες, κοινό*) to queue
up (*Βρετ.*), to line up (*Αμερ.*) · (*στρατιώτες,*
μαθητές) to line up
▷**όλα (θα γίνουν) με τη σειρά τους** all in
good time
▷**όλοι θα πάρετε με τη σειρά!** everyone will
have a turn!
▷**παίρνω σειρά** (*για διορισμό*) to be next in
line · (= *ετοιμάζομαι να ακολουθήσω*) to
follow after
▷**παίρνω τα πράγματα με τη σειρά** to take
one thing at a time
▷**στη σειρά** in a row
▷**της σειράς** (= *χαμηλής ποιότητας:*
μυθιστόρημα, βιβλίο) trashy · (*ρούχα*) cheap ·
(= *συνηθισμένος*) ordinary
▷**σειρά σου και σειρά μου** now it's my turn
▸**τηλεοπτική σειρά** TV series
▸**σειρά μαθημάτων** course
Σειρήνα ΟΥΣ ΘΗΛ (α) (ΜΥΘΟΛ) Siren
(β) (*μετωνυμ.*) siren
σειρήνα ΟΥΣ ΘΗΛ (*ασθενοφόρου, περιπολικού*)
siren
▸**αεροπορικής επιδρομής** air–raid siren
σειρήτι ΟΥΣ ΟΥΔ = **σιρίτι**
Σείριος ΟΥΣ ΑΡΣ Sirius, Dog Star
σεις ΑΝΤΩΝ = **εσείς**
σεισμικός, -ή, -ό ΕΠΙΘ (*φαινόμενα*) seismic
▸**σεισμικές δονήσεις** earth tremors
▸**σεισμικό κύμα** seismic
▸**σεισμική ζώνη** earthquake zone
σεισμικότητα ΟΥΣ ΘΗΛ seismicity, seismic
activity
σεισμογενής, -ής, -ές ΕΠΙΘ (*αλλοιώσεις,*
φαινόμενα) seismic
σεισμογόνος, -ος, -ο ΕΠΙΘ (*περιοχή, ρήγμα*)
seismic · (*ζώνη*) earthquake
σεισμογράφος ΟΥΣ ΑΡΣ seismograph
σεισμολογία ΟΥΣ ΘΗΛ seismology
σεισμολογικός, -ή, -ό ΕΠΙΘ (*μελέτη*)
seismological
σεισμολόγος ΟΥΣ ΑΡΣ&ΘΗΛ seismologist

Σ

σεισμοπαθής, -ής, -ές ΕΠΙΘ
(= *σεισμόπληκτος*) hit by an earthquake
▸**σεισμοπαθείς** ΟΥΣ ΑΡΣ ΠΛΗΘ earthquake
victims
σεισμόπληκτος, -η, -ο ΕΠΙΘ (*περιοχή, νησί*)
hit by an earthquake
▸**σεισμόπληκτοι** ΟΥΣ ΑΡΣ ΠΛΗΘ earthquake
victims
σεισμός ΟΥΣ ΑΡΣ (α) (*κυριολ.*) earthquake
(β) (*μτφ.*) uproar
σεΐχης ΟΥΣ ΑΡΣ sheikh
σείω Ρ Μ (= *κουνώ*) to shake · (*μτφ.*) to rock
▸**σείεμαι** ΜΕΣΟΠΑΘ to sway
▹**δεν σείεται φύλλο** there's not a leaf stirring
▹**σείεμαι και λυγιέμαι** to sway one's hips
σεκιουριτάς (*ανεπ.*) ΟΥΣ ΑΡΣ security guard
σεκιούριτι (*ανεπ.*) ΟΥΣ ΘΗΛ ΑΚΛ security firm
σεκταρισμός ΟΥΣ ΑΡΣ sectarianism
σεκταριστικός, -ή, -ό ΕΠΙΘ sectarian
σέλα ΟΥΣ ΘΗΛ (*αλόγου, ποδηλάτου, μηχανής*)
saddle
σέλας ΟΥΣ ΟΥΔ (= *φεγγοβολή*) shine
▸**βόρειο/νότιο πολικό σέλας** aurora borealis/
australis, northern/southern lights ΠΛΗΘ.
σελάχι ΟΥΣ ΟΥΔ ray
σεληνάκατος ΟΥΣ ΘΗΛ lunar module
Σελήνη ΟΥΣ ΘΗΛ moon
σεληνιάζομαι (*ανεπ.*) Ρ ΑΜ ΑΠΟΘ to have an
epileptic fit
σεληνιακός, -ή, -ό ΕΠΙΘ lunar
▹**σεληνιακό τοπίο** (*μτφ.*) deserted landscape
▸**σεληνιακό μήνας** lunar month
▸**σεληνιακό φως** moonlight
σεληνιασμένος, -η, -ο (*ανεπ.*) ΕΠΙΘ epileptic
σεληνιασμός (*ανεπ.*) ΟΥΣ ΑΡΣ (= *επιληψία*)
epilepsy
σελήνιο ΟΥΣ ΟΥΔ (ΧΗΜ) selenium
σεληνόφως ΟΥΣ ΟΥΔ moonlight
σεληνοφώτιστος, -η, -ο ΕΠΙΘ moonlit
σεληνόφωτος, -η, -ο (*λογοτ.*) ΕΠΙΘ moonlit
σελίδα ΟΥΣ ΘΗΛ (α) (*βιβλίου, εφημερίδας*) page
(β) (*φύλλου χαρτιού*) side (γ) (*στο Διαδίκτυο*)
web page
▸**σελίδες** ΠΛΗΘ (*δόξας, ηρωισμού*) deeds
▹**αλλάζω ή γυρίζω σελίδα** (*μτφ.*) to turn over
a new leaf
▸**πρότυπη σελίδα** (ΠΛΗΡΟΦ) page layout
▸**ρύθμιση σελίδας** (ΠΛΗΡΟΦ) page setup
σελιδαρίθμηση ΟΥΣ ΘΗΛ pagination
▹**κάνω σελιδαρίθμηση** to paginate
σελιδοδείκτης ΟΥΣ ΑΡΣ bookmark
σελιδοθέτης ΟΥΣ ΑΡΣ (ΤΥΠΟΓΡ) galley
σελιδοποίηση ΟΥΣ ΘΗΛ (ΤΥΠΟΓΡ) layout
σελιδοποιώ Ρ Μ (ΤΥΠΟΓΡ) to lay out
σελιλόιντ ΟΥΣ ΟΥΔ ΑΚΛ = **σελουλόιντ**
σελίνι ΟΥΣ ΟΥΔ (*παλαιότ.*) shilling
σέλινο ΟΥΣ ΟΥΔ celery
σελοτέιπ ΟΥΣ ΟΥΔ ΑΚΛ Sellotape ® (*Βρετ.*),
Scotch tape ® (*Αμερ.*)

σελουλόιντ ΟΥΣ ΟΥΔ ΑΚΛ celluloid
σελοφάν ΟΥΣ ΟΥΔ ΑΚΛ Cellophane ®
σελφ-σέρβις ΟΥΣ ΟΥΔ ΑΚΛ self-service
σελώνω Ρ Μ (*άλογο*) to saddle
σεμινάριο ΟΥΣ ΟΥΔ seminar
σεμνοπρέπεια ΟΥΣ ΘΗΛ modesty
σεμνοπρεπής, -ής, -ές ΕΠΙΘ modest
σεμνός, -ή, -ό ΕΠΙΘ (α) (*ντύσιμο, όψη*)
modest, demure (β) (*νέος, κοπέλα*) modest
(γ) (*επιστήμονας*) modest, unassuming
σεμνότητα ΟΥΣ ΘΗΛ (α) (= *ευπρέπεια*)
modesty (β) (= *συνεσταλμένη συμπεριφορά*)
decency (γ) (= *μετριοφροσύνη*) modesty
σεμνοτυφία ΟΥΣ ΘΗΛ coyness *χωρίς πληθ.*,
prudishness *χωρίς πληθ.*
σεμνότυφος, -η, -ο ΕΠΙΘ coy, prudish
σένα ΑΝΤΩΝ *βλ.* **εσύ**
σενάριο ΟΥΣ ΟΥΔ (α) (*ταινίας*) script (β) (*μτφ.*)
scenario
σεναριογράφος ΟΥΣ ΑΡΣ&ΘΗΛ scriptwriter
Σενεγάλη ΟΥΣ ΘΗΛ Senegal
σενιαρισμένος, -η, -ο (*ανεπ.*) ΕΠΙΘ dressed
up to the nines (*ανεπ.*)
σενιάρω (*ανεπ.*) Ρ Μ (*σπίτι, μηχανή*) to do up
▸**σενιάρομαι, σενιαρίζομαι** ΜΕΣΟΠΑΘ to dress up
to the nines (*ανεπ.*)
σένιος, -ια, -ιο (*ανεπ.*) ΕΠΙΘ (α) (*για πρόσ.*)
dressed up to the nines (*ανεπ.*) (β) (*αμάξι,
σπίτι*) smart (*ανεπ.*)
σεντ ΟΥΣ ΟΥΔ ΑΚΛ cent
σεντάν ΟΥΣ ΟΥΔ ΑΚΛ saloon (car) (*Βρετ.*), sedan
(*Αμερ.*)
σέντερ ΟΥΣ ΑΡΣ ΑΚΛ centre forward (*Βρετ.*),
center forward (*Αμερ.*)
σέντερ-μπακ ΟΥΣ ΑΡΣ&ΟΥΔ ΑΚΛ (*στο
ποδόσφαιρο*) centre back (*Βρετ.*), center back
(*Αμερ.*)
σέντερ-φορ ΟΥΣ ΑΡΣ&ΟΥΔ ΑΚΛ (*στο ποδόσφαιρο*)
centre forward (*Βρετ.*), center forward
(*Αμερ.*)
σεντόνι ΟΥΣ ΟΥΔ sheet
▹**στριφογυρίζω στα σεντόνια** to toss and
turn in bed
▹**ξαπλώνω στα σεντόνια** to lie on the bed
σεντούκι ΟΥΣ ΟΥΔ chest
σέντρα ΟΥΣ ΘΗΛ (α) (= *μπαλιά*) chip shot
(β) (= *κέντρο γηπέδου*) centre (*Βρετ.*), center
(*Αμερ.*) · (= *λευκό σημάδι στο κέντρο*) spot ·
(= *εναρκτήριο λάκτισμα*) kickoff
σεντράρω Ρ ΑΜ (*στο ποδόσφαιρο*) to cross
the ball
σεξ ΟΥΣ ΟΥΔ ΑΚΛ sex
▸**σύμβολο του σεξ** sex symbol
σεξαπίλ, σεξ-απίλ ΟΥΣ ΟΥΔ ΑΚΛ sex appeal
σέξι ΕΠΙΘ ΑΚΛ sexy
σεξισμός ΟΥΣ ΑΡΣ sexism
σεξιστής (*αρνητ.*) ΟΥΣ ΑΡΣ sexist
σεξιστικός, -ή, -ό (*αρνητ.*) ΕΠΙΘ (*αστείο,
συμπεριφορά*) sexist

Σ

σεξίστρια (αρνητ.) ΟΥΣ ΘΗΛ βλ. **σεξιστής**

σεξοβόμβα ΟΥΣ ΘΗΛ sex bomb

σεξολογία ΟΥΣ ΘΗΛ sexology

σεξολόγος ΟΥΣ ΑΡΣΘΗΛ sexologist

σεξομανία ΟΥΣ ΘΗΛ sex mania

σεξομανής, -ής, -ές ΕΠΙΘ sex–maniac

σεξουαλικός, -ή, -ό ΕΠΙΘ (α) (πράξη, επιθυμία, συμπεριφορά) sexual · (ζωή, σκάνδαλο) sex (β) (για πρόσ.) sexual, sexy

▸ **σεξουαλική αγωγή** sex education

▸ **σεξουαλική κακοποίηση** sexual abuse

▸ **σεξουαλική παρενόχληση** sexual harassment

σεξουαλικότητα ΟΥΣ ΘΗΛ sexuality

σεξουαλισμός ΟΥΣ ΑΡΣ = **σεξουαλικότητα**

σεξ-σόπ ΟΥΣ ΟΥΔ ΑΚΛ sex shop

σέπαλο ΟΥΣ ΟΥΔ sepal

Σεπτέμβρης ΟΥΣ ΑΡΣ = **Σεπτέμβριος**

Σεπτέμβριος ΟΥΣ ΑΡΣ September

σεπτός, -ή, -ό (επίσ.) ΕΠΙΘ august

σεράι ΟΥΣ ΟΥΔ = **σαράι**

Σεραφείμ ΟΥΣ ΟΥΔ ΑΚΛ (ΘΡΗΣΚ) seraph

> *Προσοχή!: Ο πληθυντικός του* seraph *είναι* seraphs *ή* seraphim.

Σέρβα ΟΥΣ ΘΗΛ βλ. **Σέρβος**

σερβάν ΟΥΣ ΟΥΔ ΑΚΛ (παλαιότ.) sideboard

σερβάντα ΟΥΣ ΘΗΛ = **σερβάν**

σέρβερ ΟΥΣ ΑΡΣ ΑΚΛ (ΠΛΗΡΟΦ) server

Σερβία ΟΥΣ ΘΗΛ Serbia

σερβιέτα ΟΥΣ ΘΗΛ sanitary pad

σερβιετάκι ΟΥΣ ΟΥΔ panty liner

σερβικός, -ή, -ό ΕΠΙΘ Serbian

> *Προσοχή!: Τα εθνικά επίθετα, όπως* Serbian, *γράφονται με κεφαλαίο το αρχικό γράμμα στα Αγγλικά.*

σερβίρισμα ΟΥΣ ΟΥΔ (α) (φαγητού, γλυκού) serving (β) (ΑΘΛ) serve, service

σερβίρω Ρ Μ (α) (ποτό, γεύμα) to serve (β) (θεωρίες, ιδέες) to come out with (γ) (ΑΘΛ) to serve

σερβίς ΟΥΣ ΟΥΔ ΑΚΛ (ΑΘΛ) serve

σέρβις ΟΥΣ ΟΥΔ ΑΚΛ service

> ▷ **πάω** *ή* **δίνω το αυτοκίνητό μου για σέρβις** to take one's car to be serviced

σερβιτόρα ΟΥΣ ΘΗΛ waitress

σερβιτόρος ΟΥΣ ΑΡΣ (καταστήματος) waiter

σερβίτσιο ΟΥΣ ΟΥΔ (dinner) service

▸ **σερβίτσιο τσαγιού** tea set

Σέρβος ΟΥΣ ΑΡΣ Serb

σεργιάνι (ανεπ.) ΟΥΣ ΟΥΔ walk, stroll

> ▷ **βγαίνω για** *ή* **στο σεργιάνι** to go for a walk *ή* stroll

σεργιανίζω (ανεπ.) ⓵ Ρ Μ (φίλο) to take on a walk

⓶ Ρ ΑΜ to walk

σερενάτα ΟΥΣ ΘΗΛ serenade

σερί ΕΠΙΡΡ: **δουλεύω σερί** to work nonstop

> ▷ **κερδίζω τρεις φορές σερί** to win three times in a row

> ▷ **παίρνω τηλέφωνο τα ξενοδοχεία σερί** to phone one hotel after the other

> ▷ **το πάω σερί** to keep on going

▸ **σερί** ΟΥΣ ΟΥΔ run

> ▷ **σερί νικών** *ή* **επιτυχιών** winning streak

σερίφης ΟΥΣ ΑΡΣ sheriff

σερνάμενος, -η, -ο ΕΠΙΘ crawling

σερνικοβότανο (ανεπ.) ΟΥΣ ΟΥΔ mandrake

σερνικοθήλυκος, -η, -ο (ανεπ.) ΕΠΙΘ = **αρσενικοθήλυκος**

σερνικός, -ιά, -ό (ανεπ.) ΕΠΙΘ = **αρσενικός**

σέρνω ⓵ Ρ Μ (α) (άμαξα, βαλίτσα) to pull · (παιδιά) to pull along (β) (φορτίο, καρότσι, μπαούλο) to drag (γ) (τραπέζι, ντουλάπα, πόδια) to drag

⓶ Ρ ΑΜ (ανεπ.: = πηγαίνω) to go

> ▷ **δεν μπορώ να σύρω τα πόδια μου** to be unable to walk

> ▷ **τα σούρνω σε κπν** (ανεπ.) to give sb a piece of one's mind

> ▷ **σέρνω κπν από τη μύτη** (οικ.) to lead sb by the nose

> ▷ **σέρνω κπν σε δικαστήριο/στη φυλακή** to force sb to go to court/haul sb off to prison

▸ **σέρνομαι** ΜΕΣΟΠΑΘ (α) (στρατιώτες, μωρό) to crawl · (φυτό) to creep (β) (φόρεμα, παλτό) to drag (γ) (παιδιά) to roll (δ) (ηλικιωμένος) to hobble (along), to shuffle (along) (ε) (ομάδα, παίκτες) to play badly (στ) (γρίπη, ιλαρά) to be going around

> ▷ **σέρνομαι στα πόδια κποιου** (ακολουθώ συνέχεια) to be under sb's feet · (για ικεσία) to grovel at sb's feet

σερπαντίνα ΟΥΣ ΘΗΛ streamer

σερφ ΟΥΣ ΟΥΔ ΑΚΛ (α) (= ιστιοσανίδα) sailboard, windsurfer (β) (= σανίδα σέρφινγκ) surfboard

σερφάρω Ρ ΑΜ (α) (με ιστιοσανίδα) to windsurf · (με σανίδα σέρφινγκ) to surf (β) (αργκ.: ΠΛΗΡΟΦ) to surf (the Net)

σέρφερ ΟΥΣ ΑΡΣΘΗΛ ΑΚΛ (α) (με ιστιοσανίδα) windsurfer · (με σανίδα σέρφινγκ) surfer (β) (αργκ.: ΠΛΗΡΟΦ) surfer

σέρφινγκ ΟΥΣ ΟΥΔ ΑΚΛ surfing · (με ιστιοσανίδα) sailboarding, windsurfing

σεσημασμένος, -η, -ο ΕΠΙΘ (κακοποιός) known

σέσκλο ΟΥΣ ΟΥΔ = **σέσκουλο**

σέσκουλο ΟΥΣ ΟΥΔ white beet

σεσουάρ ΟΥΣ ΟΥΔ ΑΚΛ hairdryer

σέσουλα ΟΥΣ ΘΗΛ scoop

> ▷ **έχω/βγάζω λεφτά με τη σέσουλα** (ανεπ.) to have/make loads (ανεπ.) of money

σετ ΟΥΣ ΟΥΔ ΑΚΛ (επίσης ΑΘΛ) set

σέτερ ΟΥΣ ΟΥΔ ΑΚΛ setter

σεφ ΟΥΣ ΑΡΣ ΑΚΛ chef

σεφταλιά ΟΥΣ ΘΗΛ seftalia, *minced meat wrapped in suet*

σεφτές ΟΥΣ ΑΡΣ first sale of the day

▷**έχω καλό σεφτέ** to bring good luck (*said of the first customer of the day*)
▷**κάνω σεφτέ σε κπν** sb is the first customer of the day

σήκωμα ΟΥΣ ΟΥΔ **(α)** (*κεφαλιού, χεριού, ποδιών, ματιών*) raising · (*μανικιών*) rolling up · (*βιβλίου, μωρού*) picking up · (*τοίχου, φράχτη*) raising **(β)** (*φορτίον, βαλίτσας*) carrying **(γ)** (*επιβάτη, νεαρού*) getting up **(δ)** (= *ξύπνημα*) waking up **(ε)** (*χρημάτων*) withdrawal **(στ)** (*βάρους κατασκευής, ορόφου*) support **(ζ)** (*μαγαζιού, σπιτιού*) robbing **(η)** (*μαθητή, εκπαιδευομένου*) examining **(θ)** (*αρρώστου*) recovery **(ι)** (*τρίχας, μαλλιών*) standing on end **(ια)** (*αέρα*) picking up
▸**σήκωμα των ώμων** shrug

σηκωμάρες (*χυδ.*) ΟΥΣ ΘΗΛ ΠΛΗΘ hard–on *εν.* (*χυδ.*)

σηκώνω Ρ Μ **(α)** (*κεφάλι, σκόνη*) to raise · (*χέρι*) to put up, to raise · (*για να καλέσω ταξί*) to put out · (*μανίκια*) to roll up · (*μολύβι, βιβλίο, παιδί*) to pick up · (*τοίχο, φράχτη*) to raise **(β)** (*τσάντες, βαλίτσες*) to carry **(γ)** (= *ξυπνώ*) to wake up **(δ)** (*λεφτά*) to withdraw **(ε)** (*βάρος κατασκευής, όροφο*) to support **(στ)** (*αστεία, πλάκα, αντιρρήσεις*) to tolerate **(ζ)** (*έξοδα*) to afford **(η)** (*μαγαζί, σπίτι*) to rob **(θ)** (*μαθητή*) to examine
▷**έχω κπν στο σήκω-σήκω, κάτσε-κάτσε** (*οικ.*) ≈ to boss sb around
▷**σηκώνω κπν** (*επιβάτη*) to make sb get up
▷**σηκώνω κπν στα χέρια** to pick sb up
▷**σηκώνω τη γειτονιά στο πόδι** to rouse the whole neighbourhood (*Βρετ.*) *ή* neighborhood (*Αμερ.*)
▷**σηκώνω τα μάτια/το βλέμμα** to look up
▷**σηκώνω τη φωνή (σε κπν)** to raise one's voice (to sb)
▷**σηκώνω το τραπέζι** to clear the table
▷**σηκώνω ή υψώνω τη σημαία** to raise the flag · (*για ταξί*) to be free
▷**σηκώνω χέρι πάνω σε κπν** (*ανεπ.*) to lay a finger on sb
▷**σηκώνω ψηλά τα χέρια** (*μτφ.*) to give up
▸**σηκώνει** ΤΡΙΤΟΠΡΟΣ (*τσιγάρο, αναβολή*) to call for
▸**σηκώνομαι** ΜΕΣΟΠΑΘ **(α)** (*επιβάτης, μαθητής*) to stand up **(β)** (*άρρωστος*) to be up and about, to be back on one's feet **(γ)** (*τρίχα, μαλλιά*) to stand on end **(δ)** (*αέρας*) to pick up
▷**μου σηκώνεται** (*χυδ.*) to have a hard–on (*χυδ.*)

σηκωτός, -ή, -ό ΕΠΙΘ: **πηγαίνω κπν σηκωτό** to frogmarch sb

σήμα ΟΥΣ ΟΥΔ **(α)** (*προϊόντων*) trademark · (*αυτοκινήτου*) badge **(β)** (*χαναλιού, ραδιοφωνικού σταθμού*) signature tune **(γ)** (*συλλόγου, οργάνωσης*) logo **(δ)** (*στρατιωτικού, αστυνομικού*) insignia **(ε)** (*πομπού, εκπομπής*) signal **(στ)** (*Αστυνομίας, Διωκτικών Αρχών*)

message **(ζ)** (*προειδοποίησης*) sign
▷**εκπέμπω ή στέλνω σήμα κινδύνου** to send an S.O.S.
▷**κάνω σήμα σε κπν** to signal sb · (*σε ταξί*) to hail sb
▸**σήμα κατεθέν** registered trademark · (*μτφ.*) trademark
▸**σήμα κινδύνου** (*σε τρένο*) communication cord · (*για πλοίο*) S.O.S., distress signal
▸**σήματα** ΠΛΗΘ traffic signs

σημαδάκι ΟΥΣ ΟΥΔ speck

σημαδεμένος, -η, -ο ΕΠΙΘ **(α)** (*ζώο, κοπάδι*) branded · (*πόρτα*) marked **(β)** (*πρόσωπο, πόδια*) bruised · (*για πρόσ.: κυριολ., μτφ.*) scarred
▷**σημαδεμένη τράπουλα** marked cards *πληθ.*

σημαδεύω Ρ Μ **(α)** (*ζώο*) to brand · (*σπίτια, πόρτα*) to mark **(β)** (*στόχο, στρατιώτη*) to aim at **(γ)** (*τέλος, ζωή, αιώνα*) to mark

σημάδι ΟΥΣ ΟΥΔ **(α)** (*οικοπέδου, κτήματος*) mark **(β)** (*βασανιστηρίων, αρρώστιας*) mark, scar · (*ακμής*) scar **(γ)** (*αλλαγής, προόδου, ζωής*) sign **(δ)** (= *ίχνος: ζώου*) track
▷**βάζω κπν/κτ (στο) σημάδι** to (take) aim at sb/sth
▷**ξέρω σημάδι** to be a good shot

σημαδιακός, -ή, -ό ΕΠΙΘ **(α)** (*μέρα, γεγονός, χρονιά*) significant **(β)** (*εμπειρία*) formative

σημαδούρα ΟΥΣ ΘΗΛ buoy

σημαία ΟΥΣ ΘΗΛ **(α)** (*χώρας, ομάδας, οργάνωσης*) flag **(β)** (= *σύμβολο προσπάθειας: αγώνα*) banner **(γ)** (*για πρόσ.: παράταξης*) standard–bearer · (*ομάδας*) star player **(δ)** (*επόπτη γραμμών, κόρνερ, αφέτη*) flag **(ε)** (*ταξί*) flag
▷**κρατώ ψηλά τη σημαία** (*μτφ.*) to keep the flag flying
▷**τάσσομαι υπό τη σημαία κποιου** (*επίσ.*) to go over to sb

σημαιάκι ΟΥΣ ΟΥΔ (*επόπτη, κόρνερ, αφέτη*) flag

σημαίνω ① Ρ Μ **(α)** (= *έχω συγκεκριμένη σημασία: λέξη, όρος*) to mean · (*σύμβολο*) to stand for **(β)** (= *φανερώνω: κατάσταση, δηλώσεις, συμπεριφορά*) to mean · (*ευρήματα, ανακάλυψη*) to signify **(γ)** (= *ισοδυναμώ με: πόλεμο, διαγραφή, αποβολή*) to mean, to spell **(δ)** (= *χτυπώ: μεσάνυχτα, μεσημέρι*) to ring, to sound · (*εγερτήριο, επίθεση, συναγερμό*) to sound
② Ρ ΑΜ **(α)** (*καμπάνες, σήμαντρο*) to ring **(β)** (*ΝΑΥΤ*) to signal

σημαίνων, -ουσα, -ον ΕΠΙΘ (*προσωπικότητα, θέση, στέλεχος*) important

σημαιοστολίζω Ρ Μ **(α)** (*δρόμους, σχολείο*) to decorate with flags **(β)** (*ειρων.*) to get dressed up

σημαιοστολισμός ΟΥΣ ΑΡΣ (*πόλης, σχολείου*) bunting

σημαιοστόλιστος, -η, -ο ΕΠΙΘ **(α)** (*πόλη, κτήρια*) decorated with flags, covered in bunting **(β)** (*ειρων.*) dressed up

σημαιοφόρος ΟΥΣ ΑΡΣ&ΘΗΛ **(α)** (*παρέλασης,*

Σ

σχολείου) standard–bearer, flag–bearer **(β)** (κοινωνικού αγώνα, νέων ιδεών) standard–bearer **(γ)** (ΝΑΥΤ) sublieutenant (Βρετ.), lieutenant junior grade (Αμερ.)

σήμανση ΟΥΣ ΘΗΛ **(α)** (εγγράφου) stamping· (προϊόντος) branding· (με ετικέτες) labelling (Βρετ.), labeling (Αμερ.)· (καλωδίου) marking· (οδών) signposting **(β)** (υπόπτων) entering in the records, *taking fingerprints and mugshots*
▸ **υπηρεσία σημάνσεως, Σήμανση** records πληθ.

σημαντήρας ΟΥΣ ΑΡΣ buoy

σημαντικός, -ή, -ό ΕΠΙΘ (πρόσωπο, εξελίξεις, αποφάσεις, γεγονός) important· (αύξηση) significant· (βοήθημα) considerable
▷ **ρήματα κινήσεως σημαντικά** verbs of motion
▸ **σημαντική** ΟΥΣ ΘΗΛ semantics εν.

> Προσοχή!: Αν και το **semantics** φαίνεται ως τύπος πληθυντικού, είναι ουσιαστικό μόνο στον ενικό και συντάσσεται με ρήμα στον ενικό.

σήμαντρο ΟΥΣ ΟΥΔ (μοναστηριού) bell
σημασία ΟΥΣ ΘΗΛ **(α)** (= έννοια) meaning **(β)** (= σπουδαιότητα) importance
▷ **άνευ σημασίας** of no importance
▷ **δεν έχει σημασία** it doesn't matter
▷ **δίνω σημασία (σε κτ)** to pay attention (to sth)
▷ **έχει σημασία** it's important
▷ **έχει σημασία;** does it matter?
▷ **μη δίνεις σημασία στα λόγια του** don't take any notice of what he says
▷ **τι σημασία έχει;** what difference does it make?, what does it matter?
σημασιολογία ΟΥΣ ΘΗΛ semantics εν.
σημασιολογικός, -ή, -ό ΕΠΙΘ semantic
σηματοδοσία ΟΥΣ ΘΗΛ signalling (Βρετ.), signaling (Αμερ.)
σηματοδότης ΟΥΣ ΑΡΣ **(α)** (σε σταυροδρόμι) traffic lights πληθ.· (σιδηροδρομικών διαβάσεων) signal **(β)** (τρένων) signal
σηματοδότηση ΟΥΣ ΘΗΛ **(α)** (= μετάδοση σημάτων) signalling (Βρετ.), signaling (Αμερ.) **(β)** (= σήμανση) signposting
σηματοδοτώ ① P ΑΜ to signal ② P Μ **(α)** (διασταύρωση) to put traffic lights at **(β)** (νέο ξεκίνημα, νέα εποχή) to signal
σηματωρός ΟΥΣ ΑΡΣ (ΝΑΥΤ) signaller (Βρετ.), signaler (Αμερ.)
σημείο ΟΥΣ ΟΥΔ **(α)** (εκκίνησης, άφιξης, συνάντησης) point· (σώματος) place, point **(β)** (ΓΕΩΜ) point **(γ)** (διαφωνίας, βιβλίου, κειμένου, λόγου) point· (παράστασης) part **(δ)** (= βαθμός: ανδρείας, χαράς) level, degree **(ε)** (ΦΥΣ, ΧΗΜ) point **(στ)** (αναγνώρισης, γήρανσης) sign **(ζ)** (ΝΑΥΤ) signal **(η)** (= οιωνός) sign **(θ)** (ΜΑΘ) sign **(ι)** (ΜΟΥΣ) note
▷ **από αυτό το σημείο και μετά** from this

point on
▷ **δεν έχει δώσει σημεία ζωής** he hasn't given any sign of life
▷ **στο σημείο αυτό** at this point
▷ **μέχρι ενός σημείου** up to a point
▷ **νικώ/χάνω στα σημεία** (ΑΘΛ) to win/lose on points
▷ **τα τέσσερα σημεία του ορίζοντα** the four points of the horizon
▷ **σημεία και τέρατα** (= παράξενα γεγονότα) strange goings–on· (= απαράδεκτα γεγονότα) funny business εν.
▷ **σημεία των καιρών** a sign of the times
▸ **σημείο ελέγχου** checkpoint
▸ **σημείο στίξης** punctuation mark
▸ **σημείο τονισμού** accent
▸ **σημείο του σταυρού** sign of the cross
σημειολογία ΟΥΣ ΘΗΛ (επιστήμη) semiotics εν.· (χειρονομιών) sign language

> Προσοχή!: Αν και το **semiotics** φαίνεται ως τύπος πληθυντικού, είναι ουσιαστικό μόνο στον ενικό και συντάσσεται με ρήμα στον ενικό.

σημείωμα ΟΥΣ ΟΥΔ **(α)** (πληροφοριακό) note· (εφορίας, Δ.Ε.Η., Ο.Τ.Ε.) bill **(β)** (δασκάλας, ιατρού, φίλου) note **(γ)** (σε βιβλίο) note
σημειωματάριο ΟΥΣ ΟΥΔ notebook
σημειώνω P Μ **(α)** (λάθη, θέση) to mark· (απουσία) to mark down· (σταυρό, σημείο ΠΡΟ–ΠΟ) to put **(β)** (διεύθυνση, έξοδα) to jot down, to make a note of· (σκορ) to keep **(γ)** (= τονίζω) to point out, to stress **(δ)** (πρόοδο) to make· (τέρμα, καλάθι) to score· (ρεκόρ) to set· (για πωλήσεις: κάμψη) to show
▷ **η θερμοκρασία θα σημειώσει πτώση** temperatures will fall
▷ **το σημειώνω αυτό!** I'll remember that!
▷ **σημειώνω επιτυχία** to succeed, to be a success
▷ **σημειώνω θρίαμβο** to triumph
▸ **σημειώνεται, σημειώνονται** ΤΡΙΤΟΠΡΟΣ (= καταγράφεται: έκρηξη, επεισόδια, κρούσματα ρατσισμού) there is/are
▷ **να σημειωθεί ότι...** it should be noted that...
σημείωση ΟΥΣ ΘΗΛ **(α)** (πληροφορίας, στοιχείου) note **(β)** (στο τέλος σελίδας) footnote· (στο τέλος κεφαλαίου, κειμένου) end note
▷ **κρατώ σημείωση** to make a note
▸ **σημειώσεις** ΠΛΗΘ (φοιτητή, μαθήματος, λέκτορα) notes
▷ **κρατώ σημειώσεις** to take notes· (σε συνέδριο) to take the minutes
σημειωτέος, -α, -ο ΕΠΙΘ noteworthy
▷ **σημειωτέον ότι...** it should be noted that...
σημειωτικός, -ή, -ό ΕΠΙΘ (θεωρία, μηχανισμός) semiotic
▸ **σημειωτική** ΟΥΣ ΘΗΛ semiotics εν.
σημειωτόν ΟΥΣ ΟΥΔ walking on the spot
▷ **πηγαίνω σημειωτόν** (αυτοκίνητα) to go at a

snail's pace
▷**(προχωρώ) με βήμα σημειωτόν** (μτφ.) (to go) at a snail's pace

σήμερα ΕΠΙΡΡ **(α)** (= παρούσα ημέρα) today **(β)** (= στην εποχή μας) nowadays, today
▷**από σήμερα και στο εξής** from this day forward ή on
▷**η κοινωνία τού σήμερα** today's society
▷**οι νέοι τού σήμερα** the youth of today
▷**σήμερα-αύριο** any day now
▷**σήμερα είμαι, αύριο δεν είμαι** to be here today and gone tomorrow

σημερινός, -ή, -ό ΕΠΙΘ **(α)** (ψωμί, αβγά) fresh · (μενού, εφημερίδα) today's **(β)** (προβλήματα, θέματα) current · (γυναίκα) today's · (εντυπώσεις) present

σήμερον (επίσ.) ΟΥΣ ΘΗΛ ΑΚΛ today
▷**την σήμερον ημέρα(ν)** in this day and age

σημιτικός, -ή, -ό ΕΠΙΘ (γλώσσα, λαός) Semitic

σημύδα ΟΥΣ ΘΗΛ birch (tree)

σηπτικός, -ή, -ό ΕΠΙΘ septic

σήραγγα ΟΥΣ ΘΗΛ tunnel

σήριαλ ΟΥΣ ΟΥΔ ΑΚΛ βλ. **σίριαλ**

σησαμέλαιο ΟΥΣ ΟΥΔ sesame oil

σησάμι ΟΥΣ ΟΥΔ = **σουσάμι**

σήτα ΟΥΣ ΘΗΛ **(α)** (παράθυρου) screen **(β)** (= κρησάρα) fine sieve

σηψαιμία ΟΥΣ ΘΗΛ septicaemia (Βρετ.), septicemia (Αμερ.)

σήψη ΟΥΣ ΘΗΛ **(α)** (δέντρου, ξύλου, δοντιού) decay · (πτώματος) decomposition **(β)** (ΙΑΤΡ) sepsis **(γ)** (κοινωνίας, ηθών) corruption

σθεναρός, -ή, -ό ΕΠΙΘ (αντίδραση) spirited · (στάση) firm · (για πρόσ.) strong

σθεναρότητα ΟΥΣ ΘΗΛ (αντίδρασης) spiritedness · (στάσης) firmness · (ανθρώπου) strength

σθένος ΟΥΣ ΟΥΔ **(α)** (ανθρώπου) strength **(β)** (ΧΗΜ) valency

σι ΟΥΣ ΟΥΔ ΑΚΛ (ΜΟΥΣ) si, B

ΣΙΑ, Σία ΣΥΝΤΟΜ (= συντροφία) Co.

σιαγόνα ΟΥΣ ΘΗΛ jaw

σιάζω (ανεπ.) ① Ρ Μ (φούστα, φόρεμα) to straighten ② Ρ ΑΜ (καιρός, κατάσταση) to get better, to improve
▸**σιάχνομαι** ΜΕΣΟΠΑΘ to straighten one's clothes, to smarten oneself up

σιαλογόνος, -ος, -ο ΕΠΙΘ = **σιελογόνος**

σίαλος (επίσ.) ΟΥΣ ΑΡΣ = **σίελος**

σιαμαίος, -α, -ο ΕΠΙΘ (έθιμα) Thai

Προσοχή!: Τα εθνικά επίθετα, όπως **Thai***, γράφονται με κεφαλαίο το αρχικό γράμμα στα Αγγλικά.*

▸**σιαμαία (αδέλφια ή δίδυμα)** Siamese twins, conjoined twins

σιάξιμο (ανεπ.) ΟΥΣ ΟΥΔ **(α)** (φούστας) straightening · (μαλλιών) fixing **(β)** (καιρού, κατάστασης) improvement

σιάτσου ΟΥΣ ΟΥΔ ΑΚΛ shiatsu

σιάχνω Ρ Μ = **σιάζω**

Σιβηρία ΟΥΣ ΘΗΛ Siberia
▷**είναι ή κάνει Σιβηρία** (μτφ.) it's freezing cold

σιβυλλικός, -ή, -ό ΕΠΙΘ (απάντηση, ύφος) cryptic

σιγά ΕΠΙΡΡ **(α)** (= χαμηλόφωνα) quietly **(β)** (καταχρ.: = αργά) slowly
▷**πιο σιγά!** slow down!
▷**σιγά (να) μην φοβηθούμε/κερδίσει** of course we're not afraid/he won't win
▷**σιγά τον άντρα/το αυτοκίνητο!** (ειρων.) some man/car!, you call that a man/car!
▷**σιγά-σιγά** (= λίγο-λίγο) gradually · (= προσεκτικά) carefully

σιγαλιά (λογοτ.) ΟΥΣ ΘΗΛ (νύχτας) still

σιγανοπαπαδιά (αργητ.) ΟΥΣ ΘΗΛ goody–goody (ανεπ.)

Προσοχή!: Ο πληθυντικός του **goody–goody** *είναι* **goody–goodies.**

σιγανός, -ή, -ό ΕΠΙΘ (φωνή, κλάμα) soft · (ρυθμός) gentle · (φωτιά) low

σιγαστήρας ΟΥΣ ΑΡΣ (όπλου, εξάτμισης) silencer

σιγή ΟΥΣ ΘΗΛ silence
▷**απόλυτη ή νεκρική σιγή** dead silence ή quiet
▷**ενός λεπτού σιγή** one ή a minute's silence

σίγμα ΟΥΣ ΟΥΔ ΑΚΛ sigma, *18th letter of the Greek alphabet*
▷**με το νι και με το σίγμα** in every detail

σιγοβράζω ① Ρ Μ to simmer ② Ρ ΑΜ to simmer

σιγοβρέχω Ρ ΑΜ: **σιγοβρέχει** ΑΠΡΟΣ it's drizzling

σιγοκαίω Ρ ΑΜ to smoulder (Βρετ.), to smolder (Αμερ.)

σιγοκλαίω Ρ ΑΜ to cry softly

σιγοκουβεντιάζω Ρ ΑΜ to whisper

σιγομουρμουρίζω ① Ρ Μ (σκοπό, τραγούδι) to hum ② Ρ ΑΜ (κοπέλα, παιδί) to mumble

σιγοντάρισμα ΟΥΣ ΟΥΔ **(α)** (= δεύτερη φωνή) backing vocals πληθ. **(β)** (μτφ.) support

σιγοντάρω Ρ Μ **(α)** (= κάνω δεύτερη φωνή) to back up **(β)** (μτφ.) to support, to back up

σιγοτραγουδώ ① Ρ Μ (εργάτης) to hum ② Ρ Μ (σκοπό) to hum

σίγουρα ΕΠΙΡΡ definitely, certainly
▷**σίγουρα!** definitely!

σιγουρεύω Ρ Μ (θέση) to secure · (παιδιά) to provide for
▸**σιγουρεύομαι** ΜΕΣΟΠΑΘ (= βεβαιώνομαι) to make sure

σιγουριά ΟΥΣ ΘΗΛ **(α)** (= ασφάλεια) safety, security **(β)** (= βεβαιότητα) certainty

σίγουρος, -η, -ο ΕΠΙΘ **(α)** (μέρος, καταφύγιο) safe · (θέση, δουλειά, μετοχές) secure

Σ

(β) (= *που αισθάνεται ασφαλής*) secure, safe **(γ)** (= *που αισθάνεται βέβαιος*) sure, certain **(δ)** (*νίκη, επιτυχία*) certain
▷**αυτό είναι σίγουρο** that's for sure
▷**είναι σίγουρο ότι** ή **πως** it is certain that
▷**έχω κτ σίγουρο** to have sth in the bag
▷**στα σίγουρα** for certain ή sure

σιγοψιθυρίζω P M to whisper

σιγώ P AM **(α)** (*αντιπολίτευση, βουλευτής*) to be silent **(β)** (*όπλα, πυροβόλα*) to fall silent
▸**σιγώμαι** ΜΕΣΟΠΑΘ (*φωνήεν, πρόσφυμα*) to be silent

σιδεράδικο ΟΥΣ ΟΥΔ **(α)** (= *σιδηρουργείο*) blacksmith's **(β)** (= *σιδηροπωλείο*) hardware store, ironmonger's (*Βρετ.*)

σιδεράκια ΟΥΣ ΟΥΔ ΠΛΗΘ braces

σιδεράς ΟΥΣ ΑΡΣ **(α)** (= *σιδηρουργός*) blacksmith **(β)** (= *σιδηροπώλης*) ironmonger (*Βρετ.*), hardware dealer (*Αμερ.*)

σιδερένιος, -ια, -ιο ΕΠΙΘ **(α)** (*κάγκελα, πόρτα*) iron **(β)** (*πυγμή, πειθαρχία*) iron · (*νεύρα*) of steel
▷**σιδερένιος!** (*ευχή*) here's to a full recovery!

σιδεριά ΟΥΣ ΘΗΛ ironwork

σιδερικό ΟΥΣ ΟΥΔ **(α)** (= *κομμάτι από σίδερο*) piece of iron **(β)** (*ανεπ.*: = *όπλο*) piece (*ανεπ.*), rod (*ανεπ.*) · (= *εργαλείο από σίδερο*) iron tool

σίδερο ΟΥΣ ΟΥΔ **(α)** (= *σίδηρος*) iron **(β)** (*για σιδέρωμα*) iron **(γ)** (= *σιδέρωμα*) ironing
▷**θα φάει η μύγα σίδερο και το κουνούπι ατσάλι** all hell will break loose
▷**λυγίζω σίδερα** (*μτφ.*) to be as strong as an ox
▷**τρώω (τα) σίδερα** (*μτφ.*) to move heaven and earth
▸**σίδερα** ΠΛΗΘ (*ανεπ.*) bars
▷**είναι για τα σίδερα** she should be locked up
▷**ρίχνω κπν στα σίδερα** to put sb behind bars

σιδερόβεργα ΟΥΣ ΘΗΛ iron rod

σιδεροκέφαλος, -η, -ο ΕΠΙΘ with an iron constitution
▷**σιδεροκέφαλος!** (*ευχή*) keep well!

σιδερολοστός ΟΥΣ ΑΡΣ = **σιδηρολοστός**

σιδερόπανο ΟΥΣ ΟΥΔ **(α)** (= *πανί σιδερώστρας*) ironing–board cover **(β)** (*για ευαίσθητα ρούχα*) ironing cloth

σιδερόπορτα ΟΥΣ ΘΗΛ iron door

σιδεροπρίονο ΟΥΣ ΟΥΔ hacksaw

σιδεροστιά ΟΥΣ ΘΗΛ = **πυροστιά**

σιδερότυπο ΟΥΣ ΟΥΔ iron–on transfer

σιδερόφραχτος, -η, -ο ΕΠΙΘ **(α)** (*παράθυρο*) with iron bars · (*κήπος*) surrounded by iron railings **(β)** (*στρατός, ιππότες*) heavily armed

σιδέρωμα ΟΥΣ ΟΥΔ ironing

σιδερωμένος, -η, -ο ΕΠΙΘ ironed

σιδερώνω P M to iron

σιδερώστρα ΟΥΣ ΘΗΛ ironing board

σιδερωτήριο ΟΥΣ ΟΥΔ **(α)** (*ξενοδοχείου*) ironing room **(β)** (*καθαριστηρίου*) ironing press

σιδηροβιομηχανία ΟΥΣ ΘΗΛ **(α)** (*βιομηχανικός κλάδος*) iron industry **(β)** (*βιομηχανική μονάδα*) iron foundry

σιδηροδέσμιος, -ια, -ιο ΕΠΙΘ chained

σιδηροδοκός ΟΥΣ ΘΗΛ iron girder

σιδηροδρομικά ΕΠΙΡΡ = **σιδηροδρομικώς**

σιδηροδρομικός, -ή, -ό ΕΠΙΘ **(α)** (*γέφυρα*) railway (*Βρετ.*), railroad (*Αμερ.*) · (*δυστύχημα, δίκτυο*) rail, railroad (*Αμερ.*) **(β)** (*συγκοινωνία, μεταφορές*) rail · (*ταξίδι*) train
▸**σιδηροδρομικός σταθμός** railway (*Βρετ.*) ή railroad (*Αμερ.*) station
▸**σιδηροδρομικός** ΟΥΣ ΑΡΣ railwayman (*Βρετ.*), railroad worker (*Αμερ.*)

Προσοχή!: Ο πληθυντικός του **railwayman** είναι **railwaymen**.

σιδηροδρομικώς ΕΠΙΡΡ by rail

σιδηρόδρομος ΟΥΣ ΑΡΣ **(α)** (= *οδός αμαξοστοιχίας*) railway (*Βρετ.*), railroad (*Αμερ.*) **(β)** (= *αμαξοστοιχία*) train **(γ)** (*για λέξεις*) mouthful
▸**σιδηρόδρομοι** ΠΛΗΘ railways (*Βρετ.*), railroads (*Αμερ.*)

σιδηροκατασκευή ΟΥΣ ΘΗΛ iron construction

σιδηρολοστός ΟΥΣ ΑΡΣ crowbar

σιδηροπρίονο ΟΥΣ ΟΥΔ = **σιδεροπρίονο**

σιδηροπωλείο ΟΥΣ ΟΥΔ ironmonger's (*Βρετ.*), hardware store (*Αμερ.*)

σιδηροπώλης ΟΥΣ ΟΥΔ ironmonger (*Βρετ.*), hardware dealer (*Αμερ.*)

σίδηρος ΟΥΣ ΑΡΣ (ΧΗΜ) iron
▸**Εποχή του Σιδήρου** Iron Age

σιδηροτροχιά ΟΥΣ ΘΗΛ rail, track

σιδηρουργείο ΟΥΣ ΟΥΔ blacksmith's, forge

σιδηρουργία ΟΥΣ ΘΗΛ **(α)** (*παραγωγή και κατεργασία*) ironwork **(β)** (*εργοστάσιο*) ironworks πληθ. · (*εργαστήριο*) forge

σιδηρουργός ΟΥΣ ΑΡΣ ironworker

σιδηρούς, -ά, -ούν (*επίσ.*) ΕΠΙΘ **(α)** (*κατασκευή, ράβδος, σφαίρα*) iron **(β)** (*θέληση, πειθαρχία*) iron · (*κυβερνήτης*) who rules with an iron hand
▸**σιδηρούν παραπέτασμα** iron curtain
▸**σιδηρούν προσωπείο** iron mask

σιδηρούχος, -ος, -ο ΕΠΙΘ (*μέταλλο*) ferrous · (*νερό*) mineral

σιδηρόφρακτος, -η, -ο ΕΠΙΘ = **σιδερόφραχτος**

σιέλ ΕΠΙΘ ΑΚΛ **(α)** (*μπλούζα*) sky–blue
▸**σιέλ** ΟΥΣ ΟΥΔ sky blue

σιελογόνος, -ος, -ο ΕΠΙΘ: **σιελογόνοι αδένες** salivary glands

σίελος (*επίσ.*) ΟΥΣ ΑΡΣ saliva

σιέστα ΟΥΣ ΘΗΛ siesta

σιθρού ΕΠΙΘ ΑΚΛ (*πουκάμισο, φόρεμα*) see–through

σικ ΕΠΙΘ ΑΚΛ **(α)** (*κυρία, ντύσιμο*) chic **(β)** (*τρόποι*) refined

▷**ντύνομαι σικ** to be chic *ή* stylish

σίκαλη ΟΥΣ ΘΗΛ rye
▸ **ψωμί σικάλεως** rye bread

σικάτος, -η, -ο (*οικ.*) ΕΠΙΘ (*γυναίκα, ταγέρ, ντύσιμο*) chic

Σικελή ΟΥΣ ΘΗΛ *βλ.* **Σικελός**

Σικελία ΟΥΣ ΘΗΛ Sicily

Σικελός ΟΥΣ ΑΡΣ Sicilian

σιλικόνη ΟΥΣ ΘΗΛ silicone

σιλό ΟΥΣ ΟΥΔ ΑΚΛ (*επίσης* ΣΤΡΑΤ) silo

σιλουέτα ΟΥΣ ΘΗΛ (α) (ΤΕΧΝ: *ανθρώπου*) silhouette · (*κτηρίου, πλοίου*) outline (β) (= *γραμμές σώματος*) figure (γ) (= *λεπτό σώμα*) figure

σιμά (*ανεπ.*) ΕΠΙΡΡ next to

σιμιγδαλένιος, -ια, -ιο ΕΠΙΘ (*ψωμί, χαλβάς*) semolina

σιμιγδάλι ΟΥΣ ΟΥΔ semolina

σιμπί ΟΥΣ ΟΥΔ ΑΚΛ CB

σιμώνω (*ανεπ.*) ① P M (*φύλακα, περαστικό*) to approach
② P AM to approach, to draw near

Σινά ΟΥΣ ΟΥΔ ΑΚΛ Sinai
▸ **Μονή Σινά** Monastery of Mt Sinai
▸ **Χερσόνησος του Σινά** Sinai Peninsula

σιναπέλαιο ΟΥΣ ΟΥΔ mustard oil

σινάπι ΟΥΣ ΟΥΔ mustard

σιναπόσπορος ΟΥΣ ΑΡΣ mustard seed

σινάφι (*ανεπ.*) ΟΥΣ ΟΥΔ (α) (= *συντεχνία*) guild (β) (= *τάξη*) class

σινεμά ΟΥΣ ΟΥΔ ΑΚΛ (α) (= *κινηματογράφος*) cinema, movies *πληθ.* (*Αμερ.*) (β) (= *αίθουσα προβολής*) cinema (*Βρετ.*), movie theater (*Αμερ.*)
▷**πηγαίνω σινεμά** to go to the cinema (*Βρετ.*), to go to the movies (*Αμερ.*)
▸ **θερινό σινεμά** open–air cinema (*Βρετ.*) *ή* movie theater (*Αμερ.*), ≈ drive–in (*Αμερ.*)

σινεφίλ ΟΥΣ ΑΡΣ&ΘΗΛ ΑΚΛ cinema buff, film–goer (*Βρετ.*), moviegoer (*Αμερ.*)

σινιάλο ΟΥΣ ΟΥΔ (*επίσης* ΝΑΥΤ) signal
▷**κάνω σινιάλο (σε κπν)** to signal (to sb)

σινιέ ΕΠΙΘ ΑΚΛ (α) (*κοστούμι, φόρεμα*) designer (β) (*για πρόσ.*) chic
▷**ντύνομαι σινιέ** to wear designer clothes

σινικός, -ή, -ό ΕΠΙΘ Chinese

Προσοχή!: Τα εθνικά επίθετα, όπως **Chinese**, *γράφονται με κεφαλαίο το αρχικό γράμμα στα Αγγλικά.*

σιντί ΟΥΣ ΟΥΔ ΑΚΛ (α) (= *ψηφιακός δίσκος*) CD (β) (= *συσκευή ψηφιακού δίσκου*) CD player

σιντιρόμ ΟΥΣ ΟΥΔ ΑΚΛ (ΠΛΗΡΟΦ) CD–ROM

σιντριβάνι ΟΥΣ ΟΥΔ fountain

σίριαλ ΟΥΣ ΟΥΔ ΑΚΛ (α) (= *σειρά*) serial (β) (*μτφ.*) long–drawn–out affair

σίριαλ κίλερ ΟΥΣ ΑΡΣ ΑΚΛ serial killer

σιρίτι ΟΥΣ ΟΥΔ (α) (*φορέματος, καπέλου*) ribbon (β) (ΣΤΡΑΤ) stripe

σιρκουί ΟΥΣ ΟΥΔ ΑΚΛ (ΑΘΛ) circuit

σιρόκος ΟΥΣ ΑΡΣ sirocco

σιρόπι ΟΥΣ ΟΥΔ (*για γλυκό, βήχα*) syrup (*Βρετ.*), sirup (*Αμερ.*)
▷**σιρόπι το έκανες το τσάι μου!** you've made my tea too sweet!
▸ **σιρόπια, σορόπια** ΠΛΗΘ (*ειρων.*) soppiness *εν.*

σιροπιάζω ① P M (*γλυκό*) to pour syrup (*Βρετ.*) *ή* sirup (*Αμερ.*) on
② P AM (α) (*κέικ*) to absorb the syrup (*Βρετ.*) *ή* sirup (*Αμερ.*) (β) (*ειρων.: για πρόσ.*) to kiss and cuddle, to bill and coo

σιρόπιασμα ΟΥΣ ΟΥΔ (α) (*γλυκού*) covering in syrup (β) (*ειρων.: για πρόσ.*) kissing and cuddling *χωρίς πληθ.*, billing and cooing *χωρίς πληθ.*

σιτάλευρο ΟΥΣ ΟΥΔ wheatmeal

σιταποθήκη ΟΥΣ ΘΗΛ granary

σιταρέμπορος ΟΥΣ ΑΡΣ = **σιτέμπορος**

σιταρένιος, -ια, -ιο ΕΠΙΘ (*ψωμί, παξιμάδι*) wheatmeal

σιτάρι ΟΥΣ ΟΥΔ wheat

σιτεμένος, -η, -ο ΕΠΙΘ (α) (*αρνί, μοσχάρι*) fattened (β) (*κρέας*) high (γ) (*ειρων.: για πρόσ.*) mature

σιτεμπόριο ΟΥΣ ΟΥΔ wheat trade

σιτέμπορος ΟΥΣ ΑΡΣ wheat merchant

σιτευτός, -ή, -ό ΕΠΙΘ (*πάπια, αρνί*) fattened
▷**μόσχος (ο) σιτευτός** fatted calf

σιτεύω ① P M (*μοσχάρι, αρνί*) to fatten
② P AM (α) (*κρέας*) to get high (β) (*ειρων.: για πρόσ.*) to mature

σιτηρά ΟΥΣ ΟΥΔ ΠΛΗΘ cereals

σιτηρέσιο ΟΥΣ ΟΥΔ rations *πληθ.*

σιτίζω P M (*σεισμοπλήκτους, παιδιά*) to feed

σίτιση ΟΥΣ ΘΗΛ feeding
▷**σίτιση και στέγαση** board and lodgings

σιτιστής ΟΥΣ ΑΡΣ quartermaster

σιτοβολώνας ΟΥΣ ΑΡΣ breadbasket

σιτοκαλλιέργεια ΟΥΣ ΘΗΛ (α) (= *καλλιέργεια σιτηρών*) wheat growing (β) (= *χώρος καλλιέργειας σιτηρών*) wheat fields *πληθ.*

σιτοπαραγωγή ΟΥΣ ΘΗΛ wheat crop

σιτοπαραγωγός, -ός, -ό ΕΠΙΘ (*χώρα, περιοχή*) wheat–growing
▸ **σιτοπαραγωγός** ΟΥΣ ΑΡΣ wheat grower

σίτος (*επίσ.*) ΟΥΣ ΑΡΣ wheat

σιφινιέρα ΟΥΣ ΘΗΛ = **σιφονιέρα**

σιφόνι ΟΥΣ ΟΥΔ = **σιφώνι**

σιφονιέρα ΟΥΣ ΘΗΛ chest of drawers

σίφουνας ΟΥΣ ΑΡΣ (α) (ΜΕΤΕΩΡ) tornado

Προσοχή!: Ο πληθυντικός του **tornado** *είναι* **tornadoes**.

(β) (*μτφ.*) whirlwind

σίφων (*επίσ.*) ΟΥΣ ΑΡΣ (ΜΕΤΕΩΡ) tornado

σίφωνας ΟΥΣ ΑΡΣ = **σίφων**

σιφώνι ΟΥΣ ΟΥΔ (*νεροχύτη, μπάνιου*) U–bend

σιχ ΟΥΣ ΑΡΣ ΑΚΛ (ΘΡΗΣΚ) Sikh

σιχαίνομαι ρ μ αποθ (μυρωδιά, ακαθαρσίες, δουλειά, ψέματα) to hate · (κατάσταση, συμπεριφορά) to be sick of
▷σιχαίνομαι να κάνω κτ to hate doing sth
▷την σιχαίνομαι, την σιχαίνεται η ψυχή μου (οικ.) I hate her guts (ανεπ.), I can't stand her

σίχαμα ουσ ουδ: είμαι σίχαμα to be disgusting

σιχαμάρα ουσ θηλ (= αηδία) disgust
▷είμαι σιχαμάρα (για φαγητό, ταινία) to be disgusting
▷με πιάνει σιχαμάρα to be disgusted

σιχαμένος, -η, -ο επιθ disgusting

σιχαμερός, -ή, -ό (ανεπ.) επιθ (θέαμα, μυρωδιά) disgusting · (άνθρωπος) repulsive · (εγκληματίας, κατάσταση) sickening

σιχασιά ουσ θηλ disgust

σιχασιάρης, -α, -ικο επιθ squeamish

σιχισμός ουσ αρσ (ΘΡΗΣΚ) Sikhism

σιωνισμός ουσ αρσ Zionism

σιωπή ουσ θηλ silence
▷άκρα του τάφου σιωπή deathly silence
▷η σιωπή είναι χρυσός (παροιμ.) silence is golden (παροιμ.)
▷σιωπή! silence!, be quiet!

σιωπηλός, -ή, -ό επιθ (α) (για πρόσ.) silent · (= λιγόλογος) quiet (β) (διαμαρτυρία, πορεία, προσευχή, παρέλαση) silent (γ) (δωμάτιο, αίθουσα) silent, quiet

σιωπηρά επιρρ tacitly

σιωπηρός, -ή, -ό επιθ (α) (για πρόσ.) silent · (= λιγόλογος) quiet (β) (συμφωνία) tacit, unspoken · (απειλή, έγκριση) implicit

σιωπηρώς επιρρ = σιωπηρά

σιωπητήριο ουσ ουδ (α) (ΣΤΡΑΤ) last post (β) (κατασκήνωσης) signal for lights out

σιωπώ ρ αμ (α) (= σωπαίνω) to remain silent (β) (= σιγώ) to fall silent

σκάβω ρ μ (α) (χώμα, κήπο, αυλάκι, τάφρο) to dig (β) (βράχια) to erode · (ξύλο, μάρμαρο) to carve

σκάγι ουσ ουδ pellet, shot χωρίς πληθ.
▷με παίρνουν τα σκάγια to pay the price

σκάζω ① ρ μ (α) (μπαλόνι, σακούλα) to burst (β) (για πρόσ.) to be the death of, to drive to distraction (γ) (οικ.: λεφτά) to fork out (ανεπ.)
② ρ αμ (α) (δέρμα, χείλη, χέρια) to be chapped, to chap · (φουσκάλα) to burst · (τοίχος) to crack (β) (λάστιχο, μπάλα) to burst · (οβίδα, βόμβα) to go off, to explode (γ) (καρπούζι, πεπόνι) to burst open · (για πρόσ.: = στενοχωριέμαι) to be in a state (δ) (μπουμπούκια) to burst open (ε) (στο φαγητό) to be bursting (στ) (οικ.: = σωπαίνω) to shut up (ανεπ.)
▷δεν μπορείς να μου τη σκάσεις (οικ.) you can't pull the wool over my eyes
▷πάω να σκάσω! I'm going to explode!
▷τα σκάω (οικ.) to cough up (ανεπ.)
▷τη σκάω σε κπν (οικ.: = εξαπατώ) to take sb

for a ride · (σε ραντεβού) to stand sb up
▷το σκάω (οικ.) to run away
▷σκάω από το κακό μου to be beside oneself
▷σκάω δόντι(α) (μωρό) to be teething
▷σκάω ένα φιλί σε κπν to give sb a kiss, to kiss sb
▷σκάω ένα χαμόγελο to break into a smile
▷σκάω ένα χαστούκι σε κπν to give sb a slap, to slap sb
▷έσκασε η βόμβα (μτφ.) it came as a bombshell
▷σκάσε! (οικ.) shut up! (ανεπ.)

σκαθάρι ουσ ουδ (α) (έντομο) beetle (β) (για παιδί) handful

σκαιός, -ά ή -ή, -ό επιθ (μεταχείριση) rough · (τρόπος, συμπεριφορά, άνθρωπος) rude, brusque

σκαιότητα ουσ θηλ (μεταχείρισης) roughness · (τρόπου, συμπεριφοράς, ανθρώπου) rudeness, brusqueness

σκάκι ουσ ουδ chess

σκακιέρα ουσ θηλ chessboard

σκακιστής ουσ αρσ chess player

σκακίστρια ουσ θηλ βλ. σκακιστής

σκάλα ουσ θηλ (α) (= κλίμακα) stairs πληθ., staircase (β) (= σκαλί) step (γ) (μτφ.: αξιών) scale · (για μαλλιά) layers πληθ. (δ) (φώτων αυτοκινήτου) position (ε) (= αναβολέας) stirrup (στ) (ΜΟΥΣ) scale (ζ) (= λιμάνι) port
▷πιάνω σκάλα σε (πλοίο) to call at

σκαληνός, -ή, -ό επιθ (ΓΕΩΜ): σκαληνό τρίγωνο scalene triangle

σκαλί ουσ ουδ (α) (σκάλας) step (β) (εξουσίας, ιεραρχίας) rung
▷σκαλί-σκαλί step by step

σκαλίζω ρ μ (α) (χώμα, κήπο, φυτά) to hoe · (μύτη, δόντια) to pick (β) (για ζώα: χώμα) to scratch (γ) (φωτιά, κάρβουνα) to poke (δ) (έπιπλο, δέντρο) to carve (ε) (χαρτιά, σημειώσεις, πράγματα) to rummage through (στ) (βίντεο, υπολογιστή, ρολόι) to tamper with, to tinker with (ζ) (υπόθεση, παρελθόν) to dig up, to rake up

σκάλισμα ουσ ουδ (α) (λουλουδιών, χώματος) hoeing · (μύτης, δοντιών) picking (β) (για ζώα: χώματος) scratching (γ) (φωτιάς) poking (δ) (επίπλου, ξύλου) carving (ε) (χαρτιών, προσωπικών αντικειμένων) rummaging (στ) (τηλεόρασης, βίντεο, ρολογιού) tampering, tinkering (ζ) (υπόθεσης, παρελθόντος) digging ή raking up

σκαλιστήρι ουσ ουδ hoe

σκαλιστός, -ή, -ό επιθ (πόρτα, κάγκελα, κόσμημα) carved

σκαλοπάτι ουσ ουδ (α) (= σκαλί) step (β) (μτφ.: ιεραρχίας) rung · (επιτυχίας) stepping stone

σκαλτσούνι ουσ ουδ (α) (γλυκό) pastry filled with walnuts, honey and cinnamon traditionally eaten during Lent (β) (ανεπ.: = χοντρή κάλτσα) slipper sock

σκάλωμα ΟΥΣ ΟΥΔ (α) (φούστας, πουλόβερ) snagging (β) (υπόθεσης, δουλειάς) snag, hitch

σκαλώνω Ρ ΑΜ (α) (φόρεμα, μπλούζα) to snag (β) (δουλειά, υπόθεση) to hit a snag

σκαλωσιά ΟΥΣ ΘΗΛ scaffolding χωρίς πληθ.

σκάμμα ΟΥΣ ΟΥΔ (α) (= λάκκος) pit (β) (ΑΘΛ) sandpit

σκαμμένος, -η, -ο ΕΠΙΘ (πρόσωπο) craggy

σκαμνάκι ΟΥΣ ΟΥΔ (= μικρό σκαμνί) small stool

σκαμνί ΟΥΣ ΟΥΔ stool
▷**καθίζω κπν στο σκαμνί** to take sb to court

σκαμπάζω (ανεπ.) Ρ ΑΜ: **σκαμπάζω από κτ** to have some idea about sth

σκαμπανεβάζω ① Ρ ΑΜ (πλοίο) to pitch ② Ρ Μ (πλεούμενο, βάρκα) to toss around

σκαμπανέβασμα ΟΥΣ ΟΥΔ (πλοίου) pitching χωρίς πληθ.
▸ **σκαμπανεβάσματα** ΠΛΗΘ (απόδοσης, τιμών) fluctuations

σκαμπίλι (ανεπ.) ΟΥΣ ΟΥΔ slap

σκαμπιλίζω (ανεπ.) Ρ Μ to slap

σκαμπό ΟΥΣ ΟΥΔ ΑΚΛ stool

σκαμπρόζικος, -η, -ο (ανεπ.) ΕΠΙΘ (αστείο, ιστορία) risqué

σκανάρισμα ΟΥΣ ΟΥΔ scanning

σκανάρω Ρ Μ to scan

σκανδάλη ΟΥΣ ΘΗΛ trigger

σκανδαλιά ΟΥΣ ΘΗΛ = **σκανταλιά**

σκανδαλιάρης, -α, -ικο ΕΠΙΘ = **σκανταλιάρης**

σκανδαλίζω Ρ Μ (α) (= σοκάρω) to shock, to scandalize (β) (= προκαλώ) to tease, to tempt

σκανδαλιστικός, -ή, -ό ΕΠΙΘ scandalous, shocking

σκάνδαλο ΟΥΣ ΟΥΔ scandal
▸ **ροζ σκάνδαλο** sex scandal

σκανδαλοθήρας (αρνητ.) ΟΥΣ ΑΡΣ/ΘΗΛ scandalmonger

σκανδαλοθηρία (αρνητ.) ΟΥΣ ΘΗΛ scandalmongering

σκανδαλοθηρικός, -ή, -ό ΕΠΙΘ scandal-mongering
▷**σκανδαλοθηρικές εφημερίδες** gutter press εν. (Βρετ.), scandal sheets (Αμερ.)

σκανδαλολογία (αρνητ.) ΟΥΣ ΘΗΛ muck-raking

σκανδαλώδης, -ης, -ες ΕΠΙΘ scandalous, shocking

Σκανδιναβή ΟΥΣ ΘΗΛ βλ. **Σκανδιναβός**

Σκανδιναβία ΟΥΣ ΘΗΛ Scandinavia

σκανδιναβικός, -ή, -ό ΕΠΙΘ Scandinavian

Προσοχή!: Τα εθνικά επίθετα, όπως **Scandinavian**, *γράφονται με κεφαλαίο το αρχικό γράμμα στα Αγγλικά.*

▸ **σκανδιναβικές γλώσσες** Scandinavian languages
▸ **η Σκανδιναβική Χερσόνησος** Scandinavia, the Scandinavian Peninsula

Σκανδιναβός ΟΥΣ ΑΡΣ Scandinavian

σκάνερ ΟΥΣ ΑΡΣ/ΟΥΔ ΑΚΛ scanner

σκανταλιά ΟΥΣ ΟΥΔ mischief χωρίς πληθ.
▷**κάνω σκανταλιές** to get up to mischief

σκανταλιάρης, -α, -ικο ΕΠΙΘ (α) (πολιτικός, καλλιτέχνης) trouble-making (β) (για παιδιά) mischievous (γ) (γυναίκα, άνδρας) seductive

σκανταλίζω Ρ Μ = **σκανδαλίζω**

σκαντζάρω Ρ ΑΜ to change watch

σκαντζόχοιρος ΟΥΣ ΑΡΣ (ΖΩΟΛ) hedgehog

σκαπανέας ΟΥΣ ΑΡΣ/ΘΗΛ (α) (= σκαφέας) digger (β) (ΣΤΡΑΤ) pioneer (γ) (ειρήνης, επιστήμης) pioneer

σκαπάνη ΟΥΣ ΘΗΛ (εργαλείο) pick, pickaxe (Βρετ.), pickax (Αμερ.)
▷**αρχαιολογική σκαπάνη** archaeological (Βρετ.) ή archeological (Αμερ.) dig

σκαπουλάρω (ανεπ.) Ρ ΑΜ: **τη σκαπουλάρω** (= γλιτώνω) to get away with it · (άρρωστος) to pull through · (= ξεφεύγω) to get away
▷**τη σκαπουλάρω μ' ένα σπασμένο πόδι** to get off with a broken leg

σκαπτικός, -ή, -ό ΕΠΙΘ digging
▸ **σκαπτικά, σκαφτικά** ΟΥΣ ΟΥΔ ΠΛΗΘ digger's wages

σκάρα ΟΥΣ ΘΗΛ = **σχάρα**

σκαραβαίος ΟΥΣ ΑΡΣ (α) (έντομο) scarab (β) (πολύτιμος λίθος) scarab (γ) (ανεπ.: = κατσαριδάκι) beetle (Βρετ.), bug (Αμερ.)

σκαρί ΟΥΣ ΟΥΔ (α) (ΝΑΥΤ) slipway (β) (= σκελετός πλοίου) hull · (= πλοίο) ship (γ) (= σωματική διάπλαση) constitution (δ) (= ιδιοσυγκρασία) temperament
▷**είναι το σκαρί του, το έχει το σκαρί του** it's in his blood ή nature, that's the way he is
▷**έχω κτ στα σκαριά** to have sth in the pipeline

σκαρίφημα ΟΥΣ ΟΥΔ sketch

σκαρπέλο ΟΥΣ ΟΥΔ chisel

σκαρπίνι ΟΥΣ ΟΥΔ shoe

σκαρταδούρα (ανεπ.) ΟΥΣ ΘΗΛ junk χωρίς πληθ. (ανεπ.)

σκαρτεύω (ανεπ.) ① Ρ Μ (προϊόν) to make on the cheap ② Ρ ΑΜ (παιδί, κοπέλα) to go to the bad

σκάρτος, -η, -ο ΕΠΙΘ (α) (πράγματα, δουλειά) shoddy (β) (μηχανή) faulty · (φρούτα) bad (γ) (για πρόσ.) bad

σκαρφάλωμα ΟΥΣ ΟΥΔ (α) (= αναρρίχηση) climbing (β) (τιμών) rise

σκαρφαλώνω Ρ ΑΜ (α) (= αναρριχώμαι) to climb (β) (τιμές) to rise
▷**σκαρφαλώνω σε κτ** to climb sth

σκαρφίζομαι Ρ Μ ΑΠΟΘ (δικαιολογία, κόλπο, σχέδιο) to dream up

σκαρώνω Ρ Μ (α) (ιστορία, δικαιολογία) to make up, to think up · (ζαβολιά) to be up to (β) (ποίημα, τραγούδι) to make up · (άρθρο) to write · (καταφύγιο) to make
▷**τη σκαρώνω σε κπν** to play a dirty trick on sb

σκασιαρχείο ουσ ουδ truancy
▷**κάνω σκασιαρχείο** to play truant, to play hookey (Αμερ.)

σκασίλα (οικ., ειρων.) ουσ θηλ: **σκασίλα μου!, είχα μια σκασίλα!** I couldn't care less!, what do I care!

σκάσιμο ουσ ουδ (α) (μπαλονιού, μπάλας) bursting · (λάστιχου) blowout · (οβίδας, βόμβας) going off, explosion (β) (χειλιών, χεριών) chapping · (φρυσκάλας) bursting · (τοίχου) cracking (γ) (για καρπούζι, πεπόνι) bursting open · (για πρόσ.) outburst (δ) (καθηγητή, πελάτη) irritation (ε) (οικ.: για λεφτά) coughing up (στ) (μπουμπουκιού) bursting open (ζ) (από φαγητό) bursting

σκασμένος, -η, -ο επιθ (α) (λάστιχο) flat (β) (τοίχος) cracked (γ) (= στενοχωρημένος) stressed · (από το κακό μου) beside oneself (δ) (= κακομαθημένος) rude

σκασμός (οικ.) ουσ αρσ: **τρώω του σκασμού** to eat to bursting point
▷**βγάζω τον σκασμό** (υβρ.) to shut one's mouth (ανεπ.)
▷**σκασμός!** shut up! (ανεπ.)

σκαστός, -ή, -ό επιθ (α) (φιλί) smacking · (σφαλιάρα) stinging (β) (για πρόσ.: από το σχολείο) playing truant, skiving (Βρετ.) (ανεπ.) · (από δουλειά) skiving (Βρετ.) (ανεπ.) · (από στρατόπεδο) AWOL, absent without leave (γ) (για χρήματα) in cash
▷**είμαι σκαστός** (από το σχολείο) to be playing truant, to be skiving (Βρετ.) (ανεπ.) · (από δουλειά) to be skiving (Βρετ.) (ανεπ.) · (από στρατόπεδο) to be AWOL ή absent without leave

σκατένιος, -ια, -ιο επιθ χυδ (χυδ.), shitty (χυδ.)

σκατίλα (χυδ.) ουσ θηλ smell of crap ή shit (χυδ.)

σκατό (χυδ.) ουσ ουδ (α) (= ακαθαρσία) shit (χυδ.) (β) (= μικρό αντικείμενο) crap χωρίς πληθ. (χυδ.), pile of shit (χυδ.) (γ) (μειωτ.: για παιδί) little shit (χυδ.)
▸**σκατά** πληθ shit εν.
▷**τα κάνω σκατά** to screw everything up (χυδ.)
▷**σκατά!** shit ! (χυδ.) · (για διαφωνία) crap! (Βρετ.) (χυδ.), bullshit ! (κυρ. Αμερ.) (χυδ.)

σκατοδουλειά (οικ., μειωτ.) ουσ θηλ (α) (για επάγγελμα) crap job (χυδ.) (β) (= βρομοδουλειά) dirty work

σκατόπαιδο (υβρ.) ουσ ουδ little shit (χυδ.)

σκατόφατσα (οικ., μειωτ.) ουσ θηλ (α) (= άσχημος άνθρωπος) ugly devil (ανεπ.) (β) (= παλιόφατσα) shifty devil (ανεπ.)

σκατώνω (οικ.) ρ μ (= λερώνω με σκατά) to shit all over (χυδ.)
▷**τα σκατώνω** to mess things up

σκάφανδρο ουσ ουδ diving suit

σκαφέας ουσ αρσ digger

σκάφη ουσ θηλ (για πλύσιμο) tub · (για ζύμωμα) bowl · (για τρόφιμα ζώων) trough

σκαφίδα ουσ θηλ = **σκάφη**

σκαφίδι ουσ ουδ small tub

σκάφος ουσ ουδ (α) (= πλοίο) boat (β) (= αεροσκάφος) plane, aircraft χωρίς πληθ.

> *Προσοχή!: Ο πληθυντικός του* aircraft *είναι* aircraft.

(γ) (= κύριο σώμα πλοίου) hull (δ) (ΜΟΥΣ) soundbox
▸**πολεμικό σκάφος** warship
▸**σκάφος αναψυχής** pleasure craft

> *Προσοχή!: Ο πληθυντικός του* pleasure craft *είναι* pleasure craft.

σκαφτιάς (ανεπ.) ουσ αρσ digger

σκαφτικός, -ή, -ό επιθ = **σκαπτικός**

σκάψιμο ουσ ουδ digging

σκάω ρ μ/αμ = **σκάζω**

σκέβρωμα ουσ ουδ = **σκεύρωμα**

σκεβρωμένος, -η, -ο επιθ = **σκευρωμένος**

σκεβρώνω ρ αμ = **σκευρώνω**

σκέιτμπορντ, σκέιτ-μπορντ ουσ ουδ ακλ skateboard

σκελετός ουσ αρσ (α) (ανθρώπου, ζώου) skeleton (β) (= πολύ αδύνατος) skeleton (γ) (κτηρίου) skeleton · (γέφυρας) framework (δ) (γυαλιών) frames πληθ. (ε) (ομιλίας, έκθεσης, εργασίας) framework

σκελετωμένος, -η, -ο επιθ emaciated, skeletal

σκέλια (ανεπ.) ουσ ουδ πληθ (ανθρώπου) legs · (ζώου) back legs
▷**βάζω την ουρά στα σκέλια** to put one's tail between one's legs · βλ. κ. **σκέλος**

σκελίδα ουσ θηλ clove

σκέλος ουσ ουδ (α) (ανθρώπου) leg · (ζώου) back leg (β) (συζήτησης, προβλήματος, επιχειρήματος) part · (ταξιδιού) leg · (διαβήτη, ζυγαριάς) arm

σκεπάζω ρ μ (α) (φαγητό, βουνό) to cover · (κατσαρόλα) to put the lid on (β) (παιδί, κεφάλι, καναπέ) to cover (γ) (σπίτι) to put a roof on · (τρύπα, πηγάδι) to cover (δ) (σκάνδαλο, λάθος, ίχνη) to cover up
▸**σκεπάζομαι** μεσοπαθ to cover oneself up
▷**κάνει κρύο, σκεπάσου** it's cold, wrap up warm

σκεπάρνι ουσ ουδ adze (Βρετ.), adz (Αμερ.)

σκέπασμα ουσ ουδ (α) (= κάλυψη: προσώπου, φαγητού, σκεύους) covering (β) (= κάλυμμα: κατσαρόλας) lid · (επίπλου) cover
▸**σκεπάσματα** πληθ bedclothes

σκεπαστή ουσ θηλ (α) (σε ναύσταθμο) shelter (β) (σε γήπεδο) covered terrace

σκεπαστός, -ή, -ό επιθ (κατσαρόλα, εξέδρα, αυλή) covered

σκέπαστρο ουσ ουδ (α) (γενικότ.) cover (β) (για φυτώρια) greenhouse

σκεπή ουσ θηλ (κτηρίου, αυτοκινήτου) roof

σκεπτικισμός ΟΥΣ ΑΡΣ scepticism (Βρετ.), skepticism (Αμερ.)

σκεπτικιστής ΟΥΣ ΑΡΣ sceptic (Βρετ.), skeptic (Αμερ.)

σκεπτικίστρια ΟΥΣ ΘΗΛ βλ. **σκεπτικιστής**

σκεπτικό ΟΥΣ ΟΥΔ (α) (δικαστικής απόφασης) grounds πληθ. (β) (= τρόπος σκέψης) way of thinking
▷**με το σκεπτικό ότι** thinking that
▷**υπό ή με αυτό το σκεπτικό** looking at it that way

σκεπτικός, -ή, -ό ΕΠΙΘ (α) (= συλλογισμένος) pensive (β) (φιλόσοφος, φιλοσοφία) sceptic (Βρετ.), skeptic (Αμερ.)

σκέπτομαι 1 Ρ Μ ΑΠΟΘ (α) (= κάνω σκέψεις) to think about · (θέμα, πρόταση) to think about, to consider (β) (= επινοώ) to think of (γ) (= λογαριάζω) to think of (δ) (= αναπολώ) to think about 2 Ρ ΑΜ to think
▷**ούτε να το σκέφτεσαι!** don't even think about it!
▷**πάλι κάτι θα σκεφτεί!** he'll think of something!
▷**σκέψου καλά!** think about it!
▷**σκέψου να...** just imagine if...
▷**σκέπτομαι να κάνω κτ** to be thinking about doing sth
▷**σκέπτομαι τι/ποιός...** I wonder what/who...

σκεπτόμενος, -η, -ο ΕΠΙΘ pensive
▷**σκεπτόμενος άνθρωπος, σκεπτόμενο ον** thinking person

σκέρτσο ΟΥΣ ΟΥΔ coquetry, flirtation
▸ σκέρτσα ΠΛΗΘ flirtation εν.

σκερτσόζα ΟΥΣ ΘΗΛ = **σκερτσόζος**

σκερτσόζος ΟΥΣ ΑΡΣ flirt

σκέτος, -η, -ο ΕΠΙΘ (α) (μακαρόνια, μπιφτέκια) plain · (καφές) black · (ούζοκι) straight (β) (φόρεμα, έπιπλο) plain (γ) (αποτυχία) complete · (απογοήτευση) utter · (παλιάνθρωπος) out–and–out

σκετς ΟΥΣ ΟΥΔ ΑΚΛ sketch

σκευή ΟΥΣ ΘΗΛ (ΣΤΡΑΤ) equipment χωρίς πληθ.

σκευοθήκη ΟΥΣ ΘΗΛ cupboard (Βρετ.), closet (Αμερ.) · (= μπουφές) sideboard

σκεύος ΟΥΣ ΟΥΔ utensil
▸ επιτραπέζια σκεύη tableware
▸ μαγειρικά σκεύη cooking utensils
▸ σκεύος ηδονής (για πρόσ.) sex object

σκευοφόρος ΟΥΣ ΘΗΛ luggage car ή van

σκευοφύλακας ΟΥΣ ΑΡΣ (ΘΡΗΣΚ) sacristan

σκευοφυλάκιο ΟΥΣ ΟΥΔ (ΘΡΗΣΚ) sacristy

σκεύρωμα ΟΥΣ ΟΥΔ (α) (ξύλου, σανίδας) warping (β) (για πρόσ.) stoop

σκευρωμένος, -η, -ο ΕΠΙΘ (α) (σανίδα, πόρτα) warped (β) (για πρόσ.) stooped

σκευρώνω Ρ ΑΜ (α) (μπράτσο κιθάρας, πόρτα, σανίδες) to warp (β) (για πρόσ.) to stoop

σκευωρία ΟΥΣ ΘΗΛ scheming χωρίς πληθ., intrigue

σκευωρώ Ρ ΑΜ to plot

σκεφτικός, -ή, -ό ΕΠΙΘ = **σκεπτικός**

σκέφτομαι Ρ Μ/ΑΜ ΑΠΟΘ = **σκέπτομαι**

σκέψη ΟΥΣ ΘΗΛ thought
▷**βάζω κπν σε σκέψεις** to get ή set sb thinking
▷**θέλει και σκέψη;** you don't even need to think about it
▷**και μόνο στη σκέψη πως ή ότι θα κάνω κτ** the mere thought of doing sth
▷**κατόπιν σκέψεως** on reflection
▷**μπαίνω σε σκέψεις για κτ** to wonder about sth

σκηνή ΟΥΣ ΘΗΛ (α) (= τέντα) tent (β) (θεάτρου) stage (γ) (έργου, ταινίας) scene (δ) (υστερίας, καβγά, ατυχήματος) scene
▷**ανεβαίνω ή βγαίνω στη σκηνή** (= γίνομαι ηθοποιός) to go on the stage
▷**κάνω σκηνή (σε κπν)** to make a scene (in front of sb)
▸ διευθυντής σκηνής stage manager

σκηνικός, -ή, -ό ΕΠΙΘ (εφέ, οδηγίες) stage · (τέχνη) dramatic
▸ σκηνικός εξοπλισμός scenery
▸ σκηνικό ΟΥΣ ΟΥΔ scene
▸ σκηνικά ΟΥΣ ΟΥΔ ΠΛΗΘ scenery εν.

σκηνογραφία ΟΥΣ ΘΗΛ (α) (ΤΕΧΝ) stage design (β) (= σκηνικά) scenery

σκηνογράφος ΟΥΣ ΑΡΣ/ΘΗΛ stage designer

σκηνοθεσία ΟΥΣ ΘΗΛ (α) (ΤΕΧΝ) direction (β) (μτφ.) act, put–up job (ανεπ.)

σκηνοθέτης ΟΥΣ ΑΡΣ director

σκηνοθέτρια ΟΥΣ ΘΗΛ βλ. **σκηνοθέτης**

σκηνοθετώ Ρ Μ (α) (ταινία, έργο, εκπομπή) to direct (β) (αρνητ.: θάνατο, διάρρηξη, ατύχημα) to orchestrate

σκήπτρο ΟΥΣ ΟΥΔ sceptre (Βρετ.), scepter (Αμερ.)
▷**κατέχω τα σκήπτρα** (πολιτικός, κυβερνήτης) to be in power · (αθλητής, ομάδα) to be the best

σκήτη ΟΥΣ ΘΗΛ hermitage

σκι ΟΥΣ ΟΥΔ ΑΚΛ (α) (πέδιλο) ski (β) (άθλημα) skiing
▸ θαλάσσιο σκι water–skiing

σκιά ΟΥΣ ΘΗΛ (α) (= σκιασμένος χώρος: βαλανιδιάς, μονριάς) shade χωρίς πληθ. (β) (= σκιασμένη επιφάνεια: περαστικού, αγνώστου) shadow (γ) (= σκοτεινή σιλουέτα: λόφου, σπιτιών) shadow · (για πρόσ.) shadowy form (δ) (επεισοδίων, συγκρούσεων) shadow (ε) (προγόνων, πεθαμένου) ghost, shade
▷**γίνομαι η σκιά κπιου** (= παρακολουθώ) to shadow sb
▷**γίνομαι ή καταντώ σκιά** (για πρόσ.) to be worn to a shadow
▷**γίνομαι σκιά του εαυτού μου** to be a shadow of one's former self
▷**είμαι στη σκιά κπιου** (μτφ.) to be in sb's shadow
▷**έχω μαύρες σκιές κάτω από τα μάτια** to

have dark shadows ή rings under one's eyes
▷**μένω στη σκιά** (*ιστορία, περιστατικό*) to be kept quiet
▷**35 βαθμοί υπό σκιάν** 35 degrees in the shade
▷**φοβάμαι ή τρέμω και τη σκιά μου** to be afraid of one's shadow
▸**σκιά ματιών** eye shadow

σκιαγράφημα ΟΥΣ ΟΥΔ (α) (*αντικειμένου, ανθρώπου*) sketch (β) (*γεγονότος, εργασίας*) outline

σκιαγραφώ Ρ Μ (α) (= *σκιτσάρω*) to sketch (β) (= *περιγράφω*) to outline

σκιάζω[1] Ρ Μ (α) (*μάτια, σπίτι*) to shade (β) (*εορτασμό, εκλογές*) to cast a shadow over (γ) (*στη ζωγραφική: σκίτσο*) to shade (in)

σκιάζω[2] (*ανεπ.*) Ρ Μ (= *τρομάζω*) to frighten, to scare
▸**σκιάζομαι** ΜΕΣΟΠΑΘ to be scared ή frightened

Σκιάθος ΟΥΣ ΘΗΛ Skiathos

σκίαση ΟΥΣ ΘΗΛ shading

σκιάχτρο ΟΥΣ ΟΥΔ (α) (*σε καλλιέργειες*) scarecrow (β) (= *φόβητρο*) bugbear (γ) (= *άσχημος άνθρωπος*) gargoyle

σκιέρ ΟΥΣ ΑΡΣΘΗΛ ΑΚΛ skier

σκιερός, -ή, -ό ΕΠΙΘ (*φύλλωμα, δέντρο, τοποθεσία, πλευρά*) shady

σκίζα ΟΥΣ ΘΗΛ splinter

σκίζω Ρ Μ = **σχίζω**

σκίνος ΟΥΣ ΑΡΣ = **σχίνος**

σκίνχεντ ΟΥΣ ΑΡΣΘΗΛ ΑΚΛ skinhead

σκίουρος ΟΥΣ ΑΡΣ squirrel

σκίρτημα ΟΥΣ ΟΥΔ (α) (= *ξαφνική κίνηση*) start · (*μωρού, εμβρύου*) kick (β) (*αγάπης, νιότης*) thrill

σκιρτώ Ρ ΑΜ (α) (= *αναπηδώ*) to start, to jump (β) (*καρδιά*) to hammer
▷**σκιρτώ από χαρά** to jump for joy

σκίσιμο ΟΥΣ ΟΥΔ = **σχίσιμο**

σκιστός, -ή, -ό ΕΠΙΘ = **σχιστός**

σκιτσάρω[1] Ρ Μ (α) (*τοπίο, πρόσωπο*) to sketch (β) (*κατάσταση, χαρακτήρα*) to outline
[2] Ρ ΑΜ to sketch

σκίτσο ΟΥΣ ΟΥΔ (α) (= *σκιαγράφημα*) sketch (β) (= *γελοιογραφία*) cartoon (γ) (= *σύντομη περιγραφή*) outline

σκιτσογράφος ΟΥΣ ΑΡΣΘΗΛ cartoonist

σκιώδης, -ης, -ες ΕΠΙΘ (α) (*δέντρο, μέρος*) shady (β) (*αντίσταση, εξουσία*) shadowy
▸**σκιώδης κυβέρνηση** (ΠΟΛΙΤ) shadow cabinet

σκλάβα ΟΥΣ ΘΗΛ *βλ.* **σκλάβος**

σκλαβιά ΟΥΣ ΘΗΛ (*κυριολ., μτφ.*) slavery

σκλάβος ΟΥΣ ΑΡΣ (*κυριολ., μτφ.*) slave
▷**δουλεύω σαν σκλάβος** to slave away, to work like a slave

σκλαβώνω Ρ Μ (α) (= *υποδουλώνω*) to enslave (β) (*μτφ.:* = *κατακτώ*) to enthral
▷**με σκλαβώνει η ευγένεια/η προθυμία**

κποιου to be indebted to sb for their kindness/readiness to help
▸**σκλαβώνομαι** ΜΕΣΟΠΑΘ to be tied down

σκλήθρα ΟΥΣ ΘΗΛ (α) (ΒΟΤ) alder (β) (= *σχίζα*) splinter

σκληρά ΕΠΙΡΡ (α) (*φέρομαι, συμπεριφέρομαι*) roughly (β) (*μιλώ*) harshly (γ) (*μεταχειρίζομαι*) roughly, harshly (δ) (*δουλεύω, προπονούμαι, προσπαθώ*) hard

σκληραγωγημένος, -η, -ο ΕΠΙΘ tough

σκληραγώγηση ΟΥΣ ΘΗΛ = **σκληραγωγία**

σκληραγωγία ΟΥΣ ΘΗΛ toughening up

σκληραγωγώ Ρ Μ (*νέους*) to harden, to toughen up
▸**σκληραγωγούμαι** ΜΕΣΟΠΑΘ to be hardened, to become inured to hardship

σκληράδα ΟΥΣ ΘΗΛ (*στρώματος, εδάφους, ανθρώπου, ψυχής*) hardness

σκληραίνω[1] Ρ Μ (α) (*χώμα*) to make hard (β) (*ψυχή, άτομο*) to harden
[2] Ρ ΑΜ (α) (*ψωμί, έδαφος*) to go hard (β) (*τρόπους, φωνή*) to harden
▷**σκληραίνω τη στάση μου (προς κτ)** to take a tougher stand (on sth)

σκληρόκαρδος, -η, -ο ΕΠΙΘ hard-hearted

σκληροκόκκαλος, -η, -ο ΕΠΙΘ hardy, tough

σκληρόπετσος, -η, -ο ΕΠΙΘ (α) (= *χοντρόπετσος*) thick-skinned (β) (= *αναίσθητος*) thick-skinned (γ) (= *σκληραγωγημένος*) hardy, tough

σκληροπυρηνικός, -ή, -ό ΕΠΙΘ (*οπαδοί*) hard-core

σκληρός, -ή, -ό ΕΠΙΘ (α) (*έδαφος, χώμα, στρώμα, εξώφυλλο, καπέλο*) hard · (*τροφή, κρέας*) tough (β) (*δέρμα · σεντόνι, μαλλιά, χέρια*) rough (γ) (*ζωή, γεγονός, χρόνια*) hard · (*χειμώνας, πραγματικότητα*) harsh · (*μοίρα*) cruel · (*αλήθεια*) hard, harsh · (*ανταγωνισμός*) fierce (δ) (*γλώσσα, λόγια, κριτική, ανακοίνωση*) harsh (ε) (*νόμος, γονιός, φωνή*) harsh · (*μεταχείριση*) rough, cruel · (*εργοδότης*) tough · (*έθιμο, καρδιά, κοινωνία, γέλιο*) cruel · (*βλέμμα*) hard (στ) (*στάση, πολιτική, αντίπαλος*) tough (ζ) (*δουλειά, προπόνηση*) hard · (*διάβασμα*) serious · (*προσπάθεια*) strenuous (η) (*νερό, ναρκωτικά, φάρμακα*) hard
▷**σκληρό καρύδι** (*μτφ.*) a tough nut to crack
▸**σκληρός πυρήνας** hard core

σκληρότητα ΟΥΣ ΘΗΛ (α) (*ξύλου, ατσαλιού, πέτρας*) hardness (β) (*ανθρώπου, συμπεριφοράς · στάσης*) toughness · (*νόμων*) severity (γ) (*γλώσσας, ανακοίνωσης, κριτικής*) harshness (δ) (*ήχου, κιθάρας*) roughness (ε) (*νερού*) hardness

σκληροτράχηλος, -η, -ο ΕΠΙΘ (*πολεμιστής, αντίπαλος*) hard-bitten, tough

σκλήρυνση ΟΥΣ ΘΗΛ (α) (*μετάλλου*) tempering (β) (*στάσης, πολιτικής*) hardening, toughening (γ) (ΙΑΤΡ) sclerosis

σκληρυντικός, -ή, -ό ΕΠΙΘ hardening

σκληρύνω Ρ Μ/ΑΜ = **σκληραίνω**

σκνίπα ΟΥΣ ΘΗΛ gnat, midge
▷**γίνομαι/είμαι σκνίπα** (*οικ.*) to get/be dead drunk (*ανεπ.*)

σκοινάκι ΟΥΣ ΟΥΔ = **σχοινάκι**

σκοινένιος, -ια, -ιο ΕΠΙΘ (*σκάλα, παπούτσια, τσάντα*) rope

σκοινί ΟΥΣ ΟΥΔ = **σχοινί**

σκολάω Ρ Μ/ΑΜ = **σχολώ**

σκολειό ΟΥΣ ΟΥΔ = **σχολείο**

σκόλη ΟΥΣ ΘΗΛ = **σχόλη**

σκολίωση ΟΥΣ ΘΗΛ scoliosis (*επιστ.*), curvature of the spine

σκολώ Ρ Μ/ΑΜ = **σχολώ**

σκονάκι (*ανεπ.*) ΟΥΣ ΟΥΔ (α) (= *δόση ναρκωτικού*) dose (β) (*μαθητή, φοιτητή*) crib sheet

σκόνη ΟΥΣ ΘΗΛ (α) (= *κονιορτός*) dust *χωρίς πληθ.* (β) (*σαπουνιού, γάλακτος, φαρμάκου*) powder
▷**κάνω κπν/κτ σκόνη** to beat sb/sth hollow
▷**σηκώνω σκόνη** to raise a cloud of dust

σκονίζω Ρ Μ to cover in dust

σκοντάφτω Ρ ΑΜ (α) (*διαβάτης, περαστικός*) to trip up, to stumble (β) (*υπόθεση, προσπάθεια, συμφωνία*) to hit a snag
▷**σκοντάφτω σε κτ** to trip over sth

σκόντο ΟΥΣ ΟΥΔ discount
▷**κάνω σκόντο σε κπν** to give sb a discount

Σκόπελος ΟΥΣ ΘΗΛ Skopelos

σκόπελος ΟΥΣ ΑΡΣ (α) (*κυριολ.*) reef (β) (*μτφ.*) obstacle

σκόπευση ΟΥΣ ΘΗΛ aiming, aim

σκοπευτήριο ΟΥΣ ΘΗΛ rifle range

σκοπευτής ΟΥΣ ΑΡΣ (= *που κάνει σκοποβολή*) marksman

> *Προσοχή!: Ο πληθυντικός του* **marksman** *είναι* **marksmen**.

▷**καλός/κακός σκοπευτής** good/bad *ή* poor shot
▸**ελεύθερος σκοπευτής** sniper · (*μτφ.*) free agent

σκοπευτικός, -ή, -ό ΕΠΙΘ (*αγώνες, ικανότητα*) shooting

σκοπεύω ① Ρ ΑΜ to aim
② Ρ Μ (α) (*στόχο, λαγό*) to aim at (β) (*με τηλεσκόπιο, κιάλια*) to observe
▷**σκοπεύω να κάνω κτ** to intend to do sth
▷**σκοπεύω ψηλά** to aim high

σκοπιά ΟΥΣ ΘΗΛ (α) (= *παρατηρητήριο*) observation post, lookout post (β) (= *ξύλινο παράπηγμα*) sentry box · (= *βάρδια*) shift (γ) (= *άποψη*) point of view
▷**φυλάω σκοπιά** to be on watch

σκόπιμα ΕΠΙΡΡ on purpose, deliberately, intentionally

σκόπιμος, -η, -ο ΕΠΙΘ (α) (*ενέργειες*) deliberate, intentional · (*κινήσεις*) deliberate (β) (= *που εξυπηρετεί σκοπό*) worthwhile

▷**είναι σκόπιμο να κάνω κτ** it is worth(while) doing sth

σκοπιμότητα ΟΥΣ ΘΗΛ purpose

σκοπίμως ΕΠΙΡΡ = **σκόπιμα**

σκοποβολή ΟΥΣ ΘΗΛ (α) (= *σκόπευση*) aim, aiming (β) (ΑΘΛ) shooting

σκοπός ΟΥΣ ΑΡΣ (α) (*ενεργειών, πράξεων*) aim, goal · (*για γάμο, προσωπικά σχέδια*) intention · (*ελευθερίας, δημοκρατίας*) cause (β) (*στρατοπέδου, κτηρίου*) guard, sentry (γ) (ΜΟΥΣ) tune
▷**έχω σκοπό να κάνω κτ** to intend to do sth
▷**επί σκοπόν!** (ΣΤΡΑΤ) aim!
▷**έχω καλό/κακό σκοπό** to have good/bad intentions
▷**πεθαίνω/αγωνίζομαι για ένα ευγενή σκοπό** to die/fight for a noble cause
▷**πετυχαίνω τον σκοπό της ζωής μου** to achieve one's aim *ή* goal in life
▷**φυλάω σκοπός** to be on guard *ή* sentry duty

σκορ ΟΥΣ ΟΥΔ ΑΚΛ score
▷**ανοίγω το σκορ** to open the score

σκοράρω Ρ ΑΜ to score

σκορβούτο ΟΥΣ ΟΥΔ scurvy

σκορδαλιά ΟΥΣ ΘΗΛ mashed potatoes *πληθ.* with garlic

σκορδίλα ΟΥΣ ΘΗΛ smell of garlic

σκόρδο ΟΥΣ ΟΥΔ garlic

σκορδοκαήλα, σκορδοκαΐλα ΟΥΣ ΘΗΛ strong taste of garlic
▷**σκορδοκαήλα μου!** I couldn't care less!

σκορδόξιδο ΟΥΣ ΟΥΔ garlic and vinegar paste

σκορδοστούμπι ΟΥΣ ΟΥΔ (α) (= *ψητό κρέας με σκόρδο*) roast meat with garlic (β) (= *σκορδόξιδο*) garlic and vinegar paste

σκορδόψωμο ΟΥΣ ΟΥΔ garlic bread

σκόρερ ΟΥΣ ΑΡΣ ΑΚΛ scorer

σκόρος ΟΥΣ ΑΡΣ moth

σκοροφαγωμένος, -η, -ο ΕΠΙΘ moth–eaten

σκορπίζω ① Ρ Μ (α) (*λουλούδια, στάχτη, χαρτιά*) to scatter · (*σύννεφα, καπνό*) to disperse (β) (*διαδηλωτές, πλήθος*) to disperse (γ) (*μυρωδιά*) to give off · (*ήχους*) to make, to emit · (*μελωδία*) to play (δ) (= *διαλύω: φόβους, αμφιβολίες, ερωτηματικά*) to dispel (ε) (*γέλιο, ευτυχία, χαρά*) to spread · (*θλίψη*) to exude (στ) (*χρήματα, περιουσία*) to squander
② Ρ ΑΜ (α) (*γυαλιά, καφές*) to scatter · (*σύννεφα, κεφτέδες, κουραμπιέδες*) to break up (β) (*διαδηλωτές*) to disperse · (*παρέα*) to break up

σκορπιός ΟΥΣ ΑΡΣ (α) (ΖΩΟΛ) scorpion (β) (*ψάρι*) scorpion fish (γ) (ΑΣΤΡΟΝ, ΑΣΤΡΟΛ) Scorpio

σκόρπιος, -ια, -ιο ΕΠΙΘ (α) (*χαρτιά, σελίδες, σπίτια*) scattered (β) (*λόγια, λέξεις, ήχοι*) disjointed

σκόρπισμα ΟΥΣ ΟΥΔ (α) (*στάχτης, χαρτιών*) scattering · (*συννεφιάς, καπνού*) dispersion

(β) (*διαδηλωτών, πλήθους*) dispersion · (*παρέας*) breaking up **(γ)** (*μυρωδιάς*) giving off · (*μελωδίας*) playing **(δ)** (= *διάλυση*: *φόβων, αμφιβολιών, ερωτηματικών*) dispelling **(ε)** (*γέλιου, χαράς*) spreading **(στ)** (*χρημάτων, περιουσίας*) squandering

σκορποχέρα (*ανεπ.*) ΟΥΣ ΘΗΛ *βλ.* **σκορποχέρης**

σκορποχέρης (*ανεπ.*) ΟΥΣ ΑΡΣ spendthrift

σκορποχώρι ΟΥΣ ΟΥΔ **γίνομαι ή είμαι σκορποχώρι** to be in disarray

σκορπώ Ρ Μ/ΑΜ = **σκορπίζω**

σκοτάδι ΟΥΣ ΟΥΔ dark, darkness
▷**βυθίζομαι στο σκοτάδι** (*κυριολ., μτφ.*) to be plunged into darkness
▷**είμαι στο σκοτάδι** to be in the dark
▷**κρατώ κπν στο σκοτάδι** to keep sb in the dark
▷**βαθύ ή πυκνό ή πηχτό σκοτάδι** pitch dark
▷**πέφτει (το) σκοτάδι** to get dark
▷**φοβάμαι το σκοτάδι** to be afraid of the dark

σκοταδισμός ΟΥΣ ΑΡΣ obscurantism

σκοταδιστής (*αρνητ.*) ΟΥΣ ΑΡΣ reactionary

σκοταδιστικός, -ή, -ό ΕΠΙΘ (*αντίληψη, θεωρία*) reactionary

σκοταδίστρια (*αρνητ.*) ΟΥΣ ΘΗΛ *βλ.* **σκοταδιστής**

σκοτεινά ΕΠΙΡΡ dark

σκοτεινιά ΟΥΣ ΘΗΛ **(α)** (= *σκοτάδι*) darkness **(β)** (= *θλίψη*) gloom

σκοτεινιάζω ① Ρ Μ to darken
② Ρ ΑΜ **(α)** (*ουρανός, ορίζοντας*) to grow dark · (*δωμάτιο*) to go dark **(β)** (*πρόσωπο*) to cloud over, to darken · (*βλέμμα, μάτια*) to darken
▷**σκοτεινιάζει ο νους μου** to go mad
▸**σκοτεινιάζει** ΑΠΡΟΣ it's getting dark
▷**μόλις σκοτεινιάζει** as soon as it gets dark

σκοτείνιασμα ΟΥΣ ΟΥΔ darkening

σκοτεινός, -ή, -ό ΕΠΙΘ **(α)** (*νύχτα, ουρανός, δωμάτιο*) dark **(β)** (*χρώμα*) dark **(γ)** (*υπόθεση, ιστορία*) mysterious · (*παρελθόν*) murky **(δ)** (*ύφος, έννοια*) obscure **(ε)** (*μυαλό, ψυχή, δυνάμεις*) dark · (*σχέδια*) sinister · (*δουλειές, συναλλαγές*) shady **(στ)** (*μέλλον*) uncertain **(ζ)** (*εποχή, μέρες*) dark · (*ζωή*) dismal
▷**στα σκοτεινά** (*κυριολ., μτφ.*) in the dark

σκοτεινόχρωμος, -η, -ο ΕΠΙΘ dark

σκοτίζω Ρ Μ **(α)** (*δωμάτιο*) to darken, to make dark **(β)** (*φίλους, γνωστούς*) to bother, to pester
▷**σκοτίζω το μυαλό μου με κτ** to fret ή worry about sth
▸**σκοτίζομαι** ΜΕΣΟΠΑΘ to worry
▷**σκοτίστηκα!** (*ειρων.*) I couldn't care less!

σκοτοδίνη ΟΥΣ ΘΗΛ dizziness

σκότος ΟΥΣ ΟΥΔ **(α)** (*επίσ.*: = *σκοτάδι*) darkness **(β)** (= *άγνοια*) ignorance **(γ)** (= *μυστήριο*) mystery

σκοτούρα ΟΥΣ ΘΗΛ (*ανεπ.*: = *σκοτοδίνη*)

dizziness
▷**(κι) είχα μια σκοτούρα!, σκοτούρα μου μεγάλη!** (*ειρων.*) I couldn't care less!
▸**σκοτούρες** ΠΛΗΘ worries

σκότωμα ΟΥΣ ΟΥΔ **(α)** (= *θανάτωση*) killing **(β)** (= *εξάντληση*) hassle **(γ)** (*ανεπ.*: = *ξεπούλημα*) selling off
▷**θέλει σκότωμα!** he should be shot!

σκοτωμός ΟΥΣ ΑΡΣ **(α)** (= *φόνος*) murder, killing **(β)** (= *συνωστισμός*) crush, scramble
▷**γίνεται σκοτωμός** (= *γίνεται καβγάς*) there's a huge row

σκοτώνω Ρ Μ **(α)** (*άνθρωπο, ζώο*) to kill · (*με πιστόλι, τουφέκι*) to shoot **(β)** (= *στενοχωρώ*) to be the death of **(γ)** (*χέρι, πόδι*) to hurt **(δ)** (= *απογοητεύω*) to upset **(ε)** (*τραγούδι, μελωδία, γλώσσα*) to murder **(στ)** (*ανεπ.*: *κοσμήματα, ρολόι*) to sell off
▷**σκοτώνω κπν στο ξύλο** to beat the living daylights out of sb
▸**σκοτώνομαι** ΜΕΣΟΠΑΘ **(α)** (= *χάνω τη ζωή μου*) to be killed · (= *αυτοκτονώ*) to kill oneself **(β)** (= *τραυματίζομαι*) to hurt oneself **(γ)** (= *εξαντλούμαι*) to wear oneself out
▷**σκοτώνομαι να κάνω κτ** to bend over backwards to do sth

σκοτώστρα (*ανεπ.*) Ρ ΑΜ
(α) (= *μυγοσκοτώστρα*) fly swatter **(β)** (*για όχημα*) dangerous vehicle **(γ)** (*για ποδοσφαιριστή*) dangerous player

σκούζω (*ανεπ.*) Ρ ΑΜ to scream, to shriek

σκουλαρίκι ΟΥΣ ΟΥΔ earring

σκουληκαντέρα ΟΥΣ ΘΗΛ earthworm

σκουλήκι ΟΥΣ ΟΥΔ **(α)** (ΖΩΟΛ) worm · (*σε σάπια τροφή*) maggot **(β)** (= *μεταξοσκώληκας*) silkworm **(γ)** (= *προνύμφη*) larva

> *Προσοχή!: Ο πληθυντικός του* **larva** *είναι* **larvae**.

(δ) (*μειωτ.*: *για πρόσ.*) worm

σκουληκιάζω Ρ ΑΜ (*ξύλο*) to get woodworm · (*φαγητό*) to be ridden with maggots

σκουληκιασμένος, -η, -ο ΕΠΙΘ (*σανίδα*) worm–eaten · (*τρόφιμα, φρούτα*) ridden with maggots, maggoty

σκουληκότρυπα ΟΥΣ ΘΗΛ wormhole

σκουληκοφαγωμένος, -η, -ο ΕΠΙΘ (*ξύλα*) worm–eaten · (*τρόφιμα*) ridden with maggots

σκουμπρί ΟΥΣ ΟΥΔ mackerel

σκούνα ΟΥΣ ΘΗΛ schooner

σκούντημα ΟΥΣ ΟΥΔ **(α)** (= *σπρώξιμο με αγκώνα*) nudge **(β)** (= *παρότρυνση*) push

σκουντιά ΟΥΣ ΘΗΛ push, shove

σκουντούφλης, -α, -ικο (*ανεπ.*) ΕΠΙΘ (= *κατσούφης*) grouchy

σκουντουφλώ (*ανεπ.*) Ρ ΑΜ to trip up, to stumble
▷**σκουντουφλώ σε κτ** to trip over sth

σκουντώ Ρ Μ **(α)** (= *σπρώχνω με τον αγκώνα*) to nudge **(β)** (= *παροτρύνω*) to push

σκούξιμο (*ανεπ.*) ΟΥΣ ΟΥΔ scream, shriek

σκουός ΟΥΣ ΟΥΔ ΑΚΛ squash

σκούπα ΟΥΣ ΘΗΛ (*απλή*) broom · (*ηλεκτρική*) vacuum cleaner, Hoover ® (*Βρετ.*)
▷**βάζω σκούπα** to vacuum, to hoover (*Βρετ.*)

σκουπάκι ΟΥΣ ΟΥΔ brush

σκουπιδαριό (*ανεπ.*) ΟΥΣ ΟΥΔ rubbish dump (*Βρετ.*), tip (*Βρετ.*), garbage dump (*Αμερ.*)

σκουπίδι ΟΥΣ ΟΥΔ (α) (= *ακαθαρσία*) rubbish *χωρίς πληθ.* (*Βρετ.*), trash *χωρίς πληθ.* (*Αμερ.*) (β) (*μειωτ.: για πρόσ.*) scum · (*για ταινία, βιβλίο*) rubbish (*Βρετ.*), trash (*Αμερ.*)
▷**κάνω κπν σκουπίδι** to put sb in their place
▸**σκουπίδια** ΠΛΗΘ rubbish *εν.* (*Βρετ.*), garbage *εν.* (*Αμερ.*), trash *εν.* (*Αμερ.*)
▷**βγάζω τα σκουπίδια** to take the rubbish (*Βρετ.*) *ή* trash (*Αμερ.*) out
▷**κάνω σκουπίδια** to make a mess
▷**πετάω** *ή* **ρίχνω κτ στα σκουπίδια** (*μτφ.*) to bin sth

σκουπιδιάρης ΟΥΣ ΑΡΣ dustman (*Βρετ.*), garbage man (*Αμερ.*)

> *Προσοχή!: Ο πληθυντικός του* **dustman** *είναι* **dustmen**.

σκουπιδιάρικο ΟΥΣ ΟΥΔ dustcart (*Βρετ.*), garbage truck (*Αμερ.*)

σκουπιδιάρισσα ΟΥΣ ΘΗΛ *βλ.* **σκουπιδιάρης**

σκουπιδο(ν)τενεκές ΟΥΣ ΑΡΣ dustbin (*Βρετ.*), garbage *ή* trash can (*Αμερ.*)

σκουπιδότοπος ΟΥΣ ΑΡΣ rubbish dump (*Βρετ.*), tip (*Βρετ.*), garbage dump (*Αμερ.*)

σκουπίζω Ρ Μ (α) (*πάτωμα, πεζοδρόμιο*) to sweep · (*με ηλεκτρική σκούπα*) to vacuum, to hoover (*Βρετ.*) · (*έπιπλα, τζάμια, γυαλιά οράσεως, γυαλιά ηλίου*) to clean · (*τραπέζι*) to wipe (β) (*για υγρασία: πιάτα, ποτήρια, πρόσωπο, σώμα, χέρια*) to dry · (*για ακαθαρσίες: πρόσωπο, στόμα, ιδρώτα*) to wipe · (*δάκρυα*) to wipe away
▷**σκουπίσου!** wipe your mouth!

σκούπισμα ΟΥΣ ΟΥΔ (*πατώματος, αυλής*) sweeping · (*με ηλεκτρική σκούπα*) vacuuming, hoovering (*Βρετ.*) · (*τραπεζιού*) wiping · (*γυαλιών, επίπλων, τζαμιών*) cleaning (β) (*για υγρασία: πιάτων, ποτηριών, προσώπου, σώματος, χεριών*) drying · (*για ακαθαρσίες: χειλιών, δακρύων, ιδρώτα*) wiping

σκουπόξυλο ΟΥΣ ΟΥΔ broomstick

σκουραίνω ① Ρ ΑΜ (*μαλλιά, δέρμα*) to go darker
② Ρ Μ (*μαλλιά*) to darken, to make darker
▷**τα πράγματα σκουραίνουν** things are getting worse

σκουριά ΟΥΣ ΘΗΛ rust

σκουριάζω ① Ρ ΑΜ (α) (*σίδερο, κάγκελα*) to go rusty, to rust (β) (*μτφ.*) to be rusty
② Ρ Μ (*αυτοκίνητο*) to make rusty

σκούριασμα ΟΥΣ ΟΥΔ rust

σκουριασμένος, -η, -ο ΕΠΙΘ (α) (*σίδερο, λουκέτο*) rusty (β) (*ιδέες, αντιλήψεις*) stuffy, old–fashioned

σκούρος, -α, -ο ΕΠΙΘ (*δέρμα, μαλλιά, μάτια*) dark
▷**τα βλέπω σκούρα** to feel gloomy about the future
▷**τα βρίσκω σκούρα** to find it tough going

σκούτερ ΟΥΣ ΟΥΔ ΑΚΛ scooter

σκουφάκι ΟΥΣ ΟΥΔ cap
▸**σκουφάκι του μπάνιου** bathing cap

σκουφί ΟΥΣ ΟΥΔ cap

σκούφια ΟΥΣ ΘΗΛ bonnet
▷**από που κρατάει** *ή* **βαστάει η σκούφια σου;** (*ανεπ.*) where do you come from?
▷**πετάω τη σκούφια μου για κτ** to be crazy about sth

σκούφος ΟΥΣ ΑΡΣ cap

σκραμπλ ΟΥΣ ΟΥΔ ΑΚΛ Scrabble ®

σκράπας (*ανεπ.*) ΟΥΣ ΑΡΣ: **είμαι σκράπας** to be dumb (*ανεπ.*)
▷**είμαι σκράπας σε κτ** to be hopeless at sth

σκρίνιο ΟΥΣ ΟΥΔ cabinet

σκρόφα (*υβρ.*) ΟΥΣ ΘΗΛ slut (*χυδ.*) · (= *πόρνη*) whore (*χυδ.*)

σκύβαλο ΟΥΣ ΟΥΔ (α) (*από ξεκαθάρισμα δημητριακών*) sifting (β) (*μτφ.*) trash

σκύβω Ρ ΑΜ (*προς τα κάτω*) to bend down · (*προς το πλάι*) to lean over
▷**σκύβω για να αποφύγω κτ** to duck out of the way of sth
▷**σκύβω έξω από το παράθυρο** to lean out of the window
▷**σκύβω κάτω** to bend down
▷**σκύβω πάνω σε ένα βιβλίο/αυτοκίνητο** to bend over a book/a car
▷**σκύβω πάνω σε ένα πρόβλημα** to deal with a problem
▷**σκύβω το κεφάλι** to bow one's head · (= *υποτάσσομαι*) to knuckle under

σκυθρωπιάζω Ρ ΑΜ to sulk, to look sullen

σκυθρωπός, -ή, -ό ΕΠΙΘ sulky, sullen

σκύλα ΟΥΣ ΘΗΛ (α) (= *θηλυκό σκυλί*) bitch (β) (*υβρ.: για γυναίκα*) bitch (*χυδ.*)

σκυλάκι ΟΥΣ ΟΥΔ (= *μικρόσωμο σκυλί*) small dog, lapdog · (= *κουτάβι*) puppy
▷**ακολουθώ κπν σαν σκυλάκι** to follow sb around like a puppy

σκυλί ΟΥΣ ΟΥΔ (α) (= *σκύλος*) dog (β) (*μειωτ.: για πρόσ.*) animal
▷**δουλεύω σαν (το) σκυλί** to work like a dog
▷**κακό σκυλί ψόφο δεν έχει** (*παροιμ.*) the devil looks after his own (*παροιμ.*)
▷**πάω** *ή* **πεθαίνω σαν το σκυλί (στ' αμπέλι)** to die like a dog

σκυλιάζω ① Ρ ΑΜ to fly into a rage
② Ρ Μ to infuriate, to send into a rage
▷**σκυλιάζω απ' το κακό μου** to be fuming (with rage)

σκυλίσιος, -ια, -ιο ΕΠΙΘ (α) (*μάτια, δέρμα*) dog's (β) (*δουλειά*) tough
▷**ζω σκυλίσια ζωή** to lead a dog's life

σκυλοβαριέμαι Ρ ΑΜ ΑΠΟΘ to be bored stiff

Σ

σκυλοβρίζω Ρ Μ to shower abuse on

σκυλόδοντο ΟΥΣ ΟΥΔ (α) (= *δόντι σκύλου*) dog's tooth (β) (*ανεπ.*: = *κυνόδοντας*) canine

σκυλοδρομία ΟΥΣ ΘΗΛ dog race

σκυλολόι (*ανεπ.*) ΟΥΣ ΟΥΔ (α) (= *ομάδα σκύλων*) pack (β) (*μειωτ.*) riff–raff

σκυλομούρης, -α, -ικο (*ανεπ.*) ΕΠΙΘ plug–ugly (*ανεπ.*)

σκυλοπνίχτης (*μειωτ.*) ΟΥΣ ΑΡΣ old tub (*ανεπ.*)

σκύλος ΟΥΣ ΑΡΣ (α) (= *αρσενικό σκυλί*) dog (β) (= *σκυλόψαρο*) dogfish
▷**σαν τον σκύλο με τη γάτα** like cat and dog

σκυλόσπιτο ΟΥΣ ΟΥΔ kennel (*Βρετ.*), doghouse (*Αμερ.*)

σκυλόψαρο ΟΥΣ ΟΥΔ dogfish

σκυμμένος, -η, -ο ΕΠΙΘ bent, leaning
▷**με σκυμμένο (το) κεφάλι** with bowed head

σκύμνος ΟΥΣ ΑΡΣ lion cub

σκυρόδεμα ΟΥΣ ΟΥΔ concrete

Σκύρος ΟΥΣ ΘΗΛ Skyros

σκυτάλη ΟΥΣ ΘΗΛ (ΑΘΛ) baton
▷**παίρνω/παραδίδω τη σκυτάλη** (*μτφ.*) to pick up/pass the baton

σκυταλοδρομία ΟΥΣ ΘΗΛ relay race

σκυφτός, -ή, -ό ΕΠΙΘ stooping, bowed

σκύψιμο ΟΥΣ ΟΥΔ bending over

σκώληκας (*επίσ.*) ΟΥΣ ΑΡΣ worm

σκωληκοειδής, -ής, -ές ΕΠΙΘ: **σκωληκοειδής απόφυση** appendix

> *Προσοχή!* Ο πληθυντικός του **appendix** είναι **appendices** ή **appendixes**.

σκωληκοειδίτης (*ανεπ.*) ΟΥΣ ΑΡΣ = **σκωληκοειδίτιδα**

σκωληκοειδίτιδα ΟΥΣ ΘΗΛ appendicitis

σκωληκοφάγος ΟΥΣ ΑΡΣ worm eater

σκόμμα ΟΥΣ ΟΥΔ mockery

σκωπτικός, -ή, -ό ΕΠΙΘ satirical

σκωρία (*επίσ.*) ΟΥΣ ΘΗΛ = **σκουριά**

σκωρίαση ΟΥΣ ΘΗΛ rust

Σκωτία ΟΥΣ ΘΗΛ Scotland

Σκώτος ΟΥΣ ΑΡΣ = **Σκωτσέζος**

Σκωτσέζα ΟΥΣ ΘΗΛ Scot, Scotswoman

> *Προσοχή!* Ο πληθυντικός του **Scotswoman** είναι **Scotswomen**.

σκωτσέζικος, -η, -ο ΕΠΙΘ (*ιστορία, μουσική*) Scottish · (*προφορά*) Scots

> *Προσοχή!* Τα εθνικά επίθετα, όπως **Scottish/Scots**, γράφονται με κεφαλαίο το αρχικό γράμμα στα Αγγλικά.

Σκωτσέζος ΟΥΣ ΑΡΣ Scot, Scotsman

> *Προσοχή!* Ο πληθυντικός του **Scotsman** είναι **Scotsmen**.

▷**οι Σκωτσέζοι** the Scots

Σλάβα ΟΥΣ ΘΗΛ *βλ.* **Σλάβος**

σλαβικός, -ή, -ό ΕΠΙΘ Slavonic (*Βρετ.*), Slavic (*Αμερ.*)

> *Προσοχή!* Τα εθνικά επίθετα, όπως **Slavonic/Slavic**, γράφονται με κεφαλαίο το αρχικό γράμμα στα Αγγλικά.

σλάβικος, -ή, -ό ΕΠΙΘ = **σλαβικός**

Σλάβος ΟΥΣ ΑΡΣ Slav

σλαβόφωνος, -η, -ο ΕΠΙΘ Slavonic–speaking (*Βρετ.*), Slavic–speaking (*Αμερ.*)

σλάιντ(ς) ΟΥΣ ΟΥΔ ΑΚΛ slide

σλάλομ ΟΥΣ ΟΥΔ ΑΚΛ slalom

σλανγκ ΟΥΣ ΘΗΛ ΑΚΛ slang

σλιπ ΟΥΣ ΟΥΔ ΑΚΛ briefs *πληθ.*

σλίπινγκ-μπαγκ ΟΥΣ ΟΥΔ ΑΚΛ sleeping bag

Σλοβάκα ΟΥΣ ΘΗΛ *βλ.* **Σλοβάκος**

Σλοβακία ΟΥΣ ΘΗΛ Slovakia

σλοβακικός, -ή, -ό ΕΠΙΘ (*έθιμα*) Slovak, Slovakian

> *Προσοχή!* Τα εθνικά επίθετα, όπως **Slovak/Slovakian**, γράφονται με κεφαλαίο το αρχικό γράμμα στα Αγγλικά.

▸**Σλοβακικά, Σλοβάκικα** ΟΥΣ ΟΥΔ ΠΛΗΘ Slovak

σλοβάκικος, -η, -ο ΕΠΙΘ = **σλοβακικός**

Σλοβάκος ΟΥΣ ΑΡΣ Slovak

Σλοβένα ΟΥΣ ΘΗΛ *βλ.* **Σλοβένος**

Σλοβενία ΟΥΣ ΘΗΛ Slovenia

σλοβενικός, -ή, -ό ΕΠΙΘ (*έθιμα*) Slovene, Slovenian

> *Προσοχή!* Τα εθνικά επίθετα, όπως **Slovene/Slovenian**, γράφονται με κεφαλαίο το αρχικό γράμμα στα Αγγλικά.

▸**Σλοβενικά, Σλοβένικα** ΟΥΣ ΟΥΔ ΠΛΗΘ Slovene, Slovenian

σλοβένικος, -η, -ο ΕΠΙΘ = **σλοβενικός**

Σλοβένος ΟΥΣ ΑΡΣ Slovene

σλόγκαν ΟΥΣ ΟΥΔ ΑΚΛ slogan

σμάλτο ΟΥΣ ΟΥΔ (*μπανιέρας, ψυγείου, δοντιών*) enamel

σμάλτωση ΟΥΣ ΘΗΛ enamelling (*Βρετ.*), enameling (*Αμερ.*)

σμαραγδένιος, -ια, -ιο ΕΠΙΘ emerald

σμαραγδί ΟΥΣ ΟΥΔ ΑΚΛ emerald (*colour*)

σμαράγδι ΟΥΣ ΟΥΔ emerald (*stone*)

σμάρι ΟΥΣ ΟΥΔ (α) (*μελισσών*) swarm (β) (*παιδιών, πουλιών*) flock

σμέρνα ΟΥΣ ΘΗΛ moray (eel)

σμήγμα ΟΥΣ ΟΥΔ sebum

σμηναγός ΟΥΣ ΑΡΣ flight lieutenant (*Βρετ.*), captain (*Αμερ.*)

σμήναρχος ΟΥΣ ΑΡΣ group captain (*Βρετ.*), colonel (*Αμερ.*)

σμηνίας ΟΥΣ ΑΡΣ flight sergeant (*Βρετ.*), master sergeant (*Αμερ.*)

σμηνίτης ΟΥΣ ΑΡΣ airman

σμήνος ΟΥΣ ΟΥΔ (α) *(μελισσών, ακρίδων)* swarm · *(χελιδονιών, σπουργιτιών)* flock (β) *(αεροπλάνων)* flight

σμίγω ① Ρ ΑΜ (α) (= *συναντιέμαι: φίλοι, συνεργάτες)* to meet (up) (β) (= *κάνω σχέση)* to get together (γ) (= *ενώνομαι: δρόμοι, ωκεανοί, θάλασσες)* to meet ② Ρ Μ (= *ενώνω)* to bring together

σμίκρυνση ΟΥΣ ΘΗΛ (α) *(φωτογραφίας)* reduction (β) *(γενικότ.)* reduction, making smaller

σμικρύνω Ρ Μ *(σελίδα, φωτογραφία)* to reduce, to make smaller

σμιλεύω Ρ Μ *(μάρμαρο, πέτρα)* to chisel

σμίλη ΟΥΣ ΘΗΛ chisel

σμίξιμο ΟΥΣ ΟΥΔ (α) (= *συνάντηση: φίλων, συνεργατών)* meeting (up) (β) (= *δημιουργία ερωτικής σχέσης)* starting a relationship (γ) (= *ένωση: ωκεανών, θαλασσών)* meeting

σμιχτοφρύδης, -α, -ικο ΕΠΙΘ with eyebrows close together

σμόκιν ΟΥΣ ΟΥΔ ΑΚΛ dinner jacket *(Βρετ.)*, tuxedo *(Αμερ.)*

σμπαράλια ΟΥΣ ΟΥΔ ΠΛΗΘ *(για πράγματα)* smithereens · *(για αυτοκίνητο)* write–off εν. *(Βρετ.)*, wreck εν.
▷**τα νεύρα μου έχουν γίνει σμπαράλια** to be a nervous wreck

σμπαραλιάζω Ρ Μ to smash
▷**σμπαραλιάζω τα νεύρα κποιου** to make sb a nervous wreck

σμπαράλιασμα ΟΥΣ ΟΥΔ (α) *(συσκευής, πόρτας)* smashing (β) *(νεύρων)* wrecking

σμπαραλιασμένος, -η, -ο ΕΠΙΘ *(αυτοκίνητο)* wrecked · *(πόρτα)* smashed to pieces
▷**τα νεύρα μου είναι σμπαραλιασμένα** to be a nervous wreck

σμπάρος ΟΥΣ ΑΡΣ *(ανεπ.: = πυροβολισμός)* shot
▷**πιάνω μ' έναν σμπάρο δυο τρυγόνια** to kill two birds with one stone

σμύρνα ΟΥΣ ΘΗΛ (α) (ΒΟΤ) myrrh (β) (= *σμέρνα)* moray (eel)

Σμύρνη ΟΥΣ ΘΗΛ Smyrna

σμυρτιά ΟΥΣ ΘΗΛ = **μυρτιά**

σνακ ΟΥΣ ΟΥΔ ΑΚΛ snack

σναπς ΟΥΣ ΟΥΔ ΑΚΛ schnaps, schnapps

σνίτσελ ΟΥΣ ΟΥΔ ΑΚΛ schnitzel

σνιφ ΟΥΣ ΟΥΔ ΑΚΛ sniff

σνιφάρω *(αργκ.)* Ρ Μ to sniff

σνομπ ΕΠΙΘ ΑΚΛ snobbish, snobby

σνομπαρία ΟΥΣ ΘΗΛ (α) (= *σνομπ άνθρωποι)* snobs πληθ. (β) (= *σνομπ συμπεριφορά)* snobbery

σνομπάρω Ρ Μ to snub

σνομπισμός ΟΥΣ ΑΡΣ snobbery

σοβαντίζω Ρ Μ *(τοίχο)* to plaster

σοβάντισμα ΟΥΣ ΟΥΔ *(τοίχου)* plastering

σοβαρά ΕΠΙΡΡ (α) (= *χωρίς αστεία)* seriously (β) (= *ευπρεπώς: ντύνομαι, συμπεριφέρομαι)* soberly (γ) (= *σε κρίσιμη κατάσταση: τραυματίζομαι)* seriously (δ) *(για έκπληξη, απορία: κερδίζω, γίνομαι)* really (ε) (= *υπεύθυνα και συστηματικά: δουλεύω)* conscientiously
▷**αγωνίζομαι ή παίζω σοβαρά** to take one's game seriously
▷**ασχολούμαι σοβαρά με κτ** to take sth seriously
▷**είμαι σοβαρά** *(ασθενής, τραυματίας)* to be in a critical condition
▷**μιλάς σοβαρά;** are you serious?
▷**σοβαρά;** really?

σοβαρεύω Ρ ΑΜ to get ή become serious
▸**σοβαρεύομαι** ΜΕΣΟΠΑΘ (α) (= *παίρνω σοβαρό ύφος)* to get ή become serious (β) (= *ωριμάζω)* to settle down, to grow up

σοβαρολογώ Ρ ΑΜ to be serious

σοβαρός, -ή, -ό ΕΠΙΘ (α) (= *αξιοπρεπής: άνθρωπος)* reliable · *(οικογενειάρχης)* decent · *(πελάτης)* good (β) (= *που έχει αυστηρό ύφος)* serious (γ) *(επιστήμονας)* eminent · *(καλλιτέχνης)* serious (δ) *(τραύμα, αρρώστια, κατάσταση)* serious · *(εγκαύματα)* severe, serious (ε) *(προτάσεις, έρευνα, μελέτη)* serious (στ) *(πρόβλημα, απόφαση, θέμα)* serious *(λόγοι)* good, valid *(βοήθεια)* real (ζ) *(ύφος, πρόσωπο)* serious, solemn · *(ρούχα)* sober · *(χρώματα)* quiet (η) *(βιβλίο, μουσική, ταινία)* serious (θ) *(ποσό)* considerable
▷**παίρνω κπν/κτ στα σοβαρά** to take sb/sth seriously
▷**το λες στα σοβαρά;** do you really mean that?

σοβαρότητα ΟΥΣ ΘΗΛ (α) (= *υπευθυνότητα)* conscientiousness (β) *(προβλήματος, κρίσης)* gravity, seriousness · *(ασθένειας, τραύματος)* severity

σοβαροφάνεια *(αρνητ.)* ΟΥΣ ΘΗΛ pomposity

σοβαροφανής, -ής, -ές *(αρνητ.)* ΕΠΙΘ pompous

σοβάς ΟΥΣ ΑΡΣ *(για τοίχους)* plaster

σοβατεπί ΟΥΣ ΟΥΔ ΑΚΛ skirting board *(Βρετ.)*, baseboard *(Αμερ.)*

σοβατζής ΟΥΣ ΑΡΣ plasterer

σοβατίζω Ρ Μ = **σοβαντίζω**

σοβάτισμα ΟΥΣ ΟΥΔ = **σοβάντισμα**

Σοβιετική ΟΥΣ ΘΗΛ *βλ.* **Σοβιετικός**

Σοβιετική Ένωση ΟΥΣ ΘΗΛ: **η Σοβιετική Ένωση** the Soviet Union

Σοβιετικός ΟΥΣ ΑΡΣ Soviet

σοβιετικός, -ή, -ό ΕΠΙΘ Soviet

σοβινισμός ΟΥΣ ΑΡΣ chauvinism

Σ

▸ **ανδρικός σοβινισμός** (male) chauvinism
σοβινιστής ΟΥΣ ΑΡΣ chauvinist
σοβινιστικός, -ή, -ό ΕΠΙΘ chauvinistic
σοβινίστρια ΟΥΣ ΘΗΛ *βλ.* **σοβινιστής**
σόγια ΟΥΣ ΘΗΛ (α) (*φυτό*) soya (*Βρετ.*), soy
(*Αμερ.*) (β) (*σπόρος*) soya bean (*Βρετ.*),
soybean (*Αμερ.*)
σογιέλαιο ΟΥΣ ΟΥΔ soya bean (*Βρετ.*) *ή*
soybean (*Αμερ.*) oil
σόδα ΟΥΣ ΘΗΛ (*αναψυκτικό*) fizzy drink
(*Βρετ.*), soda (*Αμερ.*)
  ▸ **ουίσκι με σόδα** whisky (*Βρετ.*) *ή* whiskey
  (*Αμερ.*) and soda
▸ **μαγειρική/φαρμακευτική σόδα** bicarbonate
of soda
σοδειά ΟΥΣ ΘΗΛ (α) (= *συγκομιδή*) harvest
(β) (= *καρποί συγκομιδής*) crop
σοδιάζω Ρ Μ (*ελιές, στάρι*) to harvest
σοδομία ΟΥΣ ΘΗΛ = **σοδομισμός**
σοδομισμός ΟΥΣ ΑΡΣ sodomy
σοδομίτης ΟΥΣ ΑΡΣ sodomite
σόι ΟΥΣ ΟΥΔ (α) (= *καταγωγή*) family
(β) (= *συγγενείς*) relatives *πληθ.* (γ) (*μειωτ.*: =
ποιόν) kind, sort
  ▸ **βαστώ** *ή* **κρατώ από μεγάλο σόι** to come
  from a very good family
  ▸ **το σόι του πατέρα μου/της μητέρας μου**
  my father's/mother's side
σοκ ΟΥΣ ΟΥΔ ΑΚΛ shock
σοκάκι ΟΥΣ ΟΥΔ alley
σοκάρω Ρ Μ to shock
  ▸ **η συμπεριφορά του σοκάρει** his behaviour
  (*Βρετ.*) *ή* behavior (*Αμερ.*) is shocking
▸ **σοκάρομαι** ΜΕΣΟΠΑΘ to be shocked
σόκιν ΟΥΣ ΟΥΔ ΑΚΛ (*ανέκδοτο, ιστορία*) risqué,
ribald
σοκολάτα ΟΥΣ ΘΗΛ (α) (*γάλακτος, αμυγδάλου*)
chocolate (β) (*ζεστό ρόφημα*) hot chocolate
σοκολατάκι ΟΥΣ ΟΥΔ chocolate
σοκολατένιος, -ια, -ιο ΕΠΙΘ (α) (*αβγά*)
chocolate (β) (*δέρμα, πρόσωπο*)
chocolate(–brown)
σοκολατής, -ιά, -ί ΕΠΙΘ (*ρούχο, απόχρωση*)
chocolate(–brown)
▸ **σοκολατί** ΟΥΣ ΟΥΔ ΑΚΛ chocolate (brown)
σοκολατοποιία ΟΥΣ ΘΗΛ chocolate industry
σολ ΟΥΣ ΟΥΔ ΑΚΛ (ΜΟΥΣ) sol, G
▸ **κλειδί του σολ** treble clef
σόλα ΟΥΣ ΘΗΛ sole
σολάριουμ ΟΥΣ ΟΥΔ ΑΚΛ solarium

Προσοχή! Ο πληθυντικός του **solarium**
είναι **solaria**.

σολιάζω Ρ Μ to sole · (= *αλλάζω τη σόλα*) to
resole
  ▸ **πάω να σολιάσω τα παπούτσια μου** I'm
  going to have my shoes resoled
σόλιασμα ΟΥΣ ΟΥΔ soling · (= *αλλαγή σόλας*)
resoling
σόλο ΟΥΣ ΟΥΔ ΑΚΛ solo

  ▸ **πετάω σόλο** to fly solo
σολοικισμός ΟΥΣ ΑΡΣ solecism
σόλοικος, -η, -ο ΕΠΙΘ ungrammatical
σολομός ΟΥΣ ΑΡΣ salmon

Προσοχή! Ο πληθυντικός του **salmon**
είναι **salmon**.

σολφέζ ΟΥΣ ΟΥΔ ΑΚΛ (ΜΟΥΣ) (α) (*θεωρία*) music
theory (β) (*βιβλίο*) music theory book
σομιέ ΟΥΣ ΟΥΔ ΑΚΛ bedsprings *πληθ.*
σομιές ΟΥΣ ΑΡΣ = **σομιέ**
σομόν ΕΠΙΘ ΑΚΛ salmon–pink
▸ **σομόν** ΟΥΣ ΟΥΔ ΑΚΛ salmon pink
σόμπα ΟΥΣ ΘΗΛ (*πετρελαίου, γκαζιού*) heater ·
(*με ξύλα*) stove
σόναρ ΟΥΣ ΟΥΔ ΑΚΛ sonar
σονάτα ΟΥΣ ΘΗΛ sonata
σονέτο ΟΥΣ ΟΥΔ sonnet
σόου ΟΥΣ ΟΥΔ (ΘΕΑΤΡ, ΤΗΛΕΟΡ, ΚΙΝΗΜ)
show
σοουγούμαν ΟΥΣ ΘΗΛ ΑΚΛ showwoman
σόουμαν ΟΥΣ ΑΡΣ ΑΚΛ showman

Προσοχή! Ο πληθυντικός του **showman/
showwoman** *είναι* **showmen/showwomen**.

σόου μπίζνες, σοουμπίζνες ΟΥΣ ΘΗΛ ΑΚΛ
show business
σόουλ ΟΥΣ ΘΗΛ ΑΚΛ (ΜΟΥΣ) soul (music)
σοπράνο ΟΥΣ ΘΗΛ ΑΚΛ soprano
σορόκάδα ΟΥΣ ΘΗΛ strong south–east wind
σορολόπ (*ανεπ.*) ΟΥΣ ΟΥΔ ΑΚΛ: **το ρίχνω στο
σορολόπ** to go off the rails
σορόπι (*ανεπ.*) ΟΥΣ ΟΥΔ = **σιρόπι**
σοροπιάζω Ρ Μ = **σιροπιάζω**
σορόπιασμα ΟΥΣ ΟΥΔ = **σιρόπιασμα**
σορός (*επίσ.*) ΟΥΣ ΘΗΛ (α) (= *λείψανο*) corpse
(β) (= *φέρετρο*) coffin
σορτ(ς) ΟΥΣ ΟΥΔ ΑΚΛ shorts *πληθ.*
σος ΟΥΣ ΘΗΛ ΑΚΛ sauce
σοσιαλδημοκράτης ΟΥΣ ΑΡΣ social democrat
σοσιαλδημοκρατία ΟΥΣ ΘΗΛ social
democracy
σοσιαλδημοκρατικός, -ή, -ό ΕΠΙΘ (*κόμμα,
ιδέες*) social democratic
σοσιαλδημοκράτισσα ΟΥΣ ΘΗΛ *βλ.*
σοσιαλδημοκράτης
σοσιαλισμός ΟΥΣ ΑΡΣ socialism
σοσιαλιστής ΟΥΣ ΑΡΣ socialist
σοσιαλιστικός, -ή, -ό ΕΠΙΘ (*κόμμα, ιδέες*)
socialist
σοσιαλίστρια ΟΥΣ ΘΗΛ *βλ.* **σοσιαλιστής**
σοσόνια ΟΥΣ ΟΥΔ ΠΛΗΘ ankle socks, bobby
socks (*κυρ. Αμερ.*)
σοτάρισμα ΟΥΣ ΟΥΔ sautéing
σοτάρω Ρ Μ to sauté
σου[1] ΟΥΣ ΟΥΔ ΑΚΛ (*γλύκισμα*) choux bun
σου[2] ΑΝΤΩΝ (α) (*προσωπική αντωνυμία*) you

(β) (κτητική αντωνυμία) your
▷ **είναι δικό σου** it's yours
▷ **σου είπα τι θέλω!** I told you what I want!
▷ **τα βιβλία σου** your books
σουβενίρ ΟΥΣ ΟΥΔ ΑΚΛ (= ενθύμιο) memento ·
(για τουρίστες) souvenir

Προσοχή!: Ο πληθυντικός του **memento**
είναι **mementos** *ή* **mementoes**.

σουβέρ ΟΥΣ ΟΥΔ ΑΚΛ coaster
σούβλα ΟΥΣ ΘΗΛ spit
σουβλάκι ΟΥΣ ΟΥΔ (= μικρά κομμάτια κρέας σε
καλαμάκι) souvlaki, kebab
▷ **σουβλάκι με πίτα** shish kebab
σουβλατζίδικο ΟΥΣ ΟΥΔ souvlaki restaurant
σουβλερός, -ή, -ό ΕΠΙΘ (α) (εργαλείο) sharp ·
(μύτη) pointed (β) (πόνος) sharp, shooting
σουβλί ΟΥΣ ΟΥΔ (α) (= μικρή σούβλα) small
spit, skewer (β) (εργαλείο) bradawl
σουβλιά ΟΥΣ ΘΗΛ (α) (= τρύπημα με σουβλί)
pricking · (= σημάδι) hole (β) (= οξύς πόνος)
shooting pain
σουβλίζω ⒈ Ρ Μ (α) (κρέας) to skewer
(β) (αρνί) to roast on a spit, to spit-roast
⒉ Ρ ΑΜ (για Πάσχα) to spend Easter
▷ **με σουβλίζει η μέση μου/το πόδι μου** to
have a shooting pain in one's back/leg
▷ **με σουβλίζει η πείνα** to feel hunger pangs
σούβλισμα ΟΥΣ ΟΥΔ (α) (= πέρασμα σε
σούβλα) skewering (β) (= ψήσιμο σε σούβλα)
spit-roasting
σουβλιστός, -ή, -ό ΕΠΙΘ spit-roasted
σουγιαδάκι (υποκορ.) ΟΥΣ ΟΥΔ small penknife
ή pocket knife
σουγιάς ΟΥΣ ΑΡΣ penknife, pocket knife

Προσοχή!: Ο πληθυντικός του **penknife/**
pocket knife *είναι* **penknives/pocket**
knives.

Σουδάν ΟΥΣ ΟΥΔ ΑΚΛ Sudan
Σουέζ ΟΥΣ ΟΥΔ ΑΚΛ Suez
▷ **η Διώρυγα του Σουέζ** the Suez Canal
σουέτ ΟΥΣ ΟΥΔ ΑΚΛ suede
▷ **σουέτ παπούτσια/γάντια** suede shoes/gloves
σούζα ΟΥΣ ΘΗΛ (για δίκυκλο) wheelie
▷ **στέκομαι σούζα** (σκύλος, γάτα) to stand on
its hind legs
▷ **στέκομαι σούζα (μπροστά) σε κπν** (μτφ.) to
stand in awe of sb
Σουηδέζα ΟΥΣ ΘΗΛ βλ. **Σουηδός**
σουηδέζικος, -η, -ο ΕΠΙΘ = **σουηδικός**
Σουηδέζος ΟΥΣ ΑΡΣ = **Σουηδός**
Σουηδή ΟΥΣ ΘΗΛ βλ. **Σουηδός**
Σουηδία ΟΥΣ ΘΗΛ Sweden
σουηδικός, -ή, -ό ΕΠΙΘ Swedish

Προσοχή!: Τα εθνικά επίθετα, όπως
Swedish, *γράφονται με κεφαλαίο το*
αρχικό γράμμα στα Αγγλικά.

▸ **σουηδική γυμναστική** Swedish gymnastics
εν.
▸ **Σουηδικά, Σουηδέζικα** ΟΥΣ ΟΥΔ ΠΛΗΘ Swedish
Σουηδός ΟΥΣ ΑΡΣ Swede
σουίτα ΟΥΣ ΘΗΛ suite
σουλατσαδόρος (αρνητ., ανεπ.) ΟΥΣ ΑΡΣ
passer-by, person out strolling

Προσοχή!: Ο πληθυντικός του **passer-by**
είναι **passers-by**.

▷ **τοκιστής και σουλατσαδόρος** loafer (ανεπ.)
σουλατσάρισμα (ανεπ.) ΟΥΣ ΟΥΔ (= περίπατος)
stroll, strolling χωρίς πληθ.
σουλατσάρω (ανεπ.) Ρ ΑΜ to stroll, to saunter
σουλάτσο (ανεπ.) ΟΥΣ ΟΥΔ = **σουλατσάρισμα**
σουλούπι (ανεπ.) ΟΥΣ ΟΥΔ (= παρουσιαστικό)
look
σουλούπωμα (ανεπ.) ΟΥΣ ΟΥΔ (σπιτιού) doing
up · (ανθρώπου) smartening up
σουλουπώνω (ανεπ.) Ρ Μ (σπίτι, δωμάτιο) to
do up · (άνθρωπο) to smarten up
▸ **σουλουπώνομαι** ΜΕΣΟΠΑΘ (άνθρωπος) to
smarten oneself up · (δωμάτιο) to look better
σουλτανίνα ΟΥΣ ΘΗΛ (σταφύλι) sultana grape ·
(σταφίδα) sultana
σουλτάνος ΟΥΣ ΑΡΣ (ΙΣΤ) sultan
σούμα ΟΥΣ ΘΗΛ (sum) total
▷ **κάνω (τη) σούμα** to work out the (sum)
total
σουμιέ ΟΥΣ ΟΥΔ ΑΚΛ = **σομιέ**
σουμιές ΟΥΣ ΑΡΣ = **σομιέ**
σουξέ ΟΥΣ ΟΥΔ ΑΚΛ (για τραγούδι) hit · (για
ταινία) box-office success
σούπα ΟΥΣ ΘΗΛ soup
σούπερ ΕΠΙΘ ΑΚΛ (ανεπ.: αυτοκίνητο, ντύσιμο,
ευκαιρία, προσφορά) great, fantastic ·
(εθνικιστής) ultra
▸ **σούπερ (βενζίνη)** four-star (petrol) (Βρετ.),
premium (Αμερ.), super (Αμερ.)
σούπερ-σταρ, σουπερστάρ ΟΥΣ ΑΡΣ/ΘΗΛ ΑΚΛ
superstar
σούπερ-μάρκετ, σουπερμάρκετ ΟΥΣ ΟΥΔ
ΑΚΛ supermarket
σουπιά ΟΥΣ ΘΗΛ (α) (θαλασσινό μαλάκιο)
cuttlefish

Προσοχή!: Ο πληθυντικός του **cuttlefish**
είναι **cuttlefish** *ή* **cuttlefishes**.

(β) (για πρόσ.: = πονηρός) sly fox
σουπιέρα ΟΥΣ ΘΗΛ (soup) tureen
σούρα[1] ΟΥΣ ΘΗΛ (υφάσματος, κουρτίνας) pleat
σούρα[2] (ανεπ.) ΟΥΣ ΘΗΛ **γίνομαι** ή **είμαι σούρα**
to be smashed (ανεπ.)
σουραύλι ΟΥΣ ΟΥΔ flute
σουρεαλισμός ΟΥΣ ΑΡΣ surrealism
σουρεαλιστής ΟΥΣ ΑΡΣ surrealist
σουρεαλιστικός, -ή, -ό ΕΠΙΘ surrealistic
σουρεαλίστρια ΟΥΣ ΘΗΛ βλ. **σουρεαλιστής**
σουρλουλού (μειωτ., ανεπ.) ΟΥΣ ΘΗΛ

Σ

(α) (= *που γυρνά ατημέλητη*) slovenly woman **(β)** (= *γυναίκα επιλήψιμης διαγωγής*) slut (*χυδ.*)

σούρνω (*ανεπ.*) Ρ Μ/ΑΜ = **σέρνω**

σουρουκλεμές (*μειωτ., ανεπ.*) ΟΥΣ ΑΡΣ gadabout (*ανεπ.*)

σούρουπο ΟΥΣ ΟΥΔ dusk

σουρουπώνω Ρ ΑΜ: **σουρουπώνει** ΑΠΡΟΣ it's getting dark

σούρτα-φέρτα (*οικ.*) ΟΥΣ ΟΥΔ ΠΛΗΘ ΑΚΛ comings and goings

σουρωμένος, -η, -ο (*ανεπ.*) ΕΠΙΘ smashed (*ανεπ.*)

σουρώνω[1] [1] Ρ Μ **(α)** (*μακαρόνια*) to drain · (*χαμομήλι*) to strain **(β)** (*φρούτα, φόρεμα*) to pleat [2] Ρ ΑΜ **(α)** (*φόρεμα, κουρτίνα*) to pleat **(β)** (*πρόσωπο*) to grow thin

σουρώνω[2] (*ανεπ.*) Ρ ΑΜ (= *μεθώ*) to get smashed (*ανεπ.*)

σουρωτήρι ΟΥΣ ΟΥΔ **(α)** (*για χαμομήλι, τσάι*) strainer **(β)** (*για μακαρόνια*) colander

σουρωτός, -ή, -ό ΕΠΙΘ (*μακαρόνια*) drained · (*χαμομήλι, τσάι*) strained

σουσάμι ΟΥΣ ΟΥΔ sesame

σουσουράδα ΟΥΣ ΘΗΛ (*ωδικό πτηνό*) wagtail

σούσουρο ΟΥΣ ΟΥΔ **(α)** (= *ψίθυρος*) murmur **(β)** (= *σκάνδαλο*) stir, scandal

σούστα ΟΥΣ ΘΗΛ **(α)** (*καναπέ, κρεβατιού*) spring **(β)** (*φορέματος*) press stud **(γ)** (= *δίτροχη άμαξα*) cart **(δ)** (= *κρητικός χορός*) Cretan folk dance

σουτ[1] (*ανεπ.*) ΕΠΙΦΩΝ (= *σιωπή*) shush!, sh!

σουτ[2] ΟΥΣ ΟΥΔ ΑΚΛ (*στο ποδόσφαιρο, το μπάσκετ*) shot
▷**κάνω** ή **ρίχνω σουτ** to shoot, to take a shot
▷**τρώω σουτ (από τη δουλειά)** (*οικ.*) to get the boot (*ανεπ.*)

σουτάρω Ρ Μ (= *κάνω σουτ*) to shoot
▷**σουτάρω κπν (από τη δουλειά)** (*οικ.*) to give sb the boot (*ανεπ.*)

σουτζουκάκια ΟΥΣ ΟΥΔ ΠΛΗΘ spicy meatballs

σουτιέν ΟΥΣ ΟΥΔ ΑΚΛ bra

σουφλέ ΟΥΣ ΟΥΔ ΑΚΛ (*φαγητό*) soufflé

σούφρα (*ανεπ.*) ΟΥΣ ΘΗΛ **(α)** (*υφάσματος, ρούχου*) crease **(β)** (= *ρυτίδα: προσώπου*) wrinkle

σουφραζέτα ΟΥΣ ΘΗΛ **(α)** (ΙΣΤ) suffragette **(β)** (= *φεμινίστρια*) feminist

σούφρωμα (*ανεπ.*) ΟΥΣ ΟΥΔ **(α)** (= *ζάρωμα*) crease **(β)** (*γηρατειών*) wrinkling **(γ)** (*αργκ.: χρημάτων, πορτοφολιού*) pinching (*ανεπ.*)
▷**σούφρωμα των φρυδιών** frowning

σουφρώνω (*ανεπ.*) [1] Ρ ΑΜ **(α)** (*ρούχο, ύφασμα*) to crease **(β)** (*για πρόσ.*) to become wrinkled [2] Ρ Μ **(α)** (*φόρεμα*) to crease **(β)** (*αργκ.: = κλέβω*) to pinch (*ανεπ.*)
▷**σουφρώνω τα φρύδια** to frown
▷**σουφρώνω τα χείλη** (*περιφρονητικά*) to purse one's lips

σοφάς ΟΥΣ ΑΡΣ sofa

σοφέρ ΟΥΣ ΑΡΣ ΑΚΛ chauffer

σοφερίνα ΟΥΣ ΘΗΛ *βλ.* **σοφέρ**

σοφία ΟΥΣ ΘΗΛ wisdom

Σόφια ΟΥΣ ΘΗΛ Sofia

σοφίζομαι Ρ Μ ΑΠΟΘ (*δικαιολογία, ιστορία, σχέδιο*) to think up

σόφισμα ΟΥΣ ΟΥΔ specious argument, sophistry (*επίσ.*)

σοφιστεία ΟΥΣ ΘΗΛ **(α)** (= *η τέχνη του σοφιστή*) sophistry **(β)** (= *σόφισμα*) sophistry (*επίσ.*), specious argument
▷**επιδίδομαι σε σοφιστείες** to engage in sophistry (*επίσ.*)

σοφιστής ΟΥΣ ΑΡΣ (*επίσης: αρνητ.*) sophist

σοφιστικέ ΕΠΙΘ ΑΚΛ **(α)** (*στυλ, διατύπωση*) elegant **(β)** (*μουσική, ντύσιμο, γυαλιά*) sophisticated

σοφιστική ΟΥΣ ΘΗΛ sophistry (*επίσ.*)

σοφίτα ΟΥΣ ΘΗΛ **(α)** (*σπιτιού*) attic, loft **(β)** (= *διαμέρισμα*) loft, loft apartment (*Αμερ.*)

σοφός, -ή, -ό ΕΠΙΘ **(α)** (*άνθρωπος, γέροντας*) wise · (*επιστήμονας, δάσκαλος*) learned, erudite **(β)** (*νέος, παιδί*) clever **(γ)** (*κουβέντα, λόγια, επιλογή*) wise
▷**σοφός** ΟΥΣ ΑΡΣ wise man
▷**οι επτά σοφοί (της αρχαίας Ελλάδας)** the seven wise men of Greece

σπαγγέτι ΟΥΣ ΟΥΔ ΑΚΛ = **σπαγκέτι**

σπάγγος ΟΥΣ ΑΡΣ = **σπάγκος**

σπαγκέτι ΟΥΣ ΟΥΔ ΑΚΛ spaghetti

σπαγκετίνη ΟΥΣ ΘΗΛ spaghettini

σπαγκοραμμένος, -η, -ο (*αρνητ.*) ΕΠΙΘ (*άνθρωπος*) tight-fisted, stingy

σπάγκος ΟΥΣ ΑΡΣ **(α)** (= *λεπτό σχοινί*) string **(β)** (*αρνητ.: για πρόσ.*) miser

σπαζοκεφαλιά ΟΥΣ ΘΗΛ puzzle

σπαζοκεφαλιάζω Ρ ΑΜ to rack one's brains

σπάζω [1] Ρ Μ **(α)** (*ποτήρι, τζάμι, βάζο*) to break **(β)** (*χέρι, πόδι*) to break, to fracture **(γ)** (*θέληση, ηθικό*) to break **(δ)** (*συμβόλαιο, απεργία, όρκο*) to break **(ε)** (*κώδικα*) to crack **(στ)** (*μονοτονία*) to relieve · (*γεύση*) to counteract · (*σιωπή*) to break **(ζ)** (*ρεκόρ, ταμπού*) to break · (*προκαταλήψεις*) to break down **(η)** (*παράδοση*) to break with · (*σερί*) to break [2] Ρ ΑΜ **(α)** (*κύματα*) to break **(β)** (*γυαλί, σχοινί*) to break · (*λάστιχο*) to burst **(γ)** (*πόδι, χέρι*) to be broken **(δ)** (*δέρμα, πρόσωπο*) to wrinkle, to become wrinkled **(ε)** (*κρατούμενος, αιχμάλωτος*) to break **(στ)** (*γκίνια, γκαντεμιά*) to stop
▷**μου τη σπάει** (*αργκ.*) it pisses me off (*χυδ.*)
▷**σπάνε τα νερά (της)** (*για εγκύους*) her waters have broken
▷**σπάσε!** (*αργκ.*) beat it! (*ανεπ.*), scram! (*ανεπ.*)
▷**σπάω πλάκα** ή **κέφι** to have fun
▷**σπάω το κεφάλι** ή **το μυαλό μου** to rack

one's brains
▷**σπάω τον πάγο** to break the ice
▷**τα σπάω** (= *καταστρέφω*) to wreak havoc ·
(= *γλεντώ πολύ*) to paint the town red
▷**τη σπάω σε κπν** (*αργκ.*) to piss sb off (*χυδ.*)
▸ **σπάζομαι** ΜΕΣΟΠΑΘ (*αργκ.*) to be pissed off
(*Βρετ.*) (*χυδ.*), to be pissed (*Αμερ.*) (*ανεπ.*)
▷**είχα σπαστεί μαζί του** I was pissed off
(*Βρετ.*) (*χυδ.*) *ή* pissed (*Αμερ.*) (*ανεπ.*) with
him
▷**σπάζομαι όταν με ξυπνούν νωρίς** it pisses
me off (*χυδ.*) when they wake me up early

σπάθα ΟΥΣ ΘΗΛ sword

σπάθη ΟΥΣ ΘΗΛ sword

σπαθί ΟΥΣ ΟΥΔ (α) (= *ξίφος*) sword (β) (*στην
τράπουλα*) club
▷**ντάμα/δέκα σπαθί** queen/ten of clubs
▷**εξηγούμαι** *ή* **είμαι σπαθί** to be on the level
▷**με το σπαθί μου** on one's own

σπαθιά ΟΥΣ ΘΗΛ (α) (= *χτύπημα με σπαθί*)
sword stroke (β) (= *πληγή από σπαθί*) sword
cut

σπάλα ΟΥΣ ΘΗΛ shoulder

σπανάκι ΟΥΣ ΟΥΔ spinach

σπανακόπιτα ΟΥΣ ΘΗΛ spinach pie

σπανακόρυζο ΟΥΣ ΟΥΔ spinach with rice

σπάνια ΕΠΙΡΡ rarely, seldom

σπανίζω Ρ ΑΜ (*άνθρωποι, πτηνό, περιπτώσεις*)
to be rare

σπάνιος, -ια, -ιο ΕΠΙΘ (α) (*γραμματόσημο,
είδος, περιστατικό, περίπτωση*) rare
(β) (*χαρακτήρας, ομορφιά*) exceptional

σπανιότητα ΟΥΣ ΘΗΛ rarity

σπανίως ΕΠΙΡΡ = **σπάνια**

σπανός, -ή, -ό ΕΠΙΘ beardless

σπαράγγι ΟΥΣ ΟΥΔ asparagus

σπαραγμός ΟΥΣ ΑΡΣ wrench

σπαράζω ① Ρ Μ (*επίσης* **σπαράσσω**: = *ξεσχίζω*)
to tear apart *ή* to pieces
② Ρ ΑΜ (α) (*επίσης* **σπαράσσω**: = *σπαρταρώ*)
to shiver violently · (*από τον πόνο*) to writhe
(β) (*επίσης* **σπαράσσω**: = *καταθλίβομαι*) to be
heartbroken, to be torn apart
▷**σπαράζω στο κλάμα** to sob, to cry one's
eyes out
▷**σπαράζω την καρδιά κποιου** to break sb's
heart, to tear sb apart

σπαρακτικός, -ή, -ό ΕΠΙΘ (*κραυγή*)
heart–rending · (*θέαμα*) heart–breaking ·
(*κλάμα*) piteous

σπαράσσω Ρ Μ: **σπαράσσομαι** ΜΕΣΟΠΑΘ to be
torn apart · *βλ. κ.* **σπαράζω**

σπάραχνα ΟΥΣ ΟΥΔ ΠΛΗΘ gills

σπαραχτικός, -ή, -ό ΕΠΙΘ = **σπαρακτικός**

σπάργανα ΟΥΣ ΟΥΔ ΠΛΗΘ swaddling clothes
πληθ.
▷**βρίσκομαι** *ή* **είμαι στα σπάργανα** (*μτφ.*) to
be in its infancy

σπαρίλα (*ανεπ.*) ΟΥΣ ΘΗΛ laziness

σπαρματσέτο ΟΥΣ ΟΥΔ candle

σπαρμένος, -η, -ο ΕΠΙΘ (α) (*χωράφι, κήπος*)
planted (β) (*μτφ.*) strewn (*με* with)
▷**ουρανός σπαρμένος με αστέρια**
star–studded sky

σπάρος ΟΥΣ ΑΡΣ (*ψάρι*) bream

σπαρτά ΟΥΣ ΟΥΔ ΠΛΗΘ crops

σπαρτάρισμα ΟΥΣ ΟΥΔ writhing, wriggling

σπαρταριστός, -ή, -ό ΕΠΙΘ (α) (*ψάρια*) fresh
(β) (*περιγραφή, λεπτομέρειες*) vivid
(γ) (*κωμωδία*) hilarious

σπαρταρώ Ρ ΑΜ (*ψάρι*) to writhe, to wriggle
▷**σπαρταρώ από τα γέλια** to be convulsed
with laughter
▷**σπαρταρώ από χαρά** to be overcome with
joy

Σπάρτη ΟΥΣ ΘΗΛ Sparta

σπαρτιάτικα ΕΠΙΡΡ: **τη βγάζω** *ή* **περνώ
σπαρτιάτικα** to lead a spartan life

σπαρτιάτικος, -η, -ο ΕΠΙΘ (α) (*ιστορία,
πολιτισμός*) Spartan (β) (*τρόπος ζωής*)
spartan

> *Προσοχή!: Τα εθνικά επίθετα, όπως*
> **Spartan**, *γράφονται με κεφαλαίο το*
> *αρχικό γράμμα στα Αγγλικά.*

σπάρτο ΟΥΣ ΟΥΔ broom

σπασίκλας (*μειωτ.*) ΟΥΣ ΑΡΣ (*για μαθητή*) swot
(*Βρετ.*) (*ανεπ.*)

σπάσιμο ΟΥΣ ΟΥΔ (α) (*τζαμιού, ξύλου, δοντιού*)
breaking · (*χεριού*) breaking, fracture
(β) (*αργκ.*: = *έντονος εκνευρισμός*) damn
nuisance (*ανεπ.*) (γ) (*κώδικα*) cracking

σπασμένος, -η, -ο ΕΠΙΘ (α) (*τζάμι, πιάτο,
καρέκλα*) broken (β) (*πόδι, χέρι*) broken,
fractured (γ) (*Αγγλικά, Ελληνικά*) broken
(δ) (*ηθικό, φωνή*) broken (ε) (*αργκ.*: =
εκνευρισμένος) pissed off (*Βρετ.*) (*χυδ.*),
pissed (*Αμερ.*) (*ανεπ.*)
▷**πληρώνω τα σπασμένα** to take the blame
▷**τα νεύρα μου είναι σπασμένα** my nerves
are shot, I'm a nervous wreck

σπασμός ΟΥΣ ΑΡΣ (*μυών*) spasm

σπασμωδικός, -ή, -ό ΕΠΙΘ (α) (*βήχας*)
convulsive (β) (*μτφ.*: *ενέργεια, κινήσεις*)
spasmodic, erratic

σπασμωδικότητα ΟΥΣ ΘΗΛ (*ενεργειών*)
spasmodic *ή* erratic nature

σπαστικός, -ή, -ό ΕΠΙΘ (α) (*βρογχίτιδα,
κολίτιδα*) spastic (β) (*παιδιά*) with cerebral
palsy
▸ **σπαστικός** ΟΥΣ ΑΡΣ, **σπαστική** ΟΥΣ ΘΗΛ (α) (ΙΑΤΡ)
person with cerebral palsy (β) (*μειωτ.*: =
εκνευριστικός) nuisance

σπαστός, -ή, -ό ΕΠΙΘ (α) (*καρέκλα*) folding
(β) (*Αγγλικά, Ελληνικά*) broken (γ) (*μαλλιά*)
wavy
▸ **σπαστό ωράριο** flexitime (*Βρετ.*), flextime
(*Αμερ.*)

σπατάλη ΟΥΣ ΘΗΛ (*χρημάτων, χρόνου,
δυνάμεων*) waste · (*εταιρείας*) overspending

σπάταλος, -η, -ο ΕΠΙΘ (α) (*για πρόσ.*)

Σ

extravagant (β) (*ζωή*) extravagant·
(*επιχείρηση, διαχείριση*) wasteful

σπαταλώ P M (*χρήματα, χρόνο, δυνάμεις*) to waste

σπάτουλα ΟΥΣ ΘΗΛ (*εργαλείο μαγειρικής*) spatula

σπάω P M/AM = **σπάζω**

σπείρα ΟΥΣ ΘΗΛ (α) (*λαθρεμπόρων, αρχαιοκαπήλων*) ring (β) (*βίδας*) thread· (*σχοινιού, ελατηρίου*) coil · (*δακτυλικών αποτυπωμάτων*) whorl (γ) (ΗΛΕΚΤΡ) coil (δ) (*αγγείου*) helix · (*κιονοκράνου*) volute

> *Προσοχή!: Ο πληθυντικός του* **helix** *είναι* **helixes** *ή* **helices.**

σπειροειδής, -ής, -ές ΕΠΙΘ (*σχήμα, τροχιά*) spiral

σπέρμα ΟΥΣ ΟΥΔ (α) (ΒΙΟΛ, ΙΑΤΡ) semen, sperm (β) (ΒΟΤ) seed (γ) (*διχόνοιας, κακού*) seed

σπερματέγχυση ΟΥΣ ΘΗΛ insemination

σπερματοζωάριο ΟΥΣ ΟΥΔ sperm, spermatozoon (*επιστ.*)

> *Προσοχή!: Ο πληθυντικός του* **spermatozoon** *είναι* **spermatozoa.**

σπερματσέτο ΟΥΣ ΟΥΔ = **σπαρματσέτο**

σπέρνω P M (α) (*χωράφι, σιτάρι*) to sow, to plant (β) (*για άνδρα*: = *τεκνοποιώ*) to inseminate (γ) (*πανικό, τρόμο*) to spread· (*ιδέες*) to disseminate

σπέσιαλ ΕΠΙΘ ΑΚΛ (*εφέ*) special

σπεσιαλίστας ΟΥΣ ΑΡΣ expert

σπεσιαλίστρια ΟΥΣ ΘΗΛ βλ. **σπεσιαλίστας**

σπεσιαλιτέ ΟΥΣ ΘΗΛ ΑΚΛ speciality (*Βρετ.*), specialty (*Αμερ.*)

σπετζοφάι ΟΥΣ ΟΥΔ ΑΚΛ *casserole with sausage, tomatoes and green peppers*

σπεύδω P AM to hurry
> **σπεύδε βραδέως** more haste less speed
> **σπεύδω να κάνω κτ** to be in a hurry to do sth

σπήλαιο ΟΥΣ ΟΥΔ (α) (ΓΕΩΛ) cave (β) (ΙΑΤΡ) cavity
> **άνθρωπος των σπηλαίων** caveman

> *Προσοχή!: Ο πληθυντικός του* **caveman** *είναι* **cavemen.**

σπηλαιολογία ΟΥΣ ΘΗΛ speleology

σπηλαιολογικός, -ή, -ό ΕΠΙΘ (*ευρήματα*) speleological

σπηλαιολόγος ΟΥΣ ΑΡΣ/ΘΗΛ speleologist

σπηλαιώδης, -ης, -ες ΕΠΙΘ (α) (*περιοχή, τόπος*) full of caves (β) (*αρχιτεκτονική*) cavernous (γ) (*φωνή*) deep

σπηλιά ΟΥΣ ΘΗΛ cave

σπίθα ΟΥΣ ΘΗΛ (α) (= *σπινθήρας*) spark (β) (*πολέμου*) trigger · (*έρωτα*) spark (γ) (*για πρόσ.*) bright spark
> **τα μάτια της πετούσαν** ή **έβγαζαν σπίθες**

(*από θυμό*) her eyes flashed

σπιθαμή ΟΥΣ ΘΗΛ (α) (= *ανοικτή παλάμη*) span (β) (*μτφ.*) inch
> **σπιθαμή προς σπιθαμή** inch by inch

σπιθίζω (*λογοτ.*) P AM (*φωτιά*) to spark· (*μάτια*) to sparkle

σπιθούρι (*ανεπ.*) ΟΥΣ ΟΥΔ spot, pimple

σπικάρω (*αργκ.*) P M (α) (*αγώνα*) to commentate (β) (*ντοκιμαντέρ*) to narrate

σπίκερ ΟΥΣ ΑΡΣ ΑΚΛ (*αγώνα*) commentator

σπιλώνω P M (*τιμή, όνομα*) to tarnish

σπινθήρας ΟΥΣ ΑΡΣ (α) (= *σπίθα*) spark (β) (ΦΥΣ) spark (γ) (= *αιτία*) trigger
> **αποτελώ τον σπινθήρα** (+*γεν.*) to spark off

σπινθηρίζω P AM (α) (= *βγάζω σπινθήρες*) to throw out sparks (β) (*μάτια*) to sparkle

σπινθήρισμα, σπινθηροβόλημα ΟΥΣ ΟΥΔ (α) (*φωτιάς*) sparks *πληθ.* (β) (*ματιών*) sparkle

σπινθηροβόλος, -ος, -ο ΕΠΙΘ (α) (= *που βγάζει σπινθήρες*) sparking (β) (*αστέρια*) twinkling, bright· (*κόσμημα*) sparkling (γ) (*βλέμμα, μάτια, πνεύμα*) sparkling

σπινθηροβολώ P AM (α) (*φωτιά*) to throw out sparks, to spark (β) (*αστέρια*) to twinkle · (*διαμάντια*) to sparkle (γ) (*μάτια, βλέμμα*) to sparkle

σπινιάρισμα ΟΥΣ ΟΥΔ (*τροχών*) spinning

σπινιάρω P AM (*τροχοί*) to spin

σπίνος ΟΥΣ ΑΡΣ chaffinch

σπιούνα (*ανεπ.*) ΟΥΣ ΘΗΛ βλ. **σπιούνος**

σπιουνιά (*ανεπ.*) ΟΥΣ ΘΗΛ tip-off (*ανεπ.*)
> **βάζω σπιουνιές** (= *συκοφαντώ*) to tattle (*ανεπ.*)

σπιούνος (*ανεπ.*) ΟΥΣ ΑΡΣ informant, snitch (*ανεπ.*)

σπιρούνι ΟΥΣ ΘΗΛ spur

σπιρουνιά ΟΥΣ ΘΗΛ kick with the spurs

σπιρουνιάζω P M = **σπιρουνίζω**

σπιρουνίζω P M (*άλογο*) to spur (on)

σπιρτάδα ΟΥΣ ΘΗΛ (α) (*ποτού*) pungency (β) (= *εξυπνάδα*) wit *χωρίς πληθ.*

σπίρτο ΟΥΣ ΟΥΔ (α) (*ασφαλείας*) match (β) (*ανεπ.*: = *δυνατό ποτό*) strong stuff (*ανεπ.*)
> **ανάβω ένα σπίρτο** to strike a match
> **είμαι σπίρτο** (= *έξυπνος*) to be razor sharp

σπιρτόζος, -α, -ικο ΕΠΙΘ (*άνθρωπος*) sharp–witted · (*ανέκδοτα*) witty

σπιρτόκουτο ΟΥΣ ΟΥΔ matchbox

σπιρτόξυλο ΟΥΣ ΟΥΔ matchstick

σπιταρόνα (*ανεπ.*) ΟΥΣ ΘΗΛ (= *μεγάλο σπίτι*) big house, mansion

σπίτι ΟΥΣ ΟΥΔ (α) (= *κατοικία*) house (β) (= *οικογένεια*) family (γ) (= *σπιτικό*) home (δ) (= *νοικοκυριό*) household
> **από σπίτι** from a good family
> **κάθομαι σπίτι** to stay at home
> **κλείνω το σπίτι κποιου** to destroy sb's home
> **κάνω** ή **μαζεύω** ή **τακτοποιώ το σπίτι** to tidy

up the house
▷**πάω σπίτι** to go home
▷**σαν στο σπίτι σου!** make yourself at home!
▷**σπίτι μου σπιτάκι μου (φτωχοκαλυβάκι μου)** home sweet home
▷**τα έξοδα τού σπιτιού** the household expenses
▸ **εξοχικό σπίτι** country house

σπιτικό ΟΥΣ ΟΥΔ (α) (= *σπίτι*) home
(β) (= *νοικοκυριό*) household

σπιτικός, -ή, -ό ΕΠΙΘ (*φαγητό, γλυκό*) homemade · (*ζωή*) home · (*ατμόσφαιρά*) homely (*Βρετ.*), homey (*Αμερ.*)
▷**σπιτικές δουλειές** housework εν.

σπιτόγατος ΟΥΣ ΑΡΣ homebody

σπιτονοικοκυρά ΟΥΣ ΘΗΛ landlady

σπιτονοικοκύρης ΟΥΣ ΑΡΣ landlord

σπιτώνω Ρ Μ (α) (= *στεγάζω*) to put up · (*πρόσφυγες*) to house (β) (*αρνητ.: εραστή, ερωμένη*) to keep

σπλάγχνο ΟΥΣ ΟΥΔ (*επίσης* **σπλάχνο**: *ανθρώπου*) bowels *πληθ.* · (*αρνιού*) innards *πληθ.*, entrails *πληθ.*
▸ **σπλάγχνα, σπλάχνα** ΟΥΣ ΟΥΔ ΠΛΗΘ (*μτφ.: ανθρώπου*) heart εν. · (*γης*) bowels

σπλαχνίζομαι Ρ Μ ΑΠΟΘ to take pity on

σπλαχνικός, -ή, -ό ΕΠΙΘ compassionate

σπλάχνο ΟΥΣ ΟΥΔ: **είμαι σπλάχνο κποιου** to be sb's own flesh and blood · *βλ. κ.* **σπλάγχνο**

σπλήνα ΟΥΣ ΘΗΛ (α) (*επίσης* **σπλήνας**: ΑΝΑΤ) spleen (β) (*φαγητό*) spleen

σπληνάντερο ΟΥΣ ΟΥΔ ≈ sausage

σπλήνας ΟΥΣ ΑΡΣ *βλ.* **σπλήνα**

σπογγαλιέας ΟΥΣ ΑΡΣ sponge diver

σπογγαλιεία ΟΥΣ ΘΗΛ sponge fishing

σπογγαλιευτικό ΟΥΣ ΟΥΔ sponge–fishing boat

σπογγίζω Ρ Μ = **σφουγγίζω**

σπογγοειδής, -ής, -ές ΕΠΙΘ (*υλικό*) spongy

σπόγγος ΟΥΣ ΑΡΣ sponge

σπογγώδης, -ης, -ες ΕΠΙΘ (*υλικό*) spongy

σπονδή ΟΥΣ ΘΗΛ (*στην αρχαιότητα*) libation
▸ **σπονδές** ΠΛΗΘ (ΑΡΧ ΙΣΤ: = *ειρήνευση*) peace εν. · (= *ανακωχή*) truce εν.

σπονδυλικός, -ή, -ό ΕΠΙΘ vertebral
▸ **σπονδυλική στήλη** spinal *ή* vertebral column, spine · (*μτφ.*) backbone

σπόνδυλος ΟΥΣ ΑΡΣ (α) (ΑΝΑΤ) vertebra

Προσοχή!: Ο πληθυντικός του **vertebra** *είναι* **vertebrae**.

(β) (ΑΡΧΙΤ) drum

σπονδυλωτός, -ή, -ό ΕΠΙΘ (*ζώα*) vertebrate · (*μτφ.: ταινία, αφήγηση*) made up of different tales
▸ **σπονδυλωτά** ΟΥΣ ΟΥΔ ΠΛΗΘ (ΖΩΟΛ) vertebrates

σπονσοράρω Ρ Μ to sponsor

σπόνσορας ΟΥΣ ΑΡΣ sponsor

σπόντα ΟΥΣ ΘΗΛ (α) (*μπιλιάρδου*) cushion

(β) (*μτφ.*) hint · (= *υπαινιγμός*) innuendo

Προσοχή!: Ο πληθυντικός του **innuendo** *είναι* **innuendoes**.

▷**από σπόντα** by accident
▷**πετάω ή ρίχνω σπόντες** to drop hints

σπορ ΟΥΣ ΟΥΔ ΑΚΛ (ΑΘΛ) sport
▷**ντύνομαι σπορ** to dress casually
▷**σπορ ρούχα/ντύσιμο** casual clothes/dress
▷**σπορ σακάκι** sports jacket
▸ **σπορ αυτοκίνητο** sports car
▸ **σπορ** ΟΥΣ ΟΥΔ ΠΛΗΘ sports

σπορά ΟΥΣ ΘΗΛ (α) (*χωραφιού*) sowing
(β) (= *εποχή*) sowing time

Σποράδες ΟΥΣ ΘΗΛ ΠΛΗΘ: **οι Σποράδες** the Sporades

σποραδικός, -ή, -ό ΕΠΙΘ (*βροχοπτώσεις*) scattered · (*πυρά*) sporadic

σπορέας ΟΥΣ ΑΡΣ (α) (= *γεωργός που σπέρνει*) sower (β) (*γεωργικό μηχάνημα*) seeder

σπορέλαιο ΟΥΣ ΟΥΔ seed oil

σπόρι ΟΥΣ ΟΥΔ (*καρπουζιού, πεπονιού*) seed

σπόρος ΟΥΣ ΑΡΣ (α) (ΒΟΤ) seed (β) (= *σπέρμα*) sperm (γ) (*ανεπ.: = απόγονος*) offspring

Προσοχή!: Ο πληθυντικός του **offspring** *είναι* **offspring**.

(δ) (*ανεπ.: για παιδί*) live wire (*ανεπ.*)
(ε) (*επανάστασης, διχόνοιας*) seed

σποτ ΟΥΣ ΟΥΔ ΑΚΛ (α) (= *σύντομο διαφημιστικό*) commercial (β) (= *φορητό φωτιστικό*) spotlight

σπούδαγμα ΟΥΣ ΟΥΔ = **σπούδασμα**

σπουδαγμένος, -η, -ο ΕΠΙΘ = **σπουδασμένος**

σπουδάζω ① Ρ ΑΜ (α) (= *ακολουθώ κύκλο σπουδών*) to study (β) (= *μορφώνομαι*) to get an education
② Ρ Μ (*γλωσσολογία, μαθηματικά*) to study
▷**σπουδάζω δικηγόρος/γιατρός** to study to be a lawyer/doctor
▷**σπουδάζω τα παιδιά μου** to send one's children to university

σπουδάζων, -ουσα, -ον ΕΠΙΘ: **η σπουδάζουσα νεολαία** the student population, students

σπουδαίος, -α, -ο ΕΠΙΘ (α) (*απόφαση, υπόθεση, παιχνίδι, εφεύρεση*) important · (*νέα*) big · (*παράγοντας*) important, significant · (*ηθοποιός*) top, great · (*επιστήμονας*) top · (*γιατρός, έργο*) excellent (β) (= *κερδοφόρος: δουλειά*) big (γ) (= *σωστός: άνθρωπος, χαρακτήρας*) decent
▷**σπουδαία δικαιολογία βρήκες!** (*ειρων.*) that's a fine excuse!
▷**σπουδαίος φίλος είσαι!** (*ειρων.*) you're a fine friend!, some friend you are!
▷**τίποτα το σπουδαίο** nothing special
▷**τίποτα το σπουδαίο δεν συνέβη τελευταία** not much has been going on recently
▷**το σπουδαίο είναι ότι...** the important

thing is that...

σπουδαιότητα ΟΥΣ ΘΗΛ (*απόφασης, υπόθεσης, παιχνιδιού, ανακάλυψης*) importance · (*παράγοντα*) importance, significance

σπούδασμα ΟΥΣ ΟΥΔ education

σπουδασμένος, -η, -ο ΕΠΙΘ educated

σπουδαστήριο ΟΥΣ ΟΥΔ (*σχολής*) study room ή hall

σπουδαστής ΟΥΣ ΑΡΣ student

σπουδαστικός, -ή, -ό ΕΠΙΘ (*προγράμματα*) study

σπουδάστρια ΟΥΣ ΘΗΛ *βλ.* **σπουδαστής**

σπουδή ΟΥΣ ΘΗΛ (α) (= *μελέτη*) study (β) (= *γρηγοράδα*) haste
▸ σπουδές ΠΛΗΘ studies, education *εν.*
▹ **κάνω σπουδές στην Αγγλία** to study in England
▸ **κύκλος σπουδών** course
▸ **μεταπτυχιακές σπουδές** post–graduate studies
▸ **οδηγός σπουδών** course prospectus
▸ **τίτλος σπουδών** qualification

σπουργίτης ΟΥΣ ΑΡΣ = **σπουργίτι**

σπουργίτι ΟΥΣ ΟΥΔ sparrow

σπρέι ΟΥΣ ΟΥΔ ΑΚΛ spray

σπριντ ΟΥΣ ΟΥΔ ΑΚΛ sprint
▹ **κάνω ένα σπριντ** to put on a spurt

σπρίντερ ΟΥΣ ΑΡΣΘΗΛ ΑΚΛ (ΑΘΛ) sprinter

σπρωξιά ΟΥΣ ΘΗΛ push

σπρωξίδι ΟΥΣ ΟΥΔ pushing

σπρώξιμο ΟΥΣ ΟΥΔ (*κυριολ., μτφ.*) push

σπρώχνω ① Ρ Μ (α) (*αυτοκίνητο, έπιπλο, επιβάτες*) to push (β) (= *προωθώ*) to push (γ) (= *παρασύρω*) to drive
② Ρ ΑΜ to push

σπυράκι ΟΥΣ ΟΥΔ spot, pimple

σπυρί ΟΥΣ ΟΥΔ (α) (= *κόκκος*) grain (β) (= *ελάχιστη ποσότητα*) grain (γ) (= *εξάνθημα*) spot, pimple
▹ **βγάζω σπυριά** (*οικ.*) it turns my stomach

σπυριάζω Ρ ΑΜ to get spots ή pimples

σπυριάρης, -α, -ικο ΕΠΙΘ (*μειωτ.*) spotty, pimply

σπυρωτός, -ή, -ό ΕΠΙΘ granulated

σταβλάρχης ΟΥΣ ΑΡΣ (= *επιστάτης*) stable master

σταβλίτης ΟΥΣ ΑΡΣ stable lad, groom

στάβλος ΟΥΣ ΑΡΣ (α) (*αλόγων*) stable · (*αγελάδων*) stall (β) (*μτφ.*) mess, pigsty (*Βρετ.*) (*ανεπ.*)

σταγόνα ΟΥΣ ΘΗΛ (*νερού, αίματος*) drop
▹ **ήταν η σταγόνα που ξεχείλισε το ποτήρι** it was the last straw
▹ **μοιάζουν σαν δυο σταγόνες νερό** they're like two peas in a pod
▹ **σταγόνα-σταγόνα** bit by bit
▸ **σταγόνα βροχής** raindrop
▸ **σταγόνες** ΠΛΗΘ (ΦΑΡΜ) drops

σταγονίδιο ΟΥΣ ΟΥΔ droplet

σταγονόμετρο ΟΥΣ ΟΥΔ pipette · (*για*

κολλύριο) dropper
▹ **με το σταγονόμετρο** sparingly

σταδιακός, -ή, -ό ΕΠΙΘ (*αλλαγές, αύξηση, φθορά*) gradual

στάδιο ΟΥΣ ΟΥΔ (α) (ΑΘΛ) stadium

> *Προσοχή!: Ο πληθυντικός του* **stadium** *είναι* **stadiums** *ή* **stadia** .

(β) (*ανάπτυξης, διαδικασίας, θεραπείας*) stage
▹ **κατά στάδια** (*εκτελώ, αναπτύσσομαι*) gradually · (*εκτέλεση, ανάπτυξη*) gradual

σταδιοδρομία ΟΥΣ ΘΗΛ career
▹ **καλή σταδιοδρομία!** good luck in your career!

σταδιοδρομώ Ρ ΑΜ to make a career for oneself

στάζω ① Ρ Μ (*λάδι, φάρμακο, αίμα*) to drip
② Ρ ΑΜ (*βρύση, οροφή, ιδρώτας*) to drip

σταθερά¹ ΟΥΣ ΘΗΛ (ΦΥΣ, ΜΑΘ) constant

σταθερά² ΕΠΙΡΡ (*κρατώ, αναπνέω*) steadily

σταθεροποίηση ΟΥΣ ΘΗΛ (*υγείας, σχέσης, κατάστασης, οικονομίας*) stabilization

σταθεροποιητής ΟΥΣ ΑΡΣ (ΧΗΜ) stabilizer

σταθεροποιητικός, -ή, -ό ΕΠΙΘ stabilizing

σταθεροποιώ Ρ Μ to stabilize

σταθερός, -ή, -ό ΕΠΙΘ (α) (*χέρι, φωνή, βήμα*) steady · (*γέφυρα, σκάλα*) stable (β) (*θερμοκρασία*) even · (*ταχύτητα, πτώση τιμών*) steady · (*καιρός*) settled · (*τιμές, νόμισμα*) stable · (*απασχόληση, παράγοντας*) constant · (*απόφαση*) firm (γ) (= *πιστός: φίλος*) firm, steadfast · (*σχέση*) stable · (*απόψεις, αρχές*) unwavering
▸ **σταθερό τηλέφωνο** land line

σταθερότητα ΟΥΣ ΘΗΛ (α) (*χεριού, φωνής*) steadiness · (*γέφυρας*) stability (β) (*καιρού, τιμών, αγοράς, οικονομίας*) stability · (*θερμοκρασίας*) evenness · (*ταχύτητας*) steadiness · (*απόφασης*) firmness

σταθμά ΟΥΣ ΟΥΔ ΠΛΗΘ weights
▹ **δύο μέτρα και δύο σταθμά** double standards

σταθμαρχείο ΟΥΣ ΟΥΔ stationmaster's office

σταθμάρχης ΟΥΣ ΑΡΣ (*σιδηροδρομικού σταθμού*) stationmaster

στάθμευση ΟΥΣ ΘΗΛ parking

σταθμεύω ① Ρ ΑΜ (*οδηγός, όχημα*) to park · (*ταξιδιώτες, στρατιώτες*) to stop
② Ρ Μ (*αυτοκίνητο*) to park

στάθμη ΟΥΣ ΘΗΛ (α) (= *αλφάδι*) plumb line (β) (*νερού, λίμνης, θάλασσας*) level (γ) (= *επίπεδο*) level

σταθμίζω Ρ Μ (α) (= *ζυγίζω*) to weigh (β) (= *αλφαδιάζω*) to plumb (γ) (*μτφ.*) to weigh up

στάθμιση ΟΥΣ ΘΗΛ (α) (= *ζύγισμα*) weighing (β) (= *αλφάδιασμα*) plumbing (γ) (*μτφ.*) weighing up, consideration

σταθμός ΟΥΣ ΑΡΣ (α) (*λεωφορείων, τρένων*)

station (β) (*πυροσβεστικής, τηλεόρασης, ραδιοφώνου*) station (γ) (= *κανάλι*) station (δ) (*περιοδείας*) stop · (*σταδιοδρομίας*) stage (ε) (*μτφ.*) milestone, watershed
▶**ηλεκτρικός σταθμός** power plant
▶**τηλεοπτικός σταθμός** TV station

στάλα (*λογοτ.*) ΟΥΣ ΘΗΛ drop
▷**μια στάλα** *ή* **σταλιά** (*μτφ.*) a little
▷**στάλα-στάλα, σταλιά-σταλιά** (= *σε σταγόνες*) drop by drop · (= *λίγο-λίγο*) little by little

σταλαγματιά (*λογοτ.*) ΟΥΣ ΘΗΛ drop

σταλαγμίτης ΟΥΣ ΑΡΣ stalagmite

σταλάζω 1 Ρ Μ (*κονιάκ, φάρμακο*) to drip · (*μτφ.*) to instil (*Βρετ.*), to instill (*Αμερ.*)
2 Ρ ΑΜ (*δροσιά*) to drip

σταλακτίτης ΟΥΣ ΑΡΣ stalactite

σταλιά (*ανεπ.*) ΟΥΣ ΘΗΛ: **μια σταλιά άνθρωπο** a tiny man · *βλ. κ.* **στάλα**

σταμάτημα ΟΥΣ ΟΥΔ (α) (*αυτοκινήτου, τρένου*) stop · (*ρολογιού, μηχανής*) stopping (β) (*βροχής*) break · (*κυκλοφορίας*) bringing to a standstill *ή* halt (γ) (*αιμορραγίας*) stopping · (*εχθρού*) interception (δ) (*παραγωγής*) suspension

σταματημένος, -η, -ο ΕΠΙΘ: **είμαι σταματημένος** (*αυτοκίνητο, ρολόι, λεωφορείο*) to have stopped

σταματώ 1 Ρ ΑΜ (α) (*λεωφορείο, τρένο, μηχανή, ρολόι*) to stop · (*μαθήματα*) to end (β) (*ταξιδιώτες*) to stop off (γ) (*βροχή, κυκλοφορία, εργασία*) to stop
2 Ρ Μ (α) (*αυτοκίνητο, περαστικό*) to stop (β) (*αιμορραγία, πτώση*) to stop · (*εχθρό*) to intercept (γ) (*παραγωγή, συζήτηση, προσπάθεια*) to stop · (*σχολείο*) to drop out
▷**δεν σταματώ να κρίνω τον κόσμο** (*αρνητ.*) to be always judging people
▷**σταμάτα (πια)!** stop it! · (= *μη μιλάς*) be quiet!
▷**σταματώ τη δουλειά/το τραγούδι** to stop work *ή* working/singing

στάμνα ΟΥΣ ΘΗΛ pitcher

στάμπα ΟΥΣ ΘΗΛ (α) (= *σφραγίδα*) stamp (β) (*μτφ.*) name, reputation
▷**αφήνω τη στάμπα μου σε κτ** to leave one's mark on sth

σταμπάρισμα (*ανεπ.*) ΟΥΣ ΟΥΔ (α) (= *σφράγισμα*) stamping (β) (= *εντοπισμός*) spotting

σταμπαρισμένος, -η, -ο (*ανεπ.*) ΕΠΙΘ (α) (= *σφραγισμένος*) stamped (β) (= *εντοπισμένος*) spotted, marked

σταμπάρω (*ανεπ.*) Ρ Μ (α) (= *σφραγίζω*) to stamp (β) (= *εντοπίζω*) to spot

στάνη ΟΥΣ ΘΗΛ pen

στανιό (*ανεπ.*) ΟΥΣ ΟΥΔ: **με το στανιό** by force

στάνταρ ΟΥΣ ΟΥΔ ΑΚΛ staple (commodity)
▷**στάνταρ τιμή** fixed price
▶**στάνταρ** ΠΛΗΘ standards

στάξιμο ΟΥΣ ΟΥΔ dripping

σταρ ΟΥΣ ΑΡΣ&ΘΗΛ ΑΚΛ star

▶**σταρ Ελλάς** Miss Greece

σταράτα ΕΠΙΡΡ: **μιλώ** *ή* **τα λέω σταράτα** to be frank

σταράτος[1]**, -η, -ο** ΕΠΙΘ (α) (*δέρμα*) golden brown (β) (*ψωμί*) wheatmeal

σταράτος[2]**, -η, -ο** ΕΠΙΘ (*κουβέντες*) frank
▷**λίγα λόγια και σταράτα** short and sweet

σταρέμπορος ΟΥΣ ΑΡΣ = **σιτέμπορος**

σταρένιος, -ια, -ιο ΕΠΙΘ = **σιταρένιος**

στάρι ΟΥΣ ΟΥΔ = **σιτάρι**

στάση ΟΥΣ ΘΗΛ (α) (*σώματος*) position (β) (= *σταμάτημα: οδηγού, οχήματος*) stop (γ) (*πληρωμών, συναλλαγών*) suspension (δ) (= *συμπεριφορά*) attitude (ε) (= *εξέγερση*) rebellion · (*για πλήρωμα, στρατιώτες*) mutiny
▷**κάνω στάση** (*οδηγός, λεωφορείο*) to stop
▷**στέκομαι σε στάση προσοχής** to stand to attention
▶**στάση εργασίας** stoppage, strike
▶**στάση λεωφορείου** bus stop

στασιάζω Ρ ΑΜ to rebel · (*για πλήρωμα, στρατιώτες*) to mutiny

στασιαστής ΟΥΣ ΑΡΣ rebel · (*για ναυτικό, στρατιώτη*) mutineer

στασίδι ΟΥΣ ΟΥΔ (ΘΡΗΣΚ) pew

στάσιμος, -η, -ο ΕΠΙΘ (α) (*νερά*) stagnant (β) (*παραγωγή, οικονομία*) stagnant · (*κατάσταση υγείας*) stable (γ) (*μαθητής*) not progressing
▷**κρίνομαι στάσιμος για προαγωγή** to be judged unfit for promotion

στασιμότητα ΟΥΣ ΘΗΛ (α) (*οικονομίας, παραγωγής, ανάπτυξης*) stagnation · (*συνομιλιών*) deadlock (β) (*υδάτων*) stagnation

στατική ΟΥΣ ΘΗΛ statics ΕΝ.

Προσοχή!: Αν και το statics *φαίνεται ως τύπος πληθυντικού, είναι ουσιαστικό μόνο στον ενικό και συντάσσεται με ρήμα στον ενικό.*

στατικός, -ή, -ό ΕΠΙΘ static
▶**στατικός ηλεκτρισμός** static electricity

στατιστική ΟΥΣ ΘΗΛ statistics ΕΝ.

Προσοχή!: Αν και το statistics *φαίνεται ως τύπος πληθυντικού, είναι ουσιαστικό μόνο στον ενικό και συντάσσεται με ρήμα στον ενικό.*

στατιστικός, -ή, -ό ΕΠΙΘ (*έρευνα, στοιχεία, δεδομένα*) statistical
▶**Στατιστική Υπηρεσία** statistics office

στάτους ΟΥΣ ΟΥΔ ΑΚΛ status
▷**το στάτους κβο** the status quo

σταύλος ΟΥΣ ΑΡΣ = **στάβλος**

σταυραετός, σταυραϊτός ΟΥΣ ΑΡΣ (ΖΩΟΛ) eagle

σταυροβελονιά ΟΥΣ ΘΗΛ cross-stitch

σταυροδρόμι ΟΥΣ ΟΥΔ crossroads ΠΛΗΘ.

σταυροειδής, -ής, -ές ΕΠΙΘ (*ναός*)

Σ

cross–shaped · (*σχήμα*) cruciform

σταυροκόπημα ΟΥΣ ΟΥΔ crossing oneself

σταυροκοπιέμαι Ρ ΑΜ ΑΠΘ to cross oneself

σταυρόλεξο ΟΥΣ ΟΥΔ crossword (puzzle)

σταυροπόδι ΕΠΙΡΡ: **κάθομαι σταυροπόδι** to sit cross–legged

σταυρός ΟΥΣ ΑΡΣ cross
▷**κάνω τον σταυρό μου** to cross oneself · (*μτφ.*) to cross one's fingers, to keep one's fingers crossed
▷**με τον σταυρό στο χέρι** honestly, fairly
▷**σηκώνω τον σταυρό μου** to have one's cross to bear
▶ **Ερυθρός Σταυρός** Red Cross
▶ **σταυρός προτίμησης** (*σε ψηφοδέλτιο*) cross
▶ **Τίμιος Σταυρός** Holy Cross

σταυρουδάκι ΟΥΣ ΟΥΔ cross

σταυροφορία ΟΥΣ ΘΗΛ (α) (ΙΣΤ) Crusade (β) (*μτφ.*) crusade

σταυροφόρος ΟΥΣ ΑΡΣ (α) (ΙΣΤ) Crusader (β) (*μτφ.*) crusader

σταύρωμα ΟΥΣ ΟΥΔ (α) (*καταδίκου*) crucifixion (β) (*ξύλων, χεριών*) crossing (γ) (= *ταλαιπωρία*) hassle

σταυρώνω Ρ Μ (α) (= *θανατώνω με σταύρωση*) to crucify (β) (= *ταλαιπωρώ*) to pester (γ) (*ξύλα, πόδια*) to cross (δ) (*ψωμί*) to bless, to cross
▷**δεν σταυρώνω** (*πελάτη, δεκάρα*) not to have any luck with
▷**σταυρώνω τα χέρια** to cross one's arms · (*μτφ.*) to do nothing

σταύρωση ΟΥΣ ΘΗΛ crucifixion

σταυρωτός, -ή, -ό ΕΠΙΘ (*τιράντες*) crossed
▶ **σταυρωτή ομοιοκαταληξία** envelope quatrain
▶ **σταυρωτό σακάκι** double–breasted jacket

σταφίδα ΟΥΣ ΘΗΛ (α) (*αμπέλι*) vineyard (β) (*καρπός*) raisin, currant
▷**γίνομαι σταφίδα** (*ανεπ.*) to get smashed (*ανεπ.*)

σταφιδέμπορος ΟΥΣ ΑΡΣ&ΘΗΛ raisin *ή* currant trader

σταφιδιάζω Ρ ΑΜ (α) (*σταφύλια*) to dry up (β) (*πρόσωπο, δέρμα*) to wrinkle

σταφιδιασμένος, -η, -ο ΕΠΙΘ (*πρόσωπο*) wrinkled

σταφιδόψωμο ΟΥΣ ΟΥΔ raisin *ή* currant bread

σταφυλή ΟΥΣ ΘΗΛ uvula

> *Προσοχή!: Ο πληθυντικός του* **uvula** *είναι* **uvulas** *ή* **uvulae**.

σταφύλι ΟΥΣ ΟΥΔ grapes *πληθ.*

στάχτη ΟΥΣ ΘΗΛ (*ξύλου, τσιγάρου*) ash *χωρίς πληθ.* · (*νεκρού*) ashes *πληθ.*
▷**γίνομαι στάχτη** to be burnt to the ground
▷**ρίχνω στάχτη στα μάτια κποιου** to pull the wool over sb's eyes
▷**στάχτη και μπούρμπερη** *ή* **μπούρμπερη (να γίνουν όλα)!** to hell with it all!

σταχτής, -ιά, -ί ΕΠΙΘ (*άλογο, πουκάμισο*) grey

(*Βρετ.*), gray (*Αμερ.*)
▶ **σταχτί** ΟΥΣ ΟΥΔ ΑΚΛ ash (grey (*Βρετ.*) *ή* gray (*Αμερ.*))

σταχτοδοχείο ΟΥΣ ΟΥΔ ashtray

σταχτοθήκη ΟΥΣ ΘΗΛ = **σταχτοδοχείο**

στάχυ ΟΥΣ ΟΥΔ ear (of corn)

σταχυολόγηση ΟΥΣ ΘΗΛ (*θεμάτων, κειμένων*) selection

σταχυολογώ Ρ Μ (*κείμενα, εκφράσεις*) to select

στεγάζω Ρ Μ (α) (*σεισμοπαθείς, πρόσφυγες*) to shelter, to house (β) (*σπίτι*) to roof · (*γήπεδο*) to cover
▷**στεγάζομαι** ΜΕΣΟΠΑΘ to be housed

στεγανός, -ή, -ό ΕΠΙΘ (*χώρος, διαμερίσματα*) watertight
▶ **στεγανά** ΟΥΣ ΟΥΔ ΠΛΗΘ (ΝΑΥΤ) bulkheads

στεγανότητα ΟΥΣ ΘΗΛ watertightness

στέγαση ΟΥΣ ΘΗΛ (α) (*σεισμοπαθών, προσφύγων*) sheltering · (*ανέργων*) housing (β) (*κτηρίου*) roofing

στεγαστικός, -ή, -ό ΕΠΙΘ (*πρόγραμμα, δάνειο*) housing

στέγαστρο ΟΥΣ ΟΥΔ (α) (= *υπόστεγο*) shelter (β) (*σε στάση λεωφορείου*) bus shelter

στέγη ΟΥΣ ΘΗΛ (α) (= *σκεπή*) roof (β) (= *σπίτι*) house, home

στεγνοκαθαριστήριο ΟΥΣ ΟΥΔ dry–cleaner's

στεγνός, -ή, -ό ΕΠΙΘ (α) (*ρούχα, ξύλα, μάτια*) dry (β) (*άνθρωπος, φωνή, ύφος*) dull
▶ **στεγνό καθάρισμα** dry–cleaning

στέγνωμα ΟΥΣ ΟΥΔ drying

στεγνώνω ① Ρ Μ (*ρούχα, μαλλιά*) to dry ② Ρ ΑΜ (*άνθρωπος*) to dry oneself · (*σεντόνι*) to dry · (*λαιμός, στόμα*) to go dry

στεγνωτήρας ΟΥΣ ΑΡΣ hairdryer

στεγνωτήριο ΟΥΣ ΟΥΔ Laundrette ® (*Βρετ.*), Laundromat ® (*Αμερ.*)

στεγνωτικός, -ή, -ό ΕΠΙΘ drying
▷**στεγνωτική συσκευή** dryer

στείβω Ρ Μ = **στύβω**

στειλιάρι ΟΥΣ ΟΥΔ (α) (*αξίνας, φτυαριού, τσεκουριού*) handle, shaft (β) (= *ρόπαλο*) cudgel (γ) (= *ξυλοκόπημα*) thrashing
▷**δίνω σε κπν ένα στειλιάρι** to give sb a thrashing

στείρος, -α, -ο ΕΠΙΘ (α) (*άνδρας, γυναίκα, ζώο*) infertile, sterile (β) (*γη, τόπος*) barren (γ) (*προσπάθεια*) fruitless (*υπόσχεση*) empty

στειρότητα ΟΥΣ ΘΗΛ (*ανθρώπου, ζώου*) infertility, sterility

στειρώνω Ρ Μ (*άνδρα, γυναίκα*) to sterilize · (*γάτα, σκύλο*) to neuter

στείρωση ΟΥΣ ΘΗΛ (*άνδρας, γυναίκας*) sterilization · (*σκύλου, γάτας*) neutering

στέισον βάγκον ΟΥΣ ΟΥΔ ΑΚΛ estate car (*Βρετ.*), station wagon (*Αμερ.*)

στείψιμο ΟΥΣ ΘΗΛ = **στύψιμο**

στέκα ΟΥΣ ΘΗΛ (α) (*μπιλιάρδου*) cue (β) (*για μαλλιά*) hairpin (γ) (*μειωτ.: για πρόσ.*)

beanpole (*ανεπ.*)

στέκι ΟΥΣ ΟΥΔ haunt, hangout (*ανεπ.*)

στέκομαι Ρ ΑΜ (α) (*επίσης* **στέκω**: = *παύω να προχωρώ*) to stop (β) (*επίσης* **στέκω**: = *είμαι όρθιος*) to stand (up) (γ) (*επίσης* **στέκω**: *κάστρο, εκκλησία*) to stand (δ) (*πορτατίφ, βάζο*) to stand up (ε) (= *αποδεικνύομαι*) to be, to prove
▷ **στάσου ένα λεπτό!** wait a minute!
▷ **στέκομαι καλά** (*για ρούχο*) to wear well
▷ **στέκομαι** ή **στέκω καλά** (*για ηλικιωμένους*) to be in good shape · (*οικονομικά*) to be well off
▷ **στέκομαι σε** ΚΠΝ to stand by sb
▷ **στέκομαι σε** ΚΠΝ **σαν πατέρας** to be like a father to sb
▷ **στέκομαι στα πόδια μου** (= *είμαι ανεξάρτητος*) to stand on one's own two feet
▷ **στέκομαι όρθιος** to stand up
▷ **στέκομαι προσοχή** to stand to attention

στέκω (*προφορ., λογοτ.*) Ρ ΑΜ: **στέκει, στέκουν** ΤΡΙΤΟΠΡΟΣ (*άποψη, επιχείρημα, λεγόμενα*) to stand up, to hold water
▷ **δεν στέκεις καλά!** (*οικ.*) you're out of your mind! · *βλ. κ.* **στέκομαι**

στέλεχος ΟΥΣ ΟΥΔ (α) (*επιχείρησης, τράπεζας*) executive · (*κόμματος*) official · (ΣΤΡΑΤ) cadre (β) (= *τμήμα διπλότυπο μπλοκ*) counterfoil (γ) (= *βλαστός*) stem, stalk (δ) (*εργαλείου*) shaft
▸ **ηγετικό στέλεχος** (*κόμματος*) leading member · (*εταιρείας*) executive

στελεχώνω Ρ Μ (*εταιρεία, επιχείρηση*) to staff

στελέχωση ΟΥΣ ΘΗΛ staffing

στέλνω Ρ Μ (*γράμμα, μήνυμα, χαιρετίσματα, στρατό, αντιπρόσωπο*) to send
▷ **στέλνω** ΚΠΝ (*αργκ.*) to stun sb, to leave sb speechless
▷ **στέλνω** ΚΠΝ **σπίτι του** (= *απολύω*) to fire sb

στέμμα ΟΥΣ ΟΥΔ (α) (= *κορώνα*) crown (β) (= *βασιλική εξουσία*) crown (γ) (ΑΣΤΡΟΝ) corona

στεναγμός ΟΥΣ ΑΡΣ (α) (= *αναστεναγμός*) sigh (β) (= *θρήνος*) lamenting

στενάζω Ρ ΑΜ (α) (= *αναστενάζω*) to sigh (β) (= *θρηνώ*) to lament

στεναχωρημένος, -η, -ο ΕΠΙΘ = **στενοχωρημένος**

στεναχώρια ΟΥΣ ΘΗΛ = **στενοχώρια**

στενάχωρος, -η, -ο ΕΠΙΘ = **στενόχωρος**

στεναχωρώ Ρ Μ = **στενοχωρώ**

στένεμα ΟΥΣ ΟΥΔ (α) (*πανrελονιού, φούστας*) taking in (β) (*δρόμου*) narrowing
▷ **χρειάζεται** ή **θέλει στένεμα** (*ρούχο*) it needs taking in

στενεύω ① Ρ Μ (α) (*πανrελόνι, φούστα*) to take in (β) (*για παπούτσια*) to be too tight for
② Ρ ΑΜ (α) (*δρόμος*) to narrow (β) (*περιθώρια, ορίζοντες*) to be narrow
▷ **στενεύουν τα πράγματα** things are getting difficult

στενή (*αργκ.*) ΟΥΣ ΘΗΛ jail, nick (*Βρετ.*) (*ανεπ.*), pen (*Αμερ.*) (*ανεπ.*)

στενό ΟΥΣ ΟΥΔ (= *σοκάκι*) alley
▸ **στενά** ΠΛΗΘ straits

στενογραφία ΟΥΣ ΘΗΛ shorthand

στενογράφος ΟΥΣ ΑΡΣ/ΘΗΛ shorthand typist (*Βρετ.*), stenographer (*Αμερ.*)

στενοκεφαλιά ΟΥΣ ΘΗΛ (α) (= *στενομυαλιά*) narrow–mindness (β) (= *ξεροκεφαλιά*) stubbornness

στενοκέφαλος, -η, -ο ΕΠΙΘ (α) (= *στενόμυαλος*) narrow–minded (β) (= *ξεροκέφαλος*) stubborn

στενόμακρος, -η, -ο ΕΠΙΘ (*γραφείο, τραπέζι*) oblong

στενομυαλιά ΟΥΣ ΘΗΛ = **στενοκεφαλιά**

στενόμυαλος, -η, -ο ΕΠΙΘ = **στενοκέφαλος**

στενός, -ή, -ό ΕΠΙΘ (α) (*παπούτσια, ρούχα*) tight · (*δρόμος*) narrow (β) (*δωμάτιο*) cramped · (*χώρος*) confined, cramped (γ) (*συγγενείς, συνεργασία*) close · (*φίλος*) close, intimate · (*σχέσεις*) intimate (δ) (*κύκλος*) close, narrow · (*μυαλό*) narrow
▷ **υπό στενή έννοια** to the letter

στενότητα ΟΥΣ ΘΗΛ (α) (*χώρου, δωματίου*) crampedness · (*δρόμου*) narrowness (β) (*πνεύματος*) narrowness (γ) (*χρημάτων, χρόνου*) lack (δ) (*σχέσεις*) closeness

στενοχωρημένος, -η, -ο ΕΠΙΘ sad, upset
▷ **είμαι/φαίνομαι στενοχωρημένος** to be/look sad ή upset

στενοχώρια ΟΥΣ ΘΗΛ sadness
▸ **στενοχώριες** ΠΛΗΘ (= *έγνοιες, σκοτούρες*) troubles
▷ **έχω στενοχώριες** to have a lot on one's mind

στενόχωρος, -η, -ο ΕΠΙΘ (α) (*σπίτι, δωμάτιο*) cramped, poky (*ανεπ.*) (β) (= *που δυσφορεί εύκολα*) easily upset (γ) (*απασχόληση, δουλειά, νέα, ειδήσεις*) distressing

στενοχωρώ Ρ Μ to upset
▸ **στενοχωρούμαι, στενοχωριέμαι** ΜΕΣΟΠΑΘ to be upset

στεντόρειος, -α, -ο ΕΠΙΘ strident, stentorian (*επίσ.*)

στενωπός ΟΥΣ ΘΗΛ narrow pass

στένωση ΟΥΣ ΘΗΛ (*αορτής, σφιγκτήρα*) stenosis

> *Προσοχή!: Ο πληθυντικός του* **stenosis** *είναι* **stenoses**.

στέπα ΟΥΣ ΘΗΛ steppe

στέργω Ρ Μ to agree
▷ **στέργω να κάνω κτ** to agree to do sth

στερεό ΟΥΣ ΟΥΔ (ΦΥΣ, ΓΕΩΜ) solid

στέρεο ΟΥΣ ΟΥΔ ΑΚΛ stereo

στερεοελλαδίτικος ΕΠΙΘ from Central Greece

στερεομετρία ΟΥΣ ΘΗΛ solid geometry

στερεοποίηση ΟΥΣ ΘΗΛ solidification

Σ

στερεοποιώ Ρ Μ to solidify

στερεός, -ή, -ό ΕΠΙΘ (α) (σώμα, καύσιμα, τοίχος, έδαφος) solid (β) (επιχειρηματολογία, λογική) sound
▷**στερεά τροφή** solids πληθ.
▶**Στερεά Ελλάδα** Central Greece

στέρεος, -η, -ο ΕΠΙΘ (α) (θεμέλιο, σκεπή, επιφάνεια) solid (β) (πίστη, αντίληψη) firm

στερεοσκοπικός, -ή, -ό ΕΠΙΘ (κινηματογράφος, οθόνη) stereoscopic

στερεότητα ΟΥΣ ΘΗΛ (α) (κτιρίου, κιόνων) solidity (β) (επιχειρήματος) soundness

στερεοτυπία ΟΥΣ ΘΗΛ (α) (ΤΥΠΟΓΡ) stereotype (β) (λόγων, εκφράσεων) lack of originality

στερεότυπος, -η, -ο ΕΠΙΘ (α) (ΤΥΠΟΓΡ) stereotyped (β) (= αμετάβλητος: λογική, τρόπος σκέψεως) stereotypical · (απάντηση) stock
▶**στερεότυπο** ΟΥΣ ΟΥΔ stereotype

στερεοφωνικός, -ή, -ό ΕΠΙΘ stereo
▶**στερεοφωνικό (συγκρότημα)** stereo (sound)

στερεοχημεία ΟΥΣ ΘΗΛ stereochemistry

στερεύω Ρ ΑΜ (α) (ποταμός, πηγή) to dry up, to run dry (β) (μτφ.: δάκρυα) to dry
▷**στερεύω από ιδέες** to run out of ideas

στερέωμα ΟΥΣ ΟΥΔ (α) (= στερέωση) fixing (β) (= ουρανός) firmament (γ) (μτφ.: πολιτικό, αθλητικό) firmament
▷**καλλιτεχνικό στερέωμα** stardom

στερεώνω 1 Ρ Μ (α) (τραπέζι) to make stable · (ράφι) to fix · (παράθυρο) to prop up (β) (μαλλιά) to pin up ή back (γ) (φιλία) to cement
2 Ρ ΑΜ: **στερεώνω σε μια δουλειά** to have a steady job, to hold a job down

στερέωση ΟΥΣ ΘΗΛ fixing

στερημένος, -η, -ο ΕΠΙΘ (α) (ζωή, χρόνια) of hardship (β) (παιδιά, χωρικοί) needy, deprived (γ) (= ανέραστος) sex–starved
▷**στερημένος αγαθών/παιδείας** without possessions/education

στέρηση ΟΥΣ ΘΗΛ (ελευθερίας, ψήφου, αγαθών) loss
▶**συναισθηματική στέρηση** emotional deprivation
▶**στερήσεις** ΠΛΗΘ deprivation εν., privation εν.

στερητικός, -ή, -ό ΕΠΙΘ privative
▶**στερητικό σύνδρομο** (ΨΥΧΟΛ) withdrawal
▶**στερητικό μόριο** (ΓΛΩΣΣ) privative prefix

στεριά ΟΥΣ ΘΗΛ land

στεριανός ΟΥΣ ΑΡΣ landlubber

στεριώνω Ρ ΑΜ = **στερεώνω**

στερλίνα ΟΥΣ ΘΗΛ sterling

στερνά (ανεπ.) ΟΥΣ ΟΥΔ ΠΛΗΘ old age εν.
▷**είμαι στα στερνά μου** to be on one's last legs (ανεπ.)

στέρνα ΟΥΣ ΘΗΛ water tank, cistern (Βρετ.)

στέρνο ΟΥΣ ΟΥΔ (ΑΝΑΤ) sternum

στερνοπαίδι ΟΥΣ ΟΥΔ youngest child

στερνοπούλι ΟΥΣ ΟΥΔ youngest child

στερνός, -ή, -ό ΕΠΙΘ (= τελευταίος) final
▷**στερνή μου γνώση να σ' είχα πρώτα** if only I'd known at the time

στεροειδές ΟΥΣ ΟΥΔ steroid

στέρφος, -α, -ο ΕΠΙΘ (α) (= στείρος) sterile (β) (μτφ.: γη, βοσκοτόπι) barren

στερώ Ρ Μ: **στερώ κποιου κτ** ή **από κπν κτ** to deprive sb of sth
▶**στερούμαι** ΜΕΣΟΠΑΘ (οικογένεια) to miss · (φαγητό, ρούχα) to want for, to lack · (υπηρεσίες) to do without
▷**στερούμαι τα πάντα για κπν** to deprive oneself for sb
▷**στερούμαι τής κοινής λογικής** to lack common sense

στέφανα ΟΥΣ ΟΥΔ ΠΛΗΘ wedding wreaths
▷**καλά στέφανα!** (ως ευχή) wish made to an engaged couple for a happy wedding

στεφάνη ΟΥΣ ΘΗΛ (α) (βαρελιού) hoop · (τροχού) rim (β) (στην καλαθοσφαίριση) rim (γ) (ΑΣΤΡΟΝ) corona (δ) (ΒΟΤ) corolla (ε) (δοντιού) crown

στεφάνι ΟΥΣ ΟΥΔ (α) (γενικότ.) wreath (β) (= νυφικός στέφανος) wedding wreath (γ) (= νόμιμος σύζυγος) spouse
▷**καταθέτω στεφάνι** to lay a wreath

στεφανιαίος, -α, -ο ΕΠΙΘ: **στεφανιαίος ανεπάρκεια** coronary insufficiency
▶**στεφανιαία αρτηρία** coronary artery
▶**στεφανιαία νόσος** coronary heart disease

στεφανοχάρτι ΟΥΣ ΟΥΔ marriage certificate

στεφανώνω Ρ Μ (α) (= επιβραβεύω: νικητή, αθλητή) to crown (β) (= παντρεύω) ≈ to be best man to
▶**στεφανώνομαι** ΜΕΣΟΠΑΘ to get married
▷**στεφανώνομαι κπν** to marry sb

στέφω Ρ Μ (= τοποθετώ στέμμα σε ηγεμόνα) to crown
▶**στέφομαι** ΜΕΣΟΠΑΘ to be crowned

στέψη ΟΥΣ ΘΗΛ (α) (βασιλιά, αυτοκράτορα) coronation (β) (για γάμο) wedding ceremony

στηθάγχη ΟΥΣ ΘΗΛ angina

στηθαίο ΟΥΣ ΟΥΔ parapet

στήθια ΟΥΣ ΟΥΔ ΠΛΗΘ (γυναίκας) breasts

στηθόδεσμος ΟΥΣ ΑΡΣ bra

στήθος ΟΥΣ ΟΥΔ (α) (ΑΝΑΤ) chest (β) (= μαστοί γυναίκας) breasts πληθ., bust (γ) (μτφ.: = καρδιά) heart (δ) (ΜΑΓΕΙΡ) breast
▷**από στήθους** by heart
▷**με διαφορά στήθους** by a nose
▷**μητρικό στήθος** mother's breast
▷**προτάσσω τα στήθη μου** to take a stand
▷**στήθος με στήθος** neck and neck

στηθοσκόπιο ΟΥΣ ΟΥΔ stethoscope

στήλη ΟΥΣ ΘΗΛ (α) (ΑΡΧΙΤ) pillar, column (β) (καπνού) pillar (γ) (εφημερίδας) column (δ) (= κάθετη διάταξη σελίδας) column
▷**μένω στήλη άλατος** to be rooted to the spot
▶**αναμνηστική στήλη** memorial tablet

Σ

▸**επιτύμβια στήλη** headstone
▸**ηλεκτρική στήλη** battery
▹**σπονδυλική στήλη** spinal *ή* vertebral column, spine
στηλιτεύω Ρ Μ to condemn, to pillory (*επίσ.*)
στηλώνω Ρ Μ (*βλέμμα*) to fix
στημένος, -η, -ο ΜΤΧ (α) (= *που έχει στηθεί*) fixed (β) (= *φτιαχτός: αγώνας*) fixed · (*δουλειά*) set up (γ) (*σκηνή*) (put) up · (*καταυλισμό*) set up (δ) (= *προσποιητός: για πρόσ.*) stiff · (*χαμόγελο*) forced
▹**είμαι στημένος εδώ από ώρες** I've been standing here waiting for hours
▹**την έχω στημένη σε κπν** to lie in wait for sb
στήμονας ΟΥΣ ΑΡΣ stamen
στημόνι ΟΥΣ ΟΥΔ warp
στήνω Ρ Μ (α) (*κοντάρι, μπουκάλι*) to stand (β) (*τέντα*) to pitch, to put up · (*καταυλισμό*) to set up (γ) (*άγαλμα, μνημείο*) to put up, to erect (δ) (*επιχείρηση, εταιρεία*) to set up (ε) (*παράσταση*) to put on (στ) (*αρνητ.: αγώνα, διαγωνισμό*) to fix (ζ) (= *μοντάρω: μηχανή*) to mount, to assemble · (*πλατφόρμα*) to erect, to put up
▹**στήνω αυτί** to eavesdrop
▹**στήνω καβγά** to pick a fight
▹**στήνω καρτέρι σε κπν** to ambush sb, to lie in wait for sb
▹**στήνω κπν** (*για ραντεβού*) to stand sb up, to keep sb waiting
▹**στήνω κπν στον τοίχο** to stand sb against the wall · (*μτφ.*) to put all the blame on sb
▹**στήνω παγίδα** to set a trap
▹**το στήνω στην κουβέντα** to start chatting
▹**το στήνω στο χαρτί** to start playing cards
▹**στήνω φάρσα σε κπν** to play a trick on sb
▹**στήνω χορό** to start dancing
▸**στήνομαι** ΜΕΣΟΠΑΘ (= *κάθομαι πολλές ώρες*) to hang around
στήριγμα ΟΥΣ ΟΥΔ (α) (= *μέσο στήριξης*) prop · (= *βάση*) support (β) (= *βοήθεια*) support (γ) (= *προστάτης: για πρόσ.*) support
στηρίζω Ρ Μ (α) (= *υποβαστάζω*) to support (β) (*σκάλα*) to stand, to lean · (*αγκώνες, κεφάλι*) to rest (γ) (= *βοηθάω*) to support (δ) (*ιδέα, κόμμα, προσπάθεια*) to support (ε) (= *θεμελιώνω: απόφαση, απόψεις*) to base · (*ελπίδες*) to pin
▹**στηρίζω κπν ηθικά/υλικά** to give sb moral/financial support
▹**στηρίξου πάνω μου!** you can depend on me!
▹**φάε κάτι, να σε στηρίξει** eat something to keep you going
στήριξη ΟΥΣ ΘΗΛ (α) (= *στερέωση*) support (β) (*σκάλας*) standing, leaning · (*κεφαλιού*) resting (γ) (= *παροχή βοήθειας*) support (δ) (*προτάσης, επιχειρημάτων*) backing up, support
στήσιμο ΟΥΣ ΟΥΔ (α) (*πασσάλου, σημαίας*) putting up (β) (*τέντας*) pitching · (*κεραίας*) putting up (γ) (*επιχείρησης, νοικοκυριού*)

setting up · (*παράστασης*) putting on (δ) (*για πρόσ.: τρόπος με τον οποίο στέκεται κανείς*) posture, stance · (= *αποινσία φυσικότητας*) stiffness (ε) (*για ραντεβού*) standing up
στητός, -ή, -ό ΕΠΙΘ (α) (*για άνθρωπο*) erect (β) (*στήθος*) firm
▹**κάθομαι στητός** to sit bolt upright
στιβάδα ΟΥΣ ΘΗΛ (*ηλεκτρονίων, κυττάρων*) layer
στιβαρός, -ή, -ό ΕΠΙΘ strong
▹**χρειάζεται στιβαρό χέρι** (*μτφ.*) a firm hand is needed
στίβος ΟΥΣ ΑΡΣ (α) (= *χώρος σταδίου*) track · (= *χώρος ιπποδρόμου*) racecourse (*Βρετ.*), racetrack (*Αμερ.*) (β) (ΑΘΛ: = *αγωνίσματα*) athletics *πληθ.* (*Βρετ.*), track and field (*Αμερ.*) (γ) (*μτφ.*) arena
στίγμα ΟΥΣ ΟΥΔ (α) (= *κηλίδα*) spot · (= *λεκές*) mark (β) (= *ηθική κηλίδα*) disgrace (γ) (*για πλοίο, αεροπλάνο*) position (δ) stigma

> *Προσοχή!: Ο πληθυντικός του* stigma *είναι* stigmas *ή* stigmata.

▹**αποτελώ στίγμα για κπν/κτ** to be a disgrace to sb/sth
▹**κοινωνικό στίγμα** social stigma
▸**βοηθητικό στίγμα** reference point
στιγματίζω Ρ Μ (α) (= *σημειώνω με στίγματα*) to spot (β) (= *στηλιτεύω*) to condemn, to pillory (*επίσ.*) (γ) (= *επιδρώ: ζωή, περιοχή*) to mark (δ) (*υπόληψη, φήμη*) to tarnish · (*επίτειο*) to cast a pall over
στιγματισμός ΟΥΣ ΑΡΣ (α) (*κυριολ.*) staining (β) (*μτφ.: = ηθική μομφή*) stigmatization
στιγμάτωση ΟΥΣ ΘΗΛ leaf spot
στιγμή ΟΥΣ ΘΗΛ (α) (= *ελάχιστο χρονικό διάστημα*) moment, instant (β) (= *ευκαιρία*) time, moment (γ) (ΤΥΠΟΓΡ) point
▹**ανά πάσα στιγμή** at any time
▹**από στιγμή σε στιγμή** any moment *ή* time (now)
▹**από τη μια στιγμή στην άλλη** from one moment to the next
▹**από τη στιγμή που** (= *αφότου*) from the moment (that) · (= *εφόσον*) seeing as
▹**ζω καλές και κακές στιγμές** to have one's good times and bad times *ή* one's ups and downs
▹**κρίσιμη στιγμή** critical moment
▹**μέχρι στιγμής** up until *ή* to now
▹**μια στιγμή!** hang on a minute!, wait a minute!
▹**όταν έρθει η (κατάλληλη) στιγμή** when the time is right, at the right moment *ή* time
▹**(ούτε) στιγμή δεν σκέφτηκα να σε προδόσω** not for a moment did I think of betraying you
▹**στη στιγμή** instantly
▹**στιγμές χαράς** happy times
▹**τη μια στιγμή..., την άλλη...** one minute..., and the next...
▹**τη στιγμή που** (= *ενόσω*) as, while ·

Σ

(= *εφόσον*) seeing as
▷**της στιγμής** (*καφές*) instant · (*σχέδια*) vague · (*σκίτσα*) rough
▷**την τελευταία στιγμή** at the last minute
▸**άνω στιγμή** semicolon

στιγμιαίος, -α, -ο ΕΠΙΘ (α) (*λάμψη*) brief · (*ξέσπασμα*) momentary (β) (*καφές*) instant

στιγμιότυπο ΟΥΣ ΟΥΔ (*φωτογραφία*) still · (*πολέμου*) footage εν.
▷**φωτογραφικό στιγμιότυπο** snapshot
▸**στιγμιότυπα** ΠΛΗΘ (*αγώνα*) highlights

στικ ΟΥΣ ΟΥΔ ΑΚΛ stick
▷**στικ για τα χείλη** lipstick
▷**στικ κόλλα** stick of glue

στίλβωμα ΟΥΣ ΟΥΔ *βλ.* **στίλβωση**

στιλβώνω Ρ Μ to polish

στίλβωση ΟΥΣ ΘΗΛ polishing

στιλβωτήριο ΟΥΣ ΟΥΔ shoeshine parlour (*Βρετ.*) or parlor (*Αμερ.*)

στιλβωτής ΟΥΣ ΑΡΣ shoeshine boy ή man

στιλβωτικός, -ή, -ό ΕΠΙΘ polishing

στιλέτο ΟΥΣ ΟΥΔ stiletto (*knife*)

στιλιζάρισμα ΟΥΣ ΟΥΔ stylization

στιλιζάρω Ρ Μ to stylize

στιλίστας ΟΥΣ ΑΡΣ stylist

στιλπνός, -ή, -ό ΕΠΙΘ (*μαλλιά*) shiny, glossy · (*μετάξι*) shiny · (*επιφάνεια*) polished

στιλπνότητα ΟΥΣ ΘΗΛ shine · (*επίπλου*) polish

στίξη ΟΥΣ ΘΗΛ punctuation

στιφάδο ΟΥΣ ΟΥΔ meat stewed in onions and tomato sauce

στίφος ΟΥΣ ΟΥΔ horde

στίφτης ΟΥΣ ΑΡΣ (*μαγειρικό σκεύος*) squeezer · (*ηλεκτρικός*) juicer

στιχομυθία ΟΥΣ ΘΗΛ dialogue (*Βρετ.*), dialog (*Αμερ.*)

στίχος ΟΥΣ ΑΡΣ (α) (*για ποίηση*) verse (β) (= *η σειρά έντυπου κειμένου*) line
▷**ιαμβικός στίχος** iambic verse
▷**ομοιοκατάληκτοι στίχοι** rhyming verse
▷**ελεύθερος στίχος** free verse
▸**στίχοι** ΠΛΗΘ (*τραγουδιού*) lyrics

στιχούργημα ΟΥΣ ΟΥΔ piece of verse

στιχουργία ΟΥΣ ΘΗΛ versification

στιχουργική ΟΥΣ ΘΗΛ versification

στιχουργός ΟΥΣ ΑΡΣ&ΘΗΛ verse writer · (*για τραγούδια*) lyric writer

στιχουργώ Ρ ΑΜ to write in verse · (*για τραγούδια*) to write lyrics

στοά ΟΥΣ ΘΗΛ (α) (ΑΡΧΑΙΟΛ) stoa

Προσοχή!: Ο πληθυντικός του **stoa** *είναι* **stoas** *ή* **stoae**.

(β) (= *πέρασμα*) passageway (γ) (= *λαγούμι*) gallery (δ) (ΦΙΛΟΣ) Stoics *πληθ.*
▸**εμπορική στοά** shopping arcade
▸**τεκτονική στοά** Masonic lodge

στοίβα ΟΥΣ ΘΗΛ pile
▷**μια στοίβα (από) βιβλία/ρούχα** a pile of

books/clothes

στοιβάζω Ρ Μ (α) (*βιβλία, ρούχα, ξύλα*) to put in a pile, to pile (up) (β) (= *στρυμώχνω σε στενό χώρο*) to cram, to pack
▸**στοιβάζομαι** ΜΕΣΟΠΑΘ to cram

στοιχειό ΟΥΣ ΟΥΔ ghost · (= *υπερφυσικό ον*) goblin, elf

Προσοχή!: Ο πληθυντικός του **elf** *είναι* **elves**.

στοιχείο ΟΥΣ ΟΥΔ (α) (= *μέρος συνόλου*) element (β) (ΦΥΣ, ΧΗΜ) element (γ) (ΤΥΠΟΓΡ) type (δ) (*προόδου, ευημερίας*) factor (ε) (= *απόδειξη*) proof *χωρίς πληθ.*, evidence *χωρίς πληθ.* (στ) (= *πληθυσμική ομάδα*) community (ζ) (*αρνητ.: για πρόσ.*) element (η) (= *πληροφορίες*) information *χωρίς πληθ.* (θ) (= *θεμελιώδεις γνώσεις*) basics *πληθ.*, rudiments *πληθ.*
▷**είμαι στο στοιχείο μου** to be in one's element
▸**αποδεικτικό στοιχείο** proof *χωρίς πληθ.*, evidence *χωρίς πληθ.*
▷**παίρνω τα στοιχεία κποιου** to take sb's (personal) details down
▷**τα στοιχεία της φύσης** the elements
▸**περιουσιακά στοιχεία** assets
▸**στοιχεία** ΠΛΗΘ (= *δεδομένα*) data

στοιχειοθεσία ΟΥΣ ΘΗΛ *βλ.* **στοιχειοθέτηση**

στοιχειοθέτης ΟΥΣ ΑΡΣ typesetter

στοιχειοθέτηση ΟΥΣ ΘΗΛ typesetting

στοιχειοθετώ Ρ Μ (ΤΥΠΟΓΡ) to set, to typeset

στοιχειώδης, -ης, -ες ΕΠΙΘ (*γραμματική, αρχή*) basic, elementary · (*ανάγκη, δικαιώματα*) basic · (*γνώσεις*) basic, rudimentary
▸**στοιχειώδης εκπαίδευση** primary education (*Βρετ.*), elementary education (*Αμερ.*)

στοιχειωμένος, -η, -ο ΕΠΙΘ haunted

στοιχειώνω ① Ρ Μ (α) (= *γίνομαι στοιχειό*) to become a ghost (β) (*για τόπο*) to be haunted
② Ρ Μ (*για φάντασμα*) to haunt
▷**στοιχειώνω το μυαλό κποιου** to haunt sb

στοιχηδόν ΕΠΙΡΡ (*επίσ.*) in order

στοίχημα ΟΥΣ ΟΥΔ bet · (= *ποσό*) stake
▷**βάζω στοίχημα** to make a bet · (*επίσης μτφ.*) to bet
▷**κερδίζω/χάνω στοίχημα** to win/lose a bet

στοιχηματίζω ① Ρ Μ to bet
② Ρ ΑΜ to bet
▷**στοιχηματίζω μια μπίρα/δέκα ευρώ ότι...** I'll bet you a beer/ten euros that...
▷**στοιχηματίζω ότι δεν θα έρθει** I bet he won't come
▷**στοιχηματίζω για** ή **σ' ένα άλογο** to bet on a horse

στοιχίζω ① Ρ Μ (α) (= *κοστίζω*) to cost (β) (= *προξενώ λύπη: θάνατος, χωρισμός*) to upset, to be a blow to (γ) (= *διατάσσω σε στοίχους*) to line up
② Ρ ΑΜ (= *έχω υψηλό κόστος*) to cost a lot

▷**δεν μου στοιχίζει** (= δεν δίνω σημασία) I don't care

▷**δεν μου στοιχίζει τίποτε** (= δεν είναι δύσκολο) it's nothing to me

▷**δεν στοιχίζει τίποτα** it isn't worth anything

▷**μου στοίχισε τα μαλλιά τής κεφαλής μου** it cost me the earth (ανεπ.)

▷**στοιχίζω φθηνά** to be cheap

▷**στοιχίζω ακριβά ή πολύ** to cost a lot, to be expensive

▷**του στοίχισε την απόλυσή του/τη ζωή** it cost him his job/his life

στοίχιση ΟΥΣ ΘΗΛ lining up

▷**στοίχιση!** (παράγγελμα) get in line!

στοίχος ΟΥΣ ΑΡΣ line

στοκάρισμα ΟΥΣ ΟΥΔ plastering · (για τζάμια) applying putty

στοκάρω Ρ Μ (τοίχο) to plaster · (τζάμια) to seal with putty

στόκος ΟΥΣ ΑΡΣ plaster, stucco · (για τζάμια) putty

Στοκχόλμη ΟΥΣ ΘΗΛ Stockholm

στόλαρχος ΟΥΣ ΑΡΣ admiral

στολή ΟΥΣ ΘΗΛ uniform

▷**εν στολή** in uniform

►**αστυνομική στολή** police uniform

►**εθνική στολή** national costume ή dress

►**ιερατική στολή** vestments πληθ.

►**μεγάλη στολή** dress uniform

►**στολή αγγαρείας** fatigues πληθ.

►**στολή αστροναύτη** spacesuit

►**στολή για καταδύσεις** wet suit

►**στολή δύτη** diving suit

►**στολή εκστρατείας** battle dress

►**στολή του σκι** ski suit

►**στρατιωτική στολή** military uniform

στολίδι ΟΥΣ ΟΥΔ **(α)** (= κόσμημα) jewel, piece of jewellery (Βρετ.) ή jewelry (Αμερ.) **(β)** (= μπιχλιμπίδι) bauble **(γ)** (= ποίκιλμα) embellishment

▷**το στολίδι του σπιτιού/της πόλης** the pride and joy of the family/town

►**χριστουγεννιάτικα στολίδια** Christmas decorations

στολίζω Ρ Μ **(α)** (χριστουγεννιάτικο δέντρο, σπίτι) to decorate **(β)** (νύφη) to dress up **(γ)** (δρόμο, λόφο) to adorn

▷**στολίζω κπν όπως μου άξιζε ή για τα καλά** (οικ.) to give sb what for (ανεπ.)

►**στολίζομαι** ΜΕΣΟΠΑΘ to dress up

στόλισμα ΟΥΣ ΟΥΔ **(α)** (δέντρου, σπιτιού) decorating **(β)** (= στολίδι) adornment

στολισμός ΟΥΣ ΑΡΣ **(α)** (δέντρου, σπιτιού, εκκλησίας) decorating **(β)** (= στολίδι) adornment

στόλος ΟΥΣ ΑΡΣ fleet

▷**αλιευτικός στόλος** fishing fleet

▷**εμπορικός στόλος** merchant fleet

στόμα ΟΥΣ ΟΥΔ mouth

▷**από το στόμα που τα πήρες** you took the words (right) out of my mouth

▷**από το στόμα σου και στου Θεού τ'αυτί!** if only that were true!

▷**έχω βρόμικο στόμα** to be foul–mouthed

▷**έχει ένα στόμα!** he has a foul mouth!

▷**κλείνω το στόμα κποιου** to shut sb up

▷**γλιτώνω από το στόμα του λύκου** to escape by the skin of one's teeth

▷**κρατώ το στόμα μου κλειστό** to keep one's mouth shut

▷**μάζεψε το στόμα σου!** hold your tongue!

▷**μ' ένα στόμα** with one voice

▷**με την ψυχή στο στόμα** in a rush

▷**μένω μ'ανοιχτό το στόμα** to be open–mouthed ή aghast

▷**στέλνω κπν στο στόμα του λύκου** to send sb into the lion's den

▷**στόμα έχει και μιλιά δεν έχει** he/she doesn't say a word · (ειρων.: για φλύαρο) what a blabbermouth

▷**στόμα με στόμα** mouth to mouth

στοματικός, -ή, -ό ΕΠΙΘ (κοιλότητα) oral

▷**στοματικό διάλυμα** mouthwash

▷**στοματικό σεξ** oral sex

στοματίτιδα ΟΥΣ ΘΗΛ stomatitis (επιστ.), inflammation of the mouth

στοματολογία ΟΥΣ ΘΗΛ stomatology

στοματολόγος ΟΥΣ ΑΡΣ&ΘΗΛ stomatologist, mouth specialist

στομάχι ΟΥΣ ΟΥΔ stomach

▷**έχω στομάχι** to have stomachache

▷**με άδειο/γεμάτο στομάχι** on an empty/a full stomach

▷**μου κάθεται στο στομάχι** (για τροφή) I've got indigestion · (για άτομο) I can't stand him

στομαχιάζω Ρ ΑΜ to have indigestion

στομαχικός, -ή, -ό ΕΠΙΘ (κοιλότητα, διαταραχή) stomach

►**στομαχικός** ΟΥΣ ΑΡΣ, **στομαχική** ΟΥΣ ΘΗΛ: **είμαι στομαχικός** to have a delicate stomach

στομαχόπονος ΟΥΣ ΑΡΣ stomachache

στόμαχος ΟΥΣ ΑΡΣ (επίσ.) stomach

στόμιο ΟΥΣ ΟΥΔ **(α)** (σπηλαίου, σήραγγας, φρέατος) mouth · (φιάλης) spout **(β)** (πίπας, μουσικού οργάνου) mouthpiece · (σωλήνα) nozzle **(γ)** (ποταμού) mouth **(δ)** (ΑΝΑΤ) orifice

στόμφος ΟΥΣ ΑΡΣ bombast, pomposity

▷**μιλώ με στόμφο** to be bombastic ή pompous

▷**παίζω με στόμφο** (για ηθοποιό) to ham it up

στομφώδης, -ης, -ες ΕΠΙΘ bombastic, pompous

στοπ ΟΥΣ ΟΥΔ ΑΚΛ **(α)** (γενικότ.) stop **(β)** (σήμα της Τροχαίας) stop sign **(γ)** (αυτοκινήτου) brake light

▷**κάνω στοπ** to stop

στόπερ ① ΟΥΣ ΑΡΣ ΑΚΛ (στο ποδόσφαιρο) stopper

② ΟΥΣ ΟΥΔ ΑΚΛ (για πόρτα) doorstop

στοργή ΟΥΣ ΘΗΛ affection

▷**δείχνω στοργή** to show affection

Σ

στοργικός, -ή, -ό ΕΠΙΘ (α) (*φροντίδα, περιποιήσεις, σχέση*) loving · (*φιλί, λόγος*) affectionate · (*ματιά*) affectionate, fond (β) (*μάνα, αδελφός*) loving, affectionate

στόρι[1] ΟΥΣ ΟΥΔ (= *παραπέτασμα σε παράθυρο*) blind

στόρι[2] ΟΥΣ ΟΥΔ ΑΚΛ (*ταινίας*) story

στουμπίζω Ρ Μ (α) (*σκόρδο, κρεμμύδι*) to crush (β) (= *χτυπώ*) to beat

στούμπος ΟΥΣ ΑΡΣ (α) (= *γουδοχέρι*) pestle (β) (*μειωτ.*: = *πολύ κοντός*) midget (*ανεπ.*)

στουμπώνω (*ανεπ.*) ① Ρ Μ (α) (= *παραγεμίζω*: *πλυντήριο, σάκο*) to stuff (β) (= *φράζω*: *νεροχύτη*) to block (γ) (= *ταΐζω υπέρμετρα*) to stuff (*ανεπ.*)
② Ρ ΑΜ (= *χορταίνω*) to be stuffed (*ανεπ.*)

στούντιο ΟΥΣ ΟΥΔ ΑΚΛ (α) (*ζωγράφου, γλύπτη*) studio (β) (*τηλεοπτικό, ραδιοφωνικό*) studio (γ) (= *διαμέρισμα*) studio (flat (*Βρετ.*) ή apartment (*Αμερ.*))

στουπέτσι ΟΥΣ ΟΥΔ white lead

στουπί ΟΥΣ ΟΥΔ ΑΚΛ (α) (= *απόξεσμα από νήμα λιναριού*) cotton waste (β) (= *βούλωμα για βαρέλι κρασιού*) tap
▷ **στουπί (στο μεθύσι)** blind drunk, plastered (*ανεπ.*), sloshed (*ανεπ.*)

στουρνάρι ΟΥΣ ΟΥΔ (α) (= *πέτρα*) flint (β) (*μειωτ.*: *για πρόσ.*) numbskull

στόφα ΟΥΣ ΘΗΛ (α) (= *πολύ καλό ύφασμα*) chintz (β) (*για πρόσ.*) makings *πληθ.*
▷ **έχω στόφα πολιτικού** to have the makings of a politician

στοχάζομαι ① Ρ Μ to think of
② Ρ ΑΜ to reflect (*για* on)

στοχασμός ΟΥΣ ΑΡΣ thought, reflection
▷ **βρίσκομαι σε βαθύ στοχασμό** to be deep in thought
▷ **πέφτω σε στοχασμούς** to become lost in thought
▷ **φιλοσοφικός στοχασμός** philosophical thought

στοχαστής ΟΥΣ ΑΡΣ thinker

στοχαστικός, -ή, -ό ΕΠΙΘ thoughtful

στόχαστρο ΟΥΣ ΟΥΔ (*κυριολ., μτφ.*) sights *πληθ.*
▷ **βάζω κπν/κτ στο στόχαστρο** to have sb/sth in one's sights

στοχεύω Ρ ΑΜ: **στοχεύω σε** (*κυριολ., μτφ.*) to aim at
▷ **στοχεύω στα ψηλά** to aim high

στόχος ΟΥΣ ΑΡΣ (α) (= *αντικείμενο στόχευσης*) target (β) (= *σκοπός*) aim, objective (γ) (*κριτικής, ειρωνείας*) target
▷ **βάζω ή θέτω στόχο** (*κυριολ.*) to set up a target · (*μτφ.*) to set oneself a goal
▷ **βάζω στόχο να κάνω κτ** to aim to do sth
▷ **γίνομαι στόχος** to become a target
▷ **επιτυγχάνω στον στόχο μου** to achieve one's aim ή objective
▷ **κινούμενος στόχος** moving target
▷ **οι στόχοι μου στη ζωή** one's goals in life

στραβά ΕΠΙΡΡ (α) (= *λοξά*) crookedly (β) (= *εσφαλμένα*) wrongly
▷ **ξεκινώ στραβά** to go wrong from the start
▷ **το κατάλαβες στραβά** you've misunderstood, you've got it all wrong

στραβάδι ΟΥΣ ΟΥΔ (α) (*μειωτ.*: = *που δεν βλέπει καλά*) four–eyes *εν.* (*ανεπ.*) (β) (*αργκ.*: = *νεοσύλλεκτος*) rookie (*ανεπ.*)

στραβισμός ΟΥΣ ΑΡΣ squint, strabismus (*επιστ.*)

στραβοκάννης, -α, -ικο ΕΠΙΘ bow–legged, bandy–legged

στραβολαιμιάζω Ρ ΑΜ to crane one's neck

στραβομάρα ΟΥΣ ΘΗΛ = **στραβωμάρα**

στραβομουτσουνιάζω Ρ ΑΜ to pull a face

στραβόξυλο ΟΥΣ ΟΥΔ (*για πρόσ.*) sourpuss (*ανεπ.*)

στραβοπάτημα ΟΥΣ ΟΥΔ (*μτφ.*) error
▷ **κάνω στραβοπάτημα** (*κυριολ., μτφ.*) to trip up

στραβοπατώ Ρ ΑΜ (α) (= *παραπατώ*) to trip (up), to miss one's footing (β) (= *πέφτω σε σφάλμα*) to trip up

στραβοπόδαρος, -η, -ο ΕΠΙΘ bow–legged, bandy–legged
▸ **στραβοπόδαρος** ΟΥΣ ΑΡΣ, **στραβοπόδαρη** ΟΥΣ ΘΗΛ person with bow ή bandy legs

στραβοπόδης, -α, -ικο ΕΠΙΘ = **στραβοπόδαρος**

στραβός, -ή, -ό ΕΠΙΘ (α) (*μύτη, γραμμές, ξύλο*) crooked (β) (*τοίχος, κολόνα*) leaning · (*στέγη*) sloping (γ) (= *λανθασμένος*: *απόφαση, άποψη*) wrong (δ) (*μειωτ.*: = *τυφλός*) blind
▷ **άνοιξε τα στραβά σου!** open your eyes!
▷ **κάνω τα στραβά μάτια σε κτ** to turn a blind eye to sth
▷ **παίρνω απόφαση στα στραβά** to make a snap ή hasty decision
▷ **παίρνω το στραβό δρόμο** (*για πρόσ.*) to go astray · (*για υποθέσεις*) to go wrong
▷ **στα στραβά** (*πυροβολώ, διαλέγω*) at random · (*χτυπώ*) blindly
▷ **στραβή κρίση** misjudg(e)ment

στραβοτιμονιά ΟΥΣ ΘΗΛ (α) (= *κακός χειρισμός τιμονιού*) swerve (β) (= *παράπτωμα*) error

στράβωμα ΟΥΣ ΟΥΔ (*σπονδυλικής στήλης, λαιμού*) twisting

στραβωμάρα ΟΥΣ ΘΗΛ (α) (= *τύφλα*) blindness (β) (= *κακοτυχία*) bad luck *χωρίς πληθ.*
▷ **στραβωμάρα!** watch where you're going!

στραβώνω ① Ρ Μ (α) (*κλειδί*) to bend · (*ξύλο*) to warp (β) (*κεφάλι, λαιμό*) to twist (around) (γ) (*δουλειά*) to mess up (δ) (= *τυφλώνω*) to blind · (*με φώτα*) to dazzle
② Ρ ΑΜ (α) (= *γίνομαι στραβός*) to bend · (*ξύλα*) to warp, to buckle (β) (= *χαλάω*: *δουλειά*) to go wrong
▸ **στραβώνομαι** ΜΕΣΟΠΑΘ (= *γίνομαι τυφλός*) to go blind · (= *κουράζω πολύ τα μάτια*) to strain one's eyes

στραγάλι ΟΥΣ ΟΥΔ roasted chickpea

στραγγαλίζω Ρ Μ to strangle

στραγγαλιστής ΟΥΣ ΑΡΣ strangler

στραγγίζω ① Ρ Μ (α) (*ρούχα, νερό, σφουγγάρι*) to wring out (β) (*γάλα, κρασί*) to strain (γ) (*νταμιτζάνα*) to drain, to empty (δ) (= *εξαντλώ*) to drain
② Ρ ΑΜ (α) (*για ρούχα*) to drip, to drip–dry · (*για πιάτα*) to drain (β) (= *εξαντλούμαι*) to be drained

στράγγισμα ΟΥΣ ΟΥΔ (α) (= *σούρωμα*) straining (β) (*για ρούχα*) wringing (out)

στραγγιστήρι ΟΥΣ ΟΥΔ draining board (*Βρετ.*), drain board (*Αμερ.*)

στραγγιστός, -ή, -ό ΕΠΙΘ strained

στράκα ΟΥΣ ΘΗΛ crack
▷**κάνω στράκες** (= *κάνω μπαμ*) to cause a stir

στραμπούληγμα ΟΥΣ ΟΥΔ sprain

στραμπουλίζω Ρ Μ (*αστράγαλο, πόδι*) to sprain

στραπατσάρισμα ΟΥΣ ΟΥΔ (α) (= *ζημιά*) damage (β) (= *εξευτελισμός*) humiliation

στραπατσαρισμένος, -η, -ο ΕΠΙΘ (*αυτοκίνητο, μηχάνημα*) wrecked

στραπατσάρω Ρ Μ (α) (*αυτοκίνητο*) to wreck, to smash up · (*φόρεμα, ζωή*) to ruin (β) (= *εξευτελίζω*) to humiliate

στραπάτσο ΟΥΣ ΟΥΔ ΑΚΛ: **παθαίνω (μεγάλο) στραπάτσο** (*σπίτι*) to be (badly) damaged · (*έμποροι*) to be (badly) hit · (= *εξευτελίζομαι*) to be humiliated

στρας ΟΥΣ ΟΥΔ ΑΚΛ paste
▷**κολιέ στρας** paste necklace
▷**φορώ στρας** to wear costume jewellery (*Βρετ.*) ή jewelry (*Αμερ.*)

Στρασβούργο ΟΥΣ ΟΥΔ Strasbourg

στράτα ΟΥΣ ΘΗΛ (α) (= *δρόμος*) street (β) (*για μωρό*) baby walker
▷**κάνω στράτα** to start to walk

στρατάρχης ΟΥΣ ΑΡΣ field marshal

στραταρχία ΟΥΣ ΘΗΛ marshalship

στραταρχικός, -ή, -ό ΕΠΙΘ (*ράβδος*) marshal's

στράτευμα ΟΥΣ ΟΥΔ army, armed forces *πληθ.*

στρατευμένος, -η, -ο ΕΠΙΘ (α) (*παιδιά, νιάτα*) enlisted (β) (*μτφ.*) committed
▸**στρατευμένος** ΟΥΣ ΑΡΣ enlisted man

στρατεύομαι Ρ ΑΜ (α) (= *στρατολογούμαι*) to join the army, to enlist (β) (= *είμαι στρατεύσιμος*) to be liable for military service (γ) (*μτφ.*) to be committed (*σε* to)

στράτευση ΟΥΣ ΘΗΛ (α) (= *κατάταξη στον στρατό*) military service (β) (*μτφ.*) commitment

στρατεύσιμος, -η, -ο ΕΠΙΘ liable for military service

στρατηγείο ΟΥΣ ΟΥΔ (*κυριολ., μτφ.*) headquarters

στρατήγημα ΟΥΣ ΟΥΔ (α) (ΣΤΡΑΤ) strategy (β) (*μτφ.*) ploy, stratagem (*επίσ.*)

στρατηγία ΟΥΣ ΘΗΛ generalship

στρατηγική ΟΥΣ ΘΗΛ strategy

στρατηγικός, -ή, -ό ΕΠΙΘ (*θέση, σχεδιασμός, όπλα*) strategic

στρατηγός ΟΥΣ ΑΡΣ (ΣΤΡΑΤ) general

στρατηλάτης ΟΥΣ ΑΡΣ brilliant general

στρατιά ΟΥΣ ΘΗΛ (*κυριολ., μτφ.*) army

στρατιώτης ΟΥΣ ΑΡΣ (α) (ΣΤΡΑΤ) soldier (β) (*μτφ.: ειρήνης*) advocate
▷**το μνημείο του 'γνωστου στρατιώτη** the tomb of the Unknown Soldier ή Warrior

στρατιωτικό ΟΥΣ ΟΥΔ military service

στρατιωτικός, -ή, -ό ① ΕΠΙΘ (*θητεία, εξοπλισμός, δύναμη, σχολή, ισχύς*) military · (*νοσοκομείο, βάση, μονάδα*) army
▷**στρατιωτικός γιατρός** army doctor, medical officer
▷**στρατιωτικές δυνάμεις** armed forces
▷**στρατιωτικό καθεστώς** military regime
▷**στρατιωτικός ιερέας** army chaplain
▷**στρατιωτικός νόμος** martial law
▷**στρατιωτικό πραξικόπημα** military coup
▸**στρατιωτικός** ΟΥΣ ΑΡΣ soldier, serviceman

> *Προσοχή!: Ο πληθυντικός του* serviceman *είναι* servicemen.

② ΟΥΣ ΟΥΔ ΠΛΗΘ (= *στολή*) uniform *εν.*

στρατοδικείο ΟΥΣ ΟΥΔ court martial

> *Προσοχή!: Ο πληθυντικός του* court martial *είναι* court martials ή courts martial.

στρατοδίκης ΟΥΣ ΑΡΣ military judge

στρατοκόπος ΟΥΣ ΑΡΣ wayfarer

στρατοκράτης ΟΥΣ ΑΡΣ (ΠΟΛΙΤ) militarist

στρατοκρατούμαι Ρ ΑΜ (*χώρα*) to be under a military regime

στρατολογία ΟΥΣ ΘΗΛ (α) (= *κλήση*) enlistment, recruitment (β) (*υπηρεσία*) (army) recruiting office

στρατολογικός, -ή, -ό ΕΠΙΘ recruiting

στρατολογώ Ρ Μ (*κυριολ., μτφ.*) to recruit
▸**στρατολογούμαι** ΜΕΣΟΠΑΘ to be recruited, to be enlisted

στρατονομία ΟΥΣ ΘΗΛ military police

στρατοπέδευση ΟΥΣ ΘΗΛ encampment

στρατοπεδεύω Ρ ΑΜ to camp, to encamp

στρατόπεδο ΟΥΣ ΟΥΔ (*κυριολ., μτφ.*) camp
▸**στρατόπεδο συγκεντρώσεως** concentration camp

στρατός ΟΥΣ ΑΡΣ army

στρατόσφαιρα ΟΥΣ ΘΗΛ stratosphere

στρατόχαρτο ΟΥΣ ΟΥΔ brown paper

στρατώνας ΟΥΣ ΑΡΣ barracks

> *Προσοχή!: Ο πληθυντικός του* barracks *είναι* barracks.

στράφι ΕΠΙΡΡ: **πάω στράφι** to be wasted

στρεβλός, -ή, -ό ΕΠΙΘ (α) (= *στραβός*)

Σ

crooked, twisted (β) (= διαστρεβλωμένος: ιδέες, αντιλήψεις) perverse

στρεβλώνω Ρ Μ (α) (= στραβώνω) to twist (β) (μτφ.: = παραμορφώνω) to distort

στρέβλωση ΟΥΣ ΘΗΛ (= κύρτωση) twisting· (ξύλου) warping

στρείδι ΟΥΣ ΟΥΔ oyster
▷**κολλάω σαν στρείδι σε κπν** to stick to sb like a leech

στρέμμα ΟΥΣ ΟΥΔ 1,000 square metres (Βρετ.) ή meters (Αμερ.)

στρεπτόκοκκος ΟΥΣ ΑΡΣ streptococcus, strep

> *Προσοχή!: Ο πληθυντικός του* **streptococcus** *είναι* **streptococci**.

στρεπτομυκίνη ΟΥΣ ΘΗΛ streptomycin

στρες ΟΥΣ ΟΥΔ ΑΚΛ stress

στρεσάρισμα ΟΥΣ ΟΥΔ stress

στρεσάρω Ρ Μ to stress

στρέφω Ρ Μ (α) (= γυρίζω) to turn (β) (= κατευθύνω: προσοχή, ενδιαφέρον, βλέμμα) to turn· (προσπάθειες) to direct (γ) (= γυρίζω κυκλικά) to revolve
▷**στρέφω τα όπλα εναντίον κποιου** to turn one's weapons against sb
▷**στρέφω τον έναν κατά του άλλου** to turn one person against another
▸**στρέφομαι** ΜΕΣΟΠΑΘ (= γυρίζω: για πρόσ.) to turn (προς to ή towards)
▷**στρέφομαι εναντίον κποιου** to turn against sb
▷**στρέφομαι σε κπν/κτ** (μτφ.) to turn to sb/ sth

στρέψη ΟΥΣ ΘΗΛ torsion

στρεψοδικία ΟΥΣ ΘΗΛ (α) (σε δίκη) chicanery (β) (= διαστροφή της αλήθειας) prevarication

στρεψόδικος, -ή, -ό ΕΠΙΘ pettifogging
▸**στρεψόδικος** ΟΥΣ ΑΡΣ, **στρεψόδικη** ΟΥΣ ΘΗΛ (για δικηγόρο) pettifogging lawyer· (για πρόσ.) prevaricator

στρίβω ① Ρ Μ (σβούρα, τιμόνι) to spin· (νήμα, σκοινί) to twist· (μουστάκι) to twirl· (κεφάλι) to turn· (λαιμό: με συναίσθημα πόνου) to crick
② Ρ ΑΜ (α) (τιμόνι) to spin (β) (άνθρωπος, αυτοκίνητο, οδηγός, δρόμος) to turn
▷**μη μου τα στρίβεις τώρα** (οικ.) don't go back on what you said
▷**μου στρίβει (η βίδα)** (οικ.) to go out of one's mind, to lose it (ανεπ.)
▷**να το στρίβουμε** (αργκ.: = ας φύγουμε) let's split (ανεπ.)
▷**στρίβε!** (οικ.) buzz off! (ανεπ.)
▷**στρίβω αλά γαλλικά** to take French leave
▷**στρίβω απότομα** (άνθρωπος) to spin ή swing around · (οδηγός, αυτοκίνητο) to swerve · (δρόμος) to turn sharply
▷**στρίβω τσιγάρο** (αργκ.) to roll a cigarette
▷**τα στρίβουμε;** (για παιχνίδι) shall we toss for it?

στριγκός, -ή, -ό ΕΠΙΘ (φωνή, κραυγή)

strident, shrill

στρίγκλα ΟΥΣ ΘΗΛ (α) (ΛΑΟΓΡ) witch (β) (για γυναίκα) witch, hag

στριγκλιά ΟΥΣ ΘΗΛ shriek, scream

στριγκλίζω Ρ ΑΜ to scream · (μτφ.: φρένα, ρόδες) to screech, to squeal

στρίγκλισμα ΟΥΣ ΟΥΔ scream, screaming χωρίς πληθ. · (μτφ.) screeching χωρίς πληθ.

στριμμένος, -η, -ο ΜΤΧ (α) (τσιγάρο) rolled · (σχοινί) twisted (β) (για πρόσ.: = δύστροπος) grouchy

στρίμωγμα ΟΥΣ ΟΥΔ (= συνωστισμός) crush
▷**έχω ένα στρίμωγμα/μεγάλο στρίμωγμα** things are a bit tight/very tight

στριμωγμένος, -η, -ο ΜΤΧ (α) (επιβάτες) crushed · (έπιπλα) crammed in (β) (οικονομικά) in a tight spot
▷**πολύ στριμωγμένα τα πράγματα** things are very tight
▷**στριμωγμένοι σαν σαρδέλες** packed in ή crammed in like sardines

στριμωξίδι ΟΥΣ ΟΥΔ crush
▷**τέτοιο ή πολύ ή μεγάλο στριμωξίδι** such a tight squeeze

στριμώχνω Ρ Μ (α) (ρούχα, έπιπλα, κόσμο) to squeeze in · (= σπρώχνω) to crush (β) (= φέρνω σε αδιέξοδο) to corner · (= φέρνω σε δύσκολη θέση) to put on the spot (γ) (για σωματική βία) to pin down · (για ερωτικό σκοπό) to get alone (δ) (= κολλάω πάνω) to squeeze up (ε) (= βρίσκομαι σε δύσκολη θέση) to be in a tight spot
▷**στριμώχνομαι κοντά σε κπν** to cuddle up to sb · (από έλλειψη χώρου) to squeeze up next to sb
▷**στριμώχνομαι στον τοίχο** to press oneself against the wall
▸**στριμώχνομαι** ΜΕΣΟΠΑΘ (α) (= μαζεύομαι) to jostle (β) (οικονομικά) to be hard up

στριπτίζ ΟΥΣ ΟΥΔ ΑΚΛ striptease
▷**κάνω στριπτίζ** to do a striptease

στριφογυρίζω ① Ρ Μ (υδρόγειο, σβούρα) to spin
② Ρ ΑΜ (α) (= περιστρέφομαι) to spin · (χορευτές) to whirl, to twirl (β) (= πηγαίνω εδώ κι εκεί) to pace around (γ) (= γυρνάω ανήσυχα: στο κρεβάτι) to toss and turn
▷**στριφογυρίζω κτ στο μυαλό μου** to go over sth in one's mind

στριφογυριστός, -ή, -ό ΕΠΙΘ (σκάλα) spiral · (μονοπάτι) winding · (κλωστές, καλώδιο) twisted

στριφογυρνώ Ρ Μ/ΑΜ = **στριφογυρίζω**

στριφτός, -ή, -ό ΕΠΙΘ (κέρατο, νήμα) twisted
▸**στριφτό τσιγάρο** roll-up

στρίφωμα ΟΥΣ ΟΥΔ (α) (= ρέλιασμα) hemming (β) (= ρέλι) hem

στριφώνω Ρ Μ to hem

στρίψιμο ΟΥΣ ΟΥΔ (α) (= περιστροφή) turn, spin (β) (τσιγάρων) rolling (γ) (= στροφή: πλοίου, αυτοκινήτου, δρόμου) turn

στροβιλίζω Ρ Μ (φύλλα) to swirl
▸**στροβιλίζομαι** ΜΕΣΟΠΑΘ to whirl around, to spin around

στροβιλισμός ΟΥΣ ΑΡΣ swirling, whirling

στρόβιλος ΟΥΣ ΑΡΣ (α) (= δίνη: ανέμου, νερού) eddy (β) (= τουρμπίνα) turbine

στρογγυλάδα ΟΥΣ ΘΗΛ roundness
▸**στρογγυλάδες** ΠΛΗΘ (ανεπ.: = καμπύλες) curves

στρογγύλεμα ΟΥΣ ΟΥΔ making round · (μτφ.: σώματος, σιλουέτας) rounding out

στρογγυλεύω ① Ρ Μ (α) (= κάνω στρογγυλό) to make round (β) (για νούμερο: προς τα πάνω) to round up · (προς τα κάτω) to round down
② Ρ ΑΜ (α) (= γίνομαι στρογγυλός: μάτια) to go round · (φεγγάρι) to wax (β) (για γυναίκα) to fill out

στρογγυλοκάθομαι Ρ ΑΜ to settle down

στρογγυλοπρόσωπος, -η, -ο ΕΠΙΘ round–faced

στρογγυλός, -ή, -ό ΕΠΙΘ (μπάλα, ρόδα, τραπέζι, γυαλιά, πρόσωπο, μάγουλα) round
▸**στρογγυλός αριθμός** round number

στρόντιο ΟΥΣ ΟΥΔ strontium

στρουθοκαμηλισμός ΟΥΣ ΑΡΣ burying one's head in the sand

στρουθοκάμηλος ΟΥΣ ΘΗΛ ostrich

στρουκτουραλισμός ΟΥΣ ΑΡΣ structuralism

στρουμπουλός, -ή, -ό ΕΠΙΘ chubby, plump

στρόφαλος ΟΥΣ ΑΡΣ, **στρόφαλο** ΟΥΣ ΟΥΔ crank

στροφή ΟΥΣ ΘΗΛ (α) (= περιστροφή) turn · (μηχανής, κινητήρα, ουρανίων σωμάτων, δίσκο μουσικής) revolution (β) (= αλλαγής κατευθύνσεως) turn (γ) (= στρίψιμο: σώματος, οχήματος) turning · (πλοίου) tacking (δ) (μτφ.) shift (ε) (για δρόμο: = καμπή) bend · (= διακλάδωση) turning (στ) (ποιήματος) stanza · (τραγουδιού) verse
▸**ανοιχτή/κλειστή στροφή** wide/sharp bend ή turn
▸**κάνω στροφή και γύρνω πίσω** to turn around and go back
▸**ο δρόμος είναι γεμάτος στροφές** the road is full of twists and turns
▸**παίρνω ανοιχτά/κλειστά μια στροφή** to take a wide/sharp turn
▸**πάρε την πρώτη στροφή δεξιά/αριστερά** take the first turning on the right/left
▸**στροφή 180 μοιρών** U–turn
▸**στροφές ανά λεπτό** revolutions ή revs per minute, rpm
▸**το μυαλό μου παίρνει στροφές** to put one's mind to work · (= είμαι έξυπνος) to be bright

στρόφιγγα ΟΥΣ ΘΗΛ (α) (= κάνουλα) tap, stopcock (β) (= στροφέας) hinge

στροφόμετρο ΟΥΣ ΟΥΔ revolution ή rev counter

στρυμώχνω Ρ Μ = **στριμώχνω**

στρυφνός, -ή, -ό ΕΠΙΘ (α) (για πρόσ.) grouchy · (φυσιογνωμία, έκφραση) sour

(β) (= δυσνόητος: ύφος, κείμενο) abstruse

στρυφνότητα ΟΥΣ ΘΗΛ (α) (για πρόσ.) sourness · (προσώπου) sourness (β) (ύφους, έκφρασης) abstruseness

στρυχνίνη ΟΥΣ ΘΗΛ strychnine

στρώμα ΟΥΣ ΘΗΛ (α) (λάσπης, σκόνης) layer · (πάγου) layer, sheet · (χιονιού, ομίχλης) blanket · (φύλλων) carpet (β) (για κρεβάτι) mattress (γ) (= κρεβάτι) bed (δ) (πετρωμάτων) stratum · (όζοντος) layer

> *Προσοχή!: Ο πληθυντικός του* **stratum** *είναι* **strata**.

(ε) (= κοινωνική τάξη) class
▸**ανώτερο/μεσαίο/κατώτερο στρώμα** upper/middle/lower class

στρωματογραφία ΟΥΣ ΘΗΛ stratigraphy

στρωματσάδα ΟΥΣ ΘΗΛ mattress on the floor
▸**κοιμάμαι στρωματσάδα** to sleep on a mattress on the floor

στρώνω ① Ρ Μ (α) (σεντόνια, κουβέρτα) to spread (β) (= καλύπτω επιφάνεια: αυλή, δρόμο) to cover, to strew · (με πλακάκια, μωσαϊκό) to tile · (με μάρμαρο, πλάκες) to pave · (με μπετόν) to lay (γ) (μαλλιά) to tidy, to smooth down ή back · (φρύδια, μουστάκι) to smooth down · (σακάκι) to smooth down ή out, to straighten (δ) (μτφ.: για πρόσ.) to bring into line
② Ρ ΑΜ (α) (= έχω καλή εφαρμογή: φόρεμα, φούστα, γιακάς) to fit (β) (μαλλιά, τσουλώψι) to lie flat · (δρόμος) to be smooth (γ) (πράγματα, δουλειά) to settle down · (μηχανή) to run smoothly · (καιρός) to clear up (δ) (για πρόσ.) to settle down
▸**θα σου στρώσω το κρεβάτι** I'll make a bed up for you
▸**όπως έστρωσες θα κοιμηθείς** (παροιμ.) as you make your bed, so must you lie on it (παροιμ.)
▸**στρώνω κπν στη δουλειά/στο διάβασμα** to make sb buckle down (to work)
▸**στρώνω κπν στο ξύλο** to give sb a beating
▸**στρώνω το κρεβάτι** to make the bed
▸**στρώνω το τραπέζι** to set the table
▸**στρώνω τα χάλια** to put rugs down
▸**στρώνω τραπεζομάντιλο στο τραπέζι** to put a tablecloth on the table
▸**το στρώνει** (για χιόνι) it's snowing
▸**στρώνομαι** ΜΕΣΟΠΑΘ (α) (αρνητ.: = στρογγυλοκάθομαι) to install oneself (β) (= κάθομαι στο έδαφος) to lie down
▸**στρώνομαι στη δουλειά** ή **στο διάβασμα** to buckle down (to work)
▸**στρώνομαι στο φαΐ** to tuck in

στρώση ΟΥΣ ΘΗΛ layer

στρωσίδι ΟΥΣ ΟΥΔ (α) (= ταπέτο) rug (β) (επίπλου, κρεβατιού) cover

στρώσιμο ΟΥΣ ΟΥΔ (τραπεζιού) setting (β) (κρεβατιού) making (γ) (μπετόν) laying · (χρώματος) applying

στρωτός, -ή, -ό ΕΠΙΘ (α) (επιφάνεια, δρόμος)

smooth· (*βάδισμα*) even· (*ζωή*) regular·
(*γλώσσα, ύφος, σύνταξη*) flowing
(β) (*φόρεμα*) well–fitting

στύβω Ρ Μ **(α)** (*ντομάτες, λεμόνι, πορτοκάλι*)
to squeeze· (*σταφύλια*) to press **(β)** (*ρούχα,
πετσέτα*) to wring out **(γ)** (= *εξαντλώ:
σωματικά, πνευματικά: άνθρωπο*) to drain·
(*οικονομικά*) to bleed dry
▷**στύβω το μυαλό** ή **κεφάλι μου** to rack one's
brains

στυγερός, -ή, -ό ΕΠΙΘ (*έγκλημα, πράξη*)
heinous· (*εγκληματίας*) hardened

στυγερότητα ΟΥΣ ΘΗΛ atrocity

στυγνός, -ή, -ό ΕΠΙΘ (*εκμετάλλευση*) brutal·
(*αστυνόμευση*) heavy· (*πραγματικότητα*)
grim· (*εργοδότης*) cruel

στυγνότητα ΟΥΣ ΘΗΛ (*πραγματικότητας*)
grimness· (*εργοδότη*) cruelty

στυλ ΟΥΣ ΟΥΔ ΑΚΛ style
▷**δίνω** ή **προσθέτω στυλ** to add style
▷**έχω στυλ** to have style
▷**στυλ μπαρόκ/ροκοκό** Baroque/Rococo style
▷**του στυλ** (*οικ.*) in the style of

στυλιάρι ΟΥΣ ΟΥΔ = **στειλιάρι**

στυλιζάρω Ρ Μ to stylize

στυλίστας ΟΥΣ ΑΡΣ stylist

στυλό ΟΥΣ ΟΥΔ ΑΚΛ pen
▷**στυλό (μελάνης) διαρκείας** ballpoint pen,
Biro ® (*Βρετ.*)

στυλοβάτης ΟΥΣ ΑΡΣ (*οικονομίας*) mainstay·
(*κοινωνίας, κόμματος, πίστεως*) pillar

στυλογράφος ΟΥΣ ΑΡΣ (= *κολόνα*) (ballpoint) pen

στύλος ΟΥΣ ΑΡΣ **(α)** (= *κολόνα*) post· (*σκηνής*)
pole· (*ναού*) pillar **(β)** (*ηλεκτροδοτήσεως*)
pylon **(γ)** (*μτφ.*) mainstay **(δ)** (ΒΟΤ) style
▷**ο στύλος του σπιτιού** the breadwinner
▷**οι στύλοι του Ολυμπίου Διός** the Temple of
Olympian Zeus

στυλώνω Ρ Μ **(α)** (*σπίτι, τοίχο, σκεπή*) to prop
up **(β)** (*μτφ.: φαγητό, εμπιστοσύνη*) to give
strength to· (*κρασί*) to buck up **(γ)** (*αυτιά*) to
prick up **(δ)** (= *στέκομαι*) to stand
▷**στυλώνω τα μάτια μου πάνω κποιου/στον
τοίχο** to stare at sb/at the wall
▷**στυλώνω τα πόδια μου** (= *στέκομαι
ακίνητος*) to stand firm· (= *εμμένω στην
άποψή μου*) to dig one's heels in, to refuse to
budge
▸**στυλώνομαι** ΜΕΣΟΠΑΘ (= *ανακτώ τις δυνάμεις
μου*) to get one's strength back

Στυξ ΟΥΣ ΘΗΛ Styx

στυπόχαρτο ΟΥΣ ΟΥΔ blotting paper

στυπτικός, -ή, -ό ΕΠΙΘ (*φάρμακο, ύλη*)
astringent

στυπτικότητα ΟΥΣ ΘΗΛ astringency

στυπώνω Ρ Μ (*μελάνι*) to blot up· (*σελίδα*) to
blot

στύση ΟΥΣ ΘΗΛ erection
▷**έχω στύση** to have an erection
▷**σε στύση** erect

στυτικός, -ή, -ό ΕΠΙΘ (*νεύρο, όργανο,*

δυσλειτουργία) erectile
▸**στυτικά φάρμακα** (anti–)impotence drugs

στυφάδα ΟΥΣ ΘΗΛ (*προφορ.*) sourness

στυφίζω Ρ ΑΜ (*προφορ.: φρούτο, φαγητό*) to
be sour

στυφός, -ή, -ό ΕΠΙΘ **(α)** (*φρούτο*) sour·
(*γεύση*) bitter **(β)** (*μτφ.: ύφος, χαμόγελο*) sour

στυφότητα ΟΥΣ ΘΗΛ sourness

στύψη ΟΥΣ ΘΗΛ (ΧΗΜ) alum

στύψιμο ΟΥΣ ΟΥΔ (*λεμονιού*) squeezing·
(*ρούχων*) wringing out

στωικισμός ΟΥΣ ΑΡΣ stoicism· (ΦΙΛΟΣ) Stoicism

στωικός, -ή, -ό ΕΠΙΘ **(α)** (*φιλοσοφία,
αντίληψη*) Stoic **(β)** (*ύφος, απάθεια*) stoic(al)
▸**στωικός** ΟΥΣ ΑΡΣ (ΦΙΛΟΣ) Stoic

στωικότητα ΟΥΣ ΘΗΛ stoicism

σύγαμπρος ΟΥΣ ΑΡΣ brother–in–law

> *Προσοχή!:* Ο πληθυντικός του
> **brother–in–law** *είναι* **brothers–in–law**.

συγγένεια ΟΥΣ ΘΗΛ **(α)** (*κυριολ.*) relationship
(β) (*μτφ.:* = *ομοιότητα*) similarity· (*γλωσσών*)
common roots *πληθ.*
▷**συγγένεια εξ αίματος** blood relationship
▷**συγγένεια εξ αγχιστείας** relationship by
marriage

συγγενεύω Ρ ΑΜ **(α)** (= *είμαι συγγενής*) to be
related **(β)** (*μτφ.*) to be related (*με* to)·
(= *μοιάζω*) to be similar

συγγενής[1], **-ής, -ές** ΕΠΙΘ **(α)** (= *παρεμφερής*)
related **(β)** (*νόσος, διαταραχή*) congenital

συγγενής[2] ΟΥΣ ΑΡΣ/ΘΗΛ relative, relation
▷**στενός/μακρινός συγγενής** close/distant
relative

συγγενικός, -ή, -ό ΕΠΙΘ **(α)** (*δεσμός,
περιβάλλον, συγκέντρωση*) family
(β) (= *παρόμοιος*) related

συγγενολόι ΟΥΣ ΟΥΔ (*προφορ.*) relatives *πληθ.*

συγγνώμη ΟΥΣ ΘΗΛ forgiveness
▷**ζητώ συγγνώμη (σε κπν)** to apologize (to
sb)
▷**συγγνώμη!** I'm sorry!
▷**συγγνώμη, αλλά...** (*για διαφωνία*) excuse
me, but... · (*για ευγενική άρνηση*) I'm sorry,
but...
▷**συγγνώμη, να πω κάτι;** excuse me, can I say
something?

σύγγραμμα ΟΥΣ ΟΥΔ book

συγγραφέας ΟΥΣ ΑΡΣ writer, author
▸**θεατρικός συγγραφέας** playwright

συγγραφεύς ΟΥΣ ΑΡΣ (*επίσ.*) *βλ.* **συγγραφέας**

συγγραφή ΟΥΣ ΘΗΛ (*βιβλίου, εγχειριδίου*)
writing
▷**συγγραφή υποχρεώσεων** specifications
πληθ.

συγγραφικός, -ή, -ό ΕΠΙΘ (*ικανότητα*)
writing
▷**συγγραφικά δικαιώματα** royalties
▷**συγγραφική δραστηριότητα** writing
▷**συγγραφικό έργο** body of work

συγγράφω Ρ Μ *(επίσ.)* to write

συγκαί(γ)ομαι Ρ ΑΜ to chafe · *(για μωρό)* to have nappy rash

συγκαιρινός, -η, -ο ΕΠΙΘ contemporary
► **συγκαιρινός** ΟΥΣ ΑΡΣ, **συγκαιρινή** ΟΥΣ ΘΗΛ contemporary

συγκαλά ΟΥΣ ΟΥΔ ΠΛΗΘ ΑΚΛ: **είμαι στα συγκαλά μου** to be in one's right mind
▷ **έρχομαι στα συγκαλά μου** (= *συνέρχομαι*) to come around · (= *βάζω μυαλό*) to come to one's senses

συγκαλύπτω Ρ Μ *(αλήθεια)* to cover up · *(γεγονός)* to disguise · *(σκάνδαλο)* to hush up, to cover up

συγκάλυψη ΟΥΣ ΘΗΛ *(σκανδάλου, περιστατικού)* covering up

συγκαλώ Ρ Μ *(συνέλευση)* to call · *(επιτροπή, συμβούλιο)* to convene

σύγκαμα ΟΥΣ ΟΥΔ chafing · *(για μωρά)* nappy rash *χωρίς πληθ.*

συγκατάβαση ΟΥΣ ΘΗΛ indulgence, acceptance

συγκαταβατικός, -ή, -ό ΕΠΙΘ *(τρόπος, έκφραση, χαμόγελο)* indulgent *(χειρονομία)* acquiescent · *(για πρόσ.)* accepting, indulgent

συγκαταβατικότητα ΟΥΣ ΘΗΛ acceptance, forbearance *(επίσ.)*

συγκατάθεση ΟΥΣ ΘΗΛ consent
▷ **δίνω τη συγκατάθεσή μου** to give one's consent
▷ **παίρνω τη συγκατάθεση κποιου** to obtain *ή* get sb's consent

συγκαταλέγω Ρ Μ *(επίσ.)* to rank among, to count among

συγκατάνευση ΟΥΣ ΘΗΛ consent

συγκατανεύω Ρ ΑΜ to (give one's) consent *(σε* to)

συγκατατίθεμαι Ρ ΑΜ to accept, to agree

συγκατηγορούμενος ΟΥΣ ΑΡΣΘΗΛ co–defendant

συγκατοίκηση ΟΥΣ ΘΗΛ (α) *(γενικότ.)* living together · (= *συνοίκηση*) sharing (β) (ΠΟΛΙΤ) cohabitation
▷ **ζητείται φοιτητής για συγκατοίκηση** looking for a student to share

συγκάτοικος ΟΥΣ ΑΡΣΘΗΛ flatmate *(Βρετ.)*, roommate

συγκατοικώ Ρ ΑΜ to live together · *(για φοιτητές)* to share

συγκεκαλυμμένος, -η, -ο ΕΠΙΘ *(απειλή, κατηγορία)* veiled · *(στοργή)* disguised · *(μέθοδοι, πρόταση)* indirect

συγκεκριμενοποιώ Ρ Μ *(σχέδια, ιδέες)* to make concrete
► **συγκεκριμενοποιούμαι** ΜΕΣΟΠΑΘ to materialize

συγκεκριμένος, -η, -ο ΕΠΙΘ (α) *(οδηγείες, έννοια)* precise (β) (= *καθορισμένος: αριθμό, πρόταση)* specific (γ) *(ο εν λόγω)* particular (δ) (= *σαφής: για άνθρωπο)* clear

(ε) (= *αντιληπτός: μορφές*) concrete
▷ **τίποτα το συγκεκριμένο** nothing in particular

συγκεντρώνω Ρ Μ (α) *(στοιχεία, πληροφορίες)* to gather, to collect · *(φίλους, συνεργάτες)* to gather, to bring together · *(στρατεύματα)* to mass (β) *(υπογραφές, χρήματα)* to collect (γ) *(χαρίσματα, προσόντα)* to have (δ) *(προσοχή)* to focus · *(δυνάμεις)* to gather (ε) *(ενδιαφέρον)* to draw (στ) *(βαθμολογία)* to get
▷ **συγκεντρώνω τη σκέψη μου** to gather one's thoughts
► **συγκεντρώνομαι** ΜΕΣΟΠΑΘ (α) *(διανοητικά)* to concentrate (β) (= *συναθροίζομαι*) to gather

συγκέντρωση ΟΥΣ ΘΗΛ (α) *(στρατευμάτων)* concentration, massing (β) (= *σύναξη*) meeting (γ) (= *συνάθροιση*) get–together · *(οικογενειακή)* gathering (δ) (= *πρόσωπα που συναθροίζονται)* crowd (ε) *(πληροφοριών, αποδεικτικών στοιχείων)* gathering · *(χρημάτων, υπογραφών)* collection (στ) *(εξουσίας, δύναμης)* concentration (ζ) (= *αυτοσυγκέντρωση*) concentration (η) (ΟΙΚΟΝ) conglomeration
▷ **συγκέντρωση υποδοχής** welcoming committee

συγκεντρωτικός, -ή, -ό ΕΠΙΘ (α) *(αποτελέσματα)* cumulative · *(κέρδη)* accumulated · *(στοιχεία)* collated (β) *(σύστημα, κυβέρνηση)* centralized
▷ **συγκεντρωτική ικανότητα** powers *πληθ.* of concentration

συγκεντρωτισμός ΟΥΣ ΑΡΣ centralization

συγκερασμός ΟΥΣ ΑΡΣ (α) *(επίσ.: = ανάμειξη)* blending (β) *(απόψεων, αντιλήψεων)* compromise

συγκεφαλαιώνω Ρ Μ to summarize

συγκεφαλαίωση ΟΥΣ ΘΗΛ summary

συγκεχυμένος, -η, -ο ΕΠΙΘ *(αντίληψη, αναμνήσεις)* vague · *(εικόνα)* hazy, vague · *(αισθήματα)* confused

συγκίνηση ΟΥΣ ΘΗΛ (α) *(γενικότ.)* emotion · (= *έντονη χαρά*) excitement (β) *(αναγνώστη)* moving
▷ **αποφεύγω τις συγκινήσεις** to avoid excitement
▷ **νιώθω συγκίνηση** to feel moved

συγκινησιακός, -ή, -ό ΕΠΙΘ *(φόρτιση)* emotional

συγκινητικός, -ή, -ό ΕΠΙΘ *(λόγια, γράμμα, ιστορία)* moving

συγκινώ Ρ Μ (α) *(ιστορία, δράμα, ανάμνηση)* to move (β) *(ταξίδια, ιδέες, τέχνη)* to appeal to (γ) *(θάνατος φίλου, γονιών)* to affect
▷ **δεν με συγκινεί το έργο του** his work doesn't appeal to me
▷ **συγκινώ το κοινό** to appeal to the public
► **συγκινούμαι** ΜΕΣΟΠΑΘ (= *δακρύζω εύκολα*) to be emotional, to be easily moved
▷ **δεν συγκινείται με τίποτα** he won't be moved

Σ

συγκληρονόμος ΟΥΣ ΑΡΣ (*επίσ.*) co-heir

σύγκληση ΟΥΣ ΘΗΛ (*επίσ.*: *συνέλευσης, συνεδρίου*) convocation

συγκλητικός ΟΥΣ ΑΡΣ (ΙΣΤ) senator · (*Πανεπιστημίου*) senator, governor

σύγκλητος ΟΥΣ ΘΗΛ (ΙΣΤ) senate · (*Πανεπιστημίου*) senate, governing body

συγκλίνω Ρ ΑΜ (*ευθείες, γραμμές, τάσεις, απόψεις*) to converge

σύγκλιση ΟΥΣ ΘΗΛ convergence

συγκλονίζω Ρ Μ (α) (= *ταράσσω*: *χώρα*: *σεισμός*) to shake · (*σκάνδαλο, γεγονός*) to rock (β) (= *προκαλώ έντονη ψυχική ταραχή*) to shock

συγκλονισμένος, -η, -ο ΕΠΙΘ shaken

συγκλονισμός ΟΥΣ ΑΡΣ shock

συγκλονιστικός, -ή, -ό ΕΠΙΘ shocking

συγκοινωνία ΟΥΣ ΘΗΛ (α) (= *σύνδεση*) communications *πληθ.*, communication links *πληθ.* (β) (= *μεταφορά προσώπων, πραγμάτων*) transport, transportation (γ) (= *λεωφορείο, τρόλεϊ*) public transport
▷**αστική συγκοινωνία** urban transport
▷**θαλάσσια/αεροπορική συγκοινωνία** sea/air transportation
▷**μέσα συγκοινωνίας** means of transport
▷**Υπουργείο συγκοινωνίας** Department of Transport

συγκοινωνιακός, -ή, -ό ΕΠΙΘ (*αρτηρίες, δίκτυα, πρόβλημα, κόμβος*) traffic · (*άξονα*) communications · (*πολιτική*) transport

συγκοινωνώ Ρ ΑΜ to be connected (*με* to)

συγκόλληση ΟΥΣ ΘΗΛ (*με καλάι*) soldering · (*με οξυγόνο*) welding · (*με κόλλα*) glueing

συγκολλητικός, -ή, -ό ΕΠΙΘ soldering, welding
▸**συγκολλητική ουσία** solder

συγκολλώ Ρ Μ (*με κόλλα*) to glue · (*με καλάι*) to solder · (*με οξυγόνο*) to weld

συγκομιδή ΟΥΣ ΘΗΛ (α) (= *σοδειά*) crop (β) (= *μάζεμα*) harvesting

συγκοπή ΟΥΣ ΘΗΛ (α) (ΙΑΤΡ) fainting, syncope (*επιστ.*) · (*καρδιάς*) failure (β) (ΓΛΩΣΣ) contraction (γ) (ΜΟΥΣ) syncopation

σύγκορμος ΕΠΙΘ: **τρέμω σύγκορμος** to shake all over

συγκρατημένος, -η, -ο ΜΤΧ (*άνθρωπος, γέλιο*) restrained · (*αισιοδοξία*) mild · (*αύξηση*) moderate · (*εκτιμήσεις*) conservative

συγκράτηση ΟΥΣ ΘΗΛ (α) (= *στερέωση*) holding (β) (*υδάτων*) retention (γ) (*πληθωρισμού, θυμού*) curbing · (*τιμών*) holding down (δ) (= *εγκράτεια*) restraint

συγκρατώ Ρ Μ (α) (= *στερεώνω*) to hold (in place) (β) (= *στηρίζω*) to support (γ) (= *κρατώ μέσα*: *νερό*) to retain (δ) (*διαδηλωτές, δράστη*) to hold back, to restrain (ε) (*θυμό, ορμές*) to hold in check, to control · (*χαρά, ενθουσιασμό*) to contain · (*δάκρυα*) to hold back · (*ανάσα*) to hold · (*πληθωρισμό*) to curb · (*τιμές*) to hold down

(στ) (*γεγονός, κατάσταση, όνομα, έννοια*) to remember
▷**συγκρατώ κπν στη ζωή** to keep sb alive
▸**συγκρατούμαι** ΜΕΣΟΠΑΘ to control oneself

συγκρίνω Ρ Μ to compare
▸**συγκρίνομαι** ΜΕΣΟΠΑΘ: **συγκρίνομαι με** (= *παραβάλλομαι προς*) to be compared to · (= *θεωρούμαι ισάξιος*) to compare with
▷**δεν συγκρίνεται** there's nothing like it

σύγκριση ΟΥΣ ΘΗΛ comparison
▷**καμία σύγκριση!** there's no comparison!
▷**σε σύγκριση με** compared to
▸**μέτρο σύγκρισης** benchmark

συγκριτικός, -ή, -ό ΕΠΙΘ (*έρευνα, μελέτη*) comparative
▸**συγκριτικός (βαθμός)** comparative (degree)
▸**συγκριτική γλωσσολογία** comparative linguistics

συγκρότημα ΟΥΣ ΟΥΔ (α) (*σύνολο κτηρίων, κατοικιών*) complex (β) (*επίσης* **μουσικό συγκρότημα**: *ποπ, λαϊκής μουσικής*) group · (*ροκ*) group, band · (*τζαζ, χορευτικό*) band

συγκροτημένος, -η, -ο ΕΠΙΘ (*σκέψη, λόγος*) coherent · (*προσωπικότητα*) rounded

συγκρότηση ΟΥΣ ΘΗΛ (α) (*επιτροπής, οργανισμού*) formation (β) (*μτφ.*: *επιστημονική, θεωρητική*) knowledge
▷**άνθρωπος με συγκρότηση** well-rounded person

συγκροτώ Ρ Μ (α) (*επιτροπή, κόμμα*) to form (*οργάνωση*) to set up (β) (= *αποτελώ*) to constitute, to make up

συγκρούομαι Ρ ΑΜ (α) (*αυτοκίνητο, αεροσκάφη*) to collide (*με* with) to crash (*με* into) (β) (*συμφέροντα*) to clash, to conflict (γ) (= *συμπλέκομαι*) to clash (δ) (= *έρχομαι σε ρήξη*) to clash

συγκρουόμενα ΟΥΣ ΟΥΔ ΠΛΗΘ (*στο λούνα παρκ*) dodgems

σύγκρουση ΟΥΣ ΘΗΛ (α) (= *συμπλοκή*) clash (β) (*αεροπλάνων, πλοίων, αυτοκινήτων*) collision (γ) (*συμπερόντων, απόψεων*) clash, conflict (δ) (= *διαφωνία*) conflict
▷**σύγκρουση των πολιτισμών** clash of civilizations

σύγκρυο ΟΥΣ ΟΥΔ shiver, chill

συγκυρία ΟΥΣ ΘΗΛ circumstances *πληθ.*
▷**κατά συγκυρία** by chance
▷**ευτυχής συγκυρία** happy coincidence
▸**οικονομική συγκυρία** economic situation *ή* circumstances

συγκυριαρχία ΟΥΣ ΘΗΛ joint rule

συγκυρίαρχος, -η, -ο ΕΠΙΘ joint

συγκύριος ΟΥΣ ΑΡΣ joint owner, co-owner

συγκυριότητα ΟΥΣ ΘΗΛ joint ownership, co-ownership

συγνώμη = **συγγνώμη**

συγυρίζω ① Ρ Μ (α) (*σπίτι, αίθουσα, ντουλάπα*) to tidy (up) · (*χαρτία, ρούχα*) to tidy up (β) (*μτφ.*: = *κατσαδιάζω*) to deal with ② Ρ ΑΜ to tidy up

► **συγυρίζομαι** ΜΕΣΟΠΑΘ to tidy oneself up

συγύρισμα ΟΥΣ ΟΥΔ tidying up

συγχαίρω Ρ Μ to congratulate (για on)

συγχαρητήρια ΟΥΣ ΟΥΔ ΠΛΗΘ congratulations
  ▷**δίνω συγχαρητήρια σε κπν** to congratulate sb, to offer one's congratulations to sb
  ▷**τα συγχαρητήριά μου για την επιτυχία σας!** (my) congratulations on your success!

συγχαρητήριος ΕΠΙΘ *(τηλεγράφημα, επιστολή, γράμμα)* congratulatory

συγχέω Ρ Μ *(ημερομηνίες, πρόσωπα, ονόματα)* to confuse, to mix up

συγχορδία ΟΥΣ ΘΗΛ chord

συγχρονίζω Ρ Μ *(κινήσεις, βήμα, ρολόι)* to synchronize

συγχρονισμός ΟΥΣ ΑΡΣ synchronization

σύγχρονος, -η, -ο ΕΠΙΘ **(α)** *(= τωρινός: θεωρίες, κόσμος, κοινωνία)* contemporary · *(τέχνη, μουσική)* modern, contemporary · *(ζωή)* modern–day **(β)** *(= μοντέρνος: σύστημα, λεξικό)* up–to–date · *(τεχνολογία, απόψεις, κτήρια)* modern · *(για πρόσ.)* modern, up–to–date **(γ)** *(= ταυτόχρονος: δράση, συζητήσεις, έρευνες)* simultaneous
  ▷**σύγχρονος άνθρωπος** modern man
► **σύγχρονος** ΟΥΣ ΑΡΣ, **σύγχρονη** ΟΥΣ ΘΗΛ contemporary

συγχρόνως ΕΠΙΡΡ at the same time, simultaneously

συγχρωτίζομαι Ρ ΑΜ *(επίσ.)* to associate

συγχρωτισμός ΟΥΣ ΑΡΣ association

συγχύζω Ρ Μ to upset

σύγχυση ΟΥΣ ΘΗΛ **(α)** *(= αναταραχή)* commotion **(β)** *(= μπέρδεμα)* confusion **(γ)** *(= στενοχώρια)* upset

συγχυσμένος, -η, -ο ΕΠΙΘ **(α)** *(= ταραγμένος, εξοργισμένος)* upset **(β)** *(= μπερδεμένος)* confused

συγχώνευση ΟΥΣ ΘΗΛ merger

συγχωνεύω Ρ Μ to merge

συγχωρεμένος, -η, -ο ΕΠΙΘ *(προφορ.)* late

συγχώρηση ΟΥΣ ΘΗΛ, **συγχώρεση** forgiveness

συγχωριανός ΟΥΣ ΑΡΣ person from the same village

συγχωρώ Ρ Μ **(α)** *(= δίνω τη συγγνώμη)* to forgive **(β)** *(= επιτρέπω: αναβολές, αδιαφορία, αφέλεια)* to tolerate
  ▷**με συγχωρείς που σε πρόσβαλα** I'm sorry if I offended you, I apologize for offending you
  ▷**με συγχωρείτε, επαναλαμβάνετε;** excuse me *ή* I'm sorry, can you repeat that?
  ▷**με συγχωρείτε, μπορώ να σας ενοχλήσω** I'm sorry to bother you
  ▷**ο Θεός να σε συγχωρέσει** may God forgive one
  ▷**συγχωρώ κτ σε κπν** to forgive sb for sth
  ▷**τέτοια συμπεριφορά δεν συγχωρείται** there's no excuse for such behaviour *(Βρετ.)* *ή* behavior *(Αμερ.)*

σύδεντρο ΟΥΣ ΟΥΔ wood

σύζευξη ΟΥΣ ΘΗΛ **(α)** *(= σύνδεση)* coupling **(β)** *(γυναίκας, άνδρα)* union **(γ)** *(ΜΟΥΣ)* slur

συζήτηση ΟΥΣ ΘΗΛ **(α)** *(= ανταλλαγή απόψεων)* discussion · *(= κάθε συνομιλία)* conversation **(β)** *(= ζωηρός και εκτενής διάλογος)* argument · *(δημόσια)* debate · *(= διαμάχη)* controversy **(γ)** *(νομοσχεδίου, απόφασης)* debate
  ▷**αλλάζω συζήτηση** to change the subject
  ▷**ανοίγω συζήτηση** to start a discussion
  ▷**δεν θέλω συζητήσεις στα πίσω θρανία!** no talking at the back!
  ▷**δεν σηκώνω συζήτηση** *(= είμαι βέβαιος)* I won't hear any different
  ▷**δεν σηκώνει συζήτηση** *(= είναι απρόθυμος να συζητήσω)* he won't listen
  ▷**μπαίνω στη συζήτηση** to join in a discussion
  ▷**ξεσηκώνω συζητήσεις** to cause controversy
  ▷**ούτε συζήτηση!** no arguments!
  ▷**πιάνω συζήτηση με κπν** to fall into conversation with sb, to get talking to sb
  ▷**προς συζήτηση** for discussion
  ▷**σηκώνει συζήτηση** it's debatable, it's open to discussion
  ▷**υπό συζήτηση** under discussion
  ▷**χωρίς συζήτηση** without question
► **συζήτηση στρογγυλής τραπέζης** round–table discussion

συζητήσιμος, -η, -ο ΕΠΙΘ **(α)** *(= αμφίβολος)* debatable **(β)** *(= διαπραγματεύσιμος)* negotiable **(γ)** *(για άνθρωπο)* easy to talk to

συζητητής ΟΥΣ ΑΡΣ speaker
  ▷**είμαι ευχάριστος συζητητής** to be a good conversationalist

συζητήτρια ΟΥΣ ΘΗΛ *βλ.* **συζητητής**

συζητώ ① Ρ Μ **(α)** *(θέμα, πρόβλημα)* to discuss, to debate **(β)** *(προσωπικά, διαφορές)* to talk about, to talk over **(γ)** *(= σχολιάζω)* to talk about ② Ρ Μ to talk *(για about)*
  ▷**μην το συζητάς καθόλου** don't give it a second thought
  ▷**συζητώ τα επαγγελματικά** to talk shop
  ▷**συζητώ φιλικά** to have a friendly discussion
► **συζητιέμαι** ΜΕΣΟΠΑΘ *(πρόταση, ζήτημα)* to be discussed · *(ηθοποιός)* to be talked about
► **συζητείται** ΤΡΙΤΟΠΡΟΣ *(για υπόθεση)* to be heard

συζυγία ΟΥΣ ΘΗΛ *(ρημάτων)* conjugation

συζυγικός, -ή, -ό ΕΠΙΘ *(απιστία, δεσμός, προβλήματα, ευτυχία)* marital · *(ζωή)* married · *(αγάπη, κλίνη, δικαιώματα, καθήκοντα)* conjugal

σύζυγος ΟΥΣ ΑΡΣ&ΘΗΛ spouse *(επίσ.)* · *(= άντρας)* husband · *(= γυναίκα)* wife

> *Προσοχή!: Ο πληθυντικός του* wife *είναι* **wives**.

  ▷**νόμιμη σύζυγος** lawful wife
► **σύζυγοι** ΠΛΗΘ *(= ανδρόγυνο)* couple *εν.,*

husband and wife

συζώ Ρ ΑΜ to live together, to cohabit (*επίσ.*)
▷**συζώ με κπν** to live with sb

σύθαμπο ΟΥΣ ΟΥΔ (*λογοτ.*: = *σούρουπο*) dusk

συκή ΟΥΣ ΘΗΛ: **φύλλο συκής** fig leaf

Προσοχή!: Ο πληθυντικός του **fig leaf**
είναι **fig leaves.**

συκιά ΟΥΣ ΘΗΛ fig tree

σύκο ΟΥΣ ΟΥΔ fig
▷**λέω τα σύκα σύκα και τη σκάφη σκάφη** to
call a spade a spade

συκοφάντης ΟΥΣ ΑΡΣ slanderer

συκοφαντία ΟΥΣ ΘΗΛ slander · (*σε δημοσίευμα*)
libel

συκοφαντικός, -ή, -ό ΕΠΙΘ (*δήλωση, φήμη*)
slanderous
▷**συκοφαντική δυσφήμιση** slander · (*σε
δημοσίευμα*) libel
▷**συκοφαντική εκστρατεία** smear campaign

συκοφαντώ Ρ Μ to slander · (*με δημοσίευμα*)
to libel

συκωτάκια ΟΥΣ ΟΥΔ ΠΛΗΘ (ΜΑΓΕΙΡ) giblets

συκωταριά ΟΥΣ ΘΗΛ (ΜΑΓΕΙΡ) giblets *πληθ.*

συκώτι ΟΥΣ ΟΥΔ liver
▷**βγάζω τα συκώτια μου** to throw everything
up
▷**πρήζω το συκώτι κποιου** to get on sb's
nerves

σύληση ΟΥΣ ΘΗΛ (*επίσ.*: = *λεηλασία*) looting,
pillaging · (*τάφου, ναού*) desecration

συλλαβή ΟΥΣ ΘΗΛ syllable

συλλαβίζω 1 Ρ Μ (α) (= *χωρίζω τις συλλαβές*)
to break into syllables (β) (= *δυσκολεύομαι
να προφέρω*) to have trouble reading
2 Ρ ΑΜ (= *διαβάζω με δυσκολία*) to stumble

συλλαβικός, -ή, -ό ΕΠΙΘ syllabic

συλλαβισμός ΟΥΣ ΑΡΣ (= *διαχωρισμός σε
συλλαβές*) syllabification

συλλαβιστά ΕΠΙΡΡ in syllables

συλλαλητήριο ΟΥΣ ΟΥΔ demonstration, rally

συλλαμβάνω Ρ Μ (α) (*άνθρωπο*) to arrest
(β) (*για θήραμα, ζώο*) to catch (γ) (*ιδέα*) to
conceive · (*θεωρία*) to think up (δ) (= *εννοώ:
θέση, λεπτομέρειες*) to take in · (*πρόβλημα,
έννοια*) to grasp (ε) (*επίσ.*: *για γυναίκα*) to
conceive
▷**συλλαμβάνω κπν επ' αυτοφώρω** to catch sb
red-handed

συλλέγω Ρ Μ (α) (*δίσκους, γραμματόσημα,
αυτόγραφα*) to collect · (*στοιχεία,
πληροφορίες, υλικό*) to gather (β) (*τροφή*) to
gather · (*καρπούς*) to pick, to gather

συλλέκτης ΟΥΣ ΑΡΣ (α) (*φυτών, βιβλίων,
γραμματοσήμων*) collector (β) (*καρπών*)
picker
▷**ηλιακός συλλέκτης** solar panel

συλλεκτικός, -ή, -ό ΕΠΙΘ (*βιβλίο, ταινία*)
collector's · (*μανία*) with collecting things
▷**αποκτώ συλλεκτική αξία** to become a

collector's item
▷**συλλεκτική κοινωνία** hunter-gatherer
society
▷**συλλεκτικό κόμμα** collector's item

συλλέκτρια ΟΥΣ ΘΗΛ *βλ.* **συλλέκτης**

συλλήβδην ΕΠΙΡΡ (*επίσ.*) collectively

σύλληψη ΟΥΣ ΘΗΛ (α) (*κατασκόπων*) capture ·
(*ένοχο, κακοποιού*) arrest (β) (*ζώου*) capture
(γ) (= *επινόηση: ιδέας, θεωρίας*) conception
(δ) (= *επινόημα*) concept (ε) (*για γυναίκα*)
conception

συλλογή ΟΥΣ ΘΗΛ (α) (*καρπών, πορτοκαλιών*)
picking (β) (*δίσκων, νομισμάτων,
διηγημάτων*) collection (γ) (= *επίμονη σκέψη*)
contemplation, reflection
▷**είμαι/πέφτω σε συλλογή** to be/become lost
in thought

συλλογιέμαι (*προφορ.*) Ρ Μ *βλ.* **συλλογίζομαι**

συλλογίζομαι 1 Ρ Μ ΑΠΟΘ (α) (= *σκέφτομαι:
φίλο, πατέρα*) to think about
(β) (= *λογαριάζω: οικογένεια, έξοδα,
κίνδυνο*) to consider, to think of
2 Ρ ΑΜ to think, to ponder

συλλογικός, -ή, -ό ΕΠΙΘ (*σύμβαση, κανόνας,
συμφέρον, μνήμη*) collective · (*ευθύνη*)
collective, joint · (*προσπάθεια, απόφαση*)
joint · (*πνεύμα*) team · (*δραστηριότητα*) group
▷**συλλογική οργάνωση** association

συλλογισμένος, -η, -ο ΜΤΧ (*για πρόσ.*)
pensive · (*ύφος, βλέμμα, ματιά*) thoughtful,
pensive

συλλογισμός ΟΥΣ ΑΡΣ (α) (= *εξαγωγή
συμπεράσματος*) reasoning (β) (*κατά τον
Αριστοτέλη*) syllogism (γ) (= *επίμονη σκέψη*)
thought

συλλογιστική ΟΥΣ ΘΗΛ reasoning

σύλλογος ΟΥΣ ΑΡΣ (*εργατικός, εμπορικός*)
association · (*ιστορικός, θεατρικός, μουσικός*)
society · (*ορειβατικός*) club
▷**αθλητικός σύλλογος** sports club
▷**ποδοσφαιρικός σύλλογος** football (*Βρετ.*) ή
soccer (*Αμερ.*) club
▷**σύλλογος δικηγόρων** law society
▷**σύλλογος καθηγητών** school board
▷**σύλλογος γονέων και κηδεμόνων** parents
and teachers association
▷**φιλανθρωπικός σύλλογος** charity

συλλυπητήρια ΟΥΣ ΟΥΔ ΠΛΗΘ condolences

συλλυπητήριος, -α, -ο ΕΠΙΘ (*επιστολή,
τηλεγράφημα*) of condolences

συλλυπούμαι Ρ Μ to offer one's condolences
to

συμβαδίζω Ρ Μ to keep up with, to keep pace
with

συμβαίνω Ρ ΑΜ: **συμβαίνει, συμβαίνουν**
ΤΡΙΤΟΠΡΟΣ to happen
▷**αν συμβαίνει αυτό...** (*προφορ.*) if that's the
case...
▷**δεν συμβαίνει κάθε μέρα να...** it isn't every
day that...
▷**όλα συνέβησαν τόσο γρήγορα!** it all
happened so quickly!

▷**σαν να μην συμβαίνει τίποτε** as if nothing had happened
▷**συμβαίνουν αυτά** these things happen
▷**συμβαίνει να τον γνωρίζω** I happen to know him
▷**συμβαίνει τίποτε;** is anything the matter?
▷**τι σου συμβαίνει;** *ή συνέβη;* what's the matter?, whats wrong?
▷**τι συμβαίνει;** (= *τι γίνεται*) what's happening?, what's going on? · (= *τι τρέχει*) what's wrong?

συμβάλλω P AM: **συμβάλλω σε** (= *βοηθώ*) to contribute to · (= *ανταμώνω: ποτάμι*) to flow into, to merge with
▸**συμβάλλομαι** ΜΕΣΟΠΑΘ to enter into a contract (*με* with)
▷**τα συμβαλλόμενα μέρη** the contracting parties

συμβάν ΟΥΣ ΟΥΔ incident, event

σύμβαση ΟΥΣ ΘΗΛ (= *συμφωνία*) contract, agreement · (= *συνθήκη*) treaty
▷**κατά σύμβαση** (= *σύμφωνα με τα καθιερωμένα*) conventionally
▷**σύμβαση (εργασίας) αορίστου/ορισμένου χρόνου** permanent/fixed–term contract
▸**συλλογική σύμβαση εργασίας** collective bargaining
▸**σύμβαση-πλαίσιο** skeleton agreement *ή* contract

συμβασιούχος ΟΥΣ ΑΡΣ contract worker

συμβατικός, -ή, -ό ΕΠΙΘ (α) (*υποχρέωση, ημερομίσθιο, έγγραφο*) contractual · (*Δίκαιο*) contract (β) (*γάμος, συνήθεια, σχέση*) conventional (γ) (*για πρόσ.*) conventional
▷**συμβατική κατάχρηση** breach of contract
▸**συμβατικά όπλα** conventional weapons

συμβατικότητα ΟΥΣ ΘΗΛ convention

συμβατός, -ή, -ό ΕΠΙΘ (α) (*όρος, συμφωνία*) contractual (β) (= *ταιριαστός*) compatible (γ) (ΠΛΗΡΟΦ) compatible

συμβία ΟΥΣ ΘΗΛ wife

> *Προσοχή!: Ο πληθυντικός του* wife *είναι* wives.

συμβιβάζω P M to reconcile
▷**τα συμβιβάζω (με κπν)** (= *έρχομαι σε συμφωνία*) to come to an agreement (with sb)
▷**τα συμβιβάσανε** (*προφορ.*: = *συμφιλιώθηκαν*) they made up
▸**συμβιβάζομαι** ΜΕΣΟΠΑΘ (α) (= *υποχωρώ*) to compromise (β) (= *ταιριάζω*) to be reconciled (*με* with)
▷**συμβιβάζομαι με κτ** (= *αποδέχομαι*) to come to terms with sth

συμβιβάσιμος, -η, -ο ΕΠΙΘ (α) (*εργασία, συμφωνία*) reconcilable (β) (= *διαλλακτικός*) willing to compromise

συμβιβασμός ΟΥΣ ΑΡΣ compromise · (*ζευγαριού*) reconciliation
▷**κάνω συμβιβασμούς** to make compromises
▷**καταλήγω** *ή* **φθάνω σε συμβιβασμό** to reach

a compromise

συμβιβαστικός, -ή, -ό ΕΠΙΘ (α) (*πρόταση, λύση*) compromise · (*διάθεση*) conciliatory · (*ειρήνη*) negotiated (β) (*για πρόσ.*) willing to compromise, conciliatory

συμβιβαστικότητα ΟΥΣ ΘΗΛ willingness to compromise

συμβιώνω P AM (α) (= *συζώ: ζευγάρι*) to live together (β) (= *συνυπάρχω*) to coexist
▷**συμβιώνω με κπν** to live with sb

συμβίωση ΟΥΣ ΘΗΛ living together, cohabitation

συμβόλαιο ΟΥΣ ΟΥΔ (*εργασίας, αγοράς*) contract · (*μεταβίβασης*) deed · (*ασφάλισης*) policy
▷**ο λόγος του συμβόλαιο** he's a man of his word, his word is his bond

συμβολαιογραφείο ΟΥΣ ΟΥΔ notary's office, ≈solicitor's (*Βρετ.*)

συμβολαιογραφικός, -ή, -ό ΕΠΙΘ (*προσύμφωνο, πράξη, έγγραφο*) notarial

συμβολαιογράφος ΟΥΣ ΑΡΣ notary (public), ≈ solicitor (*Βρετ.*)

συμβολή ΟΥΣ ΘΗΛ (α) (*οδών, ποταμών*) junction · (*αγωγού*) join (β) (= *συνεισφορά: ανθρώπου, επιστήμης, εκπαίδευσης*) contribution

συμβολίζω P M to symbolize

συμβολικός, -ή, -ό ΕΠΙΘ (α) (*παρουσία, απεικόνιση, πράξη*) symbolic · (*σύστημα*) of symbols (β) (*αμοιβή*) nominal · (*χειρονομία*) symbolic, token

συμβολισμός ΟΥΣ ΑΡΣ symbolism · (ΤΕΧΝ, ΛΟΓ) Symbolism

συμβολιστής ΟΥΣ ΑΡΣ Symbolist

σύμβολο ΟΥΣ ΟΥΔ symbol
▷**αστρονομικό σύμβολο** star sign
▷**το Σύμβολο της Πίστεως** the Apostles' Creed
▷**χημικό σύμβολο** chemical symbol
▷**φαλλικό σύμβολο** phallic symbol

συμβουλάτορας ΟΥΣ ΑΡΣ adviser · (*ειρων.*) busybody

συμβουλευτικός, -ή, -ό ΕΠΙΘ (*διαδικασία*) consultation · (*χαρακτήρας, ρόλος, επιτροπή*) advisory
▷**συμβουλευτική βοήθεια** counselling (*Βρετ.*), counseling (*Αμερ.*)
▸**συμβουλευτική** ΟΥΣ ΘΗΛ (ΨΥΧΟΛ) counselling (*Βρετ.*), counseling (*Αμερ.*)

συμβουλεύω P M to advise
▷**συμβουλεύω κπν να κάνει κτ** to advise sb to do sth
▸**συμβουλεύομαι** ΜΕΣΟΠΑΘ (*δικηγόρο, αρχεία*) to consult

συμβουλή ΟΥΣ ΘΗΛ advice *χωρίς πληθ.*
▷**δίνω συμβουλές/μια συμβουλή σε κπν** to give sb advice/a piece of advice
▷**ζητώ/παίρνω τη συμβουλή κποιου** to ask for/take sb's advice

συμβούλιο ΟΥΣ ΟΥΔ committee, board ·

Σ

(*δημοτικό, κοινοτικό*) council
▷**διοικητικό συμβούλιο** (*εταιρείας*) board of directors · (*σχολείον*) board of governors · (*ιδρύματος*) board of trustees
▷**κάνω συμβούλιο** to have a committee *ή* board meeting
▷**πειθαρχικό συμβούλιο** disciplinary committee
▷**συμβούλιο εφετών** board of appeal, appeal board
▷**υπουργικό συμβούλιο** cabinet
► **Ευρωπαϊκό Συμβούλιο** European Council
► **Συμβούλιο Ασφαλείας του ΟΗΕ** UN Security Council
► **Συμβούλιο τής Ευρώπης** Council of Europe

σύμβουλος ΟΥΣ ΑΡΣΘΗΛ
(α) (= *συμβουλάτορας*) adviser, consultant
(β) (= *μέλος συμβουλίου: δημοτικός*) councillor (*Βρετ.*), councilor (*Αμερ.*) · (*εταιρείας*) director
▷**δημοτικός σύμβουλος** city *ή* town councillor (*Βρετ.*) *ή* councilor (*Αμερ.*)
▷**νομικός/τεχνικός σύμβουλος** legal/technical consultant

συμμάζεμα ΟΥΣ ΟΥΔ (α) (= *συγύρισμα*) tidying up (β) (= *για ρούχα, υφάσματα*) tuck (γ) (= *χαλιναγώγηση*) restraint

συμμαζεύω Ρ Μ (α) (= *συγκεντρώνω: βιβλία*) to pick up (*ακαταστασία*) to pick up, to clear up · (*σημειώσεις*) to get together (β) (= *τακτοποιώ: δωμάτιο, σπίτι*) to tidy up · (*σκέψεις*) to order (γ) (*μαλλιά*) to tidy up (δ) (= *χαλιναγωγώ: άνθρωπο*) to restrain, to control · (*έξοδα*) to curb (ε) (*για ρούχα*) to take in
► **συμμαζεύομαι** ΜΕΣΟΠΑΘ (*σκύλος*) to cringe, to cower
▷**για συμμαζέψου!** get a grip of yourself!
▷**και δε συμμαζεύεται** (*προφορ.*) and that kind of thing

συμμαζώνω Ρ Μ *βλ.* **συμμαζεύω**

συμμαθητής ΟΥΣ ΑΡΣ (*στο ίδιο σχολείο*) schoolmate · (*στην ίδια τάξη*) classmate

συμμαθήτρια ΟΥΣ ΘΗΛ *βλ.* **συμμαθητής**

συμμαχία ΟΥΣ ΘΗΛ alliance · (*κομμάτων*) coalition
▷**κάνω** *ή* **συνάπτω συμμαχία** to form an alliance

συμμαχικός, -ή, -ό ΕΠΙΘ (*στρατός, δυνάμεις, ηγεσίες*) allied

σύμμαχος ΟΥΣ ΑΡΣΘΗΛ ally

συμμαχώ Ρ ΑΜ to form an alliance
▷**συμμαχώ μαζί με κπν** to be allied with sb

σύμμεικτος, -η, -ο ΕΠΙΘ = **σύμμικτος**

συμμερίζομαι Ρ Μ (α) (*λύπη, κατάσταση, πόθο*) to sympathize with (β) (*γνώμη, άποψη*) to share

συμμετέχω Ρ ΑΜ: **συμμετέχω σε** (= *παίρνω μέρος: έργο, προσπάθεια, σύσκεψη*) to participate in, to take part in · (*παιχνίδι, εκδήλωση*) to take part in · (*συζήτηση*) to join in, to take part in · (*εξετάσεις, διαγωνισμό*) to

go in for · (*κέρδη*) to share in · (*πόνους, χαρές*) to share
▷**συμμετέχω ενεργά σε κτ** to take an active part in sth

συμμετοχή ΟΥΣ ΘΗΛ (α) (*ανθρώπου, κράτους*) participation · (*σε συνέδριο*) attendance (β) (*σε διαγωνισμό*) entry
▷**δηλώνω συμμετοχή σε διαγωνισμό** to enter oneself *ή* put one's name down for a competition
▷**συμμετοχή στα κέρδη** profit–sharing

συμμέτοχος, -η, -ο ΕΠΙΘ: **γίνομαι** *ή* **είμαι συμμέτοχος σε** (*πράξεις, γεγονότα*) to be party to · (*έγκλημα*) to be an accomplice in · (*κέρδη*) to share in

συμμετρία ΟΥΣ ΘΗΛ symmetry

συμμετρικός, -ή, -ό ΕΠΙΘ (*σχήμα, διάταξη*) symmetrical

σύμμετρος, -η, -ο ΕΠΙΘ (α) (= *συμμετρικός*) symmetrical (β) (*περιορισμός, ανάπτυξη*) commensurate

συμμιγής, -ής, -ές ΕΠΙΘ: **συμμιγής αριθμός** compound number

σύμμικτος, -η, -ο ΕΠΙΘ mixed

συμμορία ΟΥΣ ΘΗΛ (*ληστών, μοτοσυκλετιστών, αλητών*) gang

συμμορίτης ΟΥΣ ΑΡΣ gang member

συμμορίτισσα ΟΥΣ ΘΗΛ *βλ.* **συμμορίτης**

συμμορφώνω Ρ Μ (α) (*παιδί, μαθητή*) to bring into line · (*συμπεριφορά*) to improve (β) (*έκθεση*) to knock into shape · (*φόρεμα*) to smarten up
► **συμμορφώνομαι** ΜΕΣΟΠΑΘ (= *τακτοποιούμαι*) to tidy oneself up
▷**συμμορφώνομαι με** *ή* **προς κτ** to comply with sth

συμμόρφωση ΟΥΣ ΘΗΛ compliance (*σε ή προς with*)

συμπαγής, -ής, -ές ΕΠΙΘ (α) (= *στέρεος: υλικό, βράχος, κτίριο, πόρτα*) solid (β) (= *πυκνός: πλήθυσμός, κτίρια*) serried (γ) (*ομάδα, κίνημα*) united

συμπάθεια ΟΥΣ ΘΗΛ (α) (= *συμπόνια*) sympathy (β) (= *αγάπη*) fondness (γ) (= *φιλική ή ερωτική έλξη*) attraction
▷**είμαι η συμπάθεια κποιου** to be the object of sb's affections
▷**τρέφω** *ή* **έχω (μεγάλη) συμπάθεια σε κπν/κτ** to (really) like sb/sth
▷**με συμπάθεια** sympathetically

συμπαθής, -ής, -ές ΕΠΙΘ likeable
▷**μου είναι πολύ συμπαθής** I really like him

συμπαθητικός, -ή, -ό ΕΠΙΘ (*για προσ.*) nice, likeable · (*χωριό, τοπίο*) nice, pleasant · (*σπίτι, ρούχο*) nice
► **συμπαθητική μελάνη** invisible ink
► **συμπαθητικό σύστημα** sympathetic nervous system

συμπάθιο ΟΥΣ ΟΥΔ ΑΚΛ: **με το συμπάθιο** (*προφορ.*) excuse me, with all due respect

συμπαθώ Ρ Μ (α) (= *αισθάνομαι συμπάθεια*

για) to like **(β)** (= _συμπονώ_) to feel for, to sympathize with

συμπαιγνία ΟΥΣ ΘΗΛ collusion

συμπαίκτης ΟΥΣ ΑΡΣ (ΑΘΛ) team–mate

συμπαίκτρια ΟΥΣ ΘΗΛ _βλ._ **συμπαίκτης**

σύμπαν ΟΥΣ ΟΥΔ universe

συμπαραγωγός ΟΥΣ ΑΡΣ co–producer

συμπαρασέρνω Ρ Μ = **συμπαρασύρω**

συμπαράσταση ΟΥΣ ΘΗΛ support
▷**σε ένδειξη συμπαράστασης προς τους απεργούς** in solidarity with the strikers

συμπαραστάτης ΟΥΣ ΑΡΣ supporter

συμπαραστέκομαι Ρ Μ to support

συμπαρασύρω Ρ Μ (_άνθρωπο_) to drag along · (_κλαδί, σπίτι_) to sweep away · (_οικονομία, χώρα_) to drag down

συμπαράταξη ΟΥΣ ΘΗΛ alliance · (_κομμάτων_) coalition

συμπαρατάσσομαι Ρ ΑΜ **(α)** (= _συμμαχώ_) to join forces (_με_ with) **(β)** (= _ασπάζομαι_) to go along with

σύμπας ΕΠΙΘ (_επίσ.: κάτοικοι_) all · (_κόσμος, οικουμένη_) whole

συμπάσχω Ρ ΑΜ **(α)** (= _πάσχω μαζί με άλλον_) to empathize (_με_ with) **(β)** (= _συμπονώ_) to sympathize (_σε_ with)

συμπατριώτης ΟΥΣ ΑΡΣ **(α)** (= _ομοεθνής_) compatriot, fellow countryman

> _Προσοχή!: Ο πληθυντικός του_ **countryman** _είναι_ **countrymen**.

(β) (= _συγχωριανός_) person from the same village · (= _συμπολίτης_) person from the same town

συμπατριώτισσα ΟΥΣ ΘΗΛ _βλ._ **συμπατριώτης**

συμπεθέρα ΟΥΣ ΘΗΛ _βλ._ **συμπέθερος**

συμπεθερεύω Ρ Μ _βλ._ **συμπεθεριάζω**

συμπεθεριά ΟΥΣ ΘΗΛ _βλ._ **συμπεθεριό**

συμπεθεριάζω Ρ ΑΜ to become related by marriage
▷**αν δεν ταιριάζαμε, δε θα συμπεθεριάζαμε** birds of a feather flock together (_παροιμ._)

συμπεθεριό ΟΥΣ ΟΥΔ **(α)** (= _συγγένεια από γάμο_) relationship by marriage **(β)** (= _προξενιό_) marriage arrangement **(γ)** (= _συμπέθεροι_) in–laws _πληθ._

συμπέθερος ΟΥΣ ΑΡΣ in–law

συμπεραίνω Ρ ΑΜ **(α)** (= _διαμορφώνω νέα κρίση_) to conclude **(β)** (= _υποθέτω_) to suppose, to presume

συμπέρασμα ΟΥΣ ΟΥΔ conclusion
▷**καταλήγω σε/βγάζω συμπέρασμα** to come to/draw a conclusion

συμπερασματικός, -ή, -ό ΕΠΙΘ deductive
▸**συμπερασματική πρόταση** consecutive clause

συμπερασμός ΟΥΣ ΑΡΣ inference
▷**κατά συμπερασμό(ν)** by inference

συμπεριλαμβανόμενος ΜΤΧ:

συμπεριλαμβανομένου +_γεν._ including

συμπεριλαμβάνω Ρ Μ to include

συμπεριφέρομαι Ρ ΑΜ to behave
▷**συμπεριφέρομαι άσχημα** to misbehave
▷**συμπεριφέρομαι σε κπν άσχημα/ευγενικά** to treat sb badly/courteously

συμπεριφορά ΟΥΣ ΘΗΛ **(α)** (= _διαγωγή: για πράξ._) behaviour (_Βρετ._), behavior (_Αμερ._), conduct · (_ζώων_) behaviour (_Βρετ._), behavior (_Αμερ._) **(β)** (_μηχανήματος, κυκλώματος, αυτοκινήτου_) performance
▷**δεν είναι συμπεριφορά αυτή!** that's no way to behave!

συμπιέζω Ρ Μ **(α)** (= _ασκώ πίεση για να μειώσω τον όγκο_) to compress **(β)** (= _περιορίζω: περιθώρια κέρδους_) to squeeze · (_έξοδα_) to cut

συμπίεση ΟΥΣ ΘΗΛ **(α)** (= _άσκηση πίεσης_) compression **(β)** (ΠΛΗΡΟΦ) compression **(γ)** (_τιμών, εισοδήματος, χρόνου_) squeeze

συμπίπτω Ρ ΑΜ **(α)** (= _συνταυτίζομαι: προτάσεις, απόψεις_) to coincide, to be the same · (_κατάθεση_) to tally (_με_ with) **(β)** (= _συνταυτίζομαι χρονικά_) to happen ή take place at the same time · (_για ατυχή σύμπτωση_) to clash · (_για μερική κάλυψη_) to overlap
▷**συμπίπτει να πάμε την ίδια μέρα** we happen to be going on the same day

σύμπλεγμα ΟΥΣ ΟΥΔ **(α)** (_κτισμάτων_) complex · (_συμφώνων_) cluster · (_νησιών_) group, cluster **(β)** (_δρόμων, καναλιών_) network **(γ)** (_αισθημάτων_) tangle **(δ)** (ΨΥΧΟΛ: _κατωτερότητας, ενοχής_) complex
▸**σύμπλεγμα κατωτερότητας** inferiority complex

συμπλεγματικός, -ή, -ό ΕΠΙΘ (_χαρακτήρας_) complex–ridden

συμπλέκτης ΟΥΣ ΑΡΣ clutch

συμπλέκω Ρ Μ (_δάχτυλα, μέλη_) to entwine
▸**συμπλέκομαι** ΜΕΣΟΠΑΘ **(α)** (= _συνενώνομαι_) to be intertwined **(β)** (= _τσακώνομαι_) to come to blows · (_αστυνομικοί, διαδηλωτές_) to clash

Συμπληγάδες ΟΥΣ ΘΗΛ ΠΛΗΘ (ΜΥΘΟΛ: _επίσης_ **συμπληγάδες (πέτρες)**) Symplegades, Clashing Rocks
▷**περνώ από συμπληγάδες** (_μτφ._) to go through hell and high water

συμπλήρωμα ΟΥΣ ΟΥΔ (_διατροφής_) supplement · (_φαγητού_) extra helping · (_βιβλίου_) supplement, addendum

> _Προσοχή!: Ο πληθυντικός του_ **addendum** _είναι_ **addenda**.

συμπληρωματικός, -ή, -ό ΕΠΙΘ (_απόδειξη, στοιχείο, σχόλιο, μέτρα_) additional
▸**συμπληρωματική γωνία** complementary angle

συμπληρώνω ① Ρ Μ **(α)** (_θέση_) to fill · (_αριθμό, προτάσεις_) to fill in · (_αίτηση, έντυπο_) to fill in (_Βρετ._), to fill out (_Αμερ._) · (_ποσό_) to make up · (_εισόδημα_) to

Σ

supplement **(β)** (= *ολοκληρώνω*) to complement

2 Ρ ΑΜ (= *λέω ως συμπλήρωμα*) to add
▷**συμπληρώνω τα τριάντα** to be thirty
▷**συμπληρώνει 35 χρόνια στην εταιρεία** she has been with the firm for 35 years
συμπλήρωση ΟΥΣ ΘΗΛ **(α)** (*θέσης*) filling · (*αριθμού, κενών*) filling in · (*αίτησης*) filling in (*Βρετ.*), filling out (*Αμερ.*)
(β) (= *ολοκλήρωση*) completion
▷**η συμπλήρωση 35 χρόνων σε μια εταιρεία** 35 years' service with a firm
συμπλοκή ΟΥΣ ΘΗΛ **(α)** (= *τσακωμός*) fight, affray (*επίσ.*) · (*διαδηλωτών, αστυνομικών, ομάδων*) clash · (= *μικρής διάρκειας σύγκρουση στρατευμάτων*) skirmish
(β) (= *σύμπλεγμα*) intertwining
σύμπνοια ΟΥΣ ΘΗΛ concord
συμπολεμιστής ΟΥΣ ΑΡΣ comrade–in–arms

> *Προσοχή!: Ο πληθυντικός του* **comrade-in-arms** *είναι* **comrades-in-arms.**

συμπολεμίστρια ΟΥΣ ΘΗΛ *βλ.* **συμπολεμιστής**
συμπολιτεία ΟΥΣ ΘΗΛ confederacy
συμπολιτευόμενος, -η, -ο ΕΠΙΘ pro–government
συμπολίτευση ΟΥΣ ΘΗΛ **(α)** (= *σύνολο των βουλευτών*) members *πληθ.* of the government **(β)** (= *σύνολο των οπαδών*) government party
συμπολίτης ΟΥΣ ΑΡΣ fellow citizen
συμπολίτισσα ΟΥΣ ΘΗΛ *βλ.* **συμπολίτης**
συμπονετικός, -ή, -ό ΕΠΙΘ **(α)** (*για πρόσ.*) compassionate **(β)** (*βλέμμα, ύφος, λόγια*) sympathetic
συμπόνια ΟΥΣ ΘΗΛ, **συμπόνοια** compassion, sympathy
συμπονώ Ρ Μ to sympathize with
συμπορεύομαι Ρ ΑΜ (*οδοιπόροι*) to walk together
▷**συμπορεύομαι με κπν** to walk with sb · (= *είμαι στο ίδιο επίπεδο*) to be on a par with sb
▷**συμπορεύομαι με κτ** (= *συμφωνώ*) to concur with sth, to go along with sth
συμπόσιο ΟΥΣ ΟΥΔ **(α)** (= *πλούσια συνεστίαση*) banquet, feast **(β)** (= *συνέδριο*) symposium

> *Προσοχή!: Ο πληθυντικός του* **symposium** *είναι* **symposiums** *ή* **symposia.**

συμποσούμαι Ρ ΑΜ ΑΠΟΘ: **συμποσούμαι σε** to amount to
συμπράγκαλα ΟΥΣ ΟΥΔ ΠΛΗΘ (*ανεπ.*) clobber *εν.* (*ανεπ.*), gear *εν.* (*ανεπ.*)
σύμπραξη ΟΥΣ ΘΗΛ collaboration
συμπράττω Ρ ΑΜ to collaborate
συμπρωταγωνιστής ΟΥΣ ΑΡΣ co–star
συμπρωταγωνιστώ **1** Ρ Μ to co–star
2 Ρ ΑΜ to co–star

συμπρωτεύουσα ΟΥΣ ΘΗΛ second (largest) city
σύμπτυξη ΟΥΣ ΘΗΛ **(α)** (*ομιλίας, κεφαλαίου*) shortening · (*ωρών απασχόλησης*) reduction **(β)** (ΣΤΡΑΤ. = *οπισθοχώρηση*) retreat, withdrawal · (= *πύκνωση*) concentration
συμπτύσσω Ρ Μ **(α)** (*κείμενο, άρθρο*) to shorten, to condense · (*λόγο*) to cut short · (*αποτελέσματα*) to summarize
(β) (= *συγκεντρώνω*) to gather
▶**συμπτύσσομαι** ΜΕΣΟΠΑΘ (*για στράτευμα*) to retreat
σύμπτωμα ΟΥΣ ΟΥΔ **(α)** (*ασθένειας*) symptom **(β)** (*μτφ.*) sign
συμπτωματικά ΕΠΙΡΡ (= *τυχαία*) coincidentally
συμπτωματικός, -ή, -ό ΕΠΙΘ **(α)** (= *τυχαίος: γεγονός, συνάντηση*) coincidental **(β)** (*πυρετός, ασθένεια*) symptomatic
συμπτωματολογία ΟΥΣ ΘΗΛ symptomatology
σύμπτωση ΟΥΣ ΘΗΛ **(α)** (= *τυχαίο περιστατικό*) coincidence **(β)** (*επίσ.*: = *συνταύτιση: απόψεων*) coincidence, concurrence
▷**κατά σύμπτωση** by coincidence
▷**κατά σατανική σύμπτωση** as bad luck would have it
συμπυκνωμένος, -η, -ο ΜΤΧ (*τροφές*) concentrated · (*γάλα*) condensed · (*ύλη*) compressed
συμπυκνώνω Ρ Μ **(α)** (*τροφές*) to concentrate · (*γάλα*) to condense **(β)** (*αέριο*) to condense
συμπύκνωση ΟΥΣ ΘΗΛ (*τροφής*) concentration · (*γάλακτος*) condensation · (*αερίου*) condensing
συμπυκνωτής ΟΥΣ ΑΡΣ **(α)** (*αερίων*) condenser **(β)** (ΗΛΕΚΤΡ) capacitor
συμφέρον ΟΥΣ ΟΥΔ interest
▷**έχω συμφέρον σε κτ** to have a stake in sth
▷**κοιτάζω το συμφέρον μου** to look after one's interests
▷**προς το συμφέρον κποιου** in sb's interest
▷**προσωπικό συμφέρον** self–interest
▷**το συμφέρον σου είναι να φύγεις** it's in your best interests to leave
συμφεροντολόγα ΟΥΣ ΘΗΛ *βλ.* **συμφεροντολόγος**
συμφεροντολογικός, -ή, -ό ΕΠΙΘ (*φέρσιμο, αντίδραση*) selfish
συμφεροντολόγος ΟΥΣ ΑΡΣ self–seeker
συμφέρω Ρ Μ: **συμφέρει (σε) κπν** to be in sb's interest *ή* to sb's advantage
▷**συμφέρει να κάνω κτ** it's worthwhile doing sth, it's in one's interest to do sth
▷**κάνει ότι την συμφέρει** she always looks after her own interests
συμφέρων, -ουσα, -ον ΕΠΙΘ (*προσφορά*) attractive · (*τιμή*) good
συμφιλιώνω Ρ Μ (*κυριολ., μτφ.*) to reconcile
▶**συμφιλιώνομαι** ΜΕΣΟΠΑΘ to become reconciled (*με* with)

συμφιλίωση ΟΥΣ ΘΗΛ reconciliation

συμφιλιωτής ΟΥΣ ΑΡΣ conciliator

συμφιλιωτικός, -ή, -ό ΕΠΙΘ conciliatory

συμφοιτητής ΟΥΣ ΑΡΣ fellow student
▷**είμασταν συμφοιτητές** we were at college *ή* university together

συμφοιτήτρια ΟΥΣ ΘΗΛ *βλ.* **συμφοιτητής**

συμφορά ΟΥΣ ΘΗΛ (α) (= *δυστυχία*) calamity, disaster (β) (*ανεπ.: για πρόσ.*) walking disaster (*ανεπ.*)
▷**η συμφορά της ήταν που...** her trouble was that...
▷**συμφορά μου!** I'm in trouble!
▷**της συμφοράς** (*υπηρεσία*) disastrous · (*δωμάτιο*) wretched

συμφόρηση ΟΥΣ ΘΗΛ (ΙΑΤΡ) congestion
▷**εγκεφαλική συμφόρηση** stroke
▷**κυκλοφοριακή συμφόρηση** traffic congestion

σύμφορος, -ος, -η ΕΠΙΘ *βλ.* **συμφέρων**

συμφραζόμενα ΟΥΣ ΟΥΔ ΠΛΗΘ context

συμφυής, -ής, -ές (*επίσ.*) ΕΠΙΘ (*ιδιότητα*) inherent, innate · (*νόσος*) congenital

συμφυρμός (*επίσ.*) ΟΥΣ ΑΡΣ mixing

σύμφυση ΟΥΣ ΘΗΛ (ΑΝΑΤ, ΙΑΤΡ) symphysis

Προσοχή! Ο πληθυντικός του **symphysis** είναι **symphyses**.

σύμφυτος, -η, -ο (*επίσ.*) ΕΠΙΘ (*επίσ.: ιδιότητα*) inherent, innate · (*νόσος*) congenital

σύμφωνα ΕΠΙΡΡ: **σύμφωνα με** according to, in accordance with

συμφωνητικό ΟΥΣ ΟΥΔ contract
▷**ιδιωτικό συμφωνητικό** private contract
▷**προγαμιαίο συμφωνητικό** prenuptial agreement

συμφωνία ΟΥΣ ΘΗΛ (α) (*γενικότ.*) agreement (β) (= *συννομολόγηση συμβάσεων*) deal (γ) (= *όρος*) condition (δ) (= *ταίριασμα: χαρακτήρων*) accord · (*χρωμάτων*) match (ε) (ΜΟΥΣ) symphony
▷**δέχομαι με τη συμφωνία να...** to accept on condition that...
▷**έκλεισε η συμφωνία** it's a deal
▷**κάνω συμφωνία** to make a deal
▷**καταλήγω/φθάνω σε συμφωνία** to come to/ reach an agreement
▷**κλείνω/τηρώ συμφωνία** to make/stick to a deal
▷**ρητή/σιωπηρή συμφωνία** explicit/unspoken agreement
▸**συμφωνία-πακέτο** package deal

συμφωνικός, -ή, -ό ΕΠΙΘ (α) (*μουσική, ποίημα*) symphonic · (*ορχήστρα*) symphony · (β) (*σύμπλεγμα*) consonant

σύμφωνο ΟΥΣ ΟΥΔ (α) (ΓΛΩΣΣ) consonant (β) (= *συμφωνητικό*) contract · (*φιλίας, συνεργασίας*) pact

σύμφωνος, -η, -ο ΕΠΙΘ (α) (*για πρόσ.*) in agreement · (*γνώμη, απόφαση*) favourable (*Βρετ.*), favorable (*Αμερ.*) (β) (= *συνεπής*) consistent
▷(**είμαστε) σύμφωνοι;** (is that) agreed?, is that a deal? (*ανεπ.*)
▷**η πρότασή σας με βρίσκει σύμφωνο** I'm in favour (*Βρετ.*) *ή* favor (*Αμερ.*) of your proposal
▷**πάμε κινηματογράφο απόψε; -Σύμφωνοι!** shall we go to the cinema tonight? – You're on!

συμφωνώ ① Ρ ΑΜ (α) (= *έχω την ίδια γνώμη*) to agree (*με* with) (β) (= *ταιριάζω*) to match, to go together (γ) (= *παρουσιάζω συνέπεια*) to be consistent (*με* with)
② Ρ Μ (*αμοιβή*) to agree on
▷**συμφωνώ με κτ** (= *ταιριάζω*) to match sth, to go with sth
▷**συμφωνώ να κάνω κτ** to agree to do sth
▷**συμφωνώ σε κτ** to agree on sth

συμψηφίζω Ρ Μ to offset

συν (*επίσ.*) ΠΡΟΘ (= *επιπλέον*) plus
▷**πέντε συν δύο ίσον εφτά** five plus two is seven
▷**συν Θεώ** God willing
▷**συν τοις άλλοις** on top of everything else
▷**συν τω νόμω** in accordance with the law
▷**συν τω χρόνω** with time
▸**συν** ΟΥΣ ΟΥΔ (ΜΑΘ) plus
▷**τα συν και τα πλην** pros and cons

συναγερμός ΟΥΣ ΑΡΣ (*γενικότ.*) alarm · (*κτιρίου*) burglar alarm
▷**σημαίνω συναγερμός** to sound the alarm
▷**σε κατάσταση συναγερμού** on alert
▷**συναγερμός για αεροπορική επίθεση** air-raid warning

συναγρίδα ΟΥΣ ΘΗΛ sea bream

συνάγω (*επίσ.*) Ρ Μ (= *συμπεραίνω*) to conclude · (*συμπεράσματα*) to draw · (*γνώμη*) to form · (*στοιχεία, τεκμήρια*) to gather
▸**συνάγεται** ΑΠΡΟΣ it can be concluded
▷**συνάγεται ότι** it follows that

συναγωγή ΟΥΣ ΘΗΛ (α) (*επίσ.: = συσσώρευση*) gathering (β) (ΘΡΗΣΚ) synagogue

συναγωνίζομαι ① Ρ ΑΜ ΑΠΟΘ (α) (= *ανταγωνίζομαι*) to compete (β) (= *μάχομαι από κοινού*) to fight together ② Ρ Μ to rival

συναγωνισμός ΟΥΣ ΑΡΣ competition
▷**εκτός συναγωνισμού** (*για ταινία*) outside the competition · (= *εκτός μάχης*) out of the running

συναγωνιστής ΟΥΣ ΑΡΣ (α) (= *αγωνιστής σε κοινό αγώνα*) comrade-in-arms

---

Προσοχή! Ο πληθυντικός του **comrade-in-arms** είναι **comrades-in-arms**.

(β) (= *ανταγωνιστής*) competitor

συναγωνιστικός, -ή, -ό ΕΠΙΘ competitive

συναγωνίστρια ΟΥΣ ΘΗΛ *βλ.* **συναγωνιστής**

συναδελφικός, -ή, -ό ΕΠΙΘ (*σχέση, αλληλεγγύη*) between colleagues

Σ

συναδελφικότητα ΟΥΣ ΘΗΛ solidarity

συνάδελφος ΟΥΣ ΑΡΣ/ΘΗΛ colleague

συναδελφοσύνη ΟΥΣ ΘΗΛ solidarity

συναδελφώνω Ρ Μ to bring together

συναδέλφωση ΟΥΣ ΘΗΛ fraternization

συνάζω Ρ Μ to gather · (στρατό) to muster · (πλούτο) to amass, to accumulate
‣ **συνάζομαι** Ρ ΑΜ to gather, to assemble

συναθροίζω Ρ Μ (κοπάδι, πλήθος) to gather · (στρατό) to muster · (θησαυρό) to accumulate
‣ **συναθροίζομαι** ΜΕΣΟΠΑΘ to gather, to congregate

συνάθροιση ΟΥΣ ΘΗΛ gathering

συναίνεση ΟΥΣ ΘΗΛ consent
▷ **κοινή συναινέσει** by mutual consent
▷ **κοινωνική/εθνική συναίνεση** social/national consensus

συναινετικός, -ή, -ό ΕΠΙΘ (διαζύγιο, διαδικασίες) uncontested

συναινώ Ρ ΑΜ: **συναινώ σε** to consent to, to agree to

συναίρεση ΟΥΣ ΘΗΛ contraction

συναιρώ Ρ Μ to contract

συναισθάνομαι Ρ Μ (σφάλμα) to realize · (ευθύνη, υποχρέωση, κίνδυνο) to be aware of

συναίσθημα ΟΥΣ ΟΥΔ (α) (= ψυχική κατάσταση: χαράς, φόβου, ευτυχίας, ενοχής) feeling (β) (= καρδιά) emotion (γ) (= συναισθηματισμός) sentiment (δ) (= ένστικτο) feeling
▷ **δεν έχουν θέση τα συναισθήματα** there's no room for sentiment
▷ **έχω το συναίσθημα ότι...** I have ή get the feeling that...
▷ **τρέφω συναισθήματα για κπν** to have feelings for sb

συναισθηματικός, -ή, -ό ΕΠΙΘ (α) (ζωή, φόρτιση, ανάγκες) emotional (β) (= παρορμητικός) emotional (γ) (= ευαίσθητος) sentimental

συναισθηματικότητα ΟΥΣ ΘΗΛ sentimentality

συναισθηματισμός ΟΥΣ ΑΡΣ sentiment

συναίσθηση ΟΥΣ ΘΗΛ (καθήκοντος, ευθύνης) sense · (δυσκολιών, κινδύνου) awareness

συναίτιος, -α, -ο ΕΠΙΘ equally responsible, equally to blame

συνακόλουθος, -η, -ο ΕΠΙΘ (α) (αύξηση) consequent, resulting · (συνέπεια, αποτέλεσμα) attendant (β) (= συνεπής) consistent

συνακρόαση ΟΥΣ ΘΗΛ (τηλεφωνήματος) listening in

συναλλαγή ΟΥΣ ΘΗΛ (= δοσοληψία) transaction
▷ **ελεύθερη συναλλαγή** free trade
▷ **εμπορικές συναλλαγές** business ή trade transactions
▷ **τραπεζική συναλλαγή** banking transaction
▷ **χρηματιστηριακή συναλλαγή** stock market trading
‣ **συναλλαγές** ΠΛΗΘ (= νταραβέρια) dealings

συνάλλαγμα ΟΥΣ ΟΥΔ foreign exchange
▷ **αγορά συναλλάγματος** currency market, foreign exchange market
▷ **ξένο/εσωτερικό συνάλλαγμα** foreign/domestic exchange
▷ **σκληρό συνάλλαγμα** hard currency
▷ **τιμή συναλλάγματος** exchange rate, rate of exchange

συναλλαγματική ΟΥΣ ΘΗΛ draft

συναλλαγματικός ΕΠΙΘ (αγορά) foreign exchange, currency · (απόθεμα) currency

συναλλάζω Ρ ΑΜ (προφορ.: = αλλάζω ρούχα) to change

συναλλακτικός ΕΠΙΘ (δραστηριότητα, σχέση) business
▷ **συναλλακτικό δίκαιο** business law
▷ **συναλλακτικά ήθη** business practices

συναλλάσσομαι Ρ Μ to do business
▷ **συναλλάσσομαι με κπν** to do business with sb, to deal with sb · (= νταραβερίζομαι) to have dealings with sb

συνάμα ΕΠΙΡΡ at the same time

συναναστρέφομαι Ρ Μ ΑΠΟΘ to associate, to mix (με with)

συναναστροφή ΟΥΣ ΘΗΛ (α) (= παρέα) company (β) (= φιλική συγκέντρωση) get-together
▷ **κακές συναναστροφές** bad company εν.

συνάνθρωπος ΟΥΣ ΑΡΣ fellow man

συνάντηση ΟΥΣ ΘΗΛ (α) (γενικότ.) meeting (β) (= ματς) match · (αθλητική) meeting
▷ **μια τυχαία/απρόοπτη συνάντηση** a chance/an unexpected encounter
▷ **ποδοσφαιρική συνάντηση** football (Βρετ.) ή soccer (κυρ. Αμερ.) match
▷ **σημείο/τόπος συνάντησης** meeting point/place
▷ **συνάντηση κορυφής** summit (meeting)

συναντώ Ρ Μ (α) (= ανταμώνω) to meet (β) (αντίσταση) to meet with, to encounter · (εμπόδια) to encounter, to come across · (δυσκολίες) to come up against · (κινδύνους) to face (γ) (= βρίσκω κατά τύχη: καλούς ανθρώπους) to come across (δ) (ΑΘΛ: αντίπαλο) to meet, to play · (για πυγμαχία) to meet, to fight
▷ **συναντώ κπν τυχαία** to bump ή run into sb, to happen to meet sb
▷ **συναντιούνται κάθε σαββατοκύριακο** they meet up every weekend
▷ **οι δύο ομάδες συναντήθηκαν στο Εθνικό στάδιο** the two teams played in the national stadium
▷ **τα βλέμματά τους συναντήθηκαν** their eyes met
▷ **τα μεγάλα πνεύματα συναντώνται** great minds think alike

συναξάρι ΟΥΣ ΟΥΔ (ΘΡΗΣΚ) legendary

σύναξη ΟΥΣ ΘΗΛ (= συγκέντρωση) gathering · (των πιστών) congregation

συναπάντημα ΟΥΣ ΟΥΔ chance encounter

συναπαντώ Ρ Μ to run into, to bump into

συναπαρτίζω Ρ Μ to comprise

συναποφασίζω Ρ Μ to decide with

συναπτός, -ή, -ό (*επίσ.*) ΕΠΙΘ (= *συνεχής*) consecutive

συνάπτω (*επίσ.*) Ρ Μ (α) (= *συνενώνω: δικαιολογητικά*) to attach (β) (*γάμο*) to contract · (*συνθήκη, συμμαχία, σύμβαση*) to enter into · (*δάνειο*) to take out · (*ειρήνη, γνωριμία*) to make · (*σχέσεις*) to establish

συναρμογή ΟΥΣ ΘΗΛ (*εξαρτημάτων*) fitting, connection

συναρμόζω Ρ Μ to fit, to connect · (*μηχάνημα*) to mount

συναρμολόγηση ΟΥΣ ΘΗΛ (*εξαρτημάτων*) assembly

συναρμολογώ Ρ Μ (*εξαρτήματα, τεμάχια*) to assemble

συναρπάζω Ρ Μ to enthral, to fascinate
▷ **η πτήση με το αερόστατο τον είχε συναρπάσει** the flight in the air balloon was a thrilling experience for him
▷ **η τραγουδίστρια συνάρπαζε το ακροατήριο** the singer took the audience by storm
▷ **το παιχνίδι εκείνο με συνάρπαζε** it was a gripping *ή* thrilling match
▷ **το ποδόσφαιρο δεν με συναρπάζει** I'm not mad about football

συναρπαστικός ΕΠΙΘ (*ιστορία, ταινία, αγώνας*) gripping · (*ομορφιά*) arresting · (*ομιλητής, θέμα*) fascinating

συνάρτηση ΟΥΣ ΘΗΛ (α) (= *αλληλεξάρτηση*) interrelation · (*πολλών παραγόντων*) combination (β) (ΜΑΘ) function
▷ **σε συνάρτηση με** in relation to

συναρτώ Ρ Μ (*επίσ.*) to connect

συνασπίζω Ρ Μ to unite
▶ **συνασπίζομαι** ΜΕΣΟΠΑΘ to join forces

συνασπισμός ΟΥΣ ΑΡΣ alliance · (*κομμάτων*) coalition

συναυλία ΟΥΣ ΘΗΛ concert
▷ **δίνω συναυλία** to give a concert

συναυτουργός ΟΥΣ ΑΡΣ&ΘΗΛ accomplice

συνάφεια ΟΥΣ ΘΗΛ (= *άμεση σχέση*) link, connection

συναφής, -ής, -ές ΕΠΙΘ related

συνάφι ΟΥΣ ΟΥΔ = **σινάφι**

συνάχι ΟΥΣ ΟΥΔ cold
▷ **αρπάζω συνάχι** to catch a cold

συναχώνομαι Ρ ΑΜ to catch a cold

σύναψη (*επίσ.*) ΟΥΣ ΘΗΛ (*συμφωνίας, συνθήκης*) entering into · (*δανείου*) taking out · (*γάμου*) contracting · (*σχέσεων*) establishing

συνδαιτυμόνας (*επίσ.*) ΟΥΣ ΑΡΣ&ΘΗΛ fellow diner, dinner guest

συνδεδεμένος, -η, -ο ΜΤΧ (α) (*καλώδιο, σύρμα*) connected (*με* to) (β) (= *που έχει σχέση*) close (*με* to)

▷ **άμεσα/στενά συνδεδεμένος** (*προβλήματα, γεγονότα*) directly/closely linked

σύνδεση ΟΥΣ ΘΗΛ (α) (= *συνένωση*) link, connection (β) (= *συναρμογή: υπολογιστή, γεννήτριας, σωλήνων*) connection · (*βαγονιών*) coupling (γ) (*στις τηλεπικοινωνίες*) link (δ) (*για κράτος: με την Ε.Ε.*) affiliation · (*εμπορική, πολιτιστική*) link
▷ **αεροπορική/θαλάσσια σύνδεση** air/sea link
▷ **ζωντανή *ή* απευθείας σύνδεση** live link–up
▷ **τηλεφωνική σύνδεση** telephone line

σύνδεσμος ΟΥΣ ΑΡΣ (α) (*φοιτητών, εμπόρων, βιομηχάνων*) union, association (β) (= *σχέση*) relationship (γ) (*για πρόσ.*) contact (δ) (ΓΛΩΣΣ) conjunction (ε) (ΑΝΑΤ) ligament (στ) (ΠΛΗΡΟΦ) link (ζ) (ΜΗΧΑΝ) coupler
▷ **στρατιωτικός σύνδεσμος** military alliance

συνδετήρας ΟΥΣ ΑΡΣ (paper) clip

συνδετικός ΕΠΙΘ connective
▷ **συνδετικός κρίκος** link
▷ **συνδετικό ρήμα** copulative verb

συνδέω Ρ Μ (α) (= *ενώνω*) to connect (β) (*τηλέφωνο, ρεύμα, τηλεόραση, βίντεο*) to connect (γ) (= *σχετίζω*) to link (δ) (ΨΥΧΟΛ: = *συνδυάζω συνειρμικά*) to associate (ε) (= *ενώνω σε στενή σχέση*) to bind (together)
▷ **με συνδέετε με τον κύριο διευθυντή, παρακαλώ;** can you put me through to the manager, please?
▶ **συνδέομαι** ΜΕΣΟΠΑΘ (α) (*για φίλους*) to be close · (= *για ερωτευμένους*) to be going out together, to have a relationship (β) (*στις τηλεπικοινωνίες*) to link up (*με* with) (γ) (= *σχετίζομαι*) to be linked
▷ **συνδέομαι με την Ε.Ε.** to join the EU
▷ **συνδέομαι με το Διαδίκτυο** to connect to the Internet

συνδημότης ΟΥΣ ΑΡΣ fellow townsman

Προσοχή!: Ο πληθυντικός του **townsman** *είναι* **townsmen**.

συνδιαλέγομαι (*επίσ.*) Ρ ΑΜ to converse

συνδιάλεξη (*επίσ.*) ΟΥΣ ΘΗΛ (= *συνομιλία*) conversation
▷ **τηλεφωνική συνδιάλεξη** telephone call

συνδιαλλαγή ΟΥΣ ΘΗΛ (*συμβιβασμός*) settlement · (*συμφιλίωση*) reconciliation

συνδιάσκεψη ΟΥΣ ΘΗΛ conference

συνδιδασκαλία ΟΥΣ ΘΗΛ (= *εκπαίδευση των δύο φύλων*) co-education

συνδικαλίζομαι Ρ ΑΜ (= *γίνομαι μέλος συνδικαλιστικής οργάνωσης*) to join a union · (= *ασχολούμαι με τον συνδικαλισμό*) to be an active union member

συνδικαλισμένος ΜΤΧ (*νεολαία*) unionized
▷ **είμαι συνδικαλισμένος** to be a union member

συνδικαλισμός ΟΥΣ ΑΡΣ trade union activities *πληθ.* (Βρετ.), labor union activities *πληθ.* (Αμερ.) · (= *συνδικάτα*) trade unions *πληθ.*

Σ

(*Βρετ.*), labor unions *πληθ.* (*Αμερ.*)

συνδικαλιστής ΟΥΣ ΑΡΣ (= *μέλος συνδικαλιστικής οργάνωσης*) (trade) union member (*Βρετ.*), (labor) union member (*Αμερ.*)· (= *ηγετικό στέλεχος*) (trade) union official (*Βρετ.*), (labor) union official (*Αμερ.*)

συνδικαλιστικός, -ή, -ό ΕΠΙΘ (*αγώνας, σωματείο, δικαιώματα*) union
▷**συνδικαλιστικό κίνημα** trade (*Βρετ.*) *ή* labor (*Αμερ.*) union movement
▷**συνδικαλιστικός φορέας** trade unions *πληθ.* (*Βρετ.*), labor unions *πληθ.* (*Αμερ.*)

συνδικαλίστρια ΟΥΣ ΘΗΛ *βλ.* **συνδικαλιστής**

συνδικάτο ΟΥΣ ΟΥΔ syndicate
▷**εργατικό συνδικάτο** (trade) union (*Βρετ.*), (labor) union (*Αμερ.*)

σύνδικος ΟΥΣ ΑΡΣ official receiver

συνδρομή ΟΥΣ ΘΗΛ (α) (*σε περιοδικά, εφημερίδες, οργανώσεις*) subscription (β) (= *βοήθεια*) help (γ) (= *οικονομική βοήθεια: για ολοκλήρωση έργου*) funding· (*για απόρους*) aid (δ) (*παραγόντων*) conjunction

συνδρομητής ΟΥΣ ΑΡΣ subscriber

συνδρομήτρια ΟΥΣ ΘΗΛ *βλ.* **συνδρομητής**

σύνδρομο ΟΥΣ ΟΥΔ syndrome

συνδυάζω ① P M (α) (= *ενώνω*) to combine (β) (= *ταιριάζω*) to match (γ) (= *αλληλεξαρτώ*) to link
▷**συνδυάζω την αλήθεια με τη φαντασία/τα νιάτα με την ομορφιά** to combine truth with fiction/youth with beauty
▷**συνδυάζω μια ζακέτα με ασπρό πουκάμισο** to find a white shirt to match a jacket ② ΜΕΣΟΠΑΘ to match
▷**συνδυάζομαι με κτ** to match sth, to go with sth

συνδυασμένος ΜΤΧ (*πρασπάθειες, έρευνες*) combined, joint

συνδυασμός ΟΥΣ ΑΡΣ (α) (*δύο ή περισσοτέρων πραγμάτων*) combination (β) (*για εκλογές*) ticket
▷**σε συνδυασμό** together
▷**σε συνδυασμό με** in combination with
▸**κλειδαριά συνδυασμού** combination lock
▸**συνδυασμός χρηματοκιβωτίου** combination
▸**συνδυασμοί χρωμάτων** colour (*Βρετ.*) *ή* color (*Αμερ.*) scheme

σύνεγγυς ΕΠΙΡΡ: **εκ του σύνεγγυς** closely

συνεγγυώμαι P M to guarantee jointly

συνεδρία ΟΥΣ ΘΗΛ (α) (ΙΑΤΡ) session (β) (= *συνεδρίαση*) meeting

συνεδριάζω P AM (*βουλή, συμβούλιο, επιτροπή*) to sit, to meet

συνεδρίαση ΟΥΣ ΘΗΛ (*συμβουλίου, επιτροπής*) meeting· (*βουλής*) session

συνέδριο ΟΥΣ ΟΥΔ congress, conference

σύνεδρος ΟΥΣ ΑΡΣ&ΘΗΛ congress *ή* conference participant

συνείδηση ΟΥΣ ΘΗΛ (α) (= *επίγνωση*) awareness (β) (ΨΥΧΟΛ) consciousness

(γ) (*πολιτική, εθνική, κοινωνική*) consciousness (δ) (= *ιδιότητα να διακρίνει το καλό από το κακό*) conscience
▷**αυτό πρέπει να μας γίνει συνείδηση** we must be aware that
▷**αφύπνιση (της) συνείδησης** consciousness–raising
▷**βαραίνω τη συνείδησή κποιου** to trouble sb's conscience
▷**ελευθερία της συνείδησης** freedom of conscience
▷**έχω κτ βάρος στη συνείδησή μου** to have sth on one's conscience
▷**έχω συνείδηση των πράξεών μου** to be conscious *ή* aware of one's actions
▷**έχω τύψεις συνειδήσεως** to be conscience–stricken
▷**κοιμάμαι** *ή* **έχω ήσυχη τη συνείδησή μου** to have a clear conscience
▷**με ελαφρά τη συνείδηση** with an easy conscience
▷**ταξική συνείδηση** class consciousness
▸**αντιρρησίας συνείδησης** conscientious objector

συνειδητοποιημένος, -η, -ο ΜΤΧ committed

συνειδητοποίηση ΟΥΣ ΘΗΛ awareness

συνειδητοποιώ P M to realize, to be aware of
▷**συνειδητοποιώ ότι** *ή* **πως** to realize that

συνειδητός, -ή, -ό ΕΠΙΘ (α) (= *ενσυνείδητος: αγώνας, επιλογή*) conscious (β) (= *συνειδητοποιημένος: οικολόγος, φεμινίστρια, εργάτης*) committed
▸**συνειδητό** ΟΥΣ ΟΥΔ (ΨΥΧΟΛ) consciousness, conscious mind

συνειρμικός, -ή, -ό ΕΠΙΘ (*δεσμός, εικόνα*) associated

συνειρμός ΟΥΣ ΑΡΣ association
▷**ελεύθερος** *ή* **αβίαστος συνειρμός** free association
▷**συνειρμός ιδεών** association of ideas

συνεισφέρω ① P M (*ρούχα, χρήματα*) to contribute ② P AM to contribute (*σε* to)

συνεισφορά ΟΥΣ ΘΗΛ contribution

συνεκδοχή ΟΥΣ ΘΗΛ synecdoche

συνεκπαίδευση ΟΥΣ ΘΗΛ co–education

συνεκπαιδεύω P M (*μαθητές*) to co–educate

συνεκτικός, -ή, -ό ΕΠΙΘ (α) (*δεσμοί, δύναμη*) cohesive (β) (*κείμενο*) coherent
▷**ο συνεκτικός δεσμός** *ή* **κρίκος στη σχέση μας** what bound us together
▷**το συνεκτικό στοιχείο της ομάδας** what binds the team together

συνεκτικότητα ΟΥΣ ΘΗΛ (*συνοχή*) cohesion· (*μετάλλων*) tenacity

συνέλευση ΟΥΣ ΘΗΛ (*μετόχων, καθηγητών, φοιτητών*) meeting
▷**γενική συνέλευση** general meeting
▸**Εθνική Συνέλευση** National Assembly

συνεννόηση ΟΥΣ ΘΗΛ (α) (= *επικοινωνία*) communication (β) (= *συμφωνία*)

understanding **(γ)** (= *ανταλλαγή απόψεων*)
consultation
▷**έρχομαι σε συνεννόηση με κν** to get in
touch with sb, to communicate with sb
▷**καταλήγω σε συνεννόηση** to come to an
understanding
▷**σε συνεννόηση με κπν** in consultation with
sb

συνεννοούμαι Ρ ΑΜ **(α)** (= *επικοινωνώ,
γίνομαι κατανοητός*) to communicate
(β) (= *συμφωνώ*) to have an understanding
(γ) (= *ανταλλάσσω σκέψεις*) to exchange
views, to consult
▷**συνεννοηθήκαμε;** do we understand each
other?

συνενοχή ΟΥΣ ΘΗΛ complicity

συνένοχος ΟΥΣ ΑΡΣΘΗΛ accomplice
▷**είμαι** *ή* **γίνομαι συνένοχος σε κτ** to be an
accomplice in sth

συνέντευξη ΟΥΣ ΘΗΛ interview
▷**δίνω σε κπν συνέντευξη** to give sb an
interview
▷**έχω συνέντευξη με κπν** to have an
interview with sb
▷**παίρνω από κπν συνέντευξη** to interview sb
▸**συνέντευξη τύπου** press conference

συνενώνω Ρ Μ **(α)** (= *συνδέω*) to join, to
unite · (*στοιχεία, σκέψεις*) to pool
(β) (= *οδηγώ σε κοινή δράση*) to unite
▷**συνενώνω τις δυνάμεις** to join forces

συνένωση ΟΥΣ ΘΗΛ **(α)** (*πληροφοριών*)
pooling · (*δυνάμεων*) joining **(β)** (= *κοινή
δράση*) unity

συνεπάγομαι Ρ Μ to entail
▷**συνεπάγεται ότι** it means that

συνεπαίρνω Ρ Μ (*μουσική, θέαμα, ομορφιά*)
to bowl over, to enchant · (*χαρά, αγάπη,
ενθουσιασμός*) to transport

συνεπαρμένος, -η, -ο ΜΤΧ spellbound

συνέπεια ΟΥΣ ΘΗΛ **(α)** (*πράξεων, νόμου*)
consequence **(β)** (= *λογική αλληλουχία*)
consistency **(γ)** (= *η ιδιότητα του συνεπούς*)
reliability
▷**έχω κτ ως** *ή* **σαν συνέπεια** to result in sth
▷**κατά συνέπεια** consequently, as a
consequence
▷**φυσική συνέπεια** natural consequence

συνεπής, -ής, -ές ΕΠΙΘ (*υπάλληλος, σύστημα*)
reliable · (*επιχείρημα*) coherent · (*πορεία*)
consistent
▷**είμαι συνεπής με τον εαυτό μου** to be
consistent
▷**είμαι συνεπής στα ραντεβού μου** to be
punctual
▷**είμαι συνεπής στον λόγο μου** to be true to
one's word
▷**είμαι συνεπής προς τις αρχές μου** to stick
to one's principles

συνεπιβάτης ΟΥΣ ΑΡΣ fellow passenger

συνεπτυγμένος, -η, -ο ΕΠΙΘ (*έκθεση,
κείμενο*) abridged

συνεπώς ΕΠΙΡΡ therefore

συνεργάζομαι Ρ ΑΜ **(α)** (= *εργάζομαι μαζί*) to
work together, to collaborate
(β) (= *αλληλοβοηθούμαι*) to cooperate
(γ) (= *συμμετέχω σε ομαδικό έργο*) to
contribute **(δ)** (*αρνητ.*) to collaborate
▷**συνεργάζομαι με κπν** to work with sb ·
(*κατακτητές*) to collaborate with sb
▷**συνεργάζομαι σε κτ** to contribute to sth

συνεργασία ΟΥΣ ΘΗΛ **(α)** (= *σύμπραξη*)
working together, collaboration
(β) (= *βοήθεια*) cooperation **(γ)** (= *προσφορά
εργασίας*) contribution **(δ)** (*αρνητ.: με τον
εχθρό*) collaboration
▷**σε συνεργασία με κπν** in cooperation with
sb

συνεργάσιμος, -η, -ο ΕΠΙΘ (*άνθρωπος,
ομάδα*) cooperative

συνεργάτης ΟΥΣ ΑΡΣ **(α)** (= *συνέταιρος*)
(work) colleague **(β)** (*καταχρ.: = βοηθός*)
assistant **(γ)** (*περιοδικού, εφημερίδας*)
contributor **(δ)** (*αρνητ.*) collaborator

συνεργατική ΟΥΣ ΘΗΛ (*καταναλωτών,
παραγωγών*) cooperative

συνεργάτιδα (*επίσ.*) ΟΥΣ ΘΗΛ *βλ.* **συνεργάτης**

συνεργείο ΟΥΣ ΟΥΔ (*τηλεοπτικό,
κινηματογραφικό*) crew · (*μαστόρων,
καθαριότητας του δήμου*) party, gang
▷**συνεργείο αυτοκινήτων** car repair shop,
garage

συνεργία ΟΥΣ ΘΗΛ **(α)** (= *συνεργασία*)
collaboration **(β)** (*μυών, φαρμάκων*) synergy
(γ) (ΝΟΜ) complicity

σύνεργα ΟΥΣ ΟΥΔ ΠΛΗΘ tools · (*ψαρά*) tackle *εν.*

συνεργός ΟΥΣ ΑΡΣΘΗΛ accessory, accomplice

συνεργός Ρ ΑΜ (*επίσ.*) to be an accessory

συνερίζομαι Ρ Μ **(α)** (= *δίνω σημασία*) to pay
attention to **(β)** (= *ανταγωνίζομαι με ζήλια*)
to be jealous of

συνέρχομαι Ρ ΑΜ **(α)** (*από αδιαθεσία*) to
come around · (*από αρρώστια*) to recover, to
recuperate **(β)** (*από ψυχική ταραχή*) to rally
(γ) (*μτφ.: παίκτες, οικονομία*) to recover
(δ) (= *συνεδριάζω*) to meet
▷**συνέρχομαι από κτ** (*τραυματισμό*) to
recover from sth · (*σοκ, χωρισμό*) to get over
sth
▸**ελευθερία/δικαίωμα του συνέρχεσθαι**
freedom/right of assembly

σύνεση ΟΥΣ ΘΗΛ caution, prudence
▷**με σύνεση** (= *συνετός: για πρόσ.*) prudent ·
(= *συνετά: ενεργώ, πράττω*) with caution

συνεσταλμένος, -η, -ο ΕΠΙΘ (*κορίτσι, άτομο,
μαθητής, χαμόγελο*) shy, timid

συνεταιρίζομαι Ρ ΑΜ ΑΠΘ to go into
partnership
▷**συνεταιρίζομαι με κπν** to go into
partnership with sb
▸**ελευθερία/δικαίωμα του συνεταιρίζεσθαι**
freedom/right of association

συνεταιρικός, -ή, -ό ΕΠΙΘ (*τιμή, προϊόν*)
cooperative · (*κέρδη*) joint
▷**συνεταιρική επιχείρηση** joint undertaking,

Σ

partnership
▷**συνεταιρική οργάνωση** cooperative, collective

συνεταιρισμός ΟΥΣ ΑΡΣ **(α)** (*αγροτικός, γεωργικός, οικοδομικός*) cooperative, collective **(β)** (*μτφ.*) partnership

συνεταιριστικός, -ή, -ό ΕΠΙΘ (*κίνημα*) cooperative · (*κέρδη, μερίδιο, κεφάλαιο*) joint
▷**συνεταιριστική επιχείρηση** joint undertaking, partnership
▷**συνεταιριστική οργάνωση** cooperative, collective

συνέταιρος, συνεταίρος ΟΥΣ ΑΡΣΘΗΛ partner, associate

συνετίζω Ρ Μ (= *νουθετώ*) to knock ή talk some sense into
▸**συνετίζομαι** ΜΕΣΟΠΑΘ to see sense

συνετός, -ή, -ό ΕΠΙΘ (*άνθρωπος, χαρακτήρας, λόγια, συμπεριφορά*) sensible

συνεύρεση ΟΥΣ ΘΗΛ **(α)** (= *συνάντηση*) meeting, coming together **(β)** (*επίσ.*: = *συνουσία*) sexual intercourse

συνευρίσκομαι Ρ ΑΜ ΑΠΟΘ **(α)** (= *βρίσκομαι μαζί*) to be together · (= *συναντώμαι*) to meet **(β)** (*επίσ.*: = *συνουσιάζομαι*) to have sexual intercourse
▷**συνευρέθηκαν στον ίδιο δείπνο** they were both at the same dinner party

συνεφαπτομένη ΟΥΣ ΘΗΛ cotangent

συνεφέρνω Ρ Μ **(α)** (*λιποθυμισμένος άνθρωπος*) to bring around, to revive **(β)** (*μτφ.*: = *συνετίζω*) to knock ή talk some sense into

συνέχεια¹ ΟΥΣ ΘΗΛ **(α)** (= *εσωτερική συνοχή*) continuity **(β)** (= *ό, τι ακολουθεί: γιορτής, συνεδρίου, εκδήλωσης*) follow–up, sequel **(γ)** (= *σειρά*) sequence
▷**για τη συνέχεια του αγώνα** for the rest of the match
▷**δε δίνω συνέχεια σε κτ** to let sth go
▷**η συνέχεια επί της οθόνης** to be continued
▷**θέλεις να μάθεις τη συνέχεια της ιστορίας;** do you want to know what happened next?
▷**στη συνέχεια, εν συνεχεία** (*επίσ.*) then
▷**υπάρχει και ή έπεται συνέχεια!** there's more to come!
▸**συνέχειες** ΠΛΗΘ instalments (*Βρετ.*), installments (*Αμερ.*)

συνέχεια² ΕΠΙΡΡ **(α)** (= *διαρκώς: πίνω, ενοχλώ*) all the time, continuously · (*μιλώ*) nonstop **(β)** (= *στη σειρά*) in a row
▷**τρία βράδια/τρεις γύρους συνέχεια** three evenings/three rounds in a row ή in succession
▷**χτυπώ συνέχεια την πόρτα** to hammer on the door

συνεχής, -ής, -ές ΕΠΙΘ **(α)** (= *διαρκής: αγώνας, ανησυχία*) constant · (*πορεία*) continuous · (*προσπάθεια*) sustained **(β)** (= *επαναλαμβανόμενος: πιέσεις, επιθέσεις, αυξήσεις*) continual, constant · (*επαφή*) continual **(γ)** (= *διαδοχικός*) successive

▷**για δεύτερη συνεχή χρονιά** for the second year in a row
▷**επί δύο συνεχή χρόνια** for two years running ή in a row
▷**συνεχές ρεύμα** direct current

συνεχίζω ☐ Ρ Μ (*έρευνα, έργο, διδασκαλία, συζήτηση*) to continue, to carry on with ☐ Ρ ΑΜ **(α)** (= *προχωρώ*) to keep going, to carry on **(β)** (= *αρχίζω εκ νέου*) to carry on, to continue
▷**συνεχίζω να κάνω κτ** to continue doing ή to do sth, to carry on ή keep on doing sth
▷**συνεχίζω την προσπάθειά μου** to keep trying
▷**συνεχίστε, παρακαλώ** please go on
▸**συνεχίζομαι** ΜΕΣΟΠΑΘ (*αγώνας, παράσταση*) to go on · (*βροχή*) to keep up
▷**η ζωή συνεχίζεται...** life goes on...

συνέχιση ΟΥΣ ΘΗΛ continuation

συνεχιστής ΟΥΣ ΑΡΣ successor

συνεχόμενος, -η, -ο ΕΠΙΘ (*φόνοι, αγώνες*) successive · (= *παραβιάσεις*) continual · (*δωμάτια, αγροί, σπίτια*) adjacent
▷**δυο συνεχόμενες νύχτες** two nights in a row

συνεχώς ΕΠΙΡΡ constantly, continuously

συνηγορία ΟΥΣ ΘΗΛ defence (*Βρετ.*), defense (*Αμερ.*)

συνήγορος ΟΥΣ ΑΡΣΘΗΛ **(α)** (ΝΟΜ) counsel **(β)** (*μτφ.*) advocate
▷**συνήγορος κατηγορίας** prosecuting counsel
▷**συνήγορος υπεράσπισης** defence (*Βρετ.*) ή defense (*Αμερ.*) counsel

συνηγορώ Ρ ΑΜ **(α)** (ΝΟΜ) to plead **(β)** (*μτφ.*) to be in favour (*Βρετ.*) ή favor (*Αμερ.*)
▷**συνηγορώ υπέρ** +γεν. to speak in favour (*Βρετ.*) ή favor (*Αμερ.*) of, to plead for

συνήθεια ΟΥΣ ΘΗΛ **(α)** (= *έξη*) habit **(β)** (= *έθιμο*) custom
▷**είχα την συνήθεια να κάνω κτ** I used to do sth
▷**έχω την συνήθεια να κάνω κτ** to be in the habit of doing sth
▷**κόβω μια συνήθεια** to break a habit
▷**κάνω κτ από συνήθεια** to do sth out of habit
▷**μου γίνεται συνήθεια να κάνω κτ** to get into the habit of doing sth

συνήθειο ΟΥΣ ΟΥΔ custom

συνήθης, -ής, σύνηθες ΕΠΙΘ (*εκφράσεις, πρόγραμμα*) usual · (*διαδικασία, θεραπεία, μέθοδος*) standard, usual
▷**κατά το σύνηθες** (*επίσ.*) as is one's wont

συνηθίζω ☐ Ρ Μ (= *εξοικειώνομαι*) to get used to ☐ Ρ ΑΜ to become accustomed
▷**δεν συνηθίζει να αργεί** he's not normally ή usually late
▷**δεν με έχει συνηθίσει σε τέτοια συμπεριφορά** I'm not used to such behaviour (*Βρετ.*) ή behavior (*Αμερ.*)
▷**θα το συνηθίσεις** you'll get used to it

▷**συνηθίζω κπν να κάνω κτ** to get sb used to doing sth, to get sb into the habit of doing sth
▷**συνηθίζω να ξυπνώ νωρίς** I usually wake up early
▷**συνηθίζω σε κτ** to get used to sth
▷**συνήθισα να κάνω κτ** I used to do sth
▷**συνηθίζω το τσιγάρο** to become a smoker, to start smoking
▸ συνηθίζεται ΑΠΡΟΣ it is the custom
▸ συνηθίζεται ΤΡΙΤΟΠΡΟΣ it is to be common
συνηθισμένα ΟΥΣ ΟΥΔ ΠΛΗΘ: **τα συνηθισμένα** (= τα ίδια και τα ίδια) the same old thing
▷**έξω από τα συνηθισμένα** out of the ordinary
▷**πως πάει; - Τα συνηθισμένα** how's it going? – Same as usual
συνηθισμένος, -η, -ο ΕΠΙΘ (α) (= συνήθης: προβλήματα, σύμπτωμα) common · (ώρα, μποτιλιάρισμα, αστείο) usual · (γιορτές, τελετές) customary (β) (= που δεν ξεχωρίζει) ordinary, run-of-the-mill
▷**είμαι συνηθισμένος σε κτ** to be used to sth
▷**συνηθισμένα τα βουνά στα χιόνια** (προφορ.) it's all in a day's work
συνήθως ΕΠΙΡΡ usually
▷**όπως** ή **ως συνήθως** as usual
συνημίτονο ΟΥΣ ΟΥΔ cosine
συνημμένος, -η, -ο ΕΠΙΘ attached, enclosed
συνηρημένος, -η, -ο ΕΠΙΘ (ΓΛΩΣΣ) contracted
συνήχηση ΟΥΣ ΘΗΛ (χορδών, φωνών, οργάνων) harmony
σύνθεση ΟΥΣ ΘΗΛ (α) (= ένωση: θεωριών, γνώσεων) synthesis · (ήχου και φωτός) combination (β) (αέρα, εδάφους) composition · (κυβέρνησης, επιτροπής, πληρώματος) members πληθ. · (ομάδας) line–up (γ) (ΜΟΥΣ, ΤΕΧΝ) composition (δ) biosynthesis (ε) synthesis (στ) (ΦΙΛΟΣ) synthesis (ζ) (ΓΛΩΣΣ) compound

Προσοχή!: Ο πληθυντικός του **synthesis** *είναι* **syntheses.**

▸ **σύνθεση δυνάμεων** (ΦΥΣ) composition of forces
▸ **σύνθεση ομιλίας** speech synthesis
συνθέτης ΟΥΣ ΑΡΣ composer
▸ **συνθέτης ομιλίας** ή **φωνής** speech ή voice synthesizer
συνθετικός, -ή, -ό ΕΠΙΘ (α) (πλαστικό, προϊόν, υλικά, ύφασμα, επιφάνεια) synthetic (β) (αρχές, ομιλία) all-encompassing (γ) (ορισμός, μέρη) composite
▷**συνθετική ικανότητα** ability to see the overall picture
▸ συνθετικό ΟΥΣ ΟΥΔ combining form
σύνθετο ΟΥΣ ΟΥΔ display unit
σύνθετος, -η, -ο ΕΠΙΘ (α) (εικόνα, έργο) composite (β) (υλικά, σώματα) compound (γ) (= πολύπλοκος: πρόβλημα, διαδικασία) complex (δ) (λέξη, ρήμα, ουσιαστικό) compound

συνθέτω Ρ Μ (α) (ποίημα, στίχους, μουσική) to compose (β) (σύνολο) to make up (γ) (ΤΥΠΟΓΡ) to typeset
συνθήκη ΟΥΣ ΘΗΛ (α) (= συμφωνία) treaty (β) (ΜΑΘ) condition
▷**συνθήκη ειρήνης** peace treaty
▸ συνθήκες ΠΛΗΘ conditions
▷**καιρικές/περιβαλλοντικές/κοινωνικές συνθήκες** weather/environmental/social conditions
▷**συνθήκες εργασίας/διαβίωσης** ή **ζωής** working/living conditions
▷**τα κατά συνθήκη ψεύδη** white lies
συνθηκολόγηση ΟΥΣ ΘΗΛ (ΣΤΡΑΤ) surrender
συνθηκολογώ Ρ ΑΜ to surrender
σύνθημα ΟΥΣ ΟΥΔ (α) (= σήμα) signal (β) (= προσυμφωνημένη φράση) code word, password (γ) (= σλόγκαν) slogan · (διαδηλωτών, πλήθους) chant
συνθηματικός, -ή, -ό ΕΠΙΘ (ομιλία) in code · (όνομα) code
▷**συνθηματικός λόγος** code word, password
συνθλίβω Ρ Μ (α) (= καταστρέφω ολοσχερώς) to crush (β) (μτφ.) to wear down
σύνθλιψη ΟΥΣ ΘΗΛ crushing
συνιδιοκτησία ΟΥΣ ΘΗΛ joint ownership, co–ownership
συνιδιοκτήτης ΟΥΣ ΑΡΣ co–owner
συνίζηση ΟΥΣ ΘΗΛ (ΓΛΩΣΣ) synizesis
συνίσταμαι Ρ ΑΜ: **συνίσταμαι από** (υλικό) to be composed of
▷**συνίσταται σε, συνίστανται σε** to consist in
συνισταμένη ΟΥΣ ΘΗΛ (κυριολ., μτφ.) resultant
συνιστώ ① Ρ Μ (= συμβουλεύω) to advise, to recommend
② Ρ ΑΜ (= αποτελώ) to constitute · (= ιδρύω: εταιρεία, σύλλογο, σωματείο) to form
▷**σας συνιστώ προσοχή** I advise caution
συνιστώσα ΟΥΣ ΘΗΛ (κυριολ., μτφ.) component
συννεφιά ΟΥΣ ΘΗΛ cloudy weather
συννεφιάζω Ρ ΑΜ (α) (ουρανός) to become cloudy ή overcast (β) (πρόσωπο, βλέμμα) to cloud over
▸ συννεφιάζει ΑΠΡΟΣ it's getting cloudy, it's clouding over
συννεφιασμένος, -η, -ο ΕΠΙΘ (α) (ουρανός, καιρός) cloudy, overcast (β) (μτφ.: βλέμμα, πρόσωπο) grim
σύννεφο ΟΥΣ ΟΥΔ (α) (ΜΕΤΕΩΡ) cloud (β) (μτφ.: σκόνης, καπνού, άμμου) cloud · (ακρίδων) swarm
▷**η κλεψιά πηγαίνει** ή **πάει σύννεφο** theft is rife, there's a lot of theft about
▷**πετάω στα σύννεφα** (= είμαι ονειροπόλος) to have one's head in the clouds · (= είμαι τρισευτυχισμένος) to be walking on air
▷**πέφτω από τα σύννεφα** to come down to earth with a bump
συννεφώδης, -ης, -ες ΕΠΙΘ (ουρανός, τοπίο, καιρός) cloudy

Σ

συννυφάδα ΟΥΣ ΘΗΛ sister-in-law

> *Προσοχή!: Ο πληθυντικός του*
> sister-in-law *είναι* sisters-in-law.

συνοδεία ΟΥΣ ΘΗΛ **(α)** (= *ακολουθία*) escort · (*βασιλική*) retinue **(β)** (ΜΟΥΣ) accompaniment

συνοδευτικός, -ή, -ό ΕΠΙΘ (*γράμμα, έγγραφο*) covering
> **συνοδευτικά εδέσματα** side dishes

συνοδεύω Ρ Μ **(α)** (= *ακολουθώ*) to accompany **(β)** (= *συμπληρώνω*) to go with **(γ)** (*γυναίκα, κορίτσι*) to escort **(δ)** to accompany
> **ολόκληρο το ταξίδι μας συνόδευε απαλή μουσική** we had music in the background throughout the journey
> **να σε συνοδεύσω ως την πόρτα** let me see you to the door
> **το βιβλίο συνοδεύεται από μια κάρτα** the book comes with a map
> **το ψάρι συνοδεύεται από λευκό κρασί** fish is served with white wine

συνοδικός, -ή, -ό ΕΠΙΘ (ΘΡΗΣΚ) synodal

συνοδοιπόρος ΟΥΣ ΑΡΣ fellow traveller (*Βρετ.*), fellow traveler (*Αμερ.*)

συνοδός ΟΥΣ ΑΡΣ&ΘΗΛ **(α)** (*ασθενή, ηλικιωμένου*) companion **(β)** (*παιδιού*) chaperone **(γ)** (*πολιτικού, ηθοποιού, τραγουδιστή*) assistant **(δ)** (= *καβαλιέρος, ντάμα*) escort
> **ιπταμένη συνοδός** flight attendant, air hostess
> **ιπτάμενος συνοδός** flight attendant, steward

σύνοδος ΟΥΣ ΘΗΛ **(α)** (ΘΡΗΣΚ) synod **(β)** (*της Βουλής*) session · (*πολιτικών, χωρών*) meeting **(γ)** (ΑΣΤΡΟΝ) conjunction
> **Οικουμενική Σύνοδος** Ecumenical Synod
> **Ιερά Σύνοδος (της Εκκλησίας της Ελλάδας)** Holy Synod (of the Church of Greece)

συνοικέσιο ΟΥΣ ΟΥΔ match
> **παντρεύτηκαν με συνοικέσιο** they had an arranged marriage

συνοίκηση ΟΥΣ ΘΗΛ (*επίσ.: συμφοιτητών, φίλων*) sharing, living together · (*ζευγαριού*) cohabitation (*επίσ.*)

συνοικία ΟΥΣ ΘΗΛ neighbourhood (*Βρετ.*), neighborhood (*Αμερ.*)

συνοικιακός, -ή, -ό ΕΠΙΘ (*μαγαζί, κινηματογράφος*) local, neighbourhood (*Βρετ.*), neighborhood (*Αμερ.*)

συνοικισμός ΟΥΣ ΑΡΣ settlement

σύνοικος (*επίσ.*) ΟΥΣ ΑΡΣ&ΘΗΛ roommate

συνοικώ (*επίσ.*) Ρ ΑΜ to live together

συνολικός, -ή, -ό ΕΠΙΘ (*ποσό, τιμή, χρόνο*) total · (*απόδοση, εικόνα*) overall · (*αποτέλεσμα*) end
> **συνολική θεώρηση** overview

σύνολο ΟΥΣ ΟΥΔ **(α)** (= *ομάδα: κρατών, ανθρώπων*) group **(β)** (= *συνολικό ποσό*) total **(γ)** (= *συνδυασμός πραγμάτων*) whole

(δ) (*για ρούχα*) outfit **(ε)** (ΜΑΘ: *φυσικών, ρητών αριθμών*) set
> **κοινωνικό σύνολο** society
> **στο σύνολο** as a whole

συνομήλικος, -η, -ο ΕΠΙΘ of the same age
> **συνομήλικος** ΟΥΣ ΑΡΣ, **συνομήλικη** ΟΥΣ ΘΗΛ peer

συνομιλητής ΟΥΣ ΑΡΣ interlocutor (*επίσ.*) · (ΠΟΛΙΤ) negotiator
> **ο συνομιλητής σου** the person you are talking to

συνομιλήτρια ΟΥΣ ΘΗΛ *βλ.* **συνομιλητής**

συνομιλία ΟΥΣ ΘΗΛ conversation · (ΠΛΗΡΟΦ) chat
> **συνομιλίες** ΠΛΗΘ (= *διαπραγματεύσεις*) talks

συνομιλώ Ρ ΑΜ to talk, to converse (*επίσ.*)

συνομολόγηση ΟΥΣ ΘΗΛ agreement · (*σύμβασης*) ratification

συνομολογώ Ρ Μ **(α)** (= *συμφωνώ*) to agree on **(β)** (*συμφωνία, σύμβαση, συνθήκη*) to ratify

συνομοσπονδία ΟΥΣ ΘΗΛ confederation

συνομοταξία ΟΥΣ ΘΗΛ **(α)** (ΖΩΟΛ) class **(β)** (*μτφ.*: = *σύνολο ανθρώπων*) group

συνονθύλευμα ΟΥΣ ΟΥΔ mishmash

συνονόματος, -η, -ο ΕΠΙΘ (= *που έχει το ίδιο όνομα με άλλον*) with the same name

συνοπτικός, -ή, -ό ΕΠΙΘ (*έκθεση, ανάλυση*) concise · (*παρουσίαση, επισκόπηση, περιγραφή*) brief
> **συνοπτική διαδικασία** summary procedure

συνορεύω Ρ ΑΜ (*χώρες, περιοχές*) to share a border
> **συνορεύω με** (*κράτος, περιοχή, οικόπεδο*) to border (on)

συνοριακός, -ή, -ό ΕΠΙΘ (*ζώνη, περιοχή, συμπλοκή, επεισόδια*) border
> **συνοριακή γραμμή** borderline

σύνορο ΟΥΣ ΟΥΔ **(α)** (*περιοχής, έκτασης*) border **(β)** (*μτφ.*) boundary
> **σύνορα** ΠΛΗΘ (= *μεθόριος ενός κράτους*) border εν.

συνουσία (*επίσ.*) ΟΥΣ ΘΗΛ sexual intercourse

συνουσιάζομαι Ρ ΑΜ to have sex

συνοφρυώνομαι Ρ ΑΜ to frown

συνοχή ΟΥΣ ΘΗΛ **(α)** (= *ενότητα: κόμματος, οικογένειας, ομάδας*) cohesion **(β)** (= *λογική συνέχεια: κειμένου, σκέψεων*) coherence **(γ)** (ΦΥΣ) cohesion

σύνοψη ΟΥΣ ΘΗΛ **(α)** (*άποψης, έρευνας*) summary **(β)** (ΘΡΗΣΚ) missal, breviary

συνοψίζω Ρ Μ to summarize

συνταγή ΟΥΣ ΘΗΛ **(α)** (ΜΑΓΕΙΡ) recipe **(β)** (*για φάρμακα*) prescription **(γ)** (*μτφ.*) recipe

σύνταγμα ΟΥΣ ΟΥΔ **(α)** (ΠΟΛΙΤ) constitution **(β)** (*στρατού*) regiment

συνταγματάρχης ΟΥΣ ΑΡΣ colonel

συνταγματικός, -ή, -ό ΕΠΙΘ (*διαδικασία, αρχή, ελευθέρες, δικαιώματα*) constitutional
> **συνταγματική βασιλεία** ή **μοναρχία** constitutional monarchy

▷**συνταγματικό δίκαιο** constitutional law

συνταγολόγιο ΟΥΣ ΟΥΔ formulary

συνταιριάζω Ρ Μ (= *συνδυάζω*) to combine · (*για ρούχα*) to match

συντάκτης ΟΥΣ ΑΡΣ (α) (*άρθρου, σχεδίου*) writer (β) (= *δημοσιογράφος*) editor ▷**πολιτικός/οικονομικός συντάκτης** political/ financial editor

συντακτικό ΟΥΣ ΟΥΔ syntax

συντακτικός, -ή, -ό ΕΠΙΘ (α) (ΓΛΩΣΣ: *δυσκολία, ανάλυση*) syntactic · (*κανόνας*) of syntax (β) (ΠΟΛΙΤ: *συνέλευση*) constituent (γ) (*επιτροπή, υλικό*) editorial ▷**συντακτικό λάθος** syntax error

σύνταξη ΟΥΣ ΘΗΛ (α) (*έκθεσης, βιβλίου, επιστολής*) writing · (*διαθήκης*) drawing up · (*νόμου, νομοσχεδίου*) drafting (β) (= *σύνολο συντακτών εφημερίδας*) editorial staff (γ) (= *μηνιαία χρηματική επιχορήγηση*) pension (δ) (ΓΛΩΣΣ) syntax ▷**βγαίνω στη σύνταξη** to retire on a pension ▷**διευθυντής σύνταξης** managing editor, editor–in–chief ▷**σύνταξη!** (ΣΤΡΑΤ) fall in!

συνταξιδεύω Ρ ΑΜ (*φίλοι*) to travel together ▷**συνταξιδεύω με κπν** to travel with sb

συνταξιδιώτης ΟΥΣ ΑΡΣ (= *αυτός που ταξιδεύει μαζί με άλλον*) travelling (*Βρετ.*) ή traveling (*Αμερ.*) companion

συντάξιμος, -η, -ο ΕΠΙΘ (*χρόνια, υπηρεσία*) pensionable

συνταξιοδότηση ΟΥΣ ΘΗΛ pensioning off

συνταξιοδοτώ Ρ Μ to pension off

συνταξιούχος ΟΥΣ ΑΡΣ∙ΘΗΛ pensioner ▷**είναι συνταξιούχος δάσκαλος** he's a retired teacher

συνταράζω Ρ Μ (α) (= *συγκλονίζω*) to shake, to shock (β) (= *τραντάζω*) to shake

συνταρακτικός, -ή, -ό ΕΠΙΘ (*γεγονός, είδηση*) shocking

συντάσσω Ρ Μ (α) (*έκθεση, αναφορά*) to write · (*νομοσχέδιο*) to draft · (*διαθήκη, συμβόλαιο*) to draw up · (*πόρισμα*) to write up (β) (= *παρατάσσω στρατιώτες*) to line up, to draw up (γ) (*πρόταση*) to parse ▶**συντάσσομαι** ΜΕΣΟΠΑΘ: **συντάσσομαι με κπν/ με την άποψη κποιου** to fall in with sb/with sb's view ▷**συντάσσομαι με αιτιατική/γενική** to take the accusative/genitive · (= *παίρνω ως συμπλήρωμα κατά τη σύνταξή*) to govern the accusative/genitive

συνταυτίζομαι (*επίσ.*) Ρ ΑΜ to be identified with each other ▷**συνταυτίζομαι με** to identify with

συνταύτιση (*επίσ.*) ΟΥΣ ΘΗΛ concurrence

συντείνω Ρ ΑΜ: **συντείνω σε** (*επίσ.*) to contribute to

συντέλεια ΟΥΣ ΘΗΛ (*επίσ.*: = *τέλος*) end ▷**δεν ήρθε (κι) η συντέλεια (του) κόσμου)** it's not the end of the world

συντελεστής ΟΥΣ ΑΡΣ (*γενικότ.*) factor · (ΜΑΘ, ΦΥΣ) coefficient

συντελεστικός, -ή, -ό ΕΠΙΘ (*παράγοντες*) contributing · (*μέθοδος*) conducive

συντελώ Ρ ΑΜ: **συντελώ σε** to contribute to ▶**συντελούμαι** ΜΕΣΟΠΑΘ (= *πραγματοποιούμαι: καταστροφή, αλλαγές*) to take place · (*έργο*) to be realized · (*πρόοδος*) to be made

συντέμνω Ρ Μ (α) (= *συντομεύω: προθεσμία*) to shorten (β) (*λέξη*) to abbreviate

συντεταγμένη ΟΥΣ ΘΗΛ coordinate ▶**οι συντεταγμένες** ΠΛΗΘ coordinates

συντετμημένος, -η, -ο ΕΠΙΘ (*λέξη*) abbreviated

συντεχνία ΟΥΣ ΘΗΛ (α) (ΙΣΤ) guild (β) (*αρνητ.*) corporation

συντεχνιακός, -ή, -ό ΕΠΙΘ (α) (*οργανώσεις, σωματεία*) trade (β) (*αρνητ.: κανονισμοί, συμφέροντα*) union

συντήρηση ΟΥΣ ΘΗΛ (α) (*πλοίου, αυτοκινήτου*) maintenance · (*μνημείου*) conservation (β) (*τροφίμων, εθνικής συνείδησης*) preservation (γ) (*άνθρωπο, ζώο, οικογένεια*) upkeep (δ) (= *συντηρητική στάση ζωής*) conservatism (ε) (ΠΟΛΙΤ) Conservatism

συντηρητής ΟΥΣ (α) (*μηχανής, ανσασέρ, καλοριφέρ*) maintenance technician (β) (*έργων τέχνης*) conservator

συντηρητικά ΟΥΣ ΟΥΔ ΠΛΗΘ preservatives

συντηρητικός, -ή, -ό ΕΠΙΘ (α) (*διάλυμα*) preservative (β) (*αρχές, αντιλήψεις, πνεύμα, ντύσιμο*) conservative (γ) (ΠΟΛΙΤ: *κόμμα, πολιτική, παράταξη, κυβέρνηση*) Conservative

συντηρητικότητα ΟΥΣ ΘΗΛ conservatism

συντηρητισμός ΟΥΣ ΑΡΣ conservatism

συντηρήτρια ΟΥΣ ΘΗΛ βλ. **συντηρητής**

συντηρώ Ρ Μ (α) (*τρόφιμα, κτίριο*) to preserve (β) (*αγώνα, ελπίδα*) to keep up · (*μύθο*) to preserve · (*παράδοση*) to preserve, to uphold · (*ανισότητες*) to maintain, to perpetuate (γ) (= *παιδιά, οικογένεια*) to support ▶**συντηρούμαι** ΜΕΣΟΠΑΘ: **συντηρούμαι με** to live on, to survive on ▷**συντηρείται με τη σύνταξη του άντρα της** she lives off her husband's pension

συντίθεμαι Ρ ΑΜ: **συντίθεμαι από** to consist of

σύντμηση ΟΥΣ ΘΗΛ (α) (*προθεσμίας, χρόνου*) cutting (β) (*λέξεων*) abbreviation

συντόμευση ΟΥΣ ΘΗΛ (α) (*χρόνου*) cutting · (*διαδικασίας*) shortening (β) (*λέξης*) abbreviation · (*κειμένου*) abridgment, shortening

συντομεύω ① Ρ Μ (α) (*κείμενο*) to abridge, to shorten · (*λέξεις*) to abbreviate · (*απόσταση*) to reduce (β) (*διαδρομή, ταξίδι, διαδικασία, έρευνα*) to cut short ② Ρ ΑΜ to be quick

συντομία ΟΥΣ ΘΗΛ brevity ▷**εν συντομία** in brief

Σ

συντομογραφία ΟΥΣ ΘΗΛ abbreviation

σύντομα ΕΠΙΡΡ soon

σύντομος, -η, -ο ΕΠΙΘ (α) (διακοπές, παύση, θεραπεία) short (β) (ανακοίνωση, απάντηση) brief· (ανασκόπηση) quick (γ) (αφήγημα, δρόμος) short (δ) (για πρόσ.) brief

συντόμως ΕΠΙΡΡ = **σύντομα**

συντονίζω Ρ Μ (α) (ενέργειες, δραστηριότητες) to coordinate (β) (συχνότητα) to tune in
▸ **συντονίζομαι** ΜΕΣΟΠΑΘ: **συντονίζομαι με** to be in tune with

συντονισμένος, -η, -ο ΕΠΙΘ (προσπάθεια) concerted· (έρευνες) joint

συντονισμός ΟΥΣ ΑΡΣ (α) (εργασιών, ενεργειών) coordination (β) (κινήσεων, άκρων) coordination (γ) (ΦΥΣ) resonance

συντονιστής ΟΥΣ ΑΡΣ coordinator

σύντονος, -η, -ο ΕΠΙΘ (προσπάθεια) strenuous· (προσοχή) meticulous

συντοπίτης ΟΥΣ ΑΡΣ person from the same place

συντοπίτισσα ΟΥΣ ΘΗΛ βλ. **συντοπίτης**

συντρέχω Ρ Μ (= παρέχω βοήθεια) to help
▸ **δεν συντρέχει λόγος** there's no reason
▸ **όταν συντρέχει εξαιρετική περίπτωση** in exceptional circumstances
▸ **πρέπει να συντρέξουν ειδικές προϋποθέσεις** certain conditions must apply

συντριβάνι ΟΥΣ ΟΥΔ fountain

συντριβή ΟΥΣ ΘΗΛ (α) (αεροσκάφους) crash (β) (= ολοκληρωτική νίκη) crushing defeat, whitewash (γ) (= ψυχική οδύνη) distress

συντρίβω Ρ Μ (α) (αεροσκάφος, καράβι) to crash (β) (αντίπαλο, εχθρό) to crush· (ηθικό) to shatter (γ) (= καταρρακώνω ηθικά) to shatter

συντριπτικός, -ή, -ό ΕΠΙΘ (α) (αποτελέσματα, επίδραση) devastating (β) (πλειοψηφία, νίκη, ανωτερότητα, δύναμη) overwhelming (γ) (πλήγμα, μαρτυρία) crushing
▸ **συντριπτικό κάταγμα** comminuted fracture

συντροφεύω Ρ Μ (= κάνω συντροφιά) to keep company

συντροφιά ΟΥΣ ΘΗΛ (α) (= φιλική συναναστροφή) company (β) (= σύνολο φίλων) party
▸ **κρατώ συντροφιά σε κπν** to keep sb company

συντροφία ΟΥΣ ΘΗΛ (παλαιότ.) company, Co.

συντροφικός, -ή, -ό ΕΠΙΘ comradely

συντροφικότητα ΟΥΣ ΘΗΛ companionship

σύντροφος ΟΥΣ ΑΡΣ/ΘΗΛ (α) (σε ερωτική σχέση) partner (β) (= φίλος) companion (γ) (μτφ.) companion (δ) (προσφώνηση μεταξύ κομμουνιστών) comrade

συντρώγω (επίσ.) Ρ ΑΜ to eat together
▸ **συντρώγω με κπν** to eat with sb

συντυχία ΟΥΣ ΘΗΛ coincidence

συνύπαρξη ΟΥΣ ΘΗΛ coexistence

συνυπάρχω Ρ ΑΜ to coexist

συνυπεύθυνος, -η, -ο ΕΠΙΘ jointly responsible, jointly liable

συνυπευθυνότητα ΟΥΣ ΘΗΛ joint responsibility, joint liability

συνυπηρετώ Ρ ΑΜ to work together· (ΣΤΡΑΤ) to serve together

συνυποβάλλω Ρ Μ to submit together

συνυπολογισμός ΟΥΣ ΑΡΣ adding together

συνυποσχετικό ΟΥΣ ΟΥΔ arbitration agreement

συνυφαίνω Ρ Μ to interweave

συνυφασμένος, -η, -ο ΜΤΧ interwoven

συνωθούμαι Ρ ΑΜ (επίσ.) to crowd

συνωμοσία ΟΥΣ ΘΗΛ conspiracy, plot

συνωμότης ΟΥΣ ΑΡΣ conspirator

συνωμοτικός, -ή, -ό ΕΠΙΘ (δράση) conspiratorial· (οργάνωση) of conspirators
▸ **συνωμοτικό σχέδιο** plot

συνωμοτώ Ρ ΑΜ to plot, to conspire
▸ **όλα συνωμοτούσαν εναντίον μου** everything conspired against him

συνωνυμία ΟΥΣ ΘΗΛ (α) (= ταυτότητα ονόματος) sharing the same name (β) (ΓΛΩΣΣ) synonymity

συνώνυμος, -η, -ο ΕΠΙΘ synonymous
▸ **συνώνυμο** ΟΥΣ ΟΥΔ synonym
▸ **συνώνυμες λέξεις** synonyms

συνωστίζομαι Ρ ΑΜ (κυριολ., μτφ.) to crowd

συνωστισμός ΟΥΣ ΑΡΣ throng

σύξυλος, -η, -ο (προφορ.) ΕΠΙΘ flabbergasted

Συρία ΟΥΣ ΘΗΛ Syria

Σύρια[1] (επίσ.) ΟΥΣ ΘΗΛ βλ. **Συριανός**

Σύρια[2] ΟΥΣ ΘΗΛ βλ. **Σύρος**[2]

συριακός, -ή, -ό ΕΠΙΘ Syrian

Προσοχή!: Τα εθνικά επίθετα, όπως **Syrian**, *γράφονται με κεφαλαίο το αρχικό γράμμα στα Αγγλικά.*

Συριανή ΟΥΣ ΘΗΛ βλ. **Συριανός**

Συριανός ΟΥΣ ΑΡΣ person from Syros

συριανός, -ή, -ό ΕΠΙΘ of ή from Syros

σύριγγα ΟΥΣ ΘΗΛ (για ενέσεις) syringe

συρίγγιο ΟΥΣ ΟΥΔ fistula

Προσοχή!: Ο πληθυντικός του **fistula** *είναι* **fistulas** *ή* **fistulae**.

συρίζω Ρ ΑΜ to hiss

Σύριος[1] (επίσ.) ΟΥΣ ΑΡΣ = **Συριανός**

Σύριος[2] ΟΥΣ ΑΡΣ = **Σύρος**[2]

συριστικός ΕΠΙΘ (ήχος, σφύριγμα) hissing
▸ **συριστικά σύμφωνα** sibilants, sibilant consonants

σύρμα ΟΥΣ ΟΥΔ (α) (= μεταλλικό νήμα) wire (β) (= είδος σφουγγαριού) scourer (γ) (= καλώδιο) wire
▸ **σύρμα!** (λέγεται συνθηματικά) look out!

συρμάτινος, -η, -ο ΕΠΙΘ (φράχτης,

σφουγγάρι, σκελετός) wire

συρματόβουρτσα ΟΥΣ ΘΗΛ wire brush

συρματόπλεγμα ΟΥΣ ΟΥΔ wire netting · (= αγκαθωτό πλέγμα) barbed wire

συρματόπλεκτος, -η, -ο ΕΠΙΘ (κιβώτιο) wired

συρματόσχοινο ΟΥΣ ΟΥΔ cable

συρμός ΟΥΣ ΑΡΣ (α) (= αμαξοστοιχία) train (β) (= μόδα) fashion
▷ **τού συρμού** fashionable

συρόμενος, -η, -ο ΕΠΙΘ (πόρτα, παράθυρα) sliding

Σύρος¹ ΟΥΣ ΘΗΛ Syros

Σύρος² ΟΥΣ ΑΡΣ Syrian

σύρραξη ΟΥΣ ΘΗΛ conflict

συρραπτικό ΟΥΣ ΟΥΔ stapler

συρράπτω Ρ Μ (α) (= ράβω μαζί) to stich together (β) (= ενώνω με συρραπτικό) to staple together (γ) (μτφ.) to put together

συρραφή ΟΥΣ ΘΗΛ stitching together · (με συρραπτικό) stapling together

συρρέω Ρ ΑΜ (πλήθη, κόσμος) to flock · (ρυάκια) to flow · (πληροφορίες) to pour

σύρριζα ΕΠΙΡΡ (α) (= ως τη ρίζα) to the roots (β) (= πολύ κοντά) very close
▷ **κόβω τα μαλλιά σύρριζα** to have a crew cut

συρρικνώνω Ρ Μ (= περιορίζω: εισόδημα) to cut · (ρόλο) to reduce · (δράση) to curb
▸ **συρρικνώνομαι** ΜΕΣΟΠΑΘ to dwindle

συρρίκνωση ΟΥΣ ΘΗΛ shrinkage

συρροή ΟΥΣ ΘΗΛ influx

σύρσιμο ΟΥΣ ΟΥΔ (ποδιών, καρέκλας, τραπεζιού) dragging

συρτά ΕΠΙΡΡ: **βαδίζω συρτά** to drag one's feet
▷ **μετακινώ κτ συρτά** to drag sth

συρτάρι ΟΥΣ ΟΥΔ drawer

συρτή ΟΥΣ ΘΗΛ (για ψάρεμα) troll

σύρτης ΟΥΣ ΑΡΣ bolt

συρτός, -ή, -ό ΕΠΙΘ (α) (βήμα) dragging · (σουτ) rolling (β) (πόρτα, παράθυρο) sliding (γ) (μτφ.: φωνή) drawling
▸ **συρτός (χορός)** round

συρφετός (μειωτ.) ΟΥΣ ΑΡΣ mob

σύρω Ρ Μ = **σέρνω**

συσκέπτομαι Ρ ΑΜ to deliberate

συσκευάζω Ρ Μ to pack · (προϊόντα) to package

συσκευασία ΟΥΣ ΘΗΛ packaging

συσκευαστής ΟΥΣ ΑΡΣ packer

συσκευή ΟΥΣ ΘΗΛ apparatus · (ηλεκτρική) appliance · (τηλεοπτική, ραδιοφωνική) set
▷ **οικιακές συσκευές** household ή domestic appliances
▷ **τηλεφωνική συσκευή** telephone

σύσκεψη ΟΥΣ ΘΗΛ conference

συσκοτίζω Ρ Μ (α) (δωματίου, πολιτεία) to plunge into darkness · (παράθυρο) to black out (β) (μτφ.: νου) to cloud · (υπόθεση, γεγονότα) to confuse, to obfuscate (επίσ.)

συσκότιση ΟΥΣ ΘΗΛ blackout · (μτφ.) confusion, obfuscation (επίσ.)

σύσπαση ΟΥΣ ΘΗΛ (α) (μυών) spasm · (μήτρας) contraction (β) (χειλιών) twitch
▸ **συσπάσεις** ΠΛΗΘ contractions

συσπειρώνω Ρ Μ (α) (ελατήριο, έλασμα) to coil (β) (μτφ.) to rally
▷ **συσπειρώνομαι γύρω από κπν/κτ** to rally around sb/sth

συσπείρωση ΟΥΣ ΘΗΛ rallying

συσπουδαστής ΟΥΣ ΑΡΣ fellow student

συσπώμαι Ρ ΑΜ (πρόσωπο) to contort · (χείλι) to twitch

συσσίτιο ΟΥΣ ΟΥΔ (α) (ΣΤΡΑΤ) mess (β) (για τους φτωχούς) soup kitchen

σύσσωμος, -η, -ο ΕΠΙΘ: **σύσσωμη η οικογένεια** the whole family
▷ **σύσσωμος ο λαός** the whole nation

συσσώρευση ΟΥΣ ΘΗΛ accumulation

συσσωρευτής ΟΥΣ ΑΡΣ accumulator

συσσωρευτικός, -ή, -ό ΕΠΙΘ (επίδραση, κεφάλαιο) cumulative

συσσωρεύω Ρ Μ (χρέη, κεφάλαια) to accumulate, to amass
▷ **συσσωρεύθηκε πολλή δουλειά** there's a backlog of work
▷ **τα προβλήματα συσσωρεύονται** problems are piling up

συστάδα ΟΥΣ ΘΗΛ (δέντρων, θάμνων) clump · (νησιών) cluster

σύσταση ΟΥΣ ΘΗΛ (α) (επιτροπής) formation · (εταιρίας) setting up · (ομάδας) forming (β) (εδάφους, φαρμάκου, ύδατος) composition (γ) (= συμβουλή) advice χωρίς πληθ., recommendation (δ) (= διεύθυνση) address
▸ **συστάσεις** ΠΛΗΘ (α) (για δουλειά) references (β) (= γνωριμία) introductions

συστατικό ΟΥΣ ΟΥΔ component · (παρασκευάσματος, φαρμάκου) ingredient

συστατικός, -ή, -ό ΕΠΙΘ (μέρος, στοιχείο) constituent, component
▷ **συστατική επιστολή** reference, letter of recommendation

συστεγάζομαι Ρ ΑΜ ΑΠΟΘ to be under the same roof

συστέλλω Ρ Μ (ψύχος: μέταλλο) to contract

σύστημα ΟΥΣ ΟΥΔ system
▷ **με σύστημα** systematically
▷ **το 'χω σύστημα να κάνω κτ** to make a habit of doing sth
▸ **αναπνευστικό σύστημα** respiratory system
▸ **εκπαιδευτικό σύστημα** education system
▸ **ηλιακό σύστημα** solar system
▸ **κοινωνικό σύστημα** social system
▸ **κυκλοφορικό σύστημα** circulatory system
▸ **μονοτονικό σύστημα** monotonic system
▸ **νευρικό σύστημα** nervous system
▸ **οικονομικό σύστημα** economic system
▸ **πολιτικό σύστημα** political system

συστηματικός, -ή, -ό ΕΠΙΘ (α) (για πρόσ.)

Σ

systematic, methodical · (*έρευνα, έλεγχος*) systematic (β) (*παρενόχληση*) habitual · (*χρήση*) systematic

συστηματικότητα ΟΥΣ ΘΗΛ systematic approach
▷**με συστηματικότητα** systematically, methodically

συστηματοποίηση ΟΥΣ ΘΗΛ systematization

συστηματοποιώ Ρ Μ to systematize

συστημένος[1], **-η, -ο** ΕΠΙΘ (*υποδείξεις, συμβουλές*) recommended

συστημένος[2], **-η, -ο** ΕΠΙΘ (α) (*φοιτητής, υποψήφιος*) with references (β) (*γράμμα, δέμα*) registered

συστήνω Ρ Μ (α) (= *γνωρίζω*) to introduce (β) (= *προτείνω ως αξιόλογο*) to recommend (γ) (= *συμβουλεύω*) to advise (δ) (*εταιρεία*) to set up, to establish · (*σύλλογο*) to form (ε) (*γιατρός*) to prescribe

συστοιχία ΟΥΣ ΘΗΛ (ΗΛΕΚΤΡ) battery

σύστοιχος, -η, -ο ΕΠΙΘ in line
▷**σύστοιχο αντικείμενο** cognate object

συστολή ΟΥΣ ΘΗΛ (α) (= *υπερβολική ντροπή*) shyness (β) (ΦΥΣ) contraction (γ) (ΙΑΤΡ) systole

συστρατιώτης ΟΥΣ ΑΡΣ comrade-in-arms

Προσοχή!: Ο πληθυντικός του **comrade-in-arms** *είναι* **comrades-in-arms**.

συστρέφω Ρ Μ to contort, to twist

συσφίγγω Ρ Μ (α) (*σκοινιά, γροθιά*) to tighten (β) (*σίδερα*) to clamp (γ) (*σχέσεις, δεσμούς*) to strengthen

συσφιγκτήρας ΟΥΣ ΑΡΣ: **συσφιγκτήρας βόας** boa constrictor

σύσφιξη ΟΥΣ ΘΗΛ tightening · (*μτφ.: δεσμών, σχέσεων*) strengthening

συσχετίζω Ρ Μ to connect

συσχετικός, -ή, -ό ΕΠΙΘ correlative
▷**συσχετικές αντωνυμίες/επιρρήματα** correlative pronouns/adverbs

συσχέτιση ΟΥΣ ΘΗΛ connection
▷**συσχέτιση με ή προς** connection to

σύφιλη ΟΥΣ ΘΗΛ syphilis

συφιλιδικός, -ή, -ό ΕΠΙΘ (*έλκος, οίδημα*) syphilitic
▸ **συφιλιδικός** ΟΥΣ ΑΡΣ, **συφιλιδική** ΟΥΣ ΘΗΛ person with syphilis

συφορά ΟΥΣ ΘΗΛ = **συμφορά**

συφοριασμένος, -η, -ο ΕΠΙΘ (*ρούχο, χρόνια, άνθρωπος*) wretched

συχαρίκια ΟΥΣ ΟΥΔ ΠΛΗΘ ΑΚΛ (α) (= *ευχάριστη είδηση*) good news εν. (β) (= *αμοιβή*) rewards
▷**παίρνω ή δίνω συχαρίκια σε κπν** to tell sb the good news

συχνά ΕΠΙΡΡ often
▷**πόσο συχνά;** how often?
▷**συχνά πυκνά** frequently

συχνάζω Ρ ΑΜ to hang out

συχνός, -ή, -ό ΕΠΙΘ frequent

συχνότητα ΟΥΣ ΘΗΛ (*επίσης* ΦΥΣ) frequency

συχνουρία, συχνοουρία ΟΥΣ ΘΗΛ excessive urination

συχωρώ Ρ Μ = **συγχωρώ**

συχωρεμένος, -η, -ο (*ανεπ.*) ΜΤΧ (*γονείς*) late
▷**είμαι συχωρεμένος** to be forgiven

συχωριανός ΟΥΣ ΑΡΣ person from the same village

συχώριο ΟΥΣ ΟΥΔ forgiveness
▷**μπουκιά και συχώριο!** (*για φαγητό*) absolutely delicious! · (*για γυναίκα*) a real beauty!

συχωροχάρτι ΟΥΣ ΟΥΔ (ΘΡΗΣΚ) indulgence
▷**δίνω σε κπν συχωροχάρτι** (= *συγχωρώ*) to forgive sb

σύψυχος, -η, -ο ΕΠΙΘ whole-hearted

σφαγέας ΟΥΣ ΑΡΣ (α) (= *χασάπης*) butcher (β) (*μτφ.: = φονιάς*) murderer

σφαγείο ΟΥΣ ΟΥΔ (α) (= *εγκατάσταση*) slaughterhouse, abattoir (*Βρετ.*) (β) (= *σφαγή*) massacre

σφαγή ΟΥΣ ΘΗΛ (α) (*ζώων*) slaughter · (*ανθρώπων*) massacre (β) (= *βαριά ήττα*) slaughter

σφαγιάζω Ρ Μ (α) (*ζώα*) to slaughter · (*πλήθυσμό*) to massacre (β) (*μτφ.: = καταπατώ: δικαιώματα, ελευθερίες*) to trample on

σφαγιασμός ΟΥΣ ΑΡΣ (*ζώων*) slaughter · (*ανθρώπων*) massacre

σφάγιο ΟΥΣ ΟΥΔ (α) (*ως θυσία*) sacrificial animal (β) (= *σφαγμένο ζώο*) slaughtered animal

σφαδάζω Ρ ΑΜ to writhe

σφάζω Ρ Μ (α) (*πρόβατα, βόδια*) to slaughter, to butcher · (*ανθρώπων*) to massacre (β) (= *φονεύω με μαχαίρι*) to stab
▷**τον έσφαξε ένας πόνος στο στέρνο** he had a shooting pain in his chest
▷**πού με πονεί και πού με σφάζει** all hell will break loose (*ανεπ.*)
▷**σφάζω κπν με το γάντι** to kill sb softly

σφαίρα ΟΥΣ ΘΗΛ (α) (ΓΕΩΜ) sphere (β) (*όπλου*) bullet (γ) (*μτφ.: = χώρος: πολιτική, οικονομική*) sphere · (*φαντασίας*) realms πληθ. (δ) (ΑΘΛ: = *μπάλα*) shot · (= *άθλημα*) shot put
▷**γυάλινη σφαίρα** crystal ball
▷**σφαίρα επιρροής** sphere of influence
▷**υδρόγειος σφαίρα** globe

σφαιρικός, -ή, -ό ΕΠΙΘ (α) (*επιφάνεια, θόλος, σχήμα*) spherical (β) (*μτφ.: αντιμετώπιση, προσέγγιση, εικόνα*) global

σφαιρικότητα ΟΥΣ ΘΗΛ (α) (*γης*) sphericity (β) (*μτφ.: δομών, προσεγγίσεων*) global perspective

σφαιριστήριο ΟΥΣ ΟΥΔ (α) (= *αίθουσα μπιλιάρδου*) billiard room (*Βρετ.*), poolroom (*Αμερ.*) (β) (= *τραπέζι μπιλιάρδου*) billiard table (Βρετ.), pool table (Αμερ.)

σφαιροβολία ΟΥΣ ΘΗΛ shot put

σφαιροβόλος ΟΥΣ ΑΡΣΘΗΛ shot putter

σφαιροειδής, -ής, -ές ΕΠΙΘ (α) (σχήμα) spherical (β) (μτφ.: αντιμετώπιση, προσέγγιση) global

σφαλερός, -ή, -ό ΕΠΙΘ erroneous, mistaken

σφαλιάρα ΟΥΣ ΘΗΛ slap
▷**τρώω σφαλιάρα** to get a slap
▷**τρώω σφαλιάρες** (μτφ.: = αδικούμαι) to get slapped in the face

σφαλίζω Ρ Μ (α) (= κλειδώνω) to lock (β) (μτφ.: = κλείνω) to shut, to close

σφαλιστός, -ή, -ό ΕΠΙΘ (α) (παράθυρο, πόρτα) locked (β) (μτφ.: μάτια, στόμα) shut, closed

σφάλλω Ρ ΑΜ (α) (= κάνω λάθος) to make a mistake (β) (= αμαρτάνω) to do wrong
▷**διορθώστε με, εάν σφάλλω** correct me if I'm wrong
▷**σφάλλω στους υπολογισμούς μου** to make a mistake in one's calculations, to be out in one's calculations
▷**το να σφάλλω κανείς είναι ανθρώπινο** to err is human

σφάλμα ΟΥΣ ΟΥΔ mistake
▷**αναγνωρίζω το σφάλμα μου** to admit (to) one's mistake
▷**κάνω σφάλμα** to make a mistake
▷**ρίχνω τα σφάλματα στους άλλους** to blame other people
▷**το σφάλμα είναι δικό τους** it's their fault

σφάξιμο ΟΥΣ ΟΥΔ (α) (ζώου) slaughter (β) (= ισχυρός πόνος) shooting pain
▷**θέλει σφάξιμο!** he ought to be shot!

σφαχτάρι ΟΥΣ ΟΥΔ (που προορίζεται να σφαχτεί) animal to be slaughtered · (που έχει σφαχτεί) slaughtered animal

σφάχτης ΟΥΣ ΑΡΣ (= πόνος) shooting pain

σφαχτό ΟΥΣ ΟΥΔ slaughtered animal

σφεντόνα ΟΥΣ ΘΗΛ catapult (Βρετ.), slingshot (Αμερ.)

σφετερίζομαι Ρ Μ ΑΠΟΘ (θρόνο, εξουσία, τίτλο) to usurp

σφετεριστής ΟΥΣ ΑΡΣ usurper

σφήκα ΟΥΣ ΘΗΛ wasp

σφηκοφωλιά ΟΥΣ ΘΗΛ wasps' nest · (μτφ.) hornet's nest

σφήνα ΟΥΣ ΘΗΛ wedge · (μτφ.) interruption
▷**μπαίνω σφήνα (σε)** to cut in (on)

σφηνοειδής, -ής, -ές ΕΠΙΘ (γραφή, επιγραφή) cuneiform
▸**σφηνοειδές** ΟΥΣ ΟΥΔ (ΑΝΑΤ) sphenoid

σφήνωμα ΟΥΣ ΟΥΔ wedging

σφηνώνω ① Ρ Μ to wedge, to jam
② Ρ ΑΜ to be jammed ή stuck
▸**σφηνώνομαι** ΜΕΣΟΠΑΘ (κυριολ.) to get stuck
▷**της σφηνώθηκε η ιδέα να γίνει τραγουδίστρια** she's stuck on becoming a singer

σφίγγα ΟΥΣ ΘΗΛ sphinx

σφίγγω ① Ρ Μ (α) (= συσφίγγω) to squeeze, to clasp · (κλοιό) to tighten (β) (= στενεύω: για παπούτσια) to pinch · (για παντελόνι) to be too tight for (γ) (= δένω σφιχτά: κορδόνια, σπάγκο) to tighten (δ) (μηρούς) to firm (ε) (βίδα, κόμπο) to tighten · (βρύση) to turn off tight (στ) (λαιμό) to wring (ζ) (μτφ.: = κίνδυνος, ανάγκη) to close in on
② Ρ ΑΜ (α) (κλοιός) to tighten · (μέτρα) to pinch (β) (μυς) to become firm (γ) (ζελέ, τσιμέντο) to set · (ασπράδι αβγού) to form stiff peaks
▷**σφίγγει το κρύο** it's bitterly cold
▷**σφίγγω κπν στην αγκαλιά μου** to fold sb in one's arms, to hug sb tight
▷**σφίγγω τις γροθιά μου** to clench one's fist
▷**σφίγγω τα δόντια** to grit one's teeth
▷**σφίγγω το ζωνάρι μου** to tighten one's belt
▷**σφίγγω την καρδιά μου** to steel oneself
▷**σφίγγω τα λουριά κποιου** to keep a tight rein on sb
▷**σφίγγω το χέρι κποιου** to shake sb's hand
▸**σφίγγομαι** ΜΕΣΟΠΑΘ (προφορ.) (α) (= καταβάλλω μεγάλη προσπάθεια) to try hard (β) (= πιέζομαι οικονομικά) to be hard up (γ) (= προσπαθώ να αφοδεύσω) to strain
▷**πρέπει να σφιχτούμε για να τα βγάλουμε πέρα** we have to tighten our belts
▷**σφίγγεται η καρδιά μου** it breaks one's heart

σφικτός, -ή, -ό ΕΠΙΘ = **σφιχτός**

σφίξη ΟΥΣ ΘΗΛ pressure
▷**η σφίξη βγάζει λάδι** when the going gets tough, the tough get going

σφίξιμο ΟΥΣ ΟΥΔ (α) (= το να σφίγγει κανείς κτ) squeezing, clasping · (βίδας) tightening (β) (στο στήθος) tightness (γ) (= σφίξη) pressure
▷**σφίξιμο των χεριών** handshake

σφιχταγκαλιάζω Ρ Μ to hold tight

σφιχτοδεμένος, -η, -ο ΕΠΙΘ (α) (= αθλητής) muscular · (= σώμα) firm (β) (κόμπος) tight (γ) (οικογένεια, παρέα) close-knit

σφιχτός, -ή, -ό ΕΠΙΘ (α) (ζώνη, παντελόνι, αγκάλιασμα, κλοιός) tight (β) (βίδα, κόμπος) tight (γ) (σάλτσα, μπεσαμέλ) thick (δ) (μυς, σώμα) firm (ε) (μτφ.: = φειδωλός) thrifty, economical
▷**έχω σφιχτό χέρι** (= είμαι τσιγκούνης) to be tight-fisted

σφιχτοχέρης ΕΠΙΘ tight-fisted, stingy

σφόδρα ΕΠΙΡΡ very

σφοδρός, -ή, -ό ΕΠΙΘ (άνεμος, χιονοθύελλα) fierce, violent · (σύγκρουση) violent, heavy · (έρωτας, πόνος) intense · (ανταγωνισμός) fierce, intense · (επικριτής) fierce · (αντιρρήσεις) strenuous, strong · (επίθεση) ferocious · (εχθρός) bitter · (άρθρο) virulent

σφοδρότητα ΟΥΣ ΘΗΛ (ανέμου, σύγκρουσης) violence · (έρωτα, πόνου, ανταγωνισμού) intensity · (επίθεσης) ferocity

σφολιάτα ΟΥΣ ΘΗΛ flaky pastry

Σ

σφοντύλι ΟΥΣ ΟΥΔ flywheel
▷**βλέπω τον ουρανό ή μου 'ρχεται ο ουρανός σφοντύλι** to see stars
σφουγγαράδικο ΟΥΣ ΟΥΔ sponge–fishing boat
σφουγγαράς ΟΥΣ ΑΡΣ sponge–diver
σφουγγάρι ΟΥΣ ΟΥΔ sponge
▷**πίνω σαν σφουγγάρι** to drink like a fish
σφουγγαρίζω Ρ Μ (*πάτωμα, δωμάτιο*) to mop
σφουγγάρισμα ΟΥΣ ΟΥΔ mopping
σφουγγαρίστρα ΟΥΣ ΘΗΛ mop
σφουγγαρόπανο ΟΥΣ ΟΥΔ mop
σφουγγίζω Ρ Μ to wipe
σφραγίδα ΟΥΣ ΘΗΛ (α) (*αποτύπωμα*) stamp, seal (β) (*εργαλείο*) stamp
▷**βάζω ή αφήνω τη σφραγίδα μου σε κτ** (*μτφ.*) to leave one's mark on sth
▷**ταχυδρομική σφραγίδα** postage stamp
σφραγιδόλιθος ΟΥΣ ΑΡΣ signet ring
σφραγίζω Ρ Μ (α) (*έγγραφα, βιβλία, αποδείξεις*) to stamp · (*φάκελλο: με βουλοκέρι*) to seal (β) (= *κλείνω ερμητικά*) to seal (γ) (*δόντι*) to fill (δ) (*μτφ.:* = *χαρακτηρίζω*) to mark
σφράγιση ΟΥΣ ΘΗΛ (α) (*επιταγών, εγγράφου*) stamping (β) (*μπουκαλιού, βαρελιού*) sealing
σφράγισμα ΟΥΣ ΟΥΔ (α) (*για δόντι*) filling (β) (*φακέλλων, εγγράφων*) stamping (γ) (*κρασιού, πόρτας*) sealing
σφραγισμένος, -η, -ο ΕΠΙΘ (α) (*δόντι*) filled (β) (*πόρτα, δωμάτιο*) sealed (γ) (*μτφ.: χείλια*) sealed
σφριγηλός, -ή, -ό ΕΠΙΘ robust, vigorous
σφρίγος ΟΥΣ ΟΥΔ vigour (*Βρετ.*), vigor (*Αμερ.*)
σφυγμομέτρηση ΟΥΣ ΘΗΛ (α) (ΙΑΤΡ) taking the pulse (β) (*κοινής γνώμης*) opinion poll
σφυγμομετρώ Ρ Μ (α) (ΙΑΤΡ) to take the pulse of (β) (*κοινή γνώμη, αντιδράσεις*) to poll, to survey
σφυγμός ΟΥΣ ΑΡΣ (*κυριολ., μτφ.*) pulse
▷**παίρνω το σφυγμό κποιου** to take sb's pulse
▷**πιάνω ή βρίσκω το σφυγμό κποιου** to feel sb's pulse
σφύζω Ρ ΑΜ to throb
▷**σφύζω από ζωή ή ζωντάνια** to pulse ή throb with life
▷**σφύζω από δραστηριότητα** to be bustling with activity
σφύρα ΟΥΣ ΘΗΛ (α) (*εργαλείο*) hammer, mallet (β) (ΑΝΑΤ) malleus (*επιστ.*), hammer (γ) (ΑΘΛ) hammer

> *Προσοχή!: Ο πληθυντικός του* **malleus** *είναι* **mallei**.

σφυρηλάτηση ΟΥΣ ΘΗΛ forging
σφυρήλατος, -η, -ο ΕΠΙΘ (*σίδηρος*) wrought
σφυρηλατώ Ρ Μ (α) (*σίδηρο, χαλκό*) to forge, to hammer (β) (*μτφ.*) to forge
σφυρί ΟΥΣ ΟΥΔ hammer
▷**βγάζω κτ στο σφυρί** (= *πουλώ*) to put sth under the hammer

▷**βγαίνω στο σφυρί** (= *πουλιέμαι*) to go under the hammer
σφύριγμα ΟΥΣ ΘΗΛ whistle
▷**σφύριγμα της λήξης** (ΑΘΛ) final whistle
σφυρίδα ΟΥΣ ΘΗΛ grouper
σφυρίζω ① Ρ Μ (α) (*σκοπό, μελωδία*) to whistle (β) (*απάντηση*) to whisper (γ) (= *αποδοκιμάζω*) to hiss at ② Ρ ΑΜ (α) (*για πρόσ.*) to whistle · (*φίδι*) to hiss (β) (*αφτιά*) to ring (γ) (*σφαίρα, άνεμος, τρένο, οβίδες*) to whir
▷**ο τροχονόμος του σφύριξε να σταματήσει** the policeman whistled for him to stop
▷**σφυρίζω πέναλτι** to whistle for a penalty
▷**σφυρίζω κτ στο αυτί κπου** to whisper sth in sb's ear
σφυρίχτρα ΟΥΣ ΘΗΛ (*διαιτητή, τροχονόμου*) whistle
σφυροβολία ΟΥΣ ΘΗΛ throwing the hammer
σφυροδρέπανο ΟΥΣ ΟΥΔ hammer and sickle
σφυροκόπημα ΟΥΣ ΟΥΔ hammering, pounding
σφυροκοπώ Ρ Μ (*κυριολ.*) to hammer, to pound · (*μτφ.*) to pound
σχεδία ΟΥΣ ΘΗΛ raft
σχεδιάγραμμα ΟΥΣ ΟΥΔ (α) (*έκθεσης, διάλεξης*) outline (β) (= *απεικόνιση*) drawing
σχεδιάζω Ρ Μ (α) (*εικόνες, σκίτσα, γελοιογραφία*) to draw (β) (*ρούχα, κτίρια, έπιπλα*) to design (γ) (= *σκοπεύω*) to plan (δ) (*εκστρατεία, επίθεση*) to plan
▷**σχεδιάζω να κάνω κτ** to plan to do sth
σχεδίαση ΟΥΣ ΘΗΛ drawing
σχεδιαστήριο ΟΥΣ ΟΥΔ (α) (*χώρος*) drawing room (β) (*έπιπλο*) drawing board
σχεδιαστής ΟΥΣ ΑΡΣ (*ρούχων, αυτοκινήτων*) designer · (*σπιτιών*) draughtsman (*Βρετ.*), draftsman (*Αμερ.*)

> *Προσοχή!: Ο πληθυντικός του* **draughtsman/draftsman** *είναι* **draughtsmen/draftsmen**.

▷**σχεδιαστής μόδας** fashion designer
σχέδιο ΟΥΣ ΟΥΔ (α) (= *πρόγραμμα, σκοπός*) plan (β) (= *σκίτσο*) drawing (γ) (= *διάγραμμα: οικοδομής*) plan, drawing (δ) (= *διακοσμήσεις: σε χαρτί, φόρεμα, ύφασμα*) pattern (ε) (*βιβλίου, ομιλίας, αποφάσεως*) outline (στ) (*συμφωνίας, νόμου*) draft
▷**εκτός/εντός σχεδίου πόλεως** outside/within the city limits
▷**ελεύθερο/γραμμικό σχέδιο** freehand/line drawing
▷**καταστρώνω σχέδιο** to devise a plan
▷**σχέδιο δράσης** action plan, plan of action
▷**σχέδιο νόμου** bill
▷**σχέδιο πόλεως, πολεοδομικό σχέδιο** city ή town plan
▶**σχέδια** ΠΛΗΘ plans
▷**κινούμενα σχέδια** cartoons

σχεδόν ΕΠΙΡΡ almost, nearly

σχέση ΟΥΣ ΘΗΛ **(α)** (= *δεσμός*) relationship **(β)** (= *συσχέτιση*) relation
▷**δεν έχω σχέση με κτ** to have nothing to do with sth, to bear no relation to sth
▷**δεν έχω σχέση με την υπόθεση** it has nothing to do with me
▷**καμία σχέση!** (= *δεν υπάρχουν κοινά σημεία*) that has nothing to do with it!· (= *δεν μπορεί να γίνει σύγκριση*) there's nothing like it!· (*ως έντονη άρνηση*) no way!
▷**σε σχέση με** compared to
▷**σχέση αίματος** (= *συγγένεια*) blood relation
▸ **σχέσεις** ΠΛΗΘ (= *δεσμός*) relationship· (= *ερωτική επαφή*) intercourse *χωρίς πληθ.*, sex *χωρίς πληθ.*
▷**διεθνείς σχέσεις** international relations
▷**προσωπικές σχέσεις** personal relationships

σχετίζω Ρ Μ to relate, to connect
▸ **σχετίζομαι** ΜΕΣΟΠΑΘ (= *έχω σχέση*) to be related (*με* to)
▷**σχετίζομαι με κπν** (= *συνδέομαι φιλικά*) to be friends with sb· (= *συνδέομαι ερωτικά*) to have a relationship with sb· (= *έχω επικοινωνία*) to associate with sb· (= *έχω δοσοληψίες*) to have dealings with sb

σχετικά ΕΠΙΡΡ relatively
▷**βλέπε σχετικά στο βιβλίο του Χ** refer to *ή* see the book by X
▷**όταν ρωτήθηκε σχετικά είπε...** when he was asked about it, he said...
▷**σε σχετικά μικρό χρονικό διάστημα** in a relatively short space of time
▷**σχετικά αργά** rather slowly, relatively slowly
▷**σχετικά με** regarding, about

σχετικοκρατία ΟΥΣ ΘΗΛ relativism

σχετικός, -ή, -ό ΕΠΙΘ **(α)** (= *συναφής*) related **(β)** (= *με κτ που έχει ήδη αναφερθεί*) relevant **(γ)** (= *συναρτώμενος: ποσό, βάρος, ύψος*) proportional **(δ)** (= *που δεν είναι απόλυτος: επιτυχία, ηρεμία*) relative
▷**όλα είναι σχετικά και γι' αυτό ανεκτά** everything is relative

σχετικότητα ΟΥΣ ΘΗΛ relativity
▷**θεωρία της σχετικότητας** theory of relativity

σχήμα ΟΥΣ ΟΥΔ **(α)** (= *μορφή*) shape **(β)** (ΓΕΩΜ) figure **(γ)** (ΜΑΘ: = *διάγραμμα*) figure **(δ)** (= *ομάδα*) team· (*μουσικών*) group **(ε)** (= *διαστάσεις εντύπου*) format **(στ)** (ΘΡΗΣΚ) the cloth
▷**σε σχήμα καρδιάς** heart–shaped
▷**σχήμα λόγου** figure of speech

σχηματίζω Ρ Μ **(α)** (*φάλαγγα, ρυάκια, κύκλο*) to form· (*σήμα*) to make **(β)** (*νούμερο τηλεφώνου*) to dial **(γ)** (*κυβέρνηση, θίασο, συμμαχία*) to form **(δ)** (*γνώμη, εντύπωση*) to form
▸ **σχηματίζομαι** ΜΕΣΟΠΑΘ (*έμβρυο, πυρήνες*) to be formed· (*ρυτίδες*) to form

σχηματικός, -ή, -ό ΕΠΙΘ **(α)** (ΜΑΘ: *απεικόνιση, διάγραμμα*) schematic **(β)** (*μτφ.*) illustrative

σχηματισμός ΟΥΣ ΑΡΣ formation

σχίζα ΟΥΣ ΘΗΛ splinter

σχιζοφρένεια ΟΥΣ ΘΗΛ schizophrenia

σχιζοφρενής, -ής, -ές ΕΠΙΘ schizophrenic

σχιζοφρενικός, -ή, -ό ΕΠΙΘ schizophrenic

σχίζω ☐ Ρ Μ **(α)** (= *κομματιάζω: έγγραφο, χαρτιά*) to tear up, to rip up **(β)** (= *χωρίζω κατά μήκος: ξύλα*) to split **(γ)** (*μανίκι, ρούχο*) to tear, to rip· (*φάκελο*) to tear open **(δ)** (= *αποσπώ: σελίδα*) to tear out **(ε)** (*κεφάλι, φρύδι, γόνατο*) to cut open **(στ)** (= *προκαλώ ρωγμή*) to split **(ζ)** (*μτφ.:* = *διαπερνώ: νερά, ουρανό, κύματα*) to tear through **(η)** (= *κατανικώ*) to thrash ☐ Ρ ΑΜ (*παράσταση*) to be a hit· (*ομάδα*) to win hands down
▷**θα τον σκίσω!** I'll tear him limb from limb!
▷**σκίζω τα ρούχα μου** (*μτφ.*) to protest one's innocence
▸ **σχίζομαι** ΜΕΣΟΠΑΘ **(α)** (*για ρούχα, υφάσματα*) to tear **(β)** (*ποταμός, μονοπάτι*) to split, to fork **(γ)** (*για προσ.: στη δουλειά, στο διάβασμα*) to knock oneself out· (*για να εξυπηρετήσει κπν*) to bend over backwards

σχίνος ΟΥΣ ΑΡΣ mastic tree

σχίσιμο ΟΥΣ ΟΥΔ **(α)** (= *ενέργεια του σκίζω*) tearing **(β)** (*γόνατου, χεριού*) cut· (*υφάσματος*) tear **(γ)** (*φούστας, φορέματος*) slit

σχίσμα ΟΥΣ ΟΥΔ **(α)** (= *διαφορά απόψεων*) rift **(β)** (ΘΡΗΣΚ) schism

σχισματικός, -ή, -ό ΕΠΙΘ dissident

σχισμή ΟΥΣ ΘΗΛ **(α)** (*κερματοδέκτη, μηχανήματος*) slot **(β)** (*βράχου*) crevice· (*στην πόρτα*) crack

σχιστόλιθος ΟΥΣ ΑΡΣ slate

σχιστός, -ή, -ό ΕΠΙΘ slit

σχοινάκι ΟΥΣ ΟΥΔ skipping rope (*Βρετ.*), jump rope (*Αμερ.*)

σχοινένιος, -ια, -ιο ΕΠΙΘ = **σκοινένιος**

σχοινί ΟΥΣ ΟΥΔ rope
▷**παρατραβάω το σκοινί** to go too far
▷**περπατάω σε τεντωμένο σκοινί** to walk *ή* tread a tightrope
▷**του σκοινιού και του παλουκιού** the lowest of the low
▷**στο σπίτι του κρεμασμένου δε μιλάνε για σκοινί** (*παροιμ.*) that's a sore point
▷**σχοινί για τα ρούχα** clothes line

σχοινοβασία ΟΥΣ ΘΗΛ, **σκοινοβασία (α)** (*για ακροβάτη, ισορροπιστή*) tightrope walking **(β)** (*μτφ.*) walking a tightrope

σχοινοβάτης ΟΥΣ ΑΡΣ, **σκοινοβάτης** tightrope walker

σχοινοβατώ Ρ ΑΜ **(α)** (*ακροβάτης, σχοινοβάτης*) to walk a tightrope **(β)** (*μτφ.: πολιτικός, ομιλητής, πολιτεία*) to walk *ή* tread a tightrope

σχοινοτενής, -ής, -ές ΕΠΙΘ (*αγόρευση, διάλεξη*) long–winded

Σ

σχολαρχείο ΟΥΣ ΟΥΔ (*παλαιότ.*) ≈ middle school

σχόλασμα ΟΥΣ ΟΥΔ **(α)** (*μαθητή*) end of the school day · (*εργαζομένου*) end of the (working) day **(β)** (= *απόλυση*) dismissal

σχολαστικισμός ΟΥΣ ΑΡΣ scholasticism

σχολαστικός, -ή, -ό ΕΠΙΘ **(α)** (= *τυπικός*) meticulous **(β)** (= *υπερβολικά λεπτολόγος*) fastidious **(γ)** (*λεπτομέρεια*) meticulous · (*έλεγχος*) thorough **(δ)** (ΦΙΛΟΣ) scholastic

σχολαστικότητα ΟΥΣ ΘΗΛ meticulousness · (*υπερβολική*) fastidiousness

σχολειό ΟΥΣ ΟΥΔ (*προφορ.*) school

σχολείο ΟΥΣ ΟΥΔ school
 ▷ **έχω σχολείο** to have school
 ▷ **πηγαίνω** ή **πάω σχολείο** to go to school
 ▷ **το σχολείο της ζωής** the school of life
 ▸ **ανοιχτό σχολείο** open university
 ▸ **δημόσιο σχολείο** state (*Βρετ.*) ή public (*Αμερ.*) school
 ▸ **δημοτικό σχολείο** primary (*Βρετ.*) ή elementary (*Αμερ.*) school
 ▸ **ιδιωτικό σχολείο** private school
 ▸ **νυχτερινό σχολείο** night school

σχολή ΟΥΣ ΘΗΛ **(α)** (*τεχνική, γεωργική, νοσοκομειακή*) college · (*εμπορική, χορού, ξένων γλωσσών*) school · (*μουσικής*) academy **(β)** (= *διδακτικό προσωπικό*) faculty **(γ)** (= *ρεύμα*) school
 ▷ **της παλιάς σχολής** of the old school
 ▷ **Σχολή Καλών Τεχνών** School of Fine Arts

σχόλη (*προφορ.*) ΟΥΣ ΘΗΛ holiday (*Βρετ.*), vacation (*Αμερ.*)

σχολιάζω Ρ Μ **(α)** (= *κρίνω*) to comment on **(β)** (= *κριτικάρω*) to criticize **(γ)** (*κριτικός: λογοτεχνικό έργο, ταινία*) to review **(δ)** (*σχολιαστής: κείμενο*) to annotate
 ▷ **σχολιάστηκε αρνητικά η συμπεριφορά της** he was criticized for his behaviour (*Βρετ.*) ή behavior (*Αμερ.*)
 ▷ **σχολιάστηκε θετικά η τελευταία ταινία του** his last film got good reviews

σχολιανός, -ή, -ό (*προφορ.*) ΕΠΙΘ (*ρούχα*) formal
 ▷ **ακούω τα σχολιανά μου** to get a real telling-off (*ανεπ.*)

σχολιασμός ΟΥΣ ΑΡΣ **(α)** (*πράξεων, λεγομένων*) commenting **(β)** (= *υπομνηματισμός*) annotation

σχολιαστής ΟΥΣ ΑΡΣ **(α)** (= *δημοσιογράφος*) editor **(β)** (*κειμένου*) annotator **(γ)** (*ταινίας*) critic **(δ)** (*ραδιοφώνου, τηλεόρασης*) commentator

σχολικό ΟΥΣ ΟΥΔ school bus

σχολικός, -ή, -ό ΕΠΙΘ **(α)** (*τάξη, πρόγραμμα, βιβλίο, μαθήματα*) school **(β)** (*γνώσεις, εμπειρίες*) acquired at school
 ▷ **σχολικός σύμβουλος** schools advisor
 ▷ **σχολικό έτος** school year
 ▷ **σχολικό λεωφορείο** school bus

σχόλιο ΟΥΣ ΟΥΔ **(α)** (= *έκφραση τής απόψεως*)

comment **(β)** (= *επίκριση*) comment, remark **(γ)** (= *υπομνηματισμός*) note, annotation
 ▷ **ουδέν σχόλιον!** no comment!
 ▷ **ερμηνευτικά σχόλια** explanatory notes

σχολώ ① Ρ Μ (*αργκ.*: *εργαζόμενο*) to fire, to sack
 ② Ρ ΑΜ (*εργαζόμενος*) to get off work · (*μαθητής*) to finish school · (*σχολείο, υπηρεσία, εργοστάσιο*) to be let out

σωβινισμός ΟΥΣ ΑΡΣ = **σοβινισμός**

σωβινιστής ΟΥΣ ΑΡΣ = **σοβινιστής**

σωβινιστικός, -ή, -ό ΕΠΙΘ = **σοβινιστικός**

σωβινίστρια ΟΥΣ ΘΗΛ *βλ.* **σοβινιστής**

σώβρακο ΟΥΣ ΟΥΔ (*ανεπ.*) underpants *πληθ.*

σώγαμπρος ΟΥΣ ΑΡΣ live-in son–in–law

> *Προσοχή!: Ο πληθυντικός του* **son–in–law** *είναι* **sons–in–law.**

σωζόμενος, -η, -ο ΕΠΙΘ surviving

σώζω Ρ Μ to save · (ΘΡΗΣΚ) to redeem, to save
 ▷ **ο σώζων εαυτόν σωθήτω** every man for himself
 ▷ **σώζω την κατάσταση** to save the day
 ▷ **σώζω το τομάρι** ή **κεφάλι** ή **τη ζωή μου** to save one's skin
 ▷ **τώρα πια δεν σε σώζει τίποτε** nothing can save you now
 ▸ **σώζομαι** ΜΕΣΟΠΑΘ **(α)** (= *διασώζομαι*) to survive **(β)** (= *εξασφαλίζομαι*) to be home and dry
 ▷ **(τώρα) σώθηκα!** (*ειρων.*) now I've had it!

σωθικά ΟΥΣ ΟΥΔ ΠΛΗΘ **(α)** (*για άνθρωπο*) intestines, innards · (*για ζώο*) entrails **(β)** (*μτφ.*: = *ψυχικός κόσμος, ψυχή*) heart εν.
 ▷ **βγάζω τα σωθικά μου** (*προφορ.*) to spew one's guts up (*ανεπ.*)
 ▷ **μου τρώει** ή **μου καίει τα σωθικά** it's eating me up

σωκρατικός, -ή, -ό ΕΠΙΘ Socratic
 ▷ **σωκρατική μέθοδος** Socratic method

σωλήνα ΟΥΣ ΘΗΛ *βλ.* **σωλήνας**

σωληνάριο ΟΥΣ ΟΥΔ tube

σωλήνας ΟΥΣ ΑΡΣ (*νερού, πετρελαίου*) pipe
 ▷ **αναπνευστικός σωλήνας** (*για καταδύσεις*) respiratory tube
 ▷ **δοκιμαστικός σωλήνας** test tube
 ▷ **παιδί του σωλήνα** test-tube baby
 ▷ **πεπτικός σωλήνας** alimentary canal

σωληνώνω Ρ Μ to install the pipes in

σωλήνωση ΟΥΣ ΘΗΛ **(α)** (= *τοποθέτηση σωλήνων*) installing the pipes **(β)** (= *σύνολο σωλήνων*) pipes *πληθ.*

σωληνωτός, -ή, -ό ΕΠΙΘ (*κατασκευή, ψυκτήρας, ράβδος*) tubular

σώμα ΟΥΣ ΟΥΔ **(α)** (= *κορμί: για ζώο, άνθρωπο*) body **(β)** (= *κάθε υλικό αντικείμενο*) body **(γ)** (= *κύριο μέρος αντικειμένου*) body **(δ)** (= *συσκευή θερμάνσεως*) heater **(ε)** (= *σύνολο προσώπων*) body **(στ)** (ΣΤΡΑΤ.

αεροπόρων, πεζικού, ναυτικού) corps, force

Προσοχή!: Ο πληθυντικός του **corps** *είναι* **corps**.

▷**γίνομαι ένα σώμα με κν** to become one with sb
▷**είμαι ή αποτελώ ξένο σώμα** (*μτφ.*) to be out of place
▷**σώμα και πνεύμα** body and soul
▷**σώμα με σώμα** (*παλεύω*) hand–to–hand · (*μτφ.: = διαγωνίζομαι*) fiercely
▷**ξένο σώμα** foreign body
▷**Σώμα Χριστού** Body of Christ
▷**σώμα του εγκλήματος** corpus delicti · (= *φονικό όπλο*) murder weapon
▷**ψυχή τε και σώματι** wholeheartedly
►**αστυνομικό σώμα** police force
►**διπλωματικό σώμα** diplomatic corps
►**εκλεκτορικό σώμα** electoral college
►**νομοθετικό σώμα** legislative body
►**ουράνιο σώμα** celestial body
►**σώμα στρατού** army corps
►**σώματα ασφαλείας** security forces

σωματάρχης ΟΥΣ ΑΡΣ army corps commander

σωματειακός, -ή, -ό ΕΠΙΘ (*οργάνωση, διεκδικήσεις*) union

σωματείο ΟΥΣ ΟΥΔ association · (*εργατικό*) union

σωματέμπορος ΟΥΣ ΑΡΣ pimp

σωματίδιο ΟΥΣ ΟΥΔ particle

σωματικός, -ή, -ό ΕΠΙΘ (*πόνος, ελάττωμα, θάνατος*) physical · (*βάρος, λίπος, φροντίδα*) body · (*βλάβη*) physical, bodily
▷**σωματική άσκηση** physical exercise
▷**σωματική διάπλαση** physique
▷**σωματικός έλεγχος** body search
▷**σωματική επαφή** physical contact

σωματοφύλακας ΟΥΣ ΑΡΣ bodyguard
▷**οι τρεις σωματοφύλακες** the Three Musketeers

σωματώδης, -ης, -ες ΕΠΙΘ hefty, stout

σώνω Ρ Μ (α) (= *γλιτώνω*) to save (β) (*προσφορ.*: = *φτάνω*) to reach
►**σώνομαι** ΜΕΣΟΠΑΘ (= *τελειώνω*) to run out
▷**δεν μπορώ να καταλάβω γιατί σώνει και καλά θέλει να 'ρθει μαζί μας** I can't understand why on earth he wants to come with us
▷**μη σώσεις κι έρθεις!** I don't give a damn whether you come or not! (*ανεπ.*)
▷**να μην σώσεις να πατήσεις το κατώφλι του σπιτιού!** may you never set foot in my house again!
▷**σώνει και καλά, καλά και σώνει** (= *με κάθε τρόπο*) at all costs
▷**σώνει πια!** (*προφορ.*) that's enough!

σώος, -α, -ο ΕΠΙΘ safe
▷**έχω σώας τας φρένας** to be of sound mind
▷**σώος και αβλαβής** safe and sound

σωπαίνω Ρ ΑΜ (α) (= *δεν μιλώ*) to be silent ή quiet (β) (= *παύω να μιλώ*) to fall silent

(γ) (*μτφ.: κοινή γνώμη, Τύπος*) to be silent (*για* about)
▷**σώπα!** (= *μη μιλάς*) be quiet! · (*ως καθησυχασμός*) there, there! · (*ως έκφραση ανακούφισης*) there!
▷**σώπα, τι μας λες!** (*ειρων.*) get away with you!

σωρεία ΟΥΣ ΘΗΛ masses *πληθ.*, lots *πληθ.*
▷**σωρεία λαθών/ατυχημάτων** no end (*ανεπ.*) ή loads of mistakes/accidents

σώρευση ΟΥΣ ΘΗΛ accumulation

σωρεύω Ρ Μ (*αγαθά, πλούτη*) to accumulate, to amass

σωρηδόν ΕΠΙΡΡ (α) (= *ο ένας πάνω στον άλλο*) in a pile ή stack (β) (= *σε σωρούς*) in piles (γ) (= *αθρόα*) in great numbers

σωριάζω Ρ Μ (α) (= *βάζω πάνω*) to pile (β) (= *βάζω σε σωρούς*) to put in a pile ή piles (γ) (= *ξαπλώνω*) to lay down
►**σωριάζομαι** ΜΕΣΟΠΑΘ (*για πρόσ.*) to collapse, to slump · (*κτήριο*) to collapse, to fall down

σωρός ΟΥΣ ΑΡΣ (*άμμου, απορριμμάτων*) pile
▷**ένα σωρό** loads of, heaps of
▷**του σωρού** (= *μικρής αξίας*) second–rate

σωσίας ΟΥΣ ΑΡΣ double · (*για δυσφημότητα*) lookalike
▷**είμαι ο σωσίας κποιου** to be sb's double

σωσίβιο ΟΥΣ ΟΥΔ life jacket · (*μτφ.: = μέσο σωτηρίας*) buoy

σωσίβιος, -α, -ο ΕΠΙΘ: **σωσίβια λέμβος** life boat

σωστά ΕΠΙΡΡ right
▷**δεν κάνω ποτέ τίποτα σωστά** I never do anything right
▷**αν θυμάμαι σωστά** if I remember correctly
▷**μπράβο απάντησες σωστά!** well done, you got the right answer!
▷**σωστά, έχετε δίκιο** indeed, you're right

σωστικός, -ή, -ό ΕΠΙΘ (*συνεργείο, βάρκα, επεμβάσεις*) rescue

σωστό ΟΥΣ ΟΥΔ: **το σωστό** the right thing
▷**δεν είμαι με τα σωστά μου** to be out of one's mind
▷**δεν το βρίσκω σωστό να κάνει κπς κτ** I don't think it's right for sb to do sth
▷**το σωστό** fair's fair

σωστός, -ή, -ό ΕΠΙΘ (α) (= *ορθός: απάντηση*) right, correct (β) (*δουλειά*) proper · (*άντρας, διάβολος, παράδεισος*) real (γ) (= *ακέραιος: μέλη του σώματος*) intact · (*χρόνος*) whole (δ) (= *ακριβής: ώρα*) right (ε) (*φίλος, δημοκράτης*) true (στ) (= *κατάλληλος: άνθρωπος, απόφαση, δρόμος*) right (ζ) (= *δίκαιος*) fair
▷**τα ρεστά δεν είναι σωστά** the change isn't right, it's the wrong change
▷**το ονειρό της βγήκε σωστό** her dream came true

σωτάρισμα ΟΥΣ ΟΥΔ = **σοτάρισμα**

σωτάρω Ρ Μ = **σοτάρω**

σωτήρας ΟΥΣ ΑΡΣ saviour (*Βρετ.*), savior (*Αμερ.*)

▷**ο Σωτήρας** the Saviour (*Βρετ.*) *ή* Savior (*Αμερ.*)

σωτηρία ΟΥΣ ΘΗΛ salvation
▷**βρίσκω τη σωτηρία μου** to be saved
▷**σανίδα σωτηρίας** lifesaver
▸**Στρατός Σωτηρίας** Salvation Army

σωτήριος, -α, -ο ΕΠΙΘ saving
▷**το σωτήριο έτος...** in the year of our Lord...

σωφέρ ΟΥΣ ΑΡΣ ΑΚΛ = **σοφέρ**

σωφερίνα ΟΥΣ ΘΗΛ *βλ.* **σοφέρ**

σωφρονίζω Ρ Μ (*παιδί*) to bring into line ·

(*φυλακισμένο*) to undergo reform

σωφρονισμός ΟΥΣ ΑΡΣ (*ανηλίκον*) bringing into line · (*φυλακισμένου*) reforming

σωφρονιστήριο ΟΥΣ ΟΥΔ reformatory, reform school

σωφρονιστική ΟΥΣ ΘΗΛ penology

σωφρονιστικός, -ή, -ό ΕΠΙΘ (*ίδρυμα*) correctional · (*μέτρα, σύστημα*) penal

σωφροσύνη ΟΥΣ ΘΗΛ sense

σώφρων, -ων, -ον ΕΠΙΘ (*χαρακτήρας, στάση, συμβουλή*) sensible

Σ

T τ

T, τ tau, *19th letter of the Greek alphabet*
▷**τ´** 300
▷**,τ** 300,000
Τ. ΣΥΝΤΟΜ vol.
τα[1] ΑΡΘΡ ΟΡΙΣΤ the · *βλ.* **ο, η, το**
τα[2] ΑΝΤΩΝ them
ταβάνι ΟΥΣ ΟΥΔ ceiling
ταβέρνα ΟΥΣ ΘΗΛ taverna
ταβερνιάρης ΟΥΣ ΑΡΣ taverna owner
ταβερνιάρισσα ΟΥΣ ΘΗΛ *βλ.* **ταβερνιάρης**
τάβλα ΟΥΣ ΘΗΛ **(α)** (= *σανίδα*) plank
(β) (= *χαμηλό τραπέζι*) table
▷**γίνομαι τάβλα** to be dead drunk
τάβλι ΟΥΣ ΟΥΔ backgammon
ταγάρι ΟΥΣ ΟΥΔ **(α)** (= *σακίδιο*) handwoven
bag **(β)** (*μειωτ.*) boor
ταγγίζω Ρ ΑΜ to go sour
ταγέρ ΟΥΣ ΟΥΔ ΑΚΛ suit
ταγκίζω Ρ ΑΜ = **ταγγίζω**
ταγκό ΟΥΣ ΟΥΔ ΑΚΛ = **τανγκό**
τάγμα ΟΥΣ ΟΥΔ **(α)** (ΣΤΡΑΤ) battalion
(β) (ΘΡΗΣΚ) order
ταγματάρχης ΟΥΣ ΑΡΣ⁄ΘΗΛ major
ταγμένος[1], **-η, -ο** ΕΠΙΘ (*σε άγιο*) vowed
ταγμένος[2], **-η, -ο** ΕΠΙΘ (= *αφιερωμένος*)
dedicated
ταγός (*επίσ.*) ΟΥΣ ΑΡΣ leader
τάδε ΑΟΡΙΣΤ ΑΝΤΩΝ ΑΚΛ (*για πρόσ.*) so–and–so ·
(*για πράγμα*) such–and–such
τάζω Ρ Μ **(α)** (= *υπόσχομαι*) to promise
(β) (= *υπόσχομαι αφιέρωμα*) to dedicate
▷**τάζω λαγούς με πετραχήλια** to promise sb
the moon
ταΐζω Ρ Μ (*μωρό, γέρο, ζώα*) to feed
ταϊμάουτ, τάιμ-άουτ ΟΥΣ ΟΥΔ ΑΚΛ (ΑΘΛ)
time-out
τάιμινγκ ΟΥΣ ΟΥΔ ΑΚΛ timing
ταινία ΟΥΣ ΘΗΛ **(α)** (= *κορδέλα: μονωτική*)
tape · (*για μαλλιά, γραφομηχανή*) ribbon ·
(*για πένθος*) band · (*από δέρμα, χαρτί*) strip
(β) (= *μετροταινία*) tape measure **(γ)** (= *φιλμ*)
film, movie (*κυρ. Αμερ.*) **(δ)** (ΖΩΟΛ, ΙΑΤΡ)
tapeworm
▸**ταινία τηλετύπου** ticker tape
▸**ταινία τρόμου** horror film
ταινιοθήκη ΟΥΣ ΘΗΛ **(α)** (= *θήκη ταινιών*)
video case **(β)** (= *λέσχη*) video club ·
(= *ίδρυμα*) film institute

ταίρι ΟΥΣ ΟΥΔ (*για πρόσ.*) companion · (*για
ζώο*) mate
▷**που είναι το ταίρι της κάλτσας/του
παπουτσιού μου;** where's my other sock/
shoe?
▷**δεν έχω ταίρι σε κτ** to be second to none at
sth
ταιριάζω [1] Ρ Μ **(α)** (*βάζο*) to match up ·
(*κάλτσες*) to put into pairs **(β)** (*χρώματα*) to
match, to go with · (*ιδέες, έννοιες*) to
connect
[2] Ρ ΑΜ **(α)** (*χρώματα*) to match, to go well
together · (*φωνές*) to go well together
(β) (= *κλειδί, κομμάτι παζλ*) to fit **(γ)** (*για
πρόσ.*) to get on
▷**αν δεν ταιριάξαμε, δεν θα συμπεθεριάζαμε**
(*παροιμ.*) a man is known by the company
he keeps (*παροιμ.*)
▷**θέλω να βρω άλλη μια τέτοια πολυθρόνα,
να τις ταιριάζω** I want to find another chair
the same, to make a pair
▷**ταίριαξαν οι δύο τους αμέσως** they hit it
off immediately
▷**ταιριάζω σε κπν** (*ρόλος, δουλειά*) to suit sb
▷**ταιριάζουν μεταξύ τους** they get on well
together
▷**τα ταίριαξαν** they've made up
▸**ταιριάζει** ΤΡΙΤΟΠΡΟΣ to be becoming
▷**τέτοια συμπεριφορά δεν ταιριάζει στην
κοινωνική σου θέση** such behaviour is
unbecoming of your social position
ταιριαστός, -ή, -ό ΕΠΙΘ **(α)** (*καπέλο, ρούχα,
χρώματα*) matching **(β)** (*ζευγάρι,
ανδρόγυννο*) compatible
τάισμα ΟΥΣ ΟΥΔ (*ζώων, μωρού, γέροντα*)
feeding
τάκα-τάκα (*ανεπ.*) ΕΠΙΡΡ (*ντύνομαι, τρώω*)
straight away
▷**στο τάκα-τάκα** right away
τάκλιν ΟΥΣ ΟΥΔ ΑΚΛ (*στο ποδόσφαιρο*) tackle
▷**κάνω τάκλιν σε κπν** to tackle sb
τάκος ΟΥΣ ΑΡΣ chock, wedge
τακουνάκι ΟΥΣ ΟΥΔ **(α)** (= *χαμηλό τακούνι*) low
heel **(β)** (*στο ποδόσφαιρο*) heeling
▷**κάνω τακουνάκι** to heel the ball
τακούνι ΟΥΣ ΟΥΔ heel
τακτ ΟΥΣ ΟΥΔ ΑΚΛ tact
τακτικά ΕΠΙΡΡ **(α)** (= *συχνά*) often, regularly
(β) (= *με τάξη*) neatly
τακτική ΟΥΣ ΘΗΛ **(α)** (*ατόμου, προπονητή,
εταιρείας*) tactics πληθ. · (*κυβέρνησης*) policy

(β) (ΣΤΡΑΤ) tactics *πληθ.*

▸**τακτική καμμένης γης** scorched earth policy

τακτικός, -ή, -ό ΕΠΙΘ **(α)** (*συγκοινωνία, πτήσεις, αλληλογραφία, αποδοχές, ώρες ύπνου*) regular · (*περίπατος*) usual **(β)** (*επίσκεψη, φαινόμενο*) regular, frequent **(γ)** (*πελάτης, επισκέπτης, αναγνώστης*) regular **(δ)** (*μέλος, υπάλληλος*) permanent **(ε)** (*σε δουλειές*) steady · (*μαθητής*) neat, tidy **(στ)** (*ανακριτής, δικαστής*) permanent **(ζ)** (*λάθος, οργάνωση, σχηματισμός*) tactical
▹**είμαι τακτικός στις πληρωμές** to always pay on time, to be punctual with one's payments
▹**είμαι τακτικός στα ραντεβού μου** to be punctual

▸**τακτικό αριθμητικό** ordinal (number)
▸**τακτικός στρατός** regular army, regulars *πληθ.*
▸**τακτική υποχώρηση** tactical withdrawal

τακτοποίηση ΟΥΣ ΘΗΛ **(α)** (*δωματίου, σπιτιού, γραφείου, μαλλιών*) tidying up · (*επίπλων, λουλουδιών*) arranging · (*γραβάτας*) straightening, adjusting **(β)** (*χρέους*) settling **(γ)** (= *εγκατάσταση*) putting up **(δ)** (*επαγγελματική αποκατάσταση*) setting up

τακτοποιώ Ρ Μ **(α)** (*δωμάτιο, γραφείο, μαλλιά*) to tidy up · (*γραβάτα*) to straighten, to adjust · (*λουλούδια, έπιπλα*) to arrange · (*βιβλία*) to put away **(β)** (*θέμα, εκκρεμότητα, οφειλή*) to settle · (*ζωή, δουλειές*) to sort out **(γ)** (= *εγκαθιστώ*) to put up **(δ)** (= *αποκαθιστώ*) to set up **(ε)** (= *τιμωρώ*) to sort out
▸**τακτοποιούμαι** ΜΕΣΟΠΑΘ **(α)** (= *εγκαθίσταμαι*) to settle down · (*προσωρινά*) to stay **(β)** (= *αποκαθίσταμαι*) to settle
▹**πρέπει κάπου να τακτοποιηθούμε γι' απόψε** we'll have to find somewhere to stay for tonight
▹**τακτοποιούμαι σε ένα διαμέρισμα** to move into an apartment *ή* flat (*Βρετ.*)
▹**τακτοποιούμαι σε μια δουλειά** to find a job

τακτός, -ή, -ό ΕΠΙΘ (*διαστήματα*) fixed · (*ημερομηνία, προθεσμία*) set

ταλαιπωρία ΟΥΣ ΘΗΛ (= *βάσανο*) hassle · (= *κακουχία*) hardship
▹**είμαι εξαντλημένος από την ταλαιπωρία του ταξιδιού** I'm tired out from the long journey
▹**είναι ταλαιπωρία να κάνω κτ** it's a hassle having to do sth
▹**ήταν μεγάλη ταλαιπωρία να ανέβω το βουνό** it was hard work getting up the mountain

ταλαίπωρος, -η, -ο ΕΠΙΘ poor, wretched

ταλαιπωρώ Ρ Μ to plague
▹**τον ταλαιπωρεί πολύ καιρό τώρα αυτή η αρρώστια** he's been suffering from this illness for a long time now
▸**ταλαιπωρούμαι** ΜΕΣΟΠΑΘ to have a lot of trouble

▹**ταλαιπωρούμαι μέχρι να κάνω κτ** to have a lot of trouble doing sth

ταλανίζω (*επίσ.*) Ρ Μ to plague

ταλάντευση ΟΥΣ ΘΗΛ **(α)** (= *λίκνισμα*) swaying · (*μτφ.: σε διάθεση*) swing **(β)** (= *αμφιταλάντευση*) hesitation, vacillation (*επίσ.*)

ταλαντεύω Ρ Μ (= *λικνίζω: κορμί*) to sway · (*πόδια, χέρια*) to swing
▸**ταλαντεύομαι** ΜΕΣΟΠΑΘ **(α)** (= *λικνίζομαι*) to sway **(β)** (= *αμφιταλαντεύομαι*) to hesitate, to vacillate (*επίσ.*)

τάλαντο ΟΥΣ ΟΥΔ **(α)** (*στην αρχαιότητα: μονάδα βάρους, νόμισμα*) talent **(β)** (= *ταλέντο*) talent

ταλαντούχος, -α *ή* **-ος, -ο** talented

ταλάντωση ΟΥΣ ΘΗΛ **(α)** (= *ταλάντευση*) swaying **(β)** (ΦΥΣ) oscillation

ταλέντο ΟΥΣ ΟΥΔ talent

ταλκ ΟΥΣ ΟΥΔ ΑΚΛ medicated talc

τάμα ΟΥΣ ΟΥΔ **(α)** (= *υπόσχεση*) vow **(β)** (= *αφιέρωμα*) offering

ταμειακός, -ή, -ό ΕΠΙΘ (*διαχείρηση, έλλειμμα, πρόβλημα*) fiscal
▸**ταμειακή μηχανή** cash register

ταμείο ΟΥΣ ΟΥΔ **(α)** (*καταστήματος*) cash desk, checkout · (*τράπεζας*) cashier's desk · (*κινηματογράφου, θεάτρου*) box office, ticket office **(β)** (*συλλόγου, λέσχης, εταιρείας*) funds *πληθ.* **(γ)** (= *οικονομική διαχείριση*) money management
▹**κάνω ταμείο** (*σε κατάστημα*) to work at the cash desk *ή* on the till (*Βρετ.*) · (*σε σύλλογο, λέσχη, εταιρεία*) to be treasurer · (*μτφ.*) to take stock
▹**κλείνω ταμείο** to cash up (*Βρετ.*), to cash out (*Αμερ.*)

▸**Διεθνές Νομισματικό Ταμείο** International Monetary Fund

ταμένος, -η, -ο ΕΠΙΘ = **ταγμένος**[1]

ταμιακός, -ή, -ό ΕΠΙΘ (*αμοιβές, επίδομα*) cash

ταμίας ΟΥΣ ΑΡΣ/ΘΗΛ (*μαγαζιού*) cashier · (*τράπεζας*) teller · (*συλλόγου, εταιρείας, επιχείρησης*) treasurer · (*πλοίου*) purser · (*κολεγίου*) bursar

ταμιευτήριο ΟΥΣ ΟΥΔ savings bank
▸**κατάθεση ταμιευτηρίου** deposit account (*Βρετ.*), savings account (*Αμερ.*)

ταμπακιέρα ΟΥΣ ΘΗΛ (= *θήκη τσιγάρων*) cigarette case · (= *θήκη καπνού*) tobacco pouch

ταμπάκο ΟΥΣ ΟΥΔ **(α)** (= *σκόνη καπνού*) snuff **(β)** (= *λεπτοκομμένος καπνός*) fine-cut tobacco

ταμπάκος ΟΥΣ ΑΡΣ = **ταμπάκο**

ταμπάσκο ΟΥΣ ΟΥΔ ΑΚΛ Tabasco ®

ταμπέλα ΟΥΣ ΘΗΛ **(α)** (= *πινακίδα*) sign **(β)** (= *ετικέτα*) label

ταμπεραμέντο ΟΥΣ ΟΥΔ temperament

ταμπλάς ΟΥΣ ΑΡΣ: **μου'ρχεται ταμπλάς** to be knocked for six (*ανεπ.*)

ταμπλέτα ΟΥΣ ΘΗΛ **(α)** (= χάπι) tablet **(β)** (= εντομοαπωθητικό) insect repellent tablet

ταμπλό ΟΥΣ ΟΥΔ ΑΚΛ **(α)** (ανακοινώσεων) notice board (Βρετ.), bulletin board (Αμερ.)· (διαφημίσεων) hoarding **(β)** (= πίνακας οργάνων) instrument panel· (αυτοκινήτου) dashboard **(γ)** (στην καλαθοσφαίριση) backboard

ταμπόν ΟΥΣ ΟΥΔ ΑΚΛ (για την εμμηνόρροια) tampon

ταμπού ΟΥΣ ΟΥΔ ΑΚΛ taboo

ταμπουράς ΟΥΣ ΑΡΣ tamboura, *stringed instrument with two, three or four pairs of strings*

ταμπούρλο ΟΥΣ ΟΥΔ drum

ταμπουρώνομαι Ρ ΑΜ (στρατιώτες) to dig in· (διαδηλωτές) to barricade oneself· (μτφ.) to hide

τανάλια ΟΥΣ ΘΗΛ pliers πληθ., pincers πληθ.

τανάπαλιν (επίσ.) ΕΠΙΡΡ vice versa

τάνγκα ΟΥΣ ΟΥΔ ΑΚΛ tanga

τανγκό ΟΥΣ ΟΥΔ ΑΚΛ tango

Τανζανία ΟΥΣ ΘΗΛ Tanzania

τανκ ΟΥΣ ΟΥΔ ΑΚΛ tank

τάνκερ ΟΥΣ ΟΥΔ ΑΚΛ oil tanker

τάξη ΟΥΣ ΘΗΛ **(α)** (= τακτοποίηση) order, tidiness **(β)** (= τοποθέτηση) order **(γ)** (= κυρίαρχο καθεστώς) order **(δ)** (= τήρηση κανόνων) obedience **(ε)** (= ευταξία) order **(στ)** (κοινωνίας, αστών) class **(ζ)** (ΒΙΟΛ) order **(η)** (= επίπεδο σπουδών) year (Βρετ.), grade (Αμερ.) **(θ)** (= μαθητές) class **(ι)** (= αίθουσα) classroom
▷**ανακαλώ ή επαναφέρω στην τάξη κπν** to call sb to order
▷**βάζω κτ σε τάξη** (δωμάτιο) to tidy sth up· (σκέψεις) to put sth in order
▷**με τάξη** in an orderly way
▷**πρώτης τάξεως** first class
▷**της τάξεως** +γεν. in the order of
▸**άρχουσα τάξη** ruling class
▸**εργατική τάξη** working class

ταξί ΟΥΣ ΟΥΔ ΑΚΛ taxi, cab
▸**πιάτσα των ταξί** taxi rank (Βρετ.) ή stand (Αμερ.)

ταξιαρχία ΟΥΣ ΘΗΛ (ΣΤΡΑΤ) brigade

ταξίαρχος ΟΥΣ ΑΡΣ∕ΘΗΛ (Στρατού Ξηράς) brigadier (Βρετ.), brigadier general (Αμερ.)· (Πολεμικής Αεροπορίας) air commodore (Βρετ.), brigadier general (Αμερ.)

ταξιδευτής (λογοτ.) ΟΥΣ ΑΡΣ traveller (Βρετ.), traveler (Αμερ.), wanderer

ταξιδεύτρια (λογοτ.) ΟΥΣ ΘΗΛ βλ. **ταξιδευτής**

ταξιδεύω ① Ρ ΑΜ **(α)** (= κάνω ταξίδια) to travel **(β)** (καράβι) to sail **(γ)** (φως) to travel **(δ)** (= ονειροπολώ) to drift ② Ρ Μ (λογοτ.: για πλοίο, μυθιστόρημα, μουσική) to transport
▷**ταξιδεύω με αεροπλάνο** to fly

▷**ταξιδεύω με πλοίο/τρένο** to travel by sea/rail, to take the ship/train

ταξίδι ΟΥΣ ΟΥΔ journey, trip
▷**καλό ταξίδι!** (ευχή) have a good trip!, bon voyage!
▷**λείπω (σε) ταξίδι** to be away
▸**γραφείο ταξιδίων** travel agency
▸**ταξίδι-αστραπή** lightning trip

ταξιδιάρικος, -η, -ικο ΕΠΙΘ (πουλιά) migratory

ταξιδιώτης ΟΥΣ ΑΡΣ traveller (Βρετ.), traveler (Αμερ.)

ταξιδιωτικός, -ή, -ό ΕΠΙΘ (σάκος, έγγραφο, ρεπορτάζ, λογοτεχνία) travel· (εντυπώσεις, περιγραφή) of one's journey· (ντύσιμο) travelling (Βρετ.)(Αμερ.)
▸**ταξιδιωτικό γραφείο** travel agency
▸**ταξιδιωτική επιταγή** traveller's cheque (Βρετ.), traveler's check (Αμερ.)
▸**ταξιδιωτική οδηγία** travel guidelines πληθ.
▸**ταξιδιωτικός οδηγός** tour guide
▸**ταξιδιωτικός πράκτορας** travel agent

ταξιδιώτισσα ΟΥΣ ΘΗΛ βλ. **ταξιδιώτης**

ταξιθέτης ΟΥΣ ΑΡΣ (θεάτρου) usher

ταξιθέτρια ΟΥΣ ΘΗΛ βλ. **ταξιθέτης**

ταξικός, -ή, -ό ΕΠΙΘ (πάλη, διακρίσεις, συνείδηση) class· (κοινωνία) class–based

ταξίμετρο ΟΥΣ ΟΥΔ meter

τάξιμο ΟΥΣ ΟΥΔ **(α)** (= υπόσχεση) vow **(β)** (σε άγιο) offering

ταξινόμηση ΟΥΣ ΘΗΛ classification

ταξινόμος ΟΥΣ ΑΡΣ∕ΘΗΛ **(α)** (βιβλίων, εγγράφων) classifier **(β)** (υπάλληλος ταχυδρομείου) sorter

ταξινομώ Ρ Μ (βιβλία, έγγραφα, αρχεία) to classify· (φακέλους) to sort

ταξιτζής ΟΥΣ ΑΡΣ taxi driver, cab driver

ταξιτζού ΟΥΣ ΘΗΛ βλ. **ταξιτζής**

τάπα¹ ΟΥΣ ΘΗΛ **(α)** (βαρελιού, μπουκαλιού) bung· (μπάνιου, νεροχύτη) plug **(β)** (χοροϊδ.) shorty (ανεπ.) **(γ)** (στην καλαθοσφαίριση) block **(δ)** (αργκ.) put–down (ανεπ.)

τάπα² ΟΥΣ ΘΗΛ (ποδοσφαιρικού παπουτσιού) stud

ταπεινός, -ή, -ό ΕΠΙΘ **(α)** (ψυχή, άνθρωπος) humble **(β)** (σπίτι, καταγωγή) humble· (ζωή) abject· (συνοικία) poor **(γ)** (αρνητ.: κόλακας, ένστικτα, κίνητρα, πράξη) base
▷**κατά την ταπεινή μου γνώμη** in my humble opinion
▷**ταπεινή παράκληση** if you don't mind

ταπεινοσύνη ΟΥΣ ΘΗΛ βλ. **ταπεινότητα**

ταπεινότητα ΟΥΣ ΘΗΛ **(α)** (επίσης **ταπεινοσύνη**) humility **(β)** (αρνητ.) lowness

ταπεινοφροσύνη ΟΥΣ ΘΗΛ humility, modesty

ταπεινόφρων, -ων, -ον (επίσ.) ΕΠΙΘ humble, modest

ταπεινώνω Ρ Μ to humiliate
▸**ταπεινώνομαι** ΜΕΣΟΠΑΘ to be humbled

ταπείνωση ΟΥΣ ΘΗΛ **(α)** (= εξευτελισμός) humiliation **(β)** (= ταπεινοφροσύνη) humility

ταπεινωτικός, -ή, -ό ΕΠΙΘ humiliating

τάπερ ΟΥΣ ΟΥΔ ΑΚΛ Tupperware ®

ταπεραμέντο ΟΥΣ ΟΥΔ = **ταμπεραμέντο**

ταπετσαρία ΟΥΣ ΘΗΛ (α) *(τοίχου)* wallpaper (β) *(αυτοκινήτου, επίπλων)* upholstery

ταπετσιέρης ΟΥΣ ΑΡΣ decorator

τάππας *(επίσ.)* ΟΥΣ ΑΡΣ (α) (= *χαλί*) carpet (β) *(γηπέδου)* ground
▷**θέτω κτ επί τάπητος** to bring sth up for discussion

ταπητουργείο ΟΥΣ ΟΥΔ carpet factory

ταπητουργία ΟΥΣ ΘΗΛ (α) *(τέχνη)* carpet making (β) (= *ταπητουργείο*) carpet factory

ταπητουργός ΟΥΣ ΑΡΣ&ΘΗΛ carpet maker

ταπί ΟΥΣ ΟΥΔ ΑΚΛ *(στην πάλη)* canvas · *(στην γυμναστική)* mat
▷**μένω** ή **είμαι ταπί** *(οικ.)* to be broke *(ανεπ.)*
▷**ταπί!** (= *χαρτοπαικτικός όρος*) I'm cleaned out!

ταπώνω Ρ Μ (α) *(βαρέλι)* to stopper · *(μπουκάλι)* to put the top on (β) *(στην καλαθοσφαίριση)* to block (γ) *(αργκ.)* to shut up *(ανεπ.)*

ταραγμένος, -η, -ο ΕΠΙΘ (α) *(θάλασσα, λίμνη)* rough, choppy (β) *(νους, άνθρωπος)* agitated, flustered · *(ύπνος)* restless · *(ζωή)* turbulent

ταράζω Ρ Μ (α) *(νερό)* to disturb (β) *(ύπνο)* to disturb · *(ψυχική γαλήνη)* to upset (γ) *(στην πολυλογία, στο ψέμα)* to wear out · *(γλυκά, φαγητό)* to gobble, to scoff *(ανεπ.)*
▸**ταράζομαι** ΜΕΣΟΠΑΘ to get upset

ταρακούνημα ΟΥΣ ΟΥΔ *(κυριολ., μτφ.)* jolt

ταρακουνώ Ρ Μ (= *τραντάζω*) to shake
▷**ταρακουνώ κπν** *(μτφ.)* to give sb a jolt

ταραμάς ΟΥΣ ΑΡΣ fish roe

ταραμοκεφτές ΟΥΣ ΑΡΣ roe fish cake

ταραμοσαλάτα ΟΥΣ ΘΗΛ taramosalata

τάρανδος ΟΥΣ ΑΡΣ reindeer

Προσοχή!: Ο πληθυντικός του **reindeer** *είναι* **reindeer.**

ταραντούλα ΟΥΣ ΘΗΛ tarantula

ταραξίας ΟΥΣ ΑΡΣ&ΘΗΛ troublemaker

ταράσσω *(επίσ.)* Ρ Μ = **ταράζω**

ταράτσα ΟΥΣ ΘΗΛ flat roof
▷**την κάνω ταράτσα** *(οικ.)* to stuff oneself *(ανεπ.)*

ταραχή ΟΥΣ ΘΗΛ (α) (= *συγκίνηση*) agitation (β) (= *αναστάτωση*) riot
▸**ταραχές** ΠΛΗΘ disturbances

ταραχοποιός, -ός, -ό *(επίσ.)* ΕΠΙΘ rowdy
▸**ταραχοποιά στοιχεία** rioters

ταραχώδης, -ης, -ες *(επίσ.)* ΕΠΙΘ *(περίοδος)* turbulent · *(ζωή)* stormy · *(συγκέντρωση)* riotous · *(συζήτηση)* heated · *(διαδήλωση)* violent

ταρίφα ΟΥΣ ΘΗΛ (α) (= *τιμή*) tariff (β) *(για ταξί)* fare

▷**πόσο πάει η ταρίφα;** how much is the fare?
▸**διπλή ταρίφα** night rate

ταρίχευση ΟΥΣ ΘΗΛ *(νεκρού)* embalming · *(ζώου)* stuffing

ταριχεύω Ρ Μ *(νεκρό)* to embalm · *(αετό, αρκούδα)* to stuff

ταρό ΟΥΣ ΟΥΔ ΑΚΛ (α) (= *τράπουλα*) tarot (β) (= *χαρτί τράπουλας*) tarot card

τάρτα ΟΥΣ ΘΗΛ *(γλυκιά)* tart · *(αλμυρή)* pie

ταρτάν ΟΥΣ ΟΥΔ ΑΚΛ *(στον στίβο)* astroturf

τάρταν ΟΥΣ ΟΥΔ ΑΚΛ (= *ύφασμα για κιλτ*) tartan

Τάρταρα ΟΥΣ ΟΥΔ ΠΛΗΘ Hades

ταρταρούγα ΟΥΣ ΘΗΛ tortoiseshell

τασάκι ΟΥΣ ΟΥΔ ashtray

τάση ΟΥΣ ΘΗΛ (α) *(αγοράς, ανεξαρτησίας)* trend (β) (= *ροπή*) tendency (γ) (ΗΛΕΚΤΡ) voltage
▷**έχω την τάση προς κτ** ή **να κάνω κτ** to tend to do sth

τάσι ΟΥΣ ΟΥΔ (α) (= *ποτήρι*) goblet (β) *(σε αυτοκίνητο)* hubcap

τασκεμπάπ, τας-κεμπάμπ ΟΥΣ ΟΥΔ ΑΚΛ shish kebab

τάσσω Ρ Μ *(επίσ.*: = *ορίζω*) to lay down
▸**τάσσομαι** ΜΕΣΟΠΑΘ: **τάσσομαι υπέρ κπν/κτ** to go along with sb/sth
▷**τάσσομαι κατά** ή **εναντίον κποιου/κτ** to go against sth

ταστέρα ΟΥΣ ΘΗΛ = **ταστιέρα**

ταστιέρα ΟΥΣ ΘΗΛ (ΜΟΥΣ) neck

τάστο ΟΥΣ ΟΥΔ (ΜΟΥΣ) string

τατού ΟΥΣ ΟΥΔ ΑΚΛ = **τατουάζ**

τατουάζ ΟΥΣ ΟΥΔ ΑΚΛ tattoo

ταυ ΟΥΣ ΟΥΔ ΑΚΛ (α) *(γράμμα)* tau, *19th letter of the Greek alphabet* (β) *(εργαλείο)* T-square

ταυρομαχία ΟΥΣ ΘΗΛ bullfighting

ταυρομάχος ΟΥΣ ΑΡΣ bullfighter

ταύρος ΟΥΣ ΑΡΣ (α) (= *αρσενικό βόδι*) bull (β) (ΑΣΤΡΟΝ, ΑΣΤΡΟΛ) Taurus ·
▷**ταύρος είναι** *(μτφ.)* he's as strong as an ox

ταυτίζω Ρ Μ (α) (= *θεωρώ ίδιο*) to equate (β) (= *εξακριβώνω*) to identify
▸**ταυτίζομαι** ΜΕΣΟΠΑΘ (= *συμφωνώ απόλυτα*) to agree
▷**ταυτίζομαι με κπν/κτ** *(με γονέα, είδωλο)* to identify with sb/sth

ταύτιση ΟΥΣ ΘΗΛ (α) (= *εκτίμηση ως ίδιου*) equation (β) (= *εξακρίβωση*) identification (γ) (= *απόλυτη συμφωνία*) agreement (δ) *(με άνθρωπο, ρόλο)* identification

ταυτολογία ΟΥΣ ΘΗΛ tautology

ταυτολογώ Ρ ΑΜ to repeat oneself

ταυτοπροσωπία ΟΥΣ ΘΗΛ single–subject construction

ταυτόσημος, -η, -ο ΕΠΙΘ (α) *(όροι, λέξη)* synonymous (β) *(διακοίνωση, αντίδραση)* identical

ταυτότητα ΟΥΣ ΘΗΛ (α) *(απόψεων, θέσεων)* similarity (β) *(θύματος, πολιτισμού)* identity (γ) *(πολίτη)* identity card · *(δημοσιογράφου)* press card (δ) (= βραχιόλι ή μενταγιόν) identity bracelet

► **αστυνομική ταυτότητα** identity card

► **εθνική/πολιτιστική ταυτότητα** national/ cultural identity

ταυτόχρονα ΕΠΙΡΡ = **ταυτοχρόνως**

ταυτόχρονος, -η, -ο ΕΠΙΘ simultaneous

ταυτοχρόνως ΕΠΙΡΡ simultaneously

ταφή ΟΥΣ ΘΗΛ burial

ταφόπετρα ΟΥΣ ΘΗΛ (α) (= ταφόπλακα) gravestone, tombstone (β) (υπόθεσης) end · (εγχειρήματος) death knell

ταφόπλακα ΟΥΣ ΘΗΛ gravestone, tombstone

τάφος ΟΥΣ ΑΡΣ (α) (= μνήμα) grave (β) (καταχρ.: = μνημείο) tomb (γ) (= θάνατος) death

▷**είμαι με το ένα πόδι στον τάφο** to have one foot in the grave

▷**μέχρι τάφου** to the grave

▷**είμαι τάφος** (οικ.) to be the soul of discretion, to know how to keep a secret

▷**στέλνω κπν στον τάφο** to send sb to their grave

► **Άγιος ή Πανάγιος Τάφος** Holy Sepulchre

► **οικογενειακός τάφος** family grave

► **ομαδικός τάφος** mass grave

τάφρος ΟΥΣ ΑΡΣ ditch · (γύρω από κάστρο) moat

τάχα ΕΠΙΡΡ (α) (= δήθεν) supposedly (β) (= μήπως) maybe (γ) (= άραγε) I wonder

▷**θα έρθει τάχα στο πάρτυ;** I wonder if he'll come to the party?

▷**κάναμε λάθος τάχα;** maybe we've made a mistake?

▷**κάνω τάχα πως δεν ξέρω** to pretend not to know

▷**μην τάχα** maybe

▷**τάχα μου-τάχα μου** (οικ.) supposedly

▷**τάχα μου-τάχα μου κάνει πως δεν ξέρει τι μου συμβαίνει** he claims not to know what happened to me

τάχατε(ς) ΕΠΙΡΡ = **τάχα**

ταχεία ΟΥΣ ΘΗΛ express

ταχέως (επίσ.) ΕΠΙΡΡ (α) (= γρήγορα) rapidly (β) (= σύντομα) soon

ταχίνι ΟΥΣ ΟΥΔ tahini

τάχιστα (επίσ.) ΕΠΙΡΡ straight away

τάχιστος, -η, -ο (επίσ.) ΕΠΙΘ very quick

ταχογράφος ΟΥΣ ΑΡΣ tachograph

ταχτικός, -ή, -ό ΕΠΙΘ = **τακτικός**

ταχτοποίηση ΟΥΣ ΘΗΛ = **τακτοποίηση**

ταχτοποιώ Ρ Μ = **τακτοποιώ**

ταχυδακτυλουργία ΟΥΣ ΘΗΛ sleight of hand

► **ταχυδακτυλουργίες** ΠΛΗΘ (ταχυδακτυλουργού) conjuring tricks · (μτφ.) sleight of hand χωρίς πληθ.

ταχυδακτυλουργός ΟΥΣ ΑΡΣΘΗΛ conjurer

ταχυδιανομή ΟΥΣ ΘΗΛ express delivery

ταχυδρομείο ΟΥΣ ΟΥΔ (α) (υπηρεσία) mail, post (Βρετ.) (β) (γραφείο ή παράρτημα) post office (γ) (= γράμματα, δέματα) post (Βρετ.), mail

▷**λαμβάνω ή παίρνω το ταχυδρομείο** to get the mail

▷**στέλνω ή αποστέλλω κτ με το ταχυδρομείο** to send sth by post, to post sth (Βρετ.), to mail sth (Αμερ.)

► **σφραγίδα του ταχυδρομείου** postmark

ταχυδρομικός, -ή, -ό ΕΠΙΘ (υπηρεσία, δίκτυο) postal · (όχημα, γραφείο) post

▷**με ταχυδρομικά δέματα** by parcel post

► **ταχυδρομική επιταγή** postal order

► **ταχυδρομική θυρίδα** PO Box

► **Ταχυδρομικός Κώδικας ή Κωδικός** postcode (Βρετ.), zip code (Αμερ.)

► **ταχυδρομική σφραγίδα** postmark

► **ταχυδρομικό ταμιευτήριο** post-office savings bank

► **ταχυδρομικό τέλος** postage, postal rates πληθ.

► **ταχυδρομικός** ΟΥΣ ΑΡΣΘΗΛ postal worker

ταχυδρομικά ΕΠΙΡΡ = **ταχυδρομικώς**

ταχυδρομικώς ΕΠΙΡΡ by post

ταχυδρόμος ΟΥΣ ΑΡΣΘΗΛ (α) (= ταχυδρομικός διανομέας) postman/woman (Βρετ.), mailman/woman (Αμερ.)

Προσοχή!: Ο πληθυντικός του **postman/ woman** *είναι* **postmen/women.** *Ο πληθυντικός του* **mailman/woman** *είναι* **mailmen/women.**

(β) (μτφ.) messenger

ταχυδρομώ Ρ Μ to post (Βρετ.), to mail (Αμερ.)

ταχυκαρδία ΟΥΣ ΘΗΛ tachycardia χωρίς πληθ. (επιστ.), palpitation

ταχύμετρο ΟΥΣ ΟΥΔ speedometer, tachometer

ταχύνω Ρ Μ/ΑΜ = **επιταχύνω**

ταχυπαλμία ΟΥΣ ΘΗΛ = **ταχυκαρδία**

ταχυπληρωμή ΟΥΣ ΘΗΛ postal order

ταχύπλοο ΟΥΣ ΟΥΔ speedboat

ταχύρρυθμος, -η, -ο ΕΠΙΘ = **ταχύρυθμος**

ταχύρυθμος, -η, -ο ΕΠΙΘ (ανάπτυξη, εξέλιξη) rapid · (εκπαίδευση, μαθήματα) intensive

ταχύς, -εία, -ύ ΕΠΙΘ (α) (αύξηση, εξέλιξη, επέμβαση) rapid · (εκμάθηση) intensive · (βήμα, ρυθμός) brisk · (σκάφος) fast (β) (αλλαγή) sudden (γ) (αναπνοή, σφυγμός) quick

► **δρόμος ταχείας κυκλοφορίας** expressway

► **λωρίδα ταχείας κυκλοφορίας** fast lane

ταχύτατος, -η, -ο ΕΠΙΘ = **τάχιστος**

ταχύτερος, -η, -ο ΕΠΙΘ faster

ταχύτητα ΟΥΣ ΘΗΛ (γενικότ.) speed · (ΦΥΣ) speed, velocity

▷**(ανώτατο) όριο ταχύτητας** speed limit

▷**αναπτύσσω ταχύτητα** to pick up speed, to speed up

▷**η Ευρώπη των δύο ταχυτήτων** a two-speed Europe

▷**κάνω αγώνα ταχύτητας** (κυριολ.) to race · (μτφ.) to race against the clock, to race

around
▷**κόβω ταχύτητα** to reduce speed, to slow down
▷**βάζω/αλλάζω ταχύτητα** to go into/change gear
▷**έχω πρώτη/δεύτερη/τρίτη ταχύτητα** to be in first/second/third gear
▸**αγώνας ταχύτητας** race
▸**η ταχύτητα του ήχου/φωτός** the speed of sound/light
▸**ταχύτητες** ΠΛΗΘ gears
▸**κιβώτιο ταχυτήτων** gearbox
▸**αυτόματη αλλαγή ταχυτήτων** automatic gear shift

ταχυφαγείο ΟΥΣ ΟΥΔ fast–food restaurant
ταψί ΟΥΣ ΟΥΔ baking tin · (= *τρώω ένα ταψί: οικ.*) to eat a vast amount
τέζα (*κοροϊδ.*) ΕΠΙΡΡ: **είμαι τέζα** to be flat out
▷**πέφτω τέζα (από κούραση)** to be dead tired (*ανεπ.*)
▷**μένω** ή **πέφτω τέζα** to drop dead (*ανεπ.*)
▷**το σκοινί είναι τέζα** the rope is taut
τεζαριστός, -ή, -ό (*ανεπ.*) ΕΠΙΘ (*σκοινί*) taut
τεζάρω (*ανεπ.*) ① Ρ Μ (*σκοινί*) to pull tight · (*ύφασμα*) to stretch
② Ρ Μ (α) (*σκοινί*) to be taut · (*κοιλιά*) to be bloated (β) (= *καταρρέω*) to be dead on one's feet
▷**(τα) τεζάρω** (= *εξαντλούμαι*) to be dead on one's feet · (= *πεθαίνω*) to die
τεθλασμένος, -η, -ο ΕΠΙΘ (*γραμμή*) crooked
▷**δια της τεθλασμένης** (*επίσ.*) in a roundabout way
τεθλιμμένος, -η, -ο (*επίσ.*) ΕΠΙΘ grieving
τεθωρακισμένος, -η, -ο ΕΠΙΘ (*αυτοκίνητο, όχημα, μεραρχία*) armoured (*Βρετ.*), armored (*Αμερ.*)
▸**τεθωρακισμένο** ΟΥΣ ΟΥΔ armoured (*Βρετ.*) ή armored (*Αμερ.*) vehicle
▸**Τεθωρακισμένα** ΟΥΣ ΟΥΔ ΠΛΗΘ armoured (*Βρετ.*) ή armored (*Αμερ.*) division
τείνω (*επίσ.*) ① Ρ Μ (α) (*χορδή*) to stretch (β) (*χέρι, βιβλίο*) to hold out
② Ρ ΑΜ (α) (= *αποσκοπώ*) to aim (β) (= *κλίνω*) to tend
▷**τείνω να κάνω κτ/προς κτ** (= *αποσκοπώ*) to aim to do sth/for sth · (= *κλίνω*) to tend to do sth/towards sth
τεϊόδεντρο ΟΥΣ ΟΥΔ tea tree
τείον (*επίσ.*) ΟΥΣ ΟΥΔ tea
τειχίζω Ρ Μ (*πόλη*) to fortify
τείχιση ΟΥΣ ΘΗΛ fortification
τειχοποιία ΟΥΣ ΘΗΛ fortification
τείχος ΟΥΣ ΟΥΔ (*κυριολ., μτφ.*) wall
▷**πέφτουν τα τείχη** the walls are coming down
▷**πολιτιστικά/κοινωνικά τείχη** cultural/social barriers
▷**τείχος αδιαφορίας/σιωπής/φωτιάς** wall of indifference/silence/fire
▸**το Σινικό** ή **Μέγα τείχος** the Great Wall of China

▸**το τείχος του Βερολίνου** the Berlin wall
τεκές ΟΥΣ ΑΡΣ (α) (= *χώρος χρήσης ναρκωτικών*) opium den (β) (= *ισλαμικό μοναστήρι*) tekke, *monastery of dervishes*
τεκίλα ΟΥΣ ΘΗΛ tequila
τεκμαίρομαι (*επίσ.*) Ρ Μ ΑΠΟΘ (= *συμπεραίνω*) to be presumed
▸**τεκμαίρεται, τεκμαίρονται** ΤΡΙΤΟΠΡΟΣ to be proved
τεκμήριο ΟΥΣ ΟΥΔ (α) (*αθωότητας, ενοχής*) proof, evidence *χωρίς πληθ.* · (*αγάπης, ισχύος*) proof · (*εξουσίας*) evidence *χωρίς πληθ.* (β) (ΟΙΚΟΝ) index

> *Προσοχή!: Ο πληθυντικός του* index *είναι* indexes *ή* indices.

▷**κατά τεκμήριο** as has been proved
τεκμηριωμένος, -η, -ο ΕΠΙΘ (*άποψη, καταγγελία, πρόταση*) substantiated · (*μελέτη, έρευνα*) well–founded
τεκμηριώνω Ρ Μ (*άποψη, πρόταση, θέση*) to substantiate · (*ισχυρισμούς*) to prove, to substantiate
τεκμηρίωση ΟΥΣ ΘΗΛ (α) (*θέσης, θεωρίας, επιχειρήματος*) substantiation (β) (= *πειστήριο*) proof (γ) (ΠΛΗΡΟΦ) documentation
τεκνατζού (*αργκ.*) ΟΥΣ ΘΗΛ cradle snatcher (*ανεπ.*)
τεκνό (*αργκ.*) ΟΥΣ ΟΥΔ desirable youth
τέκνο[1] (*επίσ.*) ΟΥΣ ΟΥΔ (*κυριολ., μτφ.*) child

> *Προσοχή!: Ο πληθυντικός του* child *είναι* **children**.

▷**τέκνο(ν) (μου)!** (*προσφώνηση από ιερέα*) my child! · (*κοροϊδ.*) my dear!
τέκνο[2] ΟΥΣ ΘΗΛ ΑΚΛ (ΜΟΥΣ) techno
τεκνοποίηση, τεκνοποιία ΟΥΣ ΘΗΛ child–bearing
τεκνοποιώ Ρ ΑΜ to have children
τεκταινόμενα ΟΥΣ ΟΥΔ ΠΛΗΘ developments
τέκτονας ΟΥΣ ΑΡΣ (Free)mason
τεκτονικός, -ή, -ό ΕΠΙΘ (α) (*σύμβολα, αδελφότητες*) Masonic (β) (ΓΕΩΛ: *πλάκες*) tectonic
▸**τεκτονικός πήχης** 75 metres *πληθ.*
▸**τεκτονικός σεισμός** tectonic earthquake
▸**τεκτονική στοά** Masonic lodge
τεκτονισμός ΟΥΣ ΑΡΣ = **μασονία**
τελάλης ΟΥΣ ΑΡΣ = **ντελάλης**
τελάρο ΟΥΣ ΟΥΔ (α) (= *καφάσι*) crate (β) (*ζωγραφικού πίνακα, κεντήματος, πόρτας, παραθύρου*) frame
τελεία ΟΥΣ ΘΗΛ (α) (*σημείο στίξης*) full stop (*Βρετ.*), period (*Αμερ.*) (β) (= *κουκκίδα*) dot
▷**βάζω τελεία (και παύλα) σε κτ** to put an end to sth
▷**τελεία και παύλα** that's the end of it
▸**άνω και κάτω τελεία** colon
▸**άνω τελεία** semicolon

τέλεια ΕΠΙΡΡ perfectly, to perfection
▷**περνώ τέλεια** to have a marvellous (*Βρετ.*) *ή* marvelous (*Αμερ.*) time

τελειομανής, -ής, -ές ΕΠΙΘ: **είμαι τελειομανής** to be a perfectionist

τελειομανία ΟΥΣ ΘΗΛ perfectionism

τελειοποίηση ΟΥΣ ΘΗΛ (= *βελτίωση*) perfecting · (= *ολοκλήρωση*) perfection

τελειοποιώ Ρ Μ (α) (*τεχνική*) to perfect (β) (*καταχρ.*: = *βελτιώνω*) to improve

τέλειος, -α, -ο ΕΠΙΘ (α) (*συνεργασία, εκτέλεση, τεχνική, αναπαράσταση*) perfect (β) (*φίλος, εραστής, αναλογίες*) ideal (γ) (*απατεώνας, γυναίκα, άντρας*) complete · (*αδιαφορία*) complete, total · (*εκβιασμός*) out-and-out
▸ **τέλειος αριθμός** perfect number
▸ **τέλειο(ν)** ΟΥΣ ΟΥΔ perfection

τελειότητα ΟΥΣ ΘΗΛ perfection
▷**φτάνω στην τελειότητα** to reach perfection

τελειόφοιτος, -η, -ο ΕΠΙΘ (*φοιτητές*) in the final year
▸ **τελειόφοιτοι** ΟΥΣ ΑΡΣ ΠΛΗΘ students in their final year

τελείωμα, τέλειωμα ΟΥΣ ΟΥΔ (α) (*περιόδου, έργου, ομιλίας*) end (β) (*ρούχου, κουρτίνας*) hem
▷**η ζάχαρη/ο καφές είναι στο τέλειωμα** the sugar/coffee has run out

τελειωμένος, -η, -ο ΕΠΙΘ (*δουλειά*) finished
▷**είναι τελειωμένη υπόθεση** that's history

τελειωμός ΟΥΣ ΑΡΣ end
▷**δεν έχω τελειωμό** (= *δεν τελειώνω*) to be endless
▷**ούτε αύριο δεν έχει τελειωμό** it still won't be finished tomorrow

τελειώνω ① Ρ Μ (α) (*εργασία, διάβασμα, σπουδές*) to finish · (*συζήτηση*) to end · (*προσπάθεια*) to give up · (*σχολή, Νομική*) to graduate from · (*Λύκειο, Δημοτικό*) to leave (β) (*φαγητό, ποτό*) to finish (γ) (*προπονητή, στέλεχος*) to dismiss · (*μέλος*) to expel ② Ρ ΑΜ (α) (= *φτάνω στο τέλος*) to finish · (*αγώνας, εκπομπή*) to finish, to end · (*γιορτή, διακοπές, πόλεμος*) to end, to be over · (*δοκιμασία*) to come to an end · (*έτος, ταξίδι, διάσκεψη*) to end (β) (*χρόνος, χρήματα, τρόφιμα*) to run out · (*δυνάμεις*) to give out (γ) (= *καταρρέω*) to be worn out · (= *πεθαίνω*) to die (δ) (*ανεπ.*: = *φτάνω σε οργασμό*) to come (*ανεπ.*)
▷**για να τελειώνουμε** once and for all
▷**πάει αυτή, τελείωσε!** she's done for!, she's had it
▷**τελειώσαμε!** (= *δεν έχουμε μέλλον*) we've had it!
▷**τελειώνω γιατρός/δικηγόρος** to graduate as a doctor/lawyer
▷**τελειώνω με κπν/κτ** to be through with sb/sth
▷**τέλειωσαν τα ψέματα** *ή* **τα αστεία** the fun's over

τελείως ΕΠΙΡΡ completely

τελείωση ΟΥΣ ΘΗΛ (α) (*ανθρωπότητας, ανθρώπου*) perfection (β) (*έργου, αποστολής*) completion

τελειωτικός, -ή, -ό ΕΠΙΘ (α) (*ήττα, νίκη*) decisive · (*θρίαμβος*) crowning (β) (*απάντηση, απόφαση, αναχώρηση*) final · (*θέση*) rigid · (*ρήξη, εξάντληση, διάλυση*) complete, total
▷**δίνω ένα τελειωτικό χτύπημα σε κτ** to deal a death blow to sth

τέλεξ ΟΥΣ ΟΥΔ ΑΚΛ telex

τέλεση ΟΥΣ ΘΗΛ (*εγκλήματος, αδικήματος*) commission · (*πράξης, καθήκοντος*) performance · (*αγώνα*) playing · (*μυστηρίων*) celebration

τελεσίγραφο ΟΥΣ ΟΥΔ ultimatum

τελεσίδικος, -η, -ο ΕΠΙΘ (*απόφαση, απόδειξη*) irrevocable

τελεσφορώ (*επίσ.*) Ρ ΑΜ (*ενέργειες*) to be effective · (*προσπάθεια*) to succeed

τελετάρχης ΟΥΣ ΑΡΣ master of ceremonies

τελετέξτ ΟΥΣ ΟΥΔ ΑΚΛ Teletext ®

τελετή ΟΥΣ ΘΗΛ ceremony

τελετουργία ΟΥΣ ΘΗΛ (*κυριολ., μτφ.*) ritual

τελετουργικός, -ή, -ό ΕΠΙΘ (α) (*τυπικό, μάσκα, χορός*) ritual (β) (*δείπνο, χαιρετισμός*) ritual · (*κινήσεις*) solemn
▸ **τελετουργικό** ΟΥΣ ΟΥΔ ritual

τελευταίος, -α, -ο ΕΠΙΘ (α) (*μέρα, θρανίο, αφηγητής*) last (β) (*βιβλίο, φάρμακο, νέα, μόδα, χρόνος*) latest · (*ενέργεια, καιρός*) recent (γ) (*μαθητής*) bottom (δ) (*οπαδός, υπάλληλος, εργαζόμενος*) lowliest (ε) (= *που μνημονεύθηκε στο τέλος*) latter
▷**για τελευταία φορά** for the last time
▷**είναι η τελευταία φορά που έρχεσαι μαζί μου!** that's the last time you're coming with me!
▷**είναι ο τελευταίος μαθητής στην τάξη** he's bottom of the class
▷**έχω την τελευταία λέξη για κτ** to have the last word on sth
▷**η τελευταία λέξη της μόδας** the latest thing
▷**η τελευταία λέξη της τεχνολογίας** the last word in technology
▷**λέω την τελευταία λέξη** to make a final decision
▷**ο πρώτος και ο τελευταίος** (*εμφατικά*) the one and only
▷**είσαι ο τελευταίος που δικαιούται να κάνει σχόλια** you're the last person to be making comments
▷**την τελευταία στιγμή** at the last moment
▷**τελευταία αποχαιρετισμός** final farewell
▷**τελευταία κατοικία** (*ευφημ.*) final *ή* last resting place
▸ **τελευταία** ΟΥΣ ΟΥΔ ΠΛΗΘ: **είμαι στα τελευταία μου** (*άνθρωπος*) to be at death's door · (*αυτοκίνητο, ψυγείο*) to be on its last legs

τελεύω ① Ρ ΑΜ (α) (*τραγούδια, χαρές*) to be

over· (*κρασί*) to be gone (*ανεπ.*)
(β) (= *πεθαίνω*) to die
② Ρ Μ (*δουλειά*) to finish· (*σχολή*) to leave
τέλεφαξ ΟΥΣ ΟΥΔ ΑΚΛ fax
τελεφερίκ ΟΥΣ ΟΥΔ ΑΚΛ cable car
ΤΕΛΙ ΟΥΣ ΟΥΔ wire
τελικά ΕΠΙΡΡ **(α)** (*αστοχώ, εκλέγομαι*) in the end, eventually **(β)** (*ανακοινώνω, αποφασίζω*) finally, eventually
τελικός, -ή, -ό ΕΠΙΘ **(α)** (*πρόβα, προσπάθεια, στάδιο*) final, last **(β)** (*απόφαση, μορφή, επιλογή*) final
▷**μέχρι τελικής πτώσεως** to the last
▸**τελική ευθεία** (*κυριολ., μτφ.*) home straight (*κυρ. Βρετ.*), home stretch (*κυρ. Αμερ.*)
▸**τελική πρόταση** final clause
▸**τελικοί** ΟΥΣ ΑΡΣ, **τελικά** ΟΥΣ ΟΥΔ ΠΛΗΘ (ΑΘΛ) finals
▸**τελικός** ΟΥΣ ΑΡΣ (ΑΘΛ) final
▸**μεγάλος τελικός** cup final
▸**μικρός τελικός** third–place play–off
τέλμα ΟΥΣ ΟΥΔ **(α)** (= *έλος*) swamp **(β)** (*μτφ.*) impasse
τελματώνω Ρ ΑΜ to turn into a swamp
▸**τελματώνομαι** ΜΕΣΟΠΑΘ (*για πρόδα.*) to stagnate· (*για κατάσταση, υπόθεση*) to reach a deadlock
τελμάτωση ΟΥΣ ΘΗΛ (*κυριολ., μτφ.*) stagnation
τέλος ΟΥΣ ΟΥΔ **(α)** (*αγώνα, εκδήλωσης, παράστασης*) end **(β)** (*δρόμου, κειμένου*) end· (*σελίδας*) end, bottom· (*περιόδου, εξαμήνου, εβδομάδας*) end, close· (*προθεσμίας*) expiry **(γ)** (*συζήτησης, αθωότητας*) end **(δ)** (*αφήγησης, ιστορίας, ταινίας*) end, ending **(ε)** (= *θάνατος*) end, demise **(στ)** (= *φόρος*: *χαρτοσήμου*) duty· (*κυκλοφορίας, ακίνητης περιουσίας*) tax
▷**δίνω ή βάζω ή θέτω τέλος σε κτ** to put an end to sth
▷**έχω κακό ή άσχημο/καλό τέλος** to turn out badly/well
▷**μέχρι τέλους, ως το τέλος** to the very end
▷**παίρνω ή λαμβάνω τέλος** to come to an end
▷**προς το τέλος** towards the end
▷**στο τέλος** in the end
▷**τέλος** (= *τελικά*) finally
▷**τέλος καλό, όλα καλά** all's well that ends well
▷**τι τέλος είχε η ταινία**; how does the film end?
▸**ταχυδρομικά τέλη** postal rates
τέλος πάντων ΕΠΙΡΡ anyway
τελώ ① (*επίσ.*) Ρ Μ (*γάμο*) to celebrate· (*μνημόσυνο*) to hold· (*τελετή*) to perform· (*έγκλημα*) to commit
② Ρ ΑΜ to be
▷**τελώ εν αναμονή** to stand by
▷**τελώ υπό διωγμό** to be expelled
▷**τελώ υπό κατοχή/τον έλεγχο κποιου** to be under occupation/sb's control
▷**τελώ υπό παραίτηση** to have handed in one's resignation

τελωνειακός, -ή, -ό ΕΠΙΘ (*έλεγχος, νομοθεσία, διατυπώσεις*) customs
▸**τελωνειακή αρχή** customs εν.
▸**τελωνειακός** ΟΥΣ ΑΡΣ customs officer
τελωνείο ΟΥΣ ΟΥΔ **(α)** (*υπηρεσία*) customs εν. **(β)** (*παράρτημα*) customs house **(γ)** (= *δασμοί*) duty
τελώνης ΟΥΣ ΑΡΣ customs inspector
τελώνιο ΟΥΣ ΟΥΔ goblin
τελωνοφύλακας ΟΥΣ ΑΡΣ customs officer
τεμαχίζω (*επίσ.*) Ρ Μ **(α)** (= *κομματιάζω*) to cut up· (*κρέας*: *σε φέτες*) to carve· (*σε κύβους*) to chop up **(β)** (= *διαιρώ*) to divide
τεμάχιο (*επίσ.*) ΟΥΣ ΟΥΔ piece
τεμαχισμός (*επίσ.*) ΟΥΣ ΑΡΣ (*κρέατος*: *σε φέτες*) carving· (*σε κύβους*) chopping up· (*οικοπέδου*) dividing up
τεμενάς ΟΥΣ ΑΡΣ low bow
▸**τεμενάδες** ΠΛΗΘ (*μειωτ.*) bowing and scraping εν.
▷**κάνω τεμενάδες σε κπν** to kowtow to sb
τέμενος ΟΥΣ ΟΥΔ **(α)** (*στην αρχαιότητα*) temple **(β)** (= *μουσουλμανικό τζαμί*) mosque
τέμνω (*επίσ.*) Ρ Μ **(α)** (= *κομματιάζω*) to cut up **(β)** (= *διαιρώ*) to split, to divide· (*δρόμοι*) to criss–cross **(γ)** (ΜΑΘ: *για γραμμές, άξονες*) to intersect
τεμπέλης, -α, -ικο ΕΠΙΘ lazy
τεμπελιά ΟΥΣ ΘΗΛ laziness
τεμπελιάζω Ρ ΑΜ **(α)** (= *φυγοπονώ*) to idle **(β)** (= *χασομερώ*) to laze around
τεμπέλιασμα ΟΥΣ ΟΥΔ lazing around
τεμπελόσκυλο (*υβρ.*) ΟΥΣ ΟΥΔ lazybones (*ανεπ.*)
τέμπερα ΟΥΣ ΘΗΛ tempera
τέμπλο ΟΥΣ ΟΥΔ iconostasis
τέμπο ΟΥΣ ΟΥΔ ΑΚΛ tempo
▷**κρατάω (το) τέμπο** to keep time
τενεκεδένιος, -α, -ο ΕΠΙΘ tin
τενεκές ΟΥΣ ΑΡΣ **(α)** (= *λευκοσίδηρος*) tin **(β)** (*λαδιού, τυριού*) can **(γ)** (*υβρ.*) good–for–nothing
▷**ένας τενεκές νερό/λάδι** a can of water/ olive oil
▷**τενεκές ξεγάνωτος** (*υβρ.*) a bad lot
ΤΕΝΙΣ ΟΥΣ ΟΥΔ ΑΚΛ = **αντισφαίρηση**
τενίστας ΟΥΣ ΑΡΣ tennis player
τενίστρια ΟΥΣ ΘΗΛ *βλ.* **τενίστας**
τένοντας ΟΥΣ ΑΡΣ tendon
▸**αχίλλειος τένοντας** Achilles tendon
τενόρος ΟΥΣ ΑΡΣ tenor
τέντα ΟΥΣ ΘΗΛ **(α)** (= *αντίσκηνο*) tent· (*μεγάλη σκηνή*) marquee· (*τσίρκου*) big top **(β)** (= *στρατιωτικό αντίσκηνο*) field tent **(γ)** (*σπιτιού*) awning **(δ)** (= *τεντόπανο*) canvas
▷**ανοίγω κτ τέντα** to open sth wide
▷**αφήνω κτ τέντα** to leave sth wide open
τέντζερης ΟΥΣ ΑΡΣ copper pan
▷**κύλησε ο τέντζερης και βρήκε το καπάκι**

(*παροιμ.*) birds of a feather flock together (*παροιμ.*)

τεντόπανο ΟΥΣ ΟΥΔ canvas

τέντωμα ΟΥΣ ΟΥΔ (α) (*λάστιχου*) inflating · (*μπλούζας*) stretching (β) (*χεριών, ποδιών*) opening wide

τεντωμένος, -η, -ο ΕΠΙΘ (*νεύρα*) strained · (*για πρόσ.*) tense

τεντώνω ① Ρ Μ (α) (*ύφασμα, λάστιχο*) to stretch · (*σχοινί, χορδή*) to tighten · (*λαιμό*) to crane (β) (*χέρι, πόδι*) to stretch out · (*τραπεζομάντηλο, σεντόνι*) to spread out (γ) (*δέρμα*) to tone ② Ρ ΑΜ (α) (*σχοινί, λάστιχο*) to be taut (β) (*ρούχο, σεντόνι*) to be smoothed out · (*πόδι*) to flex (γ) (*δέρμα*) to be toned
▷**τεντώνω τ' αφτιά μου** to prick up one's ears
▸**τεντώνομαι** ΜΕΣΟΠΑΘ (α) (= *ανακλαδίζομαι*) to stretch (β) (= *τείνω το σώμα μου*) to strain (γ) (= *κορδώνομαι*) to strut
▷**τεντώνομαι για βρω κτ στο ράφι** to reach for sth on the shelf

τέρας ΟΥΣ ΟΥΔ (α) (= *έκτρωμα*) freak (β) (= *φανταστικό πλάσμα*) monster (γ) (= *πολύ άσχημο άτομο*) ugly monster · (= *για κτήριο*) monstrosity (δ) (*γραφειοκρατίας, πληθωρισμού*) nightmare (ε) (= *άνθρωπος κακός*) monster (στ) (*χαϊδευτ.: για παιδί*) little monster
▷**η πεντάμορφη και το τέρας** Beauty and the Beast
▷**ιερό τέρας** star · (*τέρας μορφώσεως/ γνώσεων/σοφίας*) fountain of learning/ knowledge/wisdom

τεράστιος, -α, -ο ΕΠΙΘ (α) (*δέντρο, αυλή, σάντουιτς, ψάρι, μάτια, έλλειμμα*) enormous, huge · (*στράτευμα*) huge, immense · (*πλούτος*) immense, vast · (*αποθέματα*) vast (β) (*νίκη, ανάπτυξη, άνοδος*) tremendous · (*συμβολή, ευθύνη, διαφορά, πρόβλημα*) enormous, huge · (*κίνδυνος*) enormous · (*κύκλος γνωριμιών*) vast

τερατολογία ΟΥΣ ΘΗΛ tall story

τερατόμορφος, -η, -ο ΕΠΙΘ (= *κακάσχημος*) hideous, hideously ugly
▸**τερατόμορφο παιχνίδι** toy monster
▸**τερατόμορφο πλάσμα** monster

τερατούργημα ΟΥΣ ΟΥΔ (α) (= *έργο κακής αισθητικής*) monstrosity (β) (= *φρικτή πράξη*) atrocity

τερατώδης, -ης, -ες ΕΠΙΘ (α) (*μορφή, πρόσωπο, σώμα*) of a monster (β) (*έγκλημα, ιδέα, πράξη, δύναμη, εγωισμός*) monstrous · (*ψέμα, μυθολογία*) whopping · (*λάθος*) mammoth
▸**τερατώδες πλάσμα** monster

τερέν ΟΥΣ ΟΥΔ ΑΚΛ (*ποδοσφαίρου*) field · (*τένις*) court

τερηδόνα ΟΥΣ ΘΗΛ (α) (= *ασθένεια δοντιών*) decay (β) (= *σαράκι*) wood–boring beetle
▷**τερηδόνα των δοντιών** tooth decay

τέρμα ΟΥΣ ΟΥΔ (α) (*δρόμου, ομιλίας, σχέσης,*

κατάστασης, εποχής) end (β) (= *σκοπός*) end, aim (γ) (ΑΘΛ: = *εστία*) goalpost (= *γκολ*) goal (δ) (*αγώνα δρόμου, αγώνα ταχύτητας*) finishing line (ε) (*λεωφορείου, τρένου*) terminus
▷**βάζω ή θέτω τέρμα σε κτ** to put an end to sth
▷**βάζω κτ στο τέρμα** (*στέρεο, μουσική*) to turn sth all the way up, to put sth on at full blast
▷**δουλεύω στο τέρμα** (*μηχανή*) to be going flat out
▷**πατάω τέρμα το γκάζι** to floor the accelerator, to press the accelerator down hard
▷**πετυχαίνω ή σημειώνω τέρμα** to score a goal
▷**τέρμα, δεν πάει άλλο!** that's it!
▷**τέρμα η δουλειά για σήμερα!** that's enough work for today!

τερματίζω ① Ρ Μ (α) (*ομιλία, καριέρα*) to conclude, to end (β) (*συνεργασία, εγκυμοσύνη*) to terminate · (*συνεδρίαση*) to wind up · (*υπόθεση*) to put an end to ② Ρ ΑΜ (*δρομείς, αυτοκίνητα*) to finish, to come in
▷**τερματίζω τη ζωή μου** to end ή put an end to one's life

τερματικό ΟΥΣ ΟΥΔ (α) (ΠΛΗΡΟΦ) terminal (β) (= *θέση εργασίας*) computer department

τερματικός, -ή, -ό ΕΠΙΘ: **τερματική συσκευή** terminal
▸**τερμάτικος σταθμός** terminus

τερματισμός ΟΥΣ ΑΡΣ (α) (*σχολικού έτους, λόγου, φιλίας, πολέμου, κρίσης*) end (β) (*σε αγώνες*) finish

τερματοφύλακας ΟΥΣ ΑΡΣ≠ΘΗΛ goalkeeper

τερμίτης ΟΥΣ ΑΡΣ termite

τερπνός, -ή, -ό (*επίσ.*) ΕΠΙΘ delightful, pleasant
▷**το τερπνόν μετά του ωφελίμου** (*παροιμ.*) business before pleasure

τέρπω (*επίσ.*) Ρ Μ (α) (= *προκαλώ τέρψη*) to delight (β) (= *προσφέρω ψυχαγωγία*) to entertain

τερτίπι ΟΥΣ ΟΥΔ ruse

τέρψη ΟΥΣ ΘΗΛ (α) (*αισθήσεων, ακοής*) delight (β) (= *ψυχαγωγία*) entertainment
▷**προσ μεγάλη τέρψη τού ακροατηρίου** to the great delight of the audience

τες ΑΝΤΩΝ them

τέσσαρα (*ανεπ.*) ΟΥΣ ΘΗΛ (ΑΘΛ) four goals
▸**τέσσαρες** ΠΛΗΘ (*στο τάβλι*) two fours

τεσσαρακοστός, -ή, -ό ΑΡΙΘ ΤΑΚΤ fortieth

τεσσάρι ΟΥΣ ΟΥΔ (α) (= *σύνολο τεσσάρων ίδιων πραγμάτων*) four (β) (*τραπουλόχαρτο*) four (γ) (*διαμέρισμα*) four–room(ed) apartment ή flat (*Βρετ.*) (δ) (*στην καλαθοσφαίριση*) number four (position)

τέσσερα ΟΥΣ ΟΥΔ ΑΚΛ four
▷**τέσσερα σπαθί/κούπα** four of spades/hearts

τεσσεράμισι ΑΡΙΘ ΑΠΟΛ ΑΚΛ four and a half ·

(για ώρα) half past four

τέσσερεις, -εις, -α ΑΡΙΘ ΑΠΟΛ ΠΛΗΘ four
▷**δεν ξέρω πού παν τα τέσσερα** (= είμαι ανίδεος) not to know anything, to be clueless · (= τα έχω χαμένα) to be at sixes and sevens
▷**τα μάτια σου τέσσερα!** be very careful!

τέσσερις, -ις, -α ΑΡΙΘ ΑΠΟΛ ΠΛΗΘ = **τέσσερεις**

τεσσερισήμισι ΑΡΙΘ ΑΠΟΛ ΑΚΛ = **τεσσεράμισι**

τεστ ΟΥΣ ΟΥΔ ΑΚΛ test
▸**τεστ εγκυμοσύνης/αντοχής/νοημοσύνης** pregnancy/endurance/intelligence test
▸**τεστ Παπανικολάου, Παπ-τεστ** smear (Βρετ.), pap smear ή test (Αμερ.)

τεστάρω Ρ Μ to test

τεστ-ντράιβ ΟΥΣ ΟΥΔ ΑΚΛ test drive

τεστοστερόνη ΟΥΣ ΘΗΛ testosterone

τεταμένος, -η, -ο ΕΠΙΘ (α) (προσοχή) extreme (β) (σχέσεις, ατμόσφαιρα) strained, tense

τέτανος ΟΥΣ ΑΡΣ tetanus

Τετάρτη ΟΥΣ ΘΗΛ Wednesday
▷**Τρίτη και δεκατρείς** Friday the 13th
▸**Μεγάλη Τετάρτη** Wednesday

τεταρτημόριο ΟΥΣ ΟΥΔ (α) (= το ένα από 4) quarter, fourth (β) (ΜΑΘ) quarter circle

τεταρτοετής, -ής, -ές ΕΠΙΘ (φοιτήτρια) fourth-year
▸**τεταρτοετής** ΟΥΣ ΑΡΣ&ΘΗΛ fourth year

τέταρτος, -η, -ο ΑΡΙΘ ΤΑΚΤ (κεφάλαιο, σπίτι) fourth
▸**η τέταρτη εξουσία** the fourth estate, the press
▸**τέταρτος** ΟΥΣ ΑΡΣ (α) (= όροφος) fourth floor (Βρετ.), fifth floor (Αμερ.) (β) (= Απρίλιος) April
▸**τέταρτη** ΟΥΣ ΘΗΛ (α) (= ταχύτητα) fourth (gear) (β) (= ημέρα) fourth (γ) (= σχολική τάξη) fourth year
▸**τέταρτο** ΟΥΣ ΟΥΔ (α) (= τεταρτημόριο) quarter (β) (ώρας) quarter of an hour (γ) (ΜΟΥΣ) crotchet (Βρετ.), quarter note (Αμερ.)
▷**η ώρα είναι τρεις και τέταρτο** it's quarter past three
▷**τρία τέταρτα** three quarters of an hour

τετατέτ, τετ-α-τετ ΕΠΙΡΡ face to face
▷**τρυφερό τετατέτ** ή **τετ-α-τετ** tête-à-tête

τετελεσμένος, -η, -ο ΕΠΙΘ accomplished
▷**βρίσκομαι** ή **έρχομαι προ τετελεσμένου/-ων γεγονότος/-ων** to be faced with a fait accompli
▸**τετελεσμένο γεγονός** accomplished fact
▸**τετελεσμένος μέλλοντας** future perfect
▸**τετελεσμένα** ΟΥΣ ΟΥΔ ΠΛΗΘ (αρνητ.) what has been done ή accomplished

τέτοιος, -οια, -οιο ΑΝΤΩΝ ΔΕΙΚΤ (α) (= όμοιος) like that · (εποχή) same · (φόβος, ένταση) such (β) (ειρων.) like that (γ) (ανεπ.: αντί ονόματος: για άντρα) what's-his-name · (για γυναίκα) what's-her-name
▷**κι εγώ έχω τέτοιο αυτοκίνητο** I've got a car like that too

▷**πέρυσι τέτοια εποχή** this time last year
▷**όταν έχεις τέτοιους φίλους, τι τους θέλεις τους εχθρούς!** with friends like that, who needs enemies!
▷**τέτοια ώρα, τέτοια λόγια** this isn't the time or the place for remarks like that

τετραγωνίδιο (επίσ.) ΟΥΣ ΟΥΔ box

τετραγωνίζω Ρ Μ (α) (γλυκό, δωμάτιο) to make square · (χαρτί) to draw a grid on (β) (αριθμό) to square
▷**τετραγωνίζω τον κύκλο** (μτφ.) to square the circle

τετραγωνικός, -ή, -ό ΕΠΙΘ (πέτρα) square
▸**τετραγωνική ρίζα** square root
▸**τετραγωνικό** ΟΥΣ ΟΥΔ (επίσης **τετραγωνικό μέτρο**) square metre (Βρετ.) ή meter (Αμερ.)

τετραγωνισμός ΟΥΣ ΑΡΣ squaring
▷**τετραγωνισμός του κύκλου** (μτφ.) squaring the circle

τετράγωνο ΟΥΣ ΟΥΔ square
▸**τετράγωνο αριθμού** square

τετράγωνος, -η, -ο ΕΠΙΘ (α) (χαλί, επιφάνεια, πιγούνι, ώμοι) square (β) (λογική, συλλογισμός, νους) sound (γ) (ανεπ.: για πρόσ.) stocky

τετράδα ΟΥΣ ΘΗΛ (α) (Λαϊκού Λαχείου, αντικειμένων) four (β) (παράταξης) four rows πληθ. (γ) (άμυνας ομάδας) four defensive players

τετράδιο ΟΥΣ ΟΥΔ exercise book

τετράδυμα ΟΥΣ ΟΥΔ ΠΛΗΘ quadruplets, quads

τετράεδρος, -η, -ο ΕΠΙΘ (σχήμα) tetrahedral
▸**τετράεδρο** ΟΥΣ ΟΥΔ tetrahedron

τετραετής, -ής, -ές ΕΠΙΘ four-year

τετραετία ΟΥΣ ΘΗΛ four-year period, four years πληθ.

τετραήμερο ΟΥΣ ΟΥΔ four-day period, four days πληθ.

τετραήμερος, -η, -ο ΕΠΙΘ four-day

τετρακινητήριος, -η, -ο ΕΠΙΘ (αεροσκάφος) four-engined

τετρακοσάρης ΟΥΣ ΑΡΣ (ΑΘΛ) four-hundred metres (Βρετ.) ή meters (Αμερ.)

τετρακόσια ΑΡΙΘ ΑΠΟΛ ΑΚΛ four hundred

τετρακόσιοι, -ιες, -ια ΑΡΙΘ ΑΠΟΛ ΠΛΗΘ four hundred
▷**τα έχω τετρακόσια** (οικ.) to have one's head screwed on right (ανεπ.)

τετρακοσιοστός, -ή, -ό ΑΡΙΘ ΤΑΚΤ four hundredth

τετρακύλινδρος, -η, -ο ΕΠΙΘ (κινητήρας) four-cylinder

τετραλογία ΟΥΣ ΘΗΛ tetralogy

τετραμελής, -ής, -ές ΕΠΙΘ (οικογένεια, επιτροπή) with four members

τετράμηνο ΟΥΣ ΟΥΔ four-month period, four months πληθ.

τετράμηνος, -η, -ο ΕΠΙΘ (προθεσμία, διάρκεια) four-month

τετράπαχος, -η, -ο ΕΠΙΘ obese

τετραπέρατος, -η, -ο ΕΠΙΘ astute

τετραπλασιάζω Ρ Μ to quadruple

τετραπλάσιο ΟΥΣ ΟΥΔ quadruple

τετραπλάσιος, -α, -ο ΕΠΙΘ quadruple

τετράπλευρος, -η, -ο ΕΠΙΘ *(σχήμα)* quadrilateral
► **τετράπλευρο** ΟΥΣ ΟΥΔ quadrilateral

τετραπλός, -ή, -ό ΕΠΙΘ fourfold

τετράποδο ΟΥΣ ΟΥΔ (α) (= *ζώο*) quadruped (β) *(μειωτ.: = άνθρωπος χαμηλής νοημοσύνης)* dolt · (= *άνθρωπος ζωώδους συμπεριφοράς*) animal

τετράπορτος, -η, -ο ΕΠΙΘ *(αυτοκίνητο)* saloon *(Βρετ.)*, sedan *(Αμερ.)*

τετρασέλιδος, -η, -ο ΕΠΙΘ four-page

τετράστηλος, -η, -ο ΕΠΙΘ *(ρεπορτάζ, άρθρο)* four-column
► **τετράστηλο** ΟΥΣ ΟΥΔ four-column article

τετράστιχο ΟΥΣ ΟΥΔ quatrain

τετρασύλλαβος, -η, -ο ΕΠΙΘ four-syllable

τετράτομος, -η, -ο ΕΠΙΘ four-volume

τετράτροχος, -η, -ο ΕΠΙΘ four-wheeled

τετράφυλλος, -η, -ο ΕΠΙΘ *(τριφύλλι, ανθός)* four-leaf · *(ντουλάπα)* four-door

τετράχορδος, -η, -ο ΕΠΙΘ four-string

τετράχρονος, -η, -ο ΕΠΙΘ (α) *(παιδί)* four-year-old (β) *(έρευνα)* four-year (γ) *(κινητήρας, μηχανή)* four-stroke

τετράχρωμος, -η, -ο ΕΠΙΘ with four colours *(Βρετ.)* ή colors *(Αμερ.)*

τετραψήφιος, -α, -ο ΕΠΙΘ *(αριθμός)* four-digit

τετράωρος, -η, -ο ΕΠΙΘ *(συνεδρίαση)* four-hour

τετραώροφος, -η, -ο ΕΠΙΘ *(κτήριο, πολυκατοικία)* four-storey *(Βρετ.)*, four-story *(Αμερ.)*
► **τετραώροφο** ΟΥΣ ΟΥΔ four-storey *(Βρετ.)* ή four-story *(Αμερ.)* building

τετριμμένος, -η, -ο ΕΠΙΘ *(φράση, ιστορία)* hackneyed · *(σχόλιο)* trite
► **τετριμμένα** ΟΥΣ ΟΥΔ ΠΛΗΘ routine εν.

τεύτλο ΟΥΣ ΟΥΔ beet

τεύχος ΟΥΣ ΟΥΔ (α) *(περιοδικού)* issue (β) *(βιβλίου)* volume

τέφρα *(επίσ.)* ΟΥΣ ΘΗΛ (α) (= *στάχτη*) ash (β) *(νεκρού)* ashes πληθ.
► **ηφαιστειακή τέφρα** volcanic ash

τεφροδοχείο ΟΥΣ ΟΥΔ (α) (= *τεφροδόχος*) urn (β) *(επίσ.: = σταχτοδόχείο)* ashtray

τεφροδόχος *(επίσ.)* ΟΥΣ ΘΗΛ (α) *(τέφρας νεκρού)* urn (β) *(τζακιού)* ash pan

τεφτέρι ΟΥΣ ΟΥΔ = **δεφτέρι**

τέχνασμα ΟΥΣ ΟΥΔ ploy, ruse

τέχνη ΟΥΣ ΘΗΛ (α) *(γενικότ.)* art (β) (= *καλλιτεχνικό δημιούργημα*) work (γ) (= *τεχνοτροπία*) style (δ) (= *δημιουργική ικανότητα*) talent (ε) (= *μαστοριά*) artistry · *(για χειροτέχνη)* craftsmanship (στ) (= *επάγγελμα*) trade

► **δραματική τέχνη** theatre *(Βρετ.)*, theater *(Αμερ.)*

► **έβδομη τέχνη** cinema

► **εικαστικές τέχνες** visual arts

► **ένατη τέχνη** comics πληθ.

► **έργο τέχνης** *(κυριολ., μτφ.)* work of art

► **καλές τέχνες** fine arts

► **όγδοη τέχνη** photography

τεχνητός, -ή, -ό ΕΠΙΘ (α) *(λίμνη, μέλος σώματος)* artificial · *(διώρυγα)* man-made · *(δόντια)* false · *(μετάξι)* synthetic (β) *(ανάγκες, κρίση, κλίμα αισιοδοξίας)* artificial

► **τεχνητή γλώσσα** artificial language

► **τεχνητός νεφρός** kidney machine

τεχνική ΟΥΣ ΘΗΛ technique

τεχνικός, -ή, -ό ΕΠΙΘ (α) *(πρόοδος, εξοπλισμός, σφάλμα, προβλήματα)* technical (β) *(έργα, κατασκευές, κάλυψη)* technical (γ) *(εκπαίδευση)* technical (δ) *(ελιγμός, χειρισμός)* skilful *(Βρετ.)*, skillful *(Αμερ.)*, dextrous · *(ικανότητα)* great

► **τεχνικό γραφείο** architect's office

► **τεχνικός έλεγχος** *(σε όχημα)* MOT test *(Βρετ.)*, inspection *(Αμερ.)*

► **Τεχνικό Επαγγελματικό Ίδρυμα** technical college *(at university level)*

► **Τεχνικό Επαγγελματικό Λύκειο** technical college *(at secondary level)*

► **Τεχνική Επαγγελματική Σχολή** private technical college *(at secondary level)*

► **τεχνικό επιμελητήριο** tradesmen's guild

► **τεχνική ηγεσία** manager

► **τεχνικές λεπτομέρειες** technicalities, technical details

► **τεχνικός όρος** technical term

► **τεχνικός** ΟΥΣ ΑΡΣ (α) *(σταθμού)* technician · *(τηλεόρασης)* engineer (β) *(ομάδας)* manager

τεχνίτης ΟΥΣ ΑΡΣ (α) (= *μάστορας*) craftsman · *(για υδραυλικά, ηλεκτρικά)* workman

> *Προσοχή!: Ο πληθυντικός του* **craftsman** *είναι* **craftsmen.** *Ο πληθυντικός του* **workman** *είναι* **workmen.**

(β) *(μτφ.)* master · *(ειρων.)* past master

τεχνίτρια ΟΥΣ ΘΗΛ βλ. **τεχνίτης**

τεχνογνωσία ΟΥΣ ΘΗΛ know-how

τεχνοκράτης ΟΥΣ ΑΡΣ (α) (= *οπαδός τεχνοκρατίας*) technocrat (β) (= *ανώτερος διοικητικός υπάλληλος*) executive

τεχνοκρατία ΟΥΣ ΘΗΛ technocracy

τεχνοκρατικός, -ή, -ό ΕΠΙΘ technocratic

τεχνοκράτισσα ΟΥΣ ΘΗΛ βλ. **τεχνοκράτης**

τεχνοκριτικός ΟΥΣ ΑΡΣ art critic

τεχνολογία ΟΥΣ ΘΗΛ technology
▷ **τεχνολογία φιλική προς το περιβάλλον** environment-friendly technology

τεχνολογικός, -ή, -ό ΕΠΙΘ technological

τεχνολόγος ΟΥΣ ΑΡΣ&ΘΗΛ technologist

τεχνοτροπία ΟΥΣ ΘΗΛ style

τέως *(επίσ.)* ΕΠΙΡΡ former, ex-

τζαζ ΟΥΣ ΘΗΛ ΑΚΛ jazz
▷**είμαι τζαζ** (αργκ., κοροϊδ.) to be off the wall (ανεπ.)
▸**τζαζ κομμάτι/συγκρότημα** jazz number/band
τζαζεύω (αργκ., μειωτ.) Ρ ΑΜ to lose one's marbles (ανεπ.), to go off one's rocker (ανεπ.)
τζαζίστας ΟΥΣ ΑΡΣ ΑΚΛ jazz musician
τζάκετ ΟΥΣ ΟΥΔ ΑΚΛ jacket
τζάκι ΟΥΣ ΟΥΔ fireplace
▷**είμαι ή κατάγομαι από (μεγάλο) τζάκι** to be of high birth
▸**τζάκια** ΠΛΗΘ elite εν.
τζακούζι ΟΥΣ ΟΥΔ ΑΚΛ Jaccuzzi ®
τζακπότ, τζακ-πότ ΟΥΣ ΟΥΔ ΑΚΛ rollover
τζαμαρία ΟΥΣ ΘΗΛ (α) (σπιτιού) picture window · (καταστήματος) window (β) (θερμοκηπίου) glass χωρίς πληθ. (γ) (σαλονιού) French window (Βρετ.), French door (Αμερ.) (δ) (κοροϊδ.: = γυαλιά) glasses πληθ.
τζαμένιος, -α, -ο ΕΠΙΘ glass
τζαμί ΟΥΣ ΟΥΔ mosque
τζάμι ΟΥΣ ΟΥΔ (α) (= γυαλί) glass (β) (πόρτας, πούλμαν) window
▷**περνάω τζάμι** (αργκ.) to have a ball (ανεπ.), to have a fantastic time
▷**το αμάξι/σπίτι είναι τζάμι** (αργκ.) it's a wicked (χυδ.) ή fantastic car/house
▸**τζάμι παραθύρου** window pane
▸**τζάμια** ΠΛΗΘ (κοροϊδ.) glasses
τζαμόπορτα ΟΥΣ ΘΗΛ French window
τζάμπα (ανεπ.) ΕΠΙΡΡ (α) (= δωρεάν) for free, for nothing (β) (= πολύ φθηνά) for next to nothing (γ) (= μάταια) in vain
▷**πηγαίνω τζάμπα** to be all for nothing
▷**τζάμπα και βερεσέ** for no good reason
▷**τζάμπα πράμα!** what a bargain!
τζαμπατζής ΟΥΣ ΑΡΣ (α) (= που αποκτά χωρίς να πληρώνει) freeloader (ανεπ.) (β) (μειωτ.) cheapskate (ανεπ.) (γ) (= σε συναυλία, αγώνα) person who sneaks in without paying
τζαμπατζού ΟΥΣ ΘΗΛ βλ. **τζαμπατζής**
τζαμπέ (αργκ.) ΕΠΙΡΡ = **τζάμπα**
τζάμπο, τζάμπο-τζετ ΟΥΣ ΟΥΔ ΑΚΛ jumbo jet
τζαμωτός, -ή, -ό ΕΠΙΘ (πόρτα) glass
τζαρτζάρισμα ΟΥΣ ΟΥΔ (στο ποδόσφαιρο) charging
τζαρτζάρω Ρ Μ (στο ποδόσφαιρο) to charge
τζατζίκι ΟΥΣ ΟΥΔ tzatziki
τζελ ΟΥΣ ΟΥΔ ΑΚΛ gel
τζέντλεμαν ΟΥΣ ΑΡΣ ΑΚΛ gentleman

Προσοχή!: Ο πληθυντικός του **gentleman** *είναι* **gentlemen**.

τζερτζελές ΟΥΣ ΑΡΣ (α) (= ευχάριστη αναστάτωση) excitement (β) (για πρόσ.) troublemaker
τζετ ΟΥΣ ΟΥΔ ΑΚΛ jet

τζετ-λαγκ ΟΥΣ ΟΥΔ ΑΚΛ jet lag
τζετ-σετ ΟΥΣ ΟΥΔ ΑΚΛ jet set
τζετ-σκι ΟΥΣ ΟΥΔ ΑΚΛ jet ski
τζιν¹ ΟΥΣ ΟΥΔ ΑΚΛ (α) (= ανθεκτικό ύφασμα) denim (β) (= παντελόνι) jeans πληθ. (γ) (= κάθε τέτοιο ρούχο) denims πληθ.
▷**τζιν πουκάμισο/φούστα** denim shirt/skirt
▸**τζιν παντελόνι** jeans πληθ.
τζιν² ΟΥΣ ΟΥΔ ΑΚΛ (ποτό) gin
τζίνι ΟΥΣ ΘΗΛ (α) (= φανταστικό πνεύμα) genie (β) (μτφ.) genius
τζιπ ΟΥΣ ΟΥΔ ΑΚΛ jeep
τζίρος ΟΥΣ ΑΡΣ turnover
τζίτζικας ΟΥΣ ΑΡΣ cicada
τζιτζίκι ΟΥΣ ΟΥΔ = **τζίτζικας**
τζίτζιρας ΟΥΣ ΑΡΣ = **τζίτζικας**
τζιτζιφιά ΟΥΣ ΘΗΛ jujube tree
τζιτζιφιόγκος (κοροϊδ.) ΟΥΣ ΑΡΣ fop
τζίφος ΟΥΣ ΑΡΣ waste of time
τζίφρα ΟΥΣ ΘΗΛ signature
τζογαδόρος ΟΥΣ ΑΡΣ gambler
τζόγκινγκ ΟΥΣ ΟΥΔ ΑΚΛ jogging
τζόγος ΟΥΣ ΑΡΣ (α) (= χαρτοπαιξία) cards πληθ. (β) (= κάθε τυχερό παιχνίδι) gambling χωρίς πληθ.
τζόκεϊ ΟΥΣ ΑΡΣ ΑΚΛ jockey
▸**τζόκεϊ** ΟΥΣ ΟΥΔ (= καπέλο) cap
τζόκερ ΟΥΣ ΑΡΣ ΑΚΛ joker
τζόκινγκ ΟΥΣ ΟΥΔ ΑΚΛ = **τζόγκινγκ**
τζουκμπόξ, τζουκ-μποξ ΟΥΣ ΟΥΔ ΑΚΛ jukebox
τζούντο ΟΥΣ ΟΥΔ ΑΚΛ judo
τζούρα ΟΥΣ ΘΗΛ (α) (= μικρή γουλιά) sip (β) (για τσιγάρο) drag (ανεπ.) · (για ναρκωτικό) hit (ανεπ.)
τη, την¹ ΑΡΘΡ ΟΡΙΣΤ the · βλ. **ο, η, το**
τη, την² ΑΝΤΩΝ (για έμψυχα) her · (για άψυχα) it
▷**να τη!** here she/it is!
τήβεννος ΟΥΣ ΘΗΛ (α) (στην αρχαία Ρώμη) toga (β) (δικαστή) robe · (ακαδημαϊκού, δικηγόρου) gown
τηγανητός, -ή, -ό ΕΠΙΘ (πατάτες, αβγά) fried
▸**τηγανητά** ΟΥΣ ΟΥΔ ΠΛΗΘ fried foods
τηγάνι ΟΥΣ ΟΥΔ frying pan
τηγανιά ΟΥΣ ΘΗΛ panful
τηγανίζω ① Ρ Μ (πατάτες, κολοκυθάκια) to fry
② Ρ ΑΜ to fry
τηγανίτα ΟΥΣ ΘΗΛ fritter
τηγανόψωμο ΟΥΣ ΟΥΔ *fried bread roll filled with cheese*
τήκω (επίσ.) Ρ Μ to melt
τηλεαγορά ΟΥΣ ΘΗΛ (α) (= μέθοδος πώλησης) telesales εν. · (στην τηλεόραση) teleshopping

---

Προσοχή!: Αν και το **telesales** *φαίνεται ως τύπος πληθυντικού, είναι ουσιαστικό μόνο στον ενικό και συντάσσεται με ρήμα στον ενικό.*

τηλεβόας ΟΥΣ ΑΡΣ megaphone, loud–hailer

τηλεβόλο ΟΥΣ ΟΥΔ gun

τηλεγραφείο ΟΥΣ ΟΥΔ telegraph office

τηλεγράφημα ΟΥΣ ΘΗΛ telegram

τηλεγραφητής ΟΥΣ ΑΡΣ telegraph operator

τηλεγραφήτρια ΟΥΣ ΘΗΛ *βλ.* **τηλεγραφητής**

τηλεγραφία ΟΥΣ ΘΗΛ telegraphy

τηλεγραφικός, -ή, -ό ΕΠΙΘ (α) *(σύρμα, κολόνα)* telegraph (β) *(γλώσσα, στυλ)* telegraphic

▸**τηλεγραφικός κώδικας** Morse code

τηλέγραφος ΟΥΣ ΑΡΣ telegraph

τηλεγραφώ ① Ρ Μ to cable, to wire *(Αμερ.)* ② Ρ ΑΜ to send a telegraph

τηλεδιάσκεψη ΟΥΣ ΘΗΛ teleconference

τηλεθεαματικότητα ΟΥΣ ΘΗΛ TV ratings *πληθ.*

τηλεθέαση ΟΥΣ ΘΗΛ viewers *πληθ.*

τηλεθεατής ΟΥΣ ΑΡΣ viewer

τηλεθεάτρια ΟΥΣ ΘΗΛ *βλ.* **τηλεθεατής**

τηλεκάρτα ΟΥΣ ΘΗΛ phone card

τηλεκατευθυνόμενος, -η, -ο ΕΠΙΘ *(βλήμα)* guided · *(αυτοκίνητο)* remote–controlled

τηλεκοντρόλ ΟΥΣ ΟΥΔ ΑΚΛ = **τηλεχειριστήριο**

τηλεκπαίδευση ΟΥΣ ΘΗΛ distance learning

τηλεμαγκαζίνο ΟΥΣ ΟΥΔ ΑΚΛ TV magazine

τηλεμαραθώνιος ΟΥΣ ΑΡΣ telethon

τηλεμάρκετινγκ ΟΥΣ ΟΥΔ ΑΚΛ = **τηλεαγορά**

τηλεμαχία ΟΥΣ ΘΗΛ televised debate

τηλεομοιοτυπία ΟΥΣ ΘΗΛ fax

τηλεομοιοτυπικό, τηλεομοιότυπο ΟΥΣ ΟΥΔ fax *(message)*

τηλεομοιοτυπώ Ρ Μ to fax

τηλεοπτικός, -ή, -ό ΕΠΙΘ *(πρόγραμμα, εκπομπή, σταθμός)* television, TV

τηλεορασάκιας *(οικ.)* ΟΥΣ ΑΡΣ telly *(Βρετ.) (ανεπ.)* ή TV addict

τηλεόραση ΟΥΣ ΘΗΛ television, TV
▹**ανοίγω/κλείνω την τηλεόραση** to turn the television ή TV on/off

▸**εκπαιδευτική τηλεόραση** educational television

▸**κλειστό κύκλωμα τηλεοράσεως** closed–circuit television, CCTV

τηλεπάθεια ΟΥΣ ΘΗΛ telepathy

τηλεπαιχνίδι ΟΥΣ ΟΥΔ game show

τηλεπαρουσιαστής ΟΥΣ ΑΡΣ TV presenter

τηλεπαρουσιάστρια ΟΥΣ ΘΗΛ *βλ.* **τηλεπαρουσιαστής**

τηλεπεριοδικό ΟΥΣ ΟΥΔ TV magazine

τηλεπικοινωνία ΟΥΣ ΘΗΛ telecommunications *εν.*

Προσοχή!: Αν και το **telecommunications** *φαίνεται ως τύπος πληθυντικού, είναι ουσιαστικό μόνο στον ενικό και συντάσσεται με ρήμα στον ενικό.*

▸**τηλεπικοινωνίες** ΠΛΗΘ telecommunications *εν.*

τηλεπικοινωνιακός, -ή, -ό ΕΠΙΘ *(σύστημα, δίκτυο)* telecommunication(s)

τηλεργασία ΟΥΣ ΘΗΛ teleworking

τηλεσκόπιο ΟΥΣ ΟΥΔ telescope

τηλεταινία ΟΥΣ ΘΗΛ TV movie

τηλεταχύμετρο ΟΥΣ ΟΥΔ radar trap

τηλετυπία ΟΥΣ ΘΗΛ telex

τηλέτυπο ΟΥΣ ΟΥΔ telex

τηλετυπώ Ρ Μ to telex

τηλεφακός ΟΥΣ ΑΡΣ telephoto lens

τηλεφώνημα ΟΥΣ ΟΥΔ (phone) call
▹**κάνω ένα τηλεφώνημα σε κπν** to give sb a call

▸**τοπικό/υπεραστικό τηλεφώνημα** local/ long–distance call

τηλεφωνητής ΟΥΣ ΑΡΣ (α) *(= υπάλληλος τηλεφωνικού κέντρου)* operator (β) *(επίσης* **αυτόματος τηλεφωνητής**) answering machine

τηλεφωνήτρια ΟΥΣ ΘΗΛ *βλ.* **τηλεφωνητής**

τηλεφωνία ΟΥΣ ΘΗΛ (α) *(= σύνολο τηλεφωνικών εγκαταστάσεων)* telephone network (β) *(= επικοινωνία μέσω τηλεφώνου)* telephony

▸**κινητή τηλεφωνία** mobile telephony

τηλεφωνικός, -ή, -ό ΕΠΙΘ *(γραμμή, επικοινωνία)* telephone, phone · *(δίκτυο)* telephone · *(επαφή, συνομιλία)* phone

▸**τηλεφωνικός θάλαμος** phone box *(Βρετ.)*, phone booth *(Αμερ.)*

▸**τηλεφωνικός κατάλογος** phone book, telephone directory

▸**τηλεφωνικό κέντρο** call centre *(Βρετ.)* ή center *(Αμερ.)*

τηλέφωνο ΟΥΣ ΟΥΔ (α) *(συσκευή)* telephone, phone (β) *(= τηλεφώνημα)* (phone) call (γ) *(= αριθμός κλήσης)* phone number, telephone number (δ) *(λογαριασμός)* phone bill, telephone bill
▹**παίρνω κπν τηλέφωνο** to phone sb, to call sb
▹**βάζω τηλέφωνο** to have a phone put in
▹**είμαι στο τηλέφωνο** to be on the phone ή telephone
▹**κάνω ένα τηλέφωνο** to make a phone ή telephone call
▹**σηκώνω το τηλέφωνο** to answer the phone ή telephone

▸**φορητό ή ασύρματο τηλέφωνο** cordless phone

τηλεφωνώ ① Ρ ΑΜ to be on the phone ② Ρ Μ to phone, to call
▹**μου τηλεφώνησε ότι δεν θα περνούσε** he phoned to tell me that he wasn't coming
▸**τηλεφωνιέμαι** ΜΕΣΟΠΑΘ to speak on the phone
▹**τηλεφωνιέμαι με κπν** to phone sb, to call sb

τηλεφωτογραφία ΟΥΣ ΘΗΛ telephotography

τηλεχειριζόμενος, -η, -ο ΕΠΙΘ remote–controlled

τηλεχειριστήριο ΟΥΣ ΟΥΔ remote control

T

τήξη (*επίσ.*) ΟΥΣ ΘΗΛ melting
► **σημείο τήξεως** melting point
τήρηση ΟΥΣ ΘΗΛ (**α**) (*εθίμων, παράδοσης*) upholding (**β**) (*νόμου*) observance · (*συμφωνίας, υπόσχεσης*) keeping · (*ανωνυμίας*) preservation (**γ**) (*βιβλίου, αρχείου*) keeping
τηρητής (*επίσ.*) ΟΥΣ ΑΡΣ (**α**) (*παράδοσης, εθίμων*) upholder (**β**) (*νόμου*) observer · (*υπόσχεσης*) keeper (**γ**) (*βιβλίων*) accountant · (*αρχείων*) archivist
τηρώ (*επίσ.*) Ρ Μ (**α**) (*ήθη, έθιμα, παράδοση*) to uphold, to preserve (**β**) (*συμφωνία*) to honour (*Βρετ.*), to honor (*Αμερ.*) · (*συνθήκη, διαδικασία*) to adhere to · (*νόμο, κανόνα*) to abide by, to obey · (*λόγο, υπόσχεση*) to keep · (*δίαιτα*) to keep to · (*αρχή*) to uphold · (*ανωνυμία*) to preserve (**γ**) (*βιβλία, αρχείο*) to keep (**δ**) (*πρόσχημα*) to keep up · (*τύπους*) to observe · (*στάση, θέση*) to take
της[1] ΑΡΘΡ ΟΡΙΣΤ *βλ.* **ο, η, το**
της[2] ΑΝΤΩΝ her
▷**αυτό είναι δικό της** it's hers
▷**η μητέρα της** her mother
▷**της έδωσα κάτι** I gave her something

┌─────────────────┐
│ *ΛΕΞΗ-ΚΛΕΙΔΙ* │
└─────────────────┘

ΤΙ[1] ΕΡΩΤ ΑΝΤΩΝ (**α**) (*για ερώτηση*) what? ▯ **τι θέλεις/θέλετε;** what do you want? · (*σε κατάστημα*) what would you like?
▷**τι δουλειά κάνεις;** what job/kind of job do you do?
▷**και τι έγινε;** so what?
▷**και τι μ'αυτό!** what of it?, so?
▷**ξέρεις τι;** know what?
▷**προς τι;** what for?
▷**τι;** what? ▯ **τι; μίλα δυνατά!** what? speak up!
▷**τι άλλο** what else
(**β**) (*σε ερώτηση με άρνηση*) anything ▯ **και τι δεν θα 'δινα να/για ...** I'd give anything to/ for ...
▷**τι κι αν** so what if ▯ **τι κι αν ήταν δικαστής** so what if he's a judge
(**γ**) (*για έμφαση*) what! ▯ **τι; είπε τέτοιο πράγμα;** what! he said that? · **να πάμε και να κάνουμε τι;** why on earth should we do that?, what is the point of going there anyway?
(**δ**) (*επιδοκιμαστικά ή μειωτικά*) how ▯ **τι ομορφιά!/τι χάρη!** how lovely!/how graceful! · **τι βλακεία εκ μέρους σου!** how stupid of you!
(**ε**) (*για αποδοκιμασία ή αντίρρηση*) what do you mean ▯ **καλό το φαγητό; – τι καλό, ήταν άνοστο!** was the food good? – what do you mean good, it was tasteless!
(**στ**) +*άρθρ.* (= *πόσα πολλά*) all the things · (= *αυτό που*) what ▯ **το τι λένε/γράφουν για σένα ...** all the things they say/write about you ... · **το τι γίνεται κάτω στον δρόμο ...** what's going on down the street ...
[2] ΕΠΙΘ (= *τι είδους*) what kind *ή* sort of · (= *πόσος*) what kind *ή* sort of ▯ **τι τρόπος είναι αυτός;** what sort of manners is that?

μην ανησυχείς, ξέρω με τι ανθρώπους έχω να κάνω don't worry, I know what kind of people I'm dealing with · **δεν ξέρω τι απάντηση έδωσε** I don't know what sort of answer he gave · **τι θα πάρεις απ'αυτήν τη δουλειά;** how much will you get out of this job?
▷**τι λεφτά παίρνεις;** what do you get paid?, how much do you get paid?
[3] ΕΠΙΡΡ (= *γιατί*) why · (= *σε τι*) what ▯ **τι με κοιτάς έτσι;** why are you looking at me like that? · **τι κοιτάς;** what are you looking at? · **τι σου έφταιξε ο άνθρωπος;** what did the man do to you?

─────────────

τιάρα ΟΥΣ ΘΗΛ tiara
τίγκα [1] ΕΠΙΘ ΑΚΛ (*για δοχείο*) full to the brim, brimming over · (*για χώρο*) jam-packed (*ανεπ.*)
[2] ΕΠΙΡΡ: **γεμίζω τίγκα** (*για δοχείο*) to be full to the brim *ή* brimming over · (*για χώρο*) to be jam-packed (*ανεπ.*)
τιγκάρω Ρ Μ (*βαρέλι*) to be full to the brim · (*αμάξι, μαγαζί*) to be jam-packed (*ανεπ.*)
τίγρη ΟΥΣ ΘΗΛ (ΖΩΟΛ) tiger
τίγρης ΟΥΣ ΑΡΣ *βλ.* **τίγρη**
τιθάσευση (*επίσ.*) ΟΥΣ ΘΗΛ (**α**) (*αλόγου*) breaking in · (*λιονταριού*) taming (**β**) (*κινήματος, συναισθημάτων*) subduing · (*μαθητών, ελλείματος, πληθωρισμού*) getting under control
τιθασεύω (*επίσ.*) Ρ Μ (**α**) (*άλογο*) to break in · (*λιοντάρι*) to tame (**β**) (*κίνημα, πάθη*) to subdue · (*συνδικάτο*) to rein in · (*νέους, μαθητές, πληθωρισμό*) to bring under control
τίθεμαι Ρ ΑΜ (**α**) (= *τοποθετούμαι*) to be placed (**β**) (*θέμα, ζήτημα, ερώτημα, απορία*) to be raised (**γ**) (*αρχές, προδιαγραφές*) to be laid down, to be set out
▷**τίθεμαι επί ποδός** to be at the ready
▷**τίθεμαι επί το έργον** to get down to work · *βλ. κ.* **θέτω**
ΤΙΚ ΟΥΣ ΟΥΔ ΑΚΛ (ΙΑΤΡ) tic
τικ-τακ, τίκι-τακ ΟΥΣ ΟΥΔ ΑΚΛ (*ρολογιού*) tick tock
τίλιο ΟΥΣ ΟΥΔ lime tea
τιμ ΟΥΣ ΟΥΔ ΑΚΛ team
τιμαλφή (*επίσ.*) ΟΥΣ ΟΥΔ ΠΛΗΘ valuables *πληθ.*
τιμαριθμικός, -ή, -ό ΕΠΙΘ index-linked
► **Αυτόματη Τιμαριθμική Αναπροσαρμογή** index-linking
τιμάριθμος ΟΥΣ ΑΡΣ retail price index (*Βρετ.*), cost-of-living index (*Αμερ.*)
τιμή ΟΥΣ ΘΗΛ (**α**) (*προϊόντος, καυσίμων*) price (**β**) (ΜΑΘ) value · (ΦΥΣ) coefficient (**γ**) (= *υπόληψη*) honour (*Βρετ.*), honor (*Αμερ.*) (**δ**) (= *ένδειξη σεβασμού*) honour (*Βρετ.*), honor (*Αμερ.*) (**ε**) (= *καμάρι*) pride
▷**ανεβάζω/κατεβάζω την τιμή** to raise/lower the price, to put the price up/down
▷**έχω την τιμή να κάνω κτ** to have the honour (*Βρετ.*) *ή* honor (*Αμερ.*) of doing sth

▷**η τιμή τιμή δεν έχει (και χαρά στον που την έχει)** (*παροιμ.*) honour is beyond price
▷**κάνω την τιμή σε κπν να κάνω κτ** to do sb the honour of doing sth
▷**κώδικας τιμής** code of honour (*Βρετ.*) *ή* honor (*Αμερ.*)
▷**λόγω τιμής** honestly
▷**με τιμή** (*σε επιστολές*) yours sincerely (*Βρετ.*), sincerely yours (*Αμερ.*)
▷**προς τιμήν κποιου** (*για εκδήλωση*) in sb's honour (*Βρετ.*)
▷**προς τιμήν του παραδέχθηκε ότι είχα δίκιο** to his credit, he did admit that I was right
▷**σε καλή τιμή** at a good price
▷**στην τιμή μου** on my word of honour (*Βρετ.*) *ή* honor (*Αμερ.*)
▷**τιμή μου!** it's my pleasure!
▷**τίτλος τιμής** honorary title
▶**τιμή ευκαιρίας** bargain price
▶**τιμή κόστους** cost price
▶**τιμές** πληθ honours (*Αμερ.*), honors (*Αμερ.*)
▷**κυρία (επί) των τιμών** lady–in–waiting

τίμημα ΟΥΣ ΟΥΔ price

τιμητικός, -ή, -ό ΕΠΙΘ (α) (*άγημα, φρουρά*) of honour (*Βρετ.*) *ή* honor (*Αμερ.*) (β) (*θέση*) honorary · (*διάκριση*) prestigious · (*μετάλλιο*) of honour (*Βρετ.*) *ή* honor (*Αμερ.*)
▷**έχω την τιμητική μου** everything's going my way

τίμιος, -α, -ο ΕΠΙΘ (α) (*άνθρωπος*) honourable (*Βρετ.*), honorable (*Αμερ.*), honest (β) (*ζωή, σκοπός*) honourable (*Βρετ.*), honorable (*Αμερ.*) · (*κουβέντες, μοιρασιά, συναλλαγές*) fair (γ) (ΘΡΗΣΚ: *ξύλο, σταυρός, δώρα*) holy
▷**τίμια πρά(γ)ματα!** fair and square!

τιμιότητα ΟΥΣ ΘΗΛ honesty

τιμοκατάλογος ΟΥΣ ΑΡΣ price list

τιμολόγηση ΟΥΣ ΘΗΛ pricing

τιμολόγιο ΟΥΣ ΟΥΔ (α) (*υπηρεσίας*) rates πληθ. · (*προϊόντος*) tariff (β) (= *απόδειξη πώλησης*) invoice

τιμολογώ Ρ Μ to price

τιμόνι ΟΥΣ ΟΥΔ (*αυτοκινήτου*) steering wheel · (*ποδηλάτου*) handlebars πληθ. · (*πλοίου*) helm, rudder
▷**στο τιμόνι** (*αυτοκινήτου*) at the wheel · (*πλοίου, κράτους, επιχείρησης*) at the helm

τιμονιά ΟΥΣ ΘΗΛ turn of the wheel
▷**κάνω ανάποδη/απότομη τιμονιά** to turn the wheel the wrong way/suddenly

τιμονιέρης ΟΥΣ ΑΡΣ (α) (*καραβιού*) helmsman

> *Προσοχή!: Ο πληθυντικός του* **helmsman** *είναι* **helmsmen**.

(β) (*κράτους*) leader

τιμονιέρισσα ΟΥΣ ΘΗΛ βλ. **τιμονιέρης**

τιμώ Ρ Μ (α) (*ήρωα, μνήμη*) to honour (*Βρετ.*), to honor (*Αμερ.*) · (*έργο, θυσία*) to pay tribute to (β) (*πολιτικό, λογοτέχνη, σκηνοθέτη*) to recognize (*με* with) to honour (*Βρετ.*), to honor (*Αμερ.*) (*με* with)

(γ) (= *εξυψώνω: γονείς, δασκάλους*) to be a credit to (δ) (*για φαγητό*) to do justice to (ε) (*όρκο, υπόσχεση*) to keep
▷**η ευγενική σας πράξη σας τιμά** your consideration does you credit
▷**τιμώ με την παρουσία μου** κπν to honour (*Βρετ.*) *ή* honor (*Αμερ.*) sb with one's presence
▶**τιμάται, τιμώνται** ΤΡΙΤΟΠΡΟΣ (*επίσ.*) to cost, to fetch

τιμώμενος, -η, -ο ΕΠΙΘ honorary

τιμωρία ΟΥΣ ΘΗΛ (α) (= *ποινή*) punishment (β) (= *ταλαιπωρία*) punishment · (*για μαθητή*) detention

τιμωρός ΟΥΣ ΑΡΣΘΗΛ (α) (*κακοποιών, εγκληματιών*) punisher (β) (*μτφ.*) punishment

τιμωρώ Ρ Μ to punish

τίναγμα ΟΥΣ ΟΥΔ (α) (*κεφαλιού, μαλλιών*) toss · (*σεντονιών, κουβέρτας, ρούχων, δέντρου*) shaking · (*χαλιών*) beating (β) (*σώματος, τρένου*) jolt

τινάζω Ρ Μ (α) (*κεφάλι, μαλλιά*) to toss · (*σεντόνια, κουβέρτες*) to shake (out) · (*με χτυπητήρι: χαλί, μοκέτα*) to beat · (*δέντρο*) to shake (β) (*καρέκλα, ποτήρι*) to fling
▷**τα τινάζω, τινάζω τα πέταλα** to kick the bucket (*ανεπ.*)
▷**τινάζω κτ στον αέρα** (= *ανατινάζω*) to blow sth up · (*μτφ.*) to wreck sth
▶**τινάζομαι** ΜΕΣΟΠΑΘ (α) (= *αναπηδώ*) to start (β) (= *σvσπώμαι*) to shake

> ┌─ ΛΕΞΗ-ΚΛΕΙΔΙ ─┐

ΤΙΠΟΤΕ, ΤΙΠΟΤΑ ΑΝΤΩΝ ΑΚΛ (α) (= *κάτι*) anything, something · (= *καθόλου*) nothing
❏ **αν χρειαστείς τίποτα ...** if you need anything ... · **είδες τίποτα;** did you see anything? · **πες τίποτα!** say something! · **δεν θέλω τίποτα** I don't want anything
(β) +ουσ. πληθ. (*σε ερωτ. προτάσεις*) any
❏ **είδες τίποτα βιβλία;** did you see any books? · **είχες τίποτα επισκέψεις;** did you get any visitors?
▷**άλλο τίποτε** nothing but, lots of
▷**από το τίποτα** from scratch
▷**για** *ή* **με το τίποτα** about nothing
▷**δεν γίνεται τίποτα** nothing doing, no way
▷**δεν έχω τίποτα εναντίον κποιου** to have nothing against somebody
▷**δεν έχει τίποτα** (*για πρόσ.*) there is nothing wrong with him/her
▷**δεν κάνει τίποτε!** (= *παρακαλώ*) you're welcome!, don't mention it!
▷**δεν το 'χω σε τίποτα να** it's no big deal for me to ...
▷(**είναι**) **ένα τίποτα** to be insignificant, to be a nonentity
▷**με τίποτα** no way, absolutely not
▷**με τίποτα (στον κόσμο)** for anything in the world
▷**πολύ κακό για το τίποτα** a storm in a teacup, much ado about nothing

T

▷**τίποτε άλλο, ευχαριστώ** I don't want anything else, thank you
▷**(τίποτε) άλλο από** anything else apart from
❑ **δεν σκέφτεσαι τίποτε άλλο από την απεργία;** can't you think of anything else apart from the strike?
▷**τίποτα άλλο (εκτός ή παρά)** nothing else (apart from) ❑ **δεν έχουμε να πούμε τίποτα άλλο** we've got nothing else to say to each other
▷**τίποτα απολύτως** anything at all
▷**τίποτα το λες εσύ να …** you say it's nothing but …

τιποτένιος, -α, -ο ΕΠΙΘ (α) (ἀνθρωπος) worthless (β) (αιτία, δικαιολογία, επιχείρημα) flimsy · (θέμα) trifling, trivial
τιραμισού ΟΥΣ ΘΗΛ/ΟΥΔ ΑΚΛ tiramisu
Τίρανα ΟΥΣ ΟΥΔ ΠΛΗΘ Tirana
τιράντα ΟΥΣ ΘΗΛ (α) (παντελονιού) braces πληθ. (Βρετ.), suspenders πληθ. (Αμερ.) (β) (σουτιέν, νυχτικού) strap
τιρκουάζ ΟΥΣ ΟΥΔ ΑΚΛ (ορυκτό, χρώμα) turquoise
τιρμπουσόν ΟΥΣ ΟΥΔ ΑΚΛ corkscrew
Τιρόλο ΟΥΣ ΟΥΔ = **Τυρόλο**
τις[1] ΑΡΘΡ ΟΡΙΣΤ the
▷**άκουσα τις εκρήξεις** I heard the explosions
▷**ήρθε στις πέντε** he came at five o'clock
▷**κατά τις τρεις** around three o'clock
▷**στις δέκα Απριλίου** on the tenth of April
τις[2] ΑΝΤΩΝ them
▷**τις ήξερα** I knew them
Τιτάνας ΟΥΣ ΑΡΣ (α) (ΜΥΘΟΛ) Titan (β) (μετωνυμ.) giant
τιτάνιος, -α, -ο ΕΠΙΘ (αγώνας, έργο) titanic
τιτιβίζω Ρ ΑΜ (πουλί) to chirp
τιτίβισμα ΟΥΣ ΟΥΔ chirping
τίτλος ΟΥΣ ΑΡΣ (α) (βιβλίου, περιοδικού, πίνακα, ταινίας) title · (κεφαλαίου) heading (β) (= βιβλίο) title (γ) (επιχείρησης, οργανισμού) name (δ) (ΟΙΚΟΝ) security (ε) (σπουδών) qualification (στ) (= αξίωμα) title (ζ) (ΑΘΛ) title
▸**κύριος τίτλος** headline
▸**τίτλος κυριότητος** (ΝΟΜ) title deed
▸**τίτλοι** ΠΛΗΘ (ταινίας) credits
▷**πέφτουν οι τίτλοι** the credits are rolling
τιτλούχος, -ος, -ο ΕΠΙΘ (= που φέρει τίτλο ή αξίωμα) titled
▷**είμαι τιτλούχος** (ΑΘΛ) to be the title-holder
τιτλοφορώ Ρ Μ (α) (= απονέμω τίτλο) to bestow a title on (β) (επιχείρηση, οργάνωση) to call, to name
▸**τιτλοφορούμαι** ΜΕΣΟΠΑΘ (βιβλίο, έκθεση) to be titled ή entitled
τμήμα ΟΥΣ ΟΥΔ (α) (κορμού, οστών) piece · (γλυκού) portion (β) (πόλης, χώρας) part, area · (βιβλίου) section (γ) (πωλήσεων, ερευνών, μάρκετινγκ) department (δ) (σε σχολείο) class
▸**αστυνομικό τμήμα** police station

▸**εκλογικό τμήμα** polling station
▸**τμήμα κύκλου/σφαίρας** segment of a circle/ sphere
τμηματάρχης ΟΥΣ ΑΡΣ/ΘΗΛ department head
τμηματικός, -ή, -ό ΕΠΙΘ (α) (= σχετικός με τμήμα) partial (β) (= που γίνεται σταδιακά: καταβολή ποσού) part · (εξετάσεις) end-of-year
το[1] ΑΡΘΡ ΟΡΙΣΤ the · βλ. **ο, η, το**
το[2] ΑΝΤΩΝ (για έμψυχα) him, her · (για άψυχα) it
▷**να το!** here he/she/it is!
▷**πάρ' το!** take him/her/it!
▷**το είδα** I saw him/her/it
τοιούτος, τοιούτη, τοιούτο (επίσ.) ΑΝΤΩΝ ΔΕΙΚΤ such
▸**τοιούτος** ΟΥΣ ΑΡΣ poof (χυδ.), pansy (χυδ.)
τοιχίζω Ρ Μ to build a wall around
τοιχίο ΟΥΣ ΟΥΔ low wall
τοιχογραφία ΟΥΣ ΘΗΛ (ΤΕΧΝ) mural
τοιχοκόλληση ΟΥΣ ΘΗΛ (αφίσας) billposting, billsticking
τοιχοκολλώ Ρ Μ to post
τοίχος ΟΥΣ ΑΡΣ wall
▷**και οι τοίχοι έχουν αφτιά** walls have ears
▷**κολλάω κπν στον τοίχο** to argue sb into a corner
▷**χτυπώ το κεφάλι μου στον τοίχο** to be sorry, to kick oneself (ανεπ.)
τοίχωμα ΟΥΣ ΟΥΔ (δοχείου, δεξαμενής) side
τοκετός ΟΥΣ ΑΡΣ (= γέννα) childbirth
τοκίζω Ρ Μ: **τοκίζω κπν** to lend money to sb at interest
▸**τοκίζομαι** ΜΕΣΟΠΑΘ to accrue interest
Τόκιο, Τόκυο ΟΥΣ ΟΥΔ Tokyo
τοκιστής ΟΥΣ ΑΡΣ moneylender
τοκογλυφία ΟΥΣ ΘΗΛ usury
τοκογλύφος ΟΥΣ ΑΡΣ/ΘΗΛ moneylender
τοκομερίδιο ΟΥΣ ΟΥΔ dividend
τόκος ΟΥΣ ΑΡΣ (α) (τραπεζικού λογαριασμού) interest (β) (= επιτόκιο) interest rate
τοκσόου, τοκ-σόου ΟΥΣ ΟΥΔ ΑΚΛ chat show (Βρετ.), talk show (Αμερ.)
τόλμη ΟΥΣ ΘΗΛ daring
τόλμημα ΟΥΣ ΟΥΔ (πολιτικού, επιχειρηματία) bold move · (ακροβάτη, ορειβάτη, κασκαντέρ) act of daring
τολμηρός, -ή, -ό ΕΠΙΘ (α) (ἀνθρωπος) daring, bold (β) (μέτρο, απόφαση) bold · (εγχείρημα) daring, bold (γ) (αρνητ.: = θρασύς) presumptuous (δ) (εικόνα) naughty · (σκηνή, ταινία) racy · (ντύσιμο) revealing
τολμώ ① Ρ Μ to dare
② Ρ ΑΜ to take risks, to be daring
▷**πως τολμάς και μου μιλάς έτσι;** how dare you talk to me like that?
▷**τολμώ να κάνω κτ** to dare (to) do sth · (αρνητ.: = έχω θράσος) to have the nerve to do sth
τομάρι ΟΥΣ ΟΥΔ (α) (κατσίκας, προβάτου,

λιονταριού) hide (β) (αρνητ.: = παλιάνθρωπος) swine
▷**γλυτώνω το τομάρι μου** (οικ.) to save one's (own) skin ή hide (ανεπ.)
▷**νοιάζομαι μόνο για το τομάρι μου** (οικ.) to look after number one (ανεπ.)
▷**πουλάω ακριβά το τομάρι μου** (οικ.) to sell one's life dear

τομάτα ΟΥΣ ΘΗΛ = **ντομάτα**

τοματιά ΟΥΣ ΘΗΛ = **ντοματιά**

τοματοπολτός ΟΥΣ ΑΡΣ tomato purée

τοματοσαλάτα ΟΥΣ ΘΗΛ = **ντοματοσαλάτα**

τομεάρχης ΟΥΣ ΑΡΣ (υπηρεσίας) section head

τομέας ΟΥΣ ΑΡΣ (α) (έρευνας) field, area · (δράσης) sphere · (πρόνοιας, οικονομίας, πωλήσεων, διανομής) sector · (υπηρεσίας) section (β) (γνώσης, μαθηματικών, φιλοσοφίας) field, sphere (γ) (πόλης) district, precinct (Αμερ.) · (περιοχής) sector (δ) (σε πανεπιστήμιο) department (ε) (ΑΝΑΤ) incisor
▸**δημόσιος/ιδιωτικός τομέας** pubic/private sector
▸**κυκλικός τομέας** (ΜΑΘ) segment of a circle
▸**σφαιρικός τομέας** (ΜΑΘ) segment of a sphere

τομή ΟΥΣ ΘΗΛ (α) (= κόψιμο) cut (β) (= το σημείο κοπής) cut (γ) (= χειρουργική διάνοιξη) incision (δ) (= ίχνος χειρουργικής διάνοιξης) incision (ε) (ΜΑΘ) intersection (στ) (στην παιδεία, υγεία, στα γεγονότα) intervention (ζ) (κτηρίου, σκάφους, κατασκευής) section
▸**καισαρική τομή** Caesarean (Βρετ.) ή Cesarean (Αμερ.) section
▸**χρυσή τομή** golden mean

τομογραφία ΟΥΣ ΘΗΛ scan

τόμος ΟΥΣ ΑΡΣ volume

τόμπολα ΟΥΣ ΘΗΛ bingo

τον¹ ΑΡΘΡ ΟΡΙΣΤ the · βλ. **ο, η, το**

τον² ΑΝΤΩΝ (για έμψυχα) him · (για άψυχα) it
▷**τον είδα** I saw him/it

τονίζω Ρ Μ (α) (συλλαβή) to stress, to accent (β) (= προφέρω έντονα) to stress (γ) (σημασία, σπουδαιότητα) to stress, to emphasize · (πρόσωπο, μάτια) to highlight · (μέση) to show off

τονικός, -ή, -ό ΕΠΙΘ (σύστημα) tonic
▸**τονικά σημεία** accents

τονικότητα ΟΥΣ ΘΗΛ (α) (ΜΟΥΣ) tonality (β) (ΦΥΣΙΟΛ) tone

τονισμός ΟΥΣ ΑΡΣ (α) (= εκφώνηση λέξης) intonation · (= τοποθέτηση τόνου) accentuation (β) (χρωμάτων, μορφής, στοιχείου) prominence · (αδυναμιών) showing up

τόννος ΟΥΣ ΑΡΣ tuna

τοννοσαλάτα ΟΥΣ ΘΗΛ tuna salad

τόνος¹ ΟΥΣ ΑΡΣ (α) (ΓΛΩΣΣ: = ύψος ή ένταση φωνής) stress · (= σημείο δήλωσης έντασης) accent (β) (για φωνή: = ένταση) pitch (γ) (= τρόπος τής ομιλίας) tone (of voice) (δ) (= ιδεολογική τάση) overtone (ε) (ΜΟΥΣ =

φθόγγος) note · (= μουσικό διάστημα) (whole) tone (στ) (στο τηλέφωνο: = ηχητική ένδειξη ώρας) beep (ζ) (χρώματος) shade
▷**ανεβάζω/κατεβάζω τους τόνους** to raise/ lower one's voice
▷**δίνω τον τόνο** to give the pitch · (μτφ.) to set the tone
▷**κρατώ χαμηλούς τόνους** to keep a low profile

τόνος² ΟΥΣ ΑΡΣ (α) (μονάδα βάρους) tonne (β) (μέτρο χωρητικότητας πλοίων) tonnage

τονώνω Ρ Μ (α) (οργανισμό) to build up, to strengthen (β) (οικονομία, ηθικό, αυτοπεποίθηση) to boost · (σχέσεις) to strengthen

τόνωση ΟΥΣ ΘΗΛ (οργανισμού, οικονομίας, ηθικού) boost

τονωτικός, -ή, -ό ΕΠΙΘ (α) (καλλυντικό, λοσιόν: για το δέρμα) toning · (για τα μαλλιά) conditioning (β) (αέρας) invigorating, bracing · (ενέργειες) stimulating
▷**μια νίκη θα ήταν τονωτική για το ηθικό τους** a win would boost their morale
▷**τονωτικές παρεμβάσεις στην οικονομία** measures to boost the economy
▸**τονωτικό ποτό** tonic
▸**τονωτικό φάρμακο** tonic, pick–me–up

τοξικομανής ΟΥΣ ΑΡΣΘΗΛ drug addict

τοξικός, -ή, -ό ΕΠΙΘ toxic

τοξίνη ΟΥΣ ΘΗΛ toxin

τοξίνωση ΟΥΣ ΘΗΛ poisoning

τόξο ΟΥΣ ΟΥΔ (α) (όπλο) bow (β) (ΑΘΛ) bow (γ) (σήμα) arrow (δ) (ΜΑΘ) arc (ε) (ΑΡΧΙΤ) arch (στ) (= γεωγραφική εξάπλωση τάσης) sphere of influence

τοξοβολία ΟΥΣ ΘΗΛ archery

τοξοβόλος ΟΥΣ ΑΡΣΘΗΛ (ΑΘΛ) archer

τοξότης ΟΥΣ ΑΡΣ (α) (στρατιώτης) archer (β) (ΑΣΤΡΟΝ, ΑΣΤΡΟΛ) Sagittarius

τοξωτός, -ή, -ό ΕΠΙΘ arched

τοπάζι ΟΥΣ ΟΥΔ topaz

τόπι ΟΥΣ ΟΥΔ (α) (= μπάλα) ball (β) (= ρολό υφάσματος) roll
▷**κάνω κπν τόπι στο ξύλο** (οικ.) to beat sb black and blue

τοπικισμός ΟΥΣ ΑΡΣ parochialism

τοπικιστής ΟΥΣ ΑΡΣ parochial person

τοπικίστρια ΟΥΣ ΘΗΛ βλ. **τοπικιστής**

τοπικός, -ή, -ό ΕΠΙΘ (α) (αρχές, πληθυσμός, προϊόντα) local (β) (πάχος, θεραπεία) localized (αναισθησία) local
▸**τοπική αυτοδιοίκηση** local government
▸**τοπικό επίρρημα** adverb of place
▸**τοπική συγκοινωνία** local transport

τοπίο ΟΥΣ ΟΥΔ (α) (= υπαίθριος χώρος) landscape, scenery χωρίς πληθ. (β) (πίνακας) landscape (γ) (= σκηνικό) scene

τοπιογράφος ΟΥΣ ΑΡΣΘΗΛ landscape painter

τόπλες ΕΠΙΡΡ topless

τοπ-μόντελ ΟΥΣ ΟΥΔ ΑΚΛ top model

τοπογραφία ΟΥΣ ΘΗΛ (α) (επιστήμη)

topography (β) (περιοχής) survey

τοπογραφικός, -ή, -ό ΕΠΙΘ topographical

τοπογράφος ΟΥΣ ΑΡΣ/ΘΗΛ surveyor, topographer

τοποθεσία ΟΥΣ ΘΗΛ (χωριού, πόλης) location, setting
▸**(διαδικτυακή) τοποθεσία** (ΠΛΗΡΟΦ) website

τοποθέτηση ΟΥΣ ΘΗΛ (α) (πιάτων, βιβλίων) putting (away) · (πόρτας, ντουλαπιών) putting in · (δράσης) location, setting (β) (υπαλλήλου, υπουργού, διευθυντού) appointment (γ) (κεφαλαίου, αποταμιεύσεων) investment (δ) (= άποψη) stand
▹**κάνω τοποθέτηση (σε κτ)** to take a stand (on sth)

τοποθετώ Ρ Μ (α) (γενικότ.) to put, to place · (βόμβα) to plant (β) (= κατατάσσω) to class (γ) (= θέτω) to put (δ) (= ορίζω σε θέση) to appoint (σε το) (ε) (= επενδύω) to invest
▹**την τοποθετώ στον χώρο του σοσιαλισμού/ υπερρεαλισμού** I have her down as ή I'd call her a socialist/surrealist
▹**τοποθετώ κτ στο ράφι/στην βαλίτσα/στον φούρνο** to put sth on the shelf/in the case/ in the oven
▸**τοποθετούμαι** ΜΕΣΟΠΑΘ (α) (= παίρνω θέση) to position oneself (β) (= εκφράζω άποψη) to take a stand
▹**τοποθετούμαι στο ρεύμα του ρομαντισμού/ πεσιμισμού** to be classed as a romantic/ pessimist

τόπος ΟΥΣ ΑΡΣ (α) (= τοποθεσία) place (β) (= πατρίδα) country · (= πόλη) town · (= χωριό) village (γ) (= θέση) place (δ) (στο Διαδίκτυο) site
▹**αφήνω (κπν) στον τόπο** to kill sb on the spot
▹**δίνω τόπο στην οργή** to keep one's temper
▹**δώσε τόπο στην οργή!** don't be angry!
▹**επί τόπου** on the spot
▹**κοινός τόπος** commonplace
▹**νοσταλγώ τον τόπο μου** to miss one's home town
▹**οι κατά τόπους αρχές** the local authorities
▹**παπούτσι από τον τόπο σου κι ας είν' και μπαλωμένο** (παροιμ.) better the devil you know than the devil you don't know (παροιμ.)
▹**πιάνω τόπο** to take up a lot of room · (μτφ.) to have an effect
▸**γεωμετρικός τόπος** locus

Προσοχή!: Ο πληθυντικός του **locus** *είναι* **loci**.

▸**οι Άγιοι Τόποι** the Holy Land
▸**τόπος γεννήσεως** birthplace, place of birth

τοπωνυμία ΟΥΣ ΘΗΛ place name

τοπωνυμικός, -ή, -ό ΕΠΙΘ (κατάλογος) of place names

τοπωνύμιο ΟΥΣ ΟΥΔ (για χώρα, πόλη) place name · (ποταμού, δρόμων) name

τορναδόρος ΟΥΣ ΑΡΣ turner

τόρνευση ΟΥΣ ΘΗΛ (ξύλου, μετάλλου) turning

τορνευτός, -ή, -ό ΕΠΙΘ (α) (έπιπλο) turned on a lathe (β) (πόδια, γάμπες) shapely, well–turned

τόρνος ΟΥΣ ΑΡΣ lathe

τορπίλα ΟΥΣ ΘΗΛ = **τορπίλη**

τορπιλάκατος ΟΥΣ ΘΗΛ torpedo boat

τορπίλη ΟΥΣ ΘΗΛ (α) (κυριολ.) torpedo

Προσοχή!: Ο πληθυντικός του **torpedo** *είναι* **torpedoes**.

(β) (μτφ.) attack

τορπιλίζω Ρ Μ (α) (κυριολ.) to torpedo (β) (μτφ.: διαπραγματεύσεις) to torpedo, to sabotage · (ελπίδα) to wreck

τος ΑΝΤΩΝ (για έμψυχα) he · (για άψυχα) it
▹**να τος!** here he/it is!
▹**πού 'ν' τος;** where is he/it?

τόσο ΕΠΙΡΡ (α) (για μέγεθος, ύψος, ποσότητα, όγκο) so, this (β) (για έμφαση: αργά, γρήγορα, πολύ, νωρίς) so · (θόρυβος, ανάγκη) such, so much · (αγαπώ, καπνίζω) so much
▹**δεν θα μου δώσεις ούτε τόσο γλυκό;** won't you even give me a little bit of cake?
▹**είναι εξήντα τόσο χρονών** she's just over sixty, she's sixty odd (ανεπ.)
▹**είναι όμορφη/μεγάλη όσο εσύ κι άλλο τόσο!** she's twice as beautiful/tall as you!
▹**ένα τόσο μικρό σπίτι** such a small house
▹**η ώρα είναι πέντε και τόσο** it's just gone five
▹**κάθε τόσο** every so often
▹**και τόσο** that
▹**μια φορά στο τόσο** once in a while
▹**όσο πιο γρήγορα..., τόσο το καλύτερο** the sooner... the better
▹**όσο λιγότερο..., τόσο λιγότερο...** the less..., the less...
▹**όσο πιο πολύ..., τόσο πιο πολύ...** the more..., the more...
▹**τόσο μα τόσο** +επίθ. so
▹**τόσο... όσο...** (για σύγκριση) as... as...
▹**τόσο το καλύτερο/χειρότερο** all the better/ worse
▹**τόσο...ώστε** ή **που...** so... that

τοσοδά ΕΠΙΡΡ (τρώω) so little
▹**δεν απομακρύνθηκε τοσοδά απ' την αλήθεια** he wasn't so far from the truth
▹**δεν φοβήθηκα ούτε τοσοδά** I wasn't the least bit afraid

τόσος, -η, -ο ΑΝΤΩΝ ΔΕΙΚΤ (= πάρα πολύς: με μη αριθμητό ουσιαστικό) so much · (με ουσιαστικό στον πληθυντικό) so many
▹**άλλος τόσος** twice as many
▹**γίνομαι άλλος τόσος** to double in size
▹**είχα τόση ανάγκη να τα πω κάπου** I so badly needed to talk about it
▹**ήταν δύο φορές τόσοι στον αριθμό** there were twice as many of them
▹**κάνω το τόσο (άλλο) τόσο** to exaggerate
▹**όσα βιβλία μου έδωσες, τόσα έφερα πίσω** I

brought back all the books you gave me
▷**όχι και τόσος** not that many
▷**τόσα και τόσα βιβλία/παιδιά** so many books/
children
▷**τόσα ξέρεις, τόσα λες!** you don't know
what you're talking about!
▷**τόση μόνο αναγνώριση μου αρκεί** I only
need a little recognition
▷**τόσοι και τόσοι άλλοι** so many others
▷**τόσοι και τόσοι (άνθρωποι)** so many people
▷**τόσος καιρός, τόση ώρα** such a long time,
so long
▷**τόσος... ώστε ή που...** so... that...
▷**τριακόσιες τόσες χιλιάδες** three hundred
thousand plus

τοσοσδά, τοσηδά, τοσοδά ΑΝΤΩΝ ΔΕΙΚΤ
(α) (= *πολύ μικρός*) tiny (β) (= *πολύ λίγος*)
just a little

τοστ ΟΥΣ ΟΥΔ ΑΚΛ toasted sandwich

τοστάδικο ΟΥΣ ΟΥΔ ΑΚΛ *toasted sandwich shop*

τοστιέρα ΟΥΣ ΘΗΛ sandwich toaster

τότε ΕΠΙΡΡ (*γενικότ.*) then · (= *εκείνη τη στιγμή
ή περίοδο*) then, at that time
▷**άλλο το τότε, άλλο το τώρα** things were
different then
▷**από τότε** since then
▷**δεν τον ξαναείδα ποτέ από τότε** I never
saw him again after that, I've never seen
him again since
▷**ο τότε πρόεδρος** the then president
▷**τότε, θα τους καλέσω αύριο** I'll invite
them tomorrow then
▷**τότε που** when

του[1] ΑΡΘΡ ΟΡΙΣΤ of · *βλ.* **ο, η, το**

του[2] ΑΝΤΩΝ (*προσωπική*) him · (*κτητική*) his
▷**η μηχανή του** his bike
▷**του έδωσα κάτι** I gave him something
▷**του το έδωσα** I gave it to him

τουαλέτα ΟΥΣ ΘΗΛ (α) (= *αποχωρητήριο*) toilet
(*Βρετ.*), rest room (*Αμερ.*) (β) (*έπιπλο*)
dressing table (γ) (= *επίσημο φόρεμα*)
evening gown (δ) (= *περιποίηση*) wash
▸**δημόσιες τουαλέτες** public convenience εν.
(*Βρετ.*), rest room εν. (*Αμερ.*)

τούβλο ΟΥΣ ΟΥΔ (α) (*δομικό υλικό*) brick
(β) (*μειωτ.*) dunce

τουλάχιστον ΕΠΙΡΡ at least

τούλι ΟΥΣ ΟΥΔ tulle

τουλίπα ΟΥΣ ΘΗΛ tulip

τουλούμι ΟΥΣ ΟΥΔ **βρέχει με το τουλούμι** it's
pouring down, it's coming down in buckets
(*Βρετ.*) (*ανεπ.*)
▷**κάνω κπν τουλούμι στο ξύλο** to beat sb
black and blue

τουλουμιάζω [1] Ρ Μ (*τυρί*) to preserve in a
goatskin
[2] Ρ ΑΜ (*κοιλιά*) to become bloated
▷**τουλουμιάζω κπν στο ξύλο** to beat sb black
and blue

τουλουμοτύρι ΟΥΣ ΟΥΔ *type of cheese preserved
in a goatskin*

τούμπα[1] ΟΥΣ ΘΗΛ (α) (= *περιστροφή σώματος*)

somersault (β) (= *πτώση*) fall, tumble
▷**γύρισε τούμπα ο κόσμος** the world's gone
mad
▷**τα φέρνω τούμπα** to upset the applecart
▷**έφερε τούμπα όλα τα προγνωστικά** he
proved all the forecasts wrong
▷**κάνω τούμπες για να κάνω κτ** (*οικ.*: =
επιθυμώ πολύ) to be dying to do sth (*ανεπ.*)
▷**κάνω τούμπες σε κπν** (*οικ.*: =
συμπεριφέρομαι δουλικά) to suck up to sb
(*ανεπ.*)
▷**τρώω μια τούμπα** to fall, to take a tumble
▷**φέρνω κπν τούμπα** (*οικ.*) to talk sb around

τούμπα[2] ΟΥΣ ΘΗΛ (ΜΟΥΣ) tuba

τουμπανιάζω Ρ ΑΜ to be bloated
▷**τουμπανιάζω κπν στο ξύλο** to beat sb black
and blue

τούμπανο ΟΥΣ ΟΥΔ drum
▷**γίνομαι τούμπανο** (*για κοιλιά*) to be as tight
as a drum · (*για πόδι, χέρι*) to be all swollen
▷**κάνω κτ τούμπανο** to shout sth from the
rooftops
▷**ο κόσμος το 'χει τούμπανο (κι εμείς κρυφό
καμάρι)** (*παροιμ.*) it's an open secret

τουμπάρισμα ΟΥΣ ΟΥΔ (α) (*καρέκλας,
τραπεζιού*) overturning (β) (= *ξεγέλασμα*)
cheating (γ) (*βάρκας*) capsizing ·
(*αυτοκινήτου*) rolling

τουμπάρω [1] Ρ Μ (α) (*τραπέζι, καρέκλα*) to
overturn (β) (*μτφ.*: = *καταφέρνω*) to talk
around · (= *ξεγελώ*) to cheat
[2] Ρ ΑΜ (*αυτοκίνητο*) to roll over · (*βάρκα*) to
capsize

τουμπεκί (*αργκ.*) ΟΥΣ ΟΥΔ: **κάνω τουμπεκί** to
shut one's face (*χυδ.*)

τουμπελέκι, τουμπερλέκι ΟΥΣ ΟΥΔ hand
drum

τουναντίον (*επίσ.*) ΕΠΙΡΡ on the contrary

τούνδρα ΟΥΣ ΘΗΛ = **τούντρα**

τούνελ ΟΥΣ ΟΥΔ ΑΚΛ tunnel
▷**βγαίνω από το τούνελ** (*μτφ.*) to get out of
trouble
▷**φως στην άκρη του τούνελ** light at the end
of the tunnel

τούντρα ΟΥΣ ΘΗΛ tundra

τουπέ ΟΥΣ ΟΥΔ ΑΚΛ arrogance

τουρισμός ΟΥΣ ΑΡΣ tourism
▸**μαζικός τουρισμός** mass tourism

τουρίστας ΟΥΣ ΑΡΣ tourist

τουριστικός, -ή, -ό ΕΠΙΘ (α) (*βιομηχανία,
κατάστημα, είδη, χάρτης*) tourist (β) (*για
νησί, χώρα*) popular with tourists, touristy
(*ανεπ.*)
▸**τουριστική αστυνομία** tourist police
▸**τουριστικό γραφείο ή πρακτορείο** travel
agency, travel agent's
▸**τουριστική θέση** tourist class
▸**τουριστικό λεωφορείο** tour coach
▸**τουριστικός οδηγός** guidebook
▸**τουριστικός περίοδος** tourist season
▸**τουριστικός πράκτορας** travel agent

τουρίστρια ΟΥΣ ΘΗΛ *βλ.* **τουρίστας**

Τουρκάλα ΟΥΣ ΘΗΛ βλ. **Τούρκος**

Τουρκία ΟΥΣ ΘΗΛ Turkey

τουρκικός, -ή, -ό ΕΠΙΘ Turkish

Προσοχή!: Τα εθνικά επίθετα, όπως **Turkish**, *γράφονται με κεφαλαίο το αρχικό γράμμα στα Αγγλικά.*

▸**Τουρκικά, Τούρκικα** ΟΥΣ ΟΥΔ ΠΛΗΘ Turkish

τούρκικος, -η, -ο ΕΠΙΘ = **τουρκικός**

Τουρκοκύπρια ΟΥΣ ΘΗΛ βλ. **Τουρκοκύπριος**

Τουρκοκύπριος ΟΥΣ ΑΡΣ Turkish Cypriot

Τούρκος ΟΥΣ ΑΡΣ Turk

τουρλώνω Ρ Μ (*κοιλιά, οπίσθια*) to stick out
▸**την τούρλωσα** I stuffed myself (*ανεπ.*)

τουρλωτός, -ή, -ό ΕΠΙΘ bulging

τουρμπάνι ΟΥΣ ΟΥΔ turban

τουρμπίνα ΟΥΣ ΘΗΛ turbine

τούρμπο ΟΥΣ ΟΥΔ ΑΚΛ (α) (ΤΕΧΝΟΛ) turbo engine (β) (*μειωτ.*) dimwit (*ανεπ.*)

τουρνέ ΟΥΣ ΘΗΛ ΑΚΛ tour

τουρνουά ΟΥΣ ΟΥΔ ΑΚΛ tournament

τουρσί ΟΥΣ ΟΥΔ pickle
▸**αγγούρια/πιπεριές τουρσί** pickled cucumbers/peppers

τούρτα ΟΥΣ ΘΗΛ cake

τουρτουρίζω Ρ ΑΜ to shiver

τουρτούρισμα ΟΥΣ ΟΥΔ shivering *χωρίς πληθ.*, shiver

τους[1] ΑΡΘΡ ΟΡΙΣΤ the · βλ. **ο, η, το**

τους[2] ΑΝΤΩΝ (*προσωπική*) them · (*κτητική*) their
▸**αυτό είναι δικό τους** it's theirs
▸**ήρθαν με τις γυναίκες τους** they came with their wives
▸**τους είδα** I saw them

τούτος, -η, -ο ΑΝΤΩΝ ΔΕΙΚΤ (*λογοτ.: = αυτός*) this, that
▸**θα πάρω και τούτο και το άλλο** I'll take this one and that one
▸**και τούτο και το άλλο** (*σε αφήγηση*) and so on
▸**τούτα δω τα παιδιά θα προκόψουν** those children will do well
▸**τούτο είναι το βιβλίο μου** that's my book
▸**τούτο το καλοκαίρι** this summer
▸**τούτος δω φαίνεται καλό παιδί** HE seems nice
▸**ως εκ τούτου** as you can see

τούφα ΟΥΣ ΘΗΛ (*μαλλιών*) lock

τουφέκι ΟΥΣ ΟΥΔ rifle, gun

τουφεκιά ΟΥΣ ΘΗΛ shot

τουφεκίδι ΟΥΣ ΟΥΔ shooting

τουφεκίζω[1] Ρ Μ (*αιχμάλωτο, κατάδικο*) to shoot
[2] Ρ ΑΜ to fire

τουφεκισμός ΟΥΣ ΑΡΣ death by firing squad

τόφαλος (*κοροϊδ.*) ΟΥΣ ΑΡΣ fat lump (*ανεπ.*)

τραβεστί ΟΥΣ ΑΡΣΘΗΛ ΑΚΛ transvestite

τράβηγμα ΟΥΣ ΟΥΔ (α) (*πόρτας, παραθύρου*)

pulling · (*τραπεζιού, καρέκλας, επίπλου*) dragging · (*φρυδιών*) plucking · (*δοντιού*) pull (β) (*νερού, κρασιού*) drawing (γ) (*καλωδίου, σχοινιού*) pulling (δ) (*για παλίρροια*) pull (ε) (*γραμμών, μολυβιάς*) drawing (στ) (*φωτογραφίας*) taking · (*σκηνής*) shooting (ζ) (ΑΝΑΤ) wrench (η) (*στην τράπουλα*) drawing
▸**τραβήγματα** ΠΛΗΘ trouble

τραβηχτός, -ή, -ό ΕΠΙΘ that can be pulled

τραβολογώ Ρ Μ (*άνθρωπο*) to drag
▸**τραβολογώ κπν στα μαγαζιά/στα δικαστήρια** (*μτφ.*) to drag around the shops/through the courts

τραβώ[1] Ρ Μ (α) (*καρέκλα, τραπέζι, άνθρωπο*) to pull, to drag · (*αυτοκίνητο, βάρκα*) to tow · (*δίχτυα*) to pull in · (*χειρόφρενο*) to pull on · (*πιστόλι, μαχαίρι*) to draw · (*μαλλιά, γένια*) to pull · (*τρίχες*) to pull out · (*φρούστα*) to pull down · (*για μαγνήτη*) to attract (β) (= *αντλώ: νερό, κρασί*) to draw · (= *απορροφώ: νερό*) to absorb (γ) (= *πίνω*) to drink (δ) (*χρήματα*) to take out, to withdraw · (*τόκους*) to take (ε) (*φωτογραφίες*) to take · (*σκηνές*) to shoot (στ) (*ενδιαφέρον*) to catch · (*προσοχή, άνδρα, γυναίκα*) to attract (ζ) (= *υποφέρω*) to go through, to suffer (η) (= *επιθυμώ*) to want (θ) (= *τραβολογώ*) to drag (ι) (*γραμμές, μολυβιά*) to draw
[2] Ρ ΑΜ (α) (*τζάκι, αντλία*) to draw (β) (*κατάσταση, υπόθεση*) to drag on (γ) (*μηχανή, κινητήρας, αυτοκίνητο*) to pull
▸**(άντε) τράβα!** go away!
▸**το τραβώ** (*οικ.*) to knock it back (*ανεπ.*)
▸**τον τράβηξε η θάλασσα/η ομορφιά της** he was drawn by the sea/her beauty
▸**τραβάω (γραμμή) για την πόλη/για Παρίσι** to head (straight) for town/Paris
▸**τραβάω κλοτσιά/μπουνιά/ένα χαστούκι σε κπν** to kick/punch/slap sb, to give sb a kick/punch/slap
▸**τραβάω κπν από το μανίκι/το πέτο** to tug (at) sb's sleeve/lapel
▸**τραβώ κουπί** (= *κωπηλατώ*) to row · (*μτφ.*) to go through a lot
▸**τραβάω ρουφηξιά** to take a drag *ή* puff
▸**τραβώ σε κπν ένα βρισίδι** to call sb all the names under the sun
▸**τραβάω σε μάκρος** *ή* **μακριά** to drag on
▸**τραβάω σουτ** to shoot
▸**τραβάω το καζανάκι** to flush the toilet
▸**τραβώ τη σκανδάλη** to pull the trigger
▸**τραβώ το αφτί κποιου** to tell sb off
▸**τραβάω τον δρόμο μου** (= *προχωρώ*) to carry on · (= *ακολουθώ την πορεία μου*) to choose one's own path
▸**άφησε τα πράγματα να τραβήξουν τον δρόμο τους** let things take their course
▸**τραβώ χαρτί/κλήρο** to draw a card/a prize
▸**τραβιέμαι** ΜΕΣΟΠΑΘ (α) (= *αποσύρομαι*) to retire (β) (= *παλιώνω*) to go out (γ) (= *οπισθοχωρώ*) to pull back (δ) (= *ταιριάζω*) to go well with

(ε) (= *ταλαιπωρούμαι*) to have trouble (στ) (*κατά τη συνουσία*) to withdraw
▷**τραβήξου απ' τον δρόμο μου!** get out of my way!
▷**τραβιέμαι με κπν** to sleep with sb
τραγανίζω ① Ρ Μ (*καρότο, πατατάκια*) to crunch
② Ρ ΑΜ to crunch
τραγανιστός, -ή, -ό ΕΠΙΘ crunchy
τραγανός, -ή, -ό ΕΠΙΘ (α) (*μπισκότα*) crunchy (β) (*κεράσια*) hard
τραγελαφικός, -ή, -ό ΕΠΙΘ (*κατάσταση*) farcical
τραγέλαφος ΟΥΣ ΑΡΣ (α) (ΜΥΘΟΛ) mythical beast (*half deer, half goat*) (β) (*μτφ.: για υπόθεση*) farce
τραγιάσκα ΟΥΣ ΘΗΛ woollen (*Βρετ.*) ή woolen (*Αμερ.*) cap
τραγικός, -ή, -ό ΕΠΙΘ (α) (*ποιητής, ήρωας*) tragic (β) (*θάνατος, τέλος, σύγκρουση*) tragic · (*γονείς*) grief–stricken
▸**τραγικός** ΟΥΣ ΑΡΣ tragic poet
τραγικότητα ΟΥΣ ΘΗΛ tragedy
τράγιος, -ια, -ιο ΕΠΙΘ billy goat's
τραγίσιος, -ια, -ιο ΕΠΙΘ = **τράγιος**
τραγόπαπας (*υβρ.*) ΟΥΣ ΑΡΣ priest, sky pilot (*ανεπ.*)
τράγος ΟΥΣ ΑΡΣ (α) (= *αρσενική γίδα*) billy goat (β) (*υβρ.*) priest (*with a long beard*), sky pilot (*ανεπ.*)
▷**αποδιοπομπαίος τράγος** scapegoat
τραγούδι ΟΥΣ ΟΥΔ (α) (= *άσμα*) song (β) (*βιολιού, φλάουτου*) melody (γ) (= *το να τραγουδά κανείς*) singing
▷**και θα πεις κι ένα τραγούδι!** whether you like it or not!, like it or lump it! (*ανεπ.*)
▷**πιάνω το τραγούδι** to start singing
▷**τραγούδια των πουλιών** birdsong εν.
τραγουδιστής ΟΥΣ ΑΡΣ singer
τραγουδιστός, -ή, -ό ΕΠΙΘ (*απαγγελία, φωνή, γλώσσα*) singsong
τραγουδίστρια ΟΥΣ ΘΗΛ βλ. **τραγουδιστής**
τραγουδώ ① Ρ ΑΜ to sing
② Ρ Μ (α) (*τραγούδι*) to sing (β) (*έρωτα, αγάπη, φύση*) to sing of
τραγωδία ΟΥΣ ΘΗΛ tragedy
τραγωδός ΟΥΣ ΑΡΣ&ΘΗΛ (α) (= *τραγικός ποιητής*) tragic poet (β) (= *ηθοποιός τραγωδίας*) tragedian
τρακ ΟΥΣ ΟΥΔ ΑΚΛ nerves πληθ. · (*για ηθοποιούς, τραγουδιστής*) stage fright
▷**με πιάνει τρακ** to get nervous · (*για ηθοποιούς, τραγουδιστής*) to get stage fright
τράκα ΟΥΣ ΘΗΛ (*για τσιγάρα, χρήματα*) scrounging (*ανεπ.*)
▷**κάνω τράκα σε κπν** to scrounge off sb (*ανεπ.*)
τρακαδόρος ΟΥΣ ΑΡΣ scrounger (*ανεπ.*)
τρακαδόρισσα ΟΥΣ ΘΗΛ βλ. **τρακαδόρος**
τρακάρισμα¹ ΟΥΣ ΟΥΔ (= *σύγκρουση*) crash

τρακάρισμα² ΟΥΣ ΟΥΔ (= *τρακ*) nerves πληθ. · (*για ηθοποιούς, τραγουδιστής*) stage fright
τρακαρισμένος¹, -η, -ο ΕΠΙΘ (*αυτοκινήτου*) smashed up
τρακαρισμένος², -η, -ο ΕΠΙΘ (*ηθοποιός*) suffering from stage fright
τρακάρω ① Ρ Μ (α) (*αυτοκίνητο, μηχανάκι*) to crash (β) (= *συναντώ τυχαία*) to bump into
② Ρ ΑΜ (*με όχημα*) to have a crash
▷**τρακάρω σε κτ** to crash into sth
τρακάρω² Ρ Μ: **τρακάρω κπν** (= *προκαλώ τρακ*) to make sb nervous · (*ηθοποιό*) to give sb stage fright
▸**τρακάρομαι, τρακαρίζομαι** ΜΕΣΟΠΑΘ to get nervous ή the jitters (*ανεπ.*) · (*ηθοποιός*) to get stage fright
τράκο ΟΥΣ ΟΥΔ ΑΚΛ (α) (= *τρακάρισμα*) crash (β) (= *ζημιά*) blow
τρακτέρ ΟΥΣ ΟΥΔ ΑΚΛ tractor
τραμ ΟΥΣ ΟΥΔ ΑΚΛ tram (*Βρετ.*), streetcar (*Αμερ.*)
τραμουντάνα ΟΥΣ ΘΗΛ north wind
τράμπα ΟΥΣ ΘΗΛ swap
τραμπάλα ΟΥΣ ΘΗΛ seesaw
τραμπαλίζομαι Ρ ΑΜ ΑΠΟΘ (α) (*παιδιά*) to seesaw, to play on the seesaw (β) (*βάρκα*) to rock
τραμπολίνο ΟΥΣ ΟΥΔ trampoline
τραμπουκισμός ΟΥΣ ΑΡΣ thuggery
τραμπούκος ΟΥΣ ΑΡΣ thug
τρανζίστορ ΟΥΣ ΟΥΔ ΑΚΛ (α) (ΗΛΕΚΤΡ) transistor (β) (= *μικρό ραδιόφωνο*) transistor radio
τράνζιτ ΟΥΣ ΟΥΔ ΑΚΛ (*για ταξιδιώτες*) transit
▷**πτήση τράνζιτ για Λονδίνο** transit flight to London
τρανός, -ή, -ό (*λογοτ.*) ΕΠΙΘ (α) (*για πρόσ.*) important (β) (*απόδειξη, τεκμήριο*) clear, convincing · (*παράδειγμα*) prime · (*αλήθεια*) absolute
τρανσέξουαλ ΟΥΣ ΑΡΣ&ΘΗΛ ΑΚΛ transsexual
τράνταγμα ΟΥΣ ΟΥΔ (*σπιτιού, θεάτρου*) shaking χωρίς πληθ. · (*αυτοκινήτου*) jolt, bump · (*ψυχικό*) jolt
τραντάζω Ρ Μ (α) (*σπίτι*) to shake · (*βροχή: στέγη*) to hammer on (β) (*μτφ.*) to shake
τρανταχτός, -ή, -ό ΕΠΙΘ (α) (*γέλια*) raucous · (*φωνή*) booming (β) (*επιχείρημα*) convincing, strong · (*παράδειγμα*) prime · (*επιτυχία*) significant · (*όνομα, είδηση*) big, important
τράπεζα ΟΥΣ ΘΗΛ bank
▸**Αγία Τράπεζα** high altar
▸**τράπεζα αίματος/σπέρματος** blood/sperm bank
▸**τράπεζα πληροφοριών** database
τραπεζαρία ΟΥΣ ΘΗΛ (α) (*δωμάτιο*) dining room (β) (*έπιπλο*) dining table
τραπέζι ΟΥΣ ΟΥΔ table
▷**βάζω τραπέζι** to lay the table

T

▷**κάθομαι στο τραπέζι** to sit at the table
▷**καλώ** κπν **σε τραπέζι** to ask ή invite sb to dinner
▷**κάνω το τραπέζι σε** κπν to have sb to dinner
▷**κλείνω τραπέζι** to book ή reserve a table
▷**μαζεύω το τραπέζι** to clear the table
τραπεζικός, -ή, -ό ΕΠΙΘ bank
▸**τραπεζικό απόρρητο** banking ή bank secrecy
▸**τραπεζικός** ΟΥΣ ΑΡΣ bank clerk
τραπέζιο ΟΥΣ ΟΥΔ **(α)** (ΓΕΩΜ) trapezium **(β)** (ΑΘΛ) trapeze
τραπεζίτης ΟΥΣ ΑΡΣ **(α)** (επάγγελμα) banker **(β)** (ΑΝΑΤ) molar
τραπεζιτικός, -ή, -ό ΕΠΙΘ (σύστημα, συμφέροντα) banking · (επιταγή) banker's
τραπεζογραμμάτιο ΟΥΣ ΟΥΔ banknote
τραπεζοκόμος (επίσ.) ΟΥΣ ΑΡΣ⊕ΘΗΛ waiter
τραπεζομάντηλο, τραπεζομάντιλο ΟΥΣ ΟΥΔ tablecloth
τραπεζοϋπάλληλος ΟΥΣ ΑΡΣ⊕ΘΗΛ bank clerk
τραπέζωμα ΟΥΣ ΟΥΔ wining and dining
τραπεζώνω Ρ Μ **(α)** (= κάνω το τραπέζι) to have to dinner **(β)** (= καλώ συχνά για φαγητό) to wine and dine
τράπουλα ΟΥΣ ΘΗΛ pack of cards, cards πληθ.
▷**ανακατεύω την τράπουλα** to shuffle the cards
τραπουλόχαρτο ΟΥΣ ΟΥΔ (playing) card
τράτα ΟΥΣ ΘΗΛ **(α)** (= βάρκα) trawler **(β)** (= δίχτυα) trawl net
τρατάρω Ρ Μ to offer, to give
τραυλίζω ① Ρ ΑΜ (κυριολ., μτφ.) to stammer, to stutter
② Ρ Μ (λέξεις, κουβέντες) to stammer (out)
τραύλισμα ΟΥΣ ΟΥΔ = **τραυλισμός**
τραυλισμός ΟΥΣ ΑΡΣ stammer, stutter
τραυλός, -ή, -ό ΕΠΙΘ: **είμαι τραυλός** to stammer, to stutter
▸**τραυλός** ΟΥΣ ΑΡΣ, **τραυλή** ΟΥΣ ΘΗΛ person who stammers ή stutters
τραύμα ΟΥΣ ΟΥΔ **(α)** (ΙΑΤΡ) injury · (από σφαίρα, μαχαίρα) wound **(β)** (μτφ.) blow
▸**ψυχικό τραύμα** trauma
▸**τραύματα** ΠΛΗΘ (πολέμου) trauma εν.
τραυματίας ΟΥΣ ΑΡΣ⊕ΘΗΛ wounded person
▷**οι τραυματίες** the wounded
▸**τραυματίας πολέμου** disabled ex–serviceman

Προσοχή!: Ο πληθυντικός του **ex–serviceman** είναι **ex–servicemen**.

τραυματίζω Ρ Μ **(α)** (στρατιώτη, φύλακα) to wound **(β)** (αξιοπρέπεια, υπερηφάνεια) to wound · (αξιοπιστία) to damage · (νομιμοσύνη) to be an insult to **(γ)** (= προκαλώ ψυχικό τραύμα) to traumatize
τραυματικός, -ή, -ό ΕΠΙΘ (εμπειρία, βιώματα) traumatic

τραυματιοφορέας ΟΥΣ ΑΡΣ⊕ΘΗΛ ambulanceman · (ΣΤΡΑΤ) stretcher–bearer

Προσοχή!: Ο πληθυντικός του **ambulanceman** είναι **ambulancemen**.

τραυματισμός ΟΥΣ ΑΡΣ **(α)** (αστυνομικού, στρατιώτη) wounding **(β)** (κύρους, προσωπικότητας) damage · (αξιοπρέπειας) wounding
▸**ψυχικός τραυματισμός** trauma
τραχανάς ΟΥΣ ΑΡΣ crushed wheat boiled in milk and dried
τραχεία ΟΥΣ ΘΗΛ trachea, windpipe
τράχηλος ΟΥΣ ΑΡΣ neck
τραχύς, -ιά ή -εία, -ύ ΕΠΙΘ **(α)** (έδαφος, τοίχος, πέτρα, χέρια) rough · (ύφασμα) coarse, rough **(β)** (κρύο) bitter · (χειμώνας) harsh **(γ)** (άνθρωπος, τόνος, λόγια, φωνή) gruff, abrasive **(δ)** (έργο) tough
τραχύτητα ΟΥΣ ΘΗΛ **(α)** (εδάφους, πέτρας, χεριών) roughness **(β)** (χαρακτήρα, φωνής, λόγων, ύφους) gruffness **(γ)** (ζωής) harshness
τρέιλερ ΟΥΣ ΟΥΔ ΑΚΛ trailer
τρεις, τρεις, τρία ΑΡΙΘ ΑΠΟΛ ΠΛΗΘ three
▷**κάθε τρεις και λίγο** all the time
▷**στις τρεις του μηνός** on the third of the month
▷**τρία πουλάκια κάθονταν!** (οικ.: για αδιάφορο άτομο) it goes in one ear and out the other! · (για άσχετη απάντηση) nothing at all!
τρεισήμισι ΕΠΙΘ ΑΚΛ three and a half
τρεκλίζω Ρ ΑΜ to stagger, to sway
τρέλα ΟΥΣ ΘΗΛ **(α)** (ΙΑΤΡ) insanity, madness **(β)** (= ανοησία) foolish act · (= παράτολμη ενέργεια) reckless act · (νιότης) folly
▷**είναι καθαρή τρέλα** it's complete madness
▷**έχω τρέλα με** κτ (= έχω ιδιοτροπία) to be obsessed with sth · (= έχω πάθος) to be mad about sth
▷**η τρέλα δεν πάει στα βουνά** (παροιμ.) he's/she's as mad as a hatter
▷**κάνω μια τρέλα** to do something crazy
▷**περνώ τρέλα** to have a great time
▷**πουλάω τρέλα** (οικ.) to pretend to be mad
▷**το φόρεμα είναι τρέλα!** it's a beautiful dress!
▸**τρέλες** ΠΛΗΘ high jinks
▷**κάνω τρέλες** to go wild
τρελάδικο ΟΥΣ ΟΥΔ madhouse · βλ. κ. **τρελοκομείο**
τρελαίνω Ρ Μ: **τρελαίνω** κπν (= μουρλαίνω) to drive sb insane ή mad · (= ταλαιπωρώ) to drive sb mad · (= ενθουσιάζω) to drive sb wild
▷**τρελαίνω** κπν **στο ξύλο** to beat sb mercilessly
▷**τρελαίνω τον κόσμο απ' την φασαρία** to drive people crazy with all the noise
▸**τρελαίνομαι** ΜΕΣΟΠΑΘ Ρ ΑΜ to go mad
▷**τρελαίνομαι από τη χαρά μου/την αγωνία** to go mad with joy/worry

▷**τρελαίνομαι για κπν/κτ** to be mad about sb/sth

τρελαμάρα ΟΥΣ ΘΗΛ (α) (= τρέλα) madness (β) (= παλαβομάρα) silly stunt (ανεπ.)

τρελαμένος, -η, -ο ΕΠΙΘ mad
▷**τρελαμένος με κπν/κτ** mad about sb/sth

τρελογιατρός ΟΥΣ ΑΡΣ shrink (ανεπ.)

τρελοκομείο ΟΥΣ ΟΥΔ (α) (= τρελάδικο) mental hospital (β) (μτφ.: για χώρο) madhouse
▷**είναι τρελοκομείο** (για πρόσ.) he's mad
▷**τρελοκομείο είναι εδώ μέσα!** it's a madhouse in here!

τρελός, -ή, -ό ΕΠΙΘ (α) (= μουρλός) mad, insane, crazy (ανεπ.) (β) (= παθιασμένος) mad (με, για about) crazy (ανεπ.) (με, για about) (γ) (ρυθμοί, συνδυασμός, χορός, σύνθεση) crazy (δ) (σκέψη, άτομο) crazy, insane (ε) (φιλιά, έρωτας) passionate, frantic (στ) (πάρτι, παρέα, παιδί) wild
▷**για τρελούς ψάχνεις;** (οικ.) are you crazy?
▷**είμαι τρελός από χαρά** to be mad ή frantic with joy
▷**είμαι τρελός (και παλαβός) για κπν/κτ** to be (absolutely) mad about sb/sth
▷**κάνω σαν τρελός** to go wild
▷**ούτε στα πιο τρελά μου όνειρα** not in my wildest dreams
▷**τρελός για δέσιμο** (stark) raving mad, barking mad (Βρετ.) (ανεπ.)
▷**τρελός παπάς σε βάφτισε!** you're mad!, you're off your rocker! (ανεπ.)
▸**τρελός** ΟΥΣ ΑΡΣ madman · (στο σκάκι) bishop
▸**τρελή** ΟΥΣ ΘΗΛ madwoman

Προσοχή!: Ο πληθυντικός του **madman** *είναι* **madmen**. *Ο πληθυντικός του* **madwoman** *είναι* **madwomen**.

▷**έγινε της τρελής** all hell broke loose
▷**σαν της τρελής τα μαλλιά** (οικ.) in a terrible mess
▷**το ρίχνω στην τρελή** (οικ.) to go off the rails

τρεμάμενος, -η, -ο ΕΠΙΘ (χέρι, μέλη) trembling · (φωνή, λόγια) tremulous, quavering · (αντανάγειες, σκιές, φιγούρες, φως) flickering

τρεμοπαίζω Ρ ΑΜ (α) (φως, φλόγα) to flicker (β) (βλέφαρα) to flutter

τρεμοσβήνω Ρ ΑΜ (α) (φλόγα, κερί) to flicker (β) (έρωτας, πάθος, ενθουσιασμός) to flicker out

τρεμούλα ΟΥΣ ΘΗΛ (από φόβο, ένταση, άγχος) shudder, trembling χωρίς πληθ. · (από κρύο, πυρετό) shiver
▷**με πιάνει τρεμούλα** (από φόβο, ένταση, άγχος) to start trembling · (από κρύο, πυρετό) to start shivering

τρεμουλιάζω Ρ ΑΜ (α) (χέρια) to tremble · (φωνή) to quaver (β) (φανάρια, αστέρια) to flicker

τρεμούλιασμα ΟΥΣ ΟΥΔ (α) (χεριών, φωνής) tremble · (κορμιού) trembling (β) (φωτός, άστρων, φύλλων) flicker, flickering

τρεμουλιαστός, -ή, -ό ΕΠΙΘ (α) (γραμμή) shaky · (φωνή) tremulous, quavering · (χέρι) shaky, trembling (β) (φως, αντανάγειες) flickering · (βλέφαρα) fluttering

τρέμουλο ΟΥΣ ΟΥΔ = **τρεμούλα**

τρεμοφέγγω Ρ ΑΜ (φως, κερί, λάμπα, αστέρια) to flicker

τρέμω Ρ ΑΜ (α) (άνθρωπος, μέλος σώματος) to shake, to tremble · (χείλη) to quiver, to tremble (β) (έδαφος, γη) to shake · (εικόνα) to flicker · (φωνή) to quaver (γ) (= φοβάμαι υπερβολικά) to tremble (with fear), to quake
▷**τρέμω από τον φόβο/την συγκίνηση** to tremble ή quiver with fear/emotion
▷**τρέμω από τον θυμό/από το κρύο** to shake with anger/with the cold
▷**τρέμω κπν** to be afraid sb
▷**τρέμω μόνο που το σκέφτομαι** I shudder at the thought
▷**τρέμω μην** I'm afraid that
▷**τρέμω σαν το φύλλο** to shake like a leaf

τρενάρω (οικ.) ① Ρ Μ to drag out ② Ρ ΑΜ to delay · (υπόθεση) to drag on

τρένο ΟΥΣ ΟΥΔ train
▷**παίρνω το τρένο** to take the train
▷**χάνω το τρένο** (μτφ.) to miss the boat

τρέξιμο ΟΥΣ ΟΥΔ (α) (γενικότ.) running (β) (ΑΘΛ) race (γ) (= μεγάλη προσπάθεια) effort (δ) (= ροή νερού) flow
▸**τρεξίματα** ΠΛΗΘ trouble εν.

τρέπω Ρ Μ (α) (= κατευθύνω) to divert (β) (κλάσμα, δεκαδικούς) to convert · (νομίσματα) to change, to convert
▷**τρέπω κπν σε (άτακτη) φυγή** to put sb to flight · (μτφ.) to have sb on the run
▷**τρέπομαι σε (άτακτη) φυγή** to beat a retreat · (μτφ.) to take flight, to run away

τρέφω ① Ρ Μ (α) (μωρό, παιδί) to feed (β) (= παρέχω τα προς το ζην) to provide for, to support (γ) (εγκληματικότητα) to foster (δ) (εκτίμηση, προσδοκίες) to have · (αγάπη, μίσος) to feel · (ελπίδες) to cherish, to entertain (ε) (πρόβατα, αγελάδες) to raise (στ) (γενειάδα) to grow ② Ρ ΑΜ (= μορφώνομαι) to be raised (με on) (β) (πληγή) to heal
▸**τρέφομαι** ΜΕΣΟΠΑΘ (= συντηρούμαι) to feed (με on)

τρεχάλα ΟΥΣ ΘΗΛ running
▷**φεύγω τρεχάλα** to run off at top speed, to tear off (ανεπ.)
▷**κατεβαίνω τρεχάλα τις σκάλες** to run down the stairs

τρεχάματα ΟΥΣ ΟΥΔ ΠΛΗΘ rushing about εν.
▷**έχω τρεχάματα αυτές τις μέρες** I've been rushed off my feet these past few days
▷**έχω τρεχάματα με κπν** to have problems with sb

τρεχαντήρι ΟΥΣ ΟΥΔ fast sailing boat(Βρετ.) ή sailboat (Αμερ.)

τρεχάτος, -η, -ο ΕΠΙΘ running
▷**φεύγω τρεχάτος** to run away

τρεχούμενος, -η, -ο ΕΠΙΘ (α) *(νερό)* running
(β) *(λογαριασμός)* current

τρέχω ① Ρ ΑΜ (α) (= *κινούμαι γρήγορα*) to
run (β) *(σε αγώνα δρόμου)* to run · *(σε
αγώνα ταχύτητας)* to race (γ) *(για οδηγό)* to
speed (δ) (= *σπεύδω*) to hurry, to rush
(ε) *(μυαλό, νους, σκέψεις)* to race **(στ)** *(για
δουλειές, υποθέσεις)* to run about ή around,
to rush about ή around · *(για φίλο, γνωστό)*
to run around · (= *εργάζομαι πολύ*) to be
rushed off one's feet (ζ) *(στα μπαρ, πάρτι)* to
go to · (= *περιπλανιέμαι άσκοπα*) to hang out
(η) *(νερό, αίμα, δάκρυα)* to pour (ϑ) *(καιρός)*
to fly · *(ώρα, χρόνος)* to fly past ή by · *(ρολόι)*
to be fast (ι) *(γεγονότα, εξελίξεις)* to unfold
(ια) *(μισθός)* to be paid · *(τόκοι)* to
accumulate

② Ρ Μ (α) *(στο νοσοκομείο, στο γιατρό)* to
rush (β) (= *ταλαιπωρώ*) to hector · (= *σέρνω*)
to drag (γ) *(οικ.: πρόγραμμα)* to run ·
(κασέτα, σιντί) to fast forward
(δ) *(αυτοκίνητο, μηχανή)* to race
▷**το αυτοκίνητό μου τρέχει με 200 χλμ. την
ώρα** my car does 200 km per hour
▷**το αίμα τρέχει ποτάμι** the blood is gushing
out
▷**τα δάκρυα μου τρέχουν ποτάμι** to be in
floods of tears
▷**τρέχει αίμα από τη μύτη μου** my nose is
bleeding
▷**τρέχουν δάκρυα από τα μάτια μου** my eyes
are watering
▷**τρέχω πίσω από κπν** to run after sb
▷**τρέχουν τα σάλια μου** my mouth is
watering
▶**τρέχει** ΤΡΙΤΟΠΡΟΣ: **τι τρέχει;** (= *τι συμβαίνει*)
what's happening?, what's going on? · (= *τι
σου συμβαίνει*) what's wrong?, what's the
matter?
▷**δεν τρέχει τίποτα** *(καθησυχαστικά)* there's
nothing wrong, there's nothing the matter ·
(για αδιαφορία) so what?, big deal *(ανεπ.)*

τρέχων, -ουσα, -ον ΕΠΙΘ (α) *(λογαριασμός,
δαπάνες, αξία)* current · *(έξοδα)* running
(β) *(φαινόμενο)* common (γ) *(τεχνολογία,
ανάγκες, έρευνα)* current, present-day
(δ) *(έτος, μήνας)* current
▶**τρέχων** ΟΥΣ ΑΡΣ *(επίσης* **τρέχων μήνας)**
current month
▶**μέχρι τις 10 του τρέχοντος** by the 10th of
this month

τρία ΑΡΙΘ ΑΠΟΛ ΑΚΛ three

τριάδα ΟΥΣ ΘΗΛ threesome
▷**σε τριάδες** in threes
▶**η Αγία Τριάδα** the Holy Trinity

τριαδικός, -ή, -ό ΕΠΙΘ (α) *(σύστημα, σχήμα)*
three-way (β) *(θεότητα, Θεός)* triune

τρίαινα ΟΥΣ ΘΗΛ trident

τριακονταετής, -ής, -ές ΕΠΙΘ
(α) *(άνθρωπος)* thirty-year-old (β) *(πείρα)*
of thirty years

τριακονταετία ΟΥΣ ΘΗΛ thirty years *πληθ.*

τριακόσια ΑΡΙΘ ΑΠΟΛ ΑΚΛ three hundred

τριακόσιοι, -ες, -α ΑΡΙΘ ΑΠΟΛ ΠΛΗΘ three
hundred

τριακοσιοστός, -ή, -ό ΑΡΙΘ ΤΑΚΤ three
hundredth

τριακοστός, -ή, -ό ΑΡΙΘ ΤΑΚΤ *(χρόνος,
επέτειος, έτος)* thirtieth
▶**τριακοστή** ΟΥΣ ΘΗΛ thirtieth *(of the month)*
▶**τριακοστό** ΟΥΣ ΟΥΔ thirtieth *(fraction)*

τριάμισι ΕΠΙΘ ΑΚΛ = **τρεισήμισι**

τριάντα ΑΡΙΘ ΑΠΟΛ ΑΚΛ thirty

τριαντάρα ΟΥΣ ΘΗΛ *βλ.* **τριαντάρης**

τριαντάρης ΟΥΣ ΑΡΣ thirty-year-old

τριανταρίζω Ρ ΑΜ to be thirty years old

τριανταφυλλένιος, -ια, -ιο ΕΠΙΘ rosy

τριανταφυλλιά ΟΥΣ ΘΗΛ rose(bush)

τριαντάφυλλο ΟΥΣ ΟΥΔ rose

τριαντάχρονος, -η, -ο ΕΠΙΘ *(άντρας,
γυναίκα)* thirty-year-old · *(πόλεμος)*
thirty-year

τριάρα ΟΥΣ ΘΗΛ *(ΑΘΛ)* three goals
▶**τριάρες** ΠΛΗΘ *(στο τάβλι)* two threes

τριάρι ΟΥΣ ΟΥΔ (α) (= *σύνολο τριών ίδιων
πραγμάτων*) three (β) *(τραπουλόχαρτο)* three
(γ) *(διαμέρισμα)* three-room(ed) apartment
ή flat *(Βρετ.)* (δ) *(στην καλαθοσφαίριση)*
number three (position)

τριβελίζω Ρ Μ (α) (= *τρυπώ*) to drill
(β) (= *βασανίζω*) to bother

τριβή ΟΥΣ ΘΗΛ (α) (ΦΥΣ) friction
(β) (= *τρίψιμο*) rubbing (γ) (= *λιώσιμο*) wear
(δ) *(μτφ.)* friction (ε) (= *εμπειρία*) experience

τρίβω Ρ Μ (α) *(πλακάκια, κατσαρόλες, ρούχα)*
to scrub · *(πόδια, πλάτη: για να καθαρίσω)* to
scrub · *(για να ανακουφήσω)* to rub
(β) *(ξύλο)* to sand (γ) *(τυρί, κρεμμύδι)* to
grate · *(καφέ, πιπέρι)* to grind · *(κουλούρι,
παξιμάδι)* to crumble (δ) *(πουκάμισο)* to
wear out
▷**τρίβω κτ στη μούρη** ή **μούτρα κποιου** to rub
sth into sb's face · *(μτφ.)* to rub sb's nose in
sth
▷**τρίβω τα μάτια μου** to rub one's eyes · *(μτφ.)*
to be amazed
▷**τρίβω τα χέρια μου** to rub one's hands
together · *(μτφ.)* to rub one's hands in glee
▶**τρίβομαι** ΜΕΣΟΠΑΘ (α) *(αγκώνες)* to rub ·
(γλυκό) to crumble (β) *(παντελόνι, γιακάς)* to
be worn out
▷**τρίβομαι σε κπν/κτ** *(γάτα)* to rub up against
sb/sth · *(μωρό)* to snuggle up against sb/sth ·
(άνδρας, γυναίκα) to rub oneself against sb/
sth
▷**τρίβομαι με κτ** (= *εξοικειώνομαι*) to gain
experience of sth

τριγενής, -ής, -ές ΕΠΙΘ *(επίθετο)* with three
genders

τρίγλυφο ΟΥΣ ΟΥΔ triglyph

τριγμός ΟΥΣ ΑΡΣ (α) *(δοντιών)* grinding ·
(οστών) grating (β) *(κτηρίου)* rumbling

τριγυρίζω ① Ρ Μ (α) (= *περιβάλλω*) to surround (β) (= *γυροφέρνω*) to chase after ② Ρ ΑΜ (= *περιφέρομαι*) to wander about ▷**με τριγυρίζει η γρίπη** to be coming down with flu
▷**τριγυρίζω στους δρόμους/στην εξοχή** to roam the streets/the countryside

τριγυρνώ Ρ ΑΜ *βλ.* **τριγυρίζω**

τριγύρω ΕΠΙΡΡ all around

τριγωνικός, -ή, -ό ΕΠΙΘ triangular

τρίγωνο ΟΥΣ ΟΥΔ (α) (ΓΕΩΜ) triangle, triangle (β) (*σχεδιαστικό όργανο*) set square (γ) (*για τα κάλαντα*) triangle
▸**ισοσκελές/σκαληνό τρίγωνο** isosceles/ scalene triangle
▸**ορθογώνιο/ισόπλευρο τρίγωνο** right–angled/ equilateral triangle
▸**ερωτικό τρίγωνο** love triangle

τριγωνομετρία ΟΥΣ ΘΗΛ trigonometry

τρίδυμα ΟΥΣ ΟΥΔ ΠΛΗΘ triplets

τριετής, -ής, -ές ΕΠΙΘ (α) (= *τριών χρόνων*) three–year–old (β) (*συμβόλαιο, φοίτηση, προϋπηρεσία*) three–year

τριετία ΟΥΣ ΘΗΛ three years *πληθ.*

τριζόνι ΟΥΣ ΟΥΔ cricket

τρίζω ① Ρ ΑΜ (α) (*πόρτα, κρεβάτι, ξύλα*) to creak · (*παπούτσια*) to squeak · (*ξερόκλαδα*) to crack · (*φρένα*) to squeal (β) (*θεμέλια*) to shake · (*επιχείρηση*) to collapse ② Ρ Μ (*δόντια*) to grind · (*αρθρώσεις*) to crack
▷**τρίζω τα δόντια σε κπν** (*οικ.*) to shout at sb, to let sb have it (*ανεπ.*)
▷**θα τρίξουν τα κόκαλα της μάνας σου** your mother would turn in her grave

τριήμερα ΟΥΣ ΟΥΔ ΠΛΗΘ (*νεκρού*) three–day memorial service

τριήμερο ΟΥΣ ΟΥΔ three days *πληθ.*

τριήμερος, -η, -ο ΕΠΙΘ three–day

τριήρης ΟΥΣ ΘΗΛ trireme

τρικ ΟΥΣ ΟΥΔ ΑΚΛ trick
▷**ταχυδακτυλουργικά τρικ** conjuring tricks

τρικάταρτος, -η, -ο ΕΠΙΘ (*πλοίο*) three–masted

τρικινητήριος, -α, -ο ΕΠΙΘ (*αεροσκάφος*) three–engined

τρικλίζω Ρ ΑΜ = **τρεκλίζω**

τρίκλινο ΟΥΣ ΟΥΔ ΑΚΛ room with three beds

τρικλοποδιά ΟΥΣ ΘΗΛ: **βάζω τρικλοποδιά σε κπν** to trip sb up · (*μτφ.*) to set sb up

τρικούβερτος, -η, -ο ΕΠΙΘ (α) (*γλέντι*) great · (*καβγάς*) almighty (β) (*πλοίο*) with three decks

τρίκυκλο ΟΥΣ ΟΥΔ tricycle

τρικυμία ΟΥΣ ΘΗΛ (α) (= *θαλασσοταραχή*) storm (β) (= *αναταραχή*) turmoil

τρικυμισμένος, -η, -ο ΕΠΙΘ (α) (*θάλασσα, πέλαγος*) stormy, storm–tossed (β) (*ψυχή, ζωή*) in a turmoil

τρικυμιώδης, -ης, -ες ΕΠΙΘ (α) (*θάλασσα*) heavy (β) (*σχέση*) stormy, tempestuous ·

(*ζωή, καριέρα*) chequered (*Βρετ.*), checkered (*Αμερ.*)

τρίλεπτο ΟΥΣ ΟΥΔ three minutes *πληθ.*

τρίλεπτος, -η, -ο ΕΠΙΘ (*διάλειμμα*) three–minute

τρίλια ΟΥΣ ΘΗΛ (ΜΟΥΣ) trill
▸ **τρίλιες** ΠΛΗΘ trilling *εν.*

τριλογία ΟΥΣ ΘΗΛ trilogy

τριμελής, -ής, -ές ΕΠΙΘ three–member, with three members
▷**τριμελής οικογένεια** family of three

τριμερής, -ής, -ές ΕΠΙΘ (α) (*ενότητα*) in three parts (β) (*συνθήκη, συμφωνία*) tripartite, three–way (γ) (*διαμελισμός, διάκριση*) three–way

τριμηνία ΟΥΣ ΘΗΛ three months *πληθ.*

τριμηνιαίος, -α, -ο ΕΠΙΘ (α) (*περίοδος*) three–month (β) (*περιοδικό*) quarterly

τρίμηνο ΟΥΣ ΟΥΔ (α) (= *διάστημα τριών μηνών*) quarter (β) (ΣΧΟΛ) term

τρίμηνος, -η, -ο ΕΠΙΘ (*αναστολή, προθεσμία*) three–month

τρίμμα ΟΥΣ ΟΥΔ crumb
▷**τρίμματα ψωμιού** breadcrumbs

τριμμένος, -η, -ο ΕΠΙΘ (α) (*τυρί, μυζήθρα*) grated · (*πιπέρι, καφές*) ground (β) (*ρούχα*) fraying, worn

τρίξιμο ΟΥΣ ΟΥΔ (*ξύλου*) crack · (*πόρτας, ξύλων*) creaking · (*αλυσίδων*) rattle · (*παπουτσιών*) squeak · (*δοντιών*) grinding *χωρίς πληθ.* · (*αρθρώσεων*) cracking *χωρίς πληθ.*

τρίο ΟΥΣ ΟΥΔ ΑΚΛ (*κυριολ., μτφ.*) trio

τρίπλα ΟΥΣ ΘΗΛ = **ντρίμπλα**

τριπλαδόρος ΟΥΣ ΑΡΣ = **ντριμπλαδόρος**

τριπλάρω Ρ Μ = **ντριμπλάρω**

τριπλασιάζω Ρ Μ to treble
▸ **τριπλασιάζομαι** ΜΕΣΟΠΑΘ to treble

τριπλάσιος, -α, -ο ΕΠΙΘ threefold

τριπλέτα ΟΥΣ ΘΗΛ trio

τρίπλευρος, -η, -ο ΕΠΙΘ (*σχήμα*) three–sided

τριπλός, -ή, -ό ΕΠΙΘ (α) (*επένδυση*) three–way (β) (*δόση, χτύπημα*) triple (γ) (*συμμαχία, συμφωνία, παραλλαγή*) tripartite, three–way (δ) (*ρόλος*) threefold (ε) (*παραλλαγή*) three–way (στ) (*κάταγμα*) triple
▷**το σπίτι τους είναι τριπλό σε σχέση με το δικό μας** their house is three times as big as ours
▷**τριπλά χρήματα** three times as much money

τριπλότυπο ΟΥΣ ΟΥΔ (α) (= *μπλοκ*) book of receipts in triplicate (β) (= *απόδειξη*) receipt in triplicate

τριπλότυπος, -η, -ο ΕΠΙΘ (*απόδειξη*) in triplicate

τριπλούν ΟΥΣ ΟΥΔ ΑΚΛ triple jump

τριπλουνίστας ΟΥΣ ΑΡΣ triple jumper

τριπλουνίστρια ΟΥΣ ΑΡΣ *βλ.* **τριπλουνίστας**

τρίποδας ογΣ ΑΡΣ (α) (φωτογραφικής μηχανής, κάμερας) tripod · (= καβαλέτο) easel (β) (ΑΡΧΑΙΟΛ) tripod

τρίποδο ογΣ ΟΥΔ tripod · βλ. κ. **τρίποδας**

τρίποδος, -η, -ο ΕΠΙΘ (κάθισμα, τραπέζι) three-legged

Τρίπολη[1] ογΣ ΘΗΛ Tripoli(s)

Τρίπολη[2] ογΣ ΘΗΛ (στη Λιβύη) Tripoli

τρίποντο ογΣ ΟΥΔ (στην καλαθοσφαίριση) three-point shot

τρίπορτος, -η, -ο ΕΠΙΘ (αυτοκίνητο) three-door

τρίπτυχος, -η, -ο ΕΠΙΘ (αφιέρωμα) three-part
► **τρίπτυχο** ογΣ ΟΥΔ (α) (= έργο σε τρεις ενότητες) triptych · (= όπερα) three-act opera (β) (= δελτίο που διπλώνεται στα τρία) identity card (that folds in three) (γ) (= συνδεόμενες έννοιες) three principles πληθ.

τρις[1] ΕΠΙΡΡ (επίσ.: = τρεις φορές) three times

τρις[2] ΣΥΝΤΟΜ βλ. κ. ρ. **τρισεκατομμύριο**

τρισάγιο ογΣ ΟΥΔ (= επιμνημόσυνη δέηση) memorial service

τρισάθλιος, -α, -ο ΕΠΙΘ (α) (διαμέρισμα, συνθήκες, διαβίωση) wretched (β) (άντρας, γυναίκα) despicable

τρισδιάστατος, -η, -ο ΕΠΙΘ three-dimensional, 3-D

τρισεκατομμύριο ογΣ ΟΥΔ trillion

τρισευτυχισμένος, -η, -ο ΕΠΙΘ blissfully happy

τρισκατάρατος, -η, -ο ΕΠΙΘ (πλάσμα, αρρώστια) accursed
► **τρισκατάρατος** ογΣ ΑΡΣ: **ο τρισκατάρατος** the Devil

τρίστρατο ογΣ ΟΥΔ crossroads εν. ή πληθ.

τρισύλλαβος, -η, -ο ΕΠΙΘ three-syllable

τρισχαριτωμένος, -η, -ο ΕΠΙΘ sweet

Τρίτη ογΣ ΘΗΛ Tuesday
▷**Τρίτη και δεκατρείς** ≈ Friday the thirteenth
► **Μεγάλη Τρίτη** Tuesday

τριτοβάθμιος, -α, -ο ΕΠΙΘ (α) (οργάνωση, συμβούλιο) tertiary (β) (εξίσωση) third degree
► **τριτοβάθμια εκπαίδευση** higher education, tertiary education (Βρετ.)

τριτοετής, -ής, -ές ΕΠΙΘ (φοιτητής) third-year
► **τριτοετής** ογΣ ΑΡΣΘΗΛ third-year student

τριτόκλιτος, -η, -ο ΕΠΙΘ third-declension

τριτοκοσμικός, -ή, -ό ΕΠΙΘ (α) (χώρα, κράτος) Third World (β) (αρνητ.) backward

τρίτομος, -η, -ο ΕΠΙΘ (έργο, έκδοση) three-volume

τριτοπρόσωπος, -η, -ο ΕΠΙΘ: **τριτοπρόσωπο ρήμα** third-person verb

τρίτον ΕΠΙΡΡ thirdly

τρίτος, -η, -ο ΑΡΙΘ ΤΑΚΤ (κατηγορία, θέση, γύρος, βραβείο) third
▷**προϊόν τρίτης διαλογής** poor quality product
► **τρίτη κλίση** third declension
► **Τρίτος Κόσμος** Third World
► **τρίτο πρόσωπο** third person
► **τρίτος** ογΣ ΑΡΣ (α) (= άσχετος) third party (β) (ΝΑΥΤ) third mate (γ) (= όροφος) third floor (Βρετ.), fourth floor (Αμερ.) (δ) (= Μάρτιος) March
► **τρίτη** ογΣ ΘΗΛ (α) (= ταχύτητα) third gear (β) (= ημέρα) third (γ) (Δημοτικού, Γυμνασίου, Λυκείου) third year (δ) (ΜΑΘ) cube
► **τρίτο** ογΣ ΟΥΔ third

τριτώνω Ρ ΑΜ to happen a third time

τριφασικός, -ή, -ό ΕΠΙΘ: **τριφασικό ρεύμα** three-phase current
► **τριφασικό καλώδιο** three-phase cable

τρίφτης ογΣ ΑΡΣ (για τυρί, κρεμμύδι) grater

τριφύλλι ογΣ ΟΥΔ clover
▷**ζήσε Μάη μου να φας τριφύλλι** (παροιμ.) not in a month of Sundays

τρίχα ογΣ ΘΗΛ (α) (ανθρώπου, ζώου) hair (β) (οδοντόβουρτσας) bristle
▷**μου σηκώνεται η τρίχα** it makes my hair stand on end
▷**παρά τρίχα** by a whisker
▷**στην τρίχα** immaculately
▷**τρίχες (κατσαρές)!** (ανεπ.) rubbish!

τρίχας (μειωτ.) ογΣ ΑΡΣ pipsqueak (ανεπ.)

τριχιά ογΣ ΘΗΛ thick rope
▷**κάνω την τρίχα τριχιά** to make a mountain out of a molehill

τριχόπτωση ογΣ ΘΗΛ hair loss

τρίχορδος, -η, -ο ΕΠΙΘ (μπουζούκι) three-string

τριχοτόμηση ογΣ ΘΗΛ trisection

τριχοτομώ Ρ Μ to trisect

τριχοφάγος ογΣ ΑΡΣ alopecia

τριχοφυΐα ογΣ ΘΗΛ hair growth

τρίχρονος, -η, -ο ΕΠΙΘ (α) (σύμβαση) three-year (β) (κορίτσι, αγόρι) three-year-old

τρίχωμα ογΣ ΟΥΔ (ανθρώπου) hair · (ζώου) fur

τριχωτός, -ή, -ό ΕΠΙΘ (πόδι, χέρι) hairy · (ζώο) furry

τριψήφιος, -α, -ο ΕΠΙΘ (αριθμός) three-figure

τρίψιμο ογΣ ΟΥΔ (α) (επιφάνειας, ρούχων, σκεύους) scrubbing (β) (ξύλου, επίπλου) sanding (γ) (πλάτης, ποδιών, ματιών) rubbing (δ) (τυριού) grating · (πιπεριού, καφέ) grinding (ε) (φρυγανιάς, ψωμιού) crumbling (στ) (= ερωτική θωπεία) petting

τριώδιο ογΣ ΟΥΔ carnival time (three weeks preceding Lent)

τρίωρο ογΣ ΟΥΔ three hours πληθ.

τρίωρος, -η, -ο ΕΠΙΘ (σύσκεψη, στάση) three-hour

τριώροφος, -η, -ο ΕΠΙΘ (πολυκατοικία) three-storey (Βρετ.), three-story (Αμερ.)
► **τριώροφο** ογΣ ΟΥΔ three-storey (Βρετ.) ή three-story (Αμερ.) building

τροβαδούρος ΟΥΣ ΑΡΣ troubadour

Τροία ΟΥΣ ΘΗΛ Troy

τρόλεϊ ΟΥΣ ΟΥΔ ΑΚΛ trolley bus

τρόμαγμα ΟΥΣ ΟΥΔ fright

τρομαγμένος, -η, -ο ΕΠΙΘ frightened, scared

τρομάζω ① Ρ Μ to frighten, to scare
② Ρ ΑΜ to be frightened ή scared
▷**τρομάζω να κάνω κτ** to have great difficulty doing sth

τρομακτικός, -ή, -ό ΕΠΙΘ (α) (γενικότ.) scary · (εμπειρία, θέαμα) frightening, terrifying · (έκρηξη) terrific (β) (θάρρος, θέληση, κατόρθωμα) tremendous

τρομάρα ΟΥΣ ΘΗΛ fright
▷**με πιάνει τρομάρα** to take fright
▷**τρομάρα σου!, τρομάρα να σου 'ρθει!** (ειρων.) woe betide you!
▷**μια χαρά και δυο τρομάρες!** (ειρων.) blooming marvellous! (Βρετ.)

τρομαχτικός, -ή, -ό ΕΠΙΘ = **τρομακτικός**

τρομερός, -ή, -ό ΕΠΙΘ (α) (θέαμα, όψη, θάνατος, πόνος, κίνδυνος) terrible · (καυγάς) terrific, almighty (β) (μνήμη) incredible · (ικανότητα) extraordinary · (έξοδα) enormous · (θόρυβος) tremendous (γ) (αθλητής) superb · (ομιλητής, δάσκαλος) brilliant · (αντίπαλος) formidable
▷**είναι τρομερό να κάνω κτ** it's awful doing sth
▷**κάνει τρομερό κρύο** it's terribly cold

τρομοκρατημένος, -η, -ο ΕΠΙΘ terrified

τρομοκράτης ΟΥΣ ΑΡΣ terrorist

τρομοκράτηση ΟΥΣ ΘΗΛ (α) (πληθυσμού) terrorizing, panicking (β) (μαθητών) bullying · (υπαλλήλων) intimidation

τρομοκρατία ΟΥΣ ΘΗΛ (α) (παράνομων ομάδων) terrorism (β) (εργοδότη) bullying tactics πληθ.

τρομοκρατικός, -ή, -ό ΕΠΙΘ (επίθεση, οργάνωση) terrorist

τρομοκράτισσα ΟΥΣ ΘΗΛ βλ. **τρομοκράτης**

τρομοκρατώ Ρ Μ (α) (= τρομάζω) to terrify · (πληθυσμό) to panic (β) (μαθητές) to bully, to intimidate · (υπαλλήλους) to intimidate (γ) (περιοχή, συνοικίες, χώρα, κοινωνία) to terrorize
▸**τρομοκρατούμαι** ΜΕΣΟΠΑΘ to be terrified

τρόμος ΟΥΣ ΑΡΣ terror

τρόμπα ΟΥΣ ΘΗΛ pump

τρομπάρω Ρ Μ (α) (νερό, αέρα) to pump (β) (αργκ.) to jerk off (χυδ.).

τρόμπας (υβρ.) ΟΥΣ ΑΡΣ (α) (= που αυνανίζεται) wanker (χυδ.) (β) (= ηλίθιος) jerk (ανεπ.)

τρομπέτα ΟΥΣ ΘΗΛ trumpet

τρομπετίστας ΟΥΣ ΑΡΣ trumpeter

τρομπετίστρια ΟΥΣ ΘΗΛ βλ. **τρομπετίστας**

τρομπόνι ΟΥΣ ΟΥΔ trombone

τρόπαιο ΟΥΣ ΟΥΔ (α) (= σημείο νίκης) trophy (β) (ΑΘΛ) trophy (γ) (= θριαμβευτική νίκη) triumph

τροπαιούχος, -ος, -ο (επίσ.) ΕΠΙΘ (α) (για στρατιωτικό) triumphant (β) (ΑΘΛ) trophy–winning
▸**τροπαιούχος** ΟΥΣ ΑΡΣ&ΘΗΛ trophy winner

τροπάρι ΟΥΣ ΟΥΔ = **τροπάριο**

τροπάριο ΟΥΣ ΟΥΔ (α) (ΘΡΗΣΚ) hymn (β) (μτφ.) rant
▷**σταμάτα αυτό το τροπάρι!** stop harping on!
▷**συνεχώς το ίδιο τροπάρι** it's always the same old song
▷**αλλάζω τροπάρι(ο)** to change the record ή tune

τροπή ΟΥΣ ΘΗΛ (α) (= αλλαγή κατεύθυνσης) turn (β) (κλάσματος, φωνήεντος) conversion

τρόπιδα (επίσ.) ΟΥΣ ΘΗΛ keel

τροπικός, -ή, -ό ΕΠΙΘ (α) (ΓΛΩΣΣ) modal (β) (χώρες, ζώνη, κλίμα, φυτά) tropical
▸**τροπικό ρήμα** modal verb
▸**τροπικός** ΟΥΣ ΑΡΣ (ΓΕΩΓΡ) tropic

τροπολογία ΟΥΣ ΘΗΛ amendment

τροποποιημένος, -η, -ο ΕΠΙΘ modified
▸**γενετικά τροποποιημένος** genetically modified

τροποποίηση ΟΥΣ ΘΗΛ amendment

τροποποιώ Ρ Μ (απόψεις) to change · (νομοσχέδιο, κατασταστικό) to amend

τρόπος ΟΥΣ ΑΡΣ (α) (= μέσο) way (β) (= διαγωγή, φέρσιμο) manner (γ) (= ικανότητα) knack
▷**κατά κάποιον τρόπο** in a way, after a fashion
▷**με κάθε τρόπο, παντί τρόπω** (επίσ.) at all costs
▷**με κανέναν τρόπο** by no means
▷**με τον ένα ή τον άλλο τρόπο** one way or another
▷**με τον τρόπο του** from his manner
▷**με τρόπο** (επιδέξια) tactfully · (κρυφά) discreetly
▸**τρόπος ζωής** lifestyle
▸**τρόποι** ΠΛΗΘ manners

τροπόσφαιρα ΟΥΣ ΘΗΛ troposphere

τροτέζα ΟΥΣ ΘΗΛ prostitute

τρούλος ΟΥΣ ΑΡΣ dome

τρούφα ΟΥΣ ΘΗΛ (σοκολάτα, γλύκισμα, μανιτάρι) truffle

τροφαντός, -ή, -ό ΕΠΙΘ plump

τροφή ΟΥΣ ΘΗΛ (α) (= φαγητό) food · (για χοίρους) feed · (για αγελάδες) fodder (β) (για σχόλια, κουτσομπολιά) fodder
▸**τροφή για γάτες/σκύλους** cat/dog food

τροφικός, -ή, -ό ΕΠΙΘ (αλλεργία, δηλητηρίαση) food
▸**τροφική αλυσίδα** food chain

τρόφιμα ΟΥΣ ΟΥΔ ΠΛΗΘ foods, foodstuffs
▸**νωπά/κατεψυγμένα τρόφιμα** fresh/frozen foods

τρόφιμος ΟΥΣ ΑΡΣ&ΘΗΛ (α) (= οικότροφος: σχολείου) boarder · (ασύλου, φρενοκομείου) inmate (β) (ειρων.) regular

Τ

τροφοδοσία ΟΥΣ ΘΗΛ (α) (στρατού, προσφύγων) supplying food (β) (μηχανής, κινητήρα) supply

τροφοδότης ΟΥΣ ΑΡΣ (α) (πλοίου) chandler· (στρατού) quartermaster (β) (= προμηθευτής) supplier

τροφοδότηση ΟΥΣ ΘΗΛ (α) (= τροφοδοσία) provisioning (β) (κινητήρα, δικτύου, συσκευής) supply, feed (γ) (ΑΘΛ) feed

τροφοδότρια ΟΥΣ ΘΗΛ βλ. **τροφοδότης**

τροφοδοτώ Ρ Μ (α) (στρατό, στόλο) to supply, to provision (β) (μηχανή, κινητήρα) to fuel· (κύκλωμα) to feed· (κλίβανο) to stoke (γ) (μτφ.) to provide· (φαντασία) to fire (δ) (ΑΘΛ) to feed

τροφός (επίσ.) ΟΥΣ ΘΗΛ wet nurse

τροχαδάκι ΟΥΣ ΟΥΔ jog

τροχάδην ΕΠΙΡΡ (α) (= τρέχοντας) running (β) (= γρήγορα) rapidly

Τροχαία ΟΥΣ ΘΗΛ traffic police
▷**με γράφει η Τροχαία** to get a ticket (from the traffic police)

τροχαίος, -α, -ο ΕΠΙΘ (ατύχημα, κίνηση) road· (παράβαση) traffic
▸**τροχαίο** ΟΥΣ ΟΥΔ road accident

τροχαλία ΟΥΣ ΘΗΛ pulley

τροχιά ΟΥΣ ΘΗΛ (α) (ΑΣΤΡΟΝ) orbit (β) (ΦΥΣ: βλήματος) trajectory (γ) (μτφ.) path
▷**βάζω/μπαίνω σε τροχιά** to put/to go into orbit
▷**σε ανοδική τροχιά** (μτφ.) on the rise, going up

τροχίζω Ρ Μ (α) (μαχαίρι, ψαλίδι, ξυράφι) to sharpen (β) (δόντι) to polish (γ) (μυαλό, μνήμη) to sharpen

τρόχισμα ΟΥΣ ΟΥΔ (α) (εργαλείου) sharpening (β) (δοντιού) polishing (γ) (μυαλού) sharpening

τροχοδρόμηση ΟΥΣ ΘΗΛ taxiing

τροχοδρομώ Ρ ΑΜ (αεροπλάνο) to taxi

τροχονόμος ΟΥΣ ΑΡΣΘΗΛ traffic warden

τροχοπέδη (επίσ.) ΟΥΣ ΘΗΛ ΑΚΛ (α) (= φρένο) brake (β) (μτφ.) obstacle

τροχός ΟΥΣ ΑΡΣ (α) (αυτοκινήτου, αεροπλάνου) wheel (β) (οδοντιάτρου) polisher (γ) (= όργανο βασανισμού) wheel
▷**Θα γυρίσει ο τροχός** the wheel turns
▸**τροχός αγγειοπλάστη** potter's wheel

τροχόσπιτο ΟΥΣ ΟΥΔ (ρυμουλκούμενο) caravan (Βρετ.), trailer (Αμερ.)· (αυτοκινούμενο) camper (van)· (= λυόμενο) mobile home

τροχοφόρος, -α, -ο ΕΠΙΘ (όχημα) wheeled
▸**τροχοφόρο** ΟΥΣ ΟΥΔ wheeled vehicle

τρυγητής ΟΥΣ ΑΡΣ grape picker

τρυγήτρια ΟΥΣ ΘΗΛ βλ. **τρυγητής**

τρυγόνι ΟΥΣ ΟΥΔ turtle dove

τρύγος ΟΥΣ ΑΡΣ grape harvest

τρυγώ Ρ Μ/ΑΜ (α) (αμπέλι, μέλισσα) to harvest (β) (λογοτ.: χάρες, αγάπη, χαρά) to taste

τρυκ ΟΥΣ ΟΥΔ ΑΚΛ = **τρικ**

τρύπα ΟΥΣ ΘΗΛ (κυριολ., μτφ.) hole

τρυπάνι ΟΥΣ ΟΥΔ drill

τρύπημα ΟΥΣ ΟΥΔ (α) (σε λάστιχο) puncture· (σε αφτιά) piercing· (σε έδαφος) making a hole in (β) (βελόνας, αγκαθιού) prick

τρυπητήρι ΟΥΣ ΟΥΔ punch

τρυπητός, -ή, -ό ΕΠΙΘ (κουτάλα) slotted
▸**τρυπητή** ΟΥΣ ΘΗΛ slotted spoon
▸**τρυπητό** ΟΥΣ ΟΥΔ (επίσης **τρυπητός σκεύος**) colander

τρύπιος, -α, -ο ΕΠΙΘ (α) (τσέπη, φόδρα, παπούτσια) full of holes (β) (άμυνα) wide open

τρυπώ ① Ρ Μ (α) (έδαφος, τοίχο) to make a hole in· (αφτιά) to pierce· (λάστιχα) to puncture· (εισιτήριο) to punch (β) (δάχτυλο, μπράτσο) to prick (γ) (για πόνο, κρύο, θόρυβο) to pierce
② Ρ ΑΜ (α) (μπάλα, λάστιχο) to have a puncture, to be punctured· (παπούτσια, βάρκα) to be full of holes (β) (βελόνα, αγκάθια) to prick
▸**τρυπιέμαι** ΜΕΣΟΠΑΘ (αργκ.) to shoot up (ανεπ.)

τρύπωμα ΟΥΣ ΟΥΔ (α) (βιβλίο, σημειώσεων) hiding (β) (= ράψιμο με αραιές βελονιές) tacking· (= κλωστή για αραιό ράψιμο) tacking thread

τρυπώνω ① Ρ ΑΜ (α) (= κρύβομαι) to hide (β) (= μπαίνω σε δουλειά) to wangle a job (σε with)
② Ρ Μ (α) (βιβλίο, κάλτσες, τσάντα) to hide (β) (στρίφωμα) to tack
▷**τρυπώνω σε** (= μπαίνω κρυφά) to slip into

τρυφεράδα ΟΥΣ ΘΗΛ βλ. **τρυφερότητα**

τρυφερός, -ή, -ό ΕΠΙΘ (α) (δέρμα, χέρια) soft· (κρέας, κλωνάρι) tender (β) (καρδιά, ψυχή) tender (γ) (λόγια, στιγμή, αισθήματα, φωνή) tender· (φιλία) loving· (μητέρα) fond (δ) (φιλί, ματιά, σχέση) loving

τρυφερότητα ΟΥΣ ΘΗΛ (α) (δέρματος, χεριών) softness· (κρέατος) tenderness (β) (μητέρας, φωνής, αισθημάτων) tenderness
▸**τρυφερότητες** ΠΛΗΘ (= ερωτοτροπίες) petting χωρίς πληθ.

τρυφή (επίσ.) ΟΥΣ ΘΗΛ luxury

τρυφηλός, -ή, -ό (επίσ.) ΕΠΙΘ (ζωή) luxurious· (συνήθειες) self-indulgent

τρώγλη ΟΥΣ ΘΗΛ hovel

τρωγοπίνω Ρ ΑΜ to eat and drink

τρώγω Ρ Μ/ΑΜ = **τρώω**

τρωκτικό ΟΥΣ ΟΥΔ (ΖΩΟΛ) rodent

τρωτός, -ή, -ό ΕΠΙΘ vulnerable
▷**είμαι τρωτός σε κτ** (μτφ.) to be susceptible to sth
▸**τρωτό** ΟΥΣ ΟΥΔ fault

τρώω ① Ρ ΑΜ (α) (γενικότ.) to eat (β) (= κλέβω ή χρηματίζομαι) to line one's pockets (γ) (= αρταίνομαι) to break one's fast
② Ρ Μ (α) (φαγητό) to eat (β) (= δαγκώνω ή τσιμπώ: σκύλος, έντομα) to bite (γ) (νύχια) to

bite · (στυλό, μολύβι) to chew
(δ) (= παραλείπω: παράγραφο, πρόταση) to
miss out (ε) (ιστορίες, παραμύθια) to
swallow · (ψέματα) to fall for
(στ) (= διαβρώνω ή φθείρω: μέταλλο, βράχια)
to erode · (μάλλινα, έπιπλα, παπούτσια) to
wear out (ζ) (= καταστρέφω) to destroy
(η) (= προκαλώ απόλυση) to oust
(θ) (= καταναλώνω: χρήματα) to use up, to
get through · (τρόφιμα) to get through, to eat
up · (βενζίνη) to use, to consume
(ι) (= σπαταλώ: περιουσία, κληρονομιά,
οικονομίες) to squander (ια) (= ξοδεύω:
νιάτα, ζωή, μήνα) to spend
(ιβ) (= καταχρώμαι: χρήματα) to embezzle ·
(κονδύλιο) to pilfer (ιγ) (= παρακαλώ
έντονα) to go on at (ιδ) (= βασανίζω:
καημός, φθόνος, ζήλια, αγωνία, περιέργεια)
to eat away at (ιε) (= ταλαιπωρώ: με γκρίνια,
ιδιοτροπίες) to bug, to pester (ιστ) (= νικώ:
αντίπαλο) to beat (ιζ) (= σκοτώνω) to kill ·
(= πυροβολώ) to shoot (ιη) (= κατασπαράζω:
λύκος, λιοντάρι) to eat (ιθ) (μαγνητόφωνο,
βίντεο: κασέτα) to snarl up, to eat (ανεπ.) ·
(μηχανή: δάχτυλα) to catch
(κ) (= κατακρατώ: κέρμα) to eat
(κα) (= δέχομαι: γκολ, καλάθι) to let in
(κβ) (πρόστιμο, τιμωρία, φυλακή, κάρτα) to
get (κγ) (= εξουδετερώνω: αντίπαλο) to get
out of the way
▷έφαγα όλο το κρύο/όλη τη βροχή I got
bitterly cold/drenched in the rain
▷μ' έχει φάει η στενοχώρια I'm worried sick
▷με τρώει η μύτη μου (= είμαι προκλητικός)
to be looking for trouble
▷να τρώει η μάνα και του παιδιού να μη
δίνει! this is delicious!
▷το αυτοκίνητο/το σπίτι μου τρώει πολλά
λεφτά the car/house eats up all my money
▷πέφτω πάνω σε κπν να τον φάω (οικ.) to
jump down sb's throat
▷τρώω βρίσιμο/κράξιμο to get sworn at/
shouted at
▷τρώω μπουνιές/χαστούκι to get punched/
slapped ή a slap
▷τρώω τον κόσμο ή τη γη to search high and
low
▷τρώω τον περίδρομο to gorge oneself
▷τρώω μια τούμπα/γλίστρα to fall/slip
▸τρώει, τρώνε ΤΡΙΤΟΠΡΟΣ to itch
▸τρώγομαι ΜΕΣΟΠΑΘ (α) (= είμαι φαγώσιμος) to
be edible (β) (= είμαι υποφερτός) to be all
right (γ) (= αξιώνω) to insist
(δ) (= μεμψιμοιρώ) to grumble, to complain
(ε) (= καβγαδίζω) to quarrel
▷δεν τρώγεσαι πια! you're insufferable! · βλ.
κ. φαγωμένος

τσαγερό ΟΥΣ ΟΥΔ = **τσαγιέρα**

τσαγιέρα ΟΥΣ ΘΗΛ teapot

τσαγκάρης ΟΥΣ ΑΡΣ shoemaker

τσαγκαροδευτέρα ΟΥΣ ΘΗΛ (χοροϊδ.) skiving

τσάι ΟΥΣ ΟΥΔ tea

τσακ ΟΥΣ ΟΥΔ ΑΚΛ: **στο τσακ** just in time, in the
nick of time
▷τσακ μπαμ (προφορ.) hey presto

τσακάλι ΟΥΣ ΟΥΔ (α) (ΖΩΟΛ) jackal
(β) (= επιτήδειος) shrewd person (γ) (αρνητ.)
monster

τσακίδια ΟΥΣ ΟΥΔ ΠΛΗΘ: (να πας) στα τσακίδια!
(υβρ.) get out of my sight!

τσακίζω 1 Ρ Μ (α) (κλαδί) to snap · (πλοίο) to
break up (χέρι, πόδι) to break (β) (χαρτί) to
fold (γ) (= καταβάλλω) to take it out of, to
wear down (δ) (εχθρό) to crush (ε) (τούρτα,
κοτόπουλο) to wolf down
2 Ρ ΑΜ (α) (άνεμος, κρύο) to let up
(β) (= καταβάλλομαι) to break down ·
(καρδιά) to break · (υγεία) to fail
▸τσακίζομαι ΜΕΣΟΠΑΘ (α) (πλοίο) to break up
(= τραυματίζομαι βαριά) to hurt oneself
badly (β) (= προθυμοποιούμαι) to bend over
backwards (γ) (οικ.: = εκτελώ πολύ γρήγορα)
to put one's skates on (ανεπ.)
▷τσακίσου να φέρεις το τσάι! bring some tea
and make it snappy! (ανεπ.)
▷τσακίσου! (υβρ.) get lost! (υβρ.)

τσάκιση ΟΥΣ ΘΗΛ (α) (= πτυχή υφάσματος)
crease (β) (παντελονιού) crease · (χαρτιού)
fold

τσάκισμα ΟΥΣ ΟΥΔ (α) (καρπού) breaking
(β) (χαρτιού, σελίδας) folding
(γ) (παντελονιού, φορέματος) crease
(δ) (οργανισμού) breaking · (ηθικού) sapping ·
(αξιοπρέπειας) loss (ε) (κινήματος,
εξέγερσης) crushing

τσακιστός, -ή, -ό ΕΠΙΘ (α) (ελιές) crushed
(β) (γιακάς) turned down
▷δεν έχω δεκάρα τσακιστή not to have a
penny to one's name

τσακμάκι ΟΥΣ ΟΥΔ (α) (= αναπτήρας) lighter
(β) (για πρόσ.) bright spark (ανεπ.)

τσακμακόπετρα ΟΥΣ ΟΥΔ flint

τσακωμός ΟΥΣ ΑΡΣ row

τσακώνω Ρ Μ (α) (= συλλαμβάνω) to catch
(β) (= αρπάζω) to grab
▷τσακώνω κπν στα πράσα to catch sb
red-handed
▸τσακώνομαι ΜΕΣΟΠΑΘ to quarrel · (= τα χαλάω)
to fall out
▷είμαι τσακωμένος με κπν to have fallen out
with sb

τσακωτός, -ή, -ό ΕΠΙΘ: **κάνω κπν τσακωτό** to
catch sb red-handed

τσαλαβουτώ Ρ ΑΜ (α) (= πατώ σε λάσπες) to
flounder · (= πατώ σε νερά) to splash
(β) (= κολυμπώ στα ρηχά) to wade

τσαλακώνω 1 Ρ Μ (α) (φούστα, παντελόνι) to
crease · (χαρτί) to crumple, to screw up
(β) (αυτοκίνητο, λαμαρίνα) to dent
(γ) (αξιοπρέπεια, υπόληψη) to destroy
2 Ρ ΑΜ (ύφασμα) to crease

τσαλαπατώ Ρ Μ (κυριολ., μτφ.) to trample on

τσαλαπετεινός ΟΥΣ ΑΡΣ hoopoe

τσάμικος ΟΥΣ ΑΡΣ folk dance

τσάμπα (ανεπ.) ΕΠΙΡΡ = **τζάμπα**

τσαμπί ΟΥΣ ΟΥΔ *(σταφύλι)* bunch

τσαμπουκαλεύομαι *(αργκ.)* Ρ ΑΜ to turn ugly *(ανεπ.)*

τσαμπουκάς *(αργκ.)* ΟΥΣ ΑΡΣ **(α)** (= *ζοριλίκι*) bullying **(β)** *(για πρόσ.)* bully
▷**πουλάω τσαμπουκά σε κπν** to bully sb

τσαμπουνό Ρ Μ to waffle on about

τσανάκι ΟΥΣ ΟΥΔ: **χωρίζω τα τσανάκια μου με κπν** to split up with sb

τσάντα ΟΥΣ ΘΗΛ *(γενικότ.)* bag · *(γυναικείο αξεσουάρ)* handbag *(Βρετ.)*, purse *(Αμερ.)* · *(μαθητή)* school bag · *(για ψώνια)* shopping bag
▷**μια τσάντα βιβλία** a bagful of books

τσαντίζω Ρ Μ to irritate

τσαντίλα ΟΥΣ ΘΗΛ temper

τσαντίρι ΟΥΣ ΟΥΔ *(τσιγγάνων)* tent

τσάπα ΟΥΣ ΘΗΛ hoe

τσαπατσούλα *(αρνητ.)* ΟΥΣ ΘΗΛ *βλ.* **τσαπατσούλης**

τσαπατσούλης *(αρνητ.)* ΟΥΣ ΑΡΣ slob *(ανεπ.)*

τσαπατσουλιά ΟΥΣ ΘΗΛ (= *έλλειψη τάξης*) slovenliness, untidiness

τσαπερδόνα ΟΥΣ ΘΗΛ minx *(ανεπ.)*

τσαπί ΟΥΣ ΟΥΔ hoe

τσάρκα ΟΥΣ ΘΗΛ *(με τα πόδια)* stroll · *(με μηχανάκι, αυτοκίνητο)* drive, spin
▷**πάω τσάρκα** *(με τα πόδια)* to go for a stroll · *(με μηχανάκι, αυτοκίνητο)* to go for a drive

τσαρλατάνος ΟΥΣ ΑΡΣ con man *(ανεπ.)*

> *Προσοχή!: Ο πληθυντικός του* **con man** *είναι* **con men**.

▷**τσαρλατάνος γιατρός** quack *(ανεπ.)*

τσάρος ΟΥΣ ΑΡΣ *(της Ρωσίας)* tsar

τσαρούχι ΟΥΣ ΟΥΔ *leather shoe with a pompom worn by farmers and shepherds*
▷**κοιμάμαι με τα τσαρούχια** to sleep like a log

τσάρτερ ΟΥΣ ΟΥΔ ΑΚΛ charter
▸**πτήση τσάρτερ** charter flight

τσατίζω Ρ Μ = **τσαντίζω**

τσατίλα ΟΥΣ ΘΗΛ = **τσαντίλα**

τσάτρα-πάτρα ΕΠΙΡΡ **(α)** (= *έτσι κι έτσι*) of a sort **(β)** (= *πρόχειρα*) sloppily

τσατσά ΟΥΣ ΘΗΛ madam

τσατσάρα ΟΥΣ ΘΗΛ comb

τσαχπίνα ΟΥΣ ΘΗΛ *βλ.* **τσαχπίνης**

τσαχπίνης ΟΥΣ ΑΡΣ flirt

τσαχπινιά ΟΥΣ ΘΗΛ flirting *χωρίς πληθ.*

τσεκ ΟΥΣ ΟΥΔ ΑΚΛ cheque *(Βρετ.)*, check *(Αμερ.)*

τσεκάπ, τσεκ-άπ ΟΥΣ ΟΥΔ ΑΚΛ check–up

τσεκάρισμα ΟΥΣ ΟΥΔ check

τσεκάρω Ρ Μ to check

τσεκούρι ΟΥΣ ΟΥΔ axe *(Βρετ.)*, ax *(Αμερ.)*

τσεκουριά ΟΥΣ ΘΗΛ axe *(Βρετ.)* ή ax *(Αμερ.)* blow

τσεκούρωμα *(ανεπ.)* ΟΥΣ ΟΥΔ **(α)** (= *αυστηρή τιμωρία*) harsh punishment **(β)** (= *αυστηρή*

βαθμολόγηση) harsh marking *(Βρετ.)* ή grading *(Αμερ.)* · (= *απόρριψη μαθητών*) failure rate

τσεκουρώνω *(ανεπ.)* Ρ Μ **(α)** (= *τιμωρώ αυστηρά*) to hammer **(β)** (= *βαθμολογώ αυστηρά*) to be a harsh marker *(Βρετ.)* ή grader *(Αμερ.)* · (= *απορρίπτω*) to fail, to flunk *(ανεπ.)*

τσελεμεντές ΟΥΣ ΑΡΣ cookbook, cookery book *(Βρετ.)*

τσέλιγκας ΟΥΣ ΑΡΣ *wealthy sheep farmer*

τσεμπέρι ΟΥΣ ΟΥΔ headscarf

> *Προσοχή!: Ο πληθυντικός του* **headscarf** *είναι* **headscarves**.

τσέπη ΟΥΣ ΘΗΛ pocket
▷**αντέχει η τσέπη μου** I can afford it
▷**βάζω κτ στην τσέπη** to put sth in one's pocket
▷**βάζω το χέρι στην τσέπη** to put one's hand in one's pocket
▷**έχω καβούρια στην τσέπη** *(οικ.)* to be stingy *(ανεπ.)*
▷**έχω κπν στην τσέπη** ή **στο τσεπάκι μου** to have sb in one's pocket
▷**έχω κτ στην τσέπη** ή **στο τσεπάκι μου** to have sth in the bag
▷**πληρώνω (κτ) απ' την τσέπη μου** to pay (for sth) out of one's own pocket

τσεπώνω Ρ Μ *(κυριολ., μτφ.)* to pocket

τσέχα ΟΥΣ ΘΗΛ *βλ.* **Τσέχος**

Τσεχία ΟΥΣ ΘΗΛ Czech Republic

τσεχικός, -η, -ο ΕΠΙΘ Czech

> *Προσοχή!: Τα εθνικά επίθετα, όπως* **Czech***, γράφονται με κεφαλαίο το αρχικό γράμμα στα Αγγλικά.*

▸**Τσεχικά, Τσέχικα** ΟΥΣ ΟΥΔ ΠΛΗΘ Czech

τσέχικος, -η, -ο ΕΠΙΘ = **τσεχικός**

Τσέχος ΟΥΣ ΑΡΣ Czech

τσιγαρίζω Ρ Μ **(α)** *(κρεμμύδια, κρέας, λαχανικά)* to brown **(β)** *(μτφ.)* to torment

τσιγαριλίκι ΟΥΣ ΟΥΔ joint

τσιγάρισμα ΟΥΣ ΟΥΔ **(α)** (= *καβούρντισμα*) browning **(β)** *(μτφ.)* tormenting

τσιγαρλίκι ΟΥΣ ΟΥΔ = **τσιγαριλίκι**

τσιγάρο ΟΥΣ ΟΥΔ **(α)** (= *λεπτό κυλινδρικό χαρτί με καπνό*) cigarette **(β)** (= *αποτσίγαρο*) (cigarette) butt **(γ)** (= *κάπνισμα*) smoking
▷**ένα πακέτο με τσιγάρα** a packet of cigarettes
▷**κάνω ένα τσιγάρο** to have a cigarette
▷**κόβω το τσιγάρο** to give up smoking
▸**τσιγάρα** ΠΛΗΘ cigarettes

τσιγαροθήκη ΟΥΣ ΘΗΛ **(α)** (= *ταμπακιέρα*) cigarette case **(β)** *(καταχρ.: = σταχτοδοχείο)* ashtray

τσιγαρόχαρτο ΟΥΣ ΟΥΔ **(α)** (= *χαρτί τυλίγματος καπνού*) cigarette paper **(β)** (= *χαρτί για σχέδιο*) tissue paper

Τσιγγάνα ΟΥΣ ΘΗΛ *βλ.* **Τσιγγάνος**

Τσιγγάνος ΟΥΣ ΑΡΣ Gipsy

τσιγγουνεύομαι Ρ Μ ΑΠΟΘ (*λεφτά*) to be mean with · (*νερό, φαγητό, βενζίνη*) to stint on · (*λόγια*) to be sparing with

τσιγγούνης, -α, -ικο ① ΕΠΙΘ mean, miserly ② ΟΥΣ miser, skinflint (*ανεπ.*)

τσιγγουνιά ΟΥΣ ΘΗΛ meanness, stinginess

τσιγκέλι ΟΥΣ ΟΥΔ (α) (*για κρέμασμα κρεάτων*) meat hook (β) (*για ανέλκυση αντικειμένων*) hook
▷**τα βγάζω κποιου με το τσιγκέλι** to have to drag it out of sb

τσίγκινος, -η, -ο ΕΠΙΘ (*πιάτο, κουτί*) tin

τσιγκλίζω Ρ Μ = **τσιγκλώ**

τσιγκλώ (*ανεπ.*) Ρ Μ (α) (= *ζώο*) to goad, to prod (β) (*για πρόσωπο*) to needle, to bait

τσιγκογραφία ΟΥΣ ΘΗΛ zincography, offset

τσίγκος ΟΥΣ ΑΡΣ (α) (= *ψευδάργυρος*) zinc (β) (ΤΥΠΟΓΡ) printing plate

τσιγκουνεύομαι Ρ Μ ΑΠΟΘ = **τσιγγουνεύομαι**

τσιγκούνης, -α, -ικο ΕΠΙΘ = **τσιγγούνης**

τσιγκουνιά ΟΥΣ ΘΗΛ = **τσιγγουνιά**

τσίκνα ΟΥΣ ΘΗΛ smell of burning meat

τσικνίζω ① Ρ Μ (α) (*φαγητό*) to burn (β) (= *τσιγαρίζω*) to brown ② Ρ ΑΜ (α) (= *βγάζω τσίκνα*) to smell burnt (β) (= *εορτάζω την Τσικνοπέμπτη*) to eat grilled meat

Τσικνοπέμπτη ΟΥΣ ΘΗΛ Pancake Day

τσικό ΟΥΣ ΟΥΔ ΑΚΛ junior team

τσικουδιά ΟΥΣ ΘΗΛ raki

τσιλημπουρδίζω (*οικ.*) Ρ ΑΜ to fool around (*ανεπ.*)

τσίλι ΟΥΣ ΟΥΔ ΑΚΛ chilli (*Βρετ.*), chili (*Αμερ.*)

τσίλια (*οικ.*) ΟΥΣ ΘΗΛ ΠΛΗΘ: **κρατάω ή φυλάω τσίλιες** to be on the lookout
▷**είμαι στην τσίλια** (*αργκ.*) to be on the alert

τσίμα-τσίμα ΕΠΙΡΡ (α) (= *άκρη-άκρη*) on the very edge (β) (= *μόλις που*) only just

τσιμεντάρω Ρ Μ to cement

τσιμεντένιος, -ια, -ιο ΕΠΙΘ concrete

τσιμέντο ΟΥΣ ΟΥΔ cement

τσιμεντοβιομηχανία ΟΥΣ ΘΗΛ cement industry

τσιμεντόλιθος ΟΥΣ ΑΡΣ breeze block (*Βρετ.*), cinder block (*Αμερ.*)

τσιμουδιά ΟΥΣ ΘΗΛ whisper
▷**δεν βγάζω τσιμουδιά** to not say a word
▷**μη σου ξεφύγει τσιμουδιά** don't breathe a word
▷**τσιμουδιά!** I don't want to hear a word!

τσίμπημα ΟΥΣ ΟΥΔ (α) (*σφήκας*) sting · (*κουνουπιού*) bite · (*βελόνας*) prick (β) (*με τα δάχτυλα*) pinch (γ) (= *πόνος*) pain

τσιμπηματιά ΟΥΣ ΘΗΛ (α) (= *τσίμπημα: σφήκας*) sting · (*κουνουπιού*) bite · (*βελόνας*) prick · (*με τα δάχτυλα*) pinch (β) (= *σημάδι από τσίμπημα*) bite mark · (*από τα δάχτυλα*) pinch mark

τσιμπημένος, -η, -ο ΕΠΙΘ (α) (= *ερωτευμένος*) smitten (β) (= *ακριβός*) pricey

τσιμπίδα ΟΥΣ ΘΗΛ (= *λαβίδα*) tongs ΠΛΗΘ · (*για τη φωτιά*) poker
▷**η τσιμπίδα του νόμου** the long arm of the law

τσιμπιδάκι ΟΥΣ ΟΥΔ (*για τα φρύδια*) tweezers ΠΛΗΘ · (*για τα μαλλιά*) hair clip

τσίμπλα ΟΥΣ ΘΗΛ sleep
▷**είμαι ακόμα με την τσίμπλα στο μάτι** (*οικ.*) to be bleary-eyed

τσιμπλιάζω Ρ ΑΜ: **τσίμπλιασαν τα μάτια μου** I've got sleep in my eyes

τσιμπολογώ ① Ρ ΑΜ to nibble ② Ρ Μ to nibble (at)

τσιμπούκι ΟΥΣ ΟΥΔ (α) (= *είδος πίπας*) pipe (β) (*χυδ.*) blow job (*χυδ.*)

τσιμπούρι ΟΥΣ ΟΥΔ tick
▷**γίνομαι τσιμπούρι (σε κπν)** to be a pain in the neck

τσιμπούσι ΟΥΣ ΟΥΔ feast

τσιμπώ ① Ρ ΑΜ (α) (*ψάρια*) to bite (β) (= *τρώω λίγο*) to peck at one's food ② Ρ Μ (α) (*με τα δάχτυλα*) to pinch (β) (*σφήγγα*) to sting · (*κουνούπι*) to sting · (*με καρφίτσα, βελόνα*) to prick (γ) (*πουλί: καλαμπόκι, κανναβούρι*) to peck at (δ) (= *συλλαμβάνω*) to nab (*ανεπ.*), to nick (*Βρετ.*) (*ανεπ.*)
▷**τσιμπώ χρήματα από κπν** to get money off sb
▷**τσιμπάς σαν το πουλί** you eat like a bird
▶**τσιμπιέμαι** ΜΕΣΟΠΑΘ (= *ερωτεύομαι*) to be smitten
▷**τσιμπιέμαι για κπν** to fall for sb

τσίνορο ΟΥΣ ΟΥΔ eyelash

τσινώ Ρ ΑΜ (α) (*για ζώα*) to kick out (β) (*για πρόσ.*) to get irritated

τσίου-τσίου ΟΥΣ ΟΥΔ ΑΚΛ chirruping

τσιπ ΟΥΣ ΟΥΔ ΑΚΛ (ΤΕΧΝΟΛ) chip

τσίπα (*ανεπ.*) ΟΥΣ ΘΗΛ (= *ντροπή*) shame

τσιπούρα ΟΥΣ ΘΗΛ bream

τσίπουρο ΟΥΣ ΟΥΔ raki

τσιράκι ΟΥΣ ΟΥΔ (*αρνητ.*) underling

τσίριγμα ΟΥΣ ΟΥΔ shriek, scream

τσιρίζω Ρ ΑΜ to shriek, to scream

τσιριμόνια ΟΥΣ ΘΗΛ: **κάνω τσιριμόνιες σε κπν** to dance attendance on sb

τσιριχτός, -ή, -ό ΕΠΙΘ (*κλάμα, φωνή*) high-pitched

τσίρκο ΟΥΣ ΟΥΔ circus
▷**καταντώ τσίρκο** to end up looking like a fool

τσίρλα ΟΥΣ ΘΗΛ: **με πάει τσίρλα** to have the runs (*ανεπ.*) ή trots (*ανεπ.*)

τσιρόνι ΟΥΣ ΟΥΔ bleak

τσίρος ΟΥΣ ΑΡΣ (α) (= *αποξηραμμένο σκουμπρί*) dried mackerel (β) (*για πρόσ.*) skinny person, bag of bones (*ανεπ.*)

τσιρότο ΟΥΣ ΟΥΔ (sticking) plaster (*Βρετ.*), Band–Aid ® (*Αμερ.*)

τσίσα ΟΥΣ ΟΥΔ ΠΛΗΘ wee–wee

τσίτα¹ ΟΥΣ ΘΗΛ (= *μαϊμού*) monkey

τσίτα² ΕΠΙΡΡ: **το παντελόνι σού πάει τσίτα** your trousers are too tight
▷ **φορώ κτ τσίτα** to wear sth figure–hugging
▷ **τσίτα-τσίτα** barely, only just

τσιτάχ ΟΥΣ ΟΥΔ ΑΚΛ cheetah

τσιτσίδι ΕΠΙΡΡ in the nude, in the buff (*ανεπ.*)

τσίτσιδος, -η, -ο ΕΠΙΘ stark naked

τσιτσιδώνομαι Ρ ΑΜ to strip naked

τσιτσιρίζω Ρ ΑΜ (*κρέας*) to sizzle

τσιτωμένος, -η, -ο ΕΠΙΘ tense

τσιτώνω Ρ Μ (α) (*σκοινί*) to tighten · (*δέρμα, επιδερμίδα, πόδια*) to stretch (β) (= *πιέζω*) to push

τσιφ ΟΥΣ ΟΥΔ ΑΚΛ CIF, c.i.f.

τσιφλικάς ΟΥΣ ΑΡΣ (*παλαιότ.*) squire

τσιφλίκι ΟΥΣ ΟΥΔ (α) (*παλαιότ.*) estate (β) (*μτφ.*) property

τσιφούτα ΟΥΣ ΘΗΛ *βλ.* **τσιφούτης**

τσιφούτης ΟΥΣ ΑΡΣ skinflint (*ανεπ.*)

τσίφτης ΟΥΣ ΑΡΣ genius, star (*ανεπ.*)

τσίφτισσα ΟΥΣ ΘΗΛ *βλ.* **τσίφτης**

τσίχλα¹ ΟΥΣ ΘΗΛ (*μαστίχα*) (chewing) gum

τσίχλα² ΟΥΣ ΘΗΛ (*ωδικό πτηνό*) thrush
▷ **είναι τσίχλα** (*μτφ.*) he's/she's as thin as a rake

τσογλάνι (*υβρ.*) ΟΥΣ ΟΥΔ son–of–a–bitch (*χυδ.*)

τσοκ ΟΥΣ ΟΥΔ ΑΚΛ (*σε οχήματα*) choke

τσόκαρο ΟΥΣ ΟΥΔ (α) (= *ξύλινο πέδιλο*) clog (β) (*υβρ.: για γυναίκα*) slut (*χυδ.*)

τσόλι ΟΥΣ ΟΥΔ (α) (= *κουρέλι*) tattered blanket (β) (*υβρ.*) low life (*χυδ.*)

τσολιάς ΟΥΣ ΑΡΣ evzone (*soldier in an elite infantry regiment*)

τσόντα ΟΥΣ ΘΗΛ (α) (= *προσθήκη υφάσματος*) additional length of material (β) (= *συμπλήρωμα*) addition (γ) (= *πορνό ταινία*) blue movie (δ) (= *σκηνή πορνό*) pornographic scene

τσοντάρω Ρ Μ (α) (= *προσθέτω τσόντα*) to add on (β) (*λεφτά*) to contribute

τσοπάνης, τσοπάνος ΟΥΣ ΑΡΣ shepherd

τσοπανόσκυλο ΟΥΣ ΟΥΔ sheepdog

τσόπερ ΟΥΣ ΟΥΔ ΑΚΛ (*μοτοσυκλέτα*) chopper

τσουβάλι ΟΥΣ ΟΥΔ (α) (= *σάκος*) sack (β) (= *περιεχόμενο σάκου*) sack(ful)
▷ **με το τσουβάλι** (*για έμφαση*) by the bucketful
▷ **το φόρεμα είναι τσουβάλι πάνω σου** that dress looks like a sack on you

τσουβαλιάζω Ρ Μ (α) (= *σακιάζω*) to put in sacks (β) (*ανεπ.*: = *συλλαμβάνω*) to nab (*ανεπ.*), to nick (*Βρετ.*) (*ανεπ.*)

τσουγκράνα ΟΥΣ ΘΗΛ rake

τσουγκρίζω ① Ρ Μ (*ποτήρια*) to clink, to chink · (*αβγά*) to crack

② Ρ ΑΜ to collide, to crash into each other
▷ **τα τσουγκρίζω με κπν** (*ανεπ.*) to fall out with sb

τσούγκρισμα ΟΥΣ ΟΥΔ (*αβγών*) cracking · (*ποτηριών*) clink, chink · (*αυτοκινήτων*) collision, crash

τσούζω ① Ρ ΑΜ (α) (*μάτια*) to sting, to smart (β) (*αέρας*) to be bitterly cold (γ) (*λόγια, αλήθεια*) to hurt (δ) (*τιμές*) to be high
② Ρ Μ (*κυριολ., μτφ.*) to hurt
▷ **το κρύο τσούζει** it's bitterly cold
▷ **το ή τα τσούζω** (*οικ.*) to be fond of the bottle

τσουκάλι ΟΥΣ ΟΥΔ earthenware pot

τσουκνίδα ΟΥΣ ΘΗΛ nettle

τσούλα ΟΥΣ ΘΗΛ (α) (= *πόρνη*) tart (*χυδ.*) (β) (= *ανήθικη γυναίκα*) tramp (*ανεπ.*), slut (*χυδ.*)

τσουλήθρα ΟΥΣ ΘΗΛ slide
▷ **κάνω τσουλήθρα** to play on the slide

τσουλί ΟΥΣ ΟΥΔ *βλ.* **τσούλα**

τσουλούφι ΟΥΣ ΟΥΔ tuft (of hair)

τσουλώ ① Ρ Μ (= *σπρώχνω*) to push
② Ρ ΑΜ (α) (= *γλιστρώ*) to slide down (β) (*αυτοκίνητο, τρένο*) to trundle along (γ) (*υπόθεση, ζήτημα*) to be in hand · (*εκπομπή, προϊόν*) to be popular

τσούξιμο ΟΥΣ ΟΥΔ sting

τσουρέκι ΟΥΣ ΟΥΔ brioche

τσούρμο ΟΥΣ ΟΥΔ (α) (= *πλήθος ανθρώπων*) crowd (β) (*παλαιότ.*: = *πλήρωμα καραβιού*) crew
▷ **ένα τσούρμο παιδιά** a crowd of children
▷ **μπαίνω τσούρμο σε κτ** to troop into sth

τσουρουφλίζω Ρ Μ (α) (*μαλλιά*) to singe · (*δέρμα*) to burn (β) (= *προξενώ κακό*) to sting (*ανεπ.*)
► **τσουρουφλίζομαι** ΜΕΣΟΠΑΘ to get burnt

τσουτσούνι (*οικ.*) ΟΥΣ ΟΥΔ (α) (*για παιδιά*: = *πέος*) willy (*Βρετ.*) (*ανεπ.*), peter (*Αμερ.*) (*ανεπ.*) (β) (*υβρ.*) prick (*χυδ.*)

τσουχτερός, -ή, -ό ΕΠΙΘ (α) (*άνεμος*) biting, bitterly cold (β) (*λόγια, παρατήρηση, τόνος*) scathing (γ) (*τιμές, λογαριασμός, πρόστιμο*) steep
▷ **κάνει τσουχτερό κρύο, το κρύο είναι τσουχτερό** it's bitterly cold

τσούχτρα ΟΥΣ ΘΗΛ (α) (= *μέδουσα*) jellyfish

Προσοχή!: Ο πληθυντικός του **jellyfish** *είναι* **jellyfish**.

(β) (*για πρόσ.*) person with a scathing tongue

τσόφλι ΟΥΣ ΟΥΔ (*αβγού*) (egg)shell · (*καρπού*) shell · (*φρούτων*) skin, peel

τσόχα ΟΥΣ ΘΗΛ (α) (= *μάλλινο ύφασμα*) felt (β) (= *πράσινο ύφασμα χαρτοπαιξίας*) baize (γ) (= *χαρτοπαιξία*) cards *πληθ.*, gambling

τυγχάνω (*επίσ.*) Ρ ΑΜ (α) (= *είμαι*) +*κατηγορ./ κατηγορημ. μτχ.* to happen to be (β) (= *μου συμβαίνει*) +*γεν.* (*προσοχής, υποστήριξης*) to have· (συγνώμης) to receive· (θεραπείας) to undergo

τύλιγμα ΟΥΣ ΟΥΔ **(α)** (σκοινιού) coiling· (κλωστής, καλωδίου, φιλμ, πετονιάς) winding **(β)** (χάρτη, αφίσας) rolling up **(γ)** (δώρου, τροφίμων) wrapping **(δ)** (= συσκευασία) wrapping paper, wrap **(ε)** (μαλλιών) putting in rollers **(στ)** (= ξεγέλασμα) taking in **(ζ)** (στις φλόγες) engulfing

τυλίγω Ρ Μ **(α)** (σύρμα, σκοινί) to coil, to wind· (κλωστή, καλώδιο, φιλμ, πετονιά) to wind **(β)** (χαλί, χάρτη, αφίσα) to roll up **(γ)** (δώρο, τρόφιμα, πόδι, πίτες) to wrap **(δ)** (μαλλιά) to put in rollers **(ε)** (ομίχλη, φλόγες) to engulf **(στ)** (= ξεγελώ) to take in ▷**τυλίγω κπν στην αγκαλιά μου** to wrap one's arms around sb

▸**τυλίγομαι** ΜΕΣΟΠΑΘ **(α)** (= περιστρέφομαι: φιλμ, καλώδιο, νήματα) to wind **(β)** (= μαζεύομαι: γάτα, λιοντάρι, σκαντζόχοιρος) to curl up **(γ)** (στη γούνα, στο παλτό, με κουβέρτες) to wrap oneself up **(δ)** (= καλύπτομαι) to be engulfed

τυλώνω (οικ.) Ρ Μ: **την τύλωσα** I stuffed myself (ανεπ.)

τύμβος ΟΥΣ ΑΡΣ **(α)** (ΑΡΧΑΙΟΛ) tomb· (προϊστορικός) barrow **(β)** (= μνημείο) memorial

τυμβωρυχία ΟΥΣ ΘΗΛ tomb raiding

τυμβωρύχος ΟΥΣ ΑΡΣ tomb raider

τυμπανισμός ΟΥΣ ΑΡΣ (ΙΑΤΡ) flatulence

τυμπανιστής ΟΥΣ ΑΡΣ drummer

τυμπανίστρια ΟΥΣ ΘΗΛ βλ. **τυμπανιστής**

τύμπανο ΟΥΣ ΟΥΔ **(α)** (ΜΟΥΣ) drum **(β)** (ΑΝΑΤ) eardrum

τυμπανοκρουσίες ΟΥΣ ΘΗΛ ΠΛΗΘ fanfare εν.

Τυνησία ΟΥΣ ΘΗΛ Tunisia

τυπάς (αργκ.) ΟΥΣ ΑΡΣ character

τυπικό ΟΥΣ ΟΥΔ **(α)** (ΘΡΗΣΚ) ritual **(β)** (γιορτής, εκδήλωσης) convention

τυπικός, -ή, -ό ΕΠΙΘ **(α)** (συμφωνία, ενέργεια) formal· (διαδικασία) established **(β)** (σύμπτωμα, γνώρισμα, χαρακτηριστικά) typical **(γ)** (περίπτωση, παράδειγμα, εκδήλωση αδιαφορίας) typical· (χριστουγεννιάτικο έθιμο) traditional, established **(δ)** (= που ακολουθεί τους κανονισμούς) particular (se about) **(ε)** (επικύρωση, προσόντα) formal **(στ)** (μορφές επικοινωνίας, γνωριμία, ευγένεια) formal· (χαμόγελο, χαιρετισμός, συζήτηση) stiff **(ζ)** (= επιφανειακός: έρευνα, έλεγχος) perfunctory· (διαδικασία) routine **(η)** (γλώσσα) formal ▷**είμαι πολύ τυπικός** (= ακολουθώ τους κοινωνικούς τύπους) to be very courteous, to observe the proprieties (επίσ.) ▷**είμαι (πολύ) τυπικός σε κτ** to be (very) particular about sth ▸**τυπική φιλοφρόνηση** pleasantry

τυπικότητα ΟΥΣ ΘΗΛ **(α)** (διαδικασίας) formality· (απόφασης, προσόντων) formal

nature **(β)** (συνέπεια) diligence **(γ)** (= συμβατικότητα) convention

τύπισσα (αργκ.) ΟΥΣ ΘΗΛ chick (ανεπ.)

τυπογραφείο ΟΥΣ ΟΥΔ print shop, printer's

τυπογραφία ΟΥΣ ΘΗΛ printing, typography

τυπογραφικός, -ή, -ό ΕΠΙΘ **(α)** (τεχνική) printing· (διόρθωση) typographical **(β)** (μελάνι) printing ▸**τυπογραφικό λάθος** misprint ▸**τυπογραφικό στοιχεία, τυπογραφικός χαρακτήρες** print εν.

τυπογράφος ΟΥΣ ΑΡΣ+ΘΗΛ printer

τυπολατρία ΟΥΣ ΘΗΛ formalism

τυπολογία ΟΥΣ ΘΗΛ typology

τυπολογικός, -ή, -ό ΕΠΙΘ (θεωρία, περιγραφή) typological

τυποποιημένος, -η, -ο ΕΠΙΘ **(α)** (προϊόντα) basic **(β)** (ύφος, έκφραση) unoriginal, common

τυποποίηση ΟΥΣ ΘΗΛ **(α)** (επίσης: ΟΙΚΟΝ) standardization **(β)** (ύφους) unoriginality

τυποποιώ Ρ Μ (επίσης: ΟΙΚΟΝ) to standardize

τύπος ΟΥΣ ΑΡΣ **(α)** (= κατηγορία: ανθρώπων, κοινωνιών, αίματος) type **(β)** (= χαρακτήρας) type **(γ)** (αργκ.: = άτομο) guy (Βρετ.) (ανεπ.) **(δ)** (= ιδιότροπος ή εκκεντρικός) oddball **(ε)** (= πρότυπο: εργαζόμενου) perfect example **(στ)** (= σχέδιο: αιτήσεως, αναφοράς) form **(ζ)** (= καλούπι) mould (Βρετ.), mold (Αμερ.) **(η)** (= καθιερωμένη συμπεριφορά) convention **(θ)** (ΨΥΧΟΛ) type **(ι)** (ΓΛΩΣΣ) form **(ια)** (ΜΑΘ. ΧΗΜ) formula

> *Προσοχή!: Ο πληθυντικός του* **formula** *είναι* **formulas** *ή* **formulae.**

▷**για τους τύπους** for the sake of appearances ▷**είναι ο τύπος μου** he's the man for me ▷**ο τύπος του πολίτη** the model citizen ▷**τηρώ ή κρατώ τους τύπους** to observe convention ▷**τι τύπος είναι αυτός ο άνθρωπος;** what kind of person is he?, what's he like? ▸**Τύπος** ΟΥΣ ΑΡΣ: **ο Τύπος** the press ▸**εκπρόσωπος του Τύπου** journalist ▸**εκπρόσωπος Τύπου** press agent ▸**κίτρινος Τύπος** gutter press (Βρετ.), scandal sheets (Αμερ.) ▸**πρακτορείο Τύπου** press agency ▸**συνέντευξη Τύπου** press conference ▸**υπουργός Τύπου** press minister

τύπωμα ΟΥΣ ΟΥΔ printing

τυπώνω Ρ Μ to print ▷**τυπώνω κτ στο μυαλό μου** ή **στον νου μου** to take sth on board

τυραννισμένος, -η, -ο ΕΠΙΘ = **τυραννισμένος**

τυραγνώ Ρ Μ = **τυραννώ**

τυραννία ΟΥΣ ΘΗΛ **(α)** (γενικότ.) tyranny **(β)** (= βάσανο) torture, torment

τυραννίδα ΟΥΣ ΘΗΛ dictatorship

τυραννικός, -ή, -ό ΕΠΙΘ (α) (*εξουσία, πολίτευμα*) tyrannical (β) (*συναίσθημα, αγάπη*) tortured · (*μέτρα*) oppressive · (*άτομο, συμπεριφορά*) tyrannical · (*συνήθεια*) addictive

τυραννισμένος, -η, -ο ΕΠΙΘ tortured

τύραννος ΟΥΣ ΑΡΣ (= *δικτάτορας*) dictator (β) (= *καταπιεστικός άνθρωπος*) tyrant (γ) (*στην αρχαιότητα*) tyrant

τυραννώ ① P M to torment
② P AM to be a tyrant
► **τυραννιέμαι** ΜΕΣΟΠΑΘ to torture oneself

τυρβάζω (*επίσ.*) P AM: **τυρβάζω περί άλλων** to make a show of doing other things
▷ **τυρβάζω περί πολλών** to spread oneself thin

τυρέμπορος ΟΥΣ ΑΡΣΘΗΛ cheese merchant

τυρί ΟΥΣ ΟΥΔ (α) (= *γαλακτοκομικό προϊόν*) cheese (β) (*μειωτ.*) yokel

τυριέρα ΟΥΣ ΘΗΛ cheese plate

Τυρινή ΟΥΣ ΘΗΛ: **Κυριακή της Τυρινής** Quinquagesima (Sunday), *Sunday before Ash Wednesday, at the beginning of Lent*

τυρόγαλα, τυρόγαλο ΟΥΣ ΟΥΔ whey

τυροκαυτερή ΟΥΣ ΘΗΛ *spicy cheese and onion salad*

τυροκομείο ΟΥΣ ΟΥΔ dairy

τυροκομία ΟΥΣ ΘΗΛ cheese making

τυροκομικός, -ή, -ό ΕΠΙΘ (*προϊόντα*) dairy

τυροκόμος ΟΥΣ ΑΡΣΘΗΛ cheese–maker

τυροκομώ P AM to make cheese

τυροκροκέτα ΟΥΣ ΘΗΛ cheese croquette

Τυρόλο ΟΥΣ ΟΥΔ Tyrol

τυρόπιτα ΟΥΣ ΘΗΛ cheese pie

τυροπιτάδικο ΟΥΣ ΟΥΔ shop selling cheese pies

τυροσαλάτα ΟΥΣ ΘΗΛ cheese salad

Τυροφάγος ΟΥΣ ΘΗΛ: **Κυριακή της Τυροφάγου** last Sunday before Lent

τύρφη ΟΥΣ ΘΗΛ peat

τυφεκιοφόρος ΟΥΣ ΑΡΣ rifleman

Προσοχή!: Ο πληθυντικός του **rifleman** *είναι* **riflemen.**

τύφλα ΟΥΣ ΘΗΛ blindness
▷ **δεν βλέπω την τύφλα μου** to be as blind as a bat
▷ **τύφλα να 'χει ο Πελέ μπροστά σου** Pele isn't a patch on you
▷ **τύφλα (στο μεθύσι)** blind drunk, as drunk as a skunk

τυφλόμυγα ΟΥΣ ΘΗΛ blind man's buff

τυφλοπόντικας ΟΥΣ ΑΡΣ (ΖΩΟΛ) mole

τυφλός, -ή, -ό ΕΠΙΘ (α) (= *στραβός*) blind (β) (*παράθυρο*) that opens inwards (γ) (*πάθος, έρωτας*) blinding · (*φανατισμός*) blind · (*βία*) indiscriminate (δ) (*υπακοή, πίστη*) blind · (*πεποίθηση*) absolute · (*εμπιστοσύνη*) implicit (ε) (*μπαλιά*) wild · (*χτύπημα οργάνωσης, παραπομπή*)

indiscriminate (στ) (*όργανο*) unwitting
▷ **η δικαιοσύνη είναι τυφλή** justice is blind
▷ **ο έρωτας είναι τυφλός** love is blind
▷ **στα τυφλά** in the dark
► **ραντεβού στα τυφλά** blind date
► **τυφλός δρόμος** blind alley, dead end
► **τυφλός** ΟΥΣ ΑΡΣ, **τυφλή** ΟΥΣ ΘΗΛ blind person

τυφλοσούρτης ΟΥΣ ΑΡΣ crib sheet

τυφλώνω P M (α) (= *στραβώνω*) to blind (β) (*φλας, ήλιος, προβολείς*) to dazzle, to blind (γ) (*πόθος, ζήλεια, θυμός, έρωτας*) to blind · (*χρήμα*) to dazzle
► **τυφλώνομαι** ΜΕΣΟΠΑΘ (α) (= *στραβώνομαι*) to go blind (β) (*από προβολείς, τον ήλιο*) to be dazzled *ή* blinded

τύφλωση ΟΥΣ ΘΗΛ (*κυριολ., μτφ.*) blindness

τυφοειδής, -ής, -ές ΕΠΙΘ: **τυφοειδής πυρετός** typhoid (fever)

τύφος ΟΥΣ ΑΡΣ typhus

τυφώνας ΟΥΣ ΑΡΣ typhoon

τυχαίνω P AM (α) (= *συμβαίνω τυχαία*) to chance by (β) (*παράξενα γεγονότα*) to happen
▷ **μου τυχαίνει** (*δουλειά*) to come by · (*ευκαιρία*) to get, to have · (*λαχείο*) to win · (*πρόβλημα*) to have
▷ **όλο αναποδιές μου τυχαίνουν** I've had nothing but bad luck
▷ **του έτυχαν πολλές ατυχίες στη ζωή του** he's had many misfortunes *ή* setbacks in his life
► **τυχαίνει** ΑΠΡΟΣ: **τυχαίνει να την ξέρω** I happen to know her
▷ **έτυχε να απουσιάζω** I happened to be away

τυχαίος, -α, -ο ΕΠΙΘ (α) (*συνάντηση*) chance · (*γεγονός*) chance, fortuitous · (*επιλογή, αριθμός*) random · (*γνωριμία*) casual (β) (= *ασήμαντος*) ordinary
▷ **γνωριστήκαμε από ένα τυχαίο περιστατικό** we met by chance

τυχάρπαστος, -η, -ο ΕΠΙΘ opportunistic

τυχεράκιας (*οικ.*) ΟΥΣ ΑΡΣ lucky devil (*ανεπ.*)

τυχερό ΟΥΣ ΟΥΔ destiny
▷ **ήταν (το) τυχερό (μου) να κάνω κτ** to be destined to do sth
► **τυχερά** ΠΛΗΘ (*επαγγέλματος*) perks · (= *φιλοδωρήματα*) tips

τυχερός, -ή, -ό ΕΠΙΘ lucky
▷ **στάθηκα τυχερός σε κτ** to have been lucky in sth
▷ **το τρία είναι ο τυχερός μου αριθμός** three is my lucky number
▷ **τυχερός στα χαρτιά/στην αγάπη** lucky at cards/in love
► **τυχερά παιχνίδια** games of chance

τύχη ΟΥΣ ΘΗΛ (α) (= *μοίρα*) fate (β) (= *καλή τύχη*) luck (γ) (= *σύμπτωση γεγονότων*) luck
▷ **αν έχεις τύχη διάβαινε (και ριζικό περπάτει)** (*παροιμ.*) luck assures success
▷ **για καλή μου τύχη** fortunately
▷ **για κακή μου τύχη** unfortunately
▷ **είναι απλώς θέμα τύχης** it's just a matter of

luck
▷**έχω τύχη βουνό** to have the luck of the devil
▷**κακή τύχη** bad luck, misfortune
▷**καλή τύχη!** (*ευχή*) good luck!
▷**κατά τύχη** by chance
▷**στην τύχη** at random
▶**τύχες** ΠΛΗΘ fortunes

τυχοδιώκτης ΟΥΣ ΑΡΣ opportunist
τυχοδιωκτικός, -ή, -ό ΕΠΙΘ opportunistic
τυχοδιωκτισμός ΟΥΣ ΑΡΣ opportunism
τυχοδιώκτρια ΟΥΣ ΘΗΛ *βλ.* **τυχοδιώκτης**
τυχόν ΕΠΙΡΡ by any chance
▷**μην τυχόν και** in case
▷**τυχόν** +*ουσ.* any
τυχόντας ΟΥΣ ΑΡΣ anybody· *βλ. κ.* **τυχών**
τυχών, -ούσα, -όν ΕΠΙΘ anybody
▷**ο πρώτος τυχών** just anybody
τύψη ΟΥΣ ΘΗΛ remorse *χωρίς πληθ.*
τώρα ΕΠΙΡΡ (α) (= *αυτή τη στιγμή, αμέσως*) now (β) (= *αυτόν τον καιρό*) at the moment,

for now (γ) (= *σε αυτή την περίπτωση*) then
▷**από τώρα** from now on
▷**από τώρα;** already?
▷**έλα εδώ, τώρα!** come here right now!
▷**έλα τώρα!** come on!
▷**(και) τώρα τι κάνουμε;** what shall we do now?
▷**με τι ασχολείσαι τώρα;** what are you doing these days?
▷**μη φωνάζεις, θα έρθω τώρα!** don't shout, I'm coming!
▷**τώρα δα** *ή* **μόλις, μόλις τώρα** just now, this very minute
▷**τώρα δεν σου το είπα;** didn't I tell you?, I told you so
▷**τώρα μάλιστα!** great!
▷**τώρα που** now that
▷**τώρα!** (*ως απάντηση σε προσφώνηση*) all right!

τωρινός, -ή, -ό ΕΠΙΘ (*καιροί, κατάσταση*) present· (*γενιά*) today's· (*εποχή, ζωή*) contemporary· (*δουλειά*) current

T

Υ u

Υ, u upsilon, *20th letter of the Greek alphabet*
▷ υ´ 400
▷ ,υ 400,000

ύαινα ΟΥΣ ΘΗΛ (α) (*ζώο*) hyena (β) (*μτφ.: για πρόσ.*) cruel and cunning person

υάκινθος ΟΥΣ ΑΡΣ hyacinth

υαλοβάμβακας ΟΥΣ ΑΡΣ fiberglass (*Βρετ.*), fiberglass (*Αμερ.*)

υαλογράφημα ΟΥΣ ΟΥΔ stained glass *χωρίς πληθ.*

υαλογραφία ΟΥΣ ΘΗΛ (α) (= *κατασκευή υαλογραφημάτων*) stained glass design (β) (= *υαλογράφημα*) stained glass *χωρίς πληθ.*

υαλοκαθαριστήρας ΟΥΣ ΑΡΣ windscreen wiper (*Βρετ.*), windshield wiper (*Αμερ.*)

υαλοπίνακας ΟΥΣ ΑΡΣ (*επίσ.*) glass pane, window pane

υαλοπωλείο ΟΥΣ ΟΥΔ glassware store

υαλοπώλης ΟΥΣ ΑΡΣ glassware vendor

υαλοπώλισσα ΟΥΣ ΘΗΛ *βλ.* **υαλοπώλης**

υαλουργείο ΟΥΣ ΟΥΔ glassworks *εν.*

υαλουργία ΟΥΣ ΘΗΛ glass–blowing

υαλουργός ΟΥΣ ΑΡΣ&ΘΗΛ glass–blower

υβρεολόγιο ΟΥΣ ΟΥΔ stream of abuse, invective (*επίσ.*)

ύβρη ΟΥΣ ΘΗΛ = **ύβρις**

υβρίδιο ΟΥΣ ΟΥΔ (ΒΙΟΛ, ΓΛΩΣΣ) hybrid

υβρίζω Ρ Μ (*επίσ.*) to insult

ύβρις ΟΥΣ ΘΗΛ (*επίσ.*) (α) (= *βρισιά*) insult, abuse (β) (= *προσβολή*) insult, affront (γ) (*στην αρχαία τραγωδία*) hubris

υβριστής ΟΥΣ ΑΡΣ detractor

υβριστικός, -ή, -ό ΕΠΙΘ (*λόγος, σχόλια*) insulting, offensive · (*γλώσσα*) abusive · (*συμπεριφορά, άρθρο, δημοσίευμα*) offensive

υβρίστρια ΟΥΣ ΘΗΛ *βλ.* **υβριστής**

υγειά ΟΥΣ ΘΗΛ = **υγεία**

υγεία ΟΥΣ ΘΗΛ health
▷ **βρίσκω την υγειά μου** to make life easier for oneself
▷ **έχω καλή υγεία** to be in good health, to be healthy
▷ **έχω σιδερένια υγεία** to have an iron constitution
▷ **εις υγείαν, στην υγειά σας** to your health
▷ **δεν κάνει καλό στην υγεία** it's bad *ή* not good for your health
▷ **με τις υγείες σου/σας!** (= *γείτσες*) bless

you! · (*ευχή σε κπν που έφαγε και ήπιε*) I hope you enjoyed your meal! · (*ειρων.: σε αποτυχόντα*) that's life!
▷ **χαίρω άκρας υγείας** to be in the best of health
▶ **Εθνικό Σύστημα Υγείας (Ε.Σ.Υ.)** public health service, ≈ National Health Service (*Βρετ.*)
▶ **Παγκόσμια Οργάνωση Υγείας (Π.Ο.Υ.)** World Health Organization (WHO)
▶ **Υπουργείο Υγείας** Department *ή* Ministry (*Βρετ.*) of Health

υγειονομικός, -ή, -ό ΕΠΙΘ (*σύστημα, υπηρεσία, αρχές, περίθαλψη, κέντρο*) health · (*επιτροπή, μονάδα, σώμα*) medical · (*έλεγχος, εξέταση*) hygiene
▶ **υγειονομική ταφή** sanitary landfill
▶ **υγειονομικό** ΟΥΣ ΟΥΔ department of health
▶ **υγειονομικός** ΟΥΣ ΑΡΣ health official

υγιαίνω Ρ ΑΜ to be healthy
▷ **υγίαινε!, υγιαίνετε!** (*ευχή*) to your (good) health!, cheers! · (*αποχαιρετισμός*) goodbye!

υγιεινή ΟΥΣ ΘΗΛ hygiene
▶ **προσωπική υγιεινή** personal hygiene
▶ **υγιεινή τροφίμων** food hygiene
▶ **υγιεινή των δοντιών** dental hygiene
▶ **είδη υγιεινής** bathroom fittings

υγιεινός, -ή, -ό ΕΠΙΘ (*τροφή, κλίμα, περιβάλλον*) healthy · (*διαβίωση*) hygienic, sanitary

υγιής, -ής, -ές ΕΠΙΘ (*γενικότ.*) healthy · (*πνευματικά*) sane, of sound mind · (*μτφ.: οικονομία, επιχείρηση*) healthy, sound

υγραέριο ΟΥΣ ΟΥΔ liquid gas

υγραίνω Ρ Μ (*χείλη, γλώσσα*) to moisten · (*ρούχα*) to dampen
▶ **υγραίνομαι** ΜΕΣΟΠΑΘ (*μάτια*) to grow moist · (*ρούχα*) to get damp

ύγρανση ΟΥΣ ΘΗΛ (*υλικού, υφάσματος*) getting damp · (*ματιών*) growing moist

υγρασία ΟΥΣ ΘΗΛ (α) (ΜΕΤΕΩΡ) damp *ή* wet weather · (*με ζέστη*) humidity (β) (*δωματίου, σπιτιού*) dampness (γ) (= *σταγονίδια νερού*) moisture · (*τοίχου*) damp · (*στα παράθυρα*) condensation

υγρό ΟΥΣ ΟΥΔ (α) (ΦΥΣ) liquid, fluid (β) (ΦΥΣΙΟΛ) fluid
▶ **γαστρικό υγρό** gastric juice

υγροποιώ Ρ Μ to liquefy

υγρός, -ή, -ό ΕΠΙΘ (α) (*τροφή, διάλυμα*,

καύσμα) liquid (β) (*κλίμα, δωμάτιο, σεντόνια, πανί*) damp (γ) (*μέρος, χώρα*) wet · (*μάτια*) moist
▷**υγρός τάφος** watery grave
▸**υγρά σύμφωνα** (ΓΛΩΣΣ) liquids
▸**υγρός στίβος** swimming events
υδαταγωγός ΟΥΣ ΑΡΣ water main
υδατάνθρακας ΟΥΣ ΑΡΣ carbohydrate
υδατικός, -ή, -ό ΕΠΙΘ (*συστατικά*) water
▸**υδατική κρέμα** moisturizing cream, moisturizer
υδάτινος, -η, -ο ΕΠΙΘ (α) (*όγκος*) of water · (*αποθέματα, ορίζοντας*) water (β) (*βαφή, διάλυμα*) water–based (γ) (*μτφ.*: *γραμμή*) faint
υδατογράφημα ΟΥΣ ΟΥΔ (ΤΕΧΝΟΛ) watermark
υδατογραφία ΟΥΣ ΘΗΛ watercolour (*Βρετ.*), watercolor (*Αμερ.*)
υδατοκαλλιέργεια ΟΥΣ ΘΗΛ (*για υδρόβια ζώα*) aquaculture · (*για φυτά*) hydroponics εν.

Προσοχή!: Αν και το hydroponics *φαίνεται ως τύπος πληθυντικού, είναι ουσιαστικό μόνο στον ενικό και συντάσσεται με ρήμα στον ενικό.*

υδατόπτωση ΟΥΣ ΘΗΛ waterfall
υδατοστεγής, -ής, -ές ΕΠΙΘ waterproof, watertight
υδατόσφαιρα ΟΥΣ ΘΗΛ (ΑΘΛ) = **υδατοσφαίριση**
υδατοσφαίριση ΟΥΣ ΘΗΛ (ΑΘΛ) water polo
υδατοσφαιριστής ΟΥΣ ΑΡΣ water polo player
υδατοσφαιρίστρια ΟΥΣ ΘΗΛ *βλ.* **υδατοσφαιριστής**
υδατοφράκτης ΟΥΣ ΑΡΣ (*καναλιού*) sluice (gate) · (*ποταμού*) floodgate
υδραγωγείο ΟΥΣ ΟΥΔ (α) (= *δεξαμενή νερού*) reservoir (β) (= *σύστημα ύδρευσης ή άρδευσης*) water mains *πληθ.*
υδραγωγός ΟΥΣ ΑΡΣ water pipe
υδραντλία ΟΥΣ ΘΗΛ water pump
υδράργυρος ΟΥΣ ΑΡΣ mercury, quicksilver
▷**ανεβαίνει/κατεβαίνει ο υδράργυρος** (*κυριολ.*) the temperature is rising/falling · (*μτφ.*) things are hotting up/cooling down
υδρατμός ΟΥΣ ΑΡΣ steam *χωρίς πληθ.*
υδραυλική ΟΥΣ ΘΗΛ hydraulics εν.

Προσοχή!: Αν και το hydraulics *φαίνεται ως τύπος πληθυντικού, είναι ουσιαστικό μόνο στον ενικό και συντάσσεται με ρήμα στον ενικό.*

υδραυλικός, -ή, -ό ΕΠΙΘ (α) (*σωλήνας*) water (β) (*πιεστήριο, σύστημα, φρένα, ανελκυστήρας*) hydraulic
▸**υδραυλική εγκατάσταση** plumbing *χωρίς πληθ.*
▸**υδραυλικός** ΟΥΣ ΑΡΣ (= *τεχνίτης*) plumber · (= *μηχανικός*) hydraulic engineer

▸**υδραυλικά** ΟΥΣ ΟΥΔ ΠΛΗΘ plumbing εν.
ύδρευση ΟΥΣ ΘΗΛ water supply
υδρευτικός, -ή, -ό ΕΠΙΘ (*δίκτυο*) water–supply · (*σωλήνας, σύστημα*) water
υδρεύω Ρ Μ (*πόλη, οικισμό, ακίνητο*) to supply with water
▸**υδρεύομαι** ΜΕΣΟΠΑΘ to get water
υδρία ΟΥΣ ΘΗΛ (α) (*επία.*: = *στάμνα*) jug, pitcher (*κυρ. Αμερ.*) (β) (ΑΡΧΑΙΟΛ) hydria (*επιστ.*), large water jar
υδρόβιος, -α, -ο ΕΠΙΘ aquatic
υδρόγειος ΟΥΣ ΘΗΛ (*επίσης* **υδρόγειος σφαίρα**) globe
υδρογονάνθρακας ΟΥΣ ΑΡΣ hydrocarbon
υδρογόνο ΟΥΣ ΟΥΔ hydrogen
υδρογονοβόμβα ΟΥΣ ΘΗΛ hydrogen bomb
υδρογονούχος, -ος, -ο ΕΠΙΘ hydrogen, hydrogenous
υδρογραφία ΟΥΣ ΘΗΛ (ΓΕΩΓΡ) hydrography
υδρογραφικός, -ή, -ό ΕΠΙΘ (*χάρτης, δίκτυο*) hydrographic
υδροδείκτης ΟΥΣ ΑΡΣ (ΤΕΧΝΟΛ) water gauge
υδροδότηση ΟΥΣ ΘΗΛ laying on a water supply
υδροδοτώ Ρ Μ to supply with water
υδροδυναμική ΟΥΣ ΘΗΛ (ΦΥΣ) hydrodynamics εν.

Προσοχή!: Αν και το hydrodynamics *φαίνεται ως τύπος πληθυντικού, είναι ουσιαστικό μόνο στον ενικό και συντάσσεται με ρήμα στον ενικό.*

υδροηλεκτρικός, -ή, -ό ΕΠΙΘ hydroelectric
υδροηλεκτρισμός ΟΥΣ ΑΡΣ (ΦΥΣ, ΤΕΧΝΟΛ) hydroelectricity
υδρόθειο ΟΥΣ ΟΥΔ hydrogen sulphide
υδροθεραπεία ΟΥΣ ΘΗΛ hydrotherapy
υδροθερμικός, -ή, -ό ΕΠΙΘ hydrothermal
υδροκεφαλία ΟΥΣ ΘΗΛ (ΙΑΤΡ) water on the brain, hydrocephalus (*επιστ.*)
υδροκεφαλικός, -ή, -ό ΕΠΙΘ hydrocephalic (*επιστ.*)
▸**υδροκεφαλικός** ΟΥΣ ΑΡΣ, **υδροκεφαλική** ΟΥΣ ΘΗΛ person with hydrocephalus (*επιστ.*) ή water on the brain
υδροκέφαλος, -η, -ο ΕΠΙΘ (α) (= *που πάσχει από υδροκεφαλία*) hydrocephalic (*επιστ.*) (β) (*μτφ.*: *κράτος, οργάνωση, σύστημα*) centralized
υδροκυάνιο ΟΥΣ ΟΥΔ (ΧΗΜ) hydrogen cyanide, hydrocyanic acid
υδρόλυση ΟΥΣ ΘΗΛ (ΧΗΜ, ΒΙΟΛ) hydrolysis
υδρόμελι ΟΥΣ ΟΥΔ mead
υδρομετρητής ΟΥΣ ΑΡΣ water meter
υδρόμετρο ΟΥΣ ΟΥΔ (α) (= *συσκευή μέτρησης παροχής νερού*) water meter (β) (= *υδροδείκτης*) water gauge
υδρόμυλος ΟΥΣ ΑΡΣ water mill
υδροξείδιο ΟΥΣ ΟΥΔ (ΧΗΜ) = **υδροξίδιο**

Υ

υδροξίδιο ουσ ουδ (ΧΗΜ) hydroxide
υδροπλάνο ουσ ουδ hydroplane, seaplane
υδρορροή, υδρορρόη ουσ θηλ gutter
υδροσωλήνας ουσ αρσ water pipe
υδρόφιλος, -η, -ο επιθ **(α)** (ΒΟΤ)
hydrophilous (επιστ.) **(β)** (για πρόσ.) who
drinks a lot of water
▸ **υδρόφιλο βαμβάκι** absorbent cotton wool
(Βρετ.) ή cotton (Αμερ.)
υδροφοβία ουσ θηλ hydrophobia
υδροφόρα ουσ θηλ water wagon
υδροφόρος, -α, -ο επιθ (αγωγός, σωλήνας)
water
▸ **υδροφόρος ορίζοντας** (ΓΕΩΛ) water table
υδρόφυτο ουσ ουδ (ΒΟΤ) aquatic plant,
hydrophyte (επιστ.)
υδροχλωρικός, -ή, -ό επιθ hydrochloric
▸ **υδροχλωρικό οξύ** hydrochloric acid
υδροχλώριο ουσ ουδ (ΧΗΜ) hydrogen
chloride
Υδροχόος ουσ αρσ (ΑΣΤΡΟΝ, ΑΣΤΡΟΛ) Aquarius
υδρόχρωμα ουσ ουδ water colour (Βρετ.),
water color (Αμερ.)
ύδωρ (επίσ.) ουσ ουδ water
▹ **αγιασμός των υδάτων** sanctification of ή
blessing the waters
υιοθεσία ουσ θηλ adoption
υιοθέτηση ουσ θηλ (κυριολ., μτφ.) adoption
υιοθετώ ρ μ (κυριολ., μτφ.) to adopt
υιός ουσ αρσ (επίσ.) son
▹ **ο υιός του Θεού** the son of God
ύλη ουσ θηλ **(α)** (= θεμελιώδης ουσία του
σύμπαντος) matter χωρίς πληθ. **(β)** (= ουσία
κατασκευής) material **(γ)** (= περιεχόμενο
βιβλίου ή εντύπου) contents πληθ.
(δ) syllabus

> *Προσοχή!: Ο πληθυντικός του* syllabus
> *είναι* syllabuses *ή* syllabi.

(ε) (= υλικά αγαθά) material things ·
(= υλικές απολαύσεις) material world
▹ **εφ' όλης της ύλης** (για μάθημα) on the
entire syllabus · (συζήτηση) wide–ranging
▸ **γραφική ύλη** stationery
▸ **πρώτη ύλη** (ΟΙΚΟΝ) raw material · (για
μαγειρική) basic ingredient
▸ **αέρια ύλη** gases πληθ.
▸ **στερεή ύλη** solids πληθ.
▸ **υγρή ύλη** liquids πληθ.
υλικό ουσ ουδ **(α)** (δομικό) material · (για
μαγειρική) ingredient **(β)** (έντυπο,
διαφημιστικό, για διάβασμα) matter χωρίς
πληθ. · (για φιλμ, ιστορία) material · (για
συζήτηση) subject matter
▹ **υλικό για σκέψη** food for thought
▸ **οικοδομικά υλικά** building materials
▸ **υλικό πολέμου** ordnance
υλικός, -ή, -ό επιθ material
υλισμός ουσ αρσ materialism
▸ **χυδαίος υλισμός** crass materialism

υλιστής ουσ αρσ materialist
υλιστικός, -ή, -ό επιθ materialistic
υλίστρια ουσ θηλ βλ. **υλιστής**
υλοποίηση ουσ θηλ realization
υλοποιώ ρ μ (σκοπό, όραμα, στόχο) to
realize · (απειλή, σχέδιο, πρόγραμμα) to carry
out · (πρόταση) to act on · (απόφαση, ιδέα) to
implement
υλοτόμηση ουσ θηλ logging
υλοτομία ουσ θηλ **(α)** (= υλοτόμηση) logging,
lumbering (Αμερ.) **(β)** (= υλοτόμιο)
timberland
υλοτόμιο ουσ ουδ timberland
υλοτόμος ουσ αρσ **(α)** (= ξυλοκόπος)
lumberjack **(β)** (= εκμεταλλευτής δασικής
ξυλείας) timber merchant
υλοτομώ ρ μ to fell
υμένας ουσ αρσ (επίσ.) membrane
▸ **παρθενικός υμένας** hymen
υμέτερος, -έρα, -ερον επιθ (επίσ.: = δικός
σας) your
▸ **υμέτεροι** ουσ αρσ πληθ (αργητ.) in–crowd εν.
υμνητής ουσ αρσ champion
υμνητικός, -ή, -ό επιθ laudatory
υμνήτρια ουσ θηλ βλ. **υμνητής**
υμνογραφία ουσ θηλ hymnody
υμνογράφος ουσ αρσθηλ hymnist, hymnodist
υμνολογία ουσ θηλ **(α)** (= εξύμνηση) praise
(β) (ΘΡΗΣΚ) hymn (of praise to God),
doxology (επιστ.)
ύμνος ουσ αρσ **(α)** (προς τιμήν θεού, ήρωα,
αγίου) hymn **(β)** (= εγκωμιαστικό ποίημα ή
τραγούδι) ode **(γ)** (μτφ.) praise
▹ **γράφω ύμνους για κπν/κτ** (μτφ.) to be full
of praise for sb/sth
▸ **εθνικός ύμνος** national anthem
▸ **εκκλησιαστικός ύμνος** hymn
▸ **Ομηρικός Ύμνος** (ΦΙΛΟΛ) Homeric Hymn
υμνώ ρ μ **(α)** (= ψάλλω ύμνους) to sing
hymns to **(β)** (= εξυμνώ) to praise
υνί ουσ ουδ ploughshare (Βρετ.), plowshare
(Αμερ.)
υπαγόρευση ουσ θηλ **(α)** (= εκφώνηση)
dictation **(β)** (= υπόδειξη) dictate
υπαγορεύω ρ μ (κυριολ., μτφ.) to dictate
υπάγω ⓵ ρ μ (επίσ.) to place under
⓶ ρ αμ (= βαδίζω) to go
▹ **ύπαγε εν ειρήνη** go in peace
▹ **ύπαγε οπίσω μου Σατανά!** get behind me
Satan!
▸ **υπάγομαι** ΜΕΣΟΠΑΘ: **υπάγομαι σε**
(= κατατάσσομαι) to be classified as ·
(= ανήκω) to be answerable to
υπαγωγή ουσ θηλ (επίσ.) **(α)** (= ένταξη: σε
τάξη, σειρά) classification (σε in) · (σε
δικαιοδοσία άλλου) placing (σε under)
(β) (= το να ανήκει κπς/κτ: σε κατηγορία,
ομάδα) belonging (σε to)
υπαίθριος, -α, -ο επιθ (θέατρο, χώρος,
παράσταση) open–air · (ζωή, παιχνίδι)

outdoor · (*αγορά*) open-air, outdoor ·
(*γιορτή, γεύμα*) alfresco
▸ **υπαίθρια ζωγραφική** (= *ζωγραφική στο*
ύπαιθρο) painting in the open, plein-air
painting (*επιστ.*) · (*πίνακας*) landscape
painting

ύπαιθρο ΟΥΣ ΟΥΔ outdoors *εν.*, open air
▷**στο ύπαιθρο** (*κοιμάμαι*) (out) in the open,
outdoors · (*δουλεύω*) outdoors · (*τρώω*)
alfresco, outdoors

ύπαιθρος ΟΥΣ ΘΗΛ countryside

υπαινιγμός ΟΥΣ ΑΡΣ (= *έμμεση παρατήρηση*)
allusion · (= *υπονοούμενο*) insinuation ·
(= *νύξη*) hint

υπαινικτικός, -ή, -ό ΕΠΙΘ (*αναφορά,*
παρατήρηση) insinuating
▷**με υπαινικτικό τρόπο** in a roundabout way

υπαινίσσομαι Ρ Μ ΑΠΟΘ to insinuate

υπαίτιος, -α, -ο ΕΠΙΘ responsible
▷**είμαι υπαίτιος καταστροφής/της**
οικονομικής κρίσης to be responsible for a
disaster/the economic crisis
▷**γίνομαι υπαίτιος ατυχήματος** to cause an
accident

υπαιτιότητα ΟΥΣ ΘΗΛ responsibility, liability

υπακοή ΟΥΣ ΘΗΛ obedience (*σε* to) · (*στους*
νόμους, στο Σύνταγμα) compliance (*σε* with)

υπάκουος, -η, -ο ΕΠΙΘ obedient

υπακούω Ρ ΑΜ to obey, to be obedient
▷**υπακούω σε** (*γονείς, δάσκαλο, διαταγή*) to
obey · (*νόμους*) to obey, to comply with ·
(*συνείδηση*) to listen to · (*παροιμήσεις*) to
give in to · (*μτφ.*: = *εμπίπτω*) to come under

υπαλλαγή ΟΥΣ ΘΗΛ (α) (= *διαδοχή*) succession
(β) (*σχήμα λόγου*) hypallage

υπαλληλάκος ΟΥΣ ΑΡΣ (α) (*σε γραφείο*) junior
clerk · (*σε κατάστημα*) junior sales assistant
(β) (*μειωτ.*) penpusher (*Βρετ.*), pencil pusher
(*Αμερ.*)

υπαλληλικός, -ή, -ό ΕΠΙΘ (*εργασία,*
προσωπικό, θέση, καθήκοντα) clerical ·
(*δικαιώματα*) workers'
▸ **Υπαλληλικό Δίκαιο** administrative law

υπαλληλίσκος ΟΥΣ ΑΡΣ (*μειωτ.*) petty clerk

υπάλληλος ΟΥΣ ΑΡΣ&ΘΗΛ (*γενικότ.*) employee ·
(*σε κατάστημα*) assistant (*Βρετ.*), clerk
(*Αμερ.*)
▸ **δημόσιος υπάλληλος** public-sector
employee · (*σε κρατική υπηρεσία*) civil
servant
▸ **δημοτικός υπάλληλος** municipal worker
▸ **τραπεζικός υπάλληλος** bank clerk
▸ **τελωνειακός υπάλληλος** customs officer
▸ **ταχυδρομικός υπάλληλος** post-office worker
▸ **υπάλληλος γραφείου** office worker
▸ **υπάλληλος μαγαζιού** sales assistant (*Βρετ.*),
sales clerk (*Αμερ.*)

υπαμειβόμενος, -η, -ο ΕΠΙΘ underpaid

υπαμείβω Ρ Μ to underpay
▸ **υπαμοίβομαι, υποαμοίβομαι** ΜΕΣΟΠΑΘ to be
underpaid

υπανάπτυκτος, -η, -ο ΕΠΙΘ (α) (*χώρα, λαός*)
underdeveloped, developing (β) (*για πρόσ.*)
uneducated

υπανάπτυξη ΟΥΣ ΘΗΛ underdevelopment

υπαναχώρηση ΟΥΣ ΘΗΛ (*επίσ.*)
(α) (= *υποχώρηση*) withdrawal, retreat
(β) (*μτφ.*: = *ανάκληση*) climb-down
(γ) (ΝΟΜ) termination, cancellation

υπαναχωρώ Ρ ΑΜ (*επίσ.*) (α) (= *υποχωρώ*) to
withdraw, to retreat (β) (*μτφ.* = *ανακαλώ*) to
back down, to back out (*από* of) (γ) (ΝΟΜ: =
διαλύω συμφωνία ή σύμβαση) to back out
(*από* of)

υπαξιωματικός ΟΥΣ ΑΡΣ&ΘΗΛ
non-commissioned officer

Υπαπαντή ΟΥΣ ΘΗΛ Candlemas

υπαρκτός, -ή, -ό ΕΠΙΘ (*κίνδυνος, δυσκολία,*
πρόβλημα, πρόσωπο) real

ύπαρξη ΟΥΣ ΘΗΛ (α) (= *υπόσταση*) existence
(β) (= *η ανθρώπινη ζωή*) life

> *Προσοχή!: Ο πληθυντικός του* **life** *είναι*
> **lives**.

(γ) (= *άνθρωπος*) person

> *Προσοχή!: Ο πληθυντικός του* **person**
> *είναι* **people**.

▷**όλη μου η ύπαρξη** my whole being

υπαρξιακός, -ή, -ό ΕΠΙΘ (*αγωνία, πρόβλημα*)
existential
▸ **υπαρξιακό άγχος** existential anxiety *ή* angst

υπαρξισμός ΟΥΣ ΑΡΣ existentialism

υπαρξιστής ΟΥΣ ΑΡΣ existentialist

υπαρξίστρια ΟΥΣ ΘΗΛ *βλ.* **υπαρξιστής**

υπαρχηγός ΟΥΣ ΑΡΣ&ΘΗΛ second-in-command

υπάρχοντα ΟΥΣ ΟΥΔ ΠΛΗΘ belongings,
possessions

ύπαρχος ΟΥΣ ΑΡΣ first mate

υπάρχω Ρ ΑΜ (α) (= *έχω υπόσταση*) to be, to
exist (β) (= *ζω*) to exist (γ) (= *διατελώ*) to be
(δ) (*μτφ.*: = *έχω αξία*) to exist (*για* for)
▷**δεν υπάρχει ελπίδα** there's no hope, there
isn't any hope
▷**δεν υπάρχουν δράκοι!** there's no such
thing as dragons!
▷**θα υπάρξει μια καθυστέρηση** there will be
a delay
▷**θα υπάρχει τρόπος να το βρούμε!** there
must be a way to find it!
▷**ο καλύτερος/μεγαλύτερος που υπάρχει** the
best/biggest there is, the best/biggest
around
▷**«σκέπτομαι, άρα υπάρχω»** "I think,
therefore I am"
▷**υπάρχει τρόπος να φύγουμε νωρίτερα;** is
there any way we can leave earlier?, is there
any chance of leaving earlier?
▷**υπάρχει ζωή σ' άλλους πλανήτες;, υπάρχει**
θεός; is there a god?
▷**υπάρχει κανένα εστιατόριο εδώ κοντά;** is
there a restaurant nearby?

▷**υπάρχουν φορές που...** there are times when...

υπασπιστής ΟΥΣ ΑΡΣ aide–de–camp, adjutant

Προσοχή!: Ο πληθυντικός του **aide–de–camp** *είναι* **aides–de–camp.**

υπαστυνόμος ΟΥΣ ΑΡΣ&ΘΗΛ police lieutenant

ύπατος[1] ΟΥΣ consul

ύπατος[2], **-η, -ο** ΕΠΙΘ (*αρχηγός*) supreme · (*αξιώματα*) highest · (*αρμοστεία*) high

▸**ύπατος αρμοστής** high commissioner

▸**Ύπατη Αρμοστεία του Ο.Η.Ε. για τους Πρόσφυγες** United Nations High Commission for Refugees, UNHCR

υπέδαφος ΟΥΣ ΑΡΣ subsoil

υπεισέρχομαι Ρ ΑΜ ΑΠΟΘ (*επίσ.*) (α) (= *εισχωρώ*) to get involved (β) (*μτφ.*: = *επηρεάζω έμμεσα*) to play a part (*σε* in)

▷**υπεισέρχομαι σε** (*λεπτομέρειες, προσωπικά*) to go into · (*σχέσεις αλλού*) to get involved in · (*δικαιώματα, υποχρεώσεις*) to take up · (*κληρονομία*) to come into

υπεκφεύγω Ρ ΑΜ to hedge, to prevaricate (*επίσ.*)

υπεκφυγή ΟΥΣ ΘΗΛ hedging *χωρίς πληθ.*, prevarication

υπενθυμίζω Ρ Μ to remind

▷**υπενθυμίζω κτ σε κπν** to remind sb of sth

▷**υπενθυμίζω σε κπν να κάνει κτ** to remind sb to do sth

υπενθύμιση ΟΥΣ ΘΗΛ reminder

υπενοικιάζω Ρ Μ to sublet

υπεξαίρεση ΟΥΣ ΘΗΛ embezzlement

υπεξαιρώ Ρ Μ to embezzle

υπέρ ΠΡΟΘ (α) (+*γεν.*) for, in favour (*Βρετ.*) *ή* favor (*Αμερ.*) of (β) (+*αιτ.*) more than

▷**τα έσοδα της συναυλίας θα διατεθούν υπέρ των σεισμοπλήκτων** the revenue from the concert will go to the earthquake victims

▷**δεν είμαι υπέρ αυτού του γάμου** I'm not in favour of this marriage

▷**ψήφισαν υπέρ ή κατά της πρότασής μου;** did they vote for or against my proposal?

▷**τα υπέρ και τα κατά** the pros and the cons

▷**υπέρ το δέον/σύνηθες** more than necessary/usual

υπεραγαπώ Ρ Μ to adore, to dote on

υπεραγορά ΟΥΣ ΘΗΛ superstore, hypermarket (*Βρετ.*)

υπεραισιοδοξία ΟΥΣ ΘΗΛ overoptimism

υπεραισιόδοξος, -η, -ο ΕΠΙΘ overoptimistic

υπεραιωνόβιος, -α, -ο ΕΠΙΘ (*δέντρο*) ancient, over a hundred years old

υπεραμύνομαι Ρ Μ ΑΠΟΘ +*γεν.* (*επίσ.*) to defend

υπεράνθρωπος, -η, -ο ΕΠΙΘ superhuman

▸**υπεράνθρωπος** ΟΥΣ ΑΡΣ superman

Προσοχή!: Ο πληθυντικός του **superman** *είναι* **supermen.**

υπεράνω (*επίσ.*) ΕΠΙΡΡ +*γεν.* above

▷**είμαι υπεράνω κριτικής/πάσης υποψίας** to be above criticism/suspicion

▷**είναι υπεράνω** she's above all that

υπεραξία ΟΥΣ ΘΗΛ (α) (= *επιπλέον αξία*) surplus value (β) (ΟΙΚΟΝ: = *αύξηση αξίας*) appreciation

υπεραπλούστευση ΟΥΣ ΘΗΛ oversimplification

υπεραπλουστεύω Ρ Μ to oversimplify

υπεράριθμος, -η, -ο ΕΠΙΘ surplus

υπεραρκετός, -ή, -ό ΕΠΙΘ more than enough

υπερασπίζω Ρ Μ (*πατρίδα, συμφέρον, ιδέες, τιμή, κατηγορούμενο*) to defend · (*φίλο, δικαιώματα*) to defend, to stand up for · (*αρχές*) to stand up for · (*αλήθεια, δικαιοσύνη, ελευθερίες*) to fight for · (*υπόληψη*) to protect

υπεράσπιση ΟΥΣ ΘΗΛ defence (*Βρετ.*), defense (*Αμερ.*)

▸**η υπεράσπιση** ΟΥΣ ΘΗΛ (ΝΟΜ) the defence (*Βρετ.*), the defense (*Αμερ.*)

υπερασπιστής ΟΥΣ ΑΡΣ defender, champion

υπερασπίστρια ΟΥΣ ΘΗΛ *βλ.* **υπερασπιστής**

υπεραστικός, -ή, -ό ΕΠΙΘ (*συγκοινωνία*) long–distance · (*σιδηρόδρομος*) intercity

▸**υπεραστικό** ΟΥΣ ΟΥΔ (α) (*λεωφορείο*) coach (*Βρετ.*), intercity bus (*Αμερ.*) (β) (*τηλεφώνημα*) long–distance call

υπερατλαντικός, -ή, -ό ΕΠΙΘ transatlantic

υπεραφθονία ΟΥΣ ΘΗΛ (*αγαθών, κεφαλαίου*) excess · (*προϊόντων*) glut

υπερβαίνω Ρ Μ (α) (*λόφο, βουνό*) to go over · (*εμπόδιο*) to get over (β) (*μέσο όρο*) to be above · (*ηλικία*) to be over · (*ποσό, αριθμό, προσδοκία, όριο ταχύτητας*) to exceed · (*δυνατότητα*) to be beyond

▷**υπερβαίνω κάθε όριο** to be beyond the pale

υπερβάλλω ① Ρ ΑΜ (= *μεγαλοποιώ*) to exaggerate ② Ρ Μ (= *ξεπερνώ*) to surpass · (*δυσκολία*) to overcome

▷**υπερβάλλω εαυτόν** to surpass oneself

υπερβάλλων, -ουσα, -ον ΕΠΙΘ (*επίσ.*) excessive

υπέρβαρος, -η, -ο ΕΠΙΘ overweight

▷**είμαι υπέρβαρος κατά 2 κιλά** to be 2 kilos overweight

▸**υπέρβαρες αποσκευές** excess luggage ΕΝ

υπέρβαση ΟΥΣ ΘΗΛ (α) (*κρίσης, στασιμότητας, αντιθέσεων*) overcoming, surmounting (β) (*ορίου ταχύτητας*) exceeding, breaking · (*προϋπολογισμού, ορίων άσκησης*) exceeding · (*εξόδων*) excess (γ) (*δικαιωμάτων, αρμοδιοτήτων, εξουσίας*) abuse (δ) (*ποταμού, φαραγγιού, όρους*) crossing

▷**καθ' υπέρβασιν** to excess

▸**υπέρβαση λογαριασμού** overdraft

υπερβατικός, -ή, -ό ΕΠΙΘ transcendental
▸ **υπερβατικός αριθμός** (ΜΑΘ) transcendental number
▸ **υπερβατική εξίσωση** (ΜΑΘ) transcendental equation
υπερβατικότητα ΟΥΣ ΘΗΛ transcendence
υπερβατός, -ή, -ό ΕΠΙΘ (*εμπόδιο*) surmountable · (*όρος*) that can be crossed
υπερβιταμίνωση ΟΥΣ ΘΗΛ (ΙΑΤΡ) hypervitaminosis (*επιστ.*), excessive intake of vitamins
υπερβολή ΟΥΣ ΘΗΛ (α) (= *υπεράνω του κανονικού, ακρότητα*) excess · (*στο ντύσιμο*) extravagance (β) (= *εξόγκωση*) exaggeration (γ) (ΓΛΩΣΣ) hyperbole (δ) (ΜΑΘ) hyperbola
▹ **καθ' υπερβολήν** (*τρώω, πίνω*) to excess · (*χρήση*) excessive
▹ **μέχρις υπερβολής** (*ελαστικός, αυστηρός*) excessively
▹ **λέω υπερβολές** to exaggerate
▹ **υπερβολές!** you're exaggerating!
▹ **χωρίς υπερβολή, άνευ υπερβολής** (*επίσ.*) without *ή* no exaggeration
υπερβολικά ΕΠΙΡΡ (*μιλώ, εμπιστεύομαι, κάνω*) too much · (*τρώω, πίνω*) too much, to excess · (*δουλεύω*) too much, too hard · (*χοντρός, ισχυρογνώμων, εύκολο*) too
▹ **αισιοδοξώ υπερβολικά** to be overoptimistic *ή* too optimistic
▹ **ενθουσιάζομαι υπερβολικά** to be overenthusiastic *ή* too enthusiastic
▹ **κοιμάμαι υπερβολικά** to oversleep
υπερβολικός, -ή, -ό ΕΠΙΘ (α) (*αγάπη, ποσότητα, απαιτήσεις, αισιοδοξία*) excessive · (*θόρυβος, ενθουσιασμός, φαγητό, ποτό, ύπνος*) too much · (*βάρος*) excess · (*τιμή*) exorbitant · (*ευγένεια*) exaggerated · (*φιλοδοξίες*) overblown · (*εμπιστοσύνη*) undue (β) (ΜΑΘ) hyperbolic
▹ **γίνομαι υπερβολικός** to exaggerate
▹ **δίνω υπερβολική σημασία σε κτ** to attach too much importance to sth
▹ **είναι υπερβολικός στις κρίσεις** he's extreme in his opinions
▹ **είναι υπερβολικός στα λόγια του** he exaggerates
▹ **είσαι υπερβολική αν πιστεύεις ότι πάντα σου λέει την αλήθεια!** you're mad if you think that he always tells you the truth!
▹ **υπερβολική αντίδραση** overreaction
▹ **υπερβολική αυτοπεποίθηση** overconfidence
υπερβόρειος, -α, -ο ΕΠΙΘ (*λαός, πληθυσμοί*) of *ή* from the far north · (*φως, κλίμα*) in the far north
▸ **Υπερβόρειοι** ΟΥΣ ΑΡΣ ΠΛΗΘ (ΜΥΘΟΛ) Hyperboreans
υπέργειος, -α, -ο ΕΠΙΘ (*ρίζα, βλαστός*) above ground · (*σιδηρόδρομος*) elevated
υπεργενίκευση ΟΥΣ ΘΗΛ (α) (ΨΥΧΟΛ) precociousness (β) (= *υπερβολική γενίκευση*) overgeneralization
υπεργενικεύω Ρ ΑΜ (α) (ΨΥΧΟΛ: *για παιδί*) to be precocious (β) (= *γενικεύω υπερβολικά*) to

overgeneralize
υπεργεννητικότητα ΟΥΣ ΘΗΛ high birth rate
υπέργηρος, -η, -ο ΕΠΙΘ (*επίσ.*) advanced in years
υπεργλυκαιμία ΟΥΣ ΘΗΛ hyperglycaemia (*Βρετ.*), hyperglycemia (*Αμερ.*)
υπερδιέγερση ΟΥΣ ΘΗΛ overexcitement
▹ **βρίσκομαι** *ή* **είμαι σε υπερδιέγερση** to be overexcited
υπερδιπλασιάζω Ρ Μ (*έσοδα*) to more than double
υπερδιπλάσιος, -α, -ο ΕΠΙΘ more than double
υπερδύναμη ΟΥΣ ΘΗΛ superpower
υπερεγώ ΟΥΣ ΟΥΔ ΑΚΛ (ΨΥΧΟΛ) superego
υπερεκτίμηση ΟΥΣ ΘΗΛ overestimation
υπερεκτιμώ Ρ Μ (*αξία, δυνατότητες*) to overestimate
υπερένταση ΟΥΣ ΘΗΛ tension
▹ **είμαι σε** *ή* **έχω υπερένταση** to be tense
υπερεντατικός, -ή, -ό ΕΠΙΘ intensive
υπερευαισθησία ΟΥΣ ΘΗΛ oversensitivity, hypersensitivity
▹ **έχω υπερευαισθησία σε κτ** to be oversensitive *ή* hypersensitive about sth
υπερευαίσθητος, -η, -ο ΕΠΙΘ (*άνθρωπος*) oversensitive, hypersensitive · (*ραντάρ, μηχάνημα*) highly sensitive · (*δέρμα*) sensitive
υπερευχαριστημένος, -η, -ο ΕΠΙΘ extremely happy
υπερευχαριστώ Ρ Μ (α) (= *ευχαριστώ πάρα πολύ*) to be extremely grateful to, to thank very much (β) (= *ικανοποιώ πάρα πολύ*) to please immensely
υπερέχω ① Ρ ΑΜ to be superior ② Ρ Μ +γεν. to be better than
▹ **υπερέχουν ως προς τις ικανότητές τους σε σύγκριση με τους αντιπάλους τους** they're far more competent than their rivals
▹ **το αυτοκίνητό της υπερέχει σε ταχύτητα από το δικό μου** her car is much faster than mine
▹ **υπερείχε στις εξετάσεις έναντι των συμμαθητών του** he did better than his classmates in the exams
▹ **υπερέχει των συναδέλφων της σε εξυπνάδα** she's far *ή* much cleverer than her colleagues
υπερήλικος, -η, -ο ΕΠΙΘ elderly, very old
▸ **υπερήλικας** ΟΥΣ ΑΡΣ·ΘΗΛ elderly person
υπερηφάνεια ΟΥΣ ΘΗΛ (α) (= *αυτοεκτίμηση*) pride (β) (= *αξιοπρέπεια*) dignity (γ) (*αρνητ.*) arrogance, conceit
υπερηφανεύομαι Ρ ΑΜ ΑΠΟΘ (α) (= *είμαι υπερήφανος*) to be proud (β) (*αρνητ.*) to boast (*για, ότι* about, that)
▹ **υπερηφανεύομαι για κπν** to be proud of sb
▹ **υπερηφανεύομαι για κτ** to take pride in sth
▹ **υπερηφανεύομαι ότι** to be proud that
υπερήφανος, -η, -ο ΕΠΙΘ (α) (= *που νιώθει υπερηφάνεια*) proud (β) (= *αξιοπρεπής*)

dignified (γ) (αρνητ.) arrogant, conceited
▷**είμαι υπερήφανος για κπν** to be proud of sb
υπερηχητικός, -ή, -ό ΕΠΙΘ (αεροπλάνο, πτήση) supersonic· (κύμα) ultrasonic
▸**υπερηχητική ταχύτητα** supersonic speed
υπερηχογράφημα ΟΥΣ ΟΥΔ (ΙΑΤΡ) ultrasound
υπερηχογράφος ΟΥΣ ΑΡΣ (ΤΕΧΝΟΛ) ultrasound scanner
υπέρηχος ΟΥΣ ΑΡΣ ultrasound
υπερθέαμα ΟΥΣ ΟΥΔ blockbuster
υπερθερμαίνω Ρ Μ to overheat
υπερθετικός, -ή, -ό ΕΠΙΘ (επίσης **υπερθετικός βαθμός**) superlative
υπερθυρεοειδισμός ΟΥΣ ΑΡΣ hyperthyroidism
υπερίπταμαι Ρ ΑΜ ΑΠΟΘ to cruise, to fly over
υπερίσχυση ΟΥΣ ΘΗΛ predominance
υπερισχύω ① Ρ ΑΜ (= υπερνικώ) to prevail ② Ρ Μ +γεν. (αντιπάλων) to triumph over· (πάθους) to conquer, to overcome
υπεριώδης, -ης, -ες ΕΠΙΘ (ακτίνες, ακτινοβολία) ultraviolet
υπερκαλύπτω Ρ Μ (έξοδα) to exceed· (δάνειο) to overpay· (ομιλία) to drown out· (ανάγκες) to more than cover
▸**υπερκαλύπτομαι** ΜΕΣΟΠΑΘ (δάνειο) to be covered
υπερκατανάλωση ΟΥΣ ΘΗΛ overconsumption
υπερκατασκευή ΟΥΣ ΘΗΛ superstructure
υπερκατάστημα ΟΥΣ ΟΥΔ superstore
υπερκείμενο ΟΥΣ ΟΥΔ (ΠΛΗΡΟΦ) hypertext
υπερκείμενος, -η, -ο ΕΠΙΘ (λόφος, κτήριο) above· (μτφ.: έννοιες) wider
υπερκινητικός, -ή, -ό ΕΠΙΘ (παιδί, άτομο) hyperactive
▸**υπερκινητικός** ΟΥΣ ΑΡΣ, **υπερκινητική** ΟΥΣ ΘΗΛ hyperactive person
υπερκινητικότητα ΟΥΣ ΘΗΛ (κυριολ.) hyperactivity· (μτφ.) frenzied activity
υπερκόπωση ΟΥΣ ΘΗΛ (σωματική, πνευματική) fatigue, strain
▷**παθαίνω ή υποφέρω από υπερκόπωση** to burn oneself out, to suffer from fatigue
▸**υπερκόπωση των ματιών** eyestrain
υπέρμαχος ΟΥΣ ΑΡΣ/ΘΗΛ champion
υπερμεγέθης, -ης, ες ΕΠΙΘ (επίσ.) huge, enormous
υπέρμετρος, -η, -ο ΕΠΙΘ excessive· (προσπάθεια) superhuman
υπερνίκηση ΟΥΣ ΘΗΛ (αντιπάλου) defeat· (οργής, θυμού) conquering· (δυσκολιών, εμποδίων, πειρασμού) overcoming
υπερνικώ Ρ Μ (αντιπάλους, ανταγωνιστές) to conquer· (θυμό, οργή, φόβο) to conquer, to overcome· (εμπόδια, δυσκολίες) to overcome, to surmount
υπέρογκος, -η, -ο ΕΠΙΘ (δέμα, κιβώτιο, ποσό, δαπάνες) huge, enormous· (τιμή) exorbitant
υπεροπλία ΟΥΣ ΘΗΛ superiority
▷**έχω υπεροπλία στη θάλασσα/στον αέρα** to

have naval/air superiority
υπερόπτης ΟΥΣ ΑΡΣ (επίσ.) haughty person
υπεροπτικός, -ή, -ό ΕΠΙΘ haughty
υπερόπτρια ΟΥΣ ΘΗΛ (επίσ.) βλ. **υπερόπτης**
ύπερος ΟΥΣ ΑΡΣ (ΒΟΤ) pistil
υπεροχή ΟΥΣ ΘΗΛ (= ανωτερότητα) superiority
υπέροχος, -η, -ο ΕΠΙΘ (άνθρωπος, συναίσθημα, καιρός) wonderful· (τέχνη) exquisite· (καθηγητής, συμπεριφορά) excellent· (φωνή, αυτοκίνητο) fabulous· (θέα, τοπίο, πίνακας) magnificent
▷**είσαι υπέροχη μ' αυτό το φόρεμα!** you look superb in that dress!
υπεροψία ΟΥΣ ΘΗΛ haughtiness
▷**βλέπω κπν με υπεροψία** to look down on sb
υπερπαραγωγή ΟΥΣ ΘΗΛ (α) (ΟΙΚΟΝ: προϊόντων, αγαθών) overproduction (β) (= θεατρικό έργο) spectacular· (= ταινία) big–budget production, blockbuster (ανεπ.)
υπερπέραν ΟΥΣ ΟΥΔ ΑΚΛ (επίσ.): **το υπερπέραν** the other ή next world
υπερπήδηση ΟΥΣ ΘΗΛ (α) (εμποδίου, φράχτη) jumping over (β) (στη γυμναστική) jump (γ) (μτφ.: δυσκολιών, δυσχερειών) overcoming, surmounting· (αντιπάλων, ανταγωνιστών) defeat
υπερπηδώ Ρ Μ (α) (τάφρο, χαντάκι) to jump over (β) (μτφ.: δυσκολίες, εμπόδια, προβλήματα) to overcome, to surmount
υπερπληθυσμός ΟΥΣ ΑΡΣ overpopulation
υπερπλήρης, -ης, -ες ΕΠΙΘ (επίσ.: θέατρο) filled to capacity· (ξενοδοχείο) completely full· (λεωφορείο, τρένο) overcrowded· (δοχείο) full to the brim, brimming over
υπερπληρώ Ρ Μ (επίσ.: αίθουσα, χώρο) to overrun· (δοχείο) to fill to the brim· (μτφ.: απαίτηση, προσδοκία) to go beyond
υπερπόντιος, -α ή ος, -ο ΕΠΙΘ (ταξίδι, συγκοινωνία, κτήση) overseas
▸**υπερπόντιος αλιεία** deep–sea fishing
υπερπροστασία ΟΥΣ ΘΗΛ (ΨΥΧΟΛ) overprotectiveness
▷**κρέμα για υπερπροστασία από τον ήλιο** cream with a high sun protection factor
υπερπροστατευτικός, -ή, -ό ΕΠΙΘ overprotective
υπερρεαλισμός ΟΥΣ ΑΡΣ surrealism
υπερρεαλιστής ΟΥΣ ΑΡΣ surrealist
υπερρεαλιστικός, -ή, -ό ΕΠΙΘ surrealistic
υπερρεαλίστρια ΟΥΣ ΘΗΛ βλ. **υπερρεαλιστής**
υπερσιτισμός ΟΥΣ ΑΡΣ, **υπερσίτιση** ΟΥΣ ΘΗΛ (α) (ατόμων) feeding up (β) (για ζώα) force–feeding
υπερσύγχρονος, -η, -ο ΕΠΙΘ state–of–the–art, ultra–modern
υπερσυντέλικος ΟΥΣ ΑΡΣ past perfect
υπέρταση ΟΥΣ ΘΗΛ (α) (ΙΑΤΡ) high blood pressure, hypertension (επιστ.) (β) (ΗΛΕΚΤΡ) surge

υπερτασικός, -ή, -ό ΕΠΙΘ (*σύμπτωμα*) of high blood pressure, hypertensive (*επιστ.*)
► **υπερτασικός** ΟΥΣ ΑΡΣ, **υπερτασική** ΟΥΣ ΘΗΛ person with high blood pressure, hypertensive (*επιστ.*)

υπέρτατος, -η, -ο ΕΠΙΘ (*κακό, αρχή, τιμή*) supreme · (*αγαθό*) most precious · (*θυσία*) supreme, ultimate · (*βαθμός*) superlative
▷ **άτομο υπέρτατης σοφίας/αρετής** person of great wisdom/virtue
► **υπέρτατο Ον** Supreme Being

υπέρτερος, -η, -ο ΕΠΙΘ (*δύναμη*) superior · (*ανάγκη*) greater

υπερτερώ Ρ ΑΜ +γεν. (*επία.*) to be superior to, to be far better than
▷ **υπερτερώ ποιοτικώς** to be of superior quality to *ή* better quality than
▷ **υπερτερώ σε πολυτέλεια/σε θέματα πείρας** to be far more luxurious/experienced than
▷ **υπερτερώ σε αριθμό** to outnumber

υπερτιμημένος, -η, -ο ΕΠΙΘ (α) (*ταλέντο*) overrated · (*αξία*) overestimated (β) (*νόμισμα*) overvalued

υπερτίμηση ΟΥΣ ΘΗΛ (α) (*προσόντων, δυνατοτήτων, νίκης*) overrating, overestimation (β) (*τροφίμων, προϊόντων*) rise in price · (*νομίσματος*) overvaluation

υπερτιμώ Ρ Μ (α) (*άνθρωπο, επίδραση, δύναμη*) to overrate, to overestimate (β) (*τρόφιμα, είδη διατροφής*) to put up the price of · (*νόμισμα*) to overvalue

υπερτροφία ΟΥΣ ΘΗΛ (α) (ΙΑΤΡ) hypertrophy (β) (= *υπερβολική λήψη τροφής*) overeating · (= *υπερβολική θρέψη*) overfeeding (γ) (*μτφ.*) excessive growth

υπερτροφικός, -ή, -ό ΕΠΙΘ (α) (ΙΑΤΡ) hypertrophic (β) (*μτφ.: εγώ*) overblown · (*ανάπτυξη*) excessive

υπερτυχερός, -ή, -ό ΕΠΙΘ very lucky
► **υπερτυχερός** ΟΥΣ ΑΡΣ, **υπερτυχερή** ΟΥΣ ΘΗΛ (prize)winner

υπέρυθρος, -η, -ο ΕΠΙΘ (*φωτογραφία, αισθητήρας*) infrared
► **υπέρυθρες ακτίνες** infrared rays
► **υπέρυθρη ακτινοβολία** infrared radiation

υπερυψωμένος, -η, -ο ΕΠΙΘ (*γέφυρα, σπίτι, δρόμος*) elevated
► **υπερυψωμένη διάβαση** overpass
► **υπερυψωμένη σιδηροδρομική γραμμή** elevated railway

υπερφορτίζω Ρ Μ (*κυριολ., μτφ.*) to overload
υπερφορτώνω Ρ Μ to overload
υπερφόρτωση ΟΥΣ ΘΗΛ overloading · (*διοικητικού οργανισμού, μαθητών*) overburdening

υπερφυσικός, -ή, -ό ΕΠΙΘ (α) (*ον, δυνάμεις, φαινόμενο, εμπειρία*) supernatural (β) (*μτφ.: ύψος, μέγεθος*) colossal · (*δύναμη*) superhuman
▷ **υπερφυσικός μπεμπές** (*για μωρό*) huge baby · (*για άνδρα*) big baby, overgrown child

υπερχείλιση ΟΥΣ ΘΗΛ (*επία.*) overflow

υπερχρεώνομαι Ρ ΑΜ (*εταιρεία, οργανισμός*) to overborrow, to be burdened with debt

υπερχρέωση ΟΥΣ ΘΗΛ excessive debt, overborrowing

υπερψηφίζω Ρ Μ (*πρόταση, μονιμοποίηση, πρόγραμμα*) to vote for

υπερψήφιση ΟΥΣ ΘΗΛ (*νομοσχεδίου, απόφασης, προγράμματος*) adoption

υπερωκεάνιο ΟΥΣ ΟΥΔ ocean liner

υπερωρία ΟΥΣ ΘΗΛ overtime *χωρίς πληθ.*

υπεύθυνος, -η, -ο ΕΠΙΘ (*γενικότ.*) responsible (*για* for) · (*σε κατάστημα*) in charge
▷ **θεωρώ κπν υπεύθυνο για κτ** to hold sb responsible for sth, to blame sb for sth
► **υπεύθυνη δήλωση** form for making official requests
► **υπεύθυνος** ΟΥΣ ΑΡΣ, **υπεύθυνη** ΟΥΣ ΘΗΛ (*τμήματος πωλήσεων, λογιστηρίου*) head · (*καταστήματος, τροφοδοσίας, εργαστηρίου*) manager
▷ **ποιος είναι ο υπεύθυνος εδώ;** who is in charge here?

υπευθυνότητα ΟΥΣ ΘΗΛ responsibility

υπήκοος ΟΥΣ ΑΡΣ&ΘΗΛ (α) (= *πολίτης κράτους*) citizen (β) (= *που υπόκειται στην εξουσία: κράτους, αυτοκρατορίας, ηγεμόνα*) subject
► **ξένος υπήκοος** foreign national

υπηκοότητα ΟΥΣ ΘΗΛ citizenship, nationality
▷ **αποκτώ/παίρνω/χάνω την υπηκοότητα** to aquire/take/lose citizenship

υπηρεσία ΟΥΣ ΘΗΛ (α) (= *εργασία*) duty, work (β) (= *χρόνος εργασίας*) service (γ) (= *κλάδος: εταιρείας, ιδιωτικού οργανισμού*) department · (*στρατού, δημοσίου οργανισμού*) service (δ) (= *προσφερόμενη παροχή εταιρείας*) service (ε) (= *εξυπηρέτηση*) service (στ) (= *υπηρετικό προσωπικό*) domestic staff · (= *υπηρέτης*) (man)servant · (= *υπηρέτρια*) maid
▷ **αναλαμβάνω υπηρεσία** to take up one's duties
▷ **είμαι υπηρεσία** to be on duty
▷ **εν ή σε υπηρεσία** on duty
▷ **εκτελώ διατεταγμένη υπηρεσία** to carry out orders
▷ **θέτω σε υπηρεσία** to bring into service
▷ **κρίνομαι ικανός προς υπηρεσία** to be judged fit for duty
▷ **προσφέρω τις υπηρεσίες μου** to offer one's services
▷ **τίθεμαι εκτός υπηρεσίας** to be relieved of one's duties · (*αντιτορπιλικά, μηχανήματα*) to be taken out of service
▷ **τίθεμαι στην υπηρεσία κποιου** to be at sb's service
▷ **τίθεμαι στην υπηρεσία ενός αγώνα** to devote oneself to a cause
► **αξιωματικός υπηρεσίας** duty officer, officer on duty
► **άρνηση υπηρεσίας** dereliction of duty
► **αρχαιολογική υπηρεσία** archeology department

Υ

►δημόσια/ιδιωτική υπηρεσία public/private sector

►διπλωματική υπηρεσία diplomatic service

►Εθνική Υπηρεσία Πληροφοριών (Ε.Υ.Π.) Greek intelligence service

►είσοδος υπηρεσίας service *ή* back entrance

►ενεργός υπηρεσία active service

►μυστική υπηρεσία secret service

►νομική υπηρεσία legal department

►σκάλα υπηρεσίας service stairs *πληθ.*, back stairs *πληθ.*

►ταχυδρομική υπηρεσία postal service

►τελωνειακή υπηρεσία customs service

►τηλεφωνική υπηρεσία telephone service

►υπηρεσία υγείας health service

►υπηρεσίες ΠΛΗΘ (ΟΙΚΟΝ) service industry *εν.*

υπηρεσιακός, -ή, -ό ΕΠΙΘ **(α)** (*έγγραφο, αλληλογραφία, ανάγκη*) departmental · (*καθήκον*) official · (*αυτοκίνητο, όπλο, περίστροφο*) service · (*μονάδα*) active **(β)** (*πρωθυπουργός, υπουργός*) caretaker

►υπηρεσιακή έκθεση appraisal

►υπηρεσιακή κυβέρνηση (ΠΟΛΙΤ) caretaker government

υπηρέτης ΟΥΣ ΑΡΣ **(α)** (*κυριολ.*) (man)servant, domestic help **(β)** (*μτφ.*) servant

υπηρετικός, -ή, -ό ΕΠΙΘ **(α)** (*προσωπικό, στολή*) of service **(β)** (*μειωτ.*: *τάξη, θέση*) service

υπηρέτρια ΟΥΣ ΘΗΛ maid, domestic help, servant

υπηρετώ ①️ Ρ Μ (*κυριολ., μτφ.*) to serve ②️ Ρ ΑΜ (*στρατιώτης*) to serve · (*υπάλληλος, καθηγητής*) to work

►υπηρετώ στον στρατό to serve in the army, to do national service

►υπηρετώ τη μητέρα *ή* **μαμά πατρίδα** to serve one's country

υπίατρος ΟΥΣ ΑΡΣ lieutenant (*in the medical corps*)

υπίλαρχος ΟΥΣ ΑΡΣ (*τεθωρακισμένων*) lieutenant (*Βρετ.*), first lieutenant (*Αμερ.*) · (*παλαιότ.*: *ιππικού*) cavalry lieutenant

υπνάκος ΟΥΣ ΑΡΣ nap

►παίρνω *ή* **ρίχνω έναν υπνάκο** to take *ή* have a nap

υπναλέος, -α, -ο ΕΠΙΘ sleepy

υπναράς ΟΥΣ ΑΡΣ (*ανεπ.*) sleepyhead (*ανεπ.*)

υπναρού ΟΥΣ ΘΗΛ (*ανεπ.*) *βλ.* **υπναράς**

υπνηλία ΟΥΣ ΘΗΛ sleepiness

►αισθάνομαι υπνηλία to feel sleepy *ή* drowsy

►είμαι σε κατάσταση υπνηλίας to be half asleep

υπνοβασία ΟΥΣ ΘΗΛ (ΙΑΤΡ) sleepwalking, somnambulism (*επιστ.*)

υπνοβάτης ΟΥΣ ΑΡΣ sleepwalker, somnambulist (*επιστ.*)

υπνοβάτισσα ΟΥΣ ΘΗΛ *βλ.* **υπνοβάτης**

υπνοβατώ Ρ ΑΜ to sleepwalk, to walk in one's sleep

υπνοδωμάτιο ΟΥΣ ΟΥΔ bedroom

ύπνος ΟΥΣ ΑΡΣ **(α)** (= *νάρκη*) sleep **(β)** (*μτφ.*: = *νωθρότητα*) torpor **(γ)** (*μειωτ.*: *για πρόσ.*) sleepyhead (*ανεπ.*)

►ο αιώνιος ύπνος (*ευφημ.*) the long sleep

►βλέπω κπν/κτ στον ύπνο μου (*κυριολ.*) to dream about sb/sth · (*μτφ.*) to dream sb/sth up

►δεν με πιάνει *ή* **δεν μου κολλάει ύπνος** I can't sleep

►είμαι από τον ύπνο to have just woken up

►με παίρνει ο ύπνος to fall asleep, to doze off

►ο ύπνος τρέφει το παιδί κι ο ήλιος το μοσχάρι (*παροιμ.*) sleep is important for a growing child

►ούτε στον ύπνο μου δεν το περίμενα never in my wildest dreams did I expect this

►πάω *ή* **πέφτω για ύπνο** to go to bed

►πιάνω κπν στον ύπνο to catch sb with his pants *ή* trousers (*Βρετ.*) down

►ύπνε που παίρνεις τα παιδιά (έλα πάρε και τούτο) (= *νανούρισμα*) go to sleep · (*ειρων.*) wakey–wakey! (*ανεπ.*)

►ύπνο ελαφρύ! sweet dreams!, sleep tight!

► Ύπνος ΟΥΣ ΑΡΣ (ΜΥΘΟΛ) Hypnos

υπνόσακος ΟΥΣ ΑΡΣ sleeping bag

ύπνωση ΟΥΣ ΘΗΛ hypnosis

υπνωτίζω Ρ Μ **(α)** (= *κοιμίζω*) to hypnotize **(β)** (*μτφ.*) to mesmerize

►υπνωτίζομαι ΜΕΣΟΠΑΘ to be hypnotized

υπνωτικό ΟΥΣ ΟΥΔ soporific · (*χάπι*) sleeping pill

υπνωτικός, -ή, -ό ΕΠΙΘ **(α)** (*φάρμακο*) soporific · (*χάπια*) sleeping **(β)** (*κατάσταση*) hypnotic

υπνωτισμένος, -η, -ο ΕΠΙΘ mesmerized

υπνωτισμός ΟΥΣ ΑΡΣ **(α)** (ΙΑΤΡ, ΨΥΧΟΛ) hypnotism **(β)** (= *ύπνωση*) hypnosis

υπνωτιστής ΟΥΣ ΑΡΣ hypnotist

υπνωτίστρια ΟΥΣ ΘΗΛ *βλ.* **υπνωτιστής**

υπό, υπ', υφ' ΠΡΟΘ **(α)** +γεν. (= *ποιητικό αίτιο*) by **(β)** +αιτ. under

►είμαι υπ' ατμόν to be ready to go

►είμαι υπό παραίτηση to be working one's notice, to have handed in one's resignation

►είμαι υπό σκέψη να κάνω κτ to be thinking of doing sth

►τον έχει υπό she has him under her thumb

►υπό δοκιμή on trial

►υπό κράτηση in detention

►υπό σκιά(ν) in the shade

►υπό τη σκιά κποιου in sb's shadow

►υπό την αιγίδα+γεν. under the aegis of

►υπό το μηδέν below zero

►υπό το φως in the light

►υπό τον ζυγό under the yoke

►υπό τον όρο ότι on condition that

►υπό όρους on certain conditions

υποαλλεργικός, -ή, -ό ΕΠΙΘ hypoallergenic

υποαμειβόμενος, -η, -ο ΕΠΙΘ = **υπαμειβόμενος**

υποαμείβω Ρ Μ = **υπαμείβω**

υποανάπτυκτος, -η, -ο ΕΠΙΘ =
υπανάπτυκτος
υποαπασχόληση ΟΥΣ ΘΗΛ (= *μερική*
απασχόληση) part–time work · (= *ανεργία*)
unemployment
υποαπασχολούμαι Ρ ΑΜ ΑΠΟΘ
(= *απασχολούμαι μερικώς*) to work
part–time · (= *είμαι άνεργος*) to be
unemployed
υποαπασχολούμενος, -η, -ο ΕΠΙΘ
(= *μερικώς απασχολούμενος*) working
part–time · (= *άνεργος*) unemployed
υποβαθμίζω Ρ Μ (α) (= *υποβιβάζω*: *ρόλο*) to
undermine · (*σπουδές, πτυχίο*) to debase, to
cheapen (β) (= *μειώνω*: *επεισόδιο, συμβάν*) to
play down (γ) (*μτφ.*: = *περιβάλλον*) to
degrade · (= *πόλη, περιοχή, συνοικία*) to spoil
▷**υποβαθμισμένη συνοικία** rundown
neighbourhood
υποβάθμιση ΟΥΣ ΘΗΛ (α) (= *υποβιβασμός*:
παιδείας) dumbing down · (*σπουδών,*
πανεπιστημίων, πτυχίον) debasement ·
(*ρόλου*) undermining (β) (= *υποτίμηση*:
επεισοδίου, συμβάντος) playing down
(γ) (*μτφ.*: *περιοχής, περιβάλλοντος, πόλης*)
degradation · (*ζωής*) decline in quality
υπόβαθρο ΟΥΣ ΟΥΔ (α) (= *υποστήριγμα*:
σπιτιού) foundations πληθ · (*εξέδρας,*
κατασκευής) base (β) (*μτφ.*: *ατόμου*)
background · (*για ανάπτυξη, φαινόμενο*)
backdrop (γ) (*πολιτικής ή επιστημονικής*
θέσης, μελέτης, θρησκείας) basis

> *Προσοχή!: Ο πληθυντικός του* basis *είναι*
> bases.

(δ) (ΓΕΩΛ) bedrock
υποβάλλω Ρ Μ (α) (*αίτηση, αξιώσεις*) to put
in · (*μήνυση*) to file, to lodge · (*αποδείξεις,*
δήλωση) to submit · (*πρόταση, σχέδιο,*
υποψηφιότητα) to put forward · (*προσφορά*)
to put in, to tender · (*παραίτηση*) to hand in,
to tender · (*έκθεση*) to hand in, to submit ·
(*ερώτηση*) to ask (β) (*επιθυμίες, ιδέα,*
διαθέσεις) to give · (*απόψεις*) to impose
(γ) (*στο θέατρο*) to prompt
▷**υποβάλλω αίτηση διαζυγίου** to file *ή* sue for
divorce
▷**υποβάλλω αξιώσεις για αποζημίωση** to put
in *ή* file a claim for damages
▷**υποβάλλω κν σε κτ** to subject sb to sth
▷**υποβάλλω κν σε βασανιστήρια** to torture sb
▷**υποβάλλω κν σε δοκιμασία** to put sb to the
test
▷**υποβάλλω κν σε κόπους** to put sb to a lot
of trouble
▷**υποβάλλω κν σε σκληρή κριτική** to criticize
sb harshly
▸**υποβάλλομαι** ΜΕΣΟΠΑΘ (= *ανθυποβάλλομαι*) to
be open to suggestion
▷**υποβάλλομαι σε κτ** to undergo sth
▷**υποβάλλομαι σε αλκοτέστ** to be
breathalyzed
▷**υποβάλλομαι σε βασανιστήρια** to be

tortured
▷**υποβάλλομαι σε μεταμόσχευση οργάνου** to
have an organ transplant
υποβαστάζω Ρ Μ (*στέγη, τρούλο, τραυματία,*
ηλικιωμένο) to support
υποβιβάζω Ρ Μ (α) (*αξιωματικό, υπάλληλο*) to
demote · (*ομάδα*) to relegate · (*άνθρωπο*) to
degrade (β) (*μτφ.*: = *εξευτελίζω*) to insult
▷**υποβιβάζει τη νοημοσύνη μας** it's an insult
to our intelligence
υποβιβασμός ΟΥΣ ΑΡΣ, **υποβίβαση** ΟΥΣ ΘΗΛ
(α) (*αξιωματικού, υπαλλήλου*) demotion ·
(*ομάδας*) relegation (β) (*ανθρώπινης φύσης*)
degradation
υποβλητικός, -ή, -ό ΕΠΙΘ evocative
υποβλητικότητα ΟΥΣ ΘΗΛ evocative nature
υποβοήθηση ΟΥΣ ΘΗΛ boost
υποβοηθητικός, -ή, -ό ΕΠΙΘ contributing
υποβοηθώ Ρ Μ (*επιτυχία*) to contribute to
υποβολέας ΟΥΣ ΑΡΣΘΗΛ (α) (*στο θέατρο*)
prompter (β) (*μτφ.*: = *υποκινητής*)
manipulator
υποβολή ΟΥΣ ΘΗΛ (α) (*πρότασης, σχεδίου,*
υποψηφιότητας) submission · (*αίτησης,*
αξιώσεων, μήνυσης) filing · (*παραίτησης,*
έκθεσης) handing in · (*ερώτησης*) asking
(β) (*σε έλεγχο, σε χειρουργική επέμβαση*)
subjecting (*σε* to) (γ) (= *επίδραση*)
suggestion
▷**η υποβολή κποιου σε δοκιμασίες** putting sb
to the test
▷**υπόκειμαι σε υποβολές** to be open to
suggestion, to be easily led
υποβρυχιακός, -ή, -ό ΕΠΙΘ submarine
υποβρύχιο ΟΥΣ ΟΥΔ (α) (*πλοίο*) submarine
(β) (= *βανίλια*) *vanilla–flavoured sweet served*
on a spoon in a glass of water
υποβρύχιος, -α, -ο ΕΠΙΘ (*φυτά, ζωή,*
καλώδιο) submarine · (*ψάρεμα,*
φωτογράφιση, έρευνα) underwater
υπογεγραμμένη ΟΥΣ ΘΗΛ (ΓΛΩΣΣ) iota
subscript
υπογεγραμμένος, -η, -ο ΕΠΙΘ: **ο κάτωθι**
υπογεγραμμένος the undersigned
υπόγειο ΟΥΣ ΟΥΔ basement, cellar
υπόγειος, -α, -ο ΕΠΙΘ underground · (*μτφ.*)
secret
▸**υπόγειος** ΟΥΣ ΑΡΣ (*επίσης* **υπόγειος**
σιδηρόδρομος) underground (*Βρετ.*), subway
(*Αμερ.*)
υπογεννητικότητα ΟΥΣ ΘΗΛ falling birth rate
υπογλυκαιμία ΟΥΣ ΘΗΛ hypoglycaemia
(*Βρετ.*), hypoglycemia (*Αμερ.*)
υπογλυκαιμικός, -ή, -ό ΕΠΙΘ hypoglycaemic
(*Βρετ.*), hypoglycemic (*Αμερ.*)
▸**υπογλυκαιμικός** ΟΥΣ ΑΡΣ, **υπογλυκαιμική** ΟΥΣ
ΘΗΛ person suffering from hypoglycaemia
(*Βρετ.*) *ή* hypoglycemia (*Αμερ.*)
υπόγλυκος, -η, -ο ΕΠΙΘ (*επίσ.*) a bit sweet
υπογλώσσιο ΟΥΣ ΟΥΔ sublingual tablet
(*επιστ.*), tablet that dissolves under the

tongue

υπογλώσσιος, -α, -ο ΕΠΙΘ **(α)** *(αδένας, αρτηρία, νεύρο)* sublingual *(επιστ.)*, under the tongue **(β)** *(χάπι, φάρμακο)* sublingual *(επιστ.)*, that dissolves under the tongue

υπογραμμίζω Ρ Μ **(α)** *(λέξη, φράση)* to underline **(β)** *(μτφ.: σπουδαιότητα, κρισιμότητα, ανάγκη)* to emphasize, to stress
▸ **υπογραμμίζεται** ΑΠΡΟΣ: **υπογραμμίζεται ότι** it must be emphasized *ή* stressed that

υπογράμμιση ΟΥΣ ΘΗΛ **(α)** *(λέξης, φράσης)* underlining **(β)** *(= γραμμή)* line **(γ)** *(μτφ.)* emphasis

υπογραμμός ΟΥΣ ΑΡΣ: **τύπος και υπογραμμός** shining example

υπογραφή ΟΥΣ ΘΗΛ **(α)** *(= αναγραφή ονόματος και επωνύμου)* signature **(β)** *(= συνομολόγηση: συνθήκης, ειρήνης, συμφωνίας)* ratification · *(συμβολαίου, διαθήκης)* signing **(γ)** *(= προσωπική δέσμευση)* word
▹ **αρνούμαι την υπογραφή μου** to go back on one's word
▹ **βάζω την υπογραφή μου** *(κυριολ.)* to sign · *(= συμφωνώ απόλυτα)* to be in complete agreement
▹ **δίνω** *ή* **βάζω την υπογραφή μου για κπν/κτ** *(μτφ.)* to vouch for sb/sth
▹ **δεν ξέρει ούτε την υπογραφή του να βάλει** he can't even sign his own name
▹ **έχω το δικαίωμα της υπογραφής** to be an authorized signatory
▹ **πέφτουν οι υπογραφές** they're going to sign
▹ **συγκεντρώνω** *ή* **μαζεύω υπογραφές** to get up a petition
▹ **τιμώ την υπογραφή μου** to keep one's word

υπογράφω Ρ Μ **(α)** *(έγγραφο, επιστολή, συμβόλαιο, επιταγή)* to sign **(β)** *(ταινία)* to make · *(βιβλίο)* to write **(γ)** *(μτφ.: = εγκρίνω)* to approve **(δ)** *(συνθήκη, συμφωνία)* to ratify, to sign **(ε)** (ΑΘΛ: *σε ομάδα)* to sign
▹ **στο λέω και στο υπογράφω** I guarantee you
▹ **υπογράφω και με τα δυο (μου) χέρια** to be in complete agreement
▹ **υπογράφω με το αίμα μου** to sign in blood
▹ **υπογράφω την (θανατική) καταδίκη μου** to sign one's own death warrant

υποδεέστερος, -η, -ο ΕΠΙΘ *(επίσ.: θέση, τέχνη, αποδοχές)* inferior · *(τάξεις)* lower

υπόδειγμα ΟΥΣ ΟΥΔ **(α)** *(ερμηνείας, αίτησης, έκθεσης)* model **(β)** *(μτφ.: για άνθρωπο)* paragon
▹ **είμαι υπόδειγμα μαθητή/πατέρα/συζύγου/ υπαλλήλου** to be a model student/father/ husband/employee
▹ **είμαι υπόδειγμα ήθους** to be a paragon of virtue, to have exemplary morals
▹ **παίρνω κπν ως υπόδειγμα** to model oneself on sb, to hold sb up as a model
▸ **βιομηχανικό υπόδειγμα** prototype

υποδειγματικός, -ή, -ό ΕΠΙΘ **(α)** *(συμπεριφορά, εργασία)* exemplary ·

(πατέρας, μητέρα, σύζυγος, εργαζόμενος) model **(β)** *(= πρότυπο: διδασκαλία, καλλιέργεια, προϊόν)* model · *(συγγραφέας, ταινία)* original

υποδεικνύω Ρ Μ **(α)** *(= υποδηλώνω: λάθη, αβλεψίες)* to point out **(β)** *(= δείχνω φανερά, καθορίζω: σημείο, πέναλτι)* to indicate · *(διάδοχο, αντικαταστάτη)* to appoint **(γ)** *(= συμβουλεύω: άτομο)* to advise · *(ενέργειες, λύσεις, πορεία)* to recommend, to suggest

υπόδειξη ΟΥΣ ΘΗΛ **(α)** *(= δείξιμο)* indication **(β)** *(= συμβουλή)* recommendation, advice *χωρίς πληθ.*
▹ **καθ' υπόδειξιν κποιου** on sb's recommendation

υποδεκάμετρο ΟΥΣ ΟΥΔ ruler

υποδεκανέας ΟΥΣ ΑΡΣ lance corporal *(Βρετ.)*, private first class *(Αμερ.)*

υποδέχομαι Ρ Μ ΑΠΟΘ **(α)** *(δοχείο, δεξαμενή)* to collect **(β)** *(= προϋπαντώ: καλεσμένους, πρωθυπουργό, ηγέτη)* to receive *(επία.)* · *(φίλους, συγγενείς)* to welcome · *(ομάδα)* to host · *(άνοιξη)* to welcome **(γ)** *(μτφ.: = εκλαμβάνω: είδηση, ανακοίνωση)* to receive
▹ **βγήκε στην πόρτα για να μας υποδεχτεί** he came to the door to greet us
▹ **πώς υποδέχτηκαν τα νέα;** how did they take the news?
▹ **υποδέχομαι κπν καλά/άσχημα** to give/not to give sb a warm welcome
▹ **υποδέχομαι κπν με επευθημίες** to greet sb with cheers
▹ **υποδέχομαι κπν στον σταθμό** to meet sb at the station

υποδηλώνω Ρ ΑΜ to indicate

υπόδημα ΟΥΣ ΟΥΔ *(επία.)* footwear *χωρίς πληθ.*, shoe

υποδηματοποιείο ΟΥΣ ΟΥΔ *(επία.)* shoemaker's (shop)

υποδηματοποιία ΟΥΣ ΘΗΛ *(επία.)* **(α)** *(= τέχνη και κατασκευή υποδημάτων)* shoemaking **(β)** *(= βιομηχανία ή βιοτεχνία)* shoe industry

υποδηματοποιός ΟΥΣ ΑΡΣ/ΘΗΛ *(επία.)* shoemaker

υπόδηση ΟΥΣ ΘΗΛ *(επία.)* **(α)** *(= το να φορά κανείς υποδήματα)* wearing shoes **(β)** *(= υποδήματα)* footwear *χωρίς πληθ.* · *(= κάλτσες)* hosiery *χωρίς πληθ.*

υποδιαίρεση ΟΥΣ ΘΗΛ subdivision

υποδιαιρώ Ρ Μ to subdivide
▸ **υποδιαιρούμαι** ΜΕΣΟΠΑΘ to be subdivided *(σε into)*

υποδιαστολή ΟΥΣ ΘΗΛ **(α)** (ΜΑΘ) decimal point **(β)** (ΓΛΩΣΣ) comma

υποδιεύθυνση ΟΥΣ ΘΗΛ **(α)** *(= αξίωμα υποδιευθυντή)* post of assistant manager **(β)** *(αστυνομίας)* sub–prefecture

υποδιευθυντής ΟΥΣ ΑΡΣ *(καταστήματος, τράπεζας, εταιρείας, υπηρεσίας)* assistant manager · *(σχολείου)* deputy head *(Βρετ.)*, assistant principal *(Αμερ.)*

υποδιευθύντρια ΟΥΣ ΘΗΛ βλ. **υποδιευθυντής**

υπόδικος, -η, -ο ΕΠΙΘ (α) (ΝΟΜ) awaiting trial (β) (μτφ.) responsible

υποδιοικητής ΟΥΣ ΑΡΣ (α) (= αναπληρωτής διοικητή) vice ή deputy governor (β) (ΣΤΡΑΤ) second–in–command

υποδομή ΟΥΣ ΘΗΛ (α) (= βάση) infrastructure (β) (= υπόγειο τμήμα δομικού έργου) substructure, foundations πληθ. · (= κατασκευή ως βάση μεγαλύτερου τεχνικού έργου) skeleton, frame

υποδόριος, -α, -ο ΕΠΙΘ (επίσ.: ιστός, ένεση) subcutaneous

υπόδουλος, -η, -ο ΕΠΙΘ enslaved

υποδουλώνω Ρ Μ to enslave, to subjugate

υποδούλωση ΟΥΣ ΘΗΛ enslavement, subjugation

υποδοχή ΟΥΣ ΘΗΛ (α) (= δεξίωση) reception · (= φιλοξενία) welcome (β) (= ρεσεψιόν) reception, reception desk (γ) (βιβλίου, ταινίας) reception (δ) (ρεύματος) socket · (θυρίδας) slot (ε) (ΑΘΛ: στην πετοσφαίριση) reception
▷ **εκδηλώσεις για την υποδοχή του νέου έτους** New Year celebrations
▷ **πηγαίνω στον σταθμό για την υποδοχή κποιου** to go to the station to meet sb

υποδύομαι Ρ Μ ΑΠΟΘ (επίσ.: ρόλο) to play

υποζύγιο ΟΥΣ ΟΥΔ (επίσ.) beast of burden

υποηχητικός, -ή, -ό ΕΠΙΘ (αεροσκάφος, ταχύτητα) subsonic

υπόηχος ΟΥΣ ΑΡΣ infrasound χωρίς πληθ.

υποθαλάσσιος ΕΠΙΘ underwater, submarine

υποθάλπω Ρ Μ (επίσ.) (α) (δραπέτη, εγκληματία) to harbour (Βρετ.), to harbor (Αμερ.), to shelter · (τραυματία) to take in (β) (ταραχές) to incite, to foment (επίσ.) · (μίσος, έχθρα, απεργία) to incite · (ενδιαφέρον) to stir up · (φιλοδοξία, ματαιοδοξία) to encourage

υπόθαλψη ΟΥΣ ΘΗΛ (α) (εγκληματία, δραπέτη) harbouring (Βρετ.), harboring (Αμερ.) · (τραυματία) taking in (β) (ταραχών, μίσους, έχθρας, απεργίας) incitement · (ενδιαφέροντος) arousal, stirring

υπόθεμα ΟΥΣ ΟΥΔ (α) (= υπόβαθρο) stand, base (β) (= υπόθετο) suppository

υποθερμία ΟΥΣ ΘΗΛ hypothermia

υπόθεση ΟΥΣ ΘΗΛ (α) (= εικασία) hypothesis

> *Προσοχή!: Ο πληθυντικός του* **hypothesis** *είναι* **hypotheses**.

(β) (= θέμα) matter, business (γ) (= ζήτημα: υποκλοπών) affair (λαθρομεταναστών, ναρκωτικών, αμβλώσεων, συνόρων) issue (δ) (επιχειρηματία) business · (επαγγελματία, ατόμου) work (ε) (ΝΟΜ) case (στ) (βιβλίου, ταινίας) plot, story (ζ) (ΓΛΩΣΣ) conditional clause
▷ **αυτό δεν είναι δική μου/δική σου υπόθεση** that's none of my/your business

▷ **ασχολήσου με τις δικές σου υποθέσεις** ή **τις υποθέσεις σου** mind your own business
▷ **αυτό είναι όλη κι όλη η υπόθεση!** that's the whole point!
▷ **για την υπόθεση τής ειρήνης/τής ελευθερίας** in the name of peace/freedom
▷ **δεν είναι εύκολη υπόθεση, είναι μεγάλη υπόθεση** it's no easy matter
▷ **είναι προσωπική μου υπόθεση!** that's my business!
▷ **διατυπώνω (μια) υπόθεση** to put forward a hypothesis
▷ **είναι υπόθεση λίγων ευρώ μόνο** it's only a matter of a few euros
▷ **είναι χαμένη υπόθεση** it's a lost cause
▷ **εκδικάζεται η υπόθεσή μου** to have one's case heard in court, to go to trial
▷ **εξωτερικές υποθέσεις** foreign affairs
▷ **κάνω μια υπόθεση** to make a guess
▷ **κερδίζω/χάνω μια υπόθεση** to win/lose a case

υποθετικός, -ή, -ό ΕΠΙΘ (α) (= υποτιθέμενος: κατάσταση, περίπτωση, κίνδυνος) hypothetical (β) (= φανταστικός: φίλος, εχθρός, συγγενής) imaginary
▸ **υποθετικός λόγος** conditional sentence
▸ **υποθετική πρόταση** conditional clause
▸ **υποθετικός σύνδεσμος** conditional conjunction

υπόθετο ΟΥΣ ΟΥΔ (ΙΑΤΡ) suppository

υποθέτω Ρ Μ (α) (= θεωρώ κτ πραγματικό) to suppose, to assume, to presume (β) (= εικάζω) to imagine, to guess
▸ **υποτίθεται** ΑΠΡΟΣ supposedly

υποθήκευση ΟΥΣ ΘΗΛ (α) (ΝΟΜ) mortgage (β) (μτφ.: μέλλοντος) mortgaging

υποθηκεύω Ρ Μ (ΝΟΜ) to mortgage

υποθήκη ΟΥΣ ΘΗΛ (α) (ΝΟΜ) mortgage (β) (= συμβουλή) counsel, advice χωρίς πληθ.
▷ **βάζω ή δίνω κτ υποθήκη** (ανεπ.) to mortgage sth
▷ **διαγράφω ή εξαλείφω ή αίρω υποθήκη** to pay off ή redeem a mortgage
▸ **βιβλίο υποθηκών** mortgage register

υποθηκοφύλακας ΟΥΣ ΑΡΣ mortgage registrar

υποθηκοφυλακείο ΟΥΣ ΟΥΔ land registry (Βρετ.), land office (Αμερ.)

υποθυρεοειδισμός ΟΥΣ ΑΡΣ hypothyroidism

υποκαθιστώ Ρ Μ (επίσ.: = αντικαθιστώ: λίπη, καφέ) to substitute · (κηπουρό, υπάλληλο, γραφομηχανή, μηχανή) to replace · (διευθυντή) to stand in for

υποκατάστατο ΟΥΣ ΟΥΔ substitute

υποκατάστημα ΟΥΣ ΟΥΔ (τράπεζας, εταιρείας, υπηρεσίας) branch

υπόκειμαι Ρ ΑΜ ΑΠΟΘ (επίσ.: = βρίσκομαι από κάτω: πέτρωμα, στρώματα) to underlie
▷ **υπόκειμαι σε** to be subject to

υποκειμενικός, -ή, -ό ΕΠΙΘ subjective

υποκειμενικότητα ΟΥΣ ΘΗΛ subjectivity

υποκείμενο ΟΥΣ ΟΥΔ (α) (έρευνας, πειράματος) subject · (συζήτησης) topic,

Υ

η

υποκείμενος subject· (φροντίδας) object (β) (μειωτ.) individual (γ) (ΓΛΩΣΣ) subject

υποκείμενος, -η, -ο ΕΠΙΘ (επίσ.: στρώματα εδάφους, πετρώματα) underlying
▷**υποκείμενος σε** subject to

υποκίνηση ΟΥΣ ΘΗΛ incitement
▷**με την υποκίνηση** κποιου at sb's instigation

υποκινητής ΟΥΣ ΑΡΣ instigator

υποκινήτρια ΟΥΣ ΘΗΛ βλ. **υποκινητής**

υποκινώ Ρ Μ (εργάτες, λαό) to stir up· (σύγκρουση, επανάσταση, συνωμοσία) to instigate· (ταραχές, απεργίες) to incite

υποκλέπτω Ρ Μ (επίσ.) (α) (= οικειοποιούμαι) to steal (β) (υπογραφή) to forge (γ) (συνδιάλεξη) to tap· (μήνυμα) to intercept

υποκλίνομαι Ρ ΑΜ ΑΠΟΘ (κυριολ., μτφ.) to bow· (γυναίκα, κοπέλα) to curts(e)y

υπόκλιση ΟΥΣ ΘΗΛ bow· (για γυναίκα) curts(e)y

υποκλοπή ΟΥΣ ΘΗΛ (α) (χρημάτων, τεχνογνωσίας, πληροφοριών) stealing (β) (συνομιλίας, τηλεφώνου) tapping

υποκόπανος ΟΥΣ ΑΡΣ butt

υποκοριστικό ΟΥΣ ΟΥΔ diminutive

υπόκοσμος ΟΥΣ ΑΡΣ underworld

υποκουλτούρα ΟΥΣ ΘΗΛ (α) (ΚΟΙΝΩΝ) subculture (β) (αρνητ.: των Μ.Μ.Ε.) dumbing down

υποκρίνομαι ① Ρ Μ (= προσποιούμαι) to pretend· (στο θέατρο: ρόλο) to play ② Ρ ΑΜ (= προσποιούμαι) to pretend
▷**υποκρίνομαι τον άγιο** to play the saint
▷**υποκρίνομαι τον αδιάφορο** to pretend to be indifferent ή not to care, to feign indifference (επίσ.)

υπόκριση ΟΥΣ ΘΗΛ (α) (= ηθοποιία) acting, performance (β) (= υποκρισία) hypocrisy

υποκρισία ΟΥΣ ΘΗΛ hypocrisy

υποκριτής ΟΥΣ ΑΡΣ (α) (= ανειλικρινής) hypocrite (β) (στο θέατρο) actor

υποκριτική ΟΥΣ ΘΗΛ (επίσης **υποκριτική τέχνη**) acting

υποκριτικός, -ή, -ό ΕΠΙΘ (α) (συμπεριφορά) hypocritical· (χαμόγελο) insincere· (χαρά, αγάπη, ενθουσιασμός) feigned (β) (στο θέατρο: προσόντα, ικανότητα) acting· (ταλέντο) as an actor

υπόκρουση ΟΥΣ ΘΗΛ (επίσης **μουσική υπόκρουση**) accompaniment

υποκρύπτω Ρ Μ to conceal

υποκύπτω Ρ ΑΜ to give in (σε to)
▷**υποκύπτω στην ανωτερότητα** κποιου to bow to sb's superiority
▷**υποκύπτω στον πειρασμό** to give in ή yield to temptation
▷**υποκύπτω στη γοητεία** κποιου to fall for ή to succumb to sb's charms
▷**υποκύπτω στα τραύματά μου/στο μοιραίο** ή **στην αρρώστια** to succumb to one's wounds/ to illness

υπόκωφος, -η, -ο ΕΠΙΘ (θόρυβος, βοή) deep, dull

υπόλειμμα ΟΥΣ ΟΥΔ (α) (τροφής) leftovers πληθ., remains πληθ.· (σαπουνιού) end· (καφέ) dregs πληθ.· (αρχαίων πολιτισμών) vestige, relic (β) (μτφ.: ελπίδας) vestige, glimmer

υπολείπομαι Ρ ΑΜ ΑΠΟΘ (α) (χρόνος, ποσό) to be left, to remain (β) (= υστερώ) to be inferior· (σε τεχνολογία) to be behind
▷**δεν υπολείπεται των άλλων σε θάρρος/ εξυπνάδα** he's just as brave/clever as the rest
▷**υπολείπεται ακόμα προσπάθεια** there's still a long way to go ή a lot to do
▷**υπολείπονται δυο μήνες ως...** there's two months to go ή left until...

υπόληψη ΟΥΣ ΘΗΛ (α) (= εκτίμηση) esteem (β) (= καλή φήμη) reputation
▷**έχω** κπν/κτ **σε (μεγάλη) υπόληψη** to hold sb/ sth in high esteem
▷**καταστρέφω** ή **χάνω την υπόληψή μου** to lose one's reputation
▷**πέφτω στην υπόληψη** κποιου to go down in sb's esteem
▷**σπιλώνω την υπόληψη** κποιου to tarnish sb's reputation

υπολογίζω Ρ Μ (α) (= λογαριάζω: δαπάνη, κόστος, ζημία, ταχύτητα, απόσταση) to calculate, to work out· (= εκτιμώ κατά προσέγγιση: αριθμό, βάρος, ύψος) to estimate, to guess (β) (= συμπεριλαμβάνω: άτομο, χώρα) to count (ανάμεσα σε among ή as) (γ) (μτφ.: γνώμη, άποψη, εξέλιξη) to take into account· (λύση, συνέπειες) to consider (δ) (= σέβομαι: ομάδα, εταιρεία, καθηγητή, άτομο) to rate highly· (= φοβάμαι) to be in awe of
▷**αλλιώς τα είχαμε υπολογίσει τα πράγματα** we thought things would turn out differently
▷**δεν υπολογίζω κανέναν (και τίποτε)** to have no respect
▷**υπολογίζεται ότι** it is estimated that
▷**υπολογίζω λάθος** κτ to miscalculate sth, to misjudge sth
▷**υπολογίζω σε** κπν/κτ to count on sb/sth
▷**υπολογίζω να** to reckon (that)

υπολογίσιμος, -η, -ο ΕΠΙΘ (α) (αποτέλεσμα) predictable (β) (μτφ.: δύναμη, αντίπαλος, ομάδα) to be reckoned with· (δαπάνη, έξοδα) considerable

υπολογισμένος, -η, -ο ΕΠΙΘ (= προμελετημένος, προσχεδιασμένος: ενέργεια, πράξη) calculated· (= ακριβής: μπαλιά, πάσα, σέντρα) precise

υπολογισμός ΟΥΣ ΑΡΣ (α) (κέρδους, ποσού, εξόδων, εσόδων) calculation (β) (= εκτίμηση) estimate
▶**υπολογισμοί** ΠΛΗΘ (μτφ.) scheming εν.
▷**ενεργεί πάντα με υπολογισμούς** she's very calculating
▷**με δικούς μου υπολογισμούς** by my calculations

υπολογιστής ΟΥΣ ΑΡΣ
 (α) (= *συμφεροντολόγος*) calculating person
 (β) (*επίσης* **ηλεκτρονικός υπολογιστής**)
 computer **(γ)** (= *αριθμομηχανή*) calculator
 ▸**προσωπικός υπολογιστής** personal
 computer, PC
 ▸**φορητός υπολογιστής** portable computer
 ▸**υπολογιστής τσέπης** pocket calculator
 ▸**υπολογιστές** ΠΛΗΘ computer science *εν.*,
 computing *εν.*

υπολογιστικός, -ή, -ό ΕΠΙΘ **(α)** (*άνθρωπος,
 μηχανή*) calculating **(β)** (*πρόγραμμα,
 σύστημα*) computer
 ▸**υπολογιστική γλωσσολογία** computational
 linguistics *εν.*

> *Προσοχή!: Αν και το* **computational
> linguistics** *φαίνεται ως τύπος
> πληθυντικού, είναι ουσιαστικό μόνο στον
> ενικό και συντάσσεται με ρήμα στον
> ενικό.*

υπολογίστρια ΟΥΣ ΘΗΛ calculating person
υπόλογος, -η, -ο ΕΠΙΘ accountable
 ▷**είμαι υπόλογος για κτ** to be accountable for
 sth
 ▷**θεωρώ κπν υπόλογο για κτ** to hold sb
 accountable for sth
υπόλοιπο ΟΥΣ ΟΥΔ **(α)** (*δανείου, χρημάτων,
 ζωής, θητείας*) rest, remainder **(β)** (ΜΑΘ)
 remainder
 ▸**υπόλοιπο (τραπεζικού) λογαριασμού** (bank)
 balance
υπόλοιπος, -η, -ο ΕΠΙΘ rest of, remaining
 ▷**οι υπόλοιποι/τα υπόλοιπα** the rest
υπολοχαγός ΟΥΣ ΑΡΣ&ΘΗΛ lieutenant (*Βρετ.*),
 first lieutenant (*Αμερ.*)
υπομένω ① Ρ Μ to endure
 ② Ρ ΑΜ to be patient
 ▷**υπομένω κτ αγόγγυστα** ή **αδιαμαρτύρητα** to
 take sth lying down
υπομηχανικός ΟΥΣ ΑΡΣ&ΘΗΛ assistant engineer
υπόμνημα ΟΥΣ ΟΥΔ **(α)** (*εντός εταιρείας,
 οργανισμού*) memo **(β)** (ΝΟΜ) memorandum

> *Προσοχή!: Ο πληθυντικός του*
> **memorandum** *είναι* **memoranda**.

 (γ) (*σε βιβλίο, σε κείμενο*) notes *πληθ.* · (*σε
 χάρτη*) key
υπομνηματίζω Ρ Μ (*κείμενο*) to annotate ·
 (*χάρτη*) to provide with a key
υπομνηματισμός ΟΥΣ ΑΡΣ annotation
υπόμνηση ΟΥΣ ΘΗΛ (*επίσ.*) reminder
υπομονετικά ΕΠΙΡΡ patiently
υπομονετικός, -ή, -ό ΕΠΙΘ patient
υπομονή ΟΥΣ ΘΗΛ patience
 ▷**η υπομονή έχει και τα όριά της** patience
 has its limits, there's a limit to my patience
 ▷**κάνω** ή **έχω υπομονή** to be patient, to have
 patience
 ▷**υπομονή!** be patient!
 ▷**χάνω την υπομονή μου** to lose patience

υποναύαρχος ΟΥΣ ΑΡΣ rear admiral
υπόνοια ΟΥΣ ΘΗΛ suspicion
υπονόμευση ΟΥΣ ΘΗΛ **(α)** (*έργου, πολιτικού,
 αξιών*) undermining **(β)** (= *σκάψιμο
 υπόγειας σήραγγας*) tunnelling (*Βρετ.*),
 tunneling (*Αμερ.*)
υπονομευτής ΟΥΣ ΑΡΣ **(α)** (*πολιτικού, πολίτη*)
 detractor · (*εξουσίας, γλώσσας*) threat ·
 (*προόδου*) obstacle **(β)** (*εδάφους, υπονόμου*)
 tunneller (*Βρετ.*), tunneler (*Αμερ.*)
υπονομευτικός, -ή, -ό ΕΠΙΘ **(α)** (*ενέργειες,
 βλέψεις*) subversive **(β)** (*εργαλεία*) tunnelling
 (*Βρετ.*), tunneling (*Αμερ.*)
υπονομεύω Ρ Μ **(α)** (*κράτος, πολιτική, αξίες,
 θεσμούς*) to undermine **(β)** (*έδαφος*) to dig a
 tunnel in
υπόνομος ΟΥΣ ΑΡΣ **(α)** (= *βόθρος*) drain
 (β) (= *βρομόστομα*) mouth like a sewer
 (γ) (= *λαγούμι*) tunnel
υπονοούμενο ΟΥΣ ΟΥΔ (*εις βάρος κάποιου*)
 insinuation · (*σεξουαλικό*) innuendo

> *Προσοχή!: Ο πληθυντικός του* **innuendo**
> *είναι* **innuendoes**.

 ▷**το 'πιασα το υπονοούμενο!** I can take a
 hint!
υπονοώ Ρ Μ to insinuate, to imply
 ▸**υπονοείται** ΤΡΙΤΟΠΡΟΣ it's understood
 ▷**υπονοείται στη σύμβαση** it's implicit in the
 agreement
υπόξινος, -η, -ο ΕΠΙΘ (*γεύση, φρούτο*)
 slightly sour
υποομάδα ΟΥΣ ΘΗΛ subgroup
υποπίπτω Ρ ΑΜ (*επίσ.*): **υποπίπτω σε** (*σφάλμα,
 αμάρτημα*) to commit
 ▷**υποπίπτω στην αντίληψή μου** to come to
 one's attention
υποπληροφόρηση ΟΥΣ ΘΗΛ lack of
 information
υποπλοίαρχος ΟΥΣ ΑΡΣ (*στο Πολεμικό
 Ναυτικό*) lieutenant (*Βρετ.*), first lieutenant
 (*Αμερ.*) · (*στο Εμπορικό Ναυτικό*) second
 mate
υποπολλαπλάσιο ΟΥΣ ΟΥΔ submultiple
υποπολλαπλάσιος, -α, -ο ΕΠΙΘ submultiple
υποπροϊόν ΟΥΣ ΟΥΔ **(α)** (= *παράγωγο* ή
 κατάλοιπο) by–product **(β)** (*αρνητ.*)
 low–quality product
υποπρόξενος ΟΥΣ ΑΡΣ vice–consul
υποπτέραρχος ΟΥΣ ΑΡΣ air vice–marshal
 (*Βρετ.*), major general (*Αμερ.*)
υποπτεύομαι Ρ Μ ΑΠΟΘ (*προθέσεις, κίνητρα,
 σκοπούς*) to suspect
 ▷**υποπτεύομαι κπν για κτ** to suspect sb of sth
ύποπτος, -η, -ο ΕΠΙΘ **(α)** (*κινήσεις, πρόσωπο,
 συμπεριφορά, εμφάνιση*) suspicious · (*χαρτιά*)
 incriminating · (*κυκλώματα, δραστηριότητα*)
 dubious **(β)** (*στέκια, δρόμοι, μαγαζιά, μπαρ,
 παρέες*) seedy, sleazy
 ▷**ύποπτες δουλειές** shady ή fishy business
 ▷**ύποπτης προέλευσης/ποιότητας** of dubious

origin/quality

▸**ύποπτος** ΟΥΣ ΑΡΣ, **ύποπτη** ΟΥΣ ΘΗΛ suspect
▷**ύποπτος φόνου/ληστείας** murder/arson suspect
υποσημειώνω Ρ Μ to annotate
υποσημείωση ΟΥΣ ΘΗΛ footnote
υποσιτίζω Ρ Μ to undernourish
▸**υποσιτίζομαι** ΜΕΣΟΠΑΘ to be undernourished
υποσιτισμός ΟΥΣ ΑΡΣ undernourishment
υποσκάπτω Ρ Μ (α) (θεμέλια, προσπάθειες) to undermine (β) (κυριολ.) to dig under
υποσκελίζω Ρ Μ (συνάδελφο, αντίπαλο) to supplant · (προσπάθεια) to thwart
υποσκιάζω Ρ Μ (α) (= κάνω λίγο σκοτεινό) to cast in shadow (β) (μτφ.) to overshadow, to put in the shade
υποσμηναγός ΟΥΣ ΑΡΣ flying officer (Βρετ.), first lieutenant (Αμερ.)
υποσμηνίας ΟΥΣ ΑΡΣ leading airman (Βρετ.), airman first class (Αμερ.)

> *Προσοχή!: Ο πληθυντικός του* **airman** *είναι* **airmen**.

υποστάθμη ΟΥΣ ΘΗΛ dregs εν.
▷**άνθρωποι κατωτάτης υποστάθμης** the dregs, the scum of society
υποσταθμός ΟΥΣ ΑΡΣ substation
υπόσταση ΟΥΣ ΘΗΛ (α) (= οντότητα) existence (β) (μτφ.: φημών, λόγων, πληροφοριών) substance (γ) (ΘΡΗΣΚ) hypostasis (δ) (= προσωπικότητα) character, personality
▷**ανθρώπινες υποστάσεις** human beings
▷**αποκτώ ή λαμβάνω υπόσταση** to take shape, to crystallize
▷**δίνω υπόσταση σε κτ** to make sth reality
▷**η υπόσταση της ανθρωπότητας** human existence
▸**νομική υπόσταση** legal entity
υποστατικό ΟΥΣ ΟΥΔ farm
υπόστεγο ΟΥΣ ΟΥΔ awning
υποστέλλω Ρ Μ (α) (σημαία) to lower (β) (ταχύτητα) to reduce · (κέρδη) to cut, to send down
υποστήριγμα ΟΥΣ ΟΥΔ support
υποστηρίζω Ρ Μ (α) (τοίχο, κτήριο, φράγμα) to shore up, to buttress (β) (άποψη, θέση, θεωρία) to defend · (ιδέες) to stand up for · (ισχυρισμούς) to back up (γ) (μτφ.: φίλο, οικογένεια, κόμμα) to support (δ) (= είμαι υπέρ: μεταρρύθμιση, αλλαγές, θεωρία, άποψη) to support, to back · (ομάδα, κόμμα) to support (ε) (= ισχυρίζομαι με επιχειρήματα: ανάγκη αλλαγών) to argue (στ) (διδακτορική διατριβή) to defend
▷**υποστηρίζεται ότι** ή **πως** it is claimed that
▷**υποστηρίζω ότι** ή **πως** to maintain that
υποστηρικτής ΟΥΣ ΑΡΣ (ομάδας, αλλαγών, μεταρρυθμίσεων) supporter · (θεωρίας, ιδεών, άποψης) exponent · (κόμματος, κινήματος) supporter, backer
υποστηρίκτρια ΟΥΣ ΘΗΛ βλ. **υποστηρικτής**

υποστήριξη ΟΥΣ ΘΗΛ (α) (κτηρίου) shoring up · (οροφής, στέγης) propping up (β) (= ενίσχυση, βοήθεια) support · (κόμματος, μεταρρυθμίσεων, υποψηφίου) support, backing (γ) (θεωρίας, θέσης, άποψης, διδακτορικής διατριβής) defence (Βρετ.), defense (Αμερ.)
▷**διατηρούμαι στη ζωή με μηχανική υποστήριξη** to be on a life–support machine
υποστολή ΟΥΣ ΘΗΛ (α) (= κατέβασμα) lowering (β) (= μείωση: εσόδων, απαιτήσεων) fall · (αξιών) lowering
▷**υποστολή της σημαίας** lowering the flag
υποστράτηγος ΟΥΣ ΑΡΣ lieutenant general
υπόστρωμα ΟΥΣ ΟΥΔ (α) (κυριολ.) underlay (β) (υπεδάφους) substratum

> *Προσοχή!: Ο πληθυντικός του* **substratum** *είναι* **substrata**.

(γ) (σαμαριού ή σέλας) saddlecloth (δ) (ΓΛΩΣΣ) substratum (ε) (μτφ.) foundation
υποστύλωμα ΟΥΣ ΟΥΔ strut, prop
υποστυλώνω Ρ Μ (τοίχο, στέγη, κατασκευή) to prop up
υποστύλωση ΟΥΣ ΘΗΛ propping up
υποσυνείδητα ΕΠΙΡΡ subconsciously
υποσυνείδητο ΟΥΣ ΟΥΔ subconscious
υποσυνείδητος, -α, -ο ΕΠΙΘ (επίπεδο, σκέψεις) subconscious
υποσύνολο ΟΥΣ ΟΥΔ (ΜΑΘ) subset
υποσύστημα ΟΥΣ ΟΥΔ subsystem
υπόσχεση ΟΥΣ ΘΗΛ promise
▷**αθετώ υπόσχεση** ή **την υπόσχεσή μου** to break one's promise
▷**αφήνω** ή **δίνω υποσχέσεις (για το μέλλον)** to be full of promise, to have a promising future
▷**δίνω υπόσχεση** ή **την υπόσχεσή μου** to make a promise
▷**δίνω την υπόσχεσή μου πως** to promise that
▷**κρατώ** ή **τηρώ την υπόσχεση μου** to keep one's promise
▷**με την υπόσχεση ότι** promising that
υποσχετικός, -ή, -ό ΕΠΙΘ promissory
▸**υποσχετική** ΟΥΣ ΘΗΛ, **υποσχετικό** ΟΥΣ ΟΥΔ (επίσης **υποσχετικό έγγραφο**) promissory note
υπόσχομαι Ρ Μ ΑΠΟΘ to promise
▷**σου το υπόσχομαι** I promise you
▷**υπόσχομαι να κάνω κτ** to promise to do sth
▷**υπόσχομαι πολλά** to be always making promises · (= αφήνω πολλές υποσχέσεις) to be full of promise
▷**υπόσχομαι τον ουρανό με τ'άστρα** to promise the earth ή the moon
υποσχόμενος, -η, -ο ΕΠΙΘ (καλλιτέχνης, συγγραφέας) promising
▷**πολλά υποσχόμενος** full of promise, very promising
υποταγή ΟΥΣ ΘΗΛ (α) (κράτους, λαού,

κυβέρνησης, ατόμου) submission, subjugation (β) (*μτφ.*: = *υπαγωγή*) subordinating (γ) (*μτφ.*: = *πέρασμα σε δεύτερη μοίρα*) reducing (δ) (= *υπακοή*) obedience

υποταγμένος, -η, -ο ΕΠΙΘ (α) (*κράτος, περιοχή*) subjugated · (*ζώο*) subdued, submissive (β) (*μτφ.*) downtrodden (γ) (ΓΛΩΣΣ: *λήμμα*) embedded

υποτακτική ΟΥΣ ΘΗΛ (*έγκλιση*) subjunctive

υποτακτικός, -ή, -ό ΕΠΙΘ (α) (= *αυτός που υποτάσσεται*) submissive (β) (= *πειθαρχικός*) obedient (γ) (ΓΛΩΣΣ: *λόγος, σύνδεση, σύνδεσμος*) subordinating
▸ **υποτακτικός** ΟΥΣ ΑΡΣ (*παλαιότ.*) servant

υπόταξη ΟΥΣ ΘΗΛ (α) (*κράτους, λαού, στρατού*) submission, subjugation (β) (ΓΛΩΣΣ) hypotaxis (*επιστ.*), subordinate construction

υπόταση ΟΥΣ ΘΗΛ (ΙΑΤΡ) low blood pressure, hypotension (*επιστ.*)

υποτάσσω Ρ Μ (α) (*κράτος, χώρα, λαό, στρατό*) to subjugate (β) (*μτφ.*: *πάθη, αδυναμίες*) to overcome
▹ **υποτάσσω ατομικό συμφέρον στο γενικό** to sacrifice personal interest for the common good
▸ **υποτάσσομαι** ΜΕΣΟΠΑΘ (*χώρα, λαός, σύζυγος, άνθρωπος*) to be subjugated (*σε* by)
▹ **υποτάσσομαι στη μοίρα μου** to be resigned to one's fate

υποτείνουσα ΟΥΣ ΘΗΛ (ΓΕΩΜ) hypotenuse

υποτέλεια ΟΥΣ ΘΗΛ subjugation

υποτελής, -ής, -ές ΕΠΙΘ (α) (= *υποχρεωμένος να πληρώνει φόρο: κάτοικοι, χώρα*) tributary (β) (= *υπόδουλος: χώρα, λαός*) subjugated · (*μτφ.*) submissive
▹ **φόρου υποτελής** tributary

υποτεταγμένος, -η, -ο ΕΠΙΘ (*επίσ.*) = **υποταγμένος**

υποτιθέμενος, -η, -ο ΕΠΙΘ alleged

υποτίμηση ΟΥΣ ΘΗΛ (α) (*μετοχών*) depreciation · (*προϊόντων*) fall in price · (*νομίσματος*) depreciation, devaluation (β) (*μτφ.*: *αντιπάλου, εχθρού*) underestimation · (*γυναίκας*) degradation

υποτιμητικός, -ή, -ό ΕΠΙΘ (*παρατήρηση*) derogatory, disparaging · (*συμπεριφορά*) disrespectful
▹ **είναι υποτιμητικό να κάνω κτ** it is unbecoming to do sth

υποτιμώ Ρ Μ (α) (*μετοχές*) to depreciate · (*προϊόν*) to mark down, to reduce the price of · (*νόμισμα*) to devalue (β) (*μτφ.*: *αντίπαλο, εχθρό, ομάδα, παιδί, πρόβλημα*) to underestimate

υπότιτλος ΟΥΣ ΑΡΣ (*βιβλίου, άρθρου*) subtitle
▸ **υπότιτλοι** ΠΛΗΘ (*ταινίας*) subtitles

υποτονικός, -ή, -ό ΕΠΙΘ (α) (*άνθρωπος, αντίδραση, προεκλογικό κλίμα*) subdued · (*αγώνας, θεατρική παράσταση*) lacklustre (*Βρετ.*), lackluster (*Αμερ.*), tame ·

(*διαμαρτυρία*) half-hearted · (*λειτουργία, οργάνωση*) sluggish · (*διδασκαλία*) uninspired (β) (ΧΗΜ: *διάλυμα*) hypotonic

υποτροπή ΟΥΣ ΘΗΛ (α) (ΙΑΤΡ: *ασθένειας, πυρετού, επιδημίας*) recurrence · (*αρρώστου*) relapse (β) (ΝΟΜ) reoffending, recidivism

υποτροπιάζω Ρ ΑΜ (α) (*ασθένεια*) to recur · (*ασθενής*) to relapse, to have a relapse (β) (*εναγόμενος*) to reoffend

υπότροπος, -η, -ο ΕΠΙΘ (ΝΟΜ: *δράστης*) reoffending
▹ **είμαι υπότροπος για κτ** (*γενικότ.*) to be already guilty of sth

υποτροφία ΟΥΣ ΘΗΛ grant, scholarship

υπότροφος ΟΥΣ ΑΡΣ&ΘΗΛ scholar

υποτυπώδης, -ης, -ες ΕΠΙΘ (*όργανα, μορφές ζωής*) rudimentary, undeveloped · (*γνώσεις, εκπαίδευση, σκηνικά, σχεδιασμός, εργασία*) rudimentary, basic

ύπουλος, -η, -ο ΕΠΙΘ (α) (*άνθρωπος, εχθρός, αντίπαλος*) devious · (*σύμμαχος*) treacherous · (*επίθεση*) sneak (β) (*μτφ.*: *ασθένεια, αρρώστια, ιός*) insidious

υπουργείο ΟΥΣ ΟΥΔ ministry (*Βρετ.*), department (*κυρ. Αμερ.*)

υπουργία ΟΥΣ ΘΗΛ ministry
▹ **επί υπουργίας του Χ.** when X was minister

υπουργικός, -ή, -ό ΕΠΙΘ (*απόφαση, αξίωμα, καθήκοντα*) ministerial
▸ **υπουργικό συμβούλιο** cabinet

υπουργός ΟΥΣ ΑΡΣ&ΘΗΛ minister, Secretary
▸ **υπουργός Εξωτερικών** Foreign Secretary, foreign minister
▸ **υπουργός Εσωτερικών** Minister of the Interior, Home Secretary (*Βρετ.*)

υποφερτός, -ή, -ό ΕΠΙΘ (α) (*ζωή, καθημερινότητα, κρύο, πόνος*) bearable (β) (= *μέτριος: εμφάνιση, ομιλητής, άνθρωπος*) passable

υποφέρω ① Ρ Μ (*ζέστη, κρύο, πόνο, άνθρωπο, παρουσία*) to stand, to bear · (*ψευτιά*) to tolerate · (*μαρτύρια, κακουχίες*) to suffer
② Ρ ΑΜ to suffer (*από* from)
▹ **μου είναι αδύνατον να την υποφέρω** I just can't stand *ή* bear her
▹ **υποφέρω τα πάνδεινα** to go through hell
▹ **υποφέρω από κρύο/ζέστη** to suffer from the cold/heat
▹ **υποφέρω από μιζέρια *ή* φτώχια** to suffer hardship
▹ **υποφέρω από πυρετό** to have a temperature
▹ **υποφέρω αρθριτικά** to suffer from *ή* have arthritis
▹ **υποφέρω σιωπηλά *ή* καρτερικά *ή* αγόγγυστα *ή* αδιαμαρτύρητα** to suffer in silence
▸ **υποφέρομαι** ΜΕΣΟΠΑΘ to be bearable
▹ **δεν υποφέρεται!** he's/it's unbearable!

υπόφυση ΟΥΣ ΘΗΛ (ΦΥΣΙΟΛ) pituitary gland, hypophysis (*επιστ.*)

υποχείριος, -α, -ο ΕΠΙΘ biddable
▸ **υποχείριο** ΟΥΣ ΟΥΔ puppet
υποχθόνιος, -α, -ο ΕΠΙΘ (επίσ.)
(α) (= υπόγειος) underground (β) (μτφ.)
underhand, devious
υποχονδρία ΟΥΣ ΘΗΛ (α) (ΨΥΧΟΛ)
hypochondria (β) (μτφ.) obsession with
cleanliness
υποχονδριακός, -ή, -ό ΕΠΙΘ (α) (ΨΥΧΟΛ)
hypochondriac (β) (μτφ.) obsessed with
cleanliness
▸ **υποχονδριακός** ΟΥΣ ΑΡΣ, **υποχονδριακή** ΟΥΣ ΘΗΛ
(α) (ΨΥΧΟΛ) hypochondriac (β) (μτφ.)
person obsessed with cleanliness
υποχόνδριος, -α, -ο ΕΠΙΘ hypochondriac
υπόχρεος, -η, -ο ΕΠΙΘ (α) (προς το Δημόσιο,
προς την εφορία, προς την τράπεζα) in debt
(προς το) owing money (προς το)
(β) (= ευγνώμων) indebted
υποχρεώνω Ρ Μ to oblige
▷ **με υποχρεώνεις πολύ με την ευγενική σου
πρόσκληση** I am much obliged to you for
your kind invitation
▷ **(τώρα) μας υποχρέωσες!** that's just what
we wanted to hear!
▸ **υποχρεώνομαι** ΜΕΣΟΠΑΘ (α) (= αναγκάζομαι:
από τις αρχές μου, από τη συνείδησή μου) to
be compelled (από by) · (από νόμο) to be
bound ή obliged (από by) (β) (= είμαι
ευγνώμων) to be grateful
▷ **έχω υποχρεωθεί ή είμαι υποχρεωμένη στον
άνθρωπο** I am grateful to the man
υποχρέωση ΟΥΣ ΘΗΛ (α) (οικονομική, ηθική)
obligation · (οικογενειακή, επαγγελματική,
κοινωνική) commitment · (στρατιωτική) duty
(β) (= ηθική οφειλή) debt of gratitude
▷ **αναλαμβάνω την υποχρέωση να κάνω κτ** to
undertake to do sth
▷ **εκπληρώνω τις στρατιωτικές μου
υποχρεώσεις** to do one's military service
▷ **έχω υποχρέωση απέναντι σε κπν** to be
indebted to sb
▷ **κάνω κτ από υποχρέωση** to feel obliged to
do sth
▸ **υποχρεώσεις** ΠΛΗΘ commitments
▷ **δεν έχω ή είμαι χωρίς υποχρεώσεις** to have
no commitments
υποχρεωτικός, -ή, -ό ΕΠΙΘ (α) (φοίτηση,
μάθημα, στρατιωτική θητεία, ασφάλιση)
compulsory · (παρακολούθηση) compulsory,
obligatory · (απόφαση) mandatory
(β) (γείτονες, άνθρωπος) obliging
▷ **δεν είναι υποχρεωτικό να έρθεις μαζί μας**
you don't have to come with us
υποχώρηση ΟΥΣ ΘΗΛ (α) (στρατεύματος)
retreat (β) (= πτώση: τιμών, ευρώ, δολαρίου)
fall (γ) (εδάφους) subsidence (δ) (μτφ.)
concession
▷ **διατάζω/σαλπίζω υποχώρηση** to order/
sound the retreat
▷ **υποχώρηση ζέστης** fall ή drop in
temperature
υποχωρώ Ρ ΑΜ (α) (στρατός) to retreat, to fall

back (β) (έδαφος) to give way, to subside ·
(στέγη) to cave in (γ) (τιμές, νόμισμα) to fall,
to go down · (ζέστη, πυρετός) to subside
(δ) (μτφ.: = παραιτούμαι) to back down, to
climb down · (= συμβιβάζομαι) to
compromise
υπόψη ΕΠΙΡΡ
▷ **έχω κτ υπόψη (μου)** to remember sth
▷ **έχω υπόψη (μου) να κάνω** to intend to do
sth · βλ. κ. **όψη**
υποψήφιος, -α, -ο ΕΠΙΘ prospective
▸ **υποψήφιος γαμπρός** suitor
▸ **υποψήφιος** ΟΥΣ ΑΡΣ, **υποψήφια** ΟΥΣ ΘΗΛ
(κόμματος, για θέση εργασίας) candidate ·
(πανεπιστημιακού ιδρύματος) applicant ·
(διαγωνισμού) entrant
υποψηφιότητα ΟΥΣ ΘΗΛ (σε εκλογές)
candidacy, nomination · (σε διαγωνισμό)
participation
▷ **αποσύρω την υποψηφιότητά μου** (από
εκλογές) to stand down · (από διαγωνισμό) to
withdraw
▷ **θέτω ή βάζω ή υποβάλλω υποψηφιότητα**
(σε εκλογές) to stand (Βρετ.), to run (Αμερ.) ·
(σε διαγωνισμό) to enter
υποψία ΟΥΣ ΘΗΛ (α) (= αμφιβολία) suspicion
(β) (μτφ.) touch, hint
▷ **βάζω κπν σε υποψία** to make sb suspicious
▷ **μπαίνω σε υποψίες** to get suspicious
υποψιάζομαι Ρ Μ ΑΠΟΘ to suspect
▷ **υποψιάζομαι ότι** to suspect that, to have a
suspicion that
ύπτιος, -α, -ο ΕΠΙΘ (θέση, στάση) supine
▸ **ύπτιο** ΟΥΣ ΟΥΔ (ΑΘΛ) backstroke
ύστατος, -η, -ο ΕΠΙΘ (επιθυμία, στιγμή) last ·
(απόδειξη) final · (προσπάθεια, αγώνα)
last–ditch
▷ **την ύστατη ώρα** at the last minute
ύστερα ΕΠΙΡΡ (α) (= μετά) then, afterwards
(β) (= επιπλέον) then
▷ **από 'κει και ύστερα** (για χρόνο) from then
on · (για τόπο) from there on
▷ **κι ύστερα;** so what?
▷ **κι ύστερα λένε πως...** and then they say
that...
▷ **ύστερα από** after
υστέρημα ΟΥΣ ΟΥΔ **από το υστέρημά μου**
from the little that one has
υστέρηση (επίσ.) ΟΥΣ ΘΗΛ (α) (έργων, εσόδων)
delay (β) (μαθητή, φοιτητή, ατόμου) lagging
behind
▷ **παρουσιάζω υστέρηση έναντι των άλλων** to
lag behind the others
υστερία ΟΥΣ ΘΗΛ (ΙΑΤΡ) hysteria
▷ **με πιάνει ή καταλαμβάνομαι από υστερία** to
become hysterical, to go into hysterics
▸ **μαζική υστερία** mass hysteria
υστερικός, -ή ή -ιά, -ό ΕΠΙΘ (κυριολ., μτφ.)
hysterical
▸ **υστερική κρίση** fit of hysterics
▸ **υστερικός** ΟΥΣ ΑΡΣ, **υστερική**, **υστερικιά** ΟΥΣ
ΘΗΛ hysterical person

υστεροβουλία ΟΥΣ ΘΗΛ ulterior motive

υστερόβουλος, -η, -ο ΕΠΙΘ calculating, self-seeking
▷**χωρίς καμμία υστερόβουλη σκέψη** without any ulterior motive

υστερόγραφο ΟΥΣ ΟΥΔ postscript · (*σε βιβλίο*) afterword

ύστερος, -η, -ο ΕΠΙΘ later
▷**εκ των υστέρων** in retrospect

υστεροφημία ΟΥΣ ΘΗΛ posthumous fame

υστερώ Ρ ΑΜ (α) +γεν./έναντι (= *μειονεκτώ*) to be inferior to, to not be as good as (β) (= *έχω ελλείψεις*) to be lacking (*σε* in)
▷**υστερώ κποιου σε μόρφωση/γνώσεις** to be less well-educated/knowledgeable than sb
▷**υστερώ σε πείρα** to be lacking in experience, to be inexperienced
▷**υστερώ κατά 7 μονάδες** to be 7 points behind
▸ **υστερούμαι** ΜΕΣΟΠΑΘ to lack
▷**ποτέ δεν υστερηθήκαμε τίποτα** we never wanted for anything

υφάδι ΟΥΣ ΟΥΔ weft

υφαίνω Ρ Μ (α) (*χαλί, κουβέρτα*) to weave · (*μτφ.: αράχνη: ιστό*) to spin (β) (*μτφ.: συνωμοσία*) to hatch

ύφαλα ΟΥΣ ΟΥΔ ΠΛΗΘ (*πλοίου*) bottom εν.

υφάλμυρος, -η, -ο ΕΠΙΘ (*νερό, πηγή*) brackish

υφαλοκρηπίδα ΟΥΣ ΘΗΛ continental shelf

ύφαλος ΟΥΣ ΑΡΣ reef

ύφανση ΟΥΣ ΘΗΛ (α) (= *η ενέργεια του υφαίνω*) weaving (β) (= *ο τρόπος που υφαίνεται ύφασμα*) weave (γ) (*μτφ.: αφήγησης*) spinning

υφαντήριο ΟΥΣ ΟΥΔ (α) (= *χώρος ύφανσης*) weaving room (β) (= *εργαστήριο κατασκευής υφασμάτων*) textile mill

υφαντής ΟΥΣ ΑΡΣ weaver

υφαντό ΟΥΣ ΟΥΔ textile

υφαντός, -ή, -ό ΕΠΙΘ woven

υφαντουργείο ΟΥΣ ΟΥΔ textile mill

υφαντουργία ΟΥΣ ΘΗΛ (α) (= *τέχνη και τεχνική*) weaving (β) (= *κλάδος οικονομίας*) textiles ΠΛΗΘ., textile industry (γ) (*κτήριο*) textile mill

υφαντουργός ΟΥΣ ΑΡΣ&ΘΗΛ (*επάγγελμα*) weaver · (*επιχειρηματίας*) textile manufacturer

υφάντρα ΟΥΣ ΘΗΛ *βλ.* **υφαντής**

υφάντρια ΟΥΣ ΘΗΛ *βλ.* **υφαντής**

υφαρπαγή ΟΥΣ ΘΗΛ (*επίσ.*)
(α) (= *οικειοποίηση*) appropriation (β) (*μτφ.: εξουσίας*) snatching (*ψήφου, συγκατάθεσης, υπογραφής*) getting

υφαρπάζω Ρ Μ (*επίσ.*) (α) (= *οικειοποιούμαι: χρήματα, δικαιολογητικά, ψηφοδέλτια*) to appropriate (β) (*μτφ.: εξουσία*) to snatch · (*ψήφο, συγκατάθεση, υπογραφή*) to get

ύφασμα ΟΥΣ ΟΥΔ material, fabric, cloth

υφασματέμπορος ΟΥΣ ΑΡΣ&ΘΗΛ draper

ύφεση ΟΥΣ ΘΗΛ (α) (*κακοκαιρίας, κατάστασης ασθενούς*) improvement · (*καύσωνα*) let-up · (*εντάσεων*) easing (β) (*οικονομική*) recession, slump (γ) (ΜΟΥΣ) flat (δ) (ΜΕΤΕΩΡ) depression
▷**οι δουλειές βρίσκονται σε ύφεση** business is slack
▷**οι ιδέες βρίσκονται σε ύφεση** there are no new ideas
▸**βαρομετρική ύφεση** fall *ή* drop in pressure
▸**διεθνής ύφεση** international détente

υφή ΟΥΣ ΘΗΛ (α) (*υφάσματος*) weave (β) (*χαρτιού, ξύλου, μετάλλου*) texture (γ) (= *αίσθηση επαφής*) touch (δ) (*μτφ.*) structure

υφηγητής ΟΥΣ ΑΡΣ (α) (*σε πανεπιστήμια εξωτερικού*) assistant lecturer (β) (*παλαιότ.*: = *πανεπιστημιακός διδάσκαλος*) assistant professor, reader

υφήλιος ΟΥΣ ΘΗΛ world
▷**σε όλη την υφήλιο** all over the world
▸ **Μις Υφήλιος** Miss World

υφίσταμαι (*επίσ.*) ① Ρ ΑΜ (= *υπάρχω*) to exist ② Ρ Μ (*ταλαιπωρίες, μαρτύρια*) to go through, to suffer · (*έλεγχο*) to undergo · (*συνέπειες*) to suffer · (*θυσίες*) to make · (*κάταγμα*) to sustain
▷**δεν θα υποστώ τέτοια συμπεριφορά** I won't stand for this kind of behaviour
▷**υφίσταμαι ολική καταστροφή** to be completely destroyed
▷**υφίσταμαι πλήγμα** to sustain a wound · (*μτφ.*) to be dealt a blow

υφιστάμενος, -η, -ο ΕΠΙΘ (*κατάσταση, πρόβλημα*) existing
▸ **υφιστάμενος** ΟΥΣ ΑΡΣ, **υφιστάμενη**, **υφισταμένη** (*επίσ.*) ΟΥΣ ΘΗΛ subordinate

ύφος ΟΥΣ ΟΥΔ (α) (*ατόμου*) air · (= *έκφραση τού προσώπου*) look, expression · (= *τρόπος ομιλίας*) tone (β) (*έκφραση, στυλ*) style
▷**κοιτάζω κπν με αυστηρό/αγέρωχο ύφος** to give sb a stern/haughty look
▷**με μελαγχολικό/μυστηριώδες ύφος** with an air of melancholy/secrecy
▷**μιλάω με ύφος** to be pompous
▷**παίρνω ύφος** to assume a self-important air

υφυπουργείο ΟΥΣ ΟΥΔ secretariat

υφυπουργός ΟΥΣ ΑΡΣ&ΘΗΛ undersecretary

υψηλός, -ή, -ό ΕΠΙΘ (α) (*γενικότ.*) high · (*κέρδη, ποσό, ποσοστό*) large, big · (*βάρος, κίνδυνος*) great · (*θέση*) superior · (*ποιότητα*) top, high · (*αίσθημα ευθύνης*) keen (β) (*ιδανικά, ιδεώδη*) high, lofty · (*στόχοι, ιδέες, αξίες*) lofty (γ) (*καλεσμένοι, προσκεκλημένοι*) VIP (δ) (*έργο, καθήκον, αποστολή, αξίωμα*) worthy (ε) (= *οξύς: κλίμακα*) high (στ) (*επίσ., σπάν.*: = *ψηλός: άνθρωπος*) tall · (*βουνό*) high
▸ **υψηλή κοινωνία** high society
▸ **υψηλές προσωπικότητες, υψηλά πρόσωπα** VIPs

► **υψηλή ραπτική** haute couture
υψικάμινος ΟΥΣ ΘΗΛ blast furnace
ύψιλον ΟΥΣ ΟΥΔ ΑΚΛ upsilon, *20th letter of the Greek alphabet*
υψίπεδο ΟΥΣ ΟΥΔ plateau

> *Προσοχή!: Ο πληθυντικός του* plateau *είναι* plateaus *ή* plateaux.

▷ **τα υψίπεδα τού Γκολάν** the Golan Heights
ύψιστος, -η, -ο ΕΠΙΘ *(βαθμός, αξίωμα, διάκριση)* highest · *(προτεραιότητα, κριτήρια)* top · *(χρέος)* largest, biggest · *(τιμή, προσόν)* greatest · *(αγαθό)* most precious
▷ **(είναι) υψίστης σημασίας** (it is) of the utmost importance
► **φυλακές υψίστης ασφαλείας** high-security prisons
► **Ύψιστος** ΟΥΣ ΑΡΣ: **ο Ύψιστος** the Almighty
υψίφωνος, -η, -ο ΕΠΙΘ *(σαξόφωνο)* soprano
► **υψίφωνος** ΟΥΣ ΑΡΣΘΗΛ *(γυναίκα)* soprano · *(άντρας)* alto · *(παιδί)* treble
υψομετρικός, -ή, -ό ΕΠΙΘ *(διαφορά)* in altitude *ή* elevation
υψόμετρο ΟΥΣ ΟΥΔ (α) *(για τόπο)* elevation, altitude (β) *(όργανο πλοήγησης)* altimeter
▷ **το χωριό βρίσκεται σε 700 μ. υψόμετρο** the village is 700 m above sea level
ύψος ΟΥΣ ΟΥΔ (α) *(κτηρίου, βουνού, πλαγιάς, τοίχου, ανθρώπου, επίπλου)* height · *(χωριού)* elevation, altitude · *(αεροπλάνου)* altitude (β) *(ΑΘΛ)* high jump (γ) *(ΜΟΥΣ)* pitch (δ) *(ΓΕΩΜ: τριγώνου, τραπεζίου)* altitude (ε) *(συναλλαγών)* volume · *(τιμών, δαπανών)* level (στ) *(ιδεών, συλλογισμών)* loftiness
▷ **αγορές/δαπάνες ύψους πέντε χιλιάδων ευρώ** purchases/expenses in the region of five thousand euros

▷ **ανταποκρίνομαι στο ύψος των περιστάσεων** to rise to the occasion, to be equal to the task
▷ **ένας άνθρωπος δυο μέτρα ύψος** a man two metres tall
▷ **ένας τοίχος δυο μέτρα ύψος** a wall two metres high
▷ **ή του ύψους ή του βάθους** up and down
▷ **παίρνω/χάνω ύψος** *(αεροπλάνο)* to gain/lose altitude
▷ **σε ποιο ύψος του δρόμου θέλετε να σας αφήσω;** how far up the road do you want me to drop you?
▷ **πετάω στα ύψη** to soar
▷ **βρίσκομαι στα ύψη** to be high up
▷ **εκτείνομαι στα ύψη** *(πωλήσεις)* to reach record levels, to rocket
▷ **φτάνω στα ύψη** *(τιμές)* to rocket, to soar
▷ **στέκομαι στο ύψος μου** *(μτφ.)* to hold one's head high
▷ **τι ύψος έχεις;** how tall are you?

ύψωμα ΟΥΣ ΟΥΔ (α) (= *ψήλωμα*) rise, high ground (β) *(ΘΡΗΣΚ)* wafer

υψώνω Ρ Μ (α) *(χέρια)* to put up, to raise · *(κεφάλι, κύπελλο)* to raise, to lift · *(σημαία)* to hoist, to raise (β) *(μτφ.)* to elevate
▷ **υψώνω το εφτά στην τρίτη** *(ΜΑΘ)* to raise seven to the power of three
▷ **υψώνω το ανάστημά μου** to rise to the occasion
▷ **υψώνω τα μάτια** *ή* **το βλέμμα** to look up
▷ **υψώνω τη φωνή μου** to raise one's voice
► **υψώνομαι** ΜΕΣΟΠΑΘ *(αεροσκάφος)* to climb

ύψωση ΟΥΣ ΘΗΛ (α) *(χεριού, κεφαλιού, φωνής)* raising · *(σημαίας)* hoisting · *(αεροσκάφους)* climb, ascent (β) *(ΜΑΘ: αριθμού)* raising (γ) *(μτφ.)* elevation

Υ

Φ φ

Φ, φ phi, *21st letter of the Greek alphabet*
▷ **φ´** 500
▷ **,φ** 500,000

φα ΟΥΣ ΟΥΔ ΑΚΛ F

φάβα ΟΥΣ ΘΗΛ (α) broad bean (*Βρετ.*), fava
bean (*Αμερ.*) (β) (*φαγητό*) broad (*Βρετ.*) *ή*
fava (*Αμερ.*) bean purée (γ) (= *αποτυχία*) flop
▷ **κάποιο λάκκο έχει η φάβα** ≈ I smell a rat,
there's something going on

φαβορί ΟΥΣ ΟΥΔ ΑΚΛ favourite (*Βρετ.*), favorite
(*Αμερ.*)

φαβορίτες ΟΥΣ ΘΗΛ ΠΛΗΘ sideburns

φαγάδικο ΟΥΣ ΟΥΔ (*ανεπ.*) eatery (*ανεπ.*)

φαγάνα ΟΥΣ ΘΗΛ (α) (= *εκσκαφέας*) bulldozer
(β) (= *βυθοκόρος*) dredger (γ) (*μτφ.*: *για
αυτοκίνητο*) gas guzzler · (*για άνθρωπο*)
glutton

φαγάς ΟΥΣ ΑΡΣ pig (*ανεπ.*), greedy guts (*ανεπ.*)

φαγγρί ΟΥΣ ΟΥΔ sea bream

φαγητό ΟΥΣ ΟΥΔ (α) (= *τροφή*) food
(β) (= *γεύμα*) lunch · (= *δείπνο*) dinner
▷ **βγαίνω για φαγητό** to eat out · (*το μεσημέρι*)
to go out to lunch · (*το βράδυ*) to go out to
dinner
▷ **η ώρα του φαγητού** (*το μεσημέρι*)
lunchtime · (*το βράδυ*) dinnertime
▷ **ξαναζεσταμένο φαγητό** (*μτφ.*) rehash
▷ **το ρίχνω στο φαγητό** to eat all the time
▸ **έτοιμο φαγητό** ready meal
▸ **βραδινό φαγητό** dinner, evening meal
▸ **μεσημεριανό φαγητό** lunch
▸ **φαγητό σε πακέτο** takeaway (food) (*Βρετ.*),
takeout (food) (*Αμερ.*)

φαγκότο ΟΥΣ ΟΥΔ bassoon

φαγκρί ΟΥΣ ΟΥΔ = **φαγγρί**

φαγοπότι ΟΥΣ ΟΥΔ (α) (= *γλέντι*) feasting,
eating and drinking (β) (= *φαγητό και ποτό
μαζί*) meal washed down with a lot of
alcohol, boozy (*ανεπ.*) lunch *ή* dinner
▷ **το ρίχνω στο φαγοπότι** to eat and drink

φαγού ΟΥΣ ΘΗΛ *βλ.* **φαγάς**

φαγούρα ΟΥΣ ΘΗΛ itch
▷ **είχα μια φαγούρα** (*ειρων.*) what do I care?
▸ **με πιάνει φαγούρα** to itch
▷ **με πιάνει φαγούρα στην πλάτη/στο λαιμό**
my back/my neck is itching

φάγωμα ΟΥΣ ΟΥΔ (α) (*φαγητού, γλυκού*) eating
(β) (*βράχου, τοίχου*) erosion · (*σίδερου*)
corrosion · (*ελαστικών αυτοκινήτου*) wear ·
(*νυχιών*) biting (γ) (= *φαγωμάρα*)

squabbling · (*σε ομάδα, κόμμα*) in-fighting

φαγωμάρα ΟΥΣ ΘΗΛ squabbling · (*σε ομάδα,
κόμμα*) in-fighting

φαγωμένος, -η, -ο ΕΠΙΘ (α) (*φαγητό*) eaten
(β) (*τοίχος, βράχος*) eroded · (*σίδερο*)
corroded · (*ελαστικά αυτοκινήτου*) worn ·
(*μπράτσα, πρόσωπο*) weather-beaten
▷ **είμαι φαγωμένος** (= *έχω φάει*) to have
already eaten

φαγώνομαι Ρ ΑΜ ΑΠΟΘ (α) (= *τρώγομαι*) to be
eaten · (*μτφ.*: *χρήματα, περιουσία*) to be spent
(β) (*βράχος, τοίχος*) to be worn away, to
erode · (*σίδερα*) to corrode · (*ελαστικά
αυτοκινήτου*) to be worn (γ) (= *μαλώνω*) to
squabble, to quarrel

φαγώσιμος, -η, -ο ΕΠΙΘ edible, eatable
▸ **φαγώσιμα** ΟΥΣ ΟΥΔ ΠΛΗΘ food *εν.*, provisions

φαεινός, -ή, -ό ΕΠΙΘ bright
▷ **φαεινή ιδέα** brainwave (*Βρετ.*), brainstorm
(*Αμερ.*) · (*ειρων.*) hare-brained scheme

φαΐ ΟΥΣ ΟΥΔ *βλ.* **φαγητό**

φαιδρός, -ή, -ό ΕΠΙΘ (α) (= *χαρούμενος*)
cheerful (β) (= *αστείος*) funny (γ) (= *γελοίος*)
foolish, ridiculous
▷ **είναι φαιδρό υποκείμενο!** he's a fool!

φαιδρότητα ΟΥΣ ΘΗΛ (α) (*προσώπου*)
cheerfulness (β) (*αστείου, κατάστασης,
ρόλου*) humour (*Βρετ.*), humor (*Αμερ.*)
(γ) (*πράξεων*) absurdity
▷ **γέματος φαιδρότητα** hilarious
▸ **φαιδρότητες** ΠΛΗΘ antics

φαινόλη ΟΥΣ ΘΗΛ (ΧΗΜ) phenol

ΛΕΞΗ-ΚΛΕΙΔΙ

φαίνομαι Ρ ΑΜ ΑΠΟΘ (α) (= *διακρίνομαι*) to be
seen · (= *εμφανίζομαι*) to appear □ **δεν
φαίνεται με γυμνό μάτι** it can't be seen with
a naked eye · **ο καπνός φαινόταν από μακριά**
you could see the smoke from far off · **δεν
φαίνεται σε καμιά από τις φωτογραφίες** he
doesn't appear on any of the photos ·
αργούσε να φανεί και ανησυχούσαμε he was
late showing up and we were worried · **δεν
άφησε τον θυμό του να φανεί** he didn't let
his anger show
(β) (= *δείχνω*) to look, to seem □ **φαινόταν
ανήσυχος** he looked worried · **δεν φαίνεσαι
και πολύ καλά** you don't look very well ·
**φαίνεσαι σαν να έχεις ανάγκη από
ξεκούραση** you look like you need a rest ·
φαίνεται καλός άνθρωπος he looks like *ή*

seems a nice man· **η κατάσταση φαίνεται σοβαρή** the situation seems to be *ή* looks serious· **δεν είναι τόσο σκληρή όσο φαίνεται** she's not as tough as she seems· **φαίνεται αρκετά καλή ιδέα** it seems like quite a good idea· **πώς σου φαίνεται το φόρεμά μου;** what do you think of my dress?

(γ) (= *αποδεικνύομαι*) to prove ◻ **φάνηκες άξια της εμπιστοσύνης μας** you've proved worthy of our trust

▷ **είσαι και φαίνεσαι!** *(ανεπ.)* and the same to you too! *(ανεπ.)*, and the same to you with knobs on! *(Βρετ.) (ανεπ.)* .

▸ **φαίνεται** ΑΠΡΟΣ it seems, it appears ◻ **φαίνεται ότι υπάρχει πρόβλημα** there seems *ή* appears to be a problem· **φαίνεται ότι χειροτερεύει η κατάστασή του** it seems *ή* appears that the situation has taken a turn for the worse· **οι προσπάθειές μας φαίνεται να αποδίδουν καρπούς** our efforts seem to be paying off, it looks like our efforts are paying off· **θέλει να έρθει μαζί μας; – Έτσι φαίνεται** does he want to come with us? – It seems so· **θα βρέξει; – Έτσι φαίνεται!** is it going to rain? – It looks like it!· **απ' ό, τι φαίνεται, θα χιονίσει** it looks like it's going to snow

▷ **από πού φαίνεται ότι είναι ειδικός;** how do you know he's an expert?

▷ **δεν πρόλαβα να χτενιστώ. - Φαίνεται!** I didn't have time to comb my hair. – It shows!

▷ **δεν σου φαίνεται ότι είσαι τριάντα χρονών** you don't look thirty

▷ **δεν του φαίνονται τα χρόνια του** he doesn't look his age

▷ **μου φαίνεται ότι** it seems to me that

▷ **φαίνεται από μακριά!** *(μτφ.)* it sticks out a mile!

φαινομενικά ΕΠΙΡΡ seemingly

φαινομενικός, -ή, -ό ΕΠΙΘ (*ευκολία, αδιαφορία, απάθεια*) apparent· (*αιτία*) ostensible· (*ηρεμία*) outward· (*αγάπη, φιλία*) superficial

φαινομενικότητα ΟΥΣ ΘΗΛ (*αγάπης, φιλίας, αδιαφορίας, απάθειας*) show· (*ηρεμίας, ευκολίας*) appearance

φαινόμενο ΟΥΣ ΟΥΔ (*κυριολ., μτφ.*) phenomenon

Προσοχή!: Ο πληθυντικός του **phenomenon** *είναι* **phenomena**.

▷ **κατά τα φαινόμενα** apparently

▷ **κατά τα φαινόμενα, έχουν φύγει** it looks like they've gone

▸ **καιρικά/φυσικά φαινόμενα** weather/natural phenomena

φαινότυπος ΟΥΣ ΑΡΣ (ΒΙΟΛ) phenotype

φαιός, -ά, -ό ΕΠΙΘ (α) (= *σκουρόχρωμος*) dark (β) (= *γκρίζος*) grey *(Βρετ.)*, gray *(Αμερ.)*

▸ **φαιά ουσία** grey *(Βρετ.)* ή gray *(Αμερ.)* matter

φάκα ΟΥΣ ΘΗΛ mousetrap

▷ **πιάνομαι** *ή* **πέφτω στη φάκα** to fall into the trap

φακελάκι ΟΥΣ ΟΥΔ (α) (*ζάχαρης, καφέ*) sachet (β) (= *δωροδοκία*) bribe

φάκελο ΟΥΣ ΟΥΔ *βλ.* **φάκελος**

φάκελος ΟΥΣ ΑΡΣ (α) (*επίσης* **φάκελο**: *για επιστολές, γράμματα*) envelope (β) (= *θήκη για έγγραφα*) folder (γ) (*για θέμα, άτομο*) file, dossier

▷ **έχω φάκελο** to have a record

φακέλωμα ΟΥΣ ΟΥΔ (α) (*πολίτη, πολιτικού, εργάτη*) keeping a file on (β) (*πελατών, καταναλωτών*) putting on a database

φακελώνω Ρ Μ (α) (*πολίτη, πολιτικό, εργαζόμενο*) to keep a file on (β) (*πελάτες*) to put on a database

φακή ΟΥΣ ΘΗΛ lentil

▷ **αντί πινακίου φακής** for a song

▷ **παλικάρι της φακής** blusterer, bully

▸ **φακές** ΠΛΗΘ lentils

φακίδα ΟΥΣ ΘΗΛ freckle

φακίρης ΟΥΣ ΑΡΣ fakir

φακός ΟΥΣ ΑΡΣ (α) (*γενικότ.*) lens (β) (= *ηλεκτρική λυχνία*) torch *(Βρετ.)*, flashlight *(Αμερ.)*

▷ **κινηματογραφικός φακός** cine *(Βρετ.)* ή movie *(κυρ. Αμερ.)* camera

▷ **τηλεοπτικός φακός** television ή TV camera

▷ **φωτογραφικός φακός** camera

▷ **ο φακός της δημοσιότητας** the spotlight

▸ **ευρυγώνιος φακός** wide–angle lens

▸ **κοίλος/κυρτός φακός** concave/convex lens

▸ **μεγεθυντικός φακός** magnifying glass

▸ **φακοί επαφής** contact lenses

φάλαγγα ΟΥΣ ΘΗΛ (α) (ΣΤΡΑΤ: *στρατιωτών*) column· (*πλοίων*) convoy (β) (*ανθρώπων, αυτοκινήτων*) line, file· (*οχημάτων, φορτηγών*) convoy (γ) (ΑΝΑΤ) phalanx

Προσοχή!: Ο πληθυντικός του **phalanx** *είναι* **phalanxes** *ή* **phalanges**.

(δ) (= *φάλαγγας*) bastinado

▸ **πέμπτη φάλαγγα** (ΙΣΤ) fifth column

φάλαγγας ΟΥΣ ΑΡΣ bastinado

φαλάγγι ΟΥΣ ΟΥΔ (*αράχνη*) tarantula

▷ **παίρνω** κπν **φαλάγγι** (= *τρέπω σε φυγή*) to put sb to rout · (= *νικώ κατά κράτος*) to wipe the floor with sb

φάλαινα ΟΥΣ ΘΗΛ (α) (ΖΩΟΛ) whale (β) (*υβρ.: για γυναίκα*) tub of lard *(ανεπ.)*

φαλαινοθήρας ΟΥΣ ΑΡΣ whaler *(person)*

φαλαινοθηρικό ΟΥΣ ΟΥΔ whaler *(ship)*

φαλάκρα ΟΥΣ ΘΗΛ (α) (= *οριστική τριχόπτωση*) baldness (β) (= *μέρος κεφαλιού χωρίς μαλλιά*) bald patch

▷ **κάνω φαλάκρα** (= *έχω τριχόπτωση*) to go bald · (= *προκαλώ τριχόπτωση*) to cause baldness

φαλακρός, -ή, -ό ΕΠΙΘ (α) (*άνδρας*) bald, bald–headed (β) (*βουνό, έδαφος*) bare

φαλιρίζω Ρ ΑΜ to go bust ή broke *(ανεπ.)*

φαλλικός, -ή, -ό ΕΠΙΘ phallic
▸**φαλλικό στάδιο** (ΨΥΧΟΛ) phallic stage
φαλλοκράτης ΟΥΣ ΑΡΣ (male) chauvinist
φαλλοκρατία ΟΥΣ ΘΗΛ (male) chauvinism
φαλλός ΟΥΣ ΑΡΣ phallus

Προσοχή!: Ο πληθυντικός του **phallus** *είναι* **phalluses** *ή* **phalli.**

φαλτσέτα ΟΥΣ ΘΗΛ paring knife
φάλτσο ΟΥΣ ΟΥΔ **(α)** (= *παραφωνία*) wrong note **(β)** (*στο ποδόσφαιρο, μπάσκετ, βόλεϊ, μπιλιάρδο*) spin
φάλτσος, -α, -ο ΕΠΙΘ **(α)** (= *παράφωνος: για νότα*) wrong · (*για τραγούδι, φωνή, άνθρωπο*) out of tune, off key **(β)** (= *κακόφωνος*) with a terrible voice
φαμίλια ΟΥΣ ΘΗΛ family
▸**πάτερ φαμίλιας** (= *πατριάρχης*) head of the family, paterfamilias (*επίσ.*) · (*αρνητ.*) petty tyrant
φανάρι ΟΥΣ ΟΥΔ **(α)** (= *φανός*) lamp **(β)** (*αυτοκινήτου*) light **(γ)** (= *σηματοδότης*) traffic lights πληθ. (*Βρετ.*), traffic light (*Αμερ.*)
▸**(είναι) φως φανάρι** it's as clear as day, it's glaringly obvious
▸**κρατάω (το) φανάρι** (*ανεπ.*) to play gooseberry (*Βρετ.*), to be the third wheel (*Αμερ.*)
▸**με πιάνει φανάρι** to come to a red light
▸**τα κόκκινα φανάρια** brothels
φαναρτζής ΟΥΣ ΑΡΣ (*ανεπ.: για αυτοκίνητα*) body shop worker
φανατίζω Ρ Μ (*λαό, οπαδούς*) to stir up
▸**φανατισμένοι οπαδοί** fanatical ή ardent supporters
φανατικός, -ή, -ό ΕΠΙΘ **(α)** (*οπαδός, υποστηρικτής, ιδεολογία, πίστη*) fanatical **(β)** (*καπνιστής*) heavy · (*θαυμαστής*) ardent
▸**δεν είναι φανατικός άνδρας** (*κοροϊδ.*) he prefers men
φανατισμός ΟΥΣ ΑΡΣ fanaticism
φανέλα ΟΥΣ ΘΗΛ **(α)** (*ύφασμα*) flannel (*Βρετ.*), washcloth (*Αμερ.*) **(β)** (*εσώρουχο*) vest (*Βρετ.*), undershirt (*Αμερ.*) **(γ)** (= *μπλούζα*) shirt · (*στο ποδόσφαιρο*) strip, shirt **(δ)** (= *ομάδα*) team
φανελένιος, -ια, -ιο ΕΠΙΘ flannel (*Βρετ.*), washcloth (*Αμερ.*)
φανερός, -ή, -ό ΕΠΙΘ (*κίνδυνος, αιτία, στόχος, εκδήλωση, αντίδραση*) obvious · (*αποδείξεις*) clear · (*εχθρός*) open
▸**είναι φανερό ότι** it is obvious ή clear that
φανερώνω Ρ Μ **(α)** (*θησαυρό, αντικείμενο*) to show, to reveal **(β)** (*μυστικό, σχέδιο, προθέσεις, ταυτότητα, χαρακτήρα, αμηχανία*) to reveal · (*αισθήματα, σάτισμα*) to show, to express · (*επιθυμία*) to express · (*απάτη, δολιοπλοκία*) to uncover
▸**φανερώνομαι** ΜΕΣΟΠΑΘ to appear
φανοποιείο ΟΥΣ ΟΥΔ (*επίσ.: αυτοκινήτων*) body shop

φανοποιός ΟΥΣ ΑΡΣ (*επίσ.*: = *φαναρτζής*) body shop worker
φανός ΟΥΣ ΑΡΣ (*επίσ.*: = *φανάρι*) lamp · (*αυτοκινήτου*) light
▸**μετά φανών και λαμπάδων** in a festive atmosphere
φανοστάτης ΟΥΣ ΑΡΣ lamppost (*Βρετ.*), street light (*Αμερ.*)
φαντάζομαι Ρ Μ ΑΠΟΘ (= *πλάθω με την φαντασία μου*) to imagine
▸**για φαντάσου!** just fancy!
▸**καλά το φαντάστηκα!** that's just what I thought!
▸**Φαντάζομαι!** I can just imagine!, I can just see it!
▸**φαντάζομαι ότι ή πως, φαντάζομαι να** (= *νομίζω*) to think (that) · (= *υποθέτω*) to suppose (that)
φαντάζω Ρ ΑΜ **(α)** (= *ξεχωρίζω λόγω εμφάνισης*) to stand out **(β)** (= *προκαλώ εντύπωση*) to make an impression **(γ)** (= *δίνω την εντύπωση*) to seem
▸**μου φάνταξε το φόρεμα/το νέο μοντέλο** I was really taken with the dress/the new model
φαντάρος ΟΥΣ ΑΡΣ private
▸**βλέπω τον Χριστό φαντάρο** (*αργκ.*) to see stars
▸**με παίρνουν φαντάρο** to be called up
▸**πάω φαντάρος** to join up
φαντασία ΟΥΣ ΘΗΛ **(α)** (*γενικότ.*) imagination **(β)** (*μειωτ.*) fantasy
▸**αυτά είναι δικές του φαντασίες** it's all in his imagination
▸**βλέπω κτ με τη φαντασία μου** to see sth in one's mind's eye
▸**επιστημονική φαντασία** science fiction
φαντασιόπληκτος, -η, -ο ΕΠΙΘ **(α)** (= *που φαντάζεται πράγματα*) fanciful **(β)** (= *φαντασμένος*) conceited
φαντασιοπληξία ΟΥΣ ΘΗΛ **(α)** (*ανθρώπου*) fancifulness **(β)** (= *σκέψη ή λόγος*) fantasy
φαντασίωση ΟΥΣ ΘΗΛ fantasy
φάντασμα ΟΥΣ ΟΥΔ **(α)** (= *στοιχειό*) ghost **(β)** (= *προϊόν φαντασίας*) fantasy **(γ)** (= *πολύ αδύνατος*) skeleton
▸**εταιρεία-/οργάνωση-φάντασμα** bogus company/organization
▸**πόλη-/πλοίο-φάντασμα** ghost town/ship
φαντασμαγορία ΟΥΣ ΘΗΛ **(α)** (*θεατρικό έργο*) spectacular, extravaganza **(β)** (*μτφ.*) extravaganza
φαντασμαγορικός, -ή, -ό ΕΠΙΘ spectacular
φαντασμένος, -η, -ο ΕΠΙΘ conceited
φανταστικός, -ή, -ό ΕΠΙΘ **(α)** (*κίνδυνος, εμπόδια, φόβοι, εχθρός*) imaginary **(β)** (*διήγημα, ιστορία*) fictional **(γ)** (*φαγητό, θέα, καιρός*) fantastic · (*άνθρωπος, χαρακτήρας*) incredible · (*τιμές*) incredibly low
φανταχτερός, -ή, -ό ΕΠΙΘ (*ρούχα, κόσμημα*)

Φ

flamboyant, flashy · (*χρώμα*) loud, garish

φάντης ΟΥΣ ΑΡΣ jack
▷**σαν φάντης μπαστούνι** out of the blue

φαντομάς ΟΥΣ ΑΡΣ (= *αόρατος κακοποιός*) elusive criminal
▸**Φαντομάς** ΟΥΣ ΑΡΣ *fictional criminal mastermind who always escapes the police*

φαξ ΟΥΣ ΟΥΔ ΑΚΛ (*συσκευή*) fax (machine) · (*μήνυμα*) fax

φάουλ ΟΥΣ ΟΥΔ ΑΚΛ (α) (= *παράβαση*) foul (β) (= *βολή: στο ποδόσφαιρο*) free kick · (*στην καλαθοσφαίριση*) free throw

φάπα ΟΥΣ ΘΗΛ slap, cuff
▷**το παιδί της φάπας** chump

φάρα (*μειωτ.*) ΟΥΣ ΘΗΛ (α) (= *γένος*) family, clan (β) (= *κλίκα*) clique
▷**είναι κακή φάρα** they're a bad lot

φαράγγι ΟΥΣ ΟΥΔ gorge

φαράσι ΟΥΣ ΟΥΔ dustpan

φαραώ ΟΥΣ ΑΡΣ ΑΚΛ pharaoh

φαρδαίνω ① Ρ Μ (*δρόμο*) to widen · (*φούστα, φόρεμα*) to let out
② Ρ ΑΜ (*μονοπάτι, δρόμος*) to widen · (*ρούχα*) to be too big

φάρδος ΟΥΣ ΑΡΣ width
▷**έχω φάρδος** to be lucky

φαρδύς, -ιά, -ύ ΕΠΙΘ (*δρόμος, σκάλα*) wide · (*ώμος, πλάτη*) broad · (*φούστα, ζώνη*) loose-fitting · (*παντελόνι*) baggy
▷**αυτό το παντελόνι είναι φαρδύς για μένα** these trousers are too big for me
▷**φαρδύς-πλατύς** flat on one's face

φαρέτρα ΟΥΣ ΘΗΛ quiver

φαρίνα ΟΥΣ ΘΗΛ meal

φάρμα ΟΥΣ ΘΗΛ farm

φαρμακαποθήκη ΟΥΣ ΘΗΛ (α) (= *αποθήκη φαρμάκων*) pharmacy (β) (*κατάστημα*) wholesale pharmacy (*Βρετ.*) ή drugstore (*Αμερ.*)

φαρμακείο ΟΥΣ ΟΥΔ (α) (*κατάστημα*) chemist (*Βρετ.*), chemist's (*Βρετ.*), drugstore (*Αμερ.*) (β) (= *κουτί*) first-aid kit · (= *ντουλάπι*) medicine cabinet (γ) (*μτφ.*) rip-off (*ανεπ.*)

φαρμακερός, -ή, -ό ΕΠΙΘ (α) (*φίδι*) venomous, poisonous · (*φυτό*) poisonous (β) (*λόγια, κουβέντα, γλώσσα, ματιά*) venomous (γ) (*κρύο*) bitter

φαρμακευτική ΟΥΣ ΘΗΛ pharmacy, pharmaceutics εν.

Προσοχή!: *Αν και το* **pharmaceutics** *φαίνεται ως τύπος πληθυντικού, είναι ουσιαστικό μόνο στον ενικό και συντάσσεται με ρήμα στον ενικό.*

φαρμακευτικός, -ή, -ό ΕΠΙΘ (α) (*παρασκεύασμα, εργοστάσιο, εταιρεία*) pharmaceutical (β) (*φυτό, βοτάνι*) medicinal
▸**φαρμακευτική αγωγή** ή **θεραπεία** medication
▸**φαρμακευτικός κώδικας** pharmacopoeia (*Βρετ.*), pharmacopeia (*Αμερ.*)

▸**φαρμακευτικά προϊόντα** pharmaceutics

φαρμάκι ΟΥΣ ΟΥΔ (α) (= *δηλητήριο*) poison · (*φιδιού*) venom (β) (= *πικρία*) disappointment
▷**η γλώσσα του στάζει φαρμάκι** he's poisonous, he has a venomous tongue
▷**κάνει φαρμάκι (κρύο)** it's bitterly cold
▷**είναι φαρμάκι ο καφές!** the coffee's really bitter!

φάρμακο ΟΥΣ ΟΥΔ (α) (= *γιατρικό*) medicine, drug (β) (*μτφ.*) remedy

φαρμακοβιομηχανία ΟΥΣ ΘΗΛ pharmaceutical industry

φαρμακόγλωσσα ΟΥΣ ΘΗΛ (*ανεπ.*) bitch (*χυδ.*)

φαρμακόγλωσσος, -η, -ο ΕΠΙΘ sharp-tongued, bitchy (*ανεπ.*)

φαρμακοθεραπεία ΟΥΣ ΘΗΛ medication

φαρμακολογία ΟΥΣ ΘΗΛ pharmacology

φαρμακοποιία ΟΥΣ ΘΗΛ pharmacopoeia (*Βρετ.*), pharmacopeia (*Αμερ.*)

φαρμακοποιός ΟΥΣ ΑΡΣ/ΘΗΛ (α) (*επιστήμονας*) pharmacist (β) (*επάγγελμα*) pharmacist, chemist (*Βρετ.*), druggist (*Αμερ.*)

φαρμακώνω Ρ Μ (α) (= *δηλητηριάζω*) to poison (β) (= *καταστενοχωρώ*) to hurt deeply
▸**φαρμακώνομαι** ΜΕΣΟΠΑΘ to poison oneself

φάρος ΟΥΣ ΑΡΣ (α) (= *φωτιστική συσκευή*) beacon (β) (*κτήριο*) lighthouse (γ) (*μτφ.*) beacon

φαροφύλακας ΟΥΣ ΑΡΣ lighthouse keeper

φάρσα ΟΥΣ ΘΗΛ (α) (= *πλάκα*) practical joke, trick · (*για βόμβα*) hoax (β) (*θεατρικό έργο*) farce
▸**πρωταπριλιάτικη φάρσα** April Fool
▸**τηλεφωνική φάρσα** hoax call

φαρσί ΕΠΙΡΡ (*ανεπ.*) fluently

φαρσοκωμωδία ΟΥΣ ΘΗΛ slapstick comedy

φάρυγγας ΟΥΣ ΑΡΣ pharynx

Προσοχή!: *Ο πληθυντικός του* **pharynx** *είναι* **pharynges** *ή* **pharynxes**.

φαρυγγίτιδα ΟΥΣ ΘΗΛ pharyngitis

φασαρία ΟΥΣ ΘΗΛ (α) (= *έντονος θόρυβος*) noise (β) (= *αναστάτωση*) fuss χωρίς πληθ. · (= *ταραχή*) disturbance, trouble (γ) (= *καβγάς*) trouble (δ) (= *κόπος*) bother
▷**γίνεται φασαρία** (*για θόρυβο*) there's a lot of noise · (*για καβγά*) there's trouble
▷**δεν θέλω να σε βάλω σε φασαρία** I don't want to bother ή trouble you
▷**κάνω φασαρία** (= *θορυβώ*) to make a noise · (= *κάνω σκηνή*) to make a fuss
▷**μη μπαίνετε σε φασαρία** don't go to any trouble
▷**πάω γυρεύοντας για φασαρία** to be looking for trouble
▸**φασαρίες** ΠΛΗΘ (= *μπελάδες*) trouble εν., bother εν. · (= *ταραχές*) disturbances
▷**έγιναν φασαρίες στην πόλη** there were disturbances in the city

▷**έχω φασαρίες με την αστυνομία** to be in trouble with the police

φάση ΟΥΣ ΘΗΛ **(α)** (= *στάδιο*) phase, stage **(β)** (ΑΣΤΡΟΝ, ΗΛΕΚΤΡ) phase **(γ)** (ΑΘΛ) passage of play **(δ)** (= *περίσταση*) circumstances *πληθ.*
  ▷**έγινε φάση** (*αργκ.*) it was a hoot (*ανεπ.*)
  ▷**έχει φάση** (*αργκ.*) he's/it's a hoot (*ανεπ.*)
  ►**οι καλύτερες φάσεις** (*αγώνα*) the highlights

φασιανός ΟΥΣ ΑΡΣ pheasant

φασίνα ΟΥΣ ΘΗΛ (= *γενική καθαριότητα*) clean-up

φασισμός ΟΥΣ ΑΡΣ fascism

φασίστας ΟΥΣ ΑΡΣ fascist

φασιστικός, -ή, -ό ΕΠΙΘ fascist

φασίστρια ΟΥΣ ΘΗΛ *βλ.* **φασίστας**

φάσκελο ΟΥΣ ΟΥΔ (*ανεπ.*) insulting gesture made with the open palm

φασκελώνω Ρ Μ (*ανεπ.*: *άτομο*) to make a rude gesture to, ≈ to give the finger to (*ανεπ.*) · (*τύχη*) to curse

φασκόμηλο ΟΥΣ ΟΥΔ **(α)** (*φυτό*) sage **(β)** (*αφέψημα*) sage tisane

φάσκω Ρ Μ: **φάσκω και αντιφάσκω** to contradict oneself

φάσμα ΟΥΣ ΟΥΔ **(α)** (ΦΥΣ) spectrum **(β)** (*εννοιών, αντιλήψεων*) spectrum

---

Προσοχή!: Ο πληθυντικός του **spectrum** *είναι* **spectrums** *ή* **spectra**.

(γ) (*πολέμου, πείνας*) spectre (*Βρετ.*), specter (*Αμερ.*)

φασματογράφος ΟΥΣ ΑΡΣ spectrograph

φασολάδα ΟΥΣ ΘΗΛ white bean soup

φασολάκια ΟΥΣ ΟΥΔ ΠΛΗΘ green beans

φασόλι ΟΥΣ ΟΥΔ (white) bean
  ►**φασόλια** ΠΛΗΘ (= *φασολάδα*) white bean soup

Φασουλής ΟΥΣ ΑΡΣ **(α)** (= *ήρωας κουκλοθεάτρου*) Punch **(β)** (= *κουκλοθέατρο*) Punch and Judy show

φαστ-φούντ ΟΥΣ ΟΥΔ ΑΚΛ fast-food restaurant

φαστφουντάδικο ΟΥΣ ΟΥΔ (*ανεπ.*) = **φαστ-φούντ**

φαταούλας ΟΥΣ ΑΡΣ (*κοροϊδ.*) greedy pig

φάτνη ΟΥΣ ΘΗΛ (*του Χριστού*) manger, crib · (*ομοίωμα*) crib (*Βρετ.*), crèche (*Αμερ.*)

φάτνωμα ΟΥΣ ΟΥΔ (ΑΡΧΙΤ) panel

φατρία ΟΥΣ ΘΗΛ faction

φάτσα ΟΥΣ ΘΗΛ (*ανεπ.*) **(α)** (= *μούρη*) face, mug (*ανεπ.*) **(β)** (= *ύποπτο άτομο*) shady character (*ανεπ.*) **(γ)** (*για κτήρια*) facade
  ▷**φάτσα σε** opposite
  ▷**έχω κτ φάτσα** to look onto sth

φαύλος, -η, -ο ΕΠΙΘ (*επίσ.*) unscrupulous
  ▷**φαύλος κύκλος** vicious circle

φαυλότητα ΟΥΣ ΘΗΛ corruption

φαφλατάς ΟΥΣ ΑΡΣ **(α)** (= *φλύαρος*) chatterbox, windbag (*ανεπ.*) **(β)** (= *καυχησιάρης*) boaster, blowhard

(*ανεπ.*)

φαφούτα ΟΥΣ ΘΗΛ *βλ.* **φαφούτης**

φαφούτης ΟΥΣ ΑΡΣ (*ανεπ.*) toothless person

Φεβρουάριος ΟΥΣ ΑΡΣ February

φεγγαράδα ΟΥΣ ΘΗΛ moonlight

φεγγάρι ΟΥΣ ΟΥΔ **(α)** (= *Σελήνη*) moon **(β)** (= *φεγγαρόφωτο*) moonlight
  ▷**είμαι ή ανάλογα με τα φεγγάρια μου** depending on one's mood
  ▷**ένα φεγγάρι** (= *κάποτε, για λίγο*) for a while
  ▷**έχω (κάτι) φεγγάρια να ης τηλεφωνήσω/να τη δω** I haven't phoned/seen her for ages

φεγγαρόλουστος, -η, -ο ΕΠΙΘ (*λογοτ.*) moonlit

φεγγαρόφωτο ΟΥΣ ΟΥΔ moonlight

φεγγίζω Ρ ΑΜ **(α)** (= *φωτίζω αμυδρά*) to glimmer **(β)** (*για ρούχα*) to be see-through

φεγγίτης ΟΥΣ ΑΡΣ (*σε στέγη*) skylight · (*σε τοίχο*) dormer

φεγγοβόλημα ΟΥΣ ΟΥΔ (*λογοτ.: φεγγαριού, ήλιου*) brilliance, shine

φεγγοβολώ Ρ ΑΜ (*λογοτ.: κυριολ., μτφ.*) to shine

φέγγος ΟΥΣ ΟΥΔ (*λογοτ.: κυριολ., μτφ.*) glow

φέγγω **1** Ρ ΑΜ **(α)** (*φεγγάρι, αστέρια, προβολέας*) to shine **(β)** (= *αδυνατίζω πολύ*) to waste away
  2 Ρ Μ: **φέγγω τον δρόμο σε κπν** to light sb's way
  ▷**μου 'φεξε!** I'm in luck!
  ►**φέγγει** ΑΠΡΟΣ (= *ξημερώνει*) dawn is breaking

φείδομαι (*επίσ.*) Ρ Μ ΑΠΟΘ +ΓΕΝ. to spare

φειδώ ΟΥΣ ΘΗΛ (*επίσ.*) thrift
  ▷**με φειδώ** sparingly

φειδωλός, -ή, -ό ΕΠΙΘ thrifty, parsimonious
  ▷**είμαι φειδωλός σε λόγια** to be sparing with words

φέις-κοντρόλ ΟΥΣ ΟΥΔ ΑΚΛ door policy

φελλός ΟΥΣ ΑΡΣ **(α)** (*μπουκαλιού, διχτύων, αγκιστριού*) cork **(β)** (*υβρ.*) airhead (*ανεπ.*)

φεμινισμός ΟΥΣ ΑΡΣ feminism

φεμινιστής ΟΥΣ ΑΡΣ feminist

φεμινίστρια ΟΥΣ ΘΗΛ *βλ.* **φεμινιστής**

φέξη ΟΥΣ ΘΗΛ: **στη χάση και στη φέξη** once in a blue moon

φεουδάρχης ΟΥΣ ΑΡΣ feudal lord, overlord

φεουδαρχία ΟΥΣ ΘΗΛ feudalism

φεουδαρχικός, -ή, -ό ΕΠΙΘ feudal

φέουδο ΟΥΣ ΟΥΔ (ΙΣΤ) fief

φερέγγυος, -α, -ο ΕΠΙΘ **(α)** (ΟΙΚΟΝ) solvent **(β)** (= *αξιόπιστος*) reliable

φερεγγυότητα ΟΥΣ ΘΗΛ **(α)** (ΟΙΚΟΝ) solvency **(β)** (= *αξιοπιστία*) reliability

φέρετρο ΟΥΣ ΟΥΔ coffin, casket (*Αμερ.*)

φερέφωνο ΟΥΣ ΟΥΔ (*ιδέας, γενιάς, εποχής*) mouthpiece

φέρι ΟΥΣ ΟΥΔ ΑΚΛ = **φεριμπότ**

φεριμπότ, φέρι-μποτ ΟΥΣ ΟΥΔ ΑΚΛ ferry, ferryboat

φ

φερμένος, -η, -ο ΕΠΙΘ brought·
(*εισαγόμενος*) imported

φερμουάρ ΟΥΣ ΟΥΔ ΑΚΛ zip (*Βρετ.*), zipper
(*Αμερ.*)

φέρνω ① Ρ Μ (α) (= *μεταφέρω*) to bring
(β) (= *εισάγω*) to introduce, to bring in·
(*προϊόντα*) to import (γ) (= *οδηγώ:
κατάσταση*) to lead· (*δρόμος, μονοπάτι*) to
go, to lead (δ) (*παιδιά, φίλους*) to bring
(ε) (*γιατρό, ηλεκτρολόγο, υδραυλικό*) to call
(στ) (= *προκαλώ: αποτέλεσμα*) to produce·
(*πόλεμο*) to cause· (*τύχη, ατυχία*) to bring
(ζ) (= *αποφέρω: κέρδη, λεφτά*) to bring
in (η) (= *προβάλλω: αντιρρήσεις*) to raise
② Ρ ΑΜ: **φέρνω σε κπν** to look like sb
▷**μου φέρνει αηδία!** he disgusts me!
▷**μου φέρνει δάκρυα** it brings tears to my
eyes
▷**μου φέρνει νύστα** it makes me sleepy
▷**όσα φέρνει η ώρα δεν τα φέρνει ο χρόνος**
(*παροιμ.*) ≈ there's many a slip between cup
and lip (*παροιμ.*)
▷**τα μαλλιά της φέρνουν προς το ξανθό** her
hair is quite fair
▷**τα φέρνω βόλτα** to get by
▷**τη φέρνω σε κπν** to trick sb, to pull a fast
one on sb (*ανεπ.*)
▷**φέρνω κπν αντιμέτωπο με κπν** to bring sb
face to face with sb
▷**φέρνω κπν αντιμέτωπο με κτ** to confront sb
with sth
▷**φέρνω κπν σε απόγνωση** to drive sb to
despair
▷**φέρνω (πάντα) τον κατακλυσμό** to be full of
doom and gloom
▸**φέρνομαι** ΜΕΣΟΠΑΘ (= *συμπεριφέρομαι*) to
behave
▷**μου φέρνεται καλά/άδικα/με σεβασμό** he
treats me well/fairly/with respect

φέρσιμο ΟΥΣ ΟΥΔ manner
▷**τι φερσίματα είναι αυτά!** what kind of
behaviour (*Βρετ.*) ή behavior (*Αμερ.*) is
that?!

φέρω Ρ Μ (*επίσ.*) (α) (= *βαστάζω: βάρος*) to
carry, to bear (*επίσ.*)· (*ευθύνη*) to bear
(β) (= *έχω: χρήμα, τίτλο*) to have·
(*σημάδια, ίχνη, όπλο, όνομα, ένδειξη*) to bear·
(*μπουφάν, φόρεμα, παντελόνι, παπούτσια*) to
wear
▷**φέρω κτ εις ή σε γνώση κποιου** to bring sth
to sb's attention, to mention sth to sb
▷**φέρω κτ βαρέως** to take sth badly
▸**φέρομαι** ΜΕΣΟΠΑΘ (= *συμπεριφέρομαι*) to
behave
▷**άγομαι και φέρομαι** to get pushed around
▷**μου φέρεται καλά** he treats me well
▷**φέρεται δυσαρεστημένος από το
αποτέλεσμα** he is said to be displeased with
the outcome
▷**φέρομαι με το γάντι** to be very polite

φέσι ΟΥΣ ΟΥΔ (= *σκούφος*) fez
▷**βάζω** ή **φορώ φέσι σε κπν** to welch on sb
(*ανεπ.*)

▷**γίνομαι φέσι** to get very drunk ή as drunk
as a skunk

φεστιβάλ ΟΥΣ ΟΥΔ ΑΚΛ festival

φέτα ΟΥΣ ΘΗΛ (α) (*ψωμιού, φρούτου*) slice
(β) (*τυρί*) feta (cheese) (γ) (*καλοριφέρ*) bar

φετινός, -ή, -ό ΕΠΙΘ this year's
▷**φετινό καλοκαίρι** this summer
▷**φετινός χειμώνας** this winter

φετίχ ΟΥΣ ΟΥΔ ΑΚΛ fetish

φετιχισμός ΟΥΣ ΑΡΣ fetishism

φέτος ΕΠΙΡΡ this year

φευγάλα ΟΥΣ ΘΗΛ escape

φευγαλέος, -α, -ο ΕΠΙΘ (*ανάμνηση, εικόνα,
ματιά, χαμόγελο*) fleeting

φευγάτος, -η, -ο ΕΠΙΘ (α) (= *που έχει φύγει*)
gone (β) (*κοροϊδ.*) in a world of one's own
▷**είναι ήδη φευγάτη** she has already gone

φευγιό ΟΥΣ ΟΥΔ (α) (= *αναχώρηση*) departure
(β) (= *βιαστική φυγή*) running away

φεύγω Ρ ΑΜ (α) (= *αναχωρώ: άνθρωπος,
αεροπλάνο, πλοίο, τρένο*) to leave, to go
(β) (= *απομακρύνομαι με τη βία: από χώρα*)
to flee· (*από ομάδα, δουλειά*) to be forced to
leave (γ) (= *απομακρύνομαι βιαστικά*) to flee,
to run off (δ) (= *δραπετεύω: κρατούμενος,
καταζητούμενος, σκύλος*) to escape, to get
away (ε) (= *γλιστρώ: ποτήρι, βάζο*) to slip
(*από out of*)· (*κουβέντα*) to slip out
(στ) (= *εγκαταλείπω οριστικά: ενοικιαστής,
σύζυγος*) to leave (ζ) (= *αποχωρώ:
εργαζόμενος, υποστηρικτής*) to leave· (*μτφ.:
κυβέρνηση*) to go· (*επιθυμία, δίψα*) to go
away (η) (*ευφημ.: = πεθαίνω*) to pass away
(θ) (= *περνώ: νιάτα, ζωή*) to pass
(ι) (= *αποσπώμαι: σελίδα*) to come out
(ια) (= *βγαίνω: λεκές*) to come out· (*χρώμα*)
to fade
▷**έφυγε ένας πόντος απ' το καλσόν μου**
there's a ladder in my tights (*Βρετ.*), there's
a run in my pantyhose (*Αμερ.*)
▷**μου έφυγε η κούραση/σκοτούρα** I wasn't
tired/worried any more
▷**μου 'φυγε η μαγκιά** (*αργκ.*) to be deflated
▷**μου 'φυγε η ψυχή** (*αργκ.*) I was scared to
death
▷**όπου φύγει-φύγει** (*ανεπ.*) to be off like a
shot (*ανεπ.*)
▷**φεύγω από** (= *αποχωρώ*) to leave
▷**φύγε από μένα** leave me alone
▷**φεύγω από τη χώρα** to flee the country
▷**φεύγω για διακοπές** to go on holiday
(*Βρετ.*) ή vacation (*Αμερ.*)
▷**φεύγω σαν κλέφτης/κρυφά** to sneak/creep
off
▷**ώρα να φεύγουμε!** it's time we were off!,
it's time to go!

φήμη ΟΥΣ ΘΗΛ (α) (= *διάδοση*) rumour (*Βρετ.*),
rumor (*Αμερ.*) (β) (= *υπόληψη*) reputation
(γ) (= *δόξα*) renown, fame
▷**καλή/κακή φήμη** good/bad reputation ή
name
▷**βγαίνει** ή **κυκλοφορεί η φήμη** there is a

rumour (*Βρετ.*) *ή* rumor (*Αμερ.*) going around

φημίζομαι P AM ΑΠΟΘ to be renowned (*για* for)

φημισμένος, -η, -ο ΕΠΙΘ renowned · (*μνημείο*) famous

φημολογούμαι P AM: **φημολογείται ότι** ΤΡΙΤΟΠΡΟΣ rumour (*Βρετ.*) *ή* rumor (*Αμερ.*) has it that, it is rumoured (*Βρετ.*) *ή* rumored (*Αμερ.*) that
▷**φημολογούνται τόσα για κτ** there are a lot of rumours (*Βρετ.*) *ή* rumors (*Αμερ.*) about sth

φθάνω ① P AM (α) (= *έρχομαι*: *τρένο, πλοίο, αεροπλάνο, φαξ, μήνυμα*) to arrive, to come in · (*γράμμα*) to arrive (β) (= *πλησιάζω*: *χειμώνας*) to be coming · (*τέλος*) to be near (γ) (= *επαρκώ*: *φαγητό, χρήματα, ύφασμα*) to be enough (δ) (= *πιάνω*) to reach ② P M (α) (= *προφθάνω*) to catch up with (β) (= *πιάνω*) to reach (γ) (*ανταγωνιστή, συμμαθητή*) to be as good as (δ) (*χρέη*) to amount to
▷**δεν φτάνει που** not only
▷**έφτασα!, έφτασε!** coming!
▷**(και) σαν να μην έφθανε αυτό** and as if that wasn't enough
▷**κανένας δεν μπορεί να τον φτάσει** (*για δρομέα*) no one can keep up with him
▷**κανένας δεν τον φτάνει** (*για επαγγελματία, τεχνίτη*) no one can touch him
▷**μέχρι πού φτάνει η αναισθησία σου;** how insensitive can you be?
▷**παραδόσεις που φτάνουν ως τις μέρες μας** traditions that have come down to the present day
▷**πού θέλεις να φτάσεις;** what are you driving at?
▷**τα μαλλιά της φθάνουν ως τη μέση** her hair comes down to her waist
▷**τρέχω και δεν φτάνω** (= *δεν τα φέρνω βόλτα*) to be unable to make ends meet · (= *δεν ολοκληρώνω προσπάθεια*) to get nowhere
▷**υπομονή, φτάνουμε!** be patient, we're nearly there!
▷**φθάνω να κάνω κτ** (= *καταλήγω*) to end up doing sth
▷**φθάνω σε** (*τρένο, πλοίο, επιβάτες*) to arrive at · (*φωνή, ηλικία*) to reach
▷**φθάνω σε αδιέξοδο** to come to a dead end
▷**φθάνω σε απόφαση** to reach a decision
▷**φθάνω ως** (*μυρωδιά, φήμη*) to reach · (*πεδιάδα, πάρκο*) to extend to, to go to
▷**φτάνει και περισσεύει** that's more than enough
▷**φτάνει να το ζητήσεις** you only have to ask
▷**φτάνω κπν στο ύψος** to be as tall as sb
▷**φτάνω στην αναγνώριση** to be recognized
▷**φτάνω στην επιτυχία** to succeed
▷**φτάνω στην κορυφή της ιεραρχίας** to get to the top
▷**φτάνω στο συμπέρασμα** to conclude
▷**φτάνω στο τέλος** (*συζήτηση*) to come to an end · (*παράσταση*) to end

φθαρμένος, -η, -ο ΕΠΙΘ (*επίπλωση, ρουχισμός*) shabby, worn · (*μηχάνημα*) battered

φθαρτός, -ή, -ό ΕΠΙΘ perishable

φθείρω P M (α) (= *καταστρέφω*: *κτήριο*) to erode · (*υγεία*) to ruin · (*δυνάμεις, νιάτα*) to waste · (*ρούχο*) to wear out (β) (= *διαφθείρω*) to corrupt
▸**φθείρομαι** ΜΕΣΟΠΑΘ (*ήθη, γλώσσα, κόμμα*) to become corrupted · (*θεσμοί*) to weaken

φθηνά ΕΠΙΡΡ (*αγοράζω, πουλώ*) cheaply
▷**φτηνά τη γλίτωσα** I got off lightly

φθηναίνω ① P AM (*επίσης* **φτηναίνω**: *προϊόν, αγαθό*) to become cheaper, to go down in price
② P M (*επίσης* **φτηναίνω**: *είδη, εμπορεύματα*) to reduce the price of

φθήνια ΟΥΣ ΘΗΛ (α) (= *χαμηλές τιμές*) low prices *πληθ.* (β) (*μτφ.*) cheapness
▷**η φτήνια τρώει τον παρά** (*παροιμ.*) you can waste a lot of money buying bargains

φθηνός, -ή, -ό ΕΠΙΘ (α) (*προϊόν, ξενοδοχείο, μαγαζί*) cheap · (*ενοίκιο, τιμή*) low (β) (*άνθρωπος, χιούμορ, υλικά*) cheap · (*επιχείρηση, δικαιολογία*) lame

φθινοπωριάτικος, -η, -ο ΕΠΙΘ = **φθινοπωρινός**

φθινοπωρινός, -ή, -ό ΕΠΙΘ (*βροχή, μέρα*) autumn · (*καιρός*) autumnal, autumn
▸**φθινοπωρινός** ΟΥΣ ΟΥΔ ΠΛΗΘ (*επίσης* **φθινοπωρινά ρούχα**) autumn clothes

φθινόπωρο ΟΥΣ ΟΥΔ (*εποχή*) autumn

φθίνω P AM (α) (= *ελαττώνομαι σταδιακά*: *δυνάμεις, αριθμός*) to decline · (*γεννήσεις*) to be on the decline · (*δάση*) to be disappearing · (*επιρροή*) to wane (β) (= *παρακμάζω*) to go into decline

φθίση ΟΥΣ ΘΗΛ (α) (= *φθορά*) decline (β) (ΙΑΤΡ) tuberculosis, phthisis (*επιστ.*)

φθισικός, -ή, -ό ΕΠΙΘ tubercular

φθόγγος ΟΥΣ ΑΡΣ (α) (ΓΛΩΣΣ) speech sound (β) (ΜΟΥΣ) note

φθονερός, -ή, -ό ΕΠΙΘ (α) (*για πρόσ.*) envious (β) (*παγίδα, σχέδιο*) malicious · (*ψυχή*) malevolent

φθόνος ΟΥΣ ΑΡΣ envy

φθονώ P M to envy, to be envious of

φθορά ΟΥΣ ΘΗΛ (α) (= *βαθμιαία καταστροφή*) decay · (*στις σχέσεις*) deterioration (β) (= *βλάβη από χρήση*) wear (and tear) (γ) (= *παρακμή*) decline · (= *ζημιά*) damage
▷**η φθορά του χρόνου** the ravages *πληθ.* of time
▷**ψυχική φθορά** psychological damage

φθόριο ΟΥΣ ΟΥΔ fluorine

φθοριούχος, -ος *ή* **-α, -ο** ΕΠΙΘ fluoride

φι ΟΥΣ ΟΥΔ ΑΚΛ phi, *21st letter of the Greek alphabet*

φιάλη ΟΥΣ ΘΗΛ bottle · (*υγραερίου*) cylinder

φιάσκο ΟΥΣ ΟΥΔ (α) (= *μεγάλη αποτυχία*)

Φ

fiasco· *(για θέαμα)* flop

> *Προσοχή!: Ο πληθυντικός του* fiasco *είναι* fiascos *ή* fiascoes.

(β) (= *κομπίνα*) scheme

φιγούρα ΟΥΣ ΘΗΛ **(α)** (= *εικόνα, ομοίωμα, μορφή*) figure **(β)** *(στην τράπουλα)* face card, court card *(Βρετ.)* **(γ)** *(χορού)* figure **(δ)** (= *επίδειξη*) show
> **κάνω φιγούρα** to show off

φιγουράρω Ρ ΑΜ to appear

φιγουρατζής ΟΥΣ ΑΡΣ show-off

φιγουρατζού ΟΥΣ ΘΗΛ = **φιγουρατζής**

φιγουρίνι ΟΥΣ ΟΥΔ (= *περιοδικό μόδας*) fashion magazine
> **φιγουρίνι είσαι απόψε!** you're dressed to kill tonight!

φιδές ΟΥΣ ΑΡΣ noodles *πληθ.*

φίδι ΟΥΣ ΟΥΔ *(κυριολ.)* snake· *(μτφ.)* snake in the grass
> **βγάζω το φίδι από την τρύπα** to carry the can
> **φίδι κολοβό** snake in the grass

φιδίσιος, -ια, -ιο ΕΠΙΘ **(α)** *(δέρμα)* snake **(β)** *(κορμί)* sinuous

φιδωτός, -ή, -ό ΕΠΙΘ *(μονοπάτι, δρόμος, ποτάμι)* winding

φιέστα ΟΥΣ ΘΗΛ celebration, feast

φίκος ΟΥΣ ΑΡΣ sycamore (tree)

φίλαθλος, -η, -ο ΕΠΙΘ *(πνεύμα, κόσμος)* sporting
> **φίλαθλος** ΟΥΣ ΑΡΣΘΗΛ fan

φιλαλήθεια ΟΥΣ ΘΗΛ veracity

φιλαλήθης, -ης, -ες ΕΠΙΘ truthful

Φιλανδέζα ΟΥΣ ΘΗΛ *βλ.* **Φινλανδός**

φιλανδέζικος, -η, -ο ΕΠΙΘ = **φινλανδικός**

Φιλανδέζος ΟΥΣ ΑΡΣ = **Φινλανδός**

Φιλανδή ΟΥΣ ΘΗΛ *βλ.* **Φινλανδός**

Φιλανδία ΟΥΣ ΘΗΛ = **Φινλανδία**

φιλανδικός, -ή, -ό ΕΠΙΘ = **φινλανδικός**

Φιλανδός ΟΥΣ ΑΡΣ = **Φινλανδός**

φιλανθρωπία ΟΥΣ ΘΗΛ **(α)** (= *αγάπη προς συνάνθρωπο*) philanthropy **(β)** (= *αγαθοεργία*) charity *εν.*

φιλανθρωπικός, -ή, -ό ΕΠΙΘ *(ίδρυμα, σωματείο)* charitable, philanthropic· *(έργο)* charity, benevolent

φιλάνθρωπος, -η, -ο ΕΠΙΘ philanthropic
> **είμαι φιλάνθρωπος** to be a philanthropist

φιλαράκι ΟΥΣ ΟΥΔ mate *(Βρετ.)* *(ανεπ.)*, buddy *(κυρ. Αμερ.)* *(ανεπ.)*

φιλαράκος ΟΥΣ ΑΡΣ *(επίσης: ειρων.)* mate *(Βρετ.)* *(ανεπ.)*, buddy *(κυρ. Αμερ.)* *(ανεπ.)*

φιλαργυρία ΟΥΣ ΘΗΛ avarice

φιλάργυρος, -η, -ο ΕΠΙΘ avaricious, miserly

φιλαρέσκεια ΟΥΣ ΘΗΛ coquetry

φιλάρεσκος, -η, -ο ΕΠΙΘ coquettish

φιλαρμονική ΟΥΣ ΘΗΛ band
> **η φιλαρμονική του δήμου** the town band

φιλαρμονική ορχήστρα philharmonic orchestra
> **Φιλαρμονική** ΟΥΣ ΘΗΛ (= *συμφωνική ορχήστρα*) Philharmonic

φιλάσθενος, -η, -ο ΕΠΙΘ sickly, frail

φιλέ ΟΥΣ ΟΥΔ ΑΚΛ = **φιλές**

φιλειρηνικός, -ή, -ό ΕΠΙΘ **(α)** *(λαός, αισθήματα)* pacific, peaceable **(β)** *(πολιτική, κίνημα)* pacifist

φιλειρηνισμός ΟΥΣ ΑΡΣ pacifism

φιλελευθερισμός ΟΥΣ ΑΡΣ liberalism
> **οικονομικός φιλελευθερισμός** economic liberalism

φιλελευθεροποίηση ΟΥΣ ΘΗΛ liberalization

φιλελεύθερος, -η, -ο ΕΠΙΘ liberal
> **φιλελεύθερος** ΟΥΣ ΑΡΣ liberal

φιλέλληνας ΟΥΣ ΑΡΣ philhellene

φιλελληνισμός ΟΥΣ ΑΡΣ philhellenism

φιλενάδα ΟΥΣ ΘΗΛ *(ανεπ.)* **(α)** (= *φίλη*) (girl)friend **(β)** *(ανύπαντρου)* girlfriend· *(παντρεμένου)* mistress

φιλές ΟΥΣ ΑΡΣ **(α)** *(για μαλλιά)* hairnet **(β)** *(ΑΘΛ)* net

φιλέτο ΟΥΣ ΟΥΔ fillet
> **κόντρα φιλέτο** sirloin

φιλεύσπλαχνος, -η, -ο ΕΠΙΘ merciful

φιλεύω Ρ Μ to give

φίλη ΟΥΣ ΘΗΛ **(α)** (= *φιλενάδα*) friend **(β)** *(καταχρ.: = γνωστή)* acquaintance **(γ)** *(ανύπαντρου)* girlfriend· *(παντρεμένου)* mistress

φιλήδονος, -η, -ο ΕΠΙΘ sensual

φίλημα ΟΥΣ ΟΥΔ kiss, kissing *χωρίς πληθ.*

φιλήσυχος, -η, -ο ΕΠΙΘ **(α)** (= *ήρεμος*) quiet **(β)** (= *νομοταγής*) law-abiding

φιλί ΟΥΣ ΟΥΔ kiss
> **δίνω φιλί σε κπν (στο στόμα/μάγουλο)** to kiss sb (on the mouth/cheek)
> **πεταχτό φιλί** quick kiss
> **(πολλά) φιλιά!** lots of love!

φιλία ΟΥΣ ΘΗΛ **(α)** (= *σχέση φίλων*) friendship **(β)** (= *εύνοια*) favour *(Βρετ.)*, favor *(Αμερ.)*
> **πιάνω φιλία ή φιλίες με κπν** to make friends with sb

φιλικός, -ή, -ό ΕΠΙΘ **(α)** *(γενικότ.)* friendly· *(επίσκεψη, συζήτηση)* informal· *(διάθεση)* amiable· *(ακροατήριο)* sympathetic **(β)** *(ΑΘΛ)* friendly
> **είναι φιλικός μαζί μου** he's friendly to me
> **φιλικός προς το περιβάλλον** environment-friendly, eco-friendly
> **φιλικός προς τον χρήστη** user-friendly
> **φιλικό** ΟΥΣ ΟΥΔ friendly (match)

φιλικότητα ΟΥΣ ΘΗΛ friendliness
> **φιλικότητα προς το περιβάλλον** environmental friendliness
> **φιλικότητα προς τον χρήστη** user-friendliness

Φιλιππινέζα ΟΥΣ ΘΗΛ = **Φιλιππινέζος**

Φιλιππινέζος ΟΥΣ ΑΡΣ Filipino

Φιλιππίνες ΟΥΣ ΘΗΛ ΠΛΗΘ: **οι Φιλιππίνες** the Philippines

φιλιστρίνι ΟΥΣ ΟΥΔ = **φινιστρίνι**

φιλιώνω 1 Ρ ΑΜ to make (it) up
2 Ρ Μ to reconcile
▷**φιλιώνω με κτ** to become reconciled to sth

φιλμ ΟΥΣ ΟΥΔ ΑΚΛ film

φίλντισι ΟΥΣ ΟΥΔ mother-of-pearl

φιλοδοξία ΟΥΣ ΘΗΛ ambition
▷**έχω τη φιλοδοξία να κάνω κτ** it is my ambition to do sth

φιλόδοξος, -η, -ο ΕΠΙΘ ambitious

φιλοδοξώ Ρ Μ: **φιλοδοξώ να γίνω/κάνω** to aspire to be/to do

φιλοδώρημα ΟΥΣ ΟΥΔ tip, gratuity (*επίσ.*)

φιλόζωος, -η, -ο ΕΠΙΘ animal-loving, fond of animals
▸**φιλόζωος** ΟΥΣ ΑΡΣ, **φιλόζωη** ΟΥΣ ΘΗΛ animal lover

φιλοκερδής, -ής, -ές ΕΠΙΘ greedy

φιλολαϊκός, -ή, -ό ΕΠΙΘ populist

φιλολογία ΟΥΣ ΘΗΛ (α) (*επιστήμη*) philology
(β) (= *γραμματεία*) literature
▸**φιλολογίες** ΠΛΗΘ hot air (*ανεπ.*)

φιλολογικός, -ή, -ό ΕΠΙΘ (*μελέτη, ζήτημα*) philological · (*κύκλος, κείμενο*) literary
▸**φιλολογικά μαθήματα** the humanities
▸**φιλολογικό ψευδώνυμο** pen name

φιλόλογος ΟΥΣ ΑΡΣ&ΘΗΛ (α) (*επιστήμονας*) philologist (β) (ΣΧΟΛ) humanities teacher

φιλομάθεια ΟΥΣ ΘΗΛ studiousness

φιλομαθής, -ής, -ές ΕΠΙΘ studious

φιλόμουσος, -η, -ο ΕΠΙΘ: **είμαι φιλόμουσος** (= *είμαι μουσικόφιλος*) to be a music lover · (= *είμαι φιλότεχνος*) to be an art lover
▷**το φιλόμουσο κοινό** (= *μουσικόφιλοι*) music lovers *πληθ.* · (= *φιλότεχνοι*) art lovers *πληθ.*

φιλονικία ΟΥΣ ΘΗΛ argument, dispute

φιλόνικος, -η, -ο ΕΠΙΘ argumentative

φιλονικώ Ρ ΑΜ to argue

φιλοξενία ΟΥΣ ΘΗΛ (α) (= *υποδοχή και περιποίηση ξένων*) hospitality (β) (= *παροχή στέγης και περιποίησης*) accommodation (γ) (*σε έντυπο*) publication

φιλόξενος, -η, -ο ΕΠΙΘ hospitable

φιλοξενούμενη ΟΥΣ ΘΗΛ = **φιλοξενούμενος**

φιλοξενούμενος ΟΥΣ ΑΡΣ (α) (= *ξένος*) guest (β) (ΑΘΛ) visitor

φιλοξενώ Ρ Μ (α) (= *παρέχω στέγη*: δωρεάν: *ξένο, επισκέπτη*) to put up · (*άστεγο*) to take in · (*επί πληρωμή*) to accommodate (β) (*εκδήλωση, έκθεση, αγώνες*) to host (γ) (*σε έντυπο*) to publish (δ) (*σε ραδιοφωνική ή τηλεοπτική εκπομπή*) to have as a guest

φιλοπατρία ΟΥΣ ΘΗΛ patriotism

φιλόπατρις, -ις, -ι ΕΠΙΘ (*επίσ.*) patriotic

φιλοπόλεμος, -η, -ο ΕΠΙΘ (*λαός, χώρα, πνεύμα, στάση*) belligerent, warlike · (*πολιτικός, πολιτική*) hawkish

φιλοπονία ΟΥΣ ΘΗΛ diligence

φιλόπονος, -η, -ο ΕΠΙΘ diligent, hardworking

φιλοπρόοδος, -η, -ο ΕΠΙΘ progressive

φιλόπτωχος, -η, -ο ΕΠΙΘ charitable
▸**φιλόπτωχο ταμείο** charity fund

φίλος ΟΥΣ ΑΡΣ (α) (*γενικότ.*) friend (β) (*καταχρ.*: = *γνωστός*) acquaintance (γ) (*ανύπαντρης*) boyfriend · (*παντρεμένης*) lover (δ) (*τέχνων, γραμμάτων*) lover (ε) (*ανεπ.*: = *αυτός*) our friend
▷**γίνομαι φίλος με κπν** to become friends with sb
▷**φίλε (μου)** (*ανεπ.*) mate (*Βρετ.*) (*ανεπ.*), buddy (*Αμερ.*) (*ανεπ.*)
▷**φίλοι ακροατές/τηλεθεατές** dear listeners/viewers
▸**φίλος του κρασιού/του κινηματογράφου** wine/film ή movie (*Αμερ.*) buff
▸**φίλη χώρα** friendly nation

φιλοσοφία ΟΥΣ ΘΗΛ philosophy
▷**δεν θέλει (και πολλή) φιλοσοφία** it's pretty obvious

φιλοσοφικός, -ή, -ό ΕΠΙΘ philosophical
▸**Φιλοσοφική** ΟΥΣ ΘΗΛ (*επίσης* **Φιλοσοφική Σχολή**) philosophy school

φιλοσοφικότητα ΟΥΣ ΘΗΛ (*συζήτησης, σκέψεων, αναζητήσεων*) philosophical nature

φιλόσοφος ΟΥΣ ΑΡΣ&ΘΗΛ philosopher

φιλοσοφώ 1 Ρ ΑΜ to philosophize
2 Ρ Μ to think about

φιλόστοργος, -η, -ο ΕΠΙΘ loving

φιλοτελισμός ΟΥΣ ΑΡΣ philately (*επίσ.*), stamp collecting

φιλοτελιστής ΟΥΣ ΑΡΣ philatelist (*επίσ.*), stamp collector

φιλοτελίστρια ΟΥΣ ΘΗΛ = **φιλοτελιστής**

φιλοτέχνημα ΟΥΣ ΟΥΔ work of art

φιλότεχνος, -η, -ο ΕΠΙΘ: **είμαι φιλότεχνος** to be an art lover

φιλοτεχνώ Ρ Μ (α) (= *καλλιτεχνώ*) to create (β) (= *δημιουργώ*) to make

φιλοτιμία ΟΥΣ ΘΗΛ (α) (= *τιμή, αξιοπρέπεια*) pride, dignity (β) (= *ευσυνειδησία*) conscientiousness

φιλότιμο ΟΥΣ ΟΥΔ (α) (= *αίσθημα τιμής και αξιοπρέπειας*) pride, dignity (β) (= *ευσυνειδησία*) conscientiousness
▷**έχω φιλότιμο** to be conscientious
▷**με πιάνει το φιλότιμο** to have a pang of conscience
▷**φέρνω ή ρίχνω κπν στο φιλότιμο** to appeal to sb's better nature

φιλότιμος, -η, -ο ΕΠΙΘ (α) (= *υπερήφανος*) proud (β) (= *ευσυνείδητος*) conscientious (γ) (*προσπάθεια*) spirited

φιλοτιμώ Ρ Μ: **φιλοτιμώ κπν** to put sb on his/her mettle
▸**φιλοτιμούμαι, φιλοτιμιέμαι** ΜΕΣΟΠΑΘ to be willing (*να κάνω* to do)

φιλοφρόνηση ΟΥΣ ΘΗΛ compliment
▷**κάνω φιλοφρόνηση σε κπν για κτ** to

Φ

φιλοφρονητικός, -ή, -ό ΕΠΙΘ (*λόγια*)
compliment sb on sth
complimentary· (*χειρονομία*) appreciative

φιλοφροσύνη ΟΥΣ ΘΗΛ (= *φιλική διάθεση*)
amiability· (= *ευγενική συμπεριφορά*)
courtesy

φιλόφρων, -ων, -ον ΕΠΙΘ (*επίσ.*) amiable
▸**φιλόφρονας** ΟΥΣ ΑΡΣ/ΘΗΛ amiable person

φιλοχρήματος, -η, -ο ΕΠΙΘ avaricious,
greedy

φίλτατος, -άτη, -ατο ΕΠΙΘ (*επίσ.*) dearest

φιλτράρω Ρ Μ (*κυριολ., μτφ.*) to filter

φίλτρο¹ ΟΥΣ ΟΥΔ filter

φίλτρο² ΟΥΣ ΟΥΔ (α) (= *ελιξήριο*) potion
(β) (= *στοργή*) love

φιλώ Ρ Μ to kiss
▹**να μου φιλήσεις τη μητέρα/τον αδελφό σου**
send my love to your mother/brother
▹**σε/σας φιλώ** with love
▹**φιλάω σταυρό** cross my heart
▸**φιλιέμαι** ΜΕΣΟΠΑΘ to kiss

φιμώνω Ρ Μ (α) (*ζώο*) to muzzle· (*άνθρωπο*)
to gag (β) (*μτφ.*) to silence· (*τον τύπο*) to gag

φίμωτρο ΟΥΣ ΟΥΔ (α) (*ζώου*) muzzle·
(*ανθρώπου*) gag (β) (*μτφ.*) gag

φινάλε ΟΥΣ ΟΥΔ ΑΚΛ (α) (*παράστασης, γιορτής*)
finale· (*κινηματογραφικού έργου*) ending
(β) (*προσπάθειας, υπόθεσης*) outcome·
(*ιστορίας*) conclusion
▹**στο φινάλε** in the end

φιναλίστ ΟΥΣ ΑΡΣ/ΘΗΛ ΑΚΛ finalist

φινέτσα ΟΥΣ ΘΗΛ (*για πρόσ.*) finesse·
(*ντυσίματος*) good taste· (*λόγων, τρόπων*)
delicacy· (*συμπεριφοράς*) tact

φινετσάτος, -η, -ο ΕΠΙΘ (*άνθρωπος*)
polished· (*ρούχο, ντύσιμο*) chic

φινίρισμα ΟΥΣ ΟΥΔ finish

φινιστρίνι ΟΥΣ ΟΥΔ porthole

Φινλανδέζα ΟΥΣ ΘΗΛ *βλ.* **Φινλανδός**

φινλανδέζικος, -η, -ο ΕΠΙΘ = **φινλανδικός**

Φινλανδέζος ΟΥΣ ΑΡΣ = **Φινλανδός**

Φινλανδή ΟΥΣ ΘΗΛ *βλ.* **Φινλανδός**

Φινλανδία ΟΥΣ ΘΗΛ Finland

φινλανδικός, -ή, -ό ΕΠΙΘ Finnish

> *Προσοχή!: Τα εθνικά επίθετα, όπως*
> **Finnish**, *γράφονται με κεφαλαίο το*
> *αρχικό γράμμα στα Αγγλικά.*

▸**Φινλανδικά, Φινλανδέζικα** ΟΥΣ ΟΥΔ ΠΛΗΘ
Finnish

Φινλανδός ΟΥΣ ΑΡΣ Finn

φίνος, -α, -ο ΕΠΙΘ (α) (*για πρόσ.*) refined
(β) (*χέρια, δάχτυλα, χαρακτηριστικά*)
delicate· (*γούστο, συμπεριφορά*) refined·
(*τέχνη, ύφασμα, μετάξι*) fine· (*ρούχο*) chic
(γ) (*φίλος, παρέα, μαγαζί*) great (*ανεπ.*)

φιόγκος ΟΥΣ ΑΡΣ (α) (= *κόμπος*) knot
(β) (= *κορδέλα*) bow (γ) (*μειωτ.*) fop

φιρί-φιρί ΕΠΙΡΡ (*ανεπ.*): **το πάω φιρί-φιρί** to be
asking for it (*ανεπ.*)

▹**το πάω φιρί-φιρί για καβγά** to be asking for
trouble (*ανεπ.*)
▹**φιρί-φιρί το πας να σε δείρω!** you're asking
for a beating! (*ανεπ.*)

φίρμα ΟΥΣ ΘΗΛ (α) (= *επωνυμία εταιρείας*)
trade name (β) (= *εταιρεία*) firm
(γ) (= *μάρκα*) trademark (δ) (= *διασημότητα*)
celebrity

φις ΟΥΣ ΟΥΔ ΑΚΛ plug

φίσκα ΕΠΙΘ ΑΚΛ (*θέατρο, τρένο*) packed·
(*τσάντα*) full
▹**γεμάτος φίσκα** full to bursting, jam–packed
(*ανεπ.*)

φιστίκι ΟΥΣ ΟΥΔ (α) (*επίσης* **φιστίκια Αιγίνης**)
pistachio (β) (*επίσης* **φιστίκι αράπικο**) peanut

φιστικιά ΟΥΣ ΘΗΛ pistachio tree

φιτίλι ΟΥΣ ΟΥΔ (α) (*κεριού, λάμπας, λυχναριού*)
wick (β) (*εκρηκτικής ύλης*) fuse (*Βρετ.*), fuze
(*Αμερ.*)
▹**βάζω φιτίλι** *ή* **φιτίλια** to sow dissension

φιτιλιά ΟΥΣ ΘΗΛ: **βάζω φιτιλιές** to sow
dissension

Φλαμανδή ΟΥΣ ΘΗΛ *βλ.* **Φλαμανδός**

Φλαμανδία ΟΥΣ ΘΗΛ Flanders

φλαμανδικός, -ή, -ό ΕΠΙΘ Flemish

> *Προσοχή!: Τα εθνικά επίθετα, όπως*
> **Flemish**, *γράφονται με κεφαλαίο το*
> *αρχικό γράμμα στα Αγγλικά.*

▸**Φλαμανδικά** ΟΥΣ ΟΥΔ ΠΛΗΘ Flemish

Φλαμανδός ΟΥΣ ΑΡΣ Fleming

φλάντζα ΟΥΣ ΘΗΛ flange

φλαουτίστα, φλαουτίστρια ΟΥΣ ΘΗΛ *βλ.*
φλαουτίστας

φλαουτίστας ΟΥΣ ΑΡΣ flautist, flute player

φλάουτο ΟΥΣ ΟΥΔ flute

φλας ΟΥΣ ΟΥΔ ΑΚΛ (α) (*φωτογραφικής μηχανής*)
flash (β) (*αυτοκινήτου*) indicator (*Βρετ.*),
blinker (*Αμερ.*)

φλασκί ΟΥΣ ΟΥΔ flask

φλέβα ΟΥΣ ΘΗΛ (α) (ΑΝΑΤ, ΓΕΩΛ) vein
(β) (= *κοίτασμα: μετάλλου, χρυσού*) seam,
vein (γ) (= *ρεύμα νερού*) underground
stream (δ) (= *κλίση*) talent
▹**παγώνει το αίμα μου στις φλέβες** my blood
runs cold
▹**κόβω τις φλέβες μου** (= *αυτοκτονώ*) to slit
one's wrist
▹**κόψτε τις φλέβες σας!** (*μτφ.*) go jump in a
lake!

Φλεβάρης ΟΥΣ ΑΡΣ (*ανεπ.*) = **Φεβρουάριος**

φλεβίτιδα ΟΥΣ ΘΗΛ phlebitis

φλέγμα ΟΥΣ ΟΥΔ (α) (*επίσης* **φλέμα**) phlegm
(β) (= *ψυχραιμία*) phlegm

φλεγματικός, -ή, -ό ΕΠΙΘ phlegmatic

φλεγμονή ΟΥΣ ΘΗΛ inflammation

φλέγω Ρ Μ (*για επιθυμία, πάθος*) to consume
▸**φλέγομαι** ΜΕΣΟΠΑΘ (α) (= *καίγομαι*) to be on
fire (β) (*από πυρετό*) to burn
▹**φλέγομαι από την επιθυμία για κτ/να κάνω**

κτ to be burning with the desire for sth/to do sth
▷**φλέγομαι από μίσος/οργή** to be burning up with hatred/anger
φλέγων, -ουσα, -ον ΕΠΙΘ *(ζήτημα, θέμα)* burning
φλέμα ΟΥΣ ΟΥΔ *(προφορ.)* βλ. **φλέγμα**
φλερτ ΟΥΣ ΟΥΔ ΑΚΛ **(α)** *(= ερωτοτροπία)* flirting *χωρίς πληθ.* **(β)** *(= δεσμός)* romance· *(= φίλος)* boyfriend· *(= φίλη)* girlfriend **(γ)** *(μτφ.)* friendly overtures *πληθ.*
▷**φλερτ του καλοκαιριού** holiday romance
φλερτάρω ① Ρ Μ *(αγόρι, κορίτσι)* to flirt with ② Ρ ΑΜ *(= ερωτοτροπώ)* to flirt
▷**φλερτάρω με κπν/κτ** to flirt with sb/sth
φλίπερ ΟΥΣ ΟΥΔ ΑΚΛ pinball machine
φλις ΟΥΣ ΟΥΔ ΑΚΛ fleece
φλιτζάνι ΟΥΣ ΟΥΔ = **φλυτζάνι**
φλόγα ΟΥΣ ΘΗΛ **(α)** *(φωτιάς, κεριού, αναπτήρα, σπίρτου)* flame **(β)** *(μτφ.)* ardour *(Βρετ.)*, ardor *(Αμερ.)*
▸**φλόγες** ΠΛΗΘ *(= φωτιά)* flames
φλογέρα ΟΥΣ ΘΗΛ *(ΜΟΥΣ)* pipe
φλογερός, -ή, -ό ΕΠΙΘ *(άνθρωπος, εραστής, έρωτας, λόγος)* passionate· *(μάτια, βλέμμα)* fiery, blazing· *(επιθυμία)* burning· *(πατριωτισμός, υποστηρικτής)* ardent
φλογίζω Ρ Μ *(= εξάπτω)* to fire
▸**φλογίζομαι** ΜΕΣΟΠΑΘ **(α)** *(= κοκκινίζω)* to go ή turn red **(β)** *(= φλέγομαι)* to be burning up
φλογοβόλο ΟΥΣ ΟΥΔ flame–thrower
φλόγωση ΟΥΣ ΘΗΛ *(= φλεγμονή)* inflammation
φλοιός ΟΥΣ ΑΡΣ **(α)** *(δέντρου)* bark· *(καρπού)* peel **(β)** *(της γης)* crust
φλοίσβος ΟΥΣ ΑΡΣ ripple
φλοκάτη ΟΥΣ ΘΗΛ flokati (rug), *handwoven shaggy woollen rug*
φλομώνω ① Ρ Μ *(ανεπ.: δωμάτιο, σπίτι)* to fill with smoke· *(άνθρωπο)* to choke ② Ρ ΑΜ **(α)** *(= γεμίζω καπνό)* to be thick with smoke· *(= βρομώ)* to stink **(β)** *(= ζαλίζομαι)* to be dazed
φλούδα ΟΥΣ ΟΥΔ *(ανεπ.)* **(α)** *(δέντρου, κλαδιού)* bark **(β)** *(καρπού)* peel· *(αβγού)* shell
φλούδι ΟΥΣ ΟΥΔ *(ανεπ.)* **(α)** *(δέντρου, κλαδιού)* bark **(β)** *(καρπού)* peel
▸**φλούδια** ΠΛΗΘ *(αβγού, φυστικιών, καρυδιών)* shells
φλουρί ΟΥΣ ΟΥΔ *(παλαιότ.)* florin, gold coin
▷**γίνομαι κίτρινος σαν το φλουρί** to go as white as a sheet
φλυαρία ΟΥΣ ΘΗΛ chatter
φλύαρος, -η, -ο ΕΠΙΘ **(α)** *(= πολυλογάς)* chatty, talkative **(β)** *(κείμενο)* long–winded· *(χιούμορ)* bantering
φλυαρώ Ρ ΑΜ to chatter
φλυτζάνι ΟΥΣ ΟΥΔ cup
▷**λέω το φλυτζάνι** *(ανεπ.)* to read the coffee grounds
▷**φλυτζάνι του καφέ/τσαγιού** coffee/tea cup

Φλωρεντία ΟΥΣ ΘΗΛ Florence
φλώρος ΟΥΣ ΑΡΣ **(α)** *(ωδικό πτηνό)* greenfinch **(β)** *(αργκ.)* pansy *(χυδ.)*
φοβάμαι ① Ρ ΑΜ ΑΠΟΘ **(α)** *(= τρομάζω)* to be afraid **(β)** *(= έχω αγωνία)* to be worried *(για about)* ② Ρ Μ **(α)** *(άνθρωπο, σκοτάδι, αποτυχία)* to be afraid of **(β)** *(= υποψιάζομαι: επεισόδια)* to fear
▷**φοβάται για τη ζωή του** he's in fear of his life
▷**φοβάμαι μην του συμβεί κανένα κακό** I'm afraid something might happen to him
▷**φοβάμαι να κάνω κτ** to be afraid to do sth
▷**φοβάμαι πως ή ότι** to be afraid that
φοβέρα ΟΥΣ ΘΗΛ threat
φοβερίζω Ρ Μ to threaten
φοβερός, -ή, -ό ΕΠΙΘ **(α)** *(άνθρωπος, όψη)* fearsome **(β)** *(κρότος, θέαμα, έγκλημα)* horrendous, horrific **(γ)** *(καταχρ.: = πολύ μεγάλος: ψεύτης, απατεώνας)* monumental· *(ζέστη)* tremendous· *(σφάλμα, καταστροφές, πόνοι)* terrible **(δ)** *(καταχρ.: = εκπληκτικός)* terrific
▷**φοβερό!** *(έκφραση έκπληξης ή θαυμασμού)* terrific!
φόβητρο ΟΥΣ ΟΥΔ terror· *(τιμωρίας, πληθωρισμού)* threat
φοβητσιάρης, -α, -ικο ΕΠΙΘ cowardly
φοβία ΟΥΣ ΘΗΛ phobia
φοβίζω Ρ Μ to scare, to frighten
φόβος ΟΥΣ ΑΡΣ fear
▷**δεν έχει φόβο** there's no cause for concern
▷**είμαι ο φόβος και ο τρόμος** +γεν. to be the terror of
▷**εκφράζονται φόβοι για κτ/ότι** there are fears of sth/that
▷**με πιάνει φόβος και τρόμος** to be terrified
▷**παίρνω κπν/κτ από φόβο** to live in dread of sb/sth
▷**χωρίς φόβο και πάθος** without fear or favour *(Βρετ.)* ή favor *(Αμερ.)*
φοβούμαι Ρ Μ/ΑΜ ΑΠΟΘ = **φοβάμαι**
φόδρα ΟΥΣ ΘΗΛ lining
φοδράρω Ρ Μ to line
φοίνικας ΟΥΣ ΑΡΣ palm (tree)
φοινικιά ΟΥΣ ΘΗΛ *(ανεπ.)* = **φοίνικας**
φοινικικός, -ή, -ό ΕΠΙΘ Phoenician
φοινικόδασος ΟΥΣ ΑΡΣ palm grove
φοινικόδεντρο ΟΥΣ ΟΥΔ palm tree
φοίτηση ΟΥΣ ΘΗΛ course, studies *πληθ.*
φοιτητής ΟΥΣ ΑΡΣ (undergraduate) student
φοιτητικός, -ή, -ό ΕΠΙΘ student
φοιτητόκοσμος ΟΥΣ ΑΡΣ student population
φοιτήτρια ΟΥΣ ΘΗΛ *βλ.* **φοιτητής**
φοιτώ Ρ ΑΜ to study
φόλα ΟΥΣ ΘΗΛ **(α)** *(= φαγητό με δηλητήριο)* poisoned food **(β)** *(= αποτυχία)* flop **(γ)** *(παπουτσιού)* leather patch
φονεύω Ρ Μ *(επίσ.)* to kill, to slay *(επίσ.)*

Φ

φονιάς ουσ αρσ killer, murderer

φονικός, -ή, -ό επιθ (α) (ενέργεια, τάσεις) homicidal (β) (νέφος, όπλο, όργανο, σφαίρα, σύγκρουση) lethal, deadly · (βλέμμα) murderous
▸**φονικό** ουσ ουδ (ανεπ.) murder

φόνισσα ουσ θηλ killer, murderess

φόνος ουσ αρσ murder
▷**φόνος εκ προμελέτης** premeditated murder, homicide (Αμερ.)
▷**φόνος εξ αμελείας** manslaughter

φόντα ουσ ουδ πληθ required qualities

φόντο ουσ ουδ (πίνακα, εικόνας) background

φορά ουσ θηλ (α) (= πορεία: ρεύματος, ποταμού) flow · (δεικτών ρολογιού) direction (β) (= εξέλιξη: γεγονότων) course (γ) (= περίπτωση) time (δ) (ΜΑΘ) times
▷**αυτή τη φορά** this time
▷**δυο φορές** twice
▷**μια φορά** once
▷**μια φορά κι έναν καιρό** once upon a time
▷**πρώτη φορά** the first time

φόρα[1] ουσ θηλ speed
▷**κόβω τη φόρα σε κπν** to break sb's momentum · (μτφ.) to put sb off
▷**παίρνω φόρα** (ΑΘΛ) to take a run–up · (μτφ.) to be on a roll

φόρα[2] ουσ θηλ: **βγάζω κτ στη φόρα** to bring sth out into the open
▷**βγαίνω στη φόρα** to come out

φοράδα ουσ θηλ (α) (= θηλυκό άλογο) mare (β) (υβρ.) cow (ανεπ.)

φορέας ουσ αρσ (α) (αλλαγής, ιδεών) vehicle (β) (ασθένειας, μικροβίων, έιτζ) carrier (γ) (για υπηρεσία, οργανισμό, κόμμα) body

φορείο ουσ ουδ stretcher

φόρεμα ουσ ουδ (α) (ένδυμα) dress (β) (= η ενέργεια του φορώ) wearing

φορεσιά ουσ θηλ outfit, clothes πληθ.

φορητός, -ή, -ό επιθ (κασετόφωνο, τηλέφωνο) portable · (όπλο) hand
▸**φορητός υπολογιστής** laptop (computer), portable (computer)

φόρμα ουσ θηλ (α) (= μορφή) form · (ρούχον) shape (β) (γλυκού) cake tin (Βρετ.), pan (Αμερ.) (γ) (εργασίας) overalls πληθ. · (γυμναστικής) tracksuit (Βρετ.), sweatsuit (Αμερ.) (δ) (μωρού) crawlers πληθ., rompers πληθ.
▷**διατηρούμαι σε (καλή) φόρμα** to keep in (good) shape
▷**είμαι σε φόρμα** to be on form

φορμάρισμα ουσ ουδ (α) (υλικού) shaping · (μαλλιών) set (β) (= τοποθέτηση σε καλούπι) moulding (Βρετ.), molding (Αμερ.) (γ) (ΠΛΗΡΟΦ) formatting (δ) (ΑΘΛ) form

φορμαρισμένος επιθ (α) (= διαμορφωμένος) moulded (Βρετ.), molded (Αμερ.) (β) (άνθρωπος, αθλητής) on form (γ) (δισκέτα) formatted

φορμάρω ρ μ (α) (υλικό) to shape · (εργασία,

κείμενο) to structure · (μαλλιά) to set (β) (γλυκό, γύψο) to mould (Βρετ.), to mold (Αμερ.) · (μέταλλο) to shape (γ) (δισκέτα) to format

φορμόλη ουσ θηλ formalin

φόρμουλα ουσ θηλ (α) (= καλούπι) mould (Βρετ.), mold (Αμερ.) (β) (μαθηματικών, χημείας, φυσικής) formula

> *Προσοχή!: Ο πληθυντικός του* **formula** *είναι* **formulas** *ή* **formulae**.

▸**Φόρμουλα 1** Formula 1

φοροαπαλλαγή ουσ θηλ tax exemption

φοροδιαφυγή ουσ θηλ tax evasion

φορολόγηση ουσ θηλ taxation, taxing

φορολογήσιμος, -η, -ο επιθ (έσοδο, ποσό) taxable
▸**φορολογήσιμοι ίπποι** (για αυτοκίνητα) taxable engine size

φορολογία ουσ θηλ (α) (= επιβολή φόρων) taxation (β) (= φόρος) tax, taxation

φορολογικός, -ή, -ό επιθ (έλεγχος, σύστημα) tax
▸**φορολογική δήλωση** tax return

φορολογούμενος, -η, -ο επιθ (πολίτης) taxpaying
▸**φορολογούμενος** ουσ αρσ, **φορολογούμενη** ουσ θηλ taxpayer

φορολογώ ρ μ (πολίτη) to tax · (προϊόν, εισόδημα) to tax, to put a tax on

φόρος ουσ αρσ (εισοδήματος, κληρονομιάς, πολυτελείας) tax · (στα τσιγάρα, αλκοόλ) duty, tax
▷**φόρος αίματος** death toll
▷**φόρος τιμής** tribute
▸**άμεσος/έμμεσος φόρος** direct/indirect tax
▸**Φόρος Προστιθέμενης Αξίας (Φ.Π.Α.)** value added tax, VAT

φοροτεχνικός, -ή, -ό επιθ (γραφείο, υπηρεσία, εταιρεία) tax consultancy
▸**φοροτεχνικός** ουσ αρσ&θηλ tax consultant

φοροφυγάς ουσ αρσ tax evader, tax dodger (ανεπ.)

φορτηγατζής ουσ αρσ lorry driver (Βρετ.), trucker (Αμερ.)

φορτηγατζού ουσ θηλ = **φορτηγατζής**

φορτηγίδα ουσ θηλ barge

φορτηγό ουσ ουδ (α) (φορτηγού) lorry (Βρετ.), truck (Αμερ.) (β) (πλοίο) cargo boat, freighter

φορτίζω ρ μ (α) (μπαταρία) to charge (β) (σχέσεις, κλίμα) to make tense · (ατμόσφαιρα) to charge
▷**φορτισμένες έννοιες/εικόνες** loaded meanings/images

φορτικός, -ή, -ό επιθ (άνθρωπος, συμπεριφορά) pushy · (ερωτήσεις) insistent

φορτίο ουσ ουδ (α) (φορτηγού) load · (τρένου) freight · (πλοίου, αεροπλάνου) cargo (β) (μτφ.) burden
▸**ηλεκτρικό φορτίο** electrical charge

φόρτιση ουσ θηλ (α) (μπαταρίας) charging

(β) (*ατμόσφαιρας, κλίματος*) tension

φορτιστής ΟΥΣ ΑΡΣ charger

φορτοεκφόρτωση ΟΥΣ ΘΗΛ loading and unloading

φορτοεκφορτωτής ΟΥΣ ΑΡΣ stevedore (*Βρετ.*), lumper (*Αμερ.*)

φόρτος ΟΥΣ ΑΡΣ load, burden
▸ **φόρτος εργασίας** workload

φορτσάρω Ρ ΑΜ (*ανεπ.*) to buckle down (*ανεπ.*)

φόρτωμα ΟΥΣ ΟΥΔ (α) (= *φόρτωση*) loading (β) (= *φορτίο*) load
▷ **γίνομαι φόρτωμα σε κπν** to be a real nuisance

φορτωμένος, -η, -ο ΕΠΙΘ (α) (= *υπερβολικά καλυμμένος*) loaded (β) (= *επιβαρυμένος*) busy

φορτώνω Ⅰ Ρ Μ (α) (*αυτοκίνητο, προϊόντα, βαλίτσες*) to load (β) (*δουλειά, έργο*) to palm off · (*μαθητή*) to burden (γ) (= *παίρνω φορτίο*) to take on (δ) (ΠΛΗΡΟΦ) to load
Ⅱ Ρ ΑΜ (*πλοίο, φορτηγό*) to take on cargo
▷ **τα φορτώνω σε κπν** to put the blame on sb
▷ **τα φορτώνω στον κόκκορα** to throw in the towel
▷ **φορτώνω ένα έγκλημα σε κπν** to blame sb for a crime
▷ **φορτώνω κπν (με) δώρα** to shower sb with gifts
▷ **φορτώνω κπν/κτ σε κπν** to foist sb/sth on sb
▷ **φορτώνω την ενοχή σε κπν** to put the blame on sb
▸ **φορτώνομαι** ΜΕΣΟΠΑΘ (α) (*φορτίο*) to carry · (*συνέπειες*) to bear (β) (= *γίνομαι φορτικός*) to be a nuisance

φόρτωση ΟΥΣ ΘΗΛ loading

φορτωτής ΟΥΣ ΑΡΣ (α) (*εργάτης*) stevedore (*Βρετ.*), lumper (*Αμερ.*) (β) (= *αποστολέας φορτίου*) shipper (γ) (*μηχάνημα*) loader

φορτωτική ΟΥΣ ΘΗΛ waybill, bill of lading

φορώ Ρ Μ (α) (= *έχω πάνω μου: ρούχο, κόσμημα, γυαλιά, καπέλο, κολόνια, παπούτσια*) to wear, to have on · (= *βάζω*) to put on (β) (= *χρησιμοποιώ: κολόνια, μέικ-απ*) to wear · (*αποσμητικό*) to use
▷ **φοριέται πολύ** to be in fashion
▷ **τα φοράω σε κπν** to cheat on sb

φουγάρο ΟΥΣ ΟΥΔ (*πλοίου*) funnel · (*εργοστασίου, τζακιού*) chimney
▷ **καπνίζω σαν φουγάρο** to smoke like a chimney, to be a chain-smoker

φουκαράς ΟΥΣ ΑΡΣ (α) (= *φτωχός*) poor man (β) (= *δυστυχής*) poor devil (*ανεπ.*)

φουλάρι ΟΥΣ ΟΥΔ scarf

> *Προσοχή!: Ο πληθυντικός του* **scarf** *είναι* **scarves** *ή* **scarfs***.*

φουλαριστός, -ή, -ό ΕΠΙΘ going at full speed
▷ **φεύγω φουλαριστός** to speed off

φουλάρω Ⅰ Ρ Μ (*ντεπόζιτο*) to fill

Ⅱ Ρ ΑΜ (α) (= *τρέχω πολύ*) to go flat out ή at full speed (β) (= *βάζω τα δυνατά μου*) to pull out all the stops

φούμαρα ΟΥΣ ΟΥΔ ΠΛΗΘ hot air (*ανεπ.*)

φουμάρω Ⅰ Ρ Μ (*τσιγάρο, πούρο*) to smoke
Ⅱ Ρ ΑΜ to smoke
▷ **ξέρουν/έχουν μάθει τι καπνό φουμάρω** they know/they've found out what kind of person I am

φούμο ΟΥΣ ΟΥΔ (α) (= *καπνιά*) soot (β) (= *μαύρο χρώμα*) lampblack

φούντα ΟΥΣ ΘΗΛ (*τσαρουχιού*) pompom · (*φεσιού*) tassel
▷ **δουλειές με φούντες** a lot of work

φουντάρω Ⅰ Ρ Μ (*ανεπ.*) (α) (*καράβι*) to sink (β) (*άνθρωπο*) to throw in the water · (*άγκυρα*) to drop (γ) (*επιχείρηση, μαγαζί*) to ruin
Ⅱ Ρ ΑΜ (α) (= *βυθίζομαι*) to sink (β) (*επιχείρηση*) to go under

φουντούκι ΟΥΣ ΟΥΔ hazelnut

φούντωμα ΟΥΣ ΟΥΔ (α) (*δέντρου, θάμνου*) growth (β) (*φωτιάς, αγώνα, επανάστασης*) spread (γ) (= *έξαψη*) flush (δ) (= *οργή*) anger

φουντώνω Ρ ΑΜ (α) (*δέντρο, φυτό, μαλλιά*) to grow (β) (*φωτιά*) to spread (γ) (*εξέγερση, μάχη*) to spread · (*έρωτας, αγάπη*) to grow · (*θόρυβος*) to grow louder (δ) (= *ερεθίζομαι*) to become excited (ε) (= *οργίζομαι*) to flare up

φουντωτός, -ή, -ό ΕΠΙΘ (α) (*δέντρο, φυτό*) bushy (β) (*μαλλιά*) thick · (*γένια*) bushy

φούρια ΟΥΣ ΘΗΛ (*ανεπ.: = βιασύνη*) hurry
▷ **έχω φούριες** to be in a rush
▷ **κλείνω την πόρτα με φούρια** to slam the door
▷ **μπαίνω/φεύγω με φούρια** to storm in/out

φουριόζος, -α, -ο ΕΠΙΘ (α) (*ανεπ.: = βιαστικός*) in a rush, hurrying (β) (= *ευέξαπτος*) furious

φουρκέτα ΟΥΣ ΘΗΛ (α) (*για μαλλιά*) hairpin (β) (= *κλειστή στροφή*) hairpin bend

φούρναρης ΟΥΣ ΑΡΣ baker

φουρνάρισσα ΟΥΣ ΘΗΛ βλ. **φούρναρης**

φουρνέλο ΟΥΣ ΟΥΔ blasting charge

φουρνιά ΟΥΣ ΘΗΛ (*ανεπ.: κυριολ., μτφ.*) batch

φούρνος ΟΥΣ ΑΡΣ (α) (*για ψήσιμο*) oven (β) (= *αρτοποιείο*) bakery
▷ **κάποιος φούρνος θα γκρεμίστηκε** wonders will never cease
▷ **φούρνος είναι εδώ μέσα!** it's like an oven in here!
▸ **φούρνος μικροκυμάτων** microwave oven

φουρτούνα ΟΥΣ ΘΗΛ (α) (= *τρικυμία*) storm (β) (= *αναστάτωση*) turmoil · (= *φοβερή περιπέτεια, συμφορά*) misfortune

φουρτουνιάζω Ρ ΑΜ (α) (= *γίνομαι τρικυμιώδης: καιρός*) to become stormy · (*θάλασσα*) to become rough (β) (= *αναστατώνομαι*) to be in turmoil

φουρτουνιασμένος, -η, -ο ΕΠΙΘ (α) (*θάλασσα, πέλαγος*) rough (β) (*χρόνια, καιροί*) troubled (γ) (= *αναστατωμένος*) in turmoil

φούσκα ΟΥΣ ΘΗΛ (α) (= *φουσκάλα*) blister (β) (= *μπαλόνι*) balloon (γ) (*προφορ.*: = *κύστη*) bladder

φουσκάλα ΟΥΣ ΘΗΛ (α) (*στο δέρμα*) blister (β) (*καφέ, νερού*) bubble

φουσκαλιάζω Ρ ΑΜ to blister

φουσκί ΟΥΣ ΟΥΔ manure, dung

φουσκοθαλασσιά ΟΥΣ ΘΗΛ swell

φούσκος ΟΥΣ ΑΡΣ (*ανεπ.*) whack (*ανεπ.*)

φούσκωμα ΟΥΣ ΟΥΔ (α) (*ελαστικών*) inflating, blowing up (β) (*στο πρόσωπο, χέρι, πόδι*) swelling (γ) (= *βαρυστομαχιά*) bloated stomach (δ) (*λογαριασμού*) inflation · (*κάρτας*) building up

φουσκωμένος, -η, -ο ΕΠΙΘ (α) (*μπαλόνι, λάστιχο*) inflated (β) (*από χτύπημα*) swollen (γ) (*για στομάχι*) bloated (δ) (*λογαριασμός*) inflated (ε) (*για ποτάμι*) swollen · (*για θάλασσα*) rough

φουσκώνω 1 Ρ Μ (α) (*μπαλόνι, λάστιχο*) to inflate, to blow up · (*μάγουλο*) to puff out (β) (*πανί*) to fill (γ) (*στομάχι, κοιλιά*) to bloat (δ) (*λογαριασμό*) to inflate · (*κάρτα*) to build up (ε) (*πράγματα, κατάσταση*) to exaggerate (στ) (= *εξοργίζω*) to annoy 2 Ρ ΑΜ (α) (*γάλα, καφές*) to bubble up · (*ξύλο, ποτάμι, πτώμα*) to swell · (*ψωμί*) to rise · (*μάτια, φλέβες*) to bulge (β) (= *λαχανιάζω*) to be out of breath (γ) (= *φουρτουνιάζω: θάλασσα*) to become rough (δ) (= *αισθάνομαι κορεσμό*) to be bloated (ε) (= *επαίρομαι*) to puff oneself up
▷**τα φουσκώνω** to exaggerate
▷**φουσκώνω κπν ή το μυαλό κποιου με μεγάλα λόγια** to fill sb's head with big ideas

φουσκωτό ΟΥΣ ΟΥΔ (*επίσης* **φουσκωτό σκάφος**) inflatable boat

φούστα ΟΥΣ ΘΗΛ skirt

φουστανέλα ΟΥΣ ΘΗΛ *skirt of the traditional Greek costume*

φουστάνι ΟΥΣ ΟΥΔ dress

φούχτα ΟΥΣ ΘΗΛ = **χούφτα**

Φράγκισσα ΟΥΣ ΘΗΛ *βλ.* **Φράγκος**

φράγκο ΟΥΣ ΟΥΔ (α) (*παλαιότ.*) franc (β) (= *δραχμή*) drachma

> *Προσοχή!: Ο πληθυντικός του* **drachma** *είναι* **drachmae** *ή* **drachmas.**

▷**δεν αξίζει φράγκο** he's/it's worthless
▷**δεν δίνω φράγκο** I couldn't care less
▷**δεν έχω φράγκο** to be broke
▶**φράγκα** ΠΛΗΘ (*προφορ.*) money εν.

φραγκοκρατία ΟΥΣ ΘΗΛ Frankish rule

Φράγκος ΟΥΣ ΑΡΣ Frank

φραγκοστάφυλο ΟΥΣ ΟΥΔ gooseberry

φραγκοσυκιά ΟΥΣ ΘΗΛ prickly pear

φραγκόσυκο ΟΥΣ ΟΥΔ prickly pear

φράγμα ΟΥΣ ΟΥΔ (α) (*ποταμού*) dam (β) (*μτφ.*) barrier
▶**φράγμα του ήχου** sound barrier

φραγμός ΟΥΣ ΑΡΣ barrier
▷**βάζω φραγμό σε κτ** to erect a bar to sth

φράζω 1 Ρ Μ (α) (*χωράφι, αυλή*) to enclose, to fence (β) (*πέρασμα, δρόμο, είσοδο, τρύπα*) to block · (*στόμα*) to cover 2 Ρ ΑΜ (*νεροχύτης, σωλήνας*) to be blocked

φρακάρω Ρ ΑΜ to be stuck

φράκο ΟΥΣ ΟΥΔ tailcoat

φράντζα ΟΥΣ ΘΗΛ fringe (*Βρετ.*), bangs *πληθ.* (*Αμερ.*)

φραντζόλα ΟΥΣ ΘΗΛ loaf

> *Προσοχή!: Ο πληθυντικός του* **loaf** *είναι* **loaves.**

φράουλα ΟΥΣ ΘΗΛ (α) (*φρούτο*) strawberry (β) (= *ποικιλία σταφυλιού*) type of grape

φραουλιά ΟΥΣ ΘΗΛ strawberry plant

φραπέ ΕΠΙΘ ΑΚΛ = **φραπές**

φραπές ΟΥΣ ΑΡΣ iced coffee

φρασεολογία ΟΥΣ ΘΗΛ language

φράση ΟΥΣ ΘΗΛ (α) (ΓΛΩΣΣ, ΜΟΥΣ) phrase (β) (*καταχρ.*: = *έκφραση*) expression

φράσσω Ρ Μ (*επίσ.*) = **φράζω**

φραστικός, -ή, -ό ΕΠΙΘ (*διακήρυξη, υπερβολή, επεισόδιο*) verbal

φράχτης ΟΥΣ ΑΡΣ (*τεχνητός*) fence · (*φυσικός*) hedge · (*πέτρινος*) wall

φρεάτιο ΟΥΣ ΟΥΔ (α) (*αποχέτευσης*) manhole (β) (*ασανσέρ*) shaft

φρεγάτα ΟΥΣ ΘΗΛ frigate

φρέζα ΟΥΣ ΘΗΛ Rotavator ®

φρεζάρω Ρ Μ to rotavate

φρέζια ΟΥΣ ΘΗΛ freesia

φρενάρισμα ΟΥΣ ΟΥΔ (α) (= *τροχοπέδηση*) braking (β) (= *ίχνος τροχοπέδησης*) skid mark

φρενάρω 1 Ρ ΑΜ (= *πατώ φρένο*) to brake, to put the brakes on 2 Ρ Μ (α) (*όχημα*) to apply the brakes of (β) (*μτφ.*) to put a brake on

φρένες ΟΥΣ ΘΗΛ ΠΛΗΘ: **έξω φρενών** furious
▷**έχω σώας τας φρένες** to be of sound mind

φρενήρης, -ης, -ες ΕΠΙΘ (*επίσ.*) frenzied

φρενίτιδα ΟΥΣ ΘΗΛ (α) (ΙΑΤΡ) delirium (β) (= *παραφροσύνη*) madness (γ) (*χαράς, ενθουσιασμού*) frenzy

φρένο ΟΥΣ ΟΥΔ brake
▷**βάζω φρένο σε κτ** to put an end to sth
▷**πατώ φρένο** to put the brakes on
▷**τα φρένα δεν έπιασαν** the brakes failed

φρενοβλάβεια ΟΥΣ ΘΗΛ insanity

φρενοβλαβής, -ής, -ές ΕΠΙΘ insane, deranged

φρενοκομείο ΟΥΣ ΟΥΔ mental hospital

φρεσκάδα ΟΥΣ ΘΗΛ freshness

φρεσκάρισμα ΟΥΣ ΟΥΔ (α) (*για πρόσ.*)

freshening up (β) (*για γλώσσες*) brushing up · (*μνήμης*) refreshing · (*για δωμάτιο, τοίχο*) redecorating

φρεσκάρω P M (α) (*πρόσωπο*) to freshen up (β) (*ξένη γλώσσα*) to brush up · (*δωμάτιο, τοίχους*) to redecorate, to do up · (*μνήμη*) to refresh

▸ **φρεσκάρομαι** ΜΕΣΟΠΑΘ to freshen up

φρέσκο ΟΥΣ ΟΥΔ (α) (ΤΕΧΝ) fresco (β) (*αργκ.*) jail, nick (*Βρετ.*) (*ανεπ.*)

φρέσκος, ια, -ο ΕΠΙΘ (α) (*λαχανικά, φρούτα, ψωμί*) fresh (β) (*μπογιά*) wet (γ) (*εντυπώσεις, εικόνα*) vivid, fresh in one's mind (δ) (*ειδήσεις, νέα, γεγονότα*) latest (ε) (*αντιλήψεις, ιδέες*) new (στ) (*στη δουλειά, στο γραφείο*) new

φρικαλέος, -α, -ο ΕΠΙΘ (*όψη, μορφή*) hideous · (*πόλεμος, έγκλημα*) dreadful

φρικαλεότητα ΟΥΣ ΘΗΛ (α) (= *φρίκη*) horror (β) (= *ό, τι προκαλεί φρίκη*) atrocity

φρικασέ ΟΥΣ ΟΥΔ ΑΚΛ fricassee

φρίκη ΟΥΣ ΘΗΛ horror

▹ **φρίκη!** (*έκφραση αποδοκιμασίας*) frightful!

φρικιάζω P ΑΜ (= *ριγώ*) to shudder

φρικιαστικός, -ή, -ό ΕΠΙΘ (*θέαμα, έγκλημα*) gruesome, horrendous · (*κραυγή*) blood–curdling

φρικιό ΟΥΣ ΟΥΔ (*αργκ.*) (α) (= *αντίθετος με το κατεστημένο*) dropout (β) (= *πολύ άσχημος*) freak

φρικτός, -ή, -ό ΕΠΙΘ terrible

φρίττω P ΑΜ (α) (= *καταλαμβάνομαι από φρίκη*) to be terrified (β) (= *καταλαμβάνομαι από δυσαρέσκεια*) to be horrified

φριχτός, -ή, -ό ΕΠΙΘ = **φρικτός**

φροϊδισμός ΟΥΣ ΑΡΣ Freudianism

φρόκαλο ΟΥΣ ΟΥΔ (*ανεπ.*) (α) (= *σκουπίδι*) rubbish (β) (= *σκούπα*) broom

φρόνημα ΟΥΣ ΟΥΔ (= *ηθικό*) morale

▸ **φρονήματα** ΠΛΗΘ (= *ιδεολογία*) beliefs

φρόνηση ΟΥΣ ΘΗΛ wisdom, prudence

φρονιμάδα ΟΥΣ ΘΗΛ (α) (= *σύνεση*) wisdom, prudence (β) (= *λογική*) sense

φρονιμεύω P ΑΜ to mend one's ways

φρονιμίτης ΟΥΣ ΑΡΣ wisdom tooth

Προσοχή!: Ο πληθυντικός του **wisdom tooth** *είναι* **wisdom teeth**.

φρόνιμος, -η, -ο ΕΠΙΘ (α) (= *συνετός: για πρόσ.*) sensible, prudent · (*λόγια*) wise · (*συμβουλές*) sound (β) (= *υπάκουος: παιδί*) well–behaved · (*πολίτης*) law–abiding

▹ **δεν είναι φρόνιμο να κάνω κτ** it isn't advisable *ή* wise to do sth

φροντίδα ΟΥΣ ΘΗΛ (α) (= *μέριμνα*) care (β) (= *μεράκι*) care and attention (γ) (*εκδήλωσης, έργου, σκοπού*) responsibility

φροντίζω P M (α) (*καριέρα, σπουδές*) to attend to (β) (*οικογένεια, παιδί, ασθενή,*

υγεία) to take care of, to look after · (*σιλουέτα*) to watch · (*ντύσιμο, εμφάνιση*) to care about (γ) (*αυτοκίνητο, σπίτι, κήπο*) to look after · (*κήπο*) to look after, to tend

▹ **φροντίζω για κτ** to take care of sth

▹ **φροντίζω να** *ή* **ώστε** to make sure that

φροντιστήριο ΟΥΣ ΟΥΔ (= *ιδιωτικό εκπαιδευτήριο*) tutorial college · (= *προγύμναση*) tuition

▹ **κάνω φροντιστήριο** (*για μαθητή*) to go to a tutorial college · (*για καθηγητή*) to be a tutor

▸ **φροντιστήριο** ΟΥΣ ΟΥΔ (*επίσης* **φροντιστήριο ξένων γλωσσών**) language school

φροντιστής ΟΥΣ ΑΡΣ (α) (*θεάτρου*) propman · (*γηπέδου*) groundsman

Προσοχή!: Ο πληθυντικός του **propman** *είναι* **propmen**. *Ο πληθυντικός του* **groundsman** *είναι* **groundsmen**.

(β) (= *καθηγητής*) tutor

φροντίστρια ΟΥΣ ΘΗΛ = **φροντιστής**

φρονώ P M (*επίσ.*) to believe

φροϋδισμός ΟΥΣ ΑΡΣ = **φροϊδισμός**

φρουρά ΟΥΣ ΘΗΛ (α) (= *φρούρηση*) guarding (β) (*πρωθυπουργού, υπουργού*) guard (γ) (*πόλης*) garrison (δ) (= *υπηρεσία φρουρού*) guard duty

▹ **αλλαγή φρουράς** changing of the guard

▸ **τιμητική φρουρά** guard of honour (*Βρετ.*) *ή* honor (*Αμερ.*)

φρούραρχος ΟΥΣ ΑΡΣ garrison commander

φρούρηση ΟΥΣ ΘΗΛ guarding

φρούριο ΟΥΣ ΟΥΔ (α) (= *κάστρο*) fort (β) (*μτφ.*) fortress

φρουρός ΟΥΣ ΑΡΣ (α) (*στρατοπέδου, συνόρων*) guard, sentry · (*πολιτικού, τράπεζας*) guard (β) (*μτφ.*) guardian

φρουρώ P M to guard

φρουτιέρα ΟΥΣ ΘΗΛ fruit bowl

φρούτο ΟΥΣ ΟΥΔ (α) (= *καρπός*) fruit (β) (*ειρων.*) freak

φρουτοθεραπεία ΟΥΣ ΘΗΛ fruit cure

φρουτοπαραγωγός, -ός, -ό ΕΠΙΘ (*χώρα*) fruit–growing

▸ **φρουτοπαραγωγός** ΟΥΣ ΑΡΣΘΗΛ fruit grower

φρουτοσαλάτα ΟΥΣ ΘΗΛ fruit salad

φρουτοχυμός ΟΥΣ ΑΡΣ fruit juice

φρυγανιά ΟΥΣ ΘΗΛ toast

φρυγανιέρα ΟΥΣ ΘΗΛ toaster

φρύδι ΟΥΣ ΟΥΔ eyebrow

φταίξιμο ΟΥΣ ΟΥΔ fault

▹ **δικό μου το φταίξιμο** it's my fault, I'm to blame

▹ **ρίχνω το φταίξιμο σε κπν** to blame sb, to put the blame on sb

φταίχτης ΟΥΣ ΑΡΣ culprit

φταίχτρα ΟΥΣ ΘΗΛ = **φταίχτης**

φταίω P ΑΜ (α) (= *είμαι ένοχος*) to be to blame (β) (= *κάνω σφάλμα*) to be in the wrong

▷**αυτό σου έφταιξε τώρα;** is that your problem?

▷**αυτός φταίει που της πιάνει κουβέντα** it's his fault for talking to her

▷**δεν σου φταίμε σε τίποτα** we've done nothing to you

▷**δεν φταίς εσύ** it isn't your fault

▷**όλα της φταίνε** she's like a bear with a sore head

▷**τα φταίω** it's my fault

▷**τι φταίω και ή που με μαλώνεις;** what did I do to make you shout at me?

▷**φταίω να τον τιμωρήσω;** can you blame me for punishing him?

▷**φταίει ότι οι καταστάσεις αλλάζουν γρήγορα** you can blame it on the fact that situations can change quickly

▷**φταίνε οι υπάρχουσες συνθήκες** present circumstances are to blame

φτάνω Ρ Μ/ΑΜ = **φθάνω**

φταρνίζομαι Ρ ΑΜ to sneeze

φτάρνισμα ΟΥΣ ΟΥΔ sneeze

φτασμένος, -η, -ο ΕΠΙΘ (*γιατρός, δικηγόρος, επιχειρηματίας, καλλιτέχνης*) respected

φτελιά ΟΥΣ ΘΗΛ elm

φτέρη ΟΥΣ ΘΗΛ fern

φτέρνα ΟΥΣ ΘΗΛ heel

φτερνίζομαι Ρ ΑΜ = **φταρνίζομαι**

φτέρνισμα ΟΥΣ ΟΥΔ = **φτάρνισμα**

φτερό ΟΥΣ ΟΥΔ (α) (= *πούπουλο*) feather (β) (= *φτερούγα*) wing (γ) (*ανεμόμυλου*) sail · (*αεροπλάνου*) wing (δ) (*για ξεσκόνισμα*) feather duster (ε) (*αυτοκινήτου*) wing (*Βρετ.*), fender (*Αμερ.*)

▷**δίνω φτερά σε κπν** to lend wings to sb

▷**κάνω φτερά** to vanish

▷**κόβω τα φτερά κποιου** to clip sb's wings

φτεροκοπώ Ρ ΑΜ to flap, to flutter, to whirr

φτερούγα ΟΥΣ ΘΗΛ wing

φτερουγίζω Ρ ΑΜ (α) (= *κουνώ τα φτερά μου*) to flap its wings (β) (= *πετώ κουνώντας τα φτερά μου*) to fly (γ) (*μτφ.: καρδιά*) to flutter

φτερούγισμα ΟΥΣ ΟΥΔ (α) (*πουλιού*) flapping, flutter (β) (*μτφ.*) flutter

φτέρωμα ΟΥΣ ΟΥΔ plumage

φτερωτός, -ή, -ό ΕΠΙΘ (= *που έχει φτερά*) winged

▸**φτερωτή** ΟΥΣ ΘΗΛ (*νερόμυλου*) water wheel

φτηναίνω Ρ ΑΜ (*επίπεδο, θέαμα, παραστάσεις*) to decline · *βλ. κ.* **φθηναίνω**

φτήνια ΟΥΣ ΘΗΛ = **φθήνια**

φτηνοδουλειά ΟΥΣ ΘΗΛ shoddy work

φτηνός, -ή, -ό ΕΠΙΘ = **φθηνός**

φτιαγμένος, -η, -ο ΕΠΙΘ
(α) (= *κατασκευασμένος*) made
(β) (= *αποκατεστημένος*) established, set up
(γ) (*αργκ.: εύθυμος από αλκοόλ*) tipsy
(δ) (*αργκ.: = μαστουρωμένος*) stoned (*ανεπ.*), high (*ανεπ.*) (ε) (*αργκ.: = ερεθισμένος*) horny (*ανεπ.*)

▷**δεν είναι φτιαγμένος γι' αυτή τη δουλειά/**

για αρχηγός he's not cut out for this work/to be a leader

▷**είναι φτιαγμένος για αρχηγός** he's a born leader

φτιάχνω ① Ρ Μ (α) (= *κατασκευάζω: έπιπλα, σχέδια*) to make · (*σπίτι, γέφυρα*) to build · (*εικόνες, ατμόσφαιρα*) to create · (*τραγούδια, ποιήματα*) to write · (*θεωρία, ιστορίες, μύθους*) to make up · (*ομάδα, συγκρότημα*) to form (β) (= *ετοιμάζω: φαγητό, γλυκό, καφέ, σαλάτα, λίστα*) to make · (*βαλίτσα*) to pack (γ) (= *τακτοποιώ: δωμάτιο, συρτάρια*) to tidy · (*κρεβάτι*) to make · (*μαλλιά, μακιγιάζ*) to do, to fix (*ανεπ.*) · (*γραβάτα*) to straighten (δ) (= *διορθώνω: παπούτσια, ρολόι, αυτοκίνητο, τηλεόραση*) to mend, to repair (ε) (= *βελτιώνω: διάθεση, κέφι*) to improve · (*στομάχι*) to settle (στ) (= *ασχολούμαι*) to do, to be up to (*ανεπ.*)

② Ρ ΑΜ (= *βελτιώνομαι*) to get better, to improve

▷**θα σε φτιάξω (εγώ)!** (*απειλή*) wait till I get my hands on you!

▷**τα φτιάχνω με κπν** (*προφορ.: = συνάπτω ερωτικό δεσμό*) to be going out with sb · (= *συμφιλιώνομαι*) to make up with sb

▷**τη φτιάχνω σε κπν** (*αργκ.*) to set sb up (*ανεπ.*)

▷**φτιάχνω κεφάλι** to get high (*ανεπ.*)

▷**τι φτιάχνεις αυτό τον καιρό;** what have you been up to recently? (*ανεπ.*)

▸**φτιάχνομαι** ΜΕΣΟΠΑΘ (α) (= *αποκαθίσταμαι*) to establish oneself (β) (= *καλλωπίζομαι*) to tidy oneself up (γ) (*αργκ.: = έρχομαι σε κέφι*) to cheer up · (= *μεθώ ελαφρά*) to get tipsy (δ) (*αργκ.: = ερεθίζομαι*) to get turned on (*ανεπ.*) (ε) (*αργκ.: = μαστουρώνω*) to be stoned (*ανεπ.*) ή high (*ανεπ.*)

φτιαχτός, -ή, -ό ΕΠΙΘ (α) (= *τεχνητός*) artificial (β) (= *προσποιητός: κατηγορία*) trumped–up · (*απορία*) feigned · (*ύφος, γέλιο*) false · (*αποτέλεσμα, αγώνας*) fixed (γ) (*ανεπ.: = σπιτικός*) home–made

φτυάρι ΟΥΣ ΟΥΔ (α) (*εργαλείο*) shovel (β) (*για φούρνισμα*) peel, long–handled shovel for putting bread in an oven

▷**παίρνω το φτυάρι ή τα φτυάρια** to gossip

φτυαρίζω Ρ Μ to shovel

φτύνω ① Ρ Μ (= *εκτοξεύω σάλιο*) to spit ② Ρ Μ (α) (*άνθρωπο*) to spit at · (*φαγητό, κουκούτσι*) to spit out · (*μοίρα, τύχη*) to curse (β) (*αργκ.: = περιφρονώ*) to spit on

▷**τα φτύνω** (*αργκ.*) to have had it (*ανεπ.*)

▷**φτύνω αίμα** to spit blood · (*μτφ.*) to sweat blood

▷**φτύνω κπν κατά πρόσωπο ή κατάμουτρα** to spit in sb's face

φτύσιμο ΟΥΣ ΟΥΔ (α) (*σάλιου*) spitting · (*φαγητού*) spitting out (β) (*αργκ.: = περιφρόνηση*) contempt

φτυστός, -ή, -ό ΕΠΙΘ (*ανεπ.*): **είμαι φτυστός ο πατέρας/η μητέρα μου** to be the spitting image of one's father/mother

φ

φτωχαδάκι ΟΥΣ ΟΥΔ poor devil (ανεπ.)

φτωχαίνω ① Ρ ΑΜ (= γίνομαι φτωχός) to become poor · (λέξιλόγιο, παράδοση) to become impoverished
② Ρ Μ (= κάνω φτωχό: άνθρωπο) to make poor, to impoverish · (λεξιλόγιο, έργο) to impoverish

φτώχεια, φτώχια ΟΥΣ ΘΗΛ (κυριολ., μτφ.) poverty
▷**μέσα στη φτώχεια** in poverty
▷**περνάω φτώχεια** ή **φτώχειες** to live in poverty
▷**τα πολλά λόγια είναι φτώχεια** (παροιμ.) least said soonest mended (παροιμ.)

φτωχικός, -ή, -ό ΕΠΙΘ (ρούχο, σπίτι) shabby · (φαγητό) meagre (Βρετ.), meager (Αμερ.) · (γειτονιά) poor
▶**φτωχικό** ΟΥΣ ΟΥΔ (ανεπ.) humble home

φτωχογειτονιά ΟΥΣ ΘΗΛ slum

φτωχολογιά ΟΥΣ ΘΗΛ (ανεπ.): **η φτωχολογιά** the poor

φτωχός, -ή, -ό ΕΠΙΘ (α) (άνθρωπος, χώρα, οικογένεια) poor · (δώρο) cheap · (έπιπλα, ρούχα) shabby (β) (έδαφος, μετάλλευμα, λεξιλόγιο) poor · (βλάστηση) sparse (γ) (= δυστυχής) poor
▷**τι τραβάω, ο φτωχός!** poor me!
▷**τι τραβάει ο φτωχός!** the poor thing!
▶**φτωχοί** ΟΥΣ ΑΡΣ ΠΛΗΘ: **οι φτωχοί** the poor

φυγαδεύω Ρ Μ (κέρδη, χρήματα) to smuggle out
▷**φυγαδεύω κπν** to help sb escape

φυγάς ΟΥΣ ΑΡΣ (= δραπέτης) fugitive

φυγή ΟΥΣ ΘΗΛ (α) (ατόμου, πληθυσμού) flight (β) (καταζητούμενου) escape (γ) (μτφ.) escape
▷**τρέπομαι σε φυγή** to flee
▷**τρέπω κπν σε φυγή** to send sb running

φυγόκεντρος, -η ή -ος, -ο ΕΠΙΘ (α) (ΦΥΣ) centrifugal (β) (τάση, κίνηση) counter
▶**φυγόκεντρος δύναμη** centrifugal force

φυγόπονος, -η, -ο ΕΠΙΘ lazy

φυγοπονώ Ρ ΑΜ to be lazy

φύκι ΟΥΣ ΟΥΔ seaweed
▷**πουλάω φύκια για μεταξωτές κορδέλες σε κπν** to pull the wool over sb's eyes

φυλάγω ① Ρ Μ (α) (πόλη, σύνορα, φυλακισμένο) to guard · (μυστικό) to keep, to guard (β) (πράγματα, βαλίτσες, μωρό) to look after · (κοπάδι) to watch over (γ) (= προστατεύω) to protect (δ) (γράμματα) to keep · (χρήματα, φαγητό) to save
② Ρ ΑΜ (= είμαι σκοπός) to be on guard duty
▷**τα φυλάω** (στο "κρυφτό") to be "it", to have to find everyone else in hide-and-seek
▷**φυλάω τσίλιες** to act as lookout
▶**φυλάγομαι** ΜΕΣΟΠΑΘ to look after oneself
▷**φυλάγομαι από κπν/κτ** to be wary of sb/sth
▷**φυλάγομαι από τη βροχή** to take cover from the rain

φύλακας ΟΥΣ ΑΡΣ&ΘΗΛ (α) (εργοστασίου, πύλης) gatekeeper · (κήπου, μουσείου) attendant · (σε φυλακή) guard, warden (Βρετ.) (β) (γνώσης, πολιτισμού) guardian
▷**φύλακας άγγελος** guardian angel

φυλακή ΟΥΣ ΘΗΛ (α) (= σωφρονιστικό ίδρυμα) prison, jail (β) (= ποινή φυλάκισης) imprisonment (γ) (μτφ.) prison
▷**κλείνω ή βάζω κπν (στη) φυλακή** to imprison sb, to send sb to prison
▷**μπαίνω στη ή πάω φυλακή** to go to prison ή jail
▷**τρώω φυλακή** (ανεπ.) to be sent down (ανεπ.)
▶**φυλακές ανηλίκων** young offender institution
▶**φυλακές** ΠΛΗΘ prison εν., jail εν.

φυλακίζω Ρ Μ (α) (εγκληματία, ένοχο) to jail, to imprison (β) (= περιορίζω) to restrict

φυλάκιο ΟΥΣ ΟΥΔ (α) (= οίκημα φρουρών) guardhouse (β) (= προκεχωρημένη θέση) outpost

φυλάκιση ΟΥΣ ΘΗΛ imprisonment

φυλακισμένος, -η, -ο ΕΠΙΘ imprisoned
▶**φυλακισμένος** ΟΥΣ ΑΡΣ, **φυλακισμένη** ΟΥΣ ΘΗΛ prisoner

φύλαξη ΟΥΣ ΘΗΛ (συνόρων, κρατουμένων, μουσείου) guarding · (δάσους) protection · (παιδιού) looking after · (τροφίμων, ποτών, ρούχων) keeping

φύλαρχος ΟΥΣ ΑΡΣ (tribal) chief

φυλάσσω Ρ Μ/ΑΜ = **φυλάγω**

φυλαχτό ΟΥΣ ΟΥΔ lucky charm, talisman

> *Προσοχή!: Ο πληθυντικός του* **talisman** *είναι* **talismans**.

φυλετικός, -ή, -ό ΕΠΙΘ (α) (διαφορές, στοιχεία, χαρακτηριστικά) racial (β) (ΒΙΟΛ) sexual

φυλή ΟΥΣ ΘΗΛ (α) (μαύρων, λευκών) race · (ζώων) breed (β) (= έθνος) nation (γ) (ιθαγενών) tribe

φυλλάδα ΟΥΣ ΘΗΛ rag (ανεπ.)

φυλλάδιο ΟΥΣ ΟΥΔ (ενημερωτικό) booklet · (διαφημιστικό) brochure

φύλλο ΟΥΣ ΟΥΔ (α) (φυτού) leaf (β) (μετάλλου) sheet · (χρυσού, ασημιού) leaf (γ) (μαγειρικής, ζαχαροπλαστικής) (sheet of) filo pastry (δ) (= κομμάτι χαρτιού) sheet (of paper) · (βιβλίου) leaf (ε) (= αντίτυπο εφημερίδας) edition · (= εφημερίδα) paper (στ) (στην τράπουλα) card (ζ) (πόρτας, παραθύρου) panel · (τραπεζιού) leaf

> *Προσοχή!: Ο πληθυντικός του* **leaf** *είναι* **leaves**.

▷**αλλάζω φύλλο** to change one's tune
▷**γίνομαι φύλλο και φτερό** to be falling apart
▷**δεν κουνιέται φύλλο** there's not a breath of wind · (μτφ.) there's no sign of life
▷**έχω καλό φύλλο** to have a good hand
▷**κάνω κτ φύλλο και φτερό** to destroy sth

φ

▷**ροζ φύλλο (αγώνα)** win, victory
▷**τρέμω σαν το φύλλο** to be shaking like a leaf
▷**φύλλο αγώνα** *official record of a match*
φυλλοβόλος, -ος, -ο ΕΠΙΘ deciduous
φυλλοβολώ Ρ ΑΜ to shed its leaves
φυλλοκάρδια ΟΥΣ ΟΥΔ ΠΛΗΘ (*λογοτ.*) depths of one's soul
▷**τρέμουν τα φυλλοκάρδια μου** to be deeply shaken
φυλλομετρώ Ρ Μ to flick through
φύλλωμα ΟΥΣ ΟΥΔ foliage *χωρίς πληθ.*
φυλλωσιά ΟΥΣ ΘΗΛ foliage *χωρίς πληθ.*
φύλο ΟΥΣ ΟΥΔ **(α)** (*ανθρώπου, ζώου*) sex, gender **(β)** (= *φυλή*) tribe
▷**το ασθενές ή ωραίο φύλο** the fair sex
▷**το ισχυρό φύλο** the sterner sex
φυλώ Ρ Μ/ΑΜ = **φυλάγω**
φυματικός, -ή, -ό ΕΠΙΘ tubercular
φυμάτίωση ΟΥΣ ΘΗΛ tuberculosis
φύρα ΟΥΣ ΘΗΛ shrinkage
▷**είμαι φύρα** to be unproductive
φυραίνω Ρ ΑΜ **(α)** (*στάρι*) to lose volume · (*χόρτα*) to shrink **(β)** (*άνθρωπος*) to lose one's mind · (*μυαλό, νους*) to slip
φύραμα ΟΥΣ ΟΥΔ **(α)** (*επίσ.*: = *ζυμάρι*) dough **(β)** (= *τροφή πτηνών*) birdseed *χωρίς πληθ.*
▷**του ιδίου φυράματος** (*αρνητ.*) of the same ilk
φύρδην ΕΠΙΡΡ = **μίγδην**
φυρί-φυρί ΕΠΙΡΡ (*ανεπ.*) = **φιρί-φιρί**
φυσαλίδα ΟΥΣ ΘΗΛ **(α)** (= *μπουρμπουλήθρα*) bubble **(β)** (ΙΑΤΡ) blister
φυσαρμόνικα ΟΥΣ ΘΗΛ **(α)** (*όργανο*) harmonica, mouth organ **(β)** (*για λεωφορείο*) articulated bus
▷**το αυτοκίνητο έγινε φυσαρμόνικα** the car concertinaed
φύσει ΕΠΙΡΡ (*επίσ.*) by nature
▷**φύσει αδύνατον** absolutely impossible
φυσερό ΟΥΣ ΟΥΔ bellows *πληθ.*
φύση ΟΥΣ ΘΗΛ **(α)** (= *φυσικός κόσμος*) nature **(β)** (= *εξοχή*) country(side) **(γ)** (= *προσωπικότητα*) nature **(δ)** (= *κράση*) disposition **(ε)** (= *πέος*) penis
▷**δεύτερη φύση** second nature
▷**εκ φύσεως, από τη φύση μου** by nature
▸**νεκρή φύση** (ΤΕΧΝ) still life

Προσοχή!: Ο πληθυντικός του still life *είναι* still lifes.

φύσημα ΟΥΣ ΟΥΔ **(α)** (= *ενέργεια του φυσώ*) breathing · (= *αέρας που φυσά κανείς*) breath **(β)** (*ανέμου*) puff **(γ)** (ΙΑΤΡ) murmur
▷**παίρνω φύσημα** (*ανεπ.*) to get the boot (*ανεπ.*)
φυσίγγιο, φυσίγγι ΟΥΣ ΟΥΔ cartridge
φυσιγγιοθήκη ΟΥΣ ΘΗΛ cartridge belt
φυσικά ΕΠΙΡΡ **(α)** (= *μη τεχνητά, απροσποίητα*) naturally **(β)** (*ως επιβεβαίωση*) of course

φυσική ΟΥΣ ΘΗΛ **(α)** physics *εν.*

Προσοχή!: Αν και το physics *φαίνεται ως τύπος πληθυντικού, είναι ουσιαστικό μόνο στον ενικό και συντάσσεται με ρήμα στον ενικό.*

(β) (*μάθημα*) physics (lesson) · (*βιβλίο*) physics book
φυσικό ΟΥΣ ΟΥΔ (*ανεπ.*) nature, temperament
φυσικοθεραπεία ΟΥΣ ΘΗΛ physiotherapy (*Βρετ.*), physical therapy (*Αμερ.*)
φυσικοθεραπευτής ΟΥΣ ΑΡΣ physiotherapist (*Βρετ.*), physical therapist (*Αμερ.*)
φυσικοθεραπεύτρια ΟΥΣ ΘΗΛ *βλ.* **φυσικοθεραπευτής**
φυσικομαθηματικός, -ή, -ό ΕΠΙΘ physics and mathematics
▸**φυσικομαθηματικά** ΟΥΣ ΟΥΔ ΠΛΗΘ physics *εν.* and mathematics *εν.*

Προσοχή!: Αν και το mathematics *φαίνεται ως τύπος πληθυντικού, είναι ουσιαστικό μόνο στον ενικό και συντάσσεται με ρήμα στον ενικό.*

▸**φυσικομαθηματικός** ΟΥΣ ΑΡΣ/ΘΗΛ physicist and mathematician
φυσικός, -ή, -ό ΕΠΙΘ **(α)** (*γενικότ.*) natural · (*γλώσσα*) native **(β)** (*εξήγηση, ερμηνεία, ανάγκες, ορμές*) physical
▷**είναι (απόλυτως) φυσικό να ή ότι** it is (perfectly) natural that
▸**πεθαίνω από φυσικό θάνατο** to die of natural causes
▸**φυσική επιστήμη** natural science
▸**φυσική κατάσταση** health
▸**φυσική ή σωματική αγωγή** (ΣΧΟΛ) PE, physical education
▸**φυσικό αέριο** (ΧΗΜ) natural gas
▸**φυσικός αριθμός** (ΜΑΘ) natural number
▸**φυσικός** ΟΥΣ ΑΡΣ/ΘΗΛ **(α)** (*επιστήμονας*) physicist **(β)** (ΣΧΟΛ) physics teacher · (ΠΑΝΕΠ) physics professor
▸**πυρηνικός φυσικός** atomic physicist
φυσικότητα ΟΥΣ ΘΗΛ naturalness
φυσικοχημεία ΟΥΣ ΘΗΛ physical chemistry
φυσιογνωμία ΟΥΣ ΘΗΛ **(α)** (= *μορφή*) face **(β)** (= *εξέχουσα προσωπικότητα*) personage
φυσιογνωμικός, -ή, -ό ΕΠΙΘ facial
φυσιογνώστης ΟΥΣ ΑΡΣ natural scientist
φυσιογνώστρια ΟΥΣ ΘΗΛ *βλ.* **φυσιογνώστης**
φυσιοδίφης ΟΥΣ ΑΡΣ naturalist
φυσιοθεραπεία ΟΥΣ ΘΗΛ = **φυσικοθεραπεία**
φυσιοθεραπευτής ΟΥΣ ΑΡΣ = **φυσικοθεραπευτής**
φυσιοθεραπεύτρια ΟΥΣ ΘΗΛ *βλ.* **φυσικοθεραπευτής**
φυσιολάτρης ΟΥΣ ΑΡΣ nature lover
φυσιολατρία ΟΥΣ ΘΗΛ nature worship
φυσιολατρικός, -ή, -ό ΕΠΙΘ nature–loving
φυσιολάτρισσα ΟΥΣ ΘΗΛ *βλ.* **φυσιολάτρης**

Φ

φυσιολογία ΟΥΣ ΘΗΛ physiology
φυσιολογικός, -ή, -ό ΕΠΙΘ normal
φυσιολόγος ΟΥΣ ΑΡΣΘΗΛ physiologist
φυσούνα ΟΥΣ ΘΗΛ (α) (= φυσερό) bellows
πληθ. (β) (*λεωφορείου*) articulation (γ) (*σε γήπεδο*) tunnel · (*σε αεροδρόμιο*) jet bridge
φυστίκι ΟΥΣ ΟΥΔ = **φιστίκι**
φυστικιά ΟΥΣ ΘΗΛ = **φιστικιά**
φυσώ ① Ρ Μ (*καπνό, μύτη*) to blow · (*τσάι, σούπα, φωτιά*) to blow on
② Ρ ΑΜ (α) (= ξεφυσώ) to blow (β) (*άνεμος*) to blow (γ) (*αργκ.: τύπος, αυτοκίνητο*) to be cool (*ανεπ.*) · (*τύπισσα*) to be a smasher (*ανεπ.*)
▷**όποιος καεί στον χυλό, φυσάει και το γιαούρτι** (*παροιμ.*) once bitten, twice shy (*παροιμ.*)
▷**πηγαίνω όπου φυσάει ο άνεμος** to go which way the wind blows
▷**το φυσάω και δεν κρυώνει** I can't get over it
▷**το φυσάω (το χρήμα ή τα παραδάκι)** (*αργκ.*) to be rolling in money (*ανεπ.*)
▸ **φυσάει** ΑΠΡΟΣ (= έχει αέρα) it's windy
φυτεία ΟΥΣ ΘΗΛ plantation
φύτεμα ΟΥΣ ΟΥΔ planting
φυτεύω Ρ Μ (α) (*δέντρο, λουλούδια*) to plant (β) (*μειωτ.*) to bury
▷**φυτεύω σφαίρα σε κπν, την φυτεύω σε κπν** (*ανεπ.*) to shoot sb
φυτικός, -ή, -ό ΕΠΙΘ vegetable
φυτίνη ΟΥΣ ΘΗΛ vegetable butter
φυτό ΟΥΣ ΟΥΔ (α) (ΒΙΟΛ) plant (β) (*μτφ.*) vegetable (γ) (*για μαθητή, σπουδαστή*) swot (*Βρετ.*) (*ανεπ.*), nerd (*Αμερ.*) (*ανεπ.*)
φυτοζωώ Ρ ΑΜ (α) (= ζω φτωχά) to scrape by (β) (*θέατρο, ίδρυμα, τέχνες*) to be in decline
φυτοκομία ΟΥΣ ΘΗΛ horticulture
φυτοπλαγκτόν ΟΥΣ ΟΥΔ phytoplankton
φυτοφαγία ΟΥΣ ΘΗΛ herbivorousness
φυτοφάγος, -ος, -ο ΕΠΙΘ (*ζώο*) herbivorous, plant–eating
▸ **φυτοφάγο** ΟΥΣ ΟΥΔ herbivore
φυτοφάρμακο ΟΥΣ ΟΥΔ pesticide
φύτρα ΟΥΣ ΘΗΛ (α) (*πατάτας*) eye · (*ντομάτας*) seed (β) (= γενιά) family
φύτρο ΟΥΣ ΟΥΔ seed
φυτρώνω Ρ ΑΜ (α) (*χορτάρι, σπόρος, λουλούδια*) to germinate, to sprout (β) (*γένια, κέρατα*) to grow (γ) (*μτφ.*) to turn up
▷**από πού φύτρωσε αυτή;** where did she spring from?
▷**φυτρώνω εκεί που δεν με σπέρνουν** to poke one's nose into other people's business
φυτώριο ΟΥΣ ΟΥΔ (*κυριολ., μτφ.*) nursery
φώκια ΟΥΣ ΘΗΛ (α) (*θηλαστικό*) seal (β) (*υβρ.*) tub of lard (*ανεπ.*)
φωλεά ΟΥΣ ΘΗΛ (*επίσ.*) = **φωλιά**
φωλιά ΟΥΣ ΘΗΛ (α) (*πουλιών, φιδιού*) nest ·

(*αετού*) eyrie (*Βρετ.*), aerie (*Αμερ.*) · (*λαγού*) burrow · (*αλεπούς*) hole, lair · (*λιονταριού, λύκου*) den, lair (β) (*ληστών*) den · (*πειρατών*) lair (γ) (*χάιδευτ.: = σπίτι*) home
▷**ερωτική φωλιά** (*αργητ.*) love nest
▷**έχω λερωμένη τη φωλιά μου** to be no saint
▸ **πυροσβεστική φωλιά** fire extinguisher
φωλιάζω Ρ ΑΜ (α) (*πουλιά*) to nest (β) (*ζώα*) to be in its lair ή den · (= κρύβομαι σε φωλιά) to lurk (γ) (= ξεχειμάζω σε φωλιά) to hibernate (δ) (*μτφ.: για πρόσ.*) to nestle, to snuggle up (ε) (*φόβος, αγωνία, μίσος, σκέψεις*) to lurk
φωνάζω ① Ρ ΑΜ (α) (= κραυγάζω) to shout (β) (= ουρλιάζω) to yell
② Ρ Μ (α) (= λέω κτ δυνατά) to shout · (= απευθύνομαι προς κπν) to shout to · (= μαλώνω) to shout at (β) (= καλώ ονομαστικά) to call (γ) (*γιατρό, τεχνίτη*) to call · (*ταξί*) to hail
φωνακλάς ΟΥΣ ΑΡΣ (α) (= που μιλά δυνατά) loudmouth (β) (= ευερέθιστος) bad–tempered person
φωνακλού ΟΥΣ ΘΗΛ *βλ.* **φωνακλάς**
φωνάρα ΟΥΣ ΘΗΛ (α) (= δυνατή φωνή) yell, bellow (β) (*για τραγουδιστή*) great singer
φωναχτός, -ή, -ό ΕΠΙΘ loud
φωνή ΟΥΣ ΘΗΛ (α) (= λαλιά) voice (β) (= κραυγή) cry (γ) (*συνείδησης, λογικής, διαμαρτυρίας*) voice · (*δάσους, θάλασσας*) call · (*βιολιού*) sound (δ) (*τραγουδιστής*) singer · (= προσωπικότητα) person

---

Προσοχή!: Ο πληθυντικός του **person** *είναι* **people**.

(ε) (*για όργανα: = νότα*) note
▷**βάζω ή μπήγω τις φωνές (σε κπν)** to scream (at sb)
▷**έχω/δεν έχω φωνή** to have/not to have a good voice
▷**κατά φωνή (κι ο γάιδαρος)** speak of the devil (*ανεπ.*)
▷**με μια φωνή** with one voice
▷**φωνή βοώντος εν τη ερήμω** a voice in the wilderness
▸ **ενεργητική/παθητική/μέση φωνή** (ΓΛΩΣΣ) active/passive/middle voice
▸ **πρώτη/δεύτερη/τρίτη φωνή** (ΜΟΥΣ) first/second/third voice
▸ **φωνές** ΠΛΗΘ shouting εν.
φωνήεν ΟΥΣ ΟΥΔ vowel
φωνηεντόληκτος, -η, -ο ΕΠΙΘ ending in a vowel
φωνητική ΟΥΣ ΘΗΛ phonetics εν.

Προσοχή!: Αν και το **phonetics** *φαίνεται ως τύπος πληθυντικού, είναι ουσιαστικό μόνο στον ενικό και συντάσσεται με ρήμα στον ενικό.*

φωνητικός, -ή, -ό ΕΠΙΘ (α) (*όργανα, άσκηση, μουσική*) vocal (β) (ΓΛΩΣΣ) phonetic

▸**διεθνές φωνητικό αλφάβητο** international phonetic alphabet

▸**φωνητικές χορδές** vocal cords

φωνογραφικός, -ή, -ό ΕΠΙΘ (α) (*εταιρεία*) record (β) (*απόδοση*) phonographic

φωνογράφος, φωνόγραφος ΟΥΣ ΑΡΣ phonograph

φωνολογία ΟΥΣ ΘΗΛ phonology

φωνολογικός, -ή, -ό ΕΠΙΘ phonological

φως ΟΥΣ ΟΥΔ (α) (= *φέγγος, λαμπτήρας*) light (β) (= *όραση*) eyesight
▷**αλλάζω τα φώτα σε** κπν (*ανεπ.*) to put sb through hell (*ανεπ.*)
▷**βλέπω φως** to see light at the end of the tunnel
▷**βλέπω το φως (της ημέρας)** (*άνθρωπος*) to come into the world, to be born · (*σκάνδαλο, αναφορά*) to see the light of day
▷**δίνω το πράσινο φως** to give the green light
▷**έρχομαι** ή **βγαίνω στο φως** to come to light
▷**ρίχνω φως σε** κτ to shed light on sth
▷**φέρνω στο φως** to bring to light
▷**φως μου!** my darling!
▸**φως του ηλίου** sunlight
▸**φως της ημέρας** daylight
▸**φως των κεριών** candlelight
▸**φως της σελήνης** moonlight
▸**φώτα** ΠΛΗΘ (= *γνώσεις*) insight *εν.*

φωστήρας ΟΥΣ ΑΡΣ luminary

φωσφορίζω Ρ ΑΜ to be phosphorescent

φωσφορικός, -ή, -ό ΕΠΙΘ (α) (*μαρκαδόρος, ρούχα*) phosphorescent (β) (ΧΗΜ) phosphoric

φώσφορος, φωσφόρος ΟΥΣ ΑΡΣ phosphorus

Φώτα ΟΥΣ ΟΥΔ ΠΛΗΘ (ΘΡΗΣΚ) Epiphany *εν.*

φωταγώγηση ΟΥΣ ΘΗΛ illumination

φωταγωγός ΟΥΣ ΑΡΣ skylight

φωταγωγώ Ρ Μ to illuminate

φωταέριο ΟΥΣ ΟΥΔ gas

φωτάκι ΟΥΣ ΟΥΔ (α) (= *μικρή λάμπα*) lamp (β) (*σε πίνακα ελέγχου*) warning light

φωτάω Ρ Μ/ΑΜ (*ανεπ.*) = **φωτίζω**

φωτεινός, -ή, -ό ΕΠΙΘ (α) (*ουρανός, αστέρι*) bright · (*δείκτες, σταυρός*) luminous · (*ακτίνα, πηγή*) of light (β) (*δωμάτιο, χώρος, σπίτι*) well-lit (γ) (*μέλλον, χαμόγελο, μάτια, χρώματα*) bright
▷**φωτεινό παράδειγμα** shining example
▸**φωτεινός σηματοδότης** traffic lights *πληθ.*

φωτεινότητα ΟΥΣ ΘΗΛ brightness

φωτιά ΟΥΣ ΘΗΛ (α) (= *πυρκαγιά*) fire · (*για τσιγάρο*) light (β) (= *φλόγα*) flame (γ) (= *μάχη*) battle
▷**βάζω φωτιά** (*μτφ.*) to cause trouble
▷**βάζω φωτιά σε** κτ to set fire to sth
▷**δεν υπάρχει καπνός χωρίς φωτιά** (*παροιμ.*) there's no smoke without fire (*παροιμ.*)
▷**έχω** κτ **στη φωτιά** to be cooking sth
▷**παίζω με τη φωτιά** to play with fire
▷**παίρνω** ή **πιάνω** ή **αρπάζω φωτιά** to catch fire · (*μτφ.*) to flare up
▷**πέφτω** ή **ρίχνομαι στη φωτιά (για** κπν**)** to put one's life on the line (for sb)
▷**τα χέρια του ήταν φωτιά** his hands were very warm

φωτίζω ① Ρ Μ (α) (*δωμάτιο, δρόμο, πρόσωπο, ουρανό*) to light up (β) (*υπόθεση, μυστήριο, έγκλημα*) to shed light on ② Ρ ΑΜ to shine
▸**φωτίζομαι** ΜΕΣΟΠΑΘ to be baptized
▸**φωτίζει** ΑΠΡΟΣ it's getting light

φώτιση ΟΥΣ ΘΗΛ (α) (= *διαφώτιση*) enlightenment (β) (= *έμπνευση*) brainwave (*Βρετ.*), brainstorm (*Αμερ.*)

φωτισμός ΟΥΣ ΑΡΣ lighting χωρίς πληθ.

φωτιστικός, -ή, -ό ΕΠΙΘ (α) (*εφέ, συσκευή*) lighting (β) (*πετρέλαιο, οινόπνευμα*) lighter
▸**φωτιστικό** ΟΥΣ ΟΥΔ light
▸**φωτιστικό δαπέδου** standard lamp (*Βρετ.*), floor lamp (*Αμερ.*)
▸**φωτιστικό επιτραπέζιο** table lamp

φωτοαντίγραφο ΟΥΣ ΟΥΔ photocopy

φωτοβολίδα ΟΥΣ ΟΥΔ (*για πανηγυρικό φωτισμό*) rocket · (*για σηματοδότηση*) flare

φωτογένεια ΟΥΣ ΘΗΛ: **διαθέτω** ή **έχω φωτογένεια** to be photogenic

φωτογραφείο ΟΥΣ ΟΥΔ photographic studio

φωτογράφηση ΟΥΣ ΘΗΛ photo shoot

φωτογραφία ΟΥΣ ΘΗΛ (α) (*τέχνη*) photography (β) (= *εικόνα*) photo, photograph

φωτογραφίζω Ρ Μ (α) (*άνθρωπο, τοπίο*) to take a photo of (β) (*μτφ.*) to portray

φωτογραφικός, -ή, -ό ΕΠΙΘ photographic
▸**φωτογραφικός θάλαμος** photo booth
▸**φωτογραφική μηχανή** camera
▸**φωτογραφική μνήμη** photographic memory

φωτογράφιση ΟΥΣ ΘΗΛ = **φωτογράφηση**

φωτογράφος ΟΥΣ ΑΡΣ/ΘΗΛ photographer

φωτοκύτταρο ΟΥΣ ΟΥΔ photo(electric) cell

φωτομοντέλο ΟΥΣ ΟΥΔ model

φωτόνιο ΟΥΣ ΟΥΔ photon

φωτορεπόρτερ ΟΥΣ ΑΡΣ/ΘΗΛ ΑΚΛ photojournalist

φωτοσκιάζω Ρ Μ to shade

φωτοσκίαση ΟΥΣ ΘΗΛ chiaroscuro, shading

φωτοστέφανο ΟΥΣ ΟΥΔ (α) (ΘΡΗΣΚ) halo

Προσοχή!: Ο πληθυντικός του **halo** *είναι* **halos** *ή* **haloes**.

(β) (ΜΕΤΕΩΡ) corona, halo (*ανεπ.*) (γ) (*μτφ.: αρετής, επιτυχίας*) aura

φωτοσύνθεση ΟΥΣ ΘΗΛ photosynthesis

φωτόσφαιρα ΟΥΣ ΘΗΛ photosphere

φωτοτυπία ΟΥΣ ΘΗΛ (α) (*μέθοδος*) photocopying (β) (= *φωτοαντίγραφο*) photocopy

φωτοτυπικός, -ή, -ό ΕΠΙΘ photocopying
▸**φωτοτυπικό** ΟΥΣ ΟΥΔ photocopier

φωτοχυσία ΟΥΣ ΘΗΛ (*επίσ.*) illumination

Χ χ

Χ, χ chi, *22nd letter of the Greek alphabet*
▷**χ′** 600
▷**,χ** 600,000
▸**άγνωστος Χ** (ΜΑΘ) unknown quantity
▸**ακτίνες Χ** (ΦΥΣ) X–rays
χα ΕΠΙΦΩΝ ha ha!
Χαβάη ΟΥΣ ΘΗΛ Hawaii
χαβαλές ΟΥΣ ΑΡΣ **(α)** (= *αστεϊσμοί*) joking
around *χωρίς πληθ.* **(β)** (= *φασαρία*) fuss,
ruckus (*Αμερ.*)
χαβάς ΟΥΣ ΑΡΣ: **(αυτός ή εκείνος) τον χαβά
του** he just goes on and on
χαβιάρι ΟΥΣ ΟΥΔ caviar
χαβούζα ΟΥΣ ΘΗΛ **(α)** (*για απορρίμματα*)
refuse dump (*Βρετ.*), garbage dump (*Αμερ.*)
(β) (= *βόθρος*) septic tank
χάβρα ΟΥΣ ΘΗΛ **(α)** (*κυριολ.*) synagogue
(β) (*μτφ.*) hubbub
χάβω Ρ Μ = **χάφτω**
Χάγη ΟΥΣ ΘΗΛ: **η Χάγη** the Hague
χαγιάτι ΟΥΣ ΟΥΔ veranda
χάδι ΟΥΣ ΟΥΔ **(α)** (*μητέρας, πατέρα*) pat ·
(*εραστή, συντρόφου*) caress
(β) (= *καλόπιασμα*) wheedling
χαδιάρης, -α, -ικο ΕΠΙΘ **(α)** (*παιδί, σκύλος*)
spoiled, pampered **(β)** (*γυναίκα*) flirtatious,
coquettish
χαζεύω 1 Ρ ΑΜ **(α)** (= *ξεχουντιαίνω*) to be
stupid, to lose it (*ανεπ.*) **(β)** (= *σπαταλώ τον
χρόνο μου*) to waste time **(γ)** (= *μένω με το
στόμα ανοιχτό*) to gape
2 Ρ Μ (*κίνηση, κοπέλα*) to stare at
▷**χαζεύω τις βιτρίνες** to go window
shopping
χάζι ΟΥΣ ΟΥΔ: **έχω χάζι** to be funny *ή* amusing
▷**κάνω** κπν/κτ **χάζι** to find sb/sth funny *ή*
amusing
χαζολογώ Ρ ΑΜ (= *χαζεύω*) to waste time
χαζομάρα ΟΥΣ ΘΗΛ stupidity
▷**λέω χαζομάρες** to say stupid things, to talk
nonsense
▷**κάνω χαζομάρες** to do stupid things
χαζομπαμπάς ΟΥΣ ΑΡΣ doting father
χαζοπούλι ΟΥΣ ΟΥΔ dimwit
χαζός, -ή, -ό ΕΠΙΘ **(α)** (*για πρόσ.*) stupid, daft
(β) (*ιδέα, κουβέντα, ερώτηση*) daft, silly
▷**βρε χαζέ** *ή* **χαζό!** (*χαϊδευτ.*) you silly thing!
χαζοχαρούμενος, -η, -ο ΕΠΙΘ
(α) (*άνθρωπος*) dizzy, ditzy (*ανεπ.*)

(β) (*ύφος*) goofy (*ανεπ.*)
χαϊδεμένος, -η, -ο ΕΠΙΘ pampered
χαϊδευτικός, -ή, -ό ΕΠΙΘ (*φωνή, χειρονομία*)
caressing
▸**χαϊδευτικό** ΟΥΣ ΟΥΔ (*επίσης* **χαϊδευτικό όνομα**)
pet name
χαϊδεύω Ρ Μ **(α)** (*πρόσωπο*) to stroke, to
caress · (*μωρό*) to cuddle, to pet · (*εραστή,
ερωμένη*) to caress · (*ζώο*) to stroke, to pet
(β) (*χορδές*) to strum · (*τιμόνι*) to touch
(γ) (= *περιποιούμαι: παιδί*) to pamper
▸**χαϊδεύομαι** ΜΕΣΟΠΑΘ **(α)** (*παιδί*) to want a
cuddle · (*γάτα*) to want to be stroked
(β) (*εραστές*) to caress each other
▷**ήρθε η γάτα να χαϊδευτεί στα πόδια μου**
the cat came and rubbed itself against my
legs
χαϊδολόγημα ΟΥΣ ΟΥΔ (*ανεπ.*) **(α)** (*μωρού,
παιδιού*) petting, cuddling **(β)** (*άνδρα,
γυναίκας*) caressing, fondling
χαϊδολογώ Ρ Μ (*ανεπ.: μωρό, παιδί*) to pet, to
cuddle
▸**χαϊδολογιέμαι** ΜΕΣΟΠΑΘ **(α)** (*άνδρας, γυναίκα*)
to caress *ή* fondle each other **(β)** (*σκυλάκι,
γατάκι*) to want to be stroked · (*παιδί*) to
want a cuddle
χαϊμαλί ΟΥΣ ΟΥΔ **(α)** (= *φυλαχτό*) charm,
talisman

Προσοχή!: Ο πληθυντικός του **talisman**
είναι **talismans**.

(β) (= *στολίδι*) trinket (*ανεπ.*)
χαιρεκακία ΟΥΣ ΘΗΛ malice, glee (*at the
misfortune of others*)
χαιρέκακος, -η, -ο ΕΠΙΘ (*άνθρωπος, μάτια*)
malicious, spiteful
▷**χαιρέκακη αγαλλίαση** Schadenfreude, glee
(at others' misfortune)
χαιρετίζω Ρ Μ **(α)** (= *απευθύνω χαιρετισμό*) to
greet (*επίσ.*), to say hello to · (= *αποχαιρετώ*)
to say goodbye to · (*με μια κίνηση του
κεφαλιού*) to nod at · (*κουνώντας το χέρι*) to
wave at **(β)** (= *στέλνω χαιρετίσματα*) to send
one's regards to **(γ)** (*συνέδριο, μέλη
αντιπροσωπείας*) to greet, to welcome
(δ) (= *επιδοκιμάζω*) to welcome
▷**να μου χαιρετίσεις τη μητέρα σου** send my
regards to your mother, say hello to your
mother from me
▷**χαιρετίζω** κπν **δίνοντας το χέρι μου** *ή* **δια**

χειραψίας to shake hands with sb

χαιρετίσματα ογς ογΔ πΛΗΘ (α) (= χαιρετισμοί) regards (β) (ειρων.) forget it (ανεπ.)

χαιρετισμός ογς αρς greeting · (βασιλιάς) bowing to · (σημάιας) saluting
▸ **χαιρετισμοί** πΛΗΘ (α) (= χαιρετίσματα) regards (β) (ΘΡΗΣΚ) Hail Mary εν., Ave Maria εν.
▷ **με εγκάρδιους** ή **φιλικούς χαιρετισμούς** (σε γράμματα, επιστολές) kind ή best regards

χαιρετιστήριος, -α, -ο επιΘ (λόγος) welcoming · (τηλεγράφημα) greetings
▷ **χαιρετιστήριος κανονιοβολισμός** gun salute

χαιρετώ ρ μ (α) (= χαιρετίζω) to greet (επίσ.), to say hello to · (= αποχαιρετώ) to say goodbye to · (με μια κίνηση του κεφαλιού) to nod at · (κουνώντας το χέρι) to wave at (β) (= στέλνω χαιρετίσματα) to send one's regards to (γ) (βασιλιά) to bow to · (στρατιώτης: σημαία, πρωθυπουργό) to salute (δ) (εικόνα, επιτάφιο) to bow to (ε) (εορτάζοντα, νεόνυμφους) to visit
▷ **χαιρέτα μου τον πλάτανο** (ανεπ.) forget it

χαίρομαι ① ρ αμ αποΘ (= είμαι ευτυχισμένος) to be happy · (= είμαι χαρούμενος) to be glad ② ρ μ (παιδιά, ζωή, πλούτη) to enjoy
▷ **να σε χαρώ** please
▷ **να χαίρεσαι την γιορτή σου!** (ευχή) happy name day!
▷ **χαίρομαι να κάνω κτ** it's a pleasure ή delight to do sth
▷ **χάρηκα (πολύ) για την γνωριμία** nice meeting you

χαίρω ρ μ (επίσ.: = είμαι ευτυχισμένος) to be happy · (= είμαι χαρούμενος) to be glad
▷ **χαίρετε!** (προσφώνηση χαιρετισμού) hello! · (προσφώνηση αποχαιρετισμού) goodbye!
▷ **χαίρω άκρας υγείας** to enjoy good health
▷ **χαίρω μεγάλης εκτίμησεως** to be held in high esteem, to be highly regarded
▷ **χαίρω πολύ** pleased to meet you

χαίτη ογς θΗΛ (α) (λιονταριού, αλόγου) mane (β) (για πρόσ.) long hair εν.

χάκερ ογς αρς ακΛ hacker

χακί ογς ογΔ ακΛ khaki
▷ **βάζω** ή **φοράω το χακί** to join up

χάκινγκ ογς ογΔ ακΛ hacking

χαλάζι ογς ογΔ hail
▷ **οι σφαίρες πέφτουν χαλάζι** there was a hail of bullets

χαλαζίας ογς αρς quartz

χαλάκι ογς ογΔ (α) (κρεβατιού, κουζίνας) rug (β) (εξώπορτας) doormat

χαλαρός, -ή, -ό επιΘ (α) (σκοινί, μύες) slack · (κόμπος, δεσμά, ζώνη, ύφανση) loose (β) (εμπορικής κίνηση) slack (γ) (φρούρηση, πολιτική, πειθαρχία) lax · (ήθη) lax, loose

χαλαρότητα ογς θΗΛ (α) (σκοινιού) slackness · (κόμπου, δεσμών, ζώνης) looseness (β) (εμπορικής κίνησης) slackness (γ) (ηθών, πειθαρχίας) laxity

χαλαρώνω ① ρ μ (α) (σκοινί, γραβάτα) to loosen (β) (πρόγραμμα, πολιτική, πειθαρχία)

to relax · (ατμόσφαιρα) to lighten
② ρ αμ (α) (επίδεσμος, δέσιμο, βίδα) to come loose · (σκοινί) to go slack · (σώμα, μυς) to loosen up, to relax · (για απώλεια σφριγηλότητας: δέρμα) to lose its firmness (β) (δεσμός, επιτήρηση, πρόγραμμα) to ease off · (ενδιαφέρον) to flag (γ) (ήθη, πειθαρχία) to become lax (δ) (για προσ.) to relax, to unwind

χαλάρωση ογς θΗΛ (α) (ζώνης) loosening · (σκοινιού) slackening (β) (μυών) loosening · (δέρματος) sagging (γ) (ενδιαφέροντος, προσπάθειας) easing off (δ) (πειθαρχίας, ηθών) slackening (ε) (ΙΑΤΡ) relaxation

χάλασμα ογς ογΔ (α) (μηχανής, συσκευής) breakdown (β) (= γκρέμισμα) demolition (γ) (= ερείπιο) ruin (δ) (γάλακτος, κρέατος) spoiling, going off (ε) (καιρού) deterioration

χαλασμένος, -η, -ο επιΘ (α) (αυτοκίνητο, μηχανή) broken–down · (παιχνίδι, τηλεόραση) broken · (τηλέφωνο) out of order (β) (δόντια) decayed · (φρούτα) rotten · (τυρί) rancid · (σοκολάτα) stale · (κρέας, ψάρι) stale
▷ **το κρέας/ψάρι είναι χαλασμένο** the meat/fish is off

χαλασμός ογς αρς (α) (= καταστροφή) devastation (β) (= γενική αναστάτωση) chaos, commotion (γ) (= κακοκαιρία) bad weather
▷ **χαλασμός κόσμου** ή **Κυρίου** havoc

χαλάστρα ογς θΗΛ ακΛ: **κάνω χαλάστρα σε κπν** to mess things up for sb

χαλβάς ογς αρς (α) (γλυκό) halva(h) (β) (μειωτ.) idiot

χαλί ογς ογΔ carpet

χάλι ογς ογΔ sorry state
▷ **έχω το χάλι** ή **τα χάλια μου** to be in a bad way ή sorry state
▷ **έχει τα χάλια της μ'αυτά τα ρούχα** she looks awful in that outfit
▷ **σε κακό χάλι** (είμαι, βρίσκω) in a bad way ή sorry state
▸ **χάλια** πΛΗΘ: **είμαι** ή **γίνομαι χάλια** (ρούχα) to be a mess · (δουλειές) to be bad
▷ **νιώθω** ή **είμαι/φαίνομαι χάλια** to feel/look awful

χαλίκι ογς ογΔ (α) (= μικρή πέτρα) pebble (β) (για στρώσιμο δρόμου, σιδηροδρομικής γραμμής) gravel χωρίς πληθ.

χαλιναγώγηση ογς θΗΛ (θυμού, πάθους) keeping in check · (όχλου) keeping under control

χαλιναγωγώ ρ μ (θυμό, πόθο, πανικό) to keep in check, to control · (μαθητές, όχλο) to keep under control

χαλινάρι ογς ογΔ (α) (= χαλινός) bridle (β) (= στομίδα) bit
▷ **βάζω χαλινάρι σε κπν** to keep a tight rein on sb
▷ **βάζω χαλινάρι σε κτ** to keep sth in check

χαλινός ογς αρς (επίσ.: αλόγου) bridle

χαλίφης ογς αρς caliph

χαλκάς ΟΥΣ ΑΡΣ (= *μεταλλικός κρίκος*) ring

χαλκεύω Ρ Μ (α) (*προτομή*) to cast (β) (*χαρακτήρα, συνείδηση*) to shape, to mould (*Βρετ.*), to mold (*Αμερ.*) (γ) (*αρνητ.*: *κατηγορίες, πληροφορίες, ειδήσεις*) to fabricate

Χαλκιδική ΟΥΣ ΘΗΛ Chalkidiki

χάλκινος, -η, -ο ΕΠΙΘ (*νόμισμα, σκεύος*) copper· (*άγαλμα*) bronze· (ΜΟΥΣ *όργανα*) brass

▸**χάλκινο** ΟΥΣ ΟΥΔ (*επίσης* **χάλκινο μετάλλιο**) bronze (medal)

χαλκογραφία ΟΥΣ ΘΗΛ copper engraving

χαλκομανία ΟΥΣ ΘΗΛ transfer

χαλκοπράσινος, -η, -ο ΕΠΙΘ pale green

χαλκός ΟΥΣ ΑΡΣ copper

▸**Εποχή του Χαλκού** Bronze Age

χαλούμι ΟΥΣ ΟΥΔ haloumi, *hard white cheese from Cyprus*

χάλυβας ΟΥΣ ΑΡΣ steel

χαλύβδινος, -η, -ο ΕΠΙΘ (α) (*ράβδος, σφαίρα*) steel (β) (*θέληση*) iron· (*αποφασιστικότητα*) steely· (*ψυχή*) indomitable· (*πίστη*) unshakeable

▸**έχω χαλύβδινα νεύρα** to have nerves of steel

χαλυβδώνω Ρ Μ (α) (= *ατσαλώνω*) to steel–plate (β) (*πίστη, πείσμα*) to bolster

▸**χαλυβδώνω την ψυχή μου** to steel oneself

χαλυβουργείο ΟΥΣ ΟΥΔ steelworks εν. ή πληθ.

χαλυβουργία ΟΥΣ ΘΗΛ (= *βιομηχανία χάλυβα*) steel industry

χαλώ ① Ρ Μ (α) (*τηλεόραση, παιχνίδι*) to break· (*παπούτσια, ρούχα*) to wear out (β) (*τοίχο*) to pull down· (*σπίτι*) to demolish (γ) (*φιλία, σχέσεις*) to break off· (*συμφωνία*) to break, to go back on (δ) (*σχέδια, βραδιά*) to ruin· (*ησυχία*) to disturb· (*έκπληξη*) to spoil (ε) (*χτένισμα, μαλλιά*) to mess up· (*ομορφιά*) to mar (στ) (*όρεξη*) to spoil, to ruin (ζ) (= *κακομαθαίνω*) to spoil· (= *διαφθείρω*) to lead astray (η) (*χαρτονόμισμα*) to change (θ) (*περιουσία, πολλά λεφτά*) to squander· (*χρόνο, καιρό, ζωή, νιάτα*) to waste (ι) (*στομάχι*) to upset· (*υγεία, μάτια*) to ruin

② Ρ ΑΜ (α) (*ρολόι, βίντεο*) to be broken, not to work· (*αυτοκίνητο*) to break down· (*μπότες, μάλλινα*) to wear out (β) (*σχέδια, δουλειά*) to fall through· (*γάμος*) to break up (γ) (*χτένισμα*) to be a mess (δ) (*δόντια*) to decay (ε) (*κρέας, τυρί*) to go off, to spoil· (*φρούτα*) to go bad (στ) (= *διαφθείρομαι*) to go to the bad (ζ) (*καιρός*) to change for the worse

▸**δεν χάλασε (κι) ο κόσμος!** it's not the end of the world!

▸**μου χάλασε το κέφι** it got me down

▸**τα χαλάω με κπν** to break up with sb

▸**χάλασε η όρεξή μου** I've lost my appetite

▸**χαλάει ο κόσμος με τις τελευταίες αποκαλύψεις** the latest revelations have caused a stir

▸**χάλασε ο κόσμος** things aren't what they used to be

▸**χάλασε το πρόσωπό της** she's lost her looks

▸**χάλασε το στομάχι μου** to have an upset stomach

▸**χαλώ την διάθεση ή το κέφι κποιου** to bring sb down, to dampen sb's spirits

▸**χαλώ τον κόσμο** (= *προκαλώ αναστάτωση*) to make a scene· (= *κάνω φασαρία*) to make a racket

χαμαιλέοντας ΟΥΣ ΑΡΣ (*κυριολ., μτφ.*) chameleon

χαμαιλέων ΟΥΣ ΑΡΣ (*επίσ.*) = **χαμαιλέοντας**

χαμαιτυπείο ΟΥΣ ΑΡΣ (*επίσ.*) (α) (= *πορνείο*) brothel (*επίσ.*) (β) (= *κακόφημο στέκι*) den of vice

χαμάλης ΟΥΣ ΑΡΣ (α) (= *αχθοφόρος*) porter (β) (*μτφ.*) dogsbody

χαμαλοδουλειά ΟΥΣ ΘΗΛ menial work, donkey work (*Βρετ.*)

χαμένος, -η, -ο ΕΠΙΘ (α) (*πορτοφόλι, βιβλίο, κλειδιά*) lost· (*άνθρωπος*) missing· (= *που έχει χάσει τον προσανατολισμό του*) lost (β) (*ώρα, μέρα*) wasted (γ) (*σε τυχερά παιχνίδια, επιχειρήσεις*) ruined (δ) (*ευκαιρία*) lost· (*ελπίδες*) dashed· (*όνειρα*) vanished

▸**βγαίνω χαμένος από κτ** to lose out on sth

▸**είμαι ή πάω χαμένος** to be in a lot of ή big trouble

▸**πάω χαμένος, πηγαίνω στα χαμένα** (*προσπάθειες*) to be wasted· (*ελπίδες*) to be dashed

▸**προχωρώ σαν χαμένος** to walk along lost in thought

▸**τα 'χω χαμένα** (= *έχω σαστίσει*) to be stunned, to be flabbergasted· (= *έχασα τα λογικά μου*) to have lost it (*ανεπ.*)

▸**χαμένο έδαφος** lost ground

▸**χαμένος κόπος** a waste of effort

▸**χαμένος κορμί** good-for-nothing

▸**χαμένη υπόθεση** lost cause

▸**χαμένος χρόνος** a waste of time

▸**χαμερπής** ΟΥΣ ΑΡΣ (*υβρ.*) low life

χαμερπής, -ής, -ές ΕΠΙΘ (*επίσ.*: *άνθρωπος, χαρακτήρας*) base

χαμηλοβλεπούσα ΟΥΣ ΘΗΛ (= *σεμνότυφη γυναίκα*) prim woman

χαμηλόμισθος, -η, -ο ΕΠΙΘ (*εργαζόμενος, υπάλληλος*) low–paid

▸**χαμηλόμισθοι** ΟΥΣ ΑΡΣ ΠΛΗΘ: **οι χαμηλόμισθοι** the low–paid

χαμηλός, -ή, -ό ΕΠΙΘ (*γενικότ.*) low· (*βλέμμα, ματιά*) lowered· (*νότα*) base

χαμηλοτάβανος, -η, -ο ΕΠΙΘ low–ceilinged

χαμηλόφωνος, -η, -ο ΕΠΙΘ (*κουβέντα, απάντηση*) whispered· (*για προσ.*) with a quiet voice

χαμηλώνω ① Ρ Μ (α) (*τοίχο, φράχτη*) to lower (β) (*φρούτα, κουρτίνες*) to let down (γ) (*τέντα*) to take down· (*γυαλιά*) to take off· (*κεφάλι*) to lower, to bow

(δ) (*ραδιόφωνο, τηλεόραση, ένταση*) to turn down · (*φωνή, φως*) to lower · (*θερμοκρασία, ταχύτητα, τιμές, ενοίκιο, μισθό*) to lower, to reduce
2 P AM **(α)** (= *κοντaίνω*) to come down **(β)** (*ποτάμι, νερά*) to go down, to become low **(γ)** (= *σκύβω*) to bend down **(δ)** (*αεροπλάνο*) to make its descent · (*ήλιος*) to go down **(ε)** (*φως*) to dim · (*ένταση, θερμοκρασία*) to go down · (*φωνή*) to drop to a whisper
▷**χαμηλώνω τα μάτια** ή **το βλέμμα** to look down, to lower one's eyes

χαμίνι ΟΥΣ ΟΥΔ guttersnipe

χαμογελαστός, -ή, -ό ΕΠΙΘ smiling

χαμόγελο ΟΥΣ ΟΥΔ smile
▷**είμαι όλος χαμόγελα** to be all smiles
▷**έχω ένα χαμόγελο ως** ή **μέχρι τ' αφτιά** to smile from ear to ear
▷**πλατύ χαμόγελο** grin
▷**σκάω χαμόγελο** to smile

χαμογελώ **1** P AM to smile
2 P M to smile
▷**η τύχη χαμογελά σε κπν** fortune smiles on sb
▷**χαμογελώ σε κπν** to smile at sb

χαμόδεντρο ΟΥΣ ΟΥΔ shrub

χαμοκέλα ΟΥΣ ΟΥΔ shack

χαμόκλαδο ΟΥΣ ΟΥΔ undergrowth (*Βρετ.*), underbrush (*Αμερ.*)

χαμομήλι ΟΥΣ ΟΥΔ **(α)** (*φυτό*) camomile **(β)** (*αφέψημα*) camomile tea

χαμός ΟΥΣ ΑΡΣ (*κυριολ., μτφ.*) loss
▷**γίνεται χαμός** (*ανεπ.*: = *κοσμοπλημμύρα*) it's havoc · (= *μεγάλη αναστάτωση*) there's an uproar

χαμόσπιτο ΟΥΣ ΟΥΔ shack

χάμου ΕΠΙΡΡ = **χάμω**

χαμούρα ΟΥΣ ΘΗΛ (*υβρ.*: = *πόρνη*) whore (*ανεπ.*)

χαμπάρι ΟΥΣ ΟΥΔ news *εν.*

Προσοχή!: Αν και το **news** *φαίνεται ως τύπος πληθυντικού, είναι ουσιαστικό μόνο στον ενικό και συντάσσεται με ρήμα στον ενικό.*

▷**παίρνω κπν χαμπάρι** to notice sb
▷**παίρνω (κτ) χαμπάρι** to realize (sth), to notice (sth)
▷**τι χαμπάρια;** how are things?, what's new?

χαμπαριάζω, χαμπαρίζω **1** P M (= *αντιλαμβάνομαι*) to realize · (= *καταλαβαίνω*) to understand
2 P AM (= *αντιλαμβάνομαι*) to realize · (= *καταλαβαίνω*) to understand
▷**δεν χαμπαρίζει κανέναν** she doesn't consider ή think of anyone else
▷**δεν χαμπαριάζω τίποτα** not to care about anything
▷**χαμπαριάζω από κτ** to know about sth

χαμπέρι ΟΥΣ ΟΥΔ = **χαμπάρι**

χάμω ΕΠΙΡΡ (*πέφτω, κυλάω, γονατίζω*) down, on the ground

χάνι ΟΥΣ ΟΥΔ (*παλαιότ.*) inn

Χανιά ΟΥΣ ΟΥΔ ΠΛΗΘ Chania

χάννος, χάνος ΟΥΣ ΑΡΣ **(α)** (*ψάρι*) comber **(β)** (= *χαζός*) idiot

χαντάκι ΟΥΣ ΟΥΔ (*σε δρόμο, χωράφι*) ditch · (*για τοποθέτηση καλωδίων*) trench

χαντακώνω P M (= *καταστρέφω*) to ruin

χάντμπολ ΟΥΣ ΟΥΔ ΑΚΛ handball

χάντρα ΟΥΣ ΘΗΛ bead

χάνω **1** P M **(α)** (*κλειδί, χρήματα, άνθρωπο, χέρι, έλεγχο*) to lose **(β)** (*αγώνα, πόλεμο, εκλογές, δίκη*) to lose **(γ)** (*αέρα, λάδια*) to leak **(δ)** (*λεωφορείο, καράβι, ταινία*) to miss **(ε)** (*καιρό, ώρα, νιάτα*) to waste · (*ευκαιρία*) to miss (*στ*) (*δικαίωμα*) to forfeit
2 P AM **(α)** (= *νικιέμαι*) to lose **(β)** (= *ζημιώνομαι*) to lose out **(γ)** (= *στερούμαι κτ σημαντικό*) to miss out **(δ)** (*ρολόι*) to be slow **(ε)** (*μειωτ.: άνθρωπος*) to lose it (*ανεπ.*) · (*μυαλό*) to go soft
▷**το ρολόι χάνει δύο λεπτά την ημέρα** the clock loses two minutes a day
▷**τα χάνω** to be stunned
▷**χάνω από κτ** to lose out on sth
▷**χάνω βάρος** to lose weight
▷**χάνω στον πόλεμα/αγώνα** to lose the war/ match
▷**χάνω στο τάβλι/σκάκι** to lose at backgammon/chess
▷**χάνω την ελπίδα** to give up ή lose hope
▷**χάνω το ηθικό μου** to be demoralized
▷**χάνω την υπομονή μου** to lose patience
▷**χάνω τα λόγια μου** to waste one's breath
▷**χάνω τα λογικά μου** to lose one's mind
▷**χάνω τις αισθήσεις μου** to pass out
▷**χάνω τον δρόμο μου** to lose one's way
▷**χάνω τον μπούσουλα** to lose one's bearings
▷**χάνω τον ύπνο μου για κπν/κτ** to lose sleep over sb/sth
▶**χάνομαι** ΜΕΣΟΠΑΘ **(α)** (= *εξαφανίζομαι*) to vanish **(β)** (= *λιποθυμώ*) to pass out **(γ)** (= *πεθαίνω*) to perish **(δ)** (= *καταστρέφομαι*) to be finished, to be done for **(ε)** (= *βυθίζομαι*) to sink **(στ)** (= *χαραμίζομαι*) to throw oneself away **(ζ)** (= *αποπροσανατολίζομαι*) to be ή get lost
▷**άι χάσου!** (*υβρ.*) get lost! (*ανεπ.*)
▷**χάνομαι από το πρόσωπο της γης** ή **από προσώπου γης** to disappear ή vanish off the face of the earth
▷**χάνομαι σε κτ** to lose oneself in sth
▷**χάνομαι στον κόσμο μου** to be in a world of one's own
▷**χάσου από τα μάτια μου** ή **από μπροστά μου!** get out of my sight!

χάος ΟΥΣ ΟΥΔ **(α)** (= *το άπειρο*) chaos **(β)** (= *άβυσσος*) abyss **(γ)** (= *σύγχυση*) chaos · (= *ακαταστασία*) mess

χαοτικός, -ή, -ό ΕΠΙΘ chaotic

χάπι ΟΥΣ ΟΥΔ pill
▷**χρυσώνω το χάπι σε κπν** to sugar ή sweeten

the pill for sb

χάπι-εντ ΟΥΣ ΟΥΔ ΑΚΛ happy ending

χαρά ΟΥΣ ΘΗΛ joy
▷**γεια (και) χαρά** (ως χαιρετισμός) hello · (ως αποχαιρετισμός) goodbye
▷**δίνω χαρά σε κπν** to make sb happy
▷**(είναι) χαρά Θεού** it's a glorious day
▷**κάνω χαρές σε κπν** to be all over sb
▷**μετά χαράς** with pleasure, gladly
▷**μια χαρά** very well
▷**πετάω απ' τη χαρά μου** to jump for joy
▷**στις χαρές σου!** (ευχή) may you get married soon!
▷**χαράς ευαγγέλια** good news
▷**χαρά στο πράμα!** (ειρων.) big deal!
►**παιδική χαρά** playground

χαραγματιά ΟΥΣ ΘΗΛ (α) (= σημάδι από χάραξη) scratch (β) (= χαραμάδα) crack

χαράδρα ΟΥΣ ΘΗΛ ravine

χαράζω ① Ρ Μ (α) (όνομα, επιγραφή: σε δέντρο) to carve · (σε βέρα, σε πλάκα) to engrave · (τραπέζι, έπιπλο) to scratch (β) (σελίδα) to rule lines on (γ) (δρόμο, όρια, σύνορα) to mark out, to delineate (δ) (πολιτική, κατεύθυνση) to map out · (μοίρα) to decide (ε) (πρόσωπο) to line ② Ρ ΑΜ (κοπίδι, λεπίδα) to cut
▷**χαράζω κτ στο μυαλό μου** to fix sth in one's mind
►**χαράζει** ΑΠΡΟΣ the day is breaking, it's getting light

χάρακας ΟΥΣ ΑΡΣ ruler

χαρακιά ΟΥΣ ΘΗΛ (α) (σε δέντρο) notch, cut · (σε έπιπλο) scratch · (σε σώμα) cut (β) (= γραμμή από χάρακα) ruled line

χαρακίρι ΟΥΣ ΟΥΔ ΑΚΛ (α) (= τρόπος αυτοκτονίας) hara-kiri (β) (μτφ.) suicide
▷**κάνω χαρακίρι** to commit suicide

χαρακτήρας ΟΥΣ ΑΡΣ (α) (= ιδιοσυγκρασία) character (β) (= ιδιαίτερο γνώρισμα) nature (γ) (καλλιτέχνη, λογοτέχνη) style (δ) (= πρόσωπο έργου) character (ε) (ΤΥΠ, ΠΛΗΡΟΦ) character (στ) (ΓΛΩΣΣ) final letter of a stem
▷**δεν είναι ο χαρακτήρας της να λέει ψέματα** it's not in her nature to tell lies
▷**κρατάω ή δείχνω χαρακτήρα** to stick to one's guns

χαρακτηρίζω Ρ Μ (α) (= προσδιορίζω ιδιαίτερα γνωρίσματα) to characterize (β) (= αποτελώ ιδιαίτερο γνώρισμα) to be characteristic of
►**χαρακτηρίζομαι** ΜΕΣΟΠΑΘ to be characterized

χαρακτηρισμός ΟΥΣ ΑΡΣ characterization

χαρακτηριστικός, -ή, -ό ΕΠΙΘ (= αντιπροσωπευτικός) characteristic · (= τυπικός) typical
►**χαρακτηριστικά** ΟΥΣ ΟΥΔ ΠΛΗΘ features
►**χαρακτηριστικό** ΟΥΣ ΟΥΔ characteristic
►**τεχνικά χαρακτηριστικά** technical specifications

χαράκτης ΟΥΣ ΑΡΣ engraver

χαρακτική ΟΥΣ ΘΗΛ engraving

χαράκωμα ΟΥΣ ΟΥΔ (α) (= όρυγμα) trench (β) (= χάραξη γραμμών με χάρακα) ruling

χαρακώνω Ρ Μ (α) (κορμό, ξύλο) to cut · (= έπιπλο) to scratch (β) (πρόσωπο, χέρι) to cut, to slash (γ) (= χαράζω γραμμές με χάρακα) to rule

χάραμα ΟΥΣ ΟΥΔ (α) (= ξημέρωμα) dawn χωρίς πληθ., daybreak χωρίς πληθ. (β) (μτφ.) dawn
▷**άγρια χαράματα** at the crack of dawn, at first light

χαραμάδα ΟΥΣ ΘΗΛ (πόρτας, παράθυρου) crack
▷**μια χαραμάδα φως** a chink of light

χαραματιά ΟΥΣ ΘΗΛ = **χαραγματιά**

χαράμι ΕΠΙΡΡ (= ανώφελα) in vain
▷**οι κόποι ή οι προσπάθειές μου πήγαν χαράμι** my efforts were in vain

χαραμίζω Ρ Μ (ζωή) to waste, to throw away · (φαγητό) to waste · (περιουσία) to squander
►**χαραμίζομαι** ΜΕΣΟΠΑΘ to throw oneself away

χαραμοφάης ΟΥΣ ΑΡΣ parasite, freeloader (ανεπ.)

χαραμοφάισσα ΟΥΣ ΘΗΛ βλ. **χαραμοφάης**

χάραξη ΟΥΣ ΘΗΛ (α) (αφιέρωσης, ονόματος) engraving (β) (= τράβηγμα γραμμών με χάρακα) ruling (γ) (δρόμον, ορίων) marking out, delineation (δ) (προγράμματος, στόχων, πολιτικής) mapping out

χαράσσω Ρ Μ = **χαράζω**

χαράτσι ΟΥΣ ΟΥΔ (α) (ΙΣΤ) poll tax (β) (μτφ.) heavy tax

χαραυγή ΟΥΣ ΘΗΛ dawn, daybreak

χαρέμι ΟΥΣ ΟΥΔ harem

χάρη ΟΥΣ ΘΗΛ (α) (για προσ.) grace · (αφήγησης, λόγου) elegance (β) (= προτέρημα) gift, talent (γ) (= εξυπηρέτηση ή μεροληψία) favour (Βρετ.), favor (Αμερ.) (δ) (= ευγνωμοσύνη) gratitude (ε) (ΝΟΜ) pardon
▷**έχε χάρη (που)...** think yourself lucky that...
▷**κάνε μου τη χάρη να...** do me a favour (Βρετ.) ή favor (Αμερ.) and..., would you be so kind as to...
▷**(κάνω κτ) για χάρη κποιου** (to do sth) for sb's sake, (to do sth) for sb
▷**λόγου χάριν** for instance
▷**μεγάλη η χάρη σου!** (ειρων.) don't push your luck! (ανεπ.)
▷**με χάρη** (περπατώ) gracefully · (μιλώ) eloquently · (χαμογελώ) graciously
▷**παραδείγματος χάριν** for example
▷**χάρη ή χάρις σε** thanks to

χαριεντίζομαι Ρ ΑΜ ΑΠΟΘ (α) (= αστειεύομαι) to joke (β) (= ερωτοτροπώ) to dally

χαριεντισμός ΟΥΣ ΑΡΣ (α) (= χαριτωμένη συμπεριφορά) bantering (β) (= ερωτοτροπία) dalliance

χαρίζω Ρ Μ (α) (παιχνίδι, δαχτυλίδι) to give (β) (= εξασφαλίζω: βραβείο, υγεία) to

X

guarantee · (ζωή) to give (γ) (παιδιά) to bear
(δ) (τραγούδι) to dedicate (ε) (χρέος) to let
off · (ποινή) to pardon
▷**δεν χαρίζω κάστανα (σε κπν)** to be tough
(with sb)
▷**τη χαρίζω σε κπν** to let sb off
▷**χαρίζω τη νίκη/την επιτυχία μου σε κπν** to
put one's victory/success down to sb
►**χαρίζομαι** ΜΕΣΟΠΑΘ: **χαρίζομαι σε κπν**
(= ευνοώ) to favour (Βρετ.) ή favor (Αμερ.) sb

χάριν ΠΡΟΘ +γεν. (επίσ.) = for the sake of

χάρις ΟΥΣ ΘΗΛ (επίσ.) = **χάρη**

χαρισάμενος, -η, -ο ΕΠΙΘ: **ζωή χαρισάμενη**
happy life

χάρισμα ΟΥΣ ΟΥΔ (α) (= δώρο) gift, present
(β) (= προσόν) gift
▷**δίνω κτ χάρισμα σε κπν** to give sb sth (as a
present)
▷**παίρνω/θέλω κτ χάρισμα** to get/to want sth
for nothing
▷**χάρισμά σου!** it's a present for you!

χαρισματικός, -ή, -ό ΕΠΙΘ (ηγέτης)
charismatic

χαριστικός, -ή, -ό ΕΠΙΘ (α) (τιμή, προσφορά)
friendly (β) (= μεροληπτικός) partial
▷**χαριστική βολή** coup de grâce · (μτφ.) death
blow

χαριτολογώ Ρ ΑΜ to be witty, to quip

χαριτωμένος, -η, -ο ΕΠΙΘ (α) (= συμπαθής:
άνθρωπος, πρόσωπο, φόρεμα) lovely
(β) (κίνηση) graceful (γ) (κουβέντα, αστείο)
enjoyable

χάρμα ΟΥΣ ΟΥΔ ΑΚΛ: **χάρμα οφθαλμών** a sight
to see, a vision
▷**είμαι χάρμα** to be great
▷**τα πράγματα πάνε χάρμα** things are going
well
▷**πηγαίνω ή έρχομαι χάρμα σε κπν** to really
suit sb

χαρμάνι ΟΥΣ ΟΥΔ (α) (για τσιγάρα, καφέ)
blend (β) (για οικοδομές) concrete (γ) (μτφ.)
mix

χαρμόσυνος, -η, -ο ΕΠΙΘ (είδηση, μελωδία)
happy

χάρντγουερ ΟΥΣ ΟΥΔ ΑΚΛ (ΠΛΗΡΟΦ) hardware

χαροκαμένος, -η, -ο ΕΠΙΘ bereaved

Χάροντας ΟΥΣ ΑΡΣ (ΜΥΘΟΛ) Charon

χαροπαλεύω Ρ ΑΜ (= ψυχορραγώ) to be at
one's last gap

χαροποιώ Ρ Μ to make happy

χάρος ΟΥΣ ΑΡΣ death
▷**βλέπω τον χάρο με τα μάτια μου** to stare
death in the face
▷**γλιτώνω απ' του χάρου τα δόντια** to escape
by the skin of one's teeth
▷**παλεύω με το χάρο** to struggle to stay alive,
to be at one's last gap
►**Χάρος** ΟΥΣ ΑΡΣ (ΜΥΘΟΛ) Charon

χαρούμενος, -η, -ο ΕΠΙΘ
(α) (= ευχαριστημένος) happy (β) (βλέμμα,
φωνή, άνθρωπος, τραγούδι) cheerful ·

(ανάμνηση) happy · (φόρεμα, χρώμα) bright

χαρταετός ΟΥΣ ΑΡΣ kite

χαρτζιλίκι ΟΥΣ ΟΥΔ pocket money (Βρετ.),
allowance (Αμερ.)

χαρτζιλικώνω Ρ Μ: **χαρτζιλικώνω κπν** to give
sb pocket money (Βρετ.) ή an allowance
(Αμερ.)

χάρτης ΟΥΣ ΟΥΔ map
►**καταστατικός χάρτης** charter
►**συνταγματικός χάρτης** constitution

χαρτί ΟΥΣ ΟΥΔ (α) (γραφής, αλληλογραφίας)
paper (β) (= πτυχίο) degree · (= δίπλωμα)
diploma · (= απολυτήριο Λυκείου) school
certificate · (= απολυτήριο στρατού) discharge
papers πληθ. (γ) (= τραπουλόχαρτο)
(playing) card
▷**μοιράζω ή κάνω χαρτιά** to deal (the cards)
▷**παίζω ή μιλώ με ανοιχτά χαρτιά** to put
one's card on the table
▷**παίζω το τελευταίο μου χαρτί** to play one's
last card
▷**χαρτί και καλαμάρι** in great detail
►**γυαλιστερό χαρτί** glossy paper
►**χαρτί κουζίνας** paper towel
►**χαρτί περιτυλίγματος** wrapping paper
►**χαρτί υγείας ή τουαλέτας** toilet paper
►**χαρτιά** ΠΛΗΘ (α) (= επίσημο έγγραφο) papers
(β) (= χαρτοπαίγνιο) cards

χαρτικά ΟΥΣ ΟΥΔ ΠΛΗΘ stationery εν.

χάρτινος, -η, -ο ΕΠΙΘ (σακούλα, θήκη) paper

χαρτοβιομηχανία ΟΥΣ ΘΗΛ paper industry,
paper manufacturing

χαρτογράφηση ΟΥΣ ΘΗΛ (ακτών, γαλαξία)
mapping

χαρτογραφώ Ρ Μ (περιοχή) to map

χαρτόδεμα ΟΥΣ ΟΥΔ parcel (Βρετ.), package
(Αμερ.)

χαρτόδετος, -η, -ο ΕΠΙΘ (βιβλίο, έκδοση)
paperback

χαρτοκιβώτιο ΟΥΣ ΟΥΔ cardboard box, carton

χαρτοκόπτης ΟΥΣ ΑΡΣ paper knife

χαρτόκουτο ΟΥΣ ΟΥΔ cardboard box, carton

χαρτομάνι ΟΥΣ ΟΥΔ (α) (= άχρηστα χαρτιά)
bumf (ανεπ.) (β) (= σωρός χαρτιών) pile of
papers

χαρτομάντηλο, χαρτομάντιλο ΟΥΣ ΟΥΔ
tissue, paper hankie

χαρτόμουτρο ΟΥΣ ΟΥΔ (μειωτ.) avid card
player

χαρτόνι ΟΥΣ ΟΥΔ cardboard

χαρτονόμισμα ΟΥΣ ΟΥΔ paper money, note
(Βρετ.), bill (Αμερ.)

χαρτοπαίγνιο ΟΥΣ ΟΥΔ (επίσ.) (α) (= παιχνίδι
με χαρτιά) card game (β) (= χαρτοπαιξία)
gambling (χωρίς πληθ., cards πληθ.

χαρτοπαίζω Ρ ΑΜ to play cards ·
(συστηματικά) to gamble

χαρτοπαίκτης ΟΥΣ ΑΡΣ card player · (κατά
σύστημα) gambler

χαρτοπαίκτρια ΟΥΣ ΘΗΛ βλ. **χαρτοπαίκτης**

X

χαρτοπαιξία ΟΥΣ ΘΗΛ gambling *χωρίς πληθ.*, cards *πληθ.*

χαρτοπαίχτης ΟΥΣ ΑΡΣ = **χαρτοπαίκτης**

χαρτοπαίχτρα ΟΥΣ ΘΗΛ *βλ.* **χαρτοπαίκτης**

χαρτοπετσέτα ΟΥΣ ΘΗΛ serviette (*Βρετ.*), napkin (*Αμερ.*)

χαρτοποιία ΟΥΣ ΘΗΛ **(α)** (= *τέχνη παρασκευής χαρτιού*) paper manufacturing **(β)** (= *εργοστάσιο χαρτιού*) paper mill **(γ)** (= *βιομηχανικός κλάδος*) paper industry

χαρτοπόλεμος ΟΥΣ ΑΡΣ **(α)** (= *κομφετί*) confetti **(β)** (*μτφ.*) war of words

χαρτοπωλείο ΟΥΣ ΟΥΔ stationer's

χαρτορίχτρα ΟΥΣ ΘΗΛ card reader

χαρτοσακούλα ΟΥΣ ΘΗΛ paper bag

χαρτοσημαίνω Ρ Μ to stamp

χαρτοσήμανση ΟΥΣ ΘΗΛ stamping

χαρτόσημο ΟΥΣ ΟΥΔ stamp

χαρτοφύλακας ΟΥΣ ΑΡΣ (*θήκη ή τσάντα*) briefcase

χαρτοφυλάκιο ΟΥΣ ΟΥΔ (ΠΟΛΙΤ, ΟΙΚΟΝ) portfolio
▷**υπουργός άνευ χαρτοφυλακίου** minister without portfolio

χαρωπός, -ή, -ό ΕΠΙΘ **(α)** (*πρόσωπο, άτομο, βλέμμα*) cheery **(β)** (*τραγούδι, τιτίβισμα*) chirpy · (*περπάτημα*) breezy

χασάπης ΟΥΣ ΑΡΣ **(α)** (*κυριολ., μτφ.*) butcher **(β)** (*για χειρουργό: μειωτ.*) sawbones (*ανεπ.*)

χασάπικο ΟΥΣ ΟΥΔ butcher's shop

χασάπικος, -η, -ο ΕΠΙΘ (*μαχαίρι, ποδιά*) butcher's

χάση ΟΥΣ ΘΗΛ: **στη χάση και στη φέξη** once in a blue moon

χασικλής ΟΥΣ ΑΡΣ hash smoker (*ανεπ.*)

χάσιμο ΟΥΣ ΟΥΔ (*βιβλίου, ψυχραιμίας, στα χαρτιά*) losing · (*λεωφορείου*) missing
▷**είναι χάσιμο χρόνου** it's a waste of time

χασίς ΟΥΣ ΟΥΔ ΑΚΛ **(α)** (*φυτό*) hemp, cannabis **(β)** (*ναρκωτικό*) hashish, cannabis

χασίσι ΟΥΣ ΟΥΔ = **χασίς**

χασισοπότης ΟΥΣ ΑΡΣ hashish smoker

χασκογελώ Ρ ΑΜ **(α)** (= *γελώ δυνατά*) to guffaw **(β)** (= *χαχανίζω*) to giggle

χάσμα ΟΥΣ ΟΥΔ **(α)** (= *βάραθρο*) chasm **(β)** (= *κενό*) gap · (= *διαφορά*) gulf
▸**χάσμα (των) γενεών** generation gap

χασμουρητό ΟΥΣ ΟΥΔ yawn

χασμουριέμαι Ρ ΑΜ ΑΠΟΘ to yawn

χασομέρης ΟΥΣ ΑΡΣ (= *αργόσχολος*) loafer

χασομέρι ΟΥΣ ΟΥΔ (= *χρονοτριβή*) delay

χασομέρισσα ΟΥΣ ΘΗΛ *βλ.* **χασομέρης**

χασομερώ ①̲ Ρ ΑΜ **(α)** (= *σπαταλώ χρόνο*) to waste one's time **(β)** (= *χρονοτριβώ*) to dawdle
②̲ Ρ Μ: **χασομερώ κπν** to hold sb up

χασούρα ΟΥΣ ΘΗΛ loss

χαστούκι ΟΥΣ ΟΥΔ **(α)** (= *σκαμπίλι*) slap **(β)** (*μτφ.*) blow

χαστουκίζω Ρ Μ to slap

χατίρι ΟΥΣ ΟΥΔ (*ανεπ.*) favour (*Βρετ.*), favor (*Αμερ.*)
▷**δεν χαλάω χατίρι σε κπν ή ποτέ το χατίρι κποιου** to indulge sb
▷**κάνω το χατίρι κποιου** to do sb a favour (*Βρετ.*) ή favor (*Αμερ.*)

χαυλιόδοντας ΟΥΣ ΑΡΣ tusk

χαύνος, -η, -ο ΕΠΙΘ (*επίσ.*) sluggish

χαύνωση ΟΥΣ ΘΗΛ torpor

χαφ ΟΥΣ ΑΡΣ ΑΚΛ (*στο ποδόσφαιρο*) midfielder, halfback

χαφιές ΟΥΣ ΑΡΣ (*αργκ.*) informer, stool pigeon (*Αμερ.*) (*ανεπ.*)

χάφτω Ρ Μ **(α)** (= *καταβροχθίζω*) to gulp down **(β)** (= *πιστεύω εύκολα*) to fall for
▷**χάφτω μύγες** (= *τεμπελιάζω*) to loaf about · (= *είμαι ανόητος*) to be dopey (*ανεπ.*)

χάχανα ΟΥΣ ΟΥΔ ΠΛΗΘ giggle *εν.*
▷**με πιάνουν χάχανα** to get the giggles

χαχανίζω Ρ ΑΜ to giggle

χάχας (*μειωτ.*) ΟΥΣ ΑΡΣ half-wit (*ανεπ.*)

χαψιά ΟΥΣ ΘΗΛ (= *μπουκιά*) mouthful
▷**με μια χαψιά** in one gulp

χαώδης, -ης, -ες ΕΠΙΘ (*κατάσταση, πόλη*) chaotic

χέζω (*χυδ.*) ①̲ Ρ ΑΜ (= *αφοδεύω*) to shit (*χυδ.*)
②̲ Ρ Μ (= *λερώνω*) to shit on (*χυδ.*)
▷**χέζω κπν** to give sb hell (*ανεπ.*)
▷**χέσ' τον/την/το!** fuck him/her/it ή that! (*χυδ.*)
▸**χέζομαι** ΜΕΣΟΠΑΘ (*κυριολ., μτφ.*) to shit oneself (*χυδ.*)
▷**χέστηκα!** I don't give a shit! (*χυδ.*)
▷**χέστηκε η φοράδα στ' αλώνι!** who gives a shit! (*χυδ.*)

χείλι ΟΥΣ ΟΥΔ lip · *βλ. κ.* **χείλος**

χειλικός, -ή, -ό ΕΠΙΘ (*μόλυνση*) lip
▸**χειλικό σύμφωνο** labial

χείλος ΟΥΣ ΟΥΔ **(α)** (ΑΝΑΤ) lip **(β)** (*ποτηριού, μπουκαλιού*) rim · (*γκρεμού*) edge
▷**βρίσκομαι ή είμαι στο χείλος του γκρεμού** to be on the verge of disaster
▷**φιλώ κπν στα χείλη** to kiss sb on the lips ή on the mouth
▷**σφραγίζω τα χείλη μου** my lips are sealed

χείμαρρος ΟΥΣ ΑΡΣ **(α)** (= *ορμητικό ρεύμα νερού*) torrent **(β)** (*δακρύων*) floods *πληθ.* · (*λέξεων*) stream · (*οργής*) surge

χειμαρρώδης, -ης, -ες ΕΠΙΘ (*επίσ.: ομιλία, ομιλητής*) gushing

χειμερινός, -ή, -ό ΕΠΙΘ (*εκπτώσεις, περίοδος*) winter
▸**χειμερινά** ΟΥΣ ΟΥΔ ΠΛΗΘ winter clothes

χειμέριος, -ια ή -ία, -ιο ΕΠΙΘ (*επίσ.*) winter
▷**πέφτω σε χειμερία νάρκη** to hibernate
▸**χειμερία νάρκη** hibernation

χειμώνας ΟΥΣ ΑΡΣ winter

χειμωνιάζει Ρ ΑΜ: **χειμωνιάζει** ΑΠΡΟΣ winter is setting in

χειμωνιάτικος, -η, -ο ΕΠΙΘ (*μέρα, βροχή*)

winter
▸**χειμωνιάτικα** ΟΥΣ ΟΥΔ ΠΛΗΘ winter clothes
χειρ (επίσ.) ΟΥΣ ΘΗΛ hand
▷**συν Αθηνά και χείρα κίνει** God helps those who help themselves (παροιμ.)· *βλ. κ.* **χέρι**
χειραγώγηση (αρνητ.) ΟΥΣ ΘΗΛ (πολιτών, εργαζομένων, λαού) manipulation
χειραγωγώ (αρνητ.) Ρ Μ to manipulate
χειράμαξα (επίσ.) ΟΥΣ ΘΗΛ (για ψώνια, αποσκευές) trolley (Βρετ.), cart (Αμερ.)· (υλικών οικοδομής) wheelbarrow
χειραποσκευή (επίσ.) ΟΥΣ ΘΗΛ hand luggage χωρίς πληθ.
χειραφέτηση ΟΥΣ ΘΗΛ (α) (γυναικών) emancipation (β) (από επιρροή, προλήψεις, δεσμεύσεις) freedom
χειραφετώ Ρ Μ (α) (γυναίκα) to emancipate (β) (= από επιρροή, εξάρτηση) to free
χειραψία ΟΥΣ ΘΗΛ handshake
▷**ανταλλάσσω χειραψία με κπν** to shake hands with sb
χειρίζομαι Ρ Μ ΑΠΟΘ (α) (εργαλείο, όπλο) to handle, to use· (μηχάνημα) to operate (β) (γλώσσα) to use (γ) (θέμα, υπόθεση, κρίση, κατάσταση, άνθρωπο) to handle, to deal with
χειρισμός ΟΥΣ ΑΡΣ (α) (μηχανήματος) operation· (οργάνου) handling (β) (αυτοκινήτου) manoeuvre (Βρετ.), maneuver (Αμερ.) (γ) (γλώσσας) use (δ) (ζητήματος, θέματος, υπόθεσης) handling
χειριστήριο ΟΥΣ ΟΥΔ (μηχανήματος, συσκευής) control
χειριστής ΟΥΣ ΑΡΣ (μηχανήματος, γερανού) operator· (αεροσκάφους) pilot
χείριστος, -η ή -ίστη, -ο (επίσ.) ΕΠΙΘ (ποιότητα, παράδειγμα) worst
χειρίστρια ΟΥΣ ΘΗΛ *βλ.* **χειριστής**
χειροβομβίδα ΟΥΣ ΟΥΔ (hand) grenade
χειρόγραφο ΟΥΣ ΟΥΔ manuscript
χειρόγραφος, -η, -ο ΕΠΙΘ (διαθήκη, κείμενο, προκήρυξη) handwritten
χειροδικία ΟΥΣ ΘΗΛ (επίσ.) use of violence
χειροδικώ (επίσ.) Ρ ΑΜ to use violence
χειροδύναμος, -η, -ο ΕΠΙΘ with strong arms
χειροκίνητος, -η, -ο ΕΠΙΘ (μηχάνημα) manually operated
χειροκρότημα ΟΥΣ ΟΥΔ applause χωρίς πληθ.
χειροκροτώ Ⅰ Ρ Μ (α) (ηθοποιό, τραγουδιστή) to applaud (β) (πρωτοβουλία, πρόταση) to approve of Ⅱ Ρ ΑΜ (κοινό, θεατές) to clap, to applaud
χειρολαβή ΟΥΣ ΘΗΛ (α) (μπαστουνιού, δοχείου, πριονιού) handle (β) (σε λεωφορείο, τρόλεϊ) handle· (σε σκάλες) handrail (γ) (στην πάλη) grip
χειρομαντεία ΟΥΣ ΘΗΛ palm reading
χειρονομία ΟΥΣ ΘΗΛ (α) (γενικότ.) gesticulation (β) (= συνειδητή κίνηση χεριών) gesture (γ) (= προσβλητικό άγγιγμα) pawing

χωρίς πληθ. (δ) (μτφ.) gesture
χειρονομώ Ρ ΑΜ (α) (γενικότ.) to gesticulate (β) (συνειδητά) to gesture (γ) (= αγγίζω προσβλητικά) to paw
χειροπέδες ΟΥΣ ΘΗΛ ΠΛΗΘ handcuffs
▷**περνάω ή βάζω ή φοράω σε κπν χειροπέδες** to handcuff sb
▷**φοράω χειροπέδες** to be handcuffed
χειροπιαστός, -ή, -ό ΕΠΙΘ (αποδείξεις, αλήθεια) tangible
χειροπόδαρα ΕΠΙΡΡ (δένω) hand and foot
χειροποίητος, -η, -ο ΕΠΙΘ handmade
χειροπράκτης ΟΥΣ ΑΡΣ chiropractor
χειροπρακτική ΟΥΣ ΘΗΛ chiropractic
χειροσφαίριση (επίσ.) ΟΥΣ ΘΗΛ handball
χειροτέρευση ΟΥΣ ΘΗΛ (κατάστασης, καιρού, υγείας) deterioration
χειροτερεύω Ⅰ Ρ Μ (κατάσταση, πρόβλημα) to make worse, to aggravate Ⅱ Ρ ΑΜ (ασθενής) to take a turn for the worse, to deteriorate· (κατάσταση, υγεία, συνθήκες, καιρός) to get worse, to deteriorate
χειρότερος, -η, -ο ΕΠΙΘ worse
▷**ο χειρότερος βαθμός** the worst grade
▷**χειρότερος από** worse than
▷**χειρότερος απ' όλους** the worst of all
▸**χειρότερο** ΟΥΣ ΟΥΔ· **το χειρότερο** the worst
▷**(και) μη χειρότερα!** let's hope things don't get any worse!
▷**(πάω) απ' το κακό στο χειρότερο** (to go) from bad to worse
▷**τόσο το χειρότερο** so much the worse
χειροτέχνημα ΟΥΣ ΟΥΔ (α) (γενικότ.) handicraft (β) (= εργόχειρο) needlework
χειροτέχνης ΟΥΣ ΑΡΣ craftsman

Προσοχή!: Ο πληθυντικός του **craftsman** *είναι* **craftsmen**.

χειροτεχνία ΟΥΣ ΘΗΛ (α) (= κατασκευή ή διακόσμηση έργου) handicraft (β) (ΣΧΟΛ) craft

Προσοχή!: Ο πληθυντικός του **craft** *είναι* **craft**.

χειροτεχνικός, -ή, -ό ΕΠΙΘ (προϊόν) handmade· (εργαστήρι, εργαλεία) craft
χειροτεχνίτρια ΟΥΣ ΘΗΛ craftswoman
χειροτόνηση ΟΥΣ ΘΗΛ (λαϊκού) ordination· (επισκόπου) consecration
χειροτονία ΟΥΣ ΘΗΛ = **χειροτόνηση**
χειροτονώ Ρ Μ (για επίσκοπο) to ordain
▷**θα σε χειροτονήσω!** (κοροϊδ.) I'll smack you!
▸**χειροτονούμαι** ΜΕΣΟΠΑΘ (ιερέας) to be ordained· (επίσκοπος) to be consecrated
χειρουργείο ΟΥΣ ΟΥΔ (α) (αίθουσα) operating theatre (Βρετ.)· ή room (Αμερ.) (β) (= εγχείρηση) operation
▷**έχω χειρουργείο** (γιατρός) to perform an

operation
χειρουργική ΟΥΣ ΘΗΛ surgery
▶ **κοσμητική χειρουργική** cosmetic surgery
▶ **πλαστική χειρουργική** plastic surgery
χειρουργικός, -ή, -ό ΕΠΙΘ (*εργαλεία, γάντια*) surgical
▶ **χειρουργική επέμβαση** operation
▶ **χειρουργικό τραπέζι** operating table
χειρουργός ΟΥΣ ΑΡΣ&ΘΗΛ surgeon
χειρούργος (*ανεπ.*) ΟΥΣ ΑΡΣ&ΘΗΛ surgeon
▶ **χειρούργος οδοντίατρος** dental surgeon
χειρουργώ Ρ Μ to operate on
▶ **χειρουργούμαι** ΜΕΣΟΠΑΘ to have an operation
χειροφίλημα ΟΥΣ ΟΥΔ kissing sb's hand
χειρόφρενο ΟΥΣ ΟΥΔ handbrake (*Βρετ.*), parking brake (*Αμερ.*)
▷ **βάζω/λύνω το χειρόφρενο** to apply/release the handbrake (*Βρετ.*) ή the parking brake (*Αμερ.*)
χείρων, -ων, -ον (*επίσ.*) ΕΠΙΘ: **το μη χείρον βέλτιστον** it's the lesser of two evils
χειρώνακτας (*επίσ.*) ΟΥΣ ΑΡΣ manual worker
χειρωνακτικός, -ή, -ό ΕΠΙΘ (*εργασία, επάγγελμα*) manual
χέλι ΟΥΣ ΟΥΔ eel
χελιδόνι ΟΥΣ ΟΥΔ swallow
χελιδονοφωλιά ΟΥΣ ΟΥΔ swallow's nest
χελιδονόψαρο ΟΥΣ ΟΥΔ flying fish
χελώνα ΟΥΣ ΘΗΛ tortoise
▷ **σαν χελώνα, με βήμα** ή **ρυθμό χελώνας** at a snail's pace
▶ **θαλάσσια χελώνα** turtle (*Βρετ.*), sea turtle (*Αμερ.*)
χεράκι ΟΥΣ ΟΥΔ (little) hand
▷ **δίνω** ή **βάζω ένα χεράκι** to give ή lend a hand
▷ **με τα χεράκια μου** with one's own two hands
▷ **τα λέω σε κπν ένα χεράκι** to give sb a piece of one's mind
χέρι ΟΥΣ ΟΥΔ **(α)** (= *παλάμη*) hand **(β)** (= *μπράτσο*) arm **(γ)** (*μοίρας, νόμου, Θεού*) hand **(δ)** (= *χερούλι*) handle **(ε)** (*στο ποδόσφαιρο*) handball
▷ **περνώ κτ δύο χέρια** to give sth two coats (of paint)
▷ **πρώτο/δεύτερο/τελευταίο χέρι** first/second/ top coat
▷ **αλλάζω χέρια** to change hands
▷ **απλώνω χέρι πάνω σε κπν** (= *χτυπώ*) to lay a finger on sb
▷ **απλώνω χέρι σε κτ** to lay one's hands on sth
▷ **από δεύτερο χέρι** secondhand
▷ **από πρώτο χέρι** firsthand
▷ **από χέρι σε χέρι, χέρι με χέρι** from hand to hand
▷ **βάζω** ή **δίνω ένα χέρι** to lend ή give a hand
▷ **βάζω κτ στο χέρι** to get one's hands on sth
▷ **βάζω (κι εγώ) το χέρι μου σε** ή **για κτ** to have a hand in sth
▷ **βάζω χέρι σε κπν** (= *χουφτώνω*) to touch

sb · (= *επιπλήττω*) to tell sb off
▷ **βάζω χέρι σε κτ** to lay one's hands on sth
▷ **δίνω τα χέρια με κπν** (= *κάνω χειραψία*) to shake hands with sb · (= *συμφιλιώνομαι*) to make up with sb
▷ **είμαι** ή **βρίσκομαι σε καλά χέρια** to be in good hands
▷ **είναι στο χέρι κποιου** it's up to sb
▷ **έρχομαι** ή **πιάνομαι στα χέρια με κπν** to come to blows with sb
▷ **έχω ελαφρύ χέρι** (*για οδοντίατρο, νοσοκόμα*) to have a gentle touch
▷ **έχω κπν του χεριού μου** to have sb eating out of one's hand
▷ **έχω μακρύ χέρι** (*για κλοπή*) to be light-fingered · (*για σεξουαλική παρενόχληση*) to have wandering hands
▷ **έχω το πάνω χέρι** to have the upper hand
▷ **ζητώ το χέρι κποιου (από κπν)** to ask (sb) for sb's hand in marriage
▷ **κάθομαι** ή **μένω με σταυρωμένα χέρια** to sit idly by
▷ **κάνω ό, τι περνά από το χέρι μου** to do one's very best, to do everything in one's power
▷ **κάτω τα χέρια!** hands off!
▷ **κρατώ κπν από το χέρι** to hold sb's hand, to take sb by the hand
▷ **κόβω τα χέρια κποιου** to hamper sb
▷ **λύνω τα χέρια κποιου** to be a great help to sb
▷ **με το χέρι στην καρδιά** ή **στο ευαγγέλιο** with one's hand on one's heart
▷ **παίρνω** ή **πιάνω κπν από το χέρι** to take sb by the hand
▷ **πέφτω στα χέρια κποιου** to fall into sb's clutches
▷ **στο χέρι** (= *κρατώντας*) in one's hand · (*ανεπ.*: *χρήματα*) in hand
▷ **τα χέρια μου είναι δεμένα** my hands are tied
▷ **τρώω με τα χέρια** to eat with one's hands
▷ **χέρι-χέρι** hand in hand
▶ **χέρια** ΠΛΗΘ (= *εργάτες*) labour (*Βρετ.*), labor (*Αμερ.*)
▶ **εργατικά χέρια** labour (*Βρετ.*), labor (*Αμερ.*)
χεροδύναμος, -η, -ο ΕΠΙΘ = **χειροδύναμος**
χεροπόδαρα ΕΠΙΡΡ = **χειροπόδαρα**
χερουβείμ, χερουβίμ ΟΥΣ ΟΥΔ ΑΚΛ cherub
χερούκλα (*προφορ.*) ΟΥΣ ΘΗΛ big hand
χερούλι ΟΥΣ ΟΥΔ (*γενικότ.*) handle · (*πόρτας*) door handle · (*στρογγυλό*) doorknob
χερσαίος, -α, -ο ΕΠΙΘ (*δίκτυο, μεταφορά*) land
▶ **χερσαίες δυνάμεις** land ή ground forces
χερσόνησος ΟΥΣ ΘΗΛ peninsula
χέρσος, -α ή **-η, -ο** (*γη, έδαφος*) waste
χερσότοπος ΟΥΣ ΑΡΣ wasteland
χέσιμο (*χυδ.*) ΟΥΣ ΟΥΔ shit (*χυδ.*)
▷ **ρίχνω χέσιμο σε κπν** (*μτφ.*) to give sb a bollocking (*χυδ.*)
▷ **τρώω χέσιμο από κπν** (*μτφ.*) to get a bollocking from sb (*χυδ.*)

χεσμένος, -η, -ο (χυδ.) ΕΠΙΘ: **είμαι χεσμένος** to have shat oneself (χυδ.)· (= πολύ φοβισμένος) to be scared shitless (χυδ.)
▷**έχω κπν/κτ χεσμένο** (μτφ.) not to give a shit about sb/sth (χυδ.)
▷**την έχω χεσμένη τη φωλιά μου** to be in deep shit (χυδ.)
χέστης ΟΥΣ ΑΡΣ (χυδ.: = δειλός) chicken (ανεπ.)
χημεία ΟΥΣ ΘΗΛ (α) (επιστήμη) chemistry (β) (μάθημα) chemistry (lesson)
▸**ανόργανη/οργανική χημεία** organic/inorganic chemistry
χημείο ΟΥΣ ΟΥΔ (= εργαστήριο) chemistry laboratory ή lab (ανεπ.)
χημειοθεραπεία ΟΥΣ ΘΗΛ chemotherapy
χημικός, -ή, -ό ΕΠΙΘ (διάλυμα, μέθοδος) chemical· (εργαστήριο) chemistry
▸**χημική ένωση** chemical compound
▸**χημικός τύπος** chemical formula
▸**χημικά** ΟΥΣ ΟΥΔ ΠΛΗΘ chemicals
▸**χημικός** ΟΥΣ ΑΡΣΘΗΛ (α) (επιστήμονας) chemist (β) (καθηγητής) chemistry teacher
χήνα ΟΥΣ ΘΗΛ goose

Προσοχή!: Ο πληθυντικός του **goose** *είναι* **geese**.

χήρα ΟΥΣ ΘΗΛ widow
▷**κλαίνε οι χήρες, κλαίνε κι οι παντρεμένες** they complain more who suffer least (παροιμ.)
▷**μένω χήρα** to be widowed
χηρεία ΟΥΣ ΘΗΛ (α) (για άνδρα, γυναίκα) widowhood (β) (για θέση, αξίωμα) vacancy
χηρεύω Ρ ΑΜ (α) (= μένω χήρος) to be widowed (β) (έδρα, αξίωμα) to be vacant
χήρος ΟΥΣ ΑΡΣ widower
χθες ΕΠΙΡΡ yesterday
▷**μέχρι χθες** until recently
▸**χθες** ΟΥΣ ΟΥΔ: **το χθες** the past
χθεσινός, -ή, -ό ΕΠΙΘ (α) (ψωμί, γεγονός) yesterday's (β) (= πολύ πρόσφατος) recent
ΧΙ ΟΥΣ ΟΥΔ ΑΚΛ chi, 22nd letter of the Greek alphabet
Χιλή ΟΥΣ ΘΗΛ Chile
Χιλιανή ΟΥΣ ΘΗΛ βλ. **Χιλιανός**
χιλιάνικος, -η, -ο ΕΠΙΘ Chilean
Χιλιανός ΟΥΣ ΑΡΣ Chilean
Χιλιάνος ΟΥΣ ΑΡΣ = **Χιλιανός**
χίλια ΑΡΙΘ ΑΠΟΛ ΑΚΛ thousand
χιλιάδα ΟΥΣ ΘΗΛ thousand
▷**δύο/τρεις χιλιάδες άτομα** two/three thousand people
χιλιαστής ΟΥΣ ΑΡΣ millenarian
χιλιετηρίδα ΟΥΣ ΘΗΛ (α) (= χίλια χρόνια) millennium

Προσοχή!: Ο πληθυντικός του **millennium** *είναι* **millenniums** *ή* **millennia**.

(β) (= χιλιοστή επέτειος) thousandth anniversary
χιλιετής, -ής, -ές ΕΠΙΘ thousand–year–old
χιλιετία ΟΥΣ ΘΗΛ = **χιλιετηρίδα**
χιλιόγραμμο ΟΥΣ ΟΥΔ (επίσ.) kilogramme (Βρετ.), kilogram (Αμερ.)
χιλιοειπωμένος, -η, -ο ΕΠΙΘ (λόγια, συμβουλή) hackneyed
χίλιοι, -ες, -α ΑΡΙΘ ΑΠΟΛ ΠΛΗΘ: **χίλιοι άνθρωποι** a thousand people· (για έμφαση) thousands of people
▷**ένα επί τοις χιλίοις** one per thousand
▷**μια φορά στα χίλια χρόνια** once in a lifetime
▷**χίλια ευχαριστώ για τη βοήθεια** many thanks for your help
▷**χίλιες λίρες** a thousand pounds, a grand (ανεπ.)
▷**χίλιοι δυο** hundreds of
χιλιόλιτρο ΟΥΣ ΟΥΔ thousand litres (Βρετ.) ή liters (Αμερ.)
χιλιομετρικός, -ή, -ό ΕΠΙΘ (απόσταση) in kilometres (Βρετ.) ή kilometers (Αμερ.)
χιλιόμετρο ΟΥΣ ΟΥΔ kilometre (Βρετ.), kilometer (Αμερ.)
▷**ανά χιλιόμετρο** per kilometre (Βρετ.) ή kilometer (Αμερ.)
▸**τετραγωνικό χιλιόμετρο** square kilometre (Βρετ.) ή kilometer (Αμερ.)
χιλιοστόγραμμο ΟΥΣ ΟΥΔ milligram, milligramme (Βρετ.)
χιλιοστόλιτρο ΟΥΣ ΟΥΔ millilitre (Βρετ.), milliliter (Αμερ.)
χιλιοστόμετρο ΟΥΣ ΟΥΔ (= χιλιοστό) millimetre (Βρετ.), millimeter (Αμερ.)
χιλιοστός, -ή, -ό ΑΡΙΘ ΤΑΚΤ (α) (βιβλίο, αυτοκίνητο) thousandth (β) (για έμφαση) umpteenth
▸**χιλιοστό** ΟΥΣ ΟΥΔ (α) (= ένα από χίλια ίσα μέρη) thousandth (β) (= χιλιοστόμετρο) millimetre (Βρετ.), millimeter (Αμερ.)
χιλιοφορεμένος, -η, -ο ΕΠΙΘ (παλτό, παντελόνι) battered
χιλιόχρονος, -η, -ο ΕΠΙΘ thousand–year–old
▷**χιλιόχρονος!** (ευχή) ≈ many happy returns!
χιμίζω Ρ ΑΜ = **χιμώ**
χιμπαντζής, χιμπατζής ΟΥΣ ΑΡΣ (α) chimpanzee (β) (μτφ.) dog (ανεπ.)
χιμώ Ρ ΑΜ (= ορμώ) to rush· (με επιθετικές διαθέσεις) to pounce
▷**χιμώ σε κπν** to rush at sb· (λεκτικά) to jump down sb's throat
χιονάνθρωπος ΟΥΣ ΑΡΣ snowman
χιονάτος, -η, -ο (λογοτ.) ΕΠΙΘ (μαλλιά, δέρμα) snow–white
▷**η Χιονάτη και οι εφτά νάνοι** Snow White and the Seven Dwarfs
χιόνι ΟΥΣ ΟΥΔ snow
▷**είμαι χιόνι** (για ρούχα, σεντόνια, μαλλιά, δέρμα) to be as white as snow· (για χέρια, πόδια) to be frozen
▷**ρίχνει ή πέφτει χιόνι** it's snowing

▸ **χιόνια** ΠΛΗΘ snow *εν.*

χιονίζω Ρ ΑΜ: **χιονίζει** ΑΠΡΟΣ it's snowing

χιονισμένος, -η, -ο ΕΠΙΘ (*βουνό*) snow–capped · (*στέγη*) covered in snow

χιονίστρες ΟΥΣ ΘΗΛ ΠΛΗΘ chilblains

χιονόβροχο ΟΥΣ ΟΥΔ sleet

χιονοδρομία ΟΥΣ ΘΗΛ (*επίσ.*) ski race

χιονοδρομικός, -ή, -ό ΕΠΙΘ (*πίστα*) ski · (*ρούχα, εξοπλισμός*) skiing

▸ **χιονοδρομικό κέντρο** ski resort

χιονοδρόμιο ΟΥΣ ΟΥΔ ski run

χιονοδρόμος ΟΥΣ ΑΡΣ/ΘΗΛ skier

χιονοθύελλα ΟΥΣ ΘΗΛ snowstorm

χιονόμπαλα ΟΥΣ ΘΗΛ snowball

χιονόνερο ΟΥΣ ΟΥΔ sleet

χιονοπέδιλο ΟΥΣ ΟΥΔ ski

χιονοπόλεμος ΟΥΣ ΑΡΣ snowball fight

χιονόπτωση ΟΥΣ ΘΗΛ snowfall

χιονοστιβάδα ΟΥΣ ΟΥΔ (*κυριολ., μτφ.*) avalanche

χιονοστρόβιλος ΟΥΣ ΑΡΣ blizzard

Χίος ΟΥΣ ΘΗΛ Chios

χιούμορ ΟΥΣ ΟΥΔ ΑΚΛ humour (*Βρετ.*), humor (*Αμερ.*)

▸ **έχω χιούμορ** (*άνθρωπος*) to have a sense of humour (*Βρετ.*) *ή* humor (*Αμερ.*) · (*ταινία*) to be funny *ή* humorous

χιουμορίστα ΟΥΣ ΘΗΛ *βλ.* **χιουμορίστας**

χιουμορίστας ΟΥΣ ΑΡΣ (α) (= *που έχει χιούμορ*) wit (β) (= *ευθυμογράφος*) humorist

χιουμοριστικός, -ή, -ό ΕΠΙΘ (*σκηνή, διάλογος*) funny, humorous · (*διάθεση*) joky

χίπης ΟΥΣ ΑΡΣ hippie

χίπισσα ΟΥΣ ΘΗΛ *βλ.* **χίπης**

χιπ-χοπ ΟΥΣ ΘΗΛ/ΟΥΔ ΑΚΛ hip–hop

χιτώνας ΟΥΣ ΑΡΣ (*παλαιότ.*) tunic, chiton (*επιστ.*)

χιτώνιο ΟΥΣ ΟΥΔ (α) (= *κοντός χιτώνας*) short tunic (β) (ΣΤΡΑΤ) tunic

χλαίνη ΟΥΣ ΘΗΛ (ΣΤΡΑΤ) greatcoat

χλεμπονιάρης, -α, -ικο ΕΠΙΘ (*μειωτ.*: = *κιτρινιάρης*) pallid, sallow

▸ **χλεμπονιάρης** ΟΥΣ ΑΡΣ, **χλεμπονιάρα** ΟΥΣ ΘΗΛ person with a pallid *ή* sallow complexion

χλευάζω Ρ Μ (*αντίπαλο, επιστήμονα*) to mock, to make fun of · (*θεωρία, άποψη*) to scoff at

χλευασμός ΟΥΣ ΑΡΣ (*πολιτικού*) derision · (*άποψης, θεωρίας*) scoffing

χλευαστικός, -ή, -ό ΕΠΙΘ (*σχόλιο*) derisive · (*συμπεριφορά*) mocking

χλιαρός, -ή, -ό ΕΠΙΘ (α) (*σούπα, νερό*) tepid, lukewarm (β) (*υποδοχή, κριτικές*) lukewarm, half–hearted

χλιδή ΟΥΣ ΘΗΛ luxury

χλιμιντρίζω Ρ ΑΜ to neigh

χλοερός, -ή, -ό ΕΠΙΘ (*τοπίο, κοιλάδα*) grassy

χλόη ΟΥΣ ΘΗΛ (α) (= *γρασίδι*) grass (β) (= *γκαζόν*) lawn

χλομάδα ΟΥΣ ΘΗΛ pallor, paleness

χλομιάζω Ρ ΑΜ to go *ή* turn pale

χλομός, -ή, -ό ΕΠΙΘ (α) (*πρόσωπο, άνθρωπος, δέρμα*) pale (β) (*φως*) dim · (*χαμόγελο*) faint, thin · (*βλέμμα*) lifeless

χλωμάδα ΟΥΣ ΘΗΛ = **χλομάδα**

χλωμιάζω Ρ ΑΜ = **χλομιάζω**

χλωμός, -ή, -ό ΕΠΙΘ = **χλομός**

χλωρίδα ΟΥΣ ΘΗΛ (ΒΟΤ) flora

χλωρικός, -ή, -ό ΕΠΙΘ: **χλωρικό οξύ** chloric acid

χλωρίνη ΟΥΣ ΘΗΛ (α) (= *απορρυπαντικό*) bleach (β) (ΧΗΜ) chlorine

χλώριο ΟΥΣ ΟΥΔ chlorine

χλωριούχος, -ος, -ο ΕΠΙΘ chloride

▸ **χλωριούχο νάτριο** sodium chloride

χλωρίωση ΟΥΣ ΘΗΛ (*νερού*) chlorination

χλωρός, -ή, -ό ΕΠΙΘ (α) (*κλαδί, χορτάρι*) green (β) (*τυρί*) fresh

▷ **δεν αφήνω** κπν **σε χλωρό κλαρί** not to give sb a moment's peace

χλωροφόρμιο ΟΥΣ ΟΥΔ chloroform

χλωροφύλλη ΟΥΣ ΘΗΛ chlorophyll

χνότο ΟΥΣ ΟΥΔ (*οικ.*) breath

▷ **ταιριάζουν τα χνότα μας** to have things in common

χνουδάτος, -η, -ο ΕΠΙΘ = **χνουδωτός**

χνούδι ΟΥΣ ΟΥΔ (α) (*προσώπου*) fuzz · (*νεοσσών, φυτού, καρπού*) down (β) (*υφάσματος, ρούχου*) fuzz · (*χαλιού*) fluff (γ) (= *σκόνη*) dust

χνουδιάζω Ρ ΑΜ (α) (*έφηβος*) to grow fuzz (on one's face) (β) (*χαλί, ύφασμα*) to fray

χνουδωτός, -ή, -ό ΕΠΙΘ (*μάγουλο*) fuzzy · (*πετσέτα*) fluffy · (*φρούτο*) downy

▷ **χνουδωτό αρκουδάκι** teddy bear

▷ **χνουδωτό ζωάκι** cuddly toy

χνώτο ΟΥΣ ΟΥΔ (*οικ.*) = **χνότο**

χοάνη ΟΥΣ ΘΗΛ (α) (*κυριολ., μτφ.*) melting pot (β) (= *χωνί*) funnel

χόβολη ΟΥΣ ΘΗΛ embers *πληθ.*

χοιρίδιο ΟΥΣ ΟΥΔ piglet

χοιρινός, -ή, -ό ΕΠΙΘ (*λουκάνικο, μπριζόλα*) pork

▸ **χοιρινή** ΟΥΣ ΘΗΛ pork chop

▸ **χοιρινό** ΟΥΣ ΟΥΔ pork

▸ **καπνιστό χοιρινό** smoky bacon

χοιροβοσκός ΟΥΣ ΑΡΣ swineherd

χοιρόδερμα ΟΥΣ ΟΥΔ pigskin

χοιρομέρι ΟΥΣ ΟΥΔ ham

χοίρος ΟΥΣ ΑΡΣ (*επίσ.*) pig

χοιροστάσιο ΟΥΣ ΟΥΔ (α) (= *τμήμα στάβλου*) pigsty (*Βρετ.*), pigpen (*Αμερ.*) (β) (= *χοιροτροφείο*) pig farm

χοιροτροφείο ΟΥΣ ΟΥΔ pig farm

χοιροτρόφος ΟΥΣ ΑΡΣ/ΘΗΛ pig breeder, pig farmer

χόκεϊ ΟΥΣ ΟΥΔ ΑΚΛ hockey (*Βρετ.*), field hockey (*Αμερ.*)

▸ **χόκεϊ επί πάγου** ice hockey (*Βρετ.*), hockey

(Αμερ.)

▸**χόκεϊ επί χόρτου** hockey (Βρετ.), field hockey (Αμερ.)

χολ ΟΥΣ ΟΥΔ ΑΚΛ hall

χολέρα ΟΥΣ ΘΗΛ (ΙΑΤΡ) cholera

χολερικός, -ή, -ό ΕΠΙΘ **(α)** (συμπτώματα) cholera **(β)** (= αγενής και επιθετικός) bad-tempered, choleric (επία.)

▸**χολερικός** ΟΥΣ ΑΡΣ, **χολερική** ΟΥΣ ΘΗΛ cholera victim

χολή ΟΥΣ ΘΗΛ **(α)** (= πεπτική ουσία) bile **(β)** (= χοληδόχος κύστη) gall bladder **(γ)** (= έντονη πικρία) venom, bile

▹**κόβω ή σπάω τη χολή κποιου** to scare the wits ή the life out of sb

▹**ποτίζω κπν χολή** to cut sb to the quick

χοληδόχος, -ος, -ο ΕΠΙΘ: **χοληδόχος κύστη** gall bladder

χοληστερίνη ΟΥΣ ΘΗΛ cholesterol

χοληστερόλη ΟΥΣ ΘΗΛ = **χοληστερίνη**

χολιάζω 1 Ρ ΑΜ (ανεπ.: = οργίζομαι) to be indignant
2 Ρ Μ (= εξοργίζω) to make indignant

χολοσκάω Ρ ΑΜ (ανεπ.) to be upset

χολωμένος, -η, -ο ΕΠΙΘ indignant

χόμπι ΟΥΣ ΟΥΔ ΑΚΛ hobby

χονδρεμπόριο ΟΥΣ ΟΥΔ wholesale trade

χονδρέμπορος ΟΥΣ ΑΡΣ wholesale dealer ή merchant

χονδρικά ΕΠΙΡΡ = **χονδρικώς**

χονδρικός, -ή, -ό ΕΠΙΘ (εμπόριο, τιμές, πώληση) wholesale

χονδρικώς ΕΠΙΡΡ (για επαγγελματία) wholesale · (για καταναλωτή) in bulk

χονδροειδής, -ής, -ές ΕΠΙΘ **(α)** (δουλειά) clumsy, crude · (έπιπλο) crude **(β)** (αστείο, σχόλιο) crude, coarse

χονδρός, -ή, -ό ΕΠΙΘ = **χοντρός**

χόνδρος ΟΥΣ ΑΡΣ cartilage

χοντράδα ΟΥΣ ΘΗΛ (= απρέπεια) coarseness, crudeness

χοντραίνω 1 Ρ Μ **(α)** (σοκολάτα, γλυκά) to make fat **(β)** (= δείχνω πιο χοντρό) to make look fatter **(γ)** (θέμα) to make a big deal of
2 Ρ ΑΜ **(α)** (= παχαίνω) to put on weight, to get fatter **(β)** (φωνή) to get deeper **(γ)** (παιχνίδι, κατάσταση) to get serious

▹**χοντραίνω τη φωνή μου** to make one's voice sound deeper

▹**χοντραίνω το παιχνίδι** (για χαρτοπαίκτη) to up the ante

▹**χοντραίνω το παιχνίδι** ή **το πράγμα** to make a big deal of it

χοντράνθρωπος ΟΥΣ ΑΡΣ boor

χοντρέλα ΟΥΣ ΘΗΛ (υβρ.) big fat lump (ανεπ.)

χοντρεμπόριο ΟΥΣ ΟΥΔ = **χονδρεμπόριο**

χοντρέμπορος ΟΥΣ ΑΡΣ = **χονδρέμπορος**

χοντρικά ΕΠΙΡΡ (= γενικά) roughly

χοντρικός, -ή, -ό ΕΠΙΘ (εκτίμηση, υπολογισμός) rough

χοντροδουλειά ΟΥΣ ΘΗΛ **(α)** (= κακοτεχνία) shoddy work **(β)** (= βαριά χειρωνακτική εργασία) donkey work

χοντροκαμωμένος, -η, -ο ΕΠΙΘ (έπιπλο, βάζο) crudely made

χοντροκέφαλος, -η, -ο ΕΠΙΘ **(α)** (= βλάκας) stupid, thick-headed **(β)** (= ξεροκέφαλος) pig-headed

χοντροκομμένος, -η, -ο ΕΠΙΘ **(α)** (καφές) coarsely ground · (τυρί) coarsely chopped · (κρεμμύδι, ντομάτες) roughly chopped **(β)** (έπιπλο) crudely made **(γ)** (άτομο, συμπεριφορά) crude, boorish · (αστείο) rude, crude

χοντροκοπιά ΟΥΣ ΘΗΛ **(α)** (για δουλειά ή έργο) shoddy work **(β)** (για συμπεριφορά) rudeness

χοντρομπαλάς ΟΥΣ ΑΡΣ fatso (ανεπ.)

χοντρομπαλού ΟΥΣ ΘΗΛ βλ. **χοντρομπαλάς**

χοντρόπετσος, -η, -ο ΕΠΙΘ (ανεπ.: κυριολ., μτφ.) thick-skinned

χοντρός ΟΥΣ ΑΡΣ **(α)** (= παχύσαρκος) fat · (χέρια, πόδια) big **(β)** (τζάμια, βιβλίο) thick · (ύφασμα, ρούχα) heavy · (σταγόνες) fat **(γ)** (αλεύρι, σιμιγδάλι) coarse **(δ)** (φωνή) deep **(ε)** (ψέματα) blatant · (παρεξήγηση, λάθος) big **(στ)** (αστείο, τρόποι) coarse, crude

▸**χοντρό αλάτι** sea salt

▸**χοντρό πιπέρι** peppercorns πληθ.

▸**χοντρά** ΟΥΣ ΟΥΔ ΠΛΗΘ paper money εν.

▸**χοντρό** ΟΥΣ ΟΥΔ (ευφημ.) number two

χορδή ΟΥΣ ΘΗΛ **(α)** (κιθάρας, βιολιού, τόξου) string **(β)** (ΜΑΘ: τόξου, κύκλου) chord

▹**αγγίζω την ευαίσθητη χορδή κποιου** to tug at sb's heartstrings

▸**φωνητικές χορδές** vocal cords

χορευταράς ΟΥΣ ΑΡΣ great dancer

χορευταρού ΟΥΣ ΘΗΛ βλ. **χορευταράς**

χορευτής ΟΥΣ ΑΡΣ dancer

χορευτικός, -ή, -ό ΕΠΙΘ (μουσική, κίνηση, ρυθμός, βήμα) dance

▸**χορευτικό** ΟΥΣ ΟΥΔ (= χορογραφία) choreography

χορεύτρια ΟΥΣ ΘΗΛ βλ. **χορευτής**

χορεύω 1 Ρ Μ **(α)** (χορό) to dance **(β)** (= κινώ ρυθμικά: μωρό) to bounce up and down, to dandle (επία.)
2 Ρ ΑΜ **(α)** (άνδρας, γυναίκα) to dance **(β)** (καράβι) to pitch and toss

▹**τραγούδι που χορεύεται** a tune you can dance to, a dance tune

▹**χορεύω κπν** to dance with sb

▹**χορεύω κπν στο ταψί** to lead sb a merry dance, to make sb's life a misery

χορήγηση ΟΥΣ ΘΗΛ (φαρμάκων, βιταμίνης) administration · (υποτροφίας) award · (αδειών, δανείου) granting · (βοήθειας, τροφίμων) provision

χορηγία ΟΥΣ ΘΗΛ **(α)** (= προσφορά χρημάτων) sponsorship **(β)** (για κοινωφελές έργο) grant **(γ)** (= χρηματικό ποσό) grant

χορηγός ΟΥΣ ΑΡΣ **(α)** *(εκπομπής, αγώνων)* sponsor **(β)** *(κοινωφελούς έργου)* benefactor **(γ)** *(χαράς, ζωής)* provider

χορηγώ Ρ Μ **(α)** *(αγώνες, εκπομπή)* to sponsor **(β)** *(φάρμακα)* to administer, to give · *(τρόφιμα)* to supply, to provide · *(δάνειο, υποτροφία)* to grant, to give · *(σύνταξη, αποζημίωση, βοήθεια)* to provide · *(άδεια, πιστοποιητικό)* to give

χορογραφία ΟΥΣ ΘΗΛ choreography

χορογράφος ΟΥΣ ΑΡΣ+ΘΗΛ choreographer

χοροδιδασκαλείο ΟΥΣ ΟΥΔ dancing school

χοροδιδάσκαλος ΟΥΣ ΑΡΣ dance teacher

χορόδραμα ΟΥΣ ΟΥΔ ballet

χοροεσπερίδα ΟΥΣ ΘΗΛ *(επίσ.)* ball, dance

χοροπηδώ Ρ ΑΜ **(α)** *(= αναπηδώ)* to jump **(β)** *(αρνάκι, κατσικάκι)* to gambol **(γ)** *(καράβι, βάρκα)* to bob up and down
▷**χοροπηδώ από ενθουσιασμό** to be brimming with enthusiasm
▷**χοροπηδώ από χαρά** to jump for joy

χορός ΟΥΣ ΑΡΣ **(α)** *(γενικότ.)* dance **(β)** *(= το να χορεύει κάποιος)* dancing **(γ)** *(= χοροεσπερίδα)* dance, ball **(δ)** (ΘΡΗΣΚ) choir **(ε)** (ΑΡΧ ΙΣΤ) chorus **(στ)** *(αποκαλύψεων)* string · *(διαμαρτυριών, επαίνων)* chorus
▷**ανοίγω τον χορό** to open the dancing, to start the dancing · *(μτφ.)* to start things off
▷**δεν ξέρω χορό** I can't dance
▷**εν χορώ** in chorus
▷**μπαίνω στον χορό** to join in the dancing · *(μτφ.)* to join in
▷**όποιος είναι έξω απ' τον χορό, πολλά τραγούδια ξέρει** it's always easy for outsiders to criticize
▷**τρελαίνομαι για χορό** to love dancing
▷**χορός εκατομμυρίων** millions, huge amounts of money
▸**αίθουσα χορού** *(ξενοδοχείου)* ballroom
▸**πίστα χορού** dance floor
▸**χορός της κοιλιάς** belly dance

χοροστατώ Ρ ΑΜ *(αρχιερέας)* to officiate

χορταίνω ① Ρ ΑΜ to be full, to have had enough ② Ρ Μ **(α)** *(πείνα)* to satisfy · *(δίψα)* to quench **(β)** *(ψωμί)* to have enough **(γ)** *(= τρώω σε μεγάλη ποσότητα: κρέας, παγωτό)* to eat one's fill of **(δ)** *(βροχή, ύπνο)* to have had enough of
▷**χόρτασα** I'm full, I've had enough
▷**χόρτασες;** have you had enough (to eat)?
▷**δεν χορταίνω κπν** not to be able to get enough of sb
▷**δεν χορταίνω να κάνω κτ** to never tire of doing sth
▷**χορταίνω κπν κτ** *(αρνητ.)* to give sb sth

χορτάρι ΟΥΣ ΟΥΔ grass

χορταριάζω Ρ ΑΜ **(α)** *(χωράφι, λιβάδι)* to turn green **(β)** *(τοίχος)* to run to weeds

χορταρικά ΟΥΣ ΟΥΔ ΠΛΗΘ greens

χόρταση ΟΥΣ ΘΗΛ: **δεν είναι (και) για χόρταση**

let's not overdo it

χορταστικός, -ή, -ό ΕΠΙΘ **(α)** *(πρωινό, γεύμα)* hearty **(β)** *(ταινία, θέαμα)* entertaining

χορτάτος, -η, -ο ΕΠΙΘ full

χόρτο ΟΥΣ ΟΥΔ **(α)** *(= πρασινάδα)* grass χωρίς πληθ. **(β)** *(= γκαζόν)* lawn **(γ)** *(= ζωοτροφή)* hay χωρίς πληθ. **(δ)** *(αργκ.)* grass *(ανεπ.)*, dope *(ανεπ.)*
▸**χόρτα** ΠΛΗΘ greens

χορτόπιτα ΟΥΣ ΘΗΛ *herb and vegetable pie*

χορτόσουπα ΟΥΣ ΘΗΛ vegetable soup

χορτοφαγία ΟΥΣ ΘΗΛ vegetarianism

χορτοφάγος, -ος, -ο ΕΠΙΘ *(ζώα)* herbivorous
▷**είμαι χορτοφάγος** I'm (a) vegetarian
▸**χορτοφάγος** ΟΥΣ ΑΡΣ+ΘΗΛ vegetarian

χορωδία ΟΥΣ ΘΗΛ choir

χορωδιακός, -ή, -ό ΕΠΙΘ *(συγκρότημα, σύνολο)* choral

χορωδός ΟΥΣ ΑΡΣ+ΘΗΛ chorister

χουβαρντάς ΟΥΣ ΑΡΣ = **κουβαρντάς**

χουβαρντού ΟΥΣ ΘΗΛ = **κουβαρντού**

χουζούρεμα ΟΥΣ ΟΥΔ lie-in

χουζουρεύω Ρ ΑΜ to lie in *(Βρετ.)*, to sleep in *(Αμερ.)*

χουζούρι ΟΥΣ ΟΥΔ = **χουζούρεμα**

χούι ΟΥΣ ΟΥΔ bad habit

χούλιγκαν ΟΥΣ ΑΡΣ ΑΚΛ hooligan

χουλιγκανισμός ΟΥΣ ΑΡΣ hooliganism

χουνέρι ΟΥΣ ΟΥΔ: **έπαθα χουνέρι** it was a complete fiasco
▷**κάνω χουνέρι σε κπν** to mess things up for sb

χούντα ΟΥΣ ΘΗΛ junta

χουντικός, -ή, -ό ΕΠΙΘ *(καθεστώς, οργάνωση)* junta
▸**χουντικοί** ΟΥΣ ΑΡΣ ΠΛΗΘ: **οι χουντικοί** the junta εν.
▸**χουντικός** ΟΥΣ ΑΡΣ, **χουντική** ΟΥΣ ΘΗΛ member of the junta

χουρμαδιά ΟΥΣ ΘΗΛ date palm

χουρμάς ΟΥΣ ΑΡΣ date

χούφτα ΟΥΣ ΘΗΛ **(α)** *(= παλάμη)* palm **(β)** *(= όσο χωρά μια παλάμη)* handful
▷**με τις χούφτες** *(για λεφτά)* bucketloads of · *(για αλάτι, ζάχαρη)* lashings of
▷**μια χούφτα** +πληθ. a handful of
▷**μια χούφτα άνθρωπος** *(μειωτ.)* a midget

χούφταλο ΟΥΣ ΟΥΔ *(μειωτ.)* old crock *(ανεπ.)*

χουφτώνω Ρ Μ **(α)** *(= πιάνω δυνατά)* to grip, to hold tight **(β)** *(= αρπάζω)* to grab, to grab hold of **(γ)** *(= βάζω χέρι)* to grope

χουχουλιάζω, χουχουλίζω Ρ Μ to breathe on

χοχλάζω Ρ ΑΜ = **κοχλάζω**

χόχλος ΟΥΣ ΑΡΣ boiling, bubbling
▷**παίρνω έναν χόχλο** to come to the boil

χρειάζομαι ① Ρ Μ ΑΠΟΘ to need ② Ρ ΑΜ ΑΠΟΘ *(= είμαι χρήσιμος)* to be necessary, to be needed
▷**πόσο χρόνο ή πόση ώρα χρειάζεσαι για να**

τελειώσεις; how much time do you need to finish?
▷**τα χρειάστηκα** I was scared stiff
▷**χρειάζομαι καθάρισμα** to need cleaning
►**χρειάζεται** ΑΠΡΟΣ: **χρειάζεται να κάνω κτ** (= *είναι αναγκαίο*) to have to do sth, to need to do sth
▷**αν χρειαστεί** if necessary
▷**δεν χρειάζεται να αναφερθώ σε ονόματα** I don't need to *ή* I needn't mention any names
▷**δεν χρειάζεται να είσαι ιδιαίτερα έξυπνος** you don't have to be especially clever
▷**θα χρειαστούν πολλά άτομα γι' αυτή τη δουλειά** a lot of people will be needed for this job
▷**είναι ό, τι χρειάζεται για το κρύο/την κούραση** it's just what you need for the cold weather/to relax
▷**χρειάζεται να έρθω κι εγώ μαζί;** do I have *ή* need to come with you?
▷**χρειάζεται προσοχή** you have *ή* need to pay attention
▷**χρειάζεται πολλή υπομονή/θάρρος** it takes a lot of patience/courage

χρειαζούμενα ΟΥΣ ΟΥΔ ΠΛΗΘ (*ανεπ.*) necessities

χρειώδη ΟΥΣ ΟΥΔ ΠΛΗΘ necessities

χρεμετίζω Ρ ΑΜ (*άλογο*) to neigh, to whinny

χρεοκοπία ΟΥΣ ΘΗΛ = **χρεωκοπία**

χρεοκοπώ Ρ ΑΜ = **χρεωκοπώ**

χρέος ΟΥΣ ΟΥΔ (α) (= *χρηματική οφειλή*) debt (β) (= *καθήκον*) duty
▷**βάζω χρέος** (= *δανείζομαι*) to take out a loan · (= *αγοράζω με δόσεις*) to buy on credit
▷**είμαι πνιγμένος στα χρέη** to be up to one's ears in debt
▷**θεωρώ χρέος μου να κάνω κτ** to consider it one's duty to do sth
▷**κάνω το χρέος μου** to do one's duty
▷**χρέος τιμής** debt of honour (*Βρετ.*) *ή* honor (*Αμερ.*)
▷**εκπληρώνω** *ή* **εξοφλώ το κοινό χρέος** (*ευφημ.*) to pass away
►**χρέη** ΠΛΗΘ: **αναλαμβάνω** *ή* **εκτελώ χρέη** +*γεν.* to act as

χρεωκοπία ΟΥΣ ΘΗΛ (α) (= *πτώχευση*) bankruptcy (β) (= *αποτυχία*) failure

χρεωκοπώ Ρ ΑΜ (α) (= *πτωχεύω*) to go bankrupt (β) (= *αποτυγχάνω*) to fail

χρεωμένος, -η, -ο ΕΠΙΘ (*εταιρεία, άνθρωπος*) in debt · (*σπίτι*) mortgaged · (*αυτοκίνητο*) on credit
▷**χρεωμένος ως τον λαιμό** up to one's ears *ή* eyes in debt

χρεώνω Ρ Μ (α) (*αγοραστή*) to charge (β) (*προϊόν, υπηρεσία*) to cost
▷**δεν έχω χρήματα μαζί μου, χρέωσέ τα** I don't have any money on me, put it on my account
▷**πόσο με χρέωσες;** how much do I owe you?
▷**πόσο χρεώνουν τα βιβλία;** how much do

the books cost?
▷**χρέωσε τις αγορές στον λογαριασμό μου** charge the purchases to my account
▷**χρεώνω (την ευθύνη για) κτ σε κπν** to blame sb for sth
▷**χρεώνω ένα παίκτη με κίτρινη κάρτα** to show *ή* give a player the yellow card
►**χρεώνομαι** ΜΕΣΟΠΑΘ (α) (= *αποκτώ χρέη*) to get into debt · (= *δανείζομαι*) to take out a loan (β) (*αποτυχία*) to be blamed for
▷**χρεώνομαι με κόκκινη κάρτα** to get the red card

χρέωση ΟΥΣ ΘΗΛ (α) (= *επιβάρυνση με χρέος*) charge (β) (= *εγγραφή χρέους σε λογαριασμό*) debit (γ) (= *καταλογισμός ευθύνης*) blame
▷**η χρέωση της κίτρινης κάρτας σε παίκτη** showing *ή* giving a player the yellow card

χρεώστης ΟΥΣ ΑΡΣ debtor

χρεωστικός, -ή, -ό ΕΠΙΘ (*απόδειξη, υπόλοιπο*) debit

χρήμα ΟΥΣ ΟΥΔ money *χωρίς πληθ.*
▷**κολυμπάω στο χρήμα** to be rolling in money
▷**ο χρόνος είναι χρήμα** (*παροιμ.*) time is money (*παροιμ.*)
▷**ρίχνω πολλά χρήματα (σε κτ)** to lay out a lot of money (for sth)
►**βρόμικο χρήμα** dirty money
►**πλαστικό χρήμα** plastic (money)
►**χρήματα** ΠΛΗΘ money *εν.*

χρηματαποστολή ΟΥΣ ΘΗΛ (α) (= *μεταφορά χρημάτων*) collection and delivery of money (β) (= *προσωπικό αποστολής*) security guard · (= *μέσα αποστολής*) security van

χρηματίζομαι Ρ ΑΜ to take bribes

χρηματίζω Ρ ΑΜ (*επίσ.*) to serve as

χρηματικός, -ή, -ό ΕΠΙΘ (*παροχές, εγγύηση, πόροι*) cash · (*ενίσχυση*) financial
►**χρηματικό βραβείο** prize money
►**χρηματικές κυρώσεις, χρηματικό πρόστιμο, χρηματική ποινή** fine
►**χρηματικό ποσό** amount *ή* sum of money

χρηματισμός ΟΥΣ ΑΡΣ bribe–taking

χρηματιστηριακός, -ή, -ό ΕΠΙΘ (*αξία μετοχής*) listed
▷**χρηματιστηριακή αγορά** stock market
▷**χρηματιστηριακή εταιρεία** brokerage

χρηματιστήριο ΟΥΣ ΟΥΔ stock exchange, stock market
►**Χρηματιστήριο Αξιών** stock exchange, stock market

χρηματιστής ΟΥΣ ΑΡΣ stockbroker

χρηματίστρια ΟΥΣ ΘΗΛ *βλ.* **χρηματιστής**

χρηματοδότης ΟΥΣ ΑΡΣ financier, sponsor

χρηματοδότηση ΟΥΣ ΘΗΛ financing, sponsoring

χρηματοδότρια ΟΥΣ ΘΗΛ *βλ.* **χρηματοδότης**

χρηματοδοτώ Ρ Μ (*έργο, εκδήλωση, πρόγραμμα*) to finance, to sponsor

χρηματοκιβώτιο ΟΥΣ ΟΥΔ safe

χρηματομεσίτης ΟΥΣ ΑΡΣ *(α)* (= *που εισπράττει δάνεια*) money lender *(β)* (= *χρηματιστής*) stockbroker

χρηματομεσίτρια ΟΥΣ ΘΗΛ *βλ.* **χρηματομεσίτης**

χρήση ΟΥΣ ΘΗΛ use
▷**είμαι σε χρήση** to be in use
▷**κάνω χρήση** +γεν. to use
▷**μιας χρήσης** disposable
▷**πολλαπλών χρήσεων** multiple use

χρησιμεύω Ρ ΑΜ to be useful

χρησιμοποιημένος, -η, -ο ΕΠΙΘ (*συσκευή, ρούχο*) used · (*φυσίγγια, σπίρτα*) spent

χρησιμοποίηση ΟΥΣ ΘΗΛ use, using

χρησιμοποιήσιμος, -η, -ο ΕΠΙΘ (*υλικό*) usable · (*εργαλείο*) useful

χρησιμοποιώ Ρ Μ *(α)* (*εργαλεία, παίκτη, αυτοκίνητο, επιρροή*) to use · (*μέσα*) to use, to employ *(β)* (*σαπούνι, αποσμητικό*) to use · (*ικανότητες*) to use, to put to use *(γ)* (= *εκμεταλλεύομαι*) to use
▷**χρησιμοποιώ κπν/κτ ως** to use sb/sth as
▷**χρησιμοποιώ το μυαλό μου** to use one's head

χρήσιμος, -η, -ο ΕΠΙΘ useful
▷**είναι χρήσιμο να κάνω κτ** it is useful to do sth
▷**φαίνομαι χρήσιμος σε κπν** (*για προσ.*) to be of use to sb · (*για πράγματα*) to be of use to sb, to come in handy for sb

χρησιμότητα ΟΥΣ ΘΗΛ usefulness
▷**δεν έχω πρακτική χρησιμότητα** to be of no practical use

χρησμός ΟΥΣ ΑΡΣ (*στην αρχαιότητα*) oracle

χρήστης ΟΥΣ ΑΡΣ (*υπολογιστή, ναρκωτικών, λεξικού*) user
▸**αριθμός χρήστη** user number
▸**όνομα χρήστη** user name

χρηστικός, -ή, -ό ΕΠΙΘ *(α)* (= *χρήσιμος*) useful *(β)* (= *εύχρηστος*) handy

χρηστός, -ή, -ό ΕΠΙΘ (*επίσ.: άνθρωπος, χαρακτήρας*) upright, highly principled · (*πολίτης*) upstanding

χρηστότητα ΟΥΣ ΘΗΛ (*επίσ.*) decency, probity (*επίσ.*)

χρίζω Ρ Μ = **χρίω**

χρίσμα ΟΥΣ ΟΥΔ (= *επίσημη αναγνώριση*) nomination
▸**Χρίσμα** (ΘΡΗΣΚ) confirmation

χριστιανή ΟΥΣ ΘΗΛ *βλ.* **χριστιανός**

χριστιανικός, -ή, -ό ΕΠΙΘ Christian

χριστιανισμός ΟΥΣ ΑΡΣ Christianity

χριστιανοδημοκράτης ΟΥΣ ΑΡΣ Christian Democrat

χριστιανοδημοκράτισσα ΟΥΣ ΘΗΛ *βλ.* **χριστιανοδημοκράτης**

χριστιανός ΟΥΣ ΑΡΣ Christian

χριστιανοσύνη ΟΥΣ ΘΗΛ Christianity

Χριστός ΟΥΣ ΑΡΣ Christ, Jesus
▷**έλα Χριστέ και Παναγιά!, Χριστός και Παναγιά!** good lord!, good grief!

▷**προ Χριστού/μετά Χριστόν** BC/AD

Χριστούγεννα ΟΥΣ ΟΥΔ ΠΛΗΘ Christmas εν.
▷**καλά ή ευτυχισμένα Χριστούγεννα!** Happy ή Merry Christmas!

χριστουγεννιάτικος, -η, -ο ΕΠΙΘ (*δέντρο, δώρα, κάλαντα*) Christmas

χριστόψωμο ΟΥΣ ΟΥΔ Christmas cake

χρίω Ρ Μ (*επίσ.: = αναγορεύω*) to nominate

χροιά ΟΥΣ ΘΗΛ *(α)* (= *απόχρωση*) hue, shade *(β)* (ΜΟΥΣ) timbre *(γ)* (= *χαρακτήρας*) tone

χρονάκια ΟΥΣ ΟΥΔ ΠΛΗΘ (*ανεπ.*) years
▷**έχω τα χρονάκια μου** to be no spring chicken

χρονιά ΟΥΣ ΘΗΛ *(α)* (= *χρόνος*) year *(β)* (= *σχολικό έτος*) school year
▷**χάνω (τη) χρονιά (μου)** (*για μαθητή*) to be kept back a year
▷**καλή χρονιά!** (*ευχή*) Happy New Year!

χρόνια ΟΥΣ ΟΥΔ ΠΛΗΘ *(α)* (= *έτη*) years *(β)* (= *εποχή*) times *(γ)* (= *ηλικία*) age εν.
▷**κάνω κτ χρόνια** to have done sth for years
▷**στα χρόνια μου** in my day
▷**τα χρόνια της αθωότητας** the age of innocence
▷**χρόνια πολλά!** (*ευχή σε γενέθλια*) Happy Birthday!, many happy returns! · (*την πρωτοχρονιά*) Happy New Year! · *βλ. κ.* **χρόνος**

χρονιάζω Ρ ΑΜ (= *γίνομαι ενός έτους*) to turn one

χρονιάρης, -α, -ικο ΕΠΙΘ one-year-old
▷**χρονιάρα μέρα** feast day

χρονίζω Ρ ΑΜ *(α)* (*μωρό*) to turn one *(β)* (*για πρόσ.: = αργώ*) to dawdle, to take one's time *(γ)* (*αρρώστια, πρόβλημα*) to drag on

χρονικό ΟΥΣ ΟΥΔ *(α)* (= *αφήγηση ιστορικών γεγονότων*) chronicle *(β)* (*στη δημοσιογραφία*) report
▸**χρονικό** ΠΛΗΘ *(α)* (*στήλη εφημερίδας*) news in brief *(β)* (= *περιοδική έκδοση ιδρύματος ή σωματείου*) annals πληθ.
▷**πρώτη φορά στα χρονικά** for the first time in history

χρονικογράφος ΟΥΣ ΑΡΣ&ΘΗΛ chronicler

χρονικός, -ή, -ό ΕΠΙΘ *(α)* (*περίοδος, διάστημα*) time *(β)* (ΓΛΩΣΣ) temporal (*επιστ.*)
▷**χρονική διάρκεια** length of time, duration
▷**χρονικό όριο** time limit

χρόνιος, -ια, -ιο ΕΠΙΘ (*έλλειμα, χρέος*) permanent · (*πρόβλημα*) perennial *(β)* (*ασθένεια*) chronic

χρονοβόρος, -α ή -ος, -ο ΕΠΙΘ time-consuming

χρονογράφημα ΟΥΣ ΟΥΔ feature, column

χρονογράφος ΟΥΣ ΑΡΣ&ΘΗΛ *(α)* (= *χρονικογράφος*) chronicler *(β)* (= *συγγραφέας χρονογραφημάτων*) feature writer, columnist

χρονοδιάγραμμα ΟΥΣ ΟΥΔ *(α)* (= *πρόγραμμα*) schedule *(β)* (ΣΤΑΤ) time-series graph

χρονοδιακόπτης ΟΥΣ ΑΡΣ time switch, timer

Χ

χρονοκάρτα ΟΥΣ ΘΗΛ phonecard

χρονολόγηση ΟΥΣ ΘΗΛ dating

χρονολογία ΟΥΣ ΘΗΛ (α) (= *χρονολόγηση*) date (β) (*επιστήμη*) chronology

χρονολογικός, -ή, -ό ΕΠΙΘ (α) (*μέθοδος, σύστημα*) dating (β) (*σειρά, τάξη, πίνακας*) chronological

χρονολογώ Ρ Μ (*γεγονός, έγγραφο*) to date
▸ **χρονολογούμαι** ΜΕΣΟΠΑΘ to date back
▷ **χρονολογούμαι από** ή **σε** to date back to

χρονομέτρηση ΟΥΣ ΘΗΛ timing

χρονομετρικός, -ή, -ό ΕΠΙΘ (*όργανο, μέθοδος*) chronometrical

χρονόμετρο ΟΥΣ ΟΥΔ (α) (*ρολόι*) stopwatch (β) (ΝΑΥΤ) chronometer

χρονομετρώ Ρ Μ (*αθλητή, επίδοση*) to time

χρονοντούλαπο ΟΥΣ ΟΥΔ (*ειρων.*): **βάζω κτ στο χρονοντούλαπο** to consign sth to history
▷ **βγάζω κτ από το χρονοντούλαπο** to dust sth off

χρόνος ΟΥΣ ΑΡΣ (α) (*επίσης:* ΦΥΣ, ΑΘΛ) time (β) (= *έτος*) year (γ) (ΓΛΩΣΣ) tense (δ) (ΜΟΥΣ) beat
▷ **αφήνω χρόνους** to pass away
▷ **είμαι είκοσι χρόνων** ή **χρονών** I'm twenty (years old)
▷ **ελεύθερος χρόνος** free ή spare time
▷ **ευτυχισμένος ο καινούριος χρόνος!** Happy New Year!
▷ **και του χρόνου!** (*ευχή*) many happy returns!
▷ **κακό χρόνο να 'χεις!** (*κατάρα*) curse you!
▷ **κερδίζω χρόνο** to gain time · (= εξοικονομώ) to save time
▷ **κλείνω χρόνο σ' μια εβδομάδα** it'll be a year this time next week
▷ **παίρνει χρόνο** it takes time
▷ **ο χρόνος είναι χρήμα** (*παροιμ.*) time is money (*παροιμ.*)
▷ **πάνω στον χρόνο** at the turn of the year
▷ **προ αμνημονεύτων χρόνων** from ή since time immemorial
▷ **σε χρόνο 3/4** (ΜΟΥΣ) in 3/4 time
▷ **σε χρόνο-ρεκόρ** in record time
▷ **τρώει χρόνο** it's time-consuming
▷ **του χρόνου** next year
▷ **χρόνο με τον χρόνο** over the years
▷ **χρόνος μπαίνει χρόνος βγαίνει** year in year out
▸ **χρόνοι** ΠΛΗΘ times

χρονοτριβή ΟΥΣ ΘΗΛ delay

χρονοτριβώ Ρ ΑΜ to delay

χρυσαλίδα ΟΥΣ ΘΗΛ (ΖΩΟΛ) chrysalis

Προσοχή!: Ο πληθυντικός του **chrysalis** *είναι* **chrysalises.**

χρυσάνθεμο ΟΥΣ ΟΥΔ chrysanthemum

χρυσαφένιος, -ια, -ιο ΕΠΙΘ golden

χρυσάφι ΟΥΣ ΟΥΔ gold
▷ **αποδείχνομαι χρυσάφι** to prove to be a gold mine
▷ **κολυμπώ στο χρυσάφι** to be rolling in money

χρυσαφικό ΟΥΣ ΟΥΔ gold jewel
▸ **χρυσαφικά** ΠΛΗΘ gold jewellery *εν.* (*Βρετ.*) ή jewelry *εν.* (*Αμερ.*)

χρυσελεφάντινος, -η, -ο ΕΠΙΘ (*άγαλμα*) (of) gold and ivory

χρυσή ΟΥΣ ΘΗΛ jaundice

χρυσίζω ① Ρ Μ (*νερό, βουνό*) to tinge with gold
② Ρ ΑΜ (*μαλλιά, στάχυα*) to glisten like gold

χρυσόδετος, -η, -ο ΕΠΙΘ (α) (*βιβλίο, τόμος*) bound in gold (β) (*κόσμημα*) set in gold

χρυσοθήρας ΟΥΣ ΑΡΣΘΗΛ (*κυριολ., μτφ.*) gold digger

χρυσοκέντητος, -η, -ο ΕΠΙΘ (*φόρεμα, στολή, χαλί*) embroidered in gold

χρυσόμυγα ΟΥΣ ΘΗΛ mayfly

χρυσόξανθος, -η, -ο ΕΠΙΘ (*μαλλιά*) golden

χρυσοπληρώνω Ρ Μ to pay the earth for, to pay an arm and a leg for

χρυσοποίκιλτος, -η, -ο ΕΠΙΘ (*ένδυμα*) trimmed with gold · (*κέντημα*) embroidered with gold

χρυσός¹ ΟΥΣ ΑΡΣ (ΧΗΜ) gold
▷ **ό, τι λάμπει δεν είναι χρυσός!** (*παροιμ.*) all that glitters is not gold! (*παροιμ.*)
▸ **καθαρός χρυσός** pure gold

χρυσός², -ή, -ό ΕΠΙΘ (α) (*δαχτυλίδι, λίρα, κόσμημα, γοβάκια, φόρεμα, κλωστή*) gold · (*μαλλιά*) golden (β) (*άνθρωπος, γυναίκα, παιδί*) lovely (γ) (*εποχή, μέρες*) golden · (*κέρδη*) handsome · (*ζωή*) high
▷ **κάνω κπν χρυσό** to implore sb
▷ **κάνω χρυσές δουλειές** to do a brisk ή roaring trade
▷ **πληρώνω κπν/κτ χρυσό** to pay an arm and a leg ή the earth for sb/sth
▷ **τρώω με χρυσά κουτάλια** to eat off a gold plate
▷ **χρυσέ μου/χρυσή μου/χρυσό μου** (*προσφώνηση*) my dear, honey (*Αμερ.*)
▷ **χρυσή καρδιά** heart of gold · (*χρυσός αθλητής*) gold medallist (*Βρετ.*) ή medalist (*Αμερ.*)
▷ **χρυσός ολυμπιονίκης** Olympic gold medallist (*Βρετ.*) ή medalist (*Αμερ.*)
▸ **χρυσός αιώνας** golden age
▸ **χρυσός δίσκος** gold record
▸ **χρυσή ευκαιρία** golden opportunity
▸ **χρυσός κανόνας** golden rule
▸ **χρυσή τομή** golden mean
▸ **χρυσό** ΟΥΣ ΟΥΔ (*επίσης* **χρυσό μετάλλιο**) gold (medal)

χρυσόσκονη ΟΥΣ ΘΗΛ gold dust

χρυσούλι ΟΥΣ ΟΥΔ (*χαϊδευτ.*) sweetie, sweetheart

χρυσόχαρτο ΟΥΣ ΟΥΔ foil

χρυσοχέρα ΟΥΣ ΘΗΛ *βλ.* **χρυσοχέρης**

χρυσοχέρης ΟΥΣ ΑΡΣ person with a magic

touch

χρυσοχοείο ΟΥΣ ΟΥΔ (= *κοσμηματοπωλείο*) jeweller's (*Βρετ.*), jeweler's (*Αμερ.*), jewellery shop (*Βρετ.*), jewelry store (*Αμερ.*)

χρυσοχοΐα ΟΥΣ ΘΗΛ goldsmith's craft

χρυσοχόος ΟΥΣ ΑΡΣΘΗΛ goldsmith

χρυσόψαρο ΟΥΣ ΟΥΔ goldfish

χρυσώνω Ρ Μ (α) (= *επιχρυσώνω*) to gild (β) (*νύφη, γαμπρό*) to deck in gold (γ) (*θάλασσα, λίμνη*) to gild (δ) (= *χρυσοπληρώνω*) to pay a fortune to (ε) (= *θερμοπαρακαλώ*) to implore

χρυσωπός, -ή, -ό ΕΠΙΘ golden

χρυσωρυχείο ΟΥΣ ΟΥΔ (*κυριολ., μτφ.*) gold mine

χρώμα ΟΥΣ ΟΥΔ (α) (= *χρωματισμός*) colour (*Βρετ.*), color (*Αμερ.*) (β) (= *μπογιά*) paint (γ) (*στην τράπουλα*) flush (δ) (*για ομιλία, κείμενο*) colour (*Βρετ.*), color (*Αμερ.*)
▷**αλλάζω χρώμα** to change colour (*Βρετ.*) ή color (*Αμερ.*)
▷**χάνω το χρώμα μου** (*κυριολ.*) to fade · (*μτφ.: για προσ.*) to be drained of colour (*Βρετ.*) ή color (*Αμερ.*)
▸**χρώματα** ΠΛΗΘ colours (*Βρετ.*), colors (*Αμερ.*)

χρωματίζω Ρ Μ (α) (*σχέδιο, τοίχο, σπίτι*) to paint · (*τοπίο, ορίζοντα*) to colour (*Βρετ.*), to color (*Αμερ.*), to tinge · (*μάγουλα, πρόσωπο*) to colour (*Βρετ.*), to color (*Αμερ.*) (β) (*λόγο, ομιλία, διήγηση*) to give colour (*Βρετ.*) ή color (*Αμερ.*) to · (*φωνή*) to modulate (γ) (*κατάσταση*) to paint
▸**χρωματίζομαι** ΜΕΣΟΠΑΘ (*για πολιτική τοποθέτηση*) to be partisan

χρωματικός, -ή, -ό ΕΠΙΘ (*συνδυασμός, πλούτος, αντιθέσεις*) colour (*Βρετ.*), color (*Αμερ.*)
▸**χρωματική κλίμακα** (ΜΟΥΣ) chromatic scale

χρωματισμός ΟΥΣ ΑΡΣ (α) (= *χρώμα*) colour (*Βρετ.*), color (*Αμερ.*) (β) (= *βάψιμο*) painting

χρωματιστός, -ή, -ό ΕΠΙΘ (*ύφασμα, ρούχα*) coloured (*Βρετ.*), colored (*Αμερ.*) · (*τοίχοι*) painted

χρωματοπωλείο ΟΥΣ ΟΥΔ paint shop (*Βρετ.*) ή store (*Αμερ.*)

χρωματόσωμα ΟΥΣ ΟΥΔ = **χρωμόσωμα**

χρώμιο ΟΥΣ ΟΥΔ chromium

χρωμοσαμπουάν ΟΥΣ ΟΥΔ ΑΚΛ hair rinse

χρωμόσωμα ΟΥΣ ΟΥΔ chromosome

χρωστήρας ΟΥΣ ΑΡΣ (*επίσ.*: = *πινέλο*) paintbrush

χρωστικός, -ή, -ό ΕΠΙΘ (= *που χρωματίζει*) colouring (*Βρετ.*), coloring (*Αμερ.*)
▸**χρωστικές ουσίες** colouring εν. (*Βρετ.*), coloring εν. (*Αμερ.*)

χρωστώ Ρ Μ (*χρήματα, ευγνωμοσύνη, ζωή*) to owe
▷**χρωστάω ένα μάθημα** to have to resit an exam
▷**τι σου χρωστάω**; what have I done to you?

χταπόδι ΟΥΣ ΟΥΔ (*θαλάσσιο μαλάκιο*) octopus

χτένα ΟΥΣ ΘΗΛ comb

χτενάκι ΟΥΣ ΟΥΔ (small) comb

χτένι ΟΥΣ ΟΥΔ (α) (= *χτένα*) comb (β) (*στον αργαλειό*) reed (γ) (= *τσουγκράνα*) rake
▷**έφτασε ο κόμπος στο χτένι** it's the last straw

χτενίζω Ρ Μ (α) (*μαλλιά, γένια*) to comb (β) (*περιοχή, χώρο*) to comb
▷**χτενίζω κπν** to comb sb's hair
▸**χτενίζομαι** ΜΕΣΟΠΑΘ to comb one's hair · (*στο κομμωτήριο*) to have one's hair done

χτένισμα ΟΥΣ ΟΥΔ (α) (= *στυλ*) hairstyle, hairdo (β) (*περιοχής*) combing

χτες ΕΠΙΡΡ = **χθες**

χτεσινός, -ή, -ό ΕΠΙΘ = **χθεσινός**

χτήμα ΟΥΣ ΟΥΔ = **κτήμα**

χτίζω Ρ Μ (α) (*σπίτι, εκκλησία*) to build · (*επιχείρηση*) to build up · (*σχέση*) to build on (β) (*άνοιγμα, παράθυρο, πόρτα*) to block up (γ) (*πόλη*) to found (δ) (*κόσμο, φύση*) to create

χτίσιμο ΟΥΣ ΟΥΔ (α) (*σπιτιού*) building · (*επιχείρησης*) building up · (*σχέσης*) building on (β) (*παραθύρου, πόρτας*) blocking up (γ) (*πόλης*) foundation (δ) (*κόσμου*) creation

χτίσμα ΟΥΣ ΟΥΔ (α) (= *οικοδόμημα*) building (β) (= *δημιούργημα*) creation

χτίστης ΟΥΣ ΑΡΣ (= *οικοδόμος*) builder

χτύπημα ΟΥΣ ΟΥΔ (α) (= *κρούση*) knocking (β) (= *ήχος*: *πόρτας, παραθύρου*) knock · (*καμπάνας, τηλεφώνου, κουδουνιού*) ring, ringing χωρίς πληθ. · (*βροχής*) patter · (*ρολογιού*) stroke (*χεριών*) clap, clapping χωρίς πληθ. · (*ποδιών*) stamp, stamping χωρίς πληθ. · (*δοντιών*) chattering χωρίς πληθ. · (*φτερών*) flap, flapping χωρίς πληθ. (γ) (*αυγών, κρέμας*) beating · (*καφέ*) stirring (δ) (*σπαθιού, σφυριού*) blow · (*μαστιγίου*) lash, stroke · (*σε κόμμα, αντίπαλο*) blow (ε) (*γροθιά*) punch (*στ*) (*στο κεφάλι, στην πλάτη: = τραύμα*) cut · (= *μελανιά*) bruise · (*σε αυτοκίνητο*) dent (ζ) (*εχθρού, στρατού, τρομοκρατών*) attack, strike (η) (= *αποδυνάμωση*) blow, setback (θ) (*φοροδιαφυγής*) clamping down on · (*πληθωρισμού*) curbing (ι) (*μοίρας*) blow
▷**φιλικό χτύπημα στην πλάτη** a pat on the back
▸**χτύπημα πέναλτι** penalty kick

χτυπητήρι ΟΥΣ ΟΥΔ (*για αυγά, κρέμα*) beater

χτυπητός, -ή, -ό ΕΠΙΘ (α) (*αυγά, κρόκοι, ζύμη*) beaten (*ρούχα*) loud, flashy · (*χρώματα*) garish (γ) (*αντιθέσεις, ομοιότητες, διαφορές*) striking

χτυποκάρδι ΟΥΣ ΟΥΔ (α) (= *χτύπος καρδιάς*) heartbeat (β) (= *άγχος*) anxiety

χτύπος ΟΥΣ ΑΡΣ (α) (*στην πόρτα*) knock · (*βροχής*) patter · (*τσουκνιών*) click (β) (*ρολογιού*) stroke (γ) (*καρδιάς*) beat, beating χωρίς πληθ.

χτυπώ ① Ρ Μ (α) (*πόρτα*) to knock at ή on · (*κουδούνι, καμπάνα*) to ring · (*τύμπανο*) to bang on· (ελαφρά) to tap at ή on· (χέρια, παλαμάκια) to clap· (πόδια) to stamp· (πλήκτρα) to hit (β) (άνδρα, γυναίκα, άλογο) to hit· (στήθος) to pound· (= δέρνω) to beat (γ) (αέρας: παραθυρόφυλλα, πόρτα) to bang· (κύματα: πλοίο) to batter· (βροχή: στέγη) to patter on· (κεραυνός: δέντρο, άνθρωπο) to strike· (ήλιος: σπίτι, μπαλκόνι) to shine on (δ) (αβγά, αβγολέμονο, κρέμα) to beat· (καφέ) to stir (ε) (φτερά) to flap· (ουρά: για άλογο) to swish· (για σκύλο) to wag (στ) (στόχο, αεροπλάνο, πλοίο) to hit (ζ) (με σπαθί, καραμπίνα) to hit· (με μαχαίρι) to stab (η) (εχθρό, αντίπαλο) to attack· (φοροδιαφυγή) to clamp down on· (πληθωρισμό) to tackle (θ) (πληθωρισμός, ανεργία, φτώχεια) to hit (ι) (= ανταγωνίζομαι: χώρα, ομάδα) to touch (ια) (αυτοκίνητο, πεζό) to hit (ιβ) (ρολόι: μεσάννχτα) to strike· (σειρήνα: συναγερμό) to sound (ιγ) (= κατηγορώ: κυβέρνηση, πολιτικό, νομοσχέδιο, έργο) to slam, to knock (ανεπ.) (ιδ) (ποσοστά τηλεθέασης, μεγάλη ακροαματικότητα) to get· (ρεκόρ πωλήσεων) to achieve (ιε) (τιμές) to knock down (ιστ) (για παπούτσια) to pinch (ιζ) (αργκ.: πρωτάθλημα, θέση στο τσάμπιονς λιγκ) to win· (παντελόνι, φούστα, βάζο) to pick up for a song (ανεπ.)· (γκόμενα, γκόμενο) to pick up (ανεπ.)· (σφηνάκια, ποτά) to down· (πίτες) to eat

2 Ρ ΑΜ (α) (πόρτα, παράθυρα) to bang· (ρολόι) to strike· (ξυπνητήρι) to go off· (κουδούνι, τηλέφωνο, καμπάνα) to ring· (δόντια) to chatter· (σπαθιά) to clang· (τύμπανα) to sound (β) (καρδιά) to beat· (μηνίγγια) to throb (γ) (στο πόδι, στο κεφάλι) to hurt oneself (δ) (κρασί, βότκα) to have a kick to it
▷με χτυπάει η γρίπη to come down with flu
▷με χτύπησε παράλυση to be paralyzed
▷(μου) χτυπάει άσχημα/καλά (ανεπ.) it looks bad/good (to me)
▷μου χτύπησε στο μάτι το κόκκινο φόρεμα (ανεπ.) the red dress caught my eye
▷ο πληθωρισμός μάς χτυπάει σκληρά ολούς we have all been hard hit by inflation
▷χτύπα ξύλο! touch wood! (Βρετ.), knock on wood! (Αμερ.)
▷χτυπάω κτ σε κπν (ανεπ.) to harp on at sb about sth
▷χτυπώ πόρτες to try all doors
▷χτυπώ κάρτα (σε εργοστάσιο, δουλειά) to clock in/out
▷χτυπώ στο κεφάλι to bang one's head· (ποτά) to go to one's head
▷χτυπώ σε κολόνα/τοίχο to bump into a post/wall
▷χτυπώ το κεφάλι μου (στον τοίχο) (ανεπ.) to be sorry, to regret it
▸χτυπιέμαι ΜΕΣΟΠΑΘ (α) (= συγκρούομαι) to fight· (για διαδηλωτές, αστυνομία) to clash (β) (= βασανίζομαι) to struggle (γ) (= δέρνομαι) to beat one's chest

(δ) (= διαμαρτύρομαι έντονα) to shout
▷χτυπιέμαι σκληρά από τη μοίρα to be dogged by bad luck

χυδαιολογία ΟΥΣ ΘΗΛ vulgarity
χυδαίος, -α, -ο ΕΠΙΘ vulgar
χυδαιότητα ΟΥΣ ΘΗΛ vulgarity
χυλόπιτα ΟΥΣ ΘΗΛ (ανεπ.): **ρίχνω ή δίνω χυλόπιτα** to dump sb (ανεπ.)
▷τρώω χυλόπιτα to get dumped (ανεπ.)
χυλοπίτες ΟΥΣ ΘΗΛ ΠΛΗΘ noodles
χυλός ΟΥΣ ΑΡΣ (α) (γενικότ.) pulp (β) (φαγητό) gruel, porridge (γ) (= πολτοποιημένο φαγητό) mush
▷όποιος καεί στον χυλό, φυσάει και το γιαούρτι (παροιμ.) once bitten, twice shy (παροιμ.)
χυλώνω 1 Ρ Μ (λαχανικά) to mash· (φρούτο) to pulp
2 Ρ ΑΜ (φασόλια, ρεβίθια) to go mushy
χύμα ΕΠΙΡΡ (α) (= χωρίς συσκευασία) loose (β) (= ανάκατα) in a heap
▷τα λέω σε κπν χύμα (αργκ.) to give it to sb straight (ανεπ.)
χυμίζω Ρ ΑΜ = χιμώ
χυμός ΟΥΣ ΑΡΣ (α) (φρούτων) juice (β) (δέντρου) sap
▸φυσικός χυμός natural juice
χυμώ Ρ ΑΜ = χιμώ
χυμώδης, -ης, -ες ΕΠΙΘ (επίσ.) (α) (φρούτα, πορτοκάλια, σταφύλια) juicy (β) (γυναίκα) luscious
χύνω 1 Ρ Μ (α) (νερό, καφέ, ρύζι, ζάχαρη, φασόλια) to spill (β) (για μέταλλα) to cast (γ) (φως) to shed· (μυρωδιές, αρώματα) to give off
2 Ρ ΑΜ (χυδ.: = εκσπερματίζω) to come (χυδ.)
▷χύνω αίμα ή ιδρώτα to sweat blood
▷χύνω δάκρυα to shed tears
▷χύνω το αίμα μου για κπν/κτ to give one's life for sb/sth
▷χύνω φαρμάκι to be venomous
▸χύνομαι ΜΕΣΟΠΑΘ (α) (= εκβάλλω) to flow (β) (= ορμώ) to dash
χύσιμο ΟΥΣ ΟΥΔ (α) (για υγρά, ζάχαρη, φασόλια) spilling (β) (για μέταλλα) casting (γ) (χυδ.: = εκσπερμάτιση) coming (ανεπ.)
χυτήριο ΟΥΣ ΟΥΔ foundry
χυτός, -ή, -ό ΕΠΙΘ (α) (μαλλιά) loose (β) (μέταλλο) cast (γ) (κορμί, πόδια) shapely
χυτοσίδηρος ΟΥΣ ΑΡΣ cast iron
χύτρα ΟΥΣ ΘΗΛ pan
▸χύτρα ταχύτητας pressure cooker
χωλ ΟΥΣ ΟΥΔ ΑΚΛ = χολ
χωλαίνω Ρ ΑΜ (επίσ.) (α) (= κουτσαίνω) to limp (β) (μτφ.) to make no progress
χωλός, -ή, -ό ΕΠΙΘ (επίσ.: = κουτσός) lame
χώμα ΟΥΣ ΟΥΔ (α) (= λεπτό στρώμα εδάφους) earth, soil (β) (για λουλούδια) compost (γ) (= γη) ground· (= πατρίδα) land (δ) (= σκόνη) dirt
▷τρώω χώμα, τρώει η μούρη μου χώμα to eat

dirt
▷**άγια χώματα** (= *Άγιοι Τόποι*) holy land *εν.* · (= *πατρίδα*) homeland *εν.*

χωματένιος, -ια, -ιο ΕΠΙΘ = **χωμάτινος**

χωματερή ΟΥΣ ΘΗΛ landfill site

χωμάτινος, -η, -ο ΕΠΙΘ (*δρόμος, πάτωμα*) dirt

χωματόδρομος ΟΥΣ ΑΡΣ dirt road

χωνάκι ΟΥΣ ΟΥΔ cone
▸**παγωτό χωνάκι** ice–cream cone

χώνευση ΟΥΣ ΘΗΛ digestion

χωνευτήρι ΟΥΣ ΟΥΔ = **χωνευτήριο**

χωνευτήριο ΟΥΣ ΟΥΔ (*κυριολ., μτφ.*) melting pot

χωνευτικός, -ή, -ό ΕΠΙΘ (*νερό, ποτό*) good for the digestion · (*φαγητό*) easily digested

χωνεύω ① Ρ Μ (α) (*υδατάνθρακες, θρεπτικά συστατικά*) to digest (β) (*μέταλλο*) to cast (γ) (*πληροφορία, μάθημα*) to digest, to take in
② Ρ ΑΜ (α) (= *ολοκληρώνω την πέψη*) to digest (β) (*κάρβουνα*) to burn to ashes
▷**δεν μπορώ να χωνέψω κτ** I can't accept sth · (*προσβολή*) I can't get over sth
▷**δεν χωνεύω κπν** not to like sb
▷**δεν χωνεύονται** they don't like each other, there's no love lost between them

χώνεψη ΟΥΣ ΘΗΛ (*ανεπ.*) = **χώνευση**

χωνί ΟΥΣ ΟΥΔ (α) (= *χοάνη*) funnel (β) (= *τηλεβόας*) loud–hailer, bullhorn (*Αμερ.*)

χώνω Ρ Μ (α) (*πασσάλους, μαχαίρι, σπόρους*) to stick (β) (= *βάζω*) to put, to stuff (γ) (= *θάβω*) to bury (δ) (*σφαλιάρα, μπουνιά*) to give
▷**χώνω κπν μέσα** to put sb inside
▷**χώνω τη μύτη ή την ουρά μου παντού** to stick one's nose into everything
▸**χώνομαι** ΜΕΣΟΠΑΘ (α) (= *τρυπώνω*) to get ή go into (β) (= *κρύβομαι*) to hide (γ) (= *ανακατεύομαι*) to meddle (*σε in*)
▷**η αλεπού χώθηκε στο κοτέτσι** the fox got into the henhouse
▷**η γάτα χώθηκε κάτω από την πόρτα** the cat got in under the door
▷**το παιδί χώθηκε στην αγκαλιά της** the child ran into her arms
▷**χώθηκα μέσα στα σκεπάσματα** I snuggled up under the blankets

χώρα ΟΥΣ ΘΗΛ (α) (= *κράτος*) country (β) (= *πρωτεύουσα νησιού*) main town
▷**οι Κάτω Χώρες** the Netherlands
▷**χώρα των θαυμάτων** wonderland

χωρατατζής ΟΥΣ ΑΡΣ joker

χωρατατζού ΟΥΣ ΘΗΛ = **χωρατατζής**

χωρατεύω Ρ ΑΜ to joke, to kid

χωρατό ΟΥΣ ΟΥΔ joke

χωράφι ΟΥΣ ΟΥΔ field
▷**μπαίνω στα χωράφια κποιου** to stray into sb else's territory

χωρητικότητα ΟΥΣ ΘΗΛ (*αίθουσας*) (seating) capacity · (*δοχείων*) capacity

χώρια ΕΠΙΡΡ (α) (= *χωριστά: ζω*) apart · (*βάζω, πλένω*) separately (β) (= *εκτός*) apart from
▷**χώρια που** on top of the fact that
▷**χώρια το φαγητό/τα παιδιά** not counting the food/children

χωριανή ΟΥΣ ΘΗΛ *βλ.* **χωριανός**

χωριανός ΟΥΣ ΑΡΣ (α) (= *χωριάτης*) villager (β) (= *συγχωριανός*) person from the same village

χωριάτα ΟΥΣ ΘΗΛ = **χωριάτης**

χωριάτης ΟΥΣ ΑΡΣ (α) (= *χωρικός*) villager (β) (*μειωτ.*) boor, hick (*ανεπ.*)

χωριατιά ΟΥΣ ΘΗΛ (= *αγένεια*) uncouthness
▷**είναι χωριατιά να ρουφάς τη σούπα σου** it's rude to slurp your soup

χωριάτικος, -η, -ο ΕΠΙΘ (α) (*ζωή, ήθη, έθιμα*) country, rural · (*σπίτι*) rustic · (*φαγητό*) home–cooked (β) (*μειωτ.: τρόποι, συμπεριφορά*) uncouth, boorish
▸**χωριάτικο ψωμί** farmhouse loaf
▸**χωριάτικη** ΟΥΣ ΘΗΛ (*επίσης* **χωριάτικη σαλάτα**) Greek salad

χωριάτισσα ΟΥΣ ΘΗΛ *βλ.* **χωριάτης**

χωρίζω ① Ρ Μ (α) (*χρωματιστά, λευκά, χρήσιμα, άχρηστα, *) to separate (*από from*) (β) (*φίλους*) to separate, to come between (γ) (*τοίχος, ποτάμι*) to separate · (*μίσος*) to tear apart (δ) (*σε καβγά*) to separate, to pull apart (ε) (*κοινωνία, κοινή γνώμη*) to divide, to split (στ) (= *διασπώ: βαγόνι*) to unhitch (*χημική ένωση*) to break down (ζ) (*περιουσία, γη, γλυκό*) to divide (*μαλλιά*) to part (η) (*σύζυγο*) to divorce
② Ρ ΑΜ (α) (*ποτάμι*) to divide · (*στα δύο*) to fork · (*μαλλιά*) to be parted (β) (*φίλοι, παρέα*) to part (γ) (*συνεργάτες, συνέταιροι*) to go their separate ways (δ) (= *παίρνω διαζύγιο*) to divorce · (= *τα χαλάω*) to break up, to split up
▸**χωρίζομαι** ΜΕΣΟΠΑΘ (α) (*ποταμός*) to divide · (*στα δύο*) to fork · (*χώρα*) to break up (β) (*φίλοι*) to part · (*ζευγάρι*) to break up, to split up

χωρικός, -ή, -ό ΕΠΙΘ (*ήθη, έθιμα*) village
▸**χωρικά ύδατα** territorial waters
▸**χωρικός** ΟΥΣ ΑΡΣ, **χωρική** ΟΥΣ ΘΗΛ villager

χωριό ΟΥΣ ΟΥΔ (α) (*οικισμός, χωρικοί*) village (β) (*ανεπ.:* = *ιδιαίτερη πατρίδα*) home town (*Βρετ.*), hometown (*Αμερ.*)
▷**γίναμε από δυο χωριά (χωριάτες)** we've fallen out
▷**κάνω χωριό με κπν** (*ανεπ.*) to hit it off with sb (*ανεπ.*)

χωρίο ΟΥΣ ΟΥΔ (*επίσ.*) passage, excerpt

χωριουδάκι ΟΥΣ ΟΥΔ (*υποκορ.*) hamlet

χωρίς ΠΡΟΘ without
▷**είμαστε πέντε, χωρίς τα παιδιά** there are five of us, not counting the children
▷**έμεινε χωρίς φίλους** he had no friends
▷**έφυγε χωρίς να πει ένα γεια** he left with saying goodbye
▷**όλες μας οι προσπάθειες ήταν χωρίς**

X

αποτέλεσμα all our efforts were in vain ▷**γυναίκα χωρίς φαντασία/αισθήματα** a woman with no imagination/feelings ▷**χωρίς λόγο (και αιτία)** for no reason ▷**χωρίς να έλθει η Μαρία, δεν μπορούμε να αρχίσουμε** we can't start before Maria comes

χώρισμα ΟΥΣ ΟΥΔ **(α)** (*περιουσίας, γης*) division · (*ζευγαριού*) separation **(β)** (*δωματίου, διαμερίσματος, ντουλάπας*) partition

χωρισμένος, -η, -ο ΕΠΙΘ separated

χωρισμός ΟΥΣ ΑΡΣ **(α)** (*αυτών που καβγαδίζουν*) separation, pulling apart **(β)** (= *διαχωρισμός*) separation **(γ)** (*γης, περιουσίας*) division **(δ)** (*εμπορικής συμφωνίας, συνεργασίας*) breaking off **(ε)** (= *διάλυση γάμου*) separation · (= *διακοπή σχέσης*) break–up

χωριστά ΕΠΙΡΡ **(α)** (*ζω*) apart · (*εξετάζω, κοιτάζω, πηγαίνω*) separately **(β)** (= *εκτός από*) apart from, on top of

χωριστός, -ή, -ό ΕΠΙΘ separate

χωρίστρα ΟΥΣ ΘΗΛ parting (*Βρετ.*), part (*Αμερ.*)

χωροθέτηση ΟΥΣ ΘΗΛ (*κτηρίων, βιομηχανικών μονάδων*) zoning

χώρος ΟΥΣ ΑΡΣ **(α)** (= *περιβάλλον*) environment · (= *περιοχή*) space **(β)** (= *κενή έκταση*) room **(γ)** (= *αισθητή έκταση: στην εξοχή, γύρω από το σπίτι*) space **(δ)** (*επιστημών, παιδείας*) domain **(ε)** (ΦΥΣ, ΦΙΛΟΣ) space ▷**δεν υπάρχει χώρος στο σπίτι/στο**

λεωφορείο there's no room in the house/on the bus ▷**έχω αίσθηση τού χώρου** to have good spatial awareness ▷**κάνω ή ανοίγω χώρο** to make room ▷**πιάνω χώρο** to take up room ή space ▸**αγωνιστικός χώρος** playing field ▸**αρχαιολογικός χώρος** arch(a)eological site ▸**χώρος αθλοπαιδιών** sports ground ▸**χώρος αναμονής** waiting room ▸**χώρος αναψυχής** recreation area ▸**χώρος εργασίας** workplace ▸**χώρος στάθμευσης** parking area ▸**χώροι** ΠΛΗΘ room *εν.*

χωροταξία ΟΥΣ ΘΗΛ planning

χωροταξικός, -ή, -ό ΕΠΙΘ (*σχέδιο, μελέτη*) survey

χωροφύλακας ΟΥΣ ΑΡΣ (*παλαιότ.*) gendarme

χωροφυλακή ΟΥΣ ΘΗΛ (*παλαιότ.*) gendarmerie

χωρώ [1] P M (*θεατές, επιβάτες, νερό, ρούχα*) to hold · (*δεδομένα*) to take [2] P ΑΜ **(α)** (*περιέχομαι*) to fit in **(β)** (= *αναλογώ*) to go into ▷**δεν με χωράει ο τόπος** to fidget · (= *αγωνιώ*) to be on tenterhooks ▷**δεν χωράει αντίρρηση σε κτ** there can be no objection to sth ▷**δεν χωρεί αμφιβολία (ότι)** there is no doubt (that) ▷**στους δύο τρίτος δεν χωρεί** two is company, three is a crowd (*παροιμ.*)

χωστός, -ή, -ό ΕΠΙΘ **(α)** (*πλαγιά*) man–made **(β)** (*παπούτσι*) high

X

Ψ ψ

Ψ, ψ psi, *23rd letter of the Greek alphabet*
▷**ψ**′ 700
▷**,ψ** 700,000

ψαγμένος, -η, -ο ΕΠΙΘ (*άτομο*) with an inquiring mind · *βλ. κ.* **ψάχνω**

ψάθα ΟΥΣ ΘΗΛ (α) (*φυτό*) bulrush (β) (= *στρώμα*) rush matting · (*για την πόρτα*) doormat · (*για την παραλία*) beach mat · (*παραθύρου*) blind (γ) (*καπέλο*) straw hat
▷**μένω στην ψάθα** to be penniless
▷**πεθαίνω στην ψάθα** to die in abject poverty

ψαθάκι ΟΥΣ ΟΥΔ straw hat

ψαθί ΟΥΣ ΟΥΔ (α) (*φυτό*) bulrush (β) (= *στρώμα*) rush matting · (*για την πόρτα*) doormat · (*για την παραλία*) beach mat (γ) (= *ψαθάκι*) straw hat

ψάθινος, -η, -ο ΕΠΙΘ (*καρέκλα, τσάντα, καλάθι*) wicker · (*καπέλο*) straw · (*σκεπή*) thatched, straw

ψαλίδα ΟΥΣ ΘΗΛ (α) (*εργαλείο*) shears *πληθ.* (β) (= *σαρανταποδαρούσα*) centipede · (*έντομο*) earwig (γ) (= *ασθένεια της τρίχας*) split ends *πληθ.* (δ) (*μτφ.*) gap
▷**έχω ψαλίδα** to have split ends
▷**η ψαλίδα έχει ανοίξει/κλείσει** the gap has widened/has narrowed

ψαλιδάκι ΟΥΣ ΟΥΔ (α) (= *μικρό ψαλίδι*) scissors *πληθ.* · (*νυχιών*) (β) (*στο ποδόσφαιρο*) scissor kick
▸**ψαλιδάκια** ΟΥΣ ΟΥΔ ΠΛΗΘ (ΓΥΜΝΑΣΤ) scissors

ψαλίδι ΟΥΣ ΟΥΔ (α) (*εργαλείο*) scissors *πληθ.* · (*κηπουρού*) shears *πληθ.* (β) (*αυτοκινήτου*) wishbone (γ) (= *ζευκτό*) truss (δ) (= *περικοπή*) cut
▷**ένα ψαλίδι** a pair of scissors
▷**έπεσε ψαλίδι στο άρθρο/στη ταινία** the article/the film was heavily censored
▷**η γλώσσα μου πάει ψαλίδι** to talk nineteen to the dozen (*Βρετ.*), to talk like crazy (*Αμερ.*)
▸**ανάποδο ψαλίδι** (*στο ποδόσφαιρο*) overhead kick
▸**βουτιά ψαλίδι** swallow dive

ψαλιδιά ΟΥΣ ΘΗΛ cut, snip

ψαλιδίζω Ρ Μ (α) (*ρούχο, χαρτί*) to cut · (*μαλλιά, γένια*) to cut · (*ελαφρά*) to trim (β) (*μισθούς, φόρους*) to cut · (*δραστικά*) to slash · (*δαπάνες, έξοδα*) to cut back on · (*αρμοδιότητες*) to reduce · (*ελπίδες*) to dash · (*ενθουσιασμό*) to dampen (γ) (*κείμενο, βιβλίο, ταινία*) to cut · (*κεφάλαιο, σκηνή*) to cut (out)

ψαλίδισμα ΟΥΣ ΟΥΔ (α) (*ρούχων*) cutting · (*μαλλιών, γενιών*) cut · (*ελαφρό*) trim (β) (*κονδυλίων, δαπανών, εξόδων*) cut, cutback · (*μισθών, φόρων*) cut · (*αρμοδιοτήτων*) reduction (γ) (*κειμένου, κεφαλαίου, σκηνής, βιβλίου, ταινίας*) cutting · (*ελπίδων*) dashing · (*ενθουσιασμού*) dampening

ψαλιδωτός, -ή, -ό ΕΠΙΘ (*ουρά, σημαία*) forked

ψάλλω ① Ρ Μ (α) (= *τραγουδώ*) to sing (β) (*δόξα, ηρωισμό*) to praise, to sing of ② Ρ ΑΜ (= *είμαι ψάλτης*) to be a cantor

ψαλμός ΟΥΣ ΑΡΣ psalm
▸**Ψαλμοί** ΟΥΣ ΑΡΣ ΠΛΗΘ Psalms *εν.*
▸**Βιβλίο των Ψαλμών** Book of Psalms

ψαλμωδία ΟΥΣ ΘΗΛ (α) (ΘΡΗΣΚ) psalmody (β) (= *ψαλμός*) psalm (γ) (= *κλάψα*) whining, whingeing
▸**χριστουγεννιάτικες ψαλμωδίες** Christmas carols

ψαλμωδός ΟΥΣ ΑΡΣΘΗΛ (α) (= *ψάλτης*) cantor (β) (= *υμνογράφος*) psalmist

ψαλτήριο, ψαλτήρι ΟΥΣ ΟΥΔ (α) (ΘΡΗΣΚ) psalter (β) (= *κλάψα*) whining, whingeing

ψάλτης ΟΥΣ ΑΡΣ (α) (ΘΡΗΣΚ) cantor (β) (= *υμνωδός*) bard

ψαλτική ΟΥΣ ΘΗΛ psalmody

ψαμμίτης ΟΥΣ ΑΡΣ sandstone

ψάξιμο ΟΥΣ ΟΥΔ search
▷**θέλει ή χρειάζεται ψάξιμο** it needs careful thought

ψαραγορά ΟΥΣ ΘΗΛ fish market

ψαράδικος, -η, -ο ΕΠΙΘ fishing
▸**ψαράδικο παντελόνι** short trousers *πληθ.*
▸**ψαράδικο χωριό** fishing village
▸**ψαράδικο** ΟΥΣ ΟΥΔ ΠΛΗΘ fish market *εν.*
▸**ψαράδικο** ΟΥΣ ΟΥΔ (α) (= *ιχθυοπωλείο*) fishmonger's (*Βρετ.*), fish dealer's (*Αμερ.*) (β) (= *ψαρόκαιο*) fishing boat

ψαραετός ΟΥΣ ΑΡΣ fish eagle, osprey

ψαράκι ΟΥΣ ΟΥΔ (α) (= *μικρό ψάρι*) little fish, tiddler (β) (*παιδικό παιχνίδι*) ducks and drakes *εν.* (γ) (*ζώδιο*) Pisces *εν.*

ψαράς ΟΥΣ ΑΡΣ (α) (= *αυτός που ψαρεύει*) fisherman

> *Προσοχή!: Ο πληθυντικός του* **fisherman** *είναι* **fishermen.**

(β) (= *ιχθυοπώλης*) fishmonger (*Βρετ.*), fish dealer (*Αμερ.*)

ψάρεμα ογς ουΔ **(α)** (= *αλιεία*) fishing **(β)** (*μτφ.*) fishing for information
▷**πηγαίνω για ψάρεμα** to go fishing
►**καλάμι ψαρέματος** fishing rod (*Βρετ.*), fishing pole (*Αμερ.*)
►**σύνεργα ψαρέματος** fishing tackle
►**υποβρύχιο ψάρεμα** spear fishing

ψαρεύω ① P M **(α)** (*ψάρια*) to fish **(β)** (*σφουγγάρια, μαργαριτάρια*) to dive for **(γ)** (= *ανελκύω από τον βυθό*) to hook **(δ)** (*μυστικό, είδηση*) to try to find out · (*πληροφορίες*) to fish for **(ε)** (*πόρνη*) to pick up
② P AM to fish
▷**ψαρεύω κπν** to pump sb for information
▷**ψαρεύω πελάτες** to tout for custom

ψαρής, -ιά, -ί ΕΠΙΘ (*για πρόσ.*) grey-haired (*Βρετ.*), gray-haired (*Αμερ.*) · (*για ζώο*) grey (*Βρετ.*), gray (*Αμερ.*)
►**ψαρής** ογς ΑΡΣ (= *άλογο ή γάιδαρος*) grey (*Βρετ.*), gray (*Αμερ.*)

ψάρι ογς ουΔ **(α)** (= *ιχθύς*) fish

Προσοχή!: Ο πληθυντικός του **fish** *είναι* **fish** *ή* **fishes.**

(β) (*κοροϊδ.*: = *αφελής*) sucker (*ανεπ.*) · (= *καινούργιος*) greenhorn (*ανεπ.*) · (*στον στρατό*) rookie (*ανεπ.*) **(γ)** (*ζώδιο*) Pisces *εν.*
▷**για να δούμε τι ψάρια θα πιάσουμε** let's see how things turn out
▷**είμαι ή μοιάζω σαν το ψάρι έξω από το νερό** to be like a fish out of water
▷**το μεγάλο ψάρι τρώει το μικρό** big fish eat little fish
▷**τρέμω σαν το ψάρι** to shake like a leaf
►**ψήνω σε κπν το ψάρι στα χείλη** to make sb's life a misery

ψαριά ογς ΘΗΛ **(α)** (*κυριολ.*) catch, haul **(β)** (*μτφ.*) results *πληθ.*
▷**βγάζω καλή/φτωχή ψαριά** to get a good/poor catch · (*μτφ.*) to get good/poor results

ψαρικός, -ή, -ό ΕΠΙΘ (*εργαλεία*) fishing · (*μυρωδιά*) fishy
►**ψαρικά** ογς ουΔ ΠΛΗΘ fish
►**ψαρική** ογς ΘΗΛ fishing
►**είδη ψαρικής** fishing tackle *εν.*

ψαρίλα ογς ΘΗΛ fishy smell

ψαρόβαρκα ογς ΘΗΛ fishing boat

ψαροκάικο ογς ουΔ fishing boat, fishing smack (*Βρετ.*)

ψαροκόκαλο ογς ουΔ = **ψαροκόκκαλο**

ψαροκόκκαλο ογς ουΔ **(α)** (= *κόκκαλο ψαριού*) fishbone **(β)** (= *βελονιά ή ύφανση*) herringbone
►**παντελόνι/σακάκι ψαροκόκαλο** herringbone trousers/jacket

ψαροκόλλα ογς ΘΗΛ isinglass

ψαρομάλλης, -α ή -ούσα, -ικο ΕΠΙΘ grey-haired (*Βρετ.*), gray-haired (*Αμερ.*)

ψαρονέφρι ογς ουΔ tenderloin

ψαρόνι ογς ουΔ starling

ψαροπούλα ογς ΘΗΛ fishing boat

ψαροπούλι ογς ουΔ kingfisher

ψαρός, -ή, -ό ΕΠΙΘ (*μαλλιά, ζώα*) grey (*Βρετ.*), gray (*Αμερ.*) · (*για πρόσ.*) grey-haired (*Βρετ.*), gray-haired (*Αμερ.*)

ψαρόσουπα ογς ΘΗΛ fish soup

ψαροταβέρνα ογς ΘΗΛ fish taverna, fish restaurant

ψαροφάγος, -ος, -ο ΕΠΙΘ (*επίσ.*) fish-eating
►**ψαροφάγος** ογς ΑΡΣ kingfisher

ψαρώνω ① P M (*αργκ.*) **(α)** (= *φοβίζω*) to scare **(β)** (= *κοροϊδεύω*) to con (*ανεπ.*)
② P AM **(α)** (= *φοβάμαι*) to be scared **(β)** (= *είμαι εύπιστος*) to fall for it (*ανεπ.*), to take the bait

ψαχνό ογς ουΔ **(α)** (= *κρέας χωρίς κόκαλα*) fillet **(β)** (= *ουσία*) essence, heart **(γ)** (= *κέρδος*) gain, profit
▷**έρχομαι στο ψαχνό** to get to the point
▷**ρίχνω ή χτυπάω ή βαράω στο ψαχνό** to shoot to kill
▷**ρίχνω ή χτυπάω ή βαράω κπν στο ψαχνό** (= *χτυπώ κπν αλύπητα*) to beat sb to a pulp

ψάχνω ① P M **(α)** (= *προσπαθώ να βρω: φίλες, σημειωματάριο, διέξοδο, πληροφορίες*) to look for · (*λύση, τρόπο*) to try to find **(β)** (*σε τηλεφωνικό κατάλογο, λεξικό*) to look up **(γ)** (*ύποπτο, επιβάτη*) to search, to frisk · (*γραφείο, δωμάτιο, συντρίμμια, κτήριο*) to search · (*συρτάρι*) to search, to go through **(δ)** (*στήριγμα*) to look for, to seek (*επίσ.*) · (*το νόημα της ζωής*) to look for, to search for · (*τον δρόμο μου*) to try to find
② P AM to look (*για* for)
▷**(άστ'το) μην το ή την ψάχνεις!** (*ανεπ.*) drop it! (*ανεπ.*)
▷**τι ψάχνεις τώρα (να βρεις)!** what can you do?
▷**ψάχνω από δω κι από κει** to search high and low, to look all over the place
▷**ψάχνω με τα μάτια στο πλήθος/στον ορίζοντα** to scan the crowd/the horizon
▷**ψάχνω με το κερί ή με το φανάρι** to search high and low, to look all over the place
▷**ψάχνω να βρω κτ** to try to find sth
▷**ψάχνω στα σκουπίδια** to scavenge
▷**ψάχνω τις τσέπες μου για κτ** to search one's pockets for sth
▷**ψάχνω τριγύρω** to look around
▷**ψάχνω ψηλαφιστά για κτ** to grope for sth
►**ψάχνομαι** ΜΕΣΟΠΑΘ **(α)** (= *αναζητώ κτ επάνω μου*) to search one's pockets **(β)** (= *σκέπτομαι*) to think about it · (= *προβληματίζομαι*) to ask oneself questions

ψαχούλεμα ογς ουΔ rummaging · (*στο σκοτάδι*) fumbling

ψαχουλεύω P M **(α)** (*τσέπη, πορτοφόλι*) to fumble in · (*συρτάρι*) to rummage through, to root about in **(β)** (*τοίχο*) to feel
▷**ψαχουλεύω στο σκοτάδι για κτ** to fumble in

the dark for sth
ψεγάδι ΟΥΣ ΟΥΔ (*σώματος*) blemish · (*κειμένου, χαρακτήρα*) flaw
ψέγω Ρ Μ (*επίσ.*) to criticize
ψείρα ΟΥΣ ΘΗΛ (α) (*έντομο*) louse

> *Προσοχή!: Ο πληθυντικός του* **louse** *είναι* **lice**.

(β) (= *ψείρας*) nit–picker
▷**έχω/πιάνω ψείρες** to have/to get lice
▸**ψείρες** ΠΛΗΘ (α) (*για γράμματα*) cramped handwriting *εν.* (β) (= *λεπτομέρειες*) trifles
ψείρας ΟΥΣ ΑΡΣ nit–picker
ψειρής ΟΥΣ ΑΡΣ (= *ψειριάρης*) person with lice
ψειριάζω Ρ ΑΜ to get lice
ψειριάρης, -α, -ικο ΕΠΙΘ full of lice
▸**ψειριάρης** ΟΥΣ ΑΡΣ, **ψειριάρα** ΟΥΣ ΘΗΛ
(α) (= *που έχει ψείρες*) person with lice
(β) (*υβρ.*: = *βρομιάρης*) filthy pig (*ανεπ.*)
ψειρίζω Ρ Μ (α) (= *καθαρίζω*) to delouse
(β) (= *λεπτολογώ*) to niggle over
▷**ψειρίζω τη μαϊμού** (*αρνητ.*) to split hairs
ψειρού ΟΥΣ ΘΗΛ (α) (= *ψειριάρα*) woman with lice (β) (*αργκ.*: = *φυλακή*) clink (*χυδ.*), slammer (*χυδ.*)
ψεκάζω Ρ Μ/ΑΜ to spray
ψέκασμα ΟΥΣ ΟΥΔ = **ψεκασμός**
ψεκασμός ΟΥΣ ΑΡΣ spraying
ψεκαστήρας ΟΥΣ ΑΡΣ (α) (ΒΟΤ) spray
(β) (ΤΕΧΝΟΛ) spray gun
ψελλίζω ① Ρ Μ (*λόγια*) to mumble
② Ρ ΑΜ (= *τραυλίζω*) to stammer
ψέλνω ① Ρ ΑΜ to sing
② Ρ Μ (α) (*τροπάριο, ύμνο, κάλαντα*) to sing (β) (*μτφ.*) to go on at
▷**τα ψέλνω ή τα ψέλνω ένα χεράκι σε κπν** to give sb a piece of one's mind
▷**ψέλνω τον εξάψαλμο ή αναβαλλόμενο σε κπν** to read sb the riot act
▷**ψέλνω το ίδιο τροπάρι(ο) (για κτ)** to harp on (about sth)
ψέμα ΟΥΣ ΟΥΔ lie
▷**αθώο ψέμα** white lie
▷**κακά τα ψέματα!** face the facts!, let's face it!
▷**κάνω κτ στα ψέματα** to fake sth
▷**με τα ψέματα** (= *με ασήμαντα μέσα*) from nothing · (= *χωρίς προσπάθεια*) without any effort · (= *χωρίς προετοιμασία*) without preparation
▷**πες το ψέματα!** you're telling me!
▷**τελείωσαν ή σώθηκαν τα ψέματα** it's time to get down to business
▷**ψέμα με ουρά** whopping lie, whopper (*ανεπ.*)
ψεματάκι ΟΥΣ ΟΥΔ (= *μικρό ψέμα*) fib · (= *αθώο ψέμα*) white lie
ψευδαίσθηση ΟΥΣ ΘΗΛ (α) (ΨΥΧΟΛ) delusion · (*οπτική*) hallucination (β) (= *αυταπάτη*) illusion
▷**έχω ή τρέφω ή ζω με ψευδαισθήσεις** to delude oneself

ψευδάργυρος ΟΥΣ ΑΡΣ zinc
ψευδεπίγραφος, -η, -ο ΕΠΙΘ spurious
ψευδής, -ής, -ές ΕΠΙΘ (*επίσ.*)
(α) (*πληροφορία, είδηση, εικόνα*) false
(β) (*αγάπη, φιλία*) sham, insincere · (*δήλωση, κατάθεση, μαρτυρία*) false (γ) (*εντύπωση*) wrong, false · (*διαφήμιση*) false
ψευδίζω Ρ ΑΜ to lisp
ψευδοεπιστήμη ΟΥΣ ΘΗΛ pseudoscience
ψευδοεπιστημονικός, -ή, -ό ΕΠΙΘ pseudoscientific
ψευδοκλασικισμός ΟΥΣ ΑΡΣ (*επίσ.*) pseudoclassicism
ψευδοκλασικός, -ή, -ό ΕΠΙΘ (*επίσ.*) pseudoclassical
ψεύδομαι Ρ ΑΜ (*επίσ.*) to lie, to tell lies
▷**ψεύδομαι ασύστολα** to lie through one's teeth
ψευδομάρτυρας ΟΥΣ ΑΡΣ&ΘΗΛ false witness
ψευδομαρτυρία ΟΥΣ ΘΗΛ false evidence
ψευδομαρτυρώ Ρ ΑΜ (*επίσ.*) to give false evidence
ψευδορκία ΟΥΣ ΘΗΛ perjury
ψεύδορκος, -η, -ο ΕΠΙΘ (*μάρτυρας*) who commits perjury
▸**ψεύδορκος** ΟΥΣ ΑΡΣ, **ψεύδορκη** ΟΥΣ ΘΗΛ perjurer
ψευδορκώ Ρ ΑΜ to perjure oneself, to commit perjury
ψευδοροφή ΟΥΣ ΘΗΛ false ceiling
ψευδός, -ή, -ό ΕΠΙΘ lisping
▸**ψευδός** ΟΥΣ ΑΡΣ, **ψευδή** ΟΥΣ ΘΗΛ lisper, person who lisps
ψεύδος ΟΥΣ ΟΥΔ (*επίσ.*) falsehood (*επίσ.*), lie
▸**ανιχνευτής ψεύδους** lie detector
ψευδώνυμο ΟΥΣ ΟΥΔ (*γενικότ.*) pseudonym · (*λογοτέχνη*) pen name · (*κακοποιού*) alias
ψευταράς ΟΥΣ ΑΡΣ big liar
ψεύταρος ΟΥΣ ΑΡΣ = **ψευταράς**
ψευταρού ΟΥΣ ΘΗΛ *βλ.* **ψευταράς**
ψεύτης ΟΥΣ ΑΡΣ (α) (= *αυτός που ψεύδεται*) liar · (= *απατεώνας*) crook
▷**ο Θεός να με βγάλει ψεύτη** I hope to God that I'm wrong
▷**ο ψεύτης και ο κλέφτης τον πρώτο χρόνο χαίρονται** (*παροιμ.*) liars and thieves are soon exposed
▷**ψεύτη κόσμε!, ψεύτρα ζωή!, ψεύτρα κοινωνία!** vain world!
ψευτιά ΟΥΣ ΘΗΛ (*κυριολ., μτφ.*) lie
ψευτίζω ① Ρ Μ (*προϊόντα*) to make on the cheap · (*δουλειά*) to botch · (*ποιότητα*) to skimp on
② Ρ ΑΜ (α) (*προϊόντα*) to be poor quality · (*ποιότητα, υπηρεσίες*) to go downhill
(β) (*αξίες, ιδανικά*) to be debased
ψεύτικος, -η, -ο ΕΠΙΘ (α) (*πληροφορία, είδηση, εικόνα*) false (β) (*αγάπη, φιλία*) sham, spurious · (*δήλωση, κατάθεση*) false · (*συμπεριφορά*) deceitful · (*λόγια, υποσχέσεις*)

hollow, empty · (*αδιαφορία*) feigned ·
(*επίθεση*) mock (γ) (*δόντια, μάτια,
βλεφαρίδες, στήθη*) false · (*μαλλιά, λουλούδια*)
artificial · (*κόσμημα*) fake, paste · (*πιστόλι*)
fake (δ) (*χαρτονόμισμα, διαθήκη, υπογραφή,
διαβατήριο, ταυτότητα*) forged (ε) (*προϊόν*)
cheap · (*δουλειά*) shoddy (στ) (*ντουνιάς, ζωή*)
vain

ψευτογιατρός ΟΥΣ ΑΡΣ quack (*ανεπ.*)

ψευτοδουλειά ΟΥΣ ΘΗΛ shoddy work

ψευτοζώ Ρ ΑΜ to scrape by

ψευτοπαλικαράς ΟΥΣ ΑΡΣ braggart

ψευτοπερνώ Ρ ΑΜ = **ψευτοζώ**

ψεύτρα ΟΥΣ ΘΗΛ *βλ.* **ψεύτης**

ψήγμα ΟΥΣ ΟΥΔ (*επίσ.*) (α) (*χρυσού, αργύρου*)
nugget (β) (*αλήθειας*) grain · (*αγάπης,
στοργής, ειλικρίνειας*) trace
▸**ψήγματα** ΠΛΗΘ (*μετάλλου*) filings · (*ξύλου*)
shavings

ψηλά ΕΠΙΡΡ (α) (= *σε υψόμετρο*) high (up)
(β) (= *προς τα πάνω*) up (γ) (= *σε ανώτερο
επίπεδο: στοχεύω*) high
▸**από ψηλά** (= *από τον ουρανό*) from above ·
(= *από τον Θεό*) from on high
▸**παίρνω** ή **έχω ψηλά τον αμανέ** to have
ideas above one's station
▸**περπατάω με** ή **έχω το κεφάλι ψηλά** to hold
one's head high
▸**προσπαθεί να ανέβει ψηλά** he's trying to
get to the top
▸**ψηλά τα χέρια!** hands up!

ψηλάφηση ΟΥΣ ΘΗΛ feeling

ψηλαφητά ΕΠΙΡΡ = **ψηλαφιστά**

ψηλαφητός, -ή, -ό ΕΠΙΘ (*όγκος, εξόγκωμα*)
palpable · (*υπεροχή, αποδείξεις*) tangible

ψηλαφίζω Ρ Μ (α) (*ύφασμα, ρούχο, όγκο,
τοίχο*) to feel (β) (*θέμα, πρόβλημα*) to touch
on

ψηλαφιστά ΕΠΙΡΡ: **προχωρώ ψηλαφιστά στο
σκοτάδι** to feel one's way in the dark
▸**ψάχνω κτ ψηλαφιστά** to feel around for sth

ψηλαφώ Ρ Μ = **ψηλαφίζω**

ψηλέας ΟΥΣ ΑΡΣ (*ειρων.*) beanpole (*ανεπ.*)

ψηλόλιγνος, -η, -ο ΕΠΙΘ (*κοπέλα*) willowy ·
(*νέος*) lanky · (*μτφ.: ποτήρι*) tall and thin
▸**ο καπνός ανέβαινε ψηλόλιγνος** the smoke
rose in a thin column

ψηλομύτης, -α, -ικο ΕΠΙΘ snooty, stuck–up
(*ανεπ.*)

ψηλός, -ή, -ό ΕΠΙΘ (*άνθρωπος, καμινάδα,
δέντρο*) tall · (*τοίχος, φράχτης, βουνό, ράφι,
γέφυρα, νότα*) high
▸**ψηλό καπέλο** top hat
▸**ψηλά** ΟΥΣ ΟΥΔ ΠΛΗΘ high ground *εν.*,
mountains
▸**απ' τα ψηλά στα χαμηλά (κι απ' τα πολλά
στα λίγα)** (*παροιμ.*) how the mighty have
fallen

ψηλοτάβανος, -η, -ο ΕΠΙΘ high–ceilinged

ψηλοτάκουνος, -η, -ο ΕΠΙΘ high–heeled

ψήλωμα ΟΥΣ ΟΥΔ (α) (= *ύψωμα*) hill

(β) (*παιδιού, δέντρου*) growth · (*σπιτιού*)
extension

ψηλώνω ☐ Ρ ΑΜ (α) (*άνθρωπος, δέντρο*) to
grow (taller) (β) (*λογοτ.: ήλιος, αστέρια*) to
rise, to come up
② Ρ Μ (= *υψώνω*) to make higher

ψημένος, -η, -ο ΕΠΙΘ (α) (*γενικότ.*) cooked ·
(*στον φούρνο: ψωμί, γλυκό, ψάρι*) baked ·
(*κρέας*) roasted · (*στα κάρβουνα*) barbecued ·
(*στη σχάρα*) grilled (*Βρετ.*), broiled (*Αμερ.*) ·
(*στη σούβλα*) spit–roasted (β) (*κρασί, μπίρα*)
matured (γ) (*από ήλιο, αέρα*)
weather–beaten (δ) (= *έμπειρος,
δοκιμασμένος*) hardened, seasoned

ψήνω Ρ Μ (α) (*γενικότ.*) to cook · (*ψωμί,
γλυκό, κουλούρια, πηλό*) to bake · (*κρέας:
στον φούρνο*) to roast · (*στα κάρβουνα*) to
barbecue · (*στη σχάρα*) to grill (*Βρετ.*), to
broil (*Αμερ.*) · (*στη σούβλα*) to spit–roast ·
(*καφέ, χαμομήλι*) to make (β) (*ήλιος, ζέστη*)
to make too hot (γ) (= *βασανίζω*) to
torment · (*με γκρίνια, μουρμούρα*) to pester
(δ) (= *πείθω*) to persuade
▸**μια ζωή με ψήνεις!** you've made my life a
misery!
▸**τα ψήνω με κπν** to start going out with sb,
to hook up with sb (*ανεπ.*)
▸**ψήνω κπν να κάνει κτ** to talk sb into doing
sth
▸**ψήνομαι** ΜΕΣΟΠΑΘ (α) (*κρασί, μπίρα*) to
mature · (*τυρί*) to ripen, to mature ·
(*εξελίξεις*) to be in the pipeline
(β) (= *καίγομαι*) to bake (*ανεπ.*), to swelter
(γ) (*αργκ.*: = *σκέφτομαι*) to plan
▸**ψήνομαι σε** (*δουλειά*) to get used to · (*ζωή*)
to become hardened to
▸**ψήνομαι στον πυρετό** to be burning up
with fever

ψήσιμο ΟΥΣ ΟΥΔ (α) (*γενικότ.*) cooking ·
(*ψωμιού, γλυκών, πηλού*) baking · (*κρέατος:
στον φούρνο*) roasting · (*στη σχάρα*)
(β) (*κρασιού, μπύρας*) maturing · (*τυριού*)
ripening
▸**αρχίζω κπν στο ψήσιμο** to start cajoling sb
▸**αρχίζω το ψήσιμο για κτ** to start angling for
sth
▸**το ψήσιμο στη δουλειά** getting used to
work
▸**το ψήσιμο στη ζωή** becoming hardened to
life

ψησταριά ΟΥΣ ΘΗΛ (α) (*συσκευή*) barbecue
(β) (*κατάστημα*) grill, steakhouse

ψηστήρι ΟΥΣ ΟΥΔ (α) (*γενικότ.*) persuasion,
sweet talk · (*πωλητή*) sales patter ή pitch
(β) (*σε γυναίκα, άνδρα*) chatting up
▸**αρχίζω το ψηστήρι σε κπν, αρχίζω** ή **πιάνω
κπν στο ψηστήρι** (*σε πελάτη*) to start using
sales patter on sb · (*σε γυναίκα, άνδρα*) to
start chatting sb up

ψητό ΟΥΣ ΟΥΔ (α) (*σε φούρνο*) roast (meat) ·
(*στα κάρβουνα*) barbecued meat · (*σε σούβλα*)
spit–roast meat (β) (= *ουσία*) essence ·
(= *κέρδος*) profit

▷**έρχομαι** ή **φτάνω** ή **περνάω στο ψητό** to get to the point

▷**το μυαλό μου είναι (όλο) στο ψητό** (= *στο κέρδος*) to think about money all the time · (= *στο σεξ*) to have a one–track mind

ψητοπωλείο ΟΥΣ ΟΥΔ grill, steakhouse

ψητός, -ή, -ό ΕΠΙΘ (*στον φούρνο*) roast · (*στη σχάρα*) grilled (*Βρετ*.), broiled (*Αμερ*.) · (*στα κάρβουνα*) barbecued

►**ψητό μοσχάρι** roast beef

►**ψητό σούβλας** spit roast

►**ψητό της κατσαρόλας** casserole, pot roast (*Αμερ*.)

ψηφιακός, -ή, -ό ΕΠΙΘ digital

►**ψηφιακός βιντεοδίσκος** DVD

►**ψηφιακή** ΟΥΣ ΘΗΛ digital TV ή television

ψηφίδα ΟΥΣ ΘΗΛ tessera, mosaic tile

ψηφιδωτός, -ή, -ό ΕΠΙΘ (*διακόσμηση, δάπεδο, παράσταση*) mosaic

►**ψηφιδωτό** ΟΥΣ ΟΥΔ mosaic

ψηφίζω ⬚ Ρ Μ (= *ρίχνω ψήφο*) to vote ⬚ Ρ ΑΜ (α) (*κόμμα, υποψήφιο*) to vote for (β) (*νομοσχέδιο, πρόταση*) to pass, to vote for

▷**ψηφίζω κπν για πρόεδρο** to elect sb president

▷**ψηφίζω κπν/κτ και με τα δυο χέρια** to be behind sb/sth all the way

▷**ψηφίζω μονοκούκκι** to vote for one candidate only

▷**ψηφίζω υπέρ/κατά κποιου** to vote for ή in favour (*Βρετ*.) ή favor (*Αμερ*.) of/against sb

ψηφίο ΟΥΣ ΟΥΔ (α) (= *αραβικός αριθμός*) digit (β) (= *αριθμός ή γράμμα*) character (γ) (ΤΥΠΟΓΡ) type

ψήφιση ΟΥΣ ΘΗΛ (*συμβουλίου, προέδρου, υποψηφίου*) election · (*νόμου, νομοσχεδίου, πρότασης*) passing

ψήφισμα ΟΥΣ ΟΥΔ (α) (*συμβουλίου, οργανισμού*) resolution (β) (*διαδηλωτών, φοιτητών, απεργών*) petition

▷**εκδίδω** ή **βγάζω ψήφισμα** to get up a petition

ψηφοδέλτιο ΟΥΣ ΟΥΔ (α) (*για εκλογή υποψηφίου*) ballot paper (β) (= *συνδυασμός*) list of candidates, ticket (*Αμερ*.), slate (*Αμερ*.)

ψηφοδόχος ΟΥΣ ΘΗΛ (= *κάλπη*) ballot-box

ψηφοθήρας ΟΥΣ ΑΡΣΘΗΛ (*αρνητ*.) canvasser

ψηφοθηρία ΟΥΣ ΘΗΛ canvassing

ψηφοθηρικός, -ή, -ό ΕΠΙΘ (*τακτική, πολιτική*) vote-catching

ψηφοθηρώ Ρ ΑΜ to canvass for votes

ψηφολέκτης ΟΥΣ ΑΡΣ scrutineer

ψήφος ΟΥΣ ΘΗΛ (α) (= *ψηφοδέλτιο*) ballot paper (β) (= *ψηφοφορία*) vote (γ) (= *δικαίωμα ψήφου*) franchise

▷**δίνω** ή **ρίχνω την ψήφο μου** to cast one's vote

▷**έχω δικαίωμα ψήφου** to have the franchise ή the right to vote

▷**η αποφασιστική ψήφος, η ψήφος της Αθηνάς** the casting ή deciding vote

►**ισότητα ψήφου** equal voting rights

►**καθολικότητα της ψήφου** universal suffrage

►**ψήφος εμπιστοσύνης** (*κυριολ*., *μτφ*.) vote of confidence

ψηφοφορία ΟΥΣ ΘΗΛ vote

▷**απέχω από την ψηφοφορία** to abstain

▷**βάζω κτ σε ψηφοφορία** to put sth to the vote

▷**κάνω ψηφοφορία για κτ** to take a vote on sth

▷**τίθεμαι σε ψηφοφορία** to be put to the vote

►**καθολική ψηφοφορία** universal suffrage

►**μυστική ψηφοφορία** secret ballot

ψηφοφόρος ΟΥΣ ΑΡΣΘΗΛ voter

ψι ΟΥΣ ΟΥΔ ΑΚΛ psi, *23rd letter of the Greek alphabet*

ψιθυρίζω ⬚ Ρ Μ (= *μιλώ σιγανά*) to whisper · (= *μουρμουρίζω*) to murmur ⬚ Ρ ΑΜ (= *μιλώ σιγανά*) to whisper · (= *μουρμουρίζω*) to murmur · (*ρυάκι*) to babble

►**ψιθυρίζεται** ΑΠΡΟΣ it is rumoured (*Βρετ*.) ή rumored (*Αμερ*.), there's a rumour (*Βρετ*.) ή rumor (*Αμερ*.) going around

ψιθυριστά ΕΠΙΡΡ in a whisper

ψιθυριστός, -ή, -ό ΕΠΙΘ (*φωνή*) hushed · (*απάντηση, συνομιλία, συζήτηση*) whispered

►**ψιθυριστή φήμη** ή **είδηση** rumour (*Βρετ*.), rumor (*Αμερ*.)

ψίθυρος ΟΥΣ ΑΡΣ (α) (= *μουρμούρισμα*) whisper (β) (*ρυακιού*) babbling · (*θάλασσας*) lapping *χωρίς πληθ*. · (*φύλλων*) rustle

►**ψίθυροι** ΠΛΗΘ rumours (*Βρετ*.), rumors (*Αμερ*.)

ψιλά ΟΥΣ ΟΥΔ ΠΛΗΘ (α) (= *κέρματα*) loose ή small change *εν*. (β) (= *ευτελές ποσό*) pittance *εν*. (γ) (*εφημερίδας*) news *εν*. in brief

▷**κάνω ψιλά** to get some change

▷**περνώ στα ψιλά των εφημερίδων** to be relegated to the back pages

▷**πορτοφόλι** ή **πορτοφολάκι για τα ψιλά** coin purse

ψιλή ΟΥΣ ΘΗΛ (α) (ΓΛΩΣΣ: *παλαιότ*.) smooth breathing sign (β) (= *μηχανή κουρέματος*) shaver

▷**κουρεύομαι με την ψιλή** to have one's head shaved

ψιλικά ΟΥΣ ΟΥΔ ΠΛΗΘ (α) (= *φθηνά μικροαντικείμενα*) small and cheap goods (β) (= *ψιλικατζίδικο*) shop selling small and cheap goods, dime store (*Αμερ*.) · (*που πουλά και οινοπνευματώδη*) off-licence (*Βρετ*.), package store (*Αμερ*.)

ψιλικατζήδικο ΟΥΣ ΟΥΔ = **ψιλικατζίδικο**

ψιλικατζής ΟΥΣ ΑΡΣ (α) (= *ιδιοκτήτης* ή *πωλητής ψιλικών*) owner of a shop selling small and cheap goods (β) (*μτφ*.) small fry

ψιλικατζίδικο ΟΥΣ ΟΥΔ shop selling small and cheap goods, dime store (*Αμερ*.) · (*που πουλά και οινοπνευματώδη*) off-licence (*Βρετ*.), package store (*Αμερ*.)

ψιλοαλεσμένος, -η, -ο ΕΠΙΘ *(αλάτι, πιπέρι, αλεύρι)* finely ground

ψιλοβρέχω Ρ ΑΜ: **ψιλοβρέχει** ΑΠΡΟΣ it's drizzling

ψιλοδουλειά ΟΥΣ ΘΗΛ (α) *(= λεπτομερής εργασία)* painstaking work (β) *(= ψιλοδουλεμένο κομψοτέχνημα)* finely crafted work (γ) *(= μικροαπασχόληση)* small job

ψιλοδουλεμένος, -η, -ο ΕΠΙΘ *(κέντημα, κόσμημα)* finely crafted

ψιλοκόβω Ρ Μ (α) *(κρέας, λαχανικά, φρούτα)* to dice · *(κρεμμύδια, σκόρδα)* to chop finely (β) *(καπνό)* to cut finely · *(μπαχαρικά)* to grind finely

ψιλοκομμένος, -η, -ο ΕΠΙΘ (α) *(κρέας)* diced · *(κρεμμύδια)* finely chopped (β) *(καπνός)* finely cut · *(μπαχαρικά)* finely ground

ψιλοκοσκινίζω Ρ Μ (α) *(αλεύρι, σιμιγδάλι)* to sift finely (β) *(= εξετάζω αναλυτικά)* to scrutinize

ψιλοκουβέντα ΟΥΣ ΘΗΛ small talk, chat

ψιλοκουβεντιάζω Ρ ΑΜ to chat

ψιλολογώ Ρ Μ to scrutinize

ψιλοπράγματα, ψιλοπράματα ΟΥΣ ΟΥΔ ΠΛΗΘ (α) *(= λίγα ή ασήμαντα πράγματα)* odds and ends (β) *(μτφ.)* trifles

ψιλός, -ή, -ό ΕΠΙΘ (α) *(χαρτί, φέτα)* thin · *(άμμος, κλωστή)* fine (β) *(δουλειά)* delicate (γ) *(αλάτι, πιπέρι, αλεύρι, σιμιγδάλι)* finely ground (δ) *(ήχος, φωνή)* shrill (ε) *(ρούχα)* thin
▷ **παίρνω κπν στο ψιλό** to make fun of sb
▷ **πιάνω ψιλή κουβέντα (με κπν)** to chat (with sb)
▷ **ψιλά γράμματα** *(= δυσνόητα πράγματα)* a closed book ΕΝ. *(για κπν to sb)* · *(= λεπτομέρειες)* minor details
▸ **ψιλή βροχή** drizzle

ψιλοτραγουδώ ① Ρ ΑΜ to hum *ή* sing to oneself
② Ρ Μ *(τραγούδι, ρυθμό)* to hum

ψιτ ΕΠΙΦΩΝ hey! · *(διακριτικά)* psst!

ψίχα ΟΥΣ ΘΗΛ *(ψωμιού)* crumb · *(καρπού)* pith · *(δέντρου)* core
▷ **μια ψίχα** a tiny bit · *(για χρήματα)* a pittance

ψιχάλα ΟΥΣ ΘΗΛ (α) *(= σταγόνα βροχής)* raindrop (β) *(= ψιλή βροχή)* drizzle
▷ **πιάνει ψιχάλα** it's drizzling

ψιχαλίζω Ρ ΑΜ: **ψιχαλίζει** ΑΠΡΟΣ it's drizzling

ψιχάλισμα ΟΥΣ ΟΥΔ drizzle

ψίχαλο ΟΥΣ ΟΥΔ = **ψίχουλο**

ψίχουλο ΟΥΣ ΟΥΔ *(ψωμιού, μπισκότου)* crumb
▷ **δεν αφήνω (ούτε) ψίχουλο** to polish everything off
▸ **ψίχουλα** ΠΛΗΘ tiny bit ΕΝ. · *(για χρήματα)* pittance ΕΝ.

ψι-ψι puss, puss!, kitty, kitty!

ψιψίνα ΟΥΣ ΘΗΛ *(χαϊδευτ.)* pussycat, puss

ψοφίμι ΟΥΣ ΟΥΔ (α) *(= πτώμα ζώου)* carcass

(β) *(= αδύναμο ζώο)* runt · *(αδύναμο άτομο)* weakling (γ) *(υβρ.)* wimp

ψόφιος, -ια, -ιο ΕΠΙΘ (α) *(για ζώα)* dead (β) *(για πρόσ.)* worn out (γ) *(χαιρετισμός, κοινό)* unenthusiastic · *(κινήσεις)* languid
▷ **είμαι ψόφιος από την *ή* στην κούραση** to be worn out, to be dead tired *(ανεπ.)*
▷ **είμαι ψόφιος από την *ή* στην πείνα** to be faint with hunger, to be dead hungry *(ανεπ.)*

ψοφόκρυο ΟΥΣ ΟΥΔ freezing cold weather
▷ **κάνει ψοφόκρυο** it's freezing (cold)

ψοφολογώ Ρ ΑΜ *(υβρ.)* to be about to kick the bucket *(ανεπ.)*

ψόφος ΟΥΣ ΑΡΣ *(για ζώα)* death
▷ **κακό ψόφο να 'χεις!** *(κατάρα)* may you rot in hell!
▷ **κάνει ή έχει ψόφο** it's freezing (cold)

ψοφώ ① Ρ ΑΜ (α) *(για ζώα)* to die (β) *(υβρ.)* to kick the bucket *(ανεπ.)*
(γ) *(= εξαντλούμαι)* to be worn out, to be dead on one's feet *(ανεπ.)*
② Ρ Μ (α) *(ζώο)* to kill (β) *(άνθρωπο)* to wear out
▷ **ψοφάω για κτ** to be desperate for sth
▷ **ψοφάω κπν σε κτ** to wear sb out with sth
▷ **ψοφάω της πείνας** *(κυριολ., μτφ.)* to be starving

ψυγείο ΟΥΣ ΟΥΔ (α) *(ηλεκτρική συσκευή)* fridge *(Βρετ.)*, refrigerator, icebox *(Αμερ.)*
(β) *(θάλαμος)* refrigerated room (γ) *(αυτοκινήτου)* radiator (δ) *(φορτηγό)* refrigerated lorry · *(πλοίο)* refrigerated ship
▷ **κατεβάζω ένα ψυγείο (μόνος μου)** to eat like a horse
▷ **ψυγείο είναι εδώ μέσα!** it's freezing in here!

ψυγειοκαταψύκτης ΟΥΣ ΑΡΣ fridge–freezer

ψυκτήρας ΟΥΣ ΑΡΣ freezer compartment *(Βρετ.)*, deep freezer compartment *(Αμερ.)*

ψυκτικός, -ή, -ό ΕΠΙΘ *(μηχάνημα)* refrigerating
▸ **ψυκτικός θάλαμος** *(ψυγείου)* freezer compartment *(Βρετ.)*, deep freezer compartment *(Αμερ.)*
▸ **ψυκτικό** ΟΥΣ ΟΥΔ *(επίσης* **ψυκτικό υγρό**) coolant
▸ **ψυκτικός** ΟΥΣ ΑΡΣ refrigeration specialist

ψυλλιάζομαι Ρ Μ *(οικ.)* to suspect

ψύλλος ΟΥΣ ΑΡΣ flea
▷ **για ψύλλου πήδημα** for petty reasons
▷ **καλιγώνει τον ψύλλο** he's as bright as a button
▷ **ούτε ψύλλος στον κόρφο σου/του** I wouldn't want to be in your/his shoes

ψύξη ΟΥΣ ΘΗΛ (α) *(τροφίμων: σε ψυγείο)* refrigeration · *(σε καταψύκτη)* freezing (β) *(= καταψύκτης)* freezer *(Βρετ.)*, deep freezer *(Αμερ.)* (γ) *(ΙΑΤΡ)* frostbite

ψυχαγωγία ΟΥΣ ΘΗΛ recreation
▷ **αίθουσα ψυχαγωγίας** recreation room

ψυχαγωγικός, -ή, -ό ΕΠΙΘ *(πρόγραμμα, μέσο)* recreational

ψυχαγωγώ Ρ Μ to entertain

▸**ψυχαγωγούμαι** ΜΕΣΟΠΑΘ to enjoy oneself

ψυχάκιας ΟΥΣ ΑΡΣ *(κοροϊδ.)* paranoid

ψυχαναγκασμός ΟΥΣ ΑΡΣ (α) *(= ψυχική πίεση)* stress (β) (ΨΥΧΟΛ) compulsion

ψυχαναγκαστικός, -ή, -ό ΕΠΙΘ *(συμπεριφορά, σύμπτωμα, διαταραχή)* compulsive

▸**ψυχαναγκαστικός** ΟΥΣ ΑΡΣ compulsive

ψυχανάλυση ΟΥΣ ΘΗΛ (psycho)analysis

ψυχαναλυτής ΟΥΣ ΑΡΣ (psycho)analyst, analyst

ψυχαναλυτικός, -ή, -ό ΕΠΙΘ psychoanalytical

ψυχαναλύτρια ΟΥΣ ΘΗΛ *βλ.* **ψυχαναλυτής**

ψυχανθή ΟΥΣ ΟΥΔ ΠΛΗΘ papilionaceous plants

ψυχασθένεια ΟΥΣ ΘΗΛ mental disorder, psychopathy

ψυχασθενής, -ής, -ές ΕΠΙΘ suffering from a mental disorder

▸**ψυχασθενής** ΟΥΣ ΑΡΣ&ΘΗΛ person suffering from a mental disorder

ψυχεδέλεια ΟΥΣ ΘΗΛ (α) *(= ονειρική κατάσταση)* altered state (β) *(= είδος μουσικής, βιβλίου, ζωγραφικής)* psychedelia

ψυχεδελικός, -ή, -ό ΕΠΙΘ psychedelic

ψυχή ΟΥΣ ΘΗΛ (α) (ΦΙΛΟΣ, ΘΡΗΣΚ) soul (β) (ΨΥΧΟΛ) psyche (γ) *(= ηθική φύση)* soul · *(= συναισθηματική φύση)* soul (δ) *(= ιδιαίτερα χαρακτηριστικά)* spirit (ε) *(= σθένος)* spirit (στ) *(= άνθρωπος)* soul (ζ) *(παρέας, συντροφιάς)* life and soul

▸**αδελφή ψυχή** soul mate

▸**από τα βάθη της ψυχής μου** from the bottom of one's heart

▸**βγάζω την ψυχή κποιου** to make sb suffer

▸**για την ψυχή της μάνας μου** for free *ή* nothing

▸**δεν το βαστά η ψυχή μου** I can't stand it

▸**δίνω όλη μου την ψυχή σε κτ** to put one's heart and soul into sth

▸**δωσ' του βιβλία και παρ' του την ψυχή** give him a book and he's in seventh heaven

▸**γλεντώ με την ψυχή μου** to have the time of one's life

▸**με όλη μου την ψυχή** with all one's heart

▸**με την ψυχή μου** *(τρώω, γελώ)* heartily · *(πίνω)* to one's heart's content · *(τραγουδώ)* lustily

▸**μια ψυχή που 'ναι να βγει, ας βγει (μια ώρα αρχύτερα)** let's get on with it

▸**μου βγαίνει η ψυχή** to be shattered

▸**μου πλακώνει την ψυχή, πλακώνεται η ψυχή μου** it gets me down

▸**ό, τι τραβάει ή ποθεί η ψυχή σου** *(τρώω, πίνω, παίρνω)* whatever you like

▸**πουλάω (και) την ψυχή μου (στον Διάβολο)** to sell one's soul (to the devil)

▸**τι ψυχή (να) έχει ένα ποτό/έχουν πέντε ευρώ;** what difference does a little drink/five euros make?

▸**το λέει η ψυχή μου** to be brave

▸**τραβάει κτ η ψυχή μου** to really love sth

▸**δεν υπήρχε ψυχή ζώσα** *(επίσ.)* there wasn't a (living) soul in sight

▸**ψυχή μου!** my darling!

▸**ψυχή τε και σώματι** body and soul

ψυχιατρείο ΟΥΣ ΟΥΔ mental *ή* psychiatric hospital

ψυχιατρική ΟΥΣ ΘΗΛ psychiatry

ψυχίατρος ΟΥΣ ΑΡΣ&ΘΗΛ psychiatrist

ψυχικό ΟΥΣ ΟΥΔ *(= ελεημοσύνη)* charity

▸**από ψυχικό** out of charity

▸**κάνω το ψυχικό σε κπν** *(ειρων.)* to sleep with sb

ψυχικός, -ή, -ό ΕΠΙΘ *(διάθεση, ηρεμία, ασθένεια, υγεία)* mental · *(μεγαλείο)* moral

▸**ψυχικός κόσμος** psyche

▸**ψυχικά χαρίσματα** mental powers

▸**ψυχική επαφή** rapport

▸**ψυχική νόσος/διαταραχή** mental illness/disorder

▸**ψυχικό τραύμα** trauma

ψυχισμός ΟΥΣ ΑΡΣ psyche

ψυχοβγάλτης ΟΥΣ ΑΡΣ nuisance

ψυχοβγάλτρα ΟΥΣ ΘΗΛ *βλ.* **ψυχοβγάλτης**

ψυχογιός ΟΥΣ ΑΡΣ adopted son

ψυχογράφημα ΟΥΣ ΟΥΔ psychological profile

ψυχογραφία ΟΥΣ ΘΗΛ (α) *(= ψυχογράφημα)* psychological profile (β) *(επιστήμη)* psychographics

ψυχοθεραπεία ΟΥΣ ΘΗΛ psychotherapy

ψυχοθεραπευτής ΟΥΣ ΑΡΣ psychotherapist

ψυχοθεραπευτικός, -ή, -ό ΕΠΙΘ psychotherapeutic

ψυχοθεραπεύτρια ΟΥΣ ΘΗΛ *βλ.* **ψυχοθεραπευτής**

ψυχοκόρη ΟΥΣ ΘΗΛ adopted daughter

ψυχολογία ΟΥΣ ΘΗΛ (α) *(επιστήμη)* psychology (β) *(μάθημα)* psychology (class) (γ) *(= ψυχισμός)* psychology (δ) *(= ψυχική κατάσταση)* mental state

ψυχολογικός, -ή, -ό ΕΠΙΘ *(πρόβλημα, ανάγκη, κρίση)* psychological

▸**ψυχολογική βία** psychological pressure

▸**ψυχολογικός πόλεμος** psychological warfare

ψυχολόγος ΟΥΣ ΑΡΣ&ΘΗΛ (α) *(επιστήμονας)* psychologist (β) *(μτφ.)* perceptive person

ψυχολογώ Ρ Μ to analyse *(Βρετ.)*, to analyze *(Αμερ.)*

ψυχομαχώ Ρ ΑΜ to be at death's door

ψυχοπάθεια ΟΥΣ ΘΗΛ *(γενικότ.)* mental disorder · *(= παθολογική διατάραξη)* psychopathy

ψυχοπαθής, -ής, -ές ΕΠΙΘ psychopathic

▸**ψυχοπαθής** ΟΥΣ ΑΡΣ&ΘΗΛ psychopath

ψυχοπαίδι ΟΥΣ ΟΥΔ adopted child

ψυχοπλακωτικός, -ή, -ό ΕΠΙΘ *(ταινία, σπίτι, συζήτηση, μουσική)* depressing

ψυχοπονώ Ρ Μ to feel for, to feel sorry for

ψυχορραγώ Ρ ΑΜ *(επίσ.)* to be at death's door, to be dying · *(μτφ.)* to be in its death throes

ψύχος ΟΥΣ ΟΥΔ (επίσ.) cold
▸**πολικό ψύχος** freezing cold weather
ψυχοσύνθεση ΟΥΣ ΘΗΛ temperament, make–up
ψυχοσωματικός, -ή, -ό ΕΠΙΘ psychosomatic
ψυχούλα ΟΥΣ ΘΗΛ (α) (υποκορ.) soul (β) (χαϊδευτ.) dear soul
▸**ψυχούλα μου!** sweetheart!, my darling!
ψυχοφάρμακα ΟΥΣ ΟΥΔ ΠΛΗΘ psychoactive drugs
ψύχρα ΟΥΣ ΘΗΛ chill
▸**βρίζω κπν στην ψύχρα** (αργκ.) to call sb all the names under the sun
▸**επιτίθεμαι ή κτυπώ κπν στην ψύχρα** (αργκ.) to lay into sb (ανεπ.)
▸**έχει ή κάνει ψύχρα** it's chilly, there's a chill in the air
▸**πυροβολώ/σκοτώνω κπν στην ψύχρα** (αργκ.) to shoot/to kill sb in cold blood
ψυχραιμία ΟΥΣ ΘΗΛ (= ψυχική ηρεμία, αταραξία) coolness, composure
▸**κρατώ ή διατηρώ την ψυχραιμία μου** to keep one's composure ή cool (ανεπ.)
▸**ξαναβρίσκω την ψυχραιμία μου** to regain one's composure
▸**χάνω την ψυχραιμία μου** to lose one's composure ή cool (ανεπ.)
ψύχραιμος, -η, -ο ΕΠΙΘ (α) (άνθρωπος) cool (β) (ενέργεια, συμπεριφορά) level–headed · (κίνηση, αντίδραση, αντιμετώπιση) cool
▸**παραμένω ψύχραιμος** to remain cool, to keep one's cool (ανεπ.)
▸**το παίζω ψύχραιμος** to play it cool (ανεπ.)
ψυχραίνω ① Ρ Μ (α) (σπάν.: = ψύχω) to chill (β) (σχέσεις, φιλία) to spoil, to put a chill in ② Ρ ΑΜ (καιρός) to get cooler, to grow chilly
▸**ψυχραίνομαι** ΜΕΣΟΠΑΘ (= διακόπτω σχέσεις) to fall out (με κπν, για κτ with sb, over sth)
ψυχρολουσία ΟΥΣ ΘΗΛ (α) (= κρύο μπάνιο) cold bath (β) (= ξαφνική απογοήτευση) bitter disappointment · (= αυστηρή σύσταση) severe reprimand, dressing–down (ανεπ.)
ψυχροπολεμικός, -ή, -ό ΕΠΙΘ (περίοδος, συνθήματα) cold–war
ψυχρός, -ή, -ό ΕΠΙΘ (α) (αέρας, άνεμος, καιρός, κλίμα, βραδιά) cold (β) (= κρύος: άνθρωπος) cold · (= απλησίαστος) standoffish (τρόπος, υποδοχή) frosty (βλέμμα, λογική) cold (γ) (για γυναίκα) frigid
▸**εν ψυχρώ** (πυροβολώ, σκοτώνω) in cold blood · (χτυπώ) without flinching
▸**ο Ψυχρός Πόλεμος** the Cold War
▸**ψυχρό μέτωπο** (ΜΕΤΕΩΡ) cold front
ψυχρότητα ΟΥΣ ΘΗΛ (α) (καιρού, αέρα, κλίματος, βραδιάς) coldness (β) (συμπεριφοράς, βλέμματος, λογικής) coldness · (τρόπων, υποδοχής) frostiness (γ) (για γυναίκα) frigidity
ψυχρούλα ΟΥΣ ΘΗΛ (υποκορ.) chill
▸**κάνει ψυχρούλα** it's a bit chilly
ψύχω Ρ Μ (= κρυώνω: χώρο) to cool · (τσάι) to cool down · (φαγητό, ποτό) to chill ·

(= παγώνω: κρέας, λαχανικά) to freeze
ψυχωμένος, -η, -ο ΕΠΙΘ brave, plucky
ψυχώνω Ρ Μ = **εμψυχώνω**
ψύχωση ΟΥΣ ΘΗΛ (α) (ΙΑΤΡ) psychosis

> *Προσοχή!: Ο πληθυντικός του* **psychosis** *είναι* **psychoses.**

(β) (μτφ.) passion
▸**έχω ψύχωση με κπν/κτ** (ανεπ.) to be crazy about sb/sth (ανεπ.)
ψωλή ΟΥΣ ΘΗΛ (α) (χυδ.) prick (χυδ.), cock (χυδ.) (β) (υβρ.) prick (χυδ.), dickhead (χυδ.)
ψωμάκι ΟΥΣ ΟΥΔ (α) (υποκορ.: = μικρή φέτα ή μικρό κομμάτι) piece of bread (β) (= μικρό ψωμί) roll
▸**λέω το ψωμί ψωμάκι** not to know where one's next meal is coming from, to be living on the breadline (Βρετ.)
▸**ψωμάκια** ΠΛΗΘ (= συσσωρευμένο λίπος) cellulite εν.
ψωμάς ΟΥΣ ΑΡΣ baker
ψωμί ΟΥΣ ΟΥΔ (α) (= άρτος) bread (β) (= φαγητό) food
▸**αυτή η δουλειά έχει ψωμί** there's a lot of money in that work
▸**βγάζω ή κερδίζω το ψωμί μου** to earn ή make a living
▸**για ένα κομμάτι ψωμί** (δίνω, πουλώ) for next to nothing · (δουλεύω) for a pittance
▸**δεν έχω ψωμί να φάω** to have nothing to eat
▸**έχω να φάω πολλά ψωμιά ακόμη** (= έχω τη ζωή μπροστά μου) to have one's whole life in front of one · (= χρειάζομαι χρόνο για να αποκτήσω πείρα) to still have a lot to learn
▸**έχω πολύ ψωμί (ακόμη)** to be far from over
▸**(τα) έφαγε ή λίγα είναι ή είναι μετρημένα τα ψωμιά μου** (για άνθρωπο) to be on one's last legs · (για αντικείμενο) to be on its last legs, to have seen better days
▸**τρώω ψωμί από κπν** to get work from sb
▸**χάνω το ψωμί μου** to lose one's livelihood
ψωμιέρα ΟΥΣ ΘΗΛ (σκεύος) breadbin (Βρετ.), breadbox (Αμερ.) · (καλαθάκι) breadbasket
ψωμοζώ Ρ ΑΜ to live (from) hand to mouth
ψωμοτύρι ΟΥΣ ΟΥΔ (α) (= ψωμί και τυρί) bread and cheese (β) (= φτωχό γεύμα) bread and water
▸**έχω κτ ψωμοτύρι** to harp on about sth
ψωμωμένος, -η, -ο ΕΠΙΘ brawny
ψώνια ΟΥΣ ΟΥΔ ΠΛΗΘ shopping χωρίς πληθ.
▸**κάνω τα ψώνια** to do the shopping
▸**κάνω ψώνια, πάω για ψώνια** to go shopping
ψωνίζω ① Ρ Μ (προϊόντα) to buy ② Ρ ΑΜ (α) (= αγοράζω) to do the shopping, to go shopping (β) (αργκ.: πόρνη) to pick up (ανεπ.)
▸**πού τον/την ψώνισες;** (μειωτ.) where did you pick him/her/that up? (ανεπ.)
▸**την ψωνίζω** (= μου στρίβει) to lose one's marbles (ανεπ.) · (= γίνομαι φαντασμένος) to get too big for one's boots

▷**την ψωνίζω με κτ** (*αργκ.*) to be mad about sth (*ανεπ.*)

▸**ψωνίζομαι** ΜΕΣΟΠΑΘ (*πόρνη*) to tout for custom

ψώνιο ΟΥΣ ΟΥΔ (α) (*αρνητ.*: = *φαντασμένος*) big-headed *ή* conceited person (β) (*αργκ.*: = *κορόιδο*) fool, dupe

▷**έχω ψώνιο με κτ** (*ανεπ.*) to be mad about sth (*ανεπ.*)

▷**κάνω το ψώνιο μου** (*ανεπ.*) to indulge one's passion

ψώρα ΟΥΣ ΘΗΛ (α) (ΙΑΤΡ) scabies *εν.* · (*στα ζώα*) mange · (*στα φυτά και πρόβατα*) scab
(β) (*υβρ.*) curse

ψωριάρης, -α, -ικο ΕΠΙΘ (α) (*άνθρωπος*) with scabies · (*ζώο*) mangy
(β) (= *ψωροπερήφανος*) high and mighty
(γ) (*υβρ.*: = *εξαθλιωμένος*) wretched

▸**ψωριάρης** ΟΥΣ ΑΡΣ, **ψωριάρα** ΟΥΣ ΘΗΛ person suffering from scabies

ψωρίαση ΟΥΣ ΘΗΛ psoriasis

ψωριασμένος, -η, -ο ΕΠΙΘ (*άνθρωπος*) with scabies · (*φυτό*) covered with a scab · (*ζώο*) mangy

ψωροπερηφάνια ΟΥΣ ΘΗΛ pomposity

ψωροπερήφανος, -η, -ο ΕΠΙΘ pompous

ψ

Ω ω

Ω, ω omega, *24th letter of the Greek alphabet*
- ▷ ω′ 800
- ▷ ,ω 800,000

ω ΕΠΙΦΩΝ oh!
- ▷ ω του θαύματος! what a miracle!

ωάριο ΟΥΣ ΟΥΔ ovum

> *Προσοχή!: Ο πληθυντικός του* **ovum** *είναι* **ova.**

ωδείο ΟΥΣ ΟΥΔ (α) (= *μουσική σχολή*) music school, conservatory (of music) (β) (*στην αρχαιότητα*) odeum, odeon

ωδή ΟΥΣ ΘΗΛ ode

ωδική ΟΥΣ ΘΗΛ (α) (*τέχνη*) singing (β) (*διδασκαλία*) singing lesson

ωδικός, -ή, -ό ΕΠΙΘ **ωδικά πτηνά** songbirds

ωδίνες ΟΥΣ ΘΗΛ ΠΛΗΘ (*επίσης* **ωδίνες τοκετού**) labour (*Βρετ.*) *ή* labor (*Αμερ.*) pains

ώθηση ΟΥΣ ΘΗΛ (*επίσ.*) (α) (= *σπρώξιμο*) push (β) (ΦΥΣ) thrust (γ) (= *παρακίνηση*) encouragement · (*στις εξαγωγές*) boost
- ▷ **δίνω νέα ώθηση σε κτ** to give sth fresh *ή* new impetus

ωθώ Ρ Μ (*επίσ.*) (α) (= *σπρώχνω*) to push (β) (*μτφ.*) to drive
- ▷ **"ωθήσατε"** "push"
- ▷ **ωθούμαι από κτ** to be driven by sth
- ▷ **ωθώ κπν να κάνει κτ** to drive *ή* impel sb to do sth

Ωκεανία ΟΥΣ ΘΗΛ Oceania

ωκεάνιος, -α, -ο ΕΠΙΘ (*οροπέδιο, λεκάνη*) oceanic · (*ρεύμα*) ocean

ωκεανογραφία ΟΥΣ ΘΗΛ oceanography

ωκεανογραφικός, -ή, -ό ΕΠΙΘ oceanographic

ωκεανογράφος ΟΥΣ ΑΡΣ+ΘΗΛ oceanographer

ωκεανολογία ΟΥΣ ΘΗΛ oceanology

ωκεανολόγος ΟΥΣ ΑΡΣ+ΘΗΛ oceanologist

ωκεανός ΟΥΣ ΑΡΣ (α) (*κυριολ.*) ocean (β) (*γνώσης, σοφίας*) wealth, fund · (*τρόμου*) wave (γ) (ΜΥΘΟΛ) Oceanus
- ▷ **είναι σταγόνα στον ωκεανό** it's a drop in the ocean

ωλένη ΟΥΣ ΘΗΛ ulna

ωμ ΟΥΣ ΟΥΔ ΑΚΛ (ΦΥΣ) ohm

ωμά ΕΠΙΡΡ (*μιλώ, λέω*) bluntly · (*συμπεριφέρομαι*) crudely

ωμέγα ΟΥΣ ΟΥΔ ΑΚΛ omega, *24th letter of the Greek alphabet*

ωμοπλάτη ΟΥΣ ΘΗΛ shoulder blade, scapula (*επιστ.*)

ωμός, -ή, -ό ΕΠΙΘ (α) (*κιμάς, κρέας, λαχανικά*) raw (β) (*άνθρωπος*) brutal · (*αλήθεια, άρνηση*) blunt · (*πραγματικότητα*) stark, harsh · (*βία*) brute · (*συμπεριφορά*) coarse · (*εκβιασμός*) blatant

ώμος ΟΥΣ ΑΡΣ shoulder
- ▷ **βάζω τα πόδια στον ώμο** to show a clean pair of heels
- ▷ **βαστούν οι ώμοι μου** to have broad shoulders
- ▷ **επ' ώμου, αρμ!** shoulder arms!
- ▷ **παίρνω κτ επ' ώμου** (*ανεπ.*) to take sth on
- ▷ **περνάω ή κρεμάω κτ στον ώμο** to put sth on *ή* over one's shoulder
- ▷ **σηκώνω τους ώμους** to shrug (one's shoulders)
- ▷ **χτυπάω κπν στον ώμο** (*ως χαιρετισμός*) to slap sb on the shoulder

ωμότητα ΟΥΣ ΘΗΛ (α) (= *σκληρότητα*) brutality, cruelty (β) (= *κτηνωδία*) atrocity
- ▷ **προβαίνω σε ωμότητες** to commit atrocities

ωοειδής, -ής, -ές ΕΠΙΘ (*σχήμα, πρόσωπο*) oval

ωοθήκη ΟΥΣ ΘΗΛ (α) (ΑΝΑΤ, ΒΟΤ) ovary (β) (*επίσ.*) egg cup

ωορρηξία ΟΥΣ ΘΗΛ ovulation

ωοτοκία ΟΥΣ ΘΗΛ oviparity

ΛΕΞΗ-ΚΛΕΙΔΙ

ώρα ΟΥΣ ΘΗΛ (α) (= *χρονική μονάδα*) hour □ **μισή ώρα** half an hour · **μιάμιση ώρα** an hour and a half · **πόσα παίρνεις την ώρα**; how much do you get paid an *ή* per hour? · **έτρεχε με 180 χλμ. την ώρα** she was doing 180 km an hour · **πληρώνεται με την ώρα** he's paid by the hour
- ▷ **κάθε ώρα** every hour, hourly

(β) (= *χρόνος*) time □ **κοιμήθηκα πολλή ώρα** I slept for a long time · **όταν βρεις λίγη ώρα, να με επισκεφτείς** come and visit me when you've got a bit of time · **ο γιατρός θα σας δει σε λίγη ώρα** the doctor will be with you shortly *ή* in a moment · **έχετε ώρα που με περιμένετε**; have you been waiting long? · **έχουμε ώρα εδώ** we've been here for ages (*ανεπ.*)
- ▷ **από ώρα** for some time
- ▷ **από ώρα σε ώρα** (= *από στιγμή σε στιγμή*)

any time · (= *με την πάροδο του χρόνου*) with time
▷**με τις ώρες, ώρες ολόκληρες** for hours on end
▷**μετράω ώρες** to be at death's door
▷**όλη την ώρα** all the time
▷**περνάω την ώρα μου, περνάει η ώρα (μου)** to pass the time
▷**σκοτώνω την ώρα μου** to kill time
▷**είμαι στην ώρα μου** to be on time
▷**τρώει ή θέλει ή παίρνει ώρα** it takes hours ή ages (*ανεπ.*)
▷**τρώω την ώρα μου** to waste one's time
▷**ώρα με την ώρα** by the minute
(γ) (= *συγκεκριμένο σημείο ημέρας*) time ❏ **τι ώρα είναι**; what time is it?, what's the time? · **η ώρα είναι τρεις** it's three o'clock · **μπορείτε να μου πείτε την ώρα**; can you tell me the time? · **τι ώρα έχεις ή λες**; what time do you make it?, what time is it by your watch? · **τι ώρα λέει το ρολόι**; what does the clock say? · **ώρα Ελλάδας/Βρετανίας** Greek/British time
▷**μαθαίνω την ώρα** to learn how to tell the time
(δ) (= *σημείο αναφοράς ημερονυκτίον*) hour ❏ **τις μικρές ώρες** in the small hours · **είναι προχωρημένη η ώρα** it's late
(ε) (= *στιγμή τέλεσης γεγονότος*) time ❏ **είναι ώρα για δράση** it's time for action · **είναι ώρα να φεύγουμε** it's time to go · **ήρθε η ώρα για μια σύγχρονη Ευρώπη** the time has come for a modern Europe · **είναι ώρα φαγητού!** it's lunchtime! · **είναι ώρα ύπνου!** it's bedtime!, it's time for bed! · **κατά την ώρα του μαθήματος** during the lesson · **την ώρα που έβγαινα χτύπησε το τηλέφωνο** the phone rang just as I was going out
▷**από την ώρα που** (= *από τότε που*) since · (= *εφόσον*) if
▷**βρήκες την ώρα!** you've picked your moment!
▷**για την ώρα** for the time being
▷**δεν βλέπω την ώρα να κάνω κτ** to be eager to to do sth, to be looking forward to doing sth
▷**δεν είναι της ώρας** now isn't the time
▷**είμαι με τις ώρες μου** to blow hot and cold
▷**ήγγικεν η ώρα** (*επίσ.*) the time has come
▷**ήρθε ή έφτασε η ώρα μου** my time has come
▷**η ώρα η καλή!** (*ευχή*) congratulations! (*to an engaged couple*)
▷**καλή του/της ώρα!** God bless him/her!
▷**καλή ώρα σαν** just like
▷**πάνω στην ώρα** just in time, in the nick of time
▷**πριν την ώρα ή της ώρας μου** before one's time
▷**κάθε πράγμα στην ώρα του** one thing at a time
▷**τέτοια ώρα ή τέτοιες ώρες τέτοια λόγια** there's a time and a place for everything
▷**την ίδια ώρα** at the same time
▷**της κακιάς ώρας** (*δικαιολογία*) lame, poor ·

(*αυτοκίνητο, υπολογιστής*) lousy · (*ρούχα*) shoddy
▷**της ώρας** (= *φρέσκος*) fresh · (*για κρεατικά*) cooked to order
▷**ώρα καλή!** take care!
▷**ώρες-ώρες** sometimes, at times
▸**ώρες γραφείου/επισκέψεων** office/visiting hours
(στ) (= *ξεχωριστή περίσταση ή συγκεκριμένη στιγμή*) time, moment ❏ **περνάμε δύσκολες ώρες** we're going through hard times · **η χώρα περνά ώρες κρίσης** these are critical times for the country · **ώρες χαλάρωσης/διασκέδασης** moments of leisure/recreation, leisure/recreation time · **το ελληνικό ποδόσφαιρο έζησε ώρες θριάμβου χθες** yesterday was a moment of triumph for Greek football · **ρούχα για όλες τις ώρες** clothes for all occasions
▷**για ώρα ανάγκης** for a rainy day

ωραία ΕΠΙΡΡ (α) (*μιλώ, γράφω*) well (β) (*ως συγκατάβαση*) fine
▷**δείχνω ωραία** to look nice
▷**περνάω ωραία** to have a good ή nice time
▷**ωραία λοιπόν** all right then

ωραιοπάθεια ΟΥΣ ΘΗΛ (α) (= *ναρκισσισμός*) narcissism (β) (*σπάν.*) love of beauty

ωραιοπαθής, -ής, -ές ΕΠΙΘ (α) (= *αυτάρεσκος*) narcissistic (β) (*σπάν.*) aesthetic (*Βρετ.*), esthetic (*Αμερ.*)

ωραιοποιώ Ρ Μ (*κατάσταση*) to paint a rosy picture of · (*πραγματικότητα, παρελθόν*) to idealize

ωραίος, -α, -ο ΕΠΙΘ (α) (*γυναίκα, κορίτσι, μωρό*) pretty · (= *όμορφος*) beautiful · (*άνδρας, αγόρι*) handsome, good–looking · (*σπίτι, μαλλιά, σώμα, σπίτι, λουλούδι, ρούχα, φωνή, άρωμα, γεύση*) nice · (= *όμορφος*) lovely, beautiful (β) (*συζήτηση, παρέα, τύπος, εμπειρία*) nice, pleasant · (*αστείο, ηλικία, ταξίδι*) good (γ) (*καιρός*) good, nice, lovely · (*ημέρα*) nice, lovely (δ) (*λόγια, χειρονομία*) nice · (*προσπάθεια, ιδέα, πίνακας, αισθήματα*) good, nice · (*επιχείρημα, παίκτης, ζωγράφος, παράσταση, βιβλίο, ταινία*) good · (*αναμνήσεις*) good, happy · (*ειρων.: δικαιολογία, φίλος*) fine
▷**το ωραίο φύλο** the fair sex
▸**το ωραίο** ΟΥΣ ΟΥΔ beauty
▷**το ωραίο είναι (ότι)** the beauty of it is (that)
▸**ωραίος** ΟΥΣ ΑΡΣ handsome man
▸**ωραία** ΟΥΣ ΘΗΛ beauty, beautiful girl ή woman

ωραιότητα ΟΥΣ ΘΗΛ beauty

ωράριο ΟΥΣ ΟΥΔ (α) (= *σύνολο ωρών εργασίας: υπηρεσίας, εταιρείας*) office hours *πληθ.* · (*εργοστασίου*) working hours *πληθ.* · (*καταστήματος*) opening hours *πληθ.*
(β) (= *πίνακας ωρών εργασίας ή λειτουργίας: υπηρεσίας, εταιρείας*) office hours *πληθ.* · (*καταστήματος*) opening hours *πληθ.* · (*συγκοινωνιών*) timetable

Ω

‣ελεύθερο ωράριο flexitime (Βρετ.), flextime (Αμερ.)

‣ωράριο εργασίας working hours

ωριαίος, -α, -ο ΕΠΙΘ (μάθημα, εκπομπή) one–hour· (αμοιβή, αναχωρήσεις) hourly

ωριμάζω ☐ Ρ ΑΜ (α) (καρπός) to ripen · (τυρί, κρασί) to mature (β) (παιδί, σχέδιο, σκέψη, ιδέα) to mature· (συνθήκες) to be ripe ☑ Ρ Μ (άνθρωπο) to make mature

ωρίμαση, ωρίμανση ΟΥΣ ΘΗΛ (α) (καρπού) ripening · (τυριού, κρασιού) maturing (β) (ανθρώπου, ψυχής, σκέψης, αντιλήψεων) maturing

ώριμος, -η, -ο ΕΠΙΘ (α) (καρπός, φρούτο, απόστημα) ripe · (τυρί, κρασί) mature (β) (άνθρωπος, έργο, περίοδος) mature· (κατάσταση, συνθήκες) ripe · (ιδέα, αντιλήψεις) fully developed · (στάδιο) later (γ) (ηλικία, ζωή) adult
▷**έπειτα ή μετά από ώριμη σκέψη, κατόπιν ωρίμου σκέψεως** (επίσ.) after careful consideration

ωριμότητα ΟΥΣ ΘΗΛ maturity

ωροδείκτης ΟΥΣ ΑΡΣ hour hand

ωρολογιακός, -ή, -ό ΕΠΙΘ (δείκτης, πλάκα) clock · (σήμα) time
‣ωρολογιακό πρόγραμμα timetable (Βρετ.), schedule (Αμερ.)
‣ωρολογιακή βόμβα time bomb
‣ωρολογιακός διακόπτης timer switch
‣ωρολογιακός μηχανισμός timing device · (= βόμβα) time bomb

ωρολόγιο ΟΥΣ ΟΥΔ (επίσ.: γενικότ.) clock · (χειρός) watch

ωρολόγιος, -α, -ο ΕΠΙΘ: **ωρολόγιο πρόγραμμα (μαθημάτων)** timetable (Βρετ.), class schedule (Αμερ.)

ωρολογοποιείο ΟΥΣ ΟΥΔ (α) (εργοστάσιο) watch ή clock factory (β) (εργαστήριο) watchmaker's, clockmaker's

ωρολογοποιός ΟΥΣ ΑΡΣ&ΘΗΛ watchmaker, clockmaker

ωρομίσθιο ΟΥΣ ΟΥΔ hourly (rate of) pay
‣κατώτατο ωρομίσθιο minimum hourly wage

ωρομίσθιος, -α, -ο ΕΠΙΘ paid by the hour

ωροσκόπιο ΟΥΣ ΟΥΔ horoscope

ωροσκόπος ΟΥΣ ΑΡΣ (α) (παλαιότ.) astrologer (β) (ζωδίου) ascendant

ωρύομαι Ρ ΑΜ (α) (για ζώα) to howl (β) (για πρόσ.) to scream, to yell

ως¹ ΕΠΙΡΡ (αναφορικό, τροπικό) as

ώς² ΠΡΟΘ = **έως**

ώσμωση ΟΥΣ ΘΗΛ (ΧΗΜ) osmosis

ωσότου ΣΥΝΔ ΧΡΟΝ until

ώσπου ΣΥΝΔ ΧΡΟΝ until
▷**ώσπου να τελειώσω** by the time I had finished

ώστε ΣΥΝΔ (α) (= για να) so that (β) (= με αποτέλεσμα) that (γ) (= επομένως) so
▷**αγόρασα κάλυμμα για το αυτοκίνητο, ώστε να μη βρέχεται** I bought a cover for the car

so that it won't get wet
▷**κουράστηκε τόσο πολύ, ώστε δεν μπορούσε να μιλήσει** he was so tired that he couldn't speak
▷**ώστε θα πάμε όλοι** so we'll all go

ωστικός, -ή, -ό ΕΠΙΘ (δύναμη) pushing, thrusting
‣ωστικό κύμα shock wave

ωστόσο ΣΥΝΔ ΑΝΤΙΘ nevertheless, however

ωτακουστής ΟΥΣ ΑΡΣ (επίσ.) eavesdropper

ωταλγία ΟΥΣ ΘΗΛ (ΙΑΤΡ) earache

ωτασπίδα ΟΥΣ ΘΗΛ = **ωτοασπίδα**

ωτίτιδα ΟΥΣ ΘΗΛ inflammation of the ear, otitis (επιστ.)

ωτοασπίδα ΟΥΣ ΘΗΛ earplug

ωτολόγος ΟΥΣ ΑΡΣ&ΘΗΛ ear specialist, otologist (επιστ.)

ωτορινολαρυγγολογία ΟΥΣ ΘΗΛ otolaryngology (επιστ.), ENT

ωτορινολαρυγγολόγος ΟΥΣ ΑΡΣ&ΘΗΛ ear, nose and throat surgeon ή specialist, otolaryngologist (επιστ.)

ωτοστόπ ΟΥΣ ΟΥΔ ΑΚΛ = **οτοστόπ**

ωφέλεια ΟΥΣ ΘΗΛ (α) (= ωφελιμότητα) effectiveness (β) (= κέρδος) profit · (= όφελος) benefit, advantage
▷**είναι ωφέλεια για κπν/κτ** to be of benefit to sb/sth
▷**επ' ωφελεία κποιου** (επίσ.) for sb's benefit
‣κοινή ή δημόσια ωφέλεια the common good
‣υπηρεσία/οργανισμός/επιχείρηση κοινής ωφελείας public service/organization/utility company

ωφέλημα ΟΥΣ ΟΥΔ (= ωφελιμότητα) effectiveness · (= κέρδος) profit · (= όφελος) benefit, advantage

ωφελιμισμός ΟΥΣ ΑΡΣ (α) (ΦΙΛΟΣ) utilitarianism (β) (αρνητ.) self–interest

ωφελιμιστής ΟΥΣ ΑΡΣ (α) (ΦΙΛΟΣ) utilitarian (β) (αρνητ.) self–seeker

ωφελιμίστρια ΟΥΣ ΘΗΛ βλ. **ωφελιμιστής**

ωφέλιμος, -η, -ο ΕΠΙΘ (τροφή, βιταμίνες, επιδράσεις) beneficial · (άτομο) useful · (μέτρα) effective
▷**είναι ωφέλιμο να κάνω κτ** it is beneficial to do sth
▷**συνδυάζω το τερπνόν μετά του ωφελίμου** to combine business and pleasure
‣ωφέλιμο φορτίο ή βάρος payload
‣ωφέλιμο(ν) ΟΥΣ ΟΥΔ benefit, advantage

ωφελιμότητα ΟΥΣ ΘΗΛ (μεθόδου, φαρμάκου, θεραπείας) effectiveness · (διδαγμάτων) usefulness, benefits πληθ.

ωφελώ Ρ Μ to benefit, to be good for
▷**δεν ωφελεί (να κάνω κτ)** it's no use (doing sth), there's no point (in doing sth)
▷**τι ωφελεί;** what's the use ή point?
▷**τι ωφελεί να κλαίμε για κάτι που έγινε;** what's the use of crying over spilt milk?
▷**ωφελώ την υγεία (μου)** to be good for one's health

▸ **ωφελούμαι** ΜΕΣΟΠΑΘ to profit, to gain

ωχ ΕΠΙΦΩΝ = **οχ**

ωχαδερφισμός ΟΥΣ ΑΡΣ = **οχαδερφισμός**

ώχρα ΟΥΣ ΘΗΛ (α) (*ορυκτό, χρώμα*) ochre (*Βρετ.*), ocher (*Αμερ.*) (β) (ΒΟΤ) reseda

ωχριώ Ρ ΑΜ (α) (= *κιτρινίζω*) to turn yellow · (*για πρόσ.*) to turn pale (β) (*μτφ.*) to pale into insignificance (*μπροστά σε* beside)

ωχρός, -ή, -ό ΕΠΙΘ (α) (*πρόσωπο, όψη, μάγουλα*) sallow, pasty · (*τοίχος, χαρτί*) yellowing · (*λουλούδι*) yellow (β) (*για άνθρωπο*) pale (γ) (*ανάμνηση*) vague ▸ **είμαι ωχρός απ' τον φόβο (μου)** to be white with fear

ωχρότητα ΟΥΣ ΘΗΛ (*χαρτιού, τοίχου*) yellowness · (*προσώπου, όψης, ασθενούς*) pallor

Ω

ENGLISH GRAMMAR GUIDE

Clauses and sentences

Κεντρικά σημεία

Οι απλές περίοδοι αποτελούνται από μία πρόταση.

Οι προτάσεις αποτελούνται συνήθως από ένα ονοματικό σύνολο, που είναι το υποκείμενο, και ένα ρηματικό σύνολο.

Οι προτάσεις μπορεί να αποτελούνται από ένα ακόμη ονοματικό σύνολο, που είναι το αντικείμενο ή το συμπλήρωμα.

Οι προτάσεις μπορεί να περιέχουν έναν επιρρηματικό προσδιορισμό, που λέγεται και προσάρτημα.

Αν αλλάξετε τη σειρά των λέξεων σε μία πρόταση, θα αλλάξετε τη σημασία της.

Οι σύνθετες περίοδοι αποτελούνται δύο ή περισσότερες κύριες προτάσεις. Οι μεικτές περίοδοι περιλαμβάνουν πάντα μία δευτερεύουσα πρόταση και μία ή περισσότερες κύριες προτάσεις.

1 A simple sentence has one clause, beginning with a noun group called the subject. The subject is the person or thing that the sentence is about. This is followed by a verb group, which tells you what the subject is doing, or describes the subject's situation.

> I waited.
> The girl screamed.

2 The verb group may be followed by another noun group, which is called the object. The object is the person or thing affected by the action or situation.

> He opened <u>the car door.</u>
> She married <u>a young engineer.</u>

After link verbs like 'be', 'become', 'feel', and 'seem', the verb group may be followed by a noun group or an adjective, called a complement. The complement tells you more about the subject.

> She was <u>a doctor.</u>
> He was <u>angry.</u>

3 The verb group, the object, or the complement can be followed by an adverb or a prepositional phrase, called an adverbial. The adverbial tells you more about the action or situation, for example how, when, or where it happens. Adverbials are also called adjuncts.

They shouted <u>loudly.</u>
She won the competition <u>last week.</u>
He was a policeman <u>in Birmingham.</u>

4 The word order of a clause is different when the clause is a statement, a question, or a command.

<u>He speaks</u> English very well. (statement)
<u>Did she win</u> at the Olympics? (question)
<u>Stop</u> her. (command)

Note that the subject is omitted in commands, so the verb comes first.

5 A compound sentence has two or more main clauses: that is, clauses which are equally important. You join them with 'and', 'but', or 'or'.

He met Jane at the station <u>and</u> went shopping.
I wanted to go <u>but</u> I felt too ill.
You can come now <u>or</u> you can meet us there later.

Note that the order of the two clauses can change the meaning of the sentence.

He went shopping <u>and</u> met Jane at the station.

If the subject of both clauses is the same, you usually omit the subject in the second clause.

I wanted to go <u>but felt</u> too ill.

6 A complex sentence contains a subordinate clause and at least one main clause. A subordinate clause gives information about a main clause, and is introduced by a conjunction such as 'because', 'if', 'that', or a 'wh'-word. Subordinate clauses can come before, after, or inside the main clause.

<u>When he stopped,</u> no one said anything.
<u>If you want,</u> I'll teach you.
They were going by car <u>because it was more comfortable.</u>
I told him <u>that nothing was going to happen to me.</u>
The car <u>that I drove</u> was a Ford.
The man <u>who came into the room</u> was small.

Κεντρικά σημεία

Το ονοματικό σύνολο μπορεί να είναι το υποκείμενο, το αντικείμενο ή το συμπλήρωμα του ρήματος, ή το αντικείμενο μίας πρόθεσης.

Τα ονοματικά σύνολα μπορεί να είναι από μόνα τους ουσιαστικά, αλλά να περιλαμβάνουν συχνά άλλες λέξεις, όπως προσδιορισμούς, αριθμούς και επίθετα.

Τα ονοματικά σύνολα μπορεί να είναι και αντωνυμίες.

Τα ονοματικά σύνολα ενικού αριθμού συντάσσονται με ρήματα στον ενικό και τα ονοματικά σύνολα πληθυντικού αριθμού συντάσσονται με ρήματα σε πληθυντικό αριθμό. πάντα

1   Noun groups are used to say which people or things you are talking about. They can be the subject or object of a verb.

> _Strawberries_ are very expensive now.
> Keith likes _strawberries._

A noun group can also be the complement of a link verb such as 'be', 'become', 'feel', or 'seem'.

> She became _champion_ in 1964
> He seemed _a nice man._

A noun group can be used after a preposition, and is often called the object of the preposition.

> I saw him in _town._
> She was very ill for _six months._

2   A noun group can be a noun on its own, but it often includes other words. A noun group can have a determiner such as 'the' or 'a'. You put determiners at the beginning of the noun group.

> _The girls_ were not in _the house._
> He was eating _an apple._

3   A noun group can include an adjective. You usually put the adjective in front of the noun.

> He was using _blue ink._
> I like living in _a big city._

Sometimes you can use another noun in front of the noun.

> She wanted a job in _the oil industry._

Το ονοματικό σύνολο

A noun with 's (apostrophe s) is used in front of another noun to show who or what something belongs to or is connected with.

I held <u>Sheila's hand</u> very tightly.
He pressed a button on <u>the ship's radio.</u>

4 A noun group can also have an adverbial, a relative clause, or a 'to'-infinitive clause after it, which makes it more precise.

I spoke to <u>a girl in a dark grey dress.</u>
She wrote to <u>the man who employed me.</u>
I was trying to think of <u>a way to stop him.</u>

A common adverbial used after a noun is a prepositional phrase beginning with 'of'.

He tied the rope to <u>a large block of stone.</u>
I hated <u>the idea of leaving him alone.</u>

Participles and some adjectives can be used after a noun. ➤ See Unit 31.

She pointed to <u>the three cards lying on the table.</u>
He is <u>the only man available.</u>

5 Numbers come after determiners and before adjectives.

I had to pay <u>a thousand dollars.</u>
<u>Three tall men</u> came out of the shed.

6 A noun group can also be a pronoun. You often use a pronoun when you are referring back to a person or thing that you have already mentioned.

I've got <u>two boys,</u> and <u>they</u> both enjoy playing football.

You also use a pronoun when you do not know who the person or thing is, or do not want to be precise.

<u>Someone</u> is coming to mend it tomorrow.

7 A noun group can refer to one or more people or things. Many nouns have a singular form referring to one person or thing, and a plural form referring to more than one person or thing. ➤ See Unit 13.

<u>My dog</u> never bites people.   *She likes <u>dogs.</u>*

Similarly, different pronouns are used in the singular and in the plural.

<u>I</u> am going home now.
<u>We</u> want more money.

When a singular noun group is the subject, it takes a singular verb. When a plural noun group is the subject, it takes a plural verb.

<u>His son plays</u> football for the school.
<u>Her letters are</u> always very short.

Κεντρικά σημεία

Σε μία πρόταση, το ρηματικό σύνολο ακολουθεί συνήθως το υποκείμενο και έχει πάντα ένα κύριο ρήμα.

Το κύριο ρήμα συναντάται σε πολλούς διαφορετικούς τύπους.

Τα ρηματικά σύνολα μπορεί επίσης να αποτελούνται από ένα ή δύο βοηθητικά ρήματα, ή ένα δυνητικό, ή ένα δυνητικό και ένα ή δύο βοηθητικά ρήματα.

Το ρηματικό σύνολο μεταβάλλεται στις αρνητικές προτάσεις και ερωτήσεις.

Μερικά ρηματικά σύνολα ακολουθούνται από επιρρηματικούς προσδιορισμούς, ένα συμπλήρωμα, ένα αντικείμενο ή δύο αντικείμενα.

---

1 The verb group in a clause is used to say what is happening in an action or situation. You usually put the verb group immediately after the subject. The verb group always includes a main verb.

> I _waited._
> They _killed_ the elephants.

2 Regular verbs have four forms: the base form, the third person singular form of the present simple, the '-ing' form or present participle, and the '-ed' form used for the past simple and for the past participle.

ask	asks	asking	asked
dance	dances	dancing	danced
reach	reaches	reaching	reached
try	tries	trying	tried
dip	dips	dipping	dipped

Irregular verbs may have three forms, four forms, or five forms.
Note that 'be' has eight forms.

cost	costs	costing		
think	thinks	thinking	thought	
swim	swims	swimming	swam	swum
be	am/is/are	being	was/were	been

3 The main verb can have one or two auxiliaries in front of it.

> I _had met_ him in Zermatt.   The car _was being repaired._

The main verb can have a modal in front of it.

> You _can go_ now.   I _would like_ to ask you a question.

The main verb can have a modal and one or two auxiliaries in front of it.

> I _could have spent_ the whole year on it.
> She _would have been delighted_ to see you.

4 In negative clauses, you have to use a modal or auxiliary and put 'not' after the first word of the verb group.

> He _does not speak_ English very well.
> I _was not smiling._
> It _could not have been_ wrong.

Note that you often use short forms rather than 'not'.

> I _didn't_ know that.   He _couldn't_ see it.

5 In 'yes/no' questions, you have to put an auxiliary or modal first, then the subject, then the rest of the verb group.

> _Did_ you _meet_ George?   _Couldn't_ you _have been_ a bit quieter?

In 'wh'-questions, you put the 'wh'-word first. If the 'wh'-word is the subject, you put the verb group next.

> Which _came_ first?   Who _could have done_ it?

If the 'wh'-word is the object or an adverbial, you must use an auxiliary or modal next, then the subject, then the rest of the verb group.

> What _did_ you _do?_   Where _could_ she _be going?_

6 Some verb groups have an object or two objects after them.
➤ See Units 46 and 47.

> He closed _the door._   She sends _you her love._

Verb groups involving link verbs, such as 'be', have a complement after them.
➤ See Unit 65.

> They were _sailors._   She felt _happy._

Some verb groups have an adverbial after them.

> We walked _through the park._
> She put the letter _on the table._

The imperative and 'let'

Κεντρικά σημεία

Η προστακτική είναι ίδια με τον βασικό τύπο του ρήματος.

Μπορείτε να σχηματίσετε την αρνητική προστακτική με το «do not» [μη(ν)], «don't» [μη(ν)], ή «never» [ποτέ].

Χρησιμοποιείτε την προστακτική για να ρωτήσετε ή να προστάξετε κάποιον να κάνει κάτι ή για να δώσετε συμβουλές, προειδοποιήσεις ή οδηγίες για το πώς να κάνει κάτι.

Χρησιμοποιείτε το «let» [ας]όταν προσφέρεστε να κάνετε κάτι, όταν προτείνετε ή λέτε σε κάποιον να κάνει κάτι.

---

1 The imperative is the same as the base form of a verb. You do not use a pronoun in front of it.

> _Come_ to my place.
> _Start_ when you hear the bell.

2 You form a negative imperative by putting 'do not', 'don't', or 'never' in front of the verb.

> _Do not write_ in this book.
> _Don't go_ so fast.
> _Never open_ the front door to strangers.

3 You use the imperative when you are:

● asking or telling someone to do something

> _Pass_ the salt.
> _Hurry_ up!

● giving someone advice or a warning

> _Mind_ your head.
> _Take_ care!

● giving someone instructions on how to do something

> _Put_ this bit over here, so it fits into that hole.
> _Turn_ right off Broadway into Caxton Street.

4 When you want to make an imperative more polite or more emphatic, you can put 'do' in front of it.

Do have a chocolate biscuit.
Do stop crying.
Do be careful.

5 The imperative is also used in written instructions on how to do something, for example on notices and packets of food, and in books.

To report faults, dial 6666.
Store in a dry place.
Fry the chopped onion and pepper in the oil.

Note that written instructions usually have to be short. This means that words such as 'the' are often omitted.

Wear rubber gloves.
Turn off switch.
Wipe bulb.

Written imperatives are also used to give warnings.

Reduce speed now.

6 You use 'let me' followed by the base form of a verb when you are offering to do something for someone.

Let me take your coat.
Let me give you a few details.

7 You use 'let's' followed by the base form of a verb when you are suggesting what you and someone else should do.

Let's go outside.
Let's look at our map.

Note that the form 'let us' is only used in formal or written English.

Let us consider a very simple example.

You put 'do' before 'let's' when you are very keen to do something.

Do let's get a taxi.

The negative of 'let's' is 'let's not' or 'don't let's'.

Let's not talk about that.
Don't let's actually write it in the book.

8 You use 'let' followed by a noun group and the base form of a verb when you are telling someone to do something or to allow someone else to do it.

Let me see it.
Let Philip have a look at it.

Unit 5

Κεντρικά σημεία

Στις περισσότερες ερωτήσεις, το πρώτο ρήμα προηγείται του υποκειμένου.

Οι ερωτήσεις που έχουν ως απάντηση το «Ναι/όχι» αρχίζουν με ένα βοηθητικό ή δυνητικό ρήμα.

Οι ερωτήσεις «Wh» αρχίζουν με λέξεις που τα αρχικά τους είναι «Wh».

1 Questions which can be answered 'yes' or 'no' are called 'yes/no'-questions.

'Are you ready?' – 'Yes.'
'Have you read this magazine?' – 'No.'

If the verb group has more than one word, the first word comes at the beginning of the sentence, before the subject. The rest of the verb group comes after the subject.

Is he coming?
Can John swim?
Couldn't you have been a bit quieter?
Has he been working?

2 If the verb group consists of only a main verb, you use the auxiliary 'do', 'does', or 'did' at the beginning of the sentence, before the subject. After the subject you use the base form of the verb.

Do the British take sport seriously?
Does that sound like anyone you know?
Did he go to the fair?

Note that when the main verb is 'do', you still have to add 'do', 'does', or 'did' before the subject.

Do they do the work themselves?
Did you do an 'O' Level in German?

3 If the main verb is 'have', you usually put 'do', 'does', or 'did' before the subject.

Does anyone have a question?
Did you have a good flight?

When 'have' means 'own' or 'possess', you can put it before the subject, without using 'do', 'does', or 'did', but this is less common.

Has he any idea what it's like?

4 If the main verb is the present simple or past simple of 'be', you put the verb at the beginning of the sentence, before the subject.

> *Are you* ready?
> *Was it* lonely without us?

5 When you want someone to give you more information than just 'yes' or 'no', you ask a 'wh'-question, which begins with a 'wh'-word:

what	when	where	which	who	whom
whose	why	how			

Note that 'whom' is only used in formal English.

6 When a 'wh'-word is the subject of a question, the 'wh'-word comes first, then the verb group. You do not add 'do', 'does', or 'did' as an auxiliary.

> *What* happened?
> *Which* is the best restaurant?
> *Who* could have done it?

7 When a 'wh'-word is the object of a verb or preposition, the 'wh'-word comes first, then you follow the rules for 'yes/no'-questions, adding 'do', 'does', or 'did' where necessary.

> *How many* are there?
> *Which* do you like best?

If there is a preposition, it comes at the end. However, you always put the preposition before 'whom'.

> *What's* this *for?*
> *With whom* were you talking?

Note that you follow the same rules as for 'wh'-words as objects when the question begins with 'when', 'where', 'why', or 'how'.

> *When* would you be coming down?
> *Why* did you do it?
> *Where* did you get that *from?*

8 You can also use 'what', 'which', 'whose', 'how many', and 'how much' with a noun.

> *Whose idea* was it?
> *How much money* have we got in the bank?

You can use 'which', 'how many', and 'how much' with 'of' and a noun group.

> *Which of* the suggested answers was the correct one?
> *How many of* them bothered to come?

➤ See Unit 6 for more information on 'wh'-words.

'Wh'-questions

Κεντρικά σημεία

Χρησιμοποιείτε το «who» [ποιος,-α,-ο], το «whom» [ποιόν,-αν,-ό] και το «whose» [τίνος/ποιανού,-νής] όταν αναφέρεστε σε πρόσωπα και το «which» [ποιος,-α,-ο (από)] όταν αναφέρεστε σε πρόσωπα και πράγματα.

Χρησιμοποιείτε το «what» [τι] όταν αναφέρεστε σε πράγματα και το «what for» [για ποιόν λόγο] όταν αναφερόμαστε στον λόγο ή την αιτία που έγινε κάτι.

Χρησιμοποιείτε το «how» [πως] όταν αναφέρεστε στον τρόπο με τον οποίο συνέβη κάτι.

Χρησιμοποιείτε το «when» [πότε] όταν αναφέρεστε στον χρόνο, το «why» [γιατί] όταν αναφέρεστε στην αιτία και το «where» [που] όταν αναφέρεστε στον τόπο και την κατεύθυνση.

1 You use 'who', 'whom', or 'whose' in questions about people. 'Who' is used to ask questions about the subject or object of the verb, or about the object of a preposition.

Who discovered this?
Who did he marry?
Who did you dance with?

In formal English, 'whom' is used as the object of a verb or preposition. The preposition always comes in front of 'whom'.

Whom did you see?
For whom were they supposed to do it?

You use 'whose' to ask which person something belongs to or is related to. 'Whose' can be the subject or the object.

Whose is nearer?
Whose did you prefer, hers or mine?

2 You use 'which' to ask about one person or thing, out of a number of people or things. 'Which' can be the subject or object.

Which is your son?
Which does she want?

3 You use 'what' to ask about things, for example about actions and events. 'What' can be the subject or object.

What has happened to him?
What is he selling?
What will you talk about?

You use 'what...for' to ask about the reason for an action, or the purpose of an object.

What are you going there _for?_
What are those lights _for?_

4 You use 'how' to ask about the way in which something happens or is done.

How did you know we were coming?
How are you going to get home?

You also use 'how' to ask about the way a person or thing feels or looks.

'How are you?' – 'Well, _how_ do I look?'

5 'How' is also used:

• with adjectives to ask about the degree of quality of someone or something

How good are you at Maths?
How hot shall I make the curry?

• with adjectives such as 'big', 'old', and 'far' to ask about size, age, and distance

How old are your children?
How far is it to Montreal from here?

Note that you do not normally use 'How small', 'How young', or 'How near'.

• with adverbs such as 'long' to ask about time, or 'well' to ask about abilities

How long have you lived here?
How well can you read?

• with 'many' and 'much' to ask about the number or amount of something

How many were there?
How much did he tell you?

6 You use 'when' to ask about points in time or periods of time, 'why' to ask about the reason for an action, and 'where' to ask about place and direction.

When are you coming home?
Why are you here?
Where is the station?
Where are you going?

You can also ask about direction using 'which direction...in' or 'which way'.

Which direction did he go _in?_
Which way did he go?

Κεντρικά σημεία

Προσθέτετε την καταληκτική ερώτηση σε μία κατάφαση για να την μετατρέψετε σε ερώτηση.

Η καταληκτική ερώτηση αποτελείται από το ρήμα και την αντωνυμία. Το ρήμα στην καταληκτική ερώτηση είναι πάντα βοηθητικό, δυνητικό ή ένας τύπος του κυρίου ρήματος «be».

Στην καταφατική πρόταση χρησιμοποιείτε συνήθως μία αρνητική καταληκτική ερώτηση που περιέχει τον συντετμημένο τύπο που τελειώνει σε «-n't».

Στην αρνητική πρόταση χρησιμοποιείτε πάντα μια θετική καταληκτική ερώτηση.

1   A question tag is a short phrase that is added to the end of a statement to turn it into a 'yes/no'-question. You use question tags when you want to ask someone to confirm or disagree with what you are saying, or when you want to sound more polite. Question tags are rarely used in formal written English.

> He's very friendly, _isn't he?_
> You haven't seen it before, _have you?_

2   You form a question tag by using an auxiliary, a modal, or a form of the main verb 'be', followed by a pronoun. The pronoun refers to the subject of the statement.

> David's school is quite nice, _isn't it?_
> She made a remarkable recovery, _didn't she?_

3   If the statement contains an auxiliary or modal, the same auxiliary or modal is used in the question tag.

> Jill_'s_ coming tomorrow, _isn't she?_
> You _didn_'t know I was an artist, _did_ you?
> You _'ve_ never been to Benidorm, _have_ you?
> You _will_ stay in touch, _won't_ you?

4   If the statement does not contain an auxiliary, a modal, or 'be' as a main verb, you use 'do', 'does', or 'did' in the question tag.

> You _like_ it here, _don't_ you?
> Sally still _works_ there, _doesn't she?_
> He _played_ for Ireland, _didn't_ he?

5 If the statement contains the present simple or past simple of 'be' as a main verb, the same form of the verb 'be' is used in the question tag.

> It _is_ quite warm, _isn't it?_
> They _were_ really rude, _weren't they?_

6 If the statement contains the simple present or simple past of 'have' as a main verb, you usually use 'do', 'does', or 'did' in the question tag.

> He _has_ a problem, _doesn't he?_

You can also use the same form of 'have' in the question tag, but this is not very common.

> She _has_ a large house, _hasn't she?_

7 With a positive statement you normally use a negative question tag, formed by adding '-n't' to the verb.

> You _like_ Ralph a lot, _don't you?_
> They _are_ beautiful, _aren't they?_

Note that the negative question tag with 'I' is 'aren't'.

> _I'm_ a fool, _aren't I?_

8 With a negative statement you always use a positive question tag.

> It _doesn't_ work, _does it?_
> You _won't_ tell anyone else, _will you?_

Κεντρικά σημεία

Μπορείτε να χρησιμοποιήσετε αρνητικές προτάσεις με καταφατικές καταληκτικές ερωτήσεις όταν εκφράζετε παράκληση.

Μπορείτε να χρησιμοποιήσετε καταφατικές προτάσεις με καταφατικές καταληκτικές ερωτήσεις όταν εκφράζετε αντίδραση.

Χρησιμοποιείτε μερικές καταληκτικές ερωτήσεις για να προσδώσετε περισσότερη ευγένεια σε προστακτικές.

---

1 You can use a negative statement and a positive question tag to ask people for things, or to ask for help or information.

> *You <u>wouldn't</u> sell it to me, <u>would</u> you?*
> *You <u>won't</u> tell anyone else this, <u>will</u> you?*

2 When you want to show your reaction to what someone has just said, for example by expressing interest, surprise, doubt, or anger, you use a positive statement with a positive question tag.

> *You<u>'ve</u> been to North America before, <u>have you?</u>*
> *You <u>fell</u> on your back, <u>did you?</u>*
> *I borrowed your car last night. – Oh, you <u>did, did you?</u>*

3 When you use an imperative, you can be more polite by adding one of the following question tags.

will you	won't you	would you

> *<u>See</u> that she gets safely back, <u>won't you?</u>*
> *<u>Look</u> at that, <u>would you?</u>*

When you use a negative imperative, you can only use 'will you' as a question tag.

> *<u>Don't</u> tell Howard, <u>will you?</u>*

'Will you' and 'won't you' can also be used to emphasize anger or impatience. 'Can't you' is also used in this way.

> *Oh, hurry up, <u>will you!</u>*
> *For goodness sake be quiet, <u>can't you!</u>*

---

4   You use the question tag 'shall we' when you make a suggestion using 'let's'.

> *Let's forget it, <u>shall we?</u>*

You use the question tag 'shall I' after 'I'll'.

> *I'll tell you, <u>shall I?</u>*

5   You use 'they' in question tags after 'anybody', 'anyone', 'everybody', 'everyone', 'nobody', 'no one', 'somebody' or 'someone'.

> *<u>Everyone</u> will be leaving on Friday, won't <u>they?</u>*
> *<u>Nobody</u> had bothered to plant new ones, had <u>they?</u>*

You use 'it' in question tags after 'anything', 'everything', 'nothing', or 'something'.

> *<u>Nothing</u> matters now, does <u>it?</u>*
> *<u>Something</u> should be done, shouldn't <u>it?</u>*

You use 'there' in question tags after 'there is', 'there are', 'there was', or 'there were'.

> *<u>There's</u> a new course out now, isn't <u>there?</u>*

6   When you are replying to a question tag, your answer refers to the statement, not the question tag.

If you want to confirm a positive statement, you say 'yes'. For example, if you have finished a piece of work and someone says to you 'You've finished that, haven't you?', the answer is 'yes'.

> *'It <u>became</u> stronger, didn't it?' – <u>'Yes,</u> it did.'*

If you want to disagree with a positive statement, you say 'no'. For example, if you have not finished your work and someone says 'You've finished that, haven't you?', the answer is 'no'.

> *You've just <u>seen</u> a performance of the play, haven't you? – <u>No,</u> not yet.*

If you want to confirm a negative statement, you say 'no'. For example, if you have not finished your work and someone says 'You haven't finished that, have you?', the answer is 'no'.

> *'You <u>didn't know</u> that, did you?' – <u>'No.'</u>*

If you want to disagree with a negative statement, you say 'yes'. For example, if you have finished a piece of work and someone says 'You haven't finished that, have you?', the answer is 'yes'.

> *'You <u>haven't been</u> there, have you?' – <u>'Yes,</u> I have.'*

Κεντρικά σημεία

Χρησιμοποιείτε πλάγιες ερωτήσεις όταν ζητάτε πληροφορίες ή βοήθεια.

Στις πλάγιες ερωτήσεις, το υποκείμενο της ερώτησης προηγείται του ρήματος.

Μπορείτε να χρησιμοποιήσετε το «if» [αν] ή το «whether» [αν] σε πλάγιες ερωτήσεις.

1. When you ask someone for information, you can use an indirect question beginning with a phrase such as 'Could you tell me…' or 'Do you know…'.

   <u>Could you tell me</u> how far it is to the bank?
   <u>Do you know</u> where Jane is?

2. When you want to ask someone politely to do something, you can use an indirect question after 'I wonder'.

   <u>I wonder</u> if you can help me.

   You also use 'I wonder' followed by an indirect question to indicate what you are thinking about.

   <u>I wonder</u> what she'll look like.
   <u>I wonder</u> which hotel it was.

3. In indirect questions, the subject of the question comes before the verb, just as it does in affirmative sentences.

   Do you know where <u>Jane is?</u>
   I wonder if <u>you can help me.</u>
   She asked me why <u>I was late.</u>

4. You do not normally use the auxiliary 'do' in indirect questions.

   Can you remember when <u>they open</u> on Sundays?
   I wonder what <u>he feels</u> about it.

   The auxiliary 'do' can be used in indirect questions, but only for emphasis, or to make a contrast with something that has already been said. It is not put before the subject as in direct questions.

   I wonder if he <u>does</u> do anything.

5 You use 'if' or 'whether' to introduce indirect questions.

I wonder <u>if</u> you'd give the children a bath?
I'm writing to ask <u>whether</u> you would care to come and visit us.

'Whether' is used especially when there is a choice of possibilities.

I wonder <u>whether</u> it is the police or just a neighbour.
I wonder <u>whether</u> that's good for him or not.

Note that you can put 'or not' immediately after 'whether', but not immediately after 'if'.

I wonder <u>whether</u> or not we are so different from our ancestors.

> ## Κεντρικά σημεία
>
> Μια συντετμημένη απάντηση έχει ένα βοηθητικό, ένα δυνητικό ή το κύριο ρήμα «be».
>
> Μια συντετμημένη απάντηση μπορεί να είναι είτε κατάφαση είτε άρνηση.

1 Short answers are very common in spoken English. For example, when someone asks you a 'yes/no'-question, you can give a short answer by using a pronoun with an auxiliary, modal, or the main verb 'be'. You usually put 'yes' or 'no' before the short answer.

> '_Does_ she still want to come?' – 'Yes, _she does._'
> '_Can_ you imagine what it might feel like?' – 'No, _I can't._'
> '_Are_ you married?' – '_I am._'

Note that a short answer such as 'Yes, I will' is more polite or friendly than just 'Yes', or than repeating all the words used in the question. People often repeat all the words used in the question when they feel angry or impatient.

> '_Will_ you have finished by lunchtime?' – 'Yes, I will have finished by lunchtime.'

2 You can also use short answers to agree or disagree with what someone says.

> '_You don't_ like Joan?' – 'No, _I don't._'
> '_I'm not coming_ with you.' – 'Yes, _you are._'

If the statement that you are commenting on does not contain an auxiliary, modal, or the main verb 'be', you use a form of 'do' in the short answer.

> 'He never comes on time.' – 'Oh yes _he does._'

3 You often reply to what has been said by using a short question.

> 'He's not in Japan now.' – 'Oh, _isn't he?_'
> 'He gets free meals.' – '_Does he?_'

Note that questions like these are not always asked to get information, but are often used to express your reaction to what has been said, for example to show interest or surprise.

> 'Dad doesn't help me at all.' – '_Doesn't he?_ Why not?'
> 'Penny has been climbing before.' – 'Oh, _has she?_ When was that?'

4 | If you want to show that you definitely agree with a positive statement that someone has just made, you can use a negative short question.

> *'Well, that was very nice.' – 'Yes, <u>wasn't it?</u>'*

5 | When you want to ask for more information, you can use a 'wh'-word on its own or with a noun as a short answer.

> *'He saw a snake.' – '<u>Where?</u>'*
> *'He knew my cousin.' – '<u>Which cousin?</u>'*

You can also use 'Which one' and 'Which ones'.

> *'Can you pass me the cup?' – '<u>Which one?</u>'*

6 | Sometimes a statement about one person also applies to another person. When this is the case, you can use a short answer with 'so' for positive statements, and with 'neither' or 'nor' for negative statements, using the same verb that was used in the statement.

You use 'so', 'neither', or 'nor' with an auxiliary, modal, or the main verb 'be'. The verb comes before the subject.

> *'You were different then.' – '<u>So were you.</u>'*
> *'I don't normally drink at lunch.' – '<u>Neither do I.</u>'*
> *'I can't do it.' – '<u>Nor can I.</u>'*

You can use 'not either' instead of 'neither', in which case the verb comes after the subject.

> *'He doesn't understand.' – '<u>We don't either.</u>'*

7 | You often use 'so' in short answers after verbs such as 'think', 'hope', 'expect', 'imagine', and 'suppose', when you think that the answer to the question is 'yes'.

> *'You'll be home at six?' – '<u>I hope so.</u>'*
> *'So it was worth doing?' – '<u>I suppose so.</u>'*

You use 'I'm afraid so' when you are sorry that the answer is 'yes'.

> *'Is it raining?' – '<u>I'm afraid so.</u>'*

With 'suppose', 'think', 'imagine', or 'expect' in short answers, you also form negatives with 'so'.

> *'Will I see you again?' – '<u>I don't suppose so.</u>'*
> *'Is Barry Knight a golfer?' – 'No, <u>I don't think so.</u>'*

However, you say 'I hope not' and 'I'm afraid not'.

> *'It isn't empty, is it?' – '<u>I hope not.</u>'*

Κεντρικά σημεία

Το «not» συναντάται συχνά στον συντετμημένο τύπο "-n't" και προστίθεται σε μερικά ρήματα.

Το «not» μπαίνει μετά το πρώτο ρήμα στο ρηματικό σύνολο ή χρησιμοποιείται στον συντετμημένο τύπο του.

1. In spoken and in informal written English, 'not' is often shortened to '-n't' and added to an auxiliary, a modal, or a form of the main verb 'be'.

   I <u>haven't</u> heard from her recently.
   I <u>wasn't</u> angry.

   Here is a list of short forms.

isn't	haven't	don't	can't	shan't	daren't
aren't	hasn't	doesn't	couldn't	shouldn't	needn't
wasn't	hadn't	didn't	mightn't	won't	
weren't			mustn't	wouldn't	
			oughtn't		

   If the verb is already shortened, you cannot add '-n't'.

   It'<u>s not</u> easy.
   I'<u>ve not</u> had time.

   You cannot add '-n't' to 'am'. You use 'I'm not'.

   <u>I'm not</u> excited.

2. If the verb group has more than one word, you put 'not' after the first word, or you use a short form.

   I <u>was not</u> smiling.
   He <u>hadn't</u> attended many meetings.
   They <u>might not</u> notice.
   I <u>haven't</u> been playing football recently.

3. If the sentence only contains a main verb other than 'be', you use the auxiliary 'do'.
   You use 'do not', 'does not', 'did not', or a short form, followed by the base form of the main verb.

   They <u>do not need</u> to talk.
   He <u>does not speak</u> English very well.
   I <u>didn't know</u> that.

Note that if the main verb is 'do', you still use a form of 'do' as an auxiliary.

> They <u>didn't do</u> anything about it.

4 If the main verb is the present or past simple of 'be', you put 'not' immediately after it, or you use a short form.

> It <u>is not</u> difficult to understand.
> It'<u>s not</u> the same, is it?
> He <u>wasn't</u> a bad actor actually.

5 If the main verb is 'have', you usually use a form of 'do' as an auxiliary.

> They <u>don't have</u> any money.

You can also use a short form, or you can put 'not' after the verb but this is not very common.

> He <u>hadn't</u> enough money.

6 You can put 'not' in front of an '-ing' form or a 'to'-infinitive.

> We stood there, <u>not knowing</u> what to do.
> Try <u>not to worry.</u>

7 In negative questions, you use a short form.

> Why <u>didn't</u> she win at the Olympics?
> <u>Hasn't</u> he put on weight?
> <u>Aren't</u> you bored?

8 You can use a negative question:

- to express your feelings, for example to show that you are surprised or disappointed

> <u>Hasn't</u> he done it yet?

- in exclamations

> Isn't the weather awful!

- when you think you know something and you just want someone to agree with you

> 'Aren't you Joanne's brother?' – 'Yes, I am.'

9 Note the meaning of 'yes' and 'no' in answers to negative questions.

> '<u>Isn't</u> Tracey going to get a bit bored in Birmingham?'
> – 'Yes.' (She is going to get bored.)
> – 'No.' (She is not going to get bored.)

Negative words

Μία αρνητική πρόταση περιέχει μία αρνητική λέξη.
Δεν χρησιμοποιούνται συνήθως δύο αρνητικές λέξεις στην ίδια πρόταση.

1 Negative statements contain a negative word.

not	nobody	neither
never	no one	nor
no	nothing	
none	nowhere	

▶ See Unit 11 for negative statements using 'not'.

2 You use 'never' to say that something was not the case at any time, or will not be the case at any time. If the verb group has more than one word, you put 'never' after the first word.

I've never had such a horrible meal.
He could never trust her again.

3 If the only verb in the sentence is the present simple or past simple of any main verb except 'be', you put 'never' before the verb.

She never goes abroad.
He never went to university.

If the only verb in the sentence is the simple present or simple past of the main verb 'be', you normally put 'never' after the verb.

He's never late.
There were never any people in the house.

You can also use 'never' at the beginning of an imperative sentence.

Never walk alone late at night.

4 You use 'no' before a noun to say that something does not exist or is not available.

He has given no reason for his decision.
The island has no trees at all.

Note that if there is another negative word in the clause, you use 'any', not 'no'.

It won't do any good.

24

5. You use 'none' or 'none of' to say that there is not even one thing or person, or not even a small amount of something.

> *You can't go to a college here because there are <u>none</u> in this area.*
> *'Where's the coffee?' – 'There's <u>none</u> left.'*
> *<u>None of</u> us understood the play.*

➤ See Unit 27 for more information on 'none' and 'none of'.

6. You also use 'nobody', 'no one', 'nothing', and 'nowhere' in negative statements. You use 'nobody' or 'no one' to talk about people.

> *<u>Nobody</u> in her house knows any English.*
> *<u>No one</u> knew.*

'No one' can also be written 'no-one'.

> *There's <u>no-one</u> here.*

You use 'nothing' to talk about things.

> *There's <u>nothing</u> you can do.*

You use 'nowhere' to talk about places.

> *There's almost <u>nowhere</u> left to go.*

➤ See Unit 21 for more information about these words.

7. You do not normally use two negative words in the same clause. For example, you do not say 'Nobody could see nothing'. You say 'Nobody could see anything'.

You use 'anything', 'anyone', 'anybody', and 'anywhere' instead of 'nothing', 'no one', 'nobody', and 'nowhere' when the clause already contains a negative word.

> *<u>No-one</u> can find Howard or Barbara <u>anywhere</u>.*
> *I could <u>never</u> discuss <u>anything</u> with them.*

8. The only negative words that are often used together in the same clause are 'neither' and 'nor'.

You use 'neither' and 'nor' together to say that two alternatives are not possible, not likely, or not true.

> *<u>Neither</u> Margaret <u>nor</u> John was there.*
> *They had <u>neither</u> food <u>nor</u> money.*

25

Κεντρικά σημεία

Τα κλιτά ουσιαστικά σχηματίζουν δύο τύπους, ενικό και πληθυντικό.

Μπορούν να χρησιμοποιηθούν με αριθμούς.

Τα κλιτά ουσιαστικά ενικού αριθμού παίρνουν πάντα έναν προσδιορισμό.

Τα κλιτά ουσιαστικά πληθυντικού δεν χρειάζονται προσδιορισμό.

Τα κλιτά ουσιαστικά ενικού αριθμού συντάσσονται με ρήμα στον ενικό και τα ουσιαστικά που έχουν πληθυντικό συντάσσονται με ρήμα στον πληθυντικό.

In English, some things are thought of as individual items that can be counted directly. The nouns which refer to these countable things are called count nouns. Most nouns in English are count nouns.

➤ See Unit 15 for information on uncount nouns.

1 Count nouns have two forms. The singular form refers to one thing or person.

 …*a book* …   …*the teacher.*

The plural form refers to more than one thing or person.

 … *books* …   …*some teachers.*

2 You add '-s' to form the plural of most nouns.

book	→ books	school	→ schools

You add '-es' to nouns ending in '-ss', '-ch', '-s', '-sh', or '-x'.

class	→ classes	watch	→ watches
gas	→ gases	dish	→ dishes
fox	→ foxes		

Some nouns ending in '-o' add '-s', and some add '-es'.

photo	→ photos	piano	→ pianos
hero	→ heroes	potato	→ potatoes

Κλιτά ουσιαστικά

Nouns ending in a consonant and '-y' change to '-ies'.

country	→ countries	lady	→	ladies
party	→ parties	victory	→	victories

Nouns ending in a vowel and '-y' add an '-s'.

boy	→ boys	day	→	days
key	→ keys	valley	→	valleys

Some common nouns have irregular plurals.

child	→ children	foot	→	feet
man	→ men	mouse	→	mice
tooth	→ teeth	woman	→	women

⊖ WARNING: Some nouns that end in '-s' are uncount nouns, for example 'athletics' and 'physics'. ▶ See Unit 15.

3 Count nouns can be used with numbers.

… _one_ table…   … _two_ cats…   … _three hundred_ pounds.

4 Singular count nouns cannot be used alone, but always take a determiner such as 'a', 'another', 'every', or 'the'.

We've killed _a_ pig.   He was eating _another_ apple.

5 Plural count nouns can be used with or without a determiner. They do not take a determiner when they refer to things or people in general.

Does the hotel have _large rooms?_   The film is not suitable for _children._

Plural count nouns do take a determiner when they refer precisely to particular things or people.

Our computers are very expensive.   _These cakes_ are delicious.

▶ See Unit 23 for more information on determiners.

6 When a count noun is the subject of a verb, a singular count noun takes a singular verb.

My _son likes_ playing football.   The _address_ on the letter _was_ wrong.

A plural count noun takes a plural verb.

Bigger _cars cost_ more.   I thought more _people were_ coming.

▶ See also Unit 14 on collective nouns.

27

Κεντρικά σημεία

Τα ουσιαστικά ενικού αριθμού χρησιμοποιούνται μόνο στον ενικό και πάντα με προσδιορισμό.

Τα ουσιαστικά πληθυντικού αριθμού χρησιμοποιούνται μόνο στον πληθυντικό και μερικά από αυτά με προσδιορισμό.

Τα περιληπτικά ουσιαστικά συντάσσονται με ρήματα που κλίνονται στον ενικό ή στον πληθυντικό.

1. Some nouns are used in particular meanings in the singular with a determiner, like count nouns, but are not used in the plural with that meaning. They are often called 'singular nouns'.
Some of these nouns are normally used with 'the' because they refer to things that are unique.

air	country	countryside	dark	daytime	end	future	ground
moon	past	sea		seaside	sky	sun	wind	world

The sun was shining.
I am scared of the dark.

Other singular nouns are normally used with 'a' because they refer to things that we usually talk about one at a time.

bath	chance	drink	fight	go	jog	move	rest
ride	run	shower	smoke	snooze	start	walk	wash

I went upstairs and had a wash.
Why don't we go outside for a smoke?

2. Some nouns are used in particular meanings in the plural with or without determiners, like count nouns, but are not used in the singular with that meaning. They are often called 'plural nouns'.

His clothes looked terribly dirty.
Troops are being sent in today.

Some of these nouns are always used with determiners.

activities	authorities	feelings	likes	pictures	sights	travels

I went to the pictures with Tina.
You hurt his feelings.

Ενικός και πληθυντικός

Some are usually used without determiners.

airs	expenses	goods	refreshments	riches

> *Refreshments are available inside.*
> *They have agreed to pay for travel and expenses.*

⊖ WARNING: 'Police' is a plural noun, but does not end in '-s'.

> *The police were informed immediately.*

3 A small group of plural nouns refer to single items that have two linked parts. They refer to tools that people use or things that people wear.

binoculars	pincers	pliers	scales	scissors	shears	tweezers
glasses	jeans	knickers	pants	pyjamas	shorts	tights
trousers						

> *She was wearing brown trousers.*　　　*These scissors are sharp.*

You can use 'a pair of' to make it clear you are talking about one item, or a number with 'pairs of' when you are talking about several items.

> *I was sent out to buy a pair of scissors.*
> *Liza had given me three pairs of jeans.*

Note that you also use 'a pair of' with words such as 'gloves', 'shoes', and 'socks' that you often talk about in twos.

4 With some nouns that refer to a group of people or things, the same form can be used with singular or plural verbs, because you can think of the group as a unit or as individuals. Similarly, you can use singular or plural pronouns to refer back to them. These nouns are often called 'collective nouns'.

army	audience	committee	company	crew	data	enemy
family	flock	gang	government	group	herd	media
navy	press	public	staff	team		

> *Our little group is complete again.*　　　*Our family isn't poor any more.*
> *The largest group are the boys.*　　　*My family are perfectly normal.*

The names of many organizations and sports teams are also collective nouns, but are normally used with plural verbs in spoken English.

> *The BBC is showing the programme on Saturday.*
> *The BBC are planning to use the new satellite.*
> *Liverpool is leading 1-0.*
> *Liverpool are attacking again.*

Κεντρικά σημεία

Τα άκλιτα ουσιαστικά έχουν μόνο έναν τύπο και συντάσσονται με ρήμα στον ενικό αριθμό.

Δεν συναντώνται με το αόριστο άρθρο «a» [ένας, μία, ένα] ή με αριθμούς.

Μερικά ουσιαστικά μπορεί να είναι και κλιτά και άκλιτα.

---

1 English speakers think that some things cannot be counted directly. The nouns which refer to these uncountable things are called uncount nouns. Uncount nouns often refer to:

substances:	coal food ice iron rice steel water
human qualities:	courage cruelty honesty patience
feelings:	anger happiness joy pride relief respect
activities:	aid help sleep travel work
abstract ideas:	beauty death freedom fun life luck

The donkey needed <u>food</u> and <u>water.</u>
Soon, they lost <u>patience</u> and sent me to Durban.
I was greeted with shouts of <u>joy.</u>
All prices include <u>travel</u> to and from London.
We talked for hours about <u>freedom.</u>

➤ See Unit 13 for information on count nouns.

2 Uncount nouns have only one form. They do not have a plural form.

I needed <u>help</u> with my homework.
The children had great <u>fun</u> playing with the puppets.

⊖ WARNING: Some nouns which are uncount nouns in English have plurals in other languages.

advice	baggage	equipment	furniture	homework
information	knowledge	luggage	machinery	money
news	traffic			

We want to spend more <u>money</u> on roads.
Soldiers carried so much <u>equipment</u> that they were barely able to move.

3 Some uncount nouns end in '-s' and therefore look like plural count nouns. They usually refer to:

subjects of study:	mathematics physics
activities:	athletics gymnastics
games:	cards darts
illnesses:	measles mumps

> _Mathematics_ is too difficult for me.
> _Measles_ is in most cases a harmless illness.

4 When an uncount noun is the subject of a verb, it takes a singular verb.

> _Electricity is dangerous._
> _Food was very expensive in those days._

5 Uncount nouns are not used with 'a'.

> _They resent having to pay money to people like me._
> _My father started work when he was ten._

Uncount nouns are used with 'the' when they refer to something that is specified or known.

> _I am interested in the education of young children._
> _She buried the money that Hilary had given her._

6 Uncount nouns are not used with numbers. However, you can often refer to a quantity of something which is expressed by an uncount noun, by using a word like 'some'. ➡ See Unit 23.

> _Please buy some bread when you go to town._
> _Let me give you some advice._

Some uncount nouns that refer to food or drink can be count nouns when they refer to quantities of the food or drink.

> _Do you like coffee?_ (uncount)   _We asked for two coffees._ (count)

Uncount nouns are often used with expressions such as 'a loaf of', 'packets of', or 'a piece of', to talk about a quantity or an item. 'A bit of' is common in spoken English.

> _I bought two loaves of bread yesterday._
> _He gave me a very good piece of advice._
> _They own a bit of land near Cambridge._

7 Some nouns are uncount nouns when they refer to something in general and count nouns when they refer to a particular instance of something.

> _Victory was now assured._ (uncount)
> _In 1960, the party won a convincing victory._ (count)

Κεντρικά σημεία

Χρησιμοποιείτε τις προσωπικές αντωνυμίες όταν αναφερόσαστε σε πράγματα ή πρόσωπα στα οποία έχετε ήδη προαναφερθεί.

Χρησιμοποιείτε τις προσωπικές αντωνυμίες όταν αναφερόσαστε άμεσα σε πρόσωπα και πράγματα.

Υπάρχουν δύο τύποι προσωπικών αντωνυμιών: οι υποκειμενικές αντωνυμίες και οι αντικειμενικές αντωνυμίες.

Μπορείτε να χρησιμοποιήσετε το «you» [εσείς] και «they» [αυτοί,-ές,-ά] όταν αναφερόσαστε γενικά σε πρόσωπα.

1 When something or someone has already been mentioned, you refer to them again by using a pronoun.

John took the book and opened it.
He rang Mary and invited her to dinner.
'Have you been to London ?' – 'Yes, it was very crowded.'
My father is fat – he weighs over fifteen stone.

In English, 'he' and 'she' normally refer to people, occasionally to animals, but very rarely to things.

2 You use a pronoun to refer directly to people or things that are present or are involved in the situation you are in.

Where shall we meet, Sally?
I do the washing; he does the cooking; we share the washing-up.
Send us a card so we'll know where you are.

3 There are two sets of personal pronouns, subject pronouns and object pronouns. You use subject pronouns as the subject of a verb.

I	you	he	she	it	we	they

Note that 'you' is used for the singular and plural form.

We are going there later.
I don't know what to do.

4 You use object pronouns as the direct or indirect object of a verb.

| me | you | him | her | it | us | them |

Note that 'you' is used for the singular and plural form.

> *The nurse washed <u>me</u> with cold water.*
> *The ball hit <u>her</u> in the face.*
> *John showed <u>him</u> the book.*
> *Can you give <u>me</u> some more cake?*

Note that, in modern English, you use object pronouns rather than subject pronouns after the verb 'be'.

> *'Who is it?' – 'It<u>'s me.</u>'*
> *There <u>was</u> only John, Baz, and <u>me</u> in the room.*

You also use object pronouns as the object of a preposition.

> *We were all sitting in a cafe <u>with him.</u>*
> *Did you give it <u>to them?</u>*

5 You can use 'you' and 'they' to talk about people in general.

> *<u>You</u> have to drive on the other side of the road on the continent.*
> *<u>They</u> say she's very clever.*

6 You can use 'it' as an impersonal subject in general statements which refer to the time, the date, or the weather.
➤ See Unit 17.

> *'What time is <u>it?</u>' '<u>It</u>'s half past three.'*
> *<u>It</u> is January 19th.*
> *<u>It</u> is rainy and cold.*

You can also use 'it' as the subject or object in general statements about a situation.

> *<u>It</u> is too far to walk.*
> *I like <u>it</u> here. Can we stay a bit longer?*

7 A singular pronoun usually refers back to a singular noun group, and a plural pronoun to a plural noun group. However, you can use plural pronouns to refer back to:

- indefinite pronouns, even though they are always followed by a singular verb

> *If <u>anybody comes,</u> tell <u>them</u> I'm not in.*

- collective nouns, even when you have used a singular verb

> *His <u>family was</u> waiting in the next room, but <u>they</u> had not yet been informed.*

Κεντρικά σημεία

Χρησιμοποιείτε το απρόσωπο «it» ως υποκείμενο πρότασης για να εισάγετε νέες πληροφορίες.

Χρησιμοποιείτε το «it» όταν μιλάτε για την ώρα ή την ημερομηνία.

Χρησιμοποιείτε το «it» όταν μιλάτε για τον καιρό.

Χρησιμοποιείτε το «it» όταν εκφράζετε απόψεις για τόπους, καταστάσεις και γεγονότα.

Το «it» χρησιμοποιείται συχνά με την παθητική φωνή των ρημάτων εξάρτησης του πλαγίου λόγου για να εκφράσει γενικές απόψεις και πιστεύω.

---

1 'It' is a pronoun. As a personal pronoun it refers back to something that has already been mentioned.

> *They learn to speak <u>English</u> before they learn to read <u>it</u>.*
> *<u>Maybe he changed his mind,</u> but I doubt <u>it</u>.*

You can also use 'it' as the subject of a sentence when it does not refer back to anything that has already been mentioned. This impersonal use of 'it' introduces new information, and is used particularly to talk about times, dates, the weather, and personal opinions.

2 You use impersonal 'it' with a form of 'be' to talk about the time or the date.

> *<u>It is</u> nearly one o'clock.*
> *<u>It's</u> the sixth of April today.*

3 You use impersonal 'it' with verbs which refer to the weather:

drizzle	hail	pour	rain	sleet	snow	thunder

> *<u>It's</u> still <u>raining</u>.*
> *<u>It snowed</u> steadily through the night.*
> *<u>It was pouring</u> with rain.*

You can describe the weather by using 'it' followed by 'be' and an adjective with or without a noun.

> *It's a lovely day.*
> *It was very bright.*

You can describe a change in the weather by using 'it' followed by 'get' and an adjective.

> *It was getting cold.*
> *It's getting dark.*

4 You use impersonal 'it', followed by a form of 'be' and an adjective or noun group, to express your opinion about a place, a situation, or an event. The adjective or noun group can be followed by an adverbial or by an '-ing' clause, a 'to'-infinitive clause, or a 'that'-clause.

> <u>*It was*</u> *terribly* <u>*cold in the trucks.*</u>
> <u>*It's fun working*</u> *for him.*
> <u>*It was a pleasure to be*</u> *there.*
> <u>*It's strange that*</u> *it hasn't been noticed before.*

5 You use 'it' followed by a verb such as 'interest', 'please', 'surprise', or 'upset' which indicates someone's reaction to a fact, situation, or event. The verb is followed by a noun group, and a 'that'-clause or a 'to'-infinitive clause.

> <u>*It pleases me that*</u> *he should want to talk about his work.*
> <u>*It surprised him to realize*</u> *that he hadn't thought about them until now.*

6 You can also use 'it' with the passive of a reporting verb and a 'that'-clause when you want to suggest that an opinion or belief is shared by many people. This use is particularly common in news reports, for example in newspapers, on the radio, or on television.

> <u>*It was said that*</u> *he could speak their language.*
> *Nowadays* <u>*it is believed that*</u> *the size is unimportant.*
> <u>*It is thought that*</u> *about a million puppies are born each year.*

Note that the passive of reporting verbs can also be used without impersonal 'it' to express general opinions.

> <u>*The factories were said to be*</u> *much worse.*
> <u>*They are believed to be*</u> *dangerous.*

➤ See Units 68 and 69 for more information on reporting verbs.

Impersonal subject 'there'

Κεντρικά σημεία

Χρησιμοποιείτε το «there» ακολουθούμενο από έναν τύπο του «be» και ένα ονομαστικό σύνολο για να εισάγετε νέες πληροφορίες.

Χρησιμοποιείτε το «there» με ρήμα σε αριθμό ενικό ή πληθυντικό, ανεξάρτητα αν το ουσιαστικό που ακολουθεί είναι σε ενικό ή πληθυντικό αριθμό.

Μπορείτε να χρησιμοποιήσετε το «there» με δυνητικά ρήματα.

1 'There' is often an adverb of place.

> *Are you comfortable <u>there?</u>*
> *The book is <u>there</u> on the table.*

You can also use 'there' as the impersonal subject of a sentence when it does not refer to a place. In this case you use 'there' to introduce new information and to focus upon it. After 'there' you use a form of 'be' and a noun group.

> *<u>There is work</u> to be done.*
> *<u>There will be a party</u> tonight.*
> *<u>There was no damage.</u>*
> *<u>There have been two telephone calls.</u>*

Note that the impersonal subject 'there' is often pronounced without stress, whereas the adverb is almost always stressed.

2 You use 'there' as the impersonal subject to talk about:

● the existence or presence of someone or something

> *There are two people who might know what happened.*
> *There are many possibilities.*
> *There is plenty of bread.*

● something that happens

> *There was a general election that year.*
> *There's a meeting every week.*
> *There was a fierce battle.*

● a number or amount

> *There are forty of us, I think.*
> *There is a great deal of anger about his decision.*

Απρόσωπο υποκείμενο «there»

3 When the noun group after the verb is plural, you use a plural verb.

> *There are many reasons* for this.
> *There were two men* in the room.

You also use a plural verb before phrases such as 'a number (of)', 'a lot (of)', and 'a few (of)'.

> *There were a lot of* people camped there.
> *There are* only *a few* left.

4 When the noun group after the verb is singular or uncountable, you use a singular verb.

> *There is one point* we must add here.
> *There isn't enough room* in here.

You also use a singular verb when you are mentioning more than one person or thing and the first noun after the verb is singular or uncountable.

> *There was a man* and a woman.
> *There was a sofa* and two chairs.

5 You can also use 'there' with a modal, followed by 'be' or 'have been'.

> *There could be* a problem.
> *There should be* a change in government.
> *There can't have been* anybody outside.
> *There must have been* some mistake.

6 In spoken and informal written English, short forms of 'be' or a modal are normally used after 'there'.

> *There's* no danger.
> *There'll* always *be* a future for music.
> I knew *there'd be* trouble.
> *There's been* quite a lot of research into it.
> I didn't even know *there'd been* a murder.

7 You can also use 'there' with 'appear' or 'seem', followed by 'to be' or 'to have been'.

> *There appears to be* a vast amount of confusion on this point.
> *There don't seem to be* many people on campus.
> *There seems to have been* some carelessness.

Demonstrative pronouns

Κεντρικά σημεία

Χρησιμοποιείτε τις δεικτικές αντωνυμίες «this» [αυτός,-ή,-ό], «that» [εκείνος,-η,-ο], «these» [αυτοί,-ές,-ά] και «those» [εκείνοι,-ες,-α] όταν δείχνετε αντικείμενα ή προσδιορίζετε πρόσωπα.

Χρησιμοποιείτε το «one» ή το «ones» αντί του ουσιαστικού που έχει προαναφερθεί ή που είναι γνωστό.

1 You use the demonstrative pronouns 'this', 'that', 'these', and 'those' when you are pointing to physical objects. 'This' and 'these' refer to things near you, 'that' and 'those' refer to things farther away.

> *This* is a list of rules.
> 'I brought you *these*.' Adam held out a bag of grapes.
> *That* looks interesting.
> *Those* are mine.

You can also use 'this', 'that', 'these', and 'those' as determiners in front of nouns.
➤ See Unit 23.

> *This book* was a present from my mother.
> When did you buy *that hat*?

2 You use 'this', 'that', 'these', and 'those' when you are identifying or introducing people, or asking who they are.

> Who's *this*?
> *These* are my children, Susan and Paul.
> Was *that* Patrick on the phone?

3 You use 'this', 'that', 'these', and 'those' to refer back to things that have already been mentioned.

> *That* was an interesting word you used just now.
> More money is being pumped into the education system, and we assume *this* will continue.
> 'Let's go to the cinema.' – '*That's* a good idea.'
> *These* are not easy questions to answer.

You also use 'this' and 'these' to refer forward to things you are going to mention.

> *This* is what I want to say: it wasn't my idea.

These are the topics we will be looking at next week: how the accident happened, whether it could have been avoided, and who was to blame.
This is the important point: you must never see her again.

4 You use 'one' or 'ones' instead of a noun that has already been mentioned or is known in the situation, usually when you are adding information or contrasting two things of the same kind.

My car is *the blue one.*
Don't you have *one* with buttons instead of a zip?
Are *the new curtains* longer than *the old ones?*

You can use 'which one' or 'which ones' in questions.

Which one do you prefer?
Which ones were damaged?

You can say 'this one', 'that one', 'these ones', and 'those ones'.

I like *this one* better.
We'll have *those ones,* thank you.

You can use 'each one' or 'one each', but note that there is a difference in meaning. In the following examples, 'each one' means 'each brother' but 'one each' means 'one for each child'.

I've got three brothers and *each one* lives in a different country.
I bought the children *one each.*

5 In formal English, people sometimes use 'one' to refer to people in general.

One has to think of the practical side of things.
One never knows what to say in such situations.

6 There are several other types of pronoun, which are dealt with in other units.

▶ See Unit 22 for information on possessive pronouns.

▶ See Unit 6 for information on 'who', 'whom', 'whose', 'which', and 'what' as interrogative pronouns.

▶ See Units 83 and 84 for information on 'that', 'which', 'who', 'whom', and 'whose' as relative pronouns.

Most determiners, except 'the', 'a', 'an', 'every', 'no', and the possessives, are also pronouns.

▶ See Units 27 to 30.

Reflexive pronouns

Κεντρικά σημεία

Οι αυτοπαθείς αντωνυμίες μπορεί να είναι άμεσα ή έμμεσα αντικείμενα.

Τα περισσότερα μεταβατικά ρήματα μπορεί να έχουν μία αυτοπαθή αντωνυμία ως αντικείμενο.

Οι αυτοπαθείς αντωνυμίες μπορεί να είναι το αντικείμενο μίας πρόθεσης.

Οι αυτοπαθείς αντωνυμίες δίνουν έμφαση στο ουσιαστικό ή στην αντωνυμία.

1 The reflexive pronouns are:

singular:	myself yourself himself herself itself
plural:	ourselves yourselves themselves

Note that, unlike 'you' and 'your', there are two forms for the second person: 'yourself' in the singular and 'yourselves' in the plural.

2 You use reflexive pronouns as the direct or indirect object of the verb when you want to say that the object is the same person or thing as the subject of the verb in the same clause.

For example, 'John taught himself' means that John did the teaching and was also the person who was taught, and 'Ann poured herself a drink' means that Ann did the pouring and was also the person that the drink was poured for.

She stretched *herself* out on the sofa.
The men formed *themselves* into a line.
He should give *himself* more time.

Note that although the subject 'you' is omitted in imperatives, you can still use 'yourself' or 'yourselves'.

Here's the money, go and buy yourself an ice cream.

3 Most transitive verbs can take a reflexive pronoun.

I blame myself for not paying attention.
He introduced himself to me.

⊖ WARNING: Verbs which describe actions that people normally do to themselves do not take reflexive pronouns in English.

Αυτοπαθείς αντωνυμίες

I usually <u>shave</u> before breakfast.
She <u>washed</u> very quickly and rushed downstairs.

▶ See Unit 48 for more information.

4 You use a reflexive pronoun as the object of a preposition when the object of the preposition refers to the same person or thing as the subject of the verb in the same clause.

I was thoroughly ashamed <u>of myself.</u>
Tell me <u>about yourself.</u>

Note that you use personal pronouns, not reflexive pronouns, when referring to places and after 'with' meaning 'accompanied by'.

<u>You</u> should have your notes <u>in front of you.</u>
<u>He</u> would have to bring Judy <u>with him.</u>

5 You use reflexive pronouns after nouns or pronouns to emphasize the person or thing that you are referring to.

<u>The town itself</u> was so small that it didn't have a bank.
<u>I myself</u> have never read the book.

6 You use a reflexive pronoun at the end of a clause to emphasize that someone did something without any help from anyone else.

She had printed the card <u>herself.</u>
Did you make these <u>yourself?</u>

7 You use reflexive pronouns with 'by' to say:

• that someone does something without any help from other people

…when babies start eating their meals <u>by themselves.</u>
She was certain she could manage <u>by herself.</u>

• that someone is alone

He went off to sit <u>by himself.</u>

You can also use 'on my own', 'on your own', and so on, to say that someone is alone or does something without any help.

We were in the park <u>on our own.</u>
They managed to reach the village <u>on their own.</u>

You can use 'all' for emphasis.

Did you put those shelves up <u>all by yourself?</u>
We can't solve this problem <u>all on our own.</u>

⊖ WARNING: 'One another' and 'each other' are not reflexive pronouns.

41

Indefinite pronouns

Κεντρικά σημεία

Οι αόριστες αντωνυμίες αναφέρονται σε πρόσωπα ή πράγματα χωρίς να δηλώνετε με ακρίβεια ποια ή τι είναι.

Όταν η αόριστη αντωνυμία είναι το υποκείμενο συντάσσεται πάντα με ρήμα που κλίνεται σε ενικό αριθμό.

Χρησιμοποιείτε συχνά μία αντωνυμία σε πληθυντικό αριθμό όταν αναφερόσαστε στην αόριστη αντωνυμία.

---

1 The indefinite pronouns are:

anybody	everybody	nobody	somebody
anyone	everyone	no one	someone
anything	everything	nothing	something

Note that 'no one' is written as two words, or sometimes with a hyphen: 'no-one'.

2 You use indefinite pronouns when you want to refer to people or things without saying exactly who or what they are. The pronouns ending in '-body' and '-one' refer to people, and those ending in '-thing' refer to things.

I was there for over an hour before <u>anybody</u> came.
It had to be <u>someone</u> with a car.
Jane said <u>nothing</u> for a moment.

3 When an indefinite pronoun is the subject, it always takes a singular verb, even when it refers to more than one person or thing.

<u>Everyone knows</u> that.
<u>Everything was</u> fine.
<u>Is anybody</u> there?

When you refer back to indefinite pronouns, you use plural pronouns or possessives, and a plural verb.

Ask <u>anyone. They</u>'ll tell you.
Has <u>everyone</u> eaten as much as <u>they</u> want?
You can't tell <u>somebody</u> why <u>they</u>'ve failed.

⊖ WARNING: Some speakers prefer to use singular pronouns. They prefer to say 'You can't tell somebody why he or she has failed'.

4 You can add apostrophe s ('s) to indefinite pronouns that refer to people.

> *She was given a room in <u>someone's</u> studio.*
> *That was <u>nobody's</u> business but mine.*

⊖ WARNING: You do not usually add apostrophe s ('s) to indefinite pronouns that refer to things. You do not say 'something's value', you say 'the value of something'.

5 You use indefinite pronouns beginning with 'some-' in:

- affirmative clauses

> *<u>Somebody</u> shouted.*
> *I want to introduce you to <u>someone.</u>*

- questions expecting the answer 'yes'

> *Would you like <u>something</u> to drink?*
> *Can you get <u>someone</u> to do it?*

6 You use indefinite pronouns beginning with 'any-':

- as the subject or object in statements

> *<u>Anyone</u> knows that you need a licence.*
> *You still haven't told me <u>anything.</u>*

You do not use them as the subject of a negative statement. You do not say 'Anybody can't come in'.

- in both affirmative and negative questions

> *Does <u>anybody</u> agree with me?*
> *Won't <u>anyone</u> help me?*

7 If you use an indefinite pronoun beginning with 'no-', you must not use another negative word in the same clause. You do not say 'There wasn't nothing'.

> *There was <u>nothing</u> you could do.*
> *<u>Nobody</u> left, <u>nobody</u> went away.*

8 You use the indefinite adverbs 'anywhere', 'everywhere', 'nowhere', and 'somewhere' to talk about places in a general way. 'Nowhere' makes a clause negative.

> *I thought I'd seen you <u>somewhere.</u>*
> *No-one can find Howard or Barbara <u>anywhere.</u>*
> *There was <u>nowhere</u> to hide.*

9 You can use 'else' after indefinite pronouns and adverbs to refer to people, things, or places other than those that have been mentioned.

> *<u>Everyone else</u> is downstairs.*
> *I don't like it here. Let's go <u>somewhere else.</u>*

Possession

Κεντρικά σημεία

Τα κτητικά και οι κτητικές αντωνυμίες χρησιμοποιούνται για να εκφράσουν ότι ένα πρόσωπο ή πράγμα ανήκει σε άλλο ή ότι συνδέεται με άλλο.

Χρησιμοποιείτε την «απόστροφο s» ('s) για να εκφράσετε σε ποιόν ανήκει κάτι.

Χρησιμοποιείτε φράσεις με το «of» για να εκφράσετε ότι ένα πρόσωπο ή πράγμα ανήκει σε άλλο ή συνδέεται με άλλο.

---

1. You use possessives to say that a person or thing belongs to another person or thing or is connected with them. The possessives are sometimes called 'possessive adjectives'.

| my | your | his | her | its | our | their |

Note that 'your' is both singular and plural.

Tie your shoelaces and comb your hair.

⊖ WARNING: The possessive 'its' is not spelled with an apostrophe. The form 'it's' with an apostrophe is the short form for 'it is' or 'it has'.

2. You put numbers and adjectives after the possessive and in front of the noun.

Their two small children were playing outside.
She got a bicycle on her sixth birthday.

3. You use a possessive pronoun when you want to refer to a person or thing and to say who that person or thing belongs to or is connected with. The possessive pronouns are:

| mine | yours | his | hers | ours | theirs |

Note that 'yours' is both singular and plural.

Is that coffee yours or mine?
My priorities are different from yours.

⊖ WARNING: There is no possessive pronoun 'its'.

4. You can also say who or what something belongs to or is connected with by using a noun with apostrophe s ('s). For example, if John owns a motorbike, you can refer to it as 'John's motorbike'.

Sylvia put her hand on <u>John's</u> arm.
I like the <u>car's</u> design.

You add apostrophe s ('s) to singular nouns and irregular plural nouns, usually referring to people rather than things.

I wore a pair of my <u>sister's</u> boots.
<u>Children's</u> birthday parties can be boring.

With plural nouns ending in '-s' you only add the apostrophe (').

It is not his <u>parents'</u> problem.

You add apostrophe s ('s) to people's names, even when they end in '-s'.

Could you give me <u>Charles's</u> address?

Note that when you use two or more names linked by 'and', you put the apostrophe s ('s) after the last name.

They have bought <u>Sue and Tim's</u> car.

5 When you want to refer to someone's home, or to some common shops and places of work, you can use apostrophe s ('s) after a name or noun on its own.

He's round at <u>David's.</u>
He bought it at the <u>chemist's.</u>
She must go to the <u>doctor's.</u>

6 You can also use apostrophe s ('s) with some expressions of time to identify something, or to say how much time is involved.

Did you see the cartoon in <u>yesterday's</u> newspaper?
They have four <u>weeks'</u> holiday per year.

7 You can use a prepositional phrase beginning with 'of' to say that one person or thing belongs to or is connected with another.

She is the mother <u>of the boy</u> who lives next door.
Ellen aimlessly turned the pages <u>of her magazine.</u>

After 'of' you can use a possessive pronoun, or a noun or name with apostrophe s ('s).

He was an old friend <u>of mine.</u>
That word was a favourite <u>of your father's.</u>
She's a friend <u>of Stephen's.</u>

8 You can add 'own' after a possessive, or a noun or name with apostrophe s ('s), for emphasis.

<u>My own</u> view is that there are no serious problems.
The <u>professor's own</u> answer may be unacceptable.

Κεντρικά σημεία

Οι προσδιορισμοί χρησιμοποιούνται στην αρχή των ονοματικών συνόλων.

Χρησιμοποιείτε συγκεκριμένους προσδιορισμούς όταν οι άλλοι γνωρίζουν ακριβώς σε ποια πράγματα ή πρόσωπα αναφερόσαστε.

Χρησιμοποιείτε γενικούς προσδιορισμούς όταν αναφέρεστε σε πρόσωπα ή πράγματα χωρίς να εκφράζετε ακριβώς ποια ή τι είναι.

1 When you use a determiner, you put it at the beginning of a noun group, in front of numbers or adjectives.

> I met <u>the two Swedish girls</u> in London.
> Have you got <u>another red card?</u>
> <u>Several young boys</u> were waiting.

2 When the people or things that you are talking about have already been mentioned, or the people you are talking to know exactly which ones you mean, you use a specific determiner.

> <u>The</u> man began to run towards <u>the</u> boy.
> Young people don't like <u>these</u> operas.
> <u>Her</u> face was very red.

The specific determiners are:

the definite article:	the
demonstratives:	this that these those
possessives:	my your his her its our their

Note that 'your' is used both for the singular and plural possessive.

▶ See Unit 19 for 'this', 'that', 'these', and 'those' as pronouns.

3 When you are mentioning people or things for the first time, or talking about them generally without saying exactly which ones you mean, you use a general determiner.

> There was <u>a</u> man in the lift.
> You can stop at <u>any</u> time you like.

Προσδιορισμοί

The general determiners are:

a	all	an	another	any	both	each
either	enough	every	few	fewer	less	little
many	more	most	much	neither	no	other
several	some					

4. Each general determiner is used with particular types of noun, such as:

- singular count nouns

a	an	another	any	each	either	every	neither	no

> I got _a postcard_ from Susan.   He opened _another shop_.
> _Any big tin container_ will do.

- plural count nouns

all	any	both	enough	few	fewer	many
more	most	no	other	several	some	

> There were _few doctors_ available.   _Several projects_ were postponed.
> He spoke _many different languages._

- uncount nouns

all	any	enough	less	little	more	most
much	no	some				

> There was _little applause._   He did not speak _much English._
> We need _more information_

⊖ WARNING: The following general determiners can never be used with uncount nouns.

a	an	another	both	each	either	every
few	many	neither	several			

5. Most of the determiners are also pronouns, except 'the', 'a', 'an', 'every', 'no' and the possessives.

> I saw _several_ in the woods last night.   There is _enough_ for all of us.
> Have you got _any_ that I could borrow?

You use 'one' as a pronoun instead of 'a' or 'an', 'none' instead of 'no', and 'each' instead of 'every'.

> Have you got _one?_   There are _none_ left.
> _Each_ has a separate box and number.

Κεντρικά σημεία

Μπορείτε να χρησιμοποιήσετε το «the» μπροστά από κάθε ουσιαστικό.

Χρησιμοποιείτε το «the» όταν το πρόσωπο στο οποίο αναφέρεστε γνωρίζει ποιο πρόσωπο ή πράγματα εννοείτε.

Χρησιμοποιείτε το «the» όταν αναφερόσαστε και πάλι σε κάποιον ή κάτι.

Χρησιμοποιείτε το «the» όταν προσδιορίζετε το πρόσωπο ή το πράγμα στο οποίο αναφέρεστε.

Χρησιμοποιείτε το "the" όταν αναφερόσαστε σε κάτι που είναι μοναδικό.

Χρησιμοποιείτε το «the» όταν θέλετε να χρησιμοποιήσετε ένα πράγμα ως γενικό παράδειγμα για όλα τα ομοειδή με αυτό πράγματα.

1. 'The' is called the definite article, and is the commonest determiner. You use 'the' when the person you are talking to knows which person or thing you mean. You can use 'the' in front of any noun, whether it is a singular count noun, an uncount noun, or a plural count noun.

> She dropped _the can._
> I remembered _the fun_ I had with them.
> _The girls_ were not at home.

2. You use 'the' with a noun when you are referring back to someone or something that has already been mentioned.

> I called for _a waiter_ … … _The waiter_ with a moustache came.
> I have bought _a house_ in Wales… … _The house_ is in an agricultural area.

3. You use 'the' with a noun and a qualifier, such as a prepositional phrase or a relative clause, when you are specifying which person or thing you are talking about.

> I've no idea about _the geography of Scotland._
> _The book that I recommended_ now costs over three pounds.

4 You use 'the' with a noun when you are referring to something of which there is only one in the world.

> *They all sat in <u>the sun.</u>*
> *We have landed men on <u>the moon.</u>*
> *<u>The sky</u> was a brilliant blue.*

You also use 'the' when you are referring to something of which there is only one in a particular place.

> *Mrs Robertson heard that <u>the church</u> had been bombed.*
> *He decided to put some words on <u>the blackboard.</u>*

5 You can use 'the' with a singular count noun when you want to make a general statement about all things of that type. For example, if you say 'The whale is the largest mammal in the world', you mean all whales, not one particular whale.

> *<u>The computer</u> allows us to deal with a lot of data very quickly.*
> *My father's favourite flower is <u>the rose.</u>*

6 You can use 'the' with a singular count noun when you are referring to a system or service. For example, you can use 'the phone' to refer to a telephone system and 'the bus' to refer to a bus service.

> *I don't like using <u>the phone.</u>*
> *How long does it take on <u>the train?</u>*

7 You can use 'the' with the name of a musical instrument when you are talking about someone's ability to play the instrument.

> *'You play <u>the guitar,</u> I see,' said Simon.*
> *Geoff plays <u>the piano</u> very well.*

Κεντρικά σημεία

Δεν χρησιμοποιείτε συνήθως το «the» με κύρια ουσιαστικά που αναφέρονται σε πρόσωπα.

Χρησιμοποιείτε το «the» με πολλά κύρια ουσιαστικά που αναφέρονται σε γεωγραφικές τοποθεσίες.

Χρησιμοποιείτε το «the» με μερικά επίθετα όταν αναφέρεστε σε κατηγορίες προσώπων.

1 You do not normally use 'the' with proper nouns that are people's names. However, if you are talking about a family, you can say 'the Browns'.

You use 'the' with some titles, such as 'the Queen of England', and with the names of some organizations, buildings, newspapers, and works of art.

... _the United Nations_...   ... _the Taj Mahal._
... _the Times_...   ... _the Mona Lisa._

2 You do use 'the' with some proper nouns referring to geographical places.

... _the Bay of Biscay_...   ... _the Suez Canal._

You use 'the' with countries whose names include words such as 'kingdom', 'republic', 'states', or 'union'.

... _the United Kingdom_...   ... _the Soviet Union._

You use 'the' with countries that have plural nouns as their names.

... _the Netherlands_...   ... _the Philippines._

Note that you do not use 'the' with countries that have singular nouns as their names, such as 'China', 'Italy', or 'Turkey'.

You use 'the' with names of mountain ranges and groups of islands.

... _the Alps_...   ... _the Himalayas._
... _the Bahamas_...   ... _the Canaries._

Note that you do not use 'the' with the names of individual mountains such as 'Everest' or 'Etna', or the names of individual islands such as 'Sicily', 'Minorca', or 'Bali'.

You use 'the' with regions of the world, or regions of a country that include 'north', 'south', 'east', or 'west'.

... _the Middle East_...   ... _the Far East._
... _the north of England_...   ... _the west of Ireland._

Note that there are some exceptions.

...North America...   ...South-East Asia.

You do not use 'the' with 'northern', 'southern', 'eastern', or 'western' and a singular name.

... _northern_ England...   ... _western Africa._

You use 'the' with the names of areas of water such as seas, oceans, rivers, canals, gulfs, and straits.

... _the_ Mediterranean Sea...   ... _the_ Atlantic Ocean.
... _the_ river Ganges...   ... _the_ Panama Canal.
... _the_ Gulf of Mexico...   ... _the_ straits of Gibraltar.

Note that you do not use 'the' with lakes.

...Lake Geneva...   ...Lake Superior.

Note that you do not use 'the' with continents, cities, streets, or addresses.

...Asia...   ...Tokyo.
...Oxford Street...   ...15 Park Street.

3 You use 'the' with adjectives such as 'rich', 'poor', 'young', 'old', and 'unemployed' to talk about a general group of people. You do not need a noun.

   Only the rich could afford his firm's products.
   They were discussing the problem of the unemployed.

When you use 'the' with an adjective as the subject of a verb, you use a plural verb.

   In the cities the poor are as badly off as they were in the villages.

4 You use 'the' with some nationality adjectives to talk about the people who live in a country.

   They will be increasingly dependent on the support of the French.
   The Spanish claimed that the money had not been paid.

With other nationalities, you use a plural noun.

   ...Germans...   ...the Americans.

When you use 'the' with a nationality adjective as the subject of a verb, you use a plural verb.

   The British are worried.

5 You use 'the' with superlatives.

   He was the cleverest man I ever knew.
   He was the youngest.
   His shoulders hurt the worst.
   It was the most exciting summer of their lives.

'A' and 'an'

Κεντρικά σημεία

Χρησιμοποιείτε το «a» και «an» μόνο με κλιτά ουσιαστικά στον ενικό.

Χρησιμοποιείτε το «a» και «an» όταν αναφέρεστε σε ένα πρόσωπο ή πράγμα για πρώτη φορά.

1. You only use 'a' or 'an' with singular count nouns. 'A' and 'an' are called the indefinite article.

> I got _a postcard_ from Susan.
> He was eating _an apple._

Remember that you use 'a' in front of a word that begins with a consonant sound even if the first letter is a vowel, for example 'a piece', 'a university', 'a European language'. You use 'an' in front of a word that begins with a vowel sound even if the first letter is a consonant, for example 'an exercise', 'an idea', 'an honest man'.

2. You use 'a' or 'an' when you are talking about a person or thing for the first time.

> She picked up _a book._
> After weeks of looking, we eventually bought _a house._
> _A colleague_ and I got some money to do research on rats.

Note that the second time you refer to the same person or thing, you use 'the'.

> She picked up _a book_ … … _The book_ was lying on the table.
> After weeks of looking, we bought _a house_ … … _The house_ was in a village.

3. After the verb 'be' or another link verb, you can use 'a' or 'an' with an adjective and a noun to give more information about someone or something.

> His brother was _a sensitive child._
> He seemed _a worried man._
> It was _a really beautiful house._

You can also use 'a' or 'an' with a noun followed by a qualifier, such as a prepositional phrase or a relative clause, when you want to give more information about someone or something.

> The information was contained in _an article on biology._
> I chose _a picture that reminded me of my own country._

4 You use 'a' or 'an' after the verb 'be' or another link verb when you are saying what someone is or what job they have.

> *He became a school teacher.*
> *She is a model and an artist.*

5 You use 'a' or 'an' to mean 'one' with some numbers. You can use 'a' or 'an' with nouns that refer to whole numbers, fractions, money, weights, or measures.

a hundred	a quarter	a pound	a kilo
a thousand	a half	a dollar	a litre

6 You do not use 'a' or 'an' with uncount nouns or plural count nouns. You do not need to use a determiner at all with plural count nouns, but you can use the determiners 'any', 'a few', 'many', 'several', or 'some'.

> *I love dogs.*
> *Do you have any dogs?*
> *Many adults don't listen to children.*
> *I have some children like that in my class.*

Note that if you do not use a determiner with a plural count noun, you are often making a general statement about people or things of that type. For example, if you say 'I love dogs', you mean all dogs. However, if you say 'There are eggs in the kitchen', you mean there are some eggs. If you do use a determiner, you mean a number of people or things but not all of them, without saying exactly how many.

> *I have some friends coming for dinner.*
> *He has bought some plants for the house.*
> *I have some important things to tell them.*

All, most, no, one

Κεντρικά σημεία

Χρησιμοποιείτε το «all» [όλος,-η,-ο] με κλιτά ουσιαστικά στον πληθυντικό και με άκλιτα ουσιαστικά. Χρησιμοποιείτε το «all» όταν αναφέρεστε σε κάθε πρόσωπο ή πράγμα στον κόσμο ή στην κατηγορία στην οποία αναφέρεστε.

Χρησιμοποιείτε το «most» [περισσότερος,-η,-ο] με κλιτά ουσιαστικά στον πληθυντικό και με άκλιτα ουσιαστικά. Χρησιμοποιείτε το «most» όταν αναφέρεστε αριθμητικά σχεδόν σε όλα τα πρόσωπα ή πράγματα ή όταν αναφερόσαστε ποσοτικά σε κάτι.

Χρησιμοποιείτε το αρνητικό μόριο «no» με κλιτά ουσιαστικά στον ενικό και πληθυντικό και με άκλιτα ουσιαστικά.

Χρησιμοποιείτε το «no» για να εκφράσετε ότι κάτι δεν υπάρχει ή δεν είναι παρόν.

1 You use 'all' with plural count nouns and uncount nouns to talk about every person or thing in the world or in the group that you are talking about.

All children should complete the primary course.
All important decisions were taken by the government.
He soon lost *all hope* of becoming a rock star.
All luggage will be searched.

2 You use 'most' with plural count nouns and uncount nouns to talk about nearly all of a number of people or things, or nearly all of a quantity of something.

The method was suitable for *most purposes.*
Most good drivers stop at zebra crossings.
Most milk is still delivered to people's houses.
He ignored *most advice,* and did what he thought best.

3 You use 'no' with singular count nouns, plural count nouns, and uncount nouns to say that something does not exist or is not present.

There was *no chair* for me to sit on.
They had *no immediate plans* to change house.
No money was available for the operation.

All, most, no, one

Note that if there is another word in the clause that makes it negative, you use 'any', not 'no'.

> It has*n't* made <u>any difference.</u>
> He will <u>never</u> do <u>any work</u> for me again.

4 'All' and 'most' are also pronouns, so you can say 'all of' and 'most of'. 'No' is not a pronoun, so you must say 'none of'.

> He spent <u>all of the money</u> on a new car.
> <u>Most of my friends</u> live in London.
> <u>None of those farmers</u> had ever driven a tractor.

Note that you use 'all of', 'most of', and 'none of' with an object pronoun.

> <u>All of us</u> were sleeping.
> I had seen <u>most of them</u> before.
> <u>None of them</u> came to the party.

Note that if the clause is already negative, you use 'any of', not 'none of'.

> I had*n't* eaten <u>any of</u> the biscuits.

When 'none of' is followed by a plural noun or pronoun, the verb is usually plural, but can be singular.

> <u>None of us are</u> the same.
> <u>None of them has</u> lasted very long.

5 You can use 'all the' with a plural count noun or an uncount noun. There is no difference in meaning between 'all the' and 'all of the'.

> <u>All the girls</u> think it's great.
> <u>All the best jokes</u> came at the end of the programme.
> Thank you for <u>all the help</u> you gave me.

⊖ WARNING: You cannot say 'most the' or 'none the'. You must say 'most of the' or 'none of the'.

6 You can use 'all' after a noun or pronoun to emphasize that the noun or pronoun refers to everyone or everything that has been mentioned or is involved.

Note that you can use 'all' to emphasize the subject or the object.

> <u>The band all</u> live together in the same house.
> I enjoyed <u>it all.</u>

Both, either, neither

Κεντρικά σημεία

Χρησιμοποιείτε το «both» [και οι/τα δύο], το «either» [είτε] και το «neither» [ούτε] όταν αναφέρεστε σε δύο πρόσωπα ή πράγματα στα οποία έχετε προαναφερθεί ή είναι γνωστά σε αυτόν που ακούει.

Χρησιμοποιείτε το «both» με ουσιαστικά στον πληθυντικό και το «either» και «neither» με ουσιαστικά στον ενικό.

Χρησιμοποιείτε το «both of», το «either of» και το «neither of» με ουσιαστικά ή αντωνυμίες στον πληθυντικό.

1. You use 'both', 'either', and 'neither' when you are saying something about two people or things that have been mentioned, or are known to the person you are talking to.

   There were excellent performances from <u>both actresses.</u>
   Denis held his cocoa in <u>both hands.</u>
   No argument could move <u>either man</u> from this decision.
   <u>Neither report</u> mentioned the Americans.

2. You use 'both' when you think of the two people or things as a group. You use 'both' with a plural noun.

   <u>Both children</u> were happy with their presents.
   <u>Both policies</u> make good sense.

3. You use 'either' when you think of the two people or things as individuals. You use 'either' with a singular noun.

   <u>Either way</u> is acceptable.
   She could not see <u>either man.</u>

4. You use 'neither' when you are thinking of the two people or things as individuals and you are making a negative statement about them. You use 'neither' with a singular noun.

   In reality, <u>neither party</u> was enthusiastic.
   <u>Neither man</u> knew what he was doing.

Both, either, neither

5 You can use 'both' with a specific determiner such as 'the', 'these', or 'my'.

> _Both the young men_ agreed to come.
> _Both these books_ have been recommended to us.
> _Both her parents_ were dead.

⊖ WARNING: You cannot use 'either' or 'neither' with a specific determiner.

6 You can use 'both of', 'either of', or 'neither of' with a plural noun or pronoun.

Note that when 'both of', 'either of', and 'neither of' are followed by a noun rather than a pronoun, you must use a specific determiner such as 'the', 'these', or 'her' before the noun.

> _Both of these restaurants_ are excellent.
> _Either of them_ could have done the job.
> _Neither of our boys_ was involved.

Note that 'neither of' is normally used with a singular verb but it can be used with a plural verb.

> _Neither of us <u>was having</u>_ any luck.
> _Neither of the children <u>were</u>_ there.

7 Remember that you can also use 'both', 'either', and 'neither' as conjunctions. You use 'both…and' to give two alternatives and say that each of them is possible or true.

> _I am looking for opportunities <u>both</u> in this country <u>and</u> abroad._
> _<u>Both</u> I <u>and</u> my wife were surprised to see you there._

You use 'either…or' to give two alternatives and say that only one of them is possible or true.

> _You can have <u>either</u> fruit <u>or</u> ice cream._
> _I was expecting you <u>either</u> today <u>or</u> tomorrow._
> _You <u>either</u> love him <u>or</u> hate him._

You also use 'neither…nor' to give two alternatives and say that each of them is not possible or is not true.

> _<u>Neither</u> Margaret <u>nor</u> John was there._
> _He did it <u>neither</u> quickly <u>nor</u> well._

Κεντρικά σημεία

Χρησιμοποιείτε το «much» [πολύ] και «little» [λίγο] με άκλιτα ουσιαστικά όταν αναφέρεστε σε αυτά ποσοτικά.

Χρησιμοποιείτε το «many» [πολλοί,-ές,-ά] και το «few» [μερικοί,-ές,-ά] με ουσιαστικά στον πληθυντικό όταν αναφέρεστε για πρόσωπα ή πράγματα αριθμητικά.

Χρησιμοποιείτε το «much» σε αρνητικές προτάσεις και ερωτήσεις και το «a lot of» ή το «plenty of» αντί για το «much» σε καταφατικές προτάσεις.

Χρησιμοποιείτε το «more» [περισσότερο] και το «less» [λιγότερο] με άκλιτα ουσιαστικά και το «more» και το «fewer» με κλιτά ουσιαστικά στον πληθυντικό.

1. You use 'much' to talk about a large quantity of something, and 'little' to talk about a small quantity of something. You only use 'much' and 'little' with uncount nouns.

   I haven't got <u>much time</u>.
   We've made <u>little progress</u>.

2. You use 'many' to talk about a large number of people or things, and 'few' to talk about a small number of people or things. You can only use 'many' and 'few' with plural count nouns.

   He wrote <u>many novels</u>.
   There were <u>few visitors</u> to our house.

3. You normally use 'much' in negative sentences and questions.

   He did <u>not</u> speak <u>much</u> English.
   Why haven<u>'t</u> I given <u>much</u> attention to this problem?

In affirmative sentences you do not use 'much', you use 'a lot of', 'lots of', or 'plenty of' instead. You can use them with both uncount nouns and plural nouns.

He demanded <u>a lot of attention</u>.
I make <u>a lot of mistakes</u>.
They spent <u>lots of time</u> on the project.
He remembered a large room with <u>lots of windows</u>.
I've got <u>plenty of money</u>.
There are always <u>plenty of jobs</u> to be done.

Note that you can use 'so much' and 'too much' in affirmative sentences.

She spends <u>so much time</u> here.
There is <u>too much chance</u> of error.

4 You use 'so much' to emphasize that a large quantity of something is involved.

I have <u>so much work</u> to do.

You use 'too much' and 'too many' to say that the quantity of something, or the number of people or things, is larger than is reasonable or necessary.

He has <u>too much work.</u>
<u>Too many people</u> still smoke.

You use 'very many' to emphasize that a large number of people or things are involved.

<u>Very many old people</u> live alone.

Note that 'very much' is used with nouns and verbs.

There isn't <u>very much time.</u>
I <u>liked</u> it <u>very much.</u>

5 You use 'few' and 'little' to emphasize that only a small quantity of something or a small number of people or things are involved. They can be used with 'very' for greater emphasis.

The town has <u>few monuments.</u>
I have <u>little time</u> for anything but work.
<u>Very few cars</u> had reversing lights.
I had <u>very little money</u> left.

Note that 'a few' and 'a little' just indicate that a quantity or number is small.

He spread <u>a little honey</u> on a slice of bread.
I usually do <u>a few jobs</u> for him in the house.

6 You use 'more' with uncount nouns and plural count nouns to refer to a quantity of something or a number of people or things that is greater than another.

His visit might do <u>more harm</u> than good.
He does <u>more hours</u> than I do.

You use 'less' with uncount nouns to refer to an amount of something that is smaller than another amount.

The poor have <u>less access</u> to education.

You use 'fewer', or 'less' in informal English, with plural nouns to refer to a number of people or things that is smaller than another number.

There are <u>fewer trees</u> here.
They have sold <u>less computers</u> this year.

Κεντρικά σημεία

Χρησιμοποιείτε το «some» [μερικοί,-ές,-ά] όταν αναφέρεστε αριθμητικά ή ποσοτικά σε κάτι χωρίς να είστε ακριβείς.

Χρησιμοποιείτε το «any» [καθόλου] όταν αναφερόσαστε ποσοτικά ή αριθμητικά σε κάτι που μπορεί να υπάρχει ή να μην υπάρχει.

Χρησιμοποιείτε το «another» [ακόμη ένας/μία/ένα] ή το «another» με έναν αριθμό όταν αναφέρεστε σε επιπλέον πρόσωπα ή πράγματα.

Χρησιμοποιείτε το «each» [καθένας, καθεμία, καθένα] και το «every» [κάθε] όταν αναφέρεστε σε όλα τα μέλη μίας κατηγορίας προσώπων ή πραγμάτων.

---

1 You use 'some' with uncount nouns and plural nouns to talk about a quantity of something or a number of people or things without being precise.

> *I have left <u>some food</u> for you in the fridge.*
> *<u>Some trains</u> are running late.*

You normally use 'some' in affirmative sentences.

> *There's <u>some chocolate cake</u> over there.*

You use 'some' in questions when you expect the answer to be 'yes', for example in offers or requests.

> *Would you like <u>some coffee?</u>*
> *Could you give me <u>some examples?</u>*

You can use 'some' with a singular noun when you do not know which person or thing is involved, or you think it does not matter.

> *<u>Some</u> man phoned, but didn't leave his number.*

2 You use 'any' in front of plural and uncount nouns to talk about a quantity of something that may or may not exist. You normally use 'any' in questions and negative sentences.

> *Are there <u>any jobs</u> men can do but women can't?*
> *It hasn't made <u>any difference.</u>*

You use 'any' with a singular noun to emphasize that it does not matter which person or thing is involved.

> *<u>Any</u> container will do.*

You can use 'no' with an affirmative verb instead of 'not any'.

There weren't any tomatoes left.
There were no tomatoes left.

You can also use 'not' and 'any', or 'no', with a comparative.

Her house wasn't any better than ours.
Her house was no better than ours.

3 You use 'another' with singular nouns to talk about an additional person or thing.

He opened another shop last month.

You can also use 'another' with a number and a plural noun to talk about more people or things.

Another four years passed before we met again.

You use 'other' with plural nouns and 'the other' with singular or plural nouns.

I've got other things to think about.
The other man has gone.
The other European countries have a beaten us.

4 You use 'each' or 'every' with a singular noun to talk about all the members of a group of people or things. You use 'each' when you are thinking about the members as individuals, and 'every' when you are making a general statement about all of them.

Each county is subdivided into several districts.
Each applicant has five choices.
Every child would have milk every day.
She spoke to every person at that party.

You can modify 'every' but not 'each'.

He spoke to them nearly every day.

5 You can use 'some of', 'any of', or 'each of', and a noun group to talk about a number of people or things in a group of people or things.

Some of the information has already been analysed.
It was more expensive than any of the other magazines.
He gave each of us advice about our present goals.

You can use 'each of' and a plural noun group but 'every' must be followed by 'one of'.

Each of the drawings is different.
Every one of them is given a financial target.

Note that you can also use 'each' with 'one of'.

This view of poverty influences each one of us.

Position of adjectives

Κεντρικά σημεία

Υπάρχουν δύο βασικές θέσεις για επίθετα: μπροστά από το ουσιαστικό ή ως συμπλήρωμα συνδετικού ρήματος.

Τα περισσότερα επίθετα μπορεί να χρησιμοποιηθούν σε οποιαδήποτε από τις δύο αυτές θέσεις αλλά μερικά επίθετα χρησιμοποιούνται μόνο σε μία.

1 Most adjectives can be used in a noun group, after determiners and numbers if there are any, in front of the noun.

> *He had a <u>beautiful smile.</u>*
> *She bought a loaf of <u>white bread.</u>*
> *There was no <u>clear evidence.</u>*

2 Most adjectives can also be used after a link verb such as 'be', 'become', or 'feel'.

> *I<u>'m cold.</u>*
> *I <u>felt angry.</u>*
> *Nobody <u>seemed amused.</u>*

3 Some adjectives are normally used only after a link verb.

afraid	alive	alone	asleep	aware	content	due
glad	ill	ready	sorry	sure	unable	well

For example, you can say 'She was glad', but you do not talk about 'a glad woman'.

> *I wanted to <u>be alone.</u>*
> *We were <u>getting ready</u> for bed.*
> *I<u>'m</u> not quite <u>sure.</u>*

4 Some adjectives are normally used only in front of a noun.

eastern	northern	southern	western	atomic
countless	digital	existing	indoor	introductory
maximum	neighbouring	occasional	outdoor	

For example, you talk about 'an atomic bomb', but you do not say 'The bomb was atomic'.

> *He sent <u>countless letters</u> to the newspapers.*
> *This book includes a good <u>introductory chapter</u> on forests.*

Θέση των επιθέτων

5 When you use an adjective to emphasize a strong feeling or opinion, it always comes in front of a noun.

absolute	complete	entire	outright	perfect	positive
pure	real	total	true	utter	

Some of it was <u>absolute rubbish.</u>
He made me feel like a <u>complete idiot.</u>

6 Some adjectives that describe size or age can come after a noun group consisting of a number or determiner and a noun that indicates the unit of measurement.

deep	high	long	old	tall	thick	wide

He was about <u>six feet tall.</u>
The water was <u>several metres deep.</u>
The baby is <u>nine months old.</u>

Note that you do not say 'two pounds heavy', you say 'two pounds in weight'.

7 A few adjectives are used alone after a noun.

designate	elect	galore	incarnate

She was now the <u>president elect.</u>
There are empty <u>houses galore.</u>

8 A few adjectives have a different meaning depending on whether they come in front of or after a noun.

concerned	involved	present	proper	responsible

For example, 'the concerned mother' means a mother who is worried, but 'the mother concerned' means the mother who has been mentioned.

It's one of those incredibly <u>involved stories.</u>
The <u>people involved</u> are all doctors.
I'm worried about the <u>present situation.</u>
Of the 18 <u>people present,</u> I knew only one.
Her parents were trying to act in a <u>responsible manner.</u>
We do not know the <u>person responsible</u> for his death.

Order of adjectives

Κεντρικά σημεία

Βάζετε τα επίθετα κρίσης μπροστά από τα παραθετικά επίθετα.

Βάζετε τα γενικά επίθετα κρίσης μπροστά από ειδικά επίθετα κρίσης.

Μπορείτε μερικές φορές να αλλάζετε την σειρά των επιθέτων.

Αν χρησιμοποιείτε δύο ή περισσότερα παραθετικά επίθετα, τα βάζετε σε συγκεκριμένη σειρά.

Αν χρησιμοποιείτε ένα ουσιαστικό μπροστά από ένα άλλο ουσιαστικό, βάζετε τα επίθετα μπροστά από το πρώτο ουσιαστικό.

1. You often want to add more information to a noun than you can with one adjective. In theory, you can use the adjectives in any order, depending on the quality you want to emphasize. In practice, however, there is a normal order.

When you use two or more adjectives in front of a noun, you usually put an adjective that expresses your opinion in front of an adjective that just describes something.

You live in a <u>nice big</u> house.
He is a <u>naughty little</u> boy.
She was wearing a <u>beautiful pink</u> suit.

2. When you use more than one adjective to express your opinion, an adjective with a more general meaning such as 'good', 'bad', 'nice', or 'lovely' usually comes before an adjective with a more specific meaning such as 'comfortable', 'clean', or 'dirty'.

I sat in a <u>lovely comfortable</u> armchair in the corner.
He put on a <u>nice clean</u> shirt.
It was a <u>horrible dirty</u> room.

3. You can use adjectives to describe various qualities of people or things. For example, you might want to indicate their size, their shape, or the country they come from.

Descriptive adjectives belong to six main types, but you are unlikely ever to use all six types in the same noun group. If you did, you would normally put them in the following order:

size	age	shape	colour	nationality	material

This means that if you want to use an 'age' adjective and a 'nationality' adjective, you put the 'age' adjective first.

> *We met some <u>young Chinese</u> girls.*

Similarly, a 'shape' adjective normally comes before a 'colour' adjective.

> *He had <u>round black</u> eyes.*

Other combinations of adjectives follow the same order.
Note that 'material' means any substance, not only cloth.

> *There was a <u>large round wooden</u> table in the room.*
> *The man was carrying a <u>small black plastic</u> bag.*

4 You usually put comparative and superlative adjectives in front of other adjectives.

> *Some of the <u>better English</u> actors have gone to live in Hollywood.*
> *These are the <u>highest monthly</u> figures on record.*

5 When you use a noun in front of another noun, you never put adjectives between them. You put any adjectives in front of the first noun.

> *He works in the <u>French</u> film industry.*
> *He receives a <u>large weekly</u> cash payment.*

6 When you use two adjectives as the complement of a link verb, you use a conjunction such as 'and' to link them. With three or more adjectives, you link the last two with a conjunction, and put commas after the others.

> *The day was <u>hot and dusty.</u>*
> *The room was <u>large but square.</u>*
> *The house was <u>old, damp and smelly.</u>*
> *We felt <u>hot, tired and thirsty.</u>*

'-ing' and '-ed' adjectives

Κεντρικά σημεία

Πολλά επίθετα που καταλήγουν σε «-ing» περιγράφουν την επίδραση που έχει κάτι στα συναισθήματα κάποιου.

Μερικά επίθετα που καταλήγουν σε «-ing» περιγράφουν μία διαδικασία ή κατάσταση που συνεχίζεται για κάποιο χρονικό διάστημα.

Πολλά επίθετα που καταλήγουν σε «-ed» περιγράφουν ανθρώπινα συναισθήματα.

---

1 You use many '-ing' adjectives to describe the effect that something has on your feelings, or on the feelings of people in general. For example, if you talk about 'a surprising number', you mean that the number surprises you.

alarming	amazing	annoying	astonishing	boring
charming	confusing	convincing	depressing	disappointing
embarrassing	exciting	frightening	interesting	shocking
surprising	terrifying	tiring	worrying	welcoming

He lives in a charming house just outside the town.
She always has a warm welcoming smile.

Most '-ing' adjectives have a related transitive verb.

➤ See Unit 46 for information on transitive verbs.

2 You use some '-ing' adjectives to describe something that continues over a period of time.

ageing	booming	decreasing	dying	existing
increasing	living	remaining		

Britain is an ageing society.
Increasing prices are making food very expensive.

These adjectives have related intransitive verbs.

➤ See Unit 46 for information on intransitive verbs.

3 Many '-ed' adjectives describe people's feelings. They have the same form as the past participle of a transitive verb and have a passive meaning. For example, 'a frightened person' is a person who has been frightened by something.

Επίθετα που καταλήγουν σε «-ing» και «-ed»

Unit 33

alarmed	amused	astonished	bored	delighted
depressed	disappointed	excited	frightened	interested
satisfied	shocked	surprised	tired	worried

She looks <u>alarmed</u> about something.
A <u>bored</u> student complained to his teacher.
She had big blue <u>frightened</u> eyes.

Note that the past participles of irregular verbs do not end in '-ed', but can be used as adjectives.

The bird had a <u>broken</u> wing.
His coat was dirty and <u>torn.</u>

4 Like other adjectives, '-ing' and '-ed' adjectives can be:

● used in front of a noun

They still show <u>amazing</u> loyalty to their parents.
I was thanked by the <u>satisfied</u> customer.

● used after link verbs

The present situation is <u>terrifying.</u>
He felt <u>satisfied</u> with all the work he had done.
My husband was <u>worried.</u>

● modified by adverbials such as 'quite', 'really', and 'very'

The film was <u>quite boring.</u>
I was <u>really tired</u> after football practice.
He was a <u>very disappointed</u> young man.

● used in the comparative and superlative

His argument was <u>more convincing</u> than mine.
He became even <u>more depressed</u> after she died.
This is one of <u>the most boring books</u> I've ever read.
She was <u>the most interested</u> in going to the cinema.

5 A small number of '-ed' adjectives are normally only used after link verbs such as 'be', 'become', or 'feel'. They are related to transitive verbs, and are often followed by a prepositional phrase, a 'to'-infinitive clause, or a 'that'-clause.

convinced	delighted	finished	interested	involved	pleased
prepared	scared	thrilled	tired	touched	

The Brazilians are <u>pleased</u> with the results.
He was always <u>prepared</u> to account for his actions.
She was <u>scared</u> that they would find her.

Κεντρικά σημεία

Προσθέτετε το «-er» για να σχηματίσετε τον συγκριτικό βαθμό και το «-est» για να σχηματίσετε τον υπερθετικό βαθμό μονοσύλλαβων επιθέτων και επιρρημάτων.

Χρησιμοποιείτε το «-er» και το «-est» με μερικά δισύλλαβα επίθετα.

Χρησιμοποιείτε το «more» για να σχηματίσετε τον συγκριτικό βαθμό και το «most» για να σχηματίσετε τον υπερθετικό βαθμό των περισσότερων δισύλλαβων επιθέτων, όλων των πολυσύλλαβων επιθέτων και επιρρημάτων που καταλήγουν σε «-ly».

Μερικά συνηθισμένα επίθετα και επιρρήματα έχουν ανώμαλους τύπους.

1 You add '-er' for the comparative form and '-est' for the superlative form of one-syllable adjectives and adverbs. If they end in '-e', you add '-r' and '-st'.

cheap	→	cheaper	→	cheapest
safe	→	safer	→	safest

They worked <u>harder</u>.
He's the <u>nicest</u> man I've ever met.

If they end in a single vowel and consonant (except '-w'), double the consonant.

big	→	bigger	→	biggest

The day grew <u>hotter</u>.
Henry was the <u>biggest</u> of them.

2 With two-syllable adjectives and adverbs ending in a consonant and '-y', you change the '-y' to '-i' and add '-er' and '-est'.

happy	→	happier	→	happiest

It couldn't be <u>easier</u>.
That is the <u>funniest</u> bit of the film.

3 You use 'more' for the comparative and 'most' for the superlative of most two-syllable adjectives, all longer adjectives, and adverbs ending in '-ly'.

careful	→	more careful	→	most careful
beautiful	→	more beautiful	→	most beautiful
seriously	→	more seriously	→	most seriously

Be <u>more careful</u> next time.
They are the <u>most beautiful</u> gardens in the world.
It affected Clive <u>most seriously</u>.

Note that for 'early' as an adjective or adverb, you use 'earlier' and 'earliest', not 'more' and 'most'.

4 With some common two-syllable adjectives and adverbs you can either add '-er' and '-est', or use 'more' and 'most'.

common	cruel	gentle	handsome	likely
narrow	pleasant	polite	simple	stupid

Note that 'clever' and 'quiet' only add '-er' and '-est'.

It was <u>quieter</u> outside.   *He was the <u>cleverest</u> man I ever knew.*

5 You normally use 'the' with superlative adjectives in front of a noun, but you can omit 'the' after a link verb.

It was <u>the happiest</u> day of my life.   *I was <u>happiest</u> when I was on my own.*

⊖ WARNING: When 'most' is used without 'the' in front of adjectives and adverbs, it often means almost the same as 'very'.

This book was <u>most interesting</u>.   *I object <u>most strongly</u>.*

6 A few common adjectives and adverbs have irregular comparative and superlative forms.

good/well	→	better	→	best
bad/badly	→	worse	→	worst
far	→	farther/further	→	farthest/furthest
old	→	older/elder	→	oldest/eldest

She would ask him when she knew him <u>better</u>.
She sat near the <u>furthest</u> window.

Note that you use 'elder' or 'eldest' to say which brother, sister, or child in a family you mean.

Our <u>eldest</u> daughter couldn't come.

Comparison: uses

Κεντρικά σημεία

Τα συγκριτικά επίθετα χρησιμοποιούνται για να συγκρίνουν πρόσωπα ή πράγματα.

Τα υπερθετικά επίθετα χρησιμοποιούνται για να εκφράσουν ότι ένα πρόσωπο ή πράγμα έχει την ιδιότητά του σε μεγαλύτερο βαθμό σχετικά με άλλα στην ίδια κατηγορία ή άλλα ομοειδή.

Τα συγκριτικά επιρρήματα χρησιμοποιούνται όπως και τα επίθετα.

1 You use comparative adjectives to compare one person or thing with another, or with the same person or thing at another time. After a comparative adjective, you often use 'than'.

> *She was much <u>older than</u> me.*
> *I am <u>happier than</u> I have ever been.*

2 You use a superlative to say that one person or thing has more of a quality than others in a group or others of that kind.

> *Tokyo is Japan's <u>largest city.</u>*
> *He was <u>the tallest person</u> there.*

3 You can use comparative and superlative adjectives in front of a noun.

> *I was <u>a better writer</u> than he was.*
> *He had <u>more important things</u> to do.*
> *It was <u>the quickest route</u> from Rome to Naples.*

You can also use comparative and superlative adjectives after link verbs.

> *My brother is <u>younger</u> than me.*
> *He feels <u>more content</u> now.*
> *The sergeant was <u>the tallest.</u>*
> *This book was <u>the most interesting.</u>*

4 You can use adverbs of degree in front of comparative adjectives.

a bit	far	a great/good deal	a little	a lot	much
rather	slightly				

> *This car's <u>a bit more expensive.</u>*
> *Now I feel <u>a great deal more confident.</u>*
> *It's <u>a rather more complicated</u> story than that.*

Σύγκριση: Χρήσεις

You can also use adverbs of degree such as 'by far', 'easily', 'much', or 'quite' in front of 'the' and superlative adjectives.

It was <u>by far the worst hospital</u> I had ever seen.
She was <u>easily the most intelligent person</u> in the class.

Note that you can put 'very' between 'the' and a superlative adjective ending in '-est'.

It was of <u>the very highest quality.</u>

5 | When you want to say that one situation depends on another, you can use 'the' and a comparative followed by 'the' and another comparative.

<u>The smaller</u> it is, <u>the cheaper</u> it is to post.
<u>The larger</u> the organisation is, <u>the greater</u> the problem of administration becomes.

When you want to say that something increases or decreases, you can use two comparatives linked by 'and'.

It's getting <u>harder and harder</u> to find a job.
Cars are becoming <u>more and more expensive.</u>

6 | After a superlative adjective, you can use a prepositional phrase to specify the group you are talking about.

Henry was <u>the biggest of them.</u>
These cakes are probably <u>the best in the world.</u>
He was <u>the most dangerous man in the country.</u>

7 | You use the same structures in comparisons using adverbs as those given for adjectives:

• 'than' after comparative adverbs

Prices have been rising <u>faster than</u> incomes.

• 'the' and a comparative adverb followed by 'the' and another comparative adverb

<u>The quicker</u> we finish, <u>the sooner</u> we will go home.

• two comparative adverbs linked by 'and'

He sounded <u>worse and worse.</u>
He drove <u>faster and faster</u> till we told him to stop.

Other ways of comparing

Κεντρικά σημεία

Στην κατηγορία αυτή περιλαμβάνονται λέξεις όπως το «as... as...» [τόσο... όσο...], το «the same (as)» [ίδιος,-α,-ο (με)] και το «like» [σαν].

Χρησιμοποιείτε το «as... as...» για να συγκρίνετε πρόσωπα ή πράγματα.

Μπορείτε επίσης να συγκρίνετε πρόσωπα ή πράγματα χρησιμοποιώντας το «the same (as)».

Μπορείτε επίσης να συγκρίνετε πρόσωπα ή πράγματα χρησιμοποιώντας ένα συνδετικό ρήμα και μία φράση που να αρχίζει με το «like».

1 You use 'as...as...' to compare people or things that are similar in some way. You use 'as' and an adjective or adverb, followed by 'as' and a noun group, an adverbial, or a clause.

> You're <u>as bad as your sister.</u>
> The airport was <u>as crowded as ever.</u>
> I am <u>as good as she is.</u>
> Let us examine it <u>as carefully as we can.</u>

2 You can make a negative comparison using 'not as...as...' or 'not so...as...'.

> The food was<u>n't as</u> good <u>as</u> yesterday.
> They are <u>not as</u> clever <u>as</u> they appear to be.
> He is <u>not so</u> old <u>as</u> I thought.

3 You can use the adverbs 'almost', 'just', 'nearly', or 'quite' in front of 'as...as...'.

> He was <u>almost as</u> fast <u>as</u> his brother.
> Mary was <u>just as</u> pale <u>as</u> before.
> She was <u>nearly as</u> tall <u>as</u> he was.

In a negative comparison, you can use 'not nearly' or 'not quite' before 'as...as...'.

> This is <u>not nearly as</u> complicated <u>as</u> it sounds.
> The hotel was <u>not quite as</u> good <u>as</u> they expected.

4 When you want to say that one thing is very similar to something else, you can use 'the same as' followed by a noun group, an adverbial, or a clause.

> Your bag is <u>the same as</u> mine.
> I said <u>the same as</u> always.
> She looked <u>the same as</u> she did yesterday.

If people or things are very similar or identical, you can also say that they are 'the same'.

Teenage fashions are <u>the same</u> all over the world.
The initial stage of learning English is <u>the same</u> for many students.

You can use some adverbs in front of 'the same as' or 'the same'.

almost	exactly	just	more or less
much	nearly	roughly	virtually

He did <u>exactly the same as</u> John did.
You two look <u>almost the same.</u>

You can use 'the same' in front of a noun group, with or without 'as' after the noun group.

They reached almost <u>the same height.</u>
It was painted <u>the same colour as</u> the wall.

5 You can also compare people or things by using a link verb such as 'be', 'feel', 'look', or 'seem' and a phrase beginning with 'like'.

It <u>was like</u> a dream.
He still <u>feels like</u> a child.
He <u>looked like</u> an actor.
The houses <u>seemed like</u> mansions.

You can use some adverbs in front of 'like'.

a bit	a little	exactly	just	least	less
more	most	quite	rather	somewhat	very

He looks <u>just like</u> a baby.
Of all his children, she was the one <u>most like</u> me.

6 If the noun group after 'as' or 'like' in any of these structures is a pronoun, you use an object pronoun or possessive pronoun.

Jane was as clever as <u>him.</u>
His car is the same as <u>mine.</u>

7 You can also use 'less' and 'least' to make comparisons with the opposite meaning to 'more' and 'most'.

They were <u>less fortunate</u> than us.
He was <u>the least skilled</u> of the workers.
We see him <u>less frequently</u> than we used to.

Adverbials

Κεντρικά σημεία

Οι επιρρηματικοί προσδιορισμοί είναι συνήθως επιρρήματα, επιρρηματικές φράσεις ή εμπρόθετες φράσεις.

Οι επιρρηματικοί προσδιορισμοί τρόπου, τόπου και χρόνου χρησιμοποιούνται για να εκφράσουν το πώς, το πού και το πότε συμβαίνει κάτι.

Οι επιρρηματικοί προσδιορισμοί ακολουθούν συνήθως το ρήμα ή το αντικείμενο, αν υπάρχει.

Η συνήθης σειρά των επιρρηματικών προσδιορισμών είναι πρώτα του τρόπου, μετά του τόπου και τέλος του χρόνου.

---

1. An adverbial is often one word, an adverb.

   Sit there <u>quietly,</u> and listen to this music.

   However, an adverbial can also be a group of words:

   ● an adverb phrase

   He did not play <u>well enough</u> to win.

   ● a prepositional phrase

   The children were playing <u>in the park.</u>

   ● a noun group, usually a time expression

   Come and see me <u>next week.</u>

2. You use an adverbial of manner to describe the way in which something happens or is done.

   They looked <u>anxiously</u> at each other.
   She listened <u>with great patience</u> as he told his story.

   You use an adverbial of place to say where something happens.

   A plane flew <u>overhead.</u>
   No birds or animals came <u>near the body.</u>

   You use an adverbial of time to say when something happens.

   She will be here <u>soon.</u>
   He was born <u>on 3 April 1925.</u>

3 You normally put adverbials of manner, place, and time after the main verb.

> *She sang <u>beautifully.</u>*
> *The book was lying <u>on the table.</u>*
> *The car broke down <u>yesterday.</u>*

If the verb has an object, you put the adverbial after the object.

> *I did learn to play a few tunes <u>very badly.</u>*
> *Thomas made his decision <u>immediately.</u>*
> *He took the glasses <u>to the kitchen.</u>*

If you are using more than one of these adverbials in a clause, the usual order is manner, then place, then time.

> *They were sitting <u>quite happily</u> <u>in the car.</u>* (manner, place)
> *She spoke <u>very well</u> <u>at the village hall</u> <u>last night.</u>* (manner, place, time)

4 You usually put adverbials of frequency, probability, and duration in front of the main verb.

> *She <u>occasionally comes</u> to my house.*
> *You have <u>very probably heard</u> the news by now.*
> *They had <u>already given</u> me the money.*

A few adverbs of degree also usually come in front of the main verb.

> *She <u>really enjoyed</u> the party.*

5 When you want to focus on an adverbial, you can do this by putting it in a different place in the clause:

● you can put an adverbial at the beginning of a clause, usually for emphasis

> *<u>Slowly,</u> he opened his eyes.*
> *<u>In September</u> I travelled to California.*
> *<u>Next to the coffee machine</u> stood a pile of cups.*

Note that after adverbials of place, as in the last example, the verb can come in front of the subject.

● you can sometimes put adverbs and adverb phrases in front of the main verb for emphasis, but not prepositional phrases or noun groups

> *He <u>deliberately</u> chose it because it was cheap.*
> *I <u>very much</u> wanted to go with them.*

● you can change the order of adverbials of manner, place, and time when you want to change the emphasis

> *They were sitting <u>in the car</u> <u>quite happily.</u>* (place, manner)
> *<u>At the meeting</u> <u>last night,</u> she spoke <u>very well.</u>* (place, time, manner)

Κεντρικά σημεία

Οι περισσότεροι επιρρηματικοί προσδιορισμοί σχηματίζονται με την πρόσθεση του «-ly» σε επίθετο, αλλά μερικές φορές μπορεί να χρειάζονται και άλλες ορθογραφικές μεταβολές.

Δεν μπορείτε να σχηματίσετε επιρρήματα από επίθετα που καταλήγουν σε «-ly».

Μερικά επιρρήματα έχουν τον ίδιο τύπο με τα επίθετα.

Δεν πρέπει να χρησιμοποιείτε επιρρήματα μετά από συνδετικά ρήματα, αλλά επίθετα.

Οι επιρρηματικοί προσδιορισμοί τρόπου είναι μερικές φορές εμπρόθετες φράσεις ή ονοματικά σύνολα.

1 Adverbs of manner are often formed by adding '-ly' to an adjective.

Adjectives:	bad	beautiful	careful	quick	quiet	soft
Adverbs:	badly	beautifully	carefully	quickly	quietly	softly

2 Adverbs formed in this way usually have a similar meaning to the adjective.

She is as clever as she is <u>beautiful.</u>
He talked so politely and danced so <u>beautifully.</u>
'We must not talk. We must be <u>quiet</u>,' said Sita.
She wanted to sit <u>quietly,</u> to relax.

3 There are sometimes changes in spelling when an adverb is formed from an adjective.

-le' changes to '-ly':	gentle	→	gently
'-y' changes to '-ily':	easy	→	easily
'-ic' changes to '-ically':	automatic	→	automatically
'-ue' changes to '-uly':	true	→	truly
'-ll' changes to '-lly':	full	→	fully

Note that 'public' changes to 'publicly', not 'publically'.

⊖ WARNING: You cannot form adverbs from adjectives that already end in '-ly'. For example, you cannot say 'He smiled at me friendlily'. You can sometimes use a prepositional phrase instead: 'He smiled at me in a friendly way'.

4 Some adverbs of manner have the same form as adjectives and have similar meanings, for example 'fast', 'hard', and 'late'.

> *I've always been interested in <u>fast</u> cars.* (adjective)
> *The driver was driving too <u>fast.</u>* (adverb)

Note that 'hardly' and 'lately' are not adverbs of manner and have different meanings from the adjectives 'hard' and 'late'.

> *It was a <u>hard</u> decision to make.*
> *I <u>hardly</u> had any time to talk to her.*
> *The train was <u>late</u> as usual.*
> *Have you seen John <u>lately?</u>*

5 The adverb of manner related to the adjective 'good' is 'well'.

> *He is a <u>good</u> dancer.*
> *He dances <u>well.</u>*

Note that 'well' can sometimes be an adjective when it refers to someone's health.

> *'How are you?' – 'I am very <u>well,</u> thank you.'*

6 You do not use adverbs after link verbs such as 'be', 'become', 'feel', 'get', 'look', and 'seem'. You use an adjective after these verbs. For example, you do not say 'Sue felt happily'. You say 'Sue felt happy'.

▶ See Unit 65 for more information on link verbs.

7 You do not often use prepositional phrases or noun groups as adverbials of manner. However, you occasionally need to use them, for example when there is no adverb form available. The prepositional phrases and noun groups usually include a noun such as 'way', 'fashion', or 'manner', or a noun that refers to someone's voice.

> *She asked me <u>in such a nice manner</u> that I couldn't refuse.*
> *He did it <u>the right way.</u>*
> *They spoke <u>in angry tones.</u>*

Prepositional phrases with 'like' are also used as adverbials of manner.

> *I slept <u>like a baby.</u>*
> *He drove <u>like a madman.</u>*

Adverbials of time

Κεντρικά σημεία

Οι επιρρηματικοί προσδιορισμοί χρόνου μπορεί να είναι χρονικές εκφράσεις όπως το «last night» [χτες βράδυ].

Οι επιρρηματικοί προσδιορισμοί χρόνου μπορεί να είναι εμπρόθετες φράσεις με το «at», το «in», ή το «on».

Το «for» αναφέρεται σε χρονική περίοδο στο παρελθόν, στο παρόν ή στο μέλλον.

Το «since» αναφέρεται σε στιγμή του παρελθόντος.

1 You use adverbials of time to say when something happens. You often use noun groups called time expressions as adverbials of time.

yesterday	today	tomorrow	last night
last year	next Saturday	next week	the day after tomorrow
the other day			

Note that you do not use the prepositions 'at', 'in', or 'on' with time expressions.

One of my children wrote to me today.   *So, you're coming back next week?*

You often use time expressions with verbs in the present to talk about the future.

The plane leaves tomorrow morning.   *They're coming next week.*

2 You can use prepositional phrases as adverbials of time:

• 'at' is used with:

clock times:	at eight o'clock, at three fifteen
religious festivals:	at Christmas, at Easter
mealtimes:	at breakfast, at lunchtimes
specific periods:	at night, at the weekend, at weekends, at half-term

• 'in' is used with:

seasons:	in autumn, in the spring
years and centuries:	in 1985, in the year 2000, in the nineteenth century
months:	in July, in December
parts of the day:	in the morning, in the evenings

Note that you also use 'in' to say that something will happen during or after a period of time in the future.

Επιρρηματικοί προσδιορισμοί χρόνου

I think we'll find out <u>in</u> the next few days.

- 'on' is used with:

days:	on Monday, on Tuesday morning, on Sunday evenings
special days:	on Christmas Day, on my birthday, on his wedding anniversary
dates:	on the twentieth of July, on June 21st

3 You use 'for' with verbs in any tense to say how long something continues to happen.

> *He <u>is</u> in Italy <u>for</u> a month.*   *I <u>remained</u> silent <u>for</u> a long time.*
> *I <u>will be</u> in London <u>for</u> three months.*

⊖ WARNING: You do not use 'during' to say how long something continues to happen. You cannot say 'I went there during three weeks'.

4 You use 'since' with a verb in the present perfect or past perfect tense to say when something started to happen.

> *Marilyn <u>has lived</u> in Paris <u>since</u> 1984.*
> *I <u>had eaten</u> nothing <u>since</u> breakfast.*

5 You can use many other prepositional phrases as adverbials of time. You use:

- 'during' and 'over' for a period of time in which something happens

> *I saw him twice <u>during</u> the holidays.*   *Will you stay here <u>over</u> Christmas?*

- 'from…to/till/until' and 'between…and' for the beginning and end of a period of time

> *The building is closed <u>from</u> April <u>to</u> May.*
> *She worked <u>from</u> four o'clock <u>till</u> ten o'clock.*
> *Can you take the test <u>between</u> now <u>and</u> June?*

- 'by' when you mean 'not later than'

> *Can we get this finished <u>by</u> tomorrow?*

- 'before' and 'after'

> *I saw him <u>before</u> the match.*   *She left the house <u>after</u> ten o'clock.*

'Since', 'till', 'until', 'after', and 'before' can also be conjunctions with time clauses.

> *I've been wearing glasses <u>since I was three.</u>*

6 You use the adverb 'ago' with the past simple to say how long before the time of speaking something happened. You always put 'ago' after the period of time.

> *We saw him about a month <u>ago</u>.*   *John's wife died five years <u>ago</u>.*

⊖ WARNING: You do not use 'ago' with the present perfect tense. You cannot say 'We have gone to Spain two years ago'.

Frequency and probability

Κεντρικά σημεία

Στην κατηγορία αυτή περιλαμβάνονται λέξεις όπως το «always» [πάντα], το «ever» [κάποτε], το «never» [ποτέ], το «perhaps» [ίσως], το «possibly» [ενδεχομένως] and «probably» [πιθανόν].

Οι επιρρηματικοί προσδιορισμοί συχνότητας χρησιμοποιούνται για να δηλώσουν πόσο συχνά γίνεται κάτι.

Οι επιρρηματικοί προσδιορισμοί πιθανότητας χρησιμοποιούνται για να δηλώσουν πόσο σίγουροι είστε για κάτι.

Αυτοί οι επιρρηματικοί προσδιορισμοί προηγούνται συνήθως του κυρίου ρήματος, αλλά ακολουθούν το «be» ως το κύριο ρήμα.

---

1 You use adverbials of frequency to say how often something happens.

a lot	always	ever	frequently	hardly ever	never
normally	occasionally	often	rarely	sometimes	usually

We _often_ swam in the sea.
She _never_ comes to my parties.

2 You use adverbials of probability to say how sure you are about something.

certainly	definitely	maybe	obviously
perhaps	possibly	probably	really

I _definitely_ saw her yesterday.
The driver _probably_ knows the quickest route.

3 You usually put adverbials of frequency and probability before the main verb and after an auxiliary or a modal.

He _sometimes works_ downstairs in the kitchen.
You _are definitely wasting_ your time.
I _have never had_ such a horrible meal!
I _shall never forget_ this day.

Note that you usually put them after 'be' as a main verb.

He _is always_ careful with his money.
You _are probably_ right.

Συχνότητα και πιθανότητα

'Perhaps' usually comes at the beginning of the sentence.

> *Perhaps the beaches are cleaner in the north.*
> *Perhaps you need a membership card to get in.*

'A lot' always comes after the main verb.

> *I go swimming a lot in the summer.*

4 | 'Never' is a negative adverb.

> *She never goes abroad.*
> *I've never been to Europe.*

You normally use 'ever' in questions, negative sentences, and 'if'-clauses.

> *Have you ever been to a football match?*
> *Don't ever do that again!*
> *If you ever need anything, just call me.*

Note that you can sometimes use 'ever' in affirmative sentences, for example after a superlative.

> *She is the best dancer I have ever seen.*

You use 'hardly ever' in affirmative sentences to mean almost never.

> *We hardly ever meet.*

Adverbials of duration

Κεντρικά σημεία

Το «already» [ήδη] χρησιμοποιείται για να δηλώσει ότι κάτι έχει συμβεί νωρίτερα απ' ότι αναμενόταν.

Το «still» [ακόμα] χρησιμοποιείται για να δηλώσει ότι κάτι συνεχίζει να συμβαίνει μέχρι μία συγκεκριμένη χρονική στιγμή.

Το «yet» [ακόμα] χρησιμοποιείται για να δηλώσει ότι κάτι δεν έχει συμβεί πριν από μία συγκεκριμένη στιγμή.

Το «any longer», το «any more», το «no longer» και το «no more» [πια] χρησιμοποιούνται για να δηλώσουν ότι κάτι έχει παύσει να συμβαίνει.

---

1. You use adverbials of duration to say that an event or situation is continuing, stopping, or is not happening at the moment.

    She <u>still</u> lives in London.
    I couldn't stand it <u>any more</u>.
    It isn't dark <u>yet</u>.

2. You use 'already' to say that something has happened sooner than it was expected to happen. You put 'already' in front of the main verb.

    He had <u>already bought</u> the cups and saucers.
    I've <u>already seen</u> them.
    The guests were <u>already coming</u> in.

   You put 'already' after 'be' as a main verb.

    Julie was <u>already</u> in bed.

   You can also use 'already' to emphasize that something is the case, for example when someone else does not know or is not sure.

    I am <u>already</u> aware of that problem.

   You do not normally use 'already' in negative statements, but you can use it in negative 'if'-clauses.

    Show it to him <u>if he hasn't already seen it.</u>

   You can put 'already' at the beginning or end of a clause for emphasis.

    <u>Already</u> he was calculating the profit he could make.
    I've done it <u>already</u>.

3 You use 'still' to say that a situation continues to exist up to a particular time in the past, present, or future. You put 'still' in front of the main verb.

> *We <u>were still waiting</u> for the election results.*
> *My family <u>still live</u> in India.*
> *You <u>will still get</u> tickets, if you hurry.*

You put 'still' after 'be' as a main verb.

> *Martin's mother died, but his father <u>is still</u> alive.*

You can use 'still' after the subject and before the verb group in negative sentences to express surprise or impatience.

> *You <u>still</u> haven't given us the keys.*
> *He <u>still</u> didn't say a word.*
> *It was after midnight, and he <u>still</u> wouldn't leave.*

Remember that you can use 'still' at the beginning of a clause with a similar meaning to 'after all' or 'nevertheless'.

> *<u>Still,</u> he is my brother, so I'll have to help him.*
> *<u>Still,</u> it's not too bad. We didn't lose all the money.*

4 You use 'yet' at the end of negative sentences and questions to say that something has not happened or had not happened up to a particular time, but is or was expected to happen later.

> *We haven't got the tickets <u>yet.</u>*
> *Have you joined the swimming club <u>yet?</u>*
> *They hadn't seen the baby <u>yet.</u>*

Remember that 'yet' can also be used at the beginning of a clause with a similar meaning to 'but'.

> *I don't miss her, <u>yet</u> I do often wonder where she went.*
> *They know they won't win. <u>Yet</u> they keep on trying.*

5 You use 'any longer' and 'any more' at the end of negative clauses to say that a past situation has ended and does not exist now or will not exist in the future.

> *I wanted the job, but I couldn't wait <u>any longer.</u>*
> *He's not going to play <u>any more.</u>*

In formal English, you can use an affirmative clause with 'no longer' and 'no more'. You can put them at the end of the clause, or in front of the main verb.

> *He could stand the pain <u>no more.</u>*
> *He <u>no longer</u> wanted to buy it.*

Adverbials of degree

Κεντρικά σημεία

Τα ποσοτικά επιρρήματα τροποποιούν συνήθως τα ρήματα.

Μερικά ποσοτικά επιρρήματα μπορούν να τροποποιήσουν επίθετα, άλλα επιρρήματα ή προτάσεις.

1. You use adverbs of degree to modify verbs. They make the verb stronger or weaker.

    I totally disagree.   *I can nearly swim.*

2. Some adverbs can come in front of a main verb, after a main verb, or after the object if there is one.

badly	completely	greatly	seriously	strongly	totally

    Mr Brooke strongly criticized the Bank of England.
    I disagree completely with John Taylor.
    That argument doesn't convince me totally.

   Some adverbs are mostly used in front of the verb.

almost	largely	nearly	really	quite

    He almost crashed into a lorry.

   Note that 'really' is used at the beginning of a clause to express surprise, and at the end of a clause as an adverb of manner.

    Really, I didn't know that!   *He wanted it really, but was too shy to ask.*

   'A lot' and 'very much' come after the main verb if there is no object, or after the object.

    She helped a lot.   *We liked him very much.*

   'Very much' can come after the subject and in front of verbs like 'want', 'prefer', and 'enjoy'.

    I very much wanted to take it with me.

3. Some adverbs of degree go in front of adjectives or other adverbs and modify them.

awfully	extremely	fairly	pretty	quite	rather	really	very

…a <u>fairly large</u> office, with filing space.

Note that you can use 'rather' before or after 'a' or 'an' followed by an adjective and a noun.

Seaford is <u>rather a</u> pleasant town.   *It is <u>a rather</u> complicated story.*

When 'quite' means 'fairly', you put it in front of 'a' or 'an' followed by an adjective and a noun.

My father gave me <u>quite a large sum</u> of money.

However, when 'quite' means 'extremely', you can put it after 'a'. You can say 'a quite enormous sum'.

4 You use some adverbs of degree to modify clauses and prepositional phrases.

entirely	just	largely	mainly	partly	simply

Are you saying that <u>simply because I am here</u>?
I don't think it's worth going <u>just for a day.</u>

5 You use 'so' and 'such' to emphasize a quality that someone or something has. 'So' can be followed by an adjective, an adverb, or a noun group beginning with 'many', 'much', 'few', or 'little'.

John is <u>so interesting</u> to talk to.   *Science is changing <u>so rapidly.</u>*
I want to do <u>so many</u> different things.

'Such' is followed by a singular noun group with 'a', or a plural noun group.

There was <u>such a noise</u> we couldn't hear.   *They said <u>such nasty things.</u>*

● WARNING: 'So' is never followed by a singular noun group with 'a' or a plural noun group.

6 You use 'too' when you mean 'more than is necessary' or 'more than is good'. You can use 'too' before adjectives and adverbs, and before 'many', 'much', 'few', or 'little'.

The prices are <u>too high.</u>   *I've been paying <u>too much</u> tax.*

You use 'enough' after adjectives and adverbs.

My daughter is <u>old enough</u> to drive.   *He didn't work <u>quickly enough.</u>*

Note that 'enough' is also a determiner.

We've got <u>enough money</u> to buy that car now.

7 You use emphasizing adverbs to modify adjectives such as 'astonishing', 'furious', and 'wonderful', which express extreme qualities.

absolutely	completely	entirely	perfectly	purely	quite
really	simply	totally	utterly		

I think he's <u>absolutely wonderful.</u>

Adjective + preposition

Κεντρικά σημεία

Μερικά επίθετα που χρησιμοποιούνται μετά από συνδετικά ρήματα μπορούν να χρησιμοποιηθούν μόνα τους ή ακολουθούμενα από εμπρόθετες φράσεις.

Μερικά επίθετα πρέπει να ακολουθούνται από συγκεκριμένες προθέσεις.

Μερικά επίθετα ακολουθούνται από διαφορετικές προθέσεις όταν εισάγουν διάφορα είδη πληροφοριών.

1 When you use an adjective after a link verb, you can often use the adjective on its own or followed by a prepositional phrase.

> *He was <u>afraid</u>.*
> *He was <u>afraid of</u> his enemies.*

2 Some adjectives cannot be used alone after a link verb. If they are followed by a prepositional phrase, it must have a particular preposition:

aware of	accustomed to	unaware of	unaccustomed to
fond of	used to		

> *I've always been terribly <u>fond of</u> you.*
> *He is <u>unaccustomed to</u> the heat.*

3 Some adjectives can be used alone, or followed by a particular preposition:

● used alone, or with 'of' to specify the cause of a feeling

afraid	ashamed	convinced	critical	envious	frightened
jealous	proud	scared	suspicious	terrified	tired

> *They may feel <u>jealous of</u> your success.*
> *I was <u>terrified of</u> her.*

● used alone, or with 'of' to specify the person who has a quality

brave	careless	clever	generous	good	intelligent
kind	nice	polite	sensible	silly	stupid
thoughtful	unkind	unreasonable	wrong		

> *That was <u>clever of</u> you!*
> *I turned the job down, which was <u>stupid of</u> me.*

Επίθετο + πρόθεση

- used alone or used with 'to', usually referring to:

similarity:	close equal identical related similar
marriage:	married engaged
loyalty:	dedicated devoted loyal
rank:	junior senior

My problems are very <u>similar to</u> yours.   *He was <u>dedicated to</u> his job.*

- used alone, or followed by 'with' to specify the cause of a feeling

bored	content	displeased	dissatisfied	impatient
impressed	pleased	satisfied		

I could never be <u>bored with</u> football.   *He was <u>pleased with</u> her.*

- used alone, or with 'at', usually referring to:

strong reactions:	alarmed amazed astonished shocked surprised
ability:	bad excellent good hopeless useless

He was <u>shocked at</u> the hatred they had known.
She had always been <u>good at</u> languages.

- used alone, or with 'for' to specify the person or thing that a quality relates to

common	difficult	easy	essential	important
necessary	possible	unnecessary	unusual	usual

It's <u>difficult for young people</u> on their own.
It was <u>unusual for them</u> to go away at the weekend.

4 Some adjectives can be used alone, or used with different prepositions.

- used alone, with an impersonal subject and 'of' and the subject of the action, or with a personal subject and 'to' and the object of the action.

cruel	friendly	generous	good	kind	mean
nasty	nice	polite	rude	unfriendly	unkind

It was <u>rude of</u> him to leave so suddenly.
She was <u>rude to</u> him for no reason.

- used alone, with 'about' to specify a thing or 'with' to specify a person

angry	annoyed	delighted	disappointed
fed up	furious	happy	upset

She was still <u>angry about</u> the result.
They're getting pretty <u>fed up with</u> him.

Noun + preposition

Κεντρικά σημεία

Το «of» μπορεί να χρησιμοποιηθεί να προσθέσει πολλά είδη πληροφοριών, το «with» χρησιμοποιείται για να προσδιορίσει την ιδιότητα ή την κτήση.

Μερικά ουσιαστικά ακολουθούνται πάντα από συγκεκριμένες προθέσεις.

1. You can give more information about a noun by adding a prepositional phrase after it.

> Four men _on holiday_ were in the car.
> A sound _behind him_ made him turn.

2. You often use the preposition 'of' after a noun to add various kinds of information. For example, you can use 'of' to indicate:

● what something is made of or consists of

> …a wall _of stone._   A feeling _of panic_ was rising in him.

● what the subject matter of speech, writing, or a picture is

> She gave a brief account _of her interview._
> There was a picture _of them both_ in the paper.

● what a person or thing belongs to or is connected with

> She was the daughter _of the village priest._
> The boys sat on the floor _of the living room._

● what qualities a person or thing has

> She was a woman _of energy and ambition._
> They faced problems _of great complexity._

3. After nouns referring to actions, you use 'of' to indicate the subject or object of the action.

> …the arrival _of the police._   …the destruction _of their city._

After nouns referring to people who perform an action, you use 'of' to say what the action involves or is aimed at.

> …supporters _of the hunger strike._   …a student _of English._

Note that you often use two nouns, rather than a noun and a prepositional phrase. For example, you say 'bank robbers', not 'robbers of the bank'.

4 After nouns referring to measurement, you use 'of' to give the exact figure.

> …*an average annual temperature <u>of 20 degrees.</u>*
> …*a speed <u>of 25 kilometres an hour.</u>*

You can use 'of' after a noun to give someone's age.

> *Jonathan was a child <u>of seven</u> when it happened.*

5 You use 'with' after a noun to say that a person or thing has a particular quality, feature, or possession.

> …*a girl <u>with red hair.</u>*   …*the man <u>with the gun.</u>*

Note that you use 'in' after a noun to say what someone is wearing.

> …*a grey-haired man <u>in a raincoat.</u>*   …*the man <u>in dark glasses.</u>*

6 Some nouns are usually followed by a particular preposition. Here are some examples of:

● nouns followed by 'to'

alternative	answer	approach	attitude	introduction
invitation	reaction	reference	resistance	return

> *This was my first real <u>introduction to</u> Africa.*

● nouns followed by 'for'

admiration	desire	dislike	need	reason	respect
responsibility	search	substitute	taste	thirst	

> *Their <u>need for</u> money is growing fast.*

● nouns followed by 'on'

agreement	attack	comment	effect	tax

> *She had a dreadful <u>effect on</u> me.*

● nouns followed by 'with' or 'between'

connection	contact	link	relationship

> *His illness had some <u>connection with</u> his diet.*

● nouns followed by 'in'

decrease	difficulty	fall	increase	rise

> *They demanded a large <u>increase in</u> wages.*

Verb + preposition

Κεντρικά σημεία

Μερικά ρήματα δεν έχουν αντικείμενο και συνήθως ακολουθούνται από πρόθεση.

Μερικά ρήματα έχουν αντικείμενο που ακολουθείται από μία συγκεκριμένη πρόθεση.

Μερικά ρήματα μπορεί να συντάσσονται είτε με αντικείμενο είτε με πρόθεση.

1. Many verbs that are used without an object are normally followed by a prepositional phrase. Some verbs take a particular preposition:

belong to	consist of	hint at	hope for	insist on	lead to
listen to	pay for	qualify for	refer to	relate to	sympathize with

The land <u>belongs to</u> a rich family.
She then <u>referred to</u> the Minister's report.

2. With other verbs that are used without an object, the choice of a different preposition may alter the meaning of the clause.

agree on/with	appeal for/to	apologize for/to	conform to/with
result from/in	suffer from/with		

They <u>agreed on</u> a plan of action.
You <u>agreed with</u> me that we should buy a car.
His failure <u>resulted from</u> lack of attention to details.
The match <u>resulted in</u> a draw.

3. With verbs that are used without an object, different prepositions are used to introduce different types of information.

- 'about' indicates the subject matter

care	complain	dream	explain	hear	know	speak	talk
think	write						

We will always <u>care about</u> freedom.
Tonight I'm going to <u>talk about</u> engines.

- 'at' indicates direction

glance	glare	grin	laugh	look	shout	smile	stare

I don't know why he was <u>laughing at</u> that joke.
'Hey!' she <u>shouted at</u> him.

- 'for' indicates purpose or reason

apologize	apply	ask	look	wait

He <u>apologized for</u> being late.   *I'll <u>wait for</u> the next bus.*

- 'into' indicates the object involved in a collision

bump	crash	drive	run

His car <u>crashed into</u> the wall.   *She <u>drove into</u> the back of a lorry.*

- 'of' indicates facts or information

hear	know	speak	talk	think

I've <u>heard of</u> him but I don't know who he is.
Do you <u>know of</u> the new plans for the sports centre?

- 'on' indicates confidence or certainty

count	depend	plan	rely

You can <u>count on</u> me.   *You can <u>rely on</u> him to be polite.*

- 'to' indicates the listener or reader

complain	explain	listen	say	speak	talk	write

They <u>complained to</u> me about the noise.
Mary turned her head to <u>speak to</u> him.

- 'with' indicates someone whose opinion is the same or different

agree	argue	disagree	side

Do you <u>agree with</u> me about this?
The daughters <u>sided with</u> their mothers.

4 Some verbs have an object, but are also followed by a preposition.

The police <u>accused</u> him <u>of</u> murder.
They <u>borrowed</u> some money <u>from</u> the bank.

Some verbs can take either an object or a prepositional phrase with no change in meaning.

He had to fight <u>them</u>.   *He was fighting <u>against history.</u>*

Verbs and objects

Κεντρικά σημεία

Τα αμετάβατα ρήματα δεν έχουν αντικείμενο.

Τα μεταβατικά ρήματα έχουν αντικείμενο.

Μερικά ρήματα μπορεί να χρησιμοποιηθούν με ή χωρίς αντικείμενο ανάλογα με την περίπτωση ή τη σημασία τους.

1 Many verbs do not normally have an object. They are called 'intransitive' verbs. They often refer to:

existence:	appear die disappear happen live remain
the human body:	ache bleed blush faint shiver smile
human noises:	cough cry laugh scream snore speak yawn
light, smell, vibration:	glow shine sparkle stink throb vibrate
position, movement:	arrive come depart fall flow go kneel run sit sleep stand swim wait walk work

An awful thing <u>has happened.</u>
The girl <u>screamed.</u>
I <u>waited.</u>

Note that intransitive verbs cannot be used in the passive.

2 Many verbs normally have an object. These verbs are called 'transitive' verbs. They are often connected with:

physical objects:	build buy carry catch cover cut destroy hit own remove sell use waste wear
senses:	feel hear see smell taste touch
feelings:	admire enjoy fear frighten hate like love need prefer surprise trust want
facts, ideas:	accept believe correct discuss expect express forget include know mean remember report
people:	address blame comfort contact convince defy kill persuade please tease thank warn

He <u>hit the ball</u> really hard.　　*Did you <u>see the rainbow?</u>*
They both <u>enjoyed the film.</u>　　*She <u>reported the accident</u> to the police.*
Don't <u>blame me.</u>

Note that transitive verbs can be used in the passive.

> They _were blamed_ for everything.

⊖ WARNING: 'Have' is a transitive verb, but cannot be used in the passive. You can say 'I have a car' but not 'A car is had by me'.

3 | Often, the people you are talking to know what the object is because of the situation, or because it has already been mentioned. In this case you can omit the object, even though the verb is transitive.

accept	answer	change	choose	clean	cook
draw	drive	eat	explain	forget	help
iron	know	learn	leave	paint	park
phone	read	remember	ride	sing	steal
study	type	understand	wash	watch	write

> I don't own a car. I can't _drive._
> You don't _smoke,_ do you?
> I asked a question and George _answered._
> Both dresses are beautiful. It's difficult to _choose._

4 | Many verbs have more than one meaning, and are transitive in one meaning and intransitive in another meaning. For example, the verb 'run' is intransitive when you use it to mean 'move quickly' but transitive when you use it to mean 'manage or operate'.

call	fit	lose	manage	miss	move
play	run	show	spread		

> The hare _runs_ at enormous speed.
> She _runs a hotel._
> She _moved_ gracefully.
> The whole incident _had moved her_ profoundly.

5 | A few verbs are normally intransitive, but can be used with an object that is closely related to the verb.

dance (a dance)	die (a death)	dream (a dream)	laugh (a laugh)
live (a life)	sigh (a sigh)	smile (a smile)	

> Steve _smiled his thin, cruel smile._
> He appears to have _lived the life of any other rich gentleman._
> I once _dreamed a very nice dream._

Verbs with two objects

1 Some verbs have two objects after them, a direct object and an indirect object. For example, in the sentence 'I gave John the book', 'the book' is the direct object. 'John' is the indirect object. Verbs that have two objects are sometimes called 'ditransitive' verbs or 'double-transitive' verbs.

> His uncle had <u>given</u> him books on India.
> She <u>sends</u> you her love.
> I <u>passed</u> him the cup.

2 When the indirect object is a pronoun, or another short noun group such as a noun with 'the', you put the indirect object in front of the direct object.

> Dad gave <u>me</u> a car.
> You promised <u>the lad</u> a job.
> He had lent <u>my cousin</u> the money.
> She bought <u>Dave and me</u> an ice cream.

3 You can also use the prepositions 'to' and 'for' to introduce the indirect object. If you do this, you put the preposition and indirect object after the direct object.

> He handed his room key <u>to the receptionist.</u>
> Bill saved a piece of cake <u>for the children.</u>

When the indirect object consists of several words, you normally use a preposition to introduce it.

> She taught physics and chemistry <u>to pupils at the local school.</u>
> I made that lamp <u>for a seventy-year-old woman.</u>

You often use a preposition when you want to emphasize the indirect object.

> Did you really buy that <u>for me?</u>

4 With some verbs you can only use 'for', not 'to', to introduce the indirect object.

book	buy	cook	cut	find	keep
make	paint	pour	prepare	save	win

They booked a place <u>for me.</u>
He had found some old clothes <u>for the beggar.</u>
They bought a present <u>for the teacher.</u>
She painted a picture <u>for her father.</u>

5   With some verbs you normally use 'to' to introduce the indirect object.

give	lend	offer	pass	pay	post	promise	read
sell	send	show	teach	tell			

I had lent my bicycle <u>to a friend.</u>
Ralph passed a message <u>to Jack.</u>
They say they posted the letter <u>to me</u> last week.
He sold it <u>to me.</u>

Note that you can use 'for' with these verbs, but it has a different meaning.'For' indicates that one person does something on behalf of another person, so that the other person does not have to do it.

His mother paid the bill <u>for him.</u>
If you're going out, can you post this <u>for me,</u> please?

Reflexive verbs

Κεντρικά σημεία

Τα μεταβατικά ρήματα χρησιμοποιούνται με αυτοπαθή αντωνυμία για να δηλώσουν ότι το αντικείμενο είναι το ίδιο με το υποκείμενο, όπως για παράδειγμα «I hurt myself» [χτύπησα].

Μερικά ρήματα που κανονικά δεν έχουν πρόσωπο για αντικείμενο μπορεί να έχουν αυτοπαθείς αντωνυμίες ως το αντικείμενο.

1 You use a reflexive pronoun after a transitive verb to indicate that the object is the same as the subject.

He blamed <u>himself</u> for his friend's death.
I taught <u>myself</u> French.

➤ See Unit 20 for more information on reflexive pronouns.

2 In theory, most transitive verbs can be used with a reflexive pronoun. However, you often use reflexive pronouns with the following verbs.

| amuse | blame | cut | dry | help | hurt | introduce |
| kill | prepare | repeat | restrict | satisfy | teach | |

Sam <u>amused himself</u> by throwing branches into the fire.
'Can I borrow a pencil?' – 'Yes, <u>help yourself.</u>'
<u>Prepare yourself</u> for a shock.
He <u>introduced himself</u> to me.

3 Verbs like 'dress', 'shave', and 'wash', which describe actions that people do to themselves, do not usually take reflexive pronouns in English. With these verbs, reflexive pronouns are only used for emphasis.

I usually <u>shave</u> before breakfast.
He prefers to <u>shave himself,</u> even with that broken arm.
She <u>washed</u> very quickly and rushed downstairs.
Children were encouraged to <u>wash themselves.</u>

4 'Behave' does not normally take an object at all, but can take a reflexive pronoun as object.

If they don't <u>behave,</u> send them to bed.
He is old enough to <u>behave himself.</u>

Μέσα αυτοπαθή ρήματα

5 Some verbs do not normally have a person as object, because they describe actions that you do not do to other people. However, these verbs can have reflexive pronouns as object, because you can do these actions to yourself.

apply	compose	distance	enjoy	excel	exert	express	strain

> I really _enjoyed_ the party.
> Just go out there and _enjoy yourself._
> She _expressed_ surprise at the news.
> Professor Dale _expressed himself_ very forcibly.

6 When 'busy' and 'content' are used as verbs, they always take a reflexive pronoun as their direct object. They are therefore true 'reflexive verbs'.

> He had _busied himself_ in the laboratory.
> I had to _content myself_ with watching the little moving lights.

Κεντρικά σημεία

Τέτοια παραδείγματα είναι: «have a bath» [κάνω μπάνιο], «give a shout» [φωνάζω], «make promises» [υπόσχομαι], «take care» [φροντίζω].

Τα συνηθισμένα ρήματα χρησιμοποιούνται συχνά με ουσιαστικά για να περιγράψουν ενέργειες.

Χρησιμοποιείτε το «have» με ουσιαστικά όταν αναφέρεστε στις έννοιες του τρώγω, πίνω, μιλώ και πλένω.

Χρησιμοποιείτε το «give» με ουσιαστικά όταν αναφέρεστε στις έννοιες του θορύβου, του κτυπώ και του μιλώ.

Χρησιμοποιείτε το «make» με ουσιαστικά όταν αναφέρεστε στις έννοιες του μιλώ, σχεδιάζω και ταξιδεύω.

---

1. When you want to talk about actions, you often use common verbs with nouns as their object. The nouns describe the action. For example, if you say 'I had a shower', the noun tells you what the action was. The common verbs have very little meaning.

> I *had a nice rest.*
> She *made a remark* about the weather.

The nouns often have related verbs that do not take an object.

> Helen went upstairs to *rest.*
> I *remarked* that it would be better if I came.

2. Different verbs are used with different nouns.

You use 'have' with nouns referring to:

meals:	breakfast dinner drink lunch meal taste tea
talking:	chat conversation discussion talk
washing:	bath shower wash
relaxation:	break holiday rest
disagreement:	argument fight quarrel trouble

> We usually *have lunch* at one o'clock.
> He was *having his first holiday* for five years.

3 You use 'give' with nouns referring to:

human noises:	cry gasp giggle groan laugh scream shout sigh whistle yell
facial expressions:	grin smile
hitting:	kick punch push slap
talking:	advice answer example information interview lecture news report speech talk warning

Mr Sutton <u>gave a shout</u> of triumph.
She <u>gave a long lecture</u> about Roosevelt.

4 You use 'make' with nouns referring to:

talking and sounds:	comment enquiry noise point promise remark sound speech suggestion
plans:	arrangement choice decision plan
travelling:	journey tour trip visit

He <u>made the shortest speech</u> I've ever heard.

5 You use 'take' with these nouns:

care	chance	charge	decision	interest	offence
photograph	responsibility	risk	time	trouble	turns

He was <u>taking no chances.</u>
She was prepared to <u>take great risks.</u>

6 You use 'go' and 'come' with '-ing' nouns referring to sports and outdoor activities.

She <u>goes climbing</u> in her holidays.
Every morning, he <u>goes jogging</u> with Tommy.

Note that you can also use 'go for' and 'come for' with 'a jog', 'a run', 'a swim', 'a walk'.

They <u>went for a run</u> before breakfast.

7 You use 'do' with '-ing' nouns referring to jobs connected with the home, and nouns referring generally to work.

He <u>does all the shopping</u> and I <u>do the washing.</u>
The man who <u>did the job</u> had ten years' training.
He has to get up early and <u>do a hard day's work.</u>

'Do' is often used instead of more specific verbs. For example, you can say 'Have you done your teeth?' instead of 'Have you brushed your teeth?'

Do I need to <u>do my hair?</u>

Auxiliary verbs

Κεντρικά σημεία

Τα βοηθητικά «be», «have» και «do» χρησιμοποιούνται για να σχηματίσουν χρόνους, άρνηση και ερωτήσεις.

Το βοηθητικό «be» χρησιμοποιείται για τον σχηματισμό των χρόνων διαρκείας και της παθητικής.

Το βοηθητικό «have» χρησιμοποιείται για τον σχηματισμό των συντελεσμένων χρόνων.

Το βοηθητικό «do» χρησιμοποιείται για τον αρνητικό και ερωτηματικό τύπο σε προτάσεις που το ρήμα είναι σε απλό χρόνο.

---

1. The auxiliary verbs are 'be', 'have', and 'do'. They are used with a main verb to form tenses, negatives, and questions.

   He __is__ planning to get married soon.
   I __haven't__ seen Peter since last night.
   Which doctor __do__ you want to see?

2. 'Be' as an auxiliary is used:

   • with the '-ing' form of the main verb to form continuous tenses

   He __is__ living in Germany.
   They __were__ going to phone you.

   • with the past participle of the main verb to form the passive

   These cars __are__ made in Japan.
   The walls of her flat __were__ covered with posters.

3. You use 'have' as an auxiliary with the past participle to form the perfect tenses.

   I __have__ changed my mind.
   I wish you __had__ met Guy.

The present perfect continuous, the past perfect continuous, and the perfect tenses in the passive, are formed using both 'have' and 'be'.

He __has been__ working very hard recently.
She did not know how long she __had been__ lying there.
The guest-room window __has been__ mended.
They __had been__ taught by a young teacher.

Βοηθητικά ρήματα

4 'Be' and 'have' are also used as auxiliaries in negative sentences and questions in continuous and perfect tenses, and in the passive.

> He *isn't* going.
> *Hasn't* she seen it yet?
> *Was* it written in English?

You use 'do' as an auxiliary to make negative and question forms from sentences that have a verb in the present simple or past simple.

> He *doesn't* think he can come to the party.
> *Do* you like her new haircut?
> She *didn't* buy the house.
> *Didn't* he get the job?

Note that you can use 'do' as a main verb with the auxiliary 'do'.

> He *didn't do* his homework.
> *Do* they *do* the work themselves?

You can also use the auxiliary 'do' with 'have' as a main verb.

> He *doesn't have* any money.
> *Does* anyone *have* a question?

You only use 'do' in affirmative sentences for emphasis or contrast.

> I *do* feel sorry for Roger.

⊝ WARNING: You never use the auxiliary 'do' with 'be' except in the imperative.

> *Don't be* stupid!
> *Do be* a good boy and sit still.

5 Some grammars include modals among the auxiliary verbs. When there is a modal in the verb group, it is always the first word in the verb group, and comes before the auxiliaries 'be' and 'have'.

> She *might be* going to Switzerland for Christmas.
> I *would have* liked to have seen her.

Note that you never use the auxiliary 'do' with a modal.

▶ See Units 71–82 for more information on modals.

The present tenses

Κεντρικά σημεία

Υπάρχουν τέσσερις παροντικοί χρόνοι: Απλός Ενεστώτας («I walk» [περπατώ]), Ενεστώτας Διαρκείας («I am walking» [περπατώ]), Παρακείμενος («I have walked» [έχω περπατήσει]) και Παρακείμενος Διαρκείας («I have been walking»[έχω περπατήσει]).

Όλοι οι παροντικοί χρόνοι αναφέρονται σε χρόνο που περιλαμβάνει το παρόν.

Οι παροντικοί χρόνοι μπορούν να χρησιμοποιηθούν επίσης για προβλέψεις στο παρόν σχετικά με μελλοντικά γεγονότα.

1 There are four tenses which begin with a verb in the present tense. They are the present simple, the present continuous, the present perfect, and the present perfect continuous. These are the present tenses.

2 The present simple and the present continuous are used with reference to present time. If you are talking about the general present, or about a regular or habitual action, you use the present simple.

George _lives_ in Birmingham.
They often _phone_ my mother in London.

If you are talking about something in the present situation, you use the present continuous.

He_'s playing_ tennis at the University.
I_'m cooking_ the dinner.

The present continuous is often used to refer to a temporary situation.

She_'s living_ in a flat at present.

3 You use the present perfect or the present perfect continuous when you are concerned with the present effects of something which happened at a time in the past, or which started in the past but is still continuing.

Have you _seen_ the film at the Odeon?
We_'ve been waiting_ here since before two o'clock.

4 If you are talking about something which is scheduled or timetabled to happen in the future, you can use the present simple tense.

> *The next train <u>leaves</u> at two fifteen in the morning.*
> *It'<u>s</u> Tuesday tomorrow.*

5 If you are talking about something which has been arranged for the future, you can use the present continuous. When you use the present continuous like this, there is nearly always a time adverbial like 'tomorrow', 'next week', or 'later' in the clause.

> *We'<u>re going</u> on holiday with my parents this year.*
> *The Browns <u>are having</u> a party next week.*

6 It is only in the main clauses that the choice of tense can be related to a particular time. In subordinate clauses, for example in 'if'– clauses, time clauses, and defining relative clauses, present tenses often refer to a future time in relation to the time in the main clause.

> *You can go at five <u>if</u> you <u>have finished.</u>*
> *Let's have a drink <u>before</u> we <u>start.</u>*
> *We'll save some food for anyone <u>who arrives</u> late.*

7 The present simple tense normally has no auxiliary verb, but questions and negative sentences are formed with the auxiliary 'do'.

> *<u>Do</u> you <u>live</u> round here?*
> *<u>Does</u> your husband <u>do</u> most of the cooking?*
> *They <u>don't</u> often <u>phone</u> during the week.*
> *She <u>doesn't like</u> being late if she can help it.*

The past tenses

Κεντρικά σημεία

Υπάρχουν τέσσερις παρελθοντικοί χρόνοι: Απλός Αόριστος («I walked» [περπάτησα]), Αόριστος Διαρκείας («I was walking» [Περπατούσα]), Υπερσυντέλικος («I had walked» [είχα περπατήσει]) και Υπερσυντέλικος Διαρκείας («I had been walking» [είχα περπατήσει]).

Όλοι οι παρελθοντικοί χρόνοι χρησιμοποιούνται αναφορικά με το παρελθόν.

Οι παρελθοντικοί χρόνοι χρησιμοποιούνται συχνά ως τύποι ευγενείας.

Οι παρελθοντικοί χρόνοι έχουν ειδική σημασία σε υποθετικές προτάσεις και όταν αναφέρονται σε υποθετικές καταστάσεις

---

1 There are four tenses which begin with a verb in the past tense. They are the past simple, the past continuous, the past perfect, and the past perfect continuous. These are the past tenses. They are used to refer to past time, and also to refer to imaginary situations, and to express politeness.

2 The past simple and the past continuous are used with reference to past time. You use the past simple for events which happened in the past.

> I _woke_ up early and _got_ out of bed.

If you are talking about the general past, or about regular or habitual actions in the past, you also use the past simple.

> She _lived_ just outside London.
> We often _saw_ his dog sitting outside his house.

If you are talking about something which continued to happen before and after a particular time in the past, you use the past continuous.

> They _were sitting_ in the kitchen, when they heard the explosion.
> Jack arrived while the children _were having_ their bath.

The past continuous is often used to refer to a temporary situation.

> He _was working_ at home at the time.
> Bill _was using_ my office until I came back from America.

3 You use the past perfect and past perfect continuous tenses when you are talking about the past and you are concerned with something which happened at an earlier time, or which had started at an earlier time but was still continuing.

> I _had heard_ it was a good film so we decided to go and see it.
> It was getting late. I _had been waiting_ there since two o'clock.

4 You sometimes use a past tense rather than a present tense when you want to be more polite. For example, in the following pairs of sentences, the second one is more polite.

> _Do_ you _want_ to see me now?
> _Did_ you _want_ to see me now?
> I _wonder_ if you can help me.
> I _was wondering_ if you could help me.

5 The past tenses have special meanings in conditional clauses and when referring to hypothetical and imaginary situations, for example after 'I wish' or 'What if…?'. You use the past simple and past continuous for something that you think is unlikely to happen.

> If they _saw_ the mess, they would be very angry.
> We would tell you if we _were selling_ the house.

You use the past perfect and past perfect continuous when you are talking about something which could have happened in the past, but which did not actually happen.

> If I _had known_ that you were coming, I would have told Jim.
> They wouldn't have gone to bed if they _had been expecting_ you to arrive.

The continuous tenses

1. You use a continuous tense to indicate that an action continues to happen before and after a particular time, without stopping. You use the present continuous for actions which continue to happen before and after the moment of speaking.

   I'm *looking* at the photographs my brother sent me.
   They're *having* a meeting.

2. When you are talking about two actions in the present tense, you use the present continuous for an action that continues to happen before and after another action that interrupts it. You use the present simple for the other action.

   The phone always rings when I'm *having* a bath.
   Friends always talk to me when I'm *trying* to study.

3. When you are talking about the past, you use the past continuous for actions that continued to happen before and after another action, or before and after a particular time. This is often called the 'interrupted past'. You use the past simple for the other action.

   He *was watching* television when the doorbell rang.
   It was 6 o'clock. The train *was nearing* London.

   ⊖ WARNING: If two things happened one after another, you use two verbs in the past simple tense.

   As soon as he *saw* me, he *waved.*

4. You can use continuous forms with modals in all their usual meanings.

   ▶ See Units 71 to 82 for more information on modals.

   What *could* he *be thinking* of?
   They *might be telling* lies.

5 You use continuous tenses to express duration, when you want to emphasize how long something has been happening or will happen for.

> We _had been living_ in Athens for five years.
> They'_ll be staying_ with us for a couple of weeks.
> He _has been building up_ the business all his life.
> By 1992, he _will have been working_ for ten years.

Note that you do not have to use continuous tenses for duration.

> We _had lived_ in Africa for five years.
> He _worked_ for us for ten years.

6 You use continuous tenses to describe a state or situation that is temporary.

> I'_m living_ in London at the moment.
> He'_ll be working_ nights next week.
> She'_s spending_ the summer in Europe.

7 You use continuous tenses to show that something is changing, developing, or progressing.

> Her English _was improving._
> The children _are growing up_ quickly.
> The video industry _has been developing_ rapidly.

8 As a general rule, verbs which refer to actions that require a deliberate effort can be used in continuous tenses, verbs which refer to actions that do not require a deliberate effort are not used in continuous tenses.

> I _think_ it's going to rain. ('think' = 'believe'. Believing does not require deliberate effort)
> Please be quiet. I'_m thinking_. ('think' = 'try to solve a problem'. Trying to solve a problem does require deliberate effort)

However, many verbs are not normally used in the continuous tenses. These include verbs that refer to thinking, liking and disliking, appearance, possession, and perception.

Κεντρικά σημεία

Χρησιμοποιείτε τον Παρακείμενο («I have walked» [έχω περπατήσει]) για να κάνετε συσχετισμό του παρελθόντος με το παρόν.

Χρησιμοποιείτε τον Υπερσυντέλικο («I had walked» [είχα περπατήσει]) όταν αναφέρεστε σε μία κατάσταση που συνέβη πριν από μία συγκεκριμένη χρονική στιγμή στο παρελθόν.

1 You use the present perfect tense when you are concerned with the present effects of something which happened at an indefinite time in the past.

I'm afraid I've forgotten my book.
Have you heard from Jill recently?

Sometimes, the present effects are important because they are very recent.

Karen has just passed her exams.

You also use the present perfect when you are thinking of a time which started in the past and is still continuing.

Have you really lived here for ten years?
He has worked here since 1987.

You also use the present perfect in time clauses, when you are talking about something which will be done at some time in the future.

Tell me when you have finished.
I'll write to you as soon as I have heard from Jenny.

2 When you want to emphasize the fact that a recent event continued to happen for some time, you use the present perfect continuous.

She's been crying.
I've been working hard all day.

3 You use the past perfect tense when you are looking back from a point in past time, and you are concerned with the effects of something which happened at an earlier time in the past.

I apologized because I had forgotten my book.
He felt much happier once he had found a new job.
They would have come if we had invited them.

You also use the past perfect when you are thinking of a time which had started earlier in the past but was still continuing.

I was about twenty. I <u>had been studying</u> French for a couple of years.
He hated games and <u>had always managed</u> to avoid children's parties.

4 You use the future perfect tense when you are looking back from a point in the future and you are talking about something which will be complete at a time between now and that future point.

In another two years, you <u>will have left</u> school.
Take these tablets, and in twenty-four hours the pain <u>will have gone.</u>

You also use the future perfect when you are looking back from the present and guessing that an action will be finished.

I'm sure they <u>will have arrived</u> home by now.
It's too late to ring Don. He <u>will have left</u> the house by now.

5 You can also use other modals with 'have', when you are looking back from a point in time at something which you think may have happened at an earlier time.

I <u>might have finished</u> work by then.
He <u>should have arrived</u> in Paris by the time we phone.

➤ For more information on modals with 'have', see Units 71 to 82.

Κεντρικά σημεία

Για το γενικό παρόν, τις γενικές αλήθειες και τις συνήθεις ενέργειες, χρησιμοποιείτε τον Απλό Ενεστώτα («I walk» [περπατώ]).

Για κάτι που συμβαίνει τώρα ή για παροδικές καταστάσεις, χρησιμοποιείτε τον Ενεστώτα Διαρκείας («I am walking» [περπατώ]).

1. If you are talking about the present in general, you normally use the present simple tense. You use the present simple for talking about the general present including the present moment.

   My dad <u>works</u> in Saudi Arabia.
   He <u>lives</u> in the French Alps near the Swiss border.

2. If you are talking about general truths, you use the present simple.

   Water <u>boils</u> at 100 degrees centigrade.
   Love <u>makes</u> the world go round.
   The bus <u>takes</u> longer than the train.

3. If you are talking about regular or habitual actions, you use the present simple.

   <u>Do</u> you <u>eat</u> meat?
   I <u>get</u> up early and <u>eat</u> my breakfast in bed.
   I <u>pay</u> the milkman on Fridays.

4. If you are talking about something which is regarded as temporary, you use the present continuous.

   Do you know if she'<u>s</u> still <u>playing</u> tennis these days?
   I'<u>m working</u> as a British Council officer.

5. If you are talking about something which is happening now, you normally use the present continuous tense.

   We'<u>re having</u> a meeting. Come and join in.
   Wait a moment. I'<u>m listening</u> to the news.

6. There are a number of verbs which are used in the present simple tense even when you are talking about the present moment. These verbs are not normally used in the present continuous or the other continuous tenses.

These verbs usually refer to:

thinking:	believe forget imagine know realize recognize suppose think understand want wish
liking and disliking:	admire dislike hate like love prefer
appearance:	appear look like resemble seem
possession:	belong to contain have include own possess
perception:	hear see smell taste
being:	be consist of exist

I believe he was not to blame.
She hates going to parties.
Our neighbours have two cars.

Note that you normally use verbs of perception with the modal 'can', rather than using the present simple tense.

I can smell gas.

Some other common verbs are not normally used in the present continuous or the other continuous tenses.

concern	deserve	fit	interest	involve	matter
mean	satisfy	surprise			

What do you mean?

⊖ WARNING: Some of the verbs listed above can be used in continuous tenses in other meanings. For example, 'have' referring to possession is not used in continuous tenses. You do not say 'I am having a car'. But note the following examples.

We're having a party tomorrow.
He's having problems with his car.
She's having a shower.

Talking about the past

Κεντρικά σημεία

Για ενέργειες, καταστάσεις ή τακτικά συμβάντα που έγιναν στο παρελθόν, χρησιμοποιείτε τον Απλό Αόριστο («I walked» [περπάτησα]). Για τακτικά συμβάντα στο παρελθόν, μπορείτε επίσης να χρησιμοποιήσετε το «would» [παρελθοντικό «θα»] ή το «used to» [συνήθιζα να].

Για συμβάντα που συνέβησαν πριν και μετά από μία χρονική στιγμή στο παρελθόν καθώς και για παροδικές καταστάσεις, χρησιμοποιείτε τον Αόριστο Διαρκείας («I was walking» [περπατούσα]).

Για παροντικά αποτελέσματα παρελθοντικών καταστάσεων, χρησιμοποιείτε τον Παρακείμενο («I have walked» [είχα περπατήσει]) και για παρελθοντικά αποτελέσματα προηγούμενων συμβάντων, χρησιμοποιείτε τον Υπερσυντέλικο («I had walked» [είχα περπατήσει]).

Για να δηλώσετε το μέλλον στο παρελθόν, χρησιμοποιείτε το «would», το «was/were going to» [επρόκειτο να] ή τον Αόριστο Διαρκείας («I was walking»).

1 When you want to talk about an event that occurred at a particular time in the past, you use the past simple.

The Prime Minister <u>flew</u> into New York yesterday.
The new term <u>started</u> last week.

You also use the past simple to talk about a situation that existed over a period of time in the past.

We <u>spent</u> most of our time at home last winter.
They <u>earned</u> their money quickly that year.

2 When you want to talk about something which took place regularly in the past, you use the past simple.

They <u>went</u> for picnics most weekends.
We usually <u>spent</u> the winter at Aunt Meg's house.

⊖ WARNING: The past simple always refers to a time in the past. A time reference is necessary to say what time in the past you are referring to. The time reference can be established in an earlier sentence or by another speaker, but it must be established.

When you want to talk about something which occurred regularly in the past, you can use 'would' or 'used to' instead of the past simple.

We <u>would</u> normally <u>spend</u> the winter in Miami.
People <u>used to believe</u> that the world was flat.

⊖ WARNING: You do not normally use 'would' with this meaning with verbs which are not used in the continuous tenses.

▶ For a list of these verbs, see Unit 55.

3 When you want to talk about something which continued to happen before and after a given time in the past, you use the past continuous.

I hurt myself when I <u>was mending</u> my bike.
It was midnight. She <u>was driving</u> home.

You also use the past continuous to talk about a temporary state of affairs in the past.

Our team <u>were losing</u> 2-1 at the time.
We <u>were staying</u> with friends in Italy.

▶ For more information on continuous tenses, see Unit 53.

4 When you are concerned with the present effects or future effects of something which happened at an indefinite time in the past, you use the present perfect.

I'm afraid I'<u>ve forgotten</u> my book, so I don't know.
<u>Have</u> you <u>heard</u> from Jill recently? How is she?

You also use the present perfect when you are thinking of a time which started in the past and still continues.

<u>Have</u> you ever <u>stolen</u> anything? (= at any time up to the present)
He <u>has been</u> here since six o'clock. (= and he is still here)

5 When you are looking back from a point in past time, and you are concerned with the effects of something which happened at an earlier time in the past, you use the past perfect.

I apologized because I <u>had left</u> my wallet at home.
They would have come if we <u>had invited</u> them.

6 When you want to talk about the future from a point of view in past time, you can use 'would', 'was / were going to', or the past continuous.

He thought to himself how wonderful it <u>would taste</u>.
Her daughter <u>was going to</u> do the cooking.
Mike <u>was taking</u> his test the week after.

'Will' and 'going to'

Κεντρικά σημεία

Όταν κάνετε προβλέψεις για το μέλλον ή αναφερόσαστε σε μελλοντικούς σκοπούς, μπορείτε να χρησιμοποιήσετε είτε το «will» [θα] («I will walk» [θα περπατήσω]) είτε το «going to» [πρόκειται να] («I am going to walk» [πρόκειται να περπατήσω]).

Για υποσχέσεις και προσφορές που αναφέρονται στο μέλλον, χρησιμοποιείτε το «will» («I will walk» [θα περπατήσω]).

Για μελλοντικά συμβάντα που βασίζονται σε διευθετήσεις, χρησιμοποιείτε το Μέλλοντα Διαρκείας («I will be walking» [θα περπατήσω]).

Για συμβάντα που θα συμβούν πριν από μια χρονική στιγμή στο μέλλον, χρησιμοποιείτε τον Συντελεσμένο Μέλλοντα («I will have walked» [θα έχω περπατήσει]).

1. You cannot talk about the future with as much certainty as you can about the present or the past. You are usually talking about what you think might happen or what you intend to happen. This is why you often use modals. Although most modals can be used with future reference, you most often use the modal 'will' to talk about the future.

> *Nancy <u>will arrange</u> it.*
> *When <u>will</u> I <u>see</u> them?*

2. When you are making predictions about the future that are based on general beliefs, opinions, or attitudes, you use 'will'.

> *The weather tomorrow <u>will be</u> warm and sunny.*
> *I'm sure you <u>will enjoy</u> your visit to the zoo.*

This use of 'will' is common in sentences with conditional clauses.

> *You<u>'ll be</u> late, if you don't hurry.*

When you are using facts or events in the present situation as evidence for a prediction, you can use 'going to'.

> *It<u>'s going to rain</u>. (I can see black clouds)*
> *I<u>'m going to be</u> late. (I have missed my train)*

3. When you are talking about your own intentions, you use 'will' or 'going to'.

> *I<u>'ll ring you</u> tonight.*
> *I<u>'m going to stay</u> at home today.*

To «will» και το «going to»

When you are saying what someone else has decided to do, you use 'going to'.

>   They*'re going to have* a party.

⊝ WARNING: You do not normally use 'going to' with the verb 'go'. You usually just say 'I'm going' rather than 'I'm going to go'.

>   'What *are you going to do* this weekend?' – 'I*'m going* to the cinema.'

When you are announcing a decision you have just made or are about to make, you use 'will'.

>   I'm tired. I think I*'ll go* to bed.

4️⃣ In promises and offers relating to the future, you often use 'will' with the meaning 'be willing to'.

>   I*'ll do* what I can.
>   I*'ll help* with the washing-up.

Note that you can use 'will' with this meaning in an 'if'-clause.

>   I'll put you through, if you*'ll hang on* for a minute. (= if you are willing to hang on for a minute)

⊝ WARNING: Remember that you do not normally use 'will' in 'if'-clauses.

➤ See Unit 59 for more information on 'if'-clauses.

>   If you *do* that, you will be wasting your time.
>   The children will call out if they *think* he is wrong.

5️⃣ When you want to say that something will happen because arrangements have been made, you use the future continuous tense.

>   I*'ll be seeing* them when I've finished with you.
>   I*'ll be waiting* for you outside.
>   She*'ll be appearing* at the Royal Festival Hall.

6️⃣ When you want to talk about something that has not happened yet but will happen before a particular time in the future, you use the future perfect tense.

>   By the time we phone he*'ll* already *have started.*
>   By 2010, he *will have worked* for twelve years.

Κεντρικά σημεία

Όταν αναφερόσαστε στο μέλλον σχετικά με επίσημα χρονοδιαγράμματα ή το ημερολόγιο, χρησιμοποιείτε τον Απλό Ενεστώτα («I walk»).

Όταν αναφερόσαστε σε σχέδια και διευθετήσεις για το μέλλον, χρησιμοποιείτε τον Ενεστώτα Διαρκείας («I am walking»).

Σε προτάσεις με το «if» [αν], χρονικές προτάσεις και για τις περιοριστικές αναφορικές προτάσεις, μπορείτε να χρησιμοποιήσετε τον Απλό Ενεστώτα («I walk») για να αναφερθείτε στο μέλλον.

---

1 When you are talking about something in the future which is based on an official timetable or calendar, you use the present simple tense. You usually put a time adverbial in these sentences.

> *My last train <u>leaves</u> Euston <u>at 11.30.</u>*
> *The UN General Assembly <u>opens</u> in New York <u>this month.</u>*
> *Our next lesson <u>is on Thursday.</u>*
> *We <u>set off early tomorrow morning.</u>*

2 In statements about fixed dates, you normally use the present simple.

> *Tomorrow <u>is</u> Tuesday.*
> *It'<u>s</u> my birthday next month.*
> *Monday <u>is</u> the seventeenth of July.*

3 When you want to talk about people's plans or arrangements for the future, you use the present continuous tense.

> *I'<u>m meeting</u> Bill next week.*
> *They'<u>re getting married</u> in June.*

4 You often talk about the future using the present tense of verbs such as 'hope', 'expect', 'intend', and 'want' with a 'to'-infinitive clause, especially when you want to indicate your uncertainty about what will actually happen.

> *We <u>hope to see</u> you soon.*
> *Bill <u>expects to be</u> back at work tomorrow.*

After the verb 'hope', you often use the present simple to refer to the future.

> *I hope you <u>enjoy</u> your holiday.*

5 │ In subordinate clauses, the relationships between tense and time are different. In 'if'-clauses and time clauses, you normally use the present simple for future reference.

> *If he <u>comes</u>, I'll let you know.*
> *Please start when you <u>are</u> ready.*
> *We won't start until everyone <u>arrives.</u>*
> *Lock the door after you finally <u>leave.</u>*

6 │ In defining relative clauses, you normally use the present simple, not 'will', to refer to the future.

> *Any decision <u>that you make</u> will need her approval.*
> *Give my love to any friends <u>you meet.</u>*
> *There is a silver cup for the runner <u>who finishes first.</u>*

7 │ If you want to show that a condition has to be the case before an action can be carried out, you use the present perfect for future events.

> *We won't start until everyone <u>has arrived.</u>*
> *I'll let you know when I <u>have arranged</u> everything.*

Conditionals using 'if'

Κεντρικά σημεία

Χρησιμοποιείτε τις υποθετικές προτάσεις όταν αναφέρεστε σε μία πιθανή κατάσταση και τα αποτελέσματά της.

Οι υποθετικές προτάσεις μπορεί να αρχίζουν με το «if» [αν].

Μια υποθετική πρόταση χρειάζεται μία κύρια πρόταση για να γίνει ολοκληρωμένη περίοδος.

Η υποθετική πρόταση μπορεί να προηγηθεί ή να ακολουθήσει την κύρια πρόταση.

1. You use conditional clauses to talk about a situation that might possibly happen and to say what its results might be.

You use 'if' to mention events and situations that happen often, that may happen in the future, that could have happened in the past but did not happen, or that are unlikely to happen at all.

> _If the light comes on, the battery is OK._
> _I'll call you if I need you._
> _If I had known, I'd have told you._
> _If she asked me, I'd help her._

2. When you are talking about something that is generally true or happens often, you use a present or present perfect tense in the main clause and the conditional clause.

> _If they lose weight during an illness, they soon regain it afterwards._
> _If an advertisement does not tell the truth, the advertiser is committing an offence._
> _If the baby is crying, it is probably hungry._
> _If they have lost any money, they report it to me._

⊝ WARNING: You do not use the present continuous in both clauses. You do not say 'If they are losing money, they are getting angry.'

3. When you use a conditional clause with a present or present perfect tense, you often use an imperative in the main clause.

> _Wake me up if you're worried._
> _If he has finished, ask him to leave quietly._
> _If you are very early, don't expect them to be ready._

4 │ When you are talking about something which may possibly happen in the future, you use a present or present perfect tense in the conditional clause, and the simple future in the main clause.

> *If I __marry__ Celia, we __will need__ the money.*
> *If you __are going__ to America, you __will need__ a visa.*
> *If he __has done__ the windows, he __will want__ his money.*

⊖ WARNING: You do not normally use 'will' in conditional clauses. You do not say 'If I will see you tomorrow, I will give you the book'.

5 │ When you are talking about something that you think is unlikely to happen, you use the past simple or past continuous in the conditional clause and 'would' in the main clause.

> *If I __had__ enough money, I __would buy__ the car.*
> *If he __was coming__, he __would ring.__*

⊖ WARNING: You do not normally use 'would' in conditional clauses. You do not say 'If I would do it, I would do it like this'.

6 │ 'Were' is sometimes used instead of 'was' in the conditional clause, especially after 'I'.

> *If I __were__ as big as you, I would kill you.*
> *If I __weren't__ so busy, I would do it for you.*

You often say 'If I were you' when you are giving someone advice.

> *__If I were you,__ I would take the money.*
> *I should keep out of Bernadette's way __if I were you.__*

7 │ When you are talking about something which could have happened in the past but which did not actually happen, you use the past perfect in the conditional clause. In the main clause, you use 'would have' and a past participle.

> *If he __had realized__ that, he __would have run__ away.*
> *I __wouldn't have been__ so depressed if I __had known__ how common this feeling is.*

⊖ WARNING: You do not use 'would have' in the conditional clause. You do not say 'If I would have seen him, I would have told him'.

Κεντρικά σημεία

Μπορείτε να χρησιμοποιήσετε ένα δυνητικό σε υποθετική πρόταση.

Χρησιμοποιείτε το «unless» [εκτός αν] για να αναφέρετε μία εξαίρεση στα όσα λέτε.

1. You sometimes use modals in conditional clauses. In the main clause, you can still use a present tense for events that happen often, 'will' for events that are quite likely in the future, 'would' for an event that is unlikely to happen, and 'would have' for events that were possible but did not happen.

   If he <u>can't</u> come, he usually phones me.
   If they <u>must</u> have it today, they will have to come back at five o'clock.
   If I <u>could</u> only find the time, I'd do it gladly.
   If you <u>could</u> have seen him, you would have laughed too.

   'Should' is sometimes used in conditional clauses to express greater uncertainty.

   If any visitors <u>should</u> come, I'll say you aren't here.

2. You can use other modals besides 'will', 'would' and 'would have' in the main clause with their usual meanings.

   She <u>might</u> phone me, if she has time.
   You <u>could</u> come, if you wanted to.
   If he sees you leaving, he <u>may</u> cry.

   Note that you can have modals in both clauses: the main clause and the conditional clause.

   If he <u>can't</u> come, he <u>will</u> phone.

   ▶ See Units 71 to 82 for more information.

3. In formal English, if the first verb in a conditional clause is 'had', 'should', or 'were', you can put the verb at the beginning of the clause and omit 'if'.

   For example, instead of saying 'If he should come, I will tell him you are sick', it is possible to say 'Should he come, I will tell him you are sick'.

   <u>Should</u> ministers decide to hold an inquiry, we would welcome it.
   <u>Were</u> it all true, it would still not excuse their actions.
   <u>Had</u> I known, I would not have done it.

4 When you want to mention an exception to what you are saying, you use a conditional clause beginning with 'unless'.

> *You will fail your exams.*
> *You will fail your exams <u>unless you work harder.</u>*

Note that you can often use 'if…not' instead of 'unless'.

> *You will fail your exams <u>if</u> you do <u>not</u> work harder.*

When you use 'unless', you use the same tenses that you use with 'if'.

> *She <u>spends</u> Sundays in the garden unless the weather <u>is</u> awful.*
> *We usually <u>walk,</u> unless we'<u>re going</u> shopping.*
> *He <u>will</u> not <u>let</u> you go unless he <u>is forced</u> to do so.*
> *You <u>wouldn't believe</u> it, unless you <u>saw</u> it.*

5 'If' and 'unless' are not the only ways of beginning conditional clauses. You can also use 'as long as', 'only if', 'provided', 'provided that', 'providing', 'providing that', or 'so long as'. These expressions are all used to indicate that one thing only happens or is true if another thing happens or is true.

> *We were all right <u>as long as</u> we kept our heads down.*
> *I will come <u>only if</u> nothing is said to the press.*
> *She was prepared to come, <u>provided that</u> she could bring her daughter.*
> *<u>Providing</u> they remained at a safe distance, we would be all right.*
> *Detergent cannot harm a fabric, <u>so long as</u> it has been properly dissolved.*

I wish, if only, …as if…

Κεντρικά σημεία

Χρησιμοποιείτε το «I wish» [μακάρι] και το «if only» [μακάρι να] όταν εύχεστε και μετανιώνετε για κάτι.

Χρησιμοποιείτε το «…as if…» [σαν να] και «…as though…» [σαν να] για να εκφράσετε ότι οι πληροφορίες σε μία τροπική πρόταση μπορεί να είναι ή να μην είναι αληθινές

1 You can express what you want to happen now by using 'I wish' or 'If only' followed by a past simple verb.

> *I wish he wasn't here.*
> *If only she had a car.*

Note that in formal English, you sometimes use 'were' instead of 'was' in sentences like these.

> *I often wish that I were really wealthy.*

When you want to express regret about past events, you use the past perfect.

> *I wish I hadn't married him.*

When you want to say that you wish that someone was able to do something, you use 'could'.

> *If only they could come with us!*

When you want to say that you wish that someone was willing to do something, you use 'would'.

> *If only they would realise how stupid they've been.*

2 When you want to indicate that the information in a manner clause might not be true, or is definitely not true, you use 'as if' or 'as though'.

> *She reacted as if she didn't know about the race.*
> *She acts as though she owns the place.*

After 'as if' or 'as though', you often use a past tense even when you are talking about the present, to emphasize that the information in the manner clause is not true. In formal English, you use 'were' instead of 'was'.

> *Presidents can't dispose of companies as if people didn't exist.*
> *She treats him as though he was her own son.*
> *He looked at me as though I were mad.*

I wish, if only, ...as if...

3 You can also use 'as if' or 'as though' to say how someone or something feels, looks, or sounds.

> *She felt <u>as if</u> she had a fever.*
> *He looked <u>as if</u> he hadn't slept very much.*
> *Mary sounded <u>as though</u> she had just run all the way.*

You can also use 'it looks' and 'it sounds' with 'as if' and 'as though'.

> *It looks to me <u>as if</u> he wrote down some notes.*
> *It sounds to me <u>as though</u> he's just being awkward.*

4 When the subject of the manner clause and the main clause are the same, you can often use a participle in the manner clause and omit the subject and the verb 'be'.

> *He ran off to the house <u>as if escaping.</u>*
> *He shook his head <u>as though dazzled</u> by his own vision.*

You can also use 'as if' or 'as though' with a 'to'-infinitive clause.

> *<u>As if to remind</u> him, the church clock struck eleven.*

5 In informal speech, people often use 'like' instead of 'as if' or 'as' to say how a person feels, looks, or sounds. Some speakers of English think that this use of 'like' is incorrect.

> *He felt <u>like</u> he'd won the pools.*
> *You look <u>like</u> you've seen a ghost.*
> *You talk just <u>like</u> my father does.*

You can also use 'like' in prepositional phrases to say how someone does something.

> *He was sleeping <u>like a baby.</u>*
> *I behaved <u>like an idiot,</u> and I'm sorry.*

Κεντρικά σημεία

Πολλά ρήματα ακολουθούνται από μία πρόταση σε «-ing».

Μερικά ρήματα ακολουθούνται από ένα αντικείμενο και μία πρόταση σε «-ing» που περιγράφει την ενέργεια του αντικειμένου.

1. Many verbs are followed by an '-ing' clause. The subject of the verb is also the subject of the '-ing' clause. The '-ing' clause begins with an '-ing' form. The most common of these verbs are:

● verbs of saying and thinking

admit	consider	deny	describe	imagine	mention
recall	suggest				

He _denied taking_ drugs.   I _suggested meeting_ her for a coffee.

Note that all of these verbs except for 'describe' can also be followed by a 'that'-clause. ➡ See Unit 68.

He _denied that_ he was involved.

● verbs of liking and disliking

adore	detest	dislike	dread	enjoy	fancy
like	love	mind	resent		

Will they _enjoy using_ it?   I _don't mind telling_ you.

'Like' and 'love' can also be followed by a 'to'-infinitive clause. ➡ See Unit 64.

● other common verbs

avoid	commence	delay	finish	involve	keep
miss	postpone	practise	resist	risk	stop

I've just _finished reading_ that book.
Avoid giving any unnecessary information.

● common phrasal verbs

burst out	carry on	end up	give up	go round	keep on
put off	set about				

She <u>carried on reading.</u>
They <u>kept on walking</u> for a while.

Note that some common phrases can be followed by an '-ing' clause.

can't help	can't stand	feel like

I <u>can't help worrying.</u>

2 After the verbs and phrases mentioned above, you can also use 'being' followed by a past participle.

They enjoy <u>being praised.</u>

After some verbs of saying and thinking, you can use 'having' followed by a past participle.

admit	deny	mention	recall

Michael <u>denied having seen</u> him.

3 'Come' and 'go' are used with '-ing' clauses to describe the way that a person or thing moves.

They both <u>came running out.</u>
It <u>went sliding</u> across the road out of control.

'Go' and 'come' are also used with '-ing' nouns to talk about sports and outdoor activities. ▶ See Unit 49.

Did you say they might <u>go camping</u>?

4 Some verbs can be followed by an object and an '-ing' clause. The object of the verb is the subject of the '-ing' clause.

catch	find	imagine	leave	prevent	stop	watch

It is hard <u>to imagine him existing</u> without it.
He <u>left them making</u> their calculations.

Note that 'prevent' and 'stop' are often used with 'from' in front of the '-ing' clause.

I wanted to <u>prevent him from seeing</u> that.

Most verbs of perception can be followed by an object and an '-ing' clause or a base form.

I <u>saw him riding</u> a bicycle.
I <u>saw a policeman walk over</u> to one of them.

Infinitives

Κεντρικά σημεία

Μερικά ρήματα ακολουθούνται από μία απαρεμφατική πρόταση που αρχίζει με «to». Άλλα ακολουθούνται από αντικείμενο και απαρεμφατική πρόταση που αρχίζει με «to».

Μερικά ρήματα ακολουθούνται από λέξη που αρχίζει με «wh» και απαρεμφατική πρόταση που αρχίζει με «to». Άλλα ακολουθούνται από αντικείμενο, μία λέξη που αρχίζει με «wh» και απαρεμφατική πρόταση που αρχίζει με «to».

Τα ουσιαστικά ακολουθούνται από απαρεμφατικές προτάσεις που αρχίζουν με «to» και που δηλώνουν τον στόχο, τον σκοπό ή την ανάγκη για κάτι ή παρέχουν περισσότερες πληροφορίες.

1   Some verbs are followed by a 'to'-infinitive clause. The subject of the verb is also the subject of the 'to'-infinitive clause.

• verbs of saying and thinking

agree	choose	decide	expect	hope	intend	learn	mean	offer
plan	promise	refuse						

She had agreed to let us use her flat.
I decided not to go out for the evening.

• other verbs

fail	manage	pretend	tend	want

England failed to win a place in the finals.

2   Some verbs are followed by an object and a 'to'-infinitive clause. The object of the verb is the subject of the 'to'-infinitive clause.

• verbs of saying and thinking

advise	ask	encourage	expect	invite	order	persuade
remind	teach	tell				

I asked her to explain.
They advised us not to wait around too long.

● other verbs

allow	force	get	help	want

> *I could <u>get someone else to do</u> it.*
> *I <u>didn't want him to go.</u>*

Note that 'help' can also be followed by an object and a base form.

> *I <u>helped him fix</u> it.*

⊖ WARNING: You do not use 'want' with a 'that'-clause. You do not say 'I want that you do something'.

3 Some verbs are followed by 'for' and an object, then a 'to'-infinitive clause. The object of 'for' is the subject of the 'to'-infinitive clause.

appeal	arrange	ask	long	pay	wait	wish

> *Could you <u>arrange for a taxi to collect</u> us?*
> *I <u>waited for him to speak.</u>*

4 Some link verbs, and 'pretend' are followed by 'to be' and an '-ing' form for continuing actions, and by 'to have' and a past participle for finished actions.

▶ See also Unit 65.

> *We <u>pretended to be looking</u> inside.*
> *I <u>don't appear to have written down</u> his name.*

5 Some verbs are normally used in the passive when they are followed by a 'to'-infinitive clause.

believe	consider	feel	find	know	report	say	think
understand							

> *He <u>is said to have died</u> a natural death.*
> *<u>Is</u> it <u>thought to be</u> a good thing?*

6 Some verbs are followed by a 'wh'-word and a 'to'-infinitive clause. These include:

ask	decide	explain	forget	imagine
know	learn	remember	understand	wonder

Infinitives (cont.)

I <u>didn't know what to call</u> him.
She <u>had forgotten how to ride</u> a bicycle.

Some verbs are followed by an object, then a 'wh'-word and a 'to'-infinitive clause.

ask	remind	show	teach	tell

I <u>asked him what to do.</u>
Who will <u>show him how to use</u> it?

Some verbs only take 'to'-infinitive clauses to express purpose.

The captain <u>stopped to reload</u> the gun.
He <u>went to get</u> some fresh milk.

7 You use a 'to'-infinitive clause after a noun to indicate the aim of an action or the purpose of a physical object.

We arranged a meeting <u>to discuss the new rules.</u>
He had nothing <u>to write with.</u>

You also use a 'to'-infinitive clause after a noun to say that something needs to be done.

I gave him several things <u>to mend.</u>
'What's this?' – 'A list of things <u>to remember.'</u>

8 You use a 'to'-infinitive clause after a noun group that includes an ordinal number, a superlative, or a word like 'next', 'last', or 'only'.

She was the <u>first</u> woman <u>to be elected to the council.</u>
Mr Holmes was <u>the oldest</u> person <u>to be chosen.</u>
The <u>only</u> person <u>to speak</u> was James.

9 You use a 'to'-infinitive clause after abstract nouns to give more specific information about them.

All it takes is <u>a willingness to learn.</u>
He'd lost <u>the ability to communicate</u> with people.

Απαρέμφατα

The following abstract nouns are often followed by a 'to'-infinitive clause:

ability	attempt	chance	desire	failure
inability	need	opportunity	unwillingness	willingness

Note that the verbs or adjectives which are related to these nouns can also be followed by a 'to'-infinitive clause. For example, you can say 'I attempted to find them', and 'He was willing to learn'.

Verb + 'to' or '-ing'

Κεντρικά σημεία

Μερικά ρήματα συντάσσονται με απαρεμφατική πρόταση που αρχίζει από «to» ή πρόταση σε «-ing» χωρίς να αλλάζει πολύ η σημασία τους. Άλλα συντάσσονται με απαρεμφατική πρόταση που αρχίζει από «to» ή πρόταση σε «-ing», αλλά η σημασία τους αλλάζει πολύ.

1 The following verbs can be followed by a 'to'-infinitive clause or an '-ing' clause, with little difference in meaning.

attempt	begin	bother	continue	fear
hate	love	prefer	start	

It started raining.
A very cold wind had started to blow.
The captain didn't bother answering.
I didn't bother to answer.

Note that if these verbs are used in a continuous tense, they are followed by a 'to'-infinitive clause.

The company is beginning to export to the West.
We are continuing to make good progress.

After 'begin', 'continue', and 'start', you use a 'to'-infinitive clause with the verbs 'understand', 'know', and 'realize'.

I began to understand her a bit better.

2 You can often use 'like' with a 'to'-infinitive or an '-ing' clause with little difference in meaning.

I like to fish.
I like fishing.

However, there is sometimes a difference. You can use 'like' followed by a 'to'-infinitive clause to say that you think something is a good idea, or the right thing to do. You cannot use an '-ing' clause with this meaning.

They like to interview you first.
I didn't like to ask him.

3 After 'remember', 'forget', and 'regret', you use an '-ing' clause if you are referring to an event after it has happened.

> I _remember discussing_ it once before.
> I'll never _forget going out_ with my old aunt.
> She did not _regret accepting_ his offer.

You use a 'to'-infinitive clause after 'remember' and 'forget' if you are referring to an event before it happens.

> I must _remember to send_ a gift for her child.
> Don't _forget to send in_ your entries.

After 'regret', in formal English, you use a 'to'-infinitive clause with these verbs to say that you are sorry about what you are saying or doing now:

announce	inform	learn	say	see	tell

> I _regret to say_ that it was all burned up.

4 If you 'try to do' something, you make an effort to do it. If you 'try doing' something, you do it as an experiment, for example to see if you like it or if it is effective.

> I _tried to explain._
> Have you _tried painting_ it?

5 If you 'go on doing' something, you continue to do it. If you 'go on to do' something, you do it after you have finished doing something else.

> I _went on writing._
> He later _went on to form_ a computer company.

6 If you 'are used to doing' something, you are accustomed to doing it. If you 'used to do' something, you did it regularly in the past, but you no longer do it now.

> We _are used to working_ together.
> I _used to live_ in this street.

7 After 'need', you use a 'to'-infinitive clause if the subject of 'need' is also the subject of the 'to'-infinitive clause. You use an '-ing' form if the subject of 'need' is the object of the '-ing' clause.

> We _need to ask_ certain questions.
> It _needs cutting._

Link verbs

Κεντρικά σημεία

Τα συνδετικά ρήματα χρησιμοποιούνται για να συνενώσουν το υποκείμενο με το συμπλήρωμα.

Τα συνδετικά ρήματα μπορεί να έχουν επίθετα, ονοματικά σύνολα ή απαρεμφατικές προτάσεις που αρχίζουν με «to» για συμπληρώματα.

Μπορείτε να χρησιμοποιήσετε το «it» και το «there» σαν απρόσωπα υποκείμενα με συνδετικά ρήματα.

---

1. A small but important group of verbs are followed by a complement rather than an object. The complement tells you more about the subject. Verbs that take complements are called 'link' verbs.

appear	be	become	feel	get	go	grow
keep	look	prove	remain	seem	smell	sound
stay	taste	turn				

> I *am* proud of these people.
> She *was getting* too old to play tennis.
> They *looked* all right to me.

2. Link verbs often have adjectives as complements describing the subject.

> We *felt* very happy.
> He *was* the tallest in the room.

➤ See Units 31 to 32 and Unit 43 for more information about adjectives after link verbs.

3. You can use link verbs with noun groups as complements to give your opinion about the subject.

> He's not *the right man for it.*
> She seemed *an ideal person to look after them.*

You also use noun groups as complements after 'be', 'become', and 'remain' to specify the subject.

> He became *a geologist.*
> Promises by MPs remained just *promises.*
> This one is *yours.*

Note that you use object pronouns after 'be'.

>*It's <u>me</u> again.*

4 | Some link verbs can have 'to'-infinitive clauses as complements.

appear	get	grow	look	prove	seem

>*He appears <u>to have taken my keys.</u>*
>*She seemed <u>to like me.</u>*

These verbs, and 'remain', can also be followed by 'to be' and a complement.

>*Mary <u>seemed to be</u> asleep.*
>*His new job <u>proved to be</u> a challenge.*

5 | You can use 'it' and 'there' as impersonal subjects with link verbs.

>*It <u>seems</u> silly not to tell him.*
>*There <u>appears</u> to have been a mistake.*

▶ See Units 17 and 18 for more information.

You can use 'be' with some abstract nouns as the subject, followed by a 'that'-clause or a 'to'-infinitive clause as the complement.

advice	agreement	answer	decision	idea	plan	problem
solution						

>*<u>The answer is</u> that they are not interested in it.*
>*<u>The idea was</u> to spend more money on training.*

Some can only have a 'that'-clause.

conclusion	explanation	fact	feeling	reason	report
thought	understanding				

>*<u>The fact is</u> that I can't go to the party.*

Reporting the past

Κεντρικά σημεία

Ο πλάγιος λόγος χρησιμοποιείται για να αναφέρει τα λόγια ή τις σκέψεις προσώπων.

Χρησιμοποιείτε τον Ενεστώτα του ρήματος εξάρτησης όταν αναφέρετε κάτι που λέει ή σκέφτεται κάποιος τη στιγμή που μιλάτε.

Χρησιμοποιείτε συχνά τους παρελθοντικούς χρόνους στο πλάγιο λόγο γιατί η δευτερεύουσα πρόταση αναφέρει συνήθως κάτι που ειπώθηκε ή πιστευόταν στο παρελθόν.

1. You use a report structure to report what people say or think. A report structure consists of two parts. One part is the reporting clause, which contains the reporting verb.

   I told him nothing was going to happen to me.
   I agreed that he should do it.

   The other part is the reported clause.

   He felt that he had to do something.
   Henry said he wanted to go home.

   ➤ See Units 67–69 for more information on report structures.

2. For the verb in the reporting clause, you choose a tense that is appropriate at the time you are speaking.

   Because reports are usually about something that was said or believed in the past, both the reporting verb and the verb in the reported clause are often in a past tense.

   Mrs Kaur announced that the lecture had begun.
   At the time we thought that he was mad.

3. Although you normally use past tenses in reports about the past, you can use a present tense in the reported clause if what you are saying is important in the present, for example:

   • because you want to emphasize that it is still true

   Did you tell him that this young woman is looking for a job?

- because you want to give advice or a warning, or make a suggestion for the present or future

> I <u>told</u> you they <u>have</u> this class on Friday afternoon, so you should have come a bit earlier.

4 You use a present tense for the reporting verb when you are reporting:

- what someone says or thinks at the time you are speaking

> She <u>says</u> she wants to see you this afternoon.
> I <u>think</u> there's something wrong.

Note that, as in the last example, it may be your own thoughts that you are reporting.

- what someone often says

> He <u>says</u> that no one understands him.

- what someone has said in the past, if what they said is still true

> My doctor <u>says</u> it's nothing to worry about.

5 If you are predicting what people will say or think, you use a future tense for the reporting verb.

> No doubt he <u>will claim</u> that his car broke down.
> They <u>will think</u> we are making a fuss.

6 You very rarely try to report the exact words of a statement. You usually give a summary of what was said. For example, John might say:

'I tried to phone you about six times yesterday. I let the phone ring for ages but there was no answer. I couldn't get through at all so I finally gave up.'

You would probably report this as:

John said he tried to phone several times yesterday, but he couldn't get through.

7 When you are telling a story of your own, or one that you have heard from someone else, direct speech simply becomes part of the narrative.

In this extract a taxi driver picks up a passenger:

> 'What part of London are you headed for?' I asked him.
> 'I'm going to Epsom for the races. It's Derby day today.'
> 'So it is,' I said. 'I wish I were going with you. I love betting on horses.'

You might report this as part of the narrative without reporting verbs:

My passenger was going to Epsom to see the Derby, and I wanted to go with him.

Reported questions

Κεντρικά σημεία

Χρησιμοποιείτε τις πλάγιες ερωτήσεις όταν αναφερόσαστε σε ερωτήσεις που έχει κάνει κάποιος.

Στις πλάγιες ερωτήσεις το υποκείμενο της ερώτησης προηγείται του ρήματος.

Χρησιμοποιείτε το «if» ή το «whether» σε πλάγιες ερωτήσεις με «yes/no».

1 When you are talking about a question that someone has asked, you use a reported question.

> *She asked me <u>why I was so late.</u>*
> *He wanted to know <u>where I was going.</u>*
> *I demanded to know <u>what was going on.</u>*
> *I asked her <u>if I could help her.</u>*
> *I asked her <u>whether there was anything wrong.</u>*

In formal and written English, 'enquire' (also spelled 'inquire') is often used instead of 'ask'.

> *Wilkie had enquired <u>if she did a lot of acting.</u>*
> *He inquired <u>whether he could see her.</u>*

2 When you are reporting a question, the verb in the reported clause is often in a past tense. This is because you are often talking about the past when you are reporting someone else's words.

> *She <u>asked</u> me why I <u>was</u> so late.*
> *Pat <u>asked</u> him if she <u>had hurt</u> him.*

However, you can use a present or future tense if the question you are reporting relates to the present or future.

> *Mark <u>was asking</u> if you<u>'re enjoying</u> your new job.*
> *They <u>asked</u> if you<u>'ll be</u> there tomorrow night.*

3 In reported questions, the subject of the question comes before the verb, just as it does in affirmative sentences.

> *She asked me why <u>I was late.</u>*
> *I asked what <u>he was doing.</u>*

4 You do not normally use the auxiliary 'do' in reported questions.

> *She asked him if <u>his parents spoke</u> French.*
> *They asked us what <u>we thought.</u>*

The auxiliary 'do' can be used in reported questions, but only for emphasis, or to make a contrast with something that has already been said. It is not put before the subject as in direct questions.

> *She asked me whether I really <u>did</u> mean it.*
> *I told him I didn't like classical music. He asked me what kind of music I <u>did</u> like.*

5 You use 'if' or 'whether' to introduce reported 'yes/no'-questions.

> *I asked him <u>if</u> he was on holiday.*
> *She hugged him and asked him <u>whether</u> he was all right.*
> *I asked him <u>whether</u> he was single.*

'Whether' is used especially when there is a choice of possibilities.

> *I was asked <u>whether</u> I wanted to stay at a hotel <u>or</u> at his home.*
> *They asked <u>whether</u> Tim was <u>or</u> was <u>not</u> in the team.*
> *I asked him <u>whether</u> he loved me or not.*

Note that you can put 'or not' immediately after 'whether', but not immediately after 'if'.

> *The police didn't ask <u>whether or not</u> they were in.*

▶ See Units 66, 68, and 69 for more information on reporting.

Reporting: 'that'-clauses

Κεντρικά σημεία

Χρησιμοποιείτε συνήθως τα δικά σας λόγια όταν αναφέρεστε στα όσα είπε κάποιος αντί να επαναλάβετε ακριβώς τα λόγια του.

Ο πλάγιος λόγος περιέχει πρώτα την κύρια πρόταση και μετά την δευτερεύουσα πρόταση.

Όταν αναφέρετε μία κατάφαση σε πλάγιο λόγο, η δευτερεύουσα πρόταση είναι ειδική πρόταση που αρχίζει με το «that».

Αναφερόσαστε στο πρόσωπο που σας ακούει με το ρήμα «tell» [λέγω]. Δεν χρειάζεται να αναφερθείτε με το ρήμα «say» [λέγω]

1. When you are reporting what someone said, you do not usually repeat their exact words, you use your own words in a report structure.

    Jim said he wanted to go home.

Jim's actual words might have been 'It's time I went' or 'I must go'.

Report structures contain two clauses. The first clause is the reporting clause, which contains a reporting verb such as 'say', 'tell', or 'ask'.

    She said that she'd been to Belgium.
    The man in the shop told me how much it would cost.

You often use verbs that refer to people's thoughts and feelings to report what people say. If someone says 'I am wrong', you might report this as 'He felt that he was wrong'. ➤ See Unit 69 for more information.

2. The second clause in a report structure is the reported clause, which contains the information that you are reporting. The reported clause can be a 'that'-clause, a 'to'-infinitive clause, an 'if'-clause, or a 'wh'-word clause.

    She said that she didn't know.
    He told me to do it.
    Mary asked if she could stay with us.
    She asked where he'd gone.

3. If you want to report a statement, you use a 'that'-clause after a verb such as 'say'.

admit	agree	answer	argue	claim	complain	decide
deny	explain	insist	mention	promise	reply	say
warn						

> *He <u>said that</u> he would go.*
> *I <u>replied that</u> I had not read it yet.*

You often omit 'that' from the 'that'-clause, but not after 'answer', 'argue', 'explain', or 'reply'.

> *They <u>said</u> I had to see a doctor first.*
> *He <u>answered that</u> the price would be three pounds.*

You often mention the hearer after the preposition 'to' with the following verbs.

admit	announce	complain	explain	mention	say	suggest

> *He <u>complained to me</u> that you were rude.*

4 'Tell' and some other reporting verbs are also used with a 'that'-clause, but with these verbs you have to mention the hearer as the object of the verb.

convince	inform	notify	persuade	reassure	remind	tell

> *He <u>told me</u> that he was a farmer.*
> *I <u>informed her</u> that I could not come.*

The word 'that' is often omitted after 'tell'.

> *I <u>told them</u> you were at the dentist.*

You can also mention the hearer as the object of the verb with 'promise' and 'warn'.

> *I <u>promised her</u> that I wouldn't be late.*

5 Note the differences between 'say' and 'tell'. You cannot use 'say' with the hearer as the object of the verb. You cannot say 'I said them you had gone'. You cannot use 'tell' without the hearer as the object of the verb. You cannot say 'I told that you had gone'. You cannot use 'tell' with 'to' and the hearer. You cannot say 'I told to them you had gone'.

6 The reporting verbs that have the hearer as object, such as 'tell', can be used in the passive.

> *She <u>was told</u> that there were no tickets left.*

Most reporting verbs that do not need the hearer as object, such as 'say', can be used in the passive with impersonal 'it' as subject, but not 'answer', 'complain', 'insist', 'promise', 'reply', or 'warn'.

> *<u>It was said</u> that the money had been stolen.*

➤ See also Units 66 and 69.

Κεντρικά σημεία

Όταν αναφέρετε μία διαταγή, μία παράκληση ή μία συμβουλή, η δευτερεύουσα πρόταση είναι απαρεμφατική πρόταση που αρχίζει με το «to» και μπαίνει μετά το αντικείμενο.

Όταν αναφέρετε μία ερώτηση, η δευτερεύουσα πρόταση είναι μία πρόταση που αρχίζει με το «if» ή με λέξη που αρχίζει από «wh». Πολλά ρήματα εξάρτησης αναφέρονται στις σκέψεις και τα συναισθήματα προσώπων.

---

1 If you want to report an order, a request, or a piece of advice, you use a 'to'-infinitive clause after a reporting verb such as 'tell', 'ask', or 'advise'. You mention the hearer as the object of the verb, before the 'to'-infinitive clause.

| advise | ask | beg | command | forbid | instruct |
| invite | order | persuade | remind | tell | warn |

> Johnson _told her to wake_ him _up._
> He _ordered me to fetch_ the books.
> He _asked her to marry_ him.
> He _advised me to buy_ it.

If the order, request, or advice is negative, you put 'not' before the 'to'-infinitive.

> He had ordered his officers _not to use_ weapons.
> She asked her staff _not to discuss_ it publicly.
> Doctors advised him _not to play_ for three weeks.

If the subject of the 'to'-infinitive clause is the same as the subject of the main verb, you can use 'ask' or 'beg' to report a request without mentioning the hearer.

> I _asked to see_ the manager.
> Both men _begged not to be named._

2 If you want to report a question, you use a verb such as 'ask' followed by an 'if'-clause or a 'wh'-word clause.

> I _asked if_ I could stay with them.
> They _wondered whether_ the time was right.
> He _asked_ me _where_ I was going.
> She _inquired how_ Ibrahim was getting on.

Note that in reported questions, the subject of the question comes before the verb, just as it does in affirmative sentences:

▶ See Unit 67.

3 Many reporting verbs refer to people's thoughts and feelings but are often used to report what people say. For example, if someone says 'I must go', you might report this as 'She wanted to go' or 'She thought she should go'.

Some of these verbs are followed by:

• a 'that'-clause

accept	believe	consider	fear	feel	guess
imagine	know	suppose	think	understand	worry

We both <u>knew</u> that the town was cut off.
I had always <u>believed</u> that I would see him again.

• a 'to'-infinitive clause

intend	plan	want

He doesn't <u>want</u> to get up.

• a 'that'-clause or a 'to'-infinitive clause

agree	decide	expect	forget	hope
prefer	regret	remember	wish	

She <u>hoped she wasn't going to cry.</u>
They are in love and <u>wish to marry.</u>

'Expect' and 'prefer' can also be followed by an object and a 'to'-infinitive.

I'm sure she <u>doesn't expect you to take</u> the plane.
The headmaster <u>prefers them to act</u> plays they have written themselves.

4 A speaker's exact words are more often used in stories than in ordinary conversation.

'I knew I'd seen you,' I said.
'Only one,' replied the Englishman.
'Let's go and have a look at the swimming pool,' she suggested.

The passive voice

Κεντρικά σημεία

Χρησιμοποιείτε την παθητική φωνή για να επικεντρωθείτε στο πρόσωπο ή πράγμα που επηρεάζεται από μία ενέργεια.

Σχηματίζετε την παθητική σύνταξη χρησιμοποιώντας έναν τύπο του «be» και την παθητική μετοχή.

Μόνο ρήματα που έχουν αντικείμενο μπορούν να έχουν παθητικό τύπο. Με ρήματα που μπορούν να έχουν δύο αντικείμενα, ένα από τα δύο αντικείμενα μπορεί να είναι υποκείμενο της παθητικής σύνταξης.

1 When you want to talk about the person or thing that performs an action, you use the active voice.

Mr Smith <u>locks</u> the gate at 6 o'clock every night.
The storm <u>destroyed</u> dozens of trees.

When you want to focus on the person or thing that is affected by an action, rather than the person or thing that performs the action, you use the passive voice.

The gate <u>is locked</u> at 6 o'clock every night.
Dozens of trees <u>were destroyed.</u>

2 The passive is formed with a form of the auxiliary 'be', followed by the past participle of a main verb.

Two new stores <u>were opened</u> this year.
The room <u>had been cleaned.</u>

Continuous passive tenses are formed with a form of the auxiliary 'be' followed by 'being' and the past participle of a main verb.

Jobs <u>are</u> still <u>being lost.</u>
It <u>was being done</u> without his knowledge.

3 After modals you use the base form 'be' followed by the past participle of a main verb.

What <u>can be done</u>?
We <u>won't be beaten.</u>

When you are talking about the past, you use a modal with 'have been' followed by the past participle of a main verb.

> *He <u>may have been given</u> the car.*
> *He <u>couldn't have been told</u> by Jimmy.*

4 You form passive infinitives by using 'to be' or 'to have been' followed by the past participle of a main verb.

> *He wanted <u>to be forgiven.</u>*
> *The car was reported <u>to have been stolen.</u>*

5 In informal English, 'get' is sometimes used instead of 'be' to form the passive.

> *Our car <u>gets cleaned</u> every weekend.*
> *He <u>got killed</u> in a plane crash.*

6 When you use the passive, you often do not mention the person or thing that performs the action at all. This may be because you do not know or do not want to say who it is, or because it does not matter.

> *Her boyfriend <u>was shot</u> in the chest.*
> *Your application <u>was rejected.</u>*
> *Such items should <u>be</u> carefully <u>packed</u> in tea chests.*

7 If you are using the passive and you do want to mention the person or thing that performs the action, you use 'by'.

> *He had been poisoned <u>by</u> his girlfriend.*
> *He was brought up <u>by</u> an aunt.*

You use 'with' to talk about something that is used to perform the action.

> *A circle was drawn in the dirt <u>with</u> a stick.*
> *He was killed <u>with</u> a knife.*

8 Only verbs that usually have an object can have a passive form. You can say 'people spend money' or 'money is spent'.

> *An enormous amount of money <u>is spent</u> on beer.*
> *The food <u>is sold</u> at local markets.*

With verbs which can have two objects, you can form two different passive sentences. For example, you can say 'The secretary was given the key' or 'The key was given to the secretary'.

> *They <u>were offered</u> a new flat.*
> *The books <u>will be sent</u> to you.*

▶ See Unit 47 for more information on verbs that can have two objects.

> ### Κεντρικά σημεία
>
> Χρησιμοποιείτε αρνητικές λέξεις με δυνητικά για να δημιουργήσετε αρνητικές προτάσεις.
>
> Τα δυνητικά μπαίνουν μπροστά από το υποκείμενο στις ερωτήσεις.
>
> Δεν χρησιμοποιείτε ποτέ δύο δυνητικά μαζί.

1 To make a clause negative, you put a negative word immediately after the modal.

> *You <u>must not</u> worry.*
> *I <u>can never</u> remember his name.*
> *He <u>ought not</u> to have done that.*

'Can not' is always written as one word, 'cannot'.

> *I <u>cannot</u> go back.*

However, if 'can' is followed by 'not only', 'can' and 'not' are not joined.

> *We <u>can not only</u> book your flight for you, but also advise you about hotels.*

2 In spoken English and informal written English, 'not' is often shortened to '-n't' and added to the modal. The following modals are often shortened in this way:

could not:	couldn't
should not:	shouldn't
must not:	mustn't
would not:	wouldn't

> *We <u>couldn't</u> leave the farm.*
> *You <u>mustn't</u> talk about Ron like that.*

Note the following irregular short forms:

shall not:	shan't
will not:	won't
cannot:	can't

> *I <u>shan't</u> let you go.*
> *<u>Won't</u> you change your mind?*
> *We <u>can't</u> stop now.*

Δυνητικά – άρνηση, ερώτηση

'Might not' and 'ought not' are sometimes shortened to 'mightn't' and 'oughtn't'.

Note that 'may not' is very rarely shortened to 'mayn't' in modern English.

3 To make a question, you put the modal in front of the subject.

> *Could you give me an example?*
> *Will you be coming in later?*
> *Shall I shut the door?*

Modals are also used in question tags.

➤ See Units 7 and 8 for more information.

4 You never use two modals together. For example, you cannot say 'He will can come'. Instead you can say 'He will be able to come'.

> *I shall have to go.*
> *Your husband might have to give up work.*

5 Instead of using modals, you can often use other verbs and expressions to make requests, offers, or suggestions, to express wishes or intentions, or to show that you are being polite.

For example, 'be able to' is used instead of 'can', 'be likely to' is used instead of 'might', and 'have to' is used instead of 'must'.

> *All members are able to claim expenses.*
> *I think that we are likely to see more of this.*

These expressions are also used after modals.

> *I really thought I wouldn't be able to visit you this week.*

6 'Dare' and 'need' sometimes behave like modals.

➤ See Units 64 and 81 for information on 'need'.

Possibility

Κεντρικά σημεία

Χρησιμοποιείτε το «can» [μπορώ να] για να εκφράσετε ότι κάτι είναι πιθανό.

Χρησιμοποιείτε το «could» [θα μπορούσα να], το «might» [ήταν πιθανό να] και το «may» [είναι πιθανό να] για να δηλώσετε ότι δεν είστε σίγουρος αν κάτι είναι δυνατό, αλλά νομίζετε ότι είναι.

1 When you want to say that something is possible, you use 'can'.

Cooking <u>can</u> be a real pleasure.
In some cases this <u>can</u> cause difficulty.

You use 'cannot' or 'can't' to say that something is not possible.

This <u>cannot</u> be the answer.
You <u>can't</u> be serious.

2 When you want to indicate that you are not certain whether something is possible, but you think it is, you use 'could', 'might', or 'may'. There is no important difference in meaning between these modals, but 'may' is slightly more formal.

That <u>could</u> be one reason.
He <u>might</u> come.
They <u>may</u> help us.

You can also use 'might not' or 'may not' in this way.

He <u>might not</u> be in England at all.
They <u>may not</u> get a house with central heating.

Note that 'could not' normally refers to ability in the past.

➤ See Unit 74.

3 When there is a possibility that something happened in the past, but you are not certain if it actually happened, you use 'could have', 'may have', or 'might have', followed by a past participle.

It <u>could have been</u> tomato soup.
You <u>may have noticed</u> this advertisement.

You can also use 'might not have' or 'may not have' in this way.

> *He <u>might not have seen</u> me.*
> *They <u>may not have done</u> it.*

You use 'could not have' when you want to indicate that it is not possible that something happened.

> *He didn't have a boat, so he <u>couldn't have rowed</u> away.*
> *It <u>couldn't have been</u> wrong.*

You also use 'could have' to say that there was a possibility of something happening in the past, but it did not happen.

> *It <u>could have been</u> awful.* (But it wasn't awful.)
> *You <u>could have got</u> a job last year.* (But you didn't get a job.)

4   You also use 'might have' or 'could have' followed by a past participle to say that if a particular thing had happened, then there was a possibility of something else happening.

> *She said it <u>might have been</u> all right, if the weather had been good.*
> (But the weather wasn't good, so it wasn't all right.)
> *If I'd been there, I <u>could have helped</u> you.* (But I wasn't there, so I couldn't help you.)

5   'Be able to', 'not be able to', and 'be unable to' are sometimes used instead of 'can' and 'cannot', for example after another modal, or when you want to use a 'to'-infinitive, an '-ing' form, or a past participle.

> *When <u>will I be able to</u> pick them up?*
> *He had <u>been unable to</u> get a ticket.*

6   You use 'used to be able to' to say that something was possible in the past, but is not possible now.

> *Everyone <u>used to be able to</u> have free eye tests.*
> *You <u>used to be able to</u> buy cigarettes in packs of five.*

7   Note that you also use 'could' followed by a negative word and the comparative form of an adjective to emphasize a quality that someone or something has. For example, if you say 'I couldn't be happier', you mean that you are very happy indeed and cannot imagine being happier than you are now.

> *You <u>couldn't</u> be <u>more wrong.</u>*
> *He <u>could hardly</u> have felt <u>more ashamed</u> of himself.*

Probability and certainty

Κεντρικά σημεία

Χρησιμοποιείτε το «must» [πρέπει να], το «ought» [οφείλω να], το «should» [θα έπρεπε να] ή το «will» [θα] για να εκφράσετε πιθανότητα ή βεβαιότητα.

Χρησιμοποιείτε το «cannot» ή το «can't» ως την άρνηση του «must», αντί για το «must not» ή το «mustn't», για να δηλώσετε ότι κάτι δεν είναι πιθανό ή ότι δεν είναι βέβαιο.

1 When you want to say that something is probably true or that it will probably happen, you use 'should' or 'ought'. 'Should' is followed by the base form of a verb. 'Ought' is followed by a 'to'-infinitive.

We should arrive by dinner time.
She ought to know.

When you want to say that you think something is probably not true or that it will probably not happen, you use 'should not' or 'ought not'.

There shouldn't be any problem.
That ought not to be too difficult.

2 When you want to say that you are fairly sure that something has happened, you use 'should have' or 'ought to have', followed by a past participle.

You should have heard by now that I'm O.K.
They ought to have arrived yesterday.

When you want to say that you do not think that something has happened, you use 'should not have' or 'ought not to have', followed by a past participle.

You shouldn't have had any difficulty in getting there.
This ought not to have been a problem.

3 You also use 'should have' or 'ought to have' to say that you expected something to happen, but that it did not happen.

Yesterday should have been the start of the soccer season.
She ought to have been home by now.

Note that you do not normally use the negative forms with this meaning.

4 When you are fairly sure that something is the case, you use 'must'.

Oh, you must be Sylvia's husband.
He must know something about it.

If you are fairly sure that something is not the case, you use 'cannot' or 'can't'.

This <u>cannot</u> be the whole story.
He <u>can't</u> be very old – he's about 25, isn't he?

🚫 WARNING: You do not use 'must not' or 'mustn't' with this meaning.

5 When you want to say that you are almost certain that something has happened, you use 'must have', followed by a past participle.

This article <u>must have been</u> written by a woman.
We <u>must have taken</u> the wrong road.

To say that you do not think that something has happened, you use 'can't have', followed by a past participle.

You <u>can't have forgotten</u> me.
He <u>can't have said</u> that.

6 You use 'will' or '-'ll' to say that something is certain to happen in the future.

People <u>will</u> always say the things you want to hear.
They'<u>ll</u> manage.

You use 'will not' or 'won't' to say that something is certain not to happen.

You <u>won't</u> get much sympathy from them.

7 There are several ways of talking about probability and certainty without using modals. For example, you can use:

• 'bound to' followed by the base form of a verb

It was <u>bound to</u> happen.
You're <u>bound to</u> make a mistake.

• an adjective such as 'certain', 'likely', 'sure', or 'unlikely', followed by a 'to'-infinitive clause or a 'that'-clause

They were <u>certain</u> that you were defeated.
I am not <u>likely</u> to forget it.

Κεντρικά σημεία

Χρησιμοποιείτε το «can» όταν αναφέρεστε σε ικανότητα στο παρόν και στο μέλλον.

Χρησιμοποιείτε το «could» όταν αναφέρεστε σε ικανότητα στο παρελθόν.

Χρησιμοποιείτε το «be able to» όταν αναφέρεστε στο παρόν, το μέλλον και στο παρελθόν.

1 | You use 'can' to say that someone has the ability to do something.

> *You can all read and write.*
> *Anybody can become a qualified teacher.*

You use 'cannot' or 'can't' to say that they do not have the ability to do something.

> *He cannot dance.*

2 | When you want to talk about someone's ability in the past as a result of a skill they had or did not have, you use 'could', 'could not', or 'couldn't'.

> *He could run faster than anyone else.*
> *A lot of them couldn't read or write.*

3 | You also use 'be able to', 'not be able to', and 'be unable to' to talk about someone's ability to do something, but 'can' and 'could' are more common.

> *She was able to tie her own shoelaces.*
> *They are not able to run very fast.*
> *Many people were unable to read or write.*

4 | You use 'was able to' and 'were able to' to say that someone managed to do something in a particular situation in the past.

> *After treatment he was able to return to work.*
> *The farmers were able to pay the new wages.*
> *We were able to find time to discuss it.*

⊖ WARNING: You do not normally use 'could' to say that someone managed to do something in a particular situation. However, you can use 'could not' or 'couldn't' to say that someone did not manage to do something in a particular situation.

> *We couldn't stop laughing.*
> *I just couldn't think of anything to say.*

5 When you want to say that someone had the ability to do something in the past, but did not do it, you use 'could have' followed by a past participle.

> You _could have given_ it all to me.
> You know, she _could have done_ French.

You often use this form when you want to express disapproval about something that was not done.

> You _could have been_ a little bit tidier.
> You _could have told_ me!

6 You use 'could not have' or 'couldn't have' followed by a past participle to say that it is not possible that someone had the ability to do something.

> I _couldn't have gone_ with you, because I was in London at the time.
> She _couldn't have taken_ the car, because Jim was using it.

7 In most cases, you can choose to use 'can' or 'be able to'. However, you sometimes have to use 'be able to'. You have to use 'be able to' if you are using another modal, or if you want to use an '-ing' form, a past participle, or a 'to'-infinitive.

> Nobody else _will be able to_ read it.
> …the satisfaction of _being able to_ do the job.
> I don't think I'd have _been able to_ get an answer.
> You're foolish to expect _to be able to_ do that.

8 You also use 'can' or 'could' with verbs such as 'see', 'hear', and 'smell' to say that someone is or was aware of something through one of their senses.

> I _can smell_ gas.
> I _can't see_ her.
> I _could see_ a few stars in the sky.
> There was such a noise we _couldn't hear._

Permission

Κεντρικά σημεία

Χρησιμοποιείτε το «can» ή το «be allowed to» όταν αναφέρεστε στο αν κάποιος έχει την άδεια να κάνει ή να μην κάνει κάτι.

Χρησιμοποιείτε συνήθως το «can» για να δώσετε σε κάποιον την άδεια να κάνει κάτι.

Χρησιμοποιείτε συνήθως το «can» ή το «could» για να ζητήσετε την άδεια να κάνετε κάτι.

1 You use 'can' to say that someone is allowed to do something. You use 'cannot' or 'can't' to say that they are not allowed to do it.

Students <u>can</u> take a year away from university.
Children <u>cannot</u> bathe except in the presence of two lifesavers.

You use 'could' to say that someone was allowed to do something in the past. You use 'could not' or 'couldn't' to say that they were not allowed to do it.

We <u>could</u> go to any part of the island we wanted.
Both students and staff <u>could</u> use the swimming pool.
We <u>couldn't</u> go into the library after 5 pm.

2 You also use 'be allowed to' when you are talking about permission, but not when you are asking for it or giving it.

When Mr Wilt asks for a solicitor he will <u>be allowed to</u> see one.
It was only after several months that I <u>was allowed to</u> visit her.
You're not <u>allowed to</u> use calculators in exams.

3 In more formal situations, 'may' is used to say that someone is allowed to do something, and 'may not' is used to say that they are not allowed to do it.

They <u>may</u> do exactly as they like.
The retailer <u>may not</u> sell that book below the publisher's price.

4 When you want to give someone permission to do something, you use 'can'.

You <u>can</u> borrow that pen if you want to.
You <u>can</u> go off duty now.
She <u>can</u> go with you.

'May' is also used to give permission, but this is more formal.

You <u>may</u> speak.
You <u>may</u> leave as soon as you have finished.

Άδεια

5 When you want to refuse someone permission to do something, you use 'cannot', 'can't', 'will not', 'won't', 'shall not', or 'shan't'.

> *'Can I have some sweets?' – 'No, you <u>can't!</u>'*
> *'I'll just go upstairs.' – 'You <u>will not!</u>'*
> *You <u>shan't</u> leave without my permission.*

6 When you are asking for permission to do something, you use 'can' or 'could'. If you ask in a very simple and direct way, you use 'can'.

> *<u>Can</u> I ask a question?*
> *<u>Can</u> we have something to wipe our hands on please?*

'Could' is more polite than 'can'.

> *<u>Could</u> I just interrupt a minute?*
> *<u>Could</u> we put this fire on?*

'May' is also used to ask permission, but this is more formal.

> *<u>May</u> I have a cigarette?*

'Might' is rather old-fashioned and is not often used in modern English in this way.

> *<u>Might</u> I inquire if you are the owner?*

7 You have to use 'be allowed to' instead of a modal if you are using another modal, or if you want to use an '-ing' form, a past participle, or a 'to'-infinitive.

> *Teachers <u>will be allowed to</u> decide for themselves.*
> *I am strongly in favour of people <u>being allowed to</u> put on plays.*
> *They have not <u>been allowed to</u> come.*
> *We were going <u>to be allowed to</u> travel on the trains.*

Κεντρικά σημεία

Χρησιμοποιείτε το «could you» όταν ζητάτε ευγενικά από κάποιον να κάνει κάτι.

Τα προστακτικά δεν είναι πολύ ευγενικά.

Μπορείτε να χρησιμοποιήσετε επίσης το «Could you» [θα μπορούσατε] όταν ζητάτε από κάποιον να σας βοηθήσει.

Χρησιμοποιείτε το «I would like» [θα ήθελα], το «Would you mind» [θα σας πείραζε], το «Do you think you could» [νομίζετε ότι θα μπορούσατε] και το «I wonder if you could» [άραγε θα μπορούσατε] για παρακλήσεις.

1 When you want to tell someone to do something, you can use 'Could you', 'Will you', and 'Would you'. 'Could you' is very polite.

> _Could you_ make out her bill, please?
> _Could you_ just switch on the light behind you?

'Will you' and 'Would you' are normally used by people in authority. 'Would you' is more polite than 'Will you'.

> _Would you_ tell her that Adrian phoned?
> _Will you_ please leave the room?

Note that although these sentences look like questions ('Will you', not 'You will'), they are not really questions.

2 If someone in authority wants to tell someone to do something, they sometimes say 'I would like you to do this' or 'I'd like you to do this'.

> Penelope, I _would like_ you to get us the files.
> I'_d like_ you to finish this work by Thursday.

3 You can use an imperative to tell someone to do something, but this is not very polite.

> _Stop_ her.
> _Go_ away, all of you.

However, imperatives are commonly used when talking to people you know very well.

> _Come_ here, love.
> _Sit down_ and let me get you a drink.

Οδηγίες και παρακλήσεις

You often use imperatives in situations of danger or urgency.

> _Look out!_ There's a car coming.
> _Put_ it _away_ before Mum sees you.

4 When you want to ask someone to help you, you use 'Could you', 'Would you', 'Can you', or 'Will you'. 'Could you' and 'Would you' are used in formal situations, or when you want to be very polite, for example because you are asking for something that requires a lot of effort. 'Could you' is more polite than 'Would you'.

> _Could you_ show me how to do this?
> _Would you_ do me a favour?

'Will you' and 'Can you' are used in informal situations, especially when you are not asking for something that requires a lot of effort.

> _Will you_ post this for me on your way to work?
> _Can you_ make me a copy of that?

5 You also use 'I would like' or 'I'd like', followed by a 'to'-infinitive or a noun group, to make a request.

> _I would like_ to ask you one question.
> _I'd like_ steak and chips, please.

6 You can also make a request by using:

- 'Would you mind', followed by an '-ing' form

> _Would you mind_ doing the washing up?
> _Would you mind_ waiting a moment?

- 'Do you think you could', followed by the base form of a verb

> _Do you think you could_ help me?

- 'I wonder if you could', followed by the base form of a verb

> _I wonder if you could_ look after my cat for me while I'm away?

Suggestions

Κεντρικά σημεία

Χρησιμοποιείτε το «could», το «couldn't» ή το «shall» όταν κάνετε μία υπόδειξη.

Χρησιμοποιείτε το «Shall we» [θέλετε να] όταν προτείνετε να κάνετε κάτι με κάποιον.

Χρησιμοποιείτε το «You might like» [ίσως θα σας άρεσε να] ή το «You might want» [ίσως θα θέλατε να] όταν κάνετε ευγενικές υποδείξεις.

Χρησιμοποιείτε το «may as well» [είναι καλύτερα να] ή το «might as well» [θα ήταν καλύτερα να] όταν προτείνετε μία συνετή ενέργεια.

Χρησιμοποιείτε το «What about» [τι θα λέγατε], το «Let's» [ας], το «Why don't» [γιατί δεν] και το «Why not» [γιατί όχι] όταν κάνετε υποδείξεις.

---

1 You use 'could' to suggest doing something.

You could phone her.
She could go into research.
We could go on Friday.

You also use 'couldn't' in a question to suggest doing something.

Couldn't you just build some more factories?
Couldn't we do it at the weekend?

2 You use 'Shall we' to suggest doing something with somebody else.

Shall we go and see a film?
Shall we talk about something different now?

You use 'Shall I' to suggest doing something yourself.

Shall I contact the Chairman?

3 You use 'You might', followed by a verb meaning 'like' or 'want', to make a suggestion in a very polite way.

I thought perhaps you might like to come along with me.
You might want to try another shop.

You can also do this using 'It might be', followed by a noun group or an adjective, and a 'to'-infinitive.

> I think _it might be a good idea_ to stop recording now.
> _It might be wise_ to get a new car.

4 You use 'may as well' or 'might as well' to suggest doing something, but only because it seems the sensible thing to do, or because there is no reason not to do it.

> You _may as well_ open them all.
> He _might as well_ take the car.

5 You can also make a suggestion by using:

- 'What about' or 'How about' followed by an '-ing' form

> _What about going_ to Judy's?
> _How about using_ my car?

- 'Let's' followed by the base form of a verb

> _Let's go_ outside.

- 'Why don't I', 'Why don't you' or 'Why don't we' followed by the base form of a verb

> _Why don't I pick_ you _up_ at seven?
> _Why don't you write_ to her yourself?
> _Why don't we just give_ them what they want?

- 'Why not' followed by the base form of a verb

> _Why not bring_ him along?
> _Why not try_ both?

Offers and invitations

Κεντρικά σημεία

Χρησιμοποιείτε το «Would you like» [Θα θέλατε να] για να προσφέρετε κάτι σε κάποιον ή για να τους προσκαλέσετε να κάνουν κάτι.

Χρησιμοποιείτε το «Can I» [μπορώ να], «Could I» [θα μπορούσα να] και το «Shall I» [να] όταν προσφέρεστε να βοηθήσετε κάποιον.

1 When you are offering something to someone, or inviting them to do something, you use 'Would you like'.

> *Would you like a drink?*
> *Would you like to come for a meal?*

You can use 'Will you' to offer something to someone you know quite well, or to give an invitation in a fairly informal way.

> *Will you have another biscuit, Dave?*
> *Will you come to my party on Saturday?*

2 You use 'Can I' or 'Could I' when you are offering to do something for someone. 'Could I' is more polite.

> *Can I help you with the dishes?*
> *Could I help you carry those bags?*

You also use 'Shall I' when you are offering to do something, especially if you are fairly sure that your offer will be accepted.

> *Shall I shut the door?*
> *Shall I spell that for you?*

3 You use 'I can' or 'I could' to make an offer when you want to say that you are able to help someone.

> *I have a car. I can take Daisy to the station.*
> *I could pay some of the rent.*

4 You also use 'I'll' to offer to do something.

> *I'll give them a ring if you like.*
> *I'll show you the hotel.*

5 You use 'You must' if you want to invite someone very persuasively to do something.

> _You must_ come round for a meal some time.
> _You must_ come and visit me.

6 There are other ways of making offers and giving invitations without using modals. For example, you can use 'Let me' when offering to help someone.

> _Let me_ take you to your room.
> _Let me_ drive you to London.

You can make an offer or give an invitation in a more informal way by using an imperative sentence, when it is clear that you are not giving an order.

> _Have_ a cigar.
> _Come_ to my place.

You can add emphasis by putting 'do' in front of the verb.

> _Do have_ a chocolate biscuit.
> _Do help_ yourselves.

You can also give an invitation by using 'Why don't you' or 'How about'.

> _Why don't you_ come to lunch tomorrow?
> _How about_ coming with us to the party?

Wants and wishes

Κεντρικά σημεία

Χρησιμοποιείτε το «would like» [θα ήθελα] για να εκφράσετε αυτό που θέλετε.

Χρησιμοποιείτε το «wouldn't like» [δεν θα ήθελα] για να εκφράσετε αυτό που δεν θέλετε.

Χρησιμοποιείτε το «would rather» [θα προτιμούσα] ή το «would sooner» [θα προτιμούσα] για να εκφράσετε αυτό που προτιμάτε.

Μπορείτε να χρησιμοποιήσετε και το «wouldn't mind» [δεν θα με πείραζε] για να εκφράσετε αυτό που θέλετε.

---

1 You can say what someone wants by using 'would like' followed by a 'to'-infinitive or a noun group.

> I _would like_ to know the date of the next meeting.
> John _would like_ his book back.

When the subject is a pronoun, you often use the short form '-'d' instead of 'would'.

> I'_d like_ more information about the work you do.
> We'_d like_ seats in the non-smoking section, please.

In spoken English, you can also use the short form '-'d' instead of 'would' when the subject is a noun.

> Sally'_d like_ to go to the circus.

2 You can say what someone does not want by using 'would not like' or 'wouldn't like'.

> I _would not like_ to see it.
> They _wouldn't like_ that.

3 You use 'would like' followed by 'to have' and a past participle to say that someone wishes now that something had happened in the past, but that it did not happen.

> I _would like to have felt_ more relaxed.
> She'_d like to have heard_ me first.

You use 'would have liked', followed by a 'to'-infinitive or a noun group, to say that someone wanted something to happen, but it did not happen.

> *Perhaps he <u>would have liked</u> to be a teacher.*
> *I <u>would have liked</u> more ice cream.*

Note the difference. 'Would like to have' refers to present wishes about past events. 'Would have liked' refers to past wishes about past events.

4 You can also use 'would hate', 'would love', or 'would prefer', followed by a 'to'-infinitive or a noun group.

> *I <u>would hate</u> to move to another house now.*
> *I <u>would prefer</u> a cup of coffee.*

Note that 'would enjoy' is followed by a noun group or an '-ing' form, not by a 'to'-infinitive.

> *I <u>would enjoy a bath</u> before we go.*
> *I <u>would enjoy seeing</u> him again.*

5 You can use 'would rather' or 'would sooner' followed by the base form of a verb to say that someone prefers one situation to another.

> *He'<u>d rather</u> be playing golf.*
> *I'<u>d sooner</u> walk than take the bus.*

6 You use 'I wouldn't mind', followed by an '-ing' form or a noun group, to say that you would like to do or have something.

> *I <u>wouldn't mind</u> being the manager of a store.*
> *I <u>wouldn't mind</u> a cup of tea.*

Κεντρικά σημεία

Χρησιμοποιείτε το «have to» [πρέπει να], το «must» [πρέπει να] και το «mustn't» [δεν θα έπρεπε να] όταν αναφέρεστε σε υποχρέωση και ανάγκη στο παρόν και το μέλλον.

Χρησιμοποιείτε το «had to» [έπρεπε να] όταν αναφέρεστε σε υποχρέωση και ανάγκη στο παρελθόν.

Χρησιμοποιείτε το βοηθητικό «do» με το «have to» όταν κάνετε ερωτήσεις.

Χρησιμοποιείτε το «have got to» [πρέπει να] στην καθομιλουμένη Αγγλική.

---

1 When you want to say that someone has an obligation to do something, or that it is necessary for them to do it, you use 'must' or 'have to'.

You __must__ come to the meeting tomorrow.
The plants __must__ have plenty of sunshine.
He __has to__ travel to find work.

2 There is sometimes a difference between 'must' and 'have to'. When you are stating your own opinion that something is an obligation or a necessity, you normally use 'must'.

I __must__ be very careful not to upset him.
We __must__ eat before we go.
He __must__ stop working so hard.

When you are giving information about what someone else considers to be an obligation or a necessity, you normally use 'have to'.

They __have to__ pay the bill by Thursday.
She __has to__ go now.

Note that you normally use 'have to' for things that happen repeatedly, especially with adverbs of frequency such as 'often', 'always', and 'regularly'.

I always __have to__ do the shopping.
You often __have to__ wait a long time for a bus.

3 You use 'must not' or 'mustn't' to say that it is important that something is not done or does not happen.

You __must not__ talk about politics.
They __mustn't__ find out that I came here.

Note that 'must not' does not mean the same as 'not have to'. If you 'must not' do something, it is important that you do not do it.

If you 'do not have to' do something, it is not necessary for you to do it, but you can do it if you want.

⊖ WARNING: You only use 'must' for obligation and necessity in the present and the future. When you want to talk about obligation and necessity in the past, you use 'had to' rather than 'must'.

She <u>had to</u> catch the six o'clock train.
I <u>had to</u> wear a suit.

4 You use 'do', 'does', or 'did' when you want to make a question using 'have to' and 'not have to'.

How often <u>do</u> you <u>have to</u> buy petrol for the car?
<u>Does</u> he <u>have to</u> take so long to get ready?
What <u>did</u> you <u>have to</u> do?
<u>Don't</u> you <u>have to</u> be there at one o'clock?

⊖ WARNING: You do not normally form questions like these by putting a form of 'have' before the subject. For example, you do not normally say 'How often have you to buy petrol?'

5 In informal English, you can use 'have got to' instead of 'have to'.

You'<u>ve</u> just <u>got to</u> make sure you tell him.
She'<u>s got to</u> see the doctor.
<u>Have</u> you <u>got to</u> go so soon?

⊖ WARNING: You normally use 'had to', not 'had got to', for the past.

He <u>had to</u> know.
I <u>had to</u> lend him some money.

6 You can only use 'have to', not 'must', if you are using another modal, or if you want to use an '-ing' form, a past participle, or a 'to'-infinitive.

They <u>may have to</u> be paid by cheque.
She grumbled a lot about <u>having to</u> stay abroad.
I would have <u>had to</u> go through London.
He doesn't like <u>to have to</u> do the same job every day.

Obligation and necessity 2

Κεντρικά σημεία

Χρησιμοποιείτε το «need to» [χρειάζομαι να] όταν αναφέρεστε σε ανάγκη.

Χρησιμοποιείτε το «don't have to» [δεν χρειάζεται να], το «don't need to» [δεν χρειάζεται να], «haven't got to» [δεν χρειάζεται να] ή το «needn't» [δεν χρειάζεται να] για να εκφράσετε ότι δεν είναι ανάγκη να κάνετε κάτι.

Χρησιμοποιείτε το «needn't» για να δώσετε άδεια σε κάποιον να μην κάνει κάτι.

Χρησιμοποιείτε το «need not have» [δεν χρειάστηκε], το «needn't have» [δεν χρειάστηκε], το «didn't need to» [δεν χρειάστηκε] ή το «didn't have to» [δεν χρειάστηκε] για να εκφράσετε ότι δεν ήταν απαραίτητο να κάνετε κάτι στο παρελθόν.

1 You can use 'need to' to talk about the necessity of doing something.

You might <u>need to</u> see a doctor.
A number of questions <u>need to</u> be asked.

2 You use 'don't have to' when there is no obligation or necessity to do something.

Many women <u>don't have to</u> work.
You <u>don't have to</u> learn any new typing skills.

You can also use 'don't need to', 'haven't got to', or 'needn't' to say that there is no obligation or necessity to do something.

You <u>don't need to</u> buy anything.
I <u>haven't got to</u> go to work today.
I can pick John up. You <u>needn't</u> bother.

3 You also use 'needn't' when you are giving someone permission not to do something.

You <u>needn't</u> say anything if you don't want to.
You <u>needn't</u> stay any longer tonight.

Υποχρέωση και ανάγκη 2

4 You use 'need not have' or 'needn't have' and a past participle to say that some-one did something which was not necessary. You are often implying that the person did not know at the time that their action was not necessary.

> I _needn't have_ waited until the game began.
> Nell _needn't have_ worked.
> They _needn't have_ worried about Reagan.

5 You use 'didn't need to' to say that something was not necessary, and that it was known at the time that the action was not necessary. You do not know if the action was done, unless you are given more information.

> They _didn't need_ to talk about it.
> I _didn't need_ to worry.

6 You also use 'didn't have to' to say that it was not necessary to do something.

> He _didn't have to_ speak.
> Bill and I _didn't have to_ pay.

7 You cannot use 'must' to refer to the past, so when you want to say that it was important that something did not happen or was not done, you use other expressions.

You can say 'It was important not to', or use phrases like 'had to make sure' or 'had to make certain' in a negative sentence.

> It was _important_ not to take the game too seriously.
> It was _necessary_ that no one was aware of being watched.
> You _had to make sure_ that you didn't spend too much.
> We _had to_ do our best to _make certain_ that it wasn't out of date.

Mild obligation and advice

Κεντρικά σημεία

Χρησιμοποιείτε το «should» και το «ought» όταν αναφέρεστε σε μικρές υποχρεώσεις.

Χρησιμοποιείτε το «should have» [θα έπρεπε να] και το «ought to have» [όφειλα να] για να εκφράσετε ότι είχατε μία μικρή υποχρέωση να κάνετε κάτι στο παρελθόν, αλλά δεν έγινε.

Μπορείτε να χρησιμοποιήσετε το «had better» [θα ήταν καλύτερα να] όταν αναφέρεστε σε μικρή υποχρέωση.

1 You can use 'should' and 'ought' to talk about a mild obligation to do something. When you use 'should' and 'ought', you are saying that the feeling of obligation is not as strong as when you use 'must'.

'Should' and 'ought' are very common in spoken English.

'Should' is followed by the base form of a verb, but 'ought' is followed by a 'to'-infinitive.

When you want to say that there is a mild obligation not to do something, you use 'should not', 'shouldn't', 'ought not', or 'oughtn't'.

2 You use 'should' and 'ought' in three main ways:

• when you are talking about what is a good thing to do, or the right thing to do.

We <u>should</u> send her a postcard.
We <u>shouldn't</u> spend all the money.
He <u>ought</u> to come more often.
You <u>ought not</u> to see him again.

• when you are trying to advise someone about what to do or what not to do.

You <u>should</u> claim your pension 3-4 months before you retire.
You <u>shouldn't</u> use a detergent.
You <u>ought</u> to get a new TV.
You <u>oughtn't</u> to marry him.

• when you are giving or asking for an opinion about a situation. You often use 'I think', 'I don't think', or 'Do you think' to start the sentence.

I think that we <u>should</u> be paid more.
I don't think we <u>ought</u> to grumble.
Do you think he <u>ought not</u> to go?
What do you think we <u>should</u> do?

3 | You use 'should have' or 'ought to have' and a past participle to say that there was a mild obligation to do something in the past, but that it was not done. For example, if you say 'I should have given him the money yesterday', you mean that you had a mild obligation to give him the money yesterday, but you did not give it to him.

> I _should have_ finished my drink and gone home.
> You _should have_ realised that he was joking.
> We _ought to have_ stayed in tonight.
> They _ought to have_ taken a taxi.

You use 'should not have' or 'ought not to have' and a past participle to say that it was important not to do something in the past, but that it was done. For example, if you say 'I should not have left the door open', you mean that it was important that you did not leave the door open, but you did leave it open.

> I _should not have_ said that.
> You _shouldn't have_ given him the money.
> They _ought not to have_ told him.
> She _oughtn't to have_ sold the ring.

4 | You use 'had better' followed by a base form to indicate mild obligation to do something in a particular situation. You also use 'had better' when giving advice or when giving your opinion about something. The negative is 'had better not'.

> I think I _had better_ show this to you now.
> You'_d better_ go tomorrow.
> I'_d better not_ look at this.

⚊ WARNING: The correct form is always 'had better' (not 'have better'). You do not use 'had better' to talk about mild obligation in the past, even though it looks like a past form.

Defining relative clauses

Κεντρικά σημεία

Χρησιμοποιείτε τις περιοριστικές αναφορικές προτάσεις για να εκφράσετε ακριβώς σε ποιο πρόσωπο ή πράγμα αναφέρεστε.

Οι περιοριστικές αναφορικές προτάσεις εισάγονται συνήθως από τις αναφορικές αντωνυμίες, όπως το «that», το «which», το «who», το «whom» ή το «whose».

Η περιοριστική αναφορική πρόταση ακολουθεί αμέσως μετά το ουσιαστικό και χρειάζεται μια κύρια πρόταση για να είναι ολοκληρωμένη περίοδος.

1 You use defining relative clauses to give information that helps to identify the person or thing you are talking about.

The man <u>who you met yesterday</u> was my brother.
The car <u>which crashed into me</u> belonged to Paul.

When you are talking about people, you use 'that' or 'who' in the relative clause.

He was the man <u>that</u> bought my house.
You are the only person here <u>who</u> knows me.

When you are talking about things, you use 'that' or 'which' in the relative clause.

There was ice cream <u>that</u> Mum had made herself.
I will tell you the first thing <u>which</u> I can remember.

2 'That', 'who', or 'which' can be:

• the subject of the verb in the relative clause

The thing <u>that</u> really surprised me was his attitude.
The woman <u>who</u> lives next door is very friendly.
The car <u>which</u> caused the accident drove off.

• the object of the verb in the relative clause

The thing <u>that</u> I really liked about it was its size.
The woman <u>who</u> you met yesterday lives next door.
The car <u>which</u> I wanted to buy was not for sale.

In formal English, 'whom' is used instead of 'who' as the object of the verb in the relative clause.

She was a woman <u>whom</u> I greatly respected.

3 You can leave out 'that', 'who', or 'which' when they are the object of the verb in the relative clause.

> *The woman you met yesterday lives next door.*
> *The car I wanted to buy was not for sale.*
> *The thing I really liked about it was its size.*

⊖ WARNING: You cannot leave out 'that', 'who', or 'which' when they are the subject of the verb in the relative clause. For example, you say 'The woman who lives next door is very friendly'. You do not say 'The woman lives next door is very friendly'.

4 A relative pronoun in a relative clause can be the object of a preposition. Usually the preposition goes at the end of the clause.

> *I wanted to do the job <u>which</u> I'd been training <u>for.</u>*
> *The house <u>that</u> we lived <u>in</u> was huge.*

You can often omit a relative pronoun that is the object of a preposition.

> *Angela was the only person <u>I could talk to.</u>*
> *She's the girl <u>I sang the song for.</u>*

The preposition always goes in front of 'whom', and in front of 'which' in formal English.

> *These are the people <u>to whom</u> Catherine was referring.*
> *He was asking questions <u>to which</u> there were no answers.*

5 You use 'whose' in relative clauses to indicate who something belongs to or relates to. You normally use 'whose' for people, not for things.

> *A child <u>whose</u> mother had left him was crying loudly.*
> *We have only told the people <u>whose</u> work is relevant to this project.*

6 You can use 'when', 'where', and 'why' in defining relative clauses after certain nouns. You use 'when' after 'time' or time words such as 'day' or 'year'. You use 'where' after 'place' or place words such as 'room' or 'street'. You use 'why' after 'reason'.

> *There had been <u>a time when</u> she hated all men.*
> *This is <u>the year when</u> profits should increase.*
> *He showed me <u>the place where</u> they work.*
> *That was <u>the room where</u> I did my homework.*
> *There are several <u>reasons why</u> we can't do that.*

Non-defining clauses

Κεντρικά σημεία

Χρησιμοποιείτε τις προσθετικές αναφορικές προτάσεις για να δώσετε περισσότερες πληροφορίες για το πρόσωπο ή το πράγμα στο οποίο αναφέρεστε.

Οι προσθετικές αναφορικές προτάσεις πρέπει να εισάγονται από τις αναφορικές αντωνυμίες, όπως το «that», το «which», το «who», το «whom» ή το «whose».

Η προσθετική αναφορική πρόταση ακολουθεί αμέσως μετά το ουσιαστικό και χρειάζεται την κύρια πρόταση για να είναι ολοκληρωμένη περίοδος.

1 You use non-defining relative clauses to give extra information about the person or thing you are talking about. The information is not needed to identify that person or thing.

Professor Marvin, who was always early, was there already.

'Who was always early' gives extra information about Professor Marvin. This is a non-defining relative clause, because it is not needed to identify the person you are talking about. We already know that you are talking about Professor Marvin.

Note that in written English, a non-defining relative clause is usually separated from the main clause by a comma, or by two commas.

I went to the cinema with Mary, who I think you met.
British Rail, which has launched an enquiry, said one coach was badly damaged.

2 You always start a non-defining relative clause with a relative pronoun. When you are talking about people, you use 'who'. 'Who' can be the subject or object of a non-defining relative clause.

Heath Robinson, who died in 1944, was a graphic artist and cartoonist.
I was in the same group as Janice, who I like a lot.

In formal English, 'whom' is sometimes used instead of 'who' as the object of a non-defining relative clause.

She was engaged to a sailor, whom she had met at Dartmouth.

Προσθετικές αναφορικές προτάσεις

3 When you are talking about things, you use 'which' as the subject or object of a non-defining relative clause.

> *I am teaching at the Selly Oak centre, <u>which</u> is just over the road.*
> *He was a man of considerable inherited wealth, <u>which</u> he ultimately spent on his experiments.*

⊖ WARNING: You do not normally use 'that' in non-defining relative clauses.

4 You can also use a non-defining relative clause beginning with 'which' to say something about the whole situation described in a main clause.

> *I never met Brando again, <u>which</u> was a pity.*
> *She was a little tense, <u>which</u> was understandable.*
> *Small computers need only small amounts of power, <u>which</u> means that they will run on small batteries.*

5 When you are talking about a group of people or things and then want to say something about only some of them, you can use one of the following expressions:

many of which	many of whom	none of which	none of whom
one of which	one of whom	some of which	some of whom

> *They were all friends, <u>many of whom</u> had known each other for years.*
> *He talked about several very interesting people, <u>some of whom</u> he was still in contact with.*

6 You can use 'when' and 'where' in non-defining relative clauses after expressions of time or place.

> *This happened in 1957, <u>when</u> I was still a baby.*
> *She has just come back from a holiday in Crete, <u>where</u> Alex and I went last year.*

Place and direction

Κεντρικά σημεία

Αυτή η κατηγορία περιλαμβάνει λέξεις όπως το «above» [πάνω από], το «below» [κάτω από], το «down» [κάτω], το «from» [από], το «to» [προς], το «towards» [κατά] και το «up» [πάνω].

Χρησιμοποιείτε συνήθως εμπρόθετες φράσεις για να δηλώσετε που βρίσκεται ένα πρόσωπο ή πράγμα ή την κατεύθυνση προς την οποία κινείται.

Μπορείτε να χρησιμοποιήσετε επίσης επιρρήματα και επιρρηματικές φράσεις για τον προσδιορισμό του τόπου και της κατεύθυνσης.

Πολλές λέξεις είναι και προθέσεις και επιρρήματα.

1 You use prepositions to talk about the place where someone or something is. Prepositions are always followed by a noun group, which is called the object of the preposition.

above	among	at	behind	below	beneath	beside
between	in	inside	near	on	opposite	outside
over	round	through	under	underneath		

He stood <u>near</u> the door.
Two minutes later we were safely <u>inside</u> the taxi.

Note that some prepositions consist of more than one word.

in between	in front of	next to	on top of

There was a man standing <u>in front of</u> me.
The books were piled <u>on top of</u> each other.

2 You can also use prepositions to talk about the direction that someone or something is moving in, or the place that someone or something is moving towards.

across	along	back to	down	into	onto	out of
past	round	through	to	towards	up	

They dived <u>into</u> the water.
She turned and rushed <u>out of</u> the room.

3 Many prepositions can be used both for place and direction.

The bank is just <u>across</u> the High Street. (place)

> *I walked <u>across</u> the room.* (direction)
> *We live in the house <u>over</u> the road.* (place)
> *I stole his keys and escaped <u>over</u> the wall.* (direction)

4 | You can also use adverbs and adverb phrases for place and direction.

abroad	away	downstairs	downwards	here	indoors
outdoors	there	underground	upstairs	anywhere	everywhere
nowhere	somewhere				

> *Sheila was <u>here</u> a moment ago.*
> *Can't you go <u>upstairs</u> and turn the bedroom light off?*

Note that a few noun groups can also be used as adverbials of place or direction.

> *Steve lives <u>next door</u> at number 23.*
> *I thought we went <u>the other way</u> last time.*

5 | Many words can be used as prepositions and as adverbs, with no difference in meaning. Remember that prepositions have noun groups as objects, but adverbs do not.

> *Did he fall <u>down the stairs?</u>*
> *Please do sit <u>down.</u>*
> *I looked <u>underneath the bed,</u> but the box had gone!*
> *Always put a sheet of paper <u>underneath.</u>*

Place – 'at', 'in', 'on'

Κεντρικά σημεία

Χρησιμοποιείτε το «at» [σε] όταν αναφέρεστε σε ένα μέρος ως σημείο.

Χρησιμοποιείτε το «in» όταν αναφερόσαστε σε ένα μέρος ως περιοχή.

Χρησιμοποιείτε το «on» όταν αναφέρεστε σε ένα μέρος ως επιφάνεια.

1 You use 'at' when you are thinking of a place as a point in space.

She waited <u>at the bus stop</u> for over twenty minutes.
'Where were you last night?' – '<u>At Mick's house.</u>'

2 You also use 'at' with words such as 'back', 'bottom', 'end', 'front', and 'top' to talk about the different parts of a place.

Mrs Castle was waiting <u>at the bottom</u> of the stairs.
They escaped by a window <u>at the back</u> of the house.
I saw a taxi <u>at the end</u> of the street.

You use 'at' with public places and institutions. Note that you also say 'at home' and 'at work'.

I have to be <u>at the station</u> by ten o'clock.
We landed <u>at a small airport.</u>
A friend of mine is <u>at Training College.</u>
She wanted to stay <u>at home.</u>

You say 'at the corner' or 'on the corner' when you are talking about streets.

The car was parked <u>at the corner</u> of the street.
There's a telephone box <u>on the corner.</u>

You say 'in the corner' when you are talking about a room.

She put the chair <u>in the corner</u> of the room.

3 You use 'in' when you are talking about a place as an area. You use 'in' with:

• a country or geographical region

When I was <u>in Spain,</u> it was terribly cold.
A thousand homes <u>in the east of Scotland</u> suffered power cuts.

Τόπος - at, in, on

- a city, town, or village

  I've been teaching at a college <u>in London.</u>

- a building when you are talking about people or things inside it

  They were sitting having dinner <u>in the restaurant.</u>

You also use 'in' with containers of any kind when talking about things inside them.

  She kept the cards <u>in a little box.</u>

4 Compare the use of 'at' and 'in' in these examples.

  I had a hard day <u>at the office.</u> ('at' emphasizes the office as a public place or institution)
  I left my coat behind <u>in the office.</u> ('in' emphasizes the office as a building)
  There's a good film <u>at the cinema.</u> ('at' emphasizes the cinema as a public place)
  It was very cold <u>in the cinema.</u> ('in' emphasizes the cinema as a building.)

5 When talking about addresses, you use 'at' when you give the house number, and 'in' when you just give the name of the street.

  They used to live <u>at 5, Weston Road.</u>
  She got a job <u>in Oxford Street.</u>

Note that American English uses 'on': 'He lived on Penn Street.'

You use 'at' when you are talking about someone's house.

  I'll see you <u>at Fred's house.</u>

6 You use 'on' when you are talking about a place as a surface. You can also use 'on top of'.

  I sat down <u>on the sofa.</u>
  She put her keys <u>on top of the television.</u>

You also use 'on' when you are thinking of a place as a point on a line, such as a road, a railway line, a river, or a coastline.

  Scrabster is <u>on the north coast.</u>
  Oxford is <u>on the A34</u> between Birmingham and London.

▶ See Unit 39 for information on 'at', 'in', and 'on' in adverbials of time.

Κεντρικά σημεία

Στην κατηγορία αυτή περιλαμβάνονται φράσεις όπως το «by bus» [με λεωφορείο], το «in a car» [σε αυτοκίνητο], «on the plane» [στο αεροπλάνο] και το «off the train» [απ'το τρένο].

Μπορείτε να χρησιμοποιήσετε το «by» [με/δια] για τα περισσότερα μέσα μεταφοράς.

Χρησιμοποιείτε το «in», το «into», και το «out of» για τα αυτοκίνητα.

Χρησιμοποιείτε συνήθως το «on», το «onto» και το «off» για άλλα μέσα μεταφοράς.

1 When you talk about the type of vehicle or transport you use to travel somewhere, you use 'by'.

by bus	by bicycle	by car	by coach	by plane	by train

She had come <u>by car</u> with her husband and her four children.
I left Walsall in the afternoon and went <u>by bus and train</u> to Nottingham.

⊖ WARNING: If you want to say you walk somewhere, you say you go 'on foot'. You do not say 'by foot'.

Marie decided to continue <u>on foot.</u>

2 You use 'in', 'into', and 'out of' when you are talking about cars, vans, lorries, taxis, and ambulances.

I followed them <u>in my car.</u>
The carpets had to be collected <u>in a van.</u>
Mr Ward happened to be getting <u>into his lorry.</u>
She was carried <u>out of the ambulance</u> and up the steps.

3 You use 'on', 'onto', and 'off' when you are talking about other forms of transport, such as buses, coaches, trains, ships, and planes.

Why don't you come <u>on the train</u> with me to New York?
Peter Hurd was already <u>on the plane</u> from California.
The last thing he wanted was to spend ten days <u>on a boat</u> with Hooper.

He jumped back <u>onto the old bus,</u> now nearly empty.
Mr Bixby stepped <u>off the train</u> and walked quickly to the exit.

You can use 'in', 'into', and 'out of' with these other forms of transport, usually when you are focusing on the physical position or movement of the person, rather than stating what form of transport they are using.

The passengers <u>in the plane</u> were beginning to panic.
He got back <u>into the train</u> quickly, before Batt could stop him.
We jumped <u>out of the bus</u> and ran into the nearest shop.

Phrasal verbs

Κεντρικά σημεία

Το περιφραστικό ρήμα είναι ο συνδυασμός ενός ρήματος και ενός επιρρήματος ή μιας πρόθεσης.

Η σημασία που έχει συνήθως το ρήμα αλλάζει κατά κανόνα.

Τα περιφραστικά ρήματα χρησιμοποιούνται σε τέσσερις κύριες γλωσσικές δομές.

---

1 Phrasal verbs are verbs that combine with adverbs or prepositions. The adverbs and prepositions are called particles, for example 'down', 'in', 'off', 'out', and 'up'.

> *She turned off the radio.*
> *Mr Knight offered to put him up.*

2 Phrasal verbs extend the usual meaning of the verb or create a new meaning. For example, if you 'break' something, you damage it, but if you 'break out of' a place, you escape from it.

> *They broke out of prison on Thursday night.*
> *The pain gradually wore off.*

3 Phrasal verbs are normally used in one of four main structures. In the first structure, the verb is followed by a particle, and there is no object.

break out	catch on	check up	come in	get by	give in	go away
grow up	look in	ring off	start out	stay up	stop off	wait up
watch out	wear off					

> *War broke out in September.*
> *You'll have to stay up late tonight.*

4 In the second structure, the verb is followed by a particle and an object.

fall for	feel for	grow on	look after	part with	pick on	set about
take after						

> *She looked after her invalid mother.*
> *Peter takes after his father but John is more like me.*

5 In the third structure, the verb is followed by an object and a particle.

answer back	ask in	call back	catch out	count in	invite out
order about	tell apart				

I <u>answered him back</u> and took my chances.
He loved to <u>order people about.</u>

6 Some phrasal verbs can be used in both the second structure and the third structure: verb followed by a particle and an object, or verb followed by an object and a particle.

add on	bring up	call up	fold up	hand over
knock over	point out	pull down	put away	put up
rub out	sort out	take up	tear up	throw away try out

It took ages to <u>clean up the mess.</u>
It took ages to <u>clean the mess up.</u>
There was such a mess. It took ages to <u>clean it up.</u>

⊖ WARNING: If the object is a pronoun, it must go in front of the particle. You cannot say 'He cleaned up it'.

7 In the fourth structure, the verb is followed by a particle and a preposition with an object.

break out of	catch up with	come down with	get on with
go down with	keep on at	look forward to	make off with
miss out on	play around with	put up with	run away with
stick up for	talk down to	walk out on	

You go on ahead. I'll <u>catch up with</u> you later.
Children have to learn to <u>stick up for</u> themselves.

8 A very few verbs are used in the structure: verb followed by an object, a particle, and a preposition with its object.

do out of	let in for	put down to	put up to
take out on	talk out of		

I'll <u>take you up on</u> that generous invitation.
Kroop tried to <u>talk her out of</u> it.

179